*Depuis deux mois l'euro a remplacé
la monnaie nationale en France
et dans onze autres pays européens.
Comme les titres Benelux, Deutschland,
España & Portugal, Ireland, Italia, Paris
et Portugal de la collection Le Guide Rouge,
cette 93ᵉ édition du Guide Rouge France
parle en devise européenne.*

*Les hôteliers et les restaurateurs ont établi
tous leurs prix en euros pour l'année à venir.
Vous les trouverez ainsi dans cette édition 2002,
entièrement mise à jour par nos inspecteurs
sur le terrain.*

*Pour vous aider à « penser euro »,
Le Guide Rouge vous donne
quelques points de repère au fil de ses pages :
⊛ vous trouverez ici un menu à moins de 14 €
☺ là vous mangerez gourmand
   pour moins de 21 € en province,
   pour moins de 28 € à Paris.*

*Vous pouvez retrouver
toute la sélection du Guide Rouge France sur
www.ViaMichelin.fr
et nous faire part de vos commentaires à
leguiderouge-france@fr.michelin.com
Car plus que jamais en cette période
de transition monétaire,
Le Guide Rouge a besoin de vous :
écrivez-nous !*

Sommaire

Le choix d'un hôtel, d'un restaurant

*Ce guide vous propose une sélection d'hôtels
et restaurants établie à l'usage de l'automobiliste
de passage. Les établissements, classés
selon leur confort, sont cités par ordre de préférence
dans chaque catégorie*

Catégories

🏨🏨🏨	XXXXX	*Grand luxe et tradition*
🏨🏨	XXXX	*Grand confort*
🏨🏨	XXX	*Très confortable*
🏨	XX	*De bon confort*
🏠	X	*Assez confortable*
⚐		*Simple mais convenable*
M		*Dans sa catégorie, hôtel d'équipement moderne*
sans rest.		*L'hôtel n'a pas de restaurant*
	avec ch.	*Le restaurant possède des chambres*

Agrément et tranquillité

*Certains établissements se distinguent dans le guide
par les symboles rouges indiqués ci-après.
Le séjour dans ces hôtels se révèle particulièrement
agréable ou reposant.
Cela peut tenir d'une part au caractère de l'édifice,
au décor original, au site, à l'accueil
et aux services qui sont proposés,
d'autre part à la tranquillité des lieux.*

🏨🏨🏨 à ⚐		*Hôtels agréables*
XXXXX à X		*Restaurants agréables*
« Parc fleuri »		*Élément particulièrement agréable*
	🐿	*Hôtel très tranquille ou isolé et tranquille*
	🐿	*Hôtel tranquille*
≤ mer		*Vue exceptionnelle*
≤		*Vue intéressante ou étendue.*

*Les localités possédant des établissements agréables ou
tranquilles sont repérées sur les cartes pages 80 à 102.*

*Consultez-les pour la préparation de vos voyages
et donnez-nous vos appréciations à votre retour,
vous faciliterez ainsi nos enquêtes.*

L'installation

Les chambres des hôtels que nous recommandons possèdent, en général, des installations sanitaires complètes. Il est toutefois possible que dans les catégories 🏠 et 🏠 certaines chambres en soient dépourvues.

30 ch	Nombre de chambres
🛗	Ascenseur
▤	Air conditionné (dans tout ou partie de l'établissement)
TV	Télévision dans la chambre
🚭	Chambres réservées aux non-fumeurs
📞	Prise Modem-Minitel dans la chambre
🚾	Chambres accessibles aux handicapés physiques
🌳	Repas servis au jardin ou en terrasse
🏋	Salle de remise en forme
🏊 🏊	Piscine : de plein air ou couverte
🏖 🌴	Plage aménagée – Jardin de repos
🏞	Parc
🎾	Tennis à l'hôtel
🛏 25 à 150	Salles de conférences : capacité des salles
🚗	Garage dans l'hôtel (généralement payant)
P	Parking réservé à la clientèle
P	Parking clos réservé à la clientèle
🐕	Accès interdit aux chiens (dans tout ou partie de l'établissement)
mai-oct.	Période d'ouverture, communiquée par l'hôtelier
saisonnier	Ouverture probable en saison mais dates non précisées. En l'absence de mention, l'établissement est ouvert toute l'année.

La table

Les étoiles

*Certains établissements méritent d'être signalés
à votre attention pour la qualité de leur cuisine.
Nous les distinguons par les étoiles de bonne table.*

*Nous indiquons, pour ces établissements,
trois spécialités culinaires et des vins locaux
qui pourront orienter votre choix.*

✿✿✿ Une des meilleures tables, vaut le voyage

23   *On y mange toujours très bien, parfois merveilleusement.
Grands vins, service impeccable, cadre élégant...
Prix en conséquence.*

✿✿ Table excellente, mérite un détour

76   *Spécialités et vins de choix...
Attendez-vous à une dépense en rapport.*

✿ Une très bonne table dans sa catégorie

421   *L'étoile marque une bonne étape sur votre itinéraire.
Mais ne comparez pas l'étoile d'un établissement
de luxe à prix élevés avec celle d'une petite maison où,
à prix raisonnables,
on sert également une cuisine de qualité.*

🎖 Le "Bib Gourmand"

446   Repas soignés à prix modérés

*Vous souhaitez parfois trouver des tables
plus simples, à prix modérés ; c'est pourquoi
nous avons sélectionné des restaurants proposant,
pour un rapport qualité-prix
particulièrement favorable, un repas soigné,
souvent de type régional en province.*
Ces restaurants sont signalés par le **"Bib Gourmand"** 🎖
et Repas.
Ex. Repas 15/21 *en province.*
Ex. Repas 17/28 *à Paris et sa région.*

Consultez les listes et les cartes des étoiles de bonne table
✿✿✿, ✿✿, ✿ *et des* **"Bib Gourmand"** 🎖, *pages 68 à 102.*
Voir aussi ⬐ *page suivante*
Les vins et les mets : voir p. 63 à 67

Les prix

*Les prix indiqués dans ce guide, établis en automne 2001
sont donnés en euros (EUR). Ils s'appliquent
à la haute saison et sont susceptibles de modifications
notamment en cas de variations des prix des biens
et des services. Ils s'entendent taxes et service compris.
Aucune majoration ne doit figurer sur votre note,
sauf éventuellement la taxe de séjour.*

*Les hôtels et restaurants figurent en gros caractères
lorsque les hôteliers nous ont donné tous leurs prix
et se sont engagés, sous leur propre responsabilité,
à les appliquer aux touristes de passage
porteurs de notre guide.*

*Hors saison, certains établissements proposent
des conditions avantageuses, renseignez-vous
lors de votre réservation.*

*Entrez à l'hôtel le guide à la main, vous montrerez ainsi
qu'il vous conduit là en confiance.*

Repas

enf. 9	*Prix du menu pour enfants*
⊜	*Établissement proposant un menu simple à **moins de 14 €***

Repas à prix fixe :

Repas *(7,90)*	*Prix d'un repas composé d'un plat principal,*
accompagné d'une entrée ou d'un dessert,
généralement servi au déjeuner en semaine
13,80 (déj.)	*Menu servi au déjeuner uniquement*
16/23	*Prix du menu : minimum 16, maximum 23*
15,50/23	*Menu à prix fixe minimum 15,50 non servi les fins*
de semaine et jours fériés
bc	*Boisson comprise*
♀	*Vin servi au verre*
♨	*Vin de table en carafe*

Repas à la carte :

Repas
carte 22 à 48	*Le premier prix correspond à un repas normal*
comprenant : entrée, plat garni et dessert.
Le 2ᵉ prix concerne un repas plus complet
(avec spécialité) comprenant : deux plats,
fromage et dessert (boisson non comprise).

Chambres _____

ch 23/58   *Prix minimum 23 pour une chambre*
d'une personne et prix maximum 58
pour une chambre de deux personnes

29 ch ☕ 32/69   *Prix des chambres petit déjeuner compris*

☕ 5,60   *Prix du petit déjeuner*
(généralement servi dans la chambre)

appart.   *Se renseigner auprès de l'hôtelier*

Demi-pension _____

1/2 P 33,50/53   *Prix minimum et maximum de la demi-pension*
(chambre, petit déjeuner et un repas) par personne
et par jour, en saison ; ces prix s'entendent
pour une chambre double occupée par deux personnes,
pour un séjour de trois jours minimum.
Une personne seule occupant une chambre double
se voit parfois appliquer une majoration.
La plupart des hôtels saisonniers pratiquent
également, sur demande, la pension complète.
Dans tous les cas, il est indispensable de s'entendre
par avance avec l'hôtelier pour conclure
un arrangement définitif.

Les arrhes _____

Certains hôteliers demandent le versement d'arrhes.
Il s'agit d'un dépôt-garantie qui engage l'hôtelier
comme le client.
Bien faire préciser les dispositions de cette garantie.
Demandez à l'hôtelier de vous fournir
dans sa lettre d'accord toutes précisions utiles
sur la réservation et les conditions de séjour.

Cartes de crédit _____

AE ① GB JCB   *Cartes de crédit acceptées par l'établissement :*
American Express. Diners Club. Carte Bancaire
(Visa, Eurocard, MasterCard). Japan Credit Bureau

Les villes

63300	Numéro de code postal de la localité (les deux premiers chiffres correspondent au numéro du département)
⊠ 57130 Ars	Numéro de code postal et nom de la commune de destination
P ⟨SP⟩	Préfecture – Sous-préfecture
80 ⑤	Numéro de la Carte Michelin et numéro du pli
G. Jura	Voir Le Guide Vert Michelin Jura
1 057 h.	Population
alt. 75	Altitude de la localité
Stat. therm.	Station thermale
1 200/1 900	Altitude de la station et altitude maximum atteinte par les remontées mécaniques
🚠 2	Nombre de téléphériques ou télécabines
🚡 14	Nombre de remonte-pentes et télésièges
🎿	Ski de fond
BY **B**	Lettres repérant un emplacement sur le plan
❄ ≤	Panorama, point de vue
✈	Aéroport
🚗	Localité desservie par train-auto. Renseignements au numéro de téléphone indiqué
🛥	Transports maritimes
⛴	Transports maritimes pour passagers seulement
🛈	Information touristique

Les curiosités

Intérêt

★★★   *Vaut le voyage*
★★   *Mérite un détour*
★   *Intéressant*

Les musées sont généralement fermés le mardi

Situation

Voir   *Dans la ville*
Env.   *Aux environs de la ville*
N, S, E, O   *La curiosité est située : au Nord, au Sud, à l'Est, à l'Ouest*
②④   *On s'y rend par la sortie ② ou ④ repérée par le même signe sur le plan du Guide et sur la carte*
2 km   *Distance en kilomètres*

Les cartes de voisinage

Avez-vous pensé à les consulter ? _____

*Vous souhaitez trouver une bonne adresse,
par exemple, aux environs de Clermont-Ferrand ?
Consultez la carte qui accompagne le plan
de la ville.*

*La « carte de voisinage » (ci-contre) attire
votre attention sur toutes les localités citées au Guide
autour de la ville choisie, et particulièrement
celles qui sont accessibles en automobile en moins
de 30 minutes (limite de couleur).*

*Les « cartes de voisinage » vous permettent ainsi
le repérage rapide de toutes les ressources proposées
par le Guide autour des métropoles régionales.*

Nota :

*Lorsqu'une localité est présente sur une
« carte de voisinage », sa métropole de rattachement
est imprimée en BLEU sur la ligne des distances
de ville à ville.*

*Vous trouverez
Châtelguyon
sur la carte
de voisinage de
Clermont-Ferrand.*

Exemple :
_____

CHÂTELGUYON *63140 P.-de-D.* **73** ④ *G. Auvergne
sept.) – Casino* **B**.
        🛈 *Office du tourisme Parc Étienne Clémentel
ot.chatelguyon@wanadoo.fr
Paris 414* ① *– Clermont-Ferrand 21* ① *– Gannat*

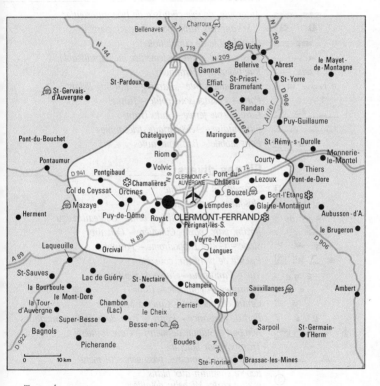

Toutes les « cartes de voisinage » sont localisées sur la carte thématique pages 80 à 102.

Les plans

□ ● *Hôtels*
■ ● *Restaurants*

Curiosités

Bâtiment intéressant
Édifice religieux intéressant :
- Catholique – Protestant

Voirie

Autoroute, double chaussée de type autoroutier
  Échangeurs numérotés : complet, partiels
Grande voie de circulation
Sens unique – Rue réglementée ou impraticable
Rue piétonne – Tramway
R. Pasteur *Rue commerçante – Parking – Parking Relais*
Porte – Passage sous voûte – Tunnel
Gare et voie ferrée – Auto/Train
Funiculaire – Téléphérique, télécabine
Pont mobile – Bac pour autos

Signes divers

Information touristique
Mosquée – Synagogue
Tour – Ruines – Moulin à vent – Château d'eau
Jardin, parc, bois – Cimetière – Calvaire
Stade – Golf – Hippodrome – Patinoire
Piscine de plein air, couverte
Vue – Panorama – Table d'orientation
Monument – Fontaine – Usine
Centre commercial – Cinéma Multiplex
Port de plaisance – Phare – Tour de télécommunications
Aéroport – Station de métro – Gare routière
Transport par bateau :
- passagers et voitures, passagers seulement
③ *Repère commun aux plans*
et aux cartes Michelin détaillées
Bureau principal de poste restante et Téléphone
Hôpital – Marché couvert – Caserne
Bâtiment public repéré par une lettre :
A C *- Chambre d'agriculture – Chambre de commerce*
G H J *- Gendarmerie – Hôtel de ville – Palais de justice*
M P T *- Musée – Préfecture, sous-préfecture – Théâtre*
U *- Université, grande école*
POL. *- Police (commissariat central)*
18T ⑱ *Passage bas (inf. à 4 m 50) – Charge limitée (inf. à 19 t)*

14

Two months ago the euro replaced
the national currency of France
and those of eleven other European countries.
With this in mind, the 93rd edition
of The Red Guide France,
together with our titles Benelux, Deutschland,
España & Portugal, Ireland, Italia, Paris
and Portugal all include prices quoted
in the new European currency.

Hotels and restaurants throughout Europe
have established their prices for the year
ahead in euro, and you will find
them all here in this fully revised 2002 edition,
updated locally by our team of inspectors.

So to help you "think euro",
The Red Guide has a few pointers:
⊛ indicates meals for less than 14 €
⊛ indicates quality meals
   for under 28 € in Paris
   for under 21 € outside the capital.

Look out for the complete
Red Guide France selection on-line at
www.ViaMichelin.fr
and e-mail us with your comments to
leguiderouge-france@fr.michelin.com
In this time of monetary transition
The Red Guide needs your feedback
more than ever:
write to us !

Contents

Choosing a hotel
or restaurant

*This guide offers a selection of hotels and restaurants
to help motorists on their travels. In each category
establishments are listed in order of preference
according to the degree of comfort they offer.*

Categories

🏨🏨🏨	XXXXX	*Luxury in the traditional style*
🏨🏨🏨	XXXX	*Top class comfort*
🏨🏨	XXX	*Very comfortable*
🏨🏨	XX	*Comfortable*
🏨	X	*Quite comfortable*
☂		*Simple comfort*
M		*In its category, hotel with modern amenities*
sans rest.		*The hotel has no restaurant*
	avec ch.	*The restaurant also offers accommodation*

Peaceful atmosphere and setting

*Certain establishments are distinguished
in the guide by the red symbols shown below.*

*Your stay in such hotels will be particularly pleasant
or restful, owing to the character of the building,
its decor, the setting, the welcome
and services offered, or simply the peace
and quiet to be enjoyed there.*

🏨🏨🏨 to ☂	*Pleasant hotels*
XXXXX to X	*Pleasant restaurants*
« Parc fleuri »	*Particularly attractive feature*
☙	*Very quiet or quiet, secluded hotel*
☙	*Quiet hotel*
⩽ mer	*Exceptional view*
⩽	*Interesting or extensive view*

*The maps on pages 80 to 102 indicate places with
such very peaceful, pleasant hotels and restaurants.*

*By consulting them before setting out and sending
us your comments on your return you can help us
with our enquiries.*

Hotel facilities

*In general the hotels we recommend have full
bathroom and toilet facilities in each room.
This may not be the case, however, for certain rooms
in categories 🏠 and ♔.*

30 ch	*Number of rooms*
🛗	*Lift (elevator)*
▤	*Air conditioning (in all or part of the hotel)*
TV	*Television in room*
⇝✕	*Rooms reserved for non-smokers*
☏	*Minitel-modem point in the bedrooms*
♿	*Rooms accessible to disabled people*
🍴	*Meals served in garden or on terrace*
ƒ₆	*Exercise room*
⚊ ▣	*Outdoor or indoor swimming pool*
⛱ 🌳	*Beach with bathing facilities – Garden*
♨	*Park*
✕	*Hotel tennis court*
⚖ 25 à 150	*Equipped conference hall (minimum and maximum capacities)*
🚘	*Hotel garage (additional charge in most cases)*
P	*Car park for customers only*
P	*Enclosed car park for customers only*
🐕	*Dogs are excluded from all or part of the hotel*
mai-oct.	*Dates when open, as indicated by the hotelier*
saisonnier	*Probably open for the season – precise dates not available. Where no date or season is shown, establishments are open all year round.*

Cuisine

Stars

Certain establishments deserve to be brought to your attention for the particularly fine quality of their cooking. Michelin stars are awarded for the standard of meals served.

For such restaurants we list three culinary specialities and a number of local wines to assist you in your choice.

✿✿✿
23
Exceptional cuisine, worth a special journey

One always eats here extremely well, sometimes superbly. Fine wines, faultless service, elegant surroundings. One will pay accordingly!

✿✿
76
Excellent cooking, worth a detour

Specialities and wines of first class quality. This will be reflected in the price.

✿
421
A very good restaurant in its category

The star indicates a good place to stop on your journey. But beware of comparing the star given to an expensive de luxe establishment to that of a simple restaurant where you can appreciate fine cuisine at a reasonable price.

🅐
446
The "Bib Gourmand"

Good food at moderate prices

You may also like to know of other restaurants with less elaborate, moderately priced menus that offer good value for money and serve carefully prepared meals. Outside the Paris region, such establishments generally specialise in regional cooking. In the guide such establishments are marked 🅐 *the* **"Bib Gourmand"** *and* Repas *just before the price of the menu:*

For example Repas 15/21 *outside the Paris region*
Repas 17/28 *in the Paris region*

Please refer to the lists and the map of star-rated restaurants ✿✿✿, ✿✿, ✿ *and the* **"Bib Gourmand"** 🅐, *pp 68 to 102.*
See also 🍷 *on next page*
Food and wine: see pp 63 to 67

Prices

*Prices quoted are valid for autumn 2001
and are given in euro (EUR).
They apply to high season and are subject
to alteration if goods and service costs are revised.
The rates include tax and service
and no extra charge should appear on your bill,
with the possible exception of visitors' tax.*

*Hotels and restaurants in bold type have supplied
details of all their rates and have assumed
responsibility for maintaining them for all travellers
in possession of this guide.*

*Out of season, certain establishments offer
special rates. Ask when booking.*

*Your recommendation is self evident
if you always walk into a hotel Guide in hand.*

Meals

enf. 9	*Price of children's menu*
☜	*Establishment serving a simple menu* **for less than 14 €**

Set meals:

Repas *(7,90)*	*Price for a 2 course meal, generally served weekday lunchtimes*
13,80 (déj.)	*Set meal served only at lunch time*
16/23	*Lowest 16 and highest 23 prices for set meals*
15,50/23	*The cheapest set meal 15,50 is not served on Saturdays, Sundays or public holidays*
bc	*House wine included*
♀	*Wine served by the glass*
♨	*Table wine available by the carafe*

A la carte meals:

Repas carte 22 à 48	*The first figure is for a plain meal and includes first course, main dish of the day with vegetables and dessert The second figure is for a fuller meal (with spécialité) and includes 2 main courses, cheese, and dessert (drinks not included).*

Rooms

ch 23/58	*Lowest price 23 for a single room and highest price 58 for a double*
29 ch ☕ 32/69	*Price includes breakfast*
☕ 5,60	*Price of continental breakfast (generally served in the bedroom)*
appart.	*Check with the hotelier for prices*

Half board

1/2 P 33,50/53

Lowest and highest prices of half board (room, breakfast and a meal) per person, per day in season. These prices are valid for a double room occupied by two people for a minimum stay of three days. When a single person occupies a double room he may have to pay a supplement. Most of the hotels also offer full board terms on request. It is essential to agree on terms with the hotelier before making a firm reservation.

Deposits

Some hotels will require a deposit, which confirms the commitment of customer and hotelier alike. Make sure the terms of the agreement are clear. Ask the hotelier to provide you, in his letter of confirmation, with all terms and conditions applicable to your reservation.

Credit cards

AE ⓪ GB JCB

American Express – Diners Club – Carte Bancaire (includes Eurocard, MasterCard and Visa) – Japan Credit Bureau

Towns

63300	Local postal number (the first two numbers represent the department number)
⊠ 57130 Ars	Postal number and name of the postal area
Ⓟ ⟨ⓈⓅ⟩	Prefecture – Sub-prefecture
🕘🕘 ⑤	Number of the appropriate sheet and section of the Michelin road map
G. Jura	See The Michelin Green Guide Jura
1 057 h.	Population
alt. 75	Altitude (in metres)
Stat. therm.	Spa
Sports d'hiver	Winter sports
1 200/1 900	Altitude (in metres) of resort and highest point reached by lifts
⛷ 2	Number of cable-cars
⛷ 14	Number of ski and chair-lifts
⛷	Cross country skiing
BY B	Letters giving the location of a place on the town plan
❋ ≼	Panoramic view. Viewpoint
✈	Airport
🚗	Places with motorail pick-up point. Further information from phone no. listed
⛴	Shipping line
⛵	Passenger transport only
🛈	Tourist Information Centre

Sights

Star-rating

★★★ *Worth a journey*
★★ *Worth a detour*
★ *Interesting*

Museums and art galleries are generally closed on Tuesdays

Location

Voir	*Sights in town*
Env.	*On the outskirts*
N, S, E, O	*The sight lies north, south, east or west of the town*
② ④	*Sign on town plan and on the Michelin road map indicating the road leading to a place of interest*
2 km	*Distance in kilometres*

Local maps

May we suggest that you consult them

Should you be looking for a hotel or restaurant not too far from Clermont-Ferrand, for example, you can consult the map along with the town plan.

The local map (opposite) draws your attention to all places around the town or city selected, provided they are mentioned in the Guide. Places located within a thirty minute drive are clearly identified by the use of a different coloured background.

The various facilities recommended near the different regional capitals can be located quickly and easily.

Note:

Entries in the Guide provide information on distances to nearby towns. Whenever a place appears on one of the local maps, the name of the town or city to which it is attached is printed in BLUE.

Example:

Châtelguyon is to be found on the local map Clermont-Ferrand.

CHÂTELGUYON 63140 P.-de-D. **73** ④ G. Auvergne sept.) – Casino **B**.

🖥 Office du tourisme Parc Étienne Clémentel ot.chatelguyon@wanadoo.fr
Paris 414① – Clermont-Ferrand 21① – Gannat

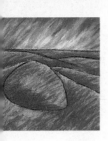

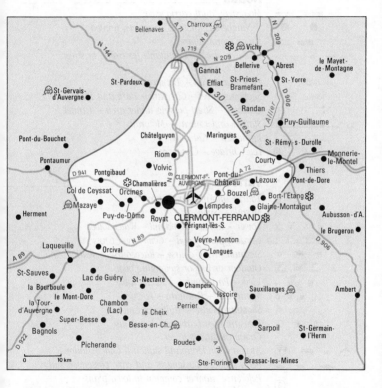

*All the local maps
are indicated
on the thematic map
on pp 80 to 102.*

Town plans

□ ● *Hotels*
■ ● *Restaurants*

Sights

Place of interest
Interesting place of worship:
- Catholic – Protestant

Roads

Motorway, dual carriageway
❹ ❹ *Numbered junctions: complete, limited*
Major thoroughfare
One-way street – Unsuitable for traffic or street
subject to restrictions
Pedestrian street – Tramway
R. Pasteur 🅿 🅿 *Shopping street – Car park – Park and Ride*
Gateway – Street passing under arch – Tunnel
Station and railway – Motorail
Funicular – Cable-car
△ 🅱 *Lever bridge – Car ferry*

Various signs

🛈 *Tourist Information Centre*
Mosque – Synagogue
Tower – Ruins – Windmill – Water tower
Garden, park, wood – Cemetery – Cross
Stadium – Golf course – Racecourse – Skating rink
Outdoor or indoor swimming pool
View – Panorama – Viewing table
Monument – Fountain – Factory
Shopping centre – Multiplex Cinema
Pleasure boat harbour – Lighthouse
Communications tower
✈ ⦿ 🚌 🚉 *Airport – Underground station – Coach station*
Ferry services: passengers and cars, passengers only
③ *Reference number common to town plans*
and Michelin maps
Main post office with poste restante and telephone
⊞ ▨ ⋇ *Hospital – Covered market – Barracks*
Public buildings located by letter:
A C *- Chamber of Agriculture – Chamber of Commerce*
G 🛡 H J *- Gendarmerie – Town Hall – Law Courts*
M P T *- Museum – Prefecture or sub-prefecture – Theatre*
U *- University, College*
POL. *- Police (in large towns police headquarters)*
🚧 18T ⑱ *Low headroom (15 ft. max.) – Load limit (under 19 t)*

26

Da undici mesi l'euro ha sostituito
la moneta nazionale in Francia
e in altri undici paesi europei.
Come gli altri titoli della collezione
la Guida Rossa Benelux, Deutschland, España
& Portugal, Ireland, Italia, Paris et Portugal,
questa 93^e edizione della Guida Rossa France
si esprime in valuta europea.

Albergatori e ristoratori hanno definito
i loro prezzi in euro per il nuovo anno.
E' così che li troverete in questa edizione 2002,
completamente aggiornata dai nostri ispettori.

Per aiutarvi a "pensare in euro",
La Guida Rossa vi propone al proprio interno :
🍝 dove troverete dei menu a meno di 14 €
🍴 per un pranzo accurato
   a meno di 21 € in provincia
   e meno di 28 € a Parigi.

Potrete inoltre ritrovare l'intera selezione
della Guida Rossa France sul sito
www.ViaMichelin.fr
oppure inviarci i vostri commenti all'indirizzo
leguiderouge-france@fr.michelin.com
Ora più che mai, in questo periodo
di transizione monetaria,
La Guida Rossa ha bisogno di voi: scriveteci !

Sommario

La scelta di un albergo, di un ristorante

*Questa guida vi propone una selezione di alberghi
e ristoranti per orientare la scelta dell'automobilista.
Gli esercizi, classificati in base
al confort che offrono, vengono citati in ordine
di preferenza per ogni categoria.*

Categorie

🏨	XXXXX	*Gran lusso e tradizione*
🏨	XXXX	*Gran confort*
🏨	XXX	*Molto confortevole*
🏨	XX	*Di buon confort*
🏨	X	*Abbastanza confortevole*
🏠		*Semplice, ma conveniente*
M		*Nella sua categoria, albergo con installazioni moderne*
sans rest.		*L'albergo non ha ristorante*
	avec ch.	*Il ristorante dispone di camere*

Amenità e tranquillità

*Alcuni esercizi sono evidenziati nella guida
dai simboli rossi indicati qui di seguito.
Il soggiorno in questi alberghi dovrebbe rivelarsi
particolarmente ameno o riposante.*

*Ciò può dipendere sia dalle caratteristiche dell'edificio,
dalle decorazioni non comuni, dalla sua posizione
e dal servizio offerto, sia dalla tranquillità dei luoghi.*

🏨 a 🏠	*Alberghi ameni*
XXXXX a X	*Ristoranti ameni*
« Parc fleuri »	*Un particolare piacevole*
🕭	*Albergo molto tranquillo o isolato e tranquillo*
🕭	*Albergo tranquillo*
≤ mer	*Vista eccezionale*
≤	*Vista interessante o estesa*

*Le località che possiedono degli esercizi ameni o molto
tranquilli sono riportate sulle carte da pagina 80 a 102.*

*Consultatele per la preparazione dei vostri viaggi e,
al ritorno, inviateci i vostri pareri; in tal modo
agevolerete le nostre inchieste.*

29

Installazioni

*Le camere degli alberghi che raccomandiamo
possiedono, generalmente, delle installazioni
sanitarie complete. È possibile tuttavia
che nelle categorie 🏠 e 🏡
alcune camere ne siano sprovviste.*

30 ch	*Numero di camere*
|‡|	*Ascensore*
▤	*Aria condizionata (in tutto o in parte dell'esercizio)*
📺	*Televisione in camera*
⇥⊁	*Camere riservate ai non fumatori*
☎	*Presa Modem-Minitel in camera*
♿	*Camere di agevole accesso per i portatori di handicap*
🏠	*Pasti serviti in giardino o in terrazza*
ʄ‑δ	*Palestra*
⛲ ▣	*Piscina: all'aperto, coperta*
⛱ 🌳	*Spiaggia attrezzata – Giardino*
🅿	*Parco*
✗✗	*Tennis appartenente all'albergo*
⚖ 25 à 150	*Sale per conferenze: capienza minima e massima delle sale*
☞	*Garage nell'albergo (generalmente a pagamento)*
🅿	*Parcheggio riservato alla clientela*
🅿	*Parcheggio chiuso riservato alla clientela*
✗	*Accesso vietato ai cani (in tutto o in parte dell'esercizio)*
mai-oct.	*Periodo di apertura, comunicato dall'albergatore*
saisonnier	*Probabile apertura in stagione, ma periodo non precisato. Gli esercizi senza tali menzioni sono aperti tutto l'anno.*

La tavola
Le stelle

*Alcuni esercizi meritano di essere segnalati
alla vostra attenzione per la qualità particolare
della loro cucina ; li abbiamo evidenziati
con le « stelle di ottima tavola ».*

*Per ognuno di questi ristoranti indichiamo tre
specialità culinarie e alcuni vini locali che potranno
aiutarvi nella scelta.*

❀❀❀ Una delle migliori tavole, vale il viaggio

23   *Vi si mangia sempre molto bene, a volte
meravigliosamente, grandi vini, servizio impeccabile,
ambientazione accurata... Prezzi conformi.*

❀❀ Tavola eccellente, merita una deviazione

76   *Specialità e vini scelti... Aspettatevi una spesa
in proporzione.*

❀ Un'ottima tavola nella sua categoria

421   *La stella indica una tappa gastronomica
sul vostro itinerario.
Non mettete però a confronto la stella di un esercizio
di lusso, dai prezzi elevati, con quella
di un piccolo esercizio dove, a prezzi ragionevoli,
viene offerta una cucina di qualità.*

⌘ Il "Bib Gourmand"

446   Pasti accurati a prezzi contenuti
*Talvolta desiderate trovare delle tavole più semplici
a prezzi contenuti. Per questo motivo abbiamo
selezionato dei ristoranti che, per un rapporto
qualità-prezzo particolarmente favorevole,
offrono un pasto accurato, in provincia spesso
a carattere tipicamente regionale.*
Questi ristoranti sono evidenziati nel testo
con il **"Bib Gourmand"** ⌘ e Repas,
es. Repas 15/21, *in provincia.*
es. Repas 17/28, *a Parigi e nella sua regione.*

Consultate le liste e le carte con stelle ❀❀❀,
❀❀, ❀ *e con* **"Bib Gourmand"** ⌘ *(pagine 68 a 102).*
Vedere anche ⬭ *a pagina seguente.*
I vini e le vivande: vedere p. 63 a 67

I prezzi

I prezzi che indichiamo in questa guida, stabiliti nell'estate 2001, sono in Euro e si riferiscono ai periodi di alta stagione. E' possibile che vengano modificati in funzione del periodo o di variazioni dei costi di beni e servizi.
Essi s'intendono comprensivi di tasse e servizio. Nessuna maggiorazione deve figurare sul vostro conto, salvo eventualmente la tassa di soggiorno.

Gli alberghi e i ristoranti vengono menzionati in carattere grassetto quando gli albergatori ci hanno comunicato tutti i loro prezzi e si sono impegnati, sotto la propria responsabilità, ad applicarli ai turisti di passaggio, in possesso della nostra guida.

In bassa stagione, certi esercizi applicano condizioni più vantaggiose, informatevi al momento della prenotazione.

Entrate nell'albergo con la Guida alla mano, dimostrando in tal modo la fiducia in chi vi ha indirizzato.

Pasti

enf. 9	*Prezzo del menu riservato ai bambini*
☜	*Esercizio che presenta un menu semplice per **meno di 14 €***

Pasti a prezzo fisso:

Repas *(7,90)*	*Prezzo di un pasto composto dal piatto principale accompagnato da antipasto o dessert, generalmente servito a mezzogiorno in settimana*
13,80 (déj.)	*Menu servito a mezzogiorno soltanto*
16/23	*Prezzo del menu: minimo 16, massimo 23*
15,50/23	*Menu a prezzo fisso minimo 15,50, non applicato durante il fine settimana e nei giorni festivi*
bc	*Bevanda compresa*
℉	*Vino servito a bicchiere*
⚱	*Vino da tavola in caraffa a prezzo modico*

Pasto alla carta:

Repas carte 22 à 48	*Il primo prezzo corrisponde ad un pasto semplice comprendente: antipasto, piatto con contorno e dessert. Il secondo prezzo corrisponde ad un pasto più completo (con specialità) comprendente: due piatti, formaggio e dessert (bevande escluse).*

Camere

ch 23/58   *Prezzo minimo 23 per una camera singola
e prezzo massimo 58 per una camera
per due persone*

29 ch ⌷ 32/69   *Prezzo della camera compresa la prima colazione*

⌷ 5,60   *Prezzo della prima colazione
(generalmente servita in camera)*

appart.   *Informarsi presso l'albergatore*

Mezza pensione

1/2 P 33,50/53   *Prezzo minimo e massimo della mezza pensione
(camera, prima colazione e un pasto) per persona
e al giorno, in alta stagione. Questi prezzi sono
validi per la camera doppia occupata da due
persone, per un soggiorno minimo di tre giorni;
la persona singola che occupi una camera doppia,
potrà talvolta vedersi applicata una maggiorazione.
La maggior parte degli alberghi pratica anche,
su richiesta, la pensione completa.
È comunque consigliabile prendere accordi
preventivi con l'albergatore per stabilire
le condizioni definitive.*

La caparra

*Alcuni albergatori chiedono il versamento
di una caparra. Si tratta di un deposito-garanzia
che impegna tanto l'albergatore che il cliente.
Vi consigliamo di farvi precisare le norme
riguardanti la reciproca garanzia di tale caparra.
Chiedete all'albergatore di fornirvi nella sua lettera
di conferma, ogni dettaglio sulla prenotazione
e sulle condizioni di soggiorno.*

Carte di credito

AE ⓪ ⒼⒷ ⒿⒸⒷ   *American Express – Diners Club – Carte Bancaire
(comprende Eurocard, MasterCard e Visa) –
Japan Credit Bureau*

Le città

63300	*Codice di avviamento postale (le prime due cifre corrispondono al numero del dipartimento)*
✉ *57130 Ars*	*Numero di codice e sede dell'ufficio postale di destinazione*
P *◁▷*	*Prefettura – Sottoprefettura*
80 ⑤	*Numero della carta Michelin e numero della piega*
G. Jura	*Vedere La Guida Verde Michelin Jura*
1 057 h.	*Popolazione*
alt. 75	*Altitudine della località*
Stat. therm.	*Stazione termale*
Sports d'hiver	*Sport invernali*
1 200/1 900	*Altitudine della località e altitudine massima raggiungibile con gli impianti di risalita*
⛷ 2	*Numero di funivie o cabinovie*
⟋ 14	*Numero di sciovie e seggiovie*
⟋	*Sci di fondo*
BY B	*Lettere indicanti l'ubicazione sulla pianta*
✳ ◁	*Panorama, vista*
✈	*Aeroporto*
🚗	*Località con servizio auto su treno. Informarsi al numero di telefono indicato*
⛴	*Trasporti marittimi*
⛵	*Trasporti marittimi (solo passeggeri)*
ℹ	*Ufficio informazioni turistiche*

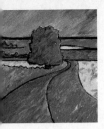

Luoghi d'interesse

Grado di interesse

★★★	*Vale il viaggio*
★★	*Merita una deviazione*
★	*Interessante*

I musei sono generalmente chiusi il martedì

Ubicazione

Voir	*Nella città*
Env.	*Nei dintorni della città*
N, S, E, O	*Il luogo si trova: a Nord, a Sud, a Est, a Ovest*
②④	*Ci si va dall'uscita ② o ④ indicata con lo stesso segno sulla pianta della guida e sulla carta stradale*
2 km	*Distanza chilometrica*

Le carte dei dintorni

Sapete come usarle?

*Se desiderate, per esempio, trovare un buon indirizzo
nei dintorni di Clermont-Ferrand,
la « carta dei dintorni » (qui accanto) richiama
la vostra attenzione su tutte le località citate
nella Guida che si trovino nei dintorni della città
prescelta, e in particolare su quelle raggiungibili
in automobile in meno di 30 minuti
(limite di colore).*

*In tal modo, le « carte dei dintorni » permettono
la localizzazione rapida di tutte le risorse proposte
dalla Guida nei dintorni delle metropoli regionali.*

Nota:

*Quando una località è presente su una « carta
dei dintorni », la città a cui ci si riferisce è scritta
in BLU nella linea delle distanze da città a città.*

*Troverete
Châtelguyon
sulla carta
dei dintorni di
Clermont-Ferrand.*

Esempio:

CHÂTELGUYON *63140 P.-de-D.* 🎔 ④ *G. Auvergne
sept.) – Casino* **B.**
🛈 *Office du tourisme Parc Étienne Clémentel
ot.chatelguyon@wanadoo.fr
Paris 414* ① *– Clermont-Ferrand 21* ① *– Gannat*

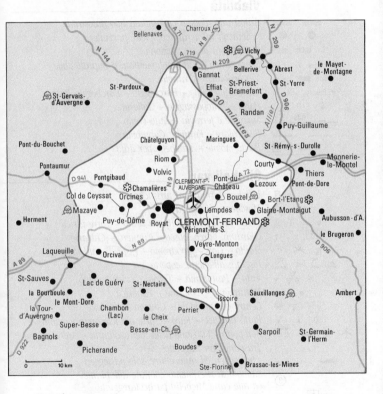

*Tutte le « carte
dei dintorni »
sono localizzate
sulla carta tematica
p. 80 a 102.*

Le piante

□ • *Alberghi*
■ • *Ristoranti*

Curiosità

Edificio interessante
Costruzione religiosa interessante:
- Cattolica – Protestante

Viabilità

Autostrada, doppia carreggiata tipo autostrada
   Svincoli numerati: completo, parziale
Grande via di circolazione
Senso unico – Via regolamentata o impraticabile
Via pedonale – Tranvia
R. Pasteur ☐ ☐ *Via commerciale – Parcheggio – Parcheggio Ristoro*
Porta – Sottopassaggio – Galleria
Stazione e ferrovia – Auto/Treno
Funicolare – Funivia, Cabinovia
Ponte mobile – Traghetto per auto

Simboli vari

🄸 *Ufficio informazioni turistiche*
Moschea – Sinagoga
Torre – Ruderi – Mulino a vento – Torre idrica
Giardino, parco, bosco – Cimitero – Calvario
Stadio – Golf – Ippodromo – Pista di pattinaggio
Piscina: all'aperto, coperta
Vista – Panorama – Tavola d'orientamento
Monumento – Fontana – Fabbrica
Centro commerciale – Cinema Multiplex
Porto turistico – Faro – Torre per telecomunicazioni
✈ 🚉 SNCF *Aeroporto – Stazione della Metropolitana – Autostazione*
Trasporto con traghetto:
- passeggeri ed autovetture, solo passeggeri
③ *Simbolo di riferimento comune alle piante
ed alle carte Michelin particolareggiate*
✉ *Ufficio centrale di fermo posta e telefono*
✚ ▨ ⋅✕⋅ *Ospedale – Mercato coperto – Caserma*
Edificio pubblico indicato con lettera:
A C *- Camera di Agricoltura – Camera di Commercio*
G ☗ H J *- Gendarmeria – Municipio – Palazzo di Giustizia*
M P T *- Museo – Prefettura, Sottoprefettura – Teatro*
U *- Università, grande scuola*
POL. *- Polizia (Questura, nelle grandi città)*
🄴 18T ⑱ *Sottopassaggio (altezza inferiore a m 4,50) –
Portata limitata (inf. a 19 t)*

38

Seit 2 Monaten hat der Euro
die nationale Währung in Frankreich und
in weiteren 11 Europäischen Ländern ersetzt.
Wie alle Titel der Kollektion Le Guide Rouge
Benelux, Deutschland, España & Portugal,
Ireland, Italia, Paris und Portugal ist
die 93. Ausgabe des Guide Rouge France ganz
auf die neue europäische Währung umgestellt.

Die Preise für das kommende Jahr wurden
von den Hotel- und Restaurantbesitzern
in Euro angegeben. Unsere Inspektoren haben
mit der gewohnten Sorgfalt vor Ort recherchiert
und die Ausgabe 2002
auf den neuesten Stand gebracht.

Um Ihnen den Gebrauch mit dem «Euro»
zu erleichtern, einige Anhaltspunkte :
hier finden Sie ein komplettes Menu
    unter 14 €
hier bietet man Ihnen sorgfältig zubereitete
    Mahlzeiten für unter 21 € in der Provinz
    und weniger als 28 € in Paris.

Die Auswahl des Guide Rouge France finden
Sie auch im Internet unter
***www.ViaMichelin.fr**.*
Besonders in diesem Jahr,
sind wir durch die Währungsumstellung,
auf Ihre Hinweise, mehr den je, angewiesen,
Ihre Kommentare sind uns sehr wichtig.
Sie erreichen den Guide Rouge
auch unter seiner E-Mail:
leguiderouge-france@fr.michelin.com
- Bitte Schreiben Sie uns !

Inhaltsverzeichnis

Wahl eines Hotels, eines Restaurants

Die Auswahl der in diesem Führer aufgeführten Hotels und Restaurants ist für Durchreisende gedacht. In jeder Kategorie drückt die Reihenfolge der Betriebe (sie sind nach ihrem Komfort klassifiziert) eine weitere Rangordnung aus.

Kategorien

🏨	XXXXX 41	*Großer Luxus und Tradition*
🏨	XXXX	*Großer Komfort*
🏨	XXX	*Sehr komfortabel*
🏨	XX	*Mit gutem Komfort*
🏠	X	*Mit Standard-Komfort*
🏠		*Bürgerlich*
M		*Moderne Einrichtung*
sans rest.		*Hotel ohne Restaurant*
	avec ch.	*Restaurant vermietet auch Zimmer*

Annehmlichkeiten

Manche Häuser sind im Führer durch rote Symbole gekennzeichnet (s. unten). Der Aufenthalt in diesen ist wegen der schönen, ruhigen Lage, der nicht alltäglichen Einrichtung und Atmosphäre sowie dem gebotenen Service besonders angenehm und erholsam.

🏨 bis 🏠	*Angenehme Hotels*
XXXXX bis X	*Angenehme Restaurants*
« Parc fleuri »	*Besondere Annehmlichkeit*
🦢	*Sehr ruhiges oder abgelegenes und ruhiges Hotel*
🦢	*Ruhiges Hotel*
⩽ mer	*Reizvolle Aussicht*
⩽	*Interessante oder weite Sicht*

Die Übersichtskarten S. 80 – S. 102, auf denen die Orte mit besonders angenehmen oder sehr ruhigen Häusern eingezeichnet sind, helfen Ihnen bei der Reisevorbereitung. Teilen Sie uns bitte nach der Reise Ihre Erfahrungen und Meinungen mit. Sie helfen uns damit, den Führer weiter zu verbessern.

Einrichtung

*Die meisten der empfohlenen Hotels verfügen über
Zimmer, die alle oder doch zum größten Teil mit
Bad oder Dusche ausgestattet sind.
In den Häusern der Kategorien 🏚 und ♔ können
diese jedoch in einigen Zimmern fehlen.*

30 ch	*Anzahl der Zimmer*
🛗	*Fahrstuhl*
▤	*Klimaanlage (im ganzen Haus bzw. in den Zimmern oder im Restaurant)*
📺	*Fernsehen im Zimmer*
🚭	*Nichtraucherzimmer*
📞	*Minitel- Anschluß im Zimmer*
🦽	*Für Körperbehinderte leicht zugängliche Zimmer*
🌳	*Garten-, Terrassenrestaurant*
🏋	*Fitneßraum*
🏊 🏊	*Freibad, Hallenbad*
🏖 🌿	*Strandbad – Liegewiese, Garten*
🎄	*Park*
🎾	*Hoteleigener Tennisplatz*
🏛 25 à 150	*Konferenzräume (Mindest- und Höchstkapazität)*
🚗	*Hotelgarage (wird gewöhnlich berechnet)*
🅿	*Parkplatz reserviert für Gäste*
🅿	*Gesicherter Parkplatz für Gäste*
🐕	*Hunde sind unerwünscht (im ganzen Haus bzw. in den Zimmern oder im Restaurant)*
mai-oct.	*Öffnungszeit, vom Hotelier mitgeteilt*
saisonnier	*Unbestimmte Öffnungszeit eines Saisonhotels. Häuser ohne Angabe von Schließungszeiten sind ganzjährig geöffnet.*

Küche

Die Sterne

Einige Häuser verdienen wegen ihrer überdurchschnittlich guten Küche Ihre besondere Beachtung. Auf diese Häuser weisen die Sterne hin.

Bei den mit «Stern» ausgezeichneten Betrieben nennen wir drei kulinarische Spezialitäten und regionale Weine, die Sie probieren sollten.

❀❀❀
23

Eine der besten Küchen: eine Reise wert

Man ißt hier immer sehr gut, öfters auch exzellent, edle Weine, tadelloser Service, gepflegte Atmosphäre... entsprechende Preise.

❀❀
76

Eine hervorragende Küche: verdient einen Umweg

Ausgesuchte Menus und Weine... angemessene Preise.

❀
421

Eine sehr gute Küche: verdient Ihre besondere Beachtung

Der Stern bedeutet eine angenehme Unterbrechung Ihrer Reise.

Vergleichen Sie aber bitte nicht den Stern eines sehr teuren Luxusrestaurants mit dem Stern eines kleineren oder mittleren Hauses, wo man Ihnen zu einem annehmbaren Preis eine ebenfalls vorzügliche Mahlzeit reicht.

Der "Bib Gourmand"

446

Sorgfältig zubereitete, preiswerte Mahlzeiten

Für Sie wird es interessant sein, auch solche Häuser kennenzulernen, die einfachere, vorzugsweise typische Küche der Region zu einem besonders günstigen Preis/Leistungs-Verhältnis bieten.

*Im Text sind die betreffenden Restaurants durch das rote Symbol ⌂ **"Bib Gourmand"** und* Repas *kenntlich gemacht,*

z. B. Repas 15/21 *in der Provinz.*

z. B. Repas 17/28 *in Paris und der Region Paris.*

Die Listen und die Karten mit «Stern» ❀❀❀, ❀❀, ❀ und **"Bib Gourmand"** ⌂ *sind auf S. 68 bis 102 zu finden.*

Siehe auch ⬩ *nächste Seite.*

Gute Weine: siehe S. 63 bis 67

Preise

Die in diesem Führer genannten Preise wurden
uns im Herbst 2001 angegeben. Die Preise sind in Euro
angegeben und beziehen sich auf die Hochsaison.
Sie können sich mit den Preisen von Waren
und Dienstleistungen ändern. Sie enthalten Bedienung
und MWSt. Es sind Inklusivpreise, die sich nur noch
durch die evtl. zu zahlende Kurtaxe erhöhen können.

Die Namen der Hotels und Restaurants,
die ihre Preise genannt haben, sind fett gedruckt.
Gleichzeitig haben sich diese Häuser verpflichtet,
die von den Hoteliers selbst angegebenen Preise
den Benutzern des Michelin-Führers zu berechnen.

Außerhalb der Saison bieten einige Betriebe
günstigere Preise an. Erkundigen Sie sich bei Ihrer
Reservierung danach.

Halten Sie beim Betreten des Hotels den Führer
in der Hand. Sie zeigen damit, daß Sie aufgrund
dieser Empfehlung gekommen sind.

Mahlzeiten

enf. 9	*Preis des Kindermenus*
∞	*Restaurant, das ein einfaches **Menu unter 14 €** anbietet*

Feste Menupreise:

Repas *(7,90)*	*Preis für ein Menu, bestehend aus einem Hauptgericht und einer Vorspeise oder einem Dessert, das während der Woche mittags serviert wird.*
13,80 (déj.)	*Nur mittags angeboten*
16/23	*Mindestpreis 16, Höchstpreis 23*
15,50/23	*Mindestpreis 15,50 für ein Menu, das am Wochenende und an Feiertagen nicht angeboten wird*
bc	*Getränke inbegriffen*
♀	*Wein glasweise ausgeschenkt*
⌂	*Preiswerter Tischwein in Karaffen*

Mahlzeiten «à la carte»:

Repas carte 22 à 48	*Der erste Preis entspricht einer einfachen Mahlzeit und umfaßt Vorspeise, Tagesgericht mit Beilage, Dessert. Der zweite Preis entspricht einer reichlicheren Mahlzeit (mit Spezialgericht) bestehend aus zwei Hauptgängen, Käse, Dessert (Getränke nicht inbegriffen).*

Zimmer

ch 23/58	*Mindestpreis 23 für ein Einzelzimmer,*
	Höchstpreis 58 für ein Doppelzimmer
29 ch ⊊ 32/69	*Zimmerpreis inkl. Frühstück*
⊊ 5,60	*Preis des Frühstücks (meist im Zimmer serviert)*
appart.	*Preise auf Anfrage*

Halbpension

1/2 P 33,50/53

Mindestpreis und Höchstpreis für Halbpension
(Zimmerpreis inkl. Frühstück und eine Mahlzeit)
pro Person und Tag während der Hauptsaison,
bei einem von zwei Personen belegten Doppelzimmer
für einen Aufenthalt von mindestens drei Tagen.
Falls eine Einzelperson ein Doppelzimmer belegt,
kann ein Preisaufschlag verlangt werden. In den meisten
Hotels können Sie auf Anfrage auch Vollpension
erhalten. Auf jeden Fall sollten Sie den Endpreis
vorher mit dem Hotelier vereinbaren.

Anzahlung

Einige Hoteliers verlangen eine Anzahlung.
Diese ist als Garantie sowohl für den Hotelier
als auch für den Gast anzusehen.
Bitten Sie den Hotelier, daß er Ihnen in seinem
Bestätigungsschreiben alle seine Bedingungen mitteilt.

Kreditkarten

AE ⓪ GB JCB

American Express – Diners Club – Eurocard,
MasterCard, Visa – Japan Credit Bureau

Städte

63300	Postleitzahl (die zwei ersten Ziffern sind gleichzeitig Departements-Nummer)
⊠ 57130 Ars	Postleitzahl und Name des Verteilerpostamtes
P ⟨SP⟩	Präfektur – Unterpräfektur
🗱 🗓 ⑤	Nummer der Michelin-Karte und Faltseite
G. Jura	Siehe Den Grünen Michelin-Reiseführer « Jura »
1 057 h.	Einwohnerzahl
alt. 75	Höhe
Stat. therm.	Thermalbad
Sports d'hiver	Wintersport
1 200/1 900	Höhe des Wintersportortes und Maximal-Höhe, die mit Kabinenbahn oder Lift erreicht werden kann
✇ 2	Anzahl der Kabinenbahnen
✇ 14	Anzahl der Schlepp- oder Sessellifts
✇	Langlaufloipen
BY B	Markierung auf dem Stadtplan
✳ ≤	Rundblick – Aussichtspunkt
✈	Flughafen
⛟	Ladestelle für Autoreisezüge – Nähere Auskunft unter der angegebenen Telefonnummer
⛴	Autofähre
⛵	Personenfähre
🛈	Informationsstelle

Sehenswürdigkeiten

Bewertung

★★★   *Eine Reise wert*
★★   *Verdient einen Umweg*
★   *Sehenswert*

Museen sind im allgemeinen dienstags geschlossen

Lage

voir   *In der Stadt*
Env.   *In der Umgebung der Stadt*
N, S, E, O   *Im Norden (N), Süden (S), Osten (E), Westen (O) der Stadt*
② ④   *Zu erreichen über die Ausfallstraße ② bzw. ④,*
          die auf dem Stadtplan und auf der Michelin-Karte
          identisch gekennzeichnet sind
2 km   *Entfernung in Kilometern*

Umgebungskarten

Denken Sie daran sie zu benutzen

Die Umgebungskarten sollen Ihnen die Suche eines Hotels oder Restaurants in der Nähe der größeren Städte erleichtern.

Wenn Sie beispielsweise eine gute Adresse in der Nähe von Clermont-Ferrand brauchen, gibt Ihnen die Karte schnell einen Überblick über alle Orte, die in diesem Michelin-Führer erwähnt sind. Innerhalb der in Kontrastfarbe gedruckten Grenze liegen Gemeinden, die man in weniger als 30 Autominuten erreichen kann.

Anmerkung:

Auf der Linie der Entfernungen zu anderen Orten erscheint im Ortstext die jeweils nächste Stadt mit Umgebungskarte in BLAU.

Beispiel:

Sie finden Châtelguyon auf der Umgebungskarte von Clermont-Ferrand.

CHÂTELGUYON 63140 P.-de-D. 🖪 ④ G. Auvergne
sept.) – Casino B.
🛈 Office du tourisme Parc Étienne Clémentel
ot.chatelguyon@wanadoo.fr
Paris 414 ① – Clermont-Ferrand 21 ① – Gannat

48

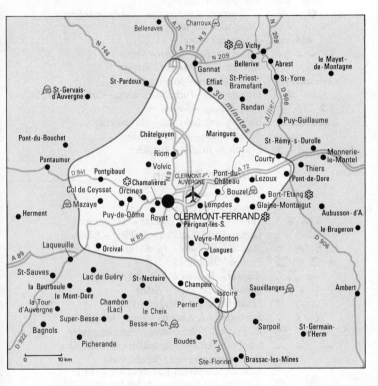

Bellenaves •   Charroux 🏛

✿ 🏛 Vichy

Bellerive • Abrest •   le Mayet-de-Montagne •

Gannat •

Effiat • St-Priest-Bramefant • St-Yorre •

St-Pardoux •

Randan •

St-Gervais-d'Auvergne •

Puy-Guillaume •

Pont-du-Bouchet •

Châtelguyon •   Maringues •   St-Rémy-s-Durolle •

Pontaumur •

Riom •   Courty •   Monnerie-le-Montel •

Pontgibaud •   Volvic •   CLERMONT-F°. AUVERGNE   Pont-du-Château   Lezoux •   Thiers •   Pont-de-Dore •

✿ Chamalières

Col de Ceyssat •   Orcines •   Bouzel •   Bort-l'Etang ✿

🏛 Mazaye •   Lempdes •   Glaine-Montaigut •

Herment •   Puy-de-Dôme •   Royat •   CLERMONT-FERRAND ✿   Aubusson-d'A. •

Pérignat-lès-S. •   le Brugeron •

Laqueuille •   Orcival •   Veyre-Monton •   Longues •

St-Sauves •

la Bourboule •   Lac de Guéry •   St-Nectaire •   Champeix •   Sauxillanges 🏛   Ambert •

la Tour-d'Auvergne •   le Mont-Dore •   Chambon (Lac) •   le Cheix •   Perrier •   Issoire •

Super-Besse •   Besse-en-Ch. 🏛

Bagnols •   Sarpoil •   St-Germain-l'Herm •

Picherande •   Boudes •   Ste-Florine •   Brassac-les-Mines •

0   10 km

Die Umgebungs-
karten finden Sie
auf der Themenkarte
S. 80 bis 102.

Stadtpläne

□ ●   *Hotels*
■ ●   *Restaurants*

Sehenswürdigkeiten

Sehenswertes Gebäude
Sehenswerte katholische bzw. evangelische Kirche

Straßen

Autobahn, Schnellstraße
④   ④   *Numerierte Anschlußstelle: Autobahneinfahrt –*
    und/oder -ausfahrt
Hauptverkehrsstraße
Einbahnstraße – Gesperrte Straße
oder mit Verkehrsbeschränkungen
Fußgängerzone – Straßenbahn
R. Pasteur 🅿 🅿   *Einkaufsstraße– Parkplatz, Parkhaus– Park-and-Ride-Plätze*
Tor – Passage – Tunnel
Bahnhof und Bahnlinie – Autoreisezug
Standseilbahn – Seilschwebebahn
⚠ 🅱   *Bewegliche Brücke – Autofähre*

Sonstige Zeichen

🛈   *Informationsstelle*
Moschee – Synagoge
Turm – Ruine – Windmühle – Wasserturm
Garten, Park, Wäldchen – Friedhof – Bildstock
Stadion – Golfplatz – Pferderennbahn – Eisbahn
Freibad – Hallenbad
Aussicht – Rundblick – Orientierungstafel
Denkmal – Brunnen – Fabrik
Einkaufszentrum – Multiplex-Kino
Jachthafen – Leuchtturm – Funk-, Fernsehturm
S.N.C.F.   *Flughafen – U-Bahnstation – Autobusbahnhof*
Schiffsverbindungen: Autofähre – Personenfähre
③   *Straßenkennzeichnung (identisch auf*
Michelin-Stadtplänen und Abschnittskarten)
Hauptpostamt (postlagernde Sendungen) u. Telefon
Krankenhaus – Markthalle – Kaserne
Öffentliches Gebäude, durch einen Buchstaben
gekennzeichnet:
A   C   *- Landwirtschaftskammer – Handelskammer*
G 🅗 H J   *- Gendarmerie – Rathaus – Gerichtsgebäude*
M P T   *- Museum – Präfektur, Unterpräfektur – Theater*
U   *- Universität, Hochschule*
POL.   *- Polizei (in größeren Städten Polizeipräsidium)*
4⁴ 18T ⑱   *Unterführung (Höhe bis 4,50 m) – Höchstbelastung*
(unter 19 t)

Desde hace dos meses, el euro ha reemplazado
a la moneda nacional en Francia
y en otros once países europeos.
Esta 93ª edición de La Guía Roja France
se expresa ya en la divisa europea,
así como en los títulos de la colección
La Guía Roja Benelux, Deutschland, España
& Portugal, Ireland, Italia, Paris y Portugal.

Los hoteleros y restauradores han fijado todos
sus precios en euros para el año que viene.
Así los encontrará en esta edición 2002,
totalmente actualizada por nuestros inspectores.

Para ayudarle a "pensar en euros",
La Guía Roja le facilita algunas referencias
a través de sus páginas :
🍝 encontrará aquí un menú a menos de 14 €
😋 aquí comerá "gourmand"
   (Buenas comidas a precios moderados)
   por menos de 21 € en provincias
   por menos de 28 € en París.

Descubrirá toda la selección de
La Guía Roja France
en ***www.ViaMichelin.fr***
y podrá hacernos llegar sus comentarios a
leguiderouge-france@fr.michelin.com
Ya que en esta etapa de transición monetaria,
La Guía Roja le necesita más que nunca :
¡escríbanos!

Sumario

La elección de un hotel, de un restaurante

Esta guía propone una selección de hoteles y restaurantes para uso de los automovilistas de paso. Los establecimientos, clasificados según su confort, se citan por orden de preferencia dentro de cada categoría.

Categorías

🏨	XXXXX	*Gran lujo y tradición*
🏨	XXXX	*Gran confort*
🏨	XXX	*Muy confortable*
🏨	XX	*Confortable*
🏨	X	*Sencillo pero confortable*
🏡		*Sencillo pero correcto*
M		*Dentro de su categoría, hotel con instalaciones modernas*
sans rest.		*El hotel no dispone de restaurante*
	avec ch.	*El restaurante tiene habitaciones*

Atractivo y tranquilidad

Ciertos establecimientos se distinguen en la guía por los símbolos en rojo que indicamos a continuación. La estancia en estos hoteles es especialmente agradable o tranquila.

Esto puede deberse a las características del edificio, a la decoración original, al emplazamiento, a la recepción y a los servicios que ofrece, o también a la tranquilidad del lugar.

🏨 a 🏡	*Hoteles agradables*
XXXXX a X	*Restaurantes agradables*
« Parc fleuri »	*Elemento particularmente agradable*
🦢	*Hotel muy tranquilo, o aislado y tranquilo*
🦢	*Hotel tranquilo*
⩽ mer	*Vista excepcional*
⩽	*Vista interesante o extensa*

Las localidades que poseen establecimientos agradables o muy tranquilos están señaladas en los mapas de las páginas 80 a 102.

Consúltelos para la preparación de sus viajes y envíenos su apreciación a su regreso, así nos ayudará en nuestra selección.

La instalación

Las habitaciones de los hoteles que recomendamos poseen, en general, cuarto de baño completo. No obstante puede suceder que en las categorías 🏠 y ⛓ algunas habitaciones carezcan de él.

30 ch	*Número de habitaciones*
🛗	*Ascensor*
▦	*Aire acondicionado (en todo o en parte del establecimiento)*
TV	*Televisión en la habitación*
⅏	*Habitaciones para no fumadores*
☎	*Toma de Modem-Minitel en la habitación*
♿	*Habitaciones de fácil acceso para minusválidos*
🏖	*Comidas servidas en el jardín o en la terraza*
⅃ᴓ	*Fitness club (gimnasio, sauna...)*
⊐ ⊡	*Piscina : al aire libre o cubierta*
🏖 ⌘	*Playa equipada – Jardín*
⚘	*Parque*
✗	*Tenis en el hotel*
🛋 25 à 150	*Salones de reuniones : capacidad*
⇌	*Garaje en el hotel (generalmente de pago)*
🅿	*Aparcamiento reservado a los clientes*
🅿	*Aparcamiento cerrado reservado a los clientes*
⅀	*Prohibidos los perros (en todo o en parte del establecimiento)*
mai-oct.	*Período de apertura comunicado por el hotel*
saisonnier	*Apertura probable en temporada sin precisar fechas. Sin mención, el establecimiento está abierto todo el año*

La mesa

Las estrellas

*Algunos establecimientos merecen ser destacados
por la calidad de su cocina.
Los distinguimos con las estrellas de buena mesa.*

*Para estos restaurantes indicamos tres
especialidades culinarias y vinos locales
que pueden orientarles en su elección.*

❀❀❀ **Una de las mejores mesas, justifica el viaje**
23 *Cocina del más alto nivel, generalmente excepcional,
grandes vinos, servicio impecable, marco elegante...
Precio en consecuencia.*

❀❀ **Mesa excelente, vale la pena desviarse**
76 *Especialidades y vinos selectos...
Cuente con un gasto en proporción.*

❀ **Muy buena mesa en su categoría**
421 *La estrella indica una buena etapa en su itinerario.
Pero no compare la estrella de un establecimiento
de lujo, de precios altos, con la de un establecimiento
más sencillo en el que, a precios razonables,
se sirve también una cocina de calidad.*

El "Bib Gourmand"

446 Buenas comidas a precios moderados
*A veces Vd. desearía encontrar establecimientos más
sencillos, a precios moderados. Por ello hemos
seleccionado unos restaurantes que ofrecen,
con una buena relación calidad-precio,
una buena comida, generalmente de tipo regional
en provincias.
Estos restaurantes están señalados en el texto
con el* **"Bib Gourmand"** ⊜ *y* Repas.
Ej. Repas 15/21 *en provincias.*
Ej. Repas 17/28 *en París y su región.*

Consulte las listas y los mapas con estrellas ❀❀❀,
❀❀, ❀ *y con* **"Bib Gourmand"** ⊜ *(páginas 68 a 102).*
Ver también ⊜ *página siguiente*
Los vinos y los platos : Ver páginas 63 a 67

Los precios

*Los precios de la guía, indicados en euros (EUR),
nos fueron facilitados en el otoño de 2001.
Correponden a la temporada alta y pueden
ser modificados debido a variaciones
de los precios de bienes y servicios.
Los precios incluyen los impuestos y el servicio.
En su nota no debe figurar ningún recargo
excepto, eventualmente, el impuesto de estancia.*

*Los hoteles y restaurantes figuran en caracteres
gruesos cuando los hoteleros nos han señalado
todos sus precios, comprometiéndose bajo
su responsabilidad a respetarlos ante los turistas
de paso portadores de nuestra guía.*

*En temporada baja, algunos establecimientos
ofrecen condiciones ventajosas, infórmese al reservar.*

*Entre en el hotel con su guía en la mano,
demostrando así que ésta le conduce allí con confianza*

Comidas

enf. 9	*Precio de menú infantil*
⊜	*El establecimiento sirve una comida simple* **a menos de 14 €**

Comidas a precio fijo :

Repas *(7,90)*	*Precio de una comida compuesta sólo del plato fuerte del día con entrada o postre, servida generalmente al almuerzo los días de semana.*
13,80 (déj.)	*Menú : precio del almuerzo*
16/23	*Precio del menú : mínimo 16/máximo 23*
15,50/23	*El menú a precio fijo mínimo 15,50 no se sirve los fines de semana y festivos*
bc	*Bebida incluída*
♟	*Vaso de vino a precio moderado*
♨	*Jarra de vino de la casa a precio moderado*

Comida a la carta :

Repas carte 22 à 48	*El primer precio corresponde a una comida normal comprendiendo : entrada, plato fuerte del día y postre. El 2 precio se refiere a una comida más completa (con especialidad) comprendiendo : dos platos, queso y postre (bebida no incluída).*

Habitaciones

ch 23/58   *Precio mínimo 23 de una habitación individual*
y precio máximo 58 de una habitación doble
29 ch ⌂ 32/69   *Precio de la habitación con desayuno incluído*
⌂ 5,60   *Precio del desayuno (generalmente servido*
en la habitación)
appart.   *Pida los precios al hotelero*

Media pensión

1/2 P 33,50/53   *Precio mínimo y máximo de la media pensión*
(habitación, desayuno y una comida) por persona
y por día en habitación doble, en temporada alta,
para una estancia mínima de tres días.
Una habitación doble ocupada por una única
persona puede tener un suplemento.
En la mayoría de los hoteles, previa solicitud,
es posible alojarse en régimen de pensión completa.
Conviene concretar de antemano los precios
con el hotelero.

Las arras

Algunos hoteleros piden una señal al hacer
la reserva. Se trata de un depósito-garantía
que compromete tanto al hotelero como al cliente.
Conviene precisar con detalle las cláusulas
de esta garantía.
Pida al hotelero confirmación escrita
de las condiciones de estancia así como todos
los detalles útiles.

Tarjetas de crédito

AE ① GB JCB   *American Express – Diners Club – Eurocard,*
MasterCard, Visa – Japan Credit Bureau

Las poblaciones

63300	Código postal de la localidad (los dos primeros dígitos corresponden al número del Departamento o Provincia)
⊠ 57130 Ars	Código postal y lugar de destino
P ⬥SP⬥	Prefectura – Subprefectura
80 ⑤	Mapa Michelin y pliegue
G. Jura	Ver La Guía Verde Michelin Jura
1 057 h.	Población
alt. 75	Altitud de la localidad
Stat. therm.	Balneario
Sports d'hiver	Deportes de invierno
1 200/1 900	Altitud de la estación y altitud máxima alcanzada por los remontes mecánicos
⛿ 2	Número de teleféricos o telecabinas
⛷ 14	Número de telesquís o telesillas
⛷	Esquí de fondo
BY B	Letras para localizar un emplazamiento en el plano
※ ≼	Panorama, vista
✈	Aeropuerto
🚗	Localidad con servicio Auto-Expreso. Información en el número de teléfono indicado
🛥	Transportes marítimos
🛥	Transportes marítimos para pasajeros solamente
🛈	Información turística

Las curiosidades

Grado de interés

★★★ *Justifica el viaje*
★★ *Vale la pena desviarse*
★ *De particular interés*

Los museos cierran generalmente los martes

Situación de las curiosidades

Voir *En la población*
Env. *En los alrededores de la población*
N, S, E, O *La curiosidad está situada : al Norte, al Sur, al Este, al Oeste*
②④ *Salir por la salida ② ó ④ localizada por el mismo signo en el plano de la Guía y en el mapa*
2 km *Distancia en kilómetros*

Los mapas de alrededores

No se olvide de consultarlos

¿Quiere usted encontrar un determinado establecimiento, en los alrededores de, por ejemplo, Clermont-Ferrand?

Consulte el mapa que acompaña al plano de la ciudad.

En el « mapa de alrededores » (reproducido más abajo) figuran todas las localidades citadas en la Guía que se encuentran en las cercanías de la ciudad escogida, principalmente las situadas a menos de media hora de coche (límite de color).

Los « mapas de alrededores » permiten localizar rápidamente todas las posibilidades propuestas por la Guía en torno a las metrópolis regionales.

Nota :

cuando una localidad figura en un « mapa de alrededores », la metrópoli a la que pertenece está impresa en color AZUL en la línea de distancias entre ciudades.

Ejemplo :

Châtelguyon figurará en el «mapa de alrededores» de Clermont-Ferrand.

CHÂTELGUYON *63140 P.-de-D.* **78** ④ *G. Auvergne sept.) – Casino* **B**.

    🛈 *Office du tourisme Parc Étienne Clémentel*
    ot.chatelguyon@wanadoo.fr
    Paris 414 ① *– Clermont-Ferrand 21* ① *– Gannat*

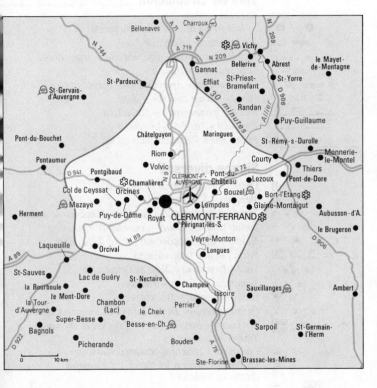

Bellenaves • Charroux ⚘
Vichy ⚘
le Mayet-
de-Montagne •
Bellerive • Abrest
Gannat St-Yorre •
St-Pardoux • Effiat St-Priest-
Bramefant
St-Gervais-
d'Auvergne • Randan
Puy-Guillaume •
Pont-du-Bouchet • Châtelguyon • Maringues •
St-Rémy-s-Durolle •
Riom • Monnerie-
Pontaumur • le-Montel •
Volvic • Courty Thiers
Pontgibaud Pont-du- A 72 Lezoux Pont-de-Dore
Chamalières CLERMONT-Fd. Château
Col de Ceyssat Orcines AUVERGNE Bouzel • Bort-l'Etang ⚘
Mazaye • Lempdes • Glaine-Montaigut •
Herment • Puy-de-Dôme Royat Aubusson-d'A. •
CLERMONT-FERRAND ⚘
Pérignat-lès-S. • le Brugeron •
Veyre-Monton •
Laqueuille • Longues •
Orcival •
St-Sauves •
la Bourboule • Lac de Guéry St-Nectaire • Champeix • Sauxillanges ⚘ Ambert •
le Mont-Dore • Issoire
la Tour- Chambon Perrier • St-Germain-
d'Auvergne • (Lac) le Cheix l'Herm •
Super-Besse • Besse-en-Ch. ⚘ Sarpoil •
Bagnols •
Picherande • Boudes •
Ste-Florine • Brassac-les-Mines •

0   10 km

*Todos los «mapas
de alrededores»
se pueden localizar
en el mapa temático
páginas 80 a 102.*

Los planos

□ ● *Hoteles*
■ ● *Restaurantes*

Curiosidades _____

Edificio interesante
Edificio religioso interesante :
- Católico – Protestante

Vías de circulación _____

Autopista, autovía
④ ④ *Número del acceso : completo, parcial*
Vía importante de circulación
← ◄ ╪╪╪╪╪ *Sentido único – Calle reglamentada o impracticable*
⊢━━⊣ ▬▬ *Calle peatonal – Tranvía*
R. Pasteur 🅿 🅿 *Calle comercial – Aparcamiento – Aparcamientos «P + R»*
╪ ╬ ╬ *Puerta – Pasaje cubierto – Túnel*
Estación y línea férrea – Coche/Tren
∘┼┼┼┼┼∘ ∘─■─■─∘ *Funicular – Teleférico, telecabina*
△ 🅱 *Puente móvil – Barcaza para coches*

Signos diversos _____

🛈 *Oficina de Información de Turismo*
☼ ✡ *Mezquita – Sinagoga*
∘ ⋰ ✘ ⚲ *Torre – Ruinas – Molino de viento – Depósito de agua*
▨▨▨ † ↟ ⊥ *Jardín, parque, bosque – Cementerio – Crucero*
◯ ⚑₉ ⚘ ⛸ *Estadio – Golf – Hipódromo – Pista de patinaje*
⊛ ⚲ ▨ ▨ *Piscina al aire libre, cubierta*
≼ ☰ ⊻ ▾ *Vista – Panorama – Mesa de Orientación*
■ ⊚ ✿ *Monumento – Fuente – Fábrica*
🛒 ⚐ *Centro comercial – Multicines*
⚓ ⚑ ⌁ *Puerto deportivo – Faro – Torreta de telecomunicación*
✈ ⊙ 🚇 S.N.C.F. *Aeropuerto – Boca de metro – Estación de autobuses*
Transporte por barco :
⛴ ⟶ ⟶ *- pasajeros y vehículos, pasajeros solamente*
③ *Referencia común a los planos y a los mapas detallados Michelin*
🖂 ◎ *Oficina central de correos y teléfonos*
✚ ▨ ⚔ *Hospital – Mercado cubierto – Cuartel*
▨ ▨ *Edificio público localizado con letra :*
A C *- Cámara de Agricultura – Cámara de Comercio*
G ⚕ H J *- Guardia civil – Ayuntamiento – Palacio de Justicia*
M P T *- Museo – Gobierno civil – Teatro*
U *- Universidad, Escuela Superior*
POL. *- Policía (en las grandes ciudades : Jefatura)*
⛐ 18T ⑱ *Pasaje bajo (inf. a 4 m 50) – Carga limitada (inf. a 19 t)*

Les Vins
Wines
I Vini
Los Vinos
Die Weine

En dehors des grands crus, beaucoup de vins moins connus, souvent proposés au verre ou en pichet, vous procureront aussi de belles satisfactions.

As well as the great vintages, many less famous wines, often served by the glass or carafe, will also give much enjoyment.

Al di fuori dei grandi vini, ne esistono di meno conosciuti, spesso proposti al bicchiere, che vi procureranno comunque ottime soddisfazioni.

Además de los grandes caldos, muchos vinos menos conocidos, que frecuentemente se proponen por copa o en jarra, le pueden sorprender agradablemente.

Wählen Sie nicht nur Grand Crus aus, auch weniger bekannte Weine, welche oft im Glas oder in der Karaffe angeboten werden, können viel Vergnügen bereiten.

Un mets préparé avec une sauce au vin s'accommode si possible du même cru.

A dish with a wine-based sauce should ideally be accompanied by the same wine.

Un piatto preparato con una salsa al vino si accompagna, di preferenza, con il medesimo vino.

Un plato elaborado con una salsa de vino debe acompañarse, si es posible, con ese mismo vino.

Ein Gericht welches mit einem bestimmten Wein zubereitet ist, sollte mit dem gleichen Wein getrunken werden.

Vins et fromages d'une même région s'associent souvent avec succès. Osez parfois les mariages vins blancs/fromages, ils vous réserveront d'étonnantes surprises.

Cheese and wine from the same region usually go together well. White wine with cheese can be a surprisingly good combination.

Vini e formaggi di una stessa regione si sposano generalmente con successo; provate l'accostamento formaggio/vino bianco : vi riserverà piacevoli sorprese.

Muchas veces los vinos y quesos de una misma región se combinan con gran éxito. Pruebe el vino blanco con queso, se llevará una grata sorpresa.

Wein und Käse der gleichen Region bilden häufig eine gute Verbindung. Versuchen Sie auch Weißwein mit Käse, diese Verbindung wird Ihnen angenehme Überraschungen bieten.

Il est conseillé de ne pas boire les vins blancs trop froids et les vins rouges trop chambrés.

White wines should not be served too chilled, nor red wines too warm.

Si consiglia di non bere i vini bianchi troppo freddi o i vini rossi troppo caldi.

Se recomienda no beber los vinos blancos demasiado fríos, ni los tintos demasiado templados.

Weißweine sollten nicht zu kalt, Rotweine nicht zu warm getrunken werden.

Les Millésimes
Vintages
Le Annate
Añadas
Die Jahrgänge

	1989	1990	1991	1992	1993	1994	1995	1996	1997	1998	1999	2000
Alsace												
Bordeaux blanc												
Bordeaux rouge												
Bourgogne blanc												
Bourgogne rouge												
Beaujolais												
Champagne												
Côtes du Rhône *Septentrionales*												
Côtes du Rhône *Méridionales*												
Provence												
Languedoc Roussillon												
Val de Loire *Muscadet*												
Val de Loire *Anjou-Touraine*												
Val de Loire *Pouilly-Sancerre*												

Grandes années
Great years
Grandi annate
Añadas excelentes
Großen Jahrgänge

Bonnes années
Good years
Buone annate
Buenas añadas
Gute Jahrgänge

Années moyennes
Average years
Annate corrette
Añadas correctas
Mittlere Jahrgänge

Les Grandes Années du XXe siècle :
The greatest vintages of the 20th Century :
Le grandi annate del ventesimo secolo :
Las grandes añadas del siglo XX :
Die größten Jahrgänge des 20. Jahrhunderts :

1911 / 1921 / 1928 / 1929 / 1934 / 1945 / 1947 / 1953 / 1955 / 1961 / 1990

Quelques suggestions d'associations Mets & Vins
A few suggestions for complementary Dishes and Wines
Qualche suggerimento per l'abbinamento tra Cibo e Vini
Algunas sugerencias para combinar Platos y Vinos
Einige Empfehlungen welcher Wein zum welchem Gericht

Que boire avec ? *What to drink with ?* Cosa bere con ? *¿ Qué vino tomar ?* Was trinkt man dazu ?	Type de vin *Type of wine* Tipo di vino *Tipo de vino* Art des Weins	Région vinicole *Region of production* Regione vinicola *Región vinícola* Weingegend	Appellation *Appellation* Denominazione *Denominación* Appellation
	Blancs secs *Dry whites* Bianchi secchi *Blancos secos* Trockene Weiße	Alsace Bordeaux Bourgogne Côtes du Rhône Provence Languedoc-Roussillon Val de Loire	Sylvaner/Riesling Entre-deux-Mers Chablis/Mâcon Villages St Joseph Cassis/Palette Picpoul de Pinet Muscadet/Montlouis
	Blancs secs *Dry whites* Bianchi secchi *Blancos secos* Trockene Weiße	Alsace Bordeaux Bourgogne Côtes du Rhône Provence Corse Languedoc-Roussillon Val de Loire	Riesling Pessac-Léognan/Graves Meursault/Chassagne Montrachet Hermitage/Condrieu Bellet/Bandol Patrimonio Coteaux du Languedoc Sancerre/Menetou-Salon
	Blancs **et rouges légers** *Whites* *and light reds* Bianchi e rossi leggeri *Blancos* *y tintos suaves* Weiße und leichte Rote	Alsace Champagne Bordeaux Bourgogne Beaujolais Côtes du Rhône Provence Corse Languedoc-Roussillon Val de Loire	Tokay-Pinot gris/Pinot noir Coteaux Champenois blanc et rouge Côtes de Bourg/Blaye/Castillon Mâcon/St Romain Beaujolais Villages Tavel (rosé)/Côtes du Ventoux Coteaux d'Aix en Provence Coteaux d'Ajaccio/Porto Vecchio Faugères Anjou/Vouvray
	Rouges *Reds* Rossi *Tintos* Rote	Bordeaux/Sud-Ouest Bourgogne Beaujolais Côtes du Rhône Provence Languedoc-Roussillon Val de Loire	Médoc/St Emilion/Buzet Volnay/Hautes Côtes de Beaune Moulin à Vent/Morgon Vacqueyras/Gigondas Bandol/Côtes de Provence Fitou/Minervois Bourgueil/Saumur
	Rouges corsés *Hearty reds* Rossi di corpo *Tintos con cuerpo* Kräftige Rote	Bordeaux/Sud-Ouest Bourgogne Côtes du Rhône Languedoc-Roussillon Val de Loire	Pauillac/St Estèphe/Madiran Pommard/Gevrey-Chambertin Côte-Rôtie/Cornas Corbières/Collioure Chinon
	Blancs et rouges *Whites and reds* Bianchi e rossi *Blancos y tintos* Weiße und Rote	Alsace Bordeaux Bourgogne Beaujolais Côtes du Rhône Languedoc-Roussillon Jura/Savoie Val de Loire	Gewürztraminer St Julien/Pomerol/Margaux Pouilly-Fuissé/Santenay St Amour/Fleurie Hermitage/Châteauneuf-du-Pape St Chinian Vin Jaune/Chignin Pouilly-Fumé/Valençay
	Vins de desserts *Dessert wines* Vini da dessert *Vinos dulces* Dessert-Weine	Alsace Champagne Bordeaux/Sud-Ouest Bourgogne Jura/Bugey Côtes du Rhône Languedoc-Roussillon Val de Loire	Muscat d'Alsace/Crémant d'Alsace Champagne blanc et rosé Sauternes/Monbazillac/Jurançon Crémant de Bourgogne Vin de Paille/Cerdon Muscat de Beaumes-de-Venise Banyuls/Maury/Muscats/Limoux Coteaux du Layon/Bonnezeaux

Normandie

Andouille de Vire
Demoiselles de Cherbourg à la nage
Sole dieppoise
Tripes à la mode de Caen
Canard à la rouennaise
Poulet Vallée d'Auge
Agneau de pré-salé
Camembert, Livarot, Pont-l'Evêque, Neufchâtel
Tarte aux pommes au calvados
Crêpes à la normande
Douillons

Bretagne

Fruits de mer, crustacés
Huîtres de Belon
Galettes au sarrazin/blé noir
Charcuteries, andouille de Guéméné
St-Jacques à la bretonne
Homard à l'armoricaine
Poissons : bar, turbot, lieu jaune, maquereau, etc.
Cotriade
Kig Ha Farz
Légumes : artichauts, choux-fleurs, etc.
Crêpes, gâteau breton, far, kouing-aman

Val de Loire

Rillettes de Tours
Andouillette au vouvray
Poissons de rivière : brochet, sandre, etc.
Saumon beurre blanc
Gibier de Sologne
Fromages de chèvre : Ste-Maure, Valençay
Crémet d'Angers
Macarons, nougat glacé, pithiviers, tarte tatin

Centre-Auvergne

Cochonnailles
Tripous
Champignons, cèpes, girolles, etc.
Pâté bourbonnais
Aligot
Potée auvergnate
Chou farci
Pounti
Lentilles du Puy
Cantal, St-Nectaire, fourme d'Ambert
Flognarde, Gâteau à la broche

Sud-Ouest

Garbure
Ttoro
Jambon de Bayonne
Foie gras
Omelette aux truffes
Pipérade
Lamproie à la bordelaise
Poulet basquaise
Cassoulet
Confit de canard ou d'oie
Cèpes à la bordelaise
Tomme de brebis
Roquefort
Gâteau basque
Pruneaux à l'armagnac

Nord-Picardie

Moules
Poissons : sole, turbot, etc.
Potjevlesch
Ficelle picarde
Flamiche aux poireaux
Gibier d'eau
Waterzoï
Lapin à la bière
Hochepot
Maroilles, Boulette d'Avesne
Gaufres

Rouen

Paris

VAL de LOIRE

Rennes

Nantes   Angers *Bourgueil*
Muscadet Anjou   *Vouvray*
                Tours
            Chinon   *Pou.
                                Fur.*
                        Sancerre

Haut-Poitou

St Pourçain

BORDEAUX

Médoc   *Côtes
                d'Auvergne*
        Pomerol   Clermont-Ferrand
Bordeaux   *St Emilion*

Graves   *Bergerac*
                Monbazillac

Sauternes

                        Cahors

        Buzet
Madiran
Irouléguy   *Fronton* *Gaillac*
    Jurançon

**LANGUEDOC
ROUSSILLON** Montpe
        Minervois
Coteaux du Languedoc
        Corbières Narbor
        Perpignan
        Côtes du Roussillon
                Banyuls

Provence Méditerranée

Aïoli
Pissaladière
Salade niçoise
Anchois de Collioure
Brandade nîmoise
Bourride sétoise
Bouillabaisse
Loup grillé au fenouil
Petits farcis niçois
Daube provençale
Agneau de Sisteron
Pieds paquets à la marseillaise
Picodon
Crème catalane, calissons, fruits confits

Bourgogne

Jambon persillé
Gougère
Escargots de Bourgogne
Oeufs en meurette
Pochouse
Jambon chaud à la crème
Coq au vin
Viande de charolais
Boeuf bourguignon
Epoisses
Poire dijonnaise
Desserts au pain d'épice

Alsace-Lorraine

Charcuterie, presskopf
Quiche lorraine
Tarte à l'oignon
Asperges
Poissons : sandre, carpe, anguille
Grenouilles
Coq au riesling
Spaetezele
Choucroute
Baeckeoffe
Gibiers : biche, chevreuil, sanglier
Munster
Tarte aux mirabelles ou quetches
Kougelhopf, vacherin glacé

Franche-Comté/Jura

Jésus de Morteau
Saucisse de Montbéliard
Croûte aux morilles
Soufflé au fromage
Poissons de lac et rivières : brochet, truite
Grenouilles
Coq au vin jaune
Comté, vacherin, morbier, cancoillotte
Gaudes au maïs

Lyonnais-Pays Bressan

Rosette de Lyon
Grenouilles de la Dombes
Saucisson truffé pistaché
Gâteau de foies blonds
Quenelles de brochet
Tablier de sapeur
Volailles de Bresse à la crème
Poularde demi-deuil
Cardons à la moelle
Cervelle de canut
Bugnes

Savoie-Dauphiné

Gratin de queues d'écrevisses
Poissons de lac : omble chevalier, perche, féra
Ravioles du Royans
Fondue, raclette, tartiflette
Diots au vin blanc
Fricassée de caïon
Potée savoyarde
Farçon, farcement
Gratin dauphinois
Beaufort, reblochon, tomme de Savoie, St-Marcellin
Gâteau de Savoie, tarte aux myrtilles, gâteau aux noix

Reims
Épernay
Côtes de Toul
...IAMPAGNE
...hablis
ALSACE
Strasbourg
BOURGOGNE
Dijon
Colmar
Côte de Nuits
Beaune
Côte de Beaune
Jura
Mâcon
BEAUJOLA...
Bugey
Savoie
Lyon
Côte Rôtie
Hermitage
...ÔTES du RHÔNE
...hâteauneuf-*du*-Pape
...avel
Avignon
Nice
...teaux d'Aix
PROVENCE
...arseille
Côtes de Provence
Cassis
Bandol
Bastia
Corse
Ajaccio

Corse

Jambon, figatelli, lonzo, coppa
Langouste
Omelette au brocciu
Civet de sanglier
Chevreau
Fromages de brebis (Niolu)
Flan de châtaignes, fiadone

BORDEAUX *Pomerol* *Bergerac*	**Vignobles** - *Vineyards* - Vini *Viñedos* - Weinberge
Val de Loire *Rillettes de Tours*	**Spécialités régionales** *Regional specialities* Vini e Specialità regionali *Viñedos y Especialidades regionales* Weinberge und regionale Spezialitäten

Les bonnes tables à étoiles en province
Starred establishments outside the Paris region
Gli esercizi con stelle in provincia
Die Stern-Restaurants in der Provinz
Las estrellas de buena mesa en provencias

✿ ✿ ✿

Chagny (71)	*Lameloise*	Reims (51)	*Boyer "Les Crayères*
Eugénie-les-Bains (40)	*Prés d'Eugénie*	Roanne (42)	*Troisgros*
	(Les)	Saulieu (21)	*Côte d'O.*
Illhaeusern (68)	*Auberge de l'Ill*	Strasbourg (67)	*Buerebiese*
Laguiole (12)	*Michel Bras*	Untermuhlthal (57)	*Arnsbourg (L'*
Lyon (69)	*Paul Bocuse*	Veyrier-du-Lac	
Megève (74)	*Ferme de mon Père*	(74)	*Auberge de l'Éridar*
Montpellier (34)	*Jardin des Sens*	Vonnas (01)	*Georges Blan*

✿ ✿

Aix-en-Provence (13)	*Clos de la Violette*	Lorient (56)	*Amphitryon (L*
Arbois (39)	*Jean-Paul Jeunet*	Lourmarin (84)	*Moulin de Lourmarin*
Les Baux-de-Provence		Lyon (69)	*Auberge de l'Il*
(13)	*Oustaù de Baumanière*	–	*Léon de Lyon*
Beaulieu-sur-Mer		Magescq (40)	*Relais de la Post*
(06)	*Réserve de Beaulieu*	Marlenheim (67)	*Ce*
Béthune		Marseille (13)	*Petit Nic*
(62)	*Meurin et Résidence Kitchener*	Mionnay (01)	*Alain Chape*
Le Bourget-du-Lac (73)	*Bateau Ivre*	Monte-Carlo (MC)	*Louis X*
Bracieux (41)	*Bernard Robin -*	Mougins (06)	*Moulin de Mougin*
	Relais de Bracieux	La Napoule (06)	*Oasis (L*
Caen (14)	*Bourride*	Nice (06)	*Chantecle*
Cancale (35)	*Maisons de Bricourt*	Onzain (41)	*Domaine des Hauts de Loir*
Cannes (06)	*Palme d'Or*	Pauillac (33)	*Château Cordeillan Bage*
Carantec (29)	*Hôtel de Carantec-*	Plancoët (22)	*Jean-Pierre Crouz*
	Patrick Jeffroy (L')	Puymirol (47)	*Loges de l'Aubergade (Les*
Chamonix-Mont-Blanc		Questembert (56)	*Bretagr*
(74)	*Hameau Albert 1er*	La Roche-Bernard	
Courchevel 1850 (73)	*Bateau Ivre*	(56)	*Auberge Bretonn*
–	*Chabichou*	La Rochelle (17)	*Richard Coutancea*
Les Eyzies-de-Tayac (24)	*Centenaire*	Romorantin-Lanthenay	
Èze (06)	*Château de la Chèvre d'Or*	(41)	*Grand Hôtel du Lion d'O*
Fontjoncouse (11)	*Auberge du Vieux Puits*	Rouen (76)	*G*
Grasse (06)	*Bastide St-Antoine*	Saint-Bonnet-le-Froid	
Joigny (89)	*Côte St-Jacques*	(43)	*Auberge et Clos des Cime*
Juan-les-Pins (06)	*Juana*		
Lembach (67)	*Auberge du Cheval Blanc*		

Saint-Martin-du-Var	
(06)	*Jean-François Issautier*
Saint-Père (89)	*Espérance (L')*
Saint-Tropez (83)	*Leï Mouscardins*
Strasbourg (67)	*Crocodile (Au)*
La Tour-de-Salvagny (69)	*Rotonde*
Tournus (71)	*Rest. Greuze*

Tours (37)	*Jean Bardet*
La Turbie (06)	*Hostellerie Jérôme*
Uriage-les-Bains (38)	*Grand Hôtel*
Urt (64)	*Auberge de la Galupe*
Valence (26)	*Pic*
Vence (06)	*Jacques Maximin*
Vienne (38)	*Pyramide*

❀

L'Abergement-	
Clémenciat (01)	*St-Lazare*
Aiguebelle (83)	*Sud (Le)*
Aillant-sur-Tholon	
(89)	*Domaine du Roncemay*
Ainhoa (64)	*Ithurria*
Ajaccio (2A)	*Dolce Vita*
Alleyras (43)	*Haut-Allier*
Amboise (37)	*Choiseul*
Ammerschwihr	
(68)	*Armes de France (Aux)*
Amondans (25)	*Château d'Amondans*
Ampus (83)	*Fontaine d'Ampus*
Les Andelys (27)	*Chaîne d'Or*
Annecy (74)	*Atelier Gourmand (L')*
–	*Clos des Sens*
Antibes (06)	*Bacon*
Argelès-sur-Mer (66)	*Auberge du Roua-*
	La Belle Demeure
Astaffort (47)	*Square "Michel Latrille"*
Aumont-Aubrac	
(48)	*Grand Hôtel Prouhèze*
Auxerre (89)	*Barnabet*
Avignon (84)	*Christian Étienne*
–	*Europe*
–	*Hiély-Lucullus*
–	*Isle Sonnante (L')*
–	*Mirande*
Bagnoles-de-l'Orne (61)	*Manoir du Lys*
Bagnols (69)	*Château de Bagnols*
Baldenheim (67)	*Couronne*
Balleroy (14)	*Manoir de la Drôme*
Bar-sur-Seine (10)	*Parc de Villeneuve*
Bas-Rupts (88)	*Hostellerie des Bas-Rupts*
La Baule-Escoublac	
(44)	*Castel Marie-Louise*
Les Baux-de-Provence (13)	*Cabro d'Or*
Bayeux (14)	*Château de Sully*
Bayonne (64)	*Auberge du Cheval Blanc*
Beaumesnil (27)	*Étape Louis XIII (L')*

Beaune (21)	*Jardin des Remparts*
Beaurecueil (13)	*Relais Ste-Victoire*
Belcastel (12)	*Vieux Pont*
Belfort (90)	*Sabot d'Annie*
Belle-Église (60)	*Grange de Belle-Eglise*
Belleville (54)	*Bistroquet*
Bénodet (29)	*Ferme du Letty*
Bergues (59)	*Cornet d'Or*
Berry-au-Bac (02)	*Côte 108*
Besançon (25)	*Mungo Park*
–	*Valentin*
Beuvron-en-Auge (14)	*Pavé d'Auge*
Les Bézards (45)	*Auberge des Templiers*
Biarritz (64)	*Café de Paris*
–	*Campagne et Gourmandise*
–	*Palais*
–	*Platanes (Les)*
Bidart (64)	*Table des Frères Ibarboure*
Billiers (56)	*Domaine de Rochevilaine*
Biot (06)	*Terraillers (Les)*
Biriatou (64)	*Bakéa*
Bléré (37)	*Cheval Blanc*
Blois (41)	*Orangerie du Château (L')*
–	*Rendez-vous des Pêcheurs (Au)*
Bonnatrait	
(74)	*Hôtellerie Château de Coudrée*
Bonneville	
(74)	*Eau Sauvage et Hôtel Sapeur (L')*
Bonsecours (76)	*Butte*
Bordeaux (33)	*Chapon Fin*
–	*Jean Ramet*
–	*Pavillon des Boulevards*
–	*Plaisirs d'Ausone (Les)*
Bort-l'Étang (63)	*Château de Codignat*
Bossey (74)	*Ferme de l'Hospital*
Bouilland (21)	*Hostellerie du Vieux Moulin*
Bouliac (33)	*St-James*
Bouligneux (01)	*Auberge des Chasseurs*
Boulogne-sur-Mer (62)	*Matelote*
Bourbon-Lancy (71)	*Manoir de Sornat*
Bourg-Charente (16)	*Ribaudière*

69

Froideterre (70)	Hostellerie des Sources	Malbuisson (25)	Bon Accueil
La Fuste (04)	Hostellerie de la Fuste	–	Jean-Michel Tannières
Garons (30)	Alexandre	Le Mans (72)	Beaulieu
Gevrey-Chambertin (21)	Millésimes (Les)	Marsannay-la-Côte (21)	Gourmets
Golfe-Juan (06)	Tétou	Marseille (13)	Épuisette (L')
Gordes (84)	Bories (Les)	–	Michel-Brasserie des Catalans
La Gouesnière (35)	Maison Tirel-Guérin	–	Miramar
Granges-les-Beaumont (26)	Cèdres (Les)	Martillac (33)	Sources de Caudalie
Grenade-sur-l'Adour		Megève (74)	Flocons de Sel
(40)	Pain Adour et Fantaisie	Mercurey (71)	Hôtellerie du Val d'Or
Grimaud (83)	Santons (Les)	Metz (57)	Pampre d'Or (Au)
Gundershoffen (67)	Cygne (Au)	Mimizan (40)	Bon Coin du Lac (Au)
Hagenthal-le-Haut (68)	Ancienne Forge	Montargis (45)	Gloire
Haute-Goulaine		Montbazon	
(44)	Manoir de la Boulaie	(37)	Chancelière "Jeu de Cartes"
Hennebont (56)	Château de Locguénolé	Montchenot (51)	Grand Cerf
Honfleur (14)	Assiette Gourmande (L')	Monte-Carlo (MC)	Bar et Boeuf
Igè (71)	Château d'Igé	–	Coupole (La)
L'Isle-sur-la-Sorgue (84)	Prévôté	–	Grill de l'Hôtel de Paris
Issoudun (36)	Rest. La Cognette	–	Vistamar
Joucas (84)	Hostellerie Le Phébus	Montignac (24)	Château de Puy Robert
–	Mas des Herbes Blanches	Montpellier (34)	Olivier (L')
Jurançon (64)	Ruffet (Chez)	Montreuil (62)	Château de Montreuil
Lacave (46)	Château de la Treyne	Montrevel-en-Bresse (01)	Léa
–	Pont de l'Ouysse	Montrond-les-Bains	
Laguiole (12)	Grand Hôtel Auguy	(42)	Hostellerie La Poularde
Lamagdelaine (46)	Claude Marco	Morteau (25)	Auberge de la Roche
Lamastre (07)	Midi	Moustiers-Sainte-Marie	
Landser (68)	Hostellerie Paulus	(04)	Bastide de Moustiers
Langon (33)	Claude Darroze	Mulhouse (68)	Poste
Laval (53)	Bistro de Paris	Mur-de-Bretagne	
Les Lavaults (89)	Auberge de l'Âtre	(22)	Auberge Grand'Maison
Laventie (62)	Cerisier	Murat (15)	Jarrousset
Levernois (21)	Hostellerie de Levernois	Nantes (44)	Atlantide (L')
Ligny-en-Cambrésis		Narbonne (11)	Table St-Crescent
(59)	Château de Ligny	Nevers (58)	Jean-Michel Couron
Lille (59)	Huîtrière (A L')	Nice (06)	Ane Rouge (L')
–	Sébastopol	–	Univers-Christian Plumail (L')
Limoges (87)	Philippe Redon	Nieuil (16)	Château de Nieuil
Lorgues (83)	Bruno	Noves (13)	Auberge de Noves
Lourmarin (84)	Auberge La Fenière	Obernai (67)	Fourchette des Ducs
Lunéville (54)	Château d'Adoménil	Orléans (45)	Antiquaires (Les)
Luynes (37)	Domaine de Beauvois	Paradou (13)	Petite France
Lyon (69)	Alexandrin (L')	Pernes-les-Fontaines	
–	Auberge de Fond Rose (L')	(84)	Fil du Temps (Au)
–	Christian Têtedoie	Perpignan (66)	Côté Théâtre
–	Gourmet de Sèze	–	Park Hôtel
–	Pierre Orsi	Le Petit-Pressigny (37)	Promenade
–	Villa Florentine	Phalsbourg (57)	Soldat de l'An II (Au)
Mâcon (71)	Pierre	La Plaine-sur-Mer (44)	Anne de Bretagne
		Poitiers (86)	3 Piliers (des)

"Bib Gourmand"

Repas soignés à prix modérés en province ___
Good food at moderate prices
   outside the Paris region _____
*Pasti accurati a prezzi contenuti in provincia*___
Sorgfältig zubereitete, preiswerte Mahlzeiten
   in der Provinz _____
Buesnas comidas a precios moderados
   en provincias _____

Abbeville (80)	*Escale en Picardie (L')*	Bains-les-Bains (88)	*Po*
Aincille (64)	*Pecoïtz*	Ballan-Miré (37)	*Kiosq*
Ajaccio (2A)	*U Licettu*	Ban-de-Laveline (88)	*Auberge Lorrai*
Alise-Sainte-Reine (21)	*Cheval Blanc*	Bar-sur-Aube (10)	*Toque Baralbr*
Ambierle (42)	*Prieuré*	Barfleur (50)	*Moder*
Amiens (80)	*Couronne*	Bas-Rupts (88)	*la Belle Marée (*
Ammerschwihr (68)	*Arbre Vert (A l')*	Bayeux (14)	*Bistrot de Po*
Ancenis (44)	*Toile à Beurre*	Bayonne (64)	*Bayonn*
Andorra la Vella (AN)	*Can Manel*	–	*François Miu*
Angoulême (16)	*Terminus (Le)*	Beaugency (45)	*P'tit Bate*
Annot (04)	*Avenue*	**Beaulieu-sur-Dordogne**	
Anse (69)	*St-Romain*	(19)	*Central Hôtel Fourr*
Antibes (06)	*Oscar's*	Beaune (21)	*Bénat*
Antraigues-sur-Volane (07)	*Remise*	–	*Ciboule*
Arcins (33)	*Lion d'Or*	–	*Verg*
Ardentes (36)	*Gare*	Beauzac (43)	*Air du Temps (*
Argoules (80)	*Auberge du Coq-en-Pâte*	Bergerac (24)	*Tour des Ver*
Astaffort		Le Bessat (42)	*Fondue "Chez l'Pè*
(47)	*Une Auberge en Gascogne*		*Charles" (L*
Auch (32)	*Table d'Hôtes*	**Besse-en-Chandesse**	
Aumale (76)	*Villa des Houx*	(63)	*Hostellerie du Beffr*
Aumont-Aubrac (48)	*Camillou (Chez)*	Biarritz (64)	*Clos Basq*
–	*Compostelle*	Birkenwald (67)	*Chasseur (A*
Aurillac (15)	*Quatre Saisons*	Le Blanc (36)	*Cyg*
Autun (71)	*Chalet Bleu*	Bonlieu (39)	*Pou*
Avallon (89)	*Relais des Gourmets*	Bonneuil-Matours (86)	*Pavillon Bl*
Avranches (50)	*Croix d'Or*	**Bonneval-sur-Arc**	
Baden (56)	*Gavrinis*	(73)	*Auberge Le Pré Cat*
Bâgé-le-Châtel (01)	*Table Bâgesienne*	Bonny-sur-Loire (45)	*Voyage*
		Bons-en-Chablais (74)	*Prog*

Bordeaux (33)	Gravelier
Bosdarros (64)	Auberge Labarthe
Boucé (03)	Auberge de Boucé
Boulay-les-Barres (45)	Auberge du Relais de la Beauce
Bourg-en-Bresse (01)	Chalet de Brou
–	Fred et Martine
Bourth (27)	Auberge Chantecler
Bouzel (63)	Auberge du Ver Luisant
Bozouls (12)	la Route d'Argent (A)
Bréauté (76)	Relais de Maupassant
La Bresse (88)	Chevreuil Blanc
Brioude (43)	Poste et Champanne
Brive-la-Gaillarde (19)	Francis (Chez)
Brou (28)	Ascalier (L')
Bruère-Allichamps (18)	Tilleuls (Les)
Buzançais (36)	Hermitage
Cahors (46)	Rendez-Vous
Cahuzac-sur-Vère (81)	Falaise
Calacuccia (2B)	Auberge Casa Balduina
Calais (62)	Côte d'Argent (Au)
Campagne (24)	Château (du)
Cancale (35)	St-Cast
–	Surcouf
Cap-Coz (29)	Pointe du Cap Coz
Carantec (29)	Cabestan
Carcassonne (11)	Écurie (L')
Castagnède (64)	Belle Auberge
Castellane (04)	Nouvel Hôtel du Commerce
Castelnaudary (11)	Tirou
Castéra-Verduzan (32)	Florida
Le Cateau-Cambrésis (59)	Hostellerie du Marché
Cesson (22)	Croix Blanche
Chalamont (01)	Clerc
Chalon-sur-Saône (71)	Auberge des Alouettes
Châlons-en-Champagne (51)	Pré St-Alpin
Chambéry (73)	Tonneau
Champagnole (39)	Auberge des Gourmets
Chaparon (74)	Châtaigneraie
La Chapelle-d'Abondance (74)	Ensoleillé (L')
Charbonnières-les-Bains (69)	Orangerie de Sébastien (L')

Charroux (03)	Ferme St-Sébastien
Chassey-le-Camp (71)	Auberge du Camp Romain
Châteauneuf (71)	Fontaine
Châtelaillon-Plage (17)	Flots (Les)
Chaussin (39)	Bach (Chez)
Chauvigny (86)	Lion d'Or
Chavignol (18)	Côte des Monts Damnés
Chenôve (21)	Clos du Roy
Chépy (80)	Auberge Picarde
Le Cheylard (07)	Provençal
Coligny (01)	Petit Relais
Collonges-la-Rouge (19)	Auberge Le Cantou
Colmar (68)	Hansi (Chez)
Compiègne (60)	Bistrot des Arts
Concarneau (29)	Armande (Chez)
Contamine-sur-Arve (74)	Tourne Bride
Cordon (74)	Cordonant
Coudekerque-Branche (59)	Soubise
Coulon (79)	Central
Coursan (11)	Os à Moelle (L')
La Croix-Blanche (71)	Relais du Mâconnais
Crozant (23)	Auberge de la Vallée
Crozon (29)	Mutin Gourmand
Cucugnan (11)	Auberge de Cucugnan
Curebourse (15)	Hostellerie St-Clément
Deauville (14)	Yearling
Dijon (21)	Cézanne
Dole (39)	Chaumière
Doucier (39)	Comtois
Doué-la-Fontaine (49)	Auberge Bienvenue
Ducey (50)	Auberge de la Sélune
Dunes (82)	Templiers (Les)
Dunières (43)	Tour
Échigey (21)	Place-Rey
Embrun (05)	Mairie
Ernée (53)	Grand Cerf
Espalion (12)	Méjane
Les Eyzies-de-Tayac (24)	Métairie
Favières (80)	Clé des Champs
La Ferrière-aux-Étangs (61)	Auberge de la Mine
Fitou (11)	Cave d'Agnès

Montmorillon (86)	*Lucullus et Hôtel de France*
Montrevel-en-Bresse (01)	*Aventure (L')*
Montsalvy (15)	*Nord*
Mortemart (87)	*Relais*
Mouans-Sartoux (06)	*Relais de la Pinède*
Mouthier-Haute-Pierre (25)	*Cascade*
Mouzon (08)	*Échevins (Les)*
Mur-de-Barrez (12)	*Auberge du Barrez*
Najac (12)	*Belle Rive*
–	*Oustal del Barry*
Nancy (54)	*Pissenlits (Les)*
Nantes (44)	*Caudalies (Les)*
Natzwiller (67)	*Auberge Metzger*
Neufchâtel-sur-Aisne (02)	*Jardin*
Neuville-de-Poitou (86)	*St-Fortunat*
Nevers (58)	*Cour St-Étienne*
Nice (06)	*Rendez-vous des Amis (Au)*
Niedersteinbach (67)	*Cheval Blanc*
Nîmes (30)	*Bouchon et L'Assiette (Le)*
–	*Plaisirs des Halles (Aux)*
Nogent-le-Roi (28)	*Relais des Remparts*
Noirmoutier-en-l'Ile (85)	*Grand Four*
Notre-Dame-de-Bellecombe (73)	*Ferme de Victorine*
Noyon (60)	*Dame Journe*
Nyons (26)	*Charrette Bleue*
Ochiaz (01)	*Auberge de la Fontaine*
Oisly (41)	*St-Vincent*
Olivet (45)	*Laurendière*
Orléans (45)	*Dariole*
–	*Eugène*
Orouet (85)	*Auberge de la Chaumière*
Ottrott (67)	*Ami Fritz (A l')*
Oucques (41)	*Commerce*
Oust (09)	*Hostellerie de la Poste*
Ouzouer-sur-Loire (45)	*Abricotier (L')*
Pailherols (15)	*Auberge des Montagnes*
Paimpol (22)	*Marne*
Peri (2A)	*Séraphin (Chez)*
Pérignac (17)	*Gourmandière*
Perpignan (66)	*Antiquaires (Les)*
Plaisians (26)	*Auberge de la Clue*
Ploubalay (22)	*Gare*
Poitiers (86)	*St-Hilaire*

Polminhac (15)	*Bon Accueil*
Pons (17)	*Auberge Pontoise*
–	*Bordeaux*
Pont-de-Salars (12)	*Voyageurs*
Pont-de-Vaux (01)	*Raisin*
Pont-Sainte-Marie (10)	*Bistrot DuPont*
Pontivy (56)	*Pommeraie*
Pontlevoy (41)	*École (de l')*
Le Porge (33)	*Vieille Auberge*
Port-de-Gagnac (46)	*Hostellerie Belle Rive*
Les Portes-en-Ré (17)	*Auberge de la Rivière*
Porto (2A)	*Bella Vista*
Prades (66)	*Jardin d'Aymeric*
Pujols (47)	*Auberge Lou Calel*
Le Puy-en-Velay (43)	*Lapierre*
–	*Tournayre*
Quarré-les-Tombes (89)	*Morvan*
Quédillac (35)	*Relais de la Rance*
Quiberon (56)	*Chaumine*
Quimper (29)	*Fleur de Sel*
Raguenès-Plage (29)	*Pierre (Chez)*
Reilhac (43)	*Val d'Allier*
Reims (51)	*Vigneraie*
Rennes (35)	*Four à Ban*
–	*Gourmandin*
La Réole (33)	*Fontaines (Les)*
Rians (83)	*Roquette*
Ribeauvillé (68)	*Relais des Ménétriers*
Les Riceys (10)	*Magny*
Rocamadour (46)	*Vieilles Tours (Les)*
Rochecorbon (37)	*Lanterne*
Rodez (12)	*Jardins de l'Acropolis (Les)*
–	*St-Amans*
Rohan (56)	*Eau d'Oust*
La Roque-Gageac (24)	*Belle Étoile*
Rouvres-en-Xaintois (88)	*Burnel*
Les Sables-d'Olonne (85)	*Auberge Robinson*
–	*Clipper*
Saint-Amand-Montrond (18)	*St-Jean*
Saint-André-les-Vergers (10)	*Gentilhommière*
Saint-Benoît-sur-Loire (45)	*Grand St-Benoit*
Saint-Calais (72)	*St-Antoine*

❀❀❀	*Les étoiles* _____
❀❀	*The stars* _____
❀	*Le stelle* _____
	Die Sterne _____
	Las estrellas _____

Repas 15/21 **"Bib Gourmand"**

Repas soignés à prix modérés _____
Good food at moderate prices _____
Pasti accurati a prezzi contenuti _____
Sorgfältig zubereitete preiswerte Mahlzeiten
Buenas comidas a precios moderados _____

L'agrément _____
Peaceful atmosphere and setting _____
Amenità e tranquillità _____
Annehmlichkeit _____
Atractivo y tranquilidad _____

Carte de voisinage : voir à la ville choisِ
Town with a local map _____
Città con carta dei dintorni _____
Stadt mit Umgebungskarte _____
Población con mapa de alrededores _____

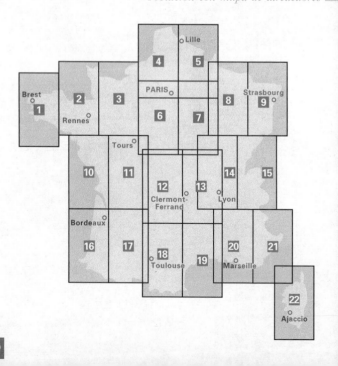

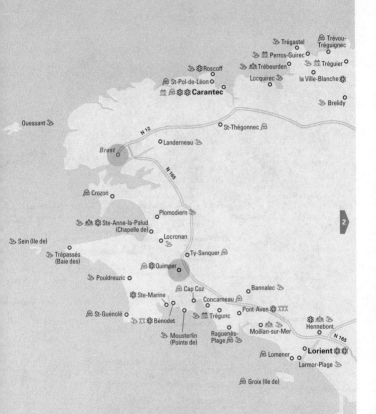

1

Trégastel ⚲
Trévou-
Tréguignec 🏛
Perros-Guirec ⚲ 🏛
Trébeurden 🏛
Tréguier ⚲ 🏛
Locquirec ○
la Ville-Blanche ❀
Roscoff ⚲ ❀
St-Pol-de-Léon 🏛 ○
Brelidy ⚲
🏛 ❀ ❀ **Carantec**

Ouessant ⚲

St-Thégonnec 🏛

N 12

Landerneau ⚲
Brest

N 165

Crozon 🏛

Plomodiern ○

2

Ste-Anne-la-Palud ⚲ 🏛 ❀
(Chapelle de)

Locronan ○
⚲

Sein (Ile de) ⚲

Ty-Sanquer 🏛

Trépassés ⚲
(Baie des)

⚲ ❀ Quimper

Pouldreuzic ⚲ ○

Bannalec ⚲

❀ Ste-Marine
Cap Coz 🏛

Concarneau ○

Pont-Aven ❀ ✕✕✕

St-Guénolé 🏛
✕✕ ❀ Bénodet
⚲
Trégunc 🏛 ⚲

❀ 🏛 ⚲
Hennebont

🏛 ❀ ⚲
Moëlan-sur-Mer

N 165

Mousterlin ⚲
(Pointe de)

Raguenès-
Plage 🏛 ⚲

Lorient ❀ ❀

Lomener 🏛

Larmor-Plage ⚲

Groix (Ile de) 🏛

Quiberon ⚲ ○

Sauzon 🏛

Belle-Ile
⚲ 🏛 Port-Goulphar

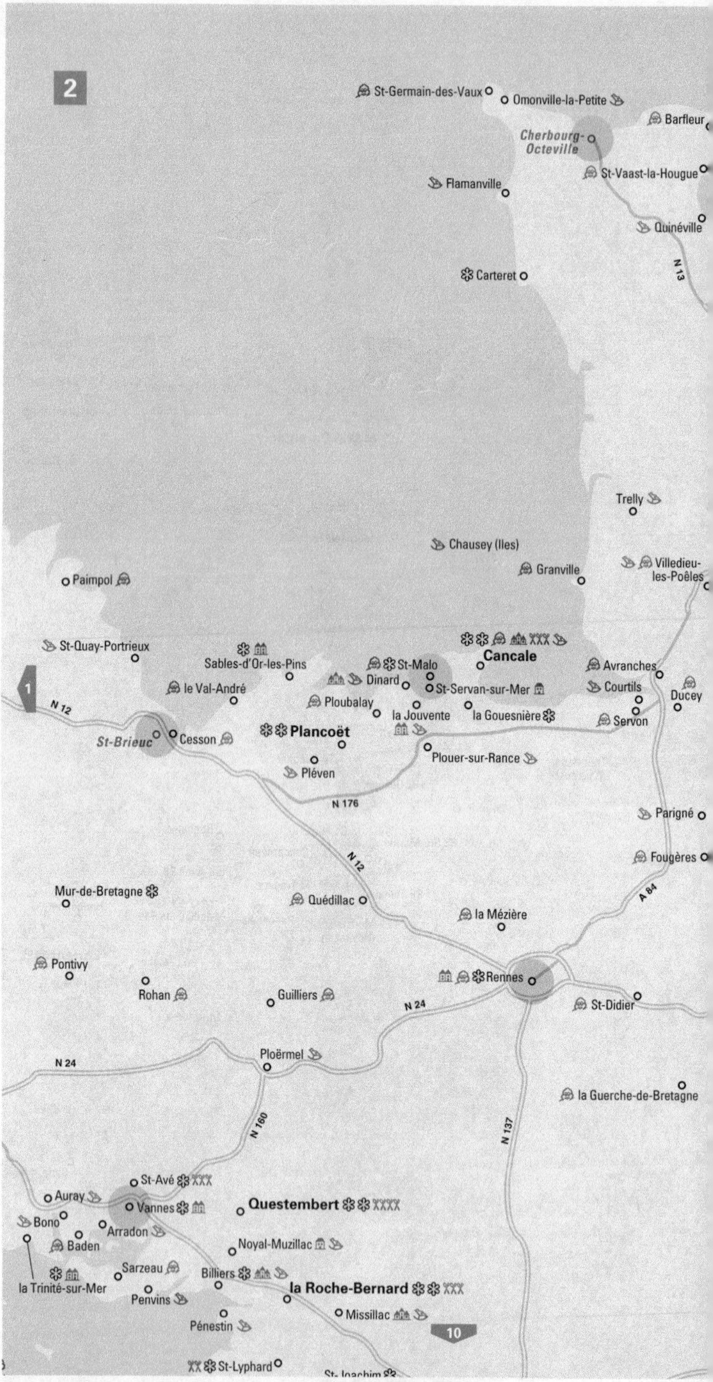

2

St-Germain-des-Vaux   Omonville-la-Petite

Barfleur

Cherbourg-
Octeville

St-Vaast-la-Hougue

Flamanville

Quinéville

N 13

Carteret

Trelly

Chausey (Iles)

Villedieu-
les-Poêles

Paimpol

Granville

St-Quay-Portrieux

St-Malo   Cancale

Sables-d'Or-les-Pins   Avranches

le Val-André   Dinard   St-Servan-sur-Mer   Courtils

Ploubalay   la Jouvente   la Gouesnière   Servon   Ducey

N 12   St-Brieuc   Cesson   Plancoët   Plouer-sur-Rance

Pléven

Parigné

N 176   Fougères

N 12   A 84

Mur-de-Bretagne   Quédillac   la Mézière

Pontivy   Rennes

Rohan   Guilliers   St-Didier

N 24   N 24

Ploërmel   la Guerche-de-Bretagne

N 24   N 760   N 137

St-Avé   Questembert

Auray   Vannes

Bono   Noyal-Muzillac

Baden   Arradon   Sarzeau   Billiers   la Roche-Bernard

la Trinité-sur-Mer   Penvins

Pénestin   Missillac

10

St-Lyphard   St-Joachim

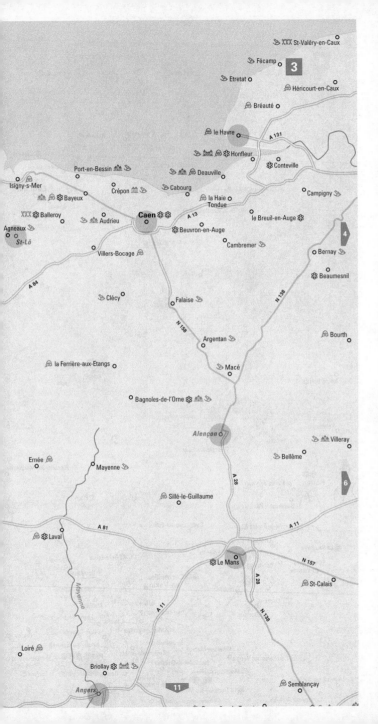

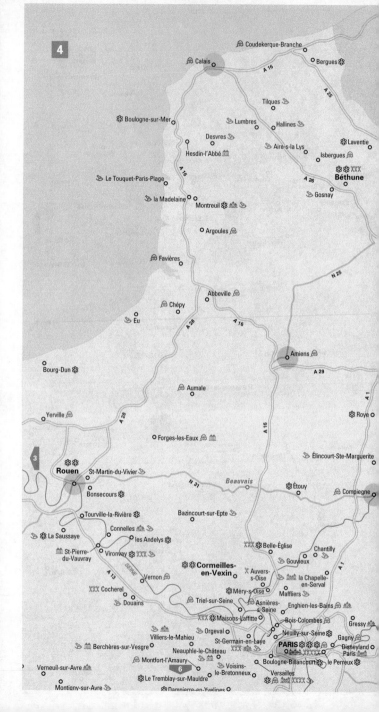

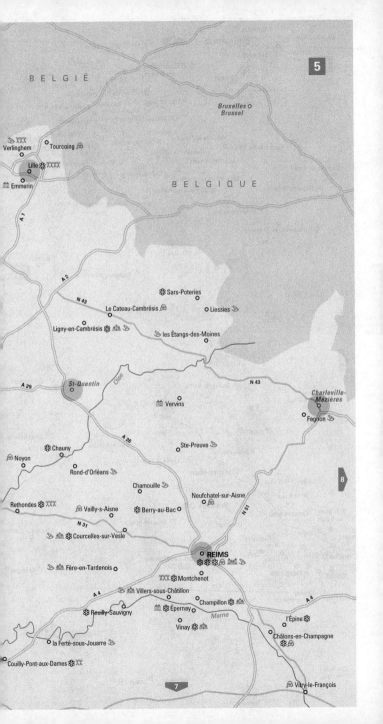

BELGIË

Bruxelles ○
Brussel

Verlinghem ⁂ ✕✕✕

Tourcoing

Lille ⁂ ✕✕✕✕

BELGIQUE

Emmerin

A 1

A 2

N 43

Sars-Poteries ⁂

Le Cateau-Cambrésis

Liessies

Ligny-en-Cambrésis ⁂

les Étangs-des-Moines

Oise

St-Quentin

N 43

A 29

Vervins

Charleville-
Mézières

Fagnon

A 26

Ste-Preuve

Chauny ⁂

Noyon

Rond-d'Orléans

Chamouille

Neufchatel-sur-Aisne

Rethondes ⁂ ✕✕✕

Vailly-s-Aisne

Berry-au-Bac

N 51

N 31

Courcelles-sur-Vesle ⁂

REIMS
⁂⁂⁂⁂

Fère-en-Tardenois

⁂ Montchenot
✕✕✕

A 4

Villers-sous-Châtillon

Champillon ⁂

A 4

Reuilly-Sauvigny ⁂

Épernay ⁂

Marne

l'Épine ⁂

Vinay ⁂

Châlons-en-Champagne

la Ferté-sous-Jouarre

Couilly-Pont-aux-Dames ⁂ ✕✕

Vitry-le-François

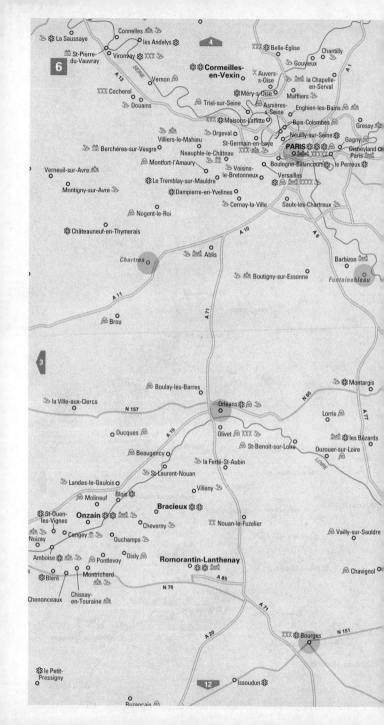

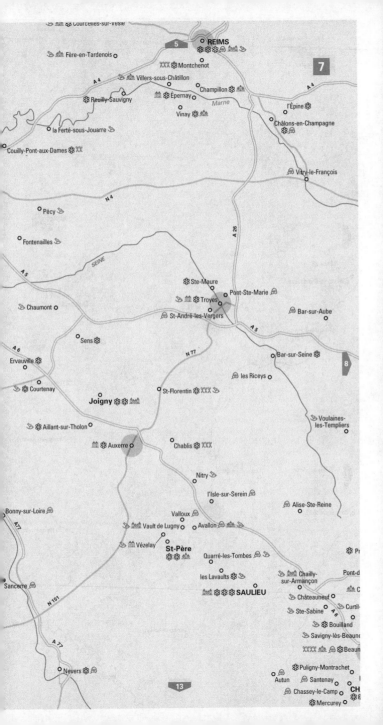

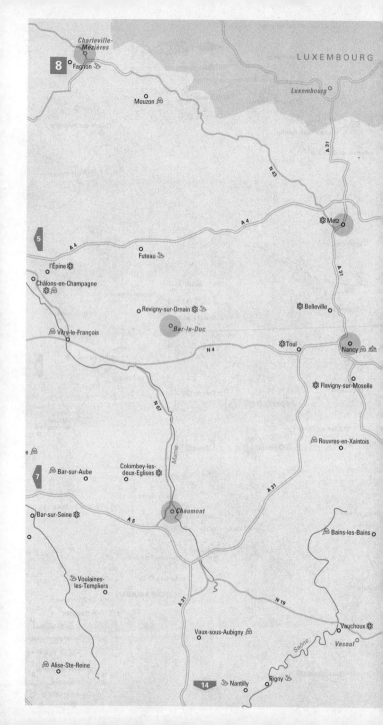

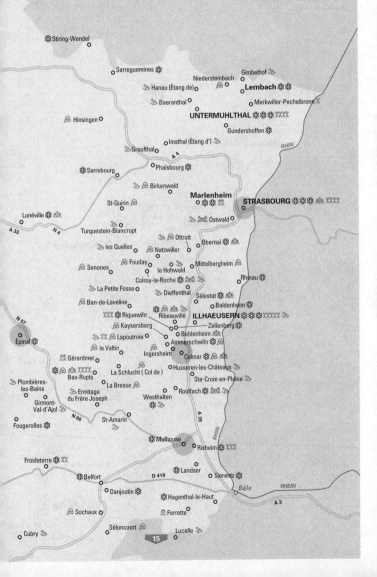

DEUTSCHLAND

Stiring-Wendel

Sarreguemines

Gimbelhof
Niedersteinbach
Hanau (Étang de)
Baerenthal
Lembach
Merkwiller-Pechelbronn

Hinsingen

UNTERMUHLTHAL

Gundershoffen

Imsthal (Étang d')

RHIN

Graufthal

A 4

Sarrebourg

Phalsbourg

Birkenwald

Marlenheim

STRASBOURG

St-Quirin

Ostwald

Lunéville

Turquestein-Blancrupt

A 33   N 4

Ottrott

les Quelles

Obernai

Natzwiller

Fouday

Mittelbergheim

Senones

le Hohwald

Colroy-la-Roche

Rhinau

La Petite Fosse

Dieffenthal

Ban-de-Laveline

Sélestat

Baldenheim

Riquewihr

Ribeauvillé

ILLHAEUSERN

Kaysersberg

Zellenberg

Épinal

Lapoutroie

Beblenheim

Ammerschwihr

le Valtin

Ingersheim

Colmar

Gérardmer

La Schlucht (Col de)

Husseren-les-Châteaux

Bas-Rupts

Plombières-
les-Bains

La Bresse

Ste-Croix-en-Plaine

Ermitage
du Frère Joseph

Rouffach

Girmont-
Val-d'Ajol

N 66

St-Amarin

Westhalten

Fougerolles

A 35

N 57

Mulhouse

Rixheim

Froideterre

Landser

Sierentz

Belfort

D 419

Bâle

RHEIN

Danjoutin

Hagenthal-le-Haut

A 3

Sochaux

Ferrette

Cubry

Séloncourt

Lucelle

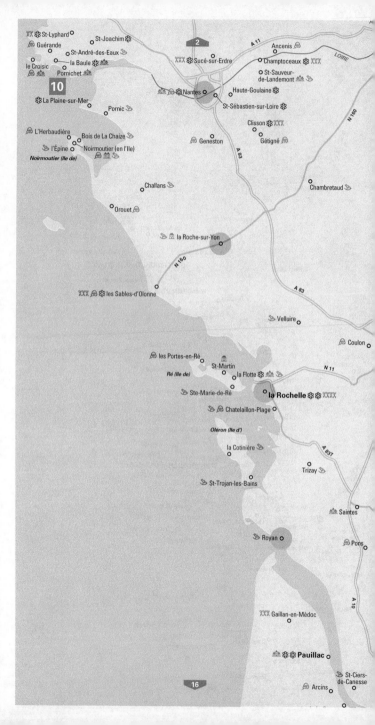

XX ❀ St-Lyphard
St-Joachim ❀
🏛 Guérande
St-André-des-Eaux
le Croisic la Baule ❀ 🏛
🏛 🏛 Pornichet 🏛
XXX ❀ Sucé-sur-Erdre
Ancenis 🏛
Champtoceaux ❀ XXX
St-Sauveur-de-Landemont 🏛
❀ La Plaine-sur-Mer
🏛 🏛 Nantes
Haute-Goulaine ❀
Pornic
St-Sébastien-sur-Loire ❀
🏛 L'Herbaudière
Bois de La Chaize
Clisson ❀ XXX
Geneston
Gétigné 🏛
l'Épine Noirmoutier (en l'Île)
Noirmoutier (Île de)
🏛 🏛

Challans
Chambretaud

Orouet 🏛

🏛 la Roche-sur-Yon

XXX 🏛 ❀ les Sables-d'Olonne

Velluire

Coulon 🏛

🏛 les Portes-en-Ré
St-Martin
la Flotte ❀ 🏛
Ré (Île de)
Ste-Marie-de-Ré
la Rochelle ❀ ❀ XXXX
🏛 Chatelaillon-Plage

Oléron (Île d')

la Cotinière

Trizay

St-Trojan-les-Bains

🏛 Saintes

Royan

Pons 🏛

XXX Gaillan-Médoc

🏛 ❀ ❀ **Pauillac**

St-Ciers-de-Canesse
Arcins

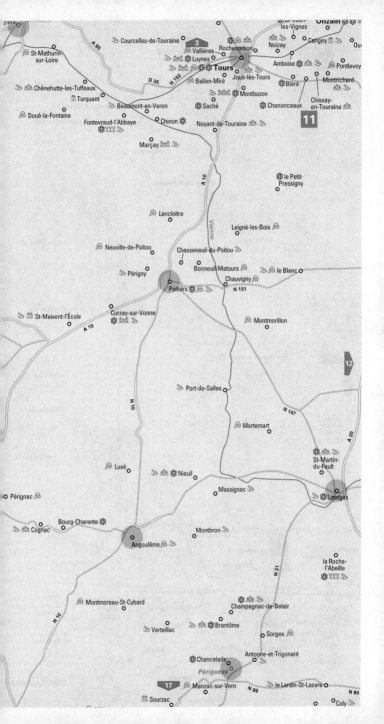

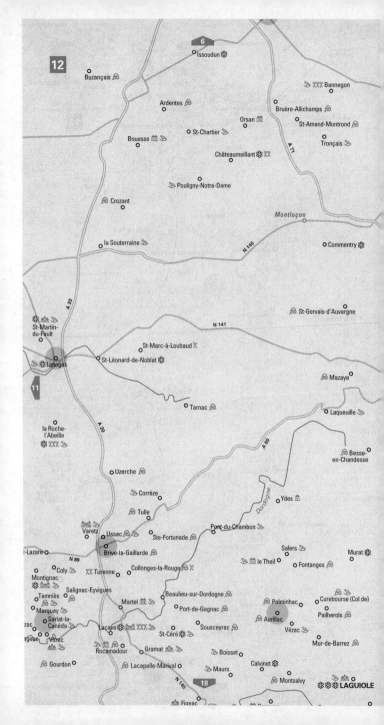

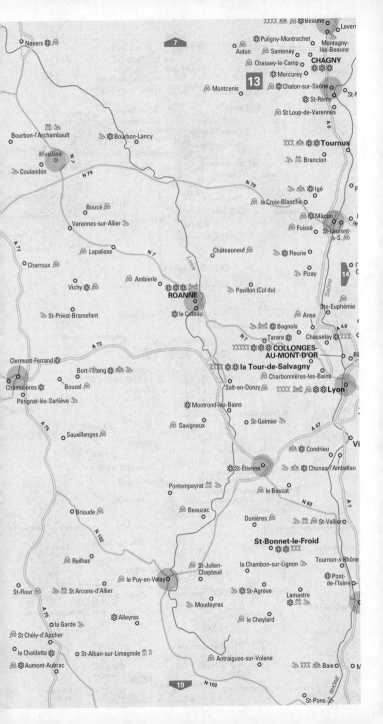

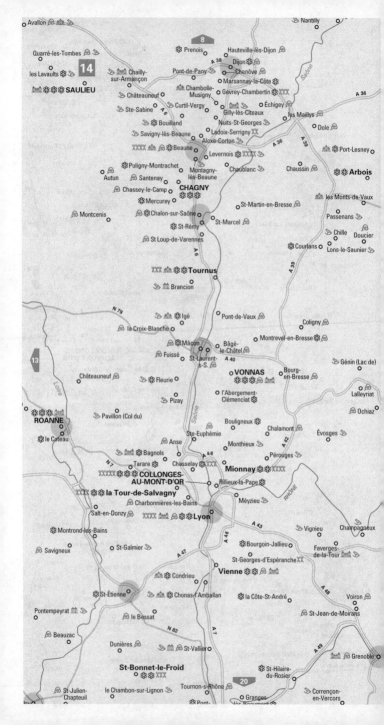

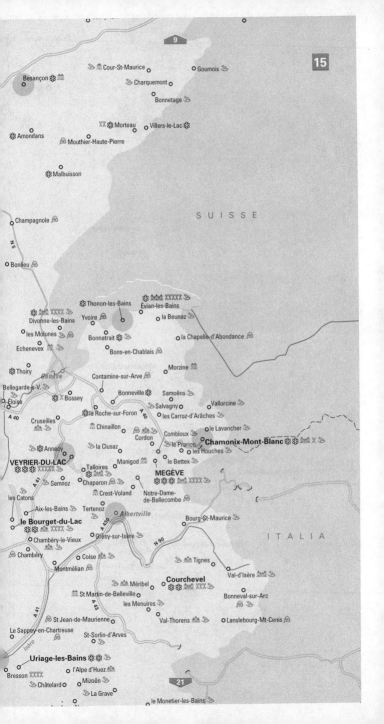

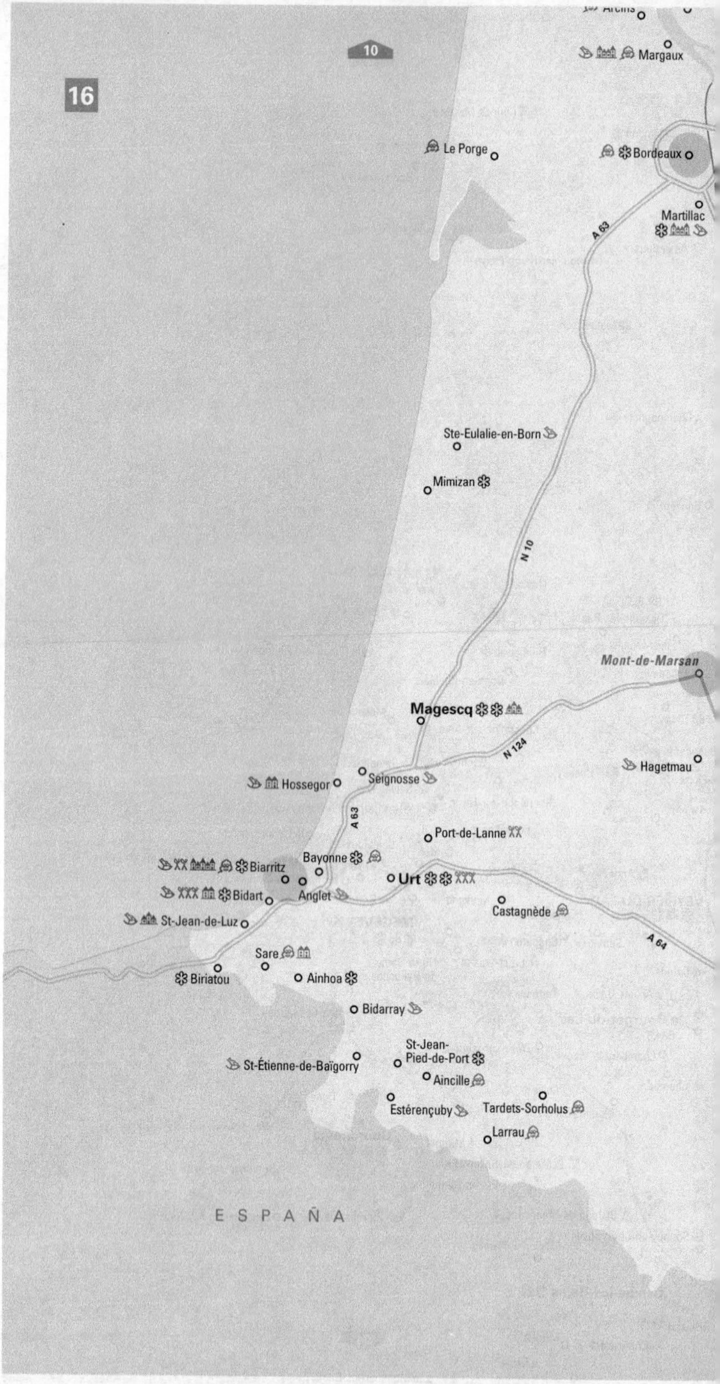

Arcins

Margaux

Le Porge

Bordeaux

A 63

Martillac

Ste-Eulalie-en-Born

Mimizan

N 10

Mont-de-Marsan

Magescq

N 124

Hagetmau

Hossegor Seignosse

A 63

Port-de-Lanne

Bayonne

Biarritz

Urt

Bidart Anglet

St-Jean-de-Luz

Castagnède

A 64

Sare

Biriatou Ainhoa

Bidarray

St-Jean-
Pied-de-Port

St-Étienne-de-Baïgorry

Aincille

Estérençuby Tardets-Sorholus

Larrau

E S P A Ñ A

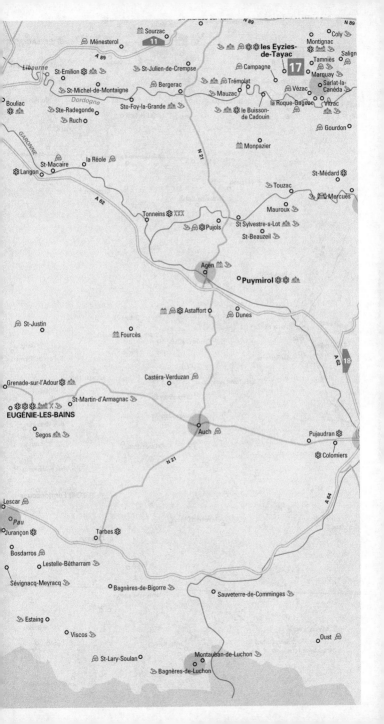

Sourzac 🏛

Ménesterol 🏛

A 89

11

Libourne

St-Emilion ❀ 🏛 🌭

St-Julien-de-Crempse

St-Michel-de-Montaigne

Bergerac

Dordogne

Ste-Foy-la-Grande 🏛

Bouliac 🌭 🏛

Ste-Radegonde 🌭

Mauzac

Ruch 🌭

les Eyzies-de-Tayac 🌭 🏛 🌭 ❀ ❀

Campagne 🏛

17

Trémolat 🌭 🏛 🌭

la Roque-Gageac

le Buisson-de-Cadouin 🌭 🏛 ❀ 🏛

Montignac 🏛 🏛 🌭

Coly 🌭

Salign

Tamniès 🌭

Marquay

Sarlat-la-Canéda

Vézac 🌭

Vitrac 🏛

Gourdon 🏛

GARONNE

Monpazier 🏛

St-Macaire 🏛

la Réole 🏛

St-Médard ❀

Langon ❀

A 62

Touzac 🌭

Mercuès 🏛 🌭

Mauroux 🌭

Tonneins ❀ ✕✕✕

St Sylvestre-s-Lot 🏛 🌭

Pujols 🌭 🏛 ❀

St-Beauzeil 🌭

Agen 🏛 🏛 🌭

Puymirol ❀ ❀ 🏛

St-Justin 🏛

Astaffort 🏛 🏛 ❀

Dunes

Fourcès 🏛

Castéra-Verduzan 🏛

A 62

18

Grenade-sur-l'Adour ❀ 🏛

St-Martin-d'Armagnac 🌭

❀ ❀ ❀ 🏛 ✕ 🌭
EUGÉNIE-LES-BAINS

Segos 🏛 🌭

Auch 🏛

Pujaudran ❀

Colomiers ❀

A 64

Lescar 🏛

Pau

Jurançon ❀

Bosdarros 🏛

Lestelle-Bétharram 🌭

Tarbes ❀

Sévignacq-Meyracq 🌭

Bagnères-de-Bigorre 🌭

N 21

Sauveterre-de-Comminges 🌭

Estaing 🌭

Viscos 🌭

Oust 🏛

St-Lary-Soulan 🏛

Montauban-de-Luchon 🌭

Bagnères-de-Luchon 🌭

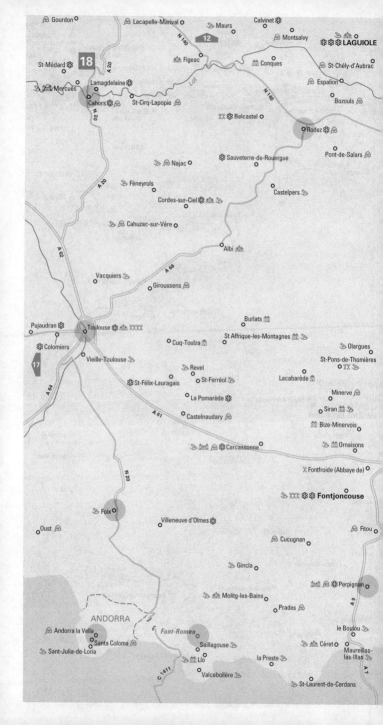

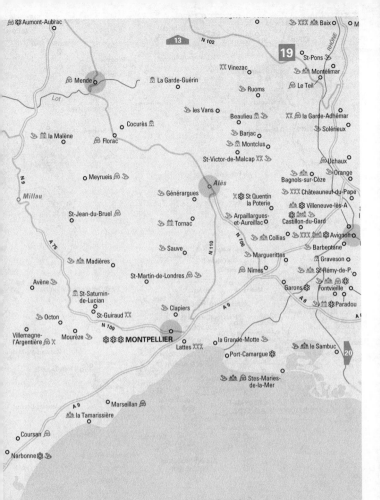

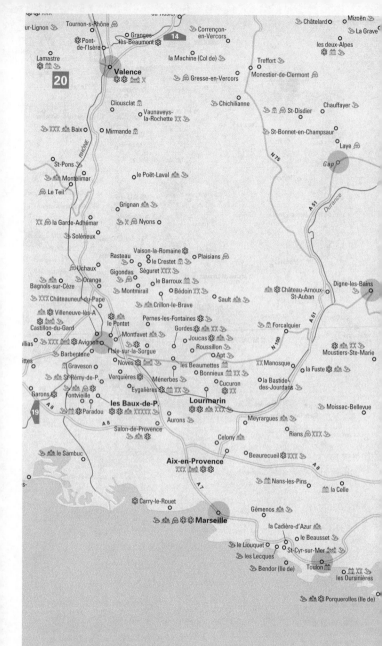

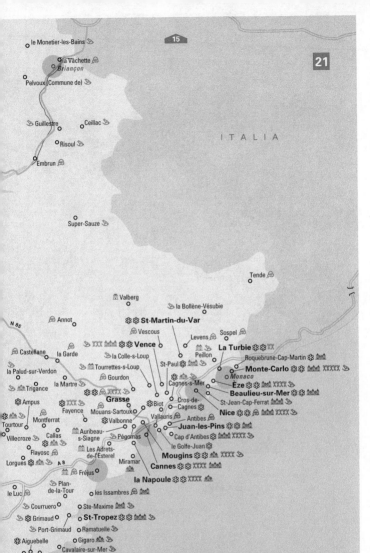

le Monetier-les-Bains

la Vachette
Briançon

Pelvoux (Commune de)

Guillestre   Ceillac

Risoul

Embrun

ITALIA

Super-Sauze

Tende

Valberg

la Bollène-Vésubie

Annot   St-Martin-du-Var

Vescous   Levens   Sospel

XXX **Vence**   **La Turbie** XX

Castellane   la Garde   la Colle-s-Loup   Roquebrune-Cap-Martin

la Palud-sur-Verdon   Tourrettes-s-Loup   St-Paul   Peillon   **Monte-Carlo** XXXX

Trigance   la Martre   Gourdon   *Monaco*

Ampus   Cagnes-s-Mer   **Èze** XXXX

Tourtour   Montferrat   **Grasse**   Biot   Cros-de-   **Beaulieu-sur-Mer**

Villecroze   Callas   Fayence Mouans-Sartoux   Cagnes   St-Jean-Cap-Ferrat

Flayosc   Valbonne   Vallauris   **Nice** XXXX

Lorgues   Auribeau-   Antibes

s-Siagne   Pégomas   **Juan-les-Pins** XXXX

Plan-   Fréjus   Les Adrets-   Cap d'Antibes XXXX

le Luc   de-la-Tour   de-l'Esterel   Miramar   le Golfe-Juan

Mougins XXXX

Courruero   Ste-Maxime   **Cannes** XXXX

Grimaud   **la Napoule** XXXX

Port-Grimaud   Ramatuelle   **St-Tropez**

Aiguebelle   Gigaro

Cavalaire-sur-Mer

Cavalière

Cabasson   Bormes-les-Mimosas

Port-Cros (Ile de)

N 85

les Issambres

A B

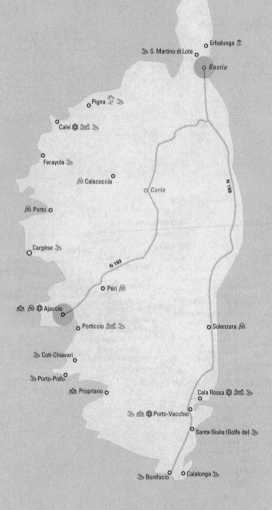

Erbalunga 🏛

S. Martino di Lota 🐚

Bastia

Pigna 🐚

Calvi ❄ 🏨 🐚

Ferayola 🐚

Calacuccia 🏨

Corte

Porto 🏨

N 198

Cargèse 🐚

N 193

Péri 🏨

Ajaccio 🏨 ❄

Porticcio 🏨 🐚

Solenzara 🏨

Coti-Chiavari 🐚

Porto-Pollo 🐚

Propriano 🏨

Cala Rossa ❄ 🏨 🐚

Porto-Vecchio 🐚 🏨 ❄

Santa Giulia (Golfe de) 🐚

Bonifacio 🐚

Calalonga 🐚

SARDEGNA

Localités
par ordre alphabétique

Places
in alphabetical order

Località
in ordine alfabetico

Alphabetisches
Ortsverzeichnis

Localidades
por orden alfabético

ABBEVILLE

80100 Somme 52 ⑥ ⑦ G. Picardie Flandres Artois – 24 567 h alt. 8.

Voir *Vitraux contemporains*★★ *de l'église du St-Sépulcre* – *Façade*★ *de la collégiale St-Vulfran* – *Musée Boucher de Perthes*★ BY **M**.

Env. *Vallée de la Somme*★ *SE* – *Château de Bagatelle*★ *S*.

🛈 *Office du tourisme 1 place de l'Amiral Courbet* ℘ *03 22 24 27 92, Fax 03 22 31 08 26, office.tourisme.abbeville@wanadoo.fr.*

Paris 187 ③ – *Amiens 51* ② – *Boulogne-sur-Mer 82* ① – *Rouen 106* ④.

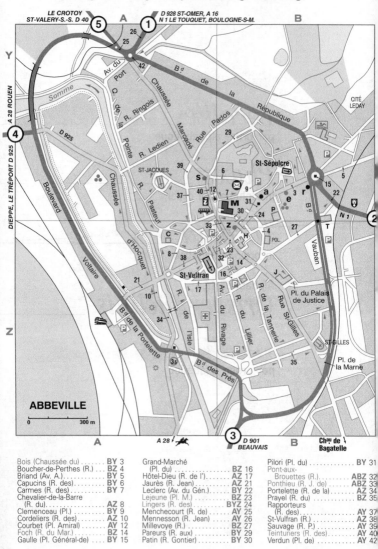

Bois (Chaussée du)	**BY** 3	Grand-Marché		Pilori (Pl. du)	**BY** 31
Boucher-de-Perthes (R.)	**BZ** 4	(Pl. du)	**BZ** 16	Pont-aux-	
Briand (Av. A.)	**BY** 5	Hôtel-Dieu (R. de l')	**AZ** 17	Brouettes (R.)	**ABZ** 32
Capucins (R. des)	**BY** 6	Jaurès (R. Jean)	**AZ** 21	Ponthieu (R. J. de)	**ABZ** 33
Carmes (R. des)	**BY** 7	Leclerc (Av. du Gén.)	**BY** 22	Portelette (R. de la)	**AZ** 34
Chevalier-de-la-Barre		Lejeune (R. M.)	**BZ** 23	Prayel (R. du)	**BZ** 35
(R. du)	**AZ** 8	Lingers (R. des)	**BYZ** 24	Rapporteurs	
Clemenceau (Pl.)	**BY** 9	Menchecourt (R. de)	**AY** 25	(R. des)	**AY** 37
Cordeliers (R. des)	**AZ** 10	Mennesson (R. Jean)	**AY** 26	St-Vulfran (R.)	**AZ** 38
Courbet (Pl. Amiral)	**AY** 12	Millevoye (R.)	**BY** 27	Sauvage (R. P.)	**AY** 39
Foch (R. du Mar.)	**BZ** 14	Pareurs (R. aux)	**BY** 29	Teinturiers (R. des)	**AY** 40
Gaulle (Pl. Général-de)	**BY** 15	Patin (R. Gontier)	**BY** 30	Verdun (Pl. de)	**AY** 42

Campers...   Use the current **Michelin Guide**
Camping Caravaning France.

ABBEVILLE

France, 19 pl. Pilori ℰ 03 22 24 00 42, *Fax 03 22 24 26 15* – ⧉ ⤢, ▤ rest, ▥ ✆ ⅋ –
🏨 35 à 70. ⒜⒠ ⓿ ⒢⒝   BY a
Repas (10,67) - 16 ⓨ – ⧠ 7 – **69 ch** 46/107 – ½ P 44,50/53,50

Relais Vauban sans rest, 4 bd Vauban ℰ 03 22 25 38 00, *Fax 03 22 31 75 97* – ▥ ✆. ⓿
⒢⒝   BY r
fermé 19 déc. au 6 janv. – ⧠ 5,35 – **22 ch** 39/58

Ibis, par ② et rte d'Amiens : 2 km ℰ 03 22 24 80 80, *Fax 03 22 31 75 96*, 🏤 – ⤢ ▥ ✆ ⅋.
🅿 – 🏨 30. ⒜⒠ ⓿ ⒢⒝
Repas (9) - 14/22 ⅃, enf. 5,95 – ⧠ 5,49 – **65 ch** 47,11/54,73

L'Escale en Picardie, 15 r. Teinturiers ℰ 03 22 24 21 51, *Fax 03 22 24 21 51* – ⒜⒠ ⓿ ⒢⒝.
✻   AY s
fermé 20 août au 8 sept., vacances de fév., dim. soir, lundi et soirs fériés – **Repas** - poissons
et coquillages - 19,10/28,20 ⓨ

Au Châteaubriant, 1 pl. Hôtel de Ville ℰ 03 22 24 08 23, *Fax 03 22 24 22 64* – ⒜⒠ ⒢⒝
⒢⒝   BYZ z
fermé 23 juil. au 5 août, dim. soir et lundi – **Repas** 13/29 ⓨ, enf. 7

Corne, 32 chaussée du Bois ℰ 03 22 24 06 34, m.lematelot@aol.com, *Fax 03 22 24 03 65* –
⒜⒠ ⓿ ⒢⒝   BY e
fermé sam. midi et dim. – **Repas** (12,50) - carte environ 29 ⓨ

St-Riquier par②, D 925 : 9 km – 1 186 h. alt. 29 – ✉ 80135 :
🛈 *Syndicat d'initiative Le Beffroi* ℰ 03 22 28 91 72, *Fax 03 22 28 02 73.*

Jean de Bruges Ⓜ sans rest, ℰ 03 22 28 30 30, jeandebruges@wanadoo.fr,
Fax 03 22 28 00 69, « Demeure du 17ᵉ siècle » – ⧉ ▥ ✆ ⇦. ⒜⒠ ⒢⒝. ✻
fermé janv. – ⧠ 11,43 – **11 ch** 83,84/175,31

Mareuil-Caubert au Sud par D 928 (rte de Rouen): 4 km – 890 h. alt. 12 – ✉ 80132 :

Auberge du Colvert, 4 rte Rouen ℰ 03 22 31 32 32, *Fax 03 22 31 32 32* – 🅿. ⒢⒝
fermé 18 juil. au 9 août, dim. soir et merc. – **Repas** 11,59 (déj.), 15,55/24,39, enf. 6,86

Le Guide change, changez de guide tous les ans.

L'ABERGEMENT-CLÉMENCIAT 01 Ain 🎴 ② – rattaché à Châtillon-sur-Chalaronne.

L'ABER-WRAC'H 29 Finistère 🎴 ④ G. Bretagne – ✉ 29870 Landéda.
Env. Les Abers★★.
🛈 *Office de tourisme 15 q. Kléber* ℰ 02 98 27 93 60, *Fax 02 98 27 87 22.*
Paris 605 – Brest 28 – Landerneau 36 – Morlaix 69 – Quimper 94.

Baie des Anges Ⓜ ⅍ sans rest, ℰ 02 98 04 90 04, contact@baie-des-anges.com,
Fax 02 98 04 92 27, ≤, « Face au site sauvage de l'Aber Wrac'h » – ▥ ✆ ⅋. ⒜⒠ ⒢⒝
fermé 3 janv. au 15 fév. – ⧠ 12 – **20 ch** 80/119

Brennig, ℰ 02 98 04 81 12, ≤ – 🅿. ⒢⒝
mars-oct. et fermé mardi – **Repas** 15,20 (déj.), 22,20/34

ABLIS 78660 Yvelines 🎴 ⑨, 🎴 ⑩ – 2 705 h alt. 151.
🛈 *Syndicat d'initiative - Hôtel de Ville* ℰ 01 30 59 10 52, *Fax 01 30 59 12 00.*
Paris 63 – Chartres 32 – Mantes 65 – Orléans 77 – Rambouillet 15 – Versailles 49.

à l'Ouest : 6 km par D 168 – ✉ 28700 St-Symphorien-le-Château :

Château d'Esclimont ⅍, ℰ 02 37 31 15 15, esclimont@wanadoo.fr,
Fax 02 37 31 57 91, ≤, 🏤, « Dans un grand parc boisé, étang », ⏋, ✻, ⅏ – ⧉ ⤢ ▥ 🅿 –
🏨 20 à 120. ⒜⒠ ⓿ ⒢⒝ ⒿⒸⒷ. ✻ rest
Repas 38 (déj.), 59/79 ⓨ, enf. 21 – ⧠ 18 – **48 ch** 168/381, 5 appart – ½ P 159/266

ABONDANCE 74360 H.-Savoie 🎴 ⑱ G. Alpes du Nord – 1 294 h alt. 930 – Sports d'hiver :
930/1 650 m ⛄ 1 ⅃ 8 ⛄.
Voir Abbaye★ : Fresques★★ du cloître.
🛈 *Office du tourisme* ℰ 04 50 73 02 90, *Fax 04 50 73 04 76*, abondance@france.mail.com.
Paris 597 – Thonon-les-Bains 28 – Annecy 100 – Évian-les-Bains 26 – Morzine 26.

Les Touristes, ℰ 04 50 73 02 15, *Fax 04 50 73 04 20*, 🏤, 🐾 – ▥ 🅿. ⒢⒝. ✻ ch
mi-juin-mi-sept. et vacances de Noël-début avril – **Repas** (juin-sept.et vacances de Noël-
début avril) (11,50) - 16/30,50 ⓨ, enf. 8,50 – ⧠ 6,50 – **20 ch** 24,50/53,50 – ½ P 35/51

105

LE CAP D'AGDE

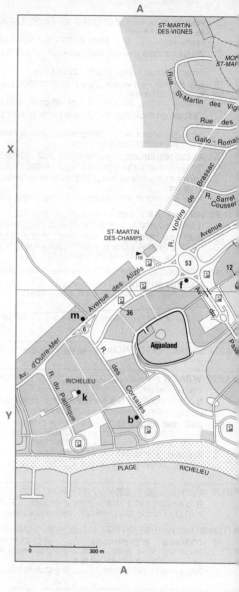

ST-MARTIN-DES-VIGNES

ST-MARTIN-DES-CHAMPS

Aqualand

RICHELIEU

PLAGE   RICHELIEU

0   300 m

Les hôtels ou restaurants agréables
sont indiqués dans le guide par un symbole rouge.
Aidez-nous en nous signalant les maisons où,
par expérience, vous savez qu'il fait bon vivre.
Votre **guide Michelin** sera encore meilleur.

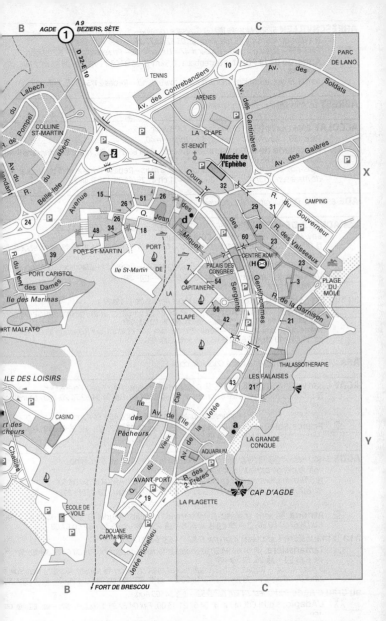

ABRESCHVILLER 57560 Moselle 🗺️ ⑧ G. Alsace Lorraine – 1 285 h alt. 340.
   🛈 Office du tourisme 78 rue Jordy ℰ 03 87 03 77 26.
   Paris 456 – Strasbourg 80 – Baccarat 47 – Lunéville 62 – Phalsbourg 23 – Sarrebourg 16.

XX   **Auberge de la Forêt**, à Lettenbach : 0,5 km ℰ 03 87 03 71 78, Fax 03 87 03 79 96, 🏤
     ▤ **P.** GB
     fermé 23 déc. au 14 janv. mardi d'oct. à mai et lundi – **Repas** 21/34,50 ♀, enf. 12

ABREST 03 Allier 🗺️ ⑤ – rattaché à Vichy.

ACCOLAY 89460 Yonne 🗺️ ⑤ G. Bourgogne – 433 h alt. 125.
   Paris 189 – Auxerre 23 – Avallon 32 – Tonnerre 40.

XX   **Hostellerie de la Fontaine** 🦢 avec ch, ℰ 03 86 81 54 02, hostellerie.fontaine@war
     doo.fr, Fax 03 86 81 52 78, 🏤, 🐴 – 📞. GB
     mars-nov. et fermé dim. soir et lundi d' oct. à mars – **Repas** (fermé le midi du lundi au jeu
     de mai a sept.) 19/40 ♀, enf. 10 – 🖵 6 – **11 ch** 41,25/44,25 – ½ P 44,25

ADÉ 65 H.-Pyr. 🗺️ ⑧ – rattaché à Lourdes.

Les ADRETS-DE-L'ESTÉREL 83600 Var 🗺️ ⑧, 🗺️ ㉕, 🗺️ ㉝ – 2 063 h alt. 295.
   Env. Massif de l'Estérel★★★, G. Côte d'Azur.
   🛈 Office du tourisme Place de la Mairie ℰ 04 94 40 93 57, Fax 04 94 19 36 69, lesadrets.estere
   tourisme@wanadoo.fr.
   Paris 888 – Fréjus 17 – Cannes 25 – Draguignan 44 – Grasse 31 – Mandelieu-la-Napoule 16

🏠   **Verrerie** 🦢 sans rest, ℰ 04 94 40 93 51, 🐴 – 📺. GB. ❄
     1er avril-30 sept. – 🖵 7 – **7 ch** 50,30/58

au Sud-Est : 3 km par D 237 et N 7 – ✉ 83600 Les Adrets-de-l'Esterel :

🏠🏠 **Auberge des Adrets,**   ℰ 04 94 82 11 82,   auberge@compuserve.cor
     Fax 04 94 82 11 80, 🏤, 🏊, 🐴 – ▤ ch, 📺 **P.** AE ① GB
     fermé du 1er nov. au 9 déc. – **Repas** (fermé dim. soir et lundi sauf juil.-août) 35,06, enf. 11
     🖵 11,43 – **10 ch** 135,68/213,43 – ½ P 157,02/188,27

AFA 2A Corse-du-Sud 🗺️ ⑯ – voir à Corse (Ajaccio).

AGAY 83530 Var 🗺️ ⑧, 🗺️ ㉖, 🗺️ ㉝ ㉞ G. Côte d'Azur – Env. Massif de L'Estérel★★★.
   🛈 Office du tourisme Place Giannetti ℰ 04 94 82 01 85, Fax 04 94 82 74 20, agay.tourisme
   wanadoo.fr.
   Paris 888 – Fréjus 12 – Cannes 34 – Draguignan 43 – Nice 65 – St-Raphaël 9.

🏠   **France-Soleil** sans rest, ℰ 04 94 82 01 93, Fax 04 94 82 73 95, ≤ – **P.** AE GB JCB
     Pâques-oct. – 🖵 7,60 – **18 ch** 65/100

AGDE 34300 Hérault 🗺️ ⑮ ⑯ G. Languedoc Roussillon – 19 988 h alt. 5 – Casino.
   Voir Ancienne cathédrale St-Étienne★.
   🛈 Office du tourisme 1 place Molière ℰ 04 67 94 29 68, Fax 04 67 94 03 50.
   Paris 760 – Montpellier 56 – Béziers 24 – Lodève 62 – Millau 120 – Sète 25.

Plans pages précédentes

🏠🏠 **Athéna** Ⓜ sans rest, av. F. Mitterrand, rte Cap d'Agde, D 3E10 ℰ 04 67 94 21 9(
     Fax 04 67 94 80 80, 🏊 – ▤ 📺 ♿ 🛏 **P.** – 🔔 25. GB – 🖵 5,34 – **32 ch** 67,08

à La Tamarissière Sud-Ouest : 4 km par D 32E12 – ✉ 34300 Agde :

🏠🏠 **Tamarissière** ℰ 04 67 94 20 87, hotel-la-tama@wanadoo.fr, Fax 04 67 21 38 40, 🏤, 🏊
     🐴 – ▤ 📺 – 🔔 25. AE ① GB
     3 mars-4 nov. – **Repas** (fermé lundi midi du 15 juin au 15 sept., dim. soir ε
     Jundi du 16 sept. au 14 juin) 27,50/39,50 ♀ – 🖵 11,50 – **26 ch** 94,50/111,50 – ½ P 138/155

au Grau d'Agde Sud-Ouest : 4 km par D 32E – ✉ 34300 Agde :

XX   **L'Adagio**, 3 quai Cdt Méric ℰ 04 67 21 13 00, Fax 04 67 21 13 00, ≤, 🏤 – ▤. AE ① GI
     JCB
     fermé 7 au 31 janv. et merc. du 1er oct au 31 mars – **Repas** 15,30 (déj.), 20/43 ♀, enf. 12

au Cap d'Agde Sud-Est : 5 km par D 32E10 – ✉ 34300 Agde :
   Voir Ephèbe d'Agde★★ au musée de l'Ephèbe.

🏠🏠🏠 **Golf** Ⓜ, ile des Loisirs ℰ 04 67 26 87 03, hotel-du-golf.2@wanadoo.fr, Fax 04 67 26 26 89
     🏤, 🎦, 🏊, 🐴, 🐴 – ▤ 📺 📞 ♿ **P** – 🔔 80. ① GB   BY n
     fermé janv. et fév. – **Repas** (fermé le midi en juil.-août, dim. soir et lundi hors saison) 2(
     (déj.), 30/55 ♀ – 🖵 13 – **50 ch** 122/129 – ½ P 106

🏨 **Capaô,** av. Corsaires ✆ 04 67 26 99 44, *contact@capao.com, Fax 04 67 26 55 41*, 🍴, ⅃⅃,
⌁, ⌁, ⌁ – ≣ ch, 📺 ✆ – 🎱 20 à 45. 🅰🅴 ⓞ 🅶🅱 🅹🅲🅱 AY **b**
hôtel: 30 mars-6 oct. ; rest. 15 avril-30 sept. – **Repas** 15,50/30, enf. 8 – ☕ 8,50 – **55 ch**
88/116,55, 8 duplex – ½ P 75/87,50

🏨 **St-Clair** sans rest, pl. St-Clair ✆ 04 67 26 36 44, *saint.clair@wanadoo.fr*,
Fax 04 67 26 31 11, ⅃⅃ – 🎈 ≣ 📺 🅿 – 🎱 15 à 50. 🅰🅴 ⓞ 🅶🅱 CX **d**
1ᵉʳ avril-1ᵉʳ nov. – ☕ 8,38 – **82 ch** 87,66/102,14, 18 duplex

🏨 **Grande Conque** ⌁ sans rest, La Grande Conque ✆ 04 67 26 11 42, *Fax 04 67 26 24 15*,
≤ – 🎈 📺 🅿. 🅶🅱 CY **a**
avril-oct. – ☕ 7 – **20 ch** 80/105

🏨 **Azur** sans rest, 18 av. Iles d'Amérique ✆ 04 67 26 98 22, *Fax 04 67 26 48 14*, ⅃⅃ – 📺 ✆ ⅃
🅿 – 🎱 20. 🅰🅴 ⓞ 🅶🅱 AX **f**
☕ 5,70 – **22 ch** 70,10 – 12 duplex

🏨 **Les Grenadines** ⌁ sans rest, 6 impasse Marie Céleste ✆ 04 67 26 27 40, *hotelgrenadines@hotel
grenadines.com, Fax 04 67 26 10 80* – 📺 ⅃ 🅿. ⓞ 🅶🅱 AY **k**
Pâques-Toussaint – **Table de Stéphane** ✆ 04 67 26 45 22 - *(dîner seul. sauf dim. en
juil.-août) (fermé 2 au 15 janv., sam. midi, jeudi midi et merc.)* **Repas** 19,82/38,11⅃, enf.9,15
– ☕ 11 – **19 ch** 77/83

🏨 **Gil de France,** av. Alizés ✆ 04 67 26 77 80, *hotelali@club-internet.fr, Fax 04 67 01 26 21*,
⅃⅃ – 📺 ⅃ 🅿. 🅰🅴 ⓞ 🅶🅱 AY **m**
Repas *(résidents seul.)* 16 ⅃ – **19 ch** 70/90, 12 duplex – ½ P 58

AGEN 🅿 47000 L.-et-G. 🔢 ⑮ G. Aquitaine – 30 170 h alt. 50.
Voir *Musée des Beaux-Arts*★★ AXY **M** – *Parc de loisirs Walibi*★ 4km par ⑤.
✈ d'Agen-la-Garenne : ✆ 05 53 77 00 88, SO : 3 km.
🛈 Office du tourisme 107 boulevard Carnot ✆ 05 53 47 36 09, Fax 05 53 47 29 98,
otsi.agen@wanadoo.fr.
Paris 669 ① – Auch 74 ④ – Bordeaux 141 ⑤ – Pau 163 ⑤ – Toulouse 116 ⑤.

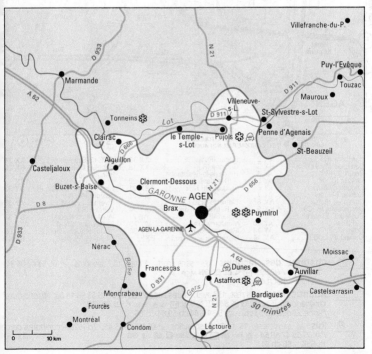

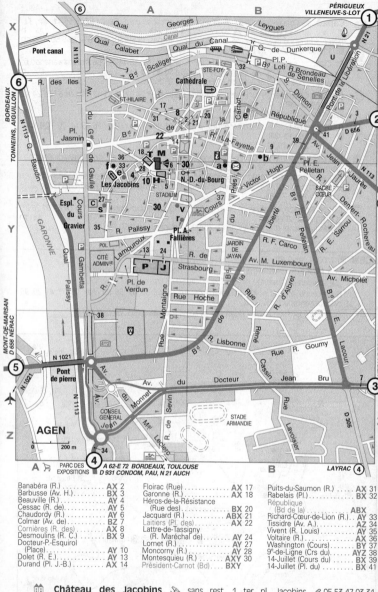

🏠 **Stim'Otel**, 105 bd Carnot 🕿 05 53 47 31 23, stimotel@wanadoo.fr, Fax 05 53 47 48 70 –
🍴 ▤ rest, 📺 ⅃ ᴦ – 🛁 40. ◫ ⬛ BY a
fermé 24 déc. au 3 janv. – Repas (fermé sam. midi et dim.) 12/20 ⅀, enf. 7 – ☲ 5,50 – **58 ch**
48,50/51 – ½ P 41,50/45

XXX **Mariottat**, 25 r. L. Vivent 🕿 05 53 77 99 77, contact@restaurant-mariottat.com,
Fax 05 53 77 99 79, 🍴, « Ancien hôtel particulier du 19ᵉ siècle », 🎋 – ▤ ◫
⬛ AY s
fermé vacances de fév., sam. midi, dim. soir et lundi – Repas 18/48 et carte 43 à 53 ⅀,
enf. 11

XX **Washington**, 7 cours Washington 🕿 05 53 48 25 50, contact@le-washington.com,
Fax 05 53 48 25 55, 🍴 – ▤ ◫ ⓪ ⬛ ᴊᴄʙ AY r
fermé 10 au 25 août, sam. sauf le soir de sept. à juin et dim. – Repas (12,96) - 25,15/28,97,
enf. 8,38

X **Margoton**, 52 r. Richard Coeur de Lion 🕿 05 53 48 11 55, Fax 05 53 48 11 55 – ▤. ◫ ⓪
⬛ AY e
fermé 27 août au 3 sept., 24 déc. au 7 janv., sam. midi et lundi – Repas (9,91) - 14,48/29,73

X **L'Atelier**, 14 r. Jeu de Paume 🕿 05 53 87 89 22, Fax 05 53 87 89 22 – ▤. ◫ ⬛ AY v
fermé 12 juil. au 25 août, 1ᵉʳ au 5 janv. sam. midi, lundi midi et dim. – Repas 14 (déj.), 21/26 ⅀,
enf. 9

X **Bohème**, 14 r. E. Sentini 🕿 05 53 68 31 00, Fax 05 53 68 03 21, 🍴 – ◫ ⬛, ⌇
 BX e
fermé 7 au 25 sept., 8 au 16 fév., merc. soir, sam. midi de sept. à mai et dim. – Repas 11,43
(déj.), 15,09/26,68 ⅀

par ① et rte cimetière de Caillard (D 4) : 2,5 km – ⊠ 47510 Foulayronnes :

XX **La Braise**, av. Caillard 🕿 05 53 47 34 65, Fax 05 53 48 25 71, 🍴 – ᴘ. ⬛
fermé merc. en juil.-août et sam. midi – Repas 15,24/38,11 ⅃, enf. 9,15

au Sud-Ouest par ④, rte d'Auch (N 21) puis D 268 : 12 km – ⊠ 47310 Laplume :

🏛 **Château de Lassalle** ⌖, Brimont 🕿 05 53 95 10 58, chatlass@micronet.fr,
Fax 05 53 95 13 01, 🍴, « Demeure du 18ᵉ siècle élégamment aménagée dans la
campagne », ⅃, 🍴 – 📺 ᴘ – 🛁 40. ◫ ⓪ ⬛, ⌇ rest
fermé 15 au 30 nov., 15 janv. au 30 mars. – Repas (fermé dim. soir et lundi) 20/51 ⅀, enf. 14
– ☲ 13 – **17 ch** 121/167 – ½ P 130

à Brax par ⑤ et D 119 : 6 km – 1 615 h. alt. 49 – ⊠ 47310 :

🏠 **Colombier du Touron**, 🕿 05 53 87 87 91, le.colombier.du.touron@wanadoo.fr,
Fax 05 53 87 82 37, 🍴, 🎋 – 📺 ᴦ ᴘ – 🛁 15. ◫ ⓪ ⬛
fermé 1ᵉʳ au 15 juil. – Repas (fermé dim. soir hors saison, mardi midi en saison et lundi) 14,50
(déj.), 21,34/50 bc ⅀, enf. 10,67 – ☲ 6,50 – **10 ch** 39/63 – ½ P 44/49

AGNEAUX 50180 Manche ⑤④ ⑬ – 4 476 h alt. 60.
Paris 308 – Saint-Lô 3 – Bayeux 40 – Caen 75 – Coutances 28.

🏛 **Château d'Agneaux** ⌖, 🕿 02 33 57 65 88, Fax 02 33 56 59 21, « Château du 13ᵉ siècle,
parc », 🍴 – 📺 ᴘ. ◫ ⬛. ⌇ rest
Repas (nombre de couverts limité, prévenir) 23/56 – ☲ 10 – **12 ch** 74/172

AGON-COUTAINVILLE 50230 Manche ⑤④ ⑫ G. Normandie Cotentin – 2 723 h alt. 36 – Casino.
🅱 Office du tourisme Place du 28 Juillet 🕿 02 33 76 67 30, Fax 02 33 76 67 31, office.
tourisme.agon@wanadoo.fr.
Paris 349 – St-Lô 42 – Barneville-Carteret 48 – Carentan 43 – Cherbourg 78 – Coutances 13.

🏛 **Neptune** sans rest, à Coutainville-centre 🕿 02 33 47 07 66, Fax 02 33 46 16 91, ← – 📺 ◫
⓪ ⬛
fermé janv., mardi et merc. hors saison – ☲ 8,50 – **11 ch** 46/88

XX **Hardy** avec ch, à Coutainville-centre 🕿 02 33 47 04 11, hardy@lerapporteur.fr,
Fax 02 33 47 39 00 – 📺 ᴦ. ◫ ⓪ ⬛
fermé 15 janv. au 10 fév., dim. soir et lundi d'oct. à fin avril sauf fériés et vacances scolaires –
Repas 19,06/48,78 ⅀ – ☲ 7,32 – **14 ch** 45,74/65,55 – ½ P 53,36/62,50

AGUESSAC 12520 Aveyron 🗺 ⑭ – 833 h alt. 375.

> Paris 632 – Mende 87 – Rodez 60 – Florac 70 – Millau 9 – Sévérac-le-Château 27.

🏠 **Rascalat,** Nord-Ouest : 2 km sur N 9 ℘ 05 65 59 80 43, Fax 05 65 59 73 90, 🏡, 🔟, 🌿
🔟 ⇔ 🅿. 🅾 ☻
fermé 6 fév. au 6 mars et merc. d'oct. à mars – **Repas** 18/30, enf. 9 – ⊃ 6,50 – **16 ch** 49/5
– ½ P 46/51

L'AIGLE 61300 Orne 🗺 ⑤ G. Normandie Vallée de la Seine – 8 972 h alt. 220.

🛈 *Office du tourisme Place Fulbert de Beina ℘ 02 33 24 12 40, Fax 02 33 34 23 7;
otlaigle@wanadoo.fr.*

> Paris 139 – Alençon 61 – Chartres 81 – Dreux 61 – Évreux 56 – Lisieux 59.

🏨 **Dauphin,** pl. Halle ℘ 02 33 84 18 00, regis-ligot@free.fr, Fax 02 33 34 09 28 – 🔟 📞
♨ 100. 🅰 🅾 ☻
Repas *(fermé dim. soir)* 15 (déj.), 23/28 ⚑ - **Renaissance** (brasserie) **Repas**
carte 16 à 27 ⚑, enf. 7 – ⊃ 8 – **30 ch** 58/83 – ½ P 57/61,75

rte de Dreux Est : 3,5 km sur N 26 – ⊠ 61300 St-Michel-Thuboeuf :

🍴🍴 **Auberge St-Michel,** ℘ 02 33 24 20 12, Fax 02 33 34 96 62 – 🅿. ☻
fermé 5 au 26 sept., 3 au 16 janv., mardi soir, merc. soir et jeudi – **Repas** 14,50 bc/30,50 ⅋
enf. 7

AIGUEBELETTE-LE-LAC 73 Savoie 🗺 ⑮ G. Alpes du Nord – 191 h alt. 410.

> **Voir** Lac★ – Panorama★★ sur la route du col de l'Épine N.

> Paris 554 – Grenoble 76 – Belley 33 – Chambéry 21 – Voiron 35.

à la Combe (rive Est) : 4 km par D 41 – ⊠ 73610 Aiguebelette :

🍴🍴 **La Combe "chez Michelon"** ⤳ avec ch, ℘ 04 79 36 05 02, Fax 04 79 44 11 93, ≤ lac
🏡 – 🔟 🅿. ☻. ⚘
fermé 2 nov. au 5 déc., lundi soir et mardi – **Repas** (24,39) - 29/43 ⚑, enf. 12 – ⊃ 7 – **5 ch** 59

à Novalaise-Lac (rive Ouest) : 7 km par D 921 – 1 432 h. alt. 427 – ⊠ 73470 :

🏠 **Novalaise-Plage** ⤳, ℘ 04 79 36 02 19, Fax 04 79 36 04 22, ≤ lac, 🏡, 🅰, 🌿 – ⚞ 🔟
🅿. ☻. ⚘ rest
1er avril-30 sept. – **Repas** *(fermé lundi soir et mardi sauf du 15 juin au 10 sept.)* 18,50/45 –
⊃ 6,10 – **14 ch** 45/65 – ½ P 46/59

à St-Alban-de-Montbel (rive Ouest) : 7 km par D 921 – 447 h. alt. 400 – ⊠ 73610 :

🏠 **St-Alban-Plage** ⤳ sans rest, Nord-Est : 1,5 km ℘ 04 79 36 02 05, Fax 04 79 44 10 37
≤ lac, 🅰, 🌿 – 🔟 🅿. ☻
Pâques-oct. – ⊃ 6,50 – **16 ch** 48/64

à Attignat-Oncin Sud : 7 km par D 921 – 418 h. alt. 570 – ⊠ 73610 :

🍴🍴 **Mont-Grêle** ⤳ avec ch, ℘ 04 79 36 07 06, le-mont-grele@wanadoo.fr,
Fax 04 79 36 09 54, ≤, 🏡, 🔟, 🌿 – 🔟 📞 🅿. ☻. ⚘ ch
fermé 1er janv. au 13 fév., dim. soir, mardi soir et merc. – **Repas** 18/28 ⚑, enf. 16 – ⊃ 6,10 –
10 ch 35/46 – ½ P 46/50

AIGUEBELLE 83 Var 🗺 ⑰., 🔢 ㊽ – rattaché au Lavandou.

AIGUES-MORTES 30220 Gard 🗺 ⑧ G. Provence – 6 012 h alt. 3.

> **Voir** Remparts★★ et tour de Constance★★ : ⚞★★ – Église Notre-Dame des Sablons★.

🛈 *Office du tourisme Porte de la Gardette ℘ 04 66 53 73 00, Fax 04 66 53 65 94,
ot.aiguesmortes@wanadoo.fr.*

> Paris 749 – Montpellier 39 – Arles 48 – Nîmes 39 – Sète 56.

🏨 **Templiers** ⤳, 23 r. République ℘ 04 66 53 66 56, Fax 04 66 53 69 61, 🏡, « Bel aménagement intérieur dans une demeure du 17e siècle » – 🔟 ch, 🔟 ♿ ⇔. 🅰 ☻
1er mars-31 oct., 15 au 31 déc. – **Repas** *(fermé mardi et merc. sauf juil.-août et lundi)* (dîner
seul.) carte 35 ⚑ – ⊃ 9,20 – **11 ch** 96/122

🏨 **St-Louis,** 10 r. Amiral Courbet ℘ 04 66 53 72 68, hotel.saint-louis@wanadoo.fr,
Fax 04 66 53 75 92, 🏡 – 🔟 ⇔. 🅰 ☻
1er avril-31 oct. – **Repas** *(fermé sam. midi, mardi et merc.)* 18 (déj.), 24/30 ⚑, enf. 10 – ⊃ 9 –
22 ch 53/91 – ½ P 57/68

XX **Arcades** avec ch, 23 bd Gambetta ℘ 04 66 53 81 13, Fax 04 66 53 75 46, 斎, « Demeure du 16ᵉ siècle », ⌂, – 🔲 📺 📞, 🆎 ⓪ 🆂🅱 🅹🅲🅱, ※ rest
fermé 5 au 20 mars, 8 au 22 oct., lundi sauf le soir en juil.-août et mardi midi – **Repas** 21 (déj.), 27,50/40 ⒴, enf. 10 – **9 ch** ⌂ 83/106

X **Salicorne**, 9 r. Alsace-Lorraine ℘ 04 66 53 62 67, 斎 – 🆂🅱
fermé 2/01 au 15/02, dim. midi du 15 juin au 15 oct., mardi du 15 oct. au 15 juin et le midi sauf dim. et fêtes – **Repas** 30/45, enf. 15

te de Nîmes *Nord-Est : 1,5 km* – ✉ 30220 Aigues-Mortes :

🏠 **Royal Hôtel**, ℘ 04 66 53 66 40, Fax 04 66 53 72 29, 斎, ⌂, – 🔲 ch, 📺 ⚄ 🅿 – 🔏 15. 🆂🅱
fermé 2 au 31 janv. – **Repas** 10,40 (déj.), 13,30/28,50 ⒴, enf. 6 – ⌂ 5 – **43 ch** 45/48 – ½ P 38

AIGUILLON 47190 L.-et-G. 79 ⑭ – 4 219 h alt. 35.
🚩 *Office du tourisme Rue Fernand Sabatté ℘ 05 53 79 62 58, Fax 05 53 84 41 17, tourisme.aiguillon@wanadoo.fr.*
Paris 690 – *Agen 31* – *Houeillès 31* – *Marmande 29* – *Nérac 26* – *Villeneuve-sur-Lot 35.*

🏠 **Terrasse de l'Étoile**, cours A.-Lorraine ℘ 05 53 79 64 64, Fax 05 53 79 46 48, 斎, ⌂, – 🔲 rest, 📺 – 🔏 20. 🆎 ⓪ 🆂🅱
Repas 12/24 ⒴ – ⌂ 5 – **17 ch** 29/49 – ½ P 36

L'AIGUILLON-SUR-MER 85460 Vendée 71 ⑪ G. Poitou Vendée Charentes – 2 206 h alt. 4.
🚩 *Office du tourisme Avenue de l'Amiral-Courbet ℘ 02 51 56 43 87, Fax 02 51 56 43 91, otsi.aiguillon@worldonline.fr.*
Paris 458 – *La Rochelle 51* – *La Roche-sur-Yon 49* – *Luçon 20.*

X **Port** avec ch, ℘ 02 51 56 40 08, Fax 02 51 56 42 78, ⌂, ※ – 🅿. 🆂🅱
fermé 16 au 27 déc., 5 janv. au 1ᵉʳ mars, sam. midi, dim. soir et lundi – **Repas** 16/28 – ⌂ 6,10 – **21 ch** 44/48 – ½ P 59

En juin et en septembre,
les hôtels sont moins chers qu'en pleine saison, le service est plus soigné.

AILEFROIDE 05 H.-Alpes 77 ⑰ – rattaché à Pelvoux (Commune de).

AILLANT-SUR-THOLON 89110 Yonne – 1 454 h alt. 112.
🚩 *Office du tourisme 15 rue des Ponts ℘ 03 86 63 54 17, Fax 03 86 63 54 17, ot.aillant @wanadoo.fr.*
Paris 145 – *Auxerre 20* – *Briare 71* – *Clamecy 61* – *Gien 81* – *Montargis 61.*

au Sud-Ouest : *7 km par D 955, D 57 et rte secondaire* – ✉ 89110 Chassy :

🏠🏠 **Domaine du Roncemay** 🅼 ☂, ℘ 03 86 73 50 50, *roncemay@aol.com,*
Fax 03 86 73 69 46, 斎, 🝖, ⌂, 斎, ※ – 🔲 ch, 📺 ⚄ 🅿 – 🔏 30. 🆎 ⓪ 🆂🅱 🅹🅲🅱
fermé mi-janv. à mi-fév. – **Repas** (23) - 30 (déj.), 65 bc/92 et carte 65 à 80 ⒴, enf. 14 – ⌂ 17 – **15 ch** 199, 3 appart – ½ P 153
Spéc. Cassolettes gourmandes. Tournedos de lotte "façon Rossini". Assiette "tout chocolat".

AIME 73210 Savoie 74 ⑱ G. Alpes du Nord – 3 229 h alt. 690.
Voir *Ancienne basilique St-Martin★★*.
Excurs. *Vallée de la Tarentaise★★*.
🚩 *Office du tourisme Le Chalet ℘ 04 79 09 79 79, Fax 04 79 09 70 10, ot.laplagne@ wanadoo.fr.*
Paris 653 – *Albertville 41* – *Bourg-St-Maurice 15* – *Chambéry 91* – *Moutiers 14.*

🏠 **Cormet** sans rest, av. de Tarentaise ℘ 04 79 09 71 14, Fax 04 79 09 96 72 – 📺 ⚄ 🅿. 🆂🅱 ※
fermé 15 au 30 mai – ⌂ 5,50 – **14 ch** 40/54

🏠 **Palanbo** sans rest, av. de Tarentaise ℘ 04 79 55 67 55, Fax 04 79 09 70 74 – 📺 ⚄ 🅿. 🆎 ⓪ 🆂🅱
⌂ 5,50 – **20 ch** 43/52

X **L'Atre**, av. de Tarentaise ℘ 04 79 09 75 93, 斎 – 🆂🅱
fermé 24 juin au 10 juil. et mardi – **Repas** 13,42/23,63 ⒴

AINCILLE 64 Pyr.-Atl. 85 ③ – rattaché à St-Jean-Pied-de-Port.

AINHOA 64250 Pyr.-Atl. 🗲🗲 ② G. Aquitaine – 599 h alt. 130.

Voir Village basque caractéristique★.

Paris 795 – Biarritz 28 – Bayonne 27 – Cambo-les-Bains 11 – Pau 128 – St-Jean-de-Luz 26.

🏠🏠 **Ithurria** (Isabal), 𝒫 05 59 29 92 11, hotel@ithurria.com, Fax 05 59 29 81 28, « Salle à manger rustique », 𝕝𝕤, 🗲, 🖝 – 📱 🗮 rest, 📺 📞 📱 – 🔏 20. 🖭 ⓪ ☚
✿ 29 mars-3 nov. – Repas (fermé merc. sauf juil.-août) (dim. prévenir) 28/43 et carte 40 à 54 –
🖵 9 – **28 ch** 92/119 – 1/2 P 90
Spéc. Foie gras des Landes au naturel. Salade tiède de queues de langoustines. Pigeon rôti à l'ail doux. Vins Jurançon sec, Irouléguy.

🏠 **Oppoca**, 𝒫 05 59 29 90 72, oppoca@wanadoo.fr, Fax 05 59 29 81 03, 🚗 – 📱. ☚ 𝕒 𝒮𝒾
fermé 15 nov. au 15 déc. – Repas (fermé dim. soir et lundi sauf août) 15/28, enf. 10 –
🖵 5,50 – **12 ch** 35,50/49 – 1/2 P 40/44

AIRAINES 80270 Somme 🗲🗲 ⑦ G. Picardie Flandres Artois – 2 099 h alt. 30.

🛈 Syndicat d'initiative Place de la Mairie 𝒫 03 22 29 34 07, Fax 03 22 29 47 50, o.t.s.i.airaines@free.fr.

Paris 173 – Amiens 30 – Abbeville 22 – Beauvais 68 – Le Tréport 50.

🗡 **Relais Forestier du Pont d'Hure,** rte d'Oisemont par D 936 : 5 km 𝒫 03 22 29 42 10,
𝒮𝒾 Fax 03 22 29 89 73 – 📱. ☚
fermé 29 juil. au 14 août, 2 au 17 janv. et mardi – Repas 14/29

AIRE-SUR-L'ADOUR 40800 Landes 🗲🗲 ① ② G. Aquitaine – 6 003 h alt. 80.

Voir Sarcophage de Ste-Quitterie★ dans l'église St-Pierre-du-Mas.

🛈 Office du tourisme Place Général de Gaulle 𝒫 05 58 71 64 70, Fax 05 58 71 64 70.

Paris 726 – Mont-de-Marsan 32 – Auch 84 – Condom 68 – Dax 87 – Orthez 59 – Pau 54.

AIRE-SUR-L'ADOUR

🏠 **Adour Hôtel** 𝒮 sans rest, 28 av. 4 Septembre (b) 𝒫 05 58 71 66 17, adour.hotel@netlink
.fr, Fax 05 58 71 87 66, 🗲 – 🗮 📺 📞 🕭 🚗 📱 – 🔏 20. ☚
fermé nov. – 🖵 6 – **31 ch** 34/42

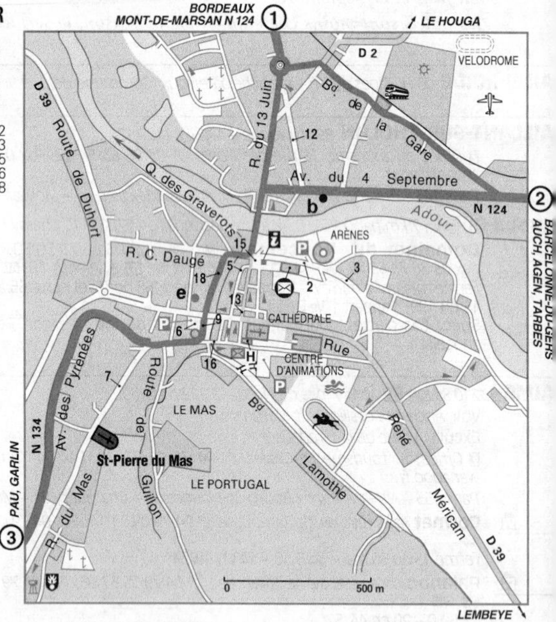

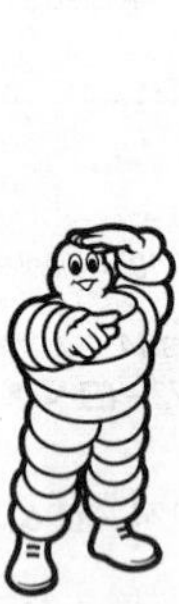

114

🏠 **Les Bruyères**, par ① : 1 km ℰ 05 58 71 80 90, Fax 05 58 71 87 21, 🏤, 🦮 – ☎ & 🅿, 🖭
🍴 ⓓ
fermé 1er au 15 nov. et dim. – **Repas** 11/15 ⅋, enf. 7 – 🖵 6 – **8 ch** 30/40 – ½ P 35

🍴 **Chez l'Ahumat** avec ch, 2 r. Mendès-France (e) ℰ 05 58 71 82 61, 🏤 – 🖭. 🖼. ⚡ ch
ⓓ *fermé 14 au 27 mars et 2 au 15 sept.* – **Repas** *(fermé merc.)* 9,90/24,40 ⅋, enf. 7,30 –
🖵 4,30 – **13 ch** 21,35/36,60 – ½ P 28,20/32

te de Bordeaux *par* ② *et N 124* – ✉ 40270 Cazères-sur-l'Adour :

🏠 **Aliotel** ⓢ sans rest, à 4,5 km ℰ 05 58 71 72 72, Fax 05 58 71 81 94, 🎱, ⚡, 🐎 – ☎ 🖭 🅫
& 🅿 – 🛎 20. 🖼
🖵 6 – **34 ch** 33,60/40

🍴 **Moulin Gourmand**, à 4 km ℰ 05 58 71 84 15, Fax 05 58 71 84 15, 🏤 – 🅿. 🖼 🖼
ⓓ *fermé vacances de Toussaint, dim. soir et lundi sauf fériés* – **Repas** 11,50/30 ⅋, enf. 8,50

 Ségos *(32 Gers) par* ③, N 134 et D 260 : 9 km – 234 h. alt. 111 – ✉ 32400 :

🏰 **Domaine de Bassibé** ⓢ, ℰ 05 62 09 46 71, *bassibe@wanadoo.fr*, Fax 05 62 08 40 15,
🏤, 🎱, 🦮 – 🖭 🅿. 🖼 ⓞ 🖼
Pâques-1er janv. et fermé le midi en juil.-août sauf week-ends, mardi et merc. hors saison –
Repas 41 ⅋ – 🖵 12 – **10 ch** 122, 7 appart – ½ P 113/144

Une réservation confirmée par écrit ou par fax est toujours plus sûre.

 AIRE-SUR-LA-LYS 62120 P.-de-C. 🗾 ⑭ G. Picardie Flandres Artois – 9 661 h alt. 30.
Voir Bailliage★ – Tour★ de la Collégiale St-Pierre★ – Commune de la "Méridienne Verte".
🗓 Office du tourisme Grand Place ℰ 03 21 39 65 66, Fax 03 21 39 65 66.
Paris 237 – Calais 62 – Arras 56 – Boulogne-sur-Mer 68 – Lille 58.

🏰 **Hostellerie des 3 Mousquetaires** ⓢ, rte de Béthune (N 43) ℰ 03 21 39 01 11, *phve
net@wanadoo.fr*, Fax 03 21 39 50 10, « Demeure du 19e siècle dans un parc avec pièce
d'eau », 🅿 – 🖭 🅫 🅿 – 🛎 35. 🖼 ⓞ 🖼
fermé 20 déc. au 20 janv. – **Repas** 20/42 ⅋, enf. 10 – 🖵 11 – **33 ch** 87/110 – ½ P 90/102

 la gare d'Isbergues *Sud-Est : 6 km par D 187* – 9 836 h. alt. 25 – ✉ 62330 Isbergues :

🍴🍴 **Buffet** 🖬 avec ch, ℰ 03 21 25 82 40, Fax 03 21 27 86 42, 🏤, 🦮 – 🖭. 🖼
ⓓ *fermé 29 juil. au 21 août, vacances de fév., lundi (sauf midis fériés) et dim. soir* – **Repas**
17/46 ⅋, enf. 11 – 🖵 7 – **5 ch** 37/46 – ½ P 46

 AISEY-SUR-SEINE 21400 Côte-d'Or 🗾 ⑧ – 196 h alt. 255.
Paris 248 – Chaumont 75 – Châtillon-sur-Seine 15 – Dijon 69 – Montbard 27.

🏠 **Roy** ⓢ, ℰ 03 80 93 21 63, Fax 03 80 93 25 74, 🦮 – 🖭 🅿. 🖼 🖼
fermé 31 déc. au 15 janv., dim. soir, lundi soir sauf juil.-août et mardi – **Repas** 13,50 (déj.),
20/35 ⅋, enf. 7,70 – 🖵 5,50 – **9 ch** 26/41,50 – ½ P 43

 AIX-EN-PROVENCE 🔍 13100 B.-du-R. 🗾 ③, 🗾 ⑮ G. Provence – 134 222 h alt. 206 – Stat.
therm. – Casino AY.
Voir Le Vieil Aix★★ – Cours Mirabeau★★ – Cathédrale St-Sauveur★ : triptyque du Buisson
Ardent★★ – Cloître★ BX B⁸ – Place Albertas★ BY 3 – Place★ de l'hôtel de ville BY 37 – Cour★
de l'hôtel de ville BY H – Quartier Mazarin★ : fontaine des Quatre-Dauphins★ BY D – Musée
Granet★ CY M⁶ – Musée des Tapisseries★ BX M² – Fondation Vasarely★ AV M⁵.
🗓 Office du tourisme Place du Général de Gaulle ℰ 04 42 16 11 61, Fax 04 42 16 11 62,
infos@aixenprovencetourism.com.
Paris 758 ③ – Marseille 31 ③ – Avignon 82 ④ – Nice 176 ② – Sisteron 102 ① – Toulon 83 ②.

Plans pages suivantes

🏰 **Villa Gallici** 🖬 ⓢ, 18 bis av. Violette ℰ 04 42 23 29 23, *gallici@relaischateaux.fr*,
Fax 04 42 96 30 45, ≤, 🏤, 🎱, 🦮 – ☰ 🖭 🅫 & 🅿 🖼 ⓞ 🖼 🖵 BV k
Repas *(fermé 18 nov. au 15 déc., 6 janv. au 3 fév., le midi et lundi soir de nov. à mars)*
(résidents seul.) carte 60 à 75 – 🖵 26 – **18 ch** 245/440, 4 appart

🏰 **Pigonnet** 🖬 ⓢ, 5 av. Pigonnet 🖂 13090 ℰ 04 42 59 02 90, *reservation@hotelpigonnet.
com*, Fax 04 42 59 47 77, ≤, 🏤, « Parc ombragé fleuri », 🎱, 🦮 – 🛗 ☰ 🖭 🅫 🅿 – 🛎 60. 🖼
ⓞ 🖼 🖼 AV a
Repas *(fermé sam. sauf le soir d'avril à oct. et dim. midi)* 42/54 – 🖵 13 – **48 ch** 130/270 –
½ P 149/189

🏰 **Grand Hôtel Roi René** 🖬, 24 bd Roi René ℰ 04 42 37 61 00, *h1169-dm@accor-hotels.
com*, Fax 04 42 37 61 11, 🏤, 🎱, 🛗 ⚡ ☰ 🖭 🅫 & 🔁 – 🛎 150. 🖼 ⓞ 🖼 🖼. ⚡ rest
La Table du Roi : Repas 32/50 ⅋, enf. 10 – 🖵 16 – **134 ch** 152/290 BZ b

AIX-EN-PROVENCE

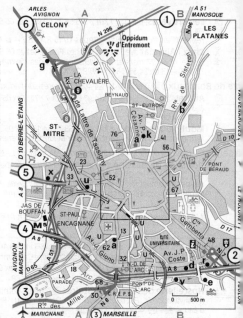

🏨 **Aquabella** Ⓜ, 2 r. Étuves ℰ 04 42 99 15 00, *aquabella.aixenprovence@wanadoo.fr*
Fax 04 42 99 15 01, 🍽, 🛦, 🏊, –🛊 ⇔ ▦ 🆃🆅 & –🔬 60. 🆎 ① 🆖 🍃 AX a
L'Orangerie ℰ 04 42 99 15 10 Repas 25, enf. 9 – ⌾ 10 – **110 ch** 118/136 – ½ P 153/161

🏨 **Augustins** sans rest, 3 r. Masse ℰ 04 42 27 28 59, *Fax* 04 42 26 74 87, « Ancien couvent
du 15ᵉ siècle » –🛊 ▦ 🆃🆅. 🆎 ① 🆖. 🍽 BY x
⌾ 10 – **29 ch** 107/229

🏨 **Holiday Inn Garden Court** Ⓜ, 5 rte Galice ✉ 13090 ℰ 04 42 52 75 27,
Fax 04 42 52 75 28, 🍽, 🏊, –🛊 ⇔ ▦ 🆃🆅 & ⇔ –🔬 100. 🆎 ① 🆖 AV u
Repas *(fermé sam. midi et dim. midi)* 17/45 bc – ⌾ 10 – **90 ch** 130

🏨 **Novotel Beaumanoir** Ⓜ, Résidence Beaumanoir (sortie autoroute 3 Sautets)
ℰ 04 42 91 15 15, *H0393-@accor-hotels.com*, *Fax* 04 42 38 46 41, 🍽, 🏊, 🌳 –🛊 ⇔ ▦ 🆃🆅
& & 🄿 –🔬 150. 🆎 ① 🆖 🆃🅲🅱 BV r
Repas carte environ 25 ⌾, enf. 7,60 – ⌾ 10,60 – **102 ch** 91,47/106,71

🏨 **Bleu Marine** Ⓜ, 42 rte Galice ℰ 04 42 95 04 41, *sales@hotel-bleumarine-aix.com*,
Fax 04 42 59 47 29, 🍽, 🛦, 🏊, –🛊 ▦ 🆃🆅 & ⇔ –🔬 50. 🆎 ① 🆖 🆃🅲🅱 AV x
Repas 23,60, enf. 7,47 – ⌾ 9,15 – **84 ch** 89,94/96,04

🏨 **Mascotte** Ⓜ, av. Cible ℰ 04 42 37 58 58, *mascotte-aix@hotel-sofibra.com*,
Fax 04 42 37 58 59, 🍽, 🏊, –🛊 ⇔ ▦ 🆃🆅 & 🄿 –🔬 150. 🆎 ① 🆖 BV d
Repas *(16)* · 19,50/26 ⌾, enf. 7,50 – ⌾ 9 – **93 ch** 74/88 – ½ P 58

🏨 **Mercure Paul Cézanne** sans rest, 40 av. V. Hugo ℰ 04 42 91 11 11, *mercure.paul
cezanne@free.fr*, *Fax* 04 42 91 11 10, « Mobilier ancien » –🛊 ▦ 🆃🆅. 🆎 ① 🆖 🆃🅲🅱 BZ h
⌾ 10 – **55 ch** 91/152

🏨 **St-Christophe**, 2 av. V. Hugo ℰ 04 42 26 01 24, *saintchristophe@francemarket.com*,
Fax 04 42 38 53 17 –🛊 ▦ 🆃🆅 & ⇔ –🔬 25. 🆎 ① 🆖. 🍽 rest BY a
Brasserie Léopold *(fermé 1ᵉʳ au 27 août et lundi)* **Repas** *(14)*-19 ⌾, enf. 7,60 – ⌾ 8 – **52 ch**
70/88, 6 duplex – ½ P 67/71

🏨 **Novotel Pont de l'Arc** Ⓜ, av. Arc de Meyran (sortie autoroute 3 Sautets)
ℰ 04 42 16 09 09, *H0394-@accor-hotels.com*, *Fax* 04 42 26 00 09, 🍽, 🏊, –🛊 ⇔ ▦ 🆃🆅 &
& 🄿 –🔬 80. 🆎 ① 🆖 🆃🅲🅱 BV v
Repas carte environ 25 ⌾, enf. 7,60 – ⌾ 10 – **80 ch** 91,47/106,71

🏨 **Quatre Dauphins** sans rest, 54 r. Roux Alpheran ℰ 04 42 38 16 39, *Fax* 04 42 38 60 19 –
🆃🆅. 🆖 BY t
fermé 9 fév. au 3 mars – ⌾ 6,50 – **12 ch** 45/70

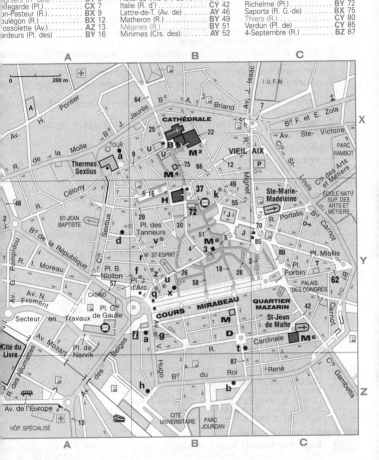

🏠 **Manoir** sans rest, 8 r. Entrecasteaux ℘ 04 42 26 27 20, *msg@hotelmanoir.com*,
Fax 04 42 27 17 97 – 🛗 TV 🅿 🖭 ⑩ ☒ 🄵🄲🄱   AY **d**
fermé 3 au 27 janv. – ⊡ 7 – **40 ch** 70

🕱🕱🕱
☼☼
Clos de la Violette (Banzo), 10 av. Violette ℘ 04 42 23 30 71, *restaurant@closdela*
violette.fr, Fax 04 42 21 93 03, 🈐 – 🗐. 🖭 ☒. ⚘   BV **a**
fermé 4 au 18 août, 24 déc. au 6 janv., lundi midi, merc. midi et dim. – **Repas** (nombre de
couverts limité, prévenir) 53,36 (déj.)/106,71 et carte 78 à 105
Spéc. La truffe sous toutes ses formes (janv. à avril). Sanguette de pigeon à l'ancienne. Trois
réflexions chocolatées. **Vins** Côtes de Provence.

🕱🕱
L'Aixquis, 22 r. Leydet ℘ 04 42 27 76 16, *aixquis@aixquis.com, Fax 04 42 93 10 61* – 🗐. 🖭
☒ 🄵🄲🄱   BY **f**
fermé 1ᵉʳ au 23 août, 2 au 6 janv., lundi midi et dim. – **Repas** (15 bc) - 31/57 ⚘

🕱🕱
Vieille Auberge, 63 r. Espariat ℘ 04 42 27 17 41, *Fax 04 42 26 38 35* – ☒   BY **q**
fermé 7 au 20 janv. et lundi midi – **Repas** 14,94 (déj.), 22,11/33,54

XX **Amphitryon**, 2 r. P. Doumer ℰ 04 42 26 54 10, amphitryon2@wanadoo.
Fax 04 42 38 36 15, 斎 – 〓. ஊ GB   BY
fermé 15 au 30 août, lundi sauf le soir d'avril à sept. et dim. – **Repas** 17 (déj.), 29/45
enf. 13

XX **Les Bacchanales**, 10 r. Couronne ℰ 04 42 27 21 06, Fax 04 42 27 21 06 – 〓. ஊ ⓞ ©
JCB   BY
fermé merc. midi et mardi – **Repas** 16 (déj.), 23,62/53,40 ℒ, enf. 12,95

XX **Chez Féraud**, 8 r. Puits Juif ℰ 04 42 63 07 27 – 〓. GB   BY
fermé août, lundi midi et dim. – **Repas** 19/24

X **Yôji**, 7 av. V. Hugo ℰ 04 42 38 48 76, ut@wanadoo.fr, Fax 04 42 38 47 01, 斎 – 〓. ஊ ©
JCB. ℅   BY
fermé lundi midi et dim. – **Repas** - cuisine japonaise et coréenne - 9,50 (déj.), 20/32,50 ℒ

X **Bistro Latin**, 18 r. Couronne ℰ 04 42 38 22 88, bistrolatin@voila.fr, Fax 04 42 38 22 88
〓. GB   BY
fermé 19 août au 2 sept., 29 janv. au 4 fév., lundi midi et dim. – **Repas** (nombre de couver
limité, prévenir) 20,60/24,40 ℒ

X **Saïgon**, 2 bis r. Aumône Vieille ℰ 04 42 26 05 48, Fax 04 42 26 05 48 – 〓. GB. ℅
Repas - cuisine vietnamienne - 14,94/23,63 ℒ   BY

rte de Sisteron vers ① : 3 km :

🏛 **Prieuré** ॐ sans rest, ℰ 04 42 21 05 23, Fax 04 42 21 60 56, ≤ – 〓 �📺 ℃ 🅿. GB. ℅
⌂ 6,10 – **22 ch** 53/70   BV

rte de St-Canadet par ①, N 96 et D 13 : 9 km – ⌧ 13100 Aix-en-Provence :

XX **Puyfond**, ℰ 04 42 92 13 77, Fax 04 42 92 03 29, 斎, 🐾 – 🅿. ஊ GB
fermé 24 août au 9 sept., dim. soir et lundi – **Repas** 22/27, enf. 10

à Le Canet par ② : 8 km sur N 7 – ⌧ 13590 Meyreuil :

XX **Auberge Provençale**, ℰ 04 42 58 68 54, aubergiste@aol, Fax 04 42 58 68 05 – 〓 🅿. ஊ
ⓞ GB JCB
fermé 23 au 26 déc., 16 au 28 fév., mardi sauf le midi de sept. à juin et merc. – **Repa**
20,50/40, enf. 12,50

à Beaurecueil par ②, N 7 et D 58 : 10 km – 568 h. alt. 254 – ⌧ 13100 Aix-en-Provence :
🅱 Office de tourisme ℰ 04 42 66 92 90.

XXX **Relais Ste-Victoire** (Jugy-Berges) ॐ avec ch, D 46 ℰ 04 42 66 94 98, relais-ste-victoir
֎ @wanadoo.fr, Fax 04 42 66 85 96, ≤, ⤢, 斎 – 〓 📺 🅿 – 🔥 20. ஊ GB
fermé vacances de Toussaint, 1ᵉʳ au 7 janv., vacances de fév.,vend. sauf soir de mars à oct.
dim. soir et lundi – **Repas** (week-ends prévenir) 48,78/68,60 ℒ, enf. 21,34 – ⌂ 12,96 – **8 c**
121,96, 4 appart – ½ P 106,71/152,45
Spéc. Pieds et paquets "Mamie Gabrielle". Poissons en filet à la sauce du momen
"Croque-Violette" (juil.-août). **Vins** Côtes de Provence, Coteaux d'Aix en-Provence.

par ③, D 9 ou A 51, sortie Les Milles : 5 km – ⌧ 13546 Aix-en-Provence :

🏨 **Château de la Pioline**, zone commerciale de la Pioline ℰ 04 42 52 27 27, info@ch
teau-la-pioline.fr, Fax 04 42 52 27 28, 斎, « Belle demeure dans un jardin à la française »
⤢, 🐾 – 🖕, 〓 ch, 📺 ℃ 🅿. GB JCB. ℅ rest
fermé 10 fév. au 3 mars – **Repas** (fermé sam. midi et dim. de janv. à mars) 26 (déj.), 45/77
⌂ 15 – **30 ch** 196/290, 3 appart – ½ P 295/395

par ③ et D 9 - sortie n° 4 : 10 km – ⌧ 13591 Aix-en-Provence :

🏨 **Royal Mirabeau** Ⓜ ॐ, av. G. de la Lauzière Pichaury II ⌧ 13591 ℰ 04 42 97 76 00, roya
-mirabeau@pacwan.fr, Fax 04 42 97 76 01, 斎, 🐾, ⤢, 🐾 – 🖕 ✷ 〓 📺 ℃ & 🅿 – 🔥 150
ஊ ⓞ GB
Repas (20) - 29, enf. 10 – ⌂ 10 – **95 ch** 77/111

à Celony : 3 km sur N 7 – ⌧ 13090 Aix-en-Provence :

🏨 **Mas d'Entremont** ॐ, ℰ 04 42 17 42 42, entremont@wanadoo.fr, Fax 04 42 21 15 83
≤, 斎, « Demeure provençale avec terrasses dans un parc », 🐾, ⤢, ℅, 🐾 – 🖕, 〓 ch, 📺
℃ 🅿 – 🔥 30. GB JCB   AV
15 mars-1ᵉʳ nov. – **Repas** (fermé dim. soir sauf fériés) 34/40 ℒ – ⌂ 14 – **17 ch** 116/162
½ P 106/129

à Lignane par ⑥ : 12 km sur N 7 – ⌧ 13090 Aix-en-Provence :

XX **Mas Gourmand**, ℰ 04 42 28 04 05, Fax 04 42 28 04 14, 斎 – 🅿. GB
fermé 23 au 30 déc. – **Repas** 15 (déj.), 24/37 ℒ, enf. 9

Les prix   Pour toutes précisions sur les prix indiqués dans ce guide,
reportez-vous aux pages explicatives.

AIX-LES-BAINS 73100 Savoie **74** ⑮ G. Alpes du Nord – 25 732 h alt. 200 – Stat. therm. (mi janv.-mi déc.) – Casinos Grand Cercle CZ, Nouveau Casino BZ.

Voir Esplanade du Lac★ – Escalier★ de l'Hôtel de Ville CZ **H** – Musée Faure★ – Vestiges Romains★ – Casino Grand Cercle★.

Env. Lac du Bourget★★ – Abbaye de Hautecombe★★ – Les Bauges★.

✈ de Chambéry-Aix-les-Bains : ℰ 04 79 54 49 54, à Viviers-du-Lac par ④ : 8 km.

🖪 Office du tourisme Place Maurice Mollard ℰ 04 79 88 68 00, Fax 04 79 88 68 14, otta@aixlesbains.com.

Paris 543 ④ – Annecy 34 ① – Bourg-en-Bresse 111 ④ – Chambéry 18 ④ – Lyon 107 ④.

Plan page suivante

🏨🏨 **Park Hôtel du Casino** M, av. Ch. de Gaulle ℰ 04 79 34 19 19, parkhotel@aixlesbains.com, Fax 04 79 88 11 49, 🌧, 🎰, 🔲, 🌬 – 🛗 ❄ 🗏 📺 📞 & 🏊 – 🕍 15 à 400. 🗚 ⓸ ⏚
🎴 CZ **x**
Repas brasserie (17,50) - 22,50 ♀, enf. 10 – ☲ 15,50 – **92 ch** 107/320, 10 appart

🏨🏨 **Mercure Ariana** M ⌂, av. de Marlioz à Marlioz : 1,5 km ℰ 04 79 61 79 79, h2945@accor-hotels.com, Fax 04 79 61 79 00, 🌧, centre de balnéothérapie, « Parc ombragé », 🎰, 🔲,
🎰 – 🛗 ❄, ≡ ch, 📺 📞 & 🏊 – 🕍 150. 🗚 ⓸ ⏚
AX **a**
Repas 22/34 ♀, enf. 13 – ☲ 13 – **60 ch** 112/134

🏩 **Astoria**, pl. Thermes ℰ 04 79 35 12 28, hotel.astoria-savoie@wanadoo.fr, Fax 04 79 35 11 05, « Décor Belle Époque », 🎰 – 🛗 🗏 📺 📞 & 🏊 – 🕍 20. 🗚 ⓸ ⏚ 🎴. ✑
fermé 20 nov. au 13 janv. – Repas 22/27 – ☲ 9 – **135 ch** 58/83 – ½ P 53/57 CZ **z**

🏩 **Manoir** ⌂, 37 r. Georges-1ᵉʳ ℰ 04 79 61 44 00, hotel-le-manoir@wanadoo.fr, Fax 04 79 35 67 67, « Jardin ombragé », 🎰, 🔲, 🌬 – 🛗 📺 🌩 🏊 – 🕍 15 à 130. 🗚 ⓸ ⏚
🎴. ✑ rest CZ **r**
Repas 25/50 ♀ – ☲ 10 – **73 ch** 65/140 – ½ P 65/90

🏩 **Mercure Acquaviva**, av. Marlioz à Marlioz : 1,5 km ℰ 04 79 61 77 77, h2944@accor-hotels.com, Fax 04 79 61 77 00, 🌧, « Parc ombragé », 🔲, 🎰 – 🛗 cuisinette 📺 🏊 –
🕍 250. 🗚 ⓸ ⏚
AX **s**
fermé 15 déc. au 10 janv. – Repas 19/21 ♀, enf. 11 – ☲ 11 – **100 ch** 75/89

🏨 **Agora** M, 1 av. Marlioz ℰ 04 79 34 20 20, hotel-agora@wanadoo.fr, Fax 04 79 34 20 30, 🔲 – 🛗, ≡ rest, 📺 📞 – 🕍 50. 🗚 ⓸ ⏚ CZ **u**
Repas brasserie 14/24 ♂ – ☲ 8 – **60 ch** 49/79 – ½ P 45/60

🏨 **Palais des Fleurs** ⌂, 17 r. Isaline ℰ 04 79 88 35 08, palais.des.fleurs@wanadoo.fr, Fax 04 79 35 42 79, 🌧, 🎰, 🔲, 🌬 – 🛗 cuisinette, ≡ rest, 📺 📞 & 🌩 🏊 – 🕍 30. ⏚ ✑ ch CZ **m**
hôtel : fermé 1ᵉʳ déc. au 31 janv.; rest. : fermé 15 nov. au 28 fév. – Repas 14,80 (dîner), 17,23/25,92 – ☲ 7,04 – **40 ch** 50,38/66,95 – ½ P 48,63/53,36

🏨 **Parc**, 28 r. Chambéry ℰ 04 79 61 29 11, Fax 04 79 88 33 49, 🌧 – 🛗, ≡ rest, 📺 & 🌩.
⏚. ✑ ch CZ **n**
fermé 15 déc. au 31 janv. – Repas (fermé dim. soir et merc.) 17 (déj.), 24/37 – ☲ 6 – **45 ch** 32/54 – ½ P 48

🏨 **Vendôme**, 12 av. Marlioz ℰ 04 79 61 23 16, Fax 04 79 88 93 77 – 🛗, ≡ rest, 📺 📞 🗚 ⓸
⏚ 🎴. ✑ CZ **b**
1ᵉʳ avril-30 oct. – Repas 20/30 – ☲ 7 – **32 ch** 45/60 – ½ P 55/60

🏠 **Beaulieu**, 29 av. Ch. de Gaulle ℰ 04 79 35 01 02, heim.th@wanadoo.fr, Fax 04 79 34 04 82, 🌧 – 🛗 📺 – 🕍 25. 🗚 ⓸ ⏚ 🎴 BCZ **r**
fermé janv. – Repas (fermé dim. soir) (11,43) - 14,48 – ☲ 5,33 – **31 ch** 35,06/42,68 – P 60,98

🏠 **Auberge St-Simond**, 130 av. St-Simond ℰ 04 79 88 35 02, auberge@saintsimon.com, Fax 04 79 88 38 45, 🌧, 🌬 – 📺 📞 🗚 ⓸ ⏚
AX **e**
fermé 26 oct. au 3 nov., janv. et dim. soir – Repas (14) - 16/29 – ☲ 6,50 – **28 ch** 43/54 – P 54/64

🏠 **Cottage Hôtel**, 9 r. Davat ℰ 04 79 35 00 55, collet_m@club-internet.fr, Fax 04 79 88 22 85, 🌧 – 🛗 📺 📞. ⏚. ✑ rest CZ **k**
fin fév.-20 nov. – Repas 15/16,75 ♀ – ☲ 5,35 – **50 ch** 42,70/46 – ½ P 42,70/53,30

🏠 **Les Églantins**, 20 bd Berthollet ℰ 04 79 88 04 38, Fax 04 79 34 17 33 – 🛗, ≡ rest, 📺 📞 – 🕍 25. 🗚 ⓸ ⏚ 🎴 CZ **h**
fermé 15 fév. au 25 mars – Le Salon d'Elvire (fermé merc. soir, dim. soir et lundi) Repas 18,50/38,50 ♀ – ☲ 6,10 – **29 ch** 36/43 – ½ P 41,50/43,50

🏠 **Croix du Sud** sans rest, r. Dr Duvernay ℰ 04 79 35 05 87, Fax 04 79 35 72 71 CZ **f**
début avril-5 nov. – ☲ 5,03 – **16 ch** 23,63/36,59

🏠 **Savoy** sans rest, 21 av. Ch. de Gaulle ℰ 04 79 35 13 33, Fax 04 79 88 40 10 – 🗚 ⓸ ⏚
🎴 CZ **e**
1ᵉʳ avril-fin oct. – ☲ 4,57 – **22 ch** 23,32/38,10

🏠 **Cécil Hôtel** sans rest, 20 av. Victoria ℰ 04 79 35 04 12, Fax 04 79 61 32 08 – 🛗 📺. ⓸ ⏚.
✑ CZ **a**
fermé 15 fév.au 15 mars – ☲ 5 – **21 ch** 32/42

AIX-LES-BAINS

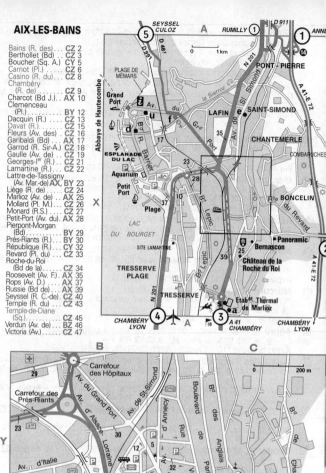

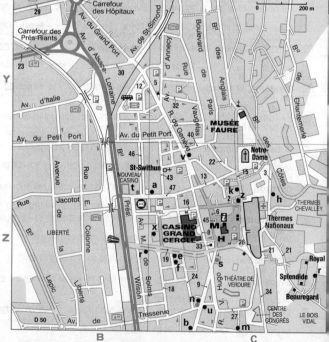

🏨 **Revotel** sans rest, 198 r. Genève ℰ 04 79 35 03 37, Fax 04 79 88 82 99 – 🛗 📺 🖭 ⓞ 🇬🇧
ᴊᴄв, 🦘 CZ v
fermé 1ᵉʳ déc. au 17 janv. – ☲ 5 – **18 ch** 29/36

🍴🍴 **Bonne Fourchette**, 2 av. Tresserve ℰ 04 79 34 00 31, info@labonne-fourchette.com,
Fax 04 79 88 33 49, � – 🔳 🖭 ⓞ 🇬🇧 CZ n
fermé 15 déc. au 31 janv., mardi midi et merc. midi en été, dim. soir, merc. midi et mardi du 15 oct. au 16 déc. – **Repas** 17 (déj.), 24/37, enf. 10

🍴 **Rotonde**, square Jean Moulin ℰ 04 79 35 00 60, Fax 04 79 35 04 29, � – 🇬🇧 CZ s
fermé fév. et lundi sauf le midi de mi-mai à mi-oct. – **Repas** 17/29 ⓨ, enf. 7

🍴 **Auberge du Pont Rouge**, 151 avenue Grand Port ℰ 04 79 63 43 90,
Fax 04 79 63 43 90, � – 🖭 🇬🇧 🦘 AX f
fermé 25 juin au 1ᵉʳ juil., 3 au 9 sept., 20 déc. au 15 janv., dim. soir, lundi soir, mardi soir et jeudi – **Repas** 10,40 (déj.), 14,95/26,70 ⅃

🍴 **Brasserie de la Poste**, 32 av. Victoria ℰ 04 79 35 00 65 – 🖭 🇬🇧 BZ t
☎ *fermé lundi* – **Repas** 12,20/27,44 ⅃, enf. 7,62

u Grand Port : *3 km* – ✉ 73100 Aix-les-Bains :

🏨🏨 **Adelphia** 🅼, 215 bd Barrier ℰ 04 79 88 72 72, info@adelphia-hotel.com,
Fax 04 79 88 27 77, ≤, �, centre de balnéothérapie, Ⅰ₆, 🔳, 🌲 – 🛗 ⅛⟵, 🔳 ch, 📺 ✎ ⅙
☚ – 🏛 15 à 100. 🖭 ⓞ 🇬🇧 ᴊᴄв AX d
Repas 18/28 – ☲ 9,15 – **70 ch** 104/151 – ½ P 68/78

🏨 **Pastorale**, 221 av. Grand Port ℰ 04 79 63 40 60, pastoral@club-internet.fr,
Fax 04 79 63 44 26, �, 🌲 ✎ 📞 – 🏛 20. 🖭 ⓞ 🇬🇧 AX u
1ᵉʳ avril-2 nov. – **Repas** (fermé dim. soir et lundi hors saison) (14,50) - 18,30/35,06 ⓨ – ☲ 6,86 –
30 ch 54,12/68,60 – ½ P 55,64/56,41

ʌIZENAY *85190 Vendée* 🔟🗓 ⑬ – *6 095 h alt. 62.*
🔢 *Office du tourisme Rond-Point de la Gare ℰ 02 51 94 62 72, Fax 02 51 94 62 72.*
Paris 443 – La Roche-sur-Yon 18 – Challans 25 – Nantes 60 – Les Sables-d'Olonne 35.

🍴🍴 **Sittelle**, 33 r. Mar. Leclerc ℰ 02 51 34 79 90 – 🄿. 🇬🇧 🦘
fermé août, 1ᵉʳ au 6 janv., sam. midi, dim. soir et lundi – **Repas** 19,10 (déj.)/30,50

ʌJACCIO *2A Corse-du-Sud* 🟩🟢 ⑰ – *voir à Corse.*

ʌLBERT *80300 Somme* 🔢🗓 ⑨ *G. Picardie Flandres Artois* – *10 065 h alt. 65.*
🔢 *Office du tourisme 9 rue Gambetta ℰ 03 22 75 16 42, Fax 03 22 75 11 72, office tourisme-albert@altavista.fr.*
Paris 157 – Amiens 31 – Arras 48 – St-Quentin 54.

🏨 **Royal Picardie** 🅼, rte Amiens ℰ 03 22 75 37 00, royalpicardie@wanadoo.fr,
Fax 03 22 75 60 19, 🦘 – ⅛⟵, 🔳 rest, 📺 ✎ 📞 – 🏛 40. 🖭 🇬🇧
fermé 1ᵉʳ au 18 août et 2 au 18 janv. – **Repas** (fermé dim. soir du 1ᵉʳ nov. au 31 mars) (15) -
20/45 ⓨ – ☲ 10 – **23 ch** 72/78

🏨 **Paix**, r. V. Hugo (rte Péronne) ℰ 03 22 75 01 64, Fax 03 22 75 44 17 – 📺. 🇬🇧
☎ *fermé 15 au 21 juil., 10 fév. au 2 mars et dim. soir* – **Repas** 12,04/27,44 ⅃, enf. 7,62 – ☲ 4,88
– **12 ch** 37,35/48,80 – ½ P 35,06/39,60

🏨 **Basilique**, 3 rue Gambetta ℰ 03 22 75 04 71, hotel-de-la-basilique@wanadoo.fr,
☎ Fax 03 22 75 10 47 – 📺. 🇬🇧
fermé 12/08 au 1/09, 21/12 au 6/01, dim. soir et lundi en saison, sam. soir et dim. hors saison – **Repas** (10,80) - 12,50/23 ⓨ, enf. 7,65 – ☲ 5,20 – **10 ch** 38/50,50 – ½ P 40/42

Besonders angenehme Hotels oder Restaurants
sind im Führer rot gekennzeichnet.
Sie können uns helfen,
wenn Sie uns die Häuser angeben,
in denen Sie sich besonders wohl gefühlt haben.   🏨 ... 🛆
Jährlich erscheint eine komplett überarbeitete Ausgabe
aller Roten Michelin-Führer.   🍴🍴🍴 ... 🍴

ALBERTVILLE ◁SP▷ 73200 Savoie **74** ⑰ G. Alpes du Nord – 17 340 h alt. 344.

Voir Bourg de Conflans★, porte de Savoie ≼★ B, Grande Place★ – Route du fort c
Mont★★ E.

🖪 Office du tourisme 11 rue Pargoud ℘ 04 79 32 04 22, Fax 04 79 32 87 09, Albe
ville.Tourisme@wanadoo.fr.

Paris 584 ① – Annecy 46 ① – Chambéry 52 ③ – Chamonix-Mont-Blanc 64 ①.

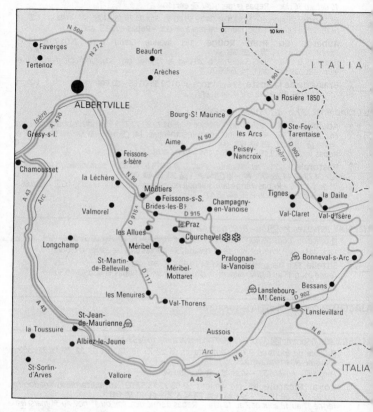

🏨	**Million,** 8 pl. Liberté ℘ 04 79 32 25 15, hotel.million@wanadoo.fr, Fax 04 79 32 25 36, 🎐 – 🛉, ▤ rest, 📺 ✆ ⇔ **P** – 🔬 25. 🆀 ⓪ ☎ **Repas** (fermé sam. midi, dim. soir et lundi) 26/45 ♀ – ☲ 11 – **26 ch** 99/115 – ½ P 69
🏨	**Roma,** rte Chambéry par ③ : 4 km, sortie 28 ℘ 04 79 37 15 56, hotelleroma@aol.com Fax 04 79 37 01 31, 🎐, 🖫, ⛲, ✕ – 🛉, ▤ rest, 📺 ᗌ **P** – 🔬 150. 🆀 ⓪ ☎ ᴊᴄʙ **Repas** (fermé sam. midi) (14) - 20/30 ♀, enf. 8 – ☲ 8,50 – **134 ch** 46/83, 10 appart - ½ P 52/78,50
🏦	**Albert 1er,** 38 av. V. Hugo ℘ 04 79 37 77 33, Fax 04 79 37 89 01 – 📺 ✆ ⇔ – 🔬 25. 🆀 ☎ **Repas** brasserie 14,63/33,54 ♀, enf. 6,86 – ☲ 7,32 – **12 ch** 48,78/60,98 – ½ P 44,21

Dans ce guide

un même symbole, un même caractère,
imprimé en couleur ou en **noir,** en maigre ou en **gras**
n'ont pas tout à fait la même signification.

Lisez attentivement les pages explicatives.

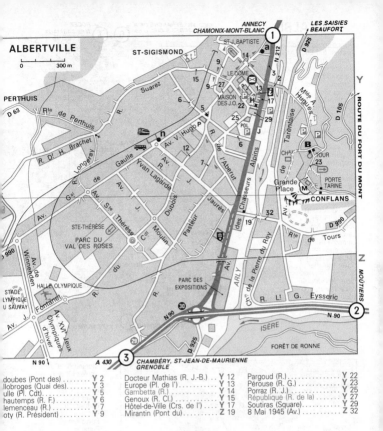

ALBERTVILLE

Donnez-nous votre avis sur les tables que nous recommandons,
sur leurs spécialités et leurs vins de pays.

ALBI P 81000 Tarn 82 ⑩ *G. Midi-Pyrénées – 46 274 h alt. 174.*

Voir *Cathédrale Ste-Cécile★★★ : Jubé★★★ – Palais de la Berbie★ : musée Toulouse-Lautrec★★ – Le vieil Albi★★ : hôtel de Reynès★ Z C – Pont Vieux★ – Pharmacie des Pénitents★ - ≤★ depuis les moulins albigeois.*

Autodrome *2 km par* ⑤.

🛈 *Office du tourisme Place Sainte-Cécile ℰ 05 63 49 48 80, Fax 05 63 49 48 98, otsi.albi.accueil@wanadoo.fr.*

Paris 692 ⑤ *– Toulouse 75* ⑤ *– Béziers 149* ④ *– Clermont-Ferrand 323* ①.

Plan page suivante

🏛 **Réserve** M ⊗, rte Cordes par ⑥ : *3 km ℰ 05 63 60 80 80, lareservealbi@wanadoo.fr, .*
Fax 05 63 47 63 60, ≤, 🍽, « Dans un parc au bord du Tarn », ⊼, ✽, 🎿–🛗, 🗏 ch, 📺 🅿 ♿ 🅿
– 🛎 25. 🅰🅴 ⓞ 🆒 🆓
1ᵉʳ mai-31 oct. – **Repas** *(fermé mardi)* 27/50 ☌, enf. 10 – ☐ 15 – **24 ch** 130/250 –
½ P 120/190

🏛 **Hostellerie St-Antoine,** 17 r. St Antoine ℰ 05 63 54 04 04, hotel@saint-antoine-albi.
com, Fax 05 63 47 10 47, « Jardin, mobilier ancien », 🚗 –🛗, 🗏 ch, 📺 🅿 – 🛎 25. 🅰🅴 ⓞ
🆒 🆓
Z d
Repas *(fermé sam. midi et dim.)* 22/45 ☌ – ☐ 10 – **44 ch** 72/160

ALBI

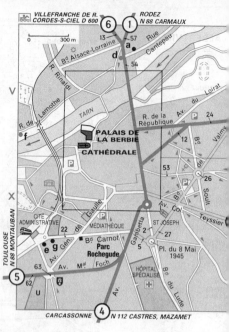

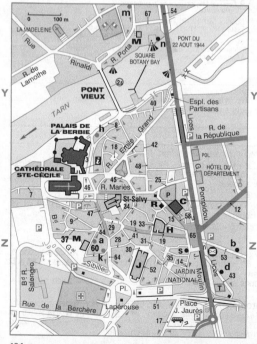

🏨 **Chiffre,** 50 r. Séré-de-Rivières, ℰ 05 63 48 58 48, *gilles@hotelchiffre.com,*
Fax 05 63 47 20 61, 斎 – 🛗, ≡ rest, 🖵 ☎ ⇔ 🅿 – 🏤 150. 🆎 ⓪ 🆑   Z b
Repas *(fermé sam. midi et dim.)* 16/30 ♈ – 🖃 8 – **38 ch** 58/168 – ½ P 60/69

🏨 **Mercure** Ⓜ, 41 bis r. Porta ℰ 05 63 47 66 66, *h1211-gm@accor-hotels.com,*
Fax 05 63 46 18 40, ≤ le Tarn et la cathédrale, 斎 – 🛗 ❄ ≡ 🖵 ☎ ᴆ 🅿 – 🏤 25. 🆎 ⓪ 🆑
🆑 ❊ rest   Y n
Repas *(fermé 20 déc. au 3 janv., sam. midi et dim. midi)* (13) - 16/30 bc – 🖃 8,50 – **56 ch**
68/86

🏨 **Grand Hôtel d'Orléans,** pl. Stalingrad ℰ 05 63 54 16 56, *hotelorleans.@wanadoo.fr,*
Fax 05 63 54 43 41, 斎, 🎇 – 🛗 ≡ 🖵 ☎ ⇔ – 🏤 80. 🆎 ⓪ 🆑 ❊ rest   X e
fermé 3 au 22 janv. – **Repas** *(fermé sam. sauf le soir d'avril à oct. et dim.)* (15) -22/34 ♈, enf. 8
– 🖃 7 – **56 ch** 55/85 – ½ P 55/66

🏨 **Hostellerie du Vigan,** 16 pl. Vigan ℰ 05 63 43 31 31, *hostellerieduvigan@wanadoo.fr,*
Fax 05 63 47 05 42 – 🛗, ≡ rest, 🖵 ⇔ – 🏤 60. 🆎 ⓪ 🆑   Z s
Repas *(8,53)* - 16,01/20,58 ♈, enf. 5,95 – 🖃 6,50 – **40 ch** 46/61,50 – ½ P 42/48,50

🏨 **Cantepau** sans rest, 9 r. Cantepau ℰ 05 63 60 75 80, Fax 05 63 60 01 61 – 🛗 🖵 🅿. 🆎 ⓪
🆑   V a
🖃 8,50 – **33 ch** 49/54

🏨 **George V** sans rest, 29 av. Mar. Joffre ℰ 05 63 54 24 16, *hotel.georgev@ilink.fr,*
Fax 05 63 49 90 78 – 🖵. ⓪ 🆑 🆑   X g
🖃 6 – **9 ch** 32/42

🍴🍴🍴 **Moulin de La Mothe,** r. de Lamothe ℰ 05 63 60 38 15, Fax 05 63 47 55 42, ≤, 斎, « Au
bord du Tarn », 🈲 – ≡ 🅿. 🆎 ⓪ 🆑   V f
fermé vacances de Toussaint, de fév., dim. soir sauf juil.-août , mardi soir du 15 sept. au
30 avril et merc. – **Repas** 24,39/28,20 et carte 43 à 50 ♈, enf. 10,67

🍴🍴🍴 **L'Esprit du Vin,** 11 quai Choiseul ℰ 05 63 54 60 44, *restoespritduvin@aol.com,*
Fax 05 63 54 54 79, 斎 – ≡. ⓪ 🆑 🆑 🆑   Y h
fermé 10 au 28 fév., dim. et lundi – **Repas** 28/52 ♈

🍴🍴 **Jardin des Quatre Saisons,** 19 bd Strasbourg ℰ 05 63 60 77 76, Fax 05 63 60 77 76 –
≡. ⓪ 🆑   V d
fermé dim. soir et lundi – **Repas** 14,50/28,20 ♈

🍴🍴 **Vieil Alby** avec ch (chambres exclusivement non-fumeur), 25 r. Toulouse-Lautrec
ℰ 05 63 54 14 69, Fax 05 63 54 96 75, 斎 – ❄, ≡ rest, 🖵 ☎ ᴆ ⓪ 🆑 🆑 ❊ ch
fermé 24 juin au 8 juil., janv., dim. soir et lundi – **Repas** *(11,50)* - 14,50/34 bc ♈, enf. 9 –
🖃 6,60 – **9 ch** 40/51 – ½ P 46/49   Z k

🍴🍴 **Viguière d'Alby,** 7 r. Toulouse-Lautrec ℰ 05 63 54 76 44, 斎 – 🆎 ⓪ 🆑   Z a
fermé 20 au 26 nov., 15 fév. au 1er mars, jeudi midi et merc. sauf juil.-août – **Repas** 15/53 ♈,
enf. 7,50

🍴 **Table du Sommelier,** 20 r. Porta ℰ 05 63 46 20 10, Fax 05 63 46 20 10, 斎 – 🆑
fermé dim. et lundi – **Repas** *(12,50)* - 15/25 bc ♈, enf. 8   Y m

Castelnau-de-Lévis par ⑥, D 600 et D 12 : 7 km – 1 403 h. alt. 221 – ✉ 81150 :

🍴🍴 **Taverne,** ℰ 05 63 60 90 16, Fax 05 63 60 96 73, 斎 – ≡. 🆎 ⓪ 🆑 🆑
fermé vacances de Toussaint, de fév., lundi et mardi – **Repas** 20/42

ALBIEZ-LE-JEUNE 73300 Savoie 🔢 ⑦ – 57 h alt. 1350.
Paris 646 – Albertville 71 – Chambéry 84 – St-Jean-de-Maurienne 13.

🏨 **L'Escale** 🦢, ℰ 04 79 59 85 08, Fax 04 79 64 32 40, ≤ – 🆑
fermé 12 nov. au 15 déc., dim. soir et lundi hors saison – **Repas** 14,49/38,12 – 🖃 5,95 –
12 ch 36,59 – ½ P 38,12

ALBIGNY-SUR-SAONE 69 Rhône 🔢 ①,, 🔢 ⑭ – rattaché à Neuville-sur-Saône.

ALBOUSSIÈRE 07440 Ardèche 🔢 ⑳ – 756 h alt. 552.
🅱 Syndicat d'initiative ℰ 04 75 58 20 08, Fax 04 75 58 26 12.
Paris 584 – Valence 21 – Privas 57 – Tournon-sur-Rhône 32.

🍴🍴 **Auberge de Duzon** avec ch, ℰ 04 75 58 29 40, *reception@auberge-duzon.fr,*
Fax 04 75 58 29 41 – 🛗 🖵 ☎ ᴆ – 🏤 30. 🆑
fermé dim. soir, lundi et mardi – **Repas** *(14,94)* - 21,95/28,20, enf. 9,91 – 🖃 5,79 – **8 ch**
44,97/55,64 – ½ P 53,36/65,55

ALBY-SUR-CHÉRAN 74540 H.-Savoie **74** ⑯ – 1 630 h alt. 397.

Paris 543 – Annecy 18 – Aix-les-Bains 21 – Chambéry 37 – Genève 61.

X **Auberge Ripaille,** 382 rte des chavonnets ℘ 04 50 68 22 98, Fax 04 50 68 43 74, 🏤
P. AE GB

fermé 21 juil. au 9 août, 22 déc. au 8 janv., dim. soir, merc. soir et lundi – **Repas** (nombre ⊂ couverts limité, prévenir) 15 (déj.), 22/31,50 ⚸, enf. 7,70

ALENÇON P 61000 Orne **60** ③ G. Normandie Cotentin – 28 935 h alt. 135.

Voir Église Notre-Dame★ – Musée des Beaux-Arts et de la Dentelle★ : collection ⊂ dentelles★★ BZ **M²** – Musée de la Dentelle et musée Leclerc : collection de dentelles CZ **M¹**.

🛈 Office du tourisme Place Lamagdaleine ℘ 02 33 80 66 33, Fax 02 33 80 66 3 alencon.tourisme@wanadoo.fr.

Paris 193 ② – Chartres 120 ③ – Évreux 120 ② – Laval 90 ⑤ – Le Mans 54 ④ – Rouen 149 ⊂

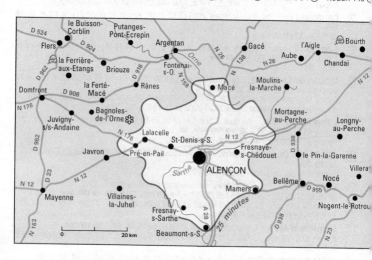

🏨 **Grand Cerf,** 21 r. St-Blaise ℘ 02 33 26 00 51, Fax 02 33 26 63 07, 🏤 – 🛗 📺 🄰
GB
CZ

fermé 21 déc. au 5 janv. – **Repas** (fermé sam. midi, dim. et fériés) (13 bc) - 15,50/27 ⚸, enf. 8 –
⇆ 6 – **22 ch** 44/55 – ½ P 43,50/45,50

🏨 **Arcade M** sans rest, 187 av. Gén. Leclerc par ④ : 2 km ℘ 02 33 28 64 64
Fax 02 33 28 64 72 – 🛗 📺 ✆ & **P.** – 🔏 50. **AE ⓞ GB**
⇆ 5,70 – **55 ch** 46/51

🏨 **Chapeau Rouge** sans rest, 3 bd Duchamp ℘ 02 33 26 20 23, Fax 02 33 26 54 05 – 📺 🄰
GB. 🌄
AY

fermé 1er au 15 août et dim. – ⇆ 5,34 – **14 ch** 39,64/44,21

🏨 **Ibis** sans rest, 13 pl. Poulet Malassis ℘ 02 33 80 67 67, Fax 02 33 26 02 88 – 🛗 📺 ✆ & –
🔏 15. **AE ⓞ GB JCB**
CZ

⇆ 5,50 – **52 ch** 38/49

🏨 **Marmotte,** rte de Rouen par ① : 2 km ⊠ 61250 Valframbert ℘ 02 33 27 42 64
Fax 02 33 27 52 62 – 📺 & **P.** – 🔏 30. **GB**

Repas (8,54) - 11,28/14,48 🌄, enf. 5,79 – ⇆ 4,42 – **45 ch** 31,73

XXX **Petit Vatel,** 72 pl. Cdt Desmeulles ℘ 02 33 26 23 78, Fax 02 33 82 64 57 – 🄰
GB
BZ

fermé 24 fév. au 12 mars, dim. soir et merc. – **Repas** 19,06/38,12 et carte 31 à 41 ⚸
enf. 9,15

XX **L'Escargot Doré,** 183 av. Gén. Leclerc par ④ : 2 km ℘ 02 33 28 67 67, Fax 02 33 27 77 3
– **P. AE GB**

fermé 6 au 16 avril, 17 juil. au 6 août, 2 au 10 janv., dim. soir et lundi – **Repas** - grillades
16,50/43 ⚸, enf. 9,50

ALENÇON

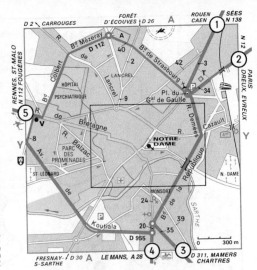

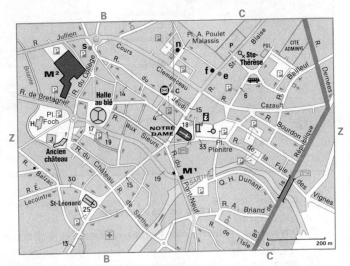

✕ **Cabestan,** 22 r. St-Blaise ℰ 02 33 32 16 84, Fax 02 33 32 16 84 – GB   CZ **e**
   fermé 15 au 22 avril, 19 août au 2 sept., 4 au 11 nov., merc. midi, sam. midi, dim. et fériés –
   Repas 15/35

te de Mamers *par* ③ : 5 km – ⊠ 72610 Le Chevain (Sarthe) :

✕✕ **Chai de l'Abbaye,** sur D 311 ℰ 02 33 81 78 05, Fax 02 33 81 78 09, 🏠 , 🎏 – GB
   fermé vacances de fév., dim. soir, mardi soir et lundi – **Repas** 14/36

ALÈS ⊚ 30100 Gard 🔟 ⑰ ⑱ *G. Languedoc Roussillon* – 39 346 h alt. 136.

   Voir *Musée minéralogique de l'Ecole des Mines*★ N – *Musée-bibliothèque Pierre-André-
Benoit*★ O : 2 km – *Mine-témoin*★ O : 3 km.

   🛈 *Office de tourisme pl de l'Hôtel de Ville* ℰ 04 66 52 32 15, Fax 04 66 52 57 09.
   Paris 710 ② *– Albi 228* ③ *– Avignon 72* ③ *– Montpellier 70* ③ *– Nîmes 46* ③.

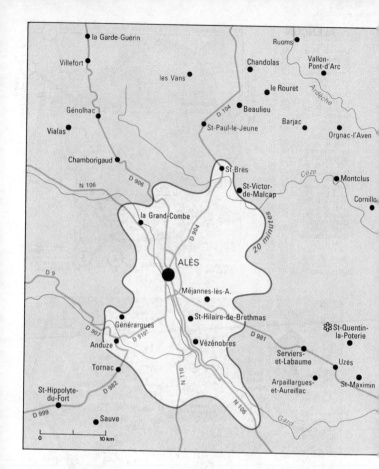

Ibis sans rest, 18 r. E. Quinet ℰ 04 66 52 27 07, *h0338@accor-hotels.com*
Fax 04 66 52 36 33 – 🛗 🗏 📺 📞 ⇔ – 🏛 25. ⒜ ⓞ ☰ B
☲ 6,50 – **75 ch** 54

Orly sans rest, 10 r. Avéjan ℰ 04 66 91 30 00, *hotelorly@t2u.com*, Fax 04 66 91 30 30 –
🗏 📺 📞 ⒜ ⓞ ☰ 🛁
☲ 5 – **31 ch** 31/43

Riche avec ch, 42 pl. Sémard ℰ 04 66 86 00 33, *riche.reception@leriche.fr*
Fax 04 66 30 02 63, salle 1900 – 🗏 rest, 📺 📞 ⇔ – 🏛 25. ⓞ ☰ B
fermé 1er au 26 août – **Repas** 15,50/46 ♀, enf. 11,50 – ☲ 6,15 – **19 ch** 31/43 – ½ P 37

Guévent, 12 bd Gambetta ℰ 04 66 30 31 98, Fax 04 66 30 31 98 – ☰ B
fermé 22 juil. au 13 août, dim. soir et lundi
Repas 12,96 (déj.), 15,09/22,71, enf. 7,47

à St-Hilaire-de-Brethmas par ② et N 2006 : 3 km – 3 619 h. alt. 125 – ✉ 30560 :

Auberge de St-Hilaire, ℰ 04 66 30 11 42, Fax 04 66 86 72 79, 🌿 – 🗏 🅿 ☰
fermé dim. soir et lundi – **Repas** 20/65 et carte 48 à 67 ♀, enf. 13

à Méjannes-lès-Alès par ② et D 981 : 7,5 km – 905 h. alt. 141 – ✉ 30340 Salindres :

Auberge des Voutins, ℰ 04 66 61 38 03, Fax 04 66 61 04 19, 🌿 – 🅿 ⒜ ⓞ ☰
fermé 27 août au 11 sept., dim. soir et lundi
Repas 23/54 ♀

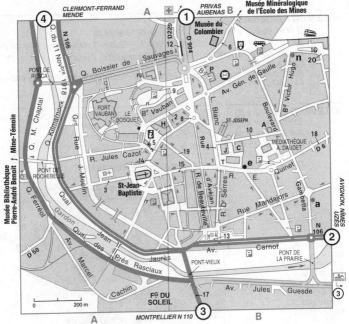

ALÈS

Albert-1ᵉʳ (R.) . . . . **B** 2
Audibert (R. Cdt) . . . . **A** 3
Avéjan (R. d') . . . . **B**
Barbusse (Pl. Henri) . . . . **B** 4
Docteur-Serres (R.) . . . . . **B**
Edgar-Quinet (R.) . . . . **B**

Hôtel-de-Ville (Pl. de l') . . **A** 5
Lattre de
 Tassigny (Av. de) . . . . **B** 6
Leclerc (Pl. Gén.) . . . . . . **B** 8
Louis-Blanc (Bd) . . . . **B**
Martyrs-de-la-
 Résistance (Pl.) . . . . . **B** 9
Michelet (R.) . . . . **B** 10
Paul (R. Marcel) . . . . **B** 12

Péri (Pl. Gabriel) . . . . **B** 13
Rollin (R.) . . . . **A** 14
St-Vincent (R.) . . . . **B** 15
Semard (Pl. Pierre) . . . . . **B** 16
Soleil
 (R. du Faubourg-du) . . **B** 17
Stalingrad (Av. de) . . . . . **B** 18
Taisson (R.) . . . . **B** 19
Talabot (Bd) . . . . **B** 20

A good moderately priced meal : 🍴 Repas 16/23

ALFORTVILLE 94 Val-de-Marne **61** ①,, **101** ㉗ – voir à Paris, Environs.

ALGAJOLA 2B H.-Corse **90** ⑬ – voir à Corse.

ALISE-STE-REINE 21 Côte-d'Or **65** ⑱ – rattaché à Venarey-les-Laumes.

ALIX 69380 Rhône **73** ⑨, **74** ①, **110** ② – 690 h alt. 287.
  Paris 443 – Lyon 31 – L'Arbresle 10 – Villefranche-sur-Saône 12.

 ✕✕ **Vieux Moulin**, ℘ 04 78 43 91 66, lemoulindalix@wanadoo.fr, Fax 04 78 47 98 46, 🌰 –
  🅿. 🖼
  fermé 12 août au 11 sept., lundi et mardi – **Repas** 20/45

ALLAIN 54170 M.-et-M. **62** ④ – 387 h alt. 306.
  Paris 300 – Nancy 34 – Neufchâteau 28 – Toul 16 – Vittel 49.

 🏠 **Haie des Vignes** sans rest, à l'échangeur A 31, rte Neufchâteau : 0,5 km
  ℘ 03 83 52 81 82, Fax 03 83 52 04 27 – 📺 📞 🕭 🚗 🅿. 🖼
  🍽 4,57 – **24 ch** 35,06

ALLAS-LES-MINES 24 Dordogne **75** ⑰ – rattaché à St-Cyprien.

129

ALLÈGRE 43270 H.-Loire 📖 ⑥ – 1 007 h alt. 1057.

🛈 Office du tourisme Rue du Mont Bar 𝒫 04 71 00 72 52, Fax 04 71 00 21 25.
Paris 527 – Le Puy-en-Velay 28 – Ambert 45 – Brioude 45 – Langeac 29.

🏠 **Voyageurs,** D 13 𝒫 04 71 00 70 12, Fax 04 71 00 20 67, 🛋 – 📺 ⟶ 🅿. 🆖. ⅀ rest
1ᵉʳ avril-30 nov. et fermé dim. soir et lundi sauf juil.-août – **Repas** 11/23 ⅃, enf. 7 – ⌂ 6 –
20 ch 26/45 – ½ P 34/41

ALLEMONT 38114 Isère 📖 ⑥ – 765 h alt. 830.

🛈 Office du tourisme 𝒫 04 76 80 71 60, Fax 04 76 80 79 48.
Paris 613 – Grenoble 48 – Le Bourg-d'Oisans 11 – St-Jean-de-Maurienne 61 – Vizille 29.

🏠 **Giniès** 🦢, 𝒫 04 76 80 70 03, hotel-ginies@wanadoo.fr, Fax 04 76 80 73 13, ≤, 🍽, 🐎 –
📺 📞 🅿. 🆖
fermé avril et 1ᵉʳ nov. au 15 déc. – **Repas** (12,96) - 17,53/20,58 ⅀, enf. 9,15 – ⌂ 6,40 – **15 ch**
41,16/47,26 – ½ P 47,26

ALLEVARD 38580 Isère 📖 ⑯, 📖 ⑥ G. Alpes du Nord – 3 081 h alt. 470 – Stat. therm. (mai-oct.) –
Sports d'hiver au Collet d'Allevard : 1 450/2 100 m ⛷ 13 – Casino.
Voir *Route du Collet★★ par D 525ᴬ – Route de Brame-Farine★ NO.*

🛈 Office du tourisme Place de la Résistance 𝒫 04 76 45 10 11, Fax 04 76 97 59 32
office@allevard-les-bains.com.
Paris 596 ① – Grenoble 41 ② – Albertville 50 ① – Chambéry 34 ①.

ALLEVARD

Rues piétonnes
en saison thermale

Baroz (R. Emma)	2
Bir-Hakeim (R. de)	3
Charamil (R.)	5
Chataing (R. Laurent)	6
Chenal (R.)	7
Davallet (Av.)	8
Docteur-Mansord (R.)	9
Gerin (Av. Louis)	15
Grand-Pont (R. du)	19
Libération (R. de la)	21
Louaraz (Av.)	22
Niepce (R. Bernard)	23
Ponsard (R.)	24
Rambaud (Pl. P.)	25
Résistance (Pl. de la)	27
Savoie (Av. de)	28
Thermes (R. des)	29
Verdun (Pl. de)	32
8-Mai-1945 (R. du)	34

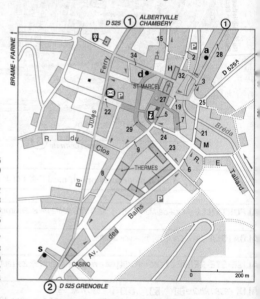

🏠 **Les Pervenches** 🦢, (s) 𝒫 04 76 97 50 73, hotelpervenches@aol.com,
Fax 04 76 45 09 52, 🍽, 🛋, ⚙, 🐎 – 📺 📞 🅿. 🆎 ⓪ 🆖 Ⓙ🆖. ⅀ rest
début mai-mi-oct., début fév.-mi-avril et fermé dim. en hiver – **Repas** 15,85/34 ⅀ – ⌂ 7 –
26 ch 45,40/66,95 – ½ P 52,60/60,20

🏠 **Les Alpes,** (d) 𝒫 04 76 45 94 10, hotel@lesalpesallevard.com, Fax 04 76 45 80 81 – 📺 📞
🆎 ⓪ 🆖. ⅀ rest
fermé 8 au 17 avril, merc. (sauf hôtel) et dim. soir hors saison – **Repas** (11) - 13,40 (déj.)
21,30/32 ⅀ – ⌂ 7 – **20 ch** 46/51 – ½ P 43,50/49,50

🏠 **Les Terrasses,** 29 av. Savoie (a) 𝒫 04 76 45 84 42, responsable@hotellesterrasses.com,
Fax 04 76 13 57 65, 🐎 – 📞. Savoie
fermé nov. et merc d'oct. à avril sauf vacances scolaires – **Repas** 11,50 (déj.), 13/24 ⅀, enf. 7
– ⌂ 5,50 – **16 ch** 32/37,50 – ½ P 34/38

Pinsot Sud : 7 km par D 525 A – 139 h. alt. 730 – ⊠ 38580 :

🏨 **Pic de la Belle Étoile** ⑤, ℘ 04 76 45 89 45, hotel@pbetoile.com, Fax 04 76 45 89 46, ≤, 佘, *ℝ*, ◻, *☞*, ℀ – 劇 ❤ ℙ – 益 60. ஊ ஊ
13 mai-24 oct. et 21 déc.-4 avril et fermé vend. soir, sam. et dim.sauf du 8/7 au 22/8, 21/12 au 4/1 et 8/2 au 7/3 – **Repas** 19/39 ⍵, enf. 10,50 – ⊇ 8,40 – **36 ch** 66/90, 4 duplex – ½ P 69/75

LLEYRAS 43580 H.-Loire ⑦⑥ ⑯ – 231 h alt. 779.
Paris 554 – Le Puy-en-Velay 32 – Brioude 71 – Langogne 43 – St-Chély-d'Apcher 59.

🏨 **Haut-Allier** (Brun) ⑤, au Pont d'Alleyras, Nord : 2 km par D 40 ℘ 04 71 57 57 63,
❀ Fax 04 71 57 57 99, ≤ – 劇, ▦ rest, ℡ ❤ – 19 ch 48/100 – ½ P 60/75
9 mars-15 nov. – **Repas** (fermé lundi le soir en juil.-août, dim. soir de sept. à juin et mardi) 20/75 ⍵ – ⊇ 10 – **19 ch** 48/100 – ½ P 60/75
Spéc. Aumônière d'escargots de Grazac en tradition. Alliance d'agneau de pays. Déclinaison de sorbets et glaces aux senteurs d'Auvergne. **Vins** Madargues, Saint-Joseph.

LLOS 04260 Alpes-de-H.-P. ⑧① ⑧ G. Alpes du Sud – 637 h alt. 1425 – Sports d'hiver : 1 400/2 600 m ⰲ4 ⰲ27 ⰲ.
Env. ✳✳✳ du col d'Allos NO : 15 km.
Paris 787 – Digne-les-Bains 80 – Barcelonnette 36 – Colmars 8.

u Seignus Ouest : 2 km par D 26 – alt. 1500 – ⊠ 04260 Allos.
🄳 Office du tourisme Place du Presbytère ℘ 04 92 83 02 81, Fax 04 92 83 06 66, valdallos@telepost.fr.

🛎 **Altitude 1500** ⑤, ℘ 04 92 83 01 07, Fax 04 92 83 04 78, ≤, 佘 – ℙ. ஊ. ℀
⊜ 29 juin-1er sept. et 20 déc.-15 avril – **Repas** 13,57/22,74, enf. 7,62 – ⊇ 6,10 – **15 ch** 38,11/55,03 – ½ P 41,01/46,04

la Foux d'Allos Nord-Ouest : 9 km par D 908 – ⊠ 04260 Allos

🏨 **Hameau** ⑤, ℘ 04 92 83 82 26, michel.lantelme@wanadoo.fr, Fax 04 92 83 87 50, ≤, 佘,
⊜ *ℝ*, ◻, –劇 ℡ ❤ ⅍ ℙ – 益 25. ஊ ⓪ ஊ
8 juin-15 sept. et 30 nov.-13 avril – **Repas** 13/39 ⍵, enf. 8 – ⊇ 6,50 – **36 ch** 59/92 – ½ P 60/70

---

es ALLUES 73 Savoie ⑦④ ⑰ – rattaché à Méribel-les-Allues.

ALOXE-CORTON 21 Côte-d'Or ⑦⑩ ① – rattaché à Beaune.

ALPE D'HUEZ 38750 Isère ⑦⑦ ⑥ G. Alpes du Nord – Sports d'hiver : 1 250/3 350 m ⰲ15 ⰲ70 ⰲ.
Voir Pic du Lac Blanc ✳✳ par téléphérique – Route de Villars-Reculas★ 4 km par D 211⁸.
Altiport ℘ 04 76 80 41 15, SE.
🄳 Office du tourisme Place Paganon ℘ 04 76 11 44 44, Fax 04 76 80 69 54, info@alpedhuez.com.
Paris 628 ① – Grenoble 63 ① – Le Bourg-d'Oisans 12 ① – Briançon 71 ①.

Plan page suivante

🏨🏨 **Au Chamois d'Or** ⓜ ⑤, ℘ 04 76 80 31 32, chamoisdor@alpedhuez.com,
Fax 04 76 80 34 90, ≤ pistes et montagnes, 佘, *ℝ*, ◻, ℀ – 劇 ℡ ❤ ⇔ ℙ – 益 20. ஊ
20 déc.-20 avril – **Repas** 26,80 (déj.), 40/50 – ⊇ 13,50 – **44 ch** 212/275, 4 appart – B e
½ P 176/215

🏨🏨 **Royal Ours Blanc** ⓜ, av. Jeux ℘ 04 76 80 35 50, Fax 04 76 80 34 50, ≤ pistes et montagnes, *ℝ*, ◻, –劇 ℡ ❤ ⅍ ℙ – 益 20. ஊ ⓪ ஊ ℀ rest B d
27 nov.-27 avril – **Repas** (20 déc.-15 avril) (dîner seul.) 38,11 – ⊇ 14,48 – **47 ch**
(½ pens. seul.) – ½ P 169/229

🏨 **Dôme,** ℘ 04 76 80 32 11, hotel.le.dome@alpedhuez.com, Fax 04 76 80 66 48, ≤ massif
de l'Oisans – 劇 ℡ ❤ ⇔ ℙ. ஊ ஊ. ℀ rest B q
hôtel : juil.-août et 15 déc.-20 avril ; rest. : 15 déc.-20 avril – **Repas** 22,50/24,50, enf. 9,60 –
⊇ 9,90 – **22 ch** 116/132 – ½ P 95/121

℀ **Au P'tit Creux,** ℘ 04 76 80 62 80, Fax 04 76 80 39 37, 佘 – ⓪ ஊ A t
20 juin-1er sept. et 30 nov.-1er mai – **Repas** (prévenir) 34 ⍵

℀ **Cabane du Poutat** secteur des Bergers, accès piétons (40 mn) depuis gare départ
télécabine des Marmottes ℘ 04 76 80 42 88, Fax 04 76 80 42 88, ≤ massif de l'Oisans, 佘,
« Restaurant d'altitude (2100 m) au milieu des pistes » – ஊ
déc.- avril – **Repas** (dîner sur réservation) 43 (dîner)et carte 26 à 36

ALPE D'HUEZ

Bergers (Chemin des) . . . . . . **B** 2
Cognet (Pl. du) . . . . **B** 4
Fontbelle (R. de) . . . . **B** 5
Meije (R. de la) . . . . **B** 6
Paganon (Pl. Joseph) . . . . . **A** 7
Pic-Bayle (R. du) . . . . **B** 8
Poste (Route de la) . . . . **A** 9
Poutat (R. du) . . . . **B** 1
Siou-Coulet (Route du) . . . . . **A** 12

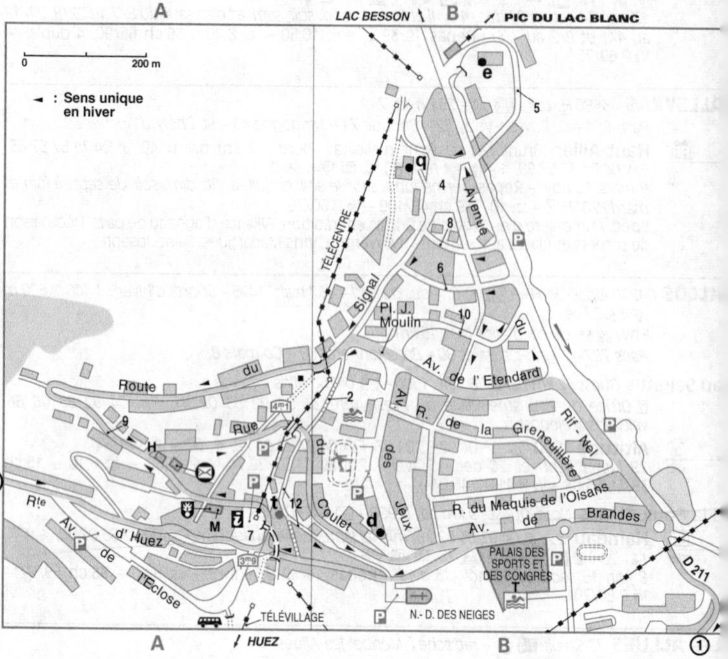

In this Guide,
a symbol or a character,
printed in **black** or another colour, in light or **bold** type,
does not have the same meaning.
Please read the explanatory pages carefully.

ALTENSTADT *67 B.-Rhin* 57 ⑲ *– rattaché à Wissembourg.*

ALTHEN-DES-PALUDS *84240 Vaucluse* 81 ⑫ *– 1 988 h alt. 34.*

Paris 681 – Avignon 17 – Carpentras 12 – Cavaillon 24 – Orange 22.

Hostellerie du Moulin de la Roque, ✆ 04 90 62 14 62, *hotel@moulin-de-la-roque.c om, Fax 04 90 62 28 50,* ⛱, ⛱, ℀, 🏊 – 📺 ✆ ♿ **P** – 🏃 30. GB
fermé 15 nov. au 7 déc. – **Repas** *(fermé dim. soir d'oct. à Pâques, lundi sauf le soir en saison et sam. midi)* 21/29, enf. 10 – ☕ 9,15 – **28 ch** 83,45/128,35 – ½ P 69/91

ALTKIRCH SP *68130 H.-Rhin* 66 ⑨ *G. Alsace Lorraine – 5 386 h alt. 312.*

ℹ *Office du tourisme Place Xavier Jourdain* ✆ *03 89 40 21 80, Fax 03 89 08 86 90, Edith.Knittel@wanadoo.fr.*

Paris 458 – Mulhouse 20 – Basel 31 – Belfort 34 – Montbéliard 52 – Thann 29.

à Wahlbach : *Est : 10 km par D 419 et D 19B – 323 h. alt. 320 –* ✉ *68130 :*

Auberge de la Gloriette avec ch, ✆ 03 89 07 81 49, *Fax 03 89 07 40 56,* ⛱, ⛱ – ▤ rest, 📺 **P.** AE GB
fermé 3 au 12 mars, 29 juil. au 7 août et 1er au 13 nov. – **Repas** *(fermé lundi et mardi)* 24,39/57,93 ♀ – ☕ 9,15 – **10 ch** 45,73/76,22 – ½ P 57,53

ALVIGNAC 46500 Lot **75** ⑲ – 573 h alt. 400.

🛈 Office du tourisme Rue Centrale ℰ 05 65 33 66 42, Fax 05 65 33 60 62.
Paris 535 – Brive-la-Gaillarde 52 – Cahors 66 – Figeac 44 – Rocamadour 9 – Tulle 65.

🏠 **Château**, ℰ 05 65 33 60 14, Fax 05 65 33 69 28, 🍴, 🛋 – 📺 🎖 ⓞ ᴳᴮ ᴶᶜᴮ
1ᵉʳ avril-1ᵉʳ nov. – **Repas** (9) - 11/30,50 🎖, enf. 5,80 – 🖃 5,50 – **36 ch** 33,40/41 – ½ P 43,50

🏠 **Nouvel Hôtel**, ℰ 05 65 33 60 30, Fax 05 65 33 68 25, 🍴 – 📭 ᴳᴮ
fermé 15 déc au 1ᵉʳ mars, vend. soir, dim. soir et sam. du 15 oct. à Pâques – **Repas**
10,67/24,39 🎖, enf. 7,63 – 🖃 5,34 – **13 ch** 31,25/33,54 – ½ P 32,02/35,07

AMBAZAC 87240 H.-Vienne **72** ⑧ G. Berry Limousin – 4 836 h alt. 387.

Voir Trésors★★ de l'église – ≼★ du parc du château de Montméry.
🛈 Office du tourisme 3 avenue du Général de Gaulle ℰ 05 55 56 70 70, Fax 05 55 56 87 76,
office.ambazac@free.fr.
Paris 376 – Limoges 22 – Bellac 41 – Bourganeuf 39 – La Souterraine 41.

✗ **Les Voyageurs** avec ch, 27 av. Gén. de Gaulle ℰ 05 55 56 60 31, Fax 05 55 56 60 31 – 📺
🖪 ᴳᴮ
fermé vacances de Toussaint, de fév., dim soir et lundi sauf juil.-août – **Repas** (8,40) -
13/36,60 🎖 – 🖃 6,10 – **7 ch** 24,40/27,50

AMBÉRIEUX-EN-DOMBES 01330 Ain **74** ① ②, **110** ⑤ – 1 408 h alt. 296.

🛈 Syndicat d'initiative - Mairie ℰ 04 74 00 84 15, Fax 04 74 00 84 04.
Paris 437 – Lyon 36 – Bourg-en-Bresse 40 – Mâcon 44 – Villefranche-sur-Saône 18.

🏠 **Auberge des Bichonnières**, rte Ars-sur-Formans ℰ 04 74 00 82 07, bichonnier@aol.
com, 🍴, ancienne ferme dombiste, 🛋 – 📺 🖪 ᴬᴱ ᴳᴮ
fermé 15 déc. au 15 janv., dim. soir sauf en juil.-août, lundi sauf le soir en juil.-août et mardi
midi – **Repas** (nombre de couverts limité, prévenir) 21/30, enf. 13 – 🖃 7 – **9 ch** 37/53,50 –
½ P 46,50/55

AMBERT ◀▶ 63600 P.-de-D. **78** ⑯ G. Auvergne – 7 309 h alt. 535.

Voir Église St-Jean★ – Vallée de la Dore★ N et S – Moulin Richard-de-Bas★ 5,5 km par ② –
Musée de la Fourme et du fromage – Train panoramique★ (juil.-août).
🛈 Office du tourisme 4 place de Hôtel de Ville ℰ 04 73 82 61 90, Fax 04 73 82 48 36,
ambert.Tourisme@wanadoo.fr.
Paris 444 ① – Clermont-Ferrand 76 ① – Brioude 58 ③ – Thiers 54 ①.

AMBERT

*Michelin n'accroche pas
de panonceau
aux hôtels et restaurants
qu'il signale.*

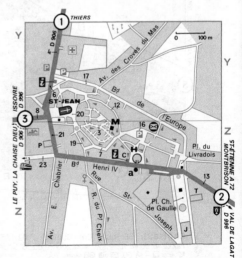

✗✗ **Les Copains** avec ch, 42 bd Henri IV ℰ 04 73 82 01 02, hotel.rest.les.copains@wanadoo.
fr, Fax 04 73 82 67 34 – 🍴 rest, 📺 🎖, ᴳᴮ, ✗ ch   Z a
fermé 15 sept. au 15 oct., vacances de fév., dim.soir et sam. – **Repas** 11 (déj.), 18/38 🎖,
enf. 10,20 – 🖃 5,80 – **11 ch** 46/56 – ½ P 40/42

AMBIALET 81340 Tarn 80 ⑫ G. Midi-Pyrénées – 381 h alt. 220.

Voir Site★ – Commune de la "Méridienne Verte".

Paris 713 – Albi 23 – Castres 55 – Lacaune 52 – Rodez 69 – St-Affrique 62.

🏨 **Pont**, ℘ 05 63 55 32 07, Fax 05 63 55 37 21, ≼, 🍴, 🖳, 🎠 – 🗏 rest, 📺 🅿 – 🔬 25. 🖭 ⓔ GB

fermé 6 janv. au 13 fév., dim. soir et lundi hors saison – **Repas** 17,60/47,26 ♀ – ☲ 6,10 – **20 ch** 46,80/53,50 – ½ P 51,30

AMBIERLE 42820 Loire 73 ⑦ G. Vallée du Rhône – 1 728 h alt. 467.

Voir Église★.

🅱 Syndicat d'initiative Musée ℘ 04 77 65 60 99, Fax 04 77 65 60 99.

Paris 384 – Roanne 18 – Lapalisse 34 – Thiers 69 – Vichy 52.

XX **Prieuré**, ℘ 04 77 65 63 24, leprieure@wanadoo.fr, Fax 04 77 65 69 90 – 🖳. GB
⌀ fermé merc. – **Repas** (12,95 bc) - 18,30/45,74 ♀

AMBOISE 37400 I.-et-L. 64 ⑯ G. Châteaux de la Loire – 11 457 h alt. 60.

Voir Château★★ : ≼★★ de la terrasse, ≼★★ de la tour des Minimes – Clos-Lucé★ – Pago de Chanteloup★ 3 km par ④.

Env. Lussault-sur-Loire : aquarium de Touraine★ O : 8 km par ⑤.

🅱 Office du tourisme Quai Général de Gaulle ℘ 02 47 57 09 28, Fax 02 47 57 14 3 tourisme.amboise@wanadoo.fr.

Paris 224 ① – Tours 26 ⑤ – Blois 37 ① – Loches 36 ④ – Vierzon 91 ③.

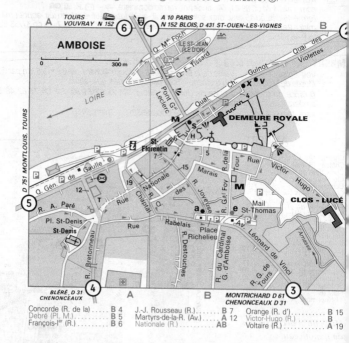

Concorde (R. de la)	B 4	J.-J. Rousseau (R.)	B 7	Orange (R. d')	B 15
Debré (Pl. M.)	B 5	Martyrs-de-la-R. (Av.)	A 12	Victor-Hugo (R.)	B
François-Iᵉʳ (R.)	B 6	Nationale (R.)	AB	Voltaire (R.)	A 19

🏨 **Choiseul**, 36 quai Ch. Guinot ℘ 02 47 30 45 45, contact@le-choiseul.con
❀ Fax 02 47 30 46 10, ≼, 🍴, « Résidence du 18ᵉ siècle en bordure de Loire », 🖳, 🎠 – 🗏 🗉 B
📞 🚗 🅿 – 🔬 60. 🖭 ⓞ GB JCB
fermé 16 déc. au 4 fév. – **Repas** 31 (déj.), 46/80 et carte 65 à 95, enf. 21 – ☲ 15 – **28 c** 170/260, 3 appart – ½ P 133/205
Spéc. Pressé de foie gras de canard mi-cuit. Dos de sandre rôti à la crème d'oseille Fondant au chocolat "guanaja" et praliné. **Vins** Montlouis sec, Bourgueil.

🏯 **Manoir Les Minimes** Ⓜ sans rest, 34 quai Ch. Guinot 𝒫 02 47 30 40 40, *manoir-les minimes@wanadoo.fr*, Fax 02 47 30 40 77, ≤, hôtel non-fumeurs exclusivement, « Demeure du 18e siècle » – 🐦 ≡ 📺 ✔ 🕭 🅿 GB. ✼
B X
fermé dim. du 15 nov. au 15 mars – 🖙 11 – **14 ch** 95/150

🏯 **Novotel** ৯, Sud : 2 km par ③ rte de Chenonceaux 𝒫 02 47 57 42 07, *novotel.amboise@ wanadoo.fr*, Fax 02 47 30 40 76, ≤, 🏛, 🏊, 🐾, ✼ – 🛗 🐦 ≡ 📺 ✔ 🕭 🅿 – 🔏 20 à 150. 🖭 ⓞ GB
Repas carte environ 28 ☿, enf. 8,40 – 🖙 9,90 – **121 ch** 81/98

🏯 **Château de Pray** ৯, rte de Chargé par ② et D 751 : 3 km 𝒫 02 47 57 23 67, *chateau.de pray@wanadoo.fr*, Fax 02 47 57 32 50, ≤, 🏛, « Terrasse dominant la vallée », 🏊, 🍴 – 📺 ✔ 🅿 – 🔏 40. 🖭 ⓞ GB JCB. ✼
fermé 2 janv. au 10 fév. – **Repas** (fermé merc.) 29 (déj.), 42/68 bc 🍴 – 🖙 11 – **19 ch** 99/165 – ½ P 99/132

🏯 **L'Arbrelle** ৯, rte des Ormeaux par ③ et D 81 : 3 km 𝒫 02 47 57 57 17, *arbrelle@wana doo.fr*, Fax 02 47 57 64 89, ≤, 🏛, 🏊, 🍴 – 📺 ✔ 🕭 🅿 – 🔏 25. 🖭 ⓞ GB
fermé 1er déc. au 15 janv. – **Repas** (fermé dim. soir, mardi midi et lundi hors saison) 16/26 ☿, enf. 9 – 🖙 7 – **21 ch** 58/90 – ½ P 52/65

🏯 **Belle Vue** sans rest, 12 quai Ch. Guinot 𝒫 02 47 57 02 26, Fax 02 47 30 51 23 – 🛗 📺. GB. ✼
B s
15 mars-15 nov. – 🖙 6 – **32 ch** 46/57

🏯 **Blason**, 11 pl. Richelieu 𝒫 02 47 23 22 41, *leblason@wanadoo.fr*, Fax 02 47 57 56 18 – ≡ rest, 📺 ✔ 🕭. 🖭 ⓞ GB
B a
fermé 15 janv. au 1er fév. – **Repas** (fermé 15 janv. au 15 fév., merc. midi, sam. midi et mardi) 11,50/37 ☿ – 🖙 5,80 – **28 ch** 44/49 – ½ P 39

🏯 **Ibis**, Est : Z.I. La Boitardière par ② et D 31 : 3 km 𝒫 02 47 57 31 41, 🏛 – 🐦 ✔ 🕭 🅿 – 🔏 80. 🖭 ⓞ GB
Repas (11,74)-14,79 🍴, enf. 5,95 – 🖙 5,56 – **70 ch** 53,36

🍴🍴🍴 **Manoir St-Thomas**, 1 Mail St-Thomas 𝒫 02 47 57 22 52, *manoir-saint-thomas@wana doo.fr*, 🏛, « Élégant pavillon Renaissance », 🐾 – 🅿. 🖭 ⓞ GB
fermé 27 janv. au 1er mars, dim. soir, mardi midi et lundi – **Repas** 28/47 et carte 45 à 55
B e

🍴🍴 **Bonne Étape** avec ch, 962 quai Violettes par ② 𝒫 02 47 57 08 09, Fax 02 47 57 12 33, 🏛, 🐾 – 📺 🅿. 🖭 GB
fermé 2 au 6 avril, 18 déc. au 7 janv. et 4 au 13 fév. – **Repas** (fermé dim. soir , merc. soir et lundi) 12/40 ☿, enf. 8 – 🖙 5,20 – **7 ch** 44,50

St-Ouen-les-Vignes par ① et D 431 : 6,5 km – 941 h. alt. 80 – ☒ 37530 :

🍴🍴🍴 **L'Aubinière** (Arrayet) Ⓜ ৯ avec ch, 𝒫 02 47 30 15 29, *j.arrayet@libertysurf.fr*, Fax 02 47 30 02 44, 🏛, 🏊, 🐾 – ≡ rest, 📺 ✔ 🅿 – 🔏 15. 🖭 GB. ✼ ch
❀ *fermé 21 au 31 oct., fév., dim. soir, mardi soir et merc.* – **Repas** 26 (déj.), 38,50/64 et carte 40 à 60 ☿ – 🖙 11 – **5 ch** 91,50/122 – ½ P 98/110
Spéc. Ravioles de langoustines aux petits primeurs. Pavé de bar en marinière estivale, jus de coquillages au basilic. Nonnette au chocolat parfumée au romarin, marmelade de fenouil à la vanille. **Vins** Vouvray, Touraine-Mesland.

Pocé-sur-Cisse par ① et D 431 : 3,5 km – 1 580 h. alt. 60 – ☒ 37530 :

🍴 **Auberge de la Ramberge** avec ch, 9 rte St-Ouen-les-Vignes 𝒫 02 47 57 32 48, Fax 02 47 57 32 48, 🏛 – 📺. GB
fermé 24 au 28 juin, 2 au 9 sept., 20 janv. au 4 fév., dim. soir et lundi sauf juil.-août – **Repas** 10 bc (déj.), 12,20/26 ☿, enf. 6,40 – 🖙 4,90 – **16 ch** 29/47 – ½ P 31,40/39,25

▸ar ⑥ et N 152 : 2,5 km – ☒ 37530 Nazelles-Négron :

🏠 **Petit Lussault** sans rest, 𝒫 02 47 57 30 30, Fax 02 47 57 77 80, « Parc », 🐾, 🍴 – 🅿. GB
15 fév.-15 nov. et fermé dim. hors saison – 🖙 5 – **22 ch** 44/50

▸MBONNAY 51150 Marne 🔢🔢 ⑰ – 934 h alt. 95.
Paris 171 – Reims 28 – Châlons-en-Champagne 25 – Épernay 19 – Vouziers 66.

🍴🍴 **Auberge St-Vincent** avec ch, 𝒫 03 26 57 01 98, *asv51150@aol.com*, Fax 03 26 57 81 48 – ≡ rest, 📺 ✔ ⇔. 🖭 GB JCB. ✼ ch
fermé fév., dim. soir et lundi – **Repas** 23/55 ☿, enf. 10 – 🖙 8,38 – **10 ch** 46/60 – ½ P 69/72

Donnez-nous votre avis sur les tables que nous recommandons,
sur leurs spécialités et leurs vins de pays.

AMÉLIE-LES-BAINS-PALALDA 66110 Pyr.-Or. **86** ⑱ ⑲ *G. Languedoc Roussillon* – 3 475
alt. 230 – *Stat. therm. (mi janv.-fin déc.) – Casino.*

Voir *Bourg médiéval de Palalda★.*

🛈 *Office du tourisme 22 avenue du Vallespir ℰ 04 68 39 01 98, Fax 04 68 39 20 20*
omtt.amelie@little-france.com.

Paris 888 ② – Perpignan 40 ② – Céret 9 ② – Prats-de-Mollo-la-Preste 24 ③.

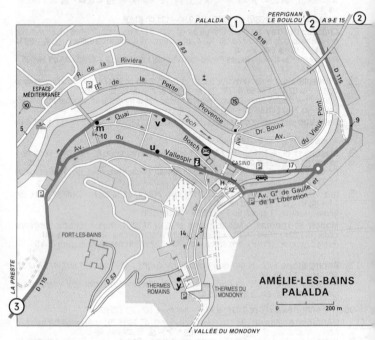

**AMÉLIE-LES-BAINS
PALALDA**

0   200 m

↓ *VALLÉE DU MONDONY*

Castellane (R.) 3	Palmiers (Av. des) 10	Thermes (R. des) ....
Corniche (Rte de la) 5	République	Vallespir (Av. du)
Leclerc (Av. Gén.) 9	(Pl. de la) 12	8-Mai-1945 (Av.) 1

🏠🏠 **Palmarium Hôtel**, av. Vallespir (u) ℰ 04 68 39 19 38, hppalmarium@aol.com,
Fax 04 68 39 04 23 – 📶 📺 ℰ 🚗. ⊞. ℅
fermé 8 déc au 18 janv. – **Repas** 16,20/25,50 ⅊, enf. 8,50 – � 6 – **65 ch** 32/46 – P 52,50

🏠 **Roussillon**, av. Beau Soleil par ② ℰ 04 68 39 34 39, Fax 04 68 39 81 21, 😋, ⅃, 🌳 –
📺 & 🅿 ⊞. ℅ rest
fermé 14 déc. au 3 mars – **Repas** *(fermé dim. soir et lundi)* 17/24 ⅊ – ⊒ 6 – **30 ch** 43/48
P 50,50/52

🏠 **Palm-Tech Hôtel**, quai G. Bosch (v) ℰ 04 68 83 90 00, Fax 04 68 39 84 27 – 📶 ℰ & ⬅
🅿 ⊞
15 avril-30 oct. – **Repas** *(11)* - 15,25/20 ⅊, enf. 8,50 – ⊒ 5,50 – **56 ch** 24/41 – P 40/46

🏠 **Bains et Gorges**, pl. Arago (y) ℰ 04 68 39 29 02, Fax 04 68 39 82 52 – 📶 📺. 🅿
⊞
fermé 1ᵉʳ déc. au 31 janv. – **Repas** 11,50/17 ⅊, enf. 9 – ⊒ 5 – **44 ch** 31/38 – P 38,50/41

⌂ **Ensoleillade La Rive** sans rest, r. J. Coste (m) ℰ 04 68 39 06 20 – 📶 cuisinette 📺 🅿.
⊞
⊒ 5 – **14 ch** 30/40

L'AMÉLIE-SUR-MER 33 Gironde **71** ⑯ – rattaché à Soulac-sur-Mer.

The Guide changes, so renew your Guide every year.

136

AMIENS ℗ 80000 Somme **52** ⑧ *G. Picardie Flandres Artois* – *135 501 h Agglo. 160 815 h alt. 34.*

Voir *Cathédrale Notre-Dame*** (stalles***) – *Hortillonnages** – *Hôtel de Berny* CY M³ – *Quartier St-Leu** – *Musée de Picardie** – *Théâtre de marionnettes "ché cabotans d'Amiens"* CY T² – *Commune de la "Méridienne Verte".*

🛈 *Office du tourisme 6 Bis rue Duseval* ℰ 03 22 71 60 50, Fax 03 22 71 60 51, ot@amiens .com.

Paris 143 ③ – Lille 123 ② – Reims 173 ③ – Rouen 120 ⑤ – St-Quentin 81 ③.

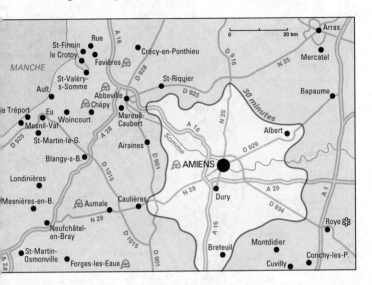

🏨 **Carlton**, 42 r. Noyon ℰ 03 22 97 72 22, lecarlton@free.fr, Fax 03 22 97 72 00 – |ϕ|, 🍴 rest,
📺 📞 – 🔬 15 à 50. 🔤 ⓪ 🟰
CZ s
Le Bistrot (grill) Repas (10,52)-13,57/22,87 ♀, enf. 6,40 – ⌷ 9,91 – **24 ch** 70,13/106,71

🏨 **Relais Mercure** Ⓜ sans rest, 17 pl. au Feurre ℰ 03 22 22 00 20, relais.mer.amiens@esca
hotel.com, Fax 03 22 91 86 57 – |ϕ| ⤢ 📟 📺 📞 🔬 20. 🔤 ⓪ 🟰 ᴶᶜᴮ
BY r
⌷ 8 – **47 ch** 70/85

🏨 **Grand Hôtel de l'Univers** sans rest, 2 r. Noyon ℰ 03 22 91 52 51, Fax 03 22 92 81 66 –
|ϕ| 📺 📞 – 🔬 30. 🔤 ⓪ 🟰 ᴶᶜᴮ
CZ a
⌷ 10 – **41 ch** 59/96

🏠 **Express by Holiday Inn** Ⓜ, 10 bd Alsace-Lorraine ℰ 03 22 22 38 50, expressamiens@
alliance-hospitality.fr, Fax 03 22 22 38 55 – |ϕ| ⤢ 📺 📞 🔬 25. 🔤 ⓪ 🟰 ᴶᶜᴮ CZ n
Repas (fermé vend. soir, sam. et dim.) (11) - 14 ♀, enf. 6 – ⌷ 5 – **69 ch** 69

🏠 **Ibis**, 4 r. Mar. de-Lattre-de-Tassigny ℰ 03 22 92 57 33, Fax 03 22 91 67 50 – |ϕ| ⤢ 📺 📞 📞
⬟ – 🔬 15 à 35. 🔤 ⓪ 🟰
BY e
Repas 15, enf. 6 – ⌷ 5,50 – **94 ch** 62

🏠 **Victor Hugo** sans rest, 2 r. Oratoire ℰ 03 22 91 57 91, Fax 03 22 92 74 62 – 📺. 🟰
⌷ 4,27 – **10 ch** 33,54/38,11
CY v

XXX **Marissons**, pont Dodane ℰ 03 22 92 96 66, les-marissons@les-marissons.fr,
Fax 03 22 91 50 50, 🌭 – 🔤 ⓪ 🟰 ᴶᶜᴮ
CY n
fermé 1ᵉʳ au 20 mai, 27 oct. au 3 nov., 31 déc. au 5 janv., sam. midi et dim. – **Repas** 19/48 et
carte 42 à 56 ♀

XX **Vivier**, 593 rte Rouen ℰ 03 22 89 12 21, Fax 03 22 45 27 36 – 🅿. 🔤 🟰
AZ d
fermé 4 au 19 août, 25 déc. au 2 janv., dim. et lundi – **Repas** - poissons et coquillages -
22/61 ♀

XX **Au Relais des Orfèvres**, 14 r. Orfèvres ℰ 03 22 92 36 01, Fax 03 22 91 83 30 – 🔤
🟰
CY m
fermé août, vacances de fév., sam. midi, dim. soir et merc. – **Repas** 19,60/28,50 ♀

XX **Couronne**, 64 r. St Leu ℰ 03 22 91 88 57, Fax 03 22 72 07 09 – 🔤 🟰
CX k
fermé 13 juil. au 14 août, 2 au 12 janv., dim. soir et sam. – Repas 14,40/28,97 ♀

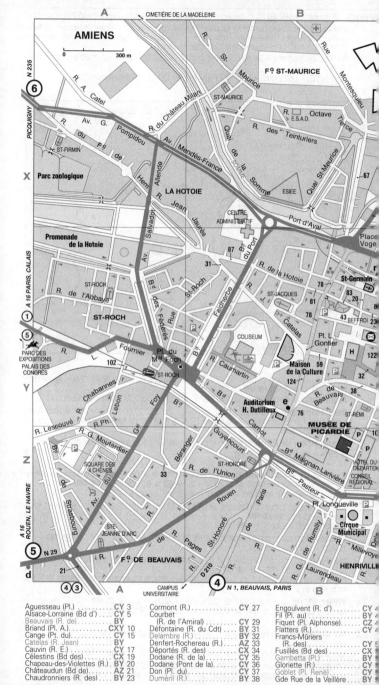

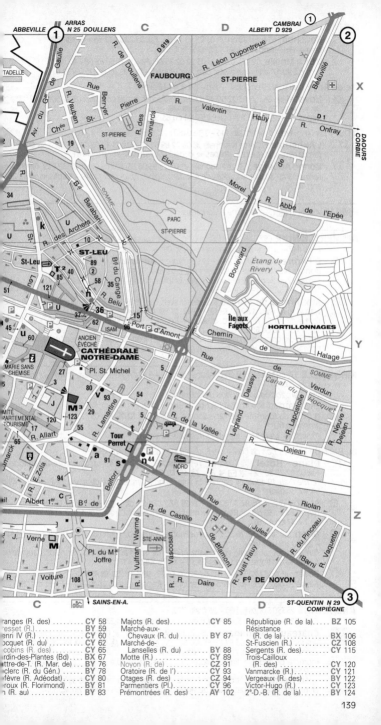

✗ **Bouchon,** 10 r. A. Fatton ℰ 03 22 92 14 32, Fax 03 22 91 12 58 – AE ⓪ GB   CY
fermé dim. – **Repas** 15 (déj.), 21/42 ⅋, enf. 12

✗ **L'Os à Moelle,** 12 r.Flatters ℰ 03 22 92 75 46, Fax 03 22 92 83 68 – ▤. GB   CY
fermé au 17 janv., mardi soir, dim. soir et lundi – **Repas** (13,11) - 15,09/19,67 ⅋

rte de Roye par ③, N 29 et D 934 : 7 km – ⊠ 80440 Boves :

🏨 **Novotel** M ⑤, ℰ 03 22 50 42 42, H0396@accor-hotels.com, Fax 03 22 50 42 49, 🌧,
🍴 – 🍳 ▤ 🖵 ⓦ & 🅿 – 🔏 100. AE ⓪ GB JCB
Repas (17) - 22, enf. 7,62 – ⊇ 9,75 – **94 ch** 83/94

à Dury par ④ : 6 km – 1 141 h. alt. 115 – ⊠ 80480 :

✗✗✗ **L'Aubergade,** 78 rte Nationale ℰ 03 22 89 51 41, Fax 03 22 95 44 05, 🌧 – AE GB
fermé dim. soir et lundi – **Repas** (déj.), 27,44/64,02 et carte 54 à 67

✗✗ **Bonne Auberge,** 63 rte Nationale ℰ 03 22 95 03 33, Fax 03 22 45 37 38 – AE ⓪ GB ﹐
fermé 15 au 30 juin, vacances de fév., dim. soir et lundi sauf fériés – **Repas** 15,09/30,26
enf. 10,96

AMILLY 45 Loiret 🎲🎲 ② – *rattaché à Montargis.*

AMMERSCHWIHR 68770 H.-Rhin 🎲🎲 ⑱ ⑲ G. Alsace Lorraine – 1 892 h alt. 215.
Paris 437 – Colmar 8 – Gérardmer 50 – St-Dié 44 – Sélestat 29.

🏠 **A l'Arbre Vert,** ℰ 03 89 47 12 23, arbre.vert@wanadoo.fr, Fax 03 89 78 27 21, « Salle
🍴 manger avec boiseries sculptées » – 🖵. AE ⓪ GB. ⁒ ch
fermé 12 au 24 nov., 9 fév. au 14 mars, lundi et mardi – **Repas** 13/41,50 ⅋, enf. 8 – ⊇ 6,50
16 ch 33,55/56,50 – ½ P 45/58

✗✗✗ **Aux Armes de France** (Gaertner) avec ch, ℰ 03 89 47 10 12, aux.armes.de.france
❀ wanadoo.fr, Fax 03 89 47 38 12 – 🖵 🅿 AE ⓪ GB JCB
fermé 17 au 27 fév., merc. et jeudi – **Repas** 42,69/86,90 et carte 72 à 110, enf. 18,29
⊇ 11,43 – **10 ch** 65,55/80,80
Spéc. Foie gras. Blanc de turbot sauvage poêlé façon ''Stockfish''. Noisettes de biche sau
poivrade (saison). **Vins** Tokay-Pinot gris, Pinot noir.

AMNÉVILLE 57360 Moselle 🎲🎲 ③ G. Alsace Lorraine – 9 314 h alt. 162 – Stat. therm. (fin fév.-déb
déc.) – Casino.
Voir *Parc zoologique du bois de Coulange*★.
Env. *Parc d'attraction Walibi-Schtroumpf*★ 3 km S.
🅱 Office du tourisme Rue de la Source ℰ 03 87 70 10 40, Fax 03 87 71 90 94, otamn@vi
amneville.fr.
Paris 321 – Metz 23 – Briey 17 – Thionville 15 – Verdun 68.

au Parc de Loisirs bois de Coulange, Sud : 2,5 km – ⊠ 57360 Amnéville :

🏨 **Diane Hôtel** ⑤ sans rest, ℰ 03 87 70 16 33, accueilhotel@wanadoo.
Fax 03 87 72 36 72 – 🛗 🖵 ⓦ & – 🔏 35. AE GB
fermé 6 au 19 août, 24 déc. au 13 janv., vend., sam. et dim. de nov à avril – ⊇ 8 – **46**
54/62, 3 appart

🏠 **St-Éloy** ⑤, ℰ 03 87 70 32 62, Fax 03 87 71 71 59, 🌧 – 🖵 & – 🔏 50. AE GB
fermé 24 au 30 déc. – **Repas** (fermé sam. midi de nov. à avril, dim. soir et lundi) 15,25/32
⊇ 7 – **47 ch** 44/57

🏠 **Orion** ⑤, ℰ 03 87 70 20 20, accueilhotel@wanadoo.fr, Fax 03 87 72 36 21, 🌧 – 🖵 ⓦ
– 🔏 30 à 60. AE GB
fermé 31 déc. au 6 janv., vend., sam. et dim. de nov. à avril – **Repas** (fermé dim. soir de n
à avril, sam. midi et vend.) 15,25/24,39 – ⊇ 7 – **44 ch** 43/51

✗✗ **Forêt,** ℰ 03 87 70 34 34, Fax 03 87 70 34 25, 🌧 – ▤. AE ⓪ GB
fermé 23 déc. au 8 janv., dim. soir et lundi – **Repas** 19 (déj.), 23/38 ⅋

AMONDANS 25330 Doubs 🎲🎲 ⑤ – 96 h alt. 720.
Paris 424 – Besançon 30 – Pontarlier 40 – Salins-les-Bains 27.

✗✗✗ **Château d'Amondans** (Médigue) ⑤ avec ch, ℰ 03 81 86 53 14, chef@chatea
❀ amondans.com, Fax 03 81 86 53 76, 🌧, 🏊, 🏌 – ⓦ 🅿 – 🔏 60. AE ⓪ GB JCB. ⁒ ch
fermé 2 janv. au 19 mars, 11 au 19 août, merc. de fin sept. à début juin et dim. soir – **Rep**
(nombre de couverts limité, prévenir) 31/59 et carte 40 à 55 ⅋ – ⊇ 10 – **14 ch** 49/110
½ P 58/88
Spéc. Filet de truite et chips de Comté. Foie gras de canard sauté au pain d'épice. Pêc
jaune en turban, sorbet pêche de vignes (été). **Vins** Arbois rouge, Vin Jaune.

AMOU 40330 Landes **78** ⑦ – 1 452 h alt. 44.

🖪 Office du tourisme 90 place de la Técouère ℘ 05 58 89 02 25, Fax 05 58 89 02 25.
Paris 765 – Mont-de-Marsan 48 – Aire-sur-l'Adour 51 – Dax 32 – Orthez 14 – Pau 50.

🏠 **Commerce**, près Église ℘ 05 58 89 02 28, hotel-darracq-le-commerce-amou@wanadoo.
fr, Fax 05 58 89 24 45, ☆ – TV ☜ – ☎ 20. AE ◑ GB
fermé vacances de fév., 4 au 24 nov., dim. soir et lundi d'oct. à mars – **Repas** 14/37 ℤ – ☱ 6
– **18 ch** 39/47 – ½ P 42

AMPHION-LES-BAINS 74 H.-Savoie **70** ⑰ G. Alpes du Nord – ✉ 74500 Publier.
🖪 Office de tourisme r. des Tilleuls ℘ 04 50 70 00 63, Fax 04 50 70 03 03.
Paris 575 – Thonon-les-Bains 6 – Annecy 79 – Évian-les-Bains 4 – Genève 40.

🏨 **Princes**, ℘ 04 50 75 02 94, hotel.des.princes@wanadoo.fr, Fax 04 50 75 59 93, ≼, ☆,
port privé, ⊿, ✿, ☞ – ☒ TV ☎ P. AE ◑ GB
4 mai-fin sept. et fermé merc. midi et mardi soir sauf juil.-août – **Repas** 14 (déj.), 18/38,
enf. 9 – ☱ 7 – **34 ch** 83/122 – ½ P 53/68

🏠 **Tilleul**, ℘ 04 50 70 00 39, letilleul@aol.com, Fax 04 50 70 05 57, ☞ – ☒ TV ☎ P. AE ◑
GB
fermé 20 déc. au 15 janv. – **Repas** (fermé dim. soir et lundi sauf juil.-août) (11) - 16/40 ℤ,
enf. 9,15 – ☱ 6 – **27 ch** 49/54 – ½ P 58

Towns underlined in red on the **Michelin maps**
at a scale of 1 : 200 000 are included in this Guide.

Use the latest map to take full advantage of this information.

AMPUIS 69420 Rhône **74** ⑪, **110** ㉞ – 2 178 h alt. 150.
Paris 497 – Lyon 37 – Condrieu 5 – Givors 17 – Rive-de-Gier 21 – Vienne 7.

XX **Côte Rôtie**, pl. Église ℘ 04 74 56 12 05, Fax 04 74 56 00 20, ☆ – AE GB
fermé 15 août au 10 sept., dim. soir et lundi – **Repas** 22,87/48,78 - **Bistrot à Vins de
Serine** ℘ 04 74 56 15 19 *(fermé 15 août au 10 sept., dim., lundi et le soir du mardi au jeudi)*
Repas 14(déj.)/16 ℤ

AMPUS 83111 Var **84** ⑥, **114** ㉒ G. Côte d'Azur – 707 h alt. 600.
Paris 882 – Castellane 58 – Draguignan 15 – Toulon 93.

X **Roche Aiguille**, ℘ 04 94 70 97 24, Fax 04 94 70 97 24, ☆ – GB
fermé janv., dim. soir sauf juil.-août et lundi – **Repas** 21/35, enf. 8

X **Fontaine d'Ampus** (Haye), ℘ 04 94 70 98 08, Fax 04 94 70 98 08, ☆ - rest. non-
fumeurs – GB
❀ *fermé en août, fév., mardi sauf le soir en juil.-août et lundi* – **Repas** (nombre de couverts limité,
prévenir) (menu unique) 32
Spéc. Menu ''truffes''(fin déc. à fin janv.). Caneton mi-sauvage en cocotte aux figues noires
(juil.-août). Framboises ''Suzette''dans un biscuit chaud au chocolat (juil.-août). **Vins** Côtes
de Provence, Côtes du Lubéron.

ANCENIS ◁⊗▷ 44150 Loire-Atl. **63** ⑱ G. Châteaux de la Loire – 7 010 h alt. 13.
🖪 Office du tourisme Place du Millénaire ℘ 02 40 83 07 44, Fax 02 40 83 07 44.
Paris 347 – Nantes 38 – Angers 53 – Châteaubriant 48 – Cholet 49 – Laval 100.

🏨 **Akwaba**, bd Dr Moutel ℘ 02 40 83 30 30, Fax 02 40 83 25 10 – ☒, ▤ rest, TV ☎ ₺ P. –
☎ 50. AE ◑ GB
Repas (fermé 5 au 25 août, 30 déc. au 2 janv. sam. et dim.) 13,10 (déj.)/18,50 ℤ, enf. 6,10 –
☱ 7,77 – **51 ch** 45,75/57,55 – ½ P 37,85/40,70

XX **Charbonnière**, au bord de la Loire par bd Joubert ℘ 02 40 83 25 17, Pierre.Cuasante@
wanadoo.fr, Fax 02 40 98 85 00, ≼ la Loire, ☆, ☞ – ▤ P. GB
fermé en août, vacances de Toussaint, sam. midi, dim. soir et merc. midi de nov. à mars –
Repas 13 (déj.), 25,91/35 ℤ, enf. 11,50

XX **Les Terrasses de Bel Air**, Est : 1 km rte Angers ℘ 02 40 83 02 87, Fax 02 40 83 33 46,
☆ – P. GB
fermé 23 juil. au 5 août, sam. midi, dim. soir et lundi – **Repas** 13 (déj.), 25/34 ℤ, enf. 11,50

X **Toile à Beurre**, 82 r. St-Pierre (près église) ℘ 02 40 98 89 64, Fax 02 40 96 01 49, ☆ – AE
⊛ *fermé 15 sept. au 9 oct., 22 fév. au 11 mars, dim. soir, merc. soir et lundi* – **Repas** (12,20) -
15,24/30,49 ℤ

ANCY-LE-FRANC 89160 Yonne 🗺 ⑦ G. Bourgogne – 1 108 h alt. 180 – Voir Château★★.

🖪 Office du tourisme 57-59 Grande Rue 𝒫 03 86 75 03 15.

Paris 215 – Auxerre 54 – Châtillon-sur-Seine 38 – Montbard 29 – Tonnerre 18.

🏠 **Hostellerie du Centre**, 𝒫 03 86 75 15 11, hostellieriducentre@diaphora.co.
Fax 03 86 75 14 13, 🛋, 🔲 – 🍽 ch, 📺 ❤ 🅿 – 🔏 25. 🖭 🖼
15 mars-15 nov. – **Repas** (11) - 13/36 ⚍, enf. 9 – ⚌ 7 – **22 ch** 35/54 – ½ P 42/46

Les ANDELYS ◈ 27700 Eure 🗺 ⑰ G. Normandie Vallée de la Seine – 9 047 h alt. 28.

Voir Ruines du Château Gaillard★★ ⇔★★ – Église Notre-Dame★.

🖪 Office du tourisme Rue Philippe Auguste 𝒫 02 32 54 41 93.

Paris 107 ② – Rouen 39 ① – Évreux 38 ③ – Gisors 30 ② – Mantes-la-Jolie 55 ③.

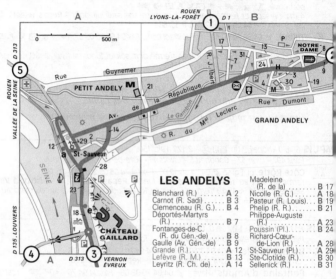

LES ANDELYS

Blanchard (R.)	A 2		Madeleine (R. de la)	B 17
Carnot (R. Sadi)	B 3		Nicolle (R. G.)	A 18
Clemenceau (R. G.)	B 4		Pasteur (R. Louis)	B 19
Déportés-Martyrs (R.)	B 7		Phelip (R.)	B 21
Fontanges-de-C. (R. du Gén.-de)	B 8		Philippe-Auguste (R.)	A 23
Gaulle (Av. Gén.-de)	B 9		Poussin (Pl.)	B 24
Grande (R.)	A 12		Richard-Cœur-de-Lion (R.)	A 28
Lefèvre (R. M.)	B 13		St-Sauveur (Pl.)	A 29
Leyritz (R. Ch. de)	A 14		Ste-Clotilde (R.)	B 30
			Sellenick (R.)	B 31

🎗 **Chaîne d'Or** ◈ avec ch, 27 r. Grande 𝒫 02 32 54 00 31, chaineor@wanadoo.
Fax 02 32 54 05 68, ≼ – 📺 ❤ 🅿. 🖭 🖼. 🛠 rest   A
fermé 24 déc. au 1er fév., dim. soir, mardi midi et lundi – **Repas** 25,92/54,89 et carte 60 à 87
⚌ 11,44 – **10 ch** 68,61/96,05
Spéc. Velouté crémeux de Saint-Jacques et huîtres au camenbert (15 oct. au 15 avr.
Langoustines rôties au citron vert confit. Volaille fermière à l'infusion de vanille et cannel

🍴 **Villa du Vieux Château**, 78 r. G. Nicolle 𝒫 02 32 54 30 10, Fax 02 32 54 30 06, 🛋 – ⦿
fermé 19 août au 3 sept., lundi et mardi – **Repas** 18/33   A

ANDLAU 67140 B.-Rhin 🗺 ⑨ G. Alsace Lorraine – 1 654 h alt. 215.

Voir Église St-Pierre-et-St-Paul★ : portail★★, crypte★.

🖪 Office du tourisme 5 rue du Général de Gaulle 𝒫 03 88 08 22 57, Fax 03 88 08 42 2
otandlau@netcourrier.com.

Paris 501 – Strasbourg 45 – Erstein 23 – Le Hohwald 8 – Molsheim 25 – Sélestat 18.

🏨 **Zinckhotel** Ⓜ sans rest, 13 r. Marne 𝒫 03 88 08 27 30, zinck.hotel@wanadoo.
Fax 03 88 08 42 50, « Ancien moulin, décor original », 🌿 – ❤ 🅿. 🖼. 🛠
fermé 9 au 12 déc. – ⚌ 7 – **18 ch** 54/92

🏨 **Kastelberg** ◈, 10 r. Gén. Koenig 𝒫 03 88 08 97 83, kastelberg@wanadoo.
Fax 03 88 08 48 34, 🛋, 🌿 – 📺 ❤ 🅿 – 🔏 30. 🖼
fermé fév. – **Repas** (dîner seul.) 16/43 ⚍, enf. 9,10 – ⚌ 9,50 – **29 ch** 47/59 – ½ P 51/66

🍴 **Boeuf Rouge**, 𝒫 03 88 08 96 26, auboeufrouge@wanadoo.fr, Fax 03 88 08 99 29, 🛋
🖭 Ⓓ 🖼
fermé 19 juin au 12 juil., 6 au 24 janv., merc. soir et jeudi – **Repas** 16/28 ⚍, enf. 6,⁹
-Winstub : Repas carte 16 à 25 ⚍

ANDORRE (Principauté d')

🕮 ⑭ ⑮ G. Midi-Pyrénées - 62 400 h. - alt. 1029
🛈 r. Dr-Vilanova, Andorre-la-Vieille ✆ (00-376) 82 02 14, Fax (00-376) 82 58 23, sindicatdiniciativa@andorra.ad

RENSEIGNEMENTS PRATIQUES

La Principauté d'Andorre, d'une superficie de 4 644 m², est située au coeur des Pyrénées, entre la France et l'Espagne. Depuis 1993, la Principauté est un État souverain membre de l'O.N.U.

Pour se rendre en Andorre, les citoyens de l'Union Européenne ont besoin d'un passeport ou d'une carte d'identité en cours de validité.

Accès depuis la France : RN 22 passant par le Pas de la Casa.

Liaison par autocars : depuis l'aéroport de Toulouse-Blagnac par la Cie Novatel, renseignements (00-376) 803 789.

Depuis les gares SNCF de l'Hospitalet et Latour-de-Carol par la Cie Hispano-Andorranne, renseignements (00-376) 821 372

Andorra-la-Vella Capitale de la Principauté.

Voir *Vallée du Valira d'Orient*★ NE – *Vallée du Valira del Nord*★ N.

🏢 Office de Tourisme r. du Dr.-Vilanova ℘ (00-376)82 02 14, Fax (00-376) 82 58 23, sindicat-diniciativa@andorra.ad.

Paris 896 ① – *Carcassonne 166* ① – *Foix 103* ① – *Perpignan 169* ①.

Crowne Plaza Andorra, r. Prat de la Creu 88 ℘ (00-376) 87 44 44, crowneplaza@andorra.ad, Fax (00-376) 87 44 45, *Lᵧ*, 🔲 – 🛗 🗐 📺 🕹 ⇔ – 🛎 25 à 700. 🖭 ⑩ 🆖 🆓
🕱 rest
Repas 15 – 🖵 12,02 – **133 ch** 125,01/156,26
B b

Plaza, r. Maria Pla 19 ℘ (00-376) 87 94 44, hotel.plaza@andorra.ad, Fax (00-376) 82 17 21, *Lᵧ* – 🛗 🗐 📺 🕹 ⇔ – 🛎 25 à 300. 🖭 ⑩ 🆖
- **La Cúpula** : **Repas** carte 28,85 à 42,07 – 🖵 10,82 – **92 ch** 122,61/153,26, 8 appart
C a

Andorra Park Hôtel 🦱, r. les Canals 24 ℘ (00-376) 87 77 77, aph@andorraparkhotel. com, Fax (00-376) 82 09 83, ≤, 🌴, « Piscine entourée de jardins », 🌊, 🎾, 🕱 – 🛗 📺 🅿 – 🛎 25 à 80. ⑩ 🆖
Repas carte environ 43,20 – **40 ch** 🖵 119,90/137,90
B c

Mercure, r. de la Roda ℘ (00-376) 87 36 02, mercureandorra@riberpuig.ad, Fax (00-376) 87 36 52, *Lᵧ*, 🔲 – 🛗, 🗐 📺 🕹 ⇔ 🅿 – 🛎 25 à 175. 🆖 🕱 rest
Repas buffet 18 – 🖵 8 – **164 ch** 130/145, 9 appart
C

President, av. Santa Coloma 44 ℘ (00-376) 82 29 22, janhotels@andorra.ad, Fax (00-376) 86 14 14, ≤, *Lᵧ*, 🔲 – 🛗 📺 🕹 ⇔ – 🛎 25 à 110. 🆖 🕱 rest
Repas 15,93 – **111 ch** 🖵 103/138
A n

Diplomàtic, av. de Tarragona ℘ (00-376) 80 27 80, hoteldiplomatic@andorra.ad, Fax (00-376) 80 27 90, 🌊 – 🛗 🗐 📺 🕹 ⇔ – 🛎 25 à 200. ⑩ 🆖 🕱 rest
Repas 14,12 – **85 ch** 76,03/109,99

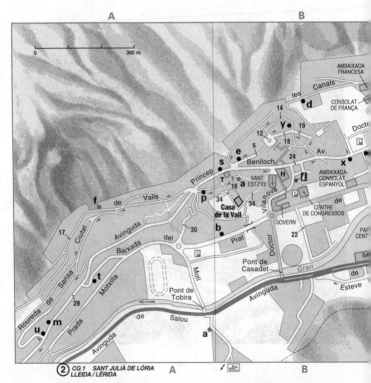

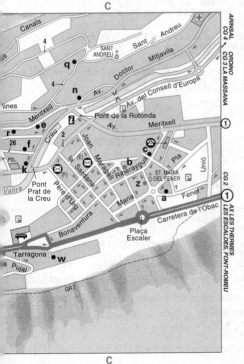

ANDORRA LA VELLA

Flora sans rest, antic carrer Major 25 ☎ (00-376) 82 15 08, flora@andornet.ad, *(00-376) 86 20 85*, ♨, ℀ – 🛗 🗗 ⇔. ⅀ ① ⬛ A
45 ch ⚏ 54/90

Andorra Center, r. Dr Nequi 12 ☎ (00-376) 82 48 00, andorra@besthotels.es, *(00-376) 82 86 06*, 🗗 – 🛗, ≣ rest, 📺 ⇔ – 🔏 25 à 50. ① ⬛. ℀ B
Repas 11,11 – **148 ch** ⚏ 72,12/102,17

Eden Roc, av. Dr Mitjavila 1 ☎ (00-376) 82 10 00, edenroc@andonet.ad, *(00-376) 86 03 19* – 🛗 📺 ⇔. ⅀ ① ⬛. ℀ C
Repas *(fermé juin)* 15,70 – **56 ch** ⚏ 82,40/127,40

Novotel Andorra, r. Prat de la Creu ☎ (00-376) 87 36 03, novotelandorra@riberpuig. *Fax (00-376) 87 36 53*, ₤₅, 🗗 – 🛗 ≣ 📺 ₺ ⇔ 🅿 – 🔏 25 à 40. ⬛. ℀ rest C
Repas buffet 18 – ⚏ 8 – **97 ch** 121/130, 5 appart

Tivoli, r. Sant Salvador 3 ☎ (00-376) 80 42 65, tivotel@andorra.ad, Fax (00-376) 82 06 8╌ 🛗 ≣ 📺 ₺. ⬛. ℀ ch C
Repas 10 – **29 ch** 33/58

Xalet Sasplugas ⬧, r. la Creu Grossa 15 ☎ (00-376) 82 03 11, hotelsasplugas@andor *ad, Fax (00-376) 82 86 98*, ≤, 🌡 – 🛗 📺 ⇔. ⬛. ℀ rest C
Repas 17,20 - **Metropol** *(fermé 1ᵉʳ au 15 juil., lundi midi et dim.)* **Repas** carte 27,25 à 30 – **26 ch** ⚏ 45/78

Ibis, av. Meritxell 58 ☎ (00-376) 87 36 01, ibisandorra@riberpuig.ad, Fax (00-376) 87 36 ₤₅, 🗗 – 🛗, ≣ rest, 📺 ⇔. ⬛. ℀ rest C
Repas 18 – ⚏ 8 – **63 ch** 100/110

Pyrénées, av. Princep Benlloch 20 ☎ (00-376) 87 98 79, pyreneeshotel@andorra.╌ *Fax (00-376) 82 02 65*, ♨, ℀ – 🛗, ≣ rest, 📺 ⇔. ① ⬛. ℀ rest B
Repas 16,83 – **74 ch** ⚏ 39,97/63,11

Cérvol, av. Santa Coloma 46 ☎ (00-376) 80 31 11, hc@hotelcervol.com, ╌ *(00-376) 80 31 22*, ₤₅ – 🛗, ≣ rest, 📺 ₺ ⇔. ① ⬛. ℀ rest A
Repas 14 – **99 ch** ⚏ 59/80

Font del Marge, Baixada del Moli 49 ☎ (00-376) 82 34 43, font-del-marge@andorra.╌ *Fax (00-376) 82 31 82*, ≤ – 🛗, ≣ rest, 📺 ₺ ⇔. ⬛. ℀ rest A
fermé nov. – **Repas** 15 – **42 ch** ⚏ 58/83

De l'Isard, av. Meritxell 36 ☎ (00-376) 82 00 96, hotelisard@andorra.ad, *(00-376) 86 66 95* – 🛗, ≣ rest, 📺 ⇔. ⬛. ℀ rest B
Repas 14,12 – ⚏ – **61 ch** 74,53/106,98

Sàlvia, av. Maritxell 68 ☎ (00-376)82 72 00, hotelsalvai@andorra.ad, Fax (00-376)82 72 4╌ 🛗, ≣ rest, 📺 ₺ ⇔. ⬛. ℀ rest C
Repas buffet 14,12 – **59 ch** ⚏ 76,63/111,18

Cassany sans rest, av. Meritxell 28 ☎ (00-376) 82 06 36, hotelcassany@andorra.╌ *Fax (00-376) 86 36 09* – 🛗 📺. ⬛ B
⚏ 7,21 – **53 ch** 54,09/81,14

Florida sans rest, r. Llacuna 15 ☎ (00-376) 82 01 05, hotelflorida@andorra.ad, ╌ *(00-376) 86 19 25*, ₤₅ – 🛗 📺. ⅀ ① ⬛ ᴊᴄʙ B
48 ch ⚏ 45/73

Borda Estevet, rte de La Comella 2 ☎ (00-376) 86 40 26, bordaestevet@andorra.╌ *Fax (00-376) 86 40 26*, « Décor rustique » – ≣ 🅿. ⬛ A
Repas carte 19,60 à 31,60

Can Benet, antic carrer Major 9 ☎ (00-376) 82 89 22, mbenet@andorra.ad, ╌ *(00-376) 82 89 22* – ≣. ① ⬛ ᴊᴄʙ B
fermé lundi sauf fériés – **Repas** carte 19,50 à 27

Celler d'En Toni avec ch, r. Verge del Pilar 4 ☎ (00-376) 82 12 52, Fax (00-376) 82 18 7╌ 🛗 📺. ① ⬛ ᴊᴄʙ. ℀ C
fermé 1ᵉʳ au 15 juin – **Repas** *(fermé dim. soir)* carte 27,99 à 41,82 – **17 ch** ⚏ 32,50/56,3C

Taberna Angel Belmonte, r. Ciutat de Consuegra 3 ☎ (00-376) 82 24 60, ╌ *(00-376) 82 35 15* – ≣. ① ⬛. ℀ C
Repas carte environ 27,93

Can Manel, r. Mestre Xavier Plana 6 ☎ (00-376) 82 23 97, Fax (00-376) 82 45 91 – ≣ 🅿. ⬛ ᴊᴄʙ A
fermé 1ᵉʳ au 15 juil.et merc. – **Repas** carte 22 à 27,96

Arinsal – *Sports d'hiver 1 550/2 560 m ⬈ 2 ⬈ 24.*
Andorra-la-Vella 10.

🏨 **Xalet Verdú**, ℰ (00-376) 73 71 40, *xaletverdu@andornet.ad*, Fax (00-376) 73 71 41, ⌐ –
|≡| 📺 ᵫ ⬌ 🅿. ☜. ℅
fermé mai et nov. – **Repas** (dîner seul.) 14,70 – **52 ch** ⌐ 71,40/93,40

anillo.

Voir *Crucifixion★ dans l'église de Sant Joan de Caselles NE : 1 km.*
Andorra-la-Vella 12.

🏨 **Bonavida,** pl. Major ℰ (00-376) 85 13 00, Fax (00-376) 85 17 22, ⬉, *I₅* – |≡| 📺 ⬌. ☜
☜. ℅
fermé oct.-nov. – **Repas** (dîner seul. en mai-juin) 18,49 – **48 ch** ⌐ 71,97/94,06

🏨 **Roc del Castell** sans rest, rte General ℰ (00-376) 85 18 25, Fax (00-376) 85 17 07 – |≡| 📺.
☜ ☜ JCB. ℅
⌐ 6 – **44 ch** 54/67

ncamp.

Voir *Les Bons : site★ N : 1 km.*
Andorra-la-Vella 6.

🏨 **Coray,** Caballers 38 ℰ (00-376) 83 15 13, Fax (00-376) 83 18 06, ⬉, ⬌ – |≡|, ≡ rest, 📺
⬌ ⬌. ☜. ℅
fermé nov. – **Repas** 9 – **85 ch** ⌐ 37,25/44,47

🏨 **Univers,** r. René Baulard 13 ℰ (00-376) 83 10 05, *hotelunivers@andorra.ad*, Fax
(00-376) 83 19 70 – |≡| 📺 🅿. ☜. ℅
fermé nov. – **Repas** 9,80 – ⌐ 4,30 – **31 ch** 35,50/52,70 – P 22,20

🍴 **El Cresper,** r. Pas de la Casa 4 ℰ (00-376) 83 36 36 – ☜
fermé 15 au 30 juil., dim. soir et lundi – **Repas** carte 19,60 à 28

es Escaldes-Engordany.

🛈 *Office de Tourisme pl. dels Co-Princeps,* ℰ (00-376) 82 09 63, Fax (00-376) 82 66 97.
Andorra-la-Vella 1.

🏨 **Roc de Caldes** ⬈, rte d'Engolasters ℰ (00-376) 86 27 67, *rocdecaldes@andorra.ad*,
Fax (00-376) 86 33 25, ⬉, « A flanc de montagne », ⌐ – |≡|, ≡ rest, 📺 ⬌ 🅿 –
🔏 25 à 150. ☜ ☜. ℅ rest
Repas 15 – **45 ch** ⌐ 148/170

🏨 **Roc Blanc,** pl. dels Co-Princeps 5 ℰ (00-376) 87 14 00, *hotelrocblanc@grupocblanc.com,*
Fax (00-376) 86 02 44, *I₅*, ⌐ – |≡|, ≡ rest, 📺 ⬌ – 🔏 25 à 600. ☜ ☜ ☜ JCB. ℅ rest
- El Pí : Repas carte environ 33,04 – **L'Entrecôte** brasserie : **Repas** carte 21,62 à 25,83 –
180 ch ⌐ 122,80/162,90   D a

🏨 **Delfos,** av. del Fener 17 ℰ (00-376) 87 70 00, *hotel.delfos@andorra.ad*, Fax
(00-376) 86 16 42 – |≡| ≡ 📺 ⬌ – 🔏 25 à 250. ☜ ☜ JCB. ℅   D b
Repas 19,20 – **180 ch** ⌐ 75,75/103,40

🏨 **Prisma,** av. del Ferrer 14 ℰ (00-376) 86 79 29, *prisma@ahotels.ad*, Fax (00-376) 86 79 30 –
|≡|, ≡ rest, 📺 ᵫ ⬌. ☜ ☜ ☜. ℅   D e
Repas (déj. seul.) 7,90 – **55 ch** ⌐ 84,20/120,20

🏨 **Panorama,** rte de l'Obac ℰ (00-376) 87 34 00, *hotelpanorama@grupoblanc.com,*
Fax (00-376) 86 17 42, ⬉ vallée et montagnes, *I₅*, ⌐ – |≡|, ≡ rest, 📺 ⬌ – 🔏 25 à 300. ☜
☜ ☜. ℅ rest   E d
Repas 23,15 – **177 ch** ⌐ 100,35/126,80

🏨 **Eureka,** av. Carlemany 36 ℰ (00-376) 86 66 00, *hoteleureka@andorra.ad*, Fax
(00-376) 86 68 00 – |≡| ≡ 📺. ☜. ℅ rest   E f
Repas 9 – **75 ch** ⌐ 43,28/69,72

🏨 **Valira,** av. Carlemany 37 ℰ (00-376) 82 05 65, *hotelvalira@andorra.ad*, Fax
(00-376) 86 67 80 – |≡| 📺 🅿. ☜. ℅   E k
Repas 14,12 – **55 ch** 74,53/106,98

🏨 **Metropolis** sans rest , cafeteria, av. de les Escoles 25 ℰ (00-376) 86 33 63, *info@hotel-
metropolis.com*, Fax (00-376) 86 37 10 – |≡| 📺 ⬌. ☜   E q
69 ch 58/78

🏨 **Cosmos,** av. de les Escoles 10 ℰ (00-376) 87 07 50, *cosmos@hotelcosmos.ad*, Fax
(00-376) 86 30 15 – |≡|, ≡ rest, 📺 ⬌. ☜. ℅   E n
voir rest. **Il Basilico** ci-après 11 – **75 ch** ⌐ 68,52/100,97, 76 appart

🏨 **Eurotel,** av. Fiter i Rosell 51 ℰ (00-376) 86 30 31, *hoteles-silken@eurotel.ad*, Fax
(00-376) 86 30 24 – |≡| 📺 ⬌ 🅿. ☜ ☜. ℅   D r
Repas (dîner seul.) 13,82 – **70 ch** ⌐ 50,48/73,32

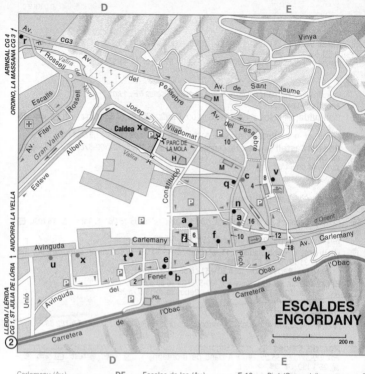

ESCALDES ENGORDANY

Les Closes, av. Carlemany 93 ℘ (00-376) 82 83 11, *Fax (00-376) 82 29 68* – 🛗 📺 🚗. 🕓
🕉 ch
Repas 8,50 – **78 ch** ⇆ 45/80   D

Espel, pl. Creu Blanca 1 ℘ (00-376) 82 08 55, *Fax (00-376) 82 80 56* – 🛗 📺 🚗. 🕓
🕉
fermé mai – **Repas** 13 – **102 ch** ⇆ 39,10/48,10   E

San Marco, av. Carlemany 115-5ᵉ étage (C.C. Júlia) ℘ (00-376) 86 09 99, *sari@andorra.*
Fax (00-376) 80 41 75, ≼ – 🍽, 🇬🇧, 🕉
fermé dim. soir – **Repas** carte 30,08 à 35,19

Aquarius, Parc de La Mola 10 (Caldea) ℘ (00-376) 80 09 80, *Fax (00-376) 82 92 22*,
« Décor moderne » – 🍽 🚗. 🇬🇧
fermé 13 au 31 mai, 4 au 8 nov. et mardi – **Repas** carte 30,93 à 40,27   D

Casa Canut avec ch, av. Carlemany 107 ℘ (00-376) 82 13 42, *casacanut@andorra.*
Fax (00-376) 86 09 96 – 🛗 📺 🚗. 🅰🅴 ⓘ 🇬🇧 JCB
Repas carte 38,10 à 56,40 – ⇆ 6 – **34 ch** 143,75/179,70

Il Dolce Basilico, Hôtel Cosmos, Santa Anna ℘ (00-376) 87 07 55, *cosmos@hc*
cosmos.ad, Fax (00-376) 86 30 15 – 🍽 🚗. 🇬🇧. 🕉
(fermé 1ᵉʳ au 15 juil., 1ᵉʳ au 15 oct. et lundi – **Repas** carte 30 à 40   E

Gufo, av. de les Escoles 16 ℘ (00-376) 82 07 13, *Fax (00-376) 82 73 53* – 🇬🇧   E
Repas carte 18,10 à 28,50

148

Massana.

🏢 Office de Tourisme av. Sant Antoni, ℰ (00-376) 83 56 93, Fax (00-376) 83 86 93.
Andorra-la-Vella 5.

🏨 **Xalet Ritz** ⑤, rte de Sispony, Sud : 1,8 km ℰ (00-376) 83 78 77, xaletritz@andornet.ad,
Fax (00-376) 83 77 20, ≼, « Belle décoration intérieure », ⬛ – 🛗 📺 ⇔ 🄿. ⓪ ⒼⒷ.
❀ rest
Repas 18,70 – **47 ch** ⇄ 91,40/127,40

🏨 **Rutllan,** av. del Ravell ℰ (00-376) 83 50 00, rutllan-reserves@hotelrutllan.ad, Fax
(00-376) 83 51 80, ≼, ⬛, ✿ – 🛗 📺 ⓺ ⇔. ⓪ ⒼⒷ. ❀ rest
Repas 21 – ⇄ 8 – **96 ch** 60/96

🏨 **Suite Hôtel** ⑤, rte de Sispony, Sud : 1,7 km ℰ (00-376) 73 73 00, suite.hotel@andorra.ad
, Fax (00-376) 73 73 01 – 🛗 📺 ⓺ ⇔ 🄿. ⓪ ⒼⒷ ⓙⒸⒷ. ❀
Repas 20,43 – **36 ch** ⇄ 130,80/163,50

🏨 **Marco Polo,** av. de Sant Antoni ℰ (00-376) 83 63 63, hmp@hotelmarcopolo.com,
Fax (00-376) 83 65 00 – 🛗 📺 🄿. ⓪ ⒼⒷ. ❀ rest
fermé nov. – **Repas** (buffet) (dîner seul. en hiver) 14 – **140 ch** ⇄ 47/64

ⓍⓍⓍ **El Rusc,** rte d'Arinsal : 1,5 km ℰ (00-376) 83 82 00, Fax (00-376) 83 51 80, « Élégant décor
rustique » – ▤ 🄿. ⓪ ⒼⒷ. ❀
fermé dim. soir et lundi – **Repas** carte environ 37,27

ⓍⓍ **La Borda de l'Avi,** rte d'Arinsal : 0,7 km ℰ (00-376) 83 51 54, husa-and@myp.ad,
Fax (00-376) 83 53 90 – 🄿. ⓪ ⒼⒷ
Repas - viandes - carte 26,45 à 40,35

Ⓧ **Borda Raubert,** rte d'Arinsal : 2 km ℰ (00-376) 83 54 20, calserni@yahoo.es, Fax (00-
376) 86 61 65, « Décor rustique » – 🄿. ⒼⒷ ⓙⒸⒷ. ❀
fermé 15 juin au 15 juil., lundi soir et mardi – **Repas** - cuisine régionale - carte 19,21 à 22,22

La Aldosa Nord-Est : 2,7 km :

🏨 **Del Bisset** ⑤, rte de la Creu Blanca ℰ (00-376) 83 75 55, hoteldelbisset@andorra.ad,
Fax (00-376) 83 79 89, ≼ – 🛗 📺 ⓺ ⇔ 🄿. ⒼⒷ. ❀ rest
fermé 24 juin au 15 juil. – **Repas** 12 – **30 ch** ⇄ 36,06/48,08

rdino – Sports d'hiver 1940/2 600 m ⓺ 13.
Andorra la Vella 8.

🏨 **Coma** ⑤, ℰ (00-376) 73 61 00, hotelcoma@internet.ad, Fax (00-376) 73 61 01, ≼, �, ⬛,
❀ – 🛗, ▤ rest, 📺 ⇔ 🄿. ⒼⒷ. ❀
fermé 3 au 30 nov. – **Repas** 17 – **48 ch** ⇄ 58/86

Ansalonga

🏨 **Sant Miquel,** rte del Serrat, Nord-Ouest : 1,8 km ℰ (00-376) 80 06 25, hotel@santmiquel.
com, Fax (00-376) 85 05 71, ≼, 🌟 – 🛗 📺 🄿. ⒼⒷ. ❀
fermé 10 mai au 10 juin – **Repas** 9 – **20 ch** ⇄ 42/60

ar rte de Canillo Ouest : 2,3 km

🏨 **Babot** ⑤, ℰ (00-376) 83 50 01, Fax (00-376) 83 55 48, ≼ vallée et montagnes, « A flanc
de montagne », ⬛, 🌟 – 📺 ⇔ 🄿. ⒼⒷ. ❀ rest
fermé 4 nov. au 4 déc. – **Repas** 16 – **55 ch** 58/87

as-de-la-Casa – Sports d'hiver 2050/2600 m ⓺26 ⓺ 1.
Andorra-la-Vella 29.

🏨 **Le Sporting,** r. Catalunya 1 ℰ (00-376) 75 53 55, Fax (00-376) 85 54 65 – 🛗 📺 ⇔ –
🏸 25 à 60. ⒼⒷ. ❀ rest
5 déc.-6 avril – **Repas** 22,87 – **76 ch** ⇄ 80,81/149,96

🏨 Esqui d'Or, r. Catalunya 9 ℰ (00-376) 85 51 27, Fax (00-376) 85 51 78, ⓺ – 🛗 📺 ⇔
saisonnier – **62 ch**

🏨 **Himàlaia Pas,** r.Solana 51 ℰ (00-376) 73 55 00, hotelhimalaiapas@andorra.ad, Fax
(00-376) 376 73 55 25, ⓺, ⬛ – 🛗 📺 ⇔. ⒼⒷ
Repas (dîner seul.)(buffet) 14,12 – **98 ch** 106,38/118,53

e de Soldeu Sud-Ouest : 10 km :

🏨 **Grau Roig** ⑤, r. Grau Roig ℰ (00-376) 75 55 56, hotelgrauroig@andorra.ad, Fax
(00-376) 75 55 57, ≼, ⓺, ⬛ – 🛗 📺 ⓺ 🄿. ⒶⒺ ⒼⒷ. ❀ rest
fermé mai, oct. et nov. – **Repas** 22 – **44 ch** ⇄ 145/190 – P 46

Santa-Coloma.

Andorra-la-Vella 4.

Cerqueda ⊗, r. Mossen Lluis Pujol ℰ (00-376) 82 02 35, *Fax (00-376) 86 19 09*, ⚺, ⚘
⚺ 📺 ℙ. ⓞ ☜ ☜ rest
fermé 7 janv. au 6 fév. – **Repas** 14,50 – ☲ 5,50 – **65 ch** 28/51

✕ **Cal Bolet**, av. Verge del Remei 9 ℰ (00-376) 82 44 44, *mirablau@andorra.ad*,
(00-376) 82 43 02, 🏠 – ☰ ℙ. ☜ ☜
fermé dim. soir – **Repas** carte 17,72 à 27,07

✕ **El Candeler**, r. Major 47 ℰ (00-376) 86 97 87, « Décor rustique » – ℙ. ⓞ ☜ ☜
fermé août, dim. soir et lundi – **Repas** · produits de la mer · carte 27,64 à 30,36

✕ **Don Pernil**, av. d'Enclar 94 ℰ (00-376) 86 52 55, *Fax (00-376) 86 36 24*, 🏠, « Déc
⚘ rustique » – ☰ ℙ. ⓞ ☜
fermé janv. – Repas · viandes grillées · carte 17,34 à 25,91

✕ **Parador**, av. d'Enclar 100 ℰ (00-376)82 18 04, *restaurantparador@andorra.ad*,
(00-376) 82 18 04 – ☰ ℙ. ☜ ⒿⒸⒷ
fermé 1er au 23 juil., dim. soir et lundi – **Repas** carte 20,50 à 24

Sant-Julià-de-Lòria.

Andorra-la-Vella 8.

Imperial sans rest, av. Rocafort 27 ℰ (00-376) 84 34 78, *imperial@andornet*,
(00-376) 84 34 79 – ⚺ ☰ 📺 ℙ. ☜
fermé 15 jours en mai et 15 jours en nov. – **45 ch** ☲ 64,40/91,40

Pol sans rest, r. Verge de Canolich 52 ℰ (00-376) 84 11 22, *hotelpolandorra@andorra*,
Fax (00-376) 84 18 52 – ⚺ 📺 ℙ. ☜ ☜
fermé 7 janv. au 6 fév. – **80 ch** ☲ 62/65

✕✕ **La Guingueta**, rte de la Rabassa ℰ (00-376) 84 29 45, *Fax (00-376) 84 39 45*, 🏠, « Déc
rustique » – ☜
fermé dim. soir et lundi – **Repas** carte 37 à 46

au Sud-Est : *7 km* :

Coma Bella ⊗, forêt de la Rabassa, alt. 1 300 ℰ (00-376) 84 12 20, *comabella@myp*,
Fax (00-376) 84 14 60, ⩽, « Dans la forêt de la Rabassa », ↿⚺, ⚺ – ⚺ 📺 ℙ. ☜ ☜ rest
fermé 9 au 23 avril – **Repas** 10 – **30 ch** ☲ 55/75

Soldeu – *alt. 1026* – Sports d'hiver 1700/2560 m. ⚠21 ⚐ 2.
Env. Port d'Envalira ⚹⚹★★ *SE : 7,5 km.*
Andorra-la-Vella 19.

Piolets, rte General ℰ (00-376) 87 17 87, *piolets@ahotels.ad*, *Fax (00-376) 87 17 88*,
⚺ – ⚺ 📺 ⅋ ⬅ – ⚺ 25 à 80. ⓞ ☜ ☜
Repas 10,50 – **118 ch** ☲ 111/171

Xalet Montana, rte General ℰ (00-376) 85 10 18, *hotelnaudi@andornet.ad*,
(00-376) 85 20 22, ⩽, ↿⚺, ⚺ – ⚺ 📺 ⅋ ℙ. ☜
fermé mai – **Repas** (résidents seul.) 15,02 – **40 ch** ☲ 85,64/114,19

à Incles *Ouest : 1,8 km* :

Parador Canaro, ℰ (00-376) 85 10 46, *Fax (00-376) 85 17 20*, ⩽ – 📺 ⬅ ℙ. ☜ ⒿⒸ
☜
fermé 10 mai au 2 juil. – **Repas** 13 – **18 ch** ☲ 32/59,50

à El Tarter *Ouest : 3 km* :

Del Tarter, ℰ (00-376) 80 20 80, *heltarter@andornet.ad*, *Fax (00-376) 85 14 74*, ⩽ – ⚺
⬅ ℙ. ⓞ ☜ ☜
fermé mai et nov. – **Repas** 14 – ☲ 8,41 – **37 ch** 55,20/68,67

Llop Gris ⊗, ℰ (00-376) 85 15 59, *llopgris@llopgris.ad*, *Fax (00-376) 85 12 29*, ⩽, ↿⚺,
⚺ 📺 ⬅ ℙ. – ⚺ 30 à 80. ☜ ☜ rest
fermé 15 avril au 15 mai et 15 oct. au 15 nov. – **Repas** 22 – **68 ch** ☲ 107/134

Del Clos, ℰ (00-376) 85 15 00, *hoteldelclos@andorra.ad*, *Fax (00-376) 85 15 54*, ⩽ – ⚺
⬅. ☜ ☜
fermé nov. – **Repas** (dîner seul.)(buffet en hiver) 16,53 – **54 ch** ☲ 90,15/120,20

Zelten Sie gern?
Haben Sie einen Wohnwagen?
Dann benutzen Sie den Michelin-Führer
Camping Caravaning France.

NDRÉZIEUX-BOUTHÉON 42160 Loire **73** ⑱ – 9 153 h alt. 395.

Voir *Lac de retenue de Grangent*★★ S : 9 km, G. Vallée du Rhône.

🛈 *Office du tourisme Rue d'Urfé* ℰ 04 77 55 37 03, Fax 04 77 55 88 46.

Paris 466 – St-Étienne 19 – Lyon 77 – Montbrison 19 – Roanne 71.

🏨 **Les Iris** ⑤, 32 av. J. Martouret (dir. gare) ℰ 04 77 36 09 09, Fax 04 77 36 09 00, 畲 , ⌿ , ⌾ – ⬛ ❤ 🄿 – 🖄 20. 🄰🄴 🇬🇧
hôtel : fermé 2 au 12 janv. ; rest : fermé 16 au 26 août, 2 au 27 janv., sam. midi, dim. soir et lundi – **Repas** 19,66/53,35 – 🖙 7,62 – **10 ch** 68,60 – ½ P 50,30

NDUZE 30140 Gard **80** ⑰ , G. Languedoc Rousillon – 3 004 h alt. 135.

Voir *Bambouseraie de Prafrance*★ N : 3 km par D 129.

Env. *Grottes de Trabuc*★★ NO : 11 km – *Le Mas soubeyran : musée du Désert*★ *(souvenirs protestants 17e-18e s.)* NO : 7 km.

🛈 *Office du tourisme Plan de Brie* ℰ 04 66 61 98 17, Fax 04 66 61 79 77, anduze@ot-anduze.fr.

Paris 723 – Alès 14 – Montpellier 60 – Florac 68 – Lodève 85 – Nîmes 46 – Le Vigan 52.

🍴 **Tourelle**, 9 r. Basse ℰ 04 66 60 52 47 – 🇬🇧
fermé 15 au 30 juin, 15 au 31 déc., dim. soir et lundi – **Repas** *(prévenir)* 12,20/25,92 🟡

◗ **Nord-Ouest** *par rte de St-Jean-du-Gard* – ⌧ 30140 Anduze :

🏨 **Porte des Cévennes**, à 3 km ℰ 04 66 61 99 44, reception@porte-cevennes.com, Fax 04 66 61 73 65, ≤, 畲 , ₣₅, ⬛, ⌿ – ⬛ 🄿 – 🖄 25. 🄰🄴 ① 🇬🇧. ⌥
1er avril-20 oct. – **Repas** *(dîner seul.)* 16/29 🟡, enf. 8,50 – 🖙 7,50 – **38 ch** 64 – ½ P 51/53

🍴🍴 **Moulin de Corbès** ⑤ avec ch, à 4 km ℰ 04 66 61 61 83, Fax 04 66 61 68 06, 畲 – 🄿 . ①
🇬🇧
fermé janv., fév., dim. soir et lundi sauf juil.-août – **Repas** 24 (déj.), 30,50/52 – **3 ch** 🖙 53/61

Générargues *Nord-Ouest : 5,5 km par D 129 et D 50* – 639 h. alt. 160 – ⌧ 30140 :

🏨 **Auberge des Trois Barbus** ⑤, rte Mialet ℰ 04 66 61 72 12, Fax 04 66 61 72 74, ≤ val-lée des Camisards, 畲 , ⌃, ⌿ – ⬛ 🄿 – 🖄 25. 🄰🄴
fermé 2 janv. au 20 mars, dim. soir et lundi d'oct. à déc. – **Repas** *(fermé dim. soir et lundi d'oct. à déc., lundi midi et mardi midi de mars à sept.)* 20 (déj.), 26/43 🟡, enf. 11 – 🖙 11 – **34 ch** 60/115 – ½ P 62/90

Tornac *Sud-Est : 6 km par D 982* – 718 h. alt. 140 – ⌧ 30140 :

🏨 **Les Demeures du Ranquet** Ⓜ ⑤, rte St-Hippolyte-du-Fort : 2 km ℰ 04 66 77 51 63, ranquet@mnet.fr, Fax 04 66 77 55 62, 畲 , « Parc dans le maquis », ⌃, ₰ – ✣ ⬛ ❤ ₺ 🄿 – 🖄 30. ① 🇬🇧 🄵🄱
9 mars-27 oct. – **Repas** *(fermé mardi et merc. sauf le soir de juin au 15 sept.)* 30/55 🟡, enf. 13 – 🖙 13 – **10 ch** 121/165 – ½ P 115/121

NET 28260 E.-et-L. **55** ⑰ , **106** ⑬ – 2 651 h alt. 73.

Voir *Château*★, G. Normandie Vallée de la Seine.

🛈 *Syndicat d'initiative - Mairie 8 rue Delacroix* ℰ 02 37 41 49 09.

Paris 77 – Chartres 50 – Dreux 15 – Évreux 37 – Mantes-la-Jolie 28 – Versailles 59.

🏨 **Dousseine** ⑤ sans rest, rte Sorel-Moussel ℰ 02 37 41 49 93, Fax 02 37 41 90 54, « Jar-din fleuri », ⌿ , ⌥ – ⬛ ❤ 🄿. 🇬🇧
🖙 6,50 – **20 ch** 46/50

🍴🍴 **Auberge de la Rose** avec ch, 6 r. Ch. Lechevrel ℰ 02 37 41 90 64, Fax 02 37 41 47 88 – 🖄 20. 🇬🇧
fermé dim. soir et lundi – **Repas** 23,70/37,50 🟡 – 🖙 5,34 – **7 ch** 29/37

🍴🍴 **Manoir d'Anet**, 3 pl. Château ℰ 02 37 41 91 05, Fax 02 37 41 91 04 – 🄰🄴 🇬🇧
fermé 19 sept. au 3 oct., 7 au 22 janv., mardi soir, jeudi soir et merc. – **Repas** 21,50 (déj.), 30/37,50 🟡

NGERS 🄿 49000 M.-et-L. **63** ⑳ , G. Châteaux de la Loire – 151 279 h Agglo. 226 843 h alt. 41.

Voir *Château*★★★ : *tenture de l'Apocalypse*★★★, *tenture de la Passion et Tapisseries mille-fleurs*★★, ≤★ *de la tour du Moulin* – *Vieille ville*★ : *cathédrale*★★, *galerie romane*★★ *de la préfecture*★ BZ P, *galerie David d'Angers*★ BZ B, – *Maison d'Adam*★ BYZ K – *Hôtel Pincé*★★ – *Choeur*★★ *de l'église St-Serge*★ – *Musée Jean Lurçat et de la Tapisserie contemporaine dans l'ancien hôpital St-Jean*★ – *La Doutre*★ AY.

Env. *Château de Pignerolle* : *musée européen de la Communication*★★ E : 8 km par D 61.

✈ *Aéroport d'Angers-Marcé,* ℰ 02 41 33 50 00, Fax 02 41 33 50 05, par ① 24 km.

🛈 *Office du tourisme Place Kennedy* ℰ 02 41 23 50 00, Fax 02 41 23 50 09, accueil@angers-tourisme.com.

Paris 295 ① – Laval 79 ⑤ – Le Mans 97 ① – Nantes 91 ⑤ – Rennes 128 ⑤ – Tours 108 ①.

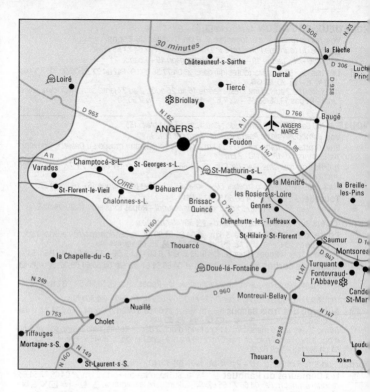

Anjou, 1 bd Mar. Foch ✉ 49100 ☎ 02 41 88 24 82, *info@hoteldonjon* Fax 02 41 87 22 21, « Belle décoration intérieure » – 🛗 📺 ⟵ – 🔬 30. 🆎 ⓪ (JCB
CZ
Salamandre (fermé dim.) **Repas** 23(déj.), 29/40 , enf. 19 – ⴱ 11 – **53 ch** 64/143

Mercure Centre 🅼, pl. Mendès-France (Centre des Congrès) ✉ 49¹ ☎ 02 41 60 34 81, *h0540@accor-hotels.com*, Fax 02 41 60 57 84 – 🛗 ⥮ 🍽 📺 ⤫ ⟵ 🔬 30. 🆎 ⓪ 🇬🇧 JCB
CY
Les Saisons (fermé 20 déc. au 1ᵉʳ janv.) **Repas** *(13,72)*-18,29/20 ⅃, enf. 7,32 – ⴱ 10 – **84** 102/112

France, 8 pl. Gare ✉ 49100 ☎ 02 41 88 49 42, *hdf-angers@wanadoo* Fax 02 41 86 76 70 – 🛗 ⥮ ≡ ch, – 🔬 30. 🆎 ⥮ 🇬🇧 JCB ⤫ ⟵
AZ
Repas *(fermé août, 21 au 29 déc., sam. midi, dim. soir et mardi soir)* 16,77 (déj.), 19,8 50,31 bc ⅄, enf. 12,20 – ⴱ 10 – **55 ch** 75/105 – ½ P 61/77

Bleu Marine, 18 bd Mar. Foch ✉ 49100 ☎ 02 41 87 37 20, *bleu-marine-angers@gofor* .com, Fax 02 41 87 49 54, 🏋 – 🛗 ⥮, ≡ rest, 📺 ⤫ – 🔬 120. 🆎 ⓪ 🇬🇧
CZ
Repas 11,28 ⅄, enf. 5,49 – ⴱ 10 – **69 ch** 70/80

Mail ⌂ sans rest, 8 r. Ursules ✉ 49100 ☎ 02 41 25 05 25, *hoteldumailangers@yahoo* Fax 02 41 86 91 20, « Ancien couvent du 17ᵉ siècle » – 📺 ⤫ 🅿. 🆎 ⓪ 🇬🇧
CY
ⴱ 6 – **26 ch** 39/59

Progrès sans rest, 26 av. D. Papin ✉ 49100 ☎ 02 41 88 10 14, *HOTELLEPROGRES@aol.cc* Fax 02 41 87 82 93 – 🛗 📺 ⤫. 🆎 ⓪ 🇬🇧
AZ
ⴱ 7 – **41 ch** 36/54

St-Julien sans rest, 9 pl. Ralliement ✉ 49100 ☎ 02 41 88 41 62, *s-julien@wanadoo* Fax 02 41 20 95 19 – 🛗 📺 ⤫. 🆎 ⓪ 🇬🇧
CY
ⴱ 6,80 – **34 ch** 44/56

Express by Holiday Inn 🅼, 23 bis r. P. Bert ☎ 02 41 25 48 48, *expressangers@allian* *hospitality.com*, Fax 02 41 25 48 49 – 🛗 ⤫ 📺 ⤫ ⸸ 🅿 – 🔬 70. 🆎 ⓪ 🇬🇧 JCB
CZ
Repas *(fermé sam. et dim.)* carte environ 15 ⅃ – **52 ch** ⴱ 69

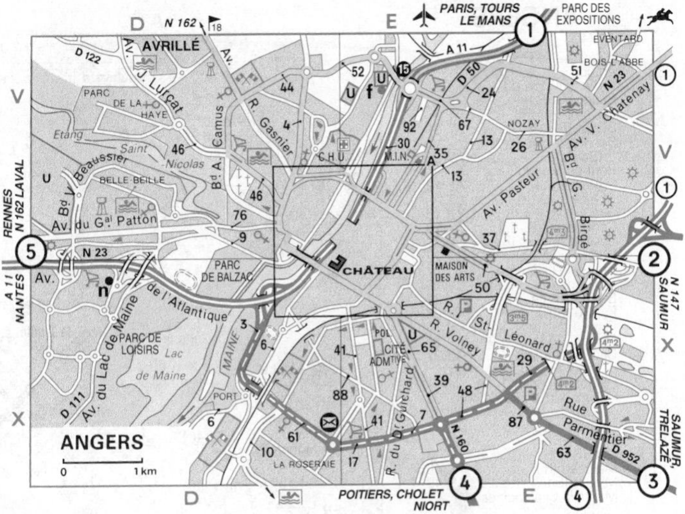

Barangé (Bd Ch.) ..... DX 3
Barra (R.) .... DV 4
Baumette (Pr. de la)... DX 6
Bedier (Bd J.)......... EX 7
Bon-Pasteur (Bd)...... DV 9
Bouchemaine (Rte de)............ DX 10
Chalouère (R. de la) ... EV 13
Chaumin (Bd E.) ...... EX 17
Doyenné (Bd du)...... EV 24
Dunant (Bd H.)........ EV 26
Estienne d'Orves (Bd) . EX 29
Félix-Faure (Q.) .... EV 30
Joxe (Av. J.) .... EV 35
Larevellière (R.) .... EV 37
Lattre-de-Tassigny (Bd de) .... EX 39
Letanduère (R. de) .... EX 41
Lizé (R. du Gén.)...... DV 44
Meignanne (R. de la).. DV 46
Millot (Bd J.) .... EX 48
Montaigne (Av.)....... EX 50
Monplaisir (Bd de) .... EV 51
Moulin (Bd J.)....... DEV 52
Portet (Bd J.)......... DX 61
Pyramide (Rte de la)... EX 63
Rabelais (R.).......... EX 65
Ramon (Bd G.)........ EV 67
St-Jacques (R.) .... DV 76
Saumuroise (R.)....... EX 87
Strasbourg (Bd de)... DEX 88
Vaucanson (R.)........ EV 92

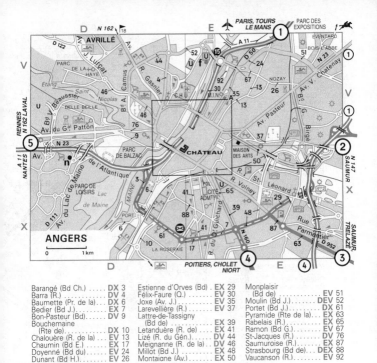

Ibis, r. Poissonnerie ✉ 49100 ✆ 02 41 86 15 15, *Fax 02 41 87 10 41* – 🛗 ⇔ 📺 ♿ – 🏛 30. AE ⓓ GB. ✗ rest BY b
Repas (dîner seul.) 15 ℥, enf. 5,95 – ☕ 5,50 – **95 ch** 60

Continental sans rest, 14 r. L. de Romain ✉ 49100 ✆ 02 41 86 94 94, *le.continental@wanadoo.fr, Fax 02 41 86 96 60* – 🛗 📺 📞. AE ⓓ GB BYZ n
☕ 6,50 – **25 ch** 39/51

Europe sans rest, 3 r. Château-Gontier ✉ 49100 ✆ 02 41 88 67 45, *hotel-de-l-europe@wanadoo.fr, Fax 02 41 86 17 42* – 📺 📞. AE ⓓ GB JCB CZ a
☕ 6,25 – **29 ch** 38,20/44,25

Royalty sans rest, 21 bd Ayrault ✉ 49100 ✆ 02 41 43 78 76, *Fax 02 41 60 37 51* – 🛗 ⇔ 📺 📞. GB CY z
fermé 25 déc. au 2 janv. – ☕ 6,10 – **20 ch** 35,06/45,73

Provence Caffé, 9 pl. Ralliement ✆ 02 41 87 44 15, *Fax 02 41 87 44 15* – ▤. GB. ✗ BCY e
fermé 30 juil. au 19 août, 24 déc. au 6 janv., dim. et lundi – **Repas** (prévenir) 16/25 ♀

Ma Campagne, 14 prom. de Reculée ✉ 49100 ✆ 02 41 48 38 06, *Fax 02 41 48 04 37,* ☂ – ▤. GB EV f
fermé 19 août au 8 sept., 2 au 16 janv., dim. soir et lundi – **Repas** 14,48 (déj.), 17,53/33,54 ♀, enf. 9,15

Lucullus, 5 r. Hoche ✉ 49100 ✆ 02 41 87 00 44, *Fax 02 41 87 00 44,* « Salles voûtées » – AE ⓓ GB AZ d
fermé 1er au 20 août, vacances de fév., dim. et lundi sauf fériés – **Repas** *(12,96)* - 18,29/48,78 bc ♀, enf. 9,15

Relais, 9 r. Gare ✉ 49100 ✆ 02 41 88 42 51, *le.relais@libertysurf.fr, Fax 02 41 24 75 20* – GB BZ k
fermé 11 août au 3 sept., 22 déc. au 7 janv., dim. et lundi – **Repas** 17,50/26,68 ♀, enf. 10,67

ANGERS

Alsace (R. d') . . . . CZ
Aragon
(Av. Yolande d') . . . . . AY 2
Baudrière (R.) . . . . BY 5
Beaurepaire (R.) . . . . . . AY
Bichat (R.) . . . . AY 8
Bon-Pasteur
(Bd du) . . . . AY 9
Bout-du-Monde
(Prom. du) . . . . AY 12
Bressigny (R.) . . . . CZ
Chaperonnière (Rue). BYZ 15
Commerce (R. du) . . . . CY 19
David-d'Angers (Rue) . CY 21
Denis-Papin (R.) . . . . . . BZ 22
Droits-de-l'Homme
(Av. des) . . . . CY 25
Espine (R. de l') . . . . . . BY 27
Estoile (Sq.J. de l') . . . AY 28
Foch (Bd Mar.) . . . . . . BCZ
Freppel (Pl.) . . . . BY 31
Gare (R. de la) . . . . BZ 32
Laiterie (Pl.) . . . . AY
La Rochefoucauld-
Liancourt (Pl.) . . . . ABY 38
Lenepveu (R.) . . . . CY 40
Lices (R. des) . . . . BZ
Lionnaise (R.) . . . . AY
Lise (R. P.) . . . . CY 43
Marceau (R.) . . . . AZ 45
Mirault (Bd) . . . . BY 49
Mondain-Chanlouineau
(Sq.) . . . . BY 51
Oisellerie (R.) . . . . BY 53
Parcheminerie
(R.) . . . . BY 54
Pasteur (Av.) . . . . CY 55
Pilori (Pl. du) . . . . CY 56
Plantagenêt (R.) . . . . . . BY 57
Pocquet-de-
Livonnières (R.) . . . . CY 58
Poëliers (R. des) . . . . . CY 59
Pompidou (Allées) . . . . CY 60
Prés.-Kennedy
(Place du) . . . . AZ 62
Ralliement (Pl. du) . . . . BY 66
Résistance-et-de-
la-Déport. (Bd) . . . . . CY 68
Robert (Bd) . . . . BY 69
Roë (R. de la) . . . . BY 70
Ronceray
(Bd du) . . . . AY 71
St-Aignan (R.) . . . . AY 72
St-Aubin (R.) . . . . BZ 73
St-Étienne (R.) . . . . CY 75
St-Julien (R.) . . . . BCZ
St-Laud (R.) . . . . BY 77
St-Lazare (R.) . . . . AY 79
St-Martin (R.) . . . . BZ 80
St-Maurice (Mtée) . . . . BY 82
St-Maurille (R.) . . . . CY 83
St-Michel (Bd) . . . . CY 84
St-Samson (R.) . . . . CY 85
Ste-Croix (Pl.) . . . . BZ 86
Talot (R.) . . . . BZ 89
Tonneliers (Rue des) . . AY 90
Ursules (R. des) . . . . . . CY 91
Voltaire (R.) . . . . BZ 93
8-Mai-1945 (Av. du) . . . CZ 94

Pas de publicité payée dans ce guide

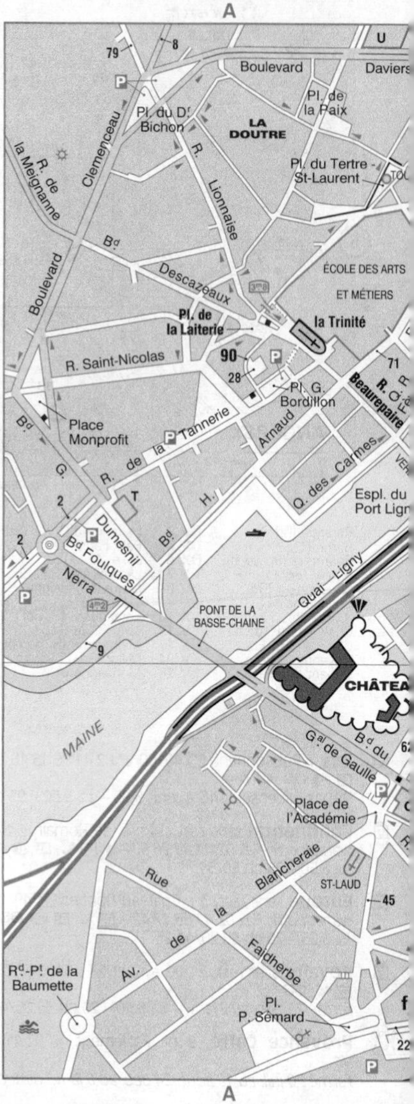

près du Parc des Expositions *par ① N 23 : 6 km – ✉ 49480 St Sylvain d'Anjou :*

Acropole, ✆ 02 41 60 87 88, *acropole@unimedia.fr, Fax 02 41 60 30 03,* ... – ♿ P – 50. AE ⓞ GB JCB – **Repas** *(fermé 8 au 18 août, 24 déc. au 2 janv., vend. s sam. et dim) (11,45)* - 15/20 ♀, enf. 11,45 – ☐ 7,70 – **56 ch** 55/65 – 1/2 P 43

Auberge d'Éventard, ✆ 02 41 43 74 25, *Fax 02 41 34 89 20,* ..., « Élégante déco tion intérieure », ... – ▤ P. AE ⓞ GB. ✂
fermé sam. midi, dim. soir et lundi – **Repas** 26/70

Clafoutis, rte Paris ✆ 02 41 43 84 71, *Fax 02 41 34 74 80* – ▤ P. AE GB
fermé 22 juil. au 23 août, 22 déc. au 2 janv., sam. midi, lundi soir, dim. et soirs fériés – **Rep** *(11,50)* - 15,25/38,15 ♀, enf. 9,95

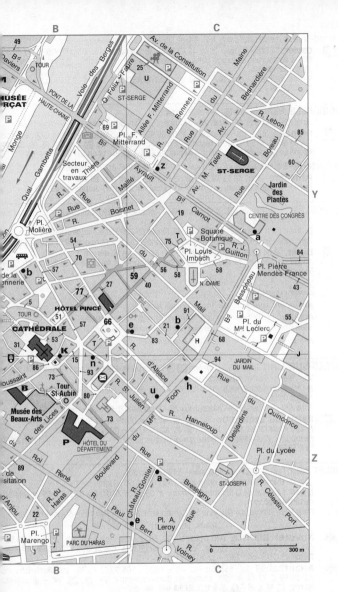

oudon *Est : 11 km (dir. Plessis-Grammoire) par D 116 et D 113 –* ⊠ *49124 Plessis-Grammoire :*

XX **Boeuf Plessis,** ℘ 02 41 76 72 12, Fax 02 41 76 80 85, 余 – **GB**
  fermé 28 juil. au 20 août, 24 fév. au 4 mars, dim. soir, lundi et mardi – **Repas** 22,87/45,73 ℤ,
  enf. 9,91

Ouest – ⊠ *49000 Angers :*

🏨 **Mercure Lac de Maine** Ⓜ, ℘ 02 41 48 02 12, *h1212@accor-hotels.com,*
  Fax 02 41 48 57 51, 🐟 – 🛊 🖎 🖃 📺 ❤ 🅿 – 🔬 110. 🆎 ⓪ **GB** 🇯🇨🇧   DX n
  Repas *(fermé 21 déc. au 1ᵉʳ janv., vend. soir, sam. et dim.)* 16/28 bc ℤ, *enf. 11 –* 🔁 *10 –*
  75 ch *91/101*

au Nord-Ouest *rte de Laval par N 162 : 8 km - DV -* ⊠ *49240 Avrillé :*

🏠 **Cavier**, La Croix-Cadeau *ℰ* 02 41 42 30 45, *lecavier@lacroixcadeau.fr*, Fax 02 41 42 40 3
斎, « Restaurant aménagé dans les caves d'un moulin à vent », ⊼, 龠 – ⊡ 丆 ✿ ℙ
🏔 40. ₳ℇ ◑ ☞
Repas *(fermé 22 déc. au 5 janv. et dim.)* 16,45/31,15 ☿, enf. 9,55 – ☑ 6,25 – **43** (
42,40/60,98 – ½ P 47,10/49,84

ANGERVILLE *91670 Essonne* 🔟 ⑲ *– 3 265 h alt. 141.*
Paris 70 – Chartres 46 – Ablis 28 – Étampes 20 – Évry 54 – Orléans 55 – Pithiviers 28.

🏠 **France**, pl. du Marché *ℰ* 01 69 95 11 30, *hotel-de-france3@wanadoo.*
Fax 01 64 95 39 59, « Cadre rustique et mobilier ancien » – 🛗 ⊡ 🚗 ℙ – 🏔 60. ₳ℇ ☞
fermé lundi (sauf hôtel) et dim. – **Repas** 26/34 ⅃ – ☑ 8 – **19 ch** 57/100 – ½ P 61

à la Poste-de-Boisseaux *Sud : 7 km sur N 20 –* ⊠ *28310 (E.-et-L) Barmainville :*

🍴🍴 **Panetière**, *ℰ* 02 38 39 58 26, Fax 02 38 39 53 40, 龠 – ℙ. ₳ℇ ☞
fermé 5 au 18 août, dim. soir, mardi soir, jeudi soir et lundi – **Repas** 18,29/25,92

Les ANGLES *66210 Pyr.-Or.* 🔟 ⑯ *G. Languedoc Roussillon – 590 h alt. 1650 – Sports d'hive*
1 600/2 400 m ⚡ 1 ⚡ 24 🎿.
🅱 *Office du tourisme ℰ* 04 68 04 32 76, Fax 04 68 309 309, *les-angles@little-france.com.*
Paris 895 – Font-Romeu-Odeillo-Via 20 – Mont-Louis 11 – Perpignan 91 – Quillan 60.

🏠 **Llaret**, *ℰ* 04 68 30 90 90, Fax 04 68 30 91 66, ⇐ – 🛗 ℙ. ₳ℇ. ☞
1ᵉʳ juil.-31 août et 15 déc.-15 avril – **Repas** *(résidents seul.)* 18 – ☑ 7 – **25 ch** 54/6
½ P 49/58

Dans ce guide
un même symbole, un même caractère,
imprimé en couleur ou en **noir**, *en maigre ou en* **gras**,
n'ont pas tout à fait la même signification.
Lisez attentivement les pages explicatives.

ANGLES-SUR-L'ANGLIN *86260 Vienne* 🔟 ⑮ *G. Poitou Vendée Charentes – 365 h alt. 100.*
Voir *Site*★ *– Ruines du château*★.
🅱 *Office du tourisme la Place ℰ* 05 49 48 86 87, Fax 05 49 48 27 55, *info@ang*
france.com.
Paris 337 – Poitiers 51 – Châteauroux 78 – Châtellerault 34 – Montmorillon 34.

🏠🏠 **Relais du Lyon d'Or** ⊗, rte de Vicq *ℰ* 05 49 48 32 53, *thoreau@lyondor.cc*
Fax 05 49 84 02 28, 斎, « Maison du 15ᵉ siècle », 龠 – ⊡ 丆 ✿ ℙ ₳ℇ ☞
fermé janv.-fév. – **Repas** *(fermé mardi midi et lundi)* (15) - 20/30 ☿ – ☑ 8 – **11 ch** 60/7
½ P 58/66

ANGLET *64600 Pyr.-Atl.* 🔟 ⑱ *G. Aquitaine – 35 263 h alt. 20.*
🛬 *de Biarritz-Anglet-Bayonne ℰ* 05 59 43 83 83, SO : 2 km.
🅱 *OMT 1 avenue de la Chambre d'Amour ℰ* 05 59 03 77 01, Fax 05 59 03 55 91, *anglet.*
risme@wanadoo.fr.
Paris 773 – Biarritz 4 – Bayonne 5 – Cambo-les-Bains 17 – Pau 115 – St-Jean-de-Luz 18.

Plans : voir Biarritz-Anglet-Bayonne.

🏠🏠🏠 **Novotel Biarritz Aéroport** Ⓜ, 68 av. Espagne, N 10 *ℰ* 05 59 58 50
Fax 05 59 03 33 55, 斎, ⊼, 券 – 🛗 ⩋ ⊡ 丆 ✿ ℙ – 🏔 25 à 120. ₳ℇ ◑ ☞ ☜
Repas 23/26 ☿, enf. 7,62 – ☑ 10 – **121 ch** 95/115   BX

🏠🏠🏠 **Atlanthal** Ⓜ ⊗, 153 bd Plages - ABX *ℰ* 05 59 52 75 75, *info@atlanthal.cc*
Fax 05 59 52 75 13, ⇐, 斎, centre de thalassothérapie, 🐟, ⊼, ⊠, 龠 – 🛗 cuisine
🖥 rest, ⊡ 丆 ✿ ℙ – 🏔 20 à 150. ₳ℇ ◑ ☞ ☜ rest
Repas 27/32 ☿, enf. 8 – ☑ 10 – **99 ch** 116/295 – ½ P 115,50/172,50

🏠🏠 **Les Terrasses d'Atlanthal** ⊗, 153 bd Plages *ℰ* 05 59 52 58 58, *info@atlanthal.cc*
Fax 05 59 52 75 19, ⇐, 斎, – 🛗, 🖥 rest, ⊡ 丆 ✿ ℙ – 🏔 80. ₳ℇ ◑ ☞
Repas 15 ☿, enf. 6,50 – ☑ 5,50 – **48 ch** 94/195 – ½ P 85,50/106,50

🏠 **Ibis Biarritz Aéroport**, 64 av. Espagne, N 10 *ℰ* 05 59 58 50 00, *H0822@accor-ho*
com, Fax 05 59 58 50 10 – 🛗 ⩋, 🖥 ch, ⊡ 丆 ✿ ℙ. ₳ℇ ◑ ☞   BX
Repas - grill 15 ☿, enf. 6 – ☑ 5,50 – **84 ch** 53/65

🍴 **La Concha**, 299 av. de l'Adour, à la patinoire - dir. La Barre BX *ℰ* 05 59 63 49 52, *lacon*
@wanadoo.fr, Fax 05 59 63 84 52 – 🖥. ☞
Repas carte 27 à 33

ANGOULÊME 🅿 16000 *Charente* 72 ⑬⑭ *G. Poitou Vendée Charentes – 43 171 h Agglo. 103 746 h alt. 98.*

Voir *Site★ – La Ville haute★★ – Cathédrale St-Pierre★ : façade★★* **Y F** *– C.N.B.D.I. (Centre national de la bande dessinée et de l'image)★* **Y**.

d'Angoulême-Champniers, ✆ 05 45 69 88 09, par ① : 12 km.

Office du tourisme 7 Bis rue du Chat - Place des Halles ✆ 05 45 95 16 84, Fax 05 45 95 91 76, angoulemetourisme@wanadoo.fr.

Paris 448 ① – Bordeaux 120 ⑤ – Limoges 103 ② – Niort 117 ① – Périgueux 85 ③.

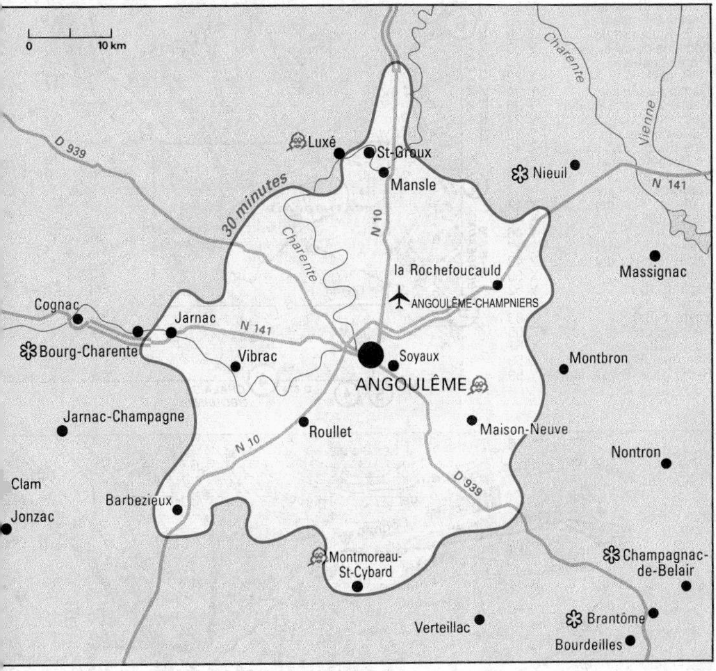

Mercure-Hôtel de France Ⓜ, 1 pl. Halles Centrales ✆ 05 45 95 47 95, *h1213@accor-hotels.com, Fax 05 45 92 02 70*, , – | | | 20 à 200. AE ① GB JCB
Repas *(fermé sam. midi, dim. midi et fériés le midi) (16,50)* - 24 ♀, enf. 10 – 9,50 – **89 ch** 85/111 **Y e**

Européen sans rest, 1 pl. G. Perrot ✆ 05 45 92 06 42, *Fax 05 45 94 88 29* – | | | – 15. AE ① GB **Y a**
fermé 21 déc. au 5 janv. – 6,90 – **31 ch** 56,40/60,20

St-Antoine, 31 r. St Antoine ✆ 05 45 68 38 21, *hotelsaintantoine@wanadoo.fr, Fax 05 45 69 10 31*, – | | | 🅿. AE ① GB JCB **X f**
Repas *(fermé 24 déc. au 2 janv., sam. et dim.)* 12,20/36,60, enf. 7,62 – 6,10 – **32 ch** 44,97/51,83 – ½ P 39,64/42,69

L'Épi d'Or sans rest, 66 bd René Chabasse ✆ 05 45 95 67 64, *Fax 05 45 92 97 23* – | | | 🅿 – 20. AE ① GB **X v**
fermé 23 déc. au 2 janv. et dim. – 5,34 – **33 ch** 35,07/44,21

Ruelle, 6 r. Trois Notre-Dame ✆ 05 45 95 15 19, *Fax 05 45 92 94 84* – AE GB **Y x**
fermé 5 au 19 août, sam. midi et dim. – **Repas** 20 (déj.), 26/36,60 et carte 39 à 60 ♀

Le Terminus, 1 pl. Gare ✆ 05 45 95 27 13, *Fax 05 45 94 04 09*, – . AE ① GB **Y n**
fermé 4 au 19 août, dim. et lundi – **Repas** 16,46 (déj.), 21,03/27,13 ♀

Les Gourmandines, 25 r. Genève ✆ 05 45 92 58 98, *emmanuel.cornu@wanadoo.fr, Fax 05 45 92 58 98*, – . AE ① GB **Y t**
fermé 16 août au 4 sept., 19 au 26 déc., 24 fév. au 5 mars, dim. soir et merc. – **Repas** 14,03 (déj.), 17,07/29,73 ♀, enf. 7,62

ANGOULÊME

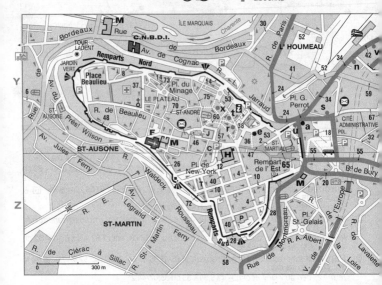

⚟ **Tour des Valois**, 7 r. Massillon ☎ 05 45 95 23 64, *Fax 05 45 38 14 55* – AE G
JCB
Y
fermé 16 août au 6 sept., 14 au 22 fév., dim. soir et lundi – **Repas** 10,36 (déj.), 14,94/
33,23 ⚖

⚟ **Bastien**, 23 pl. Gare ☎ 05 45 95 00 27, *lebastien@wanadoo.fr, Fax 05 45 93 20 62* – ▣. A
GB JCB
Y
fermé 1er au 15 août, 23 déc. au 2 janv., vacances de fév., merc. et dim. – **Repas** 14,48 (déj.)
22,87/28,97 ⚖, enf. 7,62

✗ **Palma**, 4 rampe d'Aguesseau ℰ 05 45 95 22 89, Fax 05 45 94 26 66 – 🆎 ⓞ 🆎   Y u
fermé 21 déc. au 5 janv., sam. midi et dim. – **Repas** 12/25 ♈, enf. 7,80

✗ **Cité**, 28 r. St-Roch ℰ 05 45 92 42 69, Fax 05 45 93 24 35 – 🆎 ⓞ 🆎   Y s
fermé 27 juil. au 20 août, 16 fév. au 3 mars, dim. et lundi – **Repas** 11,43 (déj.), 15,09/24,39 ⅄

e de Poitiers *par ①, près échangeur Nord : 6 km – ⊠ 16430 Champniers :*

🏨 **Relais Mercure** Ⓜ, ℰ 05 45 68 53 22, h0397-gl@accor-hotels.com, Fax 05 45 68 33 83,
🛜, 🏊, ⛽–🕅 ♻ ⊟ 🕅 📞 🖥 📶 – 🔬 15 à 110. 🆎 ⓞ 🆎 🆎
Repas (11,50) - 17 ♈, enf. 7,32 – ⊇ 8 – **103 ch** 64/76

🏨 **Ibis**, ℰ 05 45 69 16 16, h1096@accor-hotels.com, Fax 05 45 68 20 77, 🏝 – 🕅 🕅 📞 🖥 📶
– 🔬 25. 🆎 ⓞ 🆎
Repas (12) - 15 🐚, enf. 6 – ⊇ 5,50 – **62 ch** 53

Soyaux *par ③ : 4 km – 10 177 h. alt. 133 – ⊠ 16800 :*

✗ **Cigogne**, (à la Mairie, prendre r. A.-Briand et 1,5 km) ℰ 05 45 95 89 23, Fax 05 45 95 89 23,
≤, 🏝, « Terrasse face à la campagne » – 🖥 🆎 🆎
fermé 29 oct. au 19 nov., 4 au 17 mars, dim. soir et lundi – **Repas** 11,89 (déj.), 17,53/25,92 ♈

Maison-Neuve *par ③, D 939, D 4 et D 25 : 17 km – ⊠ 16410 Vouzan :*

✗✗ **L'Orée des Bois** ♻ avec ch, ℰ 05 45 24 94 38, meye-oreedesbois@libertysurf.fr,
Fax 05 45 24 97 51, 🏝, 🌳 – 🕅 🖥 🆎 🆎
fermé 11 au 23 mars, 11 au 22 nov., 6 au 15 janv., mardi midi, dim. soir et lundi – **Repas**
20/53 ♈ – ⊇ 6 – **7 ch** 52 – ½ P 50

Roullet *par ⑤ et N 10, dir. Bordeaux : 14 km – 3 525 h. alt. 50 – ⊠ 16440 :*

🏨 **Vieille Étable** ♻, rte Mouthiers : 1,5 km ℰ 05 45 66 31 75, vieille.etable@wanadoo.fr,
Fax 05 45 66 47 45, 🏊, 🍽, ⛽–🕅 🕅 📞 🖥 – 🔬 20 à 50. 🆎 🌳 rest
fermé dim. soir d'oct. à mai – **Repas** 13,70/41,15 ♈, enf. 8,40 – ⊇ 5,95 – **29 ch** 48/60,20 –
½ P 53/59

🏨 **Marjolaine** *sans rest*, Les Glamots ℰ 05 45 66 46 46, hotel.marjolaine@wanadoo.fr,
Fax 05 45 66 43 29 – 🕅 🕅 🏝 🖥 🆎 🌳
fermé 24 au 31 déc. et dim. – ⊇ 4,10 – **30 ch** 27,45/35,80

te de Cognac *par ⑥, N 141 et D 120 : 10 km – ⊠ 16290 Asnières-sur-Nouère :*

🏨 **Hostellerie du Maine Brun** ♻, ℰ 05 45 90 83 00, hostellerie-du-maine-brun@wana
doo.fr, Fax 05 45 96 91 14, 🏝, « Beau mobilier », 🌳 – 🕅 📞 🖥 🆎 ⓞ 🆎 🆎
1ᵉʳ mars-31 oct. et fermé mardi midi et dim. soir sauf du 15 avril au 15 oct. et lundi – **Repas**
18 (déj.), 27/34 ♈, enf. 9 – ⊇ 10 – **18 ch** 74/116 – ½ P 77/88

NNEBAULT *14430 Calvados ⑤④ ⑰ – 347 h alt. 140.*
Paris 202 – Caen 35 – Cabourg 15 – Pont-l'Évêque 11.

✗✗ **Auberge Le Cardinal** *avec ch*, ℰ 02 31 64 81 96, cardinal@club-internet.fr,
Fax 02 31 64 64 65, 🏝, 🌳 – 🕅 🖥 🆎 🆎
fermé 10 janv. au 10 fév., mardi et merc. sauf juil.-août – **Repas** 16/43 ♈ – ⊇ 6 – **6 ch** 45/57
– ½ P 52/56

NNECY 🅿 74000 H.-Savoie ⑦④ ⑥ G. Alpes du Nord – 50 348 h Agglo. 136 815 h alt. 448 – Casino.
*Voir Le Vieil Annecy** : Descente de Croix* dans l'église St-Maurice EY E, Palais de l'Isle**
EY M², rue Ste-Claire* – pont sur le Thiou ≤* EY N – Musée-château d'Annecy* – Les
Jardins de l'Europe* – Les bords du lac** ≤**.
Env. Tour du lac*** – Gorges du Fier** : 11 km par ⑥ – Col de la Forclaz** – Forêt du crêt
du Maure* : ≤** 3 km par D 41 CV.
✈ d'Annecy-Haute-Savoie ℰ 04 50 27 30 06, par N 508 BU et D 14 : 4 km.
🛈 Office du tourisme 1 rue Jean Jaurès ℰ 04 50 45 00 33, Fax 04 50 51 87 20, ancytour
@cybercable.tm.fr.
Paris 539 ⑤ – Aix-les-Bains 34 ⑤ – Genève 45 ① – Lyon 138 ⑤ – St-Étienne 186 ⑤.

Plans pages suivantes

🏨 **L'Impérial Palace** Ⓜ ♻, 32 av. Albigny ℰ 04 50 09 30 00, reservation@hotel-imperial-
palace.com, Fax 04 50 09 33 33, ≤ lac, 🏝, « Décor contemporain », 🛎–🕅 🕅 📶 🖥 🆎 📞 🖥
🖥 – 🔬 25 à 600. 🆎 ⓞ 🆎 🌳 rest   CV s
La Voile : Repas 40/70 ♈, enf. 14 – ⊇ 25 – **91 ch** 225/275, 8 appart – ½ P 152,50

🏨 **Splendid** Ⓜ *sans rest*, 4 quai E. Chappuis ℰ 04 50 45 20 00, Splenditel@aol.com,
Fax 04 50 45 52 23 – 🕅 🕅 📶 🖥 📞 – 🔬 60. 🆎 ⓞ 🆎 🆎   EY d
fermé 21 déc. au 14 janv. – ⊇ 12 – **50 ch** 85/122

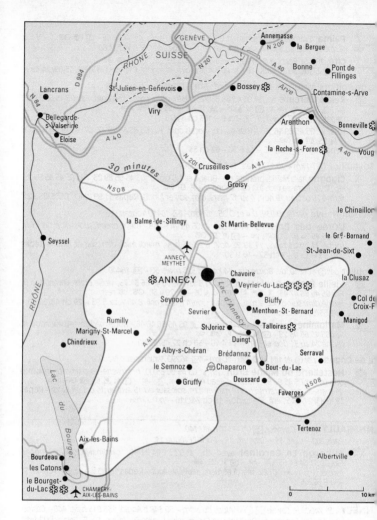

Novotel Atria Ⓜ, 1 av. Berthollet, ℰ 04 50 33 54 54, *h1357@accor-hotels.com*
Fax 04 50 45 50 68 – 📱 ✕ ▤ ☑ ◟ ᕈ ⇌ – 🕰 25 à 200. 🇦🇪 ⓞ 🇬🇧 🇯🇨🇧. ✕ rest   DX
Repas *(15,50)* - 18,50 ♀, enf. 8,30 – ⌂ 10,50 – **95 ch** 84/98

Les Trésoms Ⓜ ⬙, 3 bd Corniche, ℰ 04 50 51 43 84, *info@lestresoms.com*
Fax 04 50 45 56 49, ≤, ⛲, 🛁, ♨, ⛵ – 📱 ✕ ☑ ◟ 🄿 – 🕰 25. 🇦🇪 ⓞ 🇬🇧 🇯🇨🇧
✕ rest   CV
Repas 23 (déj.), 29/104 bc ♀, enf. 17 – ⌂ 14 – **50 ch** 107/183 – ½ P 90/120

Carlton sans rest, 5 r. Glières, ℰ 04 50 10 09 09, *contact@bw-carlton.com*
Fax 04 50 10 09 60 – 📱 ☑ ◟ ⇌ – 🕰 30. 🇦🇪 ⓞ 🇬🇧 🇯🇨🇧   DY
⌂ 9,80 – **55 ch** 65,55/99,10

Holiday Inn Garden Court Ⓜ, 19 av. du Rhone, ℰ 04 50 52 35 35, *hiannecy@aol.com*
Fax 04 50 52 35 00, 🛁 – 📱 ✕ ▤ ☑ ◟ ᕈ ⇌ – 🕰 25 à 80. 🇦🇪 ⓞ 🇬🇧 🇯🇨🇧   BV
Repas *(fermé lundi midi, sam. soir et lundi)* 14/27 ♀, enf. 7 – ⌂ 9 – **134 ch** 77/85

Marquisats ⬙ sans rest, 6 chemin Colmyr, ℰ 04 50 51 52 34, *marquisats@wanadoo.fr*
Fax 04 50 51 89 42 – 📱 ☑ ◟ 🄿. 🇦🇪 ⓞ 🇬🇧. ✕   CV
⌂ 10 – **22 ch** 60/95

ANNECY

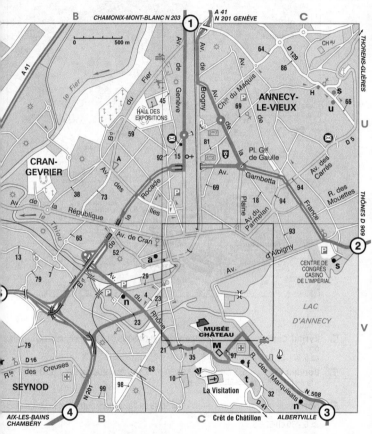

🏨 **Relais Mercure** Ⓜ sans rest, 26 r. Vaugelas ℘ 04 50 45 59 80, *h2812-gm@accor-hotels.com*, Fax 04 50 45 21 99 – 📶 ❄️ 🔲 📺 📞 ⅍ 🆎 ☒
  ⊊ 9,50 – **39 ch** 73/83
  DY a

🏨 **Allobroges Tulip Inn** sans rest, 11 r. Sommeiller ℘ 04 50 45 03 11, *allobrogeshotel.tulip inn@wanadoo.fr*, Fax 04 50 51 88 32 – 📶 cuisinette 📺 ℗ – ⅍ 30. 🆎 ① ☒
  ⊊ 10,40 – **50 ch** 85/138
  DY n

🏨 **Flamboyant** sans rest, 52 r. Mouettes CU à Annecy-le-Vieux ✉ 74940 ℘ 04 50 23 61 69, *leflamboyant@infonie.fr*, Fax 04 50 23 05 03 – cuisinette ▤ 📺 📞 ⇌ ℗. 🆎 ① ☒
  ⊜ᴄʙ
  ⊊ 10 – **30 ch** 56/155

🏨 **Palais de l'Isle** Ⓜ sans rest, 13 r. Perrière ℘ 04 50 45 86 87, *palisle@wanadoo.fr*, Fax 04 50 51 87 15 – 📶 📺 📞 🆎 ☒
  ⊊ 8,50 – **26 ch** 65/88
  EY u

ANNECY

Chambéry (Av. de) . . . DY 23
Chappuis (Q. Eustache) EY 26
Filaterie (R.) . . . . EY 43
Grenette (R.) . . . . EY 51
Hôtel-de-Ville (Pl.) . . . . EY 53
Jean-Jacques-Rousseau (R.). . . . . . . DY 55
Lac (R. du) . . . . EY 57
Libération (Pl. de la) . . . EY 61
Pâquier (R. du) . . . . EY 71
Perrière (R.) . . . . EY 75
Pont-Morens (R. du) . . . EY 76
Poste (R. de la) . . . . DY 77
République (R.) . . . . DY 83
Royale (R.) . . . . DY 85
St-François-de-Sales (Pl.) . . . . EY 87
St-François-de-Sales (R.). . . . . DY 89
Ste-Claire (Fg et R.) . . . DY 91
Tour-la-Reine (Ch.). . . . . EY 95

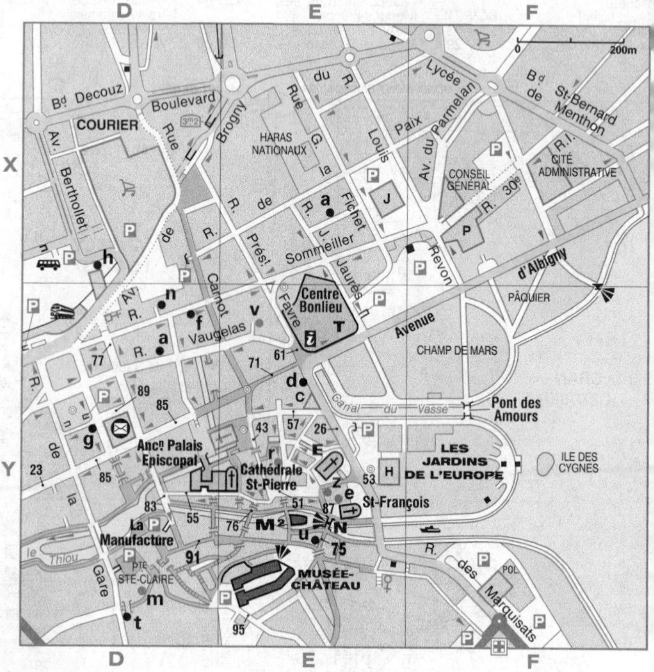

Kyriad Centre sans rest, 1 fg Balmettes ✆ 04 50 45 04 12, *annecy.hotel.kyriad@wanadoo.fr, Fax 04 50 45 90 92* – TV ✆. GB. ⚘ — DY
☕ 6,10 – **24 ch** 50/56

Bonlieu M sans rest, 5 r. Bonlieu ✆ 04 50 45 17 16, *hbonlieu@noos.fr, Fax 04 50 45 11 4* – ▐ ▤ TV ✆ P – 🏟 25. AE ⓓ GB JCB — EX
☕ 8 – **35 ch** 66/81

Nord sans rest, 24 r. Sommeiller ✆ 04 50 45 08 78, *annecy.hotel.du.nord@wanadoo.f Fax 04 50 51 22 04* – ▐ TV. AE GB. ⚘ — DY
☕ 6 – **30 ch** 52/56

Les Terrasses, 15 r. L. Chaumontel ✆ 04 50 57 08 98, *lesterrasses@wanadoo.f Fax 04 50 57 05 28,* ☂, ⛱ – ▐ TV ✆ P. GB. ⚘ rest — BV
Repas *(fermé 7 déc. au 5 janv., sam. et dim. sauf juil.-août)* (10) - 13 ♀, enf. 7,50 – ☕ 6,50 20 ch 46/59 – 1/2 P 48

Clos des Sens (Petit), 13 r. J. Mermoz à Annecy-le-Vieux par av. France et rt Thônes ✉ 74940 ✆ 04 50 23 07 90, *clos-des-sens@wanadoo.fr, Fax 04 50 66 56 54,* ☂ AE ⓓ GB — CU
fermé 8 au 27 sept., 2 au 14 janv., dim. soir sauf juil.-août, mardi midi et lundi – **Repas** (déj.), 38/60 et carte 50 à 65 ♀, enf. 15
Spéc. "Haché-menu" de féra (fév. à sept.). Omble chevalier "lait battu thym-citron". Caïc des Bauges, coulant de polenta. **Vins** Chignin-Bergeron, Mondeuse d'Arbin.

Ciboulette, 10 r. Vaugelas - cour du Pré Carré ✆ 04 50 45 74 57, *georges.paccard@wanadoo.fr, Fax 04 50 45 76 75,* ☂ – GB — EY
fermé 1er au 25 juil., dim. et lundi sauf fériés – **Repas** 24/45 et carte 42 à 58

XXX   **L'Atelier Gourmand** (Leloup), 2 r. St-Maurice 📞 04 50 51 19 71, *Fax 04 50 51 36 48*, 😋
❀   – 🅰🅴 ⓞ 🈁   EY   **z**
fermé 27 août au 4 sept., 1ᵉʳ au 7 janv., dim. et lundi
Repas 31/71 et carte 66 à 90
Spéc. Lasagne de fruits de mer à l'encre de seiche. Filet de féra rôti et cromesquis de
beaufort (mi-fév. à mi-oct.). Bonbon de reblochon au cumin **Vins** Chignin-Bergeron,
Mondeuse d'Arbin.

XX   **Auberge de Savoie**, 1 pl. St-François-de-Sales 📞 04 50 45 03 05, *Fax 04 50 51 18 28*,
😋 – 🅰🅴 🈁   EY   **e**
fermé 8 au 17 avril, 18 oct. au 6 nov., 1ᵉʳ au 10 janv., mardi et merc. sauf juil.-août – **Repas** -
produits de la mer - 23/45 😋

XX   **Belvédère** avec ch, rte Semnoz Sud-Est : 2 km par r. Marquisat 📞 04 50 45 04 90, *info@*
belvedere.com, Fax 04 50 45 67 25, < Annecy et lac, 😋 – 📺 📞 🅿 🅰🅴 ⓞ 🈁   CV   **t**
hôtel : fermé 26 au 30 déc. et 2 janv. au 31 mars
Repas *(fermé 2 janv. au 20 fév., mardi soir et merc. sauf juil.-août et dim. soir)* 21 (déj.),
30/50 😋, enf. 12,20 – ☲ 8,40 – **5 ch** 122

XX   **Brasserie St-Maurice**, 7 r. Collège Chapuisien 📞 04 50 51 24 49, *stmau@noos.fr*,
Fax 04 56 72 45 69, 😋 – 🈁   EY   **r**
fermé dim. – **Repas** 22/50 😋

XX   **Pré de la Danse**, 16 r. J. Mermoz à Annecy-le-Vieux, par av. France et rte Thônes
✉ 74940 📞 04 50 23 70 41, *Fax 04 50 09 90 83*, 😋 – 🅿. 🈁   CU   **s**
fermé vacances de Pâques, dim. soir, merc. soir et lundi – **Repas** 13,70 (déj.), 22,10/37,80 😋,
enf. 8,38

XX   **Bilboquet**, 14 fg Ste-Claire 📞 04 50 45 21 68, *Fax 04 50 45 21 68* – 🅰🅴 🈁   DY   **m**
fermé 1ᵉʳ au 15 juil., dim. soir sauf juil.-août et lundi
Repas 14,48 (déj.), 19,06/36,59 😋

Chavoires *par ② : 4,5 km – ✉ 74290 Veyrier*

🏨   **Demeure de Chavoire** sans rest, 71 rte Annecy 📞 04 50 60 04 38, *demeure.chavoire@*
wanadoo.fr, Fax 04 50 60 05 36, <, « Élégante installation » – 📺 📞 🅿 🅰🅴 ⓞ 🈁 🇯🇨🇧
fermé 10 au 24 nov. – ☲ 14 – **10 ch** 135/185, 3 appart

Veyrier-du-Lac *par ② : 5,5 km – 2 063 h. alt. 504 – ✉ 74290.*

🅱 *Office du tourisme Rue de la Tournette 📞 04 50 60 22 71, Fax 04 50 60 00 90,*
veyrierdulactourism@wanadoo.fr.

XXXX   **Auberge de l'Éridan** (Veyrat) Ⓜ 😊 avec ch, 13 Vieille rte des Pensières
❀❀❀   📞 04 50 60 24 00, *contact@marcveyrat.fr, Fax 04 50 60 23 63,* < lac, 😋, 🌿 – 🔆 🈁 📺 📞
    🕙 🚗 🅿. 🅰🅴 ⓞ 🈁
mi-fin oct. et fermé mardi sauf le soir en juil.-août, merc. midi, jeudi midi et lundi –
Repas 145/228 et carte 190 à 240 – ☲ 42 – **12 ch** 404/603
Spéc. ''Tapas'' en folie, ravioles de chénopodes, cacao, berce. Perche du lac, infusion de
sapin, écume de sève, arôme de cannelle. Soufflé de cresson, galette de yaourt épicée,
sorbet de bourbon. **Vins** Chignin-Bergeron, Mondeuse d'Arbin.

rte du Semnoz *Sud-Est : 3,5 km par D 41 CV et rte forestière – ✉ 74000 Annecy :*

X   **Super Panorama** 😊 avec ch, 📞 04 50 45 34 86, < lac et montagnes, 😋, 🌿 – 🈁.
    🐾 ch
fermé 30 déc. au 5 fév., lundi soir et mardi – **Repas** 16,77/25,92 🍷 – ☲ 7,62 – **5 ch** 35,06

rte de Chambéry *et D 16 : 3 km – ✉ 74960 Cran-Gevrier :*

🏢   **Kyriad**, 72 rte des Creuzes 📞 04 50 69 31 03, *Fax 04 50 69 14 38*, 😋 – 🔆 ↖, 🔲 ch, 📺 📞
    🕙 🅿 – 🕮 25. 🅰🅴 ⓞ 🈁   BV   **r**
Repas 15/17 🍷, enf. 7,30 – ☲ 6,50 – **53 ch** 54/57

à Seynod *par ④ : 1 km – 16 365 h. alt. 577 – ✉ 74600 :*

🏨   **Mercure** Ⓜ, N 201 📞 04 50 52 09 66, *h0340@accor-hotels.com, Fax 04 50 69 29 32*, 😋,
    🏊, 🌿 – 📺 📞 🕙 🅿 – 🕮 100. 🅰🅴 ⓞ 🈁 🇯🇨🇧
Repas *(fermé dim. midi et sam.)* (12,40) - 15,80/20 😋, enf. 9,15 – ☲ 11 – **67 ch** 74/85

Pleasant hotels and restaurants
are shown in the Guide by a red sign.
Please send us the names
of any where you have enjoyed your stay.
Your **Michelin Red Guide** will be even better.

ANNEMASSE 74100 H.-Savoie **74** ⑥ – 27 253 h alt. 432 – Casino Grand Casino.

🖪 *Office du tourisme Rue de la Gare* ℘ 04 50 95 07 10, Fax 04 50 37 11 71, ot.an.
masse@mairie-annemasse.fr.

Paris 540 ③ – Annecy 50 ③ – Thonon-les-Bains 31 ① – Bonneville 21 ③ – Genève 8 ③.

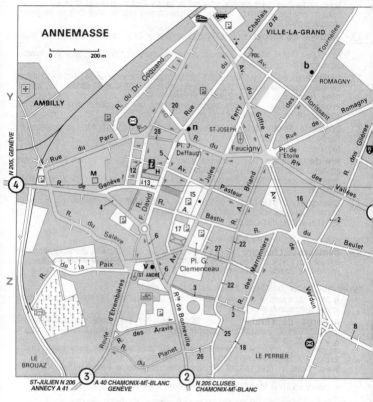

Alsace-Lorraine (Av. d') . . . . . . **Z** 2	Gare (R. de la) . . . . **Y** 12	Mont-Blanc (R. du) . . . . **Y** 2
Château-Rouge (R. du) . . . . . . **Z** 3	Hôtel-de-Ville (Pl. de l') . . . . . **Y** 13	Petit-Malbrande
Clos-Fleury (R. du) . . . . . . **Z** 4	Libération (Pl. de la) . . . . . . **Z** 15	(R. du) . . . . **Z** 2
Commerce (R. du) . . . . **Y** 5	Malbrande (R. de) . . . . **Z** 16	Saget (R. du) . . . . **Z** 2
Courriard (R. M.) . . . . **Z** 6	Marché-de-Gros (Pl. du) . . . **Z** 17	Vaillat (R. L.) . . . . **Z** 2
Dusonchet (R. Ph.) . . . . **Z** 8	Massenet (R.) . . . . **Z** 18	Voirons (R. des) . . . . **Y** 2

🏨🏨 **Mercure** 🅼, par ③ *et rte Gaillard* ⊠ 74240 Gaillard ℘ 04 50 92 05 25, h0343@acco.
hotels.com, Fax 04 50 87 14 57, 🏖, 🔟, ☞ – 🛗 ⇔ 🔟 📺 📞 ⅙ 🅿 – 🔬 70. 🄰🄴 ⓸ 🄶🄱
Repas 20/25 ♈, enf. 11 – ☲ 11 – **78 ch** 86/95

🏨 **St-André** 🅼 *sans rest*, 20 r. M. Courriard ℘ 04 50 84 07 00, hotel-saint-andre@wanadc
.fr, Fax 04 50 84 36 22 – 🛗 ⇔ 🔟 📞 ⅙ ⇔ 🅿 – 🔬 180. 🄰🄴 ⓸ 🄶🄱
☲ 6,50 – **44 ch** 43/55   Z

🏨 **Arc-en-Ciel** *sans rest*, 21 r. Tournelles (à Ville-la-Grand) ℘ 04 50 92 66 00
Fax 04 50 87 06 88 – 🛗 ⇔ 🔟 – 🔬 25. 🄰🄴 ⓸ 🄶🄱
☲ 6,86 – **40 ch** 51,85/73,20   Y

🏨 **National** *sans rest*, 10 pl. J. Deffaugt ℘ 04 50 92 06 44, Fax 04 50 87 07 45 – 🛗 🅿. 🄰🄴 ⓒ
🄶🄱
☲ 6,50 – **44 ch** 38/58   Y

à La Bergue *Est : 6 km par* ①, D 907 et D 183 – ⊠ 74380 Cranves-Sales :

🍴 **Pergola**, ℘ 04 50 39 30 27, Fax 04 50 36 76 43, 🏖 – 🅿. 🄶🄱
fermé 26 août au 19 sept., 3 au 20 fév., lundi et mardi – **Repas** 16,80/33,60 🕯

ANNONAY 07100 Ardèche **77** ① G. Vallée du Rhône – 17 522 h alt. 350.

🛈 Office du tourisme Place des Cordeliers ℰ 04 75 33 24 51, Fax 04 75 32 47 79, Annonay Tour@inforoutes-ardeche.fr.

Paris 535 ① – St-Étienne 43 ④ – Valence 56 ① – Yssingeaux 58 ③.

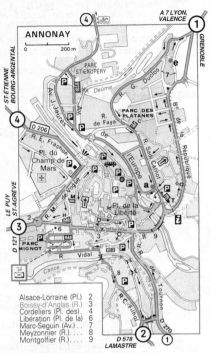

Alsace-Lorraine (Pl.) 2
Boissy-d'Anglas (R.) 3
Cordeliers (Pl. des) 4
Libération (Pl. de la) 6
Marc-Seguin (Av.) 7
Meyzonnier (R.). . . . 8
Montgolfier (R.). . . . 9

XX **Marc et Christine,** 29 av. Marc Seguin (e) ℰ 04 75 33 46 97, Fax 04 75 32 30 00, 😤 – GB
fermé 19 août au 2 sept., 24 fév. au 11 mars, dim. soir et lundi – Repas 17/40 ♀, enf. 11 **Patio** ℰ 04 75 32 33 34 (fermé 4 au 19 sept., mardi soir et merc.) Repas (15)-17,50bc/22 ♀, enf. 49

XX **Halle,** 17 pl. des Cordeliers (a) ℰ 04 75 32 04 62, Fax 04 75 32 04 62 – ஊ GB
fermé 19 août au 4 sept., 24 au 28 fév., dim. soir et lundi – Repas 13,50/35,50 ♀, enf. 7

u Golf de Gourdan par ① et N 82 (rte St-Étienne) : 6,5 km – ⬛ 07430 Annonay :

🏛 **D'Ay** Ⓜ ⌂, ℰ 04 75 67 01 00, hotel.ay@free.fr, Fax 04 75 67 07 38 – 📶, ☰ ch, 📺 ๕. ⬛ – ☰ 40. ஊ GB
Repas (10,50) -15/30,30 ♦ – ☲ 7 – **33 ch** 48/95 – ½ P 44/58,50

Davézieux par ① : 5 km sur D 82 – 2 629 h. alt. 440 – ⬛ 07430 .
Voir Safari-parc★ de Peaugres NE : 3 km.

🏛 **Don Quichotte et Siesta,** rte Valence ℰ 04 75 33 07 90, Fax 04 75 67 57 19, 😤, 🏊, ✗ – 📶 📺 ⬛ – ☰ 40. ஊ ① GB
Repas (fermé dim. soir d'oct. à mars) 15,25/41,16, enf. 9,15 – ☲ 6,86 – **50 ch** 39/61 – ½ P 46

ANNOT 04240 Alpes-de-H.-P. **81** ⑱, **115** ⑫ G. Alpes du Sud – 988 h alt. 708.
Voir Vieille ville★ – Clue de Rouaine★ S : 4 km.
🛈 Office du tourisme Boulevard Saint-Pierre ℰ 04 92 83 23 03, Fax 04 92 83 32 82, annot.mairie@wanadoo.fr.
Paris 817 – Digne-les-Bains 71 – Castellane 31 – Manosque 111.

🏛 **Avenue,** ℰ 04 92 83 22 07, Fax 04 92 83 33 13 – 📺 ๕. GB, ✗ rest
1ᵉʳ avril-1ᵉʳ nov. – Repas (fermé vend. midi) 14/22 – ☲ 6 – **11 ch** 52/61, (en été : ½ pens. seul.) – ½ P 46/52

ANOST 71550 S.-et-L. **69** ⑦ G. Bourgogne – 679 h alt. 454.
Paris 273 – Autun 24 – Château-Chinon 20 – Mâcon 137 – Montsauche 19.

X **Galvache,** ℰ 03 85 82 70 88, Fax 03 85 82 79 62, 😤 – GB
Pâques-11 nov. et fermé lundi hors saison – Repas 12 (déj.), 14/31 ♀

Write us...

If you have any comments on the contents of this Guide.

Your praise as well as your criticisms will receive careful consideration and, with your assistance, we will be able to add to our stock of information and, where necessary, amend our judgments.

Thank you in advance!

ANSE 69480 Rhône **74** ①, **110** ③ – 4 744 h alt. 170.

🛈 Office du tourisme Place du 8 Mai 1945 ℰ 04 74 60 26 16, Fax 04 74 67 29 74.
Paris 437 – Lyon 30 – Bourg-en-Bresse 57 – Mâcon 51 – Villefranche-sur-Saône 7.

🏨 **St-Romain** ⌂, rte Graves ℰ 04 74 60 24 46, hotel-saint-romain@wanadoo.
Fax 04 74 67 12 85, 佘, ℿ – 🔟 📞 🄿 – 🕭 20. 🖭 ⓪ 🖼 🄵🄲🄱
fermé 25 nov. au 5 déc. et dim. soir du 3 nov. au 28 avril – Repas 15,25/43,45 ₰, enf. 12,96
立 5,64 – **24 ch** 37,35/50,61 – ½ P 39,94/85,37

à Lachassagne Sud-Ouest : 4 km par D 39 – 769 h. alt. 368 – ⌧ 69480 :

🍴🍴 **Paul Clavel**, ℰ 04 74 67 14 99, Fax 04 74 67 14 99, 佘, « Terrasse avec ≤ les vignes »
🄿, 🖼
fermé 29 juil. au 24 août, dim. soir, lundi et mardi sauf fériés – Repas 14 (déj.), 19/45

ANTHY-SUR-LÉMAN 74 H.-Savoie **70** ⑰ – rattaché à Thonon-les-Bains.

In this Guide,

*a symbol or a character, printed in **black** or another colour*
*in light or **bold** type,*
does not have the same meaning.

Please read the explanatory pages carefully.

ANTIBES 06600 Alpes-Mar. **84** ⑨, **115** ㉟ ㊵ G. Côte d'Azur – 72 412 h alt. 2 – Casino "la Siest.
bord de mer par ①.
Voir Vieille ville⋆ : Promenade Amiral-de-Grasse ≤⋆ – Château Grimaldi (Déposition c
Croix⋆, Musée donation Picasso⋆) – Musée Peynet et de la Caricature⋆ DX M² – Marin
land⋆ 4 km par ①.
🛈 Office du tourisme 11 place de Gaulle ℰ 04 92 90 53 00, Fax 04 92 90 53 01, accueil@ar
bes-juanlespins.com.
Paris 917 ③ – Cannes 12 ② – Aix-en-Provence 160 ③ – Nice 20 ①.

Plans pages suivantes

🏨 **Mas Djoliba** ⌂, 29 av. Provence ℰ 04 93 34 02 48, hotel.djoliba@wanadoo.f
Fax 04 93 34 05 81, 佘, « Villa 1920 dans un jardin », ⌁, 🛋 – 🔟 📞 🄿. 🖭 ⓪ 🖼 🄵🄲🄸
⋇ ch   CY
1ᵉʳ fév.-30 oct. – Repas (1ᵉʳ mai-30 sept.) ½ P 68/88 (dîner seul.)(résidents seul.) 22, enf. 1
– 立 8,50 – **13 ch** 79/114

🏨 **Josse** sans rest, 8 bd James Wyllie ℰ 04 92 93 38 38, hoteljosse@aol.con
Fax 04 92 93 38 39, ≤ mer – 🗏 🔟 📞 🚗. 🖭 ⓪ 🖼   BU
立 9,14 – **26 ch** 129,58

🏨 **Petit Castel** sans rest, 22 chemin des Sables ℰ 04 93 61 59 37, info@hotel-pcastel.con
Fax 04 93 67 51 28 – 🗏 🔟 📞. 🖭 ⓪ 🖼 🄵🄲🄱   BU
立 8 – **16 ch** 82/90

🍴 **Ponteil** ⌂, 11 impasse Jean Mensier ℰ 04 93 34 67 92, Fax 04 93 34 49 47, 佘, 🛋 – 🔟
📞 🄿. 🖭 🖼   CY
fermé 20 nov. au 27 déc. et 8 janv. au 7 fév. – Repas (dîner seul.)(résidents seul.) – 立 7
14 ch 50,40/79,30 – ½ P 48,80/64,10

🍴🍴 **Jarre**, 14 r. St-Esprit ℰ 04 93 34 50 12, Fax 04 93 34 50 12, 佘, « Patio ombragé » – 🄿
🖼   DX
1ᵉʳ avril-15 oct. – Repas (dîner seul.)(nombre de couverts limité, prévenir) carte 38 à 58

🍴🍴 **Oscar's**, 8 r. Rostan ℰ 04 93 34 90 14, Fax 04 93 34 90 14 – 🗏. 🖭 🖼   DX
fermé 1ᵉʳ au 15 août, 20 déc. au 5 janv., dim. soir, mardi midi et lundi – Repas (nombre d
couverts limité, prévenir) 19,51 ℤ

🍴 **Sucrier**, 6 r. Bains ℰ 04 93 34 85 40, Fax 04 93 34 85 40, 佘 – 🖭 🖼   DY
fermé 11 au 19 nov., 8 janv. au 4 fév. et mardi – Repas (dîner seul. sauf dim.) 21,50/38,5(
enf. 8

🍴 **Romantic**, 5 r. Dr Rostan ℰ 04 93 34 59 39, gicordier@aol.com, Fax 04 93 34 59 39 – 🗏
🖭 🖼   DX
fermé 10 au 27 déc., le midi en juil.-août sauf dim., merc. sauf le soir d'avril à sept. et mar
– Repas 23/32

🍴 **Marquis**, 4 r. Sade ℰ 04 93 34 23 00, Fax 04 93 34 23 00 – 🖭 🖼   DX
fermé 18 au 25 juin, 12 nov. au 3 déc., mardi midi et lundi – Repas 15/32 ℤ

🍴 **L'Oursin**, 16 r. République ℰ 04 93 34 13 46, 佘 – 🗏. 🖼   CX
fermé 24/02 au 2/03, sam. midi, lundi midi et dim. en juil.-août, mardi soir, dim. soir et lunc
hors saison – Repas - produits de la mer - 17, enf. 7,50

ANTIBES

Flèche noire
Sens unique en saison

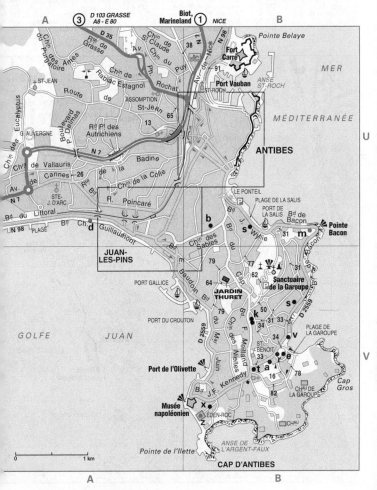

te de Nice *par* ① *et N 7 –* ⊠ *06600 Antibes :*

Chrys Hôtel sans rest, chemin de la Parouquine ℰ 04 92 91 70 20, *chrys-hotel@chrys-hotel.com, Fax 04 92 91 70 21,* ⬛, ⬚ – ▤ 📺 📞 🅰 🚗 🅿 – 🔺 20. 🆎 ➊ ☒ 🏧.
⬚
⬚ 8,50 – **27 ch** 88/103

Bleu Marine sans rest, 2,5 km chemin des 4 Chemins (près hôpital) ℰ 04 93 74 84 84, *Fax 04 93 95 90 26 –* 🔳 📺 📞 🅿 🆎 ➊ ☒. ⬚
⬚ 6 – **18 ch** 51/60

Bonne Auberge, à 4 km ℰ 04 93 33 36 65, Fax 04 93 33 48 52, ☆ – ▤ 🅿 ☒
fermé 20 nov. au 10 déc., dim. soir d'oct. à mars et lundi sauf le soir du 15 juil. au 31 août –
Repas 36/66 ☒

167

ANTIBES

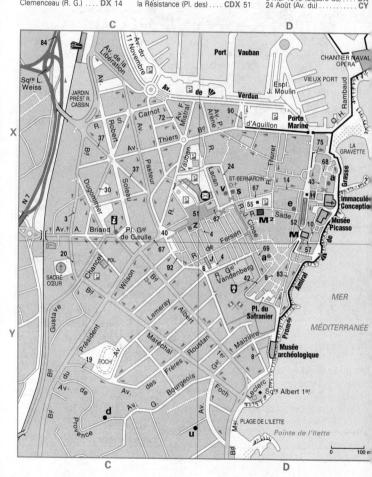

par ③ rte de Grasse : 4,5 km – ⊠ 06600 Antibes :

Apogia, 87 allée Belle-Vue (près accès autoroute) ℘ 04 93 74 46 36, apogiaantibes@
libertysurf.fr, Fax 04 93 74 53 04, 斎, ⊥, ≉, ✗ – 劇, ☰ ch, ⊡ ⊻ Ⴑ ₽ – 益 30. ጨ ◑ ⅌
JCB
fermé le midi du 3 au 25 août, sam. et dim. (sauf hôtel) – **Repas** (fermé le midi du 3 à
25 avril, sam. et dim.) 21,35 ⅊ – ⊊ 10 – **75 ch** 105

Kyriad M, 2067 chemin de St-Claude (près centre commercial Carrefou
℘ 04 93 33 34 50, kyriad.antibes@wanadoo.fr, Fax 04 93 74 11 61, 斎 – 劇 ❉ ☰ ⊡ ⊻
⇔ – 益 30. ጨ ㎾. ✸ rest
Repas (fermé sam. et dim. hors saison) (dîner seul.) (11) - 14/21,50 bc ⅊, enf. 6 – ⊊ 6 – **87 c**
60/70

p d'Antibes – ⊠ 06160 Juan-les-Pins.

Voir *Plateau de la Garoupe* ✳✳★★ – *Jardin Thuret*★ F – ≤★ *Pointe Bacon* – ≤★ *de la plate-forme du bastion (musée naval)* Z **M.**

🏛 **Cap** ⧉, bd Kennedy 𝒫 04 93 61 39 01, *edenroc-hotel@wanadoo.fr*, Fax 04 93 67 76 04, ≤ littoral et massif de l'Esterel, « Grand parc fleuri face à la mer », ℱ₅, 𝔍, 🐾, ℛ, 🐾 – 🛗,
🍽 ch, ❤ ☎ – 🛗 200. ✳
BV x
12 avril-mi oct. – **Repas** voir rest **Eden Roc** ci-après – ⊇ 23 – **123 ch** 420/1100, 10 appart

🏛 **Impérial Garoupe** M ⧉, 770 chemin Garoupe 𝒫 04 92 93 31 61, *cap@hotelimperial garoupe.com*, Fax 04 92 93 31 62, 🏠, 𝔍, 🐾, 🌳 – 🛗 🖸 📺 ❤ 🔥 ☎ 🅿 – 🛗 25. 🆎 ⓪
GB, ✳ rest
BV r
28 mars-31 oct. – **Repas** *(fermé merc. sauf 1er juil. au 15 sept.)* 41,92/50,31 – ⊇ 19,82 –
30 ch 518/549, 4 appart – ½ P 259/274,50

🏛 **Don César** M, 46 bd Garoupe 𝒫 04 93 67 15 30, *hotel.don.cesar@wanadoo.fr*,
Fax 04 93 67 18 25, ≤, 🏠, 𝔍, 🐾 – 🛗 🖸 📺 ❤ 🔥 ☎ – 🛗 20. 🆎 ⓪ **GB**. ✳ BV s
hôtel : 18 fév.-30 nov. ; rest. : 1er avril-31 oct. et fermé mardi midi et lundi – **Repas** 32 ℤ,
enf. 15,23 – ⊇ 14 – **21 ch** 305/455

🏛 **Baie Dorée** M ⧉, 579 bd Garoupe 𝒫 04 93 67 30 67, *baiedore@club-internet.fr*,
Fax 04 92 93 76 39, ≤ mer, 🏠, 🐾 – 🖸 📺 ❤ ☎. 🆎 **GB**. ✳ rest BV v
hôtel: fermé 10 nov. au 20 déc. ; rest. : 28 mars-30 nov. et fermé mardi et merc. hors saison
– **Repas** 35 *(déj.)*/53,36 – ⊇ 15,50 – **17 ch** 260/336

🏛 **Garoupe et Gardiole** M, 60 chemin Garoupe 𝒫 04 92 93 33 33, *info@hotel-lagaroupe-gardiole.com*, Fax 04 93 67 61 87, 🏠, 𝔍 – 🖸 📺 ❤ 🔥 🅿. ✳ ch BV k
fin mars-fin oct. – **Repas** *(Pâques-fin sept.)* *(dîner seul.)* 26 ℤ, enf. 11 – ⊇ 10 – **37 ch**
110/145 – ½ P 75/102,50

🏛 **Levant** ⧉ sans rest, à la Garoupe, chemin plage 𝒫 04 92 93 72 99, Fax 04 92 93 72 60, ≤,
🐾 – 🖸 📺 ❤ 🅿. 🆎 **GB**. ✳ BV e
26 avril-29 sept. – ⊇ 8 – **25 ch** 102/170

🏛 **Castel Garoupe** ⧉ sans rest, 959 bd la Garoupe 𝒫 04 93 61 36 51, *castel-garoupe@
wanadoo.fr*, Fax 04 93 67 74 88, 𝔍, 🌳, ℛ – cuisinette 📺 ❤ 🅿. 🆎 **GB**. ✳ BV a
10 mars-5 nov. – ⊇ 11 – **22 ch** 122/139, 5 studios

🏛 **Beau Site** sans rest, 141 bd Kennedy 𝒫 04 93 61 53 43, *hbeausit@club-internet.fr*,
Fax 04 93 67 78 16, 𝔍 – 📺 ❤ 🔥 🅿. 🆎 ⓪ **GB**. ✳ BV t
15 fév.-20 oct. – ⊇ 11,43 – **29 ch** 57,93/106,71

🍴🍴🍴🍴 **Eden Roc** – Hôtel du Cap, bd Kennedy 𝒫 04 93 61 39 01, *edenroc-hotel@wanadoo.fr*,
Fax 04 93 67 76 04, ≤ littoral et les îles, 🏠, « Isolé sur un roc, en bordure de mer » – 🖸 🅿.
✳ BV z
12 avril-mi-oct. – **Repas** carte 57 à 138

🍴🍴🍴 **Bacon**, bd Bacon 𝒫 04 93 61 50 02, *restaurantdebacon@libertysurf.fr*,
😊 Fax 04 93 61 65 19, ≤ Antibes et baie des Anges, 🏠 – 🖸 🅿. 🆎 ⓪ **GB**. ✳ BU m
1er fév.-31 oct. et fermé mardi midi et lundi – **Repas** - produits de la mer - *(dîner à la carte en
juil.-août)* 42,70 *(déj.)*/68,60 et carte 85 à 145 ℤ
Spéc. Bouillabaisse. Fricassée de rougets tièdes à l'estragon. Chapon en papillote *(saison)*.
Vins Bellet, Côtes de Provence.

NTILLY 60620 Oise 🗖🗖 ⑬ – 313 h alt. 90.
Paris 69 – Compiègne 37 – Beauvais 90 – Meaux 28 – Senlis 34 – Soissons 46.

⛲ **Poivre et Sel**, 19 r. Château 𝒫 03 44 87 88 20, Fax 03 44 87 88 29, 🏠 – 📺 ❤ 🔥. 🆎 **GB**
fermé dim. soir et merc. – **Repas** 14,95 *(déj.)*, 20,58/30,50, enf. 9,80 – ⊇ 6,10 – **7 ch**
45,70/53,35 – ½ P 49

NTONNE-ET-TRIGONANT 24 Dordogne 🗖🗖 ⑥ – rattaché à Périgueux.

NTONY 92 Hauts-de-Seine 🗖🗖 ⑩, 🗖🗖🗖 ㉕ – Voir à Paris, Environs.

Participez à notre effort permanent
de mise à jour

Adressez-nous vos remarques
et vos suggestions.

Cartes et Guides Michelin
46 avenue de Breteuil - 75324 Paris Cedex 07

ANTRAIGUES-SUR-VOLANE 07530 Ardèche 🗗🗗 ⑲ G. Vallée du Rhône – 498 h alt. 470.
🖪 Syndicat d'initiative Place de la Résistance ℘ 04 75 88 23 06, Fax 04 75 88 26 25.
Paris 644 – Le Puy-en-Velay 75 – Aubenas 14 – Lamastre 59 – Langogne 67 – Privas 41.

✗ **Remise**, au pont de l'Huile, ℘ 04 75 38 70 74, cadre rustique – 🅿. ✖
fermé 24 juin au 3 juil., 16 déc. au 8 janv., dim. soir et vend. sauf juil.-août – Repas 19/31

ANZIN-ST-AUBIN 62 P.-de-C. 🗗🗗 ② – rattaché à Arras.

AOSTE 38490 Isère 🗗🗗 ⑭ G. Alpes du Nord – 1 715 h alt. 221.
Paris 515 – Grenoble 56 – Belley 25 – Chambéry 34 – Lyon 71.

à la Gare de l'Est Nord-Est : 2 km sur N 516 – ✉ 38490 Aoste :

🏨 **Vieille Maison**, ℘ 04 76 31 60 15, Fax 04 76 31 69 75, 🌤, 🔲, 🐎 – 🅣🆅 🅿. 🆎 🇬🇧
fermé 9 sept. au 7 oct. et 23 déc. au 3 – Repas (fermé dim. soir, jeudi midi et merc.) 18/-
enf. 11 – ☲ 6,60 – **17 ch** 46/50 – ½ P 47/49

✗✗ **Au Coq en Velours** avec ch, ℘ 04 76 31 60 04, Fax 04 76 31 77 55, 🌤, « Jardin fleuri
🐎 – 🅣🆅 🚗 🅿. 🆎 🇬🇧
fermé 1er au 22 janv., jeudi soir(sauf hôtel) dim. soir et lundi – Repas 18,30 (déj.), 24,40/51,
– ☲ 6,85 – **7 ch** 50,50/55

APPOIGNY 89380 Yonne 🗗🗗 ⑤ G. Bourgogne – 2 991 h alt. 110.
🖪 Syndicat d'initiative Rue Châtel Bourgeois ℘ 03 86 53 20 90.
Paris 163 – Auxerre 11 – Joigny 18 – St-Florentin 27.

✗✗ **Auberge Les Rouliers**, N 6 ℘ 03 86 53 20 09, contact@les-rouliers.co.
🇬🇧 Fax 03 86 53 02 61, 🌤 – 🅿. 🆎 🇬🇧
fermé 1er au 15 janv., mardi soir, merc. soir et lundi sauf juil.-août – Repas (12,50) - 13,5
32,03 🍴

---

*Les pages explicatives de l'introduction
vous aideront à mieux profiter de votre* **Guide Rouge Michelin**

APREMONT 73190 Savoie 🗗🗗 ⑮ – 890 h alt. 330.
Env. Col de Granier : ≤★★ des terrasses du chalet-hôtel, SO : 14 km, G. Alpes du Nord.
Paris 571 – Grenoble 53 – Albertville 49 – Chambéry 9 – St-Jean-de-Maurienne 71.

✗ **St-Vincent**, ℘ 04 79 28 21 85, Fax 04 79 71 62 06, 🌤 – 🆎 🇬🇧
fermé 22 juin au 4 juil., vacances de Toussaint, de fév, dim. soir et merc. – Repas 12,50 (déj
23/40 ♀, enf. 8

APT ◀◐▶ 84400 Vaucluse 🗗🗗 ⑭, 🗗🗗🗗 ② G. Provence – 11 172 h alt. 250.
🖪 Syndicat d'Initiative 20 av. Philippe-de-Girard ℘ 04 90 74 03 18, Fax 04 90 04 64 3
tourisme@commune-apt-provence.org.
Paris 734 ③ – Digne-les-Bains 96 ① – Aix-en-Provence 56 ② – Avignon 54 ③.

✗✗ **Carré Gourmand**, pl. St-Martin ℘ 04 90 74 74 00, Fax 04 90 94 74 09, 🌤 – 🔳. 🆎 🇬🇧
fermé 17 nov. au 2 déc., 16 fév. au 3 mars, lundi midi et dim. – Repas 40,40 ♀
Plan page ci-contre

à Saignon Sud-Est : 4 km par D 48 – 994 h. alt. 450 – ✉ 84400 Apt :

🏨 **Auberge du Presbytère** 🌤, ℘ 04 90 74 11 50, auberge.presbytere@wanadoo.f
Fax 04 90 04 68 51, ≤, 🌤 – 🇬🇧
fermé 15 nov. au 15 fév., merc. (sauf hôtel) et jeudi midi – Repas (prévenir) 28,20, enf. 13
– ☲ 8,50 – **10 ch** 65/110 – ½ P 62,70/91,70

par ③ – ✉ 84400 Apt :

🏨 **Relais de Roquefure** 🌤, à 6 km par N 100 et rte secondaire ℘ 04 90 04 88 8
Fax 04 90 74 14 86, ≤, 🌤, 🔳, 🐎 – 🅿. 🇬🇧
fermé 15 déc. au 1er fév. – Repas (fermé mardi en hiver) (résidents seul.)(dîner seul. sau
dim.) 18/19 🍴 – ☲ 8 – **16 ch** 58/76 – ½ P 49,50/61

✗✗✗ **Bernard Mathys**, Le Chêne, 4,5 km par N 100 ℘ 04 90 04 84 64, Fax 04 90 74 69 78, 🌤
🐎 – 🅿. 🆎 🇬🇧
fermé mi-janv. à mi-fév., mardi et merc. – Repas 24,40/76,20 et carte 48 à 70 ♀, enf. 18,5

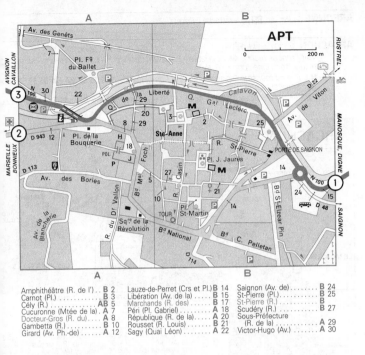

Amphithéâtre (R. de l') .. **B** 2
Carnot (Pl.) .... **B** 3
Cély (R.) .... **AB** 5
Cucuronne (Mtée de la) . **A** 7
Docteur-Gros (R. du) .... **B**
Gambetta (R.) .... **B** 10
Girard (Av. Ph.-de) ...... **A** 12

Lauze-de-Perret (Crs et Pl.) **B** 14
Libération (Av. de la) ..... **B** 15
Marchands (R. des) ...... **B** 17
Péri (Pl. Gabriel) .... **A** 18
République (R. de la) .... **A** 20
Rousset (R. Louis) .... **B** 21
Sagy (Quai Léon) .... **A** 22

Saignon (Av. de) .... **B** 24
St-Pierre (Pl.) .... **B** 25
St-Pierre (R.) .... **B**
Scudéry (R.) .... **B** 27
Sous-Préfecture
(R. de la) .... **A** 29
Victor-Hugo (Av.) .... **A** 30

Une réservation confirmée par écrit ou par fax est toujours plus sûre.

ARBOIS 39600 Jura **70** ④ G. Jura – 3 698 h alt. 350.

Voir *Maison paternelle de Pasteur★ – Reculée des Planches★★ et grottes des Planches★ E : 4,5 km par D 107 – Cirque du Fer à Cheval★★ S : 7 km par D 469 puis 15 mn – Église Saint-Just★.*

🛈 *Office du tourisme Rue de l'Hôtel de Ville & 03 84 66 55 50, Fax 03 84 66 25 50, otsi@arbois.com.*

Paris 394 – Besançon 47 – Dole 35 – Lons-le-Saunier 40 – Salins-les-Bains 14.

🏨🏨 ✿✿ Jean-Paul Jeunet Ⓜ, r. de l'Hôtel de Ville & 03 84 66 05 67, jeunet@receptionfrance. com, Fax 03 84 66 24 20 – 📳 📺 ⇔ – 🔏 40. 🖭 ⓞ 🖼
fermé déc., janv., mardi et merc. du 15 sept. au 30 juin – **Repas** 40/110 et carte 65 à 85 🏆, enf. 15 – ☑ 12,50 – **12 ch** 77/104
Spéc. Queues d'écrevisses à la rémoulade de céleri (été). Poulette de Bresse au Vin Jaune et morilles. Moelleux au chocolat et liqueur de sapin. **Vins** Arbois, Château-Chalon.

Annexe Le Prieuré 🏨🏨 ৯ sans rest,, 🛋 – 📺
☑ 12,50 – **6 ch** 69/79

🏨 Cépages Ⓜ, rte Villette-les-Arbois, & 03 84 66 25 25, contact@sylver-tours.com, Fax 03 84 37 49 62 – 📳, 🍴 rest, 📺 🕭 🅿. – 🔏 30. 🖭 ⓞ 🖼
Repas - buffet - (fermé vend., sam. et dim.) (dîner seul.) 18 🏆 – ☑ 8 – **33 ch** 50/59 – ½ P 46

🏨 Messageries sans rest, r. Courcelles & 03 84 66 15 45, hotel.lesmessageries@wanadoo .fr, Fax 03 84 37 41 09 – 📺 📞. 🖼
fermé déc. et janv. – ☑ 5,80 – **26 ch** 27/51

✕✕ Balance Mets et Vins, r. Courcelles & 03 84 37 45 00, Fax 03 84 66 14 55, 🏤 – 🖼
fermé 9 déc. au 30 janv., dim. soir et lundi (sauf du 14 juil. au 25 août et fériés) – **Repas** (13,70 bc) - 16,50/33,70 🏆, enf. 9

✕ Caveau d'Arbois, 3 rte Besançon & 03 84 66 10 70, contact@sylver-tours.com, Fax 03 84 37 49 62 – 📳 🅿. 🖭 ⓞ 🖼 ✎
fermé 4 au 26 nov., dim. soir et lundi d'oct. à avril – **Repas** (11 bc) - 14/29 🏆

✕ Finette - Taverne d'Arbois, 22 av. Pasteur & 03 84 66 06 78, Fax 03 84 66 08 82, 🏤 – 🍴 🅿. 🖭 🖼
Repas 14,94/45,43 🏆, enf. 7,47

171

ARCACHON 33120 Gironde 78 ② ⑫ G. Aquitaine – 11 454 h alt. 5 – Casino BZ.

Voir Front de mer★ : ⇐★ de la jetée – Boulevard de la Mer★ – La Ville d'Hiver★ – Musée de
maquette marine : port★ BZ **M**.

🛈 Office du tourisme Esplanade Georges Pompidou ℘ 05 57 52 97 97, Fax 05 57 52 97 .
tourisme@arcachon.com.

Paris 652 ① – Bordeaux 67 ① – Agen 197 ① – Bayonne 183 ① – Dax 146 ① – Royan 192 ①

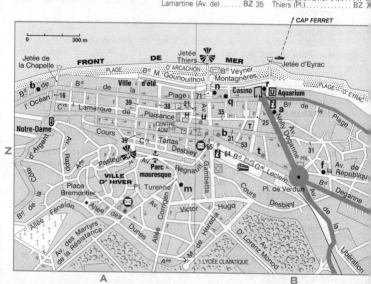

🏨 **Mercure** Ⓜ sans rest, 4 r. Prof. Jolyet ℘ 05 56 83 99 91, *hotel.mercure.arcachon@wana doo.fr*, Fax 05 56 83 87 92 – 📶 ✤ 🔲 📺 📞 ᐧ & 🅿️. 🝐 ① ⲅⲃ ᴊᴄʙ
BZ r
fermé 1ᵉʳ au 27 déc. – ⴢ 10 – **57** ch 89/209

🏨 **Point France** sans rest, 1 r. Grenier ℘ 05 56 83 46 74, *hotel.point.france@hotel.point. france.com*, Fax 05 56 22 53 24 – 📶 🔲 📺 📞 ᐧ ⇌. 🝐 ① ⲅⲃ ᴊᴄʙ
BZ q
1ᵉʳ mars-1ᵉʳ nov. – ⴢ 10 – **34** ch 100/150

🏨 **Grand Hôtel Richelieu** sans rest, 185 bd Plage ℘ 05 56 83 16 50, Fax 05 56 83 47 78, ⬍
– 🔲 📺 📞 ᐧ. 🝐 ① ⲅⲃ
BZ n
15 mars-2 nov. – ⴢ 9 – **43** ch 74/145

🏨 **Les Vagues** ⬍, 9 bd Océan ℘ 05 56 83 03 75, *info@hotel-les-vagues.com*,
Fax 05 56 83 77 16, ⬍, – 📶 📺 📞 🅿️. – 🛁 20 à 30. 🝐 ① ⲅⲃ. ⬚ rest AZ b
Repas *(30 mars-29 sept.)* 23/27 ⴢ – ⴢ 10 – **30** ch 63/136 – ½ P 66,50/103

🏨 **Seminaris-Villa Teresa** ⬍ sans rest, ℘ 05 56 83 25 87, Fax 05 57 52 22 41, « Villa du 19ᵉ siècle », 🝐, 🔲, ᐧ – 📺 & ⲅⲃ
AZ m
fermé 10 janv. à fin fév. – ⴢ 11 – **20** ch 111/126

🏨 **Kyriad** Ⓜ sans rest, 10 av. Nelly Deganne ℘ 05 56 83 06 23, Fax 05 56 83 41 47 – 📶 ✤ 📺
& ⇌ 🅿️. – 🛁 20 à 50. 🝐 ① ⲅⲃ
ⴢ 6 – **50** ch 85
BZ a

🏨 **Les Mimosas** sans rest, 77 bis av. République ℘ 05 56 83 45 86, Fax 05 56 22 53 40 – 📺.
🝐 ⲅⲃ
BZ f
fermé 31 déc. au 1ᵉʳ mars – ⴢ 5,34 – **21** ch 48,78/60,98

✕✕ **Patio**, 10 bd Plage ℘ 05 56 83 02 72, Fax 05 56 54 89 98, 🝐 – 🝐 ⲅⲃ BX t
fermé 15 au 30 nov., 15 au 28 fév., mardi sauf le soir en été et lundi midi – **Repas**
26,68/106,71 bc ⴢ, enf. 9,15

✕ **Cap Pereire**, 1 av. Parc Pereire ℘ 05 56 83 24 01, Fax 05 56 83 06 07, ⬍, 🝐 – ⲅⲃ
fermé janv., dim. soir et lundi du 30 sept. au 28 fév. – **Repas** 34 ⴢ, enf. 10,67 AX a

✕ **Yvette**, 59 bd Gén. Leclerc ℘ 05 56 83 05 11, Fax 05 56 22 51 62 – 🔲. 🝐 ① ⲅⲃ ᴊᴄʙ
Repas 17 ⴢ, enf. 10,37
BZ b

✕ **Les Genêts**, 25 bd Gén. Leclerc ℘ 05 56 83 40 28, Fax 05 56 83 12 14 – 🔲. 🝐
⇌
BZ t
fermé 1ᵉʳ au 18 oct., 2 au 23 janv., dim. soir sauf juil.-août et lundi – **Repas** 13/23,50 ⴢ, enf. 8

✕ **Bayonne** avec ch, 9 cours Lamarque ℘ 05 56 83 33 82, Fax 05 56 83 73 06, 🝐 – 📺. 🝐
⇌ ① ⲅⲃ
BZ u
30 mars-15 oct. – **Repas** *(fermé dim. soir et lundi)* 12,96/29,73 ⴢ, enf. 6,86 – ⴢ 6,56 – **18** ch
83,85/90,71 – ½ P 68,60

aux Abatilles *Sud-Ouest : 2 km* – ✉ *33120 Arcachon :*

🏨 **Novotel** Ⓜ ⬍, av. Parc ℘ 05 57 72 06 72, *h3382@accor-hotels.com*, Fax 05 56 54 06 82,
🝐, 🔲, – 📶 ✤ 🔲 📺 📞 & 🅿️. – 🛁 150. 🝐 ① ⲅⲃ
AX b
Repas *(17,55)* - 24,50 ᐧ, enf. 9,91 – ⴢ 10,67 – **94** ch 149,40 – ½ P 107

🏨 **Parc** sans rest, 5 av. Parc ℘ 05 56 83 10 58, *b.dronne@wanadoo.fr*, Fax 05 56 54 05 30 – 📶
📺 🅿️. ⲅⲃ, ⬍
AX s
1ᵉʳ mai-30 sept. – ⴢ 8 – **30** ch 74/86

au Moulleau *Sud-Ouest : 5 km* – ✉ *33120 Arcachon :*

🏨 **Les Buissonnets** ⬍ sans rest, 12 r. L. Garros ℘ 05 56 54 00 83, Fax 05 56 22 55 13,
« Jardin fleuri », 🝐 – 📺. ⲅⲃ. ⬚
AY f
fermé oct. – ⴢ 8 – **13** ch 72

ARCANGUES 64 Pyr.-Atl. 🎇 ⑱ – *rattaché à Biarritz.*

ARCAROTTA (Col d') 2B H.-Corse 🎇 ④ – *voir à Corse.*

ARC-EN-BARROIS 52210 H.-Marne 🎇 ② G. Champagne Ardenne – 898 h alt. 270.
🅱 *Office du tourisme* Place Moreau ℘ 03 25 02 52 17, Fax 03 25 01 55 20.
Paris 263 – Chaumont 23 – Bar-sur-Aube 54 – Châtillon-sur-Seine 44 – Langres 30.

✕✕ **Parc** ⬍ avec ch, ℘ 03 25 02 53 07, Fax 03 25 02 42 84, 🝐 – 📺 📞 – 🛁 20. ⲅⲃ
fermé 15 fév. au 30 mars, dim. soir et lundi du 30 mars au 15 juin, mardi soir et merc. du 1ᵉʳ sept. au 15 fév. – **Repas** *(14,03)* - 15,63/38,87 ᐧ – ⴢ 7 – **16** ch 46/61 – ½ P 45

Campers...   Use the current **Michelin Guide**
Camping Caravaning France.

ARCENS 07310 Ardèche **76** ⑱ – 452 h alt. 615.

Paris 612 – Le Puy-en-Velay 57 – Le Cheylard 15 – Privas 62 – St-Agrève 24.

Chalet des Cévennes ⓢ, ℰ 04 75 30 41 90, ≤, ﹖ – ⟵ **P.** **GB**, ﹪ ch
fermé 1ᵉʳ au 15 oct., 20 déc. au 1ᵉʳ janv. et vend. soir – **Repas** 13,70/27,44, enf. 7,60 – ☲ 5,
– **15 ch** 28/39 – ½ P 36

ARC-ET-SENANS 25610 Doubs **70** ④ G. Jura – 1 364 h alt. 231.

Voir *Saline Royale★★*.

Env. *Port-Lesney★*.

⌂ *Office du tourisme Saline Royale* ℰ 03 81 57 43 21, Fax 03 81 57 43 51, info@
arcetsenans.fr.

Paris 397 – Besançon 36 – Pontarlier 62 – Salins-les-Bains 17.

Relais avec ch, pl. Église ℰ 03 81 57 40 60, Fax 03 81 57 46 17, ﹖ – **GB** **JCB**, ﹪ ch
fermé 15 déc. au 15 janv. et dim. soir – **Repas** 10/25 ♀, enf. 7 – **10 ch** 30/35 – ½ P 27/32

ARCINS 33 Gironde **71** ⑧ – rattaché à Margaux.

ARCIZANS-AVANT 65 H.-Pyr. **85** ⑰ – rattaché à Argelès-Gazost.

L'ARCOUEST (Pointe de) 22 C.-d'Armor **59** ② – rattaché à Paimpol.

When looking for a hotel or restaurant use the most efficient method.
Look for the names of towns underlined in red
*on the **Michelin maps** scale: 1:200 000.*
But make sure you have an up-to-date map!

Les ARCS 73 Savoie **74** ⑱ G. Alpes du Nord – Sports d'hiver : 1 600/3 226 m ﹗4 ﹗72 ﹗
⌧ 73700 Bourg-St-Maurice.

Voir *Arc 1800* ﹪★ – *Arc 1600* ≤★ – *Arc 2000* ≤★ – *Télécabine le Transac*﹪★★ – *Télésiège c*
la Cachette★.

⌂ *Office du tourisme* ℰ 04 79 07 12 57, Fax 04 79 07 45 96, bourgot@lesarcs.com.

Paris 677 – Albertville 65 – Bourg-St-Maurice 11 – Chambéry 115 – Val-d'Isère 41.

Grand Hôtel Mercure **M** ⓢ, Les Arcs 1800, village Charmettoger ℰ 04 79 07 65 0
h1669@accor-hotels.com, Fax 04 79 07 64 08, ≤, ﹖, ⌱, – 📶 ⟆ **⃝** ﹡ ﹖ – ⍟ 20 à 8
AE **◐** **GB**, ﹪ rest
29 juin-31 août et 21 déc.-fin avril – **Repas** 24, enf. 10 – ☲ 11 – **81 ch** 161/236

Les ARCS 83460 Var **84** ⑦, **114** ㉓ G. Côte d'Azur – 5 334 h alt. 80.

Voir *Polyptyque★ dans l'église – Chapelle Ste-Roseline★ NE : 4 km.*

⌂ *Office du tourisme Place Général de Gaulle* ℰ 04 94 73 37 30, Fax 04 94 73 37 3
lesarc.mairie@wanadoo.fr.

Paris 855 – Fréjus 26 – Cannes 58 – Draguignan 10 – St-Raphaël 30.

Logis du Guetteur ⓢ, au village médiéval ℰ 04 94 99 51 10, mcallega@fr.packardbe
org, Fax 04 94 99 51 29, ﹖, « *Pittoresque installation dans un fort du 11ᵉ siècle* », ⌱
▤ ch, **⃝** ﹖ **P.** **AE** **◐** **GB**
fermé 15 janv. au 2 mars – **Repas** 26,68/73,18 ♀, enf. 9,15 – ☲ 10,37 – **11 ch** 103,67/149,4
– ½ P 92,99/123,48

Bacchus Gourmand, à la Maison des Vins, rte Vidauban par N 7 : 2 kr
ℰ 04 94 47 48 47, Fax 04 94 47 55 13, ﹖ – ▤ **P.** **AE** **GB**
fermé 12 au 20 mars, 11 au 23 nov., 7 au 23 janv., mardi soir de sept. à juin et merc. – **Repa**
23 (déj.), 34/50 et carte 44 à 52, enf. 9,15

Relais des Moines, Est : 1,5 km par rte Ste-Roseline ℰ 04 94 47 40 93
Fax 04 94 47 52 51, ﹖, « *Ancienne bergerie* », ⌱, ﹢ – **P.** **AE** **◐** **GB**
fermé mi-nov. à mi-déc., dim. soir, merc. soir et lundi – **Repas** 33/52

ARC-SUR-TILLE 21560 Côte-d'Or **66** ⑫ – 2 332 h alt. 219.

Paris 324 – Dijon 14 – Avallon 119 – Besançon 94 – Langres 71.

Auberge Les Marronniers **M**, ℰ 03 80 37 09 62, Fax 03 80 37 24 94, ﹖ – **⃝** ﹢ **P.** **A**
GB
Repas 16,77 (déj.), 22,87/28,96 ♀ – ☲ 8,38 – **11 ch** 54,88/68,60

RDENTES 36120 Indre 68 ⑨ G. Berry Limousin – 3 323 h alt. 172.

Paris 276 – Bourges 66 – Argenton-sur-Creuse 42 – Châteauroux 14 – La Châtre 22.

XX **Chêne Vert** avec ch, 22 rte de La Châtre ℘ 02 54 36 22 40, Fax 02 54 36 64 33 – TV ⚓.
GB
fermé 30 juil. au 16 août, vacances de fév., dim. soir et lundi – **Repas** (8,40) - 10,70/13,70 ⨇,
enf. 6,90 – ⊑ 5,34 – **7 ch** 35/50,30 – ½ P 31,25/37,35

X **Gare,** ℘ 02 54 36 20 24, Fax 02 54 36 92 07, ☆ – P. GB
fermé 3 au 26 août, 15 fév. au 3 mars, dim. soir, merc. soir, lundi et soirs fériés – Repas
19,80/26,70

RDRES 62610 P.-de-C. 51 ② G. Picardie Flandres Artois – 4 154 h alt. 11.
冏 Office de tourisme Chapelle des Carmes ℘ 03 21 35 28 51, Fax 03 21 35 28 51.
Paris 276 – Calais 17 – Arras 95 – Boulogne-sur-Mer 38 – Lille 91.

XX **Le François 1er,** pl. Armes ℘ 03 21 85 94 00, lewandowski@lefrancois1er.com,
Fax 03 21 85 87 53 – GB. ⋘
fermé 1er au 16 sept., 22 déc. au 7 janv., dim. soir, merc. soir et lundi – **Repas** 18/33 ⨇

RÊCHES 73 Savoie 74 ⑰ G. Alpes du Nord – Sports d'hiver : 780/2 300 m ⅚15 ⚡ – ⊠ 73270
Beaufort-sur-Doron.

Voir Hameau de Boudin★ E : 2 km.
冏 Office de tourisme ℘ 04 79 38 15 33, otareches-beaufort@wanadoo.fr.
Paris 608 – Albertville 25 – Chambéry 77 – Megève 42.

🏠 **Auberge du Poncellamont** ⑤, ℘ 04 79 38 10 23, Fax 04 79 38 13 98, ≤, ☆, ≉ –
TV P. GB. ⋘ ch
10 juin-20 sept., 22 déc.-15 avril et fermé dim. soir, lundi midi et merc. hors saison – **Repas**
15/29 ⨇, enf. 10 – ⊑ 6,45 – **14 ch** 46/52 – ½ P 53

When looking for a hotel or restaurant use the most efficient method.
Look for the names of towns underlined in red
*on the **Michelin maps** scale: 1:200 000.*
But make sure you have an up-to-date map!

ARENTHON 74 H.-Savoie 74 ⑦ – rattaché à La Roche-sur-Foron.

RÈS 33740 Gironde 71 ⑲ G. Aquitaine – 4 680 h alt. 6.
冏 Office du tourisme Esplanade G. Dartiquelongue ℘ 05 56 60 18 07, Fax 05 56 60 39 41.
Paris 630 – Bordeaux 48 – Arcachon 45.

XX **St-Éloi,** 11 bd Aérium ℘ 05 56 60 20 46, Fax 05 56 60 10 37, ☆ – AE ⓪ GB
fermé vacances de fév., dim. soir, lundi, merc. soir hors saison. et lundi midi en saison –
Repas 14/49, enf. 10

ARGELÈS-GAZOST ⬪ 65400 H.-Pyr. 85 ⑰ G. Midi-Pyrénées – 3 241 h alt. 462 – Stat.
therm. (début avril-fin oct.) – Casino Y.
冏 Office du tourisme 15 place de la république ℘ 05 62 97 00 25, Fax 05 62 97 50 60.
Paris 829 ① – Pau 58 ① – Lourdes 13 ① – Tarbes 31 ①.

Plan page suivante

🏠 **Miramont,** 44 av. Pyrénées ℘ 05 62 97 01 26, hotel-miramont@sudfr.com,
Fax 05 62 97 56 67, « Jardin fleuri », ≉ – ⧈, ▤ rest, TV ☘ P. AE ⓪ GB. ⋘   Z n
fermé 5 nov. au 20 déc. – **Repas** (fermé dim. soir et merc. d'oct. à juin) (dim. prévenir)
15,25/36,60 ⨇ – ⊑ 8 – **27 ch** 38,20/69 – P 58/66

🏠 **Les Cimes** ⑤, pl. Ourout ℘ 05 62 97 00 10, contact@hotel-lescimes.com,
Fax 05 62 97 10 19, ⟦, ≉ – ⧈, ▤ rest, TV P. GB   Z a
fermé 2 nov. au 18 déc. – **Repas** 13,72/36,81, enf. 8,53 – ⊑ 7 – **21 ch** 46,95/61,58, 4
studios – ⊑ 56,40/61,74

🏠 **Soleil Levant,** 17 av. Pyrénées ℘ 05 62 97 08 68, Fax 05 62 97 04 60, ≉ – ⧈ TV P. AE ⓪
GB. ⋘ rest   Y t
fermé 1er au 23 déc. – **Repas** 9,91/30,49, enf. 6,86 – ⊑ 5,34 – **37 ch** 33,54/38,11 –
P 42,69/45,73

🏠 **Hostellerie Le Relais** sans rest, 25 r. Mar. Foch ℘ 05 62 97 01 27, Fax 05 62 97 90 00 –
TV P. GB   Y h
Pâques-fin sept. – ⊑ 5,50 – **23 ch** 32,50/50

à St-Savin *Sud : 3 km par D 101 - Z – 353 h. alt. 580 –* ✉ *65400 :*

    Voir *Site★ de la chapelle de Piétat S : 1 km.*

XX **Viscos** *avec ch,* ℰ *05 62 97 02 28, leviscos@wanadoo.fr, Fax 05 62 97 04 95,* 🍽 – ℙ ◪
    🅾 🏧

    fermé 16 au 26 déc., dim. soir et lundi sauf juil.-août – **Repas** *20,43/49* ♀ – ☲ *6,56 –* **14 ch**
    41/52 – P *60,21/62,05*

ARGELÈS-GAZOST

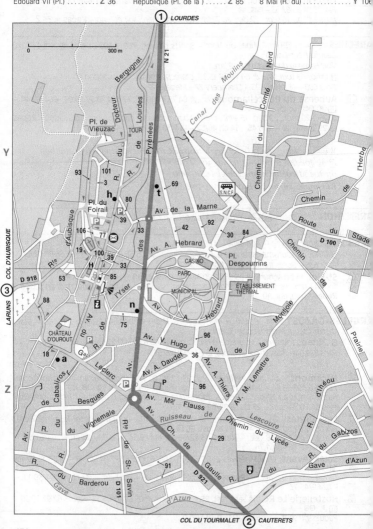

Arcizans-Avant Sud : 4,5 km par D 101 et D 13 – 298 h. alt. 640 – ☒ 65400 :

⚐ **Auberge Le Cabaliros** ⌂, ℘ 05 62 97 04 31, Fax 05 62 97 91 48, ≼, 綿, 霜 – 📺 🅿.
GB. ⅏
fermé 7 oct. au 12 déc. et 6 au 30 janv. – **Repas** (fermé mardi soir et merc. hors vacances
scolaires) 14,50/38 ⒵ – ⇩ 5,60 – **8 ch** 45/50 – ½ P 44

ARGELÈS-SUR-MER 66700 Pyr.-Or. 86 ⑳ G. Languedoc Roussillon – 9 069 h alt. 19 – Casino à
Argelès-Plage.

🅱 Office du tourisme Place de l'Europe ℘ 04 68 81 15 85, Fax 04 68 81 16 01, infos@
argeles-sur-mer.com.

Paris 877 ⑤ – Perpignan 22 ⑤ – Céret 28 ④ – Port-Vendres 9 ③ – Prades 66 ⑤.

ARGELÈS-SUR-MER
Zone piétonne en saison

ibères (Bd des) ..... **BV** 2	Charlemagne (Av. de) ..... **BX** 16	Pins (Av. des) ..... **BV** 38
rrivée (Rond-Point de l'). **BV** 6	Corbières (Av. des) ..... **BV** 17	Platanes (Av. des) ..... **BV** 39
uisson (Allée Ferdinand) **AV** 10	Gaulle (Av. du Gén. de). ... **BV** 21	Port (R. du) ..... **BX** 40
	Grau (Av. du) ..... **BX** 24	Racou (Allée du) ..... **BVX** 42
	Méditerranée (Bd de la) .... **BV** 29	Ste-Madeleine (Chemin)... **AX** 43
	Mimosas (Av. des) ..... **BV** 30	Trabucaire (R. des) ..... **AV** 44
	Pins (Allée des) ..... **BV** 37	14 Juillet (R. du) ..... **AV** 49

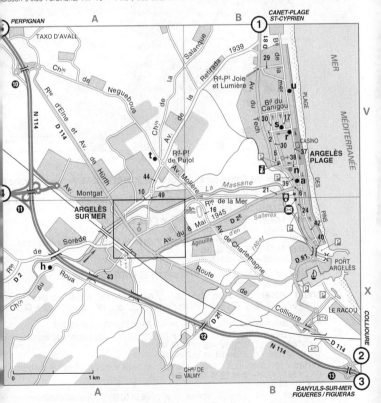

🏨 **Cottage** Ⓜ ⌂, r. A. Rimbaud ℘ 04 68 81 07 33, info@hotel-lecottage.com,
Fax 04 68 81 59 69, 綿, ⏋, 霜 – ≡ rest, 📺 ⴱ 🅿. 🖭 GB. ⅏ rest　　　　　DY a
29 mars-13 oct. – **L'Orangeraie** (fermé lundi sauf du 11 juin au 22 sept. et le midi sauf dim.)
Repas 29/54 ⒵, enf. 11 – ⇩ 10 – **34 ch** 83/187 – ½ P 71/115

ARGELÈS-SUR-MER

Zone piétonne en saison

Albert (R. Marcelin) . . . . **CY** 3
Bel-Air (R. de) . . . . **CY** 7
Blanqui (R.) . . . . **CY** 9
Castellans (Pl. des) . . . . **CY** 13
Castellans (R.) . . . . **CY** 14
Desclot (R.) . . . . **CY** 18
Gambetta (R.) . . . . **CDZ** 20
Gendarmerie (R. de la) . . . . **CDZ** 22
Jean-Jaurès (R.) . . . . **CY** 26
Majorque (R. de) . . . . **CY** 27
Morata (R. Juan) . . . . **CY** 32
Notre-Dame-de-Vie (Rte) . . . . **CZ**
Paix (R. de la) . . . . **CY**
Remparts (R. des) . . . . **CY**
République (Pl. de la) . . . . . **CY**
Travail (R. du) . . . . **CY**
Wilson (R.) . . . . **CZ**
11 Novembre (Av. du) . . . . . **CY**

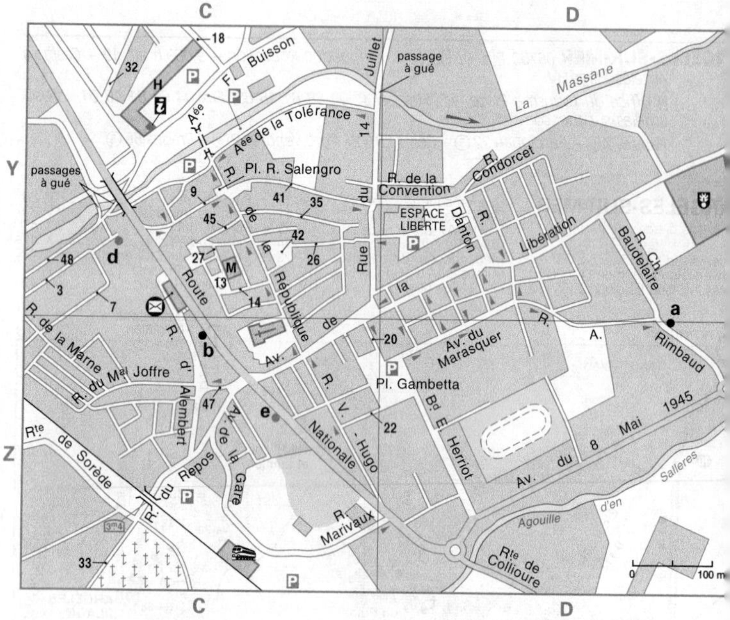

Grand Hôtel du Commerce, rte Nationale ✆ 04 68 81 00 33, *hotel.parc@infonie.f*
Fax 04 68 81 69 49 – rest, P. AE GB — CZ
fermé 30 déc. au 15 fév. – **Repas** *(fermé dim. soir et lundi d'oct. à mai)* 11,20/31, enf. 8 – 6,30 – **32 ch** 40,50/46,60 – ½ P 45

Annexe Le Parc sans rest,, – P. AE GB
20 mai-30 sept. – 6,60 – **24 ch** 48/60,20

Acapella sans rest, chemin de Neguebous ✆ 04 68 95 89 45, *hotel.acapella@wanadoo.f*
Fax 04 68 95 84 93, – P. GB — AV
30 mars-30 sept. – 5 – **27 ch** 50

à Argelès-Plage *Est : 2,5 km G. Languedoc Roussillon* – ✉ *66700 Argelès-sur-Mer.*
Voir *SE : Côte Vermeille*★★.

Grand Hôtel du Lido, bd Mer ✆ 04 68 81 10 32, *roussillhotel@wanadoo.f*
Fax 04 68 81 10 98, ≤, , « En bordure de mer », , , – , ch, P. AE GB — BV
8 mai-30 sept. – **Repas** 24/32, enf. 11 – 10 – **66 ch** 75/140 – ½ P 79/105

Plage des Pins sans rest, ✆ 04 68 81 09 05, *contact@plage-des-pins.con*
Fax 04 68 81 12 10, ≤, , – P. GB. — BV
18 mai-30 sept. – 9,15 – **50 ch** 73,20/97,60

Kyriad M sans rest, Allée Palmiers ✆ 04 68 81 12 24, *lagon.bleu@infonie.f*
Fax 04 68 81 17 46 – . AE GB — BV
3,50 – **39 ch** 60

Maritime, bd des Albères ✆ 04 68 81 50 00, *roussillhotel@wanadoo.f*
Fax 04 68 95 96 75, , – . AE GB — BV
30 mars-13 oct. – **Repas** 22, enf. 10 – 8 – **24 ch** 51/60 – ½ P 57

L'Amadeus, av. Platanes ✆ 04 68 81 12 38, *contact@lamadeus.com, Fax 04 68 81 30 0(*
– . GB — BV
fermé 4 déc. au 13 fév., mardi en oct.-nov. et lundi sauf juil.-août – **Repas** 19/38
enf. 8,40

te de Collioure *: 4 km – ✉ 66700 Argelès-sur-Mer :*

Les Mouettes, ✆ 04 68 81 82 83, *info@hotel-lesmouettes.com, Fax 04 68 81 32 73,* ≤ mer, 🏖, 🏊 – ▤ TV ♿ P. AE ⊙ GB
30 mars-20 oct. – **Repas** *(fermé mardi sauf du 12 juin au 16 sept.)* (dîner seul.) 30/35 ♀ – ☕ 10 – **27 ch** 95/153 – ½ P 69/84

l'Ouest *1,5 km par rte de Sorède et rte secondaire – ✉ 66700 Argelès-sur-Mer :*

Auberge du Roua-La Belle Demeure 🐦, chemin du Roua ✆ 04 68 95 85 85, *belle.demeure@little-france.com, Fax 04 68 95 83 50,* 🏖, « Ancien moulin », 🏊, 🚗 – |‡| ▤ TV ♿ P. AE ⊙ GB JCB AX h
hôtel : 1er mars-31 oct. ; rest. : 14 fév.-15 nov. – **Repas** *(fermé lundi et mardi)* 23 (déj.), 27,50/49,60 et carte 47 à 66, enf. 10 – ☕ 9,15 – **14 ch** 74,70/94,50 – ½ P 69,35/79,25
Spéc. Anchois en filets marinés. Pavé de loup rôti sur peau et maquereau au plat. Carré d'agneau de pays rôti en croûte de péquillos **Vins** Côtes du Roussillon, Côtes du Roussillon-Villages

---

ARGENTAN SP *61200 Orne* 60 ② ③ *G. Normandie Cotentin – 16 596 h alt. 160.*
Voir *Église St-Germain*★.
🅘 *Office du tourisme Place du Marché* ✆ *02 33 67 12 48, Fax 02 33 39 96 61, tourisme.argentan@wanadoo.fr.*
Paris 193 ② – Alençon 46 ③ – Caen 59 ⑤ – Dreux 115 ② – Flers 43 ④ – Lisieux 58 ①.

ARGENTAN

Beigle (R. du) 2
Boschet (R. P.) 3
Carnot (Bd) 7
Chaussée (R. de la) 8
Collège (R. du) 9
Forêt-Normande (Av. de la) 13
Gaulle (Bd Général-de) 14
Griffon (R. du) 15
Henri-IV (Pl.) 18
Marché (Pl. du) 20
Panthou (R. E.) 21
St-Germain (R.) 28
St-Martin (R.) 29
Semard (Pl. Pierre) 30
Trois-Croix (Pl. des) 31
Victor-Hugo (Bd) 32
Vimal-du-Bouchet (Pl.) 33
Wolf (R. J.) 34
2e-D.-B. (Av. de la) 35
104e-Régiment-d'Infanterie (R. du) 38

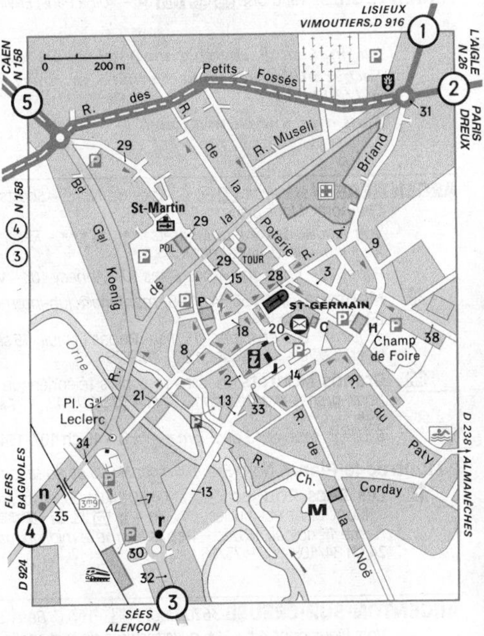

Pour un bon usage des plans de villes, voir les signes conventionnels dans l'introduction.

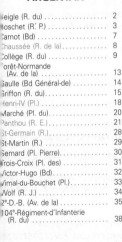

France, 8 bd Carnot **(r)** ✆ 02 33 67 03 65, *Fax 02 33 36 62 24,* 🏖 – TV 📞. GB
fermé 1er au 14 juil., 23 au 30 déc., 19 fév. au 4 mars, dim. soir, vend. soir et lundi – **Repas** 12,50/34,50 ♀, enf. 8 – ☕ 6,50 – **10 ch** 34/46 – ½ P 37,50

Ariès, Z.A. Beurrerie par ④ : 1 km ✆ 02 33 39 13 13, *aries-htz@infonie.fr, Fax 02 33 39 34 71* – TV 📞 ♿ P – 🏛 50. AE GB
Repas *(12)* - 15/19 ♿, enf. 7 – ☕ 6,10 – **43 ch** 46

Renaissance avec ch, 20 av. 2e Division Blindée **(n)** ✆ 02 33 36 14 20, *Fax 02 33 36 65 50,* 🏖 – TV 📞 P. AE GB
fermé 1er au 15 août, vacances de fév., lundi (sauf hôtel) et dim. soir – **Repas** 18,29/29,73 ♀, enf. 12,20 – ☕ 6,86 – **12 ch** 50,31/73,18 – ½ P 54,12/73,18

par ② N 26 et D 729 : 11 km – ⊠ 61310 Silly-en-Gouffern :

🏨 **Pavillon de Gouffern** ⑤, ℰ 02 33 36 64 26, Fax 02 33 36 53 81, ≤, « Ancien pavillon de chasse », ℀, ⅋ – ⊡ ℃ ఉ 🅿 – 🔏 50. 🕮 ⓪ ☜
fermé dim. soir et lundi midi de mi-nov. à mi-mars – **Repas** (16) - 19,05/28,66, enf. 10 – ⧫ 8 – **20 ch** 54/106 – ½ P 61/68

à Fontenai-sur-Orne *par* ④ : *4,5 km* – *277 h. alt. 65* – ⊠ 61200 :

XX **Faisan Doré** avec ch, ℰ 02 33 67 18 11, *lefaisandore@wanadoo.fr*, Fax 02 02 35 82 15, ☞ – ⊡ 🅿 – 🔏 100. 🕮 ☜
fermé 6 au 14 avril, 28 juil. au 11 août, vend.(sauf hôtel)et dim. soir – **Repas** 15/45,50 - ⧫ 6,10 – **14 ch** 45/84 – ½ P 43/60

ARGENTAT *19400 Corrèze* 🟨🟨 ⑩ *G. Berry Limousin* – *3 125 h alt. 183.*
🛈 Office de tourisme 30 av. Pasteur ℰ 05 55 28 16 05, Fax 05 55 28 97 04, *office-tourisme argentat@wanadoo.fr.*
Paris 510 – *Brive-la-Gaillarde 44* – *Aurillac 54* – *Mauriac 50* – *St-Céré 42* – *Tulle 29.*

X **Fouillade** avec ch, pl. Gambetta ℰ 05 55 28 10 17, Fax 05 55 28 90 52, 舒 – ⊡ ℃. ☜
fermé 12 nov. au 12 déc. et 15 fév. au 3 mars – **Repas** *(fermé lundi hors saison)* (9,45) - 11,43 /45 ⅒, enf. 6,10 – ⧫ 5,79 – **14 ch** 22,11/38,11 – ½ P 26,68/34,30

ARGENTEUIL *95 Val-d'Oise* 🟨🟨 ⑳, 🔟🔟 ⑭ – *voir à Paris, Environs.*

Au moment de chercher un hôtel ou un restaurant, soyez efficace.
*Sachez utiliser les noms soulignés en rouge sur les **cartes Michelin**
à 1/200 000.*
Mais ayez une carte à jour!

ARGENTIÈRE *74 H.-Savoie* 🟨🟨 ⑨ *G. Alpes du Nord* – *Sports d'hiver : voir Chamonix* – ⊠ 74400 Chamonix-Mont-Blanc.
Voir *Aiguille des Grands Montets*★★★ – ☀★★★ – *Réserve naturelle des Aiguilles Rouges*★★★
N : 3 km – Col de la Balme★★ – ☀★★.
Paris 622 – *Chamonix-Mont-Blanc 10* – *Annecy 103* – *Vallorcine 10.*

🏨 **Montana**, ℰ 04 50 54 14 99, *montana@club-internet.fr*, Fax 04 50 54 03 40, ≤, 舒 – 🛗 ⊡ ℃ 🅿. 🕮 ⓪ ☜
15 juin-1er oct. et 15 déc.-15 mai – **Repas** *(1er juil.-15 sept. et 20 déc.-1er mai)* (dîner seul. en hiver) 22/28 – ⧫ 8 – **24 ch** 90 – ½ P 75

🏨 **Grands Montets** ⑤ sans rest, près téléphérique de Lognan ℰ 04 50 54 06 66, *info@ hotel-grands-montets.com*, Fax 04 50 54 05 42, ≤, 𝕝𝕤, 🔲, 舒 – 🛗 ⊡ ℃ ఉ 🅿. 🕮 ⓪ ☜ ᴶᶜᴮ
6 juil.-1er sept. et 13 déc.-8 mai – ⧫ 8 – **40 ch** 107/134

à Montroc-le-Planet *Nord-Est : 2 km par N 506 et rte secondaire* – ⊠ 74400 Argentière :

🏨 **Les Becs Rouges** ⑤, ℰ 04 50 54 01 00, *lesbecs@euroscan.com*, Fax 04 50 54 00 51 ≤ Mont-Blanc et aiguilles, 舒, 舒 – 🛗 ⊡ ⊡ 🅿. 🕮 ⓪ ☜ ᴶᶜᴮ, ℀ rest
fermé 1er nov. au 15 déc. – **Repas** *(fermé le midi du mardi au vend.)* 29,70/53,40 ⅒ – ⧫ 13 – **24 ch** 84/108 – ½ P 73/86

ARGENTON-SUR-CREUSE *36200 Indre* 🟨🟨 ⑰ ⑱ *G. Berry Limousin* – *5 146 h alt. 100.*
Voir *Vieux pont* ≤★ – ≤★ *de la terrasse de la chapelle N.-D.-des-Bancs.*
🛈 Office du tourisme 13 place de la République ℰ 02 54 24 05 30, Fax 02 54 24 28 13.
Paris 297 ① – *Châteauroux 31* ① – *Limoges 94* ④ – *Montluçon 103* ② – *Poitiers 101* ⑤.

Plan page ci-contre

🏠 **Manoir de Boisvilliers** ⑤ sans rest, 11r. Moulin de Bord (e) ⊠ 36200 ℰ 02 54 24 13 88, *manoir.de.boisvilliers@wanadoo.fr*, Fax 02 54 24 27 83, 舒 – ☜
fermé 15 déc. au 10 janv. – ⧫ 7 – **14 ch** 57/89

🏠 **Cheval Noir**, 27 r. Auclert-Descottes (n) ℰ 02 54 24 00 06, Fax 02 54 24 11 22, 舒 – ▤ rest, ⊡ ℃ 🅿. ☜
fermé 5 au 12 janv., vacances de fév. et dim. soir hors saison – **Repas** (10,50) - 15,50/23 ⅒, enf. 9 – ⧫ 6 – **20 ch** 40/49 – ½ P 45

ARGENTON-SUR-CREUSE

Acacias (Allée des) 2
Barbès (R.) 5
Chapelle-N.-D. (R. de la) 7
Châteauneuf (R.) 8
Chauvigny (R. A. de)... 10
Coursière (R. de la).... 12
Gare (R. de la) 14
Grande (Rue) 15
Merle-Blanc (R. du).... 18
Point-du-Jour (R. du) 20
Pont-Neuf (R. du) 23
Raspail (R.) 24
République (Pl. de la) .. 25
Rochers-St-Jean (R. des) 27
Rosette (R.) 28
Rousseau (R. Jean-J.).. 29
Victor-Hugo (R.) 30
Villers (Imp. de) 31

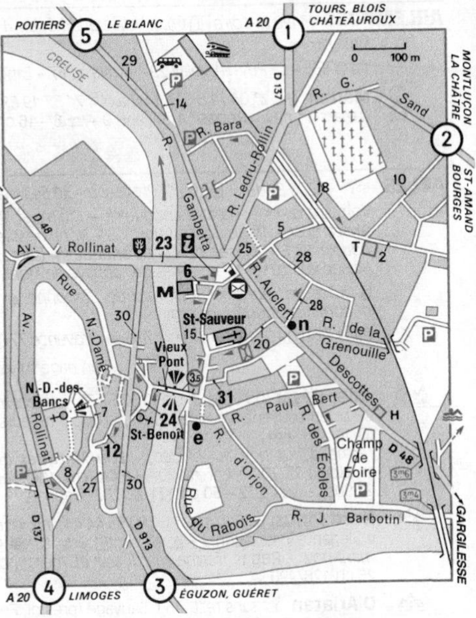

Les plans de villes sont orientés le Nord en haut.

St-Marcel *par ① : 2 km – 1 641 h. alt. 146 – ✉ 36200 :*
Voir *Église★ – Musée archéologique d'Argentomagus★ – Théâtre du Virou★.*

Prieuré, ☎ 02 54 24 05 19, *Fax 02 54 24 32 28*, ←, ⛱, – TV P – 30. GB
fermé 14 au 27 janv., dim. soir et lundi hors saison – **Repas** 12,40 (déj.)/28 ₹, enf. 7 – ☕ 5 – **14 ch** 25/39,70 – ½ P 35,12

Bouësse *par ② : 11 km – 398 h. alt. 185 – ✉ 36200 :*

Château de Bouesse 🐎, ☎ 02 54 25 12 20, *Fax 02 54 25 12 30*, ←, « Château du 13ᵉ siècle dans un parc », – P. AE GB. ch
fermé 5 janv. au 28 fév., lundi soir et mardi – **Repas** 23 (déj.)/36 ₹ – ☕ 10 – **8 ch** 70/85 – ½ P 77/88

ARGENT-SUR-SAULDRE *18410 Cher* 65 ⑪ *G. Berry Limousin – 2 502 h alt. 171.*
Syndicat d'initiative la Marine ☎ *02 48 73 33 17.*
Paris 174 – Orléans 62 – Bourges 58 – Cosne-sur-Loire 46 – Gien 22 – Salbris 42 – Vierzon 54.

Relais du Cor d'Argent avec ch, ☎ 02 48 73 63 49, *Fax 02 48 73 37 55* – TV. AE GB
fermé 12 au 20 nov., 18 fév. au 8 mars, mardi et merc. – **Repas** 13,80/28,80 ₹ – ☕ 5,35 – **7 ch** 33,50/46

ARGOULES *80120 Somme* 51 ⑫ *G. Picardie Flandres Artois – 335 h alt. 18.*
Voir *Abbaye★ et jardins★ de Valloires NO : 2 km.*
Paris 219 – Calais 93 – Abbeville 35 – Amiens 83 – Hesdin 17 – Montreuil 21.

Auberge du Gros Tilleul, ☎ 03 22 29 91 00, *Fax 03 22 23 91 64*, ⛱, – TV &. AE GB
fermé 16 déc. au 30 janv., dim. soir et lundi du 15 nov. au 31 mars – **Repas** 15/30 ₹ – ☕ 7 – **16 ch** 55/84 – ½ P 58/67

Auberge du Coq-en-Pâte, ☎ 03 22 29 92 09, *Fax 03 22 29 92 09*, ⛱ – GB
fermé 3 au 17 sept., 7 janv. au 1ᵉʳ fév., dim. soir et lundi sauf fériés – **Repas** (nombre de couverts limité, prévenir) 14,50/19,10

ARINSAL 86 ⑭ – *voir à Andorre (Principauté d').*

ARLEMPDES 43490 H.-Loire 76 ⑰ G. Vallée du Rhône – 114 h alt. 840.

Voir Site★★.

Paris 565 – Le Puy-en-Velay 29 – Aubenas 67 – Langogne 27.

🏖 **Manoir** ⑤, ℘ 04 71 57 17 14, Fax 04 71 57 19 68, ≤, 佘 – 📺 ℅, GB, ⌘ ch
9 mars-1er nov. – Repas 14/37, enf. 9 – ⛌ 6 – **16 ch** 41/44 – ½ P 39

ARLES ◁◈▷ 13200 B.-du-R. 83 ⑩ G. Provence – 50 513 h alt. 13.

Voir Arènes★★ – Théâtre antique★★ – Cloître St-Trophime★★ et église★ : portail★★ – L
Alyscamps★ – Palais Constantin★ Y S – Hôtel de ville : voûte★ du vestibule Z H – Cryptopc
tiques★ Y E – Musée de l'Arles antique★★ (sarcophages★★) – Museon Arlaten★ Z M⁶
Musée Réattu★ Y M⁴ – Ruines de l'abbaye de Montmajour★ 5 km par ①.

🄱 Office du tourisme Boulevard de Craponne ℘ 04 90 18 41 20, Fax 04 90 18 41 2
ot.administration@arles.org.

Paris 724 ① – Avignon 37 ① – Aix-en-Provence 77 ② – Marseille 97 ② – Nîmes 32 ⑥.

Plan page suivante

🏨 **Jules César**, bd Lices ℘ 04 90 52 52 52, julescesar2@wanadoo.fr, Fax 04 90 52 52 53, 佘
« Ancien couvent avec son cloître, jardins intérieurs », ⌇, 舜 – 🗐 📺 ℅ ⇦ – 🄰 30 à 8
🄰🄴 ⓪ GB JCB   Z
fermé début nov. au 23 déc. – **Lou Marquès** (fermé sam. midi et lundi midi) Repa
25,20(déj.),35/70,20, enf. 10,70 – **Le Cloître** : (déj. seul.) (fermé merc. et dim.) Repas 18,30
22,90bc – ⛌ 13,72 – **50 ch** 121,20/202, 5 appart

🏨 **Nord Pinus**, pl. Forum ℘ 04 90 93 44 44, info@nord-pinus.com, Fax 04 90 93 34 00, 佘
« Élégante installation » – 🗐, 🗐 ch, 📺 ℅ ⇦. 🄰🄴 ⓪ GB JCB   Z
mars-nov. – Repas (fermé mardi soir et merc. hors saison) 15,24 (déj.)/30,50 – ⛌ 13
25 ch 128/290

🏨 **D'Arlatan** ⑤ sans rest, 26 r. Sauvage (près pl. Forum) ℘ 04 90 93 56 66, hotel-arlatan
provnet.fr, Fax 04 90 49 68 45, « Vestiges archéologiques et beau mobilier », ⌇, 舜 – 🗐 ▤
📺 ℅ ⇦ – 🄰 50. 🄰🄴 ⓪ GB   Y
fermé 6 janv. au 3 fév. – ⛌ 10 – **45 ch** 77/137, 9 appart

🏨 **Mercure Arles Camargue** M, av. 1e Division Française Libre (près Palais des Congrè
℘ 04 90 93 98 80, h2738-gm@accor-hotels.com, Fax 04 90 49 92 76, 佘, ⌇ – 🗐 ⭗ ▤ ▯
🕭 🄿 – 🄰 150. 🄰🄴 ⓪ GB JCB, ⌘ rest   X
Repas (13,50) - 19/24 🥂, enf. 7,50 – ⛌ 9 – **80 ch** 83/105 – ½ P 88/92

🏨 **Mireille** M, 2 pl. St-Pierre à Trinquetaille ℘ 04 90 93 70 74, contact@hotel-mireille.con
Fax 04 90 93 87 28, 佘, ⌇ – ⭗ ▤ 📺 ⇦. 🄰🄴 ⓪ GB JCB, ⌘ rest   Y
hôtel : 5 mars-3 nov. ; rest. : 5 mars-31 oct. – Repas (dîner seul.) 23/29,73 🥂, enf. 12,20
⛌ 9,91 – **34 ch** 68,60/114,30 – ½ P 77/96,80

🏨 **Calendal** M ⑤ sans rest, 5 r. Porte de Laure ℘ 04 90 96 11 89, contact@lecalendal.con
Fax 04 90 96 05 84, « Jardin ombragé », 舜 – 🗐 📺. 🄰🄴 ⓪ GB   Z
fermé 6 au 26 janv. – ⛌ 7 – **38 ch** 45/75

🏨 **Musée** sans rest, 11 r. Gd-Prieuré ℘ 04 90 93 88 88, hotel-du-musee@wanadoo.f
Fax 04 90 49 98 15 – ▤ 📺 ℅ ⇦. 🄰🄴 ⓪ GB JCB   Y
fermé 1er déc. au 10 fév. – ⛌ 6 – **28 ch** 41/77

🏨 **Acacias** sans rest, 1 r. Marius Jouveau ℘ 04 90 96 37 88, contact@hotel-acacias.con
Fax 04 90 96 32 51 – 🗐 ▤ 📺 ℅ &. GB   Y
15 fév.-16 nov. – ⛌ 5,95 – **33 ch** 51,07/62,50

🏨 **Amphithéâtre** M sans rest, 5 r. Diderot ℘ 04 90 96 10 30, contact@hotelamphitheatre
fr, Fax 04 90 93 98 69 – ▤ 📺. 🄰🄴 GB JCB   Z
⛌ 6 – **15 ch** 48/63

🏨 **St-Trophime** sans rest, 16 r. Calade ℘ 04 90 96 88 38, st-trophime@worldonline.fi
Fax 04 90 96 92 19 – 🗐 📺. 🄰🄴 GB   Z
1er mars-3 nov. – ⛌ 5,80 – **22 ch** 35/56

🏨 **Muette** sans rest, 15 r. Suisses ℘ 04 90 96 15 39, hotel.muette@wanadoo.fi
Fax 04 90 49 73 16 – 📺 ℅ ⇦. 🄰🄴 GB   Y
fermé vacances de fév. – ⛌ 6 – **18 ch** 51/61

🏨 **Porte de Camargue** sans rest, 15 r. Noguier à Trinquetaille ℘ 04 90 96 17 32, porte
camargue@libertysurf.fr, Fax 04 90 18 97 92 – 🗐 ▤ 📺 ℅ &. 🄰🄴 GB JCB, ⌘   Y
5 mars-31 oct. – ⛌ 5,80 – **25 ch** 47,26/53,50

🏨 **Régence** sans rest, 5 r. Marius Jouveau ℘ 04 90 96 39 85, contact@hotel-regence.com
Fax 04 90 96 67 64 – 📺 ℅. GB   Y
fermé 16 nov. au 11 fév. – ⛌ 4,57 – **17 ch** 30,49/43,45

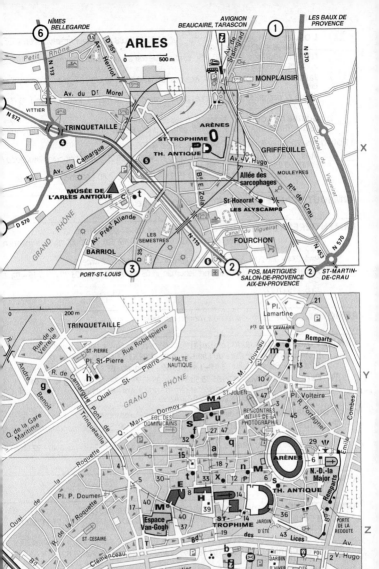

XXX **L'Olivier,** 1 bis r. Réattu   ☎ 04 90 49 64 88,   *restaurant-olivier@provnet*
Fax 04 90 93 85 42, 🌣 – ▤. **GB**   Y
fermé 1er au 30 nov., 15 au 30 janv., lundi sauf le soir de juin à août et dim. – **Repas** 18 (dé
28/55 et carte 47 à 58

X **Jardin de Manon,** 14 av. Alyscamps   ☎ 04 90 93 38 68, Fax 04 90 49 62 03, 🌣 –
GB   Z
fermé 27 oct. au 13 nov., vacances de fév., mardi soir et merc. – **Repas** 13 (déj.), 17/35
enf. 12

X **Gueule du Loup,** 39 r. Arènes   ☎ 04 90 96 96 69 – ▤. **GB**   Y
fermé 16 au 30 nov., 8 janv. au 8 fév., dim. et lundi – **Repas** (prévenir)(dîner seul. en août)

à Fourques *(Gard) par ⑥ : 4 km – 2 544 h. alt. 3* – ⊠ *30300 :*

🏠 **Mas des Piboules** Ⓜ, N 113   ☎ 04 90 96 25 25,   *hotel.piboules@wanadoo.*
Fax 04 90 93 68 88, 🌣, 🌊 – ▥ & 🅿. **GB**
1er mars-31 oct. – **Repas** (dîner seul.) 15/21 &, enf. 8 – 🍽 8,40 – **50 ch** 57 – ½ P 45,70

ARMBOUTS-CAPPEL 59 Nord **51** ③ – *rattaché à Dunkerque.*

ARMENTIÈRES 59280 Nord **51** ⑮ *G. Picardie Flandres Artois* – *25 273 h alt. 16.*
🅱 *Office du tourisme 33 rue de Lille*   ☎ 03 20 44 18 19, Fax 03 20 77 48 15, *armentier
@tourisme.norsys.fr.*
Paris 234 – *Lille 20* – *Dunkerque 58* – *Kortrijk 42* – *Lens 34* – *St-Omer 51.*

🏠 **Albert 1er** sans rest, 28 r. Robert Schuman   ☎ 03 20 77 31 02, Fax 03 20 77 05 16 – 📺.
GB. ✻
🍽 5 – **15 ch** 27/39

ARMOY 74 H.-Savoie **70** ⑰ – *rattaché à Thonon-les-Bains.*

ARNAC-POMPADOUR 19230 Corrèze **75** ⑧ *G. Berry Limousin* – *1 334 h alt. 413.*
🅱 *Office du tourisme Place du Château*   ☎ 05 55 98 55 47, Fax 05 55 98 54 97.
Paris 454 – *Brive-la-Gaillarde 43* – *Limoges 60* – *Périgueux 66* – *St-Yrieix-la-Perche 24.*

🏠 **Parc,** pl. Vieux Lavoir   ☎ 05 55 73 30 54, Fax 05 55 73 39 79, 🌣, 🌊 – 📺 📞. ⅍ **GB**
fermé 22 déc. au 29 janv., dim. soir et sam. de nov. à avril – **Repas** 10 (déj.), 13/50 ⅌, enf. 6,9
– 🍽 5,50 – **10 ch** 39,60/42,60 – ½ P 38/42,50

rte de Lanouaille *Ouest : 5 km par D 7* – ⊠ *19230 Arnac-Pompadour :*

🏠 **Auberge de la Mandrie** ⬙,   ☎ 05 55 73 37 14,   *auberge.mandrie@telepost.f*
Fax 05 55 73 67 13, 🌣, 🔲, 🏊 – 📺 🅿. – 🏛 25. ◍ **GB**
fermé 3 au 31 janv. – **Repas** *(fermé dim. soir de nov. à mars)* 12/29 ⅌ – 🍽 6,40 – **22 ch** 38,8
– ½ P 37,35

ARNAGE 72 Sarthe **60** ⑬ – *rattaché au Mans.*

ARNAY-LE-DUC 21230 Côte-d'Or **65** ⑱ *G. Bourgogne* – *1 829 h alt. 375.*
🅱 *Office du tourisme 15 rue Saint-Jacques*   ☎ 03 80 90 07 55, Fax 03 80 90 07 55
ot@arnay-le-duc.com.
Paris 286 – *Beaune 36* – *Dijon 59* – *Autun 28* – *Chagny 38* – *Montbard 74* – *Saulieu 29.*

🏛 **Chez Camille,**   ☎ 03 80 90 01 38, *chez-camille@wanadoo.fr,* Fax 03 80 90 04 64 – 📺
⇔ 🅿. ⅍ ◍ **GB** **JCB**
Repas 17/32 ⅌ – 🍽 8,50 – **11 ch** 69 – ½ P 72,50

Annexe Clair de Lune 🏠 sans rest,   ☎ 03 80 90 15 50 – 📺 🅿. ⅍ ◍ **GB** **JCB**
🍽 5 – **13 ch** 28

X **Terminus** avec ch, N 6   ☎ 03 80 90 00 33, Fax 03 80 90 01 30 – 📺 🅿. ⅍ **GB**
fermé 6 janv. au 5 fév., dim. soir et lundi sauf juil.-août – **Repas** 14,95/28,97 ⅌, enf. 8,23 –
🍽 5,18 – **8 ch** 28,97/42,69 – ½ P 36,59/45,73

ARPAILLARGUES-ET-AUREILLAC 30 Gard 80 ⑲ – rattaché à Uzès.

ARPAJON 91290 Essonne 60 ⑩ – 9 053 h alt. 51.

🛈 Office du tourisme 70 Grande Rue ℘ 01 60 83 36 51, Fax 01 60 83 80 00.

Paris 33 – Fontainebleau 50 – Chartres 71 – Évry 18 – Melun 47 – Orléans 93 – Versailles 40.

XXX **Saint Clément**, 16 av. Hoche (D152) ℘ 01 64 90 21 01, Fax 01 60 83 32 67, 🌦 – 🗏. ℁
GB

fermé août, dim. soir et lundi – **Repas** 32,02/40,40

ARPAJON-SUR-CÈRE 15 Cantal 76 ⑫ – rattaché à Aurillac.

Les ARQUES 46250 Lot 79 ⑦ G. Périgord Quercy – 158 h alt. 254.

Voir Église St-Laurent★ : Christ★ et Pietà★ – Fresques murales★ de l'église St-André-des-Arques.

Paris 576 – Cahors 28 – Gourdon 26 – Villefranche-du-Périgord 19 – Villeneuve-sur-Lot 59.

X **Récréation**, ℘ 05 65 22 88 08, 🌦 – GB

1ᵉʳ avril-30 sept. et week-ends (sauf dim. soir) en mars, oct. et nov. et fermé jeudi midi et merc. – **Repas** 14/23 🍷

ARRADON 56 Morbihan 63 ③ – rattaché à Vannes.

> *Dans ce guide*
>
> un même symbole, un même caractère,
> imprimé en couleur ou en **noir**, en maigre ou en **gras**
> n'ont pas tout à fait la même signification.
>
> Lisez attentivement les pages explicatives.

ARRAS ℗ 62000 P.-de-C. 53 ② G. Picardie Flandres Artois – 40 590 h Agglo. 124 206 h alt. 72.

Voir Grand'Place★★★ et Place des Héros★★★ – Hôtel de Ville et beffroi★ BY H – Ancienne abbaye St-Vaast★★ : musée des Beaux-Arts★.

🛈 Office du tourisme Place des Héros ℘ 03 21 51 26 95, Fax 03 21 71 07 34, arras.tourisme@wanadoo.fr.

Paris 179 ② – Lille 54 ① – Amiens 69 ④ – Calais 112 ① – Charleville-Mézières 161 ②.

Plans pages suivantes

🏨 **Univers** 🅼 ≫, 3 pl. Croix Rouge ℘ 03 21 71 34 01, hotelunivers.arras@wanadoo.fr, Fax 03 21 71 41 42, « Élégante demeure du 18ᵉ siècle » – 🛗 📺 ✆ ₷ 🅿 – 🕍 40 à 100. ℁
GB   BZ   v
Repas (fermé dim. soir en janv. et fév.) 18,30/42 ♈ – ☲ 9,20 – **38 ch** 69/122 – ½ P 91,50

🏨 **Mercure Atria** 🅼, 58 bd Carnot ℘ 03 21 23 88 88, h1560@accor-hotels.com, Fax 03 21 23 88 89 – 🛗 ⇄ 📺 ₷ – 🕍 30 à 300. ℁ ⓞ GB   CZ   b
Repas 14,94/20,58 ♈, enf. 8,38 – ☲ 9,45 – **80 ch** 77/90

🏨 **Angleterre** 🅼, 7 pl. Foch ℘ 03 21 51 51 16, hotelangleterre.fr@pilortec.fr, Fax 03 21 71 38 20 – 🛗 ▤ 📺 ✆ ₷ – 🕍 25. ℁ ⓞ GB ᴶᴄᴮ. ❄   CZ   r
Repas (fermé 24 déc. au 2 janv., sam., dim. et lundi) (dîner seul.) 22 🍷, enf. 8 – ☲ 12 – **20 ch** 80/130

🏨 **Ibis** sans rest, 11 r. Justice ℘ 03 21 23 61 61, H1567@accor-hotels.com, Fax 03 21 71 31 31 – 🛗 ⇄ 📺 ✆ ₷. ℁ ⓞ GB   CZ   n
☲ 5,50 – **63 ch** 63

🏨 **3 Luppars** sans rest, 49 Grand'Place ℘ 03 21 07 41 41, Fax 03 21 24 24 80 – 🛗 📺 ₷. ℁ ⓞ GB ᴶᴄᴮ   CY   r
☲ 7 – **42 ch** 34/58

🏨 **Astoria**, 12 pl. Foch ℘ 03 21 71 08 14, Fax 03 21 71 60 95 – ▤ rest, 📺 ✆ – 🕍 30. ℁ ⓞ GB ᴶᴄᴮ   CZ   s
Repas 15/39 ♈ – ☲ 6 – **29 ch** 43/48 – ½ P 41

ARRAS

Welcome to France!
Remember,
keep to the right.

XXX **Faisanderie,** 45 Grand'Place, 𝒫 03 21 48 20 76, *Fax 03 21 50 89 18,* « Cave du 17e siècle »
– AE ⓪ ⌷ JCB   CY f
fermé 6 au 26 août, 2 au 9 janv., 18 au 24 fév., dim. soir et lundi – **Repas** 22,50/54,50 et carte
61 à 73

XX **Coupole d'Arras,** 26 bd Strasbourg, 𝒫 03 21 71 88 44, *Fax 03 21 71 52 46,* brasserie – AE
⓪ ⌷ JCB   CZ x
fermé dim. soir de nov. à Pâques et sam. midi – **Repas** 19,06/27,14 ♀

à Anzin-St-Aubin *Nord-Ouest : 5 km par D 341* – *2 470 h. alt. 71* – ⊠ *62223 :*

🏰 **Golf** M, r. Briquet Tallandier, 𝒫 03 21 50 45 04, *hotel-golf-arras@wanadoo.fr,*
Fax 03 21 15 07 00, ≤, 🏛 – 🛗 ✻, 🍽 rest, 📺 ✆ 👍 🅿 – 🔏 130. AE ⓪ ⌷
Repas 21,34/28,97, enf. 7,62 – ⊒ 8,38 – **43 ch** 74,70/149,46

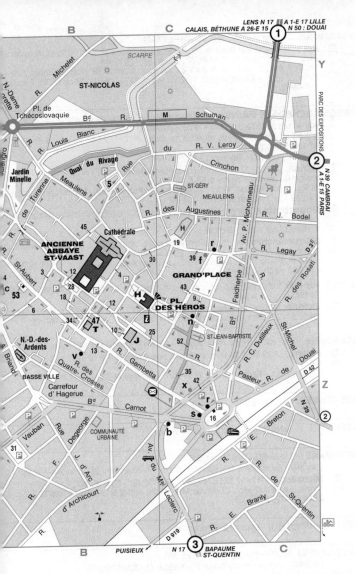

Une réservation confirmée par écrit ou par fax est toujours plus sûre.

ARREAU 65240 H.-Pyr. 🖽 ⑲ G. Midi-Pyrénées – 823 h alt. 705.

Voir *Vallée d'Aure★ S – ✳ ★★★ du col d'Aspin NO : 13 km.

🛈 Office du tourisme Château des Nestes ✆ 05 62 98 63 15, Fax 05 62 40 12 32.

Paris 844 – Bagnères-de-Luchon 33 – Auch 93 – Lourdes 80 – St-Gaudens 54 – Tarbes 62.

🏠 **Angleterre,** rte Luchon ✆ 05 62 98 63 30, Fax 05 62 98 69 66, 🏊, 🎠 – 📺 🅿 – 🔥 30.
GB, ✀
26 déc.-15 avril (sauf rest.), 1er juin-30 sept. et fermé mardi midi et lundi – **Repas** 16,50/34 ♈,
enf. 9 – ⛦ 7,50 – **24 ch** 49/52 – 1/2 P 47/57

187

à Cadéac Sud : 2 km par D 929 – 221 h. alt. 736 – ⊠ 65240 :

🏠 **Hostellerie du Val d'Aure** ⑤, rte de St-Lary-Soulan *℘* 05 62 98 60 63, hotel@hote valdaure.com, Fax 05 62 98 68 99, 佘, ⌿, ⌀, ※ – 𝖳𝖵 🅿. GB
hotel: 9 mai-22 sept., week-ends et vacances scolaires de Noël à Pâques ; rest.
9 mai-22 sept. – **Repas** 10 (déj.), 15/20 ₤, enf. 6,50 – ⌸ 6,50 – **23 ch** 53/75, 7 appart
½ P 48/62

ARROMANCHES-LES-BAINS 14117 Calvados 54 ⑮ G. Normandie Cotentin – 552 h.

Voir Musée du débarquement – La Côte du Bessin★ O.

🚩 Syndicat d'initiative 4 rue du Maréchal Joffre *℘* 02 31 21 47 56, Fax 02 31 22 92 0
off-tour@mail.cpod.fr.

Paris 266 – Caen 34 – Bayeux 11 – St-Lô 46.

🏠 **Marine**, *℘* 02 31 22 34 19, hotel.de.la.marine.@wanadoo.fr, Fax 02 31 22 98 80, ≤ Po artificiel du Débarquement – 🛗 𝖳𝖵 🅿. AE GB
15 fév.-15 nov. – **Repas** 16 (déj.), 23/48 ₤, enf. 8 - **Pub Winston** : **Repas** 12,20 et carte env
ron 22 ₤ – ⌸ 7 – **28 ch** 56,41/65 – ½ P 60

🏠 **Mountbatten** sans rest, *℘* 02 31 22 59 70, hotel.mountbatten@wanadoo.f
Fax 02 31 22 50 30 – 𝖳𝖵 🅿. GB
1er mars-30 oct. – ⌸ 7 – **9 ch** 56

✗ **d'Arromanches** avec ch, 2 r. Col. René Michel *℘* 02 31 22 36 26, hoteldarromanche
ifrance.com, Fax 02 31 22 23 29, 佘 – 𝖳𝖵 ✆ 🅿. GB. ※ ch
fermé 1er janv. au 10 fév., mardi et merc. sauf vacances scolaires – **Repas** (12) -14/28 ₤, enf.
– ⌸ 6,80 – **9 ch** 50/59 – ½ P 52/55

à Tracy-sur-Mer Sud-Ouest : 2,5 km par rte de Bayeux et rte secondaire – 240 h. alt. 60
⊠ 14117 :

🏠 **Victoria** ⑤ sans rest, chemin de l'Église *℘* 02 31 22 35 37, hotel-victoria@wanadoo.fr
Fax 02 31 22 93 38, « Manoir du 19e siècle à la campagne », ☞ – 𝖳𝖵 ✆ 🅿. GB. ※
1er avril-30 sept. – ⌸ 7 – **14 ch** 73/96

à La Rosière Sud-Ouest : 3 km par rte de Bayeux – ⊠ 14177 Arromanches-les-Bains :

🏠 **Rosière**, *℘* 02 31 22 36 17, hotel.larosiere@wanadoo.fr, Fax 02 31 22 19 33, ☞ – 🅿. A
GB
27 mars-7 oct. – **Repas** 13,72/29,73 ₤ – ⌸ 6 – **25 ch** 48,78/53,36 – ½ P 49,55

ARS-EN-RÉ 17 Char.-Mar. 71 ⑫ – voir Ré (Ile de).

ARSONVAL 10 Aube 61 ⑱ – rattaché à Bar-sur-Aube.

ARTEMARE 01510 Ain 74 ④ – 970 h alt. 245.

Paris 509 – Aix-les-Bains 33 – Bourg-en-Bresse 77 – Chambéry 50 – Lyon 104 – Nantua 43.

🏠 **Michallet**, *℘* 04 79 87 39 33, Fax 04 79 87 39 20, 佘 – 𝖳𝖵 ✆ 🅿. GB
fermé 26 août au 2 sept., 21 déc. au 14 janv., dim. soir et lundi – **Repas** 12,50/30 ₰ – ⌸ 6 -
21 ch 35/42 – ½ P 35/38

ARTRES 59 Nord 53 ④ – rattaché à Valenciennes.

ARTZENHEIM 68320 H.-Rhin 62 ⑲ – 618 h alt. 180.

Paris 457 – Colmar 16 – Mulhouse 57 – Sélestat 21 – Strasbourg 75.

✗✗✗ **Auberge d'Artzenheim** ⑤ avec ch, *℘* 03 89 71 60 51, Fax 03 89 71 68 21, 佘, ☞ -
𝖳𝖵 🅿. AE GB
fermé 15 fév. au 1er mars, dim. soir, mardi soir et lundi – **Repas** 18,30/64 et carte 33 à 55 ₤,
enf. 10,40 – ⌸ 6,10 – **9 ch** 38,90/52 – ½ P 45/54

ARUDY 64260 Pyr.-Atl. 85 ⑥ G. Aquitaine – 2 234 h alt. 413.

🚩 Office du tourisme Place de la Mairie *℘* 05 59 05 77 11, Fax 05 59 05 80 31.

Paris 806 – Pau 27 – Argelès-Gazost 55 – Lourdes 42 – Oloron-Ste-Marie 21.

✗ **France**, pl. Hôtel de Ville *℘* 05 59 05 60 16, Fax 05 59 05 70 06 – 𝖳𝖵 🅿. GB. ※
fermé mai et sam. sauf saison et vacances scolaires – **Repas** 10,70/18 ₤, enf. 8 – ⌸ 5 – **19 ch**
20/36,60 – ½ P 28,50/35,90

RVIEU 12120 Aveyron 🔟 ② – 880 h alt. 730.

🔋 Syndicat d'initiative - Mairie ℰ 05 65 46 71 06.

Paris 662 – Rodez 31 – Albi 68 – Millau 59 – St-Affrique 47 – Villefranche-de-Rouergue 77.

⌂ **Au Bon Accueil**, ℰ 05 65 46 72 13, Aubonaccueil@fr.st, Fax 05 65 74 28 95 – ☎, ஊ ᴳᴮ
ⓢ fermé 1ᵉʳ au 15 fév. – **Repas** 10,37 bc/29,73 ⅃ – ⌷ 5,18 – **12 ch** 22,87/39,64 – ½ P 29,73/35,83

ARZON 56640 Morbihan 🔠 ⑫ G. Bretagne – 2 056 h alt. 9.

Voir Tumulus de Tumiac ou butte de César ☀★ E : 2 km puis 30 mn.

🔋 OMT Rond-Point du Crouesty ℰ 02 97 53 69 69, Fax 02 97 53 76 10, crouesty@crouesty.com.

Paris 488 – Vannes 33 – Auray 52 – Lorient 92 – Quiberon 80 – La Trinité-sur-Mer 64.

u Port du Crouesty Sud-Ouest : 2 km – ⊠ 56640 Arzon :

🏨 **Miramar** Ⓜ ⅍, ℰ 02 97 53 49 00, reservation@miramar-crouesty.com, Fax 02 97 53 49 99, ≤, institut de thalassothérapie, « Architecture originale évoquant un paquebot », ₤ᴕ, ⊠ – ⋈ ☰ ᴛᴠ ☎ & ⇔ ᴘ – 🔬 80. ஊ ① ᴳᴮ ᴶᶜᴮ, ⅏ rest
fermé 25 nov. au 27 déc. – **Salle à Manger** : Repas 42/69 ⅀, enf. 22,10 – **Ruban Bleu** (rest. diététique) Repas 42, enf. 22,10 – ⌷ 17 – **108 ch** 252/402, 12 appart – ½ P 191/244

🏨 **Crouesty** Ⓜ sans rest, ℰ 02 97 53 87 91, Fax 02 97 53 66 76 – ᴛᴠ ᴘ. ᴳᴮ
fermé janv. – ⌷ 6,50 – **26 ch** 65/75

Port Navalo Ouest : 3 km – ⊠ 56640 Arzon :

ⵊⵊⵊ **Grand Largue**, à l'embarcadère ℰ 02 97 53 71 58, Fax 02 97 53 92 20, ≤ golfe du Morbihan, 🍽 – ᴳᴮ
fermé 15 nov. au 20 déc., 7 janv. au 10 fév., mardi sauf juil.-août et lundi – **Repas** 27/65,44 et carte 60 à 75

ASCAIN 64310 Pyr.-Atl. 🔠 ② G. Aquitaine – 3 097 h alt. 24.

🔋 Office du tourisme ℰ 05 59 54 00 84.

Paris 796 – Biarritz 23 – Cambo-les-Bains 26 – Hendaye 18 – Pau 138 – St-Jean-de-Luz 7.

🏠 **Parc Trinquet-Larralde**, ℰ 05 59 54 00 10, parcascain@aol.com, Fax 05 59 54 01 23, 🍽, 🌤 – ᴛᴠ. ஊ ① ᴳᴮ. ⅏
fermé 2 janv. à fin fév., dim. et lundi de nov. à mars – **Repas** (fermé lundi de sept. à juin et dim. soir) 14 (déj.), 21,50/30, enf. 8 – ⌷ 8 – **24 ch** 58/69 – ½ P 53,50/61

u col de St-Ignace Sud-Est : 3,5 km – ⊠ 64310 Ascain.

Voir Montagne de la Rhune ☀★★★, 1h par chemin de fer à crémaillère.

⋇ **Les Trois Fontaines**, ℰ 05 59 54 20 80, Fax 05 59 54 20 80, ≤, 🍽, 🌤 – ᴘ. ᴳᴮ
ⓢ fermé mi-nov. à début déc., fin janv. à mi-fév. et merc. d'oct. à mars – **Repas** 12/22,50, enf. 7

ASNIÈRES-SUR-SEINE 92 Hauts-de-Seine 🔠 ⑳, 𝟙𝟘𝟙 ⑮ – voir à Paris, Environs.

ASPRES-SUR-BUËCH 05140 H.-Alpes 🔠 ⑤ G. Alpes du Sud – 762 h alt. 778.

🔋 Office du tourisme Route de Grenoble ℰ 04 92 58 68 88, Fax 04 92 58 63 16.

Paris 662 – Gap 33 – Grenoble 97 – Sisteron 46 – Valence 128.

🏠 **Parc**, ℰ 04 92 58 60 01, info@hotel-parc.com, Fax 04 92 58 67 84 – ᴘ. ஊ ① ᴳᴮ
fermé 6 déc. au 6 janv., dim. soir et merc. – **Repas** (13) – 16 (déj.), 19/32 ⅀, enf. 10 – ⌷ 7 – **23 ch** 30/47 – ½ P 50/66

ASTAFFORT 47220 L.-et-G. 🔠 ⑮ – 1 880 h alt. 65.

🔋 Office du tourisme 13 place de la Nation ℰ 05 53 67 13 33, Fax 05 53 67 13 33, ot-astaffort@wanadoo.fr.

Paris 681 – Agen 19 – Auvillar 31 – Condom 33 – Lectoure 20.

🏨 **Square "Michel Latrille"** Ⓜ ⅍, ℰ 05 53 47 20 40, latrille.michel@wanadoo.fr, Fax 05 53 47 10 38, 🍽 – ⋈ ☰ ᴛᴠ ☎ & ⇔ – 🔬 20. ᴳᴮ. ⅏ ch
ⵙ fermé 29 avril au 14 mai, 18 nov. au 3 déc., 24 janv. au 4 fév. et dim. – **Repas** (fermé dim. soir, mardi midi et lundi) 21/56 et carte 50 à 75 ⅀, enf. 12 – ⌷ 9 – **14 ch** 54/110
Spéc. Ravioli de langoustines aux truffes. Pigeonneau rôti et parfumé aux épices douces. Moelleux au café **Vins** Côtes du Marmandais, Buzet

XX **Une Auberge en Gascogne** avec ch, N 21 (face Poste) ✆ 05 53 67 10 27 *Fax 05 53 67 10 22*, – TV P – 20. AE GB
fermé 1er au 20 nov., dim. soir en hiver, jeudi midi et merc. – **Repas** 18/42 ♀, enf. 10 – ☕ 6,50 – **8 ch** 36/40 – ½ P 44

ASTÉRIX (Parc) *60 Oise* 56 ⑪ – *rattaché à Survilliers (95 Val d'Oise).*

ATHIS-MONS *91 Essonne* 61 ①, 101 ㊱ – *voir à Paris, Environs.*

ATTENSCHWILLER *68220 H.-Rhin* 87 ⑩ – *836 h alt. 360.*
Paris 479 – Mulhouse 36 – Altkirch 22 – Basel 12 – Colmar 69.

X **A la Couronne**, ✆ 03 89 68 76 96, *Fax 03 89 68 73 77* – AE GB
fermé 1er au 21 juil., 1er au 16 fév., lundi et mardi – **Repas** 21,40/45 ♀, enf. 9,20

ATTICHY *60350 Oise* 56 ③ – *1 852 h alt. 73.*
Paris 100 – Compiègne 18 – Laon 59 – Noyon 26 – Soissons 24.

XX **Croix d'Or** avec ch, 13 r. Tondu de Metz ✆ 03 44 42 15 37, *Fax 03 44 42 15 37* – TV ♿. AE GB
Repas *(fermé lundi soir et mardi)* 13/37 ♁, enf. 6 – **5 ch** ☕ 32/38 – ½ P 32

ATTIGNAT *01340 Ain* 70 ⑫ ⑬ – *1 924 h alt. 227.*
Paris 422 – Mâcon 35 – Bourg-en-Bresse 13 – Lons-le-Saunier 75 – Louhans 63 – Tournus 42

XX **Dominique Marcepoil** avec ch, D 975 ✆ 04 74 30 92 24, *Fax 04 74 25 93 48*, , – TV P – 25. AE GB. ch
fermé 30 sept. au 15 oct., 6 au 21 janv., mardi midi, dim. soir et lundi sauf juil.-août – **Repas** 19/61 bc ♀, enf. 13 – ☕ 7 – **10 ch** 37/60 – ½ P 61

ATTIGNAT-ONCIN *73 Savoie* 74 ⑮ – *rattaché à Aiguebelette-le-Lac.*

ATTIN *62 P.-de-C.* 51 ⑫ – *rattaché à Montreuil.*

AUBAGNE *13400 B.-du-R.* 84 ⑬, 114 ㉙ *G. Provence – 42 638 h alt. 102.*
Office du tourisme Rue Antide Boyer ✆ 04 42 03 49 98, Fax 04 42 03 83 62, aubagnetou @aubagne.com.
Paris 795 – Marseille 18 – Toulon 47 – Aix-en-Provence 38 – Brignoles 49.

à St-Pierre-lès-Aubagne *Nord : 5 km par N 96 ou D 43 – ✉ 13400 :*

Hostellerie de la Source , ✆ 04 42 04 09 19, *h.delasource@gofornet.com Fax 04 42 04 58 72*, ←, , « Parc fleuri », , , – TV ♿ P – 40. AE GB JCB
Repas *(fermé dim. soir et lundi)* 24 (déj.), 32/52 ♀, enf. 20 – ☕ 11 – **25 ch** 77/160 – ½ P 86/116

AUBAZINE *19190 Corrèze* 75 ⑨ *G. Périgord Quercy – 732 h alt. 345.*
Voir *Abbaye★ : clocher★, mobilier★, tombeau de St-Étienne★★, armoire liturgique★.*
Office du tourisme Le Bourg ✆ 05 55 25 79 93, Fax 05 55 25 79 93, ot.aubazine@ne courrier.com.
Paris 490 – Brive-la-Gaillarde 14 – Aurillac 87 – St-Céré 54 – Tulle 18.

Tour, ✆ 05 55 25 71 17, *Fax 05 55 84 61 83* – TV. GB
fermé janv., lundi midi en hiver et dim. soir – **Repas** 15,24/35,06, enf. 7,62 – ☕ 5,34 – **20 ch** 45,73/47,26 – ½ P 48,78/50,31

X **Saut de la Bergère** avec ch, à l'Est : 2 km par D 48 ✆ 05 55 25 74 09 *Fax 05 55 84 63 05*, , – TV P. GB
fermé 1er janv. au 2 mars et lundi de sept. à fin mars – **Repas** (9,90) - 13/32,50 ♀ – ☕ 6,10 – **8 ch** 29/47,50 – ½ P 38/42

AUBE *61270 Orne* 60 ④ *G. Normandie Vallée de la Seine – 1 540 h alt. 230.*
Paris 145 – Alençon 58 – L'Aigle 7 – Argentan 47 – Mortagne-au-Perche 32.

X **Auberge St-James**, 62 rte Paris ✆ 02 33 24 01 40, *Fax 02 33 24 01 40* – GB
fermé 5 au 20 août, 6 au 14 janv., dim. soir et lundi – **Repas** 11/27

AUBENAS 07200 Ardèche **76** ⑲ G. Vallée du Rhône – 11 018 h alt. 330.

Voir Site★ – Façade★ du château.

🛈 Office du tourisme 4 boulevard Gambetta ℰ 04 75 89 02 03, Fax 04 75 89 02 04,
ot.aubenas.ardeche@en-france.com.

Paris 633 ② – Le Puy-en-Velay 91 ① – Alès 75 ④ – Montélimar 41 ③ – Privas 31 ②.

AUBENAS

Bouchet (R. Auguste) . . **Y** 2	Grenette (Pl. de la). . . . . . **Y** 9	Parmentier (Pl.). . . . . **Y** 24
Champ-de-Mars (Pl. du) . **Y** 3	Hoche (R.) . . . . **Z** 12	Radal (R.) . . . . **Z** 25
Couderc (R. G.) . . . . **Y** 5	Hôtel-de-Ville (Pl.) . . . . . . **Y** 13	République
Delichères (R.) . . . . **Z** 6	Jaurès (R. Jean) . . . . **Y** 15	(R. de la) . . . . **Y** 26
Gambetta (Bd) . . . . **Z**	Jourdan (R.) . . . . **Y** 16	Réservoirs (R. des) . . . . . **Y** 27
Gaulle (Pl. Gén.-de) . . . . **Z** 7	Laprade (Bd C.) . . . . **Z** 18	Roure (Pl. Jacques) . . . . . **Y** 29
Grand'-Rue . . . . **Y** 8	Lésin-Lacoste (R.) . . . . . . **Y** 19	St-Benoît (Rampe) . . . . . . **Y** 30
	Montlaur (R.) . . . . **Y** 21	Silhol (R. Henri) . . . . **Y** 32
	Nationale (R.) . . . . **Y** 22	Vernon (Bd de) . . . . **Z** 33
	Paix (Pl. de la) . . . . **Z** 23	4-Septembre (R.) . . . . . . **Y** 35

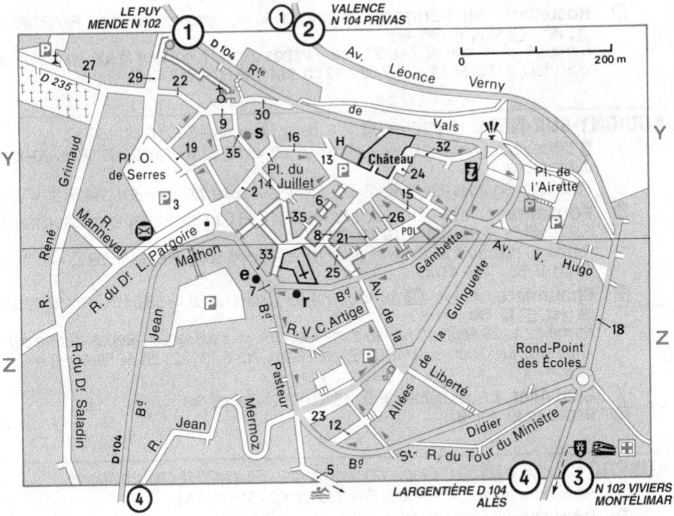

🏥 **Cévenol** sans rest, 77 bd Gambetta ℰ 04 75 35 00 10, Fax 04 75 35 03 29 – 📶 📺 📞 🅿.   **Z** r
  ⬜ **GB** ✳️
  ⬜ 6 – **44 ch** 40/49

🏨 **Ibis** Ⓜ, rte Montélimar ℰ 04 75 35 44 45, Fax 04 75 93 01 01, 🍽, 🛌 – ⇔ 🖥 📺 📞 ♿ 🅿 –
  🔼 50. 🆎 ⓞ **GB**
  Repas (13) – 16 ⅋, enf. 6 – ⬜ 5,64 – **43 ch** 50/60

🏨 **Provence** sans rest, 5 bd Vernon ℰ 04 75 35 28 43, Fax 04 75 35 28 43 – **GB**   **Z** e
  ⬜ 5 – **21 ch** 22,50/38

🍴🍴 **Fournil**, 34 r. 4-Septembre ℰ 04 75 93 58 68, Fax 04 75 93 58 68, 🍽 – **GB**   **Y** s
  fermé 22 juin au 9 juil., vacances de Toussaint, de Noël, de fév., dim. et lundi – **Repas** 16/29,
  enf. 7,50

à Lavilledieu par ③ : 6 km – 1 430 h. alt. 226 – ⊠ 07170 :

🛈 Syndicat d'initiative Place du Barry ℰ 04 75 94 39 67, Fax 04 75 94 39 77, si.lavilledieu
@free.fr.

🏨 **Les Persèdes**, ℰ 04 75 94 88 08, hotelpersedes@aol.com, Fax 04 75 94 29 02, ≤, 🍽,
  🛌, 🎾 – 🖥 ch, 📺 📞 🅿. **GB**. ✳️ rest
  avril-oct. et fermé dim. soir et lundi sauf juil.-août – **Repas** 14/32, enf. 10 – ⬜ 7 – **24 ch**
  45/58 – ½ P 46/55

à Lachapelle-sous-Aubenas – 1 259 h. alt. 240 – ⊠ 07200 :

🍴 **Pastourelle**, rte Alès ℰ 04 75 93 11 72, la.pastourelle.restaurant@libertysurf.fr,
  Fax 04 75 93 16 59, 🍽 – 🅿. **GB**. ✳️
  fermé 2 au 15 janv., lundi soir sauf juil.-août, mardi sauf le midi en juil.-août et merc. –
  Repas 12,50 (déj.), 15/33 ⅋, enf. 7,40

à Vinezac par ④ : 13 km par D 104 et D 423 – 989 h. alt. 260 – ⊠ 07110 :

XX **Bastide du Soleil** ⤋ avec ch, ℰ 04 75 36 91 66, bastidesoleil@chateauxhotels.com
Fax 04 75 36 91 59, 龠, « Agréable décor provençal dans une demeure du 17ᵉ siècle » – ⇘
▤ rest, ⊡ ᴬᴱ ⓞ GB, ⤫ rest
14 mars-12 nov. et fermé lundi, mardi et merc. du 31 août au 14 juil. – **Repas** 30/75 ♀ –
⊒ 14 – **5 ch** 113/128 – ½ P 77/107

AUBETERRE-SUR-DRONNE 16390 Charente **75** ③ G. Poitou Vendée Charentes – 365 h
alt. 72.

Voir Église monolithe★★.

🄳 Office du tourisme Place du Château ℰ 05 45 98 57 18, Fax 05 45 98 54 13, aubeterr
tourisme@wanadoo.fr.

Paris 495 – Périgueux 54 – Angoulême 48 – Bordeaux 91.

🏛 **Hostellerie du Périgord,** ℰ 05 45 98 50 46, hpmorel@aol.com, Fax 05 45 98 50 46
⤋, 龠 – ⊡ ✆ ⅙ 🄿, GB 🄹🄲🄱
fermé 1ᵉʳ au 27 nov. et 7 au 27 janv. – **Repas** (fermé lundi sauf le soir en été et dim. soir)
18,24 (déj.), 22,86/33,54 – ⊒ 7,62 – **12 ch** 38,11/68,60 – ½ P 42,85

AUBIGNY-SUR-NÈRE 18700 Cher **65** ⑪ G. Berry Limousin – 5 907 h alt. 180.
🄳 Office du tourisme 1 rue de l'Église ℰ 02 48 58 40 20, Fax 02 48 58 40 20, tourisme@
aubigny.org.

Paris 182 – Bourges 49 – Orléans 67 – Cosne-sur-Loire 42 – Gien 30 – Salbris 32 – Vierzon 44

🏛 **Fontaine,** 2 av. Gén. Leclerc ℰ 02 48 58 02 59, fontaine-masse@wanadoo.fr
Fax 02 48 58 36 80 – ⊡ ✆ ᴬᴱ ⓞ GB
fermé 16 déc. au 3 janv., vend. (sauf hôtel) et dim. soir – **Repas** 18/38 ♀, enf. 11 – ⊒ 6 –
16 ch 43/55 – ½ P 43/49

🏛 **Chaumière** (annexe 🏠 ⤋ ✆), 2 r. Paul Lasnier ℰ 02 48 58 04 01, Fax 02 48 58 10 31 –
▤ rest, ⊡ 🄿. GB
fermé 19 au 28 août, 10 fév. au 2 mars et dim. sauf juil.-août – **Repas** (fermé dim. soir et
lundi sauf juil.-août) 15,24/48,02 ♀, enf. 9,91 – ⊒ 6,10 – **21 ch** 36,59/60,98 – ½ P 41,16/
51,83

X **Bien Aller,** 3 r. des Dames ℰ 02 48 58 03 92 – ▤. ᴬᴱ GB
⤋ **Repas** 13/30, enf. 8

AUBRAC 12 Aveyron **76** ⑭ G. Languedoc Roussillon – ⊠ 12470 St-Chély-d'Aubrac.
Paris 585 – Aurillac 96 – Rodez 56 – Mende 60 – St-Flour 64.

🏛 **Dômerie** ⤋, ℰ 05 65 44 28 42, Fax 05 65 44 21 47, 龠 – 🄿, GB
28 avril- 31 oct. – **Repas** (fermé merc. midi sauf août) 16,70/35 ♀, enf. 10,60 – ⊒ 8 – **23 ch**
50/70 – ½ P 43/55,50

AUBRIVES 08320 Ardennes **53** ⑧ ⑨ – 1 026 h alt. 108.
Paris 274 – Charleville-Mézières 51 – Fumay 17 – Givet 8 – Rocroi 35.

X **Debette** avec ch, ℰ 03 24 41 64 72, contact@hotel-debotte.com, Fax 03 24 41 10 31,
⤋ 龠, 龠 – ⊡. ᴬᴱ GB
fermé 20 déc. au 14 janv. – **Repas** (fermé dim. soir et lundi midi) 11,43/33,54 ♀ – ⊒ 5,79 –
19 ch 25,92/45,73 – ½ P 26,68

AUBUSSON ◆ 23200 Creuse **73** ① G. Berry Limousin – 4 662 h alt. 440.
Voir Musée départemental de la Tapisserie★ (Centre Culturel Jean-Lurçat).
🄳 Office du tourisme Rue Vieille ℰ 05 55 66 32 12, Fax 05 55 83 84 51, tourisme.aubusson
@wanadoo.fr.

Paris 389 ① – Clermont-Ferrand 91 ③ – Guéret 41 ① – Limoges 88 ④ – Montluçon 64 ①.

Plan page ci-contre

🏛 **France,** 6 r. Déportés (a) ℰ 05 55 66 10 22, Fax 05 55 66 88 64, 龠, « Demeure du
18ᵉ siècle » – ⇘ ⊡ ✆ ⇐ – ⤋ 30. GB
Repas 14,50/34 – ⊒ 6 – **23 ch** 46/92

🏛 **Lion d'Or,** pl. Gén. Espagne (e) ℰ 05 55 66 13 88, Fax 05 55 66 84 73, 龠 – ⊡ ✆. ᴬᴱ ⓞ
⤋
fermé dim. soir et lundi hors saison – **Repas** 13/34 ⅚, enf. 10 – ⊒ 6 – **9 ch** 42/54 –
½ P 35/41

AUBUSSON

Pour un bon usage
es plans de villes,
oir les signes
onventionnels
lans l'introduction.

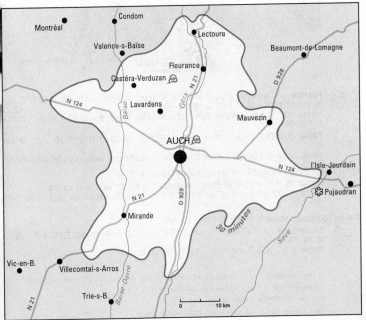

Chapître sans rest, 53 Gde Rue (n) ℰ 05 55 66 18 54, *Fax 05 55 67 79 63* – 🖵. GB
☲ 5,40 – **12 ch** 29/38,20

AUBUSSON D'AUVERGNE 63120 P.-de-D. 🎲 ⑯ – 220 h alt. 418.
Paris 411 – Clermont-Ferrand 56 – Ambert 42 – Thiers 22.
✕ **Au Bon Coin,** ℰ 04 73 53 55 78, Fax 04 73 53 56 29 – GB
fermé 20 déc. au 25 janv., dim. soir et lundi hors saison – **Repas** 16,02/35,07 ♀

AUCH 🅿 32000 Gers 🎲 ⑤ G. Midi-Pyrénées – 21 838 h alt. 169.
Voir Cathédrale Ste-Marie★★ : stalles★★★, vitraux★★ – 🗗 Office du tourisme 1 rue Dessoles
ℰ 05 62 05 22 89, Fax 05 62 05 92 04, ot.auch@wanadoo.fr.
Paris 730 ① – Agen 74 ① – Bordeaux 206 ① – Tarbes 73 ③ – Toulouse 78 ③.

AUCH

Alsace (Av. d') .... BY
Caillou (Pl. du) .... AZ 2
Convention (R. de la) .... AZ 3
David (Pl. J.) .... AY 4
Dessoles (R.) .... AY 5
Gambetta (R.) .... AY
Legarrasic (Allées) .... ABZ 14
Lissagaray (Q.) ...... BYZ 15
Marceau (R.) .... BY 16
Marne (Av. de la)....... BY 17
Montebello (R.) .... BZ 19
Pasteur (R.)............ BZ 20
Pont-National (R. du)............ AZ 21
Prieuré (Pt du) .... BY 23
Rabelais (R.)........... BZ 25
République (Pl. et R. de la) ..... AZ 26
Somme (R. de la) ..... BY 30

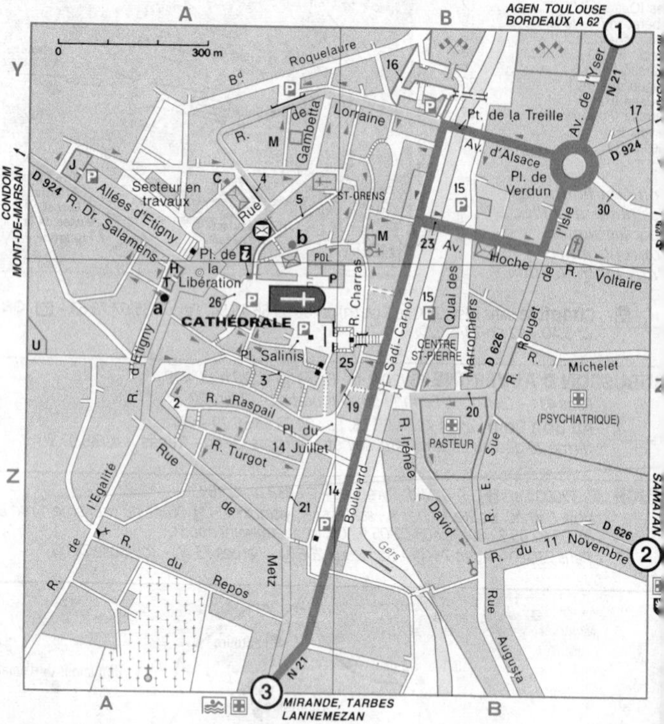

France, pl. Libération ✆ 05 62 61 71 71, *auchgarreau@intelcom.fr, Fax 05 62 61 71 81* – |♿|, ▤ rest, TV ✆ – 🏛 15 à 60. AE ⓞ GB JCB AZ a
fermé 2 au 14 janv. – **Repas** (dim. prévenir) 23/60 ♀, enf. 9 – ☕ 12 – **29 ch** 57/140 – ½ P 60/84

Table d'Hôtes, 7 r. Lamartine ✆ 05 62 05 55 62, *Fax 05 62 05 52 39,* – AE ⓞ GB AY b
fermé 24 juin au 7 juil., dim. et merc. – **Repas** (nombre de couverts limité, prévenir) 16/20 ♀

rte d'Agen *par ① : 7 km – ✉ 32810 Montaux-les Créneaux :*

Papillon, N 21 ✆ 05 62 65 51 29, *Fax 05 62 65 54 33,* – ▤ P. ⓞ GB
fermé 26 août au 10 sept., 17 au 25 fév., dim. soir et lundi – **Repas** 11,89 (déj.), 14,94/39,33 enf. 9,15

rte de Montauban *par N 124 - BY - 4 km – ✉ 32000 Auch :*

Campanile, ✆ 05 62 63 63 05, *Fax 05 62 60 02 92,* – ✗, ▤ rest, TV ✆ ♿ P – 🏛 25. AE ⓞ GB
Repas *(12,04)* - 16,62 ♀, enf. 5,95 – ☕ 5,95 – **46 ch** 49,55

When looking for a hotel or restaurant use the most efficient method.
Look for the names of towns underlined in red
on the ***Michelin maps*** *scale: 1:200 000.*
But make sure you have an up-to-date map!

JDIERNE 29770 Finistère 58 ⑬ G. Bretagne – 2 471 h alt. 5.

Voir Site★ – Planète Aquarium.

🛈 Office du tourisme 8 rue Victor Hugo ℰ 02 98 70 12 20, Fax 02 98 70 20 20, ot.cap.sizun.pointe.du.raz@wanadoo.fr.

Paris 599 – Quimper 37 – Douarnenez 21 – Pointe du Raz 15 – Pont-l'Abbé 32.

🏨🏨 **Goyen,** sur le port ℰ 02 98 70 08 88, hotel.le.goyen@wanadoo.fr, Fax 02 98 70 18 77, ≤, 🏠 – 🛗 📺 – 🛎 30. 🕮 GB
hôtel : fermé 5-nov. au 10 janv. – **Repas** (1er avril-5 nov. et fermé lundi hors saison) (14,94) - 28,20/65,55 ♀ – ⠧ 10,67 – **24 ch** 45,73/137,20, 3 appart – 1/2 P 79,27/121,20

🏨 **Au Roi Gradlon,** sur la plage ℰ 02 98 70 04 51, roi.gradlon@free.fr, Fax 02 98 70 14 73, ≤ – 📺 ℰ 🅿. 🕮 ⓞ GB
fermé 15 déc. au 1er fév. et merc. d'oct. à mars sauf vacances scolaires – **Repas** 12,20 (déj.), 14,94/37,35, enf. 6,86 – ⠧ 6,86 – **19 ch** 50,31/60,22 – 1/2 P 60,22/65,55

🏨 **Plage** 🅼, à la plage ℰ 02 98 70 01 07, Fax 02 98 75 04 69, ≤ – 🛗 📺 🕭. GB
hôtel : avril-sept. ; rest. : juin-sept. – **Repas** (dîner seul.)(résidents seul.) 24,39/33,54 ♀ – ⠧ 6,86 – **27 ch** 38,11/60,22 – 1/2 P 49,55/60,52

En juin et en septembre,
les hôtels sont moins chers qu'en pleine saison, le service est plus soigné.

UDINCOURT 25400 Doubs 66 ⑧ ⑱ G. Jura – 15 539 h alt. 323.

Voir Église du Sacré-Coeur : baptistère★ AY B.

Paris 477 – Besançon 75 – Mulhouse 59 – Basel 96 – Belfort 20 – Montbéliard 6.

Voir plan de Montbéliard agglomération.

🏨 **Les Tilleuls** 🅼 ⥾ sans rest, 51 r. Foch ℰ 03 81 30 77 00, hotel.tilleuls@wanadoo.fr, Fax 03 81 30 57 20, 🔼, 🖛 – 📺 ℰ 🅿. 🕮 GB 📠 ⠀⠀⠀⠀⠀⠀⠀⠀⠀⠀⠀⠀ Y s
⠧ 5,80 – **47 ch** 51/60

Taillecourt Nord : 1,5 km rte de Sochaux – 743 h. alt. 330 – ⠶ 25400 :

XXX **Auberge La Gogoline,** ℰ 03 81 94 54 82, Fax 03 81 95 20 42, 🏠, 🖛 – 🅿. 🕮 ⓞ GB
fermé 2 au 23 sept., vacances de fév., sam. midi, dim. soir et lundi – **Repas** 18/50 et carte 35 à 50 ⠀⠀⠀⠀⠀⠀⠀⠀⠀⠀⠀⠀⠀⠀⠀⠀⠀⠀⠀⠀⠀⠀⠀⠀ Y k

Séloncourt Sud-Est : 4 km – 5 746 h. alt. 365 – ⠶ 25230 :

XX **Monarque,** 23 r. Berne (sur D34, rte Porrentruy) ℰ 03 81 37 12 39, Fax 03 81 35 45 85 –
🍽 🅿. GB
⊛ fermé 28 juil. au 20 août, 24 déc. au 3 janv., sam. midi, dim. et lundi – **Repas** 16,48/29,73 🕭, enf. 7,93

AUDRESSEIN 09 Ariège 86 ② – rattaché à Castillon-en-Couserans.

AUDRIEU 14 Calvados 55 ⑪ – rattaché à Bayeux.

AULLÈNE 2A Corse-du-Sud 90 ⑦ – voir à Corse.

AULNAY 17470 Char.-Mar. 71 ③ G. Poitou Vendée Charentes – 1 507 h alt. 63.

Voir Église St-Pierre★★.

🛈 Office de tourisme 290 av. de l'Église ℰ 05 46 33 14 44, Fax 05 46 33 15 46, o.t.aulnay@asteur.fr.

🏨 **Donjon** 🅼 sans rest, ℰ 05 46 33 67 67, Fax 05 46 33 67 64 – 📺. GB
⠧ 5,34 – **10 ch** 38,11/53,36

AULNAY-SOUS-BOIS 93 Seine-St-Denis 56 ⑪, 101 ⑱ – voir à Paris, Environs.

AULT 80460 Somme 52 ⑤ G. Picardie Flandres Artois – 2 070 h alt. 30.

🛈 Office de tourisme 4 place de l'Église ℰ 03 22 60 57 15, Fax 03 22 60 49 03.

Paris 183 – Amiens 86 – Abbeville 32 – Dieppe 39.

🏨 **Victor Hugo,** 25 r. Pêche ℰ 03 22 60 40 40, hotelvictorhugo@free.fr, Fax 03 22 60 40 00
– 📺 ℰ 🅿. GB
Repas 23/29 – ⠧ 7 – **24 ch** 43/48

AULUS-LES-BAINS 09140 Ariège 🎲🎲 ③ ④ G. Midi-Pyrénées – 189 h alt. 750 – Stat. therm. (début avril-fin oct.).

Voir *Vallée du Garbet*★ N.

🚩 *Syndicat d'initiative ℘ 05 61 96 01 79, Fax 05 61 96 01 79, aulus-bains@worldonline.f*
Paris 846 – Foix 76 – Oust 17 – St-Girons 33.

🏨 **Hostellerie de la Terrasse,** ℘ 05 61 96 00 98, Fax 05 61 96 01 42, 😤 – 📺. GB
%% rest
hôtel: 1er mai-30 sept.; rest.: 1er juin-30 sept. – **Repas** (nombre de couverts limité, préveni 15,24/30,49 ⅄ – ☑ 6,86 – **14 ch** 45,73/60,98 – ½ P 53,36

🏨 **Les Oussaillès,** ℘ 05 61 96 03 68, Fax 05 61 96 03 70, 😤, 🚗 – 📺 ⇦. GB. %%
Repas 14,48/20,58 ⅃ – ☑ 5,34 – **12 ch** 35,06/48,78 – ½ P 42,69/44,21

AUMALE 76390 S.-Mar. 🎲🎲 ⑯ G. Normandie Vallée de la Seine – 2 577 h alt. 130.
🚩 *Office du tourisme Rue Centrale ℘ 02 35 93 41 68, Fax 02 35 93 41 68.*
Paris 137 ③ – Amiens 46 ② – Beauvais 49 ③ – Dieppe 69 ⑤ – Rouen 75 ⑤.

AUMALE

Abbaye-d'Auchy (R. de l')	2
Bailliage (R. du)	3
Birmandreis (R. de)	5
Foch (Av. Maréchal)	7
Fontaines (Bd des)	8
Gaulle (Av. du Gén.-de)	9
Gicquel (R. R.)	10
Hamel (R. du)	12
Libération (Pl. de la)	13
Louis-Philippe (R.)	14
Marchés (Pl. des)	16
Nationale (R.)	18
Normandie (R. de)	19
Picardie (R. de)	22
St-Lazare (R.)	24
St-Pierre (R.)	25
Tanneurs (R. des)	27
8-Mai-1945 (Av. du)	30

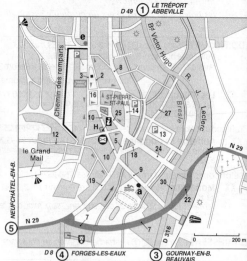

🏨 **Villa des Houx,** av. Gén. de Gaulle (a) ℘ 02 35 93 93 30, Fax 02 35 93 03 94, 😤, 🚗 – 📺
⑯ 🅿 – 🔬 15. GB
fermé 1er au 17 janv. et dim. soir du 15 oct. au 16 mars – **Repas** 15,30/45 ⅄ – ☑ 6,10 – **14 c** 46/69 – ½ P 55

✗ **Mouton Gras** avec ch, 2 r. Verdun (e) ℘ 02 35 93 41 32, Fax 02 35 94 52 91, « Maiso normande fin 17e siècle, bel intérieur », 🚗 – 📺 🅿. GB
fermé mardi soir et merc. sauf fériés – **Repas** 15,25/36,60 ⅄, enf. 7,62 – ☑ 6,10 – **5 c** 45,73/57,93 – ½ P 39,79/64,49

AUMONT-AUBRAC 48130 Lozère 🎲🎲 ⑮ – 1 031 h alt. 1040.
🚩 *Office du tourisme ℘ 04 66 42 88 70, Fax 04 66 42 88 70.*
Paris 554 – Aurillac 117 – Mende 40 – Le Puy-en-Velay 89 – Espalion 57 – Marvejols 24.

🏨 **Grand Hôtel Prouhèze,** ℘ 04 66 42 80 07, prouheze@prouheze.con
❀ Fax 04 66 42 87 78, 😤 – 📺 ✋ 🅿 – 🔬 25. 🆎 ⓞ GB
23 mars-1er nov. et fermé lundi sauf le soir en juil.-août, dim. soir et mardi midi de sept. juin – **Repas** voir aussi **Compostelle** ci-après – 29 (déj.), 39/89 et carte 60 à 80, enf. 13 ☑ 13 – **27 ch** 61/87 – ½ P 95
Spéc. Galette de museau de porcelet aux escargots "petits gris". Queues de langoustine sautées dans leur infusion au boudin noir. Pot-au-feu de foie gras de canard **Vins** Côtes d Millau, Vin de pays d'Oc

Chez Camillou, N9 ℰ 04 66 42 80 22, camillou@club-internet.fr, Fax 04 66 42 93 70, ⌖,
⅃ – ⌸ TV P, ⌖
hôtel : ouvert 1er avril-31 oct. – Repas ℰ 04 66 42 86 14 *(fermé 15 nov. au 15 déc. et 10 janv.
au 10 fév.)* 16/46, enf. 9 – ⌸ 7,50 – **40 ch** 45,50/62,50 – ½ P 44,50/52

Compostelle (Grand Hôtel Prouhèze), ℰ 04 66 42 80 07, Fax 04 66 42 87 78, bistrot –
P, AE ⓞ GB
fermé mardi midi, dim. soir et lundi sauf juil.-août – Repas 13/20, enf. 10

UNAY-SUR-ODON 14260 Calvados 54 ⑮ G. Normandie Cotentin – 2 902 h alt. 188.
🛈 Office du tourisme Place de l'Hôtel de Ville ℰ 02 31 77 60 32, Fax 02 31 77 94 97.
Paris 268 – Caen 35 – Falaise 42 – Flers 36 – St-Lô 50 – Vire 31.

St-Michel avec ch, r. Caen ℰ 02 31 77 63 16, Fax 02 31 77 05 83 – TV ⌖, AE GB
fermé 15 janv. au 15 fév., dim. soir et lundi sauf fériés – Repas 12/34,50 ⅃ – ⌸ 5,50 – **7 ch**
30/37 – ½ P 34/39

UPS 83630 Var 84 ⑥ G. Côte d'Azur – 1 903 h alt. 496.
🛈 Office du tourisme Place F. Mistral ℰ 04 94 70 00 80, Fax 04 94 84 00 69, otsiaups@
easynet.fr.
Paris 823 – Aix-en-Provence 88 – Digne-les-Bains 77 – Draguignan 29 – Manosque 60.

Les Gourmets, 5 r. Voltaire ℰ 04 94 70 14 97 – ▤. GB
fermé 22 juin au 8 juil., 12 au 25 nov., dim. soir hors saison et lundi – **Repas** 12,50 (déj.),
15,50/40, enf. 8,50

URAY 56400 Morbihan 63 ② G. Bretagne – 10 911 h alt. 35.
Voir *Quartier St-Goustan* ★ – *Promenade du Loch* ★ – *Église St-Gildas* ★ – *Ste-Avoye : Jubé* ★
et charpente ★ *de l'église 4 km par* ①.
✈ ℰ 08 36 35 35 35.
🛈 Office du tourisme 20 rue du Lait ℰ 02 97 24 09 75, Fax 02 97 50 80 75, OFFICE
TOURISMEAURAY@wanadoo.fr.
Paris 477 ① – Vannes 19 ① – Lorient 39 ④ – Pontivy 52 ④ – Quimper 101 ④.

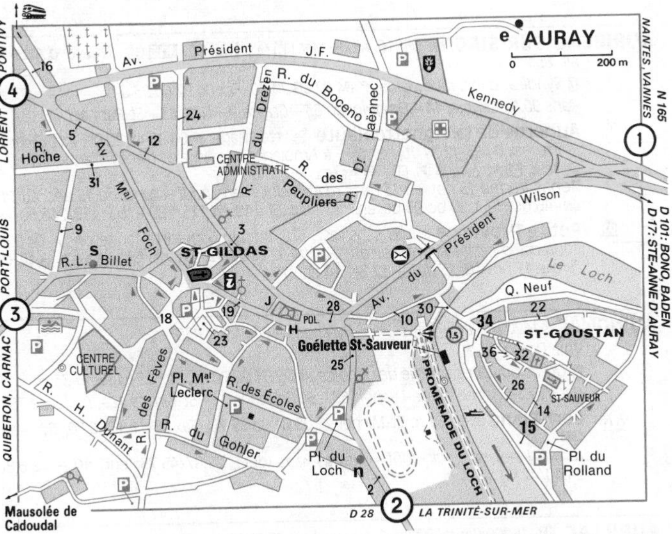

Mausolée de
Cadoudal

🏨 **Loch** 🦢, La Forêt (e) ℰ 02 97 56 48 33, Fax 02 97 56 63 55, 佘, 🐎 – 🛗 📺 🐿 🕭 ▮
🛗 30. 🖭 ⨀🅱. ❦
    Sterne (fermé dim. soir d'oct. à Pâques et sam. midi) **Repas** 16,80/40 ☿, enf. 11 – ☎ 6,5
    30 ch 51,80/70 – ½ P 51,30

🏠 **Branhoc** Ⓜ sans rest, rte du Bono : 1,5 km ℰ 02 97 56 41 55, le.branhoc@wanadoo
    Fax 02 97 56 41 35, 🐎 – 📺 🐿 🕭 🅿. 🛗 25. 🖭 ⨀ 🅱 🅙🅲🅱. ❦
    fermé 15 déc. au 15 janv. – ☎ 6,50 – **28 ch** 50/58

🏛🏛🏛 **Closerie de Kerdrain**, 20 r. L. Billet (s) ℰ 02 97 56 61 27, Fax 02 97 24 15 79, 🖏
    « Maison de maître dans un jardin », 🐎 – 🅿. 🖭 ⨀ 🅱
    fermé 4 au 21 mars, 2 au 18 déc., merc. midi hors saison et lundi – **Repas** 21,35 (déj
    30,50/68,60 et carte 60 à 80 ☿, enf. 18,30

🏛🏛 **Chebaudière**, 6 r. Abbé J. Martin (n) ℰ 02 97 24 09 84, Fax 02 97 24 09 84 – 🅱
    fermé 28 août au 7 sept., 2 au 18 janv., dim. soir, mardi soir et merc. – **Repas** 13/30 ☿, enf

au golf de St-Laurent par ③, D 22 et rte secondaire : 10 km – ✉ 56400 Auray :

🏨🏨 **Bleu Marine** Ⓜ 🦢, ℰ 02 97 56 88 88, hotel.bleu.marine.carnac@wanadoo
    Fax 02 97 56 88 28, 佘, 🎿, 🏊, 🖾 – ⭤ 📺 🐿 🕭 🅿. – 🛗 50. 🖭 ⨀ 🅱. ❦ rest
    fermé 20 déc. au 5 janv. – **Repas** (fermé sam. et dim. du 1er oct. au 31 mars) (dîner se
    22/26, enf. 9 – ☎ 9,50 – **42 ch** 106

AUREC-SUR-LOIRE 43110 H.-Loire 🎇 ⑧ – 4 895 h alt. 435.
    🄱 Office du tourisme 2 avenue du Pont ℰ 04 77 35 42 65, Fax 04 77 35 32 46.
    Paris 541 – St-Étienne 22 – Firminy 11 – Le Puy-en-Velay 56 – Yssingeaux 31.

🏠 **Les Cèdres Bleus**, rte Bas-en-Basset ℰ 04 77 35 48 48, Fax 04 77 35 37 04, 🐎 – 📺 🕭
    – 🛗 20. 🖭 🅱. ❦ ch
    fermé 26 août au 8 sept., 26 déc. au 22 janv., dim. soir et lundi midi – **Repas** 14,94/57,9
    enf. 10,67 – ☎ 6,40 – **15 ch** 39,64/53,36 – ½ P 50,31/53,36

à Semène Nord-Est : 3 km par D 46 – ✉ 43110 Aurec-sur-Loire :

🏛 **Coste** avec ch, ℰ 04 77 35 40 15, Fax 04 77 35 39 05, 佘 – 📺. 🅱
    fermé 4 au 28 août, vacances de fév., vend. soir, dim. soir et sam. – **Repas** 16/39 ☖ – ☎ 5,
    – **7 ch** 35,25/44 – ½ P 38,50/42,50

AURIBEAU-SUR-SIAGNE 06810 Alpes-Mar. 🎇 ⑧, 🎇 ㉖, 🎇 ㉔ G. Côte d'Azur – 2 612
    alt. 85.
    🄱 Syndicat d'Initiative Mairie ℰ 04 92 60 20 20, Fax 04 92 60 93 07.
    Paris 907 – Cannes 14 – Draguignan 63 – Grasse 9 – Nice 43 – St-Raphaël 41.

🏨🏨 **Auberge de la Vignette Haute** 🦢, rte village ℰ 04 93 42 20 01, info@vignettehau
    .com, Fax 04 93 42 31 16, ≤, 佘, « Ambiance médiévale, pièces d'antiquité », 🏊, 🐎
    🖾 🖭 🕭 🕭 🅿. 🖭 🅱. ❦
    Repas (fermé 15 nov. au 15 déc., mardi midi, merc. midi et lundi du 15 déc. au 31 mars) (
    bc) · 46 bc (déj.), 80 bc/93 bc, enf. 16 – ☎ 23 – **19 ch** 175/280 – ½ P 159/246,50

🏠 **Petite Provence** Ⓜ 🦢 sans rest, 376 chemin Gabre (rte Tanneron) ℰ 04 92 60 22 5
    contact@la-petite-provence.com, Fax 04 92 60 22 79, 🏊, 🐎, ❦ – 🛗 🖾 🐿 🕭 🅿. 🖭 🅱. ❦
    fermé 15 nov. au 15 déc. – ☎ 8 – **14 ch** 97

AURIGNAC 31420 H.-Gar. 🎇 ⑯ G. Midi-Pyrénées – 980 h alt. 430.
    Voir Donjon ❋★.
    🄱 Office du tourisme Rue des Nobles ℰ 05 61 98 70 06, Fax 05 61 98 71 33.
    Paris 772 – Bagnères-de-Luchon 68 – St-Gaudens 23 – St-Girons 42 – Toulouse 78.

🏛🏛 **Cerf Blanc** avec ch, r. St-Michel ℰ 05 61 98 95 76, Fax 05 61 98 76 80, 佘 – 🖾 rest, 🅿
    🅱
    fermé lundi sauf juil.-août – **Repas** 13,75 (déj.), 22,87/45,75, enf. 10 – ☎ 6,86 – **9 ch**
    24,40/42,69

AURILLAC 🅿 15000 Cantal 🎇 ⑫ G. Auvergne – 30 551 h alt. 610.
    Voir Château St-Étienne : musée des Volcans★.
    ✈ Aurillac ℰ 04 71 64 50 00 par ③ : 2 km.
    🄱 Office du tourisme Place du Square ℰ 04 71 48 46 58, Fax 04 71 48 99 39, aurillac
    tourisme@wanadoo.fr.
    Paris 563 ② – Brive-la-Gaillarde 98 ④ – Clermont-Ferrand 161 ② – Montauban 171 ③.

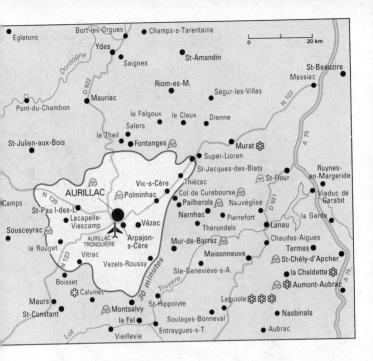

Grand Hôtel St-Pierre, 16 cours Monthyon ℰ 04 71 48 00 24, *hsp@infonie.fr*, Fax 04 71 64 81 83 – 🛗 ⇔ 🆃🆅 📞 🕭 ⇔ – 🏛 15 à 40. 🆎 ⓪ 🆉🄱 🄹🄲🄱 BZ **a**
Pommier d'Amour ℰ 04 71 48 37 60 **Repas** *(13,50)*-19,50/44 ♈, enf. 6,75 – ⇆ 7,50 – **35 ch** 49/84 – ½ P 53,50

Grand Hôtel de Bordeaux sans rest, 2 av. République ℰ 04 71 48 01 84, *bestwestern @hotel-de-bordeaux.fr*, Fax 04 71 48 49 93 – 🛗 ⇔ 🆃🆅 📞 ⇔ – 🏛 35. 🆎 ⓪ 🆉🄱 BY **r**
🄹🄲🄱
⇆ 8 – **33 ch** 55/93

Delcher, 20 r. Carmes ℰ 04 71 48 01 69, *hotel.delcher@wanadoo.fr*, Fax 04 71 48 86 66 – 🆃🆅 📞 ⇔ 🄿 🆎 ⓪ 🆉🄱 BZ **q**
🕭
fermé 12 au 29 juil. et 22 déc. au 6 janv. – **Repas** 11,74/29,73 ♈, enf. 7,62 – ⇆ 5,49 – **16 ch** 33,54/44,21 – ½ P 36,59/38,11

Square, 15 pl. Square ℰ 04 71 48 24 72, Fax 04 71 48 47 57 – 🛗 🆃🆅 📞. 🆉🄱. ⌿ ch
🕭 **Repas** 10,67/36,59 ⅃, enf. 7,62 – ⇆ 6,10 – **19 ch** 36,59/51,83 – ½ P 33,54/36,59 BZ **s**

Les Arcades, rte de Clermont-Ferrand ℰ 04 71 64 15 11, *hotelarcades@aol.com*, Fax 04 71 64 28 54, 🍽, – 🆃🆅 📞 🕭 🄿 – 🏛 25. 🆎 ⓪ 🆉🄱
🕭 **Repas** *(fermé sam. midi et dim.)* 13/25 ⅃, enf. 6,50 – ⇆ 6,10 – **50 ch** 48

Campanile, rte de Clermont-Ferrand par ③ ℰ 04 71 64 64 84, Fax 04 71 64 55 90, 🍽 – ⇔ 🆃🆅 📞 🕭 🄿 – 🏛 25. 🆎 ⓪ 🆉🄱
Repas *(12,04)* - 15,09 ♈, enf. 5,95 – ⇆ 5,95 – **47 ch** 50,30 – ½ P 46,19

✗✗ **Reine Margot**, 19 r. G. de Veyre ℰ 04 71 48 26 46, Fax 04 71 48 92 39 – 🍽. 🆉🄱. ⌿
fermé 4 au 11 mars, 24 juin au 1ᵉʳ juil., 2 au 9 sept., 4 au 11 nov., 6 au 13 janv., dim. soir et lundi – **Repas** 19/28 ♈, enf. 7 BZ **u**

✗✗ **Quatre Saisons**, 10 r. Champeil ℰ 04 71 64 85 38 – 🍽. 🆉🄱 BY **v**
🕭 *fermé 19 août au 1ᵉʳ sept., dim. soir et lundi* – **Repas** 12,96/33,54

à Arpajon-sur-Cère par ③ rte de Rodez (D 920) : 2 km – 5 545 h. alt. 613 – ✉ 15130 :

Les Provinciales sans rest, pl. Foirail ℰ 04 71 64 29 50, *hsp@infonie.fr*,
Fax 04 71 64 67 87, ⌿, ⅃ – 🆃🆅 📞 🕭 🄿 🆎 ⓪ 🆉🄱
fermé 21 déc. au 12 janv., sam. et dim. du 30 sept. au 31 mai – ⇆ 5,50 – **20 ch** 40/54

AURILLAC

0   200m

Angoulême (Cours d')	BY 2	Frères (R. des)	BY 22
Arbre-Croumaly (R. de l')	AY 3	Gambetta (Av.)	BZ
Carmes (R. des)	BZ	Gerbert (Pl.)	BY 24
Champeil (R. J.-B.)	BY 6	Marchande (R.)	BY 25
Château St-Étienne (R. du)	BY 7	Maynard (R. F.)	AZ 26
Consulat (R. du)	BY 8	Monastère (R. du)	BY 27
Coste (R. de la)	BY 9	Monthyon (Cours)	BY 28
Duclaux (R. Émile)	BY 13	Mont-Mouchet (R. du)	AZ 29
Fargues (R. des)	BY 18	Noailles (R. de)	BY 30
Ferry (R. Jules)	BZ 19	Pavatou (Bd du)	BY 31
		Prés.-Delzons (R. du)	BY 32

Pupilles-de-la-Nation (Av. des)	AZ 33
République (Av. de la)	AZ
St-Géraud (Pl.)	BY 3
St-Jacques (R.)	BY 3
Square (Pl. du)	BY 3
Vaissière (R. Robert de La)	AY 3
Vermenouze (R. Arsène)	BY 3
Veyre (Av. J.-B.)	BY 3
14-Juillet (R. du)	BZ 4
139°-R.-I. (R. du)	BZ 4

à Vézac par ③, D 920 et D 990 : 10 km – 952 h. alt. 650 – ⊠ 15130 :

🏨 **Hostellerie du Château de Salles** ⊗, ℘ 04 71 62 41 41, chateaudesalles@wanadoo.fr, Fax 04 71 62 44 14, ≤, 🍽, « Demeure du 15ᵉ siècle dans un parc », 🦵, ⊼, ⚲, 🛏 – 🚰
📺 📞 🔓 🅿 – 🖄 30. 🆎 ⓪ ☷
début avril-fin oct. – **Repas** 22/52 ⁇ – ☷ 10 – **26 ch** 79/125, 4 appart – ½ P 71,50/94,50

AURIOL 13390 B.-du-R. 🟦 ⑭, 🟦 ㉚ – 9 461 h alt. 200.
🛈 Office de tourisme pl. de la Libération ℘ 04 42 04 70 61.
Paris 786 – Marseille 30 – Aix-en-Provence 30 – Brignoles 39 – Toulon 58.

🏠 **Commerce** ⊗, ℘ 04 42 04 70 25, Fax 04 42 04 32 55, 🍽 – 📺 📞 🅿 ⓪ ☷
fermé fév., dim. soir et lundi – **Repas** 10 (déj.), 15/32, enf. 8 – ☷ 6 – **11 ch** 37/49 – ½ P 39

A good moderately priced meal : 🍴 Repas 16/23

AURONS 13121 B.-du-R. **84** ② – 515 h alt. 243.

Paris 728 – Marseille 54 – Aix-en-Provence 33 – Cavaillon 29 – Salon-de-Provence 9.

🏠 **Domaine de la Reynaude** 🦢, Nord-Ouest : 6 km par D 68, D 16 et rte secondaire
📞 04 90 59 30 24, domaine.reynaude@wanadoo.fr, Fax 04 90 59 36 06, 🏡, 🔟, 🚗, 🍽 –
🔟 📞 🅿 – 🔏 15 à 40. 🆎 ① 🆖
fermé 16 au 31 déc. – **Repas** *(fermé dim. soir)* 18,29/33,54, enf. 9,91 – ☲ 6,86 – **32 ch**
50,31/108,24 – ½ P 57,55/74,32

AUSSOIS 73500 Savoie **77** ⑧ *G. Alpes du Nord* – 628 h alt. 1489 – Sports d'hiver : 1 500/2 750 m
🎿 11 🎿.

Voir Monolithe de Sardières★ NE : 3 km – Ensemble fortifié de l'Esseillon★ S : 4 km.

🗓 *Office du tourisme Route des Barrages* 📞 04 79 20 30 80, Fax 04 79 20 37 00, info@
aussois.com.

Paris 672 – Albertville 97 – Chambéry 110 – Lanslebourg-Mont-Cenis 17 – Modane 7.

🏠 **Soleil** Ⓜ 🦢, 📞 04 79 20 32 42, Fax 04 79 20 37 78, ≤, 🏡 – 📳 🔟 📞 🅿, 🆎 ① 🆖, 🍽
16 juin-15 sept. et 17 déc.-20 avril – **Repas** *(prévenir)* 20/27 🍷 – ☲ 11,30 – **22 ch** 50/80 –
½ P 69/75

🏠 **Les Mottets** Ⓜ, 📞 04 79 20 30 86, infos@hotel-lesmottets.com, Fax 04 79 20 34 22, ≤ –
🔟 📞 🅿 ① 🆖
fermé mai et 1ᵉʳ nov. au 15 déc. – **Repas** 15/28, enf. 9 – ☲ 6,50 – **25 ch** 33/56 – ½ P 54,10

🏠 **Choucas**, 📞 04 79 20 32 77, Fax 04 79 20 39 87, ≤, 🏡, 🚗 – 🔟 ① 🆖, 🍽 rest
hôtel:1ᵉʳ juin-30 sept. et 15 déc.-20 avril; rest.:1ᵉʳ juin-15 sept. et 20 déc.- 20 avril – **Repas**
14/18 – ☲ 7,50 – **28 ch** 37/57 – ½ P 48

Le Guide change, changez de guide tous les ans.

AUTERIVE 31190 H.-Gar. **82** ⑱ – 6 531 h alt. 185.

Paris 728 – Toulouse 34 – Carcassonne 88 – Castres 83 – Muret 20 – St-Gaudens 79.

🏠 **Delta**, 61 rte Toulouse 📞 05 61 50 52 16, Fax 05 61 50 00 21 – ▤ rest, 🔟 🦢 🅿 🆖
Repas *(fermé 10 au 18 août, sam. soir et dim.)* (9,91)-11,74/27,74 🦢, enf. 5,79 – ☲ 4,57 –
16 ch 38,11

AUTRANS 38880 Isère **77** ④ *G. Alpes du Nord* – 1 541 h alt. 1050 – Sports d'hiver : 1 050/1 650 m
🎿 16 🎿.

🗓 *Office du tourisme Rue du Cinéma* 📞 04 76 95 30 70, Fax 04 76 95 38 63, autrans@alpes
net.fr.

Paris 589 – Grenoble 36 – Romans-sur-Isère 58 – St-Marcellin 47 – Villard-de-Lans 16.

🏠 **Poste**, 📞 04 76 95 31 03, gerard.barnier@wanadoo.fr, Fax 04 76 95 30 17, 🏡, 🕭, 🔟, 🚗
– 📳 🔟 🦢 – 🔏 60. 🆎 🆖, 🍽 ch
fermé 20 avril au 10 mai et 25 oct. au 5 déc. – **Repas** *(fermé dim. soir et lundi du 15 mars au
15 juin et du 1ᵉʳ sept. au 15 déc.)* (11)-14 (déj.), 17,50/38 🍷, enf. 10 – ☲ 7,50 – **29 ch** 48/63 –
½ P 59

🏠 **Les Tilleuls**, la Côte 📞 04 76 95 32 34, info@hotel-tilleuls.com, Fax 04 76 95 31 58, 🏡,
🔟, 🦢 🅿 🆎 🆖, 🍽 rest
*fermé 22 avril au 5 mai, 30 sept. au 20 oct., dim. soir et lundi hors saison sauf vacances
scolaires* – **Repas** 12,50/29,50 🦢, enf. 8,30 – ☲ 7,60 – **22 ch** 39,64/53,36 – ½ P 49,55/52,60

🏠 **Vernay** 🦢, 📞 04 76 95 31 24, le-vernay@planete-vercors.com, Fax 04 76 95 73 88, ≤,
🏡, 🔟, – 🔟 🦢 🅿 – 🔏 15. 🆎 🆖, 🍽 rest
*fermé 8 au 27 avril, 12 nov. au 7 déc., dim. soir, merc. et jeudi du 29 avril au 30 juin et du
16 sept. au 11 nov.* – **Repas** 15/23 🍷 – ☲ 8 – **17 ch** 46/54 – ½ P 54

🏠 **Montbrand** 🦢 sans rest, 📞 04 76 95 34 58, Fax 04 76 95 72 71, ≤, 🚗 – 🔟 🦢, 🆎 🆖
juin-sept. et Noël-fin mars – ☲ 6,50 – **8 ch** 47/49

à Méaudre Sud : 5,5 km par D 106ᶜ – 1 039 h. alt. 1012 – Sports d'hiver 1000/1600 m 🎿 10 🎿 –
✉ 38112 .

🗓 *Office du tourisme* 📞 04 76 95 20 68, Fax 04 76 95 25 93, infos@meaudre.com.

🏠 **Auberge du Furon,** 📞 04 76 95 21 47, leyydierl@wanadoo.fr, Fax 04 76 95 24 71, 🏡 –
🔟, 🆖, 🍽 rest
fermé 12 au 30 nov.,merc. soir, dim. soir et lundi hors saison – **Repas** 12,20 (déj.), 17/28 🍷,
enf. 8,38 – ☲ 6,40 – **9 ch** 46 – ½ P 47

🍴🍴 **Pertuzon** avec ch, 📞 04 76 95 21 17, locana@club-internet.fr, Fax 04 76 95 26 00, 🏡,
– 🔟 🅿, 🆎 🆖, 🍽 rest
fermé 20 nov. au 20 déc., dim. soir, mardi soir et merc. hors saison – **Repas** 14,94/43,90,
enf. 8,38 – ☲ 6,86 – **9 ch** 38,11 – ½ P 52,29

AUTREVILLE 88300 Vosges 62 ④ – 124 h alt. 310.

Paris 308 – Nancy 44 – Neufchâteau 19 – Toul 24.

🏠 **Relais Rose**, 24 r. Neufchâteau ℰ 03 83 52 04 98, Fax 03 83 52 06 03, ㏐, 帀 – ⬅✕
⇔ 🅿 AE GB
Repas 11 (déj.), 20/26 ♈, enf. 6 – ⭇ 6 – **16 ch** 37/64 – ½ P 43/57

✕✕ **Les Tilleuls**, 6 rte Neufchâteau ℰ 03 83 52 84 50, Fax 03 83 52 06 42, 帀 – GB
fermé 14 au 28 juil., 18 au 27 oct., 24 déc. au 5 janv., le soir du dim. au jeudi et lundi – Re(prévenir) 10 (déj.), 22/37 ♈

AUTUN ◀S▶ 71400 S.-et-L. 69 ⑦ G. Bourgogne – 16 419 h alt. 326.

Voir *Cathédrale St-Lazare**★ (tympan★★★, chapiteau★★) – Musée Rolin★ (la Tentati d'Eve★★, Nativité au cardinal Rolin★★, vierge d'Autun★★) BZ* **M**² *– Porte St-André★ Grilles★ du lycée Bonaparte AZ* **B** *– Manuscrits★ (bibliothèque de l'Hôtel de Ville) BZ* **H**.
🚩 *Office du tourisme 2 avenue Charles de Gaulle ℰ 03 85 86 80 38, Fax 03 85 86 80 « tourisme@autun.com.*

Paris 287 ① – Chalon-sur-Saône 51 ③ – Avallon 78 ① – Dijon 85 ② – Mâcon 111 ③.

St-Louis et Poste, 6 r. Arbalète ☎ 03 85 52 01 01, *louisposte@aol.com*,
Fax 03 85 86 32 54, 🌸 – ✻ 🖵 🕻 🅿 – 🛦 20. 🆎 ⓞ 🆚 ⓖⓑ
BZ x
Repas *(fermé sam. midi) (15,20)* – 19 (déj.), 26/45 ♀, enf. 10 – ☱ 10 – **33 ch** 75/115, 6 appart –
½ P 80/93

Ursulines ৯, 14 r. Rivault ☎ 03 85 86 58 58, *welcome@hotelursulines.fr*,
Fax 03 85 86 23 07, ≼, 🌸, – 🗐 ✻ 🖵 ♀, enf. 13 – ☱ 9,20 – **35 ch** 55/93, 8 appart – ½ P 75,50/102
AZ e
Repas 14,50 (déj.), 25,50/64 ♀, enf. 13 – ☱ 9,20 – **35 ch** 55/93, 8 appart – ½ P 75,50/102

Tête Noire, 3 r. Arquebuse ☎ 03 85 86 59 99, *welcome@hoteltetenoire.fr*,
Fax 03 85 86 33 90 – 🗐 🖵 🕻 ☎ – 🛦 25. ⓖⓑ
BZ n
fermé 16 déc. au 20 janv. – **Repas** 11/41 ♀, enf. 9 – ☱ 8 – **31 ch** 50 – ½ P 49,50/55,50

Ibis Ⓜ, rte Chalon par ③ : 2 km ☎ 03 85 52 00 00, *h3232@accor-hotels.com*,
Fax 03 85 52 20 20, 🌸 – cuisinette 🖵 ⓖ 🅿 – 🛦 20 à 40. 🆎 ⓞ ⓖⓑ 🆓ⓒⓑ
Repas 10/15 ♀, enf. 6 – ☱ 6 – **42 ch** 49/55

Commerce et Touring, 20 av. République ☎ 03 85 52 17 90, *Fax 03 85 52 37 63* – 🖵.
AY u
ⓖⓑ
fermé janv. – **Repas** *(fermé lundi) (8,50)* – 10,50/24,50 ♀, enf. 6 – ☱ 4,80 – **20 ch** 23/38 –
½ P 26/30,50

Hostellerie du Vieux Moulin ৯ avec ch, porte d'Arroux D 980 ☎ 03 85 52 10 90,
Fax 03 85 52 15, 🌸, « Jardin ombragé », 🚗 – 🖵 🅿. 🆎 ⓖⓑ
AY a
mars-déc. et fermé dim. soir et lundi hors saison – **Repas** 22,87/38,11 ♀ – ☱ 7,32 – **16 ch**
36,59/57,93

Chalet Bleu, 3 r. Jeannin ☎ 03 85 86 27 30, *Fax 03 85 52 74 56* – 🆎 ⓖⓑ
BYZ s
fermé 12 fév. au 5 mars, dim. soir du 15 nov. au 31 mars, lundi soir et mardi –
Repas 14/43 ♀

UVERS 77 S.-et-M. 🗗🗗 ⑪ – rattaché à Milly-la-Forêt (Essonne).

UVERS-SUR-OISE 95 Val-d'Oise 🗗🗗 ⑳, 🗗🗗🗗 ⑥, 🗗🗗🗗 ③ – voir à Paris, Environs.

UVILLAR 82340 T.-et-G. 🗗🗗 ⑯ – 876 h alt. 141.
🛈 Office du tourisme Place de la Halle ☎ 05 63 39 89 82, Fax 05 63 39 89 82, office.auvillar
@wanadoo.fr.
Paris 659 – Agen 28 – Montauban 42 – Auch 64 – Castelsarrasin 22.

L'Horloge avec ch, ☎ 05 63 39 91 61, *Fax 05 63 39 75 20*, 🌸 – 🖵 🕻 – 🛦 15. 🆎 ⓞ
ⓖⓑ
fermé 8 au 29 nov., 3 au 17 janv., sam. midi et vend. d'oct. à avril – **Repas** 24/55 ♀, enf. 10 -
Bouchon (déj. seul.) **Repas** carte environ 22 ♀ – ☱ 7 – **10 ch** 30/48 – ½ P 46

Bardigues Sud : 4 km par D 11 – 219 h. alt. 160 – ⊠ 82340 :

Auberge de Bardigues, ☎ 05 63 39 05 58, 🌸 – 🗐. ⓖⓑ
fermé 23 sept. au 7 oct., 6 au 27 janv., dim. soir sauf juil.-aôut, sam. midi et lundi – **Repas** 10
(déj.), 16/26,50 🗓, enf. 7,60

UVILLARS-SUR-SAÔNE 21250 Côte-d'Or 🗗🗗 ② – 212 h alt. 212.
Paris 335 – Beaune 30 – Chalon-sur-Saône 56 – Dijon 30 – Dole 50.

Auberge de l'Abbaye, au Sud : 1 km sur D 996 ☎ 03 80 26 97 37, *auberge-abbaye@wa
nadoo.fr*, *Fax 03 80 26 92 25*, 🌸, 🚗 – 🅿. ⓖⓑ. ✵
fermé 1ᵉʳ au 6 juil., 28 août au 3 sept., vacances de fév., mardi soir, dim. soir et merc. –
Repas (prévenir) 20/39,59, enf. 9,92

UXELLES-BAS 90 Terr.-de-Belf. 🗗🗗 ⑧ – rattaché à Giromagny.

AUXERRE ⓟ 89000 Yonne 🔢 ⑤ G. Bourgogne – 37 790 h alt. 130.

Voir Cathédrale St-Étienne★★ (vitraux★★, crypte★, trésor★) – Ancienne abbaye St-Germain★★ (crypte★★).

Env. Gy-l'Évêque : Christ aux Orties★ de la chapelle 9,5 km par ③.

🖪 Office du tourisme 1-2 Quai de la République ℘ 03 86 52 06 19, Fax 03 86 51 23 tourisme@auxerre.com.

Paris 166 ⑤ – Bourges 144 ④ – Chalon-sur-Saône 177 ② – Dijon 152 ② – Sens 59 ⑤.

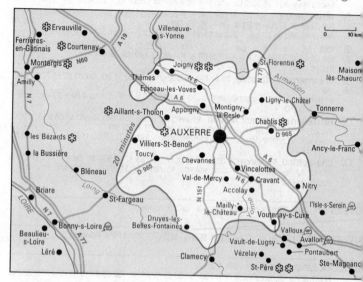

🏨 **Maxime,** 2 quai Marine ℘ 03 86 52 14 19, hotel-maxime@ipoint.fr, Fax 03 86 52 21 7
🏠 – 🛗, 🍽 rest, 📺 📞 🅿. 🆎 ⑩ ☎
BY
Le Maxime ℘ 03 86 52 04 41 (fermé 23 déc. au 15 janv.) **Repas** 33/48 ♈, enf. 15,25 – **Bist du Terroir** ℘ 03 86 52 04 41 (fermé 23 déc. au 15 janv.) **Repas** 15,25/17,10 ♈ – ☲ 9 – **26 c** 60/72 – ½ P 53/69

🏨 **Parc des Maréchaux** sans rest, 6 av. Foch ℘ 03 86 51 43 77, contact@hotel-pa marechaux.com, Fax 03 86 51 31 72, 🔳, 🏕 – 🛗 📺 📞 🅿. 🆎 ⑩ ☎ 🏧
☲ 9 – **25 ch** 65,50/90
AZ

🏨 **Normandie** sans rest, 41 bd Vauban ℘ 03 86 52 57 80, normandie@acom.* Fax 03 86 51 54 33, 🎐 – 🛗 🕸 📺 📞 🚗 – 🕍 25. 🆎 ⑩ ☎
☲ 7 – **47 ch** 53/73
AY

🏨 **Les Clairions,** par ⑤, N 6 : 2 km ℘ 03 86 94 94 94, reservation@clairions.con Fax 03 86 48 16 38, 🎐, 🔳, 🍽 – 🛗, 🍽 rest, 📺 📞 ♿ 🚗 🅿 – 🕍 30 à 150. 🆎 ⑩ ☎
Repas 19 (déj.), 25/40 ♈ – ☲ 5 – **66 ch** 50/59,70

🏨 **Cygne** sans rest, 14 r. du 24-Août ℘ 03 86 52 26 51, hcygne@3and1hotels.con Fax 03 86 51 68 33 – 📺 🅿. 🆎 ⑩ ☎ 🏧
☲ 6,40 – **30 ch** 42/68
AZ

🍴🍴🍴🍴 **Barnabet,** 14 quai République ℘ 03 86 51 68 88, contact@restaurant-barnabet.con
❀ Fax 03 86 52 96 85, 🎐, « Élégante installation » – 🆎 ☎
BYZ
fermé 23 déc. au 15 janv., mardi midi, dim. soir et lundi – **Repas** 34/51 et carte 52 à 77 ♈ enf. 16
Spéc. Salade de truffes de Bourgogne et de pommes de terre (sept. à déc.). Sandre poê aux oignons croustillants et mijotés. Biscuit mi-cuit au chocolat. **Vins** Côtes d'Auxerre Irancy.

🍴🍴🍴 **Jardin Gourmand,** 56 bd Vauban ℘ 03 86 51 53 52, le.jardin.gourmand.auxerre@war doo.fr, Fax 03 86 52 33 82, 🎐, 🌿 – 🆎 ☎
AY
fermé 25 fév. au 13 mars, 12 nov. au 4 déc., mardi et merc. – **Repas** (29) - 38/44 et carte 46 73 ♈, enf. 14

🍴🍴 **Salamandre,** 84 r. Paris ℘ 03 86 52 87 87, la-salamandre@wanadoo.f Fax 03 86 52 05 85 – 🍽. 🆎 ☎
AY
fermé sam. midi et dim. – **Repas** - produits de la mer - 22 (déj.), 29/51 ♈, enf. 11

AUXERRE

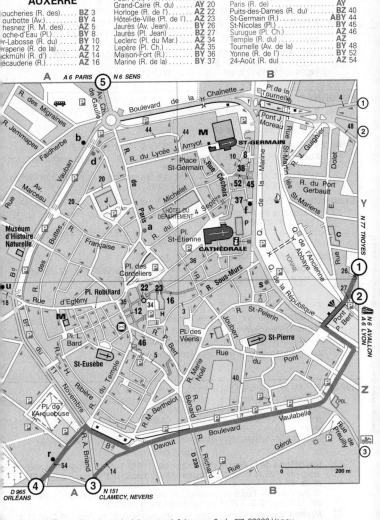

route de Chablis *par* ② : *8 km près échangeur A 6 Auxerre-Sud* – ⊠ 89290 Venoy :

XX **Moulin** 🐾 avec ch, ℘ 03 86 40 23 79, moulin89@aol.com, Fax 03 86 40 23 55, 🌳, 🌾 – 📺 🅿 – 🔬 40. 🖭
fermé 1ᵉʳ au 15 juil., 6 au 29 janv., dim. soir, mardi midi et lundi – **Repas** 17/46 ♈ – ➪ 8 – **7 ch** 57/70 – ½ P 61

à Vincelottes *par* ② *N 6 et D 38 : 16 km* – *290 h. alt. 110* – ⊠ 89290 :

XX **Auberge Les Tilleuls** avec ch, ℘ 03 86 42 22 13, Fax 03 86 42 23 51, 🌇 – 📺 🖭
fermé 19 déc. au 21 fév., jeudi d'oct. à Pâques et merc. – **Repas** 22,11/49,55 ♈, enf. 13 – ➪ 10,37 – **5 ch** 48,78/68,60 – ½ P 64,03/73,18

à Chevannes *par* ③ *et D1 : 8 km* – *1 958 h. alt. 170* – ⊠ 89240 :

XXX **Chamaille** 🐾 avec ch, ℘ 03 86 41 24 80, lachamaille@wanadoo.fr, Fax 03 86 41 34 80, 🌇, 🌾, 🔬 – 🅿. 🖭 🖭. 🗱 ch
fermé 1ᵉʳ au 17 janv., dim. soir du 14 nov. au 14 fév., lundi et mardi – **Repas** (nombre de couverts limité, prévenir) 23/56 et carte 47 à 58 ♈, enf. 13 – ➪ 7 – **3 ch** 39/46 – ½ P 69/73

près échangeur Auxerre-Nord *par ⑤ : 7 km :*

🏨 **Mercure** ⌂, N 6 ⌧ 89380 Appoigny ℘ 03 86 53 25 00, H0348@accor-hotels.com, *Fax 03 86 53 07 47*, 🍴 – ⌂ – ⌦ ▥ ⓣ ₰ 🅿 – ⚿ 25 à 120. ⯃ ⓞ ☒
Repas 20,58/30 ⵏ, enf. 10 – ⌸ 11 – **77 ch** 78/90

🏨 **Campanile**, r. Athènes ⌧ 89470 Monéteau ℘ 03 86 40 71 11, *Fax 03 86 40 50 74*, 🍴 –
⌦ ▥ ⓣ ₰ 🅿 – ⚿ 25. ⯃ ⓞ ☒
Repas (12) - 15,50/17 ⵏ, enf. 5,95 – ⌸ 6 – **83 ch** 51

AUXONNE 21130 Côte-d'Or ⬗ ⑬ G. Bourgogne – 7 154 h alt. 184.
🛈 Office du tourisme Place d'Armes ℘ 03 80 37 34 46, Fax 03 80 31 02 34, TOURISME.AUXONNE@wanadoo.fr.
Paris 345 – Dijon 33 – Dole 17 – Gray 38 – Vesoul 81.

à Villers-les-Pots *Nord-Ouest : 5 km par N 5 et D 976* – 871 h. alt. 193 – ⌧ 21130 :

🏨 **Auberge du Cheval Rouge,** ℘ 03 80 27 07 07, cheval.rouge@worldonline.fr, *Fax 03 80 31 17 01*, 🍴, ⌂ – ▥ ⓣ 🅿. ⯃ ☒
fermé 26 oct. au 3 nov., 21 déc. au 5 janv., dim. soir (sauf juil.-août) et sam. midi – **Repas** (15) - 19/37 ⵏ, enf. 9 – ⌸ 7 – **9 ch** 32/41 – ½ P 39/46

à Lamarche-sur-Saône *Nord-Ouest : 11,5 km par N 5 et D 976* – 1 201 h. alt. 190 – ⌧ 21760 :

🍴🍴 **Hostellerie St-Antoine** avec ch, ℘ 03 80 47 11 33, *Fax 03 80 47 13 56*, 🍴, ⌘, ⌂, ⛱
– ▥ ⓣ ₰ 🅿. ⯃ ☒ ☒
fermé 1ᵉʳ au 15 nov., vend. soir, sam. midi et dim. soir d'oct. à mars – **Repas** 23,63/30,49 ⵏ, enf. 8,38 – ⌸ 7,93 – **12 ch** 46/51 – ½ P 48,78/51,07

aux Maillys *Sud : 8 km par D 20* – 764 h. alt. 182 – ⌧ 21130 :

🍴🍴 **Virion,** ℘ 03 80 39 13 40, michel.virion@wanadoo.fr, *Fax 03 80 39 17 22* – ▤. ☒
fermé dim. soir et lundi de déc. à fév. – **Repas** 13 bc/33,50 ⵏ

Dans ce guide
un même symbole, un même caractère,
*imprimé en couleur ou en **noir**, en maigre ou en **gras**,*
n'ont pas tout à fait la même signification.
Lisez attentivement les pages explicatives.

AVALLON ⬗ 89200 Yonne ⬗ ⑯ G. Bourgogne – 8 217 h alt. 250.
Voir Site★ – Ville fortifiée★ : Portails★ de l'église St-Lazare – Miserere★ du musée de l'Avallonnais M¹ – Vallée du Cousin★ S par D 427.
🛈 Office du tourisme 6 rue Bocquillot ℘ 03 86 34 14 19, Fax 03 86 34 28 29, avallon.ots @wanadoo.fr.
Paris 222 ② – Auxerre 52 ④ – Beaune 107 ② – Chaumont 134 ② – Nevers 97 ④.
Plan page ci-contre

🏨 **Hostellerie de la Poste,** 13 pl. Vauban (b) ℘ 03 86 34 16 16, info@hostelleriedelaposte .com, *Fax 03 86 34 19 19*, 🍴, « Ancien relais de poste du 18ᵉ siècle » – 📶 ▥ ⓣ 🅿 – ⚿ 15. ⯃ ⓞ ☒ ☒
15 mars-15 nov. – **Repas** (fermé lundi hors saison et dim. soir) 18,29 (déj.), 23,63/88,42 bc ⵏ enf. 12,95 – ⌸ 12,50 – **27 ch** 93/159, 3 duplex – ½ P 92/115

🏨 **Avallon Vauban** sans rest, 53 r. Paris (r) ℘ 03 86 34 36 99, *Fax 03 86 31 66 31*, ⅏ – 📶 cuisinette ⌦ ▥ ⓣ 🅿 – ⚿ 15. ☒
⌸ 6 – **26 ch** 44/50, 4 studios

🏨 **Dak'Hôtel** Ⓜ sans rest, rte Saulieu par ② ℘ 03 86 31 63 20, dakhotel@voila.fr *Fax 03 86 34 25 28*, ⌘, ⛱ – ▥ ₰ 🅿 – ⚿ 60. ⯃ ☒
⌸ 6,10 – **26 ch** 44,21/48,79

🍴🍴 **Les Capucins** avec ch, 6 av. P. Doumer (e) ℘ 03 86 34 06 52, *Fax 03 86 34 58 47*, 🍴, ⛱ – ▥ 🅿. ⯃ ☒
fermé 11 au 23 juin, 17 déc. au 19 janv., mardi hors saison et merc. – **Repas** 14/40 ⵏ, enf. 1 – ⌸ 5,50 – **8 ch** 48/57

🍴🍴 **Relais des Gourmets,** 47 r. Paris (s) ℘ 03 86 34 18 90, relais-des-gourmets@wanadoo .fr, *Fax 03 86 31 60 21*, 🍴 – ⯃ ☒
Repas 14,50/56 ⵏ, enf. 8,50

🍴 **Gourmillon,** 8 r. Lyon (v) ℘ 03 86 31 62 01, *Fax 03 86 31 62 01* – ▤. ⯃ ☒
fermé 6 au 27 janv. et dim. soir – **Repas** (10) - 13/27 ⵏ, enf. 8

AVALLON

Pour visiter
la Bourgogne,
utilisez
le **Guide Vert**
Michelin.
**Bourgogne
Morvan**

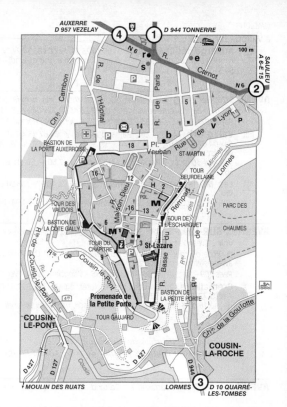

te de Saulieu *par ② : 6 km –* ✉ *89200 Avallon :*

🏨 **Relais Fleuri** Ⓜ ⑤, ℘ 03 86 34 02 85, *relais-fleuri@wanadoo.fr, Fax 03 86 34 09 98,* 🏊,
🛋, 🛬 – 📺 📞 🕭 🅿 – 🔥 30. 🔤 ⓪ 🔤 🔤
Repas 18,30/53,36 bc ♈ – ♈ 10 – **48 ch** 70,15/76,22 – ½ P 69

rès échangeur Autoroute A 6 *par ② et D 50 : 7 km –* ✉ *89200 Magny :*

🏨 **Ibis** Ⓜ, ℘ 03 86 33 01 33, *h1740@hotels-accor.com, Fax 03 86 33 00 66 –* 🛬 📺 📞 🕭 🅿 –
🔥 30. 🔤 ⓪ 🔤
Repas 9/15 ♈, enf. 6 – ♈ 5,50 – **42 ch** 49/55

Pontaubert *par ④ et D 957 : 5 km – 377 h. alt. 160 –* ✉ *89200 :*

🍴🍴 **Les Fleurs** avec ch, ℘ 03 86 34 13 81, *Fax 03 86 34 23 32,* ☂, 🛬 – 📺 🅿. 🔤
fermé 14 au 23 oct., 16 déc. au 14 fév., jeudi midi et merc. – **Repas** *(13)* - 15/35, enf. 9,30 –
♈ 6 – **7 ch** 45/54 – ½ P 45/48

dans la Vallée du Cousin *par ④, Pontaubert et D 427 : 6 km –* ✉ *89200 Avallon :*

🏨 **Moulin des Ruats** ⑤, ℘ 03 86 34 97 00, *contact@moulin-des-ruats.com,*
Fax 03 86 31 65 47, ☂, « En bordure de rivière », 🛬 – 📺 📞 🅿 🔤 ⓪ 🔤 🔤
mi-fév.-mi-nov. – **Repas** *(fermé lundi et le midi sauf dim.)* 25/37, enf. 11 – ♈ 10 – **25 ch**
61/107 – ½ P 74/108

Vault de Lugny *par ④ et D 142 : 6 km – 328 h. alt. 148 –* ✉ *89200 :*

🏰 **Château de Vault de Lugny** ⑤, ℘ 03 86 34 07 86, *hotel@lugny.com,*
Fax 03 86 34 16 36, ≤, ☂, « Château du 16ᵉ siècle dans un grand parc », 🍴, 🐎 – 📺 📞
🛬 🅿. 🔤 ⓪ 🔤 🔤
29 mars-11 nov. – **Repas** *(fermé merc.)* (table d'hôtes)(dîner seul.)(résidents seul.) 45/
130 bc ♈, enf. 15 – **12 ch** ♈ 205/455 – ½ P 120/267,50

AVALLON

à Valloux *par ④ et N 6 : 6 km –* ⊠ *89200 Avallon :*

XX **Auberge des Chenêts,** ℘ 03 86 34 23 34, Fax 03 86 34 21 24 – GB
fermé vacances de printemps, 8 au 21 oct., dim. soir et lundi – Repas 13,72 (déj.), 19,06
50,31 ⏃

AVÈNE 34260 Hérault 83 ④ – 275 h alt. 350 – Stat. therm. (fin mars-fin oct.).
🛈 *Office du tourisme Le Village* ℘ 04 67 23 43 38, Fax 04 67 23 44 94.
Paris 707 – Montpellier 83 – Bédarieux 25 – Clermont-l'Hérault 47.

🏨 **Val d'Orb** M ⚘, Les Bains d'Avène ℘ 04 67 23 44 45, val.dorb@wanadoo.fr
Fax 04 67 23 39 07, ≼, ⊿, ⚘, X – ⏃, ▤ rest, TV ℂ & P – 🛎 15 à 50. 🖭 GB
⚘ rest
1ᵉʳ avril-30 oct. – Repas 16,77/27,50 – ⊇ 7,50 – **58 ch** 62,50/70,25 – ½ P 51,25.
56

X **Les Muriers,** Les Bains d'Avène ℘ 04 67 23 40 97, Fax 04 67 23 39 07, 🏡 – P. 🖪
GB
10 avril-15 oct. et fermé dim. soir et lundi – Repas (9,15) - 14,94/19,82 🦪, enf. 7,62

AVESNES-SUR-HELPE ⟨SP⟩ 59440 Nord 53 ⑥ G. Picardie Flandres Artois – 5 003 h alt. 151.
Voir L'Avesnois★★ E par D 133.
🛈 *Office du tourisme 41 place du Général Leclerc* ℘ 03 27 56 57 20, Fax 03 27 56 57 2●
avesnes@tourisme.norsys.fr.
Paris 209 – St-Quentin 66 – Charleroi 56 – Valenciennes 44 – Vervins 33.

X **Crémaillère,** 26 pl. Gén. Leclerc (près église) ℘ 03 27 61 02 30, trochain@aol.com▪
Fax 03 27 59 10 44 – 🖭 GB
fermé 16 au 31 août, 2 au 15 janv., dim. soir, mardi soir et lundi – Repas (13,72) - 18,29 (déj.),
28,96/38,11 ⏃

Les pages explicatives de l'introduction
vous aideront à mieux profiter de votre **Guide Rouge Michelin**

AVEUX 65 H.-Pyr. 85 ⑳ – rattaché à St-Bertrand-de-Comminges (31 - H.-Gar.).

AVIGNON ℙ 84000 Vaucluse 81 ⑪ ⑫ G. Provence – 85 935 h Agglo. 253 580 h alt. 21.
Voir Palais des Papes★★★ : ≼★★ de la terrasse des Dignitaires – Rocher des Doms ≼★★
Pont St-Bénézet★★ – Remparts★ – Vieux hôtels★ (rue Roi-René) EZ F² – Coupole★ d
cathédrale Notre-Dame-des-Doms – Façade★ de l'hôtel des Monnaies EY K – Vantaux★ d
l'église St-Pierre EY – Retable★ de l'église St-Didier EZ – Musées : Petit Palais★★ EY
Calvet★ EZ M², Lapidaire★ EZ M⁴, Louis Vouland (faïences★) DY M⁵ – Fondation Anglado●
Dubrugeaud★★ EZ M¹.
🛪 d'Avignon : ℘ 04 90 81 51 15, par ③ et N 7 : 8 km.
🚗 ℘ 08 36 35 35 35.
🛈 *Office du tourisme 41 cours Jean Jaurès* ℘ 04 32 74 32 74, Fax 04 90 82 95 0●
information@ot-avignon.com.
Paris 687 ② – Aix-en-Provence 82 ③ – Arles 37 ④ – Marseille 102 ③ – Nîmes 47 ⑤.

Plans pages suivantes

🏨🏨 **Mirande** ⚘, 4 pl. Amirande ℘ 04 90 85 93 93, mirande@la-mirande.f●
❀ Fax 04 90 86 26 85, ≼, 🏡, « Ancien palais cardinalice » – ⏃ ▤ TV ℂ & ⊸ – 🛎 30. 🖭 (
GB JCB EY
Repas (fermé 2 au 30 janv.) 35 (déj.), 40/75 et carte 65 à 90 ⏃ – ⊇ 25 – **20 ch** 300/430
Spéc. Carpaccio de poutargue, tartare de thon et sorbet oursin. Pigeon de grain cuit s●
feuille de laurier. Soupe de fraises des bois safranée aux herbes et agrumes confits. Vin
Côtes-du-Rhône blanc, Crozes-Hermitage rouge.

🏨🏨 **Europe** ⚘, 12 pl. Crillon ℘ 04 90 14 76 76, reservations@hotel-d-europe.f●
❀ Fax 04 90 14 76 71, 🏡, « Demeure du 16ᵉ siècle, beau mobilier » – ⏃ ▤ TV ℂ ⊸
🛎 40. 🖭 ⓞ GB JCB EY
Repas (fermé 18 août au 2 sept., 24 nov. au 2 déc., lundi midi et dim.) 31 (déj.), 46/85
carte 70 à 95 ⏃ – ⊇ 19 – **42 ch** 120/385, 3 appart
Spéc. Crémeux de polenta blanche aux truffes noires (déc. à mars). Dos de bar de ligne cu
sur la peau, bouillon crémeux de bigorneaux. Tartare de fraises de Carpentras et tomat●
au basilic (été). Vins Côtes-du-Rhône, Châteauneuf-du-Pape.

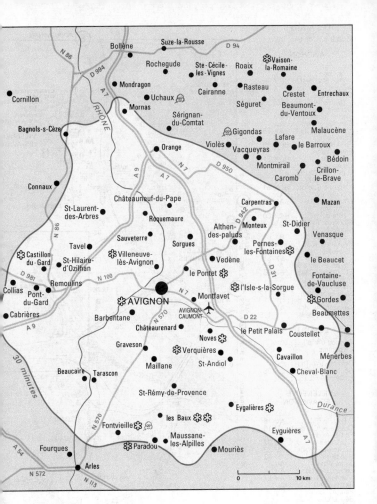

Avignon Grand Hôtel Ⓜ, bd St-Roch (à la Gare) ☏ 04 90 80 98 09, *avignongrandhotel @hotmail.com, Fax 04 90 80 98 10*, ⚄ – ⮸ cuisinette, ▤ ch, 📺 ✆ ⅙ ⇐ – ⚿ 50. ⅍ ⓞ
ⒼⒷ EZ t
Repas *(22)* - 29,72/59,45 ♈, enf. 11 – **11 ch** 115, 121 appart 198/375, 14 duplex – ½ P 144/232

Cloître St-Louis Ⓜ ⏏, 20 r. Portail Boquier ☏ 04 90 27 55 55, *hotel@cloitre-saint-louis. com, Fax 04 90 82 24 01*, « Décor contemporain dans un cloître du 16e siècle », ⚄ – ⮸ ⅙⅞,
▤ ch, 📺 ⅖ Ⓟ – ⚿ 20. ⅍ ⓞ ⒼⒷ ⒿⒸⒷ EZ s
Repas *(fermé vacances de fév., sam. et dim. de nov. à mars)* 22 (déj.)/34 ♈, enf. 12 –
⚇ 14,50 – **77 ch** 130/244, 3 duplex

Mercure Palais des Papes Ⓜ ⏏ sans rest, quartier Balance ☏ 04 90 80 93 93, *h549@accor-hotels.com, Fax 04 90 80 93 94* – ⮸ ⅙⅞ ▤ 📺 ✆ ⇐ – ⚿ 80. ⅍ ⓞ ⒼⒷ
ⒿⒸⒷ EY r
⚇ 11 – **87 ch** 105/110

Mercure Cité des Papes Ⓜ sans rest, 1 r. J. Vilar ☏ 04 90 80 93 00, *h1952@accor-hotels.com, Fax 04 90 80 93 01* – ⮸ ⅙⅞ ▤ 📺. ⅍ ⓞ ⒼⒷ EY b
⚇ 11 – **73 ch** 105/110

LES ANGLES

Pinède (Ch. de la)... AV

AVIGNON

Amandier
(Av. de l') CX
Aulnes (Av. des) CX
Avignon (Av. d')..... CX
Croix-Rouge
(Av. de la)......... BX
Docteur Pons
(Rte Touristique) .. BV
Eisenhover (Av.) .... AX
Europe (Pont de l') AX 26
Ferry (Bd J.) ...... AX
Folie (Av. de la) ... BCX 29
Foncouverte
(Av. de) .... BCX 31
Gaulle
(Rocade Ch. de). ABX
Lyon (Rte de) ...... BV
Marseille (Rte de) . BCX 51
Monclar (Av.)....... AX
Monod (Bd J.)...... AX 58
Montfavet
(Rte de) .... BCX 60
Morières (Rte de) . BCV
Moulin-Notre-
Dame (Av. du).... BX 61
Réalpanier (Carr.) ... CV
Reine-Jeanne
(Av. de la)........ BX 81
Royaume (Pont du) . AV 92
St-Chamand (Av.) ... BX 95
St-Ruf (Av.) .... AX
Semard (Av. P.)..... BX
Sixte-Isnard (Bd).... BX 112
Souspirous (Av. de) . CX
Tarascon (Av. de) ... AX
Ire-D.-B. (Bd de la)... BX 125

LE PONTET

Avignon (Av. d')..... CV
Carpentras
(Av. de).......... CV
Delorme (Av. Th.)... CV
Goutarel (Av. G.).... CV 38
Pasteur (Av. L.)..... CV

VILLENEUVE-
LÈS-AVIGNON

Camp de
Bataille (R.) ...... AV 15
Chartreux (Ch. des) . AV 16
Fort St-André
(Montée du)...... AV 32
Gaulle (Av. Ch.-de) .. AV 33
Hôpital (R. de l') .... AV 43
Joffre (Rte) .... AV
Leclerc (Av. Gén.)... AV
Monnaie (R. de la) .. AV 57
Pasteur (Av.) .... AV
Péri (Av. G.) .... AV
République
(R. de la)......... AV 87
Tour (Montée de la) . AV 115
Verdun (Av. de)..... AV 117

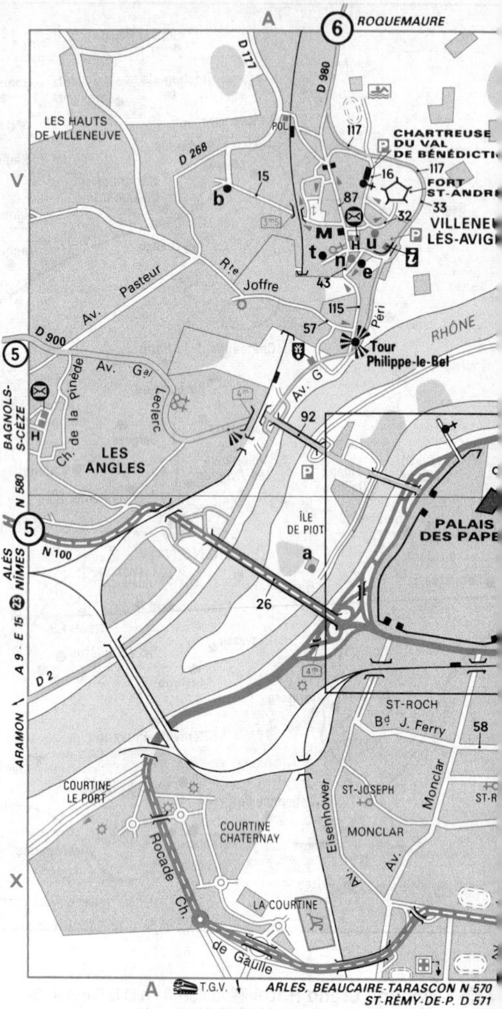

De l'Horloge sans rest, 1 r. F. David (pl. Horloge) ✆ 04 90 16 42 00, *avignon@hote primotel.com, Fax 04 90 82 17 32* – 15. AE GB JCB EY
10 – **67 ch** 84/137

Bristol sans rest, 44 cours J. Jaurès ✆ 04 90 16 48 48, *bristol.avignon@wanadoo. Fax 04 90 86 22 72* – 25. AE GB EZ
fermé 9 fév. au 4 mars – 9 – **67 ch** 80/116

Blauvac sans rest, 11 r. de la Bancasse ✆ 04 90 86 34 11, *blauvac@aol.co Fax 04 90 86 27 41* – AE GB EY
fermé 11 au 24 nov. et 6 au 26 janv. – 7,63 – **16 ch** 52/74

Angleterre sans rest, 29 bd Raspail ✆ 04 90 86 34 31, *info@hoteldangleterre. Fax 04 90 86 86 74* – GB. DZ
fermé 20 déc. au 19 janv. – 6,50 – **40 ch** 58/74

Ibis Pont de l'Europe sans rest, 12 bd St-Dominique ✆ 04 90 82 00 00, *ibis.avignc centre.europe@wanadoo.fr, Fax 04 90 85 67 16,* – 30. AE GB DZ
5,50 – **74 ch** 64/73

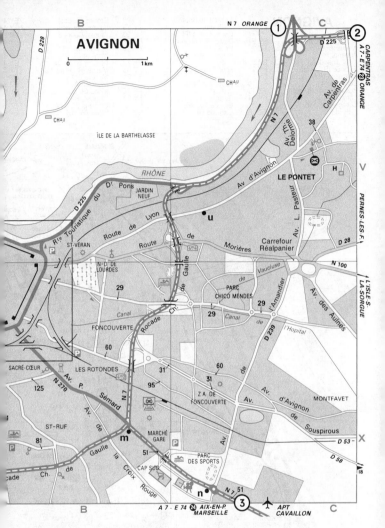

AVIGNON

ÎLE DE LA BARTHELASSE

RHÔNE

LE PONTET

MONTFAVET

🏨 **Ibis Centre Gare,** 42 bd St-Roch ☎ 04 90 85 38 38, *Fax 04 90 86 44 81* – 🛗 ≣ 📺 ⚫ –
🔰 15. ☒ ⓪ ☒ 🄿
Repas *(11,74)* - 14,79 🌂, enf. 5,95 – ⬜ 5,50 – **98 ch** 78
EZ **r**

🏨 **Garlande** sans rest, 20 r. Galante ☎ 04 90 80 08 85, *hotel-garlande@avignon-et-provence*
.com, Fax 04 90 27 16 58 – 📺 ☒ ⓪ ☒ 🄿
fermé dim. de nov. à mars – ⬜ 6,10 – **12 ch** 56,50/90
EY **f**

🏨 **Médiéval** sans rest, 15 r. Petite Saunerie ☎ 04 90 86 11 06, *hotel.medieval@wanadoo.fr,*
Fax 04 90 82 08 64 – cuisinette 📺. ☒
fermé 5 au 28 janv. – ⬜ 6 – **34 ch** 42/55
FY **e**

XXX **Christian Étienne,** 10 r. Mons ☎ 04 90 86 16 50, *contact@christian-etienne.fr,*
✿ *Fax 04 90 86 67 09,* 😘, « Anciennes demeures des 13ᵉ et 14ᵉ siècles accolées au Palais des
Papes » – ≣. ☒ ⓪ ☒
EY **h**
fermé dim. et lundi sauf en juil. – **Repas** 28/81 et carte 65 à 75 🝜, enf. 23
Spéc. Menu ''légumes'' (printemps et automne). Filets de rouget en barigoule d'artichauts.
Sorbet au fenouil et crème anglaise safranée. **Vins** Beaumes de Venise, Côtes-du-Rhône-
Villages.

AVIGNON

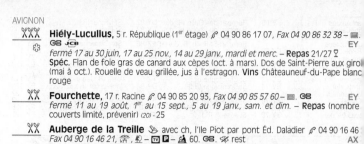

XXX **Hiély-Lucullus,** 5 r. République (1er étage) ✆ 04 90 86 17 07, *Fax 04 90 86 32 38* – ▤. GB JCB EY
✿ *fermé 17 au 30 juin, 17 au 25 nov., 14 au 29 janv., mardi et merc.* – **Repas** 21/27 ♀
Spéc. Flan de foie gras de canard aux cèpes (oct. à mars). Dos de Saint-Pierre aux girol (mai à oct.). Rouelle de veau grillée, jus à l'estragon. **Vins** Châteauneuf-du-Pape blanc rouge

XX **Fourchette,** 17 r. Racine ✆ 04 90 85 20 93, *Fax 04 90 85 57 60* – ▤. GB EY
fermé 11 au 19 août, 1er au 15 sept., 5 au 19 janv., sam. et dim. – **Repas** (nombre couverts limité, prévenir) *(20)* - 25

XX **Auberge de la Treille** avec ch, l'Ile Piot par pont Éd. Daladier ✆ 04 90 16 46 *Fax 04 90 16 46 21*, , – TV P – 60. GB. rest AX
Repas 20 (déj.)/27 ♀, enf. 11 – 10 – **6 ch** 92/138

XX **Jardin de la Tour,** 9 r. Tour ✆ 04 90 85 66 50, *jeanmarc.larrue@free* *Fax 04 90 27 90 72*, , « Ancienne usine aménagée » – AE GB JCB GY
fermé 15 au 31 août, dim. et lundi – **Repas** 26,90/60,22 bc ♀, enf. 13

X **L'Isle Sonnante** (Gradassi), 7 r. Racine ✆ 04 90 82 56 01 – ▤. GB. EY
✿ *fermé août, 24 déc. au 3 janv., 24 au 31 mars, dim. et lundi* – **Repas** (nombre de couve limité, prévenir)(rest. exclusivement non-fumeur) *(27 bc)* - 47,50
Spéc. Râble de lapin farci aux olives de Nyons. Gibier (saison). Macaron praliné-choco **Vins** Côtes-du-Rhône, Rasteau.

X **Brunel,** 46 r. Balance ✆ 04 90 85 24 83, *brunel@mnet.fr*, *Fax 04 90 86 26 67* – GB EY
fermé 15 déc. au 7 janv., lundi sauf juil. et dim. – **Repas** 18,30 (déj.)/26,68 (dîner) ♀

X **Cloître des Arts,** 83 r. J. Vernet ✆ 04 90 85 99 04, *Fax 04 90 85 89 24*, , « Dans cloître du 15e siècle » – AE GB EZ
fermé 1er au 11 nov., 1er au 6 janv., dim. et lundi – **Repas** 19 (déj.)/29

X **Moutardier,** 15 pl. Palais des Papes ✆ 04 90 85 34 76, *moutardier@wanadoo* *Fax 04 90 86 42 18*, , « Fresques évoquant le moutardier du pape » – ▤. GB EY
fermé 24 nov. au 19 déc., 6 au 25 janv. et merc. d'oct. à mars – **Repas** 20 (déj.), 30/45

dans l'île de la Barthelasse *Nord : 5 km par D 228 et rte secondaire* – ✉ *84000 Avignon :*

Ferme , chemin des Bois ✆ 04 90 82 57 53, *Fax 04 90 27 15 47*, , – , ▤ ch, P. AE GB JCB. ch
19 mars-1er nov. – **Repas** *(fermé lundi et merc.)* 20/42, enf. 10,50 – 8,80 – **20** 59,50/77 – ½ P 58,50/64

vers ② *par N 7 : 3,5 km* – ✉ *84130 Le Pontet :*

Les Agassins M , 52 av. Ch. de Gaulle ✆ 04 90 32 42 91, *avignon@agassins.co* *Fax 04 90 32 08 29*, , « Jardin fleuri », , – ▤ TV P – 30. AE GB JC CV
fermé 1er janv. au 1er mars – **Repas** *(fermé sam. midi de nov. à mars) (17)* - 23 (déj.), 45/ enf. 18 – 17 – **30 ch** 90/245 – ½ P 120/185

à Vedène *Nodr-Est : 10 km par D 62 et rte secondaire – 8 673 h. alt. 34* – ✉ *84270 :*

Golf M , ✆ 04 90 02 09 09, *yvette@golfgrandavignon.com*, *Fax 04 90 02 09 08*, ←, – ▤ TV P – 20 à 50. AE GB
Repas *(fermé dim. soir)* 15,09/38,11 ♀ – 12,19 (½ pens. seul.), 30 appart 146,35/201 – ½ P 131,10

au Pontet *vers ② par N 7 et D 62 : 6 km – 15 594 h. alt. 40* – ✉ *84130 :*

Auberge de Cassagne , 450 allée de Cassagne ✆ 04 90 31 04 18, *cassagne@wa doo.fr*, *Fax 04 90 32 25 09*, , « Élégante installation », , , , – ▤ TV P.
✿ GB JCB
fermé 6 au 31 janv. – **Repas** 30 (déj.), 50/80 et carte 70 à 92, enf. 17 – 17 – **30 ch** 130/2 5 appart – ½ P 132/227
Spéc. Croustillant de légumes poêlés. Filet de rouget au citron vert. Émincé d'agneau cotelettes de lapereau aux petits légumes farcis. **Vins** Côtes-du-Rhône-Villages.

à l'Échangeur A 7 *Avignon-Nord par ② : 9 km* – ✉ *84700 Sorgues :*

Novotel Avignon Nord M, ✆ 04 90 03 85 00, *h0550@accor.hotels.co* *Fax 04 90 03 85 10*, , , , – ▤ TV P – 150. AE GB
Repas *(15,24)* - 19,82 ♀, enf. 7,62 – – **100 ch** 99

Montfavet *Est : 7 km par av. Avignon - CX –* ✉ *84140 :*

🏨 **Hostellerie Les Frênes** M 🕊, av. Vertes Rives ✆ 04 90 31 17 93, *frenes@wanadoo.fr*, *Fax 04 90 23 95 03*, 😤, « Demeure bourgeoise dans un parc », ⤋, ♨ – ▮ ▤ ▦ ✆ ℙ – ▲ 25. 配 ① GB JCB
23 mars-31 oct. – **Repas** (dîner seul.) 54/84 – ⊡ 16 – **13 ch** 206/456, 5 appart

e de Marseille *par N 7 –* ✉ *84000 Avignon :*

🏨 **Mercure Avignon Sud** M, 3 km ✆ 04 90 89 26 26, *h0346@accor-hotels.com*, *Fax 04 90 89 26 27*, 😤, ⤋, ♨ – ⥄ ▤ ▦ ✆ ℙ – ▲ 130. 配 ① GB JCB   BX m
Repas (15) - 20 ₰, enf. 9,15 – ⊡ 11 – **105 ch** 78/99

🏨 **Novotel Avignon Sud** M, 4 km ✆ 04 90 87 62 36, *h0399@accor-hotels.com*, *Fax 04 90 87 86 60*, 😤, ⤋, 🌴 – ⥄ ▤ ▦ ✆ ℙ – ▲ 150. 配 ① GB   CX n
Repas (17) - carte 23 à 36 ⅀, enf. 8 – ⊡ 11 – **79 ch** 99

'aéroport d'Avignon-Caumont *par* ③ *: 8 km –* ✉ *84140 Montfavet :*

🏨 **Paradou-Avignon**, ✆ 04 90 84 18 30, *beslay@hotel-paradou.fr*, *Fax 04 90 84 19 16*, 😤, ⤋, 🌴, ✻ – ▤ ▦ ✆ ℙ ℙ – ▲ 20 à 50. 配 ① GB JCB
Repas (fermé dim. du 7oct. au 24 mars) (13 bc) - 16/35,50 ⅀, enf. 9,50 – ⊡ 9,15 – **42 ch** 79,50/88,50 – ½ P 58/64

ir aussi ressources hôtelières de *Villeneuve-lès-Avignon* **et** *Les Angles*

VIGNON-CAUMONT (Aéroport d') 84 Vaucluse 🖽 ⑪ ⑫ – rattaché à Avignon.

VOINE 37420 I.-et-L. 🖾 ⑬ – 1 778 h alt. 35.
🚩 Office du tourisme Maison de la Confluence - Le Pommier Rond ✆ 02 47 58 45 40, Fax 02 47 58 45 40.
Paris 294 – Tours 52 – Azay-le-Rideau 28 – Chinon 7 – Langeais 27 – Saumur 22.

XX **L'Atlantide**, 17 r. Nationale ✆ 02 47 58 81 85, Fax 02 47 58 49 97, 😤 – ℙ. GB
fermé 1er au 15 juil., dim. soir et lundi – **Repas** 16/33 ⅀ - **Casse-Croûte du Vigneron :**
Repas 12 ₰

Dans ce guide
un même symbole, un même caractère,
imprimé en couleur ou en **noir**, *en maigre ou en* **gras**,
n'ont pas tout à fait la même signification.
Lisez attentivement les pages explicatives.

RANCHES ◁◉▷ 50300 Manche 🖾 ⑧ G. Normandie Cotentin – 8 500 h alt. 108.
Voir Manuscrits★★ du Mont-St-Michel (musée) – Jardin des Plantes : ✻★ – La ''plate-forme'' ✻★.
🚩 Office du tourisme 2 rue Général de Gaulle ✆ 02 33 58 00 22, Fax 02 33 68 13 29, *avranches-tourisme@wanadoo.fr*.
Paris 336 ① – St-Lô 58 ① – St-Malo 68 ③ – Caen 103 ① – Rennes 83 ③.

Plan page suivante

🏨 **Croix d'Or** 🕊, 83 r. Constitution ✆ 02 33 58 04 88, Fax 02 33 58 06 95, « Décor rustique normand », 🌴 – ▦ ℙ – ▲ 30. 配 ① GB   BZ s
fermé vend. et dim. soir du 15 oct. au 25 mars – **Repas** 13 (déj.), 21/46 ⅀, enf. 10 – ⊡ 6,40 – **27 ch** 43/61 – ½ P 52/60

🏨 **Abrincates** sans rest, 37 bd Luxembourg par ③ : 0,5 km ✆ 02 33 58 66 64, Fax 02 33 58 40 11 – ▮ ▦ ✆ ℙ. GB JCB
⊡ 5,79 – **29 ch** 51,83/65,55

🏨 **Jardin des Plantes**, 10 pl. Carnot ✆ 02 33 58 03 68, *jardin.des.plantes@wanadoo.fr*, Fax 02 33 60 01 72, 😤 – ▦ ᕆ. 配 ① GB JCB   AZ u
fermé 23 déc. au 2 janv. – **Repas** 12,50/23 ₰ – ⊡ 7 – **26 ch** 26/79

St-Quentin-sur-le-Homme *Sud-Est : 5 km par D 78 BZ –* 1 090 h. alt. 55 – ✉ *50220 :*

XXX **Gué du Holme** M 🕊 avec ch, ✆ 02 33 60 63 76, *gue.holme@wanadoo.fr*, Fax 02 33 60 06 77, 😤, 🌴 – ▦ ✆ ℙ. 配 ① GB
fermé 1er au 21 janv. et dim. du 15 sept. à Pâques – **Repas** (fermé sam. midi et vend.) (12,96 déj) - 24,40/53,36 et carte 45 à 58 ⅀, enf. 12,20 – ⊡ 9,15 – **10 ch** 64,03/83,85 – ½ P 76,22/99,10

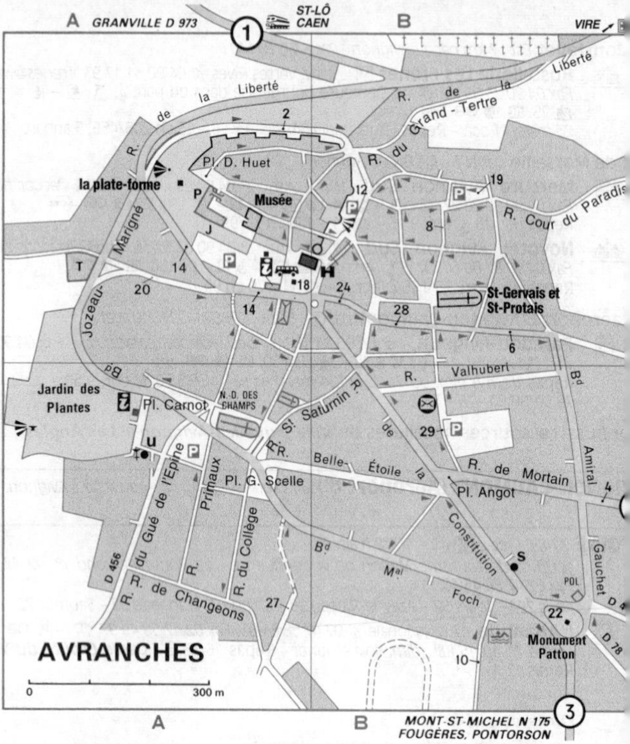

Abrincates (Bd des) . . . **AY** 2
Bindel (R. du Cdt) . . . . . **BZ** 4
Bremesnil (R. de) . . . . . **BY** 6
Chapeliers (R. des) . . . . **BY** 8
Constitution
(R. de la) . . . . **BZ**
Écoles (R. des) . . . . . . **BZ** 10
Estouteville (Pl. d') . . . **BY** 12
Gaulle (R. Gén.-de) . . . **AY** 14
Littré (Pl.) . . . . **AY** 18
Marché (Pl. du) . . . . . . **BY** 19
Millet (R. L.) . . . . **AY** 20
Patton (Pl. Gén.) . . . . . **BZ** 22
Pot-d'Étain (R. du) . . . **BY** 24
Puits-Hamel
(R. du) . . . . **AZ** 27
St-Gaudens (R.) . . . . . . **BY** 28
St-Gervais (R.) . . . . **BZ** 29

AVRILLÉ *85440 Vendée* [67] ⑬ *G. Poitou Vendée Charentes – 1 008 h alt. 45.*

Voir *St-Hilaire-la-Forêt : démonstrations des techniques préhistoriques★ du Centre Recherche sur le Néolithique SO : 3 km – Office du tourisme 8 Bis avenue du Général Gaulle ☎ 02 51 22 30 70, Fax 02 51 22 34 00.*

Paris 444 – La Rochelle 69 – La Roche-sur-Yon 27 – Luçon 27 – Les Sables-d'Olonne 24.

Menhir, av. Gén. de Gaulle ☎ 02 51 22 32 18, *Fax 02 51 22 34 13* – ▤. AE ⓓ GB JCB
fermé 15 janv. au 28 fév., dim. soir et lundi de sept. à juin – **Repas** 13/33 ♀, enf. 8,50

AX-LES-THERMES *09110 Ariège* [86] ⑮ *G. Midi-Pyrénées – 1 441 h alt. 720 – Stat. therm Sports d'hiver au Saquet par route du plateau de Bonascre★ (8 km) et télécabine : 1 4 2 400 m* ⛷ *1* ⛷ *16* ⛷ *– Casino –* **Voir** *Vallée d'Orlu★ au SE.*

Tunnel de Puymorens : *Péage en 2001, aller simple : autos 5,03, auto et caravane 10 P.L 14,64 à 24,09, deux-roues 3,05. Tarifs spéciaux A.R : renseignements ☎ 04 68 04 97 .*

Office de tourisme av. Théophile Delcassé ☎ 05 61 64 60 60, Fax 05 61 64 41 vallées.ax@wanadoo.fr.

Paris 836 – Foix 43 – Andorra-la-Vella 60 – Carcassonne 106 – Prades 100 – Quillan 55.

L'Auzeraie, ☎ 05 61 64 20 70, *Fax 05 61 64 38 50,* 🍴 – |≑| 📺 – 🏠 25. AE ⓓ GB
fermé 12 nov. au 20 déc. – **Repas** *(fermé mardi midi hors vacances scolaires)* 13/38 ♀, en – ☕ 6 – **33 ch** 39/74 – ½ P 42/46

L'Orry Le Saquet, au Sud sur N 20 : 1 km ☎ 05 61 64 31 30, *Fax 05 61 64 00 31,* 🍴 –
AE ⓓ GB
fermé vacances de Toussaint, janv. et merc. – **Repas** 17,07/54,88 bc ♀, enf. 10,37

Castelet *Nord-Ouest : 4 km –* ⊠ *09110 Ax-les-Thermes :*

🏠 **Castelet** ⤵, 𝒫 05 61 64 24 52, hotel.le.castelet@wanadoo.fr, Fax 05 61 64 05 93, ≤, 🚗
– 🖵 **P.** 🗚 **GB.** ✻ rest
juin-sept. – **Repas** *(fermé mardi et merc. sauf juil.-août et le midi sauf dim.)* 14,48/25,90 –
⊑ 5,30 – **27 ch** 33,50/52 – ½ P 35/52

-SUR-MOSELLE 57300 Moselle 🟦🟦 ④ – 1 525 h alt. 160.
Paris 329 – Metz 16 – Briey 25 – Saarlouis 54 – Thionville 15.

✗✗ **Au Martin Pêcheur**, 1 rte d'Hagondange 𝒫 03 87 71 42 31, Fax 03 87 71 42 31 – **GB**
fermé 16 août au 3 sept., 24 fév. au 11 mars, sam. midi, dim. soir et lundi – **Repas** 25 *(déj.)*,
40 bc/65 bc ♀

TRÉ 17 Char.-Mar. 🟦🟦 ⑫ – rattaché à La Rochelle.

AY-LE-RIDEAU 37190 I.-et-L. 🟦🟦 ⑭ G. Châteaux de la Loire – 3 100 h alt. 51.
Voir Château★★★ – Façade★ de l'église St-Symphorien.
🗓 Office du tourisme 5 place de l'Europe 𝒫 02 47 45 44 40, Fax 02 47 45 31 46,
otsi.azay.le.rideau@wanadoo.fr.
Paris 268 – Tours 28 – Châtellerault 61 – Chinon 21 – Loches 54 – Saumur 47.

🏠 **Grand Monarque**, pl. République 𝒫 02 47 45 40 08, monarque@club-internet.fr,
Fax 02 47 45 46 25, �, – 🖵 📞 **P.** 🗚 **GB**
fermé déc., janv., vend. midi, dim. soir, mardi midi et lundi du 15 oct. au 31 mars – **Repas** 16
(déj.), 26/46, enf. 11 – ⊑ 10 – **24 ch** 60/155 – ½ P 65/130

🏠 **des Châteaux** M, 2 rte Villandry 𝒫 02 47 45 94 59, hdcresor@club-internet.fr,
Fax 02 47 45 68 29, 🌥, 🚗 – 🖵 📞 & **P.** **GB.** ✻
1ᵉʳ mars-17 nov. – **Repas** *(fermé vend. soir, sam. midi et lundi midi hors saison)* *(10)* · 13/22 ⅋
– ⊑ 6,25 – **27 ch** 48/60 – ½ P 48/54

🏠 **Val de Loire** sans rest, 50 r. Nationale 𝒫 02 47 45 28 29, hvl@wanadoo.fr,
Fax 02 47 45 91 19 – 🖵 📞 **P.** 🗚 ① **GB** **JCB**
15 mars-8 nov. – ⊑ 7,50 – **27 ch** 65/68

🏠 **de Biencourt** sans rest, r. Balzac 𝒫 02 47 45 20 75, biencourt@infonie.fr,
Fax 02 47 45 91 73 – **GB.** ✻
1ᵉʳ mars-15 nov. – ⊑ 7 – **17 ch** 35/60

✗✗ **L'Aigle d'Or**, 10 av. A. Riché 𝒫 02 47 45 24 58, Fax 02 47 45 90 18, 🌥 – 🗐. **GB**
fermé 2 au 6 sept., 17 au 29 nov., fév., lundi soir en hiver, mardi soir hors saison, dim. soir et
merc. – **Repas** *(prévenir)* 26/58 ⅋, enf. 10

✗✗ **Les Grottes**, 23 r. Pineau (D 84) 𝒫 02 47 45 21 04, Fax 02 47 45 92 51, 🌥, « Salles troglodytiques » – **GB**
fermé 2 au 31 janv., 17 au 30 nov., merc. soir d'oct. à mai et jeudi – **Repas** 16,01/31,40 ♀

aché Est : 6,5 km par D 17 – 1 004 h. alt. 78 – ⊠ 37190 :

✗✗ **Auberge du XIIᵉ Siècle** (Aubrun-Jimenez), 𝒫 02 47 26 88 77, Fax 02 47 26 88 21, 🌥,
✿ « Décor rustique », 🚗 – **GB**
fermé 3 au 11 juin, 2 au 10 sept., 8 au 30 janv., dim. soir, mardi midi et lundi – **Repas** *(dim.*
prévenir) *(19,06)* · 25,92/48,78 et carte 41 à 54
Spéc. Salade de pigeonneau et foie gras poêlé. Sandre poêlé à la rhubarbe (saison). Géline
au jus de truffe et févettes. **Vins** Azay-le-Rideau, Chardonnay de Touraine.

INCOURT 62310 P.-de-C. 🟦🟦 ⑬ G. Picardie Flandres Artois – 273 h alt. 115.
🗓 Office du tourisme 22 rue Charles VI 𝒫 03 21 04 41 12, Fax 03 21 47 13 12.
Paris 235 – Calais 79 – Arras 56 – Boulogne-sur-Mer 62 – Hesdin 16 – St-Omer 40.

✗ **Charles VI**, 𝒫 03 21 41 53 00, Fax 03 21 41 53 11, 🌥 – **P.** **GB**
fermé 5 au 9 nov., 28 janv. au 11 fév., dim. soir et merc. soir – **Repas** 12,50/28,97, enf. 6,86

CCARAT 54120 M.-et-M. 🟦🟦 ⑦ G. Alsace Lorraine – 4 746 h alt. 260.
Voir Vitraux★ de l'église St-Rémy – Musée du cristal.
🗓 Office du tourisme Place du Général Leclerc 𝒫 03 83 75 13 37, Fax 03 83 75 36 76,
otbaccarat@free.fr.
Paris 364 – Nancy 59 – Épinal 43 – Lunéville 26 – St-Dié 29 – Sarrebourg 44.

🏠 **Renaissance**, 31 r. Cristalleries 𝒫 03 83 75 11 31, renaissance.la@wanadoo.fr,
Fax 03 83 75 21 09 – 🖵. 🗚 **GB**
Repas *(fermé vend. soir, dim. soir et lundi)* 10 *(déj.)*, 13,50/28 ♀, enf. 7 – ⊑ 6 – **16 ch** 41/55
– ½ P 42/47

BADEN 56870 Morbihan **63** ③ – 3 360 h alt. 28.

Paris 474 – Vannes 15 – Auray 9 – Lorient 48 – Quiberon 41.

🏢🏢 **Gavrinis**, à Toulbroch : 2 km par rte Vannes ℰ 02 97 57 00 82, gavrinis@wanado
🞐 *Fax 02 97 57 09 47,* 斎, 毎 – 毎 ▥ ℙ. ⌷Ⅱ ⓞ ᴳᴮ ᴶᶜᴮ
*fermé 15 nov. au 31 janv. et lundi d'oct. à avril sauf fériés – Repas (fermé lundi sauf le
du 18 juin au 10 sept. et dim. soir d'oct. à mars) (15) - 18,50/60 ♉, enf. 11,50 – ☲ 7,50 – ▮
56/74 – ½ P 60/67*

BAERENTHAL 57230 Moselle **57** ⑱ – 702 h alt. 220.

🅱 *Office du tourisme 1 rue du Printemps ℰ 03 87 06 50 26, Fax 03 87 06 50 26.*
Paris 448 – Strasbourg 64 – Bitche 15 – Haguenau 33 – Wissembourg 46.

🏠 **Kirchberg** Ⅿ ⌚ sans rest, ℰ 03 87 98 97 70, resid-hotel-kirchberg@wanado
🞐 *Fax 03 87 98 97 91,* 毎 – cuisinette ▥ ⌷ ℙ. ᴳᴮ
fermé 2 au 30 janv. – ☲ 6,80 – 12 ch 58/60, 8 studios

à Untermuhlthal *Sud-Est : 4 km par D 87 – ⊠ 57230 Baerenthal :*

🞞🞞🞞🞞 **L'Arnsbourg** (Klein), ℰ 03 87 06 50 85, l.arnsbourg@wanadoo.fr, Fax 03 87 06 57 67
🏵🏵🏵 – ▤ ℙ. ⌷Ⅱ ⓞ ᴳᴮ ᴶᶜᴮ
*fermé 26 août au 11 sept., janv., mardi et merc. – Repas (week-ends prévenir) 39 (◜
68/83 et carte 75 à 95*
Spéc. *Langoustines et foie gras marinés, petite salade d'artichauts et truffes. Grillad
foie gras de canard au citron confit. Saint-Pierre, compoté de pomelos, fenouil bran
confit.* **Vins** *Gewürztraminer, Muscat.*

Les prix	Pour toutes précisions sur les prix indiqués dans ce guide, reportez-vous aux pages explicatives.

BÂGÉ-LE-CHÂTEL 01380 Ain **70** ⑫ – 762 h alt. 209.

🅱 *Syndicat d'initiative 1 rue Marsale ℰ 03 85 30 56 66, Fax 03 85 30 56 66.*
Paris 398 – Mâcon 10 – Bourg-en-Bresse 37 – Pont-de-Veyle 6 – St-Amour 40 – Tournu

🍴 **Table Bâgesienne**, Gde Rue ℰ 03 85 30 54 22, Fax 03 85 30 58 33, 斎 – ⌷Ⅱ ⓞ
🞐 ⌹
fermé 16 au 30 août, 24 fév. au 12 mars, mardi soir et merc. – Repas 15 (déj.), 20/35, e▮

BAGES 11 Aude **86** ⑩ – rattaché à Narbonne.

BAGNÈRES-DE-BIGORRE ⧉ 65200 H.-Pyr. **85** ⑱ G. Midi-Pyrénées – 8 048 h alt. 551 –
therm. (début mars-fin nov.) – Casino AZ.

Voir *Parc thermal de Salut* par Av. Pierre-Noguès – Grotte de Médous** SE : 2,5 km*
D 935.

🅱 *Office du tourisme 3 allées Tournefort ℰ 05 62 95 50 71, Fax 05 62 95 33
ot-bagneres@hautebigorre.com.*
Paris 818 – Pau 67 – Lourdes 24 – St-Gaudens 65 – Tarbes 22.

🏢🏢 **Résidence** ⌚, Parc Thermal de Salut ℰ 05 62 91 19 19, Fax 05 62 95 29 88, ≤, 𝄄
毎, ⌹ – ▥ ℙ. – 🕮 20. ᴳᴮ
15 avril-1ᵉʳ nov. – Repas (résidents seul.) 16/20 – ☲ 8 – 25 ch 71, 3 appart – ½ P 64

🏠 **Hostellerie d'Asté**, rte de Campan (D 935) : 3,5 km ℰ 05 62 91 74 27, hotel@hotel-▮
🞐 *com, Fax 05 62 91 76 74, ≤, 斎, 毎, ⌹ – ▥ ℙ – 🕮 30. ⌷Ⅱ ⓞ ᴳᴮ. ⌹
fermé 12 nov. au 12 déc. – Repas (9,30) - 12,35/30,19, enf. 6,25 – ☲ 5,80 – 22 ch 32
49,70 – ½ P 38,57/48,54*

à Beaudéan *Sud : 4,5 km rte de Campan (D 935) – 378 h. alt. 625 – ⊠ 65710 Campan :*
Voir *Vallée de Lesponne* SO.*

🏠 **Catala** ⌚, ℰ 05 62 91 75 20, Fax 05 62 91 79 72 – ▐ ▥ ⌷ ℙ. – 🕮 20. ᴳᴮ. ⌹
🞐 *fermé 3 au 31 janv., lundi (sauf hôtel) et dim. soir sauf vacances scolaires – Repas 14▮
enf. 8 – ☲ 6 – 23 ch 45/50, 3 appart – ½ P 44/55*

BAGNÈRES-DE-LUCHON 31110 H.-Gar. **85** ⑳ G. Midi-Pyrénées – 2 900 h alt. 630 – ▮
therm. (début avril-fin oct.) – Sports d'hiver à Superbagnères : 1 440/2 260 m ⌟ 1 ⌟14 ▮
Casino Y.

🅱 *Office du tourisme 18 allée d'Etigny ℰ 05 61 79 21 21, Fax 05 61 79 11 23, lu◜
@luchon.com.*
Paris 838 ① – St-Gaudens 46 ① – Tarbes 97 ① – Toulouse 140 ①.

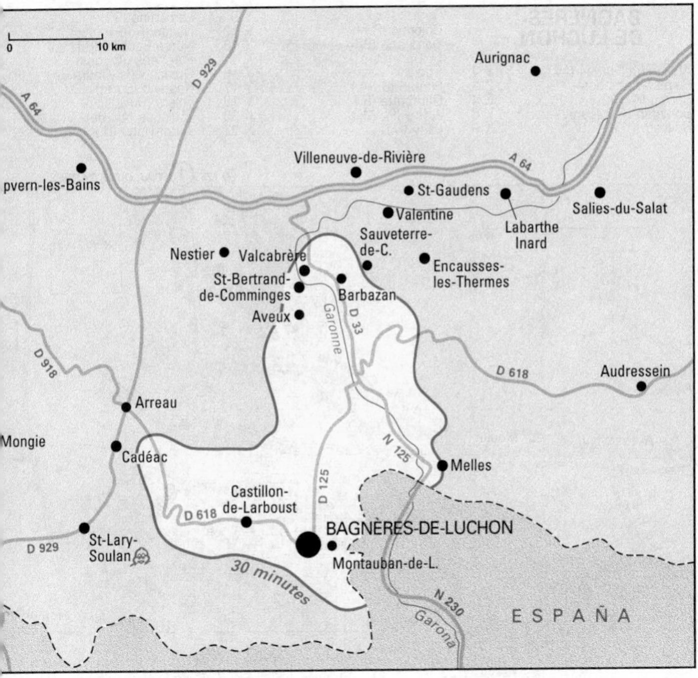

Corneille, 5 av. A. Dumas ✆ 05 61 79 36 22, *corneil31@aol.com, Fax 05 61 79 81 11,* ≤, 🏞, 🌳 – 🛗 📺 🅿 – 🚶 20. AE ⓓ GB. ✂ rest — Y u

fermé 20 oct. au 20 déc. – **Repas** (20,50) - 22,10/27,50 🍷, enf. 12,50 – ☕ 8,50 – **53 ch** 73,20/122 – ½ P 76,30/91,50

d'Étigny, face établ. thermal ✆ 05 61 79 01 42, *etigny@aol.com, Fax 05 61 79 80 64,* 🏞 – 🛗, ▤ rest, 📺 📞 🚗. GB. ✂ rest — Z k

1er mai-19 oct. – **Repas** 15/36, enf. 9 – ☕ 7 – **58 ch** 65/120, 5 appart – ½ P 55/75

Royal Hôtel, 1 cours Quinconces ✆ 05 61 79 00 62, *Fax 05 61 79 38 35* – 🛗 🚗. GB. ✂ rest — Z v

25 mai-10 oct. – **Repas** 15 – ☕ 5,30 – **48 ch** 38,50 – ½ P 38

Rencluse, à St-Mamet ✉ 31110 Bagnères-de-Luchon ✆ 05 61 79 02 81, *Fax 05 61 79 82 99* – 📺 🅿. AE GB. ✂ rest — Z y

1er mai-6 oct. et 3 fév.-4 mars – **Repas** 11/18,30 🍷 – ☕ 5,80 – **23 ch** 39/45 – ½ P 39/42

Deux Nations, 5 r. Victor-Hugo ✆ 05 61 79 01 71, *hotel.des.2.nations@wanadoo.fr, Fax 05 61 79 27 89,* 🏞 – 🛗 📺 📞. GB — Y g

Repas 10,50/24,50 🍷, enf. 6,90 – ☕ 4,60 – **29 ch** 21,50/43 – ½ P 29/35,90

Montauban-de-Luchon *Est par D 27c : 2 km – 481 h. alt. 632 – ✉ 31110 ;*

Jardin des Cascades 🐎, ✆ 05 61 79 83 09, *Fax 05 61 79 79 16,* ≤ Luchon et montagnes, 🏞, 🌳 – AE ⓓ GB

1er avril-30 sept. – **Repas** 18,29/30,49 et carte le soir – ☕ 6,10 – **11 ch** 33,54/38,11 – ½ P 38,87/42,49

Sud *par D 125 : 4 km – ✉ 31110 Bagnères-de-Luchon :*

Auberge de Castel Vielh 🐎 avec ch, ✆ 05 61 79 36 79, *Fax 05 61 79 36 79,* 🏞, 🌳 – 📺 🅿. ⓓ GB

fév.-oct., vacances de Noël, week-ends en hiver et fermé merc. sauf juil.-août – **Repas** 15,25/34,31, enf. 7,63 – ☕ 5,80 – **3 ch** 38,12/45,74 – ½ P 38,50

Castillon-de-Larboust *par ③ et D 618 : 6 km – 83 h. alt. 956 – ✉ 31110 :*

L'Esquerade, ✆ 05 61 79 19 64, *info@esquerade.com, Fax 05 61 79 26 29,* ≤ – 🅿. AE ⓓ GB JCB. ✂ rest

fermé 15 nov. au 15 déc. – **Repas** 14/25 🍷, enf. 11 – **15 ch** 38/75 – ½ P 41/61

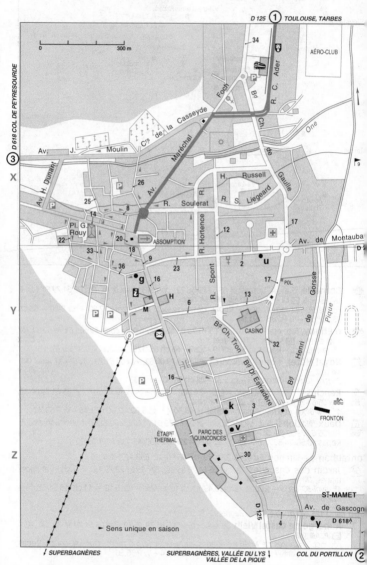

Ne prenez pas la route au hasard !

3615 - 3617 MICHELIN vous apportent sur votre Minitel ou sur fax ses conseils routiers. hôteliers et touristiaues.

GNOLES-DE-L'ORNE 61140 Orne **60** ① G. Normandie Cotentin – 893 h alt. 140 – Stat. therm. (début avril-fin oct.) – Casino A.

Voir Site★ – Lac★ – Parc de l'établissement thermal★.

🖪 Office du tourisme Place du Marché ℘ 02 33 37 85 66, Fax 02 33 30 06 75, bagnoles delorne.tourisme@wanadoo.fr.

Paris 240 ① – Alençon 49 ② – Argentan 39 ① – Domfront 19 ③ – Falaise 48 ① – Flers 28 ④.

BAGNOLES-DE-L'ORNE	Château (Av. du) . . . . **A** 4	Hartog (Bd. G.) . . . . **A** 13
	Dr-Pierre-Noal (Av. du) . . . . **A** 7	Lemeunier de la Raillère (Bd) . . . . **B** 14
	Dr-Poulain (Av. du) . . . . **A** 8	Rozier (Av. Ph. du) . . . . **A** 15
Bois-Motté (Bd. du) . . . . **A** 2	Gaulle (Pl. Général-de) . . . . **B** 9	Sergenterie-de-Javains (R.) . . . . **A** 18
Casinos (R. des) . . . . **A** 3		

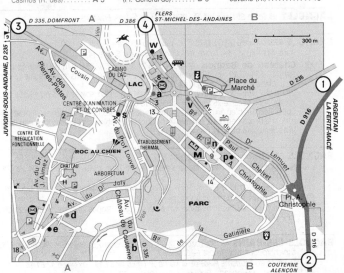

🏨 🏵 **Manoir du Lys** (Quinton) ⌂, rte Juvigny-sous-Andaine par ③ : 2 km ℘ 02 33 37 80 69, manoirdulys@lemel.fr, Fax 02 33 30 05 80, ☞, « Parc fleuri », ⌂, ⌂, ⌣, ⌂ – 📶 📺 ⌂ 📮 – ⌂ 40. ◉ ⓞ ⌂   A e
    fermé 4 au 18 nov., 6 janv. au 7 fév., dim. soir et lundi de nov. à Pâques – **Repas** 26/62 et carte 48 à 70, enf. 13 – ⌂ 12 – **23 ch** 62/183, 7 appart – ½ P 76/135
    Spéc. Tarte friande d'andouille façon Vire. Pigeonneau à la crème d'ail. ''Cèpe glacé'' de la forêt d'Andaines

🏨 ⌂ **Nouvel Hôtel**, av. Dr P. Noal ℘ 02 33 30 75 00, nouvel.hotel@wanadoo.fr, Fax 02 33 30 75 13, ☞, ☰ rest, 📺 📮. ⌂ rest   A e
    avril-oct. – **Repas** 14/27 ⌂ – ⌂ 6,50 – **30 ch** 42,50/59 – P 53,50/59

🏨 **Lutetia-Reine Astrid** ⌂, bd Paul Chalvet ℘ 02 33 37 94 77, resa@lutetiaastrid.com, Fax 02 33 30 09 87, ☞, ☞ – 📶 📺 ⌂ 📮 – ⌂ 25. ◉ ⓞ ⌂ ⌂ rest   B n
    1ᵉʳ avril-6 oct. – **Repas** (16) -22/57, enf. 13 – ⌂ 9 – **30 ch** 55/79 – P 79/89

🏨 **Bois Joli** ⌂, av. Ph. du Rozier ℘ 02 33 37 92 77, boisjoli@wanadoo.fr, Fax 02 33 37 07 56, ⌂ – 📶 📺 📮. ◉ ⓞ ⌂   A w
    fermé 6 janv. au 13 fév. – **Repas** 16/40 ⌂ – ⌂ 9 – **20 ch** 64/110 – P 68/91

🏠 **Camélias,** av. Château de Couterne ℘ 02 33 37 93 11, cameliashotel@wanadoo.fr, Fax 02 33 37 48 32, ☞ – 📶 ⌂ 📺 📮. ◉ ⓞ ⌂   A b
    30 mars-1ᵉʳ nov. – **Repas** 15,20/35,10 ⌂, enf. 10 – ⌂ 5,80 – **26 ch** 33,60/57 – P 44/53

🏠 **Ermitage** ⌂ sans rest, 24 bd Paul Chalvet ℘ 02 33 37 96 22, ermitage@aol.com, Fax 02 33 38 59 22, ☞ – 📶 📺 ⌂ 📮. ◉ ⌂   B p
    8 avril-31 oct. – ⌂ 7,62 – **37 ch** 45,73/60,98

🏠 **Roc au Chien,** r. Prof. Louvel ℘ 02 33 37 97 33, Fax 02 33 37 59 29, ☞ – 📶 ⌂ 📮. ◉ ⓞ ⌂   A s
    28 mars-3 nov. – **Repas** 19/30 ⌂ – ⌂ 5,80 – **43 ch** 33/49 – P 61

XX **Normandie** avec ch, 2 av. Dr Lemuet, ℰ 02 33 30 71 30, hotel.le.normandie@wanado
⊕   Fax 02 33 30 71 31, 雷, 舜 – 劇 ⅿ 丞. 碼 ⓪ ⒼⒷ. ≪ rest   B
    hôtel : 15 mars-3 nov. ; rest. : 28 mars-3 nov. et fermé dim. et lundi en mars – **Repas** 14
    enf. 8 – ⌷ 6,50 – **22 ch** 49,50/55 – ½ P 40,25/44,75

X   **Potinière du Lac** avec ch, 2 r. Casinos, ℰ 02 33 30 65 00, Fax 02 33 38 49 04, ≤ – ⅿ
⊕   ⒼⒷ   A
    fermé 15 déc. au 1ᵉʳ fév., lundi et mardi de nov. à mars – **Repas** 13/26,70, enf. 7 – ⌷
    17 ch 20/46 – ½ P 28/39,50

X   **Celtic**, 14 r. Dr Noal, ℰ 02 33 37 92 11, leceltic@club-internet.fr, Fax 02 33 38 90 27 – ⓝ
⊕   ⒼⒷ   A
    fermé janv., fév., mardi soir et merc. du 1ᵉʳ nov. au 5 avril – **Repas** 15/27, enf. 7

BAGNOLET 93 Seine-St-Denis 🄌🄍 ⑪,, 🄀🄀🄁 ⑰ – voir à Paris, Environs.

BAGNOLS 69620 Rhône 🄍🄌 ⑨, 🄀🄀🄀 ① G. Vallée du Rhône – 701 h alt. 400.
    Paris 445 – Lyon 33 – Tarare 20 – Villefranche-sur-Saône 14.

🏰 **Château de Bagnols** ≫, ℰ 04 74 71 40 00, CHATEAUBAGNOLS@compuserve.c
✿   Fax 04 74 71 40 49, ≤, 雷, « Vieux château restauré, jardins ouverts sur la campa
    beaujolaise », ⊐, 坴 – ⊐ ⅿ ✆ 丞. 碼 ⓪ ⒼⒷ Ⓙ🄲🄱
    28 mars-2 janv. – **Repas** (fermé le midi en semaine, dim. soir et lundi du 15 nov. au 20 d
    70,10/94,50 et carte 75 à 100 ⌷ – ⌷ 19 – **16 ch** 397/916, 4 appart
    Spéc. Homard bleu en croûte de pommes de terre aux cèpes (automne). Pintade de Bre
    rôtie à la broche en deux services (été). Chocolat en biscuit et en crème façon "marqui
    Vins Beaujolais blanc et rouge.

BAGNOLS 63810 P.-de-D. 🄍🄌 ⑫ – 532 h alt. 862.
    🄳 Office de tourisme r. de la Pavade à La Tour d'Auvergne, ℰ 04 73 21 79
    Fax 04 73 21 79 70.
    Paris 484 – Clermont-Ferrand 65 – La Bourboule 23 – Issoire 64 – Le Mont-Dore 29.

🏠 **Voyageurs**, ℰ 04 73 22 20 12, Fax 04 73 22 21 18 – ✆. ⒼⒷ
    fermé 15 au 30 janv., dim. soir et lundi hors saison – **Repas** 21/50 – ⌷ 6,50 – **21 ch** 23/
    ½ P 34/56

BAGNOLS-LES-BAINS 48190 Lozère 🄌🄀 ⑥ G. Languedoc Roussillon – 243 h alt. 913 – S
    therm. (début avril-fin oct.) – Casino.
    🄳 Office du tourisme Place de la Mairie, ℰ 04 66 47 61 13, Fax 04 66 47 61 13.
    Paris 609 – Mende 20 – Langogne 42 – Villefort 37.

🏠 **Bridge Hôtel-Résidence du Pont**, ℰ 04 66 47 60 03, Fax 04 66 47 62 78, ⊐, 舜
⊕   ⅿ. ⒼⒷ
    30 mars-15 oct. – **Repas** 12/23 ⓙ, enf. 7,30 – ⌷ 6,10 – **26 ch** 45/55 – ½ P 45/50

BAGNOLS-SUR-CÈZE 30200 Gard 🄌🄀 ⑩ G. Provence – 18 103 h alt. 51.
    Voir Musée d'Art moderne Albert-André★.
    Env. Site★ de Roques-sur-Cèze.
    🄳 Office du tourisme Espace Saint-Gilles, ℰ 04 66 89 54 61, Fax 04 66 89 83 38.
    Paris 658 – Avignon 34 – Alès 53 – Nîmes 62 – Orange 24 – Pont-St-Esprit 11.

🏨 **Château du Val de Cèze** Ⓜ ≫ sans rest, rte d'Avignon : 1 km, ℰ 04 66 89 61 26, h
    valdeceze@sudprovence.com, Fax 04 66 89 97 37, ⊐, ≪, 坴 – ⊟ ⅿ ✆ 丞 坴 – 坅 15 à
    碼 ⓪ ⒼⒷ Ⓙ🄲🄱
    fermé déc. au 6 janv., sam. et dim. d'oct. à mars – ⌷ 10 – **22 ch** 98/107

rte d'Alès Ouest : 5 km par D 6 et D 143 – ⊠ 30200 Bagnols-sur-Cèze :

🏰 **Château de Montcaud** Ⓜ ≫, ℰ 04 66 89 60 60, montcaud@relaischateaux
    Fax 04 66 89 45 04, 雷, « Parc arboré », 坴, ⊐, ≪, 坴 – 劇 ⊟ ⅿ ✆ 坴 🄿 – 坅 50. 碼 ⓪
    Ⓙ🄲🄱
    12 avril-2 nov. – **Les Jardins de Montcaud** (dîner seul. sauf dim.) (brunch le dim. en sai
    Repas (37)-55/77 ⌷, enf. 18 – **Bistrot de Montcaud** (déj. seul.) (fermé sam. et dim.) Re
    19-23/28 ⌷, enf. 18 – ⌷ 18 – **29 ch** 195/385 – ½ P 187/267

rte de Pont-St-Esprit Nord : 5,5 km par N 86 – ⊠ 30200 Bagnols-sur-Cèze :

🏠 **Valaurie**, ℰ 04 66 89 66 22, contact@hotel-valaurie.fr, Fax 04 66 89 55 80, ≤, 雷, 舜
    ⅿ 舜 🄿. 碼 ⓪ ⒼⒷ
    fermé Noël au Jour de l'An – **Repas** (fermé dim. soir) (dîner seul.)(résidents seul.) 16
    ⌷ 6,20 – **22 ch** 42/49 – ½ P 40

onnaux *Sud : 8,5 km sur N 86 – 1 623 h. alt. 86 –* ⊠ *30330 :*

✗ **Paul Itier,** ℘ 04 66 82 00 24, Fax 04 66 82 43 23, 숲 – ▤. ☞
fermé vacances de fév. – **Repas** 12 (déj.), 25/46 ♀

AILLARGUES *34670 Hérault* **83** ⑦ *– 5 842 h alt. 23.*
Paris 750 – Montpellier 20 – Lunel 11 – Nîmes 42.

🏠 **Golf Hôtel de Massane** Ⓜ 勢, *au golf de Massane Sud : 1,5 km par D 26*ᴱ
℘ 04 67 87 87 87, *massane@softel.fr,* Fax 04 67 87 87 90, 숲, ℔, ⁌, ✗ – 濃 ▤ ⓣⓥ ✇ ₺ ₱
– 🏄 40 à 200. ⚎ ⓞ ☞
Repas 21,30/29 ♀, enf. 12 – ⊇ 9 – **32 ch** 74/98 – ½ P 74/79

AILLEUL *59270 Nord* **51** ⑤ *G. Picardie Flandres Artois – 14 146 h alt. 44.*
Voir ⁂★ *du beffroi.*
🄳 *Office du tourisme 3 Grand'Place* ℘ 03 28 43 81 00, Fax 03 28 43 81 01, *bailleul@ tourisme.norsys.fr.*
Paris 245 – Lille 30 – Armentières 13 – Béthune 30 – Dunkerque 44 – Ieper 21 – St-Omer 39.

🏠 **Belle Hôtel** *sans rest,* 19 r. Lille ℘ 03 28 49 19 00, *belle.hotel@wanadoo.fr,* Fax 03 28 49 22 11 – 濃 ⓣⓥ ✇ ₺ ₱. ⚎ ⓞ ☞ ⒿⒸⒷ
⊇ 9,50 – **31 ch** 60,50/90

✗ **Pomme d'Or** *avec ch,* 27 r. Ypres ℘ 03 28 49 11 01, Fax 03 28 49 17 90 – ⓣⓥ – 🏄 30. ⚎
☜ ⓞ ☞
fermé 15 au 31 août – **Repas** *(fermé dim. soir)* 10,52/23,63 ₰, enf. 5,95 – ⊇ 5,34 – **4 ch** 42,69 – ½ P 30,49

---

epas 11/28   **Repas à prix fixes :**
des menus à prix intermédiaires à ceux indiqués sont
généralement proposés.

AINS-LES-BAINS *88240 Vosges* **82** ⑮ *G. Alsace Lorraine – 1 415 h alt. 315 – Stat. therm. (début avril-début nov.).*
🄳 *Office du tourisme 3 avenue André Damazure* ℘ 03 29 36 31 75, Fax 03 29 36 23 24.
Paris 367 ④ *– Épinal 27* ① *– Luxeuil-les-Bains 30* ② *– Vesoul 63* ② *– Vittel 42* ④.

AINS-LES-BAINS

avane (Av. du
  lieutenant-Colonel) 2
mazure (Av.) 3
cteur-Bailly (Av. du) 4
cteur-Leroy (R. du) 5
cteur-Mathieu (Av. du) . 6
clerc
  R. du Général) 7
rot (R. Marie) 10
dun (R. de) 12
D.-B. (Pl. de la) 14

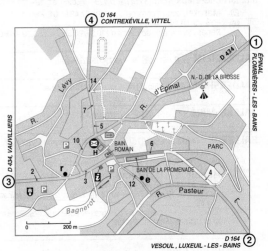

s plans de villes
nt orientés
Nord en haut.

🏠 **Poste,** (e) ℘ 03 29 36 31 01, Fax 03 29 30 44 22 – ⓣⓥ ₱. ☞ 彬
☜ *hôtel : 1ᵉʳ avril-27 oct.* – Repas *(fermé 27 au 31 oct., mi-déc. à mi-janv. et le soir hors saison sauf sam. et lundi)* (11,04) -13,05/22,24 ♀ – ⊇ 5,03 – **14 ch** 27,68/39,64 – P 49,70/52,90

🏠 **Promenade,** (r) ℘ 03 29 36 30 06, Fax 03 29 30 44 28, 숲 – ⓣⓥ ₱. ☞ 彬 ch
23 mars-28 oct. – **Repas** (9) -12 (déj.), 18,60/34 ♀ – ⊇ 5,03 – **19 ch** 30,50/38,20 – ½ P 49,55

BAIX 07210 Ardèche **77** ⑪ – 822 h alt. 80.

Paris 594 – *Valence* 33 – Crest 30 – Montélimar 23 – Privas 17.

XXX **Cardinale**, ℘ 04 75 85 80 40, cardinale@relaischateaux.com, Fax 04 75 85 82 07, ⩔
« Ancienne demeure seigneuriale » – **P**, **AE** **⓪** **GB**
9 mars-27 oct. – **Repas** (fermé merc. midi, lundi et mardi d'oct. à avril, lundi midi, m⩔
midi et merc. midi de mai à sept.) 30/76 et carte 50 à 82 ♀

Résidence 🏠 ⌂, à 3 km, 🏊, 🏋, – 📺 ❤ **P** – 🦱 30. **AE** **⓪** **GB**
Repas voir **Cardinale** – ⌷ 16 – **10 ch** 215/300 – ½ P 145/221

🏠 **Auberge des Quatre Vents**, rte Chomérac, Nord-Ouest : 2 km ℘ 04 75 85 84 ⩔
Fax 04 75 85 84 49, �, 🦱 – 🗏 rest, 📺 **P**, **GB**
fermé vacances de fév. – **Repas** (fermé sam. midi et dim. soir) 18/35, enf. 9 – ⌷ 6 – **16**⩔
28/40 – ½ P 48/64

BALAN 01360 Ain **74** ⑫ – 1 534 h alt. 194.

Paris 476 – *Lyon* 29 – Bourg-en-Bresse 57 – Bourgoin-Jallieu 46 – Villefranche-sur-Saône ⩔

X **Les Alizés**, à la Valbonne, Nord-Est : 3 km, N 84 ℘ 04 72 25 95 95, Fax 04 78 06 17 82 – ⩔
GB
fermé 29 juil. au 26 août, sam. midi, dim. soir et lundi – **Repas** 12,50 bc (déj.), 20,50/32,5⩔

BALARUC-LES-BAINS 34540 Hérault **83** ⑯ G. Languedoc Roussillon – 5 688 h alt. 3 – S⩔
therm. (mi fév.-mi déc.).

🅱 Office du tourisme Pavillon Sévigné ℘ 04 67 46 81 46, Fax 04 67 48 40 40, otsi@⩔
balaruc-les-bains.fr.

Paris 786 – *Montpellier* 32 – Agde 30 – Béziers 51 – Frontignan 8 – Lodève 55 – Sète 8.

🏨 **Mercure** Ⓜ, av. Hespérides ℘ 04 67 51 79 79, h1812@accor-hotels.co⩔
Fax 04 67 48 02 87, 🏊, – 🗏 ❧ 🗏 📺 🦽 ⟷ **P** – 🦱 55. **AE** **⓪** **GB**, 🍽 rest
Repas (fermé 1er déc. au 1er mars, sam. et dim.) 16/25 – ⌷ 12,30 – **86 ch** 93/110

🏠 **Martinez**, 2 r. M. Clavel ℘ 04 67 48 50 22, Fax 04 67 43 18 13, �, 🦱 – ❧, 🗏 rest, 📺 ⩔
P, **AE** **⓪** **GB**, 🍽 ch
fermé 1er au 15 mars – **Repas** 16,77/35,06, enf. 9,15 – ⌷ 6,86 – **20 ch** 38,11/68,6⩔
½ P 45,73/53,36

XXX **St-Clair**, quai Port ℘ 04 67 48 48 91, Fax 04 67 18 86 96, � – **GB**
fermé 3 janv. au 10 fév. – **Repas** 16 (déj.), 26/42 et carte 45 à 55

à Balaruc-le-Vieux Nord : 3 km par D 129 – 1 802 h. alt. 12 – ⌧ 34540 :

🏠 **Marotel**, centre commercial ℘ 04 67 48 61 01, Fax 04 67 43 14 89, � – 🗏 rest, 📺 ⩔
🐾 – 🦱 25. **AE** **⓪** **GB**
Repas (fermé sam. soir et dim.) 10,97/20,58 ♀ – ⌷ 5,50 – **43 ch** 43,44 – ½ P 35,80

BALDENHEIM 67 B.-Rhin **62** ⑲ – rattaché à Sélestat.

BALDERSHEIM 68 H.-Rhin **66** ⑩ – rattaché à Mulhouse.

BALLAN-MIRÉ 37 I.-et-L. **64** ⑭ – rattaché à Tours.

BALLEROY 14490 Calvados **54** ⑭ G. Normandie Cotentin – 787 h alt. 70.

Voir *Château★*.

Paris 278 – *St-Lô* 23 – Bayeux 15 – Caen 44 – Vire 47.

XXX **Manoir de la Drôme** (Leclerc), ℘ 02 31 21 60 94, denisleclerc@wanadoo⩔
❀ Fax 02 31 21 88 67, 🌲 – **P**, **AE** **GB**, 🍽
fermé 25 au 30 août, 17 fév. au 14 mars, dim. soir, merc. soir et lundi – **Repas** 40/57 et ca⩔
55 à 68
Spéc. Fricassée de sole au foie gras et pâtes fraîches. Saveurs "terre et mer". Queues⩔
langoustines "Fernand Cortès"

In this Guide,

a symbol or a character,
printed in **black** or another colour, in light or **bold** type,
does not have the same meaning.

Please read the explanatory pages carefully.

BALME-DE-SILLINGY 74330 H.-Savoie **74** ⑥ – 3 729 h alt. 480.
🏛 Syndicat d'initiative - Mairie ℘ 04 50 68 89 02, Fax 04 50 68 78 70.
Paris 527 – Annecy 13 – Bellegarde-sur-Valserine 31 – Belley 61 – Frangy 14 – Genève 43.

🏠 **Les Rochers**, N 508 ℘ 04 50 68 70 07, hotel-restaurant-les-rochers@wanadoo.fr,
Fax 04 50 68 82 74, �იⅽ – 📺 🄿 – 🏊 50. 🄰🄴 🌐
fermé 1ᵉʳ au 12 nov., janv., dim. et lundi du 15 sept. au 15 juin – Repas 15,50/61 🖪 –
🖙 6,30 – **25 ch** 40/47 – ½ P 43/48

Annexe La Chrissandière 🏘 sans rest, à 400 m., « Parc », 🌽, 🌡 – 📺 🄿. 🄰🄴 🌐
fermé 1ᵉʳ au 12 nov., janv., dim. et lundi du 15 sept. au 15 juin – 🖙 6,30 – **10 ch** 54/57

ΛLOT 21330 Côte-d'Or **66** ⑧ – 93 h alt. 272.
Paris 235 – Auxerre 74 – Chaumont 74 – Dijon 82 – Montbard 28 – Troyes 72.

🏠 **Auberge de la Baume**, ℘ 03 80 81 40 15, Fax 03 80 81 62 87 – 📺 📞. 🄰🄴 🌐
fermé 21 déc. au 1ᵉʳ janv., vend. soir et dim. soir hors saison – Repas 10/25,15 🖪, enf. 9,15 –
🖙 5,34 – **10 ch** 30,49/38,12 – ½ P 35,06

ΛMBECQUE 59470 Nord **51** ④ – 655 h alt. 8.
Paris 271 – Calais 64 – Dunkerque 24 – Hazebrouck 26 – Lille 57 – St-Omer 37.

🍴🍴 **Vieille Forge**, ℘ 03 28 27 60 67, Fax 03 28 27 60 67 – 🌐
fermé 13 août au 2 sept., vacances de fév., le soir en hiver sauf week-end, dim. soir et lundi
– Repas 18/45 ☿

ΛNASSAC 48500 Lozère **80** ④ – 813 h alt. 525.
Paris 592 – Mende 46 – Florac 55 – Millau 52.

🏠 **Calice du Gévaudan** 🅼, ℘ 04 66 32 94 18, Fax 04 66 32 98 62, 🌾 – 📺 🖪 🄿 – 🏊 20.
🄰🄴 🌐
fermé 26/08 au 2/09, 24/10 au 4/11, vend. soir et dim. soir sauf juil.-août et merc. hors
vacances scolaires – Repas (10)·13,50/20 🖪, enf. 7,50 – 🖙 6,50 – **29 ch** 38/49 – ½ P 35,75/
40,25

🍴 **Séquoia** avec ch, à la Mothe, Nord : 2 km ℘ 04 66 32 81 63, Fax 04 66 32 44 04, 🌾 – 📺
🄿. 🌐
fermé 16 au 26 déc., 3 au 19 fév., lundi et mardi sauf juil.-août – Repas 17/30 ☿, enf. 11 –
🖙 6,50 – **7 ch** 44 – ½ P 46

ΛN-DE-LAVELINE 88520 Vosges **62** ⑱ – 1 216 h alt. 427.
Paris 406 – Colmar 58 – Épinal 67 – St-Dié 13 – Ste-Marie-aux-Mines 18 – Sélestat 38.

🍴🍴 **Auberge Lorraine** avec ch, ℘ 03 29 51 78 17, Fax 03 29 51 71 72, 🌾, 🌿 – 📺 🄿. 🌐
fermé 12 au 21 mars, 15 au 24 oct., dim. soir et lundi – Repas 12 (déj.), 16/31 ☿, enf. 10 –
🖙 6,50 – **7 ch** 41/51 – ½ P 47

ΛNDOL 83150 Var **84** ⑭, **114** ㊹ G. Côte d'Azur – 7 905 h alt. 1 – Casino Y.
Voir Allées Jean-Moulin★.
Accès à l'Ile de Bendor par vedette 7 mn ℘ 04 94 29 44 34 (Bandol).
🏛 Office de tourisme allée Vivien ℘ 04 4 29 41 35, Fax 04 94 32 50 39.
Paris 823 ② – Marseille 47 ② – Toulon 18 ② – Aix-en-Provence 66 ②.

Plan page suivante

🏘 **Provençal** sans rest, r. Écoles ℘ 04 94 29 52 11, hotel-provençal@wanadoo.fr,
Fax 04 94 29 67 57 – 📺 📞. 🄰🄴 🌐. 🌸   Z d
fermé 15 nov. au 1ᵉʳ fév. – 🖙 6,50 – **20 ch** 60/72

🏠 **Golf Hôtel**, sur plage Renécros par bd L. Lumière - Z - ℘ 04 94 29 45 83, golf.hotel@
nomade.fr, Fax 04 94 32 42 47, ≤, 🌾, 🌊 – 🍽 ch, 📺 🄿. 🄰🄴 🌐. 🌸
hôtel : 30 mars-fin oct. ; rest. : 15 avril-30 sept. – Repas (uniquement en terrasse)(déj. seul.
sauf en août) 14,94/18,29 ☿, enf. 7,62 – 🖙 7 – **23 ch** 67/100 – ½ P 58,50/75

🏠 **Baie** sans rest, 62 r. Dr L. Marçon ℘ 04 94 29 40 82, Fax 04 94 29 95 24 – 🍽 📺 📞. 🄰🄴 🌐.
🌸   Y r
🖙 6 – **14 ch** 65/83

🏠 **Bel Ombra** 🌲, r. La Fontaine - Y - ℘ 04 94 29 40 90, belmonbra@wanadoo.fr,
Fax 04 94 25 01 11, 🌾 – 📺. 🌐. 🌸 rest
hôtel : 1ᵉʳ avril-15 oct. ; rest. : 15 juin-20 sept. – Repas (dîner seul.)(résidents seul.) 17,50,
enf. 7,70 – 🖙 6,50 – **20 ch** 48,78/57,93 – ½ P 52,57

🏠 **Les Galets**, par ② : 0,5 km ℘ 04 94 29 43 46, Fax 04 94 32 44 36, ≤, 🌾 – 🄿. 🄰🄴 ⓞ 🌐.
🌸
1ᵉʳ mars-11 nov. – Repas (1ᵉʳ mai-30 sept.) 21,35 – 🖙 6,10 – **20 ch** 42,70/55 – ½ P 48,80/55

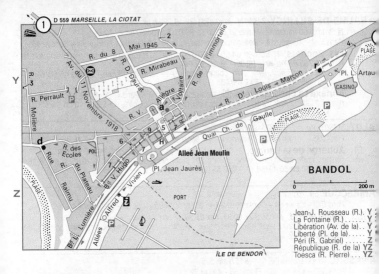

XX **Réserve** avec ch, rte de Sanary par ② ℰ 04 94 29 30 00, *info@bandol-hotellareserv.*
com, Fax 04 94 29 30 13, ≤, 龠 – ⊡ 🅿. 🆎 ⓪ 🈺
fermé dim. soir et lundi – **Repas** 30,50/62,50 ♈, enf. 11,43 – ☑ 7,60 – **13 ch** 60/107

X **Clocher,** 1 r. Paroisse ℰ 04 94 32 47 65, Fax 04 94 29 97 28, 龠 – 🈺   Y
fermé en nov., vacances de Noël, de fév., mardi et merc. – **Repas** 19/27 ♈, enf. 8

Ile de Bendor *: en bateau –* ⊠ *83150 Bandol :*
🏨 **Delos** ♒, ℰ 04 94 29 11 60, *ethebault@hoteldelos.com,* Fax 04 94 32 41 44, ≤ port
mer, 龠, ⬛, ⚓ – 🛗 ⊡ – 🅰 25 à 100. 🆎 ⓪ 🈺
1ᵉʳ mars-30 oct. – **L'Odyssée** *(juil.-août)* **Repas** 29,73/61, enf. 14,48 – ☑ 10,70 – **55**
79,50/240 – ½ P 91/145

par ② *et rte de Sanary : 1,5 km –* ⊠ *83110 Sanary-sur-Mer :*
XX **Castel** ♒ avec ch, ℰ 04 94 29 82 98, Fax 04 94 32 53 32, 龠 – ⊡ 🅿. 🆎 ⓪ 🈺
fermé 15 nov. au 1ᵉʳ déc., 15 janv. au 1ᵉʳ fév. et dim. soir du 15 nov. au 30 mars – **Rep**
(prévenir) 24,85/39,94 ♈ – ☑ 5,95 – **9 ch** 54,42/64,03 – ½ P 55,95/57,93

BANGOR *56 Morbihan* 🈪 ⑪ – *voir à Belle-Ile-en-Mer.*

BANNALEC *29380 Finistère* 🈪 ⑯ – *4 785 h alt. 98.*
🇮 *Office du tourisme - Mairie* ℰ 02 98 39 43 34, Fax 02 98 39 50 24.
Paris 535 – Quimper 35 – Carhaix-Plouguer 51 – Châteaulin 58 – Concarneau 25.

rte de St-Thurien *Nord-Est : 4,5 km par D 23 et rte secondaire –* ⊠ *29380 Bannalec :*
🏨 **Manoir du Ménec** ♒, ℰ 02 98 39 47 47, *merlinnenec@aol.com,* Fax 02 98 39 46
🛗, ⬛, ⚓ – ⊡ 🈺, 🅿. ⚘
Repas *(fermé merc. du 15 nov. au 15 mars)* 18/35 ♈, enf. 8 – **16 ch** ☑ 80/90 – ½ P 63

BANNEGON *18210 Cher* 🈚 ② – *254 h alt. 180.*
Paris 285 – Bourges 43 – Moulins 70 – St-Amand-Montrond 22 – Sancoins 24.
XXX **Moulin de Chaméron** ♒ avec ch, Sud-Est : 3 km par D 76 et rte seconda
ℰ 02 48 61 83 80, *moulindechameron@wanadoo.fr,* Fax 02 48 61 84 92, 龠, « *Moulin*
18ᵉ siècle, petit musée de la meunerie », ⬛, ⚘ – ⊡ ⚓ 🅿. 🆎 🈺
1ᵉʳ mars-15 nov. et fermé lundi sauf le soir en saison et mardi midi – **Repas** 21/32 et ca
34 à 50 ♈, enf. 9 – ☑ 8,50 – **13 ch** 60/83

ANYULS-SUR-MER 66650 Pyr.-Or. 86 ⑳ G. Languedoc Roussillon – 4 532 h alt. 1.

Voir ✳︎✴︎✴︎ du cap Réderis E : 2 km.

🛈 Office du tourisme Avenue de la République ℘ 04 68 88 31 58, Fax 04 68 88 36 84, banyuls@banyuls-sur-mer.com.

Paris 893 – Perpignan 37 – Cerbère 11 – Port-Vendres 7.

🏦 **Catalan**, rte Cerbère ℘ 04 68 88 02 80, hlecatalan@aol.com, Fax 04 68 88 16 14, ≤ Banyuls et la côte, 😝, 🏖, 🔄 – 🛗 📺 🅿. 🆎 ⓞ 🇬🇧. ✖️ 0
15 mars-15 nov. et 20 déc.-5 janv. – **Repas** 17/39 ☼ – ☲ 7,50 – **35 ch** 77 (½ pens. seul. en été) – ½ P 72/78

🏦 **Les Elmes**, plage des Elmes ℘ 04 68 88 03 12, hotel.des.elmes@wanadoo.fr, Fax 04 68 88 53 03, ≤, 😝 – 🔳 rest, 📺 ♿ 🅿 – 🔬 25. 🆎 ⓞ 🇬🇧
Littorine *(fermé 10 nov. au 20 déc. et lundi du 15 oct. au 15 mars)* **Repas** (19)- 24,50/43 ☼, enf. 11 – ☲ 8 – **31 ch** 57/95 – ½ P 56,50/76

🏦 **Villa Miramar** ⌂ sans rest, r. Lacaze Duthiers ℘ 04 68 88 33 85, ange.st@wanadoo.fr, Fax 04 68 66 88 63, 🔄, 🌿 – 📺 🅿. 🇬🇧
1ᵉʳ avril-15 oct. – ☲ 4,50 – **16 ch** 45/59

🏠 **Solhôtel** Ⓜ sans rest, Cap d'Osne (N 114) ℘ 04 68 98 34 34, Fax 04 68 88 55 45, ≤ mer – 🛗 🔳 📺 ♿ ⇔ 🅿.
☲ 5,50 – **23 ch** 61/64

🏠 **Eden** sans rest, av. E. Chatton ℘ 04 68 88 33 07, ≤ – 📺 ♿ ♿. 🇬🇧
1ᵉʳ avril-15 oct. – ☲ 5,34 – **10 ch** 53,36

✖️✖️ **Al Fanal et H. El Llagut** avec ch, av. Fontaulé ℘ 04 68 88 00 81, alfanal@wanadoo.fr, Fax 04 68 88 13 37, 😝 – 🛗 📺. 🆎 ⓞ 🇬🇧. ✖️
Repas (14,48) - 18,29/57,93 bc ☼, enf. 11,43 – ☲ 6,88 – **13 ch** 42,69/60,98 – ½ P 43,45/52,59

APAUME 62450 P.-de-C. 53 ⑫ – 4 331 h alt. 123.

Paris 156 – Amiens 51 – St-Quentin 50 – Arras 27 – Cambrai 30 – Douai 44 – Doullens 44.

✖️✖️ **Paix** Ⓜ avec ch, av. A. Guidet ℘ 03 21 07 11 03, Fax 03 21 07 43 66 – 📺 ⇔ 🅿 – 🔬 15. 🆎 🇬🇧
fermé dim. soir et lundi – **Repas** (11,89) - 12,96/37,35 ☼ – ☲ 6,86 – **13 ch** 52,59/68,60

APEAUME-LÈS-ROUEN 76 S.-Mar. 52 ⑭ – rattaché à Rouen.

ARAQUEVILLE 12160 Aveyron 80 ② – 2 569 h alt. 792.

🛈 Syndicat d'initiative Place du Marché ℘ 05 65 69 10 78.

Paris 674 – Rodez 19 – Albi 60 – Millau 74 – Villefranche-de-Rouergue 43.

🏦 **Segala Plein Ciel**, rte Albi ℘ 05 65 69 03 45, infos@hotel-pleinciel.com, Fax 05 65 70 14 54, ≤ vallée, 🔄, ✖️, 🔔 – 🛗, 🔳 rest, 📺 ♿ ♿ 🅿 – 🔬 120. 🇬🇧
fermé 20 déc. au 8 janv., vend. soir et dim. soir de sept. à juin – **Repas** 18,50/40, enf. 11 – ☲ 6,50 – **43 ch** 40/61 – ½ P 48/51

ARATIER 05200 H.-Alpes 81 ⑧ – 461 h alt. 855.

Paris 705 – Gap 39 – Grenoble 139 – Marseille 214 – Valence 197.

🏠 **Les Peupliers** ⌂, ℘ 04 92 43 03 47, info@hotel-les-peupliers.com, Fax 04 92 43 41 49, ≤, 😝, 🔄 – ✖️ 📺 🇬🇧. ✖️ rest
fermé 2 au 25 avril et 30 sept. au 24 oct. – **Repas** *(fermé mardi et merc.)* 13,64/20,45 ☼, enf. 6,36 – ☲ 5,50 – **24 ch** 39,50/47,50 – ½ P 41,50/43

ARBÂTRE 85 Vendée 67 ① – voir à Noirmoutier (Île de).

ARBAZAN 31510 H.-Gar. 86 ① – 378 h alt. 464 – Stat. therm. (fin avr.-fin oct.).

🛈 Office du tourisme - Mairie ℘ 05 61 88 35 64, Fax 05 61 94 96 64, OFFICE-TOURISME BARBAZAN@wanadoo.fr.

Paris 805 – Bagnères-de-Luchon 31 – Lannemezan 26 – St-Gaudens 13 – Tarbes 67.

✖️✖️ **Hostellerie de l'Aristou** ⌂ avec ch, rte Sauveterre ℘ 05 61 88 30 67, Fax 05 61 95 55 66, 😝, 🌿 – ✖️ 📺 🅿 🇬🇧 🇬🇧. ✖️
fermé 10 déc. au 12 fév., dim. soir et lundi du 8 sept. au 1ᵉʳ mai – **Repas** 17/32, enf. 8 – ☲ 7 – **7 ch** 37/51 – ½ P 48

BARBEN 13 B.-du-R. 84 ② – rattaché à Salon-de-Provence.

BARBENTANE 13570 B.-du-R. 🔠 ⑩ G. Provence – 3 645 h alt. 40.

Voir Château★★.

🛈 Syndicat d'initiative - Mairie 🕿 04 90 95 50 39, Fax 04 90 95 50 18.

Paris 697 – Avignon 10 – Arles 33 – Marseille 106 – Nîmes 39 – Tarascon 15.

🏠 **Castel Mouisson** ⏵ sans rest, quartier Castel-Mouisson, par rte Rognonas : 1,5
🕿 04 90 95 51 17, contact@hotel-castelmouisson.com, Fax 04 90 95 67 63, 🛁, �, 🎾 –
🅿, 🖼. ⸙
1ᵉʳ mars-31 oct. – ⸋ 7 – **17 ch** 52/57

BARBEREY-ST-SULPICE 10 Aube 🔠 ⑯ – rattaché à Troyes.

BARBEZIEUX 16 Charente 🔠 ⑫ G. Poitou Vendée Charentes – 4 819 h alt. 100 – ⊠ 16300 Bar-
zieux-St-Hilaire.

🛈 Office du tourisme 16 place du Marché 🕿 05 45 78 02 54.

Paris 482 – Angoulême 36 – Bordeaux 86 – Cognac 37 – Jonzac 24 – Libourne 75.

🏛 **Boule d'Or**, 9 bd Gambetta 🕿 05 45 78 64 13, Fax 05 45 78 63 83, 🍽, 🌱 – 🛗 🖼 ⅙ ⸙
🆎 ⓞ 🖼
fermé 20 déc. au 5 janv., vend. soir et dim. soir d'oct. à avril – **Repas** 12/33,50 – ⸋ 5,3
20 ch 40/47,30 – ½ P 42,70

🏠 **Bon Repos**, rte Angoulême : 1,5 km 🕿 05 45 78 01 92, Fax 05 45 78 89 81, 🌱 – 🔳 r
🖼 ⅙ & ⸦ 🅿 – 🔬 20. 🆎 🖼
fermé vacances de fév., dim. soir d'oct. à avril et sam. midi – **Repas** 11,43/23,63 🏵 – ⸋ 4,7
16 ch 36,60/42,70

BARBIZON 77630 S.-et-M. 🔠 ① ②, 🔠 ㊺ G. Ile de France – 1 490 h alt. 80.

Voir Auberge du Père Ganne★.

🛈 Office du tourisme 55 Grande Rue 🕿 01 60 66 41 87, Fax 01 60 66 22 38.

Paris 57 – Fontainebleau 10 – Étampes 42 – Melun 13 – Pithiviers 45.

🏛 **Bas-Bréau** ⏵, 🕿 01 60 66 40 05, basbreau@wanadoo.fr, Fax 01 60 69 22 89, 🍽
« Jardin fleuri », 🛁, 🎾, 🐾 – 🔳 ch, 🖼 🖼 ⸦ 🅿 – 🔬 20. 🆎 🖼
Repas 59 – ⸋ 18 – **12 ch** 150/350, 8 appart

🏠 **Auberge Les Alouettes** ⏵, 🕿 01 60 66 41 98, lesalouettes@barbizon.r
Fax 01 60 66 20 69, 🍽, 🌱, 🎾 – 🖼 🅿. 🆎 ⓞ 🖼
Repas (fermé dim. soir) 28/32,50 🏵 – ⸋ 7 – **22 ch** 42,70/59,50 – ½ P 49/57

✕✕✕ **L'Angélus**, 🕿 01 60 66 40 30, restaurant.angelus@wanadoo.fr, Fax 01 60 66 42 12, 🍽
🅿. 🆎 ⓞ 🖼
fermé 19 au 27 août, 13 janv. au 4 fév., lundi soir et mardi – **Repas** 28/38 et carte 37 à 58

✕ **Relais de Barbizon**, 🕿 01 60 66 40 28, 🍽 – 🖼
fermé 19 au 30 août, 9 au 27 déc., mardi soir et merc. – **Repas** 18/33

BARBOTAN-LES-THERMES 32 Gers 🔠 ⑫ G. Midi-Pyrénées – Stat. therm. (fin mars-dé.
déc.) – Casino – ⊠ 32150 Cazaubon.

🛈 Office de tourisme pl. d'Armagnac 🕿 05 62 69 52 13, Fax 05 62 69 57 71, omt.barbot
@wanadoo.fr.

Paris 716 – Mont-de-Marsan 43 – Aire-sur-l'Adour 37 – Auch 75 – Condom 37.

🏛 **Paix**, 24 av. Thermes 🕿 05 62 69 52 06, hotel.paix@wanadoo.fr, Fax 05 62 09 55 73, 🛁,
– 🖼 🅿. 🖼. ⸙ rest
15 mars-15 nov. – **Repas** (dîner seul.) (12) - 15/23 🏵, enf. 7 – ⸋ 6 – **32 ch** 42/58 – ½ P 39.

🏛 **Les Fleurs de Lees**, 24 av. Henri IV 🕿 05 62 08 36 36, contact@fleursdelees.co
Fax 05 62 08 36 37, 🍽 – 🖼 ⅙ & 🅿. 🖼. ⸙
Repas 18,50 (déj.), 33,50 bc/37 bc – **16 ch** ⸋ 61/108 – P 63,50/86

🏛 **Cante Grit**, 🕿 05 62 69 52 12, hotel.cante.grit@wanadoo.fr, Fax 05 62 69 53 98 – 🖼
🆎 🖼. ⸙ rest
9 avril-31 oct. – **Repas** 13,72/17,50 – ⸋ 7,10 – **20 ch** 42,70/56,50 – P 47/49

🏠 **Beauséjour**, 6 av. Thermes 🕿 05 62 08 30 30, bernard.urrutia@wanadoc
Fax 05 62 09 50 78, 🛁, 🌱 – 🖼 🅿. 🖼
mars-nov. – **Repas** 16/31 🏵 – ⸋ 7 – **29 ch** 28/61 – ½ P 28/40

🏠 **Aubergade**, 🕿 05 62 69 55 43, Fax 05 62 69 52 09, 🛁, – 🔳 rest, 🖼. 🆎 ⓞ 🖼
mars-nov. – **Repas** 15/23 🏵 – ⸋ 6 – **19 ch** 27,45/53,50 – P 44/50

BARCAGGIO 2B H.-Corse 🔠 ① – voir à Corse.

228

ARCELONNETTE ⬦ 04400 Alpes-de-H.-P. 81 ⑧ G. Alpes du Sud – 2 819 h alt. 1135 – Sports d'hiver : Le Sauze/Super Sauze 1 400/2440 m ✕23 ✵ et Pra-Loup 1 500/2 600 m ✕3 ✕29 ✵ – Voir Église de St-Pons★ NO : 2 km.

🛈 Office du tourisme Place Frédéric Mistral ℘ 04 92 81 04 71, Fax 04 92 81 22 67, info@barcelonnette.net.

Paris 755 – Gap 69 – Briançon 87 – Cannes 155 – Cuneo 98 – Digne-les-Bains 84 – Nice 139.

🏨 **Azteca** ⌂ sans rest, 3 r. F. Arnaud ℘ 04 92 81 46 36, hotel-azteca@wanadoo.fr, Fax 04 92 81 43 92, « Mobilier et objets de l'artisanat mexicain » – 🛗 📺 📞 & 🅿 – 🕮 70. 🖭 ⓞ 🇬🇧
fermé 3 nov. au 1er déc. – ☲ 9,20 – **27 ch** 65/80

Sauze Sud-Est : 4 km par D 900 et D 209 – Sports d'hiver : 1 400/2 440 m ✕23 ✵ – ⌂ 04400 Barcelonnette :

🏨 **Alp'Hôtel**, ℘ 04 92 81 05 04, info@alp.hotel.com, Fax 04 92 81 45 84, ≤, 🍴, 𝕝ℴ, ⊆, 🛋 – 🛗 cuisinette 📺 ☎ 🅿 ⓞ 🇬🇧 🇯🇨🇧 ⚡ rest
hotel : 1er juin-30 sept. et 20 déc.-15 avril ; rest : 15 juin-15 sept. et 20 déc.- 31 mars – **Repas** 15,25/29,73 – ☲ 8,38 – **24 ch** 67,08/76,22 – ½ P 60,98/70,89

🏠 **L'Équipe**, ℘ 04 92 81 05 12, Fax 04 92 81 45 33, ≤, 🍴 – 🅿. 🖭 🇬🇧, ⚡ ch
22 juin-8 sept. et 20 déc.-16 avril – **Repas** 14,50/20 ♀ – ☲ 6 – **23 ch** 43/49 – ½ P 52

Super-Sauze Sud-Est : 10 km par D 900 et D 209 – Sports d'hiver : voir au Sauze – ⌂ 04400 Barcelonnette :

🏠 **Pyjama** ⌂ sans rest, ℘ 04 92 81 12 00, Fax 04 92 81 03 16, ≤ – cuisinette 📺 📞 & 🅿. 🖭 ⓞ 🇬🇧
15 juin-15 sept. et 20 déc.-20 mai – ☲ 8 – **10 ch** 49/87, 4 studios

Pra-Loup Sud-Ouest : 8,5 km par D 902, D 908 et D 109 – Sports d'hiver : 1 500/2 600 m ✕3 ✕29 ✵ – ⌂ 04400 Barcelonnette.

🛈 Office du tourisme Maison de Pra-Loup ℘ 04 92 84 10 04, Fax 04 92 84 02 93, info@pra-loup.com.

🏠 **Prieuré de Molanès**, à Molanès ℘ 04 92 84 11 43, hotel.leprieure@wanadoo.fr, Fax 04 92 84 01 88, 🍴, ⊆, 🛋 – 📺 🅿. ⓞ 🇬🇧 🇯🇨🇧
1er juin-16 sept. et 14 déc.-15 avril – **Repas** 9 (déj.), 20/39 ♀, enf. 7,50 – ☲ 7 – **14 ch** 50/74 – ½ P 61

✕ **Tisane**, Pra-Loup 1600 - Chenonceau 1 ℘ 04 92 84 10 55, Fax 04 92 84 10 55 – 🇬🇧
juil.-août et vacances de Toussaint-fin avril – **Repas** (10) - 14/38, enf. 9

ARCUS 64130 Pyr.-Atl. 85 ⑤ – 774 h alt. 230.

Paris 814 – Pau 53 – Mauléon-Licharre 14 – Oloron-Ste-Marie 18 – St-Jean-Pied-de-Port 53.

✕✕✕ **Chilo** ⌂ avec ch, ℘ 05 59 28 90 79, martine.chilo@wanadoo.fr, Fax 05 59 28 93 10, 🍴, 🛋, ✕ – 📺 🅿 🖭 ⓞ 🇬🇧
fermé 5 au 30 janv., vacances de fév., dim. soir, mardi midi et lundi d'oct. à mai et lundi midi sauf août – **Repas** 22/54 et carte 50 à 55 ♣, enf. 9,15 – ☲ 8,30 – **11 ch** 23/42 – ½ P 51/69,36

ARDIGUES 82 T.-et-G. 79 ⑯ – rattaché à Auvillar.

AREMBACH 67 B.-Rhin 62 ⑧ – rattaché à Schirmeck.

ARENTIN 76360 S.-Mar. 55 ⑥ G. Normandie Vallée de la Seine – 12 836 h alt. 72.

Paris 151 – Rouen 18 – Dieppe 59 – Duclair 10 – Yerville 15 – Yvetot 20.

✕ **Auberge de Grand St-Pierre**, 19 av. V. Hugo ℘ 02 35 91 03 37, Fax 02 35 91 03 37 – 🅿. 🇬🇧
fermé 5 au 26 août, vacances de fév., jeudi soir, dim. soir et lundi – **Repas** 14,50/28,50 ♀, enf. 8,50

ARFLEUR 50760 Manche 54 ③ G. Normandie Cotentin – 642 h alt. 5.

Voir Phare de la Pointe de Barfleur : ✳★★ N : 4 km – Intérieur★ de l'église de Montfarville 2 km S – 🛈 Syndicat d'initiative Quai Henri Chardon ℘ 02 33 54 02 48, Fax 02 33 54 02 48.

Paris 355 – Cherbourg 29 – Carentan 48 – St-Lô 74 – Valognes 26.

🏠 **Conquérant** sans rest, ℘ 02 33 54 00 82, Fax 02 33 54 65 25, « Jardin à la française », 🍴 – 📺. 🇬🇧. ⚡
15 mars-15 nov. – ☲ 8 – **13 ch** 32/69

✕✕ **Moderne**, ℘ 02 33 23 12 44, Fax 02 33 23 91 58 – 🇬🇧
fermé 3 janv. au 3 fév., mardi soir et merc. sauf du 1er juil. au 30 sept. – **Repas** 16,01/32,78 ♀, enf. 5,34

BARJAC 30430 Gard 80 ⑨ – 1 379 h alt. 171.

🛈 Office du tourisme Place du 8 Mai ℘ 04 66 24 53 44, Fax 04 66°60 23 08.

Paris 671 – Alès 34 – Aubenas 47 – Mende 114.

🏠 **Mas du Terme** ⬎, Sud-Est : 4 km par D 901 et rte secondaire ℘ 04 66 24 56 welcome@mas-du-terme.com, Fax 04 66 24 58 54, 佘, ⬎, ⛤ – 📺 🅿. 🆖
hôtel : mars-nov. ; rest. : avril-oct. – Repas 26/34 ♀, enf. 12 – ☑ 8 – **23 ch** 72/13
½ P 70/100

✕ **L'Esplanade,** pl. Église ℘ 04 66 24 58 42, Fax 04 66 24 58 42, 佘 – 🆖
🍴 16 janv.-29 sept. et fermé mardi sauf juil.-août – **Repas** 13/23

✕ **Hostellerie de Landes** ⬎ avec ch, Sud-Est : 5 km par D 901 ℘ 04 66 24 56 14, hos▮
@club-internet.fr, Fax 04 66 60 22 39, 佘, ⛤ – 🅿. 🆎 ⓞ 🆖 🆑. ⚄ rest
fermé 1er déc. au 15 janv., mardi midi du 15 mars au 1er oct., dim. soir et lundi d'oct. à m▮
– **Repas** 16,77 (déj.), 22,87/37,35 – ☑ 7,63 – **4 ch** 42,69/51,07 – ½ P 44,60/52,60

BARJOLS 83670 Var 84 ⑤, 114 ⑲ G. Côte d'Azur – 2 414 h alt. 300.

Voir Réal★ du vieux bourg.

🛈 Office du tourisme Boulevard Grisolle ℘ 04 94 77 20 01, Fax 04 94 77 20 01.

Paris 821 – Aix-en-Provence 64 – Brignoles 22 – Draguignan 45 – Manosque 46.

🏠 **Pont d'Or,** rte St-Maximin ℘ 04 94 77 05 23, Fax 04 94 77 09 95 – ▤ rest, 📺 ⬎. 🆎 ▮
fermé 23 nov. au 7 janv. – **Repas** (fermé dim. soir d'oct. à Pâques et lundi) 17,50/32▮
enf. 8,40 – ☑ 6 – **15 ch** 26/47 – ½ P 44,50/47

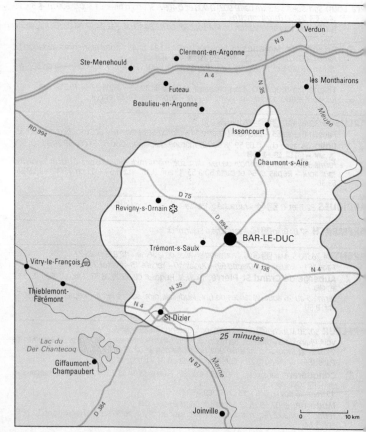

Voir *"le Transi" (statue)*★★ *dans l'église St-Étienne* AZ.

🅱 *Office du tourisme 5 rue Jeanne d'Arc* 🖉 *03 29 79 11 13, Fax 03 29 79 21 95.*

Paris 254 ④ – *Metz 96* ① – *Nancy 84* ② – *Reims 111* ④ – *St-Dizier 25* ③ – *Verdun 57* ①.

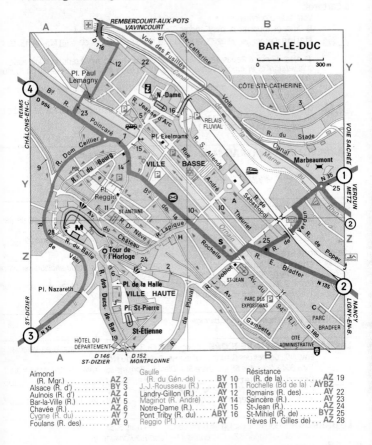

Aimond	Gaulle	Résistance
(R. Mgr.) .... **AZ** 2	(R. du Gén.-de) ..... **BY** 10	(R. de la) .... **AZ** 19
Alsace (R. d') .... **BY** 3	J.-J.-Rousseau (R.) ..... **AY** 11	Rochelle (Bd de la) . **AYBZ**
Aulnois (R. d') .... **AZ** 4	Landry-Gillon (R.) ..... **AY** 12	Romains (R. des)..... **AY** 22
Bar-la-Ville (R.) .... **AY** 5	Maginot (R. André) ..... **AY** 14	Saincère (R.) .... **AY** 23
Chavée (R.) .... **AZ** 6	Notre-Dame (R.) ..... **AY** 15	St-Jean (R.) .... **AZ** 24
Cygne (R. du) .... **AY** 7	Pont Triby (R. du) .... **ABY** 16	St-Mihiel (R. de) .... **BYZ** 25
Foulans (R. des) .... **AY** 9	Reggio (Pl.) .... **AY**	Trèves (R. Gilles de) ... **AZ** 28

✕ **Bistro St-Jean,** *132 av. La Rochelle* 🖉 *03 29 45 40 40, Fax 03 29 45 40 45* – 📇. GB
    BZ **s**
fermé 15 juil. au 10 août et dim. soir – **Repas** *carte 32 à 38, enf. 10,67*

Trémont-sur-Saulx *par* ③ *et D 3 : 9,5 km* – *610 h. alt. 166* – ⊠ *55000 :*

🏨 **Source** 🦢, 🖉 *03 29 75 45 22, Fax 03 29 75 48 55,* 🍴, 🌳 – 📇 rest, 📺 📞 ᴋ 🅿 – 🔏 25.
AE GB, ⚭ rest
fermé 29 juil. au 20 août, 1ᵉʳ au 19 janv., dim. soir et lundi midi
Repas *19/56* ᴋ, *enf. 11,50* – 🍵 *8,25* – **26 ch** *56/83* – *1/2 P 57,50/67*

Participez à notre effort permanent
de mise à jour

Adressez-nous vos remarques
et vos suggestions.

Cartes et Guides Michelin
46 avenue de Breteuil - 75324 Paris Cedex 07

BARNEVILLE-CARTERET *50270 Manche* 54 ① *G. Normandie Cotentin – 2 429 h alt. 47.*
🚩 *Office du tourisme 10 rue des Ecoles* 𝒫 *02 33 04 90 58, Fax 02 33 04 93 24, touris..*
barneville-carteret@wanadoo.fr.
Paris 356 – Cherbourg 39 – St-Lô 63 – Carentan 43 – Coutances 48.

à Carteret.

Voir *Table d'orientation* ≤★.
🚩 *Office de tourisme pl. des Flandres Dunkerque* 𝒫 *02 33 04 94 54.*

🏯 **Marine** (Cesne) ⊗, 𝒫 *02 33 53 83 31, Fax 02 33 53 39 60,* ≤, ⇔ – 🔲 ⛆ – 🛝 15. 🅰 ⓒ
❄ ⚠ rest
1er mars-12 nov. – **Repas** *(fermé lundi midi et jeudi midi d'avril à sept. sauf juil.-août, c..*
soir, jeudi midi et lundi d'oct. à mars) 26/72 et carte 48 à 72 – �) *9 –* **30 ch** *77/10*
½ P 77/92
Spéc. *Huîtres en nage glacée de cornichons. Galette croustillante de pieds de coch..*
Homard grillé aux aromates.

🏠 **des Ormes** Ⓜ ⊗ *sans rest, quai Barbey d'Aurevilly* 𝒫 *02 33 52 23 50, Fax 02 33 52 91*
≤, « *Jardin fleuri* », �_ – 🔲 ⛆ ⅙ 🅿. ⒼⒷ
fermé janv. – ⊃ *9 –* **10 ch** *78/92*

BARNEVILLE-LA-BERTRAN *14 Calvados* 55 ③ *– rattaché à Honfleur.*

Le Guide change, changez de guide tous les ans.

BARR *67140 B.-Rhin* 62 ⑨ *G. Alsace Lorraine – 5 892 h alt. 200.*
🚩 *Office du tourisme Place de l'Hôtel de Ville* 𝒫 *03 88 08 66 65, Fax 03 88 08 66*
mairie.barr.ot@wanadoo.fr.
Paris 496 – Strasbourg 40 – Colmar 42 – Le Hohwald 12 – Saverne 47 – Sélestat 20.

rte du Mont Ste-Odile *par D 854 –* ⊠ *67140 Barr :*

🏰 **Château d'Andlau** ⊗, à 2 km 𝒫 *03 88 08 96 78, hotel.chateau-andlau@wanadoo..*
Fax 03 88 08 00 93, 🌱 – 🅿 🅰 ⓞ ⒼⒷ ⒿⒸⒷ, ⚠ ch
fermé 2 janv. au 2 fév. – **Repas** *(fermé le midi sauf week-ends et fériés, dim. soir et lur..*
19,82/35,06 ⓩ *–* ⊃ *6,86 –* **23 ch** *41,16/60,98 –* ½ P 51,07/57,17

BARRAGE *voir au nom propre du barrage.*

Les BARRAQUES-EN-VERCORS *26 Drôme* 77 ③ ④ *–* ⊠ *26420 La Chapelle-en-Vercors.*
Env. NO : Gorges des Grands-Goulets★★★, G. Alpes du Nord.
Paris 604 – Grenoble 55 – Valence 59 – Die 46 – Romans-sur-Isère 41 – St-Marcellin 30.

🏰 **Grands Goulets** ⊗, 𝒫 *04 75 48 22 45, hotel.grands.goulets@wanadoo..*
Fax 04 75 48 10 24, ⇔, 🌱 – ⛆ ⇔ 🅿. 🅰 ⓞ ⒼⒷ
1er mai-15 sept. – **Repas** *15,25/29,70* ⓩ, *enf. 8,38 –* ⊃ *5,80 –* **29 ch** *32/49 –* ½ P 40/50

Le BARROUX *84330 Vaucluse* 81 ⑬ *G. Provence – 569 h alt. 325.*
Paris 690 – Avignon 37 – Carpentras 11 – Vaison-la-Romaine 15.

🏠 **Hostellerie François-Joseph** Ⓜ ⊗ *sans rest, chemin Rabassières, 2 km rte c..*
Monastères Ste-Madeleine 𝒫 *04 90 62 52 78, hotel.f.joseph@wanadoo..*
Fax 04 90 62 33 54, « Jardin ombragé », 🌊, 🌱 – cuisinette 🔲 ⅙ 🅿. 🅰 ⒼⒷ. ⚠
25 mars-3 nov. – ⊃ *11 –* **12 ch** *46/80, 6 appart*

🏠 **Les Géraniums** ⊗, 𝒫 *04 90 62 41 08, Fax 04 90 62 56 48,* ≤, ⇔, 🌱 – 🅿 🅰 ⓞ ⒼⒷ
16 mars-12 nov. – **Repas** *15,25/46* ⓩ, *enf. 7,75 –* ⊃ *7 –* **22 ch** *42/47 –* ½ P 40/43

BAR-SUR-AUBE ◈ *10200 Aube* 61 ⑲ *G. Champagne Ardenne – 6 261 h alt. 190.*
Voir Église St-Pierre★.
🚩 *Office du tourisme Place de l'Hôtel de Ville* 𝒫 *03 25 27 24 25, Fax 03 25 27 40*
ot-bar@barsuraube.net.
Paris 229 – Chaumont 41 – Châtillon-sur-Seine 61 – Troyes 53 – Vitry-le-François 66.

ⵝⵝ **Toque Baralbine,** *18 r. Nationale* 𝒫 *03 25 27 20 34, Fax 03 25 27 20 34,* ⇔
Ⓖ ⒼⒷ
⊛ *fermé 5 au 26 janv., dim. soir et lundi –* **Repas** *16,77/45,73* ⓩ, *enf. 9,91*

ⵝⵝ **Cellier aux Moines,** *r. Gén. Vouillemont* 𝒫 *03 25 27 08 01, Fax 03 25 01 56 22 –* ⒼⒷ
fermé le soir sauf vend. et sam. – **Repas** *(11,45) - 15,24/28,20* ⅃

Arsonval *Nord-Ouest : 6 km sur N 19 – 331 h. alt. 159 – ⊠ 10200 :*

XX **Hostellerie de la Chaumière** avec ch, ℘ 03 25 27 91 02, lachaumiere@pem.net, Fax 03 25 27 90 26, 🎤, « Jardin fleuri », 🚗 – 📺 📞 🅿. 🆎 GB JCB
fermé 10 déc. au 20 janv., dim. soir et lundi midi hors saison – **Repas** 17/50 ♈ – ⊃ 7 – **11 ch** 50/63 – ½ P 50/55

Dolancourt *Nord-Ouest : 9 km par rte Troyes – 145 h. alt. 112 – ⊠ 10200 :*

🏠 **Moulin du Landion** ⋙, ℘ 03 25 27 92 17, Fax 03 25 27 94 44, 🎤, « Parc », 🟥, 🎐 – 📺 📞 🅿 – 🔏 25. 🆎 ◑ GB. ⅗ rest
fermé 15 nov. au 15 fév. – **Repas** 17,50/52 – ⊃ 7,60 – **16 ch** 61/74 – ½ P 67/74

BAR-SUR-LOUP *06620 Alpes-Mar. 84 ⑨ G. Côte d'Azur – 2 543 h alt. 320.*
Voir Site★ – Danse macabre★ (peintures sur bois) dans l'église St-Jacques – ≤★ de la place de l'église.
🗐 Office du tourisme Place Francis Paulet ℘ 04 93 42 72 21, Fax 04 93 42 92 60, lebarsur loup@stella-net.fr.
Paris 919 – Grasse 10 – Nice 31 – Vence 16.

XX **Jarrerie**, ℘ 04 93 42 92 92, Fax 04 93 42 91 22, 🎤, « Ancien monastère du 19ᵉ siècle » – 🆎 ◑ GB JCB
fermé 2 au 31 janv., lundi d'oct. à avril, merc. midi de mai à sept. et mardi – **Repas** 19 (déj.), 24/43 ♈

BAR-SUR-SEINE *10110 Aube 61 ⑰ ⑱ G. Champagne Ardenne – 3 510 h alt. 157.*
Voir Intérieur★ de l'église St-Étienne.
🗐 Office du tourisme 33 rue Gambetta ℘ 03 25 29 94 43, Fax 03 25 29 70 21, otbar @wanadoo.fr.
Paris 197 – Troyes 33 – Bar-sur-Aube 40 – Châtillon-sur-Seine 36 – St-Florentin 57.

XXX **Parc de Villeneuve** (Caironi), 1 km par rte de Dijon ℘ 03 25 29 16 80, Fax 03 25 29 16 79, 🎐 – 🅿. 🆎 GB
fermé 22 juil. au 1ᵉʳ août, 17 fév. au 12 mars, dim. soir, lundi et mardi sauf fériés – **Repas** 29/87 et carte 66 à 84 ♈
Spéc. Foie gras frais de canard confit au naturel. Langoustines à la nage et au chardonnay (mars à oct.). Saint-Jacques au ragoût de légumes et truffes noires (nov. à début avril). **Vins** Rosé des Riceys, Champagne.

X **Commerce** avec ch, r. République ℘ 03 25 29 86 36, Fax 03 25 29 64 87 – 🍽 rest, 📺 📞 – 🔏 40. GB. ⅗ ch
fermé dim. soir sauf juil.-août – **Repas** (9) - 10,50/32 ♈, enf. 8,50 – ⊃ 5 – **11 ch** 33/35 – ½ P 32

près échangeur *autoroute A5, Nord-Est : 9 km par D 443 – ⊠ 10110 Magnant :*

🏠 **Val Moret**, ℘ 03 25 29 85 12, Fax 03 25 29 70 81, 🎤 – 🍽 rest, 📺 📞 ⅙ 🅿 – 🔏 30. 🆎 GB. ⅗
Repas 14,03/36 ♈, enf. 7 – ⊃ 6,10 – **42 ch** 36,59/68,60

BAS-MAUCO *40 Landes 78 ⑥ – rattaché à St-Sever.*

BAS-RUPTS *88 Vosges 62 ⑰ – rattaché à Gérardmer.*

BASSE-GOULAINE *44 Loire-Atl. 67 ③ – rattaché à Nantes.*

BASTELICA *2A Corse-du-Sud 90 ⑥ – voir à Corse.*

BASTIA *2B H.-Corse 90 ③ – voir à Corse.*

la BASTIDE *83840 Var 84 ⑦, 115 ㉒ – 122 h alt. 1000.*
Paris 825 – Digne-les-Bains 79 – Castellane 24 – Draguignan 42 – Grasse 49.

🏠 **Lachens** ⋙, ℘ 04 94 76 80 01, Fax 04 94 84 21 88, 🎤, 🚗 – 📺 📞. GB. ⅗ ch
15 avril-15 nov. et fermé mardi soir et merc. de sept. à juin – **Repas** 14/27, enf. 7 – ⊃ 5,50 – **13 ch** 40/54 – ½ P 38,50/42

La BASTIDE-DES-JOURDANS 84240 Vaucluse 114 ④ – 964 h alt. 412.
Paris 767 – Digne-les-Bains 77 – Aix-en-Provence 39 – Apt 40 – Manosque 17.

🏨 **Mirvy** ⌂, rte Manosque : 3 km ℘ 04 90 77 83 23, Fax 04 90 77 81 92, ≤, 佘, ⌐, 屏 – P. GB
9 mars-11 nov. – **Repas** (dîner seul.) – **16 ch** (½ pens. seul.) – ½ P 91,47/99,09

XX **Auberge du Cheval Blanc** avec ch, ℘ 04 90 77 81 08, provence.luberon@wanadoo
Fax 04 90 77 86 51, 佘 – 🖥 TV P. GB
*fermé mi-janv. à fin fév., jeudi sauf le soir en été, vend. midi de juil. à sept. et merc. soir
hiver* – **Repas** 24,39 ⏚, enf. 14,48 – ⏚ 9,15 – **4 ch** 65,55/76,22 – ½ P 64,79/70,13

BATZ-SUR-MER 44740 Loire-Atl. 63 ⑭ G. Bretagne – 3 049 h alt. 12.
Voir ✳✳✳ *de l'église St-Guenolé★ – Chapelle N.-D. du Mûrier★ – Excursions★ d
les marais (musée des Marais salants) – La Côte Sauvage★.
🄷 *Office du tourisme 25 rue de la Plage* ℘ 02 40 23 92 36, Fax 02 40 23 74 10.
Paris 461 – Nantes 84 – La Baule 7 – Redon 63 – Vannes 71.

🏨 **Lichen** ⌂ sans rest, Le Manérick, Sud-Est : 2 km par D 45 ℘ 02 40 23 91 92, alain.parou
wanadoo.fr, Fax 02 40 23 84 88, ≤, 屏 – TV ⌐ P. AE ⓪ GB
⏚ 9 – **14 ch** 54/150

BAUGÉ 49150 M.-et-L. 64 ⑫ G. Châteaux de la Loire – 3 663 h alt. 55.
*Voir Croix d'Anjou★★ dans la chapelle des Filles du Coeur de Marie – Le Vieil-Baugé
choeur★ de l'église St-Symphorien SO : 2 km par D 61 – Forêt de Chandelais★ SE : 3 km
Pontigné : peintures murales★ dans l'église E : 5 km par D 141.*
🄷 *Office du tourisme Place de l'Europe* ℘ 02 41 89 18 07, Fax 02 41 89 04 43, tourism
.bauge@wanadoo.fr.
Paris 264 – Angers 41 – La Flèche 19 – Le Mans 62 – Saumur 37 – Tours 67.

🏠 **Boule d'Or**, 4 r. Cygne ℘ 02 41 89 82 12, Fax 02 41 89 06 07 – TV ⌐ ⇔. GB
fermé 21 déc. au 7 janv., dim. soir et lundi – **Repas** 15/28 ⏚ – ⏚ 6 – **10 ch** 44/64
½ P 53/63

BAULE 45 Loiret 64 ⑧ – rattaché à Beaugency.

La BAULE 44500 Loire-Atl. 63 ⑭ G. Bretagne – 15 831 h alt. 31 – Casino Grand Casino BZ.
Voir Front de mer★ – Parc des Dryades★ DZ.
🄷 *Office du tourisme 8 place de la Victoire* ℘ 02 40 24 34 44, Fax 02 40 11 08
tourisme.la.baule@wanadoo.fr.
Paris 455 ① – Nantes 78 ① – Rennes 124 ① – St-Nazaire 19 ② – Vannes 66 ①.

Plan page ci-contre

🏰 **Hermitage** ⌂, espl. Lucien Barrière ℘ 02 40 11 46 46, hermitage@lucienbarriere.co
Fax 02 40 11 46 45, ≤, 佘, ↕6, ⌐, ▨, 屏, ✕ – 🕴 🖥 TV ⌐ ⏛ ⏚ – 🕭 200. AE ⓪ ⏛
✕ rest   BZ
22 mars-31 oct. – **Les Ambassadeurs** (ouvert 11 juil.-25 août et week-ends fériés) Rep
carte 47 à 65, enf. 15,24 – **Eden Beach** ℘ 02 40 11 46 16 - produits de la mer · (fer
25/11 au 26/12 et merc. du 13/11 au 15/03 sauf vacances scolaires) **Repas** 3
39, enf. 15,24 – ⏚ 18 – **204 ch** 249/620, 6 appart – ½ P 182,50/368

🏰 **Royal-Thalasso** ⌂, 6 av. P. Loti ℘ 02 40 11 48 48, royalthalasso@lucienbarriere.co
Fax 02 40 11 48 45, ≤, 佘, centre de thalassothérapie, ↕6, ⌐, ▨, 屏, ✕, ⏛ – 🕴 🖥
⇔ P – 🕭 60. AE ⓪ GB JCB. ✕ rest   BZ
fermé janv. – **Repas** 39 ⏚, enf. 19 – **Royal-Diet :** **Repas** 39 ⏚, enf. 19 – **Ponte
(fermé le soir d'oct. à mars sauf sam. et vacances scolaires) **Repas** carte 25 à 40 ⏚, enf. 1
⏚ 17 – **99 ch** 221/357, 6 appart, 4 duplex – ½ P 163,50/231,50

🏰 **Castel Marie-Louise** ⌂, 1 av. Andrieu ℘ 02 40 11 48 38, marielouise@relaischateaux
❀   Fax 02 40 11 48 35, ≤, ✕, ⏛ – 🖥 TV P. AE ⓪ GB JCB. ✕ rest   BZ
fermé 11 nov. au 21 déc. – **Repas** (fermé mardi d'oct. à mai) (dîner seul. sauf dim.)(
saison : prévenir) 40/80 et carte 65 à 90 ⏚, enf. 16 – ⏚ 18 – **31 ch** 234/420
Spéc. Merluchon à l'huile d'argan. Homard rôti au "vin de voile". Biscuit tiède au choco
coulant. **Vins** Muscadet de Sèvre et Maine, Malvoisie des Coteaux d'Ancenis.

🏰 **Bellevue Plage** M, 27 bd Océan ℘ 02 40 60 28 55, hotel@hotel.bellevue.plage.
Fax 02 40 60 10 18, ≤, ↕6 – 🕴, 🖥 rest, TV ⌐ P. AE ⓪ GB. ✕ rest   DZ
fermé 1er déc. au 31 janv. – **Véranda** ℘ 02 40 60 57 77 (fermé déc., janv., merc. sa
juil.-août et lundi midi) **Repas** 21(déj.), 29/70 bc ⏚, enf. 14 – ⏚ 10 – **35 ch** 91/150
½ P 91,50/111,50

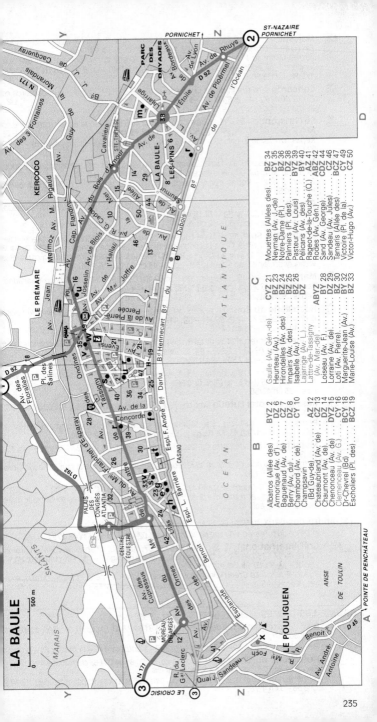

LA BAULE

0 ____ 500 m

B

Albatros (Allée des)	BYZ	2
Armorique (Av. d')	CZ	6
Baguenaud (Av. de)	DZ	8
Berry (Av. du)	DZ	8
Chambord (Av. de)	CY	10
Champsavin (Bd Guy-de)	AZ	12
Chateaubriand (Av. de)	CZ	13
Chaumont (Av. de)	DZ	14
Chenonceau (Av. de)	DYZ	15
Clemenceau (Av. G.)	CY	16
Dr-Chevrel (Pl. des)	BCY	18
Escholiers (Pl. des)	BCZ	19

C

Gaulle (Av. Gén.-de)	CYZ	21
Heurteau (Av. des)	BZ	23
Hirondelles (Av. des)	BZ	24
Impairs (Av. des)	BZ	25
Isabelle (Av.)	BZ	26
Lajarrige (Av. L.)		
Lattre-de-Tassigny (Av. Mar.-de)	ABYZ	
Loiseau (Av. F.)	BY	28
Lorraine (Av. de)	DZ	29
Loti (Av. Pierre)	BZ	30
Marguerite-Jean (Av.)	BZ	32
Marie-Louise (Av.)	BZ	33

Mouettes (Allées des)	BZ	34
Neyman (Av. J.-de)	CY	35
Notre-Dame (Pl.)	BZ	36
Palmiers (Pl. des)	BZ	38
Pasteur (Av. Louis)	BYZ	39
Pélicans (Av. des)	BZ	40
Rageot-de-la-Touche (Q.)	BZ	41
Rodes (Av. Gén.)	ABZ	42
Sand (Av. George)	CZ	44
Sandeau (Av. Jules)	CZ	46
Tamaris (Allée des)	BCZ	47
Victoire (Pl. de la)	CZ	49
Victor-Hugo (Av.)	CZ	50

Majestic, espl. Lucien Barrière ℰ 02 40 60 24 86, hotel-le-majestic@wanadoo
Fax 02 40 42 03 13, ≤ – 劇, 🔳 rest, 📺 **P.** – 🏋 20 à 40. 🆎 ⓘ 🆖 🆑   BZ
fermé 10 janv. au 1er mars – **Ruban Bleu** *(fermé 10 janv. au 15 fév., sam. midi, dim. soir
lundi sauf juil.-août)* **Repas** (14,50)-23,70/35,90 ♉, enf. 8,40 – ⚏ 9,15 – **66 ch** 213,50/33
½ P 88,42/115,90

Concorde sans rest, 1 bis av. Concorde ℰ 02 40 60 23 09, info@hotel-la-concorde.cc
Fax 02 40 42 72 14 – 劇 📺 ℂ **P.** 🆖 🆑, ☆   BZ
29 mars-5 oct. – ⚏ 7,60 – **47 ch** 69/115

St-Christophe ॐ, pl. Notre-Dame ℰ 02 40 62 40 00, desk@saintchristophe.cc
Fax 02 40 62 40 40, 🌧, 🍴 – 📺 ℂ **P.** – 🏋 20. 🆎 ⓘ 🆖 🆑   BZ
Repas (17) - 23/30 ♉, enf. 10 – ⚏ 8 – **31 ch** 72/93, (½ pens. seul. en juil.-août) – ½ P 7
92,50

Mascotte ॐ, 26 av. Marie Louise ℰ 02 40 60 26 55, hotel.la.mascotte@wanadoo
Fax 02 40 60 15 67, 🌧, 🍴 – 🔳 rest, 📺 🚗. 🆎 ⓘ 🆖. ☆ rest   BZ
2 mars-3 nov. – **Repas** *(fermé merc. midi)* 26/39 ♉, enf. 13 – ⚏ 8 – **23 ch** 64/98
½ P 63/75

Alcyon sans rest, 19 av. Pétrels ℰ 02 40 60 19 37, jlavigne@wanadoo
Fax 02 40 42 71 33 – 劇 📺 ℂ **P.** 🆎 ⓘ 🆖   BY
1er mars-31 oct. – ⚏ 7,50 – **32 ch** 76/84

Route de la Soie, 19 av. Marie-Louise ℰ 02 40 60 23 17, reservations@routedelasoie.
m, Fax 02 40 24 48 88, 🌧, « Décor d'inspiration sino-indonésienne » – 📺 ℂ **P.** 🆎 ⓘ ⓒ
fermé en nov. et 1er janv. au 15 fév. – **Repas** - *cuisine taïwanaise - (fermé lundi et mardi sa
vacances scolaires)* (dîner seul.) 23 ♉ – ⚏ 7 – **13 ch** 64/86 – ½ P 61/71   BZ

Marini, 22 av. G. Clemenceau ℰ 02 40 60 23 29, interhotelmarini@wanadoo
Fax 02 40 11 16 98, 🎗, 🔳 – 劇 📺 ℂ. 🆎 ⓘ 🆖 🆑   CY
Repas (résidents seul.)(dîner seul.) 18 ♉ – ⚏ 7 – **33 ch** 68/81 – ½ P 50/56

Hostellerie du Bois ॐ, 65 av Lajarrige ℰ 02 40 60 24 78, hostellerie-du-bois@
nadoo.fr, Fax 02 40 42 05 88, 🍴 – 📺. 🆖   DZ
avril-nov. – ⚏ 7 – **15 ch** 64/66

St-Pierre sans rest, 124 av. de Lattre de Tassigny ℰ 02 40 24 05 41, contact@hotel-sain
ierre.com, Fax 02 40 11 03 41 – 📺. 🆎 ⓘ 🆖. ☆   BYZ
mi-fév.-mi-nov. – ⚏ 7,50 – **19 ch** 42/57

Dunes sans rest, 277 av. de Lattre de Tassigny ℰ 02 51 75 07 10, info@hotel-des-dunes.
m, Fax 02 51 75 07 11 – 劇 📺 ℂ **P.** 🆎 ⓘ 🆖   CY
⚏ 6 – **33 ch** 42/58

Rossini et Hôtel Lutétia avec ch, 13 av. Evens ℰ 02 40 60 25 81, Fax 02 40 42 73 52
📺 ℂ **P.** 🆎 🆖   CZ
Repas *(fermé 1er au 10 oct., 5 au 30 janv., dim. soir, mardi midi et lundi hors saison)* 19/39
enf. 11 – ⚏ 7 – **14 ch** 43/77, (½ pens. seul. en juil.-août) – ½ P 57/64

Maréchal, 277 av. de Lattre de Tassigny ℰ 02 40 24 51 14, Fax 02 51 75 02 06 – 🔳 **P.**
ⓘ 🆖   CY
fermé 1er au 15 nov., 20 janv. au 15 fév., dim. soir, lundi midi et merc. sauf juil.-août – **Rep**
17/59,46 ♉, enf. 7,62

Barbade, bd R. Dubois ℰ 02 40 42 01 01, Fax 02 40 42 09 83, ≤, 🌧 – 🆖   CZ
30 mars-fin oct. et fermé mardi et merc. hors saison sauf vacances scolaires et fériés
Repas (21) - 30, enf. 10

à St-André-des-Eaux *au Nord-Est : 7 km – 3 532 h. alt. 20 –* ⊠ *44117 :*
🛈 *Office du tourisme 1 Bis rue de la Chapelle ℰ 02 40 91 53 53, Fax 02 40 91 54 65.*

Golf International Ⓜ ॐ, ℰ 02 40 17 57 57, hoteldugolflabaule@lucienbarriere.co
Fax 02 40 17 57 58, ≤, 🌧, « Dans un parc, entouré d'un golf », 🏊, 🏋 – cuisinette 📺 ℂ
🚗 **P.** – 🏋 80. 🆎 ⓘ 🆖. ☆ rest
3 mars-3 nov. – **Le Green** *(dîner seul. hors saison)* *(fermé merc. et jeudi en mars, avril
oct.)* **Repas** 29 ♉, enf. 13 – ⚏ 16 – **31 ch** 202, 78 appart 256, 36 studios – ½ P 147/174

BAUME-LES-DAMES 25110 Doubs 🔠 ⑯ *G. Jura – 5 384 h alt. 280.*
🛈 *Office du tourisme 6 rue de Provence ℰ 03 81 84 27 98, Fax 03 81 84 15 61, otsibaumc
@wanadoo.fr.*
Paris 441 – Besançon 30 – Belfort 64 – Lure 49 – Montbéliard 49 – Pontarlier 65 – Vesoul 4

Hostellerie du Château d'As avec ch, ℰ 03 81 84 00 66, chateau.das@wanadoo.
Fax 03 81 84 39 67, ≤, 🌧 – 📺 ℂ **P.** 🆎 ⓘ 🆖
fermé 18 nov. au 9 déc., 27 janv. au 10 fév., dim. soir et lundi – **Repas** 22 bc (déj.), 23/57 ♉
⚏ 8,50 – **8 ch** 42/65

Pont-les-Moulins Sud : 6 km par D 50 – 170 h. alt. 275 – ⊠ 25110 :

🏥 **Auberge des Moulins**, rte Pontarlier ℘ 03 81 84 09 97, auberge.desmoulins@wanadoo.fr, Fax 03 81 84 04 44, 🐾 – 📺 🅿 – 🔏 25. 🝙 ⑩ ☯ ❉ rest
fermé 20 déc. au 28 janv., dim. et vend. de sept. à juin sauf fériés – **Repas** (fermé vend. midi, sam. midi et dim. soir de sept. à juin sauf fériés) 15 (déj.), 19/29 ♀ – ☲ 6 – **15 ch** 39/47 – ½ P 45

BAUME-LES-MESSIEURS 39210 Jura 🔟 ④ G. Jura – 194 h alt. 333.
Voir Abbaye★ (retable à volet★ dans l'église) – Belvédère des Roches de Baume★★★ sur cirque★★ et grottes★ de Baume S : 3,5 km.
Paris 406 – Champagnole 27 – Dole 53 – Lons-le-Saunier 12 – Poligny 21.

🍴 **Grottes**, aux Grottes, Sud : 3 km ℘ 03 84 44 61 59, Fax 03 84 44 61 59, ≤, 😚 – 🅿. ☯
🕸 Pâques-30 sept. et fermé merc. sauf juil.-août – **Repas** (prévenir)(déj. seul.) 13/24 ♀

AUVIN 59221 Nord 🟦 ⑮ – 5 338 h alt. 25.
Paris 209 – Lille 26 – Arras 33 – Béthune 22 – Lens 14.

🟩 **Salons du Manoir**, 53 r. J. Guesde ℘ 03 20 85 64 77, Fax 03 20 86 72 22, 🐾 – 📺 🅿. 🝙 ⑩ ☯
fermé août, 17 au 28 fév. lundi et mardi – **Repas** 30 (déj.), 45/65 bc et carte 50 à 59

---

es BAUX-DE-PROVENCE 13520 B.-du-R. 🟦 ① G. Provence – 434 h alt. 185.
Voir Site★★★ – Village★★★ : Place★ et église St-Vincent★ – Château★ ; 💥★★ – Monument Charloun Rieu ≤★ – Tour Paravelle ≤★ – Musée Yves-Brayer★ – Cathédrale d'Images★ N : 1 km par D 27 – 💥★★★ sur le village N : 2,5 km par D 27.
🟦 Office du tourisme Maison du Roy ℘ 04 90 54 34 39, Fax 04 90 54 51 15, tourisme@lesbauxdeprovence.com.
Paris 717 – Avignon 29 – Arles 18 – Marseille 89 – Nîmes 46 – St-Rémy-de-Provence 10.

ans le Vallon :

🟨 **Oustaù de Baumanière** (Charial) 🌊 avec ch, ℘ 04 90 54 33 07, Fax 04 90 54 40 46, ≤,
❀❀ 😚, « Demeure du 16ᵉ siècle aménagée avec élégance », 🏊, 🎋 – 📺 🅿. 🝙 ⑩ ☯ 🇯🇨🇧
fermé début janv. à début mars, jeudi midi et merc. de nov. à mars – **Repas** 85/135 et carte 95 à 130 ♀ – ☲ 18,29 – **9 ch** 235/250, 5 appart – ½ P 252,50/262,50
Spéc. Ravioli de truffes aux poireaux. Filets de rouget au basilic. Canon d'agneau en croûte, gratin dauphinois. **Vins** Châteauneuf-du-Pape-blanc, Coteaux d'Aix-en-Provence-les Baux.

Manoir 🏨 🌊, ≤, 🏊, 🎋 – 📺 ch, 📺 🅿. 🝙 ⑩ ☯ 🇯🇨🇧
Repas voir **Oustaù de Baumanière** – ☲ 18,29 – **7 ch** 250, 7 appart 400 – ½ P 230/262,50

🏥 **Riboto de Taven** 🌊, ℘ 04 90 54 34 23, contact@riboto-de-taven.fr, Fax 04 90 54 38 88, ≤, 😚, « Jardin fleuri au pied des rochers », 🏊, 🎋 – 📺 ch, 📺 ᴋ 🅿. 🝙 ⑩ ☯ 🇯🇨🇧
Repas (dîner seul.) 45,73 ♀ – ☲ 13,72 – **7 ch** 137/228 – ½ P 115/154

e d'Arles Sud-Ouest par D 27 :

🏨 **Cabro d'Or** 🌊, à 1 km ℘ 04 90 54 33 21, contact@lacabrodor.com, Fax 04 90 54 45 98,
❀ ≤, 😚, centre d'équitation, « Jardins fleuris », 🏊, 🎋, 💥 – 📺 ch, 📺 ᴋ 🅿. 🝙 ⑩ ☯
fermé 11 nov. au 20 déc., lundi de nov. à mars et mardi midi – **Repas** 33 bc (déj.), 48/72 et carte 60 à 85 ♀ – ☲ 13 – **23 ch** 147/205, 8 appart – ½ P 137,50/166,50
Spéc. Crème onctueuse d'artichauts au parfum de truffes. Suprême de volaille fermière farcie au chèvre frais et rôtie à la broche. Fraîcheur de pêches sur ganache cacao-thé **Vins** Coteaux d'Aix-en-Provence-les Baux.

🏥 **Auberge de la Benvengudo** 🌊, à 2 km ℘ 04 90 54 32 54, Fax 04 90 54 42 58, ≤, 😚, « Jardin fleuri », 🏊, 🎋, 💥 – 📺 ch, 📺 🚗 🅿. 🝙 ☯. ❉ rest
15 mars-31 oct. – **Repas** fermé dim. (dîner seul.) 43 ♀ – ☲ 12 – **17 ch** 135/183, 3 appart – ½ P 106,50/116,50

🏥 **Mas de l'Oulivié** 🅼 🌊 sans rest, à 2,5 km ℘ 04 90 54 35 78, contact@masdeloulivie.com, Fax 04 90 54 44 31, « Piscine dans un jardin fleuri », 🏊, 🎋, 💥 – 📺 ᴋ 🅿. 🝙 ⑩ ☯ 🇯🇨🇧
mi-mars-mi-nov. – ☲ 10 – **23 ch** 120/230

🏥 **Mas d'Aigret** 🌊, à 500 m. ℘ 04 90 54 20 00, masdaigret@aol.com, Fax 04 90 54 44 00, 😚, 🏊, 🎋 – 📺 ch, 📺 ☯ 🇯🇨🇧
Repas (fermé lundi midi et mardi midi) 40 ♀, enf. 13 – ☲ 12 – **16 ch** 95/170 – ½ P 92,50/130

BAVAY 59570 Nord 🔠🔠 ⑤ G. Picardie Flandres Artois – 3 581 h alt. 148.

🏢 Office du tourisme Rue Saint-Maur ℰ 03 27 39 81 65, Fax 03 27 63 13 42, bavais. tourisme.norsys.fr.

Paris 229 – Avesnes-sur-Helpe 24 – Lille 80 – Maubeuge 15 – Mons 25.

XX **Bagacum**, r. Audignies (rte Avesnes-sur-Helpe) ℰ 03 27 66 87 00, pierre-lesne@wanadoo .fr, Fax 03 27 66 86 44, 🏠 – 🅿. 🆎 🇬🇧 🇯🇨🇧
fermé dim. soir et lundi sauf fériés – Repas 16,46/41,92 bc

XX **Bourgogne**, porte Gommeries ℰ 03 27 63 12 58, Fax 03 27 66 99 74 – 🅿. 🆎 🇬🇧
fermé 29 juil. au 19 août, 17 fév. au 3 mars, merc. soir, dim. soir et lundi – Repas 19 (déj.) 30/52, enf. 9,15

BAVELLA (col de) 2A Corse-du-Sud 🔠🔠 ⑦ – voir à Corse.

BAYARD (Col) 05 H.-Alpes 🔠🔠 ⑯ G. Alpes du Nord – ⊠ 05500 St-Bonnet-en-Champsaur.
Paris 667 – Gap 8 – La Mure 57 – Sisteron 61.

à Laye Nord : 2,5 km par N 85 – 212 h. alt. 1170 – ⊠ 05500 St-Bonnet-en-Champsaur :

X **Laiterie du Col Bayard**, ℰ 04 92 50 50 06, colbayard@wanadoo.fr, Fax 04 92 50 19 9
🏠 – 🅿. 🇬🇧
fermé 12 nov. au 18 déc., mardi soir, merc. soir, jeudi soir et lundi hors vacances scolaire.
Repas - préparations à base de fromages - 12,95/30,18 bc ⅛, enf. 8,38

BAYEUX 📶 14400 Calvados 🔠🔠 ⑮ G. Normandie Cotentin – 14 961 h alt. 50.
Voir Tapisserie dite "de la reine Mathilde" ★★★ – Cathédrale Notre-Dame★★ – Musé mémorial de la bataille de Normandie★ Y M¹ – Maison à colombage★ (rue St-Mart
Z N.

🏢 Office du tourisme Pont Saint-Jean ℰ 02 31 51 28 28, Fax 02 31 51 28 29, baye tourisme@mail.cpod.fr.

Paris 264 ① – Caen 30 ① – Cherbourg 96 ④ – Flers 68 ② – St-Lô 36 ③ – Vire 61 ②.

Plan page ci-contre

🏨🏨 **Lion d'Or**, 71 r. St Jean ℰ 02 31 92 06 90, lion.d-or.bayeux@wanadoo.
Fax 02 31 22 15 64, « Ancien relais de poste », – 📺 🅿 🆎 ① 🇬🇧 🇯🇨🇧   Z
fermé 22 déc. au 23 janv. – Repas 17 (déj.), 23/37 ♀, enf. 12,20 – ☲ 10 – 25 ch 69/102
½ P 67/83

🏨🏨 **Grand Hôtel du Luxembourg**, 25 r. Bouchers ℰ 02 31 92 00 04, hotel.luxembourg
wanadoo.fr, Fax 02 31 92 54 26, 🏠 – 🛗, 🍴 rest, 📺 📞 🅿 – 🔟 25. 🆎 ① 🇬🇧   Z
Repas (fermé 6 au 21 janv.) 15,24 (déj.), 23,62/32,77 ♀ – ☲ 10 – 27 ch 97/155 – ½ P 71,5
99,50

🏨🏨 **Novotel**, 117 r. St-Patrice ℰ 02 31 92 16 11, Fax 02 31 21 88 76, 🏠, ⬛, 🌳 – 🛗 ⇔ 📺
🖧 🅿 – 🔟 15 à 150. 🆎 ① 🇬🇧   Y
Repas carte env. 9 – ☲ 9,15 – 77 ch 73/84

🏨 **Château de Bellefontaine** 🌿 sans rest, 49 rue Bellefontaine ℰ 02 31 22 00 10, ho
bellefontaine@wanadoo.fr, Fax 02 31 22 19 09, « Château du 18e siècle dans un parc », 🌳
🐾 – 🛗 📺 🖧 🅿 – 🔟 15 à 40. 🆎 🇬🇧   Y
fermé 2 janv. au 2 fév. – ☲ 9 – 15 ch 100/118

🏨 **Churchill** sans rest, 14 r. St-Jean ℰ 02 31 21 31 80, hotel-churchill@wanadoo.
Fax 02 31 21 41 66 – 📺 📞 🖧. 🆎 ① 🇬🇧. 🌸   Z
1er mars-12 nov. – ☲ 7 – 32 ch 66/95

🏨 **d'Argouges** 🌿 sans rest, 21 r. St-Patrice ℰ 02 31 92 88 86, dargouges@aol.com
Fax 02 31 92 69 16 – 📺 ⇔ 🅿. 🆎 ① 🇬🇧   Z
☲ 7 – 25 ch 62/76

🏨 **Brunville**, 9 r. G. Duhomme ℰ 02 31 21 18 00, Fax 02 31 51 70 89 – 🛗 📺 📞 🅿. 🆎 ① 🇬
Repas (10,51) – 13,26/22,71 ♀ – 33 ch 65 – ½ P 51   Z

🏨 **Reine Mathilde** sans rest, 23 r. Larcher ℰ 02 31 92 08 13, Fax 02 31 92 09 93 – 📺. 🇬
🌸   Z
fermé 15 déc. au 1er fév. et dim. de nov. à mars – ☲ 5,95 – 16 ch 44,21/45,73

🏨 **Mogador** sans rest, 20 r. A. Chartier ℰ 02 31 92 24 58, Fax 02 31 92 24 85 – 📺
🇬🇧   Z
fermé vacances de fév. – ☲ 5,50 – 14 ch 36/46

X **Bistrot de Paris**, pl. St-Patrice ℰ 02 31 92 00 82, Fax 02 31 92 00 82 – 🔳
🇬🇧   Z
fermé dim. et lundi – Repas 11,48/30,18 (sauf sam. soir)et carte 20 à 35

X **L'Amaryllis**, 32 r. St-Patrice ℰ 02 31 22 47 94, Fax 02 31 22 50 03 – 🇬🇧   Y
fermé 23 déc. au 31 janv., dim. soir du 18 nov. au 31 mars et lundi – Repas (11) – 15/28 ♀

X **Pommier**, 40 r. Cuisiniers ℰ 02 31 21 52 10, Fax 02 31 21 06 01 – 🆎 🇬🇧 🇯🇨🇧   Z
fermé 15 au 30 nov., 15 fév.au 15 mars, mardi et merc. – Repas 12/23 ⅛

BAYEUX

es pastilles numérotées
es plans de villes
①, ②, ③ sont répétées
ur les cartes Michelin
1/200 000.

lles facilitent
insi le passage
ntre les cartes
les guides Michelin.

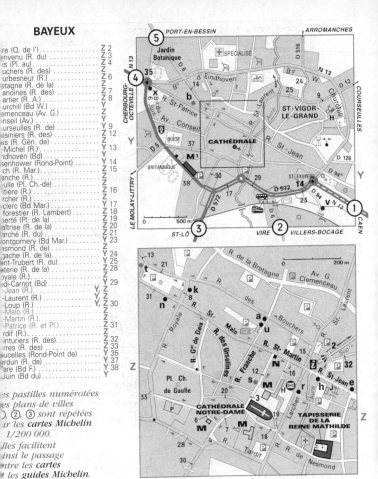

Audrieu *par ① et D 158 : 13 km – 839 h. alt. 71 –* ⌂ *14250 :*

 Château d'Audrieu ⌂, ✆ 02 31 80 21 52, *chateaudaudrieu@mail.cpod.fr,*
Fax 02 31 80 24 73, ≤, « *Château du 18ᵉ siècle, parc* », ⑊, ⚐ – 📺 🅿. 🆎 ⚏, ✗ rest
fermé 30 nov. au 14 fév. – **Repas** *(fermé lundi et le midi sauf sam., dim. et fériés)* 45/84 ⁎ –
⚏ 15 – **23 ch** 201/377, 6 appart – ½ P 141/263

te de Port-en-Bessin *par ⑤ : 3 km –* ⌂ *14400 Bayeux :*

 Château de Sully Ⓜ ⌂, ✆ 02 31 22 29 48, *chsully@club-internet.fr,*
⚘ *Fax 02 31 22 64 77,* « *Château du 18ᵉ siècle dans un parc* », 🛋, ⚐, ✾, ⚐ – 📺 ⚓ ⚐ 🅿 –
🄰 35. 🆎 ⚏ ⚏, ✗ rest
10 mars-25 nov. – **Repas** *(fermé lundi midi, mardi midi et sam. midi)* (nombre de couverts
limité, prévenir) *(20)* - 28/60 et carte 50 à 75 ⁎, enf. 14,50 – ⚏ 13 – **23 ch** 110/131 –
½ P 95/108
Spéc. Tournedos de Saint-Jacques au lard fumé (saison). Désossé de pigeonneau rôti au
four. Capuccino de café glacé.

A good moderately priced meal : ⚘ **Repas** 16/23

BAYONNE 64100 Pyr.-Atl. 78 ⑱ *G. Aquitaine – 40 078 h Agglo. 178 965 h alt. 3.*
Voir *Cathédrale Ste-Marie*★ *et Cloître*★ **B** – *Fêtes*★ *(début août)* – *Musée Bonnat*★★ **BY M**
Musée basque★★★.
de Biarritz-Anglet-Bayonne : ☎ 05 59 43 83 83, SO : 5 km par N 10 **AZ.**
Office du tourisme Place des Basques ☎ 05 59 46 01 46, Fax 05 59 59 37 55, Bayon
tourisme@wanadoo.fr.
Paris 769 ③ – Biarritz 9 – Bordeaux 184 ③ – Pamplona 112 ⑥ – San Sebastián 57 ⑥.

Accès et sorties : voir à Biarritz.

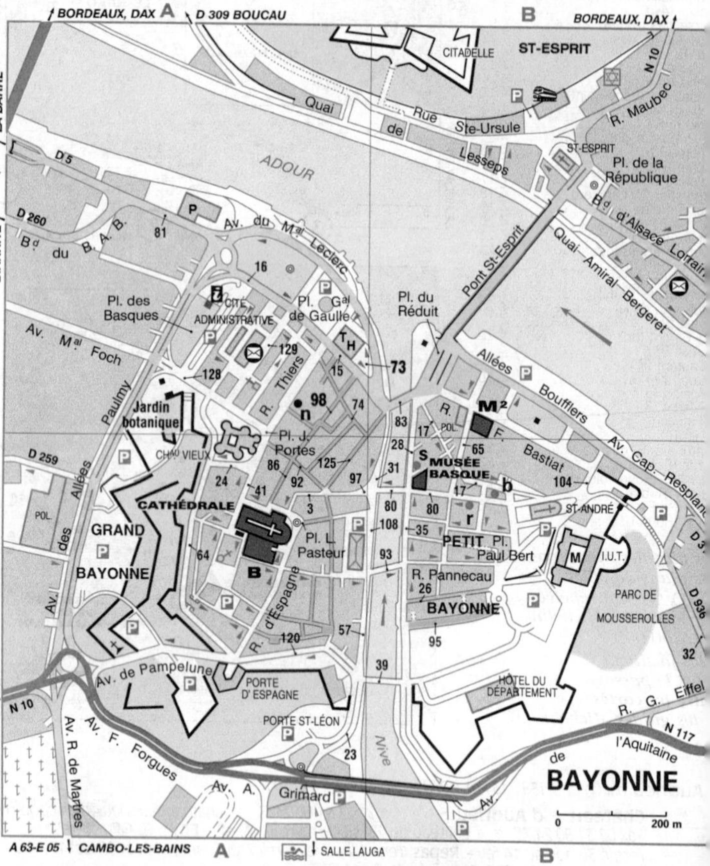

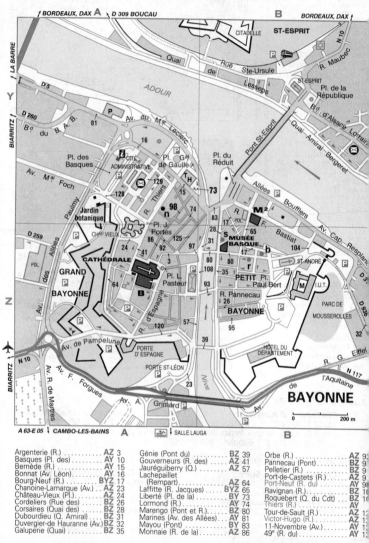

Grand Hôtel, 21 r. Thiers ☎ 05 59 59 62 00, *infos@bw-legrandhotel.co*
Fax 05 59 59 62 01 – . AE GB AY
fermé fév., sam. et dim. d'oct. à juin – **Repas** 14,50/21,50, enf. 9,20 – 10 – **54 c**
77/114 – ½ P 66,50/73,50

XXX **Auberge du Cheval Blanc** (Tellechea), 68 r. Bourgneuf ℰ 05 59 59 01 33,
Fax 05 59 59 52 26 – 🗏, AE ① GB   BZ **b**
fermé 1ᵉʳ au 8 juil., 1ᵉʳ au 5 août, 3 au 26 fév., dim. soir et lundi sauf août – **Repas** 22,50/58 et
carte 45 à 65 ℉
Spéc. Merlu rôti aux oignons et jus de volaille. Saint-Jacques poêlées, pipérade et tuile à
l'Ibaïona (oct. à mars). Parmentier de "Xamango" au jus de veau truffé. **Vins** Irouléguy,
Madiran.

XX **François Miura**, 24 r. Marengo ℰ 05 59 59 49 89   BZ **r**
🗏, AE ① GB
fermé dim. soir et merc. – **Repas** 18,30/29 ℉, enf. 7,62

X **Bayonnais**, 38 quai Corsaires ℰ 05 59 25 61 19, Fax 05 59 59 00 64, 斎 – GB   BZ **s**
fermé 1ᵉʳ au 15 juin, nov., dim. soir et lundi – **Repas** 14,94 (sauf dim.) et carte 26
à 36

AZAS 33430 Gironde **79** ② G. Aquitaine – 4 357 h alt. 70.
Voir Cathédrale St-Jean★ – Château de Cazeneuve★★ SO : 11 km par D 9 – Château de
Roquetaillade★★ NO : 2 km – Collégiale d'Uzeste★.
🛿 Office du tourisme 1 place de la Cathédrale ℰ 05 56 25 25 84, Fax 05 56 25 25 84,
bazas@fnotsi.net.
Paris 640 – Bordeaux 63 – Agen 84 – Bergerac 102 – Langon 17 – Mont-de-Marsan 70.

🏛 **Domaine de Fompeyre** 🕭, rte Mont-de-Marsan ℰ 05 56 25 98 00, domainede
fompeyre@wanadoo.fr, Fax 05 56 25 16 25, 斎, « Parc, installations de loisirs », 🛋, 🖾, ⚘,
🎾 – 📳, 🗏 rest, 🖵 📞 🖫 🖸 – 🛦 20 à 130. AE GB
fermé dim. soir sauf du 1ᵉʳ mars au 20 oct. – **Repas** 29/39, enf. 11 – 🖙 9 – **50 ch** 75/126 –
½ P 74/95

Les pages explicatives de l'introduction
vous aideront à mieux profiter de votre **Guide Rouge Michelin**

AZEILLES 08 Ardennes **53** ⑲ – rattaché à Sedan.

AZINCOURT-SUR-EPTE 27 Eure **55** ⑧ ⑨ – rattaché à Gisors.

BEAUCAIRE 30300 Gard **81** ⑪ G. Provence – 13 748 h alt. 18.
Voir Château★.
🛿 Office du tourisme 24 cours Gambetta ℰ 04 66 59 26 57, Fax 04 66 59 68 51,
beaucaire@mnet.fr.
Paris 708 ⑦ – Avignon 25 ④ – Arles 18 ④ – Nîmes 25 ⑥.

BEAUCAIRE

ne réservation
onfirmée par écrit
st toujours plus sûre.

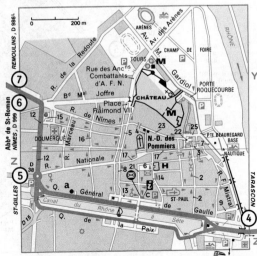

Les Doctrinaires, quai Gén. de Gaulle ✆ 04 66 59 23 70, *Fax 04 66 59 22 26*, –
♿ P – 40. GB
Repas *(fermé sam. midi)* 14,94/36,58 ♀, enf. 9,15 – ☕ 8,38 – **32 ch** 50,31/68,60
½ P 51,83/60,98

Le BEAUCET *84 Vaucluse* 81 ⑬ *– rattaché à Carpentras.*

BEAUDÉAN *65 H.-Pyr.* 85 ⑱ *– rattaché à Bagnères-de-Bigorre.*

BEAUFORT *73270 Savoie* 74 ⑰ ⑱ *G. Alpes du Nord – 1 985 h alt. 750.*

Voir *Beaufortain★★.*
Env. *N.-D.de Bellecombe ※ ★★.*
Office du tourisme ✆ 04 79 38 37 57, Fax 04 79 38 16 70, otareches-beaufor wanadoo.fr.
Paris 603 – Albertville 20 – Chambéry 72 – Megève 37.

Grand Mont, ✆ 04 79 38 33 36, *Fax 04 79 38 39 07* – TV. GB
fermé 28 avril au 10 mai, 1er oct. au 4 nov., vend. soir et sam. midi hors vacances scolaires
Repas *(10,67)* - 19/26,50 ♀, enf. 9,95 – ☕ 7,55 – **13 ch** 42,69/54,12 – ½ P 50,31/53,36

Roche, ✆ 04 79 38 33 31, *Fax 04 79 38 38 60*, – P. GB
fermé 2 au 21 avril et 25 oct. au 16 déc. – **Repas** *(fermé dim. soir sauf juil.-août et fé*
15/23 ♀ – ☕ 6 – **17 ch** 25/36 – ½ P 37

The Guide changes, so renew your Guide every year.

BEAUGENCY *45190 Loiret* 64 ⑧ *G. Châteaux de la Loire – 7 106 h alt. 99.*

Voir *Église Notre-Dame★ – Donjon★ – Tentures★ dans l'hôtel de ville* **H** *– Musée régional d l'Orléanais★ dans le château.*
Office du tourisme 3 place Dr Hyvernaud ✆ 02 38 44 54 42, Fax 02 38 46 45 3 tourisme.beaugency@wanadoo.fr.
Paris 153 ① – Orléans 32 ① – Blois 36 ④ – Châteaudun 42 ⑥ – Vendôme 65 ⑤.

BEAUGENCY

Abbaye (R. de l')	2
Bretonnerie (R. de la)	3
Change (R. du)	4
Châteaudun (R. de)	5
Cordonnerie (R. de la)	6
Dr-Hyvernaud (Pl.)	8
Dunois (Pl.)	9
Maille-d'Or (R. de la)	10
Martroi (Pl. du)	
Pellieux (Passage)	12
Pont (R. du)	
Puits-de-l'Ange (R. du)	14
Sirène (R. de la)	15
Traîneau (R. du)	17
Trois-Marchands (R. des)	18

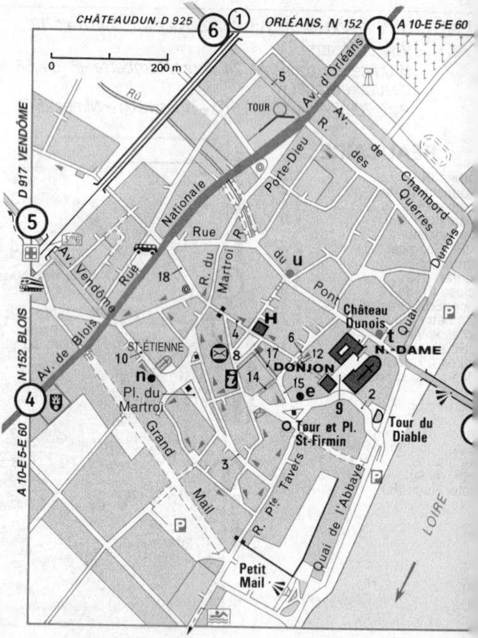

Dans la liste des rues des plans de villes, les noms en rouge indiquent les principales voies commerçantes.

🏨 **Hostellerie de l'Écu de Bretagne**, pl. Martroi (n) ℰ 02 38 44 67 60, ecu-de-bretagne
@wanadoo.fr, Fax 02 38 44 68 07 – 📺 ✆ 🅿 🕮 ◑ 🇬🇧
fermé Noël au Jour de l'An, lundi (sauf hôtel) et dim. soir de nov. à fév. – **Repas** 18/35,83 ℤ –
☲ 6,10 – **27 ch** 32/77,75 – ½ P 46,50/60,22

🏨 **Sologne** sans rest, pl. St Firmin (e) ℰ 02 38 44 50 27, hotel-de-la-sologne-beaugency@
wanadoo.fr, Fax 02 38 44 90 19 – 📺 ✆ 🇬🇧
fermé 1ᵉʳ au 21 janv. – ☲ 7 – **16 ch** 40/69

%% **P'tit Bateau**, 54 r. Pont (u) ℰ 02 38 44 56 38, Fax 02 38 46 44 37, 🍽 – 🇬🇧
fermé 19 août au 4 sept., 28 oct. au 5 nov., 24 fév. au 4 mars, dim. soir, mardi midi et lundi –
Repas (15) 20/29 ℤ

% **Relais du Château**, 8 r. Pont (t) ℰ 02 38 44 55 10, relaischateau@aol.com,
Fax 02 38 44 11 02 – 🕮 🇬🇧
fermé vacances de fév., de Toussaint, mardi soir de sept. à juin et merc. – **Repas** 12,50/
27,50 ℤ

Baule par ① : 5 km – 1 657 h. alt. 103 – ⊠ 45130 :
Voir Meung-sur-Loire : église St-Liphard★ NE : 2 km.

%% **Auberge Gourmande**, ℰ 02 38 45 01 02, Fax 02 38 45 03 08, 🍽, 🚗 – 🕮 🇬🇧
fermé 21 août au 2 sept., dim. soir, lundi soir et merc. – **Repas** 14,03/35,06

Tavers par ④ et rte secondaire : 3 km – 1 215 h. alt. 100 – ⊠ 45190 :

🏨 **Tonnellerie** 🍸, près Église ℰ 02 38 44 68 15, tonelri@club-internet.fr,
Fax 02 38 44 10 01, 🍽, « Jardin fleuri », 🏊, 🚗 – 🛏 📺 ✆ 🕮 🇬🇧
fermé 26 déc au 28 fév. – **Repas** (fermé le midi sauf dim. et lundi) 25/45 ℤ, enf. 10 – ☲ 12 –
17 ch 90/170, 3 appart – ½ P 105/155

BEAUJEU 69430 Rhône 🔢 ⑨ G. Vallée du Rhône – 1 905 h alt. 293.
🅱 Office du tourisme Square de Grandhan ℰ 04 74 69 22 88, Fax 04 74 69 22 88,
Beaujeu.beaujolais@wanadoo.fr.
Paris 431 – Mâcon 36 – Roanne 62 – Bourg-en-Bresse 57 – Lyon 63.

%% **Anne de Beaujeu** 🍸 avec ch, ℰ 04 74 04 87 58, Fax 04 74 69 22 13, 🕮 – 📺 🅿. 🇬🇧
fermé 31 juil. au 13 août, 20 déc. au 20 janv., mardi midi, dim. soir et lundi – **Repas**
18/44,50 ℤ – ☲ 6,50 – **7 ch** 56/58,25 – ½ P 60/62

BEAULIEU 07460 Ardèche 🔢 ⑧ – 400 h alt. 130.
Paris 673 – Alès 40 – Aubenas 38 – Largentière 28 – Pont-St-Esprit 51 – Privas 68.

🏨 **Santoline** 🍸, Sud-Est : 1 km ℰ 04 75 39 01 91, Fax 04 75 39 38 79, ≤, 🍽, « Bâtisse du
16ᵉ siècle dans la garrigue », 🏊, 🚗 – 🇬🇧, ✂ rest
1ᵉʳ mai-30 sept. – **Repas** (dîner seul.)(résidents seul.) 26,68 – ☲ 9,38 – **8 ch** 57,93/94,52 –
½ P 59,45/83,85

BEAULIEU-EN-ARGONNE 55250 Meuse 🔢 ⑳ G. Champagne Ardenne – 30 h alt. 275.
Voir Pressoir★ dans l'ancienne abbaye.
Paris 242 – Bar-le-Duc 37 – Futeau 10 – Ste-Menehould 23 – Verdun 38.

🛖 **Hostellerie de l'Abbaye** 🍸, ℰ 03 29 70 72 81, Fax 03 29 70 71 19, ≤, 🍽, ✂ – ✆.
🇬🇧, ✂ ch
hôtel : 15 mars-1ᵉʳ nov. ; rest. : 15 mars-11 nov. et fermé merc. – **Repas** 14,48/28,97 🍷,
enf. 7,32 – ☲ 4,57 – **8 ch** 41,16/48,78 – ½ P 38,11/41,16

BEAULIEU-SUR-DORDOGNE 19120 Corrèze 🔢 ⑲ G. Berry Limousin – 1 286 h alt. 142.
Voir Église St-Pierre★★ : portail méridionale★★ – Vieille Ville★.
🅱 Office du tourisme Place Marbot ℰ 05 55 91 09 94, Fax 05 55 91 10 97, office.de.tou
risme.de.beaulieu.sur.dordogne@wanadoo.fr.
Paris 520 – Brive-la-Gaillarde 46 – Aurillac 68 – Figeac 59 – Sarlat-la-Canéda 73 – Tulle 39.

🏨 **Central Hôtel Fournié**, ℰ 05 55 91 01 34, Fax 05 55 91 23 57, 🍽 – 📺 🅿. 🇬🇧
1ᵉʳ avril-11 nov. et fermé mardi sauf de juil. à sept. – **Repas** 15,25/40 ℤ, enf. 10 – ☲ 6,10 –
23 ch 42,70/53,40 – ½ P 48/53

🏨 **Turenne**, ℰ 05 55 91 10 16, turenne02@infonie.fr, Fax 05 55 91 22 42, 🍽 – 📺 ✆. 🕮
🇬🇧
mi-mars-mi-nov. – **Repas** (fermé dim. soir et lundi) (prévenir) 16,77 (déj.), 22,87/62,50 bc ℤ,
enf. 10,67 – ☲ 6,86 – **15 ch** 41,16/42,62 – ½ P 42,69/45,73

%% **Les Charmilles** avec ch, ℰ 05 55 91 29 29, charme@club-internet.fr, Fax 05 55 91 29 30,
🍽 – 📺 ✆. 🇬🇧
Repas (fermé mardi et merc. d'oct. à mai) (11) 16/38 ℤ, enf. 10 – ☲ 7 – **8 ch** 50 – ½ P 45

BEAULIEU-SUR-LOIRE *45630 Loiret* 65 ⑫ *– 1 693 h alt. 156.*

Office du tourisme Place d'Armes ☎ 02 38 35 87 24, Fax 02 38 35 30 10, otsibe @wanadoo.fr.

Paris 173 – Auxerre 68 – Cosne-sur-Loire 19 – Gien 27 – Sancerre 29.

Relais des Sources, au bord du canal ☎ 02 38 37 17 77, *Fax 02 38 37 17 77*, – P. GB

fermé 27 août au 4 sept., 2 au 15 janv., mardi sauf le midi en été et merc. – **Rep** 13,72/23,62

BEAULIEU-SUR-MER *06310 Alpes-Mar.* 84 ⑩, 115 ㉗ *G. Côte d'Azur – 3 675 h – Casino.*

Voir *Site★ de la Villa Kerylos★ – Baie des Fourmis★.*

Office de tourisme pl. G. Clemenceau ☎ 04 93 01 02 21, Fax 04 93 01 44 tourisme@ot.beaulieu-sur-mer.fr.

Paris 941 ④ – Nice 9 ④ – Menton 20 ③.

BEAULIEU-SUR-MER

Albert-1er (Av.)	Z	
Alsace-Lorraine (Bd)	Y	
Cavell (Av. Edith)	Z	4
Clemenceau (Pl. et R.)	Y	5
Déroulède (Bd)	Y	
Doumer (R. Paul)	Z	6
Dunan (Av. F.)	Z	
Edouard-VII (Bd)	Y	
Eiffel (R.)	Z	
Gaulle (Pl. Charles-de)	Y	
Gauthier (Bd Eugène)	Y	13
Hellènes (Av. des)	Z	14
Joffre (Bd Maréchal)	Z	
Leclerc (Bd Maréchal)	Z	18
Marinoni (Bd)	Y	19
May (Av. F.)	Z	21
Myrtes (Ch. des)	Y	
Orangers (Montée des)	Z	22
Rouvier (Promenade de M.)	Z	
St-Jean (Pont)	Z	
Yougoslavie (R. de)	Z	27

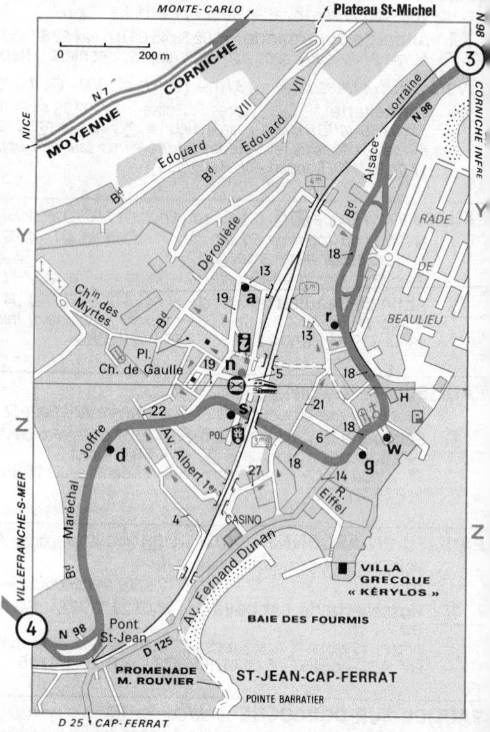

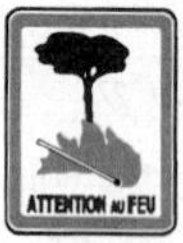

Le feu
est le plus terrible
ennemi de la forêt.
Soyez prudent !

Réserve de Beaulieu, bd Mar. Leclerc ☎ 04 93 01 00 01, *reserve@wanadoo.f* *Fax 04 93 01 28 99*, ← mer, , « En bordure de mer », – , ch, . AE GB

fermé 1er nov. au 20 déc. – **Repas** (dîner seul. de juin à sept.) 46 (déj.), 65/130 et carte 120 190 – 28 – **34 ch** 665/1250, 4 appart

Spéc. Thon et poivrons marinés à la julienne de jabugo (été-automne). Loup de Méditerra née au bellet rouge et poire épicée. Blancs de pigeon rôti au coeur de laitue, truffes e crémeux de parmesan **Vins** Bellet, Bandol

Métropole, bd Mar. Leclerc ☎ 04 93 01 00 08, *metropole@relaischateaux.f* *Fax 04 93 01 18 51*, ← mer, , « Vaste terrasse sur mer, parc », , , – AE GB JCB

fermé 20 oct. au 20 déc. – **Repas** 55 bc (déj.), 70/80, enf. 30 – 22 – **35 ch** 200/55 5 appart – 1/2 P 200/345

Frisia sans rest, bd E. Gauthier ✆ 04 93 01 01 04, *info@hotel-frisia.com, Fax 04 93 01 31 92*, ≤ – |‡| ▤ TV ✆. AE GB Y r
fermé 10 nov. au 11 déc. – ☕ 9 – **32 ch** 77/112

Comté de Nice sans rest, bd Marinoni ✆ 04 93 01 19 70, *contact@hotel-comtedenice.com, Fax 04 93 01 23 09* – |‡| ▤ TV ✆. AE ⓓ GB JCB Y a
☕ 7,65 – **32 ch** 88,50

Artémis sans rest, 3 bd Mar. Joffre ✆ 04 93 01 12 15, *artemishotel@libertysurf.fr, Fax 04 93 01 27 46* – |‡| ▤ TV P. AE ⓓ GB Z s
☕ 10 – **69 ch** 115,86

Havre Bleu sans rest, bd Mar. Joffre ✆ 04 93 01 01 40, *pascal.cheruy@wanadoo.fr, Fax 04 93 01 29 92* – TV P. AE ⓓ GB. ✂ Z d
fermé 5 au 25 janv. – ☕ 6 – **22 ch** 50/55

Les Agaves, 4 av. Mar. Foch ✆ 04 93 01 13 12, *Fax 04 93 01 13 12* – ▤. AE GB Y n
fermé 15 nov. au 15 déc., mardi midi, merc. midi et lundi – **Repas** 28,20

utres ressources hôtelières : *voir à* ***St-Jean-Cap-Ferrat***

EAUMESNIL *27410 Eure* 54 ⑲ *G. Normandie Vallée de la Seine* – *562 h alt. 169.*

Voir Château★.

ℹ *Office du tourisme 12 rue du Château ✆ 02 32 46 45 58, Fax 02 32 45 10 05.*

Paris 137 – Rouen 61 – Bernay 13 – Dreux 66 – Évreux 39.

L'Étape Louis XIII (Ravinel), ✆ 02 32 44 44 72, *Fax 02 32 45 53 84*, ☂, « Maison normande du 17ᵉ siècle », 🚗 – P. AE GB
fermé 24 juin au 10 juil., 28 oct. au 6 nov., vacances de fév., merc. sauf juil.-août et mardi – **Repas** (nombre de couverts limité, prévenir) 22/55 ♀, enf. 16
Spéc. Galette de pied de cochon et homard. Marbré de filet de boeuf à l'andouille de Vire. Soufflé au calvados.

---

es BEAUMETTES *84 Vaucluse* 81 ⑬ – *rattaché à Gordes.*

EAUMONT-DE-LOMAGNE *82500 T.-et-G.* 82 ⑥ *G. Midi Pyrénées* – *3 690 h alt. 400.*

ℹ *Office du tourisme 3 rue Pierre Fermat ✆ 05 63 02 42 32, Fax 05 63 65 61 17.*

Paris 681 – Auch 51 – Toulouse 61 – Agen 60 – Condom 57 – Montauban 36.

Commerce avec ch, r. Mar. Foch ✆ 05 63 02 31 02, *Fax 05 63 65 26 22*, ☂ – ▤ rest, TV 🚗. AE ⓓ GB. ✂ ch
fermé 8 au 21 avril, 30 sept. au 6 oct., dim. soir et lundi – **Repas** 14,50/30 – ☕ 5,50 – **12 ch** 37/40 – 1/2 P 36

EAUMONT-DU-VENTOUX *84340 Vaucluse* 81 ③ – *286 h alt. 360.*

Paris 681 – Avignon 46 – Carpentras 21 – Nyons 28 – Vaison-la-Romaine 12.

La Maison avec ch, ✆ 04 90 65 15 50, *Fax 04 90 65 23 29*, ☂ – GB
20 avril-10 nov. – **Repas** *(fermé lundi et mardi de sept. à juin et le midi en juil.-août sauf dim.)* 26 – ☕ 8 – **3 ch** 54/64 – 1/2 P 58/65

EAUMONT-EN-AUGE *14950 Calvados* 55 ③ *G. Normandie Vallée de la Seine* – *496 h alt. 90.*

Paris 200 – Caen 40 – Le Havre 45 – Deauville 12 – Lisieux 27 – Pont-l'Évêque 7.

Auberge de l'Abbaye, ✆ 02 31 64 82 31, *Fax 02 31 64 81 63*, « Cadre rustique normand » – AE GB
fermé 1ᵉʳ au 9 oct., 6 au 30 janv., mardi et merc. – **Repas** 26/48 ♀

EAUMONT-EN-VERON *37 I.-et-L.* 67 ⑨ – *rattaché à Chinon.*

EAUMONT-SUR-SARTHE *72170 Sarthe* 60 ⑬ – *1 973 h alt. 76.*

ℹ *Syndicat d'initiative - Mairie ✆ 02 43 33 03 03, Fax 02 43 97 02 21, beaumont.sur.sarthe@wanadoo.fr.*

Paris 223 – Alençon 24 – Le Mans 29 – La Ferté-Bernard 70 – Mamers 25 – Mayenne 62.

Chemin de Fer avec ch, à la Gare Est : 1,5 km par D 26 ✉ 72170 Vivoin ✆ 02 43 97 00 05, *hotel-du-chemin-de-fer@wanadoo.fr, Fax 02 43 97 87 49*, 🚗 – TV ✆ 🚗. AE ⓓ GB
fermé 19 oct. au 6 nov., vacances de fév., vend. soir, sam. midi et dim. soir – **Repas** (11) - 13,50 (déj.), 18,50/37,50 ♀, enf. 9,50 – ☕ 5 – **14 ch** 43/58 – 1/2 P 34/46,50

BEAUNE ⚐ 21200 Côte-d'Or **69** ⑨ G. Bourgogne – 21 923 h alt. 220.

Voir Hôtel-Dieu★★★ : polyptyque du Jugement dernier★★★, Grand'salle salle ou chambre des pauvres★★★ – Collégiale Notre-Dame★ : tapisseries★★ – Hôtel de la Rochepot★ AY M¹ – Remparts★ AYZ M¹.

Env. Archéodrome de Bourgogne★ S : 7 km.

🛈 Office du tourisme 1 rue de l'Hôtel-Dieu ℘ 03 80 26 21 30, Fax 03 80 26 21 39, ot.beaune@wanadoo.fr.

Paris 312 ③ – Autun 49 ④ – Chalon-sur-Saône 30 ③ – Dijon 45 ③ – Dole 65 ③.

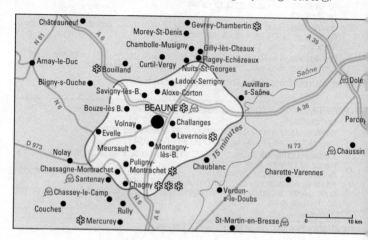

🏨 **Cep** ⟡ sans rest, 27 r. Maufoux ℘ 03 80 22 35 48, resa@hotel-cep-beaune.com, Fax 03 80 22 76 80 – 🛗 ▤ 🔟 🕾 ﹠ 🚗 🅿 – 🔌 70. 🖭 ⓞ 🕾 🖼 ☑ 15 – **57 ch** 153/320 AZ

🏨 **Poste,** 5 bd Clemenceau ℘ 03 80 22 08 11, francoise.stratigos@wanadoo.fr, Fax 03 80 24 19 71, 🏠, 🌶 – 🛗, ▤ ch, 🔟 🕾 🚗 – 🔌 25. 🖭 ⓞ 🕾 🖼 AZ
Repas 18,30/38 – ☑ 13 – **21 ch** 106/168, 9 appart – ½ P 96/127

🏨 **Bleu Marine** Ⓜ, 12 bd Mar. Foch ℘ 03 80 24 01 01, bleumarine.beaune@wanadoo.fr, Fax 03 80 24 09 90, 🏠, 🌶 – 🛗 🔆 ▤ 🔟 🕾 ﹠ 🚗 🅿 – 🔌 80. 🖭 ⓞ 🕾 🖼 AY
Clos du Cèdre (fermé dim. sauf le soir d'avril à oct.) Repas 16(déj.)26/50 ☑, enf. 12 – ☑ 10 **34 ch** 79/129, 6 duplex – ½ P 71/95

🏨 **Mercure** Ⓜ, av. Ch. de Gaulle ℘ 03 80 22 22 00, H1217@accor-hotels.com, Fax 03 80 22 91 74, 🏠, ⚊, – 🛗 🔆 ▤ 🔟 🕾 ﹠ 🅿 – 🔌 90. 🖭 ⓞ 🕾 🖼 AZ
Repas (fermé sam. et dim. de déc. à fév.) 21/25 ☑, enf. 10 – ☑ 11 – **107 ch** 89/135

🏨 **Henry II** sans rest, 12 r. Fg St-Nicolas ℘ 03 80 22 83 84, Fax 03 80 24 15 13 – 🛗 ▤ 🔟 🕾 🚗. 🖭 ⓞ 🕾 🖼 ⚘ AY
50 ch ☑ 74,70/128,05

🏨 **Closerie** ⟡ sans rest, par ④ rte Autun N 74 ℘ 03 80 22 15 07, closeriequalityhotel@wanadoo.fr, Fax 03 80 24 16 22, ⚊, 🌶 – 🔟 🕾 ﹠ 🅿 🖭 ⓞ 🕾 🖼
fermé 24 déc. au 15 janv. – ☑ 9,50 – **46 ch** 50/99

🏨 **Panorama,** 74 rte Pommard par ④ ℘ 03 80 26 22 17, hotel@le-panorama.com, Fax 03 80 26 22 18, ⚊, 🌶 – 🔟 🕾 🅿 – 🔌 40. 🖭 ⓞ 🕾. ⚘ rest
fermé 20 déc. au 1er mars – **Repas** (dîner seul.)(résidents seul.) 18/44 ☑, enf. 9,15 – ☑ 9 **65 ch** 65/107

🏨 **Belle Époque** sans rest, 15 r. Fg Bretonnière ℘ 03 80 24 66 15, hotelbelleepoque.gaban@wanadoo.fr, Fax 03 80 24 17 49, 🌶 – 🔟 🕾 🖭 🕾
fermé 24 nov. au16 déc. – ☑ 7,50 – **16 ch** 68/106 AZ

🏨 **Hostellerie de Bretonnière** sans rest, 43 r. Fg Bretonnière ℘ 03 80 22 15 77, bretonniere@free.fr, Fax 03 80 22 72 54 – 🔆 🔟 🕾 🅿 🖭 ⓞ 🕾
fermé 19 nov. au 19 déc. et dim. du 20 déc. au 28 fév. – ☑ 7 – **24 ch** 51/71 AZ

🏨 **Central,** 2 r. V. Millot ℘ 03 80 24 77 24, hotel.central.beaune@wanadoo.fr, Fax 03 80 22 30 40 – 🔟 🕾 🖭 🕾 AZ
fermé 20 nov. au 20 déc. – **Cheval Blanc** ℘ 03 80 24 69 70 (fermé merc. hors saison)
Repas 22/38 ☑, enf. 13 – ☑ 9 – **20 ch** 59/139

BEAUNE

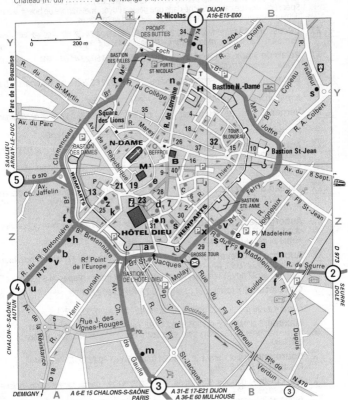

Grillon ⊗ sans rest, 21 rte Seurre par ② : 1 km ℘ 03 80 22 44 25, Fax 03 80 24 94 89, 🐀 . – 🛠 📺 🅿 🆎 ⓪ ☒
fermé 1ᵉʳ fév. au 3 mars – ☲ 6 – **18 ch** 45/60

Cloche, 42 r. Fg Madeleine ℘ 03 80 24 66 33, *hotel.cloche.beaune@wanadoo.fr,* Fax 03 80 24 04 24, 🐀 – ■ rest, 📺 📞 🅿 🆎 ⓪ ☒ ☒   BZ **b**
fermé 24 déc. au 18 janv. – **Repas** *(fermé 1ᵉʳ au 25 janv., lundi et mardi)* 12,50/25,76 ♀, enf. 8,39 – ☲ 7,60 – **22 ch** 53,40/65 – ½ P 49

Paix sans rest, 45 r. Fg Madeleine ℘ 03 80 24 78 08, Fax 03 80 24 10 18 – 📺 🆎 ☒ ☒   BZ **n**
fermé 23 déc. au 17 janv. – ☲ 7,50 – **10 ch** 68,90

Villa Fleurie sans rest, 19 pl. Colbert ℘ 03 80 22 66 00, Fax 03 80 22 45 46, 🐀 – 📺 📞 🅿 🆎 ☒   BY **s**
mars-nov. – ☲ 8 – **10 ch** 62/70

Alésia sans rest, 4 av. Sablières, rte Dijon par ① : 1 km ℘ 03 80 22 63 27, *hotel.alesia@wanadoo.fr,* Fax 03 80 24 95 28 – 📺 📞 🅿 ☒
fermé 15 déc. au 20 janv. – ☲ 5,50 – **15 ch** 30/53

Beaun Hôtel sans rest, 55 bis r. Fg Bretonnière ℘ 03 80 22 11 01, *beaunehotel@aol.com,* Fax 03 80 22 46 66 – 📺 📞 🛠 🅿 🆎 ☒   AZ **u**
5 mars-30 nov. – ☲ 6,10 – **21 ch** 42/56

XXX **Bernard Morillon**, 31 r. Maufoux ☎ 03 80 24 12 06, Fax 03 80 22 66 22, ♔ – AE ⓞ
JCB
AZ
fermé janv., mardi midi, merc. midi et lundi – Repas 28,97/75,46 et carte 60 à 85 Ⓨ

XXX **Jardin des Remparts** (Chanliaud), 10 r. Hôtel-Dieu ☎ 03 80 24 79 41, lejardin@club-i
rnet.fr, Fax 03 80 24 92 79, ♔ – P. GB
AZ
✿ *fermé 1er au 10 mars, 1er au 5 août, dim. et lundi* – Repas 27/66 et carte 44 à 58 Ⓨ
Spéc. Foie gras de canard poché dans une gelée à l'hydromel. Tartare de boeuf aux huît
Gâteau tiède au chocolat **Vins** Meursault, Pernand-Vergelesses.

XX **L'Écusson**, pl. Malmédy ☎ 03 80 24 03 82, Fax 03 80 24 74 02, ♔ – AE ⓞ GB JCB
BZ
fermé 4 fév. au 4 mars, merc. et dim. – Repas 22/45, enf. 11,50

XX **Relais de Saulx**, 6 r. L. Véry ☎ 03 80 22 01 35, Fax 03 80 22 41 01 – GB
AZ
fermé août, lundi midi et dim. – Repas 25,15/50,30

XX **Bénaton**, 25 r. Fg Bretonnière ☎ 03 80 22 00 26, lebenaton@libertysurf
⊛ Fax 03 80 22 51 95, ♔ – GB JCB
AZ
fermé jeudi sauf le soir en saison et merc. – Repas 20/41,50

XX **Verger**, 21 rte de Seurre par ② : 1 km ☎ 03 80 24 28 05, le.verger@wanadoo
⊛ Fax 03 80 24 28 05 – AE GB
fermé fév., merc. midi, jeudi midi et mardi – Repas 20/28,50, enf. 11,50

XX **Auberge Bourguignonne** avec ch., 4 pl. Madeleine ☎ 03 80 22 23 5
Fax 03 80 22 51 64 – ▤ rest, TV. GB
BZ
fermé 25 nov. au 18 déc., 16 fév. au 5 mars, et lundi sauf fériés – Repas 15/34 – ⌸ 6
10 ch 52/67

XX **Caveau des Arches**, 10 bd Perpreuil ☎ 03 80 22 10 37, restaurant.caveau.des.arche
wanadoo.fr, Fax 03 80 22 76 44, « Salles voûtées » – ▤, AE ⓞ GB JCB
ABZ
fermé 5 au 26 août, 23 déc. au 5 janv., dim. et lundi – Repas 20/26

XX **Auberge de la Toison d'Or**, 4 bd J. Ferry ☎ 03 80 22 29 62, toison.or.beaune@wa
⊛ doo.fr, Fax 03 80 24 07 11 – ▤. AE GB JCB
BZ
fermé 24 déc. au 3 janv., mardi soir et merc. – Repas 13/42 Ⓨ, enf. 10

XX **Auberge du Cheval Noir**, 17 bd St-Jacques ☎ 03 80 22 07 37, lechevalnoir@wanad
fr, Fax 03 80 24 06 92, ♔ – GB
AZ
fermé 21 au 27 nov., 17 fév. au 12 mars, mardi soir et merc. – Repas 14,64/32,01 bc Ⓨ

X **Ciboulette**, 69 r. Lorraine ☎ 03 80 24 70 72, Fax 03 80 22 79 71
AY
⊛ ▤. AE GB
fermé 4 au 28 fév., 5 au 22 août, lundi et mardi – Repas 17/22,20 Ⓨ

X **Maxime**, 3 pl. Madeleine ☎ 03 80 22 17 82, Fax 03 80 24 90 81, ♔ – AE GB
BZ
⊛ *fermé vacances de fév., dim. soir, jeudi soir d'oct. à Pâques et lundi* – Repas 13,13/30,4
enf. 8,80

X **Gourmandin**, 8 pl. Carnot ☎ 03 80 24 07 88, Fax 03 80 22 27 42 – ▤. GB
AZ
Repas 19,82/38,11 Ⓨ

X **Ma Cuisine**, passage Ste-Hélène ☎ 03 80 22 30 22, contact@cave-sainte-helene.co
Fax 03 80 24 99 79 – ▤. GB. ⌖
AZ
fermé août, vacances scolaires, merc. midi, sam. et dim. – Repas (nombre de couver
limité, prévenir) 15

X **Paradoxe**, 6 r. Fg Madeleine ☎ 03 80 22 63 94, Fax 03 80 24 20 42 – GB
BZ
fermé 23 fév. au 10 mars, sam. et dim. – Repas 15/34, enf. 8

X **P'tit Paradis**, 25 r. Paradis ☎ 03 80 24 91 00 – GB
AZ
fermé 11 au 19 mars, 11 au 20 août, 18 nov. au 10 déc., lundi et mardi – Repas (préven
11,43 (déj.), 14,94/26,68 Ⓨ

X **Les Tontons**, 22 r. Fg Madeleine ☎ 03 80 24 19 64, Fax 03 80 22 34 07 – GB
BZ
fermé 1er au 15 août, 30 déc. au 15 janv., dim. et lundi – Repas 16,50/33,50 Ⓨ

à Savigny-lès-Beaune par ①, D 18 et D 2 : 7 km – 1 392 h. alt. 237 – ✉ 21420 :
Voir Château★.
🛈 Syndicat d'initiative Rue Vauchey Very ☎ 03 80 26 12 56, Fax 03 80 21 56 63.

🏠 **Hameau de Barboron** ⌂ sans rest, ☎ 03 80 21 58 35, Fax 03 80 26 10 59, ♨ – TV ✆
– ⚿ 25. AE GB
⌸ 13 – **9 ch** 92/138, 3 duplex

🏠 **L'Ouvrée**, rte Bouilland ☎ 03 80 21 51 52, Fax 03 80 26 10 04, ♔ – TV ✆ P. GB
fermé 1er fév. au 15 mars – Repas 14/27 Ⓨ, enf. 10 – ⌸ 6 – **22 ch** 49/55 – ½ P 45/48

🏠 **Lud Hôtel** ⚭, 31 r. Cîteaux ☎ 03 80 21 53 24, Fax 03 80 21 59 26, ㋼, ⬛, – 📺 ⚟ 🅿 – 🔼 15. ⬛. ⬚
fermé 18 déc. au 4 janv. et 1ᵉʳ au 15 fév. – **Repas** (dîner seul.) 16/38 ⯑, enf. 13 – ⯑ 7 – **25 ch** 53/75 – ½ P 55

✗✗ **Cuverie**, 5 r. Chanoine Donin ☎ 03 80 21 50 03, Fax 03 80 21 50 03 – ⬛
fermé 20 déc. au 20 janv., mardi et merc. – **Repas** 15/35

de Dijon *par* ① : *4 km* – ⊠ *21200 Beaune :*

✗✗✗ **Ermitage de Corton** Ⓜ avec ch, ☎ 03 80 22 05 28, -, Fax 03 80 24 64 51, ≤, ㋼, ㋲ – 📺 ⚟ 🅿 ⬛ ⑩ ⬛
fermé mi-janv. à mi-fév. – **Repas** *(fermé mardi midi, dim. soir et lundi)* 38/84 et carte 65 à 110 ⯑ – ⯑ 20 – **1 ch** 200, 9 appart 205/300

Aloxe-Corton *par* ① : *6 km* – 187 *h. alt.* 255 – ⊠ *21420 :*

🏠 **Villa Louise** ⚭ sans rest, ☎ 03 80 26 46 70, hotel-villa-louise@wanadoo.fr, Fax 03 80 26 47 16, ㋲ – 📺 ⚟ 🅿. ⬛
⯑ 12 – **10 ch** 145

adoix-Serrigny *par* ① *et N 74 : 7 km* – 1 549 *h. alt.* 200 – ⊠ *21550 :*

🏠 **Gremelle**, N 74 ☎ 03 80 26 40 56, lagremelle@aol.com, Fax 03 80 26 48 23, ㋼, ⬛, ㋲ – 📺 ⚟ 🅿 ⬛ ⑩ ⬛
1ᵉʳ mars-30 nov. – **Repas** 23,63/44,21, enf. 10,67 – ⯑ 8,38 – **20 ch** 53,35/68,60 – ½ P 60,97

✗✗ **Les Coquines**, à Buisson ☎ 03 80 26 43 58, Fax 03 80 26 49 59, ㋼, ㋲ – 🅿. ⬛ ⑩ ⬛ ⬛
fermé 22 au 29 déc., 12 au 21 fév., merc. et jeudi – **Repas** 25,15/37,35 ⯑

✗ **Les Terrasses de Corton** avec ch, ☎ 03 80 26 42 37, patrice.sanchez3@wanadoo.fr, Fax 03 80 26 42 13, ㋼ – 📺 🅿. ⬛
fermé 21 janv. au 2 mars, mardi soir et merc. d'oct. à mars – **Repas** 15,50/35,50, enf. 9,20 – ⯑ 6,10 – **10 ch** 35/42,50 – ½ P 75

Challanges *par* ② *puis D 111 : 4 km* – ⊠ *21200 Beaune :*

🏠 **Château de Challanges** Ⓜ ⚭ sans rest, r. Templiers ☎ 03 80 26 32 62, Fax 03 80 26 32 52, « Belle demeure dans un parc », 🅿️ – 📺 ⚟ 🅿 – 🔼 15. ⬛ ⑩ ⬛ ⬛. ⬚
fermé 20 déc. au 15 janv. – ⯑ 9,20 – **9 ch** 80,80, 5 appart

Sud-Est près de l'échangeur A 6 *par* ③ : *2 km* – ⊠ *21200 Beaune :*

🏠 **Novotel** Ⓜ, av. Ch. de Gaulle ☎ 03 80 24 59 00, h1177@accor-hotels.com, Fax 03 80 24 59 29, ㋼, ⬛, – 📺 ⚟ 🅿 – 🔼 150. ⬛ ⑩ ⬛ ⬛
Repas carte 23 à 30 ⯑, enf. 8 – ⯑ 10,50 – **127 ch** 85/102

🏠 **Relais Motel 21**, rte Verdun ☎ 03 80 24 15 30, relaismotel21@wanadoo.fr, Fax 03 80 24 16 10, ㋼, ⬛, ㋲ – 📺 ⚟ ⬛ 🅿 – 🔼 30. ⬛ ⑩ ⬛
Repas 13,75/22,90 ⯑, enf. 9,95 – ⯑ 5,80 – **46 ch** 44,98

Levernois *Sud-Est : 5 km par rte de Verdun-sur-le-Doubs, D 970 et D 111ᴸ* - BZ – 285 *h. alt.* 198 – ⊠ *21200 :*

🏠 **Colvert Golf Hôtel** Ⓜ ⚭ sans rest, ☎ 03 80 24 78 20, hotelcolvert@libertysurf.fr, Fax 03 80 24 77 70, ≤ – ⬛ 📺 ⚟ ⬛ ⬛. ⬛ ⑩ ⬛
fermé 15 déc. au 15 janv. – ⯑ 8 – **24 ch** 49/61

🏠 **Parc** ⚭ sans rest, ☎ 03 80 24 63 00, hotel.le.parc@wanadoo.fr, Fax 03 80 24 21 19, « Parc et cour-terrasse fleuris », 🅿️ – 📺 🅿. ⬛. ⬚
fermé 24 nov. au 23 janv. – ⯑ 6 – **25 ch** 45/83

✗✗✗ **Hostellerie de Levernois** (Crotet) Ⓜ ⚭ avec ch, rte Combertault ☎ 03 80 24 73 58, ✿ levernois@relaischateaux.fr, Fax 03 80 22 78 00, ㋼, « Jardin fleuri et parc », ㋲, ⬚, 🅿️ – ⬛ 📺 ⚟ 🅿 ⬛ ⑩ ⬛
fermé 1ᵉʳ déc. au 3 janv., dim. soir et mardi de nov. à mars – **Repas** *(fermé dim soir de nov. à mars, mardi sauf le soir d'avril à oct et merc. midi)* 23 (déj.), 60/103 et carte 70 à 110 ⯑, enf. 16 – ⯑ 19 – **16 ch** 168/191 – ½ P 176
Spéc. Escargots de Bourgogne en cocotte lutée. Canon d'agneau en croustille de pomme de terre. Poulet de Bresse rôti, pomme purée. **Vins** Bourgogne-Aligoté, Savigny-lès-Beaune.

✗ **Garaudière**, ☎ 03 80 22 47 70, Fax 03 80 22 64 01, ㋼, ㋲ – ⬛
fermé mi-janv. au 15 janv., sam. midi d'avril à nov., dim. de mi-janv. à fin mars et lundi – **Repas** grill 13,72/22,77

Montagny-lès-Beaune *par* ③ *et D 113 : 3 km* – 763 *h. alt.* 206 – ⊠ *21200 :*

🏠 **Les Genièvres** ⚭ sans rest, ☎ 03 80 22 37 74, Fax 03 80 24 23 18, ㋲ – 📺 ⬛ 🅿. ⬛ ⬛
fermé 20 déc. au 20 janv. et dim. du 1ᵉʳ nov. au 1ᵉʳ mars – ⯑ 6 – **19 ch** 26/45

à Meursault par ④ : 8 km – 1 538 h. alt. 243 – ⊠ 21190 :

🛈 Syndicat d'initiative Place de l'Hôtel de Ville ℘ 03 80 21 25 90, Fax 03 80 21 26 00.

🏠 **Magnolias** ⤳ sans rest, 8 r. P. Joigneaux ℘ 03 80 21 23 23, lesmagnolias@mageos.c▯
Fax 03 80 21 29 10, « Belle décoration intérieure » – ⇌ 𝗘 🄿 ꜰ GB. ⫫
15 mars-30 nov. – ⚏ 8 – **12 ch** 78/116

🏠 **Les Charmes** ⤳ sans rest, pl. Murger ℘ 03 80 21 63 53, Fax 03 80 21 62 89, ⋤, 🚗 –
𝗘 🄿 GB. ⫫
15 mars-1er déc. – ⚏ 7,70 – **14 ch** 75/96

🏠 **Motel Au Soleil Levant**, rte Beaune ℘ 03 80 21 23 47, Fax 03 80 21 65 67, 🏠 – 🄣
🄿 GB
Repas (fermé lundi et mardi) 12,96/24,39 – ⚏ 5,35 – **43 ch** 34,80/63

XX **Relais de la Diligence**, à la gare Sud-Est : 2,5 km par D 23 ℘ 03 80 21 21
Fax 03 80 21 64 69, ≤, 🏠 – 🄿 ꜰ ⓞ GB
fermé 9 déc. au 21 janv., mardi soir et merc. hors saison – **Repas** 13,60/36 ⅛, enf. 7,95

X **Bouchon**, pl. Hôtel-de-Ville ℘ 03 80 21 29 56, Fax 03 80 21 29 56 – ꜰ GB
fermé 20 nov. au 28 déc., dim. soir et lundi – **Repas** 10,06/25 ⅋, enf. 7,47

à Puligny-Montrachet par ④ et N 74 : 12 km – 466 h. alt. 227 – ⊠ 21190 :

🏠 **Montrachet** ⤳, ℘ 03 80 21 30 06, le-montrachet@wanadoo.fr, Fax 03 80 21 39 06 –
✿ 𝗘 ꜰ ⓞ GB. ⫫ rest
fermé 1er déc. au 10 janv. – **Repas** 35/71 et carte 52 à 68 ⅋, enf. 15 – ⚏ 11,50 – **32**
90/145
Spéc. Escargots de Bourgogne en coquille. Blanc de volaille au foie gras. Tarte chaude a▯
pommes. **Vins** Puligny-Montrachet, Chassagne-Montrachet.

à Volnay par ④ et N 74 – 355 h. alt. 290 – ⊠ 21190 :

X **Auberge des Vignes**, N 74 ℘ 03 80 22 24 48, aubergedesvignes.leneuf@caramail.c▯
Fax 03 80 22 24 48 – 🄿. GB
fermé 24 nov. au 4 déc., 2 fév. au 2 mars, dim. de mai à août, mardi soir et merc. – **Rep**
14,95/32,80

à Bouze-lès-Beaune par ⑤ et D 970 : 6,5 km – 247 h. alt. 400 – ⊠ 21200 :

X **Bouzerotte**, ℘ 03 80 26 01 37, la.bouzerotte@wanadoo.fr, Fax 03 80 26 09 37, 🏠 – ▯
fermé 2 au 10 sept., 25 déc. au 7 janv., 12 fév. au 4 mars, lundi et mardi – **Repas** (di▯
prévenir) 14/46

voir aussi ressource hôtelière de **Bouilland**

BEAUPRÉAU 49600 M.-et-L. 🟨 ⑤ G. Châteaux de la Loire – 6 217 h alt. 73.
🛈 Office du tourisme ℘ 02 41 75 38 31, Fax 02 41 75 38 28.
Paris 346 – Angers 53 – Ancenis 29 – Châteaubriant 75 – Cholet 19 – Nantes 52 – Saumur ▯

à la Chapelle-du-Genêt Sud-Ouest : 3 km – 1 002 h. alt. 95 – ⊠ 49600 :

XX **Auberge de la Source**, ℘ 02 41 63 03 89, Fax 02 41 63 35 34 – GB
fermé 1er au 19 août, dim. soir et lundi – **Repas** 16,50/40,40 ⅋

BEAURECUEIL 13 B.-du-R. 🟨 ③ – rattaché à Aix-en-Provence.

BEAUREPAIRE 38270 Isère 🟨 ② – 3 839 h alt. 259.
🛈 Office du tourisme Tour des Augustins ℘ 04 74 84 68 84, Fax 04 74 84 68 86.
Paris 522 – Annonay 42 – Grenoble 65 – Romans-sur-Isère 39 – St-Étienne 80 – Vienne 3▯

XXX **Fiard-Zorelle** avec ch, av. Terreaux ℘ 04 74 84 62 02, Fax 04 74 84 71 13 – 🄣 ✿ ⟨
🄑 15. ꜰ ⓞ GB
fermé dim. soir et lundi midi – **Repas** (16) - 25/65,55 et carte 48 à 64 ⅋ – ⚏ 6,86 – **15** ▯
48,78/60,98

aux Roches de Pajay Est : 3 km par D 519 – 796 h. alt. 358 – ⊠ 38260 Pajay :

X **Chandelier**, ℘ 04 74 84 66 67, 🏠 – 🄿. GB
fermé le soir – **Repas** 17/25 ⅛

Le BEAUSSET 83330 Var 🟨 ⑭, 🟦 ㊹ – 7 723 h alt. 167.
🛈 Office du tourisme Place Charles de Gaulle ℘ 04 94 90 55 10, Fax 04 94 98 51 83.
Paris 823 – Toulon 18 – Aix-en-Provence 66 – Marseille 46.

🏠 **Mas Lei Bancau** ⤳ sans rest, Sud : 2 km par N 8 et rte secondaire ℘ 04 94 90 27 7▯
Fax 04 94 90 29 00, ⋤, ✺ – 🄣 ⟨ 🄿. GB. ⫫
fermé 5 janv. au 5 fév. – ⚏ 6,86 – **8 ch** 70,13/89,18

Cigalière ⚓, Nord : 1,5 km par N 8 et rte secondaire ℰ 04 94 98 64 63, Fax 04 94 98 66 04, ㊟, ⴷ, ℁, ♨ – cuisinette 📺 🅿 – 🛆 25. ⒼⒷ. ⨯
fermé 20 au 30 oct. – **Repas** *(fermé dim. soir sauf juil.-août))* (dîner seul.) 18/21,50 ⵦ –
⚌ 6,60 – **14 ch** 55/62,50, 5 studios – ½ P 51/55,50

Fontaine des Saveurs, 17 bd Chanzy ℰ 04 94 98 50 01, Fax 04 94 98 50 01 – ℀ ⒼⒷ
🇯🇨🇧
fermé 8 nov. au 6 déc. et 7 au 20 janv. – **Repas** *(15,10)* - 22,60 (déj.)/30,18, enf. 9,80

BEAUVAIS 🅿 *60000 Oise* 🔠 ⑨ ⑩ Ⓖ *Picardie Flandres Artois* – 55 392 h Agglo. 100 733 h alt. 67.
Voir *Cathédrale St-Pierre*★★★ : *horloge astronomique*★ – *Église St-Étienne*★ : *vitraux*★★ et *arbre de Jessé*★★★ – *Musée départemental de l'Oise*★ *dans l'ancien palais épiscopal* M².
🄱 Office du tourisme 1 rue Beauregard ℰ 03 44 15 30 30, Fax 03 44 15 30 31, ot.beauvaisis
@wanadoo.fr.
Paris 88 ④ – *Compiègne 61* ③ – *Amiens 62* ② – *Boulogne-sur-Mer 185* ① – *Rouen 82* ⑤.

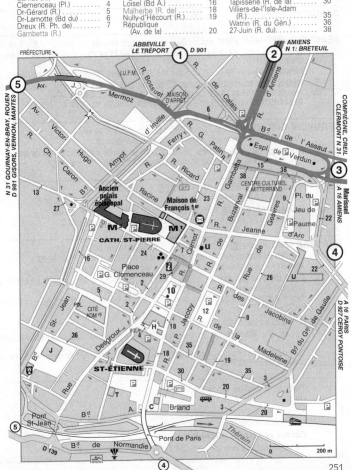

🏠 **Hostellerie St-Vincent** M, par ③ 3 km (zone St-Germain) ℰ 03 44 05 49 99, h.st.
🍴 cent@wanadoo.fr, Fax 03 44 05 52 94, 🐾 – 🗜 🕿 ₺ ₺ 🖪 – 🕭 70. 🖭 ⑩ 🖼
Repas (fermé sam. midi) 13/29 ♀, enf. 8 – 立 6,30 – **48 ch** 53/60 – ½ P 42

🏠 **Cygne** sans rest, 24 r. Carnot (u) ℰ 03 44 48 68 40, Fax 03 44 45 16 76 – 🗜. 🖼
🍴 fermé 25 déc. au 2 janv. – 立 5,80 – **21 ch** 32/48,02

🛌 **Résidence** ॐ sans rest, 24 r. L. Borel par ② et r. D. Maillart ℰ 03 44 48 30
Fax 03 44 45 09 42 – 🗜 🕿 🖪. 🖼
fermé 3 au 25 août et dim. d'oct. à avril – 立 5,50 – **22 ch** 32/46

par ④ et N 1 : 5 km – ✉ 60000 Beauvais :

🏨 **Mercure** M, quartier St-Lazare ℰ 03 44 02 80 80, h0350@accor-hotels.cc
Fax 03 44 02 12 50, 🍳 – ✳, 🗐 rest, 🗜 🕿 ₺ 🖪 – 🕭 40. 🖭 ⑩ 🖼
Repas carte environ 22 ₰ – 立 9 – **60 ch** 68/75

🍴🍴 **Bellevue,** ℰ 03 44 02 17 11, Fax 03 44 02 54 44 – 🗐 🖪. 🖭 🖼
fermé 10 au 25 août, sam. et dim. – **Repas** carte 25 à 39 ♀

par ⑤ rte de Rouen – ✉ 60000 Beauvais :

🍴🍴 **Belle du Coin,** 67 rte Rouen ℰ 03 44 45 07 24, didierbocquet@wanadoo
Fax 03 44 45 29 55 – 🖪. 🖭 🖼
fermé 15 au 31 août, dim. soir et lundi – **Repas** (15 bc) - 20,58/25,15 ♀, enf. 5,45

BEAUVOIR 50 Manche 59 ⑦ – rattaché au Mont-St-Michel.

BEAUVOIR-SUR-MER 85230 Vendée 87 ① ② G. Poitou Vendée Charentes – 3 399 h alt. 8.
🚪 Office du tourisme Rue Charles Gallet ℰ 02 51 68 71 13, Fax 02 51 49 05 04, otsibeauvc
@wanadoo.fr.
Paris 447 – Nantes 59 – La Roche-sur-Yon 58 – Challans 15 – Noirmoutier-en-l'Île 29.

🏠 **Relais des Touristes** (annexe 🏨 M), rte Gois ℰ 02 51 68 70 19, relaisdestouristes
🍴 free.fr, Fax 02 51 49 33 45, ₤, 🗐 – 🗜 🕿 ₺ 🖪 – 🕭 25. 🖭 ⑩ 🖼 🖬
Repas 10,80/36,60, enf. 8,70 – 立 5,90 – **41 ch** 52,60/64,10 – ½ P 47,30/50,35

BEAUVOIR-SUR-NIORT 79360 Deux-Sèvres 72 ① – 1 330 h alt. 66.
Paris 419 – La Rochelle 63 – Niort 17 – St-Jean-d'Angély 28.

🍴🍴 **Auberge des Voyageurs,** ℰ 05 49 09 70 16, Fax 05 49 09 65 78 – 🖭 ⑩ 🖼
🍴 fermé 6 au 19 janv., dim. soir et merc. – **Repas** 10,52/38,12 ♀, enf. 10,68

BEAUVOIS-EN-CAMBRÉSIS 59157 Nord 53 ④ – 1 994 h alt. 89.
Paris 191 – St-Quentin 40 – Arras 48 – Cambrai 12 – Valenciennes 35.

🍴🍴 **Buissonnière,** ℰ 03 27 85 29 97, Fax 03 27 76 25 74, 🐾 – 🖪. 🖭 🖼
fermé 1er au 21 août, dim. soir, merc. soir et lundi – **Repas** 19,06/32 ♀

BEAUZAC 43590 H.-Loire 76 ⑧ G. Vallée du Rhône – 2 061 h alt. 565.
🚪 Office du tourisme Place de l'Église ℰ 04 71 61 50 74, Fax 04 71 61 58 90.
Paris 561 – Le Puy-en-Velay 46 – St-Étienne 44 – Craponne-sur-Arzon 31.

🍴🍴 **L'Air du Temps** avec ch, à Confolent, Est : 4 km par D 461 ℰ 04 71 61 49 05, air.d
🍴 temps.hotel@wanadoo.fr, Fax 04 71 61 50 91 – 🗜 🕿. 🖭 🖼
fermé 2 au 9 sept., 2 au 30 janv., dim. soir et lundi – Repas 15/49 ♀, enf. 10 – 立 6,50 – **8 c**
41,50 – ½ P 40

à Bransac Sud : 3 km par D 42 – ✉ 43590 :

🍴🍴 **Table du Barret** M ॐ avec ch, ℰ 04 71 61 47 74, table.barret@wanadoo.f
Fax 04 71 61 52 73, 🐾 – 🗜 🕿 🖪. 🖼
fermé 21 oct. au 3 nov., 24 au 30 déc., fév., mardi soir, dim. soir et merc. – **Repas** 15/49
立 6 – **5 ch** 39 – ½ P 34

Participez à notre effort permanent
de mise à jour

Adressez-nous vos remarques
et vos suggestions.

Cartes et Guides Michelin

46 avenue de Breteuil - 75324 Paris Cedex 07

RIBEAUVILLÉ 68980 H.-Rhin 87 ⑰ G. Alsace Lorraine – 943 h alt. 212.

Paris 438 – Colmar 11 – Gérardmer 56 – Ribeauvillé 5 – St-Dié 45 – Sélestat 19.

🏠 **Kanzel** M sans rest, chemin des Amandiers, ℘ 03 89 49 08 00, kanzel@alsacom.com, Fax 03 89 47 99 10, ≼ Vosges et vignoble, ☞ – cuisinette �📺 ✆ & 🅿 – 🔏 25. ⓞ ⒼⒷ
fermé 20 au 27 déc. et 6 janv. au 16 fév. – **10 ch** 106,50/175,50, 14 appart 236,50

✗ **Auberge Le Bouc Bleu,** ℘ 03 89 47 88 21, Fax 03 89 86 01 04, ☞ – ⒼⒷ
fermé jeudi midi et merc. – **Repas** (23) - 30 ♈

Le BEC-HELLOUIN 27800 Eure 55 ⑮ G. Normandie Vallée de Seine – 406 h alt. 101.

Voir Abbaye★★.

Paris 153 – Rouen 41 – Bernay 22 – Évreux 46 – Lisieux 46 – Pont-Audemer 23.

✗✗ **Auberge de l'Abbaye** avec ch, ℘ 02 32 44 86 02, Fax 02 32 46 32 23, ☞, « Demeure normande du 18ᵉ siècle » – �📺 ✆ ⒼⒷ
fermé 17 au 30 nov., janv., le midi en semaine en hiver, mardi midi en été et lundi – **Repas** 15,24 (déj.), 21,04/32,78 ♈ – ⊇ 7,65 – **9 ch** 70/74,70 – ½ P 70,13

✗✗ **Canterbury,** ℘ 02 32 44 14 59, Fax 02 32 44 14 59, ☞ – ⒼⒷ. ⅙
fermé mardi soir et merc. – **Repas** 13,57 (déj.), 20,58/34,30, enf. 8,39

BÉDARIEUX 34600 Hérault 83 ④ – 5 962 h alt. 196.

🅱 *Office du tourisme Place Aux Herbes ℘ 04 67 95 08 79, Fax 04 67 95 39 69, francis. ot@libertysurf.fr.*

Paris 727 – Montpellier 71 – Béziers 35 – Lodève 29.

✗✗ **Forge,** 22 av. Abbé Tarroux, ℘ 04 67 95 13 13, Fax 04 67 95 10 81, ☞ – 🅿. ⒼⒷ
ⓔⓑ *fermé 15 nov. au 1ᵉʳ déc., 6 au 22 janv., dim. soir et lundi hors saison* – **Repas** 13,72/33,53 ♈

BÉDOIN 84410 Vaucluse 81 ⑬ G. Provence – 2 609 h alt. 295.

Voir Le Paty ≼≺ NO : 4,5 km.

🅱 *Office du tourisme Espace Marie-Louis Gravier ℘ 04 90 65 63 95, Fax 04 90 12 81 55, ot.bedoin@axit.fr.*

Paris 697 – Avignon 42 – Carpentras 16 – Nyons 36 – Sault 35 – Vaison-la-Romaine 21.

🏠 **Pins** ⑤, 1 km chemin des Crans ℘ 04 90 65 92 92, hoteldespins@wanadoo.fr, Fax 04 90 65 60 66, ☞, ⒢, ☞ – �📺 🅿. ⒶⒺ ⒼⒷ. ⅙ rest
hôtel : 2 mars-4 nov. ; rest. : 23 mars-4 nov. – **Repas** (dîner seul.) 19,80/38,10, enf. 10,65 – ⊇ 9,15 – **25 ch** 55/58 – ½ P 51/56

à Ste-Colombe Est : 4 km par rte du Mont-Ventoux – ⊠ 84410 :

🏠 **Garance** M sans rest, ℘ 04 90 12 81 00, Fax 04 90 65 93 05, ≼, ⒢ – �📺 ✆ 🅿. ⒼⒷ
⊇ 6,50 – **13 ch** 44/55

✗ **Colombe,** ℘ 04 90 65 61 20, Fax 04 90 65 61 20, ≼, ☞ – 🅿. ⒼⒷ. ⅙
ouvert les week-ends de nov. à mars, fermé merc. d'avril à oct. et dim. soir – **Repas** 22,11/32,01 ♈

rte du Mont-Ventoux Est : 6 km – ⊠ 84410 Bédoin :

✗✗ **Mas des Vignes,** au virage de St-Estève ℘ 04 90 65 63 91, Fax 04 90 65 63 91, ≼ Dentelles de Montmirail et le Comtat, ☞ – 🅿
23 mars-1ᵉʳ nov. – **Repas** (fermé le midi en juil.-août sauf dim. et fériés, mardi midi et lundi) 28/40 ♈

BEG-MEIL 29 Finistère 58 ⑮ G. Bretagne – ⊠ 29170 Fouesnant.

Voir Site★.

🅱 *Office de tourisme ℘ 02 98 94 97 47, Fax 02 98 56 64 02.*

Paris 560 – Quimper 20 – Concarneau 16 – Pont-l'Abbé 23 – Quimperlé 44.

🏠 **Bretagne** ⑤, 14 r. Glénan ℘ 02 98 94 98 04, jube@club-internet.fr, Fax 02 98 94 90 58, ☞, ⒢, ☞ – �📺 ✆ & 🅿 – 🔏 40. ⒼⒷ. ⅙ rest
1ᵉʳ avril-30 sept. – **Repas** (fermé mardi hors saison) 15,15 (déj.), 19,30/43,55 ♈, enf. 9,85 – ⊇ 6,60 – **28 ch** 57,93/70,13 – ½ P 56,41/65,20

🏠 **Thalamot** ⑤, ℘ 02 98 94 97 38, resa@hotel-thalamot.com, Fax 02 98 94 49 92, ☞, ☞ – �📺 ✆ – 🔏 30. ⒶⒺ ⒼⒷ. ⅙ rest
1ᵉʳ avril-30 sept. – **Repas** 20,50/41,50 ♈, enf. 9,50 – ⊇ 6,80 – **32 ch** 66/76 – ½ P 58/65

La BÉGUDE-DE-MAZENC 26160 Drôme 81 ② G. Vallée du Rhône – 1 205 h alt. 215.

Voir Vieux village perché★.

🅱 *Office de tourisme Avenue Jean Jaurès ℘ 04 75 46 24 42, Fax 04 75 46 28 76.*

Paris 617 – Valence 56 – Crest 28 – Montélimar 16 – Nyons 35 – Orange 70.

Hostellerie du Château de Mazenc ⑤, ℰ 04 75 46 97 00, *evic.dacosta@wanadoo. fr*, Fax 04 75 46 97 01, 佘, « Château du 17ᵉ siècle dans un parc », ♨, 🐾 – 📺 🅿. ⓪ 🆚 *25 mars-10 oct. et fermé merc. midi et lundi du 25 mars au 15 mai* – **Repas** (dîner seul.)(résident seul.) carte environ 24 ⓨ – ☑ 9 – **22 ch** 65/105

BEHUARD 49170 M.-et-L. 团 ⑳ – 110 h alt. 17.

🛈 *Syndicat d'initiative* ℰ 02 41 72 84 11, Fax 02 41 72 84 11.
Paris 311 – Angers 18 – Laval 88 – Nantes 91 – La Roche-sur-Yon 116 – Tours 124.

XX **Les Tonnelles,** ℰ 02 41 72 21 50, *g.bosse@libertysurf.fr*, Fax 02 41 72 81 10, 佘 – 🆚 *fermé 20 déc. au 20 fév., lundi sauf le midi du 10 juil. au 20 août et dim. soir* – **Repas** (22) 29/60 bc ⓨ

BEINHEIM 67930 B.-Rhin 团 ③ – 1 790 h alt. 115.

Paris 516 – Strasbourg 43 – Haguenau 25 – Karlsruhe 37 – Wissembourg 27.

François sans rest, 58 r. Principale ℰ 03 88 86 41 26, Fax 03 88 86 27 00, 🌺 – 📺 ⟵ 🅿 ❶ 🆚 ❀
fermé 1ᵉʳ au 15 août et 24 déc. au 1ᵉʳ janv. – ☑ 6 – **13 ch** 34/48

BELCAIRE 11340 Aude 团 ⑥ – 392 h alt. 1002.

Voir *Forêts★★ de la Plaine et Comus NO.*
Env. *Belvédère du Pas de l'Ours★★* E : 13 km puis 15 mn, G. Languedoc Roussillon.
🛈 *Office du tourisme Avenue d'Ax-les-Thermes* ℰ 04 68 20 75 89, Fax 04 68 20 79 13, *pays-de-sault@fnotsi.net.*
Paris 837 – Foix 54 – Ax-les-Thermes 26 – Carcassonne 80 – Quillan 29.

X **Bayle** avec ch, ℰ 04 68 20 31 05, *hotel-bayle@ataraxie.fr*, Fax 04 68 20 35 24, 佘, 🌺 – 🆚
fermé 12 au 26 nov. – **Repas** 13,72/22,87 ⓙ – ☑ 4,57 – **12 ch** 36,59/43,91 – ½ P 36,59

BELCASTEL 12390 Aveyron 团 ① G. Midi-Pyrénées – 251 h alt. 406.

Voir *Commune de la "Méridienne verte".*
🛈 *Office du tourisme - Maison du Patrimoine* ℰ 05 65 64 46 11, Fax 05 65 64 46 11.
Paris 630 – Rodez 25 – Decazeville 29 – Villefranche-de-Rouergue 35.

XX **Vieux Pont** (Mme Fagegaltier) 🅜 ⑤ avec ch, ℰ 05 65 64 52 29, *hotel-du-vieux-pont@ wanadoo.fr*, Fax 05 65 64 44 32, ⟵ – 🗐 📺 ⟨ 🅿. 🆚
❀ *fermé 1ᵉʳ janv. au 15 mars, dim. soir et lundi soir sauf juil.-août* – **Repas** (fermé dim. soir sauf en juil.-août, mardi midi et lundi) (nombre de couverts limité, prévenir) 23,50 (déj.) 34/61 et carte 49 à 64, enf. 13 – ☑ 10 – **7 ch** 74/80 – ½ P 78/84
Spéc. Croquant de cèpes à la crème d'ail. Pavé de gigot d'agneau d'Aveyron et rissole de ris et cèpes. Foie de canard grillé, caramel de miel acidulé **Vins** Marcillac, Vins d'Entraygues et du Fel.

BELFORT 🅟 90000 Ter.-de-Belf. 团 ⑧ G. Jura – 50 417 h Agglo. 104 962 h alt. 360.

Voir *Le Lion★★ – Le camp retranché★★ : ✲★★ de la terrasse du fort – Vieille ville★ : porte de Brisach★ – Orgues★ de la cathédrale St-Christophe* Y **B** – *Fresque★ (parking rue de l'As-de-Carreau* Z 6) *– Cabinet d'un amateur★ : Donation Maurice Jardot* **M¹.**
🛈 *Office du tourisme 2 Bis rue Clemenceau* ℰ 03 84 55 90 90, Fax 03 84 55 90 99, *otbtb@essor-info.fr.*
Paris 422 ③ – Besançon 94 ③ – Mulhouse 41 ② – Basel 78 ② – Épinal 96 ⑤.

Plan page ci-contre

🏨 **Boréal** 🅜 sans rest, 2 r. Comte de la Suze ℰ 03 84 22 32 32, *hotel.boreal@wanadoo.fr*, Fax 03 84 28 15 01 – 🛗 ❄ 🗐 📺 ⟨ 🕭 ⟵ – 🔏 30. 🆀 ❶ 🆚   Z r
fermé 20 déc. au 5 janv. – ☑ 8 – **54 ch** 73/76

🏨 **Grand Hôtel du Tonneau d'Or,** 1 r. Reiset ℰ 03 84 58 57 56, *tonneaudor@tonneau- dor.fr*, Fax 03 84 58 57 50 – 🛗 ❄ 🗐 📺 ⟨ – 🔏 60. 🆀 ❶ 🆚 🅹🅲🅱   Y e
Repas (fermé août, sam. et dim.) (11,73) - 21,34/35,06 ⓨ, enf. 8,99 – ☑ 9,45 – **52 ch** 60,67/97,72 – ½ P 66,01

🏨 **Novotel Atria** 🅜, av. Espérance (au centre des congrès) ℰ 03 84 58 85 00, *h1742@accor- hotels.com*, Fax 03 84 58 85 01 – 🛗 ❄ 🗐 📺 ⟨ 🕭 ⟵ – 🔏 100 à 400. 🆀 ❶ 🆚   Y u
Repas (14,48) - 19,06 ⓨ, enf. 7,62 – ☑ 11 – **79 ch** 92/101

🏨 **Les Capucins,** 20 fg Montbéliard ℰ 03 84 28 04 60, Fax 03 84 55 00 92 – 🛗 📺. 🆀 ❶ 🆚   Z n
fermé 2 au 18 août et 20 déc. au 6 janv. – **Repas** (fermé sam. sauf le soir de mai à sept. et dim.) 15/30 – ☑ 6,10 – **35 ch** 48/55

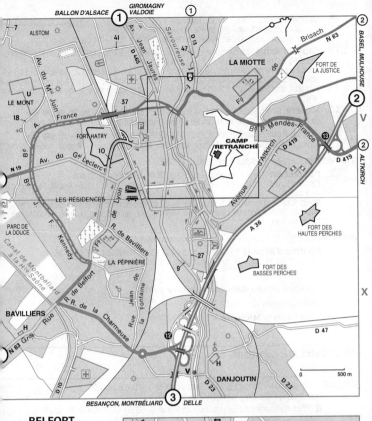

BELFORT

🏠 **Vauban** sans rest, 4 r. Magasin ℘ 03 84 21 59 37, hotel.vauban@wanadoo.f
Fax 03 84 21 41 67, 🌲 – 📺, 🖭 ➊ ⊖ℬ 𝙹𝙲𝙱, ⚹⚹ Y
fermé Noël au Jour de l'An, vacances de fév. et dim. – ⊇ 7 – **14 ch** 46/56

🍽🍽🍽 **Sabot d'Annie** (Barbier), rte d'Offemont, Nord : 1,5 km par D 13 ⊠ 90300 Offemon
☸ ℘ 03 84 26 01 71, Fax 03 84 26 83 79 – 🍴 ℙ, 🖭 ⊖ℬ
fermé août, vacances de fév., sam. midi, dim. soir et lundi – **Repas** 22/54 et carte 37 à 55
Spéc. Eventail de langoustines sur lit de courgettes. Rouget barbet à la purée d'olive ≀
tomates confites. Aiguillettes de canard au nougat d'épices **Vins** Arbois blanc, Tokay-Pino
gris.

🍽🍽 **Molière,** 6 r. Étuve ℘ 03 84 21 86 38, Fax 03 84 58 01 22, � – 🍴, 🖭 ➊ ⊖ℬ 𝙹𝙲𝙱 Z
fermé 22 août au 12 sept., vacances de fév., mardi et merc. – **Repas** 15,24/38,11 ⚊

🍽🍽 **Pot au Feu,** 27 bis Grand'rue ℘ 03 84 28 57 84, Fax 03 84 58 17 65 – 🖭 ⊖ℬ 𝙹𝙲𝙱 Y
fermé 1er au 18 août, 1er au 12 janv., sam. midi, lundi midi et dim. – **Repas** 19 (déj.), 27/41 ⚊

à Danjoutin Sud : 3 km – 3 383 h. alt. 354 – ⊠ 90400 :

🍽🍽🍽 **Pot d'Étain** (Roy), ℘ 03 84 28 31 95, Fax 03 84 21 70 15 – ℙ, 🖭 ⊖ℬ X
☸ fermé 15 au 31 août, vacances de fév., sam. midi, dim. soir et lundi – **Repas** 36/76 et cart⟋
62 à 76 ⚊
Spéc. Raviole d'escargots en nage de persil plat et ponsec. Foie gras de canard mi-cui⟋
chutney de pommes au caramel de macvin. Gâteau au chocolat coulant **Vins** Charcenne⟋
Côtes du Jura

Les Errues par ② : 12 km sur N 83 – ⊠ 90150 Menoncourt :

🍽 **Pomme d'Argent,** 13 r. Noye ℘ 03 84 27 63 69, Fax 03 84 27 63 69 – ℙ, ⊖ℬ
fermé 1er au 15 mars, 15 au 31 août, dim. soir et lundi – **Repas** 15/36

Les noms des localités citées dans ce guide

sont soulignés de rouge

sur les **cartes Michelin** à 1/200 000.

BELGODÈRE 2B H.-Corse 90 ⑬ – voir à Corse.

BELLAC 🔙 87300 H.-Vienne 72 ⑦ G. Berry Limousin – 4 576 h alt. 236.
Voir Châsse★ dans l'église Notre-Dame.
🅱 Office du tourisme 1 Bis rue Louis Jouvet ℘ 05 55 68 12 79, Fax 05 55 68 78 74.
Paris 376 – Limoges 45 – Angoulême 101 – Châteauroux 110 – Guéret 74 – Poitiers 81.

🏠 **Les Châtaigniers,** rte Poitiers : 2 km ℘ 05 55 68 14 82, Fax 05 55 68 77 56, 🌊, 🌲 ≀
🍴 rest, 📺 ✆ ℙ – 🕍 25. 🖭 ⊖ℬ
fermé déc., janv., dim. soir et lundi hors saison – **Repas** 18,60/28,20 ⚊, enf. 10,37 – ⊇ 7 –
26 ch 29,73/65,55 – ½ P 57,16

BELLE-ÉGLISE 60540 Oise 55 ⑳ – 561 h alt. 69.
Paris 52 – Compiègne 66 – Beauvais 32 – Pontoise 29.

🍽🍽🍽 **Grange de Belle-Église** (Duval), 28 bd René-Aimé Lagabrielle ℘ 03 44 08 49 00
☸ Fax 03 44 08 45 97, 🌲 – 🍴 ℙ, ⊖ℬ
fermé 5 au 20 août, 17 fév. au 4 mars, dim. soir, mardi midi et lundi – **Repas** 23 (déj.)
34/53 et carte 57 à 87, enf. 14
Spéc. Fraîcheur de homard en salade au safran (mars à sept.). Noisette de chevreuil sauce
Grand Veneur (nov. à fév.). Feuilleté aux poires caramélisées

---

BELLEGARDE 45270 Loiret 65 ① G. Châteaux de la Loire – 1 558 h alt. 113.
Voir Château★.
🅱 Office du tourisme 12 Bis place Charles Desvergnes ℘ 02 38 90 25 37, Fax 02 38 90 28 32
bellegard@aol.com.
Paris 111 – Orléans 50 – Gien 41 – Montargis 23 – Nemours 40 – Pithiviers 30.

🍽 **Agriculture** avec ch, ℘ 02 38 90 10 48, Fax 02 38 90 18 13, � – ℙ, ⊖ℬ
⊜ fermé 7 au 24 oct., 6 au 30 janv. et mardi – **Repas** (9,50) - 11/27 ⚊, enf. 8,80 – ⊇ 5,20 – **18 ch**
18,30/36 – ½ P 29/30,50

BELLEGARDE-SUR-VALSERINE *01200 Ain* 🔟④ ⑤ *G. Jura* – 10 846 h alt. 350.

Voir *Berges de la Valserine*★ par ①.

🛈 *Office du tourisme 24 place Victor Bérard* ℘ *04 50 48 48 68, Fax 04 50 48 65 08, otbelleg@cc-pays-de-gex.fr.*

Paris 499 ① – *Annecy 43* ③ – *Bourg-en-Bresse 72* ① – *Genève 43* ③ – *Lyon 113* ①.

BELLEGARDE-
SUR-VALSERINE

Beauséjour (R. de) .... **YZ**
Bérard (Pl. Victor) .... **Z** 2
Bertola (R. Joseph) .... **YZ** 4
Brazza (R.) .... **Z** 5
Carnot (Pl.) .... **Y**
Dumont (R. Louis) .... **Y** 6
Ferry (R. Jules) .... **Y** 7
Gambetta (Pl.) .... **Y** 8
Gare (Av. de la) .... **Y** 10
Lafayette (R.) .... **Z**
Lamartine (R.) .... **YZ** 12
Lilas (R. des) .... **Y**
Musinens (R.) .... **Y** 14
Painlevé (R. Paul) .... **Y** 15
République (R. de la) .... **Z**

*Avec votre guide Rouge
Utilisez la carte
et le guide Vert.*

Ils sont inséparables.

🏨 **Belle Époque,** 10 pl. Gambetta ℘ 04 50 48 14 46, *Fax 04 50 56 01 71* – 🍽 rest, 📺 📶 🍴 🖼 **Y b**
fermé 7 au 23 juil., 15 déc. au 7 janv., lundi midi et dim. hors saison – **Repas** 19,85/42,70 ♀, enf. 11,45 – 🍽 7,65 – **20 ch** 45,75/61 – ½ P 53,50/61

à Lancrans *par* ① : *3 km* – 935 h. alt. 500 – ✉ 01200 :

🏨 **Sorgia,** ℘ 04 50 48 15 81, *Fax 04 50 48 44 72,* 🍴 , 🐎 – 📺 🅿 🖼
fermé 23 août au 17 sept., 21 déc. au 7 janv., sam. midi, dim. soir et lundi – **Repas** 12//27,50 ♀, enf. 6,90 – 🍽 6,10 – **17 ch** 38/41 – ½ P 35,80/37,40

à Éloise (74 H.-Savoie) *par* ③ : *5 km* – 715 h. alt. 511 – ✉ 01200 (Ain) :

🏨 **Fartoret** 📎, ℘ 04 50 48 07 18, *Fax 04 50 48 23 85,* ≤, 🍴 , 🎿, 🍴, 🏊, – 🛗 📺 🅿 – 🔏 50.
🅰 ⓞ 🖼
fermé 23 déc. au 4 janv. et dim. soir hors saison – **Repas** 19,80/50,30 ♀ – 🍽 9 – **40 ch** 50,50/80,80 – ½ P 56/73,90

à Ochiaz *par* ④ *et D 101* : *5 km* – ✉ 01200 Châtillon-en-Michaille :

🍴🍴 **Auberge de la Fontaine** avec ch, ℘ 04 50 56 57 23, *aubergefontaine@minitel.net,* *Fax 04 50 56 56 55,* 🍴 , 🐎 – 🅿 🅰 ⓞ 🖼
🍴 *fermé 4 au 11 juin, 1er au 8 oct., 7 au 29 janv., mardi soir sauf juil.-août, dim. soir et lundi* – **Repas** 19,06/45,73 ♀ – 🍽 5,34 – **7 ch** 27,44/36,59 – ½ P 36,59/42,69

te du Plateau de Retord *par* ④, *Vouvray et D 101* : *12 km* – ✉ 01200 Bellegarde-sur-Valserine :

🔭 **Auberge Le Catray** 📎, ℘ 04 50 56 56 25, ≤ Mont-Blanc et les Alpes, 🍴 , cadre montagnard, 🐎 – 🅿 🖼
fermé 11 au 15 mars, 3 au 7 juin, 9 au 20 sept., 12 au 22 nov., lundi soir et mardi – **Repas** 15/22 🥂, enf. 7 – 🍽 5 – **7 ch** 28/43 – ½ P 34/38

*Zelten Sie gern?
Haben Sie einen Wohnwagen?
Dann benutzen Sie den* **Michelin-Führer
Camping Caravaning France.**

BELLE-ILE-EN-MER ★★ *56 Morbihan* **63** ⑪ ⑫ *G. Bretagne.*

Env. *Côte sauvage*★★★.

Accès *par transports maritimes, pour* **Le Palais** *(en été* **réservation indispensable** *pour le passage des véhicules).*

⚓ *depuis* **Quiberon** *(Port-Maria) - Traversée 45 mn - Renseignements et tarifs : Cie Morbihannaise et Nantaise de Navigation* ℘ *0820 056 000 (Le Palais), Fax 02 97 31 56 81.*

⚓ *depuis* **Port-Navalo** *- (avril-oct.)- Traversée 1 h 50 mn - Renseignements et tarifs : Navix S.A. à Port-Navalo* ℘ *02 97 53 74 12 -* ⚓ *depuis* **Vannes** *- (avril-oct.)- Traversée 2 h - Renseignements et tarifs : Navix S.A., Gare Maritime* ℘ *02 97 46 60 00, Fax 02 97 46 60 29 -* ⚓ *depuis* **Lorient** *- Service saisonnier - Traversée 50 mn (passagers uniquement, réservation obligatoire) - Renseignements et Tarifs C.M.N.N.* ℘ *0820 056 000.*

Pour **Sauzon** *: depuis* **Quiberon** *- Service saisonnier - Traversée 45 mn - Renseignements et tarifs : C.M.N.N.* ℘ *0820 056 000 (Quiberon) –* ⚓ *depuis* **Locmariaquer-Auray Le Bono-La Trinité-sur-Mer** *(juil.-août) - Renseignements et tarifs : Navix S.A.* ℘ *02 97 57 36 78, Fax 02 97 46 60 29.*

🛈 *Office de Tourisme q. Bonnelle - Le Palais* ℘ *02 97 31 81 93, Fax 02 97 31 56 17.*

Bangor – *738 h alt. 45 –* ⊠ *56360 Le Palais :*

Voir *Le Palais : citadelle Vauban*★ *NE : 3,5 km.*

🏨 **Désirade** Ⓜ ⌂, *rte Port Goulphar : 2 km* ℘ *02 97 31 70 70, hotel-la-desirade@libertysurf .fr, Fax 02 97 31 89 63,* 🍽, 🏊, 🌳 – 📺 📞 🅟. 🆎 ⌷. ⌘ *rest*
hôtel : 1ᵉʳ avril-30 nov. et 26 déc.-6 janv. ; rest. : 1ᵉʳ avril-30 nov. – **Repas** *(dîner seul.)(menu unique) 33,54 –* � *10,67 –* **26 ch** *103,67, (½ pens. seul. en haute saison) – ½ P 92,99*

Le Palais *56 – 2 457 h alt. 7 –* ⊠ *56360 :*

Voir *Citadelle Vauban*★.

🏛 **Vauban** ⌂, *1 r. Remparts* ℘ *02 97 31 45 42, Fax 02 97 31 42 82,* ≼, 🍽 – 📺 ⌷. 🆎 ⌷
JCB
hôtel : 1ᵉʳ fév.-6 nov. ; rest. : 1ᵉʳ avril-15 oct. et fermé dim. soir – **Repas** *(dîner seul.) (résidents seul.) 25* ⚍, *enf. 13 –* � *8 –* **16 ch** *39/70 – ½ P 62/67*

Port-Goulphar – ⊠ *56360 Le Palais :*

Voir *Site*★ *:* ≼★.

🏰 **Castel Clara** ⌂, ℘ *02 97 31 84 21, Fax 02 97 31 51 69,* ≼ *crique et falaises,* 🍽, *institut de thalassothérapie,* 🛁, 🏊, ⌘ – 📱 📺 📞 🅟 – ⌷ *25.* 🆎 ⌷. ⌘ *rest*
mi-fév.-mi-nov. – **Repas** *27,44/59,45* ⚍ *–* � *13 –* **33 ch** *206/558, 7 duplex – ½ P 111/172*

Sauzon – *835 h alt. 35 –* ⊠ *56360 :*

Voir *Site*★ *– Pointe des Poulains*★★ *:* ✳★ *NO : 3 km puis 30 mn – Port-Donnant : site*★★ *S 6 km puis 30 mn.*

XX **Roz Avel**, *derrière l'Église* ℘ *02 97 31 61 48,* 🍽 – 🆎 ⌷
fermé 31 déc. au 1ᵉʳ mars et merc. – **Repas** *(nombre de couverts limité, prévenir) 21,34* ⚍

X **Contre Quai**, *r. St-Nicolas* ℘ *02 97 31 60 60 –* ⌷
1ᵉʳ avril-30 sept. et fermé sam. midi, dim. soir et lundi sauf fériés – **Repas** *(déj. seul.) 23*

X **Café de la Cale**, ℘ *02 97 31 65 74, Fax 02 97 31 65 67,* 🍽 – ⌷
1ᵉʳ avril-30 sept., 25 oct.-12 nov., 25 déc.-3 janv., vacances de fév. et fermé mardi sau. juil.-août – **Repas** *- produits de la mer - (prévenir) 14,50* ⚍, *enf. 11,50*

BELLÊME *61130 Orne* **60** ⑭ ⑮ *G. Normandie Vallée de la Seine – 1 774 h alt. 241.*

Voir *Forêt*★.

🛈 *Office du tourisme Boulevard Bansard des Bois* ℘ *02 33 73 09 69, Fax 02 33 83 95 17 tourisme.belleme@wanadoo.fr.*

Paris 167 – Alençon 42 – Le Mans 56 – La Ferté-Bernard 23 – Mortagne-au-Perche 18.

🏨 **Golf** ⌂, *rte Le Mans par D 938 : 2 km* ℘ *02 33 85 13 13, belleme@voila.fr Fax 02 33 85 13 14,* ≼, 🍽, *« Au bord du golf »,* 🌳 – 📺 ⌷ 🅟 – ⌷ *80.* 🆎 ⌷. ⌘ *rest*
Repas *17,38/38,72* ⚍, *enf. 9,91 –* � *9,91 –* **66 ch** *89,94/118,91 – ½ P 70,13*

à Nocé *Est : 8 km par D 203 –* ⊠ *61340 :*

XXX **Auberge des 3 J.**, ℘ *02 33 73 41 03, Fax 02 33 83 33 66 –* ⌷
fermé 1ᵉʳ au 10 sept., 1ᵉʳ au 10 janv., mardi du 15 sept. au 15 mai, dim. soir et lundi – **Repas** *23/32* ⌷, *enf. 9*

Un automobiliste averti utilise le **Guide Rouge Michelin** *de l'année.*

ELLENAVES 03330 Allier 🔢 ④ G. Auvergne – 1 003 h alt. 340.

Paris 370 – Clermont-Ferrand 59 – Moulins 55 – Gannat 19 – Montluçon 54 – Vichy 39.

XX **Hostellerie du Château** avec ch, ℰ 04 70 58 37 19, Fax 04 70 58 37 23, 🏤 – ▤ rest,
📺 📞, GB, ⁇ ch
fermé 21 oct. au 11 nov., 1ᵉʳ au 4 mars, dim. soir et lundi – **Repas** 9,50 (déj.), 16/23,50 ⁇,
enf. 8 – ⊡ 5 – **8 ch** 33,60 – ½ P 29

ELLERIVE-SUR-ALLIER 03 Allier 🔢 ⑤ – rattaché à Vichy.

ELLEVAUX 74470 H.-Savoie 🔢 ⑰ G. Alpes du Nord – 1 158 h alt. 913 – Sports d'hiver : 1 100/
1 800 m ⁇ 23 ⁇.

Voir Site★.

🅴 Office du tourisme ℰ 04 50 73 71 53, Fax 04 50 73 78 60.
Paris 578 – Thonon-les-Bains 23 – Annecy 71 – Bonneville 30 – Genève 48.

🏨 **Cascade,** ℰ 04 50 73 70 22, Fax 04 50 73 77 46, ⇐, 🏤 – 📺 ⅙ 🅿. GB
29 mars-22 sept. et 20 déc.-23 mars – **Repas** 11,43/27,44 ⁇, enf. 8,38 – ⊡ 5,34 – **11 ch**
28,97/45,73 – ½ P 41,16/48,78

🏠 **Les Moineaux** 🔖, ℰ 04 50 73 71 11, Fax 04 50 73 75 79, ⇐, 🏊, 🏤, ⁇ – 📞 🅿. AE ⓞ
GB
15 juin-15 sept. et 15 déc.-15 avril – **Repas** 14/26 ⁇, enf. 10 – ⊡ 6 – **14 ch** 38/48 – ½ P 45

lac de Vallon Sud-Est : 6 km par D 26 et D 236 – ⊠ 74470 Bellevaux :

🏠 **Lac de Vallon** 🔖, ℰ 04 50 73 74 55, Fax 04 50 73 77 95, ⇐, 🏤 – 🅿. GB
fermé 15 nov. au 15 déc. – **Repas** (fermé dim. soir et jeudi soir hors saison) 13/22,10 ⅓ –
16 ch 32,50/40 – ½ P 39,50

Hirmentaz Sud-Ouest : 7 km par D 26 et D 32 – ⊠ 74470 Bellevaux :

🏨 **Christania** 🔖, ℰ 04 50 73 70 77, info@hotel.christania.com, Fax 04 50 73 76 08, ⇐, 🏊 –
🖢 📺 🅿. GB. ⁇ rest
9 mai-7 sept. et 20 déc.-31 mars – **Repas** 15,24 (déj.), 18,29/25,92 ⁇, enf. 10,67 – ⊡ 6,86 –
35 ch 48,78/51,83 – ½ P 49,55/53,36

🏠 **Excelsa** 🔖, ℰ 04 50 73 73 22, excelsa.hotel@wanadoo.fr, Fax 04 50 73 72 73, ⇐, 🏤, 🏊
– 🖢 📺 🅿. GB. ⁇ rest
15 juin-1ᵉʳ sept. et 20 déc.-31 mars – **Repas** 14,48/16,77 – ⊡ 6,10 – **19 ch** 50,31 – ½ P 54,12

🏠 **Panoramic** 🔖, ℰ 04 50 73 70 34, contact@hotel-alpes-panoramic.com,
Fax 04 50 73 74 82, ⇐, 🏤, 🏊 – 📺 🅿. AE GB. ⁇ rest
15 juin-15 sept. et 20 déc.-31 mars – **Repas** 14,50/16,10 ⁇, enf. 6,90 – ⊡ 6,20 – **31 ch**
44,30/48,80 – ½ P 53,40

ELLEVILLE 54940 M.-et-M. 🔢 ⑬ – 1 280 h alt. 190.
Paris 361 – Nancy 19 – Metz 42 – Pont-à-Mousson 14 – Toul 37.

XXX **Bistroquet** (Mme Ponsard), ℰ 03 83 24 90 12, Fax 03 83 24 04 01, 🏤 – ▤ 🅿. AE ⓞ GB
❀ *fermé 11 au 26 août, 2 au 10 janv., sam. midi, dim. soir, lundi et mardi* – **Repas** (nombre de
couverts limité, prévenir) 29/46 et carte 55 à 70 ⁇
Spéc. Ravioles de foie gras. Canette de Vendée rôtie en cocotte. Soufflé chaud à la liqueur
de mirabelle **Vins** Côtes de Toul.

XX **Moselle,** face gare ℰ 03 83 24 91 44, restaurant.la.moselle@wanadoo.fr,
Fax 03 83 24 99 38, 🏤, 🌳 – ▤ 🅿. AE ⓞ GB JCB
fermé 19 août au 5 sept., 20 fév. au 11 mars, lundi soir et merc. soir – **Repas** 21,19/44,97 ⁇,
enf. 12,96

ELLEVILLE 69220 Rhône 🔢 ① G. Vallée du Rhône – 5 840 h alt. 192.
🅴 Syndicat d'initiative 68 rue de la République ℰ 04 74 66 44 67, Fax 04 74 06 43 56.
Paris 416 – Mâcon 30 – Bourg-en-Bresse 43 – Lyon 49 – Villefranche-sur-Saône 15.

🏠 **L'Ange Couronné,** 18 r. République ℰ 04 74 66 42 00, Fax 04 74 66 49 20 – 📺 ⇆. GB
fermé 30 sept. au 7 oct., 6 au 27 janv., dim. soir et lundi – **Repas** 14,30/28 ⅓, enf. 8,40 –
⊡ 5 – **15 ch** 31/45,80

🏠 **Charme,** péage A 6 ℰ 04 74 69 61 69, Fax 04 74 66 58 04, 🏤 – 📺 🅿. GB
⊟ **Repas** 12,20/17,53 ⁇, enf. 6,86 – ⊡ 5,79 – **40 ch** 38,11/42,69

X **Beaujolais,** 40 r. Mar. Foch (près gare) ℰ 04 74 66 05 31, Fax 04 74 07 90 46 – ▤ 🅿. AE ⓞ
GB
fermé 3 au 7 mars, 15 au 21 avril, 5 au 25 août, 23 au 26 déc., dim. soir, mardi soir et merc. –
Repas (13) - 15,25/39,65 ⁇, enf. 7,65

à Pizay *Nord-Ouest : 5 km par D18 et D69 –* ⊠ *69220 St-Jean-d'Ardières :*

🏯 **Château de Pizay** Ⓜ ⌂, ℰ 04 74 66 51 41, *info@chateau-pizay.co*
Fax 04 74 69 65 63, 佘, « Au milieu du vignoble, jardin à la française », ⊆, ✕, ♨ – ▤
▥ & ☐ – ⚒ 15 à 60. ஊ ⓪ ☑ ☑
fermé 24 déc. au 4 janv. – **Repas** 25 (déj.), 33,50/57, enf. 20 – ⊇ 11,50 – **62 ch** 94,35/203,
– ½ P 91,15/133,20

BELLEY ⦾ *01300 Ain* 🟨 ⑭ *G. Jura –* 8 004 h alt. 279.
Voir Choeur★ de la cathédrale St-Jean – Charpente★ du château des Allymes.
🅱 Office du tourisme 34 Grande Rue ℰ 04 79 81 29 06, Fax 04 79 81 08 80, ot_belle
club-internet.fr.
Paris 510 – Aix-les-Bains 31 – Bourg-en-Bresse 79 – Chambéry 36 – Lyon 96.

🏨 **Ibis** sans rest, bd Mail ℰ 04 79 81 01 20, Fax 04 79 81 53 83 – ▨ ▥ ℰ &. ஊ ⓪ ☑ ☑
⊇ 5,50 – **35 ch** 45/50

au Sud-Est *: 3 km sur rte Chambéry –* ⊠ *01300 Belley :*

✕✕ **Auberge La Fine Fourchette**, N 504 ℰ 04 79 81 59 33, Fax 04 79 81 55 43, ≤, 佘
☐. ☑
fermé 21 déc. au 10 janv., dim. soir et lundi – **Repas** 22/54 ♈, enf. 6

à Contrevoz *Nord-Ouest : 9 km sur D 32 – 430 h. alt. 320 –* ⊠ *01300 :*

✕✕ **Auberge de Contrevoz**, ℰ 04 79 81 82 54, *auberge.de.contrevoz@wanadoo.*
☜ Fax 04 79 81 80 17, 佘, ⇝ – ☐. ☑
fermé 25 déc. au 31 janv., dim. soir sauf juil.-août et lundi – **Repas** 14/34 ♈, enf. 7,70

à Pugieu *Nord-Ouest : 9 km sur N 504 – 126 h. alt. 247 –* ⊠ *01510 :*

✕✕ **Moulin du Martinet**, ℰ 04 79 87 82 03, Fax 04 79 87 87 83, 佘, ⇝ – ☐. ☑
fermé 11 au 20 mars, 6 au 16 oct., mardi soir et merc. – **Repas** 14,80/34 ♈

BELLIGNAT *01 Ain* 🟨 ⑭ – *rattaché à Oyonnax.*

BELVÈS *24170 Dordogne* 🟨 ⑯ *G. Périgord Quercy –* 1 431 h alt. 175.
🅱 Office du tourisme 1 rue des Filhols ℰ 05 53 29 10 20, Fax 05 53 29 10 20, belves
perigord.com.
Paris 538 – Périgueux 64 – Sarlat-la-Canéda 34 – Bergerac 51 – Cahors 64.

🏨 **Belvédère**, ℰ 05 53 31 51 41, Fax 05 53 31 51 42, 佘 – ▥ ℰ. ஊ ⓪ ☑
☜ *fermé 15 oct. au 15 nov., dim. soir et lundi –* **Repas** (15 avril-15 oct. et fermé dim. soir
lundi) 12,20/38,11 ♈, enf. 6,90 – ⊇ 5,80 – **20 ch** 39/58 – ½ P 39/45

BENDOR (Ile de) *83 Var* 🟨 ⑭,, 🟦 ㊹ – *rattaché à Bandol.*

BÉNÉVENT-L'ABBAYE *23210 Creuse* 🟨 ⑨ *G. Berry Limousin –* 824 h alt. 480.
Voir Puy de Goth ≤★ 30 mn.
🅱 Office du tourisme 2 rue de la Fontaine ℰ 05 55 62 68 35, Fax 05 55 62 67 5
ot.eaux.vives@wanadoo.fr.
Paris 364 – Limoges 54 – Bellac 64 – Châteauroux 98 – Guéret 25.

🏨 **Cèdre** Ⓜ ⌂, r. de l'Oiseau ℰ 05 55 81 59 99, Fax 05 55 81 59 98, 佘, « Belle demeu
☜ creusoise », ⊆, ⇝ – ▥ ℰ &. ☐ – ⚒ 35. ☑
fermé 15 fév.au 15 mars – **Repas** 17/27,50 ♈ – ⊇ 9 – **16 ch** 45/100 – ½ P 54,50

BENFELD *67230 B.-Rhin* 🟨 ⑥ *G. Alsace Lorraine –* 4 878 h alt. 160.
🅱 Office du tourisme 10 place de la République ℰ 03 88 74 04 02, Fax 03 88 58 10 4
grandried.ot.benfeld@wanadoo.fr.
Paris 502 – Strasbourg 34 – Colmar 41 – Obernai 26 – Sélestat 19.

✕✕ **Au Petit Rempart**, 1 r. Petit Rempart ℰ 03 88 74 42 26, Fax 03 88 74 18 58 – ஊ ☑
fermé 14 juil. au 15 août, 15 fév. au 15 mars, lundi soir, mardi soir et merc. – **Repas** 8,5
(déj.), 19/40 ♈, enf. 8

ÉNODET 29950 Finistère **58** ⑮ *G. Bretagne* – 2 750 h – Casino.

Voir Pont de Cornouaille ≤★ – *L'Odet*★★ *en bateau : 1h30.*

🛈 *Office du tourisme 29 avenue de la Mer* ℰ 02 98 57 00 14, Fax 02 98 57 23 00, *benodet.tourisme@wanadoo.fr.*

Paris 564 – Quimper 17 – Concarneau 20 – Fouesnant 10 – Pont-l'Abbé 12 – Quimperlé 48.

🏨🏨 **Ker Moor** ৯, corniche de la Plage ℰ 02 98 57 04 48, *hotel.kermoor@gofornet.com,* Fax 02 98 57 17 96, 💭, ※, 🐾 – 📶 📺 ✆ 🅿 – 🔰 25 à 70. 🖭 ⴳ. ※ rest
fermé 20 déc. au 6 janv. – **Repas** 26/54 – 🖙 7,50 – **61 ch** 76,25/137,25 – ½ P 85/88

🏨🏨 **Gwell Kaër,** av. Plage ℰ 02 98 57 04 38, Fax 02 98 66 22 85, ≤, 🍴 – 📶 📺 🅿. ⴳ
fermé 12 nov. au 4 déc., 12 janv. au 4 fév., dim. soir, mardi midi et lundi d'oct. à mai sauf fériés – **Repas** 14,94/35,06 – 🖙 6,86 – **24 ch** 73,18/95,28

🏨🏨 **Kastel,** av. Plage ℰ 02 98 57 05 01, *hotel.kastel@wanadoo.fr,* Fax 02 98 57 29 99, ≤ – 📶 📺 ✆ 🅿 – 🔰 60. 🖭 ⴳ
fermé 9 au 25 déc. – **Repas** 23 ♈ – 🖙 7,50 – **22 ch** 81/109 – ½ P 78/81

🏨🏨 **Domaine de Kereven** ৯ sans rest, rte Quimper : 2 km ℰ 02 98 57 02 46, *domaine-de -kereven@wanadoo.fr,* Fax 02 98 66 22 61, 🐾 – ✆ 🅿. ⴳ. ※
1er mai-30 sept. – 🖙 6,50 – **12 ch** 58/64, 4 studios

🏨🏨 **Minaret** ৯, corniche de l'Estuaire ℰ 02 98 57 03 13, *leminaret@wanadoo.com,* Fax 02 98 66 23 72, ≤, 🍴, « Jardin dominant l'estuaire », 🐾 – 📶 📺 🅿. ⴳ. ※ ch
1er avril-30 sept. – **Repas** *(fermé mardi)* 24,39/27,44 – 🖙 7,17 – **21 ch** 59,46/114,34 – ½ P 86,90

🏨🏨 **Hostellerie Abbatiale,** 4 av. Odet ℰ 02 98 66 21 66, *abbatiale.benodet@wanadoo.fr,* Fax 02 98 66 21 50 – 📶 📺 ✆ 🕹 🅿 – 🔰 15. 🖭 ⴳ ⵊⵛⴱ
Repas 17/30 – 🖙 8,38 – **55 ch** 58,69/93,76 – ½ P 73,55

🏨 **Bains de Mer,** r. Kerguelen ℰ 02 98 57 03 41, Fax 02 98 57 11 07, 💭 – 📶, 🍽 rest, 📺 ✆ 🅿. 🖭 ⓞ ⴳ
7 mars-14 nov. – **Repas** 13/22, enf. 7 – **Domino** grill-pizzeria *(fermé 23 déc. au 14 fév.)* **Repas** carte 17 à 30 ♈, enf.6,10 – 🖙 6,20 – **32 ch** 49/58 – ½ P 58

✕✕ **Ferme du Letty** (Guilbault), au Letty Sud-Est : 2 km par D 44 et rte secondaire
❀ ℰ 02 98 57 01 27, *j.marie.guilbault@wanadoo.fr,* Fax 02 98 57 25 29, 🍴 – 🖭 ⓞ ⴳ ⵊⵛⴱ
29 mars-30 sept. et fermé mardi sauf le soir en juil.-août et merc. – **Repas** *(dîner seul. sauf dim.)* 30/68 et carte 55 à 78 ♈, enf. 13,70
Spéc. Ormeaux à ma façon (sauf juil.-août). Homard entier rôti au feu de bois. Côte de porc fermier en cocotte à la "paysanne".

Clohars-Fouesnant *Nord-Est : 3 km par D 34 et rte secondaire – 1 417 h. alt. 30 – ⊠ 29950 :*

✕✕ **Forge d'Antan,** ℰ 02 98 54 84 00, Fax 02 98 54 89 11, 🍴, 🐾 – 🅿. ⴳ
fermé 24 fév. au 11 mars, dim. soir de sept. à juin, mardi midi et lundi – **Repas** 20 (déj.), 28/54 ♈, enf. 12

Ste-Marine *Ouest : 5 km par pont de Cornouaille – ⊠ 29120 Pont-l'Abbé :*

✕✕ **L'Agape** (Le Guen), rte plage ℰ 02 98 56 32 70, Fax 02 98 51 91 94 – 🅿. 🖭 ⴳ
❀ *1er mars-31 déc. et fermé dim. soir sauf juil.-août, mardi midi et lundi* – **Repas** *(27)* - 38/79 et carte 55 à 80 ♈, enf. 14
Spéc. "Agapes" de poissons marinés. Kouign Aman de pommes de terre et andouille. Galette de turbot au jus de viande

BÉNOUVILLE 14 Calvados **55** ② – rattaché à Caen.

E BÉNY-BOCAGE 14350 Calvados **59** ⑩ – 938 h alt. 180.
Paris 284 – St-Lô 32 – Caen 51 – Falaise 55 – Flers 33 – Vire 13.

✕✕ **Castel Normand** avec ch, ℰ 02 31 68 76 03, *le.castel-normand@wanadoo.fr,* Fax 02 31 68 63 58, 🍴, 🐾 – 📺 ✆. ⴳ
fermé 18 au 28 août, dim. soir et lundi – **Repas** *(14)* - 20/50 ♈, enf. 10 – 🖙 6,10 – **7 ch** 41/49 – ½ P 58/100

BERCHÈRES-SUR-VESGRE 28 E.-et-L. **55** ⑱ – rattaché à Houdan.

BERCK-SUR-MER 62600 P.-de-C. **51** ⑪ *G. Picardie Flandres Artois* – 14 378 h alt. 5 – Casino.
Voir Parc d'attractions de Bagatelle★ 5 km par ①.

🛈 *OMT 5 avenue Francis Tattegrain* ℰ 03 21 09 50 00, Fax 03 21 09 15 60, OFFICE. *TOURISME.berck@wanadoo.fr.*

Paris 233 – Calais 83 – Abbeville 49 – Arras 95 – Boulogne-sur-Mer 40 – Montreuil 18.

à Berck-Plage :

🏛 **Impératrice**, 43 r. Division Leclerc ℘ 03 21 09 01 09, *hotel.limperatrice@nordnet.fr*
Fax 03 21 09 72 80 – 🍽 rest, 📺 🚗, 🅶🅱
fermé 18 nov. au 18 déc., dim. soir et lundi sauf vacances scolaires – **Repas** 15/42 ♇ – 🍽 8 - **12 ch** 57/69 – ½ P 47/57

※※ **Verrière**, pl. 18 Juin ℘ 03 21 84 27 25, *casino-62berck@wanadoo.fr*, Fax 03 21 84 14 65
🍽 – 🍽, 🅶🅱
fermé mardi sauf juil.-août – **Repas** 20 (déj.), 25/38 ♇, enf. 10

BERGERAC ⏻ 24100 Dordogne 🗗🗗 ⑭ ⑮ G. Périgord Quercy – 26 053 h alt. 37.

Voir *Le Vieux Bergerac★★ : musée du Tabac★★ (maison Peyrarède★) – Musée du Vin, de l. Batellerie et de la Tonnellerie★* M³.

✈ *Bergerac-Roumanière : ℘ 05 53 22 25 25, par ③ : 5 km.*

🛈 *Office du tourisme 97 rue Neuve d'Argenson ℘ 05 53 57 03 11, Fax 05 53 61 11 04 tourisme-bergerac@aquinet.tm.fr.*

Paris 536 ① – Périgueux 49 ① – Agen 91 ③ – Angoulême 110 ⑥ – Bordeaux 94 ⑤.

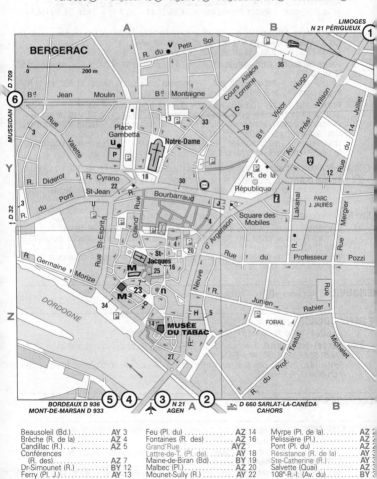

🏛 **Flambée,** rte Périgueux par ① : 3 km ℰ 05 53 57 52 33, Fax 05 53 61 07 57, ㄹ, « Parc fleuri », ユ, ✕, 🕭, – ㅁ ✆ 🖃 – ஃ 40 à 100. 🖭 ⓪ ☖
Repas (fermé sam. midi, dim. soir et lundi du 16 sept. au 14 juin) 16/31 ♀, enf. 10 – ☲ 7,50 – 20 ch 54/77 – ½ P 56,50/70

🏠 **France** sans rest, 18 pl. Gambetta ℰ 05 53 57 11 61, Fax 05 53 61 25 70, ユ – ㅁ. 🖭 ⓪ ☖ JCB
☲ 7 – 20 ch 44/66
AY u

🏠 **Europ Hôtel** sans rest, 20 r. Petit Sol ℰ 05 53 57 06 54, Fax 05 53 58 67 60, ユ, 🌳 – ㅁ ✆ 🖃. 🖭 ⓪ ☖
☲ 5,50 – 22 ch 40/43
AY v

✕✕ **L'Imparfait,** 8 r. Fontaines ℰ 05 53 57 47 92, Fax 05 53 58 92 11, ㄹ – 🖭 ⓪ ☖
16 mars-3 nov. – Repas 21/35 ♀
AZ n

St-Julien-de-Crempse par ①, N 21, D 107 et rte secondaire : 12 km – 168 h. alt. 150 – ✉ 24140 :

🏛 **Manoir Grand Vignoble** ☜, ℰ 05 53 24 23 18, grand.vignoble@wanadoo.fr, Fax 05 53 24 20 89, ㄹ, 🖪, ユ, ✕, 🕭, – ㅁ ✆ 🖃 – ஃ 15 à 40. 🖭 ☖
29 mars-15 nov. – Repas 23/43 ♀, enf. 8 – ☲ 9 – 44 ch 82/104 – ½ P 72/83

u **Moulin de Malfourat** par ④, dir. Mont-de-Marsan et rte secondaire : 8 km – ✉ 24240 Monbazillac :

✕✕ **Tour des Vents,** ℰ 05 53 58 30 10, moulinmalfourat@wanadoo.fr, Fax 05 53 58 89 55, ≤ vallée de Bergerac, ㄹ, 🌳 – 🖃. 🖭 ⓪ ☖
③ fermé mi-janv. à mi-fév., lundi midi en juil.-août, dim. soir, lundi et merc. soir de sept. à juin – Repas 20/50 ♀, enf. 10

En juin et en septembre,
les hôtels sont moins chers qu'en pleine saison, le service est plus soigné.

ERGÈRES-LÈS-VERTUS 51 Marne ❺❻ ⑯ – rattaché à Vertus.

ERGHEIM 68750 H.-Rhin ❻❷ ⑲ G. Alsace Lorraine – 1 830 h alt. 235.
Paris 438 – Colmar 18 – Ribeauvillé 4 – Sélestat 11.

✕✕ **Chez Norbert** avec ch, ℰ 03 89 73 31 15, Fax 03 89 73 60 65, ㄹ, « Cadre rustique » – 🖃 🖃. 🖭 ☖
fermé 18 fév. au 18 mars et 15 au 30 nov. – Repas (fermé merc. midi et jeudi) 27 (déj.), 38/48 ♀ – ☲ 9 – 12 ch 58/68 – ½ P 84

✕ **Wistub du Sommelier,** ℰ 03 89 73 69 99, Fax 03 89 73 36 58 – 🖭 ☖
fermé 13 au 31 janv., mardi soir et merc. – Repas 21 ♀

a BERGUE 74 H.-Savoie ❼❹ ⑥ – rattaché à Annemasse.

BERGUES 59380 Nord ❺❶ ④ G. Picardie Flandres Artois – 4 209 h alt. 4.
Voir Couronne d'Hondschoote★.
🅱 Office du tourisme Place de la République ℰ 03 28 68 71 06, Fax 03 28 68 71 06, bergues@tourisme.norsys.fr.
Paris 279 – Calais 52 – Dunkerque 9 – Hazebrouck 34 – Lille 65 – St-Omer 31.

🏠 **Au Tonnelier,** près église ℰ 03 28 68 70 05, Fax 03 28 68 21 87 – 🖃. ☖
fermé 19 au 27 août, 23 déc. au 6 janv. et lundi midi – Repas (11,89) - 13,57/24,39 ⅄, enf. 7,47 – ☲ 6,10 – 11 ch 31,25/50,31 – ½ P 40,40/45

⚲ **Commerce** sans rest, près église ℰ 03 28 68 60 37, Fax 03 28 68 70 76 – 🖭 ☖
☲ 5,34 – 13 ch 24,40/43

✕✕✕ **Cornet d'Or** (Tasserit), 26 r. Espagnole ℰ 03 28 68 66 27, Fax 03 28 68 66 27 – ☖
③ fermé dim. soir et lundi sauf fériés – Repas 28/46 et carte 47 à 68
Spéc. Saint-Jacques de la baie d'Erquy et foie gras rôti (oct. à avril). Pigeonneau de Licques en cocotte. Sole du pays aux crevettes grises

BERNAY ◈ 27300 Eure ❺❺ ⑮ G. Normandie Vallée de la Seine – 11 024 h alt. 105.
Voir Boulevard des Monts★.
🅱 Office du tourisme 29 rue Thiers ℰ 02 32 43 32 08, Fax 02 32 45 82 68, office.tourisme.bernay@wanadoo.fr.
Paris 155 – Rouen 60 – Argentan 70 – Évreux 50 – Le Havre 70 – Louviers 52.

🏠 **Acropole Hôtel** Ⓜ sans rest, Sud-Ouest : 3 km sur rte de Broglie (N 138
𝒞 02 32 46 06 06, Fax 02 32 44 01 04 – 📺 ❤ 👌 🅿 – 🔼 30 à 70. 🅰🅴 ⓪ 🅶🅱
⊡ 6,50 – **51 ch** 46/53

XXX **Hostellerie du Moulin Fouret** 🕭 avec ch, Sud : 3,5 km par rte St-Quentin-des-Isle
𝒞 02 32 43 19 95, Fax 02 32 45 55 50, 🌫, « Jardin fleuri en bordure de rivière », 🐾 – ❤ 🅰
🅰🅴 🅶🅱 🉐
fermé dim. soir et lundi sauf fériés – **Repas** 19,06/38,88 et carte 45 à 60 🍷 – ⊡ 7,62 – **8 ch** 4

à St-Quentin-des-Isles Sud-Ouest : 5 km par rte de Broglie – 236 h. alt. 115 – ✉ 27270 :

XX **Pommeraie**, sur N 138 𝒞 02 32 45 28 88, Fax 02 32 44 69 00, 🌫, 🐾 – 🅿 🅰🅴 ⓪ 🅶🅱
fermé 5 au 12 août, dim. soir et lundi – **Repas** 23,63/45,73 🍷

BERNEX 74500 H.-Savoie 🈂 ⑱ G. Alpes du Nord – 854 h alt. 955 – Sports d'hiver : 1 000/2 000 r
🎿 15 🎿.
🛈 Office du tourisme Le Clos du Moulin 𝒞 04 50 73 60 72, Fax 04 50 73 16 17, bernex@or
bernex.fr.
Paris 592 – Thonon-les-Bains 20 – Annecy 96 – Évian-les-Bains 11 – Morzine 33.

🏠 **Chez Tante Marie** 🕭, 𝒞 04 50 73 60 35, Fax 04 50 73 61 73, ≤, 🌫, « Jardin fleuri »
🐾 – 🛗 📺 🅿, ⓪ 🅶🅱, 🐕 ch
fermé 12 au 27 avril et 15 oct. au 15 déc. – **Repas** (fermé dim. soir hors saison) 18/41 🍷
enf. 10 – ⊡ 7 – **27 ch** 63/68 – ½ P 60/63

X **L'Échelle et H. Grand Chenay** avec ch, 𝒞 04 50 73 60 42, Fax 04 50 73 69 21, 🐾
cuisinette 🅿. 🅶🅱
fermé 15 nov. au 15 déc. – **Repas** (fermé lundi et mardi) 16 (déj.), 22,70/30 🍷, enf. 10,50
⊡ 6,50 – **6 ch** 50/60, 6 studios – ½ P 50/52

à La Beunaz Nord-Ouest : 1,5 km par D 52 – ✉ 74500 Évian-les-Bains :

🏠 **Bois Joli** 🕭, 𝒞 04 50 73 60 11, hboisjoli@aol.com, Fax 04 50 75 63 28, ≤, 🌫, 🔼, 🐾, 🐾
– 🛗 📺 🅿. 🅰🅴 ⓪ 🅶🅱
2 mai-15 oct. et 20 déc.-2 avril – **Repas** (fermé dim. soir et merc.) 15/38, enf. 10 – ⊡ 7
26 ch 60/69, 3 appart – ½ P 56

BERRWILLER 68500 H.-Rhin 🈂 ⑱ – 1 058 h alt. 260.
Paris 468 – Mulhouse 20 – Belfort 44 – Colmar 30 – Épinal 100 – Guebwiller 9.

XX **L'Arbre Vert**, 96 r. Principale 𝒞 03 89 76 73 19, Fax 03 89 76 73 68 – ▤, 🅶🅱
fermé 1er au 21 juil., 21 fév. au 2 mars, dim. soir et lundi – **Repas** 8,69 (déj.), 19,06/41,16 🍷
enf. 7,62

BERRY-AU-BAC 02190 Aisne 🈂 ⑥ – 528 h alt. 62.
Paris 163 – Reims 22 – Laon 30 – Rethel 45 – Soissons 48 – Vouziers 65.

XXX **Côte 108** (Courville), 𝒞 03 23 79 95 04, Fax 03 23 79 83 50, 🌫, 🐾 – ▤ 🅿. 🅰🅴 🅶🅱
🏵 fermé 8 au 24 juil., 25 déc. au 16 janv., mardi soir, dim. soir et lundi – **Repas** (dim. préven.
25/64 et carte 57 à 80, enf. 15
Spéc. Foie gras chaud en croque au sel. Coquilles Saint-Jacques (15 oct. au 15 avril
Poitrine de pigeonneau rosé, cuisses confites **Vins** Coteaux champenois rouges, Bouzy.

BESANÇON 🅿 25000 Doubs 🈂 ⑮ G. Jura – 117 733 h Agglo. 134 376 h alt. 250 – Casino BY.
Voir Site★★★ – Citadelle★★ : musée d'Histoire naturelle★ M³, musée comtois★ M², musé
de la Résistance et de la Déportation★ M⁴ – Vieille ville★★ ABYZ : Palais Granvelle
cathédrale★ (Vierges aux Saints★), horloge astronomique★, façades des maisons du 17ᵉ s.
– Préfecture★ AZ P – Bibliothèque municipale★ BZ B – Grille★ de l'Hôpital St-Jacques AZ
Musée des Beaux-Arts et d'Archéologie★★.
🛈 Office du tourisme 2 place de la 1ʳᵉ Armée Française 𝒞 03 81 80 92 55, Fax 03 81 80.5
30, otsi.besancon@caramail.com.
Paris 405 ④ – Basel 168 ⑤ – Bern 154 ② – Dijon 92 ④ – Lyon 225 ④ – Nancy 208 ⑤.

Plans pages suivantes

🏠 **Mercure Parc Micaud** Ⓜ, 3 av. Ed. Droz 𝒞 03 81 40 34 34, H1220@accor-hotels.cor
Fax 03 81 40 34 39 – 🛗 ⏧ ▤ 📺 ❤ 👌 🅿 – 🔼 20 à 100. 🅰🅴 ⓪ 🅶🅱   BY
Repas (fermé dim. midi et sam.) (16,50) - 22/26 🍷 – ⊡ 10,50 – **91 ch** 92/110

🏠 **Castan** sans rest, 6 square Castan 𝒞 03 81 65 02 00, art@hotelcastan.
Fax 03 81 83 01 02, « Hôtel particulier du 17ᵉ », 🐾 – 📺 ❤ 🅶🅱   BZ
fermé 31 juil. au 21 août et 23 déc. au 4 janv. – ⊡ 10,50 – **10 ch** 110/160

🏠 **Novotel** 🕭, 22 bis r. Trey 𝒞 03 81 50 14 66, h0400@accor-hotels.cor
Fax 03 81 53 51 57, 🌫, 🔼, 🐾 – 🛗 ⏧ ▤ 📺 👌 🅿 – 🔼 100. 🅰🅴 ⓪ 🅶🅱 🉐   BX
Repas (15,24) - 18,29 🍷, enf. 7,62 – ⊡ 9,60 – **107 ch** 85/99

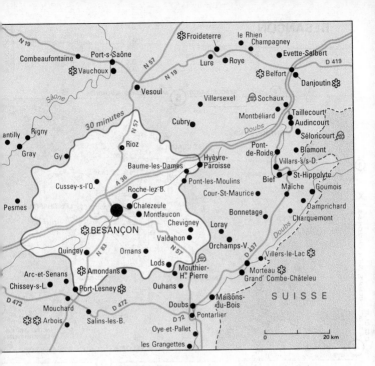

🏨 **Nord** sans rest, 8 r. Moncey ℰ 03 81 81 34 56, *hoteldunord3@wanadoo.fr*, Fax 03 81 81 85 96 – ⧈ 📺 ✆ ⇔ 🅿 🄰🄴 ⓞ ☒ 🄹🄲🄱   BY **r**
🖵 5,35 – **44 ch** 33,60/51,90

🏨 **Ibis Centre** Ⓜ sans rest, 21 r. Gambetta ℰ 03 81 81 02 02, *ibis-besancon-centre@wanadoo.fr*, Fax 03 81 81 89 65 – ⧈ ✳ ≣ 📺 ✆ & 🅿 – 🄰 25. 🄰🄴 ⓞ ☒ ✼   BY **k**
🖵 6 – **49 ch** 56

🏨 **Siatel Châteaufarine** Ⓜ, 6 r. L. Aragon, zone commerciale de Châteaufarine ℰ 03 81 41 12 22, Fax 03 81 41 12 22 – ⧈, ≣ rest, 📺 ✆ & 🅿 – 🄰 80. ☒ ✼   AX **a**
Repas *(fermé dim.)* 10,37/18 ♀ – 🖵 5,50 – **30 ch** 46,50 – ½ P 35

🏨 **Siatel**, 3 chemin des Founottes par N 57 : 3 km ℰ 03 81 80 41 41, Fax 03 81 80 41 41 – 📺 ✆ 🅿 – 🄰 40.   AX **q**
Repas *(fermé dim.)* 10,52/18 ♀ – 🖵 5,50 – **36 ch** 46,50 – ½ P 35

🏨 **Relais des Vallières**, 3 r. P. Rubens par bd de l'Ouest : 4 km ℰ 03 81 52 02 02, Fax 03 81 51 18 26 – ✳ 📺 ✆ & 🅿 – 🄰 15. 🄰🄴 ⓞ ☒ ✼   AX **n**
Repas *(fermé dim. soir de nov. à avril)* (11/43) – 14,48/22,11 ♀, enf. 7 – 🖵 5,70 – **49 ch** 42,70/52,60 – ½ P 36,60/41,20

🏨 **Régina** sans rest, 91 Grande Rue ℰ 03 81 81 50 22, Fax 03 81 81 60 20 – 📺. 🄰🄴 ⓞ ☒   BY **e**
fermé 3 au 10 août et 24 déc. au 2 janv. – 🖵 4,88 – **20 ch** 28,97/38,11

ⓍⓍⓍ **Mungo Park** (Mme Choquart), 11 r. Jean Petit ℰ 03 81 81 28 01, Fax 03 81 83 36 97 – 🄰🄴 ⓞ ☒   AY **e**
✿   *fermé 28 juil. au 19 août, 3 au 10 nov., dim. et lundi* – **Repas** 30 (déj.), 45/85 et carte 50 à 75 ♀
Spéc. Millefeuille de pommes de terre confites au foie gras et morteau. Suprême de volaille aux morilles et Vin Jaune. Moelleux au pain d'épice et vieux pontarlier **Vins** Arbois blanc et rouge

ⓍⓍ **Chaland**, promenade Micaud, près Pont Brégille ℰ 03 81 80 61 61, *chaland@chaland.com*, Fax 03 81 88 67 42, ≼, « Bateau restaurant » – ≣. 🄰🄴 ☒   BY **s**
fermé 29 juil. au 20 août et sam. midi – **Repas** 15/58 bc ⚘

ⓍⓍ **Poker d'As**, 14 square St-Amour ℰ 03 81 81 42 49, Fax 03 81 81 05 59 – ≣. 🄰🄴 ⓞ ☒   BY **u**
fermé 14 juil. au 5 août, dim. soir et lundi – **Repas** 15,17/36,59 ♀

BESANÇON

Allende (Bd S.) . . . . AX 2	Chaillot (R.) . . . . BX 12	Lagrange (Av. Léo) . . . . AX
Belfort (R. de) . . . . BX	Clemenceau (Av. Georges) . . . . AX 15	Montrapon (Av. de) . . . . AX
Brulard (R. Gén.) . . . . AX 5	Clerc (R. F.) . . . . BX 16	Observatoire (Av. de l') . . . . . AX
Carnot (Av.) . . . . BX 7	Fontaine-Argent (Av. de) . . . . BX 19	Ouest (Bd) . . . . AX
	Jouchoux (R. A.) . . . . AX 25	Paix (Av. de la) . . . . BX
		Vaite (R. de la) . . . . BX
		Voirin (R.) . . . . BX

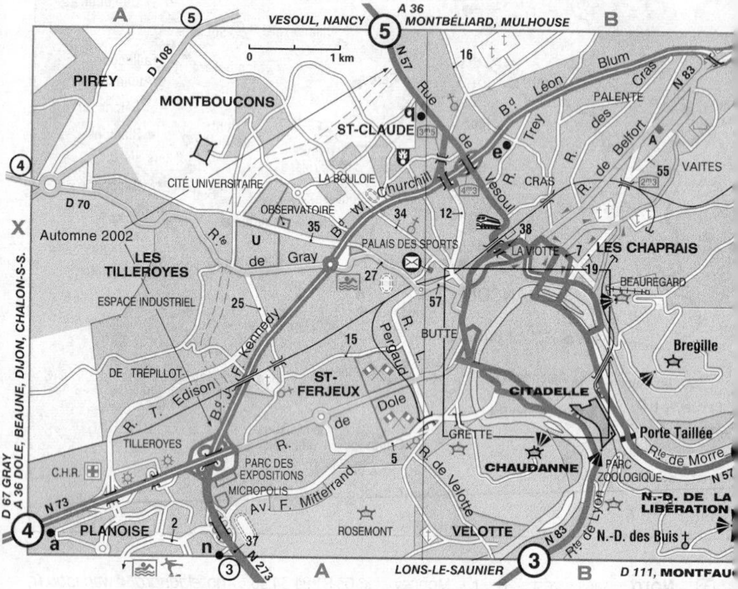

XX **Vauban,** à la Citadelle ✆ 03 81 83 02 77, *Fax 03 81 83 17 25,* « A l'entrée de Citadelle » – AE GB, ※ BZ
1er mars-31 oct. et fermé dim. soir et lundi – **Repas** 16,50/30,50 ♀

X **L'Ô à la Bouche,** 9 r. Lycée ✆ 03 81 82 09 08, *Fax 03 81 82 16 38* – ※ AY
fermé 12 août au 1er sept., sam. midi, lundi soir et dim. – **Repas** 11,50 (déj.), 18/38

X **Au Petit Polonais,** 81 r. Granges ✆ 03 81 81 23 67, *jean-michel.viennot@wanadoo.*
Fax 03 81 81 88 21 – GB BY
fermé 14 juil. au 15 août, sam. soir et dim. – **Repas** 9,91/23,93 ♀

à Chalezeule *par ① et D 217 : 5,5 km – 952 h. alt. 252 – ✉ 25220 :*

Trois Iles ⊗, ✆ 03 81 61 00 66, *hotel.3iles@wanadoo.fr, Fax 03 81 61 73 09* – TV
– 15. AE ⊕ GB. ※ rest
fermé 15 déc. au 3 janv. – **Repas** (dîner seul.) 16 ♀ – ☕ 6 – **17 ch** 40/65 – ½ P 45/56

à Roche-lez-Beaupré *par ① : 8 km – 2 062 h. alt. 242 – ✉ 25220 :*

X **Auberge des Rosiers,** ✆ 03 81 57 05 85, *Fax 03 81 60 51 54,* – P. ⊕ GB
fermé 1er au 15 oct., 15 au 28 fév., dim. soir en hiver, lundi soir et mardi – **Repas** 11/27,50 enf. 9,90

à Montfaucon *par ②, D 464 et D 146 : 9 km – 1 372 h. alt. 491 – ✉ 25660 :*

XX **Cheminée,** rte Belvédère ✆ 03 81 81 17 48, *Fax 03 81 82 86 45,* ≤, – P. AE GB
fermé 19 août au 5 sept., 11 fév. au 5 mars, dim. soir et merc. – **Repas** 20/40

à l'Espace Valentin Vert-Bois-Vallon *par ⑤ et D 75 : 5 km – ✉ 25480 École-Valentin :*

XXX **Valentin** (Maire), ✆ 03 81 80 03 90, *restaurant.le.valentin@wanadoo.fr, Fax 03 81 53 45 4*
, – P. AE ⊕ GB
fermé 5 au 26 août, 17 fév. au 3 mars, sam. midi, dim. soir et lundi – **Repas** 25/61 et car
50 à 65 ♀, enf. 12
Spéc. Dos de bar caramélisé, petit jus au maury. Pigeon rôti au miel et pain d'épice. Gibi (saison) **Vins** Arbois, Côtes du Jura

BESANÇON

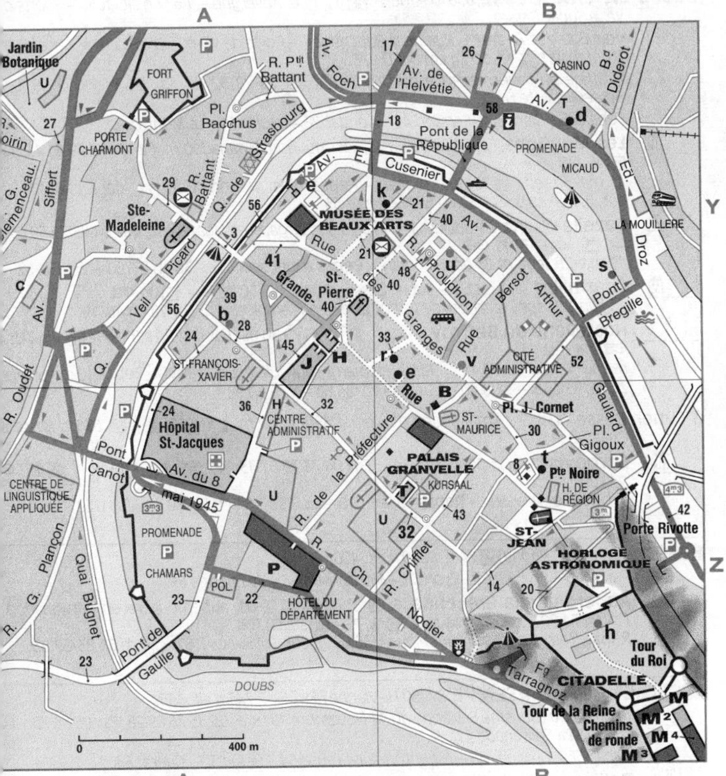

l'Espace Valentin par ⑤ et N 57 : 7 km – ⊠ 25000 Besançon :

🏨 **Campanile**, 1 r. Châtillon ℘ 03 81 53 52 22, Fax 03 81 88 12 56, 🛋 – 📺 📞 ㅕ 🅿 – 🔬 15.
🅰🅴 ⓪ 🔳
Repas (12) - 14/17 ㏑, enf. 6 – ☲ 6 – **53 ch** 54/61

BESSANS 73480 Savoie 🞗 ⑨ G. Alpes du Nord – 311 h alt. 1730 – Sports d'hiver : 1 750/2 220 m ⚶4 ⚵.

Voir *Peintures★* de la chapelle St-Antoine.

Env. Vallée d'Avérole★★.

🚇 Office du tourisme ℘ 04 79 05 96 52, Fax 04 79 05 83 11, info@besans.com.
Paris 700 – Albertville 125 – Chambéry 138 – Lanslebourg-Mont-Cenis 13 – Val-d'Isère 37.

🏨 **Mont-Iseran**, ℘ 04 79 05 95 97, info@montiseran.com, Fax 04 79 05 84 67 – 📺 🛍.
🔳, ⚹ rest
25 juin-30 sept. et 15 déc.- 26 avril – **Repas** 11,50/24,50 ㏑ – ☲ 6,90 – **19 ch** 41,20/56,50 –
½ P 50,40

Le BESSAT 42660 Loire 🔟 ⑨ – 414 h alt. 1170 – Sports d'hiver : 1 170/1 427 m ⚡.

> 🏛 Syndicat d'initiative Maison Communale ℰ 04 77 20 43 76, Fax 04 77 20 43 76.
> . Paris 535 – St-Étienne 19 – Annonay 30 – St-Chamond 19 – Yssingeaux 64.

XX **La Fondue "Chez l'Père Charles"** avec ch, ℰ 04 77 20 40 09, Fax 04 77 20 45 20 –
GB, ※
15 mars-15 nov. et fermé dim. soir, lundi midi et soirs fériés – Repas 13/44 ⵕ – ⵌ 6 – 9 –
43/55

BESSE-EN-CHANDESSE 63610 P.-de-D. 🔟 ⑬ ⑭ G. Auvergne – 1 672 h alt. 1050 – Sports d'hi
ver à Super Besse.

Voir Église St-André★ – Rue de la Boucherie★ – Porte de ville★ – Lac Pavin★★ ≤★ et Puy de
Montchal★★ ※★★ SO : 4 km par D 978.

🏛 Office du tourisme Place du Dr Pipet ℰ 04 73 79 52 84, Fax 04 73 79 52 08, Sudi
Besse@laposte.fr.

Paris 465 – Clermont-Ferrand 46 – Condat 28 – Issoire 31 – Le Mont-Dore 25.

🏨 **Les Mouflons,** ℰ 04 73 79 56 93, les-mouflons@wanadoo.fr, Fax 04 73 79 51 18, ≤
TV P, GB JCB
1er mai-30 sept. et 22 déc.-15 mars – Repas (dîner seul.en hiver) 13,72 (déj.), 19,06/28,97 ⵕ,
enf. 6,88 – ⵌ 9,15 – 52 ch 58/62 – 1/2 P 55

🏡 **Gazelle** ঌ, rte Compains ℰ 04 73 79 50 26, gazelle@lagazelle.fr, Fax 04 73 79 89 03,
🔏, 🔲, 🐾 – TV P, GB
1er mai-29 sept. et 25 déc.-17 mars – Repas (dîner seul.) 17 – 35 ch 57/60 – 1/2 P 50/52

🏡 **Charmilles** sans rest, rte Super-Besse ℰ 04 73 79 50 79, ≤ – TV P, GB
15 juin-20 sept., vacances de fév. et week-ends en hiver – ⵌ 6 – 20 ch 43/49

XX **Hostellerie du Beffroy** avec ch, ℰ 04 73 79 50 08, Fax 04 73 79 57 87 – TV ☎, AE
GB, ※ rest
fermé 4 nov. au 26 déc., lundi et mardi sauf juil.-août et fév. – Repas (dim. préver
21,35/53,36 ⵕ – ⵌ 8,40 – 11 ch 45,73/83,85 – 1/2 P 60,98

à Super-Besse Ouest : 7 km – Sports d'hiver : 1 350/1 850 m ⚡ 1 ⚡ 20 ⚡ – ⵧ 63610 Besse-en
Chandesse :

🏨 **Gergovia** ঌ, ℰ 04 73 79 60 15, Fax 04 73 79 61 43, ≤, 斎, 🔏 – TV P, – ⚐ 25. G
※ rest
juil.-août et janv.-fév. – Repas 19, enf. 10 – ⵌ 9,50 – 51 ch 53/80 – 1/2 P 51/62

BESSENAY 69690 Rhône 🔟 ⑲ – 1 830 h alt. 400.

Paris 466 – Roanne 69 – Lyon 31 – Montbrison 53 – St-Étienne 65.

🏨 **Auberge de la Brevenne,** N 89 ℰ 04 74 70 80 01, auberge-labrevenne@wanadoo.
Fax 04 74 70 82 31 – 🔌, ☰ rest, TV ⴵ P, – ⚐ 30. AE GB
Repas (fermé dim. soir) (10,67) - 15,24/35,06 ⵕ, enf. 9,15 – ⵌ 7,62 – 24 ch 51,83/57,93

BESSINES-SUR-GARTEMPE 87250 H.-Vienne 🔟 ⑧ – 2 743 h alt. 335.

🏛 Office du tourisme 6 avenue du 11 Novembre 1918 ℰ 05 55 76 09 28, Fax 05 55 76 10 4
OT.BESSINES@wanadoo.fr.

Paris 356 – Limoges 38 – Argenton-sur-Creuse 58 – Bellac 30 – Guéret 54.

XX **Bellevue** avec ch, D 220 ℰ 05 55 76 01 99, Fax 05 55 76 68 81 – TV ⴵ P, AE GB
fermé 11/01 au 2/02, vend. soir et sam. midi du 11/11 à Pâques et lundi soir (sf hôtel)
Pâques au 11/11 sf 07-09 – Repas 11/35 ⵕ, enf. 8 – ⵌ 5 – 12 ch 36/43 – 1/2 P 36/46

à La Croix-du-Breuil Nord : 3 km sur D 220 – ⵧ 87250 Bessines-sur-Gartempe :

🏡 **Manoir Henri IV,** ℰ 05 55 76 00 56, Fax 05 55 76 14 14, 斎, 🐾 – TV ⴵ P, ⓞ GB
fermé dim. soir – Repas (13) - 18,50/40,50 ⵕ, enf. 10 – ⵌ 6 – 11 ch 42/51

Write us...

If you have any comments on the contents of this Guide.

Your praise as well as your criticisms will receive careful
consideration and, with your assistance, we will be able to add
to our stock of information and, where necessary, amend
our judgments.

Thank you in advance!

THUNE <SP> 62400 P.-de-C. 51 ⑭ *G. Picardie Flandres Artois – 27 808 h Agglo. 259 198 h alt. 34.*

ℹ *Office du tourisme Le Beffroi ✆ 03 21 57 25 47, Fax 03 21 57 01 60.*

Paris 215 ④ *– Calais 85* ④ *– Lille 40* ② *– Arras 34* ④ *– Boulogne-sur-Mer 91* ②.

BÉTHUNE

ert 1er (R.) . . . . YZ 2
is (R. d') . . . . Z 3
ay (R. de) . . . . Z 6
idan(R.) . . . . Z 7
menceau (Pl. G.) . . . . . . Z

Egalité (R. de l') . . . . Y 8
Gambetta (R.) . . . . YZ 10
Grand'Place . . . . Z
Haynaut (R. Eugène) . . . . . Z 12
Juin (Av. du Mar.) . . . . Z 14
Kennedy (Av. du Prés.) . . . Y 15
Lamartine (Pl.) . . . . Y 17
Lattre-de-Tassigny (Av. de) Z 18

Pont de Pierre (R. du) . . . . Y 20
Quai du Rivage (R. du) . . . . Y 21
République (Pl. de la) . . . . Y 22
Sadi-Carnot (R.) . . . . Y
Treilles (R. des) . . . . Z 25
Vauban (Bd) . . . . Z 26
Zola (R. Emile) . . . . Z 27

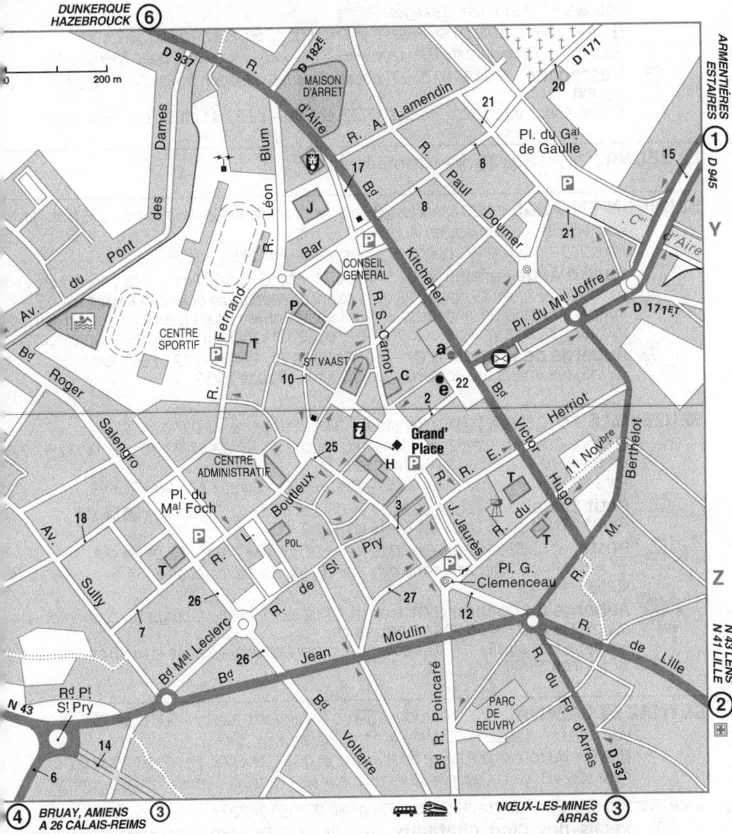

🏨 **L'Eden** Ⓜ sans rest, pl. République ✆ 03 21 68 83 83, *Fax 03 21 68 83 84* – 🛗 📺 📞. AE ⓞ GB – ☕ 7,62 – **15 ch** 44,97/73,18 — Y e

XXX ✿✿ **Meurin et Résidence Kitchener** Ⓜ avec ch, 15 pl. République ✆ 03 21 68 88 88, *marc.meurin@le-meurin.fr, Fax 03 21 68 88 89,* 🌂 – cuisinette, ▤ rest, 📺 📞. AE ⓞ GB JCB — Y a

fermé 1er au 25 août, 2 au 10 janv., mardi midi, dim. soir et lundi – **Repas** 33,54 (déj.), 45,73/91,47 et carte 72 à 92 ♀ – ☕ 11,43 – **7 ch** 83,85/129,58 – ½ P 114,34

Spéc. Anguille de la Somme au pain perdu d'herbes du jardin. Turbot côtier et salade de pieds de porc à l'encre de seiche. Flan de réglisse chocolaté au sirop de thé vert.

ce de Bruay-la-Bussière *par* ④ *(sortie 6 par A 26) : 3 km –* ✉ *62232 Fouquières-les-Béthune :*

🏠 **Campanile,** ✆ 03 21 57 76 76, *Fax 03 21 56 98 50,* 🌂 – ⅍, ▤ ch, 📺 📞 ♿ P – 🏋 25. AE ⓞ GB – **Repas** *(12)* - 15,50 ♀, enf. 5,95 – ☕ 6 – **58 ch** 52

à Gosnay *par* ④, *N 41 et D 181 : 5 km – 1 195 h. alt. 29* – ⊠ *62199 :*

🏨 **Chartreuse du Val St-Esprit** ≫, ℰ 03 21 62 80 00, Fax 03 21 62 42 50, 🎄
« Demeure du 18ᵉ siècle sur le site d'une ancienne chartreuse », ₶, ℀, ᴥ – 🛊 📺 ✿ 🅿
🛦 25 à 100. 🆔 ⓞ ⌾⌾
Repas 28,20/55,65 ♀ – ☷ 10 – **15 ch** 77/200

Le BETTEX *74 H.-Savoie* 📗 ⑧ – *rattaché à St-Gervais-les-Bains.*

BEUIL *06470 Alpes-Mar.* 🔢 ⑨, 🔢 ④ *G. Alpes du Sud – 334 h alt. 1450 – Sports d'hiver : 1 430/
2 100 m ✶ 26 ⚡.*
Voir *Site★ - Peintures★ de l'église.*
🎋 Office de tourisme pl. du Pissaïre ℰ 04 93 02 32 58, Fax 04 93 02 35 72.
Paris 835 – Barcelonnette 81 – Digne-les-Bains 119 – Nice 79 – Puget-Théniers 31.

🏠 **L'Escapade,** ℰ 04 93 02 31 27, hotelescapade@wanadoo.fr, Fax 04 93 02 34 67, ≤, 🎄
📺, ⌾⌾
fermé 1ᵉʳ oct. au 24 déc. – **Repas** 17/22, enf. 10 – ☷ 8 – **11 ch** 33/63 – ½ P 43/52

La BEUNAZ *74 H.-Savoie* 📗 ⑱ – *rattaché à Bernex.*

BEUVRON-EN-AUGE *14430 Calvados* 🔢 ⑰ *G. Normandie Vallée de la Seine – 233 h alt. 11.*
Voir *Village★ – Clermont-en-Auge★ NE : 3 km.*
Paris 219 – Caen 30 – Cabourg 15 – Lisieux 26 – Pont-l'Évêque 32.

🍴🍴🍴 **Pavé d'Auge** (Bansard), ℰ 02 31 79 26 71, Fax 02 31 39 04 45, « Halles anciennes » – ⌾
❄ *fermé 1ᵉʳ au 7 juil., 25 nov. au 28 déc., mardi de sept. à juin et lundi* – **Repas** 23/50 ♀
Spéc. Capuccino de langoustines et brochette grillée (mars à sept.). Caneton sauvage
rôti aux navets et vinaigre de cidre. Millefeuille à la vanille aux pommes caramélisées.

🍴 **Auberge de la Boule d'Or,** ℰ 02 31 79 78 78, Fax 02 31 39 61 50 – ⌾⌾
fermé janv., mardi soir et merc. sauf juil.-août – **Repas** 15/32

BEUZEVILLE *27210 Eure* 🔢 ④ *G. Normandie Vallée de la Seine – 3 097 h alt. 129.*
🎋 Office du tourisme 52 rue Constant Fouché ℰ 02 32 57 72 10, Fax 02 32 57 72 10
office-de-tourisme-beuzeville@wanadoo.fr.
Paris 180 – Le Havre 32 – Bernay 38 – Deauville 31 – Évreux 77 – Honfleur 15.

🏨 **Petit Castel** sans rest, ℰ 02 32 57 76 08, Fax 02 32 42 25 70, 🐎 – 📺 🅿. ⌾⌾. ℀
fermé 15 déc. au 15 janv. – ☷ 6 – **16 ch** 42/52

🏠 **Poste,** ℰ 02 32 20 32 32, Fax 02 32 42 11 01, 🎄, 🐎 – 📺 ✿ 🅿. 🆔 ⓞ ⌾⌾. ℀ ch
1ᵉʳ avril-12 nov. – **Repas** (fermé dim. soir de sept. à mai et jeudi) 16/33 ♀ – ☷ 6,50 – **14 ch**
40/58 – ½ P 49/57

🍴🍴🍴 **Auberge du Cochon d'Or** avec ch, ℰ 02 32 57 70 46, auberge-du-cochon-dor@wana
⌾⌾ doo.fr, Fax 02 32 42 25 70 – ✿. ⌾⌾. ℀ ch
fermé 15 déc. au 15 janv., dim. soir d'oct. à mars et lundi – **Repas** 13,60/40 et carte 32 à 50
☷ 6 – **4 ch** 36/40

BEYNAC ET CAZENAC *24220 Dordogne* 🔢 ⑰ *G. Périgord Quercy – 506 h alt. 75.*
Voir *Site★★ – Village★ – Calvaire ✳★★ – Château★★ : ✳★★.*
🎋 Office de tourisme Parking de la Balme ℰ 05 53 29 43 08, Fax 05 53 29 43 08.
Paris 526 – Brive-la-Gaillarde 63 – Périgueux 66 – Sarlat-la-Canéda 12 – Gourdon 27.

à Vézac *Sud-Est : 2 km sur rte de Sarlat – 594 h. alt. 90* – ⊠ *24220 :*

🍴🍴 **Relais des Cinq Châteaux** avec ch, ℰ 05 53 30 30 72, 5chateaux@perigord.com
⌾ Fax 05 53 30 30 08, ≤, 🎄, ⌁, ▬ rest, 📺 🅿 – 🛦 20. ⌾⌾
fermé 15 fév. au 8 mars, dim. soir et lundi midi du 15 nov. au 15 avril – **Repas** (9,91)
16,77/32,01 ♀, enf. 9,15 – ☷ 6,10 – **10 ch** 41,92/48,02 – ½ P 52,60

Les BÉZARDS *45 Loiret* 🔢 ② – ⊠ *45290 Boismorand.*
Paris 138 – Auxerre 80 – Gien 58 – Joigny 58 – Montargis 23 – Orléans 74.

🏨 **Auberge des Templiers** Ⓜ ≫, à 4 km de l'autoroute A 77, sortie 19 ℰ 02 38 31 80 01
❄ templiers@relaischateaux.fr, Fax 02 38 31 84 51, 🎄, « Bel ensemble hôtelier dans un parc
fleuri », ⌁, ℀, ᴥ – ▬ ch, 📺 ✿ ⌖ ⇔ 🅿 – 🛦 20. 🆔 ⓞ ⌾⌾ 🎴
fermé 8 fév. au 2 mars – **Repas** 55 (déj.), 70/115 et carte 85 à 110 ♀ – ☷ 15 – **22 ch** 105/225
8 appart – ½ P 135/185
Spéc. Pigeon laqué aux pralines de Montargis. Gibier de Sologne (saison). Les entremets de
l'auberge. **Vins** Pouilly Fumé, Sancerre

BÉZIERS ◈ 34500 Hérault **83** ⑮ *G. Languedoc Roussillon* – 69 153 h Agglo. 127 967 h alt. 17.

Voir Anc. cathédrale St-Nazaire★ : terrasse ≤★ – Musée du Biterois★ BZ **M³** – Jardin St Jacques ≤★.

✈ de Béziers-Vias : ℰ 04 67 90 99 10, par ③ : 12 km.

🛈 Office du tourisme Avenue Saint-Saëns ℰ 04 67 76 47 00, Fax 04 67 76 50 80, mairie.de.beziers@wanadoo.fr.

Paris 764 ③ – Montpellier 70 ③ – Marseille 236 ③ – Perpignan 93 ④.

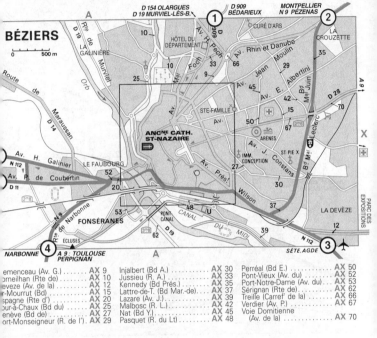

emenceau (Av. G.)	**AX** 9	Injalbert (Bd A.)	**AX** 30
orneilhan (Rte de)	**AX** 10	Jussieu (R. A.)	**AX** 33
eveze (Av. de la)	**AX** 12	Kennedy (Bd Prés.)	**AX** 35
r-Mourrut (Bd)	**AX** 15	Lattre-de-T. (Bd Mar.-de)	**AX** 37
spagne (Rte d')	**AX** 20	Lazare (Av. J.)	**AX** 39
ur-à-Chaux (Bd du)	**AX** 25	Malbosc (R. L.)	**AX** 42
enève (Bd de)	**AX** 27	Nat (Bd Y.)	**AX** 45
ort-Monseigneur (R. de l')	**AX** 29	Pasquet (R. du Lt)	**AX** 48

Perréal (Bd E.)	**AX** 50		
Pont-Vieux (Av. du)	**AX** 52		
Port-Notre-Dame (Av. du)	**AX** 53		
Sérignan (Rte de)	**AX** 62		
Treille (Carref' de la)	**AX** 66		
Verdier (Av. P.)	**AX** 67		
Voie Domitienne (Av. de la)	**AX** 70		

🏠 **Champ de Mars** sans rest, 17 r. Metz ℰ 04 67 28 53 53, Fax 04 67 28 61 42 – 📺 🚗 . 🖭 ⑩ 🖼, ⚙️ CY **v**
fermé 23 fév. au 1er mars – ☲ 5 – **10 ch** 30,40/42,60

🍽️🍽️🍽️ **L'Ambassade**, 22 bd Verdun (face gare) ℰ 04 67 76 06 24, Fax 04 67 76 74 05 – ☷. 🖭 ⑩ 🖼 CZ **n**
fermé dim. et lundi – **Repas** 22,87/64,03 ⌾

🍽️🍽️ **Framboisier**, 12 r. Boïeldieu ℰ 04 67 49 90 00, Fax 04 67 28 06 73 – ☷. 🖭 ⑩ 🖼 🖼 CY **u**
fermé 16 août au 5 sept., vacances de fév., dim. et lundi – **Repas** 22,87 (déj.), 25,92/39,64

🍽️🍽️ **Val d'Héry**, 67 av. Prés. Wilson ℰ 04 67 76 56 73, Fax 04 67 76 56 73 – ☷ CZ **b**
fermé 15 au 30 juin , dim. et lundi – **Repas** 16/28,50 ⌾

🍽️ **Cep d'Or**, 7 r. Viennet ℰ 04 67 49 28 09 – 🖼 BZ **d**
🐌 *fermé 15 au 30 nov., lundi sauf le soir en juil.-août et dim. soir* – **Repas** 12,20/24,40 ⅍

par ③ : *6 km à l'échangeur A9-Béziers-Est* – ✉ 34420 Villeneuve-lès-Béziers :

🏠 **Ibis**, ℰ 04 67 62 55 14, Fax 04 67 76 50 78, 🌁, 🌿, ⏄, 🔥 ≒ 🏂 📺 ℰ & 🄿 – 🔔 50. 🖭 ⑩ 🖼 🖼
Repas 15,09 ⅍, enf. 5,95 – ☲ 5,34 – **108 ch** 58

🏠 **Clim'Oc**, 1 km, rte Valras ℰ 04 67 39 40 00, Fax 04 67 39 39 61, ⏄, ✗ – ≒ ☷ 📺 ℰ & 🄿
🐌 – 🔔 50. 🖭 ⑩ 🖼
Repas 11/27 ⌾ – ☲ 6 – **78 ch** 49/58 – ½ P 46/52

BÉZIERS

Abreuvoir (R. de l') .... BZ 2
Albert-Ier (Av.) .... CY 3
Bonsi (R. de) .... BZ 5
Canterelles (R.) .... BZ 6
Capus (R. du) .... BZ 7
Citadelle (R. de la) .... BZ 9
Drs-Bourguet (R. des) ...... BZ 13
Estienne-d'Orves (Av.) ...... BZ 22
Flourens (R.) .... BY 23
Garibaldi (Pl.) .... CZ 26
Joffre (Av. Mar.) .... CZ 32
Massol (R.) .... BZ 43
Moulins (Rampe des) .... BY 44
Orb (R. de l') .... BZ 47
Péri (Pl. G.) .... BYZ 49
Puits-des-Arènes (R. du) .... BZ 54
République (R. de la) .... BY 55
Révolution (Pl. de la) .... BZ
Riquet (R. P.) .... BY
St-Jacques (R.) .... BZ
Strasbourg (Bd de) .... CY
Tourventouse (Bd) .... BZ
Victoire (Pl. de la) .... BCY
Viennet (R.) .... BZ
4-Septembre (R. du) .... BY
11-Novembre (Pl. du) .... CY

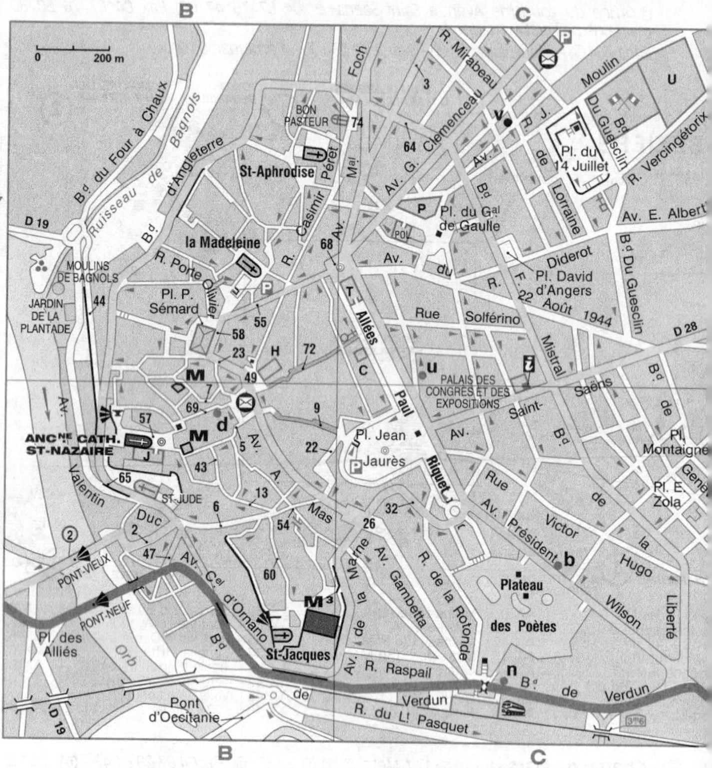

à Maraussan *Ouest : 6 km par D 14 – 2 782 h. alt. 38 – ✉ 34370 :*

XX **Parfums de Garrigues,** 37 r. Poste ✆ 04 67 90 33 76, *Fax 04 67 90 33 76,* – GB
fermé 26 août au 4 sept., 28 oct. au 6 nov., 2 au 8 janv., 17 fév. au 5 mars, mardi et merc.
Repas 18 (déj.), 23/32 ♀, enf. 9

X **Vieux Puits,** ✆ 04 67 90 05 59, *Fax 04 67 90 05 59,* – AE GB
fermé dim. et lundi – **Repas** 23,63/33,54

à Lignan-sur-Orb *Nord-Ouest par D 19 (rte de Murviel) : 7 km – 2 839 h. alt. 28 – ✉ 34490 :*

Château de Lignan M, ✆ 04 67 37 91 47, *chateau.de.lignan@wanadoo.*
Fax 04 67 37 99 25, – 60. AE GB JCB. rest
Repas 25 (déj.)/50 ♀ – 13 – **49 ch** 107/138 – 1/2 P 130

ARRITZ *64200 Pyr.-Atl.* **78** ⑪ ⑱, **85** ② *G. Aquitaine – 30 055 h alt. 19 – Casino.*

Voir ≼★★ *de la Perspective* – ≼★ *du phare et de la Pointe St-Martin* AX – *Rocher de la Vierge★* – *Musée de la mer★*.

🛩 *de Biarritz-Anglet-Bayonne :* 𝄞 *05 59 43 83 83, 2 km* ABX.

🚗 𝄞 *08 36 35 35 35.*

🛈 *OMT Square d'Ixelles - Javalquinto* 𝄞 *05 59 22 37 00, Fax 05 05 59 24 14, Biarritz. Tourisme@biarritz.tm.fr.*

Paris 776 ③ – *Bayonne 9* – *Bordeaux 192* ③ – *Pau 124* ② – *San Sebastián 50* ⑥.

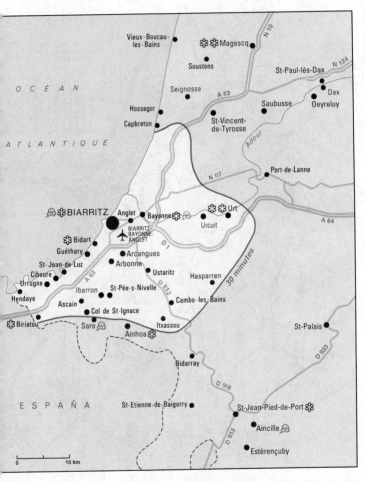

Palais ⚓, 1 av. Impératrice 𝄞 05 59 41 64 00, *reception@hotel-du-palais.com*, Fax 05 59 41 67 99, ≼, 🍽, « Belle piscine face à la mer », ⊿, 🎾 – 📶 ☰ 📺 ❤ **P** – 🔺 25 à 150. ◭ ⓪ ⒼⒷ ⒿⒸⒷ, ❀ rest

EY k

fermé fév. – **Villa Eugénie** (dîner seul. en juil.-août) **Repas** 80 et carte 80 à 105 ♈ – **La Rotonde : Repas** 50 et carte 50 à 80 ♈ – **L'Hippocampe** (rest. piscine) (mi-avril-fin oct. et fermé le soir sauf juil.-août) **Repas** 44(déj.), dîner à la carte en juil.-août 50 à 80 ♈ – ⊇ 25 – **134 ch** 275/500, 22 appart – ½ P 240/315

Spéc. Asperges vertes et oeuf poché à la truffe (printemps). Rouget du pays en filets poêlés, chipirons et riz crémeux, sauce à l'encre. Poêlée de fraises tièdes, glace à la vanille (saison). **Vins** Irouléguy blanc et rouge.

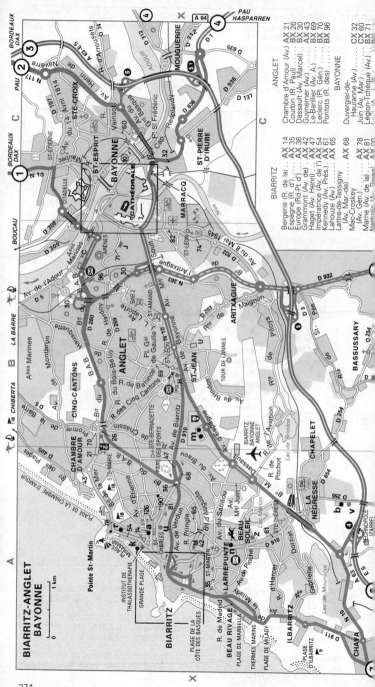

BIARRITZ-ANGLET BAYONNE

0 — 1 km

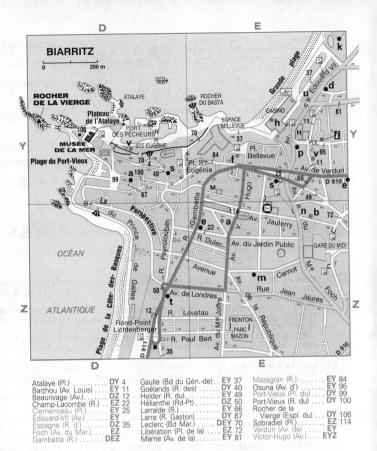

Sofitel Miramar M ⚜, 13 r. L. Bobet ℰ 05 59 41 30 00, *h9989-gm@accor-hotels.com*, Fax 05 59 24 77 20, ≤, 🍴, centre de thalassothérapie, 🌡, ⚫, ⚫, ⚫ – 🗇 🍴 📺 ⚫ ⚫ – 🔏 20 à 170. 🗛 ⓪ ⒢⒝ ⚫ rest AX k
Relais Miramar : Repas 43,45/44,97 ♀, enf. 15,24 – *Les Piballes* (rest. diététique) Repas 43,45bc/44,97bc, enf. 15,24 – ⚏ 16 – **109 ch** 297/448, 17 appart – ½ P 221/274

Crowne Plaza M, 1 carrefour Hélianthe ℰ 05 59 01 13 13, *reservation@cpbiarritz.fr*, Fax 05 59 01 13 14, 🌡 – 🗇 ✳ 📺 ⚫ ⚫ – 🔏 100. 🗛 ⓪ ⒢⒝ ⒥⒞⒝ DZ t
Repas 30/37,50 ♀ – ⚏ 19 – **150 ch** 297/406 – ½ P 190,50/245

Grand Hôtel Mercure Régina M, 52 av. Impératrice ℰ 05 59 41 33 00, *H2050@accor-hotels.com*, Fax 05 59 41 33 99, ≤, 🌡 – 🗇 📺 ⚫ ⚫ – 🔏 20. 🗛 ⓪ ⒢⒝, ⚫ rest AX r
fermé 24 nov. au 19 janv. – Repas 32/40 ♀ – ⚏ 15 – **59 ch** 173/350, 7 appart – ½ P 116,50/132

Plaza, av. Édouard VII ℰ 05 59 24 74 00, *hotel.plaza.biarritz@wanadoo.fr*, Fax 05 59 22 22 01, ≤, « Construction de style Art Déco » – 🗇 🍴 📺 ⚫ ⚫ ⚫ – 🔏 25. 🗛 ⓪ ⒢⒝, ⚫ rest EY p
Repas fermé dim. sauf le soir en saison, sam. midi et lundi midi hors saison) 16/24 – ⚏ 10,50 – **54 ch** 96/150 – ½ P 95/108

Altess M sans rest, 19 av. Reine Victoria ℰ 05 59 22 04 80, *altess@wanadoo.fr*, Fax 05 59 24 91 19 – 🗇 cuisinette ✳ 🍴 📺 ⚫ ⚫ ⚫ – 🔏 15. ⓪ ⒢⒝ ⒥⒞⒝ AX a
fermé 15 nov. au 15 déc. – ⚏ 8 – **40 ch** 118/131, 3 duplex

Tonic Ⓜ, 58 av. Édouard VII ℰ 05 59 24 58 58, *tonic.biarritz@wanadoo*
Fax 05 59 24 86 14, ⌨ – 📱 ■ 📺 ✆ ♿ ⇔ 🅿 – 🏧 70. 🝊 ⓪ ☜ 🔤   EY
Maison Blanche *fermé dim. soir et lundi en mars, nov. et déc.* **Repas** 20bc (déj.), 23/59
⊈ 10 – **63 ch** 110/155 – ½ P 97,50/112,50

Florida sans rest, pl. Ste-Eugénie ℰ 05 59 24 01 76, *hotel.florida@wanadoo*
Fax 05 59 24 36 54 – 📱 cuisinette 📺 ✆ ♿. ⓪ ☜   DY
15 mars-15 nov. – ⊈ 8 – **39 ch** 114/183, 6 studios

Président sans rest, pl. Clemenceau ℰ 05 59 24 66 40, *Fax 05 59 24 90 46* – 📱 ■ 📺
🏧 40. 🝊 ⓪ ☜   EY
⊈ 9 – **64 ch** 58/121

Marbella, 11 r. Port Vieux ℰ 05 59 24 04 06, *infos@hotel-marbella.fr*, *Fax 05 59 24 63*
– 📱 ■ 📺 ✆. ☜ 🔤   DY
fermé 15 déc. au 15 janv. – **Repas** *(fermé sam. et dim. du 30 oct. au 15 avril)* *(dîner se*
26,68 ♨ – ⊈ 7,32 – **30 ch** 60,98/80 – ½ P 68,60/73,20

Maïtagaria sans rest, 34 av. Carnot ℰ 05 59 24 26 65, *Fax 05 59 24 27 37*, ⌨ – 📺 ✆
⊈ 5,80 – **17 ch** 53,40/56,40   EZ

Maison Garnier sans rest, 29 r. Gambetta ℰ 05 59 01 60 70, *maison-garnier@hoi*
biarritz.com, *Fax 05 59 01 60 80* – 📺 ♿. 🝊 ⓪ ☜   EZ
⊈ 7,50 – **7 ch** 80/110

Romance sans rest, 6 allée des Acacias ℰ 05 59 41 25 65, *Fax 05 59 41 25 65* – 📺. 🝊 ⓪
fermé 15 janv. au 15 mars – ⊈ 6 – **10 ch** 58/74   AX

Christina sans rest, 38 av. Verdun ℰ 05 59 24 26 17, *christina@biarritz-hotel.co*
Fax 05 59 24 66 08 – 📺 ✆. ☜ 🔤   EY
fermé 20 déc. au 20 janv. – ⊈ 7 – **18 ch** 47/55

XXXX **Café de Paris** (Duhr et Oudill) Ⓜ avec ch, 5 pl. Bellevue ℰ 05 59 24 19 53, *cafedepar*
🕸 *biarritz@wanadoo.fr*, *Fax 05 59 24 18 20*, ≤, « Bel aménagement intérieur » – 📱, ■ re
📺 ✆. 🝊 ⓪ ☜ 🔤
15 mars-15 nov. – **Repas** *(fermé mardi et merc. sauf en août)* *(dîner seul.)* 53,50/75 et ca
60 à 80 ♌ - **Bistrot Bellevue** *(fermé mardi et merc. sauf juil.-août)* **Repas** 31/39 ♌ – ⊈ 13
18 ch 130/200 – ½ P 130/152
Spéc. Marbré de foie gras aux cèpes et appétits (automne). Saint-Pierre doré aux herb
iodées, jus noir d'olives. Soufflé léger aux abricots pistachés (saison). **Vins** Jurançc
Irouléguy.

XX **Les Platanes** (Daguin), 32 av. Beausoleil ℰ 05 59 23 13 68 – 🝊 ⓪ ☜   AX
🕸 *fermé lundi et mardi sauf le soir du 14 juil. au 21 août* – **Repas** (nombre de couverts limi
prévenir) 26 (déj.), 41/49 et carte 50 à 60 ♌
Spéc. Foies gras. Pigeonneau à l'ancienne. Chocolat aux chocolats. **Vins** Côtes de Sair
Mont, Irouléguy.

XX **L'Operne**, 17 av. Edouard VII ℰ 05 59 24 30 30, *operne@wanadoo.fr*, *Fax 05 59 24 37 8*
≤ océan, ⌨ – 🝊 ⓪ ☜ 🔤   EY
fermé 20 au 30 janv. et lundi hors saison – **Repas** 23,17/28,97 ♌, enf. 9,13

XX **Café de la Grande Plage**, 1 av. Edouard VII (casino) ℰ 05 59 22 77 77, *casinobiarritz*
lucienbarriere.com, *Fax 05 59 22 77 83*, ≤ océan, ⌨ – ■. 🝊 ⓪ ☜   EY
Repas brasserie carte 25 à 35

XX **Plaisir des Mets**, 5 r. Centre ℰ 05 59 24 34 66 – ■. ☜   EZ
*fermé 15 au 30 juin, 15 au 30 nov., lundi midi et mardi midi en juil.-août, mardi soir et mer
de sept. à juin* – **Repas** 19,82 ♌

XX **Auberge du Relais**, 44 av. Marne ℰ 05 59 24 85 90, *Fax 05 59 22 13 94* – ■.
☜   AX
fermé 26 nov. au 15 déc., 7 janv. au 1ᵉʳ fév. et mardi d'oct. à avril – **Repas** 17 (déj.), 25/26 ♌

XX **Sissinou**, 5 av. Mar. Foch ℰ 05 59 22 51 50, *restaurant.sissinou@wanadoo.f*
Fax 05 59 22 50 58 – ☜   EZ
fermé 23 juin au 2 juil., 27 oct. au 4 nov., sam. midi et lundi – **Repas** carte environ 30 ♌

X **Goulue**, 3 r. E. Ardouin ℰ 05 59 24 90 90, *Fax 05 59 24 65 40* – ■. 🝊 ⓪ ☜   EZ
fermé 2 au 20 janv., dim. soir et lundi sauf août – **Repas** (13) - 23,50 ♌

X **Clos Basque**, 12 r. L. Barthou ℰ 05 59 24 24 96, ⌨ – ☜   EY
🍴 *fermé 24 juin au 4 juil., 14 au 31 oct., 17 fév. au 6 mars, dim. soir sauf juil.-août et lundi*
Repas (nombre de couverts limité, prévenir) 22,50 ♌

X **Chez Albert**, au Port des Pêcheurs ℰ 05 59 24 43 84, *Fax 05 59 24 20 13*, ≤, ⌨ – 📱
☜   DY
fermé 1ᵉʳ au 15 déc., 6 janv. au 10 fév. et merc. sauf juil.-août – **Repas** - produits de la mer
27,44, enf. 11,43

à Arcangues *Sud : 8 km par La Négresse, D 254 et D 3 – 2 733 h. alt. 80* – ⬚ 64200 :

X **Auberge d'Achtal**, pl. Fronton (accès piétonnier) ℰ 05 59 43 05 56, *Fax 05 59 43 16 9*
⌨, « Auberge rustique » – ☜
fermé 5 janv. au 25 mars, mardi et merc. sauf de juil. au 15 sept. – **Repas** 26/30 ♌, enf. 10

e d'Arbonne Sud : 4 km par La Négresse et D 255 – ⊠ 64200 Biarritz :

🏨 **Château du Clair de Lune** 🏡 sans rest, 48 av. Alan-Seeger ℘ 05 59 41 53 20, hotel-clair-de-lune@wanadoo.fr, Fax 05 59 41 53 29, ≤, « Parc », ♨ – 📺 🅿. 🖭 ◑ ☗ ⓙ.
🖵 9,20 – **17 ch** 92/138
AX b

XX **Campagne et Gourmandise** (Gaüzère), 52 av. Alan-Seeger ℘ 05 59 41 10 11, Fax 05 59 43 96 16, ≤, 🍴, « Villa basque dans un jardin », 🝙 – 🗏 🅿. ◑ ☗
☼ fermé 26 oct. au 13 nov., 8 au 26 fév., dim. soir sauf du 14 juil. au 31 août, lundi midi et merc. – **Repas** 37/63 ♀
AX v
Spéc. Poêlée d'encornets en barigoule d'artichauts (15 juin au 30 sept.). Pigeon en cocotte à la tranche de foie gras. Poêlée de framboises (15 juil. au 30 sept.) **Vins** Jurançon, Irouléguy

Arbonne Sud : 7 km par La Négresse et D 255 – 1 375 h. alt. 37 – ⊠ 64210 :

🏨 **Laminak** 🎼 🏡 sans rest, rte de St Pée ℘ 05 59 41 95 40, info@hotel-laminak.com, Fax 05 59 41 87 65, ≤, 🝙 – 📺 🅲 ♨ 🅿. 🖭 ◑ ☗
fermé 15 nov. au 26 déc. – 🖵 9,15 – **12 ch** 56,40/91,47

Sud : 8 km par La Négresse, D 255, Arbonne et rte secondaire – ⊠ 64200 Arcangues :

XX **Moulin d'Alotz**, ℘ 05 59 43 04 54, Fax 05 59 43 04 54, 🍴, « Auberge rustique dans la campagne », 🝙 – 🅿. 🖭 ◑ ☗
fermé 20 oct. au 15 nov., 15 au 28 fév., merc. sauf le soir en saison et mardi – **Repas** (nombre de couverts limité, prévenir) 30/38

oir aussi ressources à Anglet

DARRAY 64780 Pyr.-Atl. 🎕 ③ G. Aquitaine – 645 h alt. 110.
Paris 803 – Biarritz 36 – Cambo-les-Bains 17 – Pau 131 – St-Jean-Pied-de-Port 21.

🏠 **Barberaenea** 🏡, pl. Église ℘ 05 59 37 74 86, Fax 05 59 37 77 55, ≤, 🍴, 🝙 – 📺 🅲 🅿. ☗, 🎐 rest
fermé 18 nov. au 15 déc., mardi et merc. de nov. à mars sauf vacances scolaires – **Repas** 14,48/21,04, enf. 7,32 – 🖵 6,40 – **9 ch** 28,20/52,59 – ½ P 34,99/47,18

🏠 **Erramundeya** sans rest, rte St-Jean-Pied-de-Port (D 918) ℘ 05 59 37 71 21, Fax 05 59 37 71 21, 🝙 – 🅿. ☗
fermé 15 nov. au 15 mars et mardi sauf juil.-août – 🖵 5 – **10 ch** 28,50/42,50

⛲ **Pont d'Enfer**, ℘ 05 59 37 70 88, hotel.restaurant.du.pont.denfer@wanadoo.fr, Fax 05 59 37 76 60, ≤, 🍴 – 📺 🅿. 🖭 ◑ ☗
1er mars-1er nov. – **Repas** (fermé merc. midi sauf juil.-août) 12,20/25,92 ♀, enf. 7,62 – 🖵 5,79 – **17 ch** 21,34/53,36 – ½ P 35,06/45,73

DART 64210 Pyr.-Atl. 🎖 ⑪ ⑱ G. Aquitaine – 4 670 h alt. 40.
Voir Chapelle Ste-Madeleine ✳❉★.
🅱 Office du tourisme Rue d'Erretegia ℘ 05 59 54 93 85, Fax 05 59 54 70 51, bidarttourisme@wanadoo.fr.
Paris 782 – Biarritz 7 – Bayonne 16 – Pau 124 – St-Jean-de-Luz 9.

🏨 **Villa L'Arche** 🏡 sans rest, chemin Camboénéa ℘ 05 59 51 65 95, villalarche@wanadoo.fr, Fax 05 59 51 65 99, ≤ Océan, 🝙 – 📺 ⟺. ☗
8 fév.-11 nov. – 🖵 11 – **9 ch** 125/200

🏨 **Gochoki** sans rest, r. Caricartenea ℘ 05 59 26 59 55, hotel.gochoki@wanadoo.fr, Fax 05 59 54 71 00, 🝙 – 📺 🅲 🅿. ☗. 🎐
2 fév.-16 nov. – 🖵 5,04 – **10 ch** 38,12/53,36, 10 studios 83,84

🏠 **Ypua**, r. Chapelle ℘ 05 59 54 93 11, ypua.logis.de.france@wanadoo.fr, Fax 05 59 54 95 14, 🍴, 🍽, 🝙 – 📺 🅲 🅿. 🖭 ◑ ☗
Repas 15,25 (déj.), 26,68/38,11 ♂ – 🖵 9,15 – **12 ch** 83,85 – ½ P 57,93/60,98

XXX **Table des Frères Ibarboure** 🎼 🏡 avec ch, Sud par N 10, rte Ahetze et rte secondaire : 4 km ℘ 05 59 54 81 64, table.freres.ibarboure@wanadoo.fr, Fax 05 59 54 75 65, 🍴, 🍽, 🎋, 🅲, 🖭 ◑ ☗ ⓙ
☼ fermé 15 nov. au 15 déc., 5 au 20 janv. et 1er au 7 mars – **Repas** (fermé dim. soir et merc. du 7 sept. au 30 juin, dim. soir et lundi midi en juil.) 32 (déj.), 36,59/57,95 et carte 52 à 67 ♀ – 🖵 12,20 – **8 ch** 121,95/182,94
Spéc. Craquelon d'araignée à la crème d'oursin. Turbot sauvage marqué au grill, au parfum de jabugo. Foie chaud de canard aux agrumes **Vins** Jurançon, Irouléguy.

EF 25 Doubs 🎖 ⑱ – rattaché à Villars-sous-Dampjoux.

BIELLE *64260 Pyr.-Atl.* 85 ⑯ *G. Aquitaine – 436 h alt. 448.*

Paris 811 – Pau 31 – Laruns 8 – Lourdes 43 – Oloron-Ste-Marie 26.

L'Ayguelade, rte Pau : 1 km ✆ 05 59 82 60 06, *hotel.ayguelade@wanadoo* *Fax 05 59 82 61 17,* – rest, P. GB
fermé 7 au 30 janv., mardi soir et merc. – **Repas** 12/29 ♀, enf. 7 – ☕ 6 – **10 ch** 37/4
½ P 37/42

BIERT *09320 Ariège* 86 ③ *– 284 h alt. 590.*

Paris 825 – Foix 47 – Ax-les-Thermes 59 – Auch 141 – St-Girons 25 – Toulouse 127.

Auberge du Gypaete Barbu, ✆ 05 61 04 89 92, *Fax 05 61 04 89 92,* – GB.
fermé 20 au 30 juin, 20 au 30 sept., déc., dim. soir et lundi sauf juil.-août – **Rep**
13/28,50, enf. 8

BIESHEIM *68 H.-Rhin* 62 ⑲ *– rattaché à Neuf-Brisach.*

BIÈVRES *08370 Ardennes* 56 ⑩ *– 66 h alt. 241.*

Paris 284 – Charleville-Mézières 59 – Longuyon 40 – Sedan 36 – Verdun 59.

Relais de St-Walfroy, ✆ 03 24 22 61 62, *Fax 03 24 27 53 04* – P. GB.
fermé 26 août au 4 sept., vacances de fév. et merc. – **Repas** 12,04 (déj.), 15,09/26,68 ♀

BIGNAN *56 Morbihan* 63 ③ *– rattaché à Locminé.*

BILLÈRE *64 Pyr.-Atl.* 85 ⑥ *– rattaché à Pau.*

BILLIERS *56190 Morbihan* 63 ⑭ *– 705 h alt. 20.*

Paris 464 – Nantes 87 – Vannes 28 – La Baule 42 – Redon 44 – La Roche-Bernard 17.

Domaine de Rochevilaine , à la Pointe de Pen Lan-Sud : 2 km par D
✆ 02 97 41 61 61, *Fax 02 97 41 44 85,* ← littoral, centre de balnéothérapie, « Demeu
regroupées en hameau à l'extrémité d'une pointe rocheuse face à l'océan », , , ,
– P – 50. AE GB JCB. rest
Repas 30 (déj.), 46/80 et carte 55 à 70 ♀ – ☕ 14 – **34 ch** 146/305, 3 appart – ½ P 119/155
Spéc. Galette de homard. Bar de ligne à l'infusion de cidre. "Coucou" de Rennes cuit cocotte au foin.

BINIC *22520 C.-d'Armor* 59 ③ *G. Bretagne – 3 110 h alt. 35.*

Office du tourisme Avenue du Général de Gaulle ✆ 02 96 73 60 12, Fax 02 96 73 35 23.

Paris 463 – St-Brieuc 16 – Guingamp 37 – Lannion 68 – Paimpol 31 – St-Quay-Portrieux 6.

Benhuyc M, 1 quai J. Bart ✆ 02 96 73 39 00, *benhuyc@benhuyc.co*
Fax 02 96 73 77 04, – cuisinette, rest, GB. ch
fermé 15 déc. au 1er fév. – **Repas** *(fermé dim. soir et lundi de sept. à mai)* 10,50 (dé
15/25,90 ♀, enf. 9,15 – ☕ 6,90 – **23 ch** 55/68 – ½ P 48,50/60

BIOT *06410 Alpes-Mar.* 84 ⑨, 115 ㉕ *G. Côte d'Azur – 7 395 h alt. 80.*

Voir *Musée national Fernand Léger★★ – Retable du Rosaire★ dans l'église.*

Office du tourisme 46 rue Saint-Sébastien ✆ 04 93 65 78 00, Fax 04 93 65 78
tourisme.biot@wanadoo.fr.

Paris 918 – Cannes 17 – Nice 21 – Antibes 6 – Cagnes-sur-Mer 9 – Grasse 21 – Vence 18.

Domaine du Jas M sans rest, 625 rte Mer (D 4) ✆ 04 93 65 50 50, *domaine-du-ja*
wanadoo.fr, Fax 04 93 65 02 01, ←, , – P. AE GB
mars-mi-nov. – ☕ 12 – **16 ch** 130/235, 3 duplex

Les Terraillers, 11 rte Chemin Neuf (D 4), au pied du village ✆ 04 93 65 01 5
Fax 04 93 65 13 78, , « Ancienne poterie du 16e siècle » – P. AE GB
fermé nov., jeudi sauf le soir de juin à août et merc. – **Repas** 29 (déj.), 40/60 et carte 6
80 ♀, enf. 20
Spéc. Rougets sur un lit d'artichauts au mascarpone truffé. Pigeonneau sur tatin de fo
gras sauce vin rouge. Fondant au chocolat amer **Vins** Côtes du Rhône, Porquerolles

Auberge du Jarrier, au village ✆ 04 93 65 11 68, *Fax 04 93 65 50 03,* – . AE G
JCB
fermé lundi midi, mardi midi et merc. midi en juil.-août, lundi et mardi de sept. à juir
Repas *(21,34)* - 27,44 (déj.), 35,06/53,36

※ **Chez Odile,** au village ℘ 04 93 65 15 63, 🛪
fermé 30 nov. au 1ᵉʳ fév., merc. midi, jeudi midi en juil.-août, merc. soir et jeudi de sept. à juin – Repas 24,39, enf. 9,15

※ **Grill de Biot,** 6 r. St-Sébastien ℘ 04 93 65 13 45, *Fax 04 93 65 13 45 –* 🆎 🇬🇧, ⋘
Repas *(dîner seul. en été)* 23

RIATOU *64 Pyr.-Atl.* 🎱🎵 ① – *rattaché à Hendaye.*

RKENWALD *67440 B.-Rhin* 🎱🞷 ⑭ – *253 h alt. 295.*
Paris 461 – Strasbourg 34 – Molsheim 23 – Saverne 12.

🏠 **Au Chasseur** ⑤, ℘ 03 88 70 61 32, *Fax 03 88 70 66 02,* ≤, 🏊, 🌳 – 🛗, ▤ rest, 📺 🅿 –
🔺 25, 🆎 🇬🇧, ⋘ ch
fermé 2 au 8 juil. et janv. – Repas *(fermé mardi midi, jeudi midi et lundi)* 15,24 *(déj.),*
29/53,35 🍷, enf. 10 – ☑ 10 – **21 ch** 50,30/106,71 – ½ P 61/83,84

SCARROSSE *40600 Landes* 🞷🞱 ⑬ *G. Aquitaine* – *9 281 h alt. 22 – Casino.*
🛈 *Office du tourisme 55 place de la Fontaine* ℘ 05 58 78 20 96, *Fax 05 58 78 23 65,*
biscarrosse@biscarrosse.com.
Paris 659 – Bordeaux 74 – Arcachon 40 – Bayonne 129 – Dax 92 – Mont-de-Marsan 85.

Biscarrosse-Bourg :
🏠 **Atlantide** sans rest, pl. Marsan ℘ 05 58 78 08 86, *hotel.atlantide@wanadoo.fr,*
Fax 05 58 78 75 98 – 🛗 📺 📞 🕭, 🆎 ⓿ 🇬🇧
☑ 6,50 – **33 ch** 51/69

※※ **Fontaine Marsan,** pl. Marsan ℘ 05 58 82 81 29, 🛪 – 🆎 🇬🇧
fermé 1ᵉʳ au 15 mars, 1ᵉʳ au 15 oct., dim. soir et lundi – Repas 11,43/32,01 🍷, enf. 7,62

Navarrosse *Nord : 5 km par D 652 et D 305 –* ✉ *40600 Biscarrosse :*
🏠 **Transaquitain** ⑤ sans rest, ℘ 05 58 09 83 13, *Fax 05 58 09 84 37,* 🍸 – 📺 🅿, 🇬🇧
1ᵉʳ avril-15 sept. – ☑ 4,87 – **12 ch** 47,25/54,87

spe *Nord : 6 km par D 652 et D 305 –* ✉ *40600 Biscarrosse :*
🏠 **Caravelle** ⑤, ℘ 05 58 09 82 67, *Fax 05 58 09 82 18,* ≤, 🛪 – 📺 🅿, 🇬🇧, ⋘ ch
Repas *(16 fév.-1ᵉʳ nov. et fermé lundi midi sauf juil.-août)* 15/38, enf. 7 – ☑ 7 – **11 ch** 50/70,
(en été : ½ pens. seul.) – ½ P 53

SCHWIHR *68 H.-Rhin* 🎱🟤 ⑲, 🞷🞷 ⑦ – *rattaché à Colmar.*

TCHE *57230 Moselle* 🞷🞷 ⑱ *G. Alsace Lorraine* – *5 752 h alt. 300.*
Voir Citadelle★ – Ligne Maginot : Gros ouvrage du Simserhof★ O : 4 km.
🛈 *Office du tourisme* ℘ 03 87 06 16 16, *Fax 03 87 06 16 17, office-tour@ville-bitche.fr.*
Paris 437 – Strasbourg 74 – Haguenau 43 – Sarrebourg 62 – Sarreguemines 33 – Saverne 52.

🏠 **Relais des Châteaux Forts** 🅼, 6 quai E. Branly *(près gare)* ℘ 03 87 96 14 14,
Fax 03 87 96 07 36, 🛪 – 🙌 📺 📞 🕭 🅿, 🇬🇧
fermé fin janv. à début fév. – Repas *(fermé jeudi)* 12,97 *(déj.),* 27,47/36,63 🍷, enf. 9,16 –
☑ 7,62 – **30 ch** 47,32/62,58 – ½ P 51,83

※※ **Strasbourg** avec ch, 24 r. Col Teyssier ℘ 03 87 96 00 44, *le-strasbourg@wanadoo.fr,*
Fax 03 87 96 11 57 – 📺 ⟺ – 🔺 15, 🆎 ⓿ 🇬🇧, ⋘ ch
fermé 2 au 20 sept., 1ᵉʳ au 21 janv. et lundi – Repas 20/58 🍷, enf. 9 – ☑ 7 – **12 ch** 40/90 –
½ P 55

※※ **Auberge de la Tour,** 3 r. Gare ℘ 03 87 96 29 25, *Fax 03 87 96 02 61 –* 🅿, 🇬🇧
fermé 15 juil. au 1ᵉʳ août et lundi – Repas *(8,40)* - 11,44/45,74 🍷, enf. 8,40

IZE-MINERVOIS *11120 Aude* 🞱🞱 ⑬ – *872 h alt. 58.*
Paris 803 – Béziers 34 – Carcassonne 50 – Narbonne 22 – St-Pons-de-Thomières 33.

🏠 **Bastide Cabezac** 🅼, au Hameau de Cabezac, Sud : 3 km sur D 5 ℘ 04 68 46 66 10,
bastidecabezac@aol.com, Fax 04 68 46 66 29, 🛪, 🍸 – ▤ rest, 📺 📞 🕭 🅿 – 🔺 15
Repas *(fermé lundi et mardi de sept.à avril)* *(15,24)* - 22,87/47,26 🍷, enf. 9,15 – ☑ 9,15 –
12 ch 83,85/114,34 – ½ P 114,34/144,83

LAESHEIM *67 B.-Rhin* 🎱🟤 ⑩ – *rattaché à Strasbourg.*

LAGNAC *31 H.-Gar.* 🞱🟤 ⑧ – *rattaché à Toulouse.*

BLAMONT 25310 Doubs 66 ⑱ – 1 042 h alt. 576.
Paris 489 – Besançon 88 – Baume-les-Dames 59 – Montbéliard 19 – Morteau 58.

⌂ **Vieille Grange,** ℘ 03 81 35 19 00, Fax 03 81 35 19 00 – 📺 🕭 🚗 . GB
fermé 4 au 11 août et 22 au 30 déc. – **Repas** *(fermé sam. midi, lundi midi et dim.)* carte 27 🕭 – ☑ 5,32 – **10 ch** 41 – ½ P 53/61

BLÂMONT 54450 M.-et-M. 62 ⑦ – 1 261 h alt. 264.
Paris 372 – Nancy 67 – Lunéville 34 – St-Dié 47 – Sarrebourg 26.

🏠 **Hostellerie du Château,** 2 r. F. Schmitt ℘ 03 83 76 30 30, Fax 03 83 76 30 31 – ▤ ▮
📺 🚗 🅿 – 🖄 25. GB
fermé 17 août au 2 sept. et 15 fév. au 4 mars – **Repas** 24,35/33,75 ⅃, enf. 8,65 – ☑ 4,€
7 ch 45,75/51,85 – ½ P 36,60

Le BLANC ◈ 36300 Indre 68 ⑯ G. Berry Limousin – 6 998 h alt. 85.
🖪 Office du tourisme Place de la Libération ℘ 02 54 37 05 13, Fax 02 54 37 31 93.
Paris 327 – Poitiers 62 – Bellac 62 – Châteauroux 61 – Châtellerault 52.

🏠 **Théâtre** sans rest, 2 bis av. Gambetta ℘ 02 54 37 68 69, Fax 02 54 28 03 95 – 📺 📞. 🎗
GB JCB
☑ 5,50 – **18 ch** 31/46

XX **Cygne,** 8 av. Gambetta ℘ 02 54 28 71 63, Fax 02 54 28 72 13 – ▤. GB
🍴 *fermé 17/06 au 01/07, 25/08 au 03/09, 02/01 au 14/01, dim. soir, jeudi de 11 à 02, m*
(sauf en juil.) et lundi – **Repas** *(nombre de couverts limité, prévenir)* 15/45 ⅃, enf. 9

par rte de Belâbre , D 10 et rte secondaire : 6 km : – ⊠ 36300 Le Blanc :

🏨 **Domaine de l'Étape** 🐾, ℘ 02 54 37 18 02, domainetape@wanadoo
Fax 02 54 37 75 59, 🍴 – 🔥 – 📺 🅿 – 🖄 60. 🖭 ⓞ GB JCB
Repas 19,82/54,89 ⅃ – ☑ 8,24 – **35 ch** 38,12/91,47

Le BLANC-MESNIL 93 Seine-St-Denis 56 ⑪ ⑩, 101 ⑰ – voir à Paris, Environs.

BLANGY-SUR-BRESLE 76340 S.-Mar. 52 ⑥ – 3 405 h alt. 70.
🖪 Office du tourisme 1 rue Checkroun ℘ 02 35 93 52 48, Fax 02 35 94 06 14.
Paris 157 – Amiens 55 – Abbeville 28 – Dieppe 56 – Neufchâtel-en-Bray 31 – Le Tréport 2

X **Pieds dans le Plat,** 27 r. St-Denis ℘ 02 35 93 38 36, Fax 03 87 01 49 16 – ▤. GB
fermé 23 au 30 juin et vacances de fév. – **Repas** 14,50/27,50 ⅃

BLANQUEFORT 33 Gironde 71 ⑨ – rattaché à Bordeaux.

BLAYE 33390 Gironde 71 ⑧ – 4 666 h alt. 7.
🖪 Office du tourisme Allées Marines ℘ 05 57 42 12 09, Fax 05 57 42 91 94, offic
tourisme.blaye@wanadoo.fr.
Paris 544 – Bordeaux 50 – Jonzac 48 – Libourne 45.

🏠 **Citadelle** 🐾, ℘ 05 57 42 17 10, Fax 05 57 42 10 34, ≤, 🍴, ⌱, 🎏 – 📺 🅿. GB JCB
Repas 25/39 ⅃ – ☑ 8 – **21 ch** 54/66 – ½ P 62,50

BLÉNEAU 89220 Yonne 65 ③ – 1 459 h alt. 200.
Env. Château de St Fargeau★★ G. Bourgogne.
🖪 Syndicat d'initiative 13 rue d'Orléans ℘ 03 86 74 82 28.
Paris 158 – Auxerre 56 – Clamecy 59 – Gien 29 – Montargis 43.

🏨 **Blanche de Castille,** 17 r. d'Orléans ℘ 03 86 74 92 63, daniel.gaspard@free
GB Fax 03 86 74 94 43, 🍴 – 📺 🅿. GB
Repas *(fermé 16 au 24 sept., janv., dim. soir et jeudi)* (7,32) - 12,20/28,97 ⅃ – ☑ 7,62 – **13**
44,95/60,98 – ½ P 48,78/53,36

XXX **Auberge du Point du Jour,** pl. Mairie ℘ 03 86 74 94 38, daniel.gaspard@free
Fax 03 86 74 85 92 – ▤. 🖭 GB
fermé 27 août au 5 sept., 23 déc. au 2 janv., vac. de fév., dim. soir, mardi soir, merc. soi
lundi sauf fériés – **Repas** (15) - 21/43 et carte 38 à 58 ⅃

BLÉNOD-LÈS-PONT-A-MOUSSON 54 M.-et-M. 57 ⑬ – rattaché à Pont-à-Mousson.

ÉRÉ *37150 I.-et-L.* **64** ⑯ *G. Châteaux de la Loire – 4 576 h alt. 59.*

🛈 *Office du tourisme 8 rue Jean-Jacques Rousseau* ℘ *02 47 57 93 00, Fax 02 47 57 93 00, tourisme@blere-touraine.com.*

Paris 235 – Tours 27 – Blois 49 – Château-Renault 36 – Loches 24 – Montrichard 16.

🏨 **Cheval Blanc** (Blériot), pl. Église ℘ 02 47 30 30 14, Fax 02 47 23 52 80, 余, 🍹, 🐎 – 🍽 rest, 📺 🅿 🆎 ⓞ 🍽
✿ *fermé 1er janv. au 13 fév. – Repas (fermé vend. midi, dim. soir et lundi hors saison)* (prévenir) 16,70/38 ♀ – 🔲 7,30 – **12 ch** 53/72 – ½ P 69/72,50
Spéc. Homard rôti à l'huile vierge. Filet de pigeon farci au foie gras. Assiette gourmande
Vins Chenonceau, Chinon.

ÉRIOT-PLAGE *62 P.-de-C.* **51** ② *– rattaché à Calais.*

ESLE *43450 H.-Loire* **76** ④ *G. Auvergne – 660 h alt. 520.*

Voir Église St-Pierre★.

🛈 *Office du tourisme Place de l'Église* ℘ *04 71 76 26 90, Fax 04 71 76 25 42.*

Paris 488 – Aurillac 94 – Brioude 24 – Issoire 38 – Murat 45 – St-Flour 38.

🍴🍴 **Bougnate** **M** avec ch., pl. Vallat ℘ 04 71 76 29 30, Fax 04 71 76 29 39, 余, « Vieille maison blesloise, décor contemporain et élégant » – 📺 🍹 – 🏧 20. 🆎
*fermé 2 janv. à fin fév., lundi, mardi et merc. d'oct. à mars – Repas 24,40 ♀ – 🔲 6 – **12 ch** 56,45/61*

IENSCHWILLER *67650 B.-Rhin* **87** ⑯ *– 288 h alt. 230.*

🛈 *Syndicat d'initiative - Mairie* ℘ *03 88 92 40 16, Fax 03 88 92 40 16.*

Paris 504 – Strasbourg 49 – Barr 51 – Erstein 26 – Obernai 18 – Sélestat 12.

🏠 **Winzenberg** **M** sans rest, 58 rte des Vins ℘ 03 88 92 62 77, winzenberg@visit-alsace.com, Fax 03 88 92 45 22 – 📺 🍹 🅿 🆎 %
*fermé 3 janv. au 22 fév. – 🔲 6 – **13 ch** 38/47*

IGNY-SUR-OUCHE *21360 Côte-d'Or* **69** ⑨ *G. Bourgogne – 750 h alt. 360.*

🛈 *Office du tourisme Place de l'Hôtel de Ville* ℘ *03 80 20 16 51, Fax 03 80 20 17 90, OT.BLIGNYSUROUCHE@wanadoo.fr.*

Paris 290 – Beaune 19 – Autun 42 – Dijon 49 – Pouilly-en-Auxois 22 – Saulieu 44.

🍴 **Trois Faisans** avec ch., ℘ 03 80 20 10 14, info@troisfaisans.fr, Fax 03 80 20 08 68, 余, 🐎 – 📺 🅿 🆎 ⓞ 🆎 % rest
*fermé 21 au 27 nov. et 2 janv. au 26 fév. – Repas (fermé mardi et merc. sauf juil.-août) 13,50 bc (déj.), 23/35, enf. 8 – 🔲 6,50 – **6 ch** 43/59 – ½ P 40/48*

OIS **P** *41000 L.-et-Ch.* **64** ⑦ *G. Châteaux de la Loire – 49 171 h Agglo. 116 544 h alt. 73.*

Voir Château★★★ : musée des Beaux-Arts★ – Le Vieux Blois★ : Église St-Nicolas★ – Cour avec galeries★ de l'hôtel d'Alluye YZ E – Jardins de l'Evêché ≤★ – Jardin des simples et des fleurs royales ≤★ L – Maison de la Magie Robert-Houdin★.

🛈 *Office du tourisme 3 avenue Jean Laigret* ℘ *02 54 90 41 41, Fax 02 54 90 41 49, info@loiredeschateaux.com.*

Paris 183 ① – Orléans 62 ① – Tours 65 ① – Le Mans 110 ⑧.

Plan page suivante

🏨🏨 **Mercure Centre** **M**, 28 quai St-Jean ℘ 02 54 56 66 66, h1621@accor-hotels.com, Fax 02 54 56 67 00, 🦶, 🔲 – 🛗 🍹 🖥 📺 🍹 🕭 ⟷ – 🏧 30 à 200. 🆎 ⓞ 🆎 % rest   Y f
Repas 14,50/20,50 ♀, enf. 9,50 – 🔲 9 – **84 ch** 79/98, 12 duplex

🏨🏨 **Holiday Inn Garden Court** **M**, 26 av. Maunoury ℘ 02 54 55 44 88, holiblois@imaginet.fr, Fax 02 54 74 57 97, 余 – 🛗 🍹 🖥 📺 🍹 🕭 🅿 – 🏧 25 à 40. 🆎 ⓞ 🆎 🆎   Y t
Repas (fermé sam. midi et dim. midi) (12,20) - 15,24/21,54 ♀, enf. 7,62 – 🔲 8,38 – **78 ch** 90,86 – ½ P 60,98

🏠 **Anne de Bretagne** sans rest, 31 av. J. Laigret ℘ 02 54 78 05 38, Fax 02 54 74 37 79 – 📺 🍹 🆎   Z k
*fermé 5 janv. au 2 fév. – 🔲 5,79 – **28 ch** 51,07/57,93*

🍴🍴🍴 **L'Orangerie du Château** (Molveaux), 1 av. J. Laigret ℘ 02 54 78 05 36, contact@orangerie-du-chateau.fr, Fax 02 54 78 22 78, ≤, 余 – 🆎   Z e
✿ *fermé 15/02-15/03, 19-25/08, 6-13/11, lundi midi de Pâques à oct., mardi soir de nov. à Pâques, dim. soir sauf juil.-août – Repas 25/59 et carte 63 à 77, enf. 13*
Spéc. Pavé de sandre à la fondue de chou. Poitrine de pigeonneau du Vendômois aux épices. Gratin de fraises à l'ambacia (juil. à oct.) **Vins** Sauvignon de Touraine, Touraine-Mesland.

BLOIS

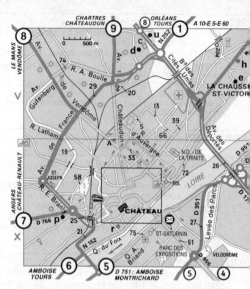

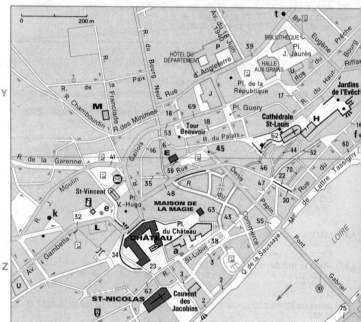

%%% **Médicis** Ⓜ avec ch, 2 allée François 1er ℰ 02 54 43 94 04, *christiangaranger@wanadoo.fr*,
XXX Fax 02 54 42 04 05 – 🔲 📺 ℃ – 🛁 20. 🖭 ⓞ 🆖 🆑 X p
fermé 2 janv. au 1er fév. et dim. soir d'oct. à Pâques – **Repas** 20/46 ⅄, enf. 15 – ☞ 10,70 –
12 ch 83/95 – ½ P 80/95

X **Au Rendez-vous des Pêcheurs** (Cosme), 27 r. Foix ℰ 02 54 74 67 48,
❀ Fax 02 54 74 47 67 – 🔲. 🖭 ⓞ 🆖 X r
fermé 28 juil. au 18 août, 2 au 12 janv., lundi midi et dim. sauf fériés – **Repas** (nombre de
couverts limité, prévenir) 23 et carte 42 à 57 ⅄, enf. 13,72
Spéc. Flan d'écrevisses au persil, nage au corail d'oursins. Bar rôti, tatin d'échalotes
confites, sauce vin rouge. Millefeuille aux fraises et rhubarbe, glace verveine à la vanille.
Vins Cheverny, Montlouis.

X **Au Bouchon Lyonnais**, 25 r. Violettes ℰ 02 54 74 12 87, 😤 – 🖭 🆖 Z a
fermé 1er au 10 sept., 21 au 29 oct., 23 déc. au 10 janv., dim. sauf le soir en juil.-août et lundi
– **Repas** - cuisine lyonnaise - (prévenir) 18,30/25,90

A. Vallée Maillard Nord : 3 km – ⌧ 41000 Blois :

🏠 **Ibis**, ℰ 02 54 74 60 60, *h0599@accor-hotels.com*, Fax 02 54 74 85 71, 😤 – ✻ 📺 ℃ 🛁 🅿
– 🛁 20. 🖭 ⓞ 🆖 V d
Repas (Fermé sam. midi, dim. midi et fêtes) (12,04) - 15 ⅃, enf. 6 – ☞ 5,50 – **61 ch** 57

🏠 **Préma Hôtel**, ℰ 02 54 78 89 90, *claude.berneau@wanadoo.fr*, Fax 02 54 20 02 27, 😤 –
🔲 📺 ℃ 🛁 🅿 – 🛁 30. 🖭 ⓞ 🆖 V u
fermé 20 déc. au 4 janv. et 14 au 23 fév. – **Repas** (fermé sam. midi et dim. midi) (11) -
15/18 bc ⅄, enf. 7 – **42 ch** 46/55 – ½ P 40/42

La Chaussée-St-Victor par ② : 4 km – 4 069 h. alt. 105 – ⌧ 41260 :

🏨 **Novotel** Ⓜ ⌂, ℰ 02 54 57 50 50, *h0401@accor-hotels.com*, Fax 02 54 57 50 40, 😤, ☄,
🐎 – 🛗 ✻ 🔲 📺 ℃ 🛁 🅿 – 🛁 15 à 100. 🖭 ⓞ 🆖 V e
Repas (16,01) - 20,58/24,39 ⅄, enf. 9,15 – ☞ 9,91 – **116 ch** 75/99

XX **Tour**, N 152 ℰ 02 54 78 98 91, Fax 02 54 74 74 52, 😤, 😤 – 🅿. 🆖 🆑 V h
fermé août, dim. soir et lundi sauf fériés – **Repas** 23/36 ⅄

Vineuil par ④ et D 174 : 4 km – 6 651 h. alt. 73 – ⌧ 41350 :

🏠 **Campanile**, 48 r. Quatre Vents ℰ 02 54 42 70 22, Fax 02 54 42 43 81, 😤 – 🔲 rest. 📺 ℃
❀ 🛁 🅿 – 🛁 45. 🖭 🆖
Repas 12/17 ⅄, enf. 6 – ☞ 6 – **58 ch** 58

Molineuf par ⑦ : 9 km – 801 h. alt. 115 – ⌧ 41190 :

%%% **Poste**, ℰ 02 54 70 03 25, *thierry@poidras.com*, Fax 02 54 70 12 46 – 🔲. 🖭 ⓞ 🆖
XX 🐝
fermé 19 au 30 nov., 12 fév. au 1er mars, dim. soir de sept. à juin, mardi et merc. d'oct. à avril
– **Repas** 16/26 ⅄, enf. 10

LONVILLE-SUR-MER 14910 Calvados ⑤④ ⑰ – 1 341 h alt. 10.
🛈 Office du tourisme 26 avenue Michel d'Ornano ℰ 02 31 87 91 14, Fax 02 31 87 11 38,
tourisme-blonville@wanadoo.fr.
Paris 206 – Caen 43 – Le Havre 46 – Deauville 4 – Lisieux 33 – Pont-l'Évêque 16.

🏨 **L'Épi d'Or** Ⓜ, ℰ 02 31 87 90 48, *epidor@hotel-normand.com*, Fax 02 31 87 08 98, 😤 –
🛗 📺 🛁 🅿. 🖭 🆖 🆑 ⌧ rest
fermé 16 au 30 déc. et 17 fév. au 21 mars – **Repas** (fermé merc. et jeudi de sept. à juin)
16/34 ⅄, enf. 11 – ☞ 7 – **40 ch** 55/95 – ½ P 57,50/77,50

LUFFY (Col de) 74 H.-Savoie ⑦④ ⑧ – 248 h alt. 640 – ⌧ 74290 Veyrier-du-Lac.
Paris 550 – Annecy 12 – Albertville 38 – La Clusaz 24 – Megève 54.

X **Auberge des Dents de Lanfon** avec ch, ℰ 04 50 02 82 51, *jean-marc_durey@wana-*
doo.fr, Fax 04 50 02 85 19, 😤 – 🅿. 🆖. 🐝
fermé 27 mai au 6 juin, 12 au 21 nov., 2 au 27 janv., mardi hors saison et lundi – **Repas** (11,30)
- 13,20 (déj.), 16/33 ⅄, enf. 7,70 – ☞ 5,50 – **9 ch** 45/53 – ½ P 45/49

BOIS DE LA CHAIZE *85 Vendée* **67** ① *– voir à Noirmoutier (Ile de).*

BOIS-DU-FOUR *12 Aveyron* **80** ④ *– ✉ 12780 Vézins-de-Lévézou.*

Paris 628 – Rodez 45 – Aguessac 16 – Millau 23 – Pont-de-Salars 25 – Sévérac-le-Château

Relais du Bois du Four ⛰, ✆ 05 65 61 86 17, *Fax 05 65 58 81 37*, ♧ – 🚗 P. GB
1er avril-30 nov. et fermé mardi et merc. – **Repas** 12,60/27,43 ♀, enf. 8 – ☕ 6 – 27 28,20/50,30 – ½ P 53,50

BOIS-LE-ROI *77590 S.-et-M.* **61** ② *– 5 292 h alt. 80.*

Paris 59 – Fontainebleau 10 – Melun 10 – Montereau-Fault-Yonne 26.

Pavillon Royal M sans rest, 40 av. Gallieni ✆ 01 64 10 41 00, *hotel-le-pavilon-roy wanadoo.fr, Fax 01 64 10 41 10*, 🏊, 🌳 – TV & P – 🏛 40. ◑ GB
☕ 6,50 – **26 ch** 55/60

Marine, 52 quai O. Metra (à l'Écluse) ✆ 01 60 69 61 38, *Fax 01 60 66 38 59*, 🏠 – GB
fermé 15 au 30 sept., 8 fév. au 5 mars, lundi et mardi – **Repas** 21,34/27,44

BOIS-PLAGE-EN-RÉ *17 Char.-Mar.* **71** ⑫ *– voir à Ré (île de).*

BOISSERON *34160 Hérault* **83** ⑧ *– 1 151 h alt. 32.*

Paris 745 – Montpellier 32 – Aigues-Mortes 27 – Alès 46 – Nîmes 37 – Sommières 3.

Auberge Lou Caléou, ✆ 04 67 86 60 76, *dominique-dercourt@loucaleou Fax 04 67 86 60 76*, 🏠, « Cadre médiéval » – ▤. AE ◑ GB JCB
fermé vacances de Toussaint, de fév., le soir en hiver sauf sam., dim. soir, lundi et ma hors saison – **Repas** 15 (déj.)/22, enf. 10

BOISSET *15600 Cantal* **76** ⑪ *– 653 h alt. 426.*

Paris 565 – Aurillac 31 – Calvinet 18 – Entraygues-sur-Truyère 46 – Figeac 36 – Maurs 14.

Auberge de Concasty M ⛰, Nord-Est : 3 km par D 64 ✆ 04 71 62 21 16, *info@aube -concasty.com, Fax 04 71 62 22 22*, 🏠, 🚲, 🏊, ♧ – TV ☎ & P. AE ◑ GB
15 mars-15 nov. – **Repas** *(fermé lundi)* (sur réservation seul.)(dîner seul. sauf dim.) 27/3
☕ 9 – **15 ch** 66/125 – ½ P 64/97

BOISSEUIL *87220 H.-Vienne* **72** ⑰ ⑱ *– 1 969 h alt. 350.*

Paris 400 – Limoges 11 – Bourganeuf 47 – Nontron 71 – Périgueux 98 – Uzerche 46.

Gril de l'Anneau avec ch, ✆ 05 55 06 90 06, *Fax 05 55 06 32 88*, 🏠 – GB, ✗
fermé 29 avril au 9 mai, 1er au 15 août, 22 déc. au 6 janv., dim. et lundi – **Repas** 20,58
☕ 6,10 – **7 ch** 25,15/42,70

BOLLENBERG *68 H.-Rhin* **62** ⑱ ⑧ *– rattaché à Rouffach.*

BOLLÈNE *84500 Vaucluse* **81** ① *G. Provence – 14 130 h alt. 40.*

ℹ *Office du tourisme Place Reynaud de la Gardette* ✆ *04 90 40 51 45, Fax 04 90 40 51 ot-bollene@free.fr.*

Paris 640 – Avignon 53 – Montélimar 34 – Nyons 35 – Orange 26 – Pont-St-Esprit 10.

De Chabrières, 7 bd Gambetta ✆ 04 90 40 08 08, *Fax 04 90 40 52 88*, 🏠 – TV. AE JCB
Repas *(12,50)* - 15,70 🍷, enf. 7,62 – ☕ 7,62 – **10 ch** 48,79/57,94 – ½ P 52

Lou Bergamoutié, r. Abbé Prompsault ✆ 04 90 40 10 33, *kieragajl@aol.co Fax 04 90 40 10 39*, 🏠 – ▤. GB
fermé dim. soir et lundi – **Repas** 25/48 ♀, enf. 11

La BOLLÈNE-VÉSUBIE *06 Alpes-Mar.* **84** ⑲, **115** ⑰ *G. Côte d'Azur – 413 h alt. 700 – ✉ 06 Lantosque.*

Voir *Chapelle St-Honorat* ≤★ *S : 1 km.*

Paris 895 – Nice 58 – Puget-Théniers 60 – St-Martin-Vésubie 17 – Sospel 36.

Grand Hôtel du Parc ⛰, D 70 ✆ 04 93 03 01 01, *Fax 04 93 03 01 20*, 🏠, ♧ – |‡| P. ◑ GB. ✗ rest
30 mars-30 sept. – **Repas** 18/25, enf. 8 – ☕ 6 – **42 ch** 21/57 – ½ P 48/55

OLLEZEELE *59470 Nord* 51 ③ *– 1 382 h alt. 40.*
Voir *Commune de la "Méridienne verte".*
Paris 274 – Calais 45 – Dunkerque 24 – Lille 68 – St-Omer 18.

Hostellerie St-Louis, *03 28 68 81 83, st.louis@worldonline.fr, Fax 03 28 68 01 17,* – 40. AE GB
fermé 26 déc. à mi-janv., le midi du lundi au sam. et dim. soir – **Repas** 21,50/50 bc – 7 – **27 ch** 39/70 – ½ P 52,50/62,50

ONDUES *59 Nord* 51 ⑯, 111 ⑬ *– rattaché à Lille.*

BONHOMME *68650 H.-Rhin* 62 ⑱ *G. Alsace Lorraine – 767 h alt. 735 – Sports d'hiver : 950/ 1 235 m 11.*
Paris 447 – Colmar 25 – Gérardmer 33 – St-Dié 28 – Ste-Marie-aux-Mines 16 – Sélestat 38.

Poste, au village *03 89 47 51 10, hposte@club-internet.fr, Fax 03 89 47 23 85,* – – 15. GB
fermé janv. et mars – **Repas** *(fermé mardi et merc. hors saison)* 10/34, enf. 7,60 – 6,40 – **29 ch** 53,36 – ½ P 53,50/57,50

ONIFACIO *2A Corse-du-Sud* 90 ⑨ *– voir à Corse.*

ONLIEU *39130 Jura* 70 ⑮ *G. Jura – 225 h alt. 785.*
Paris 440 – Champagnole 23 – Lons-le-Saunier 33 – Morez 24 – St-Claude 42.

Poutre avec ch, *03 84 25 57 77, Fax 03 84 25 51 61* – GB
5 mai-1er nov. et fermé lundi et mardi (sauf hôtel en juil.-août) – **Repas** 15/61,14, enf. 9 – 7 – **8 ch** 29/54 – ½ P 43/55

Les prix Pour toutes précisions sur les prix indiqués dans ce guide, reportez-vous aux pages explicatives.

ONNATRAIT *74 H.-Savoie* 70 ⑰ *– rattaché à Thonon-les-Bains.*

ONNE *74380 H.-Savoie* 74 ⑥ ⑦ *– 2 098 h alt. 457.*
Paris 547 – Annecy 44 – Thonon-les-Bains 31 – Bonneville 15 – Genève 17 – Morzine 41.

Baud avec ch, *04 50 39 20 15, info@hotel-baud.com, Fax 04 50 36 28 96,* – AE GB JCB
fermé 1er au 10 janv. – **Repas** *(fermé dim. soir)* 29/48, enf. 15 - ***Buffet de la Gare*** *(fermé sam. et dim.)* **Repas** 12(déj.), 19,5/23, enf. 8 – 8 – **11 ch** 47/95 – ½ P 50/70

à Pont-de-Fillinges *Est : 2,5 km – 74250 Fillinges :*

Pré d'Antoine, rte Boëge *04 50 36 45 06, Fax 04 50 31 12 28,* – GB
fermé 8 au 26 juil., 2 au 8 janv., mardi soir et merc. – **Repas** 15 (déj.), 26/38, enf. 13

ONNE-FONTAINE *57 Moselle* 57 ⑰ *– rattaché à Phalsbourg.*

ONNÉTAGE *25210 Doubs* 66 ⑱ *– 674 h alt. 960.*
Paris 470 – Besançon 65 – Belfort 69 – Biel/Bienne 63 – La Chaux-de-Fonds 29.

Etang du Moulin avec ch, 1,5 km par D 236 et chemin privé *03 81 68 92 78, etang .du.moulin@wanadoo.fr, Fax 03 81 68 94 42,* – GB
fermé 3 janv. au 3 fév., merc. et mardi du 15 sept. au 30 juin sauf fériés – **Repas** 21/60 – 7 – **19 ch** 40/54 – ½ P 45

Perce-Neige avec ch, D 437 *03 81 68 91 51, Fax 03 81 68 95 25* – rest, GB
fermé dim. soir et lundi sauf du 1er juil. au 15 sept. – **Repas** *(10)* - 12/18, enf. 7 – 5,50 – **12 ch** 31/40 – ½ P 45

ONNEUIL-MATOURS *86210 Vienne* 68 ⑭ *– 1 708 h alt. 60.*
Office du tourisme Carrefour Maurice Fombeure 05 49 85 08 62, Fax 05 49 85 29 63.
Paris 323 – Poitiers 25 – Bellac 79 – Le Blanc 51 – Châtellerault 16 – Montmorillon 42.

Pavillon Bleu, sur D 749 (face pont) *05 49 85 28 05, Fax 05 49 21 61 94* – GB
fermé 7 au 28 oct., dim. soir et lundi – **Repas** *(12,20)* - 15,09/30, enf. 10,67

BONNEVAL-SUR-ARC 73480 Savoie 74 ⑲ G. Alpes du Nord – 242 h alt. 1800 – Sports d'hiv
1 800/3 000 m ⛷ 10.

Voir *Vieux village★★*.

🏢 Office du tourisme ℘ 04 79 05 95 95, Fax 04 79 05 86 87, info@bonneval-sur-arc.com
Paris 708 – Albertville 133 – Chambéry 146 – Lanslebourg 21 – Val-d'Isère 30.

A la Pastourelle ⑤, ℘ 04 79 05 81 56, ≤ – AE GB. ⫸
fermé mai et vacances de Toussaint – **Repas** (ouvert : 20 déc.-28 avril) 10,50/15, enf. ⫶
�).25 5,70 – **12 ch** 44,50/53 – ½ P 42/46

Bergerie ⑤, ℘ 04 79 05 94 97, Fax 04 79 05 93 24, ≤ – P. AE ➊ GB. ⫸
15 juin-30 sept. et 20 déc.-24 avril et fermé mardi soir en sept. – **Repas** (dîner seul. en sept.) 11,45/22,87 ⫶ – ☐ 7,6
22 ch 38,12/78,84 – ½ P 50,30/51,83

✕ **Auberge Le Pré Catin**, ℘ 04 79 05 95 07, Fax 04 79 05 88 07, ☞ – GB. ⫸
22 juin-22 sept., 21 déc.-30 avril et fermé mardi midi en hiver, dim. soir et lundi – Rep
19,51/26,67 ⫶, enf. 8,08

BONNEVILLE ⬌ 74130 H.-Savoie 74 ⑦ G. Alpes du Nord – 10 463 h alt. 450.
🏢 Office du tourisme 63 boulevard des Allobroges ℘ 04 50 97 38 37, Fax 04 50 97 19
officetourismebonneville@wanadoo.fr.
Paris 558 – Annecy 39 – Chamonix-Mont-Blanc 55 – Thonon-les-Bains 45 – Nantua 86.

Bellevue ⑤, à Ayse, Est : 2,5 km par D 6 ℘ 04 50 97 20 83, Fax 04 50 25 28 38, ≤, ☞,
– TV P. GB
14 mai-30 sept., 1er fév.-3 mars et fermé dim. soir sauf juil.-août – **Repas** (18 juin-8 sept.
fermé dim. soir et lundi sauf juil.-août) 13,72/24,40, enf. 9,15 – ☐ 6,10 – **21 ch** 33,54/45,7
½ P 35,83/37,35

✕✕✕ **L'Eau Sauvage et Hôtel Sapeur** (Guénon) avec ch, pl. Hôtel de Ville ℘ 04 50 97 20 ⬧
Fax 04 50 25 73 48 – 🛗 TV – 🅰 25. AE GB
fermé dim. soir, mardi midi et lundi – **Repas** 39,64/74,77 et carte 75 à 120 – ☐ 6,10 – **12**
42,69/50,31 – ½ P 51,83
Spéc. Fondue de berthoud à la fleur de cumin (fin sept. à fin mars). ''Brizolée'' de truite
beurre d'ache. Rissole aux pommes, glace miel-tilleul (fin sept. à fin mars) **Vins** Chign
Bergeron, Mondeuse d'Arbin.

à Vougy Est : 5 km par N 205 – 958 h. alt. 471 – ⊠ 74130 :

✕✕✕ **Capucin Gourmand**, 1520 rte de Genève RN 205 ℘ 04 50 34 03 50, lecapucingourma
@wanadoo.fr, Fax 04 50 34 57 57, ☞ – P. AE GB. ⫸
fermé 3 au 26 août, 1er au 8 janv., sam. midi, dim. soir et lundi – **Repas** 32/48 et carte 4
52 ⫶ - *Bistro du Capucin :* **Repas** (18)-23⫶

BONNIEUX 84480 Vaucluse 81 ⑬, 114 ① G. Provence – 1 417 h alt. 400.
Voir *Terrasse ≤★*.
🏢 Office du tourisme 7 place Carnot ℘ 04 90 75 91 90, Fax 04 90 75 92 94, ot-t
nieux@axit.fr.
Paris 727 – Aix-en-Provence 49 – Apt 12 – Carpentras 42 – Cavaillon 26.

Bastide de Capelongue M ⑤, rte de Lourmarin, puis D 232 et voie secondair
1,5 km ℘ 04 90 75 89 78, bastide@francemarket.com, Fax 04 90 75 93 03, ≤, ☞, ⫶, ⬧
🍴 TV ⫿ P. ⫸ rest
15 mars-15 nov. – **Repas** 46/69 – **17 ch** (½ pens. seul.) – ½ P 183/259

✕ **Fournil**, pl. Carnot ℘ 04 90 75 83 62, Fax 04 90 75 96 19, ☞, salle troglodytique
fermé 3 déc. au 1er fév., sam. midi et mardi sauf le soir d'avril à sept. et lundi – Rep
(nombre de couverts limité, prévenir) 24 (déj.), 33/38 ⫶, enf. 12

au Sud-Est : 6 km par D 36 et D 943 – ⊠ 84480 Bonnieux :

✕✕ **Auberge de l'Aiguebrun** ⑤ avec ch, ℘ 04 90 04 47 00, sylvia.buzier@wanadoo
Fax 04 90 04 47 01, ≤, ☞, « Isolé dans le vallon », ⫶, ⫿ – ⫿ GB. ⫸ ch
10 mars-15 nov. – **Repas** (fermé merc. midi et mardi) 45 ⫶ – ☐ 16 – **5 ch** 107/200, 3 app

---

BONNY-SUR-LOIRE 45420 Loiret 65 ⑫ – 1 924 h alt. 190.
🏢 Office du tourisme Maison de Pays ℘ 02 38 31 57 71, Fax 02 38 31 57 71.
Paris 169 – Auxerre 64 – Cosne-sur-Loire 19 – Gien 24 – Montargis 57.

✕✕ **Voyageurs** avec ch, 10 Grande rue ℘ 02 38 27 01 45, Fax 02 38 27 01 46 – ▤ rest, TV
P. GB
fermé 26 août au 9 sept., 17 fév. au 10 mars, lundi (sauf hôtel), mardi midi et dim. so
Repas 14/34 ⫶ – ☐ 5 – **6 ch** 32/34

BONO *56400 Morbihan 63 ② – 1 859 h alt. 10.*
Paris 479 – Vannes 21 – Auray 6 – Lorient 45 – Quiberon 37.

Hostellerie Abbatiale, par rte Baden et rte secondaire : 1,5 km ✆ 02 97 57 84 00, *contact@abbatiales.com, Fax 02 97 57 83 00,* – – 100. AE GB
Repas 20/45 bc, enf. 10 – ☕ 8 – **69 ch** 62/95 – ½ P 65/73,50

ONSECOURS *76 S.-Mar. 55 ⑥ – rattaché à Rouen.*

ONS-EN-CHABLAIS *74890 H.-Savoie 70 ⑰ – 3 980 h alt. 565.*
Paris 554 – Thonon-les-Bains 16 – Annecy 58 – Bonneville 30 – Genève 25.

Progrès, ✆ 04 50 36 11 09, *Fax 04 50 39 44 16* – AE GB
fermé 25 juin au 20 juil., 1er au 20 janv., dim. soir et lundi – **Repas** 15/44, enf. 9,50 – ☕ 6,50 – **10 ch** 38,50/49 – ½ P 43/44,50

ONSON *42160 Loire 73 ⑱ – 3 816 h alt. 380.*
Voir *Sury-le-Comtal : décoration★ du château NO : 3 km – St-Rambert-sur-Loire : église★, bronzes★ du musée SE : 3,5 km,* **G. Vallée du Rhône.**
Paris 470 – St-Étienne 23 – Feurs 36 – Montbrison 15.

Voyageurs avec ch, à la Gare ✆ 04 77 55 16 15, *Fax 04 77 55 58 50* – AE GB
fermé août – **Repas** *(fermé sam. midi et dim.) (9,14)* - 18,29/31,25 bc, enf. 5,33 – ☕ 5,33 – **7 ch** 41,16/47,25

Gli alberghi o ristoranti ameni sono indicati nella guida con un simbolo rosso.
Contribuite a mantenere la guida aggiornata segnalandoci gli alberghi e ristoranti dove avete soggiornato piacevolmente.

... ...

BORDEAUX

P 33000 Gironde 71 ⑨ G. Aquitaine - 210 336 h. - alt. 4.
Paris 583 ① – Lyon 533 ② – Nantes 325 ① – Strasbourg 1066 ① – Toulouse 249 ⑤

OFFICES DE TOURISME

12 cours du 30 Juillet ℘ 05 56 00 66 00, Fax 05 56 00 66 01, à la gare St-Jean ℘ 05 56 91 64 70 otb@bordeaux-tourisme.com.

Maison du vin de Bordeaux (Informations, dégustations) (fermé week-ends mi-oct. à mi-mai) 1 cours 30 Juillet ℘ 05 56 00 22 88, Fax 05 56 00 22 77 civb@vins-bordeaux.sf DX

RENSEIGNEMENTS PRATIQUES

TRANSPORTS
Auto-train ℘ 08 36 35 35 35.

AÉROPORT
Bordeaux : ℘ 05 56 34 50 50, AU : 11 km.

DÉCOUVRIR

BORDEAUX DU 18ᵉ S.
Grand théâtre★★ - Place de la Comédie - Place Gambetta - Cours de l'intendance - Église Notre-Dame★ DX - Place de la Bourse★★ - Place du Parlement★ - Basilique St-Michel★

Porte de la Grosse Cloche★ EY

Fontaines★ du monument aux Girondins, Esplanade des Quinconces

QUARTIER DES CHARTRONS

Entrepôts de vins - Balcons★ du cours Xavier-Arnozan- Entrepôt Lainé★★ : musée d'Art contemporain★ **BU M²**

Musée des Chartrons **BU M⁵** *- Croiseur Colbert★★.*

QUARTIER PEY BERLAND

Cathédrale St-André★ - Hôtel de ville **DY H** *- ≼★★ de la tour Pey Berland★* **DY Q**.
Musée : Beaux-Arts★ **DY M⁴**, *Aquitaine★★* **DY M¹** *Arts décoratifs★* **DY M³**.

BORDEAUX CONTEMPORAIN

Quartier Mériadeck **CY** *: espaces verts, immeubles en verre et béton (Caisse d'Épargne, Bibliothèque, Hôtel de Région, Hôtel des Impôts).*

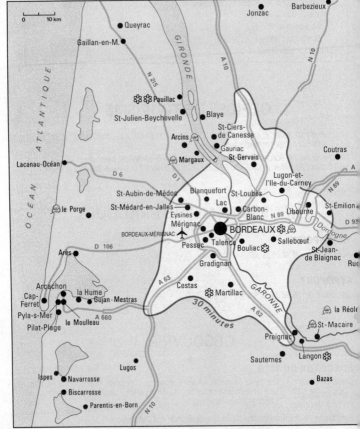

Burdigala M, 115 r. G. Bonnac $\mathscr{C}$ 05 56 90 16 16, *burdigala@burdigala.com*, *Fax 05 56 93 15 06*, « Bel aménagement intérieur » – 🛗 🗐 📺 📞 🕭 🚗 – 🔥 25 à 100. 🖭 ① ⑮ ᴊᴄᴮ p. 6 CX r
Jardin de Burdigala : Repas (26)-31, enf. 16 – ☑ 16 – **68 ch** 159/240, 8 appart, 7 duplex

Mercure Château Chartrons M, 81 cours St-Louis ⊠ 33300 $\mathscr{C}$ 05 56 43 15 00, *h1810@accor-hotels.com*, *Fax 05 56 69 15 21*, 😭, 🐖 – 🛗 🎋 🗐 📺 📞 🕭 🚗 – 🔥 150. 🖭 ① ⑮
Repas (14,50) - 23,65 ☑, enf. 7,60 – ☑ 10 – **144 ch** 97/112 p. 5 BT r

Claret M ⑤, Cité Mondiale du Vin, 18 parvis des Chartrons $\mathscr{C}$ 05 56 01 79 79, *h2877@accor.hotels.com*, *Fax 05 56 01 79 00*, 😭 – 🛗 🎋 🗐 📺 📞 🕭 – 🔥 25 à 800. 🖭 ① ⑮ ᴊᴄᴮ
🍽 rest p. 5 BU k
Le 20 restaurant-bar à vins *(fermé 22 déc. au 2 janv., vend. soir, sam. et dim.)* Repas (13) 18 ☑ – ☑ 10,50 – **96 ch** 98/196

Mercure Mériadeck M, 5 r.-Lateulade $\mathscr{C}$ 05 56 56 43 43, *h1281@accor-hotels.com*, *Fax 05 56 96 50 59* – 🛗 🎋 🗐 📺 📞 – 🔥 15 à 150. 🖭 ① ⑮ ᴊᴄᴮ p. 6 CY v
Festival *(fermé sam., dim. et fériés)* Repas (14)-17 ☑, enf. 8,50 – ☑ 10 – **194 ch** 95/116

Holiday Inn M, 30 r. de Tauzia ⊠ 33800 $\mathscr{C}$ 05 56 92 21 21, *hiBordeauxCentre@alliance-hotellerie.fr*, *Fax 05 56 91 08 06*, 😭 – 🛗 🎋 🗐 📺 📞 🕭 🚗 – 🔥 65. 🖭 ① ⑮ ᴊᴄᴮ p. 7 FZ v
Repas *(fermé sam. midi et dim. midi)* 14/23 🍷 – ☑ 12,50 – **89 ch** 105/120

Novotel Bordeaux-Centre M, 45 cours Mar. Juin $\mathscr{C}$ 05 56 51 46 46, *h1023@accor-hotels.com*, *Fax 05 56 98 25 56*, 😭 – 🛗 🎋 🗐 📺 📞 🕭 – 🔥 80. 🖭 ① ⑮ ᴊᴄᴮ
Repas carte 23 à 30 🍷, enf. 7,62 – ☑ 10 – **138 ch** 93/99 p. 6 CY m

Ste-Catherine M sans rest, 27 r. Parlement Ste-Catherine $\mathscr{C}$ 05 56 81 95 12, *Fax 05 56 44 50 51* – 🛗 🎋 🗐 📺 📞 🕭 – 🔥 40. 🖭 ① ⑮ ᴊᴄᴮ p. 6 DX m
☑ 11 – **84 ch** 107/155

Normandie sans rest, 7 cours 30-Juillet $\mathscr{C}$ 05 56 52 16 80, *Fax 05 56 51 68 91* – 🛗 📺 📞 – 🔥 30. 🖭 ① ⑮ ᴊᴄᴮ p. 6 DX z
☑ 12 – **100 ch** 52/137

Bayonne Etche-Ona sans rest, 4 r. Martignac $\mathscr{C}$ 05 56 48 00 88, *bayetche@bordeaux-hotel.com*, *Fax 05 56 48 41 60* – 🛗 🗐 📺 📞 – 🔥 35. 🖭 ① ⑮ ᴊᴄᴮ 🍽 p. 6 DX f
☑ 10 – **63 ch** 90/200

Majestic sans rest, 2 r. Condé $\mathscr{C}$ 05 56 52 60 44, *mail-majestic@hotel-majestic.com*, *Fax 05 56 79 26 70* – 🛗 🗐 📺 📞 🖭 ① ⑮ ᴊᴄᴮ p. 6 DX a
☑ 9 – **50 ch** 70/95

Grand Hôtel Français sans rest, 12 rue Temple ⊠ 33000 $\mathscr{C}$ 05 56 48 10 35, *info@grand-hotel-francais.com*, *Fax 05 56 81 76 18* – 📞 🕭. 🖭 ① ⑮ ᴊᴄᴮ p. 6 DX v
☑ 10 – **35 ch** 74/112

Chantry sans rest, 151 r. G. Bonnac $\mathscr{C}$ 05 24 24 08 88, *hotel.le.chantry@wanadoo.fr*, *Fax 05 56 98 91 72* – 🛗 🎋 📺 📞 🕭 🅿 – 🔥 50. 🖭 ① ⑮ ᴊᴄᴮ p. 6CXY 2
☑ 5,79 – **40 ch** 52,59/61,74

Presse sans rest, 6 r. Porte Dijeaux $\mathscr{C}$ 05 56 48 53 88, *cjourdian@free.fr*, *Fax 05 56 01 05 82* – 🛗 🗐 📺 📞. 🖭 ① ⑮ ᴊᴄᴮ p. 6 DX k
fermé 25 déc. au 2 janv. – ☑ 7 – **27 ch** 46/80

Continental sans rest, 10 r. Montesquieu $\mathscr{C}$ 05 56 52 66 00, *continental@hotel-le-continental.com*, *Fax 05 56 52 77 97* – 🛗 📺 📞. 🖭 ① ⑮ ᴊᴄᴮ p. 6 DX b
☑ 6,10 – **50 ch** 51/90

Quatre Soeurs sans rest, 6 cours 30-Juillet $\mathscr{C}$ 05 57 81 19 20, *4soeurs@marluty.com*, *Fax 05 56 01 04 28* – 🛗 🗐 📺 📞. 🖭 ⑮ p. 6 DX s
☑ 8 – **34 ch** 60/70

Opéra sans rest, 35 r. Esprit des Lois $\mathscr{C}$ 05 56 81 41 27, *hotel.opera.bx@wanadoo.fr*, *Fax 05 56 51 78 80* – 🛗 📺 📞. ⑮ 🍽 p. 6 DX n
fermé 23 déc. au 3 janv. – ☑ 6,10 – **27 ch** 32,10/48,80

Notre-Dame sans rest, 36 r. Notre-Dame $\mathscr{C}$ 05 56 52 88 24, *Fax 05 56 79 12 67* – 📺 📞. 🖭 ① ⑮ ᴊᴄᴮ 🍽 p. 5 BU k
☑ 5,34 – **21 ch** 37,65/46,40

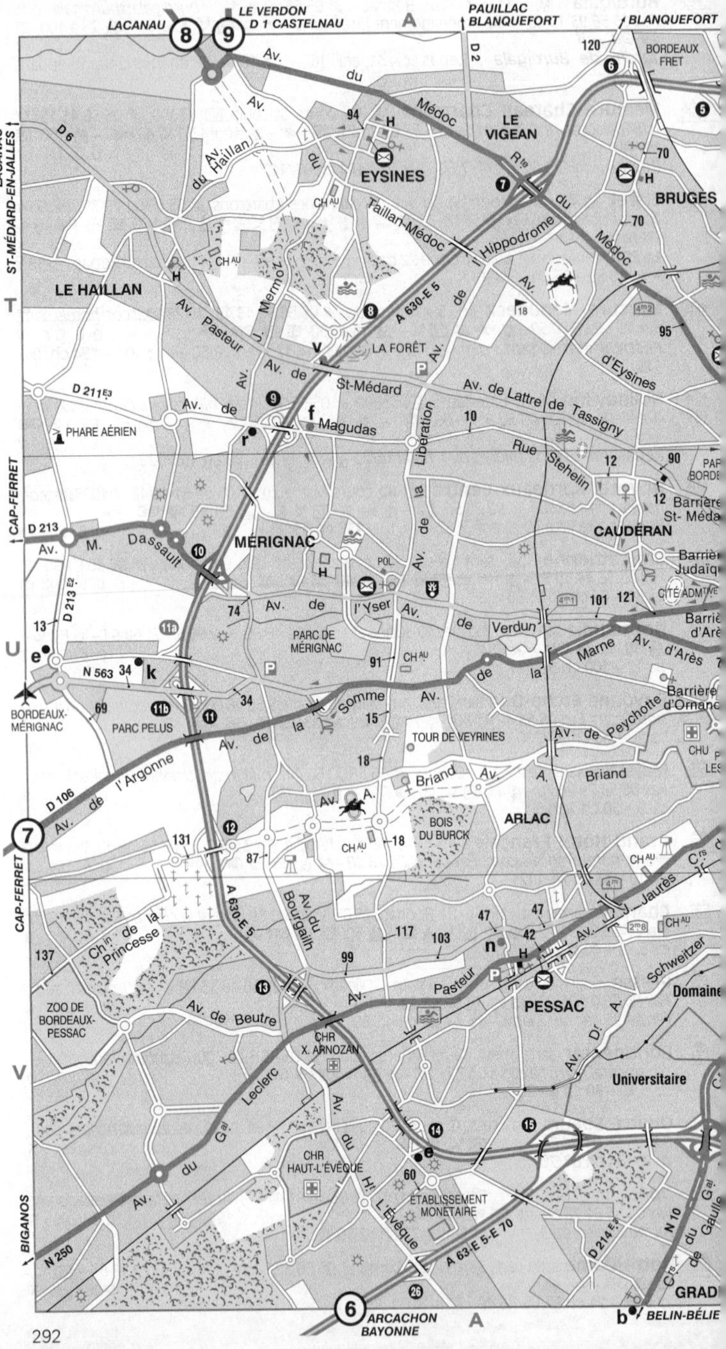

LACANAU ⑧ ⑨ LE VERDON D 1 CASTELNAU

PAUILLAC BLANQUEFORT

BLANQUEFORT

A

D 2

120

BORDEAUX FRET

⑥

❺

LACANAU
ST-MÉDARD-EN-JALLES ↑

D 6

Av. du Médoc

94 H

LE VIGEAN

⑦

70

H

BRUGES

70

EYSINES

Taillan-Médoc

Av. du Hallan

Hippodrome

de

Médoc

⑭²

95

LE HAILLAN

H

CH AU

Av. J. Mermoz

Av. Pasteur

⑧

A 630·E 5

18

d'Eysines

T

Av. de

LA FORÊT

St-Médard

Av. de Lattre de Tassigny

D 211E3

Av. de

⑨

Libération

Av. de la

10

Rue Stehelin

12

90

PAP
BORDE

PHARE AÉRIEN

f Magudas

r

v

12 Barrière
St-Méda

D 213

Av. M. Dassault

MÉRIGNAC

POL

Av. de

CAUDÉRAN

Barrière
Judaïq

CITÉ ADM

101 121

Barrièr
d'Arè

⑩

H

Av. de l'Yser

Av. de Verdun

13

D 213 E2

74

PARC DE
MÉRIGNAC

91

CH AU

Marne

Av. d'Arès

7

U

e

N 563 34 k

⑪b

⑪

69

PARC PELUS

34

Av. de la Somme

Av. de la

15

Barrière
d'Ornano

BORDEAUX-
MÉRIGNAC

18

TOUR DE VEYRINES

Av. de Peychotte

CHU
LES

D 106

Av. de l'Argonne

⑫

Av. A. Briand

Av. A. Briand

ARLAC

CH AU

⑦

131

87

CH AU

18

BOIS
DU BURCK

CAP-FERRET

Av. du Bourgailh

A 630·E 5

Av. Jaurès

CH AU

C

⑫

47

47

42

n

137

Ch. de la
Princesse

117

103

H

P

PESSAC

Schweitzer

99

Av. Pasteur

Domaine

ZOO DE
BORDEAUX-
PESSAC

⑬

Av. de Beutre

Av. D'

Universitaire

V

Av. du Gal Leclerc

CHR
X. ARNOZAN

Av. du Gal de L'Évêque

⑭

6

⑮

60

CHR
HAUT-L'ÉVÊQUE

ÉTABLISSEMENT
MONÉTAIRE

BIGANOS

N 250

A 63·E 5·E 70

D 214

N 10

Ch. du Gal de Gaulle

GRAD

⑥ ARCACHON
BAYONNE

26

A

b BELIN-BÉLIE

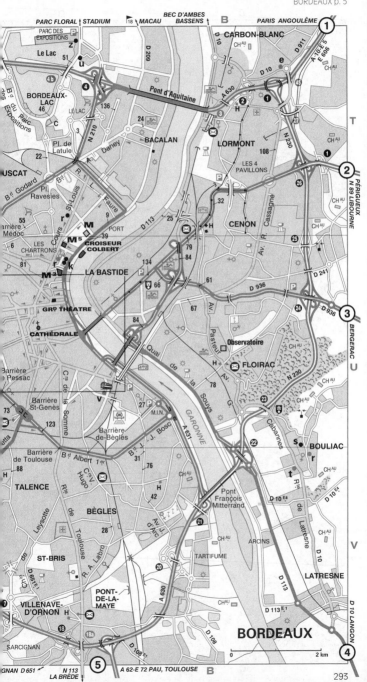

BORDEAUX

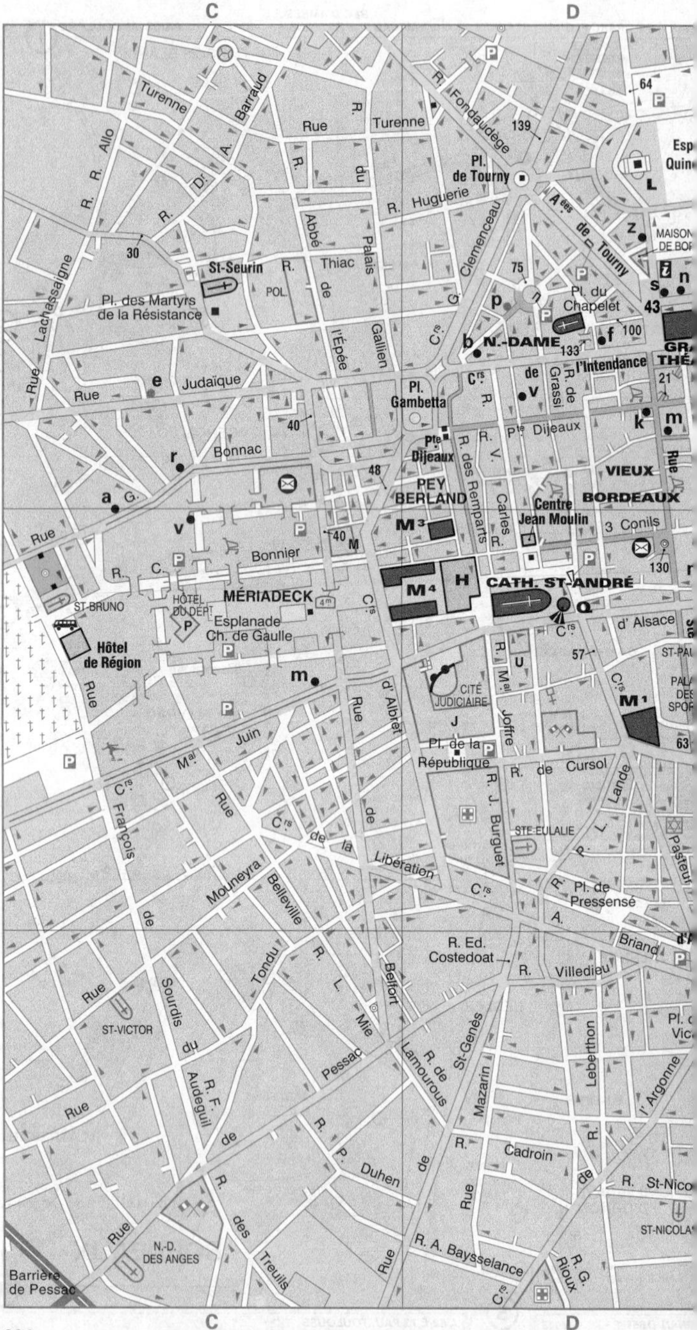

C D

Turenne
Barraud
R. R. Allo
Rue
Turenne
R.
du
R. Fondaudège
139
64
P
P
Esp
Quin
L
A ᵈᵉˢ de Tourny
Pl. de Tourny
R. Huguerie
Clemenceau
MAISON
DE BOF
z
n
s
30
R. Thiac
St-Seurin
POL
Abbé
Palais
de
l'Épée
Gallien
75
Pl. du
Chapelet
p
b N.-DAME
133
f
100
43
GR.
THÉ
R. Lachassaigne
Pl. des Martyrs
de la Résistance
X
C°
Cˢ
de
l'intendance
de Grassi
R. de
21
V
e
Judaïque
Rue
Pⁱᵉ Dijeaux
k
m
r
Bonnac
40
Pl.
Gambetta
R. V.
R. des Remparts
VIEUX
BORDEAUX
a G.
48
Pⁱᵉ
Dijeaux
Carles R.
Centre
Jean Moulin
3 Conils
130
r
v
Rue
Bonnier
C.
P
40
M
M ³
Centre
Jean Moulin
CATH. ST-ANDRÉ
Q
d' Alsace
Sa
ST-BRUNO
HÔTEL
DU DEP
P
MÉRIADECK
Esplanade
Ch. de Gaulle
M ⁴
H
Cˢ
U
C
R. M.
57
C°
ST-PAI
PAL
DES
SPO
Hôtel
de Région
d'Albret
Rue
CITÉ
JUDICIAIRE
J
Pl. de la
République
R. M.
Joffre
M ¹
63
m
Cˢ
Rue
Mal
Juin
Rue
de
la
Liberation
R. de Cursol
Lande
L
Pasteur
Y
Cˢ
François
de
Molineyra
Belleville
Cˢ
R. J. Burguet
STE EULALIE
P
Pl. de
Pressensé
A.
d'A
Briand
P
R. Ed.
Costedoat
R. Villedieu
ST-VICTOR
Sourdis
du
R. F. Audeguil
Tondu
Belfort
L
Mle
Pessac
St-Genès
Lamourous
Mazarin
Leberthon
l' Argonne
Pl. d
Vic
Z
Rue
Rue
R. P. Duhen
Rue
des Treuils
N.-D.
DES ANGES
R. A. Baysselance
Cadroin
de
R. G. Rioux
C°
R. St-Nico
ST-NICOLA
Barrière
de Pessac

C D

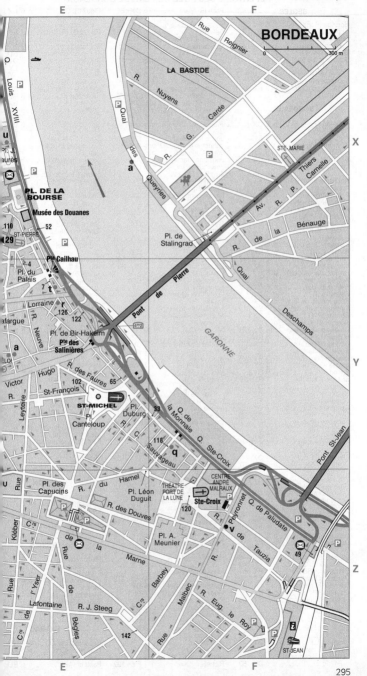

BORDEAUX

0 300 m

LA BASTIDE

Rue Reignier

R. Nuyens

Quai des Queyries

G. Carde

STE-MARIE

Av. R. P. Thiers

Camelle

Bénauge

Pl. de Stalingrad

R. de la

Quai Deschamps

Pont de Pierre

GARONNE

Pont St-Jean

Q. Louis XVIII

PL. DE LA BOURSE

Musée des Douanes

ST-PIERRE

52

110

29

4

Pl. Cailhau

Pl. du Palais

7 t

Lorraine

R. Neuve

126

122

Pl. de Bir-Hakeim

Pte des Salinières

R. des Faures

65

Victor Hugo

St-François

102

ST-MICHEL

Pl. Canteloup

Pl. Duburg

33

Q. de la Monnaie Q. Ste-Croix

118

q

R. C. Sauvageau

Pl. des Capucins

R. du Hamel

Pl. Léon Duguit

THEATRE PORT DE LA LUNE

CENTRE ANDRÉ MALRAUX

Ste-Croix

120

R. des Douves

de la Marne

Pl. A. Meunier

R. Peyronnet Q. de Paludate

v R. de Tauzia

49

R. J. Steeg

142

Barbey

Malbec

R. Eug. le Roy

Rue de

ST-JEAN

Lafontaine

Bègles

Kléber

C rs

Rue de l'Yser

E

F

GRADIGNAN

le (Crs Gén.-de) p. 4 **AV**

LE HAILLAN

eur (Av.) . . . . p. 4 **AT**

LARESNE

esne (Rte de) . . . p. 5 **BV**

LORMONT

(Rte de) . . . . . . p. 5 **BT** 108

MERIGNAC

nne (Av. de l') . . p. 4 **AU**
usse (Av. H.) . . . p. 4 **AT** 10
ddésert (Av. de) . p. 4 **AU** 13
ort (Av. de) . . . . . p. 4 **AU** 15
Air (Av.) . . . . p. 4 **AU** 18
nd (Av. A.) . . . . . p. 4 **AU**
Cassin (Av. R.) . . . . p. 4 **AU** 34
Dassault (Av. M.) . . . . p. 4 **AU**
Garros (Av. Rolland) . p. 4 **AU** 69
Gouraud (Pl. du Gén.) p. 4 **AU** 74
Kaolack (Av. de) . . . . p. 4 **AU** 87
Leclerc (Av. Mar.) . . . p. 4 **AU** 91
Libération (Av. de la) . . . . p. 4 **AU**
Magudas (Av. de) . . . p. 4 **AT**
Marne (Av. de la) . . . p. 4 **AU**
Peychotte (Av. de) . . p. 4 **AU**
Princesse (Chemin de la) . . . p. 4 **AV**
Somme (Av. de la) . . p. 4 **AU**
St-Médard (Av. de) . . p. 4 **AT**
Souvenir (Av. du) . . . p. 4 **AU** 131
Verdun (Av. de) . . . . . p. 4 **AU**
Yser (Av. de l') . . . . . . p. 4 **AU**

PESSAC

Beutre (Av. de) . . . . . p. 4 **AV**
Bourgailh (Av. du) . . . . p. 4 **AV**
Dr Nancel-Penard (Av.) . . . . p. 4 **AV** 47
Dr Schweitzer (Av. A.) . . . . p. 4 **AV**

Eiffel (Av. Gustave) . . p. 4 **AV** 60
Haut-l'Evêque (Av. du) . . . . p. 4 **AV**
Jaurès (Av. J.) . . . . . . p. 4 **AV**
Leclerc (Av. du Gén.) . . . . . p. 4 **AV**
Madran (R. de) . . . . . p. 4 **AV** 99
Montagne (R. P.) . . . p. 4 **AV** 103
Pasteur (Av.) . . . . p. 4 **AV**
Pont de l'Orient (Av. du) . . . . p. 4 **AV** 117
Transvaal (Av. du) . . . p. 4 **AV** 137

TALENCE

Gambetta (Crs) . . . . . p. 5 **BV**
Lamartine (R.) . . . . . . p. 5 **BV** 88
Libération (Crs de la) . . . . . . p. 5 **BV**
Roul (Av.) . . . . p. 5 **BV** 124
Thouars (Av. de) . . . . p. 5 **BV**
Université (Av. de l'). p. 4 **AV** 138

VILLENAVE-D'ORNON

Leysotte (Chemin de) p. 5 **BV**
Toulouse (Rte de) . . . p. 5 **BV**

XXX **Chapon Fin** (Garcia), 5 r. Montesquieu ✆ 05 56 79 10 10, *Fax 05 56 79 09 10*, « Original décor de rocaille 1900 » – ▤. AE ⓓ GB JCB. ✂ p. 6 **DX** p
✿ *fermé 15 août au 3 sept., dim. et lundi* – **Repas** 30 (déj.), 43/73 et carte 63 à 88 ♀, enf. 14
Spéc. Soupe de potimaron, crème aux herbes potagères (sept. à mars). Cabillaud poché au cerfeuil. Minute de macaron tiède au café torréfié. **Vins** Pessac-Léognan blanc, Moulis.

XXX **Pavillon des Boulevards** (Franc), 120 r. Croix de Seguey ✆ 05 56 81 51 02, *pavillon.des .boulevards@wanadoo.fr, Fax 05 56 51 14 58*, ☂, « Décor élégant » – ▤. AE ⓓ GB JCB
✿ *fermé 11 au 26 août, 1er au 8 janv., lundi midi, sam. midi et dim.* – **Repas** 40 (déj.), 50/74 et carte 65 à 80 p. 5 **BU** a
Spéc. Macaroni au pressé de ratatouille et langoustines rôties. Morceau de cochon "cul noir", jus de boudin et frites de pommes vertes. Cigarette noisette, mousse de chocolat et sorbet mandarine. **Vins** Premières Côtes de Bordeaux blanc et rouge.

XXX **Les Plaisirs d'Ausone** (Gauffre), 10 r. Ausone ✆ 05 56 79 30 30, *Fax 05 56 51 38 16*, « Élégante installation dans des salles voûtées » – AE ⓓ GB JCB p. 7 **EY** t
✿ *fermé 26 août au 9 sept., 2 au 8 janv., lundi midi, sam. midi et dim.* – **Repas** 27,44/68,60 et carte 55 à 70 ♀
Spéc. Gourmandise de foies de canard. Fricassée de sole aux cèpes (début sept. à mi-oct.). Lamproie à la bordelaise (janv. à mars). **Vins** Bordeaux Supérieur, Canon-Fronsac.

XXX **Jean Ramet,** 7 pl. J. Jaurès ✆ 05 56 44 12 51, *ramet@ramet-jean.com, Fax 05 56 52 19 80* – ▤. AE GB p. 7 **EX** u
✿ *fermé 3 au 25 août, 2 au 7 janv., dim. et lundi* – **Repas** 28 (déj.), 45/56 et carte 62 à 76
Spéc. Les trois salades. Dos et ventre de bar à la crème d'aulx. Croquant aux fruits de saison. **Vins** Graves blanc et rouge.

XXX **Vieux Bordeaux,** 27 r. Buhan ✆ 05 56 52 94 36, *Fax 05 56 44 25 11*, ☂ – ▤. AE ⓓ GB
fermé 5 au 26 août, 10 au 24 fév., lundi midi, sam. midi, dim. – **Repas** *(16,77 bc)* - 25,92/45,73 et carte 42 à 50, enf. 9,15 p. 7 **EY** a

XXX **L'Alhambra,** 111 bis r. Judaïque ✆ 05 56 96 06 91, *Fax 05 56 98 00 52* – ▤. GB
fermé 25 juil. au 20 août, sam. midi, dim.,lundi midi et fériés – **Repas** 17 (déj.), 26/36 et carte 40 à 55 ♀ p. 6 **CX** e

XX **Didier Gélineau,** 26 r. Pas St-Georges ✆ 05 56 52 84 25, *Fax 05 56 51 93 25* – ▤. AE ⓓ GB JCB p. 7 **EX** n
fermé 12 au 25 août, lundi midi, sam. midi et dim. – **Repas** (prévenir) 20 (déj.), 34/50 ♀

XX **Chamade,** 20 r. Piliers de Tutelle ✆ 05 56 48 13 74, *la-chamade@la-chamade.com, Fax 05 56 79 29 67* – ▤. AE ⓓ GB JCB p. 6 **DX** d
fermé 20 juil.au 5 août, 2 au 8 janv., sam. midi et merc. – **Repas** 21/45 ♀, enf. 11,50

XX **Tupina,** 6 r. Porte de la Monnaie ✆ 05 56 91 56 37, *latupina@latupina.com, Fax 05 56 31 92 11*, « Ambiance et décor de la campagne » – AE ⓓ GB p. 7 **FY** q
Repas - cuisine typique du Sud-Ouest - 15,24 (déj.), 29,72/44,97 ♀

XX **L'Oiseau Bleu,** 65 cours Verdun ✆ 05 56 81 09 39, *Fax 05 56 81 09 39* – ▤. AE ⓓ GB
fermé 28 juil. au 18 août, 1er au 8 janv., sam. midi et dim. – **Repas** 17 (déj.), 32,50/54 ♀, enf. 13,80

XX **Gravelier,** 114 cours Verdun ✆ 05 56 48 17 15, *Fax 05 56 51 96 07* – ▤. AE ⓓ GB p. 5 **BU** r
fermé 8 au 25 août, sam. midi,lundi midi, dim. et fériés – **Repas** 18,30 (déj.), 23/39 ♁

XX **Buhan,** 28 r. Buhan ℘ 05 56 52 80 86, lebuhan@wanadoo.fr, Fax 05 56 52 80 86 -
GB
p. 7 EY
fermé 29 juil. au 20 août, vacances de fév., dim. et lundi – **Repas** 24,50/43 ℤ, enf. 12,5

X **l'Estaquade,** quai Queyries ℘ 05 57 54 02 50, Fax 05 57 54 02 51, ≤ vieux Bordeaux,
GB « Construction sur la Garonne » – GB
p. 7 EX
Repas 14 (déj. en semaine)et carte 35 à 46 ℤ

X **Vivier,** 30 r. Pas-St-Georges ℘ 05 57 85 90 13, Fax 05 57 85 90 13 – AE
JCB
p. 7 EXY
fermé 18 août au 5 sept., 2 au 14 janv., dim. et lundi – **Repas** - produits de la m
14,48/39,64 ℤ

X **Croc-Loup,** 35 r. Loup ℘ 05 56 44 21 19 – GB
p. 6 DY
fermé 28 juil. au 28 août, dim. et lundi – **Repas** 12,04 (déj.), 22,87/27,44

X **L'Olivier du Clavel,** 44 r. C. Domercq (face gare St-Jean) ℘ 05 57 95 09
Fax 05 56 92 15 28 – ▤. ① GB
p. 5 BU
fermé août, lundi midi, sam. midi et dim. – **Repas** (15,25 bc) - 24,40/30,50 ℤ, enf. 11,44

à Bordeaux-Lac *(près parc des expositions)* – ⊠ 33300 Bordeaux :

🏨 **Sofitel Aquitania** M, ℘ 05 56 69 66 66, h0669@accor-hotels.com, Fax 05 56 69 6
🏨, 🌊 – 劘 ⪦ ▤ 🔟 ℄ 🅿 – 🛦 15 à 400. AE ① GB JCB
Flore : Repas carte 38/48 ⅃ – � 14 – **183 ch** 130/140
p. 5 BT

🏨 **Novotel-Bordeaux Lac** M, ℘ 05 56 43 65 00, h0403@accor-hotels.c
Fax 05 56 43 65 01, 🏨, 🌊, 🐎 – 劘 ⪦ ▤ 🔟 ℄ ⅙ 🅿 – 🛦 120. AE ① GB JCB
Repas carte 25 à 35 ℤ, enf. 8 – ⊡ 10 – **176 ch** 88/99
p. 5 BT

par la rocade A 630 :

à Blanquefort *Nord, sortie n° 6 : 3 km – 13 901 h. alt. 17* – ⊠ 33290 :

🏨 **Les Criquets,** 130 av. 11-Novembre (D 210) ℘ 05 56 35 09 24, contact@restaur
criquets.com, Fax 05 56 57 13 83, 🏨, 🌊, 🐎 – 🔟 ℄ 🅿 – 🛦 30. AE ① GB
Repas *(fermé dim. soir et lundi)* 16 (déj.), 30/54 ℤ – ⊡ 9 – **21 ch** 54/69 – ½ P 71

à Carbon-Blanc *Nord-Est sortie n° 2 en venant de l'Ouest, sortie n° 27 en venant du Sud – 6 62
alt. 21* – ⊠ 33560 :

XXX **Marc Demund,** 5 av. Gardette ℘ 05 56 74 72 28, Fax 05 56 06 55 40, 🏨, 🐎 – 🅿. AE
GB
p. 5 BU
fermé sam. midi, dim. soir et lundi – **Repas** 22,72/56,42 et carte 50 à 60, enf. 13

à Bouliac *: Sud-Est, sortie n° 23 – 3 248 h. alt. 74* – ⊠ 33270 :

🏨 **St-James** (Amat) M ⚘, pl. C. Hostein, près église ℘ 05 57 97 06 00, stjames@jm-a
❀ com., Fax 05 56 20 92 58, ≤ Bordeaux, 🏨, « Original décor contemporain », 🌊, 🐎 -
▤ ch, 🔟 ℄ ⅙ 🅿 – 🛦 25 à 40. AE ① GB JCB. ✻
p. 5 BU
fermé janv. – **Repas** *(fermé lundi et mardi sauf juin-juil.)* (38,11) - 70,13 et carte 70 à 9
enf. 11,43 - **Le Bistroy** ℘ 05 57 97 06 06 *(fermé mars)* **Repas** carte 30 à 35 ℤ – ⊡ 15,
18 ch 152,45/182,94
Spéc. Salade d'huîtres au caviar de Gironde, crépinette grillée. Ravioli de cèpes f
Agneau de Pauillac rôti rosé aux tomates confites. **Vins** Bordeaux Supérieur, Pomerol.

XX **Auberge du Marais,** 22 rte de Latresne ℘ 05 56 20 52 17, Fax 05 56 20 98 06, 🏨
AE ① GB
p. 5 BV
fermé 15 août au 6 sept., 15 fév. au 1er mars , dim soir et merc. – **Repas** 12,96 (c
25,92/41,16 ⅃, enf. 10,67

X **Café de l'Espérance,** derrière l'Église ℘ 05 56 20 52 16, Fax 05 56 20 92 58, 🏨
GB – *fermé fév.* – **Repas** carte 28 à 32 ℤ
p. 5 BV

à Martillac *Sud, sortie n° 18, N 113 et rte secondaire : 9 km – 2 020 h. alt. 40* – ⊠ 33650 :

🏨 **Sources de Caudalie** M ⚘, chemin de Smith Haut-Lafitte ℘ 05 57 83 83 83, sourc
❀ sources.caudalie.com, Fax 05 57 83 83 84, institut de vinothérapie, « Demeure de carac
au milieu des vignes », 𝕝₆, 🌊, 🐎 – 劘, ▤ ch, 🔟 ℄ 🅿 – 🛦 40. AE ① GB. ✻
Grand'Vigne *(fermé lundi et mardi)* **Repas** 50/55 et carte 60 à 75 ℤ, enf. 19 – **Table
Lavoir :** Repas (23)-30 ℤ, enf 16 – ⊡ 15 – **43 ch** 205/240, 6 appart
Spéc. Andouillette de cochon et jarret de veau au foie gras (sept. à mars). Pièce de tu
rôtie aux lardons de foie gras et cèpes (oct. à janv.). Sushi de fruits secs mariné
milkshake de litchies à la banane. **Vins** Premières Côtes de Bordeaux, Graves.

à Talence *: Sud, sortie n° 16 – 37 210 h. alt. 17* – ⊠ 33400 :

🏨 **Guyenne** (Lycée Hôtelier), av. F. Rabelais, domaine universitaire ℘ 05 56 84 4
Fax 05 56 84 48 61 – 劘 🔟 🅿 – 🛦 40. AE ① GB
p. 5 BV
fermé sept., vacances scolaires, sam. et dim. – **Repas** 14,48/22,11 – ⊡ 6,10 – 3
39,64/44,21

radignan : *Sud, sortie n° 16 – 22 193 h. alt. 26 – ⊠ 33170 :*

🏨 **Châlet Lyrique,** 169 cours Gén. de Gaulle ℘ 05 56 89 11 59, *lechaletlyriquebis@chalet-lyrique.com*, Fax 05 56 89 53 37, 🏤 – 📺 ✔ ₺ 🅿 – 🔏 25. 🆎 ⒼⒷ   p. 4 **AV b**
Repas *(fermé 5 août au 1er sept., sam. midi et dim.)* carte 28 à 35 ♀ – ⊆ 8,38 – **44 ch** 59,46/76,22

estas *Sud-Ouest, sortie n° 15 et A 63 : 6,5 km – 16 927 h. alt. 77 – ⊠ 33610 :*

🍴🍴 **Chais d'Haussmann,** 61 av. Baron Haussmann ℘ 05 56 21 58 74, *chais.haussmann@wanadoo.fr*, Fax 05 56 21 58 48, 🏤, 🌳 – 🅿. ⒼⒷ
fermé 19 au 31 août, vacances de fév., dim. soir et lundi – **Repas** 14,50 (déj.), 22,50/53,36 ♀, enf. 9,15

Sud-Ouest *sortie n° 14, Z.I. Pessac – ⊠ 33600 Pessac :*

🏨 **Ibis Bordeaux-Pessac** Ⓜ, 8 r. A. Becquerel ℘ 05 56 07 27 84, *h0850-gm@accor-hotels.com*, Fax 05 56 36 86 81, 🏤, 🌳 – 📲 ✳️ 🚾 📺 ✔ ₺ 🅿. 🆎 ⓞ ⒼⒷ   p. 4 **AV e**
Repas *(12,04)* - carte 17 à 22 🍴, enf. 5,95 – ⊆ 5,50 – **87 ch** 60

essac : *Sud-Ouest, sortie n° 13 – 56 143 h. alt. 35 – ⊠ 33600 :*

🍴🍴 **Cohé,** 8 av. R. Cohé ℘ 05 56 45 73 72, Fax 05 56 45 96 39 – 🗏. 🆎 ⓞ ⒼⒷ. ✳
fermé 5 août au 4 sept., dim. soir et lundi – **Repas** 18/53   p. 4 **AV n**

aéroport de Mérignac : *Ouest, sortie n° 11 en venant du Sud, sortie n° 11b en venant du Nord – ⊠ 33700 Mérignac :*

🏨🏨 **Mercure Aéroport** Ⓜ, 1 av. Ch. Lindbergh ℘ 05 56 34 74 74, *h1508@accor-hotels.com*, Fax 05 56 34 30 84, 🏤 – 📲 ✳️ 🚾 📺 ✔ ₺ 🅿 – 🔏 110. 🆎 ⓞ ⒼⒷ   p. 4 **AU e**
Repas 20 ♀, enf. 9 – ⊆ 10,50 – **148 ch** 122/130

🏨🏨 **Novotel Aéroport** Ⓜ, av. J. F. Kennedy ℘ 05 56 34 10 25, *h0402@accor-hotels.com*, Fax 05 56 55 99 64, 🏤, ⛱, 🌳 – 📲 ✳️ 🚾 📺 ✔ ₺ 🅿 – 🔏 70. 🆎 ⓞ ⒼⒷ Ⓙ   p. 4 **AU k**
Repas *(12,50)* - 15,55 ♀, enf. 7,62 – ⊆ 10 – **137 ch** 92/98

érignac : *Ouest, sortie n° 9 – 61 992 h. alt. 35 – ⊠ 33700 :*

🏨🏨 **Bleu Marine** Ⓜ, 116 av. Magudas ℘ 05 57 92 00 00, *bleumarine@bordeaux-hotels.net*, Fax 05 57 92 00 60, 🏤, ⛱ – 📲 📺 ✔ ₺ 🅿 – 🔏 30 à 70. 🆎 ⓞ ⒼⒷ Ⓙ   p. 4 **AT r**
Repas *(fermé dim. sauf de juin à août)* 23,70/37 🍴 – ⊆ 9,50 – **46 ch** 91/150, 4 duplex

🍴🍴 **L'Iguane,** 127 av. Magudas ℘ 05 56 34 07 39, Fax 05 56 34 41 37 – 🗏 🅿. 🆎 ⓞ ⒼⒷ Ⓙ   p. 4 **AT f**
fermé sam. midi et dim. soir – **Repas** 28,20/33,60 et carte 33 à 54, enf. 12,50

ysines : *Ouest, sortie n° 9 – 18 407 h. alt. 15 – ⊠ 33320 :*

🍴🍴 **Tilleuls,** 205 av. St-Médard à La Forêt ℘ 05 56 28 04 56, Fax 05 56 28 93 22, 🏤 – 🗏 🅿. 🆎 ⒼⒷ   p. 4 **AT v**
fermé vacances de fév., dim. soir et lundi – **Repas** 18,29 (déj.), 25,92/41,16 ♀, enf. 9,15

BORDES *45 Loiret* 𝟞𝟝 ① – *rattaché à Sully-sur-Loire.*

RMES-LES-MIMOSAS *83230 Var* 𝟠𝟜 ⑯, 𝟙𝟙𝟜 ㊽ *G. Côte d'Azur – 6 324 h alt. 180.*

Voir *Site★ – Les vieilles rues★ – ≤★ du château.*

🛈 *Office de tourisme 1 pl. Gambetta ℘ 04 94 01 38 38, Fax 04 94 01 38 39, mail@bormeslesmimosas.com.*
Paris 878 – Fréjus 57 – Hyères 21 – Le Lavandou 4 – St-Tropez 35 – Toulon 40.

🏨🏨 **Mirage** ⏳, 38 r. Vue des Îles ℘ 04 94 05 32 60, *infos@bw-mirage.com*, Fax 04 94 64 93 03, ≤ baie et les îles, 🏤, 𝓕ⓢ, ⛱, 🌳, ✳ – 📲, 🗏 ch, 📺 🅿 – 🔏 25 à 100. 🆎 ⓞ ⒼⒷ. ✳ rest
21 mars-31 oct. – **Repas** *(grill au déj. de juin à sept.)* 7,92 (déj.)/26 ♀, enf. 12,50 – ⊆ 11 – **36 ch** 104/148 – ½ P 80/96

🏨 **Palma** sans rest, rte Lavandou ℘ 04 94 71 17 86, *jhameau@aol.com*, Fax 04 94 71 83 52, ⛱, 🌳 – 🗏 📺 🅿. ⒼⒷ
fermé 15 nov. au 15 janv. – ⊆ 9,50 – **20 ch** 92/98

🍴 **Lou Portaou,** r. Cubert des Poètes ℘ 04 94 64 86 37, 🏤, « Cadre médiéval » – 🗏. ⒼⒷ. ✳
fermé 15 nov. au 20 déc., mardi hors saison et le midi en juil.-août – **Repas** *(prévenir)* 28,20

🍴 **Cassole,** ruelle du Moulin ℘ 04 94 71 14 86, 🏤 – 🗏
fermé 15 nov. au 31 janv., dim. soir au vend. de fin janv. à Pâques, lundi et mardi de sept. à juin. – **Repas** *(dîner seul. fin juin à fin sept.)* 28/46, enf. 13

🍴 **Tonnelle,** pl. Gambetta ℘ 04 94 71 34 84, Fax 04 94 01 09 37 – ⒼⒷ
fermé 12 nov. au 20 déc., jeudi midi et merc. – **Repas** *(17)* - 30/35, enf. 14

à Cabasson Sud : 8 km – ⊠ 83230 Bormes-les-Mimosas :

🏨 **Palmiers** ⊗, chemin du Petit Fort ℘ 04 94 64 81 94, les.palmiers@wanado
Fax 04 94 64 93 61, 佘, 屛 – 🛗 📺 ❤ 🅿, 🖭 ➊ ⊞
fermé 15 nov. au 31 janv. – **Repas** (fermé dim. soir et lundi midi) 16 (déj.), 26/45, enf.
⊊ 9 – **17 ch** 85/116 – ½ P 99/130

BORNY 57 Moselle 𝟻𝟽 ⑭ – rattaché à Metz.

BORT-LES-ORGUES 19110 Corrèze 𝟽𝟼 ② G. Auvergne – 3 534 h alt. 430.

Voir Barrage de Bort★★.

Env. Musée de la radio et du phonographe★ à Lanobre N : 8 km – Site★★ du châtea
Val★ N : 9 km.

🖪 Office du tourisme Place Marmontel ℘ 05 55 96 02 49, Fax 05 55 96 90 79, contact@
artense.com.

Paris 477 – Aurillac 83 – Clermont-Ferrand 83 – Mauriac 32 – Tulle 82 – Ussel 31.

🏨 **Rider**, av. Gare ℘ 05 55 96 00 47, Fax 05 55 96 73 07, 佘 – ▤ rest, 📺 ❤ ⇔, 🖭 ➊ ◖
⊞ fermé vacances de Noël – **Repas** (fermé vend. soir, sam. midi et dim. soir sauf juil.-a
13/40 – ⊊ 5 – **24 ch** 34/48 – ½ P 31/35

BORT-L'ÉTANG 63 P.-de-D. 𝟽𝟹 ⑮ – rattaché à Lezoux.

BOSDARROS 64290 Pyr.-Atl. 𝟾𝟻 ⑥ – 937 h alt. 370.

Paris 793 – Pau 14 – Lourdes 113 – Oloron-Ste-Marie 29 – Tarbes 50.

XX **Auberge Labarthe**, derrière l'église ℘ 05 59 21 50 13, auberge-labarthe@wanado
Fax 05 59 21 68 55 – 🖭 ⊞
⊛ fermé 6 au 28 janv., dim. soir, mardi et lundi sauf juil.-août et fériés – **Repas** (week-
prévenir) 19/54 ♀, enf. 9,15

BOSSEY 74 H.-Savoie 𝟽𝟺 ⑥ – rattaché à St-Julien-en-Genevois.

Les BOSSONS 74 H.-Savoie 𝟽𝟺 ⑧ – rattaché à Chamonix.

BOUAYE 44 Loire-Atl. 𝟼𝟽 ③ – rattaché à Nantes.

BOUC-BEL-AIR 13320 B.-du-R. 𝟾𝟺 ③ ⑬, 𝟷𝟷𝟺 ⑮ – 12 297 h alt. 259.

Paris 766 – Marseille 22 – Aix-en-Provence 11 – Aubagne 36 – Salon-de-Provence 44.

🏨 **L'Étape Lani**, au Sud sur D 6 rte Gardane-Marseille ℘ 04 42 22 61 90, etapelani@w
online.fr, Fax 04 42 22 68 67, 𝗟, 屛 – ▤ 📺 🅿 – 🔬 30. ➊ ⊞ 🖪
fermé dim. soir – **Repas** (fermé 23 au 31 déc., 5 au 26 août, dim. le midi de sept. à
lundi sauf le soir en juil. et sam. midi) 23/44, enf. 14 – ⊊ 6,10 – **30 ch** 42/62 – ½ P 37/

BOUCÉ 03 Allier 𝟼𝟿 ⑮ – rattaché à Varennes-sur-Allier.

BOUDES 63340 P.-de-D. 𝟽𝟹 ⑭ – 252 h alt. 466.

Paris 466 – Clermont-Fd 53 – Brioude 29 – Issoire 15 – St-Flour 62.

XX **Boudes La Vigne** Ⓜ avec ch, ℘ 04 73 96 55 66, Fax 04 73 96 55 55, 佘 – 📺, 🖭 ⊞
⊛ fermé 27 août au 4 sept. et 2 au 25 janv. – **Repas** (fermé dim. soir et lundi) 12/40 ♀ – ⊊
8 ch 32/46 – ½ P 70/80

BOUESSE 36 Indre 𝟼𝟾 ⑱ – rattaché à Argenton-sur-Creuse.

BOUGIVAL 78 Yvelines 𝟻𝟻 ⑳, 𝟷𝟶𝟷 ⑬ – voir à Paris, Environs.

La BOUILLADISSE 13720 B.-du-R 𝟾𝟺 ⑭, 𝟷𝟷𝟺 ㉙ – 4 904 h alt. 220.

🖪 Syndicat d'initiative Place de la Libération ℘ 04 42 62 97 08, Fax 04 42 62 98 65.

Paris 783 – Marseille 32 – Aix-en-Provence 27 – Brignoles 44 – Toulon 60.

🏨 **Fenière**, ℘ 04 42 72 56 32, Fax 04 42 62 30 54, 佘, 𝗟, 屛 – ▤ rest, 📺 ❤ ❹ 🅿, 🖭 ➊ ◖
⊞ **Repas** (fermé sam. midi et dim.) 12,96/19,51, enf. 7,62 – ⊊ 6,10 – **12 ch** 45,73/60,
½ P 41,16/45,73

UILLAND 21420 Côte-d'Or 🔟🔟 ⑪ G. Bourgogne – 168 h alt. 400.

Paris 296 – Beaune 17 – Dijon 41 – Autun 54 – Bligny-sur-Ouche 13 – Saulieu 57.

🏨 **Hostellerie du Vieux Moulin** (Silva) 🅼 ॐ, ℘ 03 80 21 51 16, Fax 03 80 21 59 90, 😭,
❀ 🐚, 🔲, 🌿 – ≡ rest, 📺 ✆ & 🄿 – 🔬 25. GB
fermé 2 au 31 janv., lundi midi, jeudi midi et merc. sauf le soir de mai à oct. et fériés. –
Repas 34/65 et carte 70 à 100 – ☲ 13 – **26 ch** 102/145 – ½ P 110/130
Spéc. Chausson aux truffes d'été et foie gras (juin à sept.). Côte de veau fermier aux
champignons des bois. Déclinaison d'agneau, viennoise d'aubergines et pommes nouvelles
(avril à sept.) **Vins** Saint-Romain, Savigny-lès-Beaune.

BOUILLE 76530 S.-Mar. 🟨🟨 ⑥ G. Normandie Vallée de la Seine – 791 h alt. 5.

Paris 133 – Rouen 21 – Bernay 44 – Elbeuf 13 – Louviers 32 – Pont-Audemer 36.

🏨 **Bellevue,** ℘ 02 35 18 05 05, bellevue@hotel.wanadoo.fr, Fax 02 35 18 00 92, ≤, 😭 – 🕪
📺 ✆ – 🔬 20. 🄰🄴 GB
fermé 20 déc. au 4 janv., vacances de fév. – **Repas** (fermé dim. soir de sept. à mars et sam.
midi) 17,53/39,64 ♀, enf. 7,62 – ☲ 6,10 – **20 ch** 44,21/56,41 – ½ P 45,73

✕✕ **Poste,** ℘ 02 35 18 03 90, Fax 02 35 18 18 91, ≤, 😭 – GB
fermé 23 déc. au 10 janv., dim. soir sauf juil., août et fêtes, lundi soir et mardi soir. – **Repas**
16,77/36,59

✕✕ **Les Gastronomes,** ℘ 02 35 18 02 07 – GB
fermé 18 au 26 déc., 19 fév. au 6 mars, merc. soir et jeudi sauf fériés – **Repas** 18/35 ♀

✕✕ **Maison Blanche,** ℘ 02 35 18 01 90, Fax 02 35 18 08 65, ≤ – 🄰🄴 GB
fermé 15 juil. au 6 août, dim. soir et lundi – **Repas** 17/43 ♀

UIN 85230 Vendée 🔟🔟 ② – 2 242 h alt. 5.

Paris 439 – Nantes 51 – La Roche-sur-Yon 64 – Challans 22 – Noirmoutier-en-l'Île 29.

🏨 **Martinet** ॐ, ℘ 02 51 49 08 94, hotel-martinet@free.fr, Fax 02 51 49 83 08, 🐚, 🔲, 🌿 –
📺 🄿 🄰🄴 ⓪ GB 🄹🄲🄱
Repas (fermé nov., mardi d'avril à sept., dim. soir et lundi hors saison) 19/28 – ☲ 7 – **30 ch**
48/71 – ½ P 48/69

ULAY-LES-BARRES 45 Loiret 🔟🔟 ⑨ – rattaché à Orléans.

ULIAC 33 Gironde 🔟🔟 ⑨ – rattaché à Bordeaux.

ULIGNEUX 01 Ain 🔟🔟 ② – rattaché à Villars-les-Dombes.

ULOGNE-BILLANCOURT 92 Hauts-de-Seine 🟨🟨 ⑳, 🔟🔟🔟 ㉔ – voir à Paris, Environs.

ULOGNE (Bois de) 75 Seine 🔟🔟, 🔟🔟, 🔟🔟 – voir à Paris (Paris 16ᵉ).

ULOGNE-SUR-MER ✇ 62200 P.-de-C. 🟨🔟 ① G. Picardie Flandres Artois – 44 859 h
Agglo. 135 116 h alt. 58 – Casino (privé) Z.

Voir Nausicaa★★★ – Ville haute★★ : crypte et trésor★ de la basilique ≤★ du Beffroi Y H –
Perspectives★ des remparts – Calvaire des marins ≤★ Y – Château-Musée★ : vases
grecs★★, masques inuits et aléoutes★★ – Colonne de la Grande Armée★ : ☀★★ 5 km par ①
– Côte d'Opale★ par①.

🛈 Office du tourisme 24 quai Gambetta ℘ 03 21 10 88 10, Fax 03 21 10 88 11, boulogne
@tourisme.norsys.fr.

Paris 267 ③ – Calais 36 ② – Amiens 131 ④ – Arras 118 ③ – Lille 118 ③ – Rouen 185 ④.

Plan page suivante

🏨 **Matelote** 🅼, 70 bd Ste-Beuve ℘ 03 21 30 33 33, tolestienne@nordnet.fr,
Fax 03 21 30 87 40 – 🕪, ≡ ch, 📺 ✆ & 🔄, 🄰🄴 GB
voir rest. **Matelote** ci-après – ☲ 12 – **20 ch** 95/160   Y q

🏨 **Hamiot** 🅼, 1 r. Faidherbe ℘ 03 21 31 44 20, Fax 03 21 83 71 56, 😭 – 🕪, ≡ rest, 📺 ✆.
GB   Z h
Repas (10) - 14/26,50 ♀, enf. 6 – ☲ 8,35 – **12 ch** 53,40/79,30 – ½ P 52,15/55

🏨 **Métropole** sans rest, 51 r. Thiers ℘ 03 21 31 54 30, hotel.metropol@wanadoo.fr,
Fax 03 21 30 45 72, 🌿 – 🕪 ≡ 📺 ✆ ⇔. 🄰🄴 ⓪ GB   Z e
fermé 20 déc. au 6 janv. – ☲ 7,50 – **25 ch** 57/77

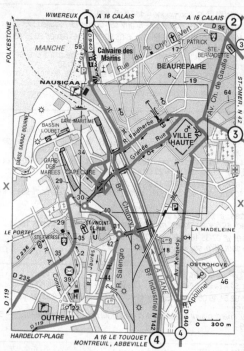

BOULOGNE-SUR-MER

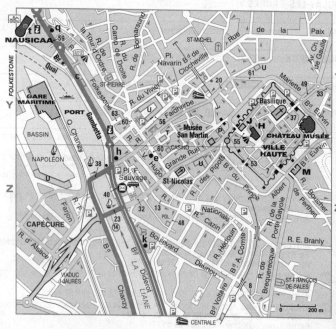

Plage sans rest, 168 bd Ste-Beuve ℘ 03 21 32 15 15, Fax 03 21 30 47 97, ≤ – 📱 😝 📺 ⚐.
🍸 🝙 ⓞ 🇬🇧 🇯🇨🇧
⚲ 7,34 – **42 ch** 44,21/68,60
X u

Ibis-Centre, bd Diderot ℘ 03 21 30 12 40, Fax 03 21 87 48 98 – 📱 😝, 🍽 rest, 📺 ⚐ 🚗
– 🔬 30. 🝙 ⓞ 🇬🇧
Z k
Repas (dîner seul.) (12,04) - 15,09 🍷 – ⚲ 5,50 – **79 ch** 62

Matelote (Lestienne), 80 bd Ste Beuve ℘ 03 21 30 17 97, tolestienne@nordnet.fr,
Fax 03 21 83 29 24 – 🍽. 🝙 🇬🇧
Y q
fermé 23 déc. au 15 janv. et dim. soir – **Repas** 28/42 et carte 47 à 76
Spéc. salade de homard au basilic. Filet de turbot à la truffe blanche (juin-août). Parfait
chocolaté , biscuit aux noisettes.

Rest. de Nausicaa, bd Ste-Beuve ℘ 03 21 33 24 24, Fax 03 21 30 15 63, ≤ – 🍽. 🇬🇧
Repas 17/26 🍷, enf. 7
Y t

ont-de-Briques par ④ : 5 km – ⊠ 62360 Pont-de-Briques St-Étienne :

Hostellerie de la Rivière avec ch, 17 r. Gare ℘ 03 21 32 22 81, Fax 03 21 87 45 48, 🌬 –
📺 ⚐. 🝙 ⓞ 🇬🇧. 😝 ch
fermé 26 août au 9 sept., 28 janv. au 12 fév., mardi midi d'oct.à mars, dim. soir et lundi –
Repas 33,54/48,78 et carte 43 à 65 🍷, enf. 16,77 – ⚲ 8,38 – **8 ch** 56,41/68,60 – ½ P 83,85/
91,47

esdin-l'Abbé par ⑥ et N 1 : 9 km – 1 998 h. alt. 50 – ⊠ 62360 :

Cléry ⑤, au village ℘ 03 21 83 19 83, Fax 03 21 87 52 59, « Demeure du 18ᵉ siècle dans
un parc fleuri », 😝, 🏊, – 📺 ⚐. 🝙 ⓞ 🇬🇧. 😝
Repas (fermé sam. midi) (14) - 24/45 – ⚲ 10 – **22 ch** 70/145

*Towns underlined in red on the **Michelin** maps*
at a scale of 1 : 200 000 are included in this Guide.

Use the latest map to take full advantage of this information.

BOULOU 66160 Pyr.-Or. 🎴 ⑲ G. Languedoc Roussillon – 4 428 h alt. 90 – Stat. therm. (début
fév.-début déc.) – Casino.
🅱 Office du tourisme Place de la Mairie ℘ 04 68 87 50 95, Fax 04 68 87 50 96, o.t.le.boulou
@wanadoo.fr.
Paris 875 – Perpignan 21 – Argelès-sur-Mer 20 – Barcelona 171 – Céret 10.

Domitien 🇲, rte d'Espagne (près Thermes) ℘ 04 68 83 49 50, Fax 04 68 83 45 90, 🏊, 🌬,
😝 – 📱 cuisinette 📺 ⚐ 🅿 – 🔬 40. 🝙 🇬🇧. 😝 rest
fermé mi-déc. à mi-janv. – **Repas** (fermé lundi soir et dim. de déc. à fév.) 18/35 🍷, enf. 10 –
⚲ 7 – **40 ch** 58/61, 8 appart – ½ P 48

Néoulous, près échangeur A9 ℘ 04 68 87 52 20, leneoulous@wanadoo.fr,
Fax 04 68 83 13 40, ≤, 😃, 🏊, 🌬, 😝 – 📱, 🍽 rest, 📺 ⚐ 🅿 – 🔬 30. 🝙 ⓞ 🇬🇧
Repas 15/30 🍷 – ⚲ 7 – **47 ch** 47/59 – ½ P 41,50/46,50

Canigou, r. Bousquet ℘ 04 68 83 15 29, Fax 04 68 87 75 41, 😃 – 🝙 🇬🇧
fermé 9 déc. au 12 janv. – **Repas** (8,50 bc) - 11,50/20,50 🍷 – ⚲ 6 – **15 ch** 38/45 – ½ P 31/33

Grillon d'Or ⑤, 40 r. République ℘ 04 68 83 03 60, le-grillon@wanadoo.fr,
Fax 04 68 87 79 27, ≤, 😃, 🏊 – 📱 cuisinette 😝 📺 ⚐ 🅿 – 🔬 20
fermé 17 déc. au 11 janv. – **Repas** (12) - 15/30, enf. 8 – ⚲ 6 – **40 ch** 46/58 – ½ P 42/46

village catalan Nord : 7 km par N 9 – ⊠ 66300 Banyuls-dels-Aspres :

Village Catalan 🇲 sans rest, accès par N 9 et A 9 ℘ 04 68 21 66 66, hotel-catalan@wana
doo.fr, Fax 04 68 21 70 95, 🏊, 🌬 – 🍽 📺 ⚐ 🚗 🅿 – 🔬 50. 🇬🇧
⚲ 7 – **77 ch** 55/105

Sud-Est : 4,5 km par N 9, D 618 et rte secondaire – ⊠ 66160 Le Boulou :

Relais des Chartreuses ⑤, 106 av. d'En Carbouner ℘ 04 68 83 15 88, relais.des.
chartreuses@wanadoo.fr, Fax 04 68 83 26 62, « Bel aménagement intérieur », 🏊, 🌬 – ⚐
🅿. 🝙 🇬🇧
1ᵉʳ fév.-4 nov. – **Repas** (dîner seul)(résidents seul.) 20 🍷 – ⚲ 10 – **11 ch** 55/93 – ½ P 52/
69,50

Vivès Ouest : 5 km par D 115 et D 73 – 128 h. alt. 228 – ⊠ 66490 :

Hostalet de Vivès ⑤ avec ch, ℘ 04 68 83 05 52, Fax 04 68 83 51 91 – cuisinette,
🍽 rest, 📺. 🇬🇧. 😝 ch
fermé 7 janv. au 7 mars, jeudi sauf en juil.-août et merc. – **Repas** - spécialités catalanes -
16,69 (déj.)/24,24 – ⚲ 7,62 – **3 ch** 54,88 – ½ P 74,70

BOUNIAGUES *24560 Dordogne* **75** ⑮ *– 476 h alt. 170.*
Paris 548 – Périgueux 61 – Bergerac 13 – Villeneuve-sur-Lot 48.

X **Les Voyageurs** avec ch, ✆ 05 53 58 32 26, *Fax 05 53 58 32 26*, 帘, 帘 – TV. GB
fermé 30 août au 7 sept., fév., dim. soir et lundi du 30 sept. au 30 juin – **Repas** 11
25,92 ♀, enf. 8,39 – ☕ 6,10 – **7 ch** 33,54/47,26 – ½ P 36,59/42,69

BOURBACH-LE-BAS *68290 H.-Rhin* **87** ⑲ *– 563 h alt. 340.*
Paris 452 – Mulhouse 25 – Altkirch 27 – Belfort 26 – Thann 10.

X **Couronne d'Or** 🐦 avec ch, 9 r. Principale ✆ 03 89 82 51 77, *Fax 03 89 82 58 03* –
GB
Repas *(fermé mardi soir et lundi)* 14,50/36, enf. 8 – ☕ 6,10 – **7 ch** 34,50/48 – ½ P 47,50

BOURBON-LANCY *71140 S.-et-L.* **69** ⑯ *G. Bourgogne – 5 634 h alt. 240 – Stat. therm. (dé*
avril-fin oct.).
Voir *Maison de bois et tour de l'horloge*★ **B.**
ℹ *Office du tourisme Place d'Aligre* ✆ *03 85 89 18 27, Fax 03 85 89 28 38, Bourb*
Tourisme@wanadoo.fr.
Paris 311 ④ – Moulins 36 ④ – Autun 63 ① – Mâcon 109 ③ – Montceau-les-Mines 55 ②

BOURBON-LANCY

Aligre (Pl. d')	2
Autun (R. d')	3
Châtaigneraie (R. de la)	4
Commerce (R. du)	5
Dr-Gabriel-Pain (R. du)	6
Dr-Robert (R. du)	7
Gaulle (Av. du Gén.-de)	
Gueugnon (R. de)	12
Horloge (R. de l')	13
Libération (Av. de la)	15
Musée (R. du)	16
Prébendes (R. des)	18
République (Pl. de la)	22
St-Nazaire (R.)	23

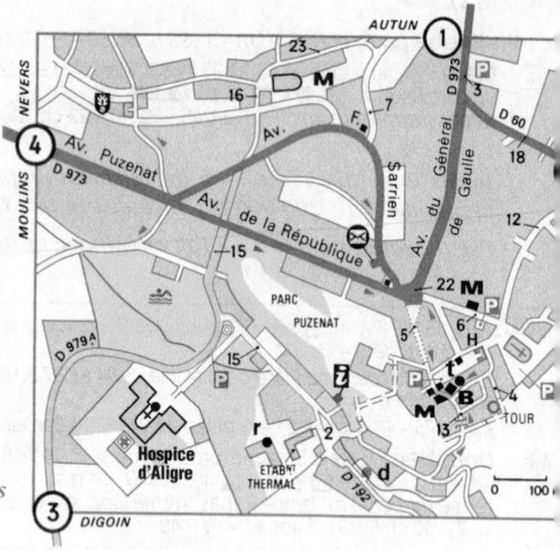

Pour un bon usage des plans de villes, voir les signes conventionnels dans l'introduction.

Manoir de Sornat (Raymond) 🐦, allée Sornat, rte Moulins par ④ : 2
✆ 03 85 89 17 39, *Fax 03 85 89 29 47*, 帘, « Manoir normand dans un parc », ♣ – TV ✆
AE ① GB. ✗ ch
fermé 7 janv. au 12 fév., dim. soir (sauf fêtes) de sept. à juin, lundi midi et mardi mi
Repas 22 (déj.), 30/75 et carte 50 à 68 ♀, enf. 14 – ☕ 10 – **13 ch** 58/113 – ½ P 73/99
Spéc. Grosses langoustines en beignets. Lièvre à la royale (oct. à déc.). Millefeuille de crê
caramélisées. **Vins** Rully, Mâcon rouge.

Grand Hôtel 🐦, **(r)** ✆ 03 85 89 08 87, *bourbon.thermal@wanadoo*
Fax 03 85 89 32 23, 帘, ♣ – ⇕ cuisinette TV ✆ P. GB
3 avril-25 oct. – **Repas** 11,89/21,04 ♀ – ☕ 5,34 – **29 ch** 51,53/73,48 – ½ P 45,50/48,50

Tourelle du Beffroi sans rest, pl. Mairie **(t)** ✆ 03 85 89 39 20, *Fax 03 85 89 39 29* – TV
♿ 🚗. GB
☕ 6,50 – **8 ch** 45/69

XX **Villa du Vieux Puits** 🐦 avec ch, 7 r. Bel Air **(d)** ✆ 03 85 89 04 04, *Fax 03 85 89 13*
帘, 帘 – TV ✆ P. GB
fermé 15 fév. au 15 mars, dim. soir et lundi – **Repas** 16/40 ♀, enf. 10 – ☕ 7,50 – **7 ch** 38
– ½ P 38,50/46

BOURBON-L'ARCHAMBAULT *03160 Allier* **69** ⑬ *G. Auvergne – 2 564 h alt. 367 – S*
therm. (début mars-mi nov.).
Voir *Nouveau parc* ≤★ *– Château* ≤★.
ℹ *Office du tourisme - Bureau d'Accueil 1 place des Thermes* ✆ *04 70 67 09 79, Fax 04 70*
09 79.
Paris 295 ① – Moulins 24 ② – Montluçon 51 ③ – Nevers 54 ①.

BOURBON-
L'ARCHAMBAULT

s noms des rues
t soit écrits
r le plan
t répertoriés
liste
identifiés par un numéro.

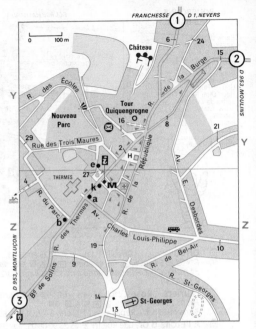

🏨 **Grand Hôtel Montespan-Talleyrand,** pl. Thermes ℘ 04 70 67 00 24, hotelmontes
pan@wanadoo.fr, Fax 04 70 67 12 00, 🔟, 🍽 – 🛉 cuisinette 📺 ❮. 🖭 ⓪ ☒.
❄ rest   YZ e
1ᵉʳ avril-20 oct. – Repas (11) - 15/34, enf. 10 – ⌧ 9 – **45 ch** 48/75, 4 appart – ½ P 49/66

🏨 **Thermes,** av. Ch.-Louis-Philippe ℘ 04 70 67 00 15, Fax 04 70 67 09 43, 🍽, 🌿 – 🍽 rest,
📺 – 🛗 15. 🖭 ⓪ ☒   Z a
9 mars-30 oct. – Repas 17,60/56,50, enf. 10 – ⌧ 8,08 – **22 ch** 29/61 – P 51,90/67,10

🏠 **annexe Les Sources** 🏠, av. Thermes ℘ 04 70 67 00 15, Fax 04 70 67 09 43, 🌿 – 🖭
⓪ ☒   Z k
9 mars-30 oct. – Repas 13,73/20,59, enf. 7,63 – ⌧ 5,49 – **20 ch** 27,45/41,93 – P 41,17/44,98

🏠 **Grand Hôtel du Parc,** r. Parc ℘ 04 70 67 02 55, sinteslaurent@wanadoo.fr,
Fax 04 70 67 13 95 – 🛉 🅿 🖭 ☒. ❄ rest   Z b
4 avril-18 oct. – Repas 15,25/30,50 – ⌧ 6,10 – **36 ch** 41,15/52 – P 47/50

r ③, rte de Montluçon D 933, D 18 et rte secondaire : 10 km – ⊠ 03160 Ygrande :

🏨 **Château d'Ygrande** 🦢, ℘ 04 70 66 33 11, reservation@chateauygrande.fr,
Fax 04 70 66 33 63, ≤, 🍽, 🎣, 🔟, ♨ – 📺 ❮ 🅿 – 🛗 40. 🖭 ☒
fermé janv. et fév. – Repas (fermé dim. soir et lundi sauf juil.-août) (24) - 32/35, enf. 13 –
⌧ 10 – **16 ch** 85/145 – P 97/127

** URBONNE-LES-BAINS** 52400 H.-Marne 🖪🖪 ⑬ ⑭ G. Champagne Ardenne – 2 495 h alt. 290
– Stat. therm. (début mars-fin nov.).
🖪 Office du tourisme ℘ 03 25 90 01 71, Fax 03 25 90 14 12, bourbonne-les-bains@wana-
doo.fr.
Paris 314 ④ – Chaumont 56 ④ – Dijon 125 ④ – Langres 40 ④ – Neufchâteau 53 ①.

Plan page suivante

🏨 **Jeanne d'Arc,** r. Amiral Pierre (s) ℘ 03 25 90 46 00, hoteljda@free.fr, Fax 03 25 88 78 71,
🍽, 🔟 – 🛉 📺 ❮ 🕭 ↝ 🅿 🖭 ⓪ ☒ 🅹🅲🅱
17 mars-26 oct. – Repas 17/29 – ⌧ 7,50 – **29 ch** 42/99 – ½ P 42,50/53,50

🏠 **des Sources,** pl. Bains (u) ℘ 03 25 87 86 00, hotel-des-sources@wanadoo.fr,
Fax 03 25 87 86 33, 🌿 – 🛉 cuisinette 📺 ❮ 🕭. ☒. ❄ rest
30 mars-30 nov. – Repas (fermé merc. soir) 12/25, enf. 7 – ⌧ 5,50 – **23 ch** 39/48 –
P 40/43,50

BOURBONNE-LES-BAINS

🏨 **Orfeuil**, r. Orfeuil (a) ℰ 03 25 90 05 71, hotel-des-sources@wanado●
Fax 03 25 84 46 25, ⅃ – 🛗 cuisinette 📺 ✆ ₺ 🅿 . 🅖🅑 . ✻ rest
31 mars-26 oct. – **Repas** (fermé dim. soir et lundi) 10/25, enf. 7 – ☲ 5,50 – **47 ch** 40/4●
P 37/43,50

🏨 **Lauriers Roses**, pl. Bains (d) ℰ 03 25 90 00 97, lauriers.roses@wanado●
Fax 03 25 88 78 02, � – 🛗 📺 ✆ ₺ 🅿 . 🅖🅑
31 mars-26 oct. – **Repas** 12,50/21 ₺, enf. 6 – ☲ 4,50 – **69 ch** 28/45 – P 38/46

🏨 **A l'Étoile d'Or**, Gde Rue (r) ℰ 03 25 90 06 05, Fax 03 25 90 49 65 – 🛗, 🍽 rest, 📺 ✆
✍. 🅐🅔 🅖🅑
15 mars-31 oct. – **Repas** 11,43/26,68 ₺, enf. 6,86 – ☲ 5,34 – **24 ch** 25,92/39,64 – ½ P 40,
70,13

En juin et en septembre,
les hôtels sont moins chers qu'en pleine saison, le service est plus soigné.

La BOURBOULE 63150 P.-de-D. 🔠 ⑬ G. Auvergne – 2 043 h alt. 880 – Stat. therm. (début févr
fin oct.) – Casino AZ.
Voir *Parc Fenêstre*★ – Murat-le-Quaire : musée de la Toinette★ N : 2 km.
🅱 OMT Place de la République ℰ 04 73 65 57 71, Fax 04 73 65 50 21, OT–Bourboule@mi●
assist.fr.
Paris 470 ③ – Clermont-Ferrand 51 ③ – Aubusson 82 ③ – Mauriac 71 ③ – Ussel 51 ③.

Plan page ci-contre

🏨🏨 **Régina**, av. Alsace-Lorraine ℰ 04 73 81 09 22, bourboulergina@multimania.c●
Fax 04 73 81 08 55, 🎗, 🔲 – 🛗 📺 🅿 . 🅐🅔 🅞 🅖🅑 . ✻ rest
BY
fermé 13 nov. au 25 déc. – **Repas** 12,20/27,50 ₺, enf. 9,20 – ☲ 7,60 – **25 ch** 79,30/106,
(½ pens. seul. en été) – ½ P 68,50/73,20

🏨🏨 **Charlet**, bd L. Choussy ℰ 04 73 81 33 00, hotel.lecharlet@wanadoo.fr, Fax 04 73 65 50●
🌬, 🎗 – 🛗 📺 ✆ 🅿 . 🅖🅑
AZ
fermé 15 oct. au 15 déc. – **Repas** 16/26 ₺, enf. 9 – ☲ 7 – **38 ch** 39/64 – ½ P 43/49,50

🏨 **Aviation**, r. Metz ℰ 04 73 81 32 32, aviation@nat.fr, Fax 04 73 81 02 85, 🎗, 🔲 – 🛗
✍. 🅖🅑 . ✻ rest
BZ
fermé 1er oct. au 19 déc. – **Repas** 15,25, enf. 7,75 – ☲ 6,50 – **41 ch** 46/51 – ½ P 44,50

🏨 **Pavillon**, av. Angleterre ℰ 04 73 65 50 18, Fax 04 73 81 00 93, 🌬 – 🛗 📺 . 🅐🅔 ●
✻
BZ
hôtel : 1er avril-30 oct. ; rest. : 15 avril-30 sept – **Repas** 14,50/18,50 ₺, enf. 7,60 – ☲ 5,3●
24 ch 30,50/48,80 – ½ P 30,50/38,10

🏨 **Val Doré**, r. Belgique ℰ 04 73 81 06 14, valdore@wanadoo.fr, Fax 04 73 65 58 79 – 🛗
✆. 🅐🅔 🅖🅑 . ✻ ch
BY
fermé 12 au 24 mars et 3 nov. au 21 déc. – **Repas** 11/20 ₺, enf. 10 – ☲ 5,60 – **32 ch** 46/5●
½ P 40/44

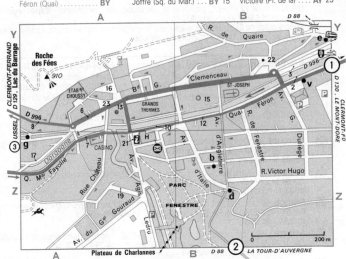

LA BOURBOULE

Alsace-Lorraine (Av.) .... **BY** 2
Clemenceau (Bd G.) .. **ABY**
Etats-Unis
(Av. des) .... **BY** 3
Féron (Quai) .... **BY**

Foch (Av. Mar.) .... **AY** 6
Gambetta (Quai) ...... **AZ** 7
Guéneau-de-Mussy
(Av.) .... **AY** 8
Hôtel-de-Ville (Q.) .... **AY** 10
Jeanne-d'Arc (Q.) .... **BY** 12
Jet-d'eau (Sq. du) .... **AY** 13
Joffre (Sq. du Mar.) ... **BY** 15

Lacoste (Pl. G.) .... **AY** 16
Libération (Q. de la) .. **AZ** 17
Mangin
(Av. du Gén.) ...... **AZ** 19
République
(Pl. de la) .... **AZ** 21
Souvenir (Pl. du) ..... **BY** 22
Victoire (Pl. de la) .... **AY** 23

St-Sauves-d'Auvergne par ③ : 5 km – 1 052 h. alt. 791 – ⊠ 63950 :

🏠 **Poste**, pl. du Portique 🖉 04 73 81 10 33, *did@boivin.com*, Fax 04 73 81 02 27 – 📺 🅿.
🍴 **GB**
Repas *(fermé 1ᵉʳ au 20 déc.)* 10,37/27,44 ♀ – ⚏ 5,18 – **17 ch** 36,59/41,16 – ½ P 35,06/
36,59

OURDEAU 73 Savoie 📖 ⑮ – rattaché au Bourget-du-Lac.

OURDEILLES 24 Dordogne 📖 ⑤ – rattaché à Brantôme.

OURG-ACHARD 27310 Eure 📖 ⑤ *G. Normandie Vallée de la Seine* – 2 517 h alt. 124.
Paris 141 – Rouen 28 – Bernay 40 – Évreux 62 – Le Havre 62.

🍴🍴 **Amandier**, 581 rte Rouen 🖉 02 32 57 11 49, Fax 02 32 57 11 49, 😤 – 🅰🅴 ① 🆖
fermé 15 au 25 juil., 28 au 31 oct., dim soir, lundi soir, mardi soir et merc. – **Repas** 17/29

OURG-CHARENTE 16 Charente 📖 ⑫ – rattaché à Jarnac.

OURG-DE-PÉAGE 26 Drôme 📖 ② – rattaché à Romans-sur-Isère.

BOURG-D'OISANS 38520 Isère 📖 ⑥ *G. Alpes du Nord* – 2 984 h alt. 720.
Voir *Musée des Minéraux★ – Cascade de la Sarennes★ NE : 1 km puis 15 mn – Gorges de la Lignarre★ NO : 3 km.*
Env. *Route de Villard-Notre-Dame★★.*
🛈 *Syndicat d'initiative Quai Girard 🖉 04 76 80 03 25, Fax 04 76 80 10 38, otbo@free.fr.*
Paris 616 – Grenoble 52 – Briançon 66 – Gap 89 – St-Jean-de-Maurienne 72 – Vizille 32.

Châtelard Nord-Est : 12 km par D 211, D 211A et rte secondaire – ⊠ 38520 La Garde-en-Oisans:
🏡 **Forêt de Maronne** 🐾, 🖉 04 76 80 00 06, Fax 04 76 79 14 61, ≤, 😤, 🏊, 🚲 – 🅿. 🆖.
🍴 🍴 rest
10 juin-20 sept. et 20 déc.-20 avril – **Repas** 14/28 – ⚏ 6 – **12 ch** 38/49 – ½ P 42/50

Le BOURG-DUN 76740 S.-Mar. 52 ③ G. Normandie Vallée de la Seine – 440 h alt. 17.

Voir Tour★ de l'église.

Paris 188 – Dieppe 20 – Fontaine-le-Dun 7 – Rouen 56 – St-Valery-en-Caux 15.

XX   **Auberge du Dun** (Chrétien), face Église ✆ 02 35 83 05 84, Fax 02 35 83 05 84 – 🅿.
✿   ✵
     fermé 26 août au 15 sept., 3 au 18 janv., merc. soir, dim. soir et lundi – **Repas** (week-en
     prévenir) 23,63/57,97 et carte 40 à 60 ⌚
     Spéc. Rosace de Saint-Jacques marinées à la vinaigrette d'andouille (oct. à mars). Pressé
     cailles au foie gras. Crêpes soufflées au calvados.

BOURG-EN-BRESSE 🅿 01000 Ain 74 ③ G. Bourgogne – 40 666 h Agglo. 101 016 h alt. 251.

Voir Église de Brou★★ (tombeaux★★★, stalles★★, jubé★★, vitraux★★, chapelle et c
toires★★★, portail★) X B – Stalles★ de l'église Notre-Dame Y – Musée du monastère★ X
🅳 Office du tourisme 6 avenue Alsace Lorraine ✆ 04 72 22 49 40, Fax 04 74 23 06
bourgenbresse.officedetourisme@wanadoo.fr.

Paris 426 ⑦ – Mâcon 39 ⑦ – Annecy 113 ④ – Genève 112 ④ – Lyon 81 ⑤.

Plan page ci-contre

🏛   **Mercure** 🅼, 10 av. Bad-Kreuznach ✆ 04 74 22 44 88, Fax 04 74 23 43 57, 😤, ☞ – 🛗
     🗐 ch, 📺 ❤ ⅙ 🅿 – 🔏 100. 🆑 ◑ ☖ ᴊᴄʙ. ✵ rest   X
     Repas (fermé sam. midi) 21/37 – ⌚ 10 – **60 ch** 82/100

🏛   **Prieuré** ⦿ sans rest, 49 bd Brou ✆ 04 74 22 44 60, hotel-du-prieure@wanadoc
     Fax 04 74 22 71 07, ☞ – 🛗 📺 ❤ 🅿. 🆑 ◑ ☖   X
     ⌚ 8,84 – **14 ch** 62/88

🏛   **France** 🅼 sans rest, 19 pl. Bernard ✆ 04 74 23 30 24, info@grand-hoteldefrance.cc
     Fax 04 74 23 69 90 – 🛗 ⅍ 📺 ❤ ⇦ – 🔏 25. 🆑 ◑ ☖ ᴊᴄʙ   Y
     ⌚ 8,50 – **44 ch** 54/79

🏛   **Ariane** 🅼, bd Kennedy ✆ 04 74 22 50 88, hotel.ariane.bourg@wanadoo
     Fax 04 74 22 51 57, 😤, 🏊, ☞ – 🛗 🗐 📺 ⅙ ⇦ 🅿 – 🔏 à 50. 🆑 ☖   X
     Repas (fermé dim. et fériés) 23/39 – ⌚ 8,50 – **40 ch** 62/72

🏛   **Logis de Brou** sans rest, 132 bd Brou ✆ 04 74 22 11 55, Fax 04 74 22 37 30, ☞ – 🛗
     ❤ ⇦ 🅿 – 🔏 25. 🆑 ◑ ☖ ᴊᴄʙ   Z
     fermé 22 déc. au 5 janv. – ⌚ 7 – **30 ch** 47/61

XXX   **Auberge Bressane,** face église de Brou ✆ 04 74 22 22 68, Fax 04 74 23 03 15, 😤 –
     🅿. 🆑 ◑ ☖ ᴊᴄʙ   X
     fermé mardi sauf fériés – **Repas** 19/66 et carte 62 à 86 ⌚

XXX   **Mail** avec ch, 46 av. Mail ✆ 04 74 21 00 26, Fax 04 74 21 29 55 – 🗐 rest, 📺 ⇦ 🅿 – 🔏
     🆑 ◑ ☖   X
     fermé 19 juil. au 7 août, 23 déc. au 9 janv., dim. soir et lundi – **Repas** 17,50/49 et carte 3
     48, enf. 12,50 – ⌚ 6,50 – **9 ch** 38/52 – ½ P 40/50

XX   **Reyssouze,** 20 r. Ch. Robin ✆ 04 74 23 11 50, Fax 04 74 23 94 32 – 🗐. 🆑 ☖   Y
     fermé 12 au 19 août, dim. soir et lundi – **Repas** 18 (déj.), 25,50/50,30 ⌚, enf. 12,20

XX   **Chez Blanc,** 19 pl. Bernard ✆ 04 74 45 29 11, chezblanc@georgesblanc.cc
     Fax 04 74 24 73 69, 😤 – 🆑 ☖   Y
     Repas 17 (déj.), 25/40 ⌚, enf. 11

XX   **Français,** 7 av. Alsace-Lorraine ✆ 04 74 22 55 14, info@le-francais.fr, Fax 04 74 22 47
     brasserie 1900 – 🆑 ☖   Z
     fermé 8 au 12 mai, 5 au 27 août, 24 déc. au 2 janv., sam. et dim. – **Repas** 21,30/48,50
     enf. 10

XX   **Fred et Martine,** 11 r. République ✆ 04 74 45 20 78, Fax 04 74 22 77 8⸴
     🆑   Z
     fermé 12 au 25 août, dim. soir et lundi – Repas 16,01/36,60 ⌚

XX   **Chalet de Brou,** face église de Brou ✆ 04 74 22 26 28, Fax 04 74 24 72 42, 😤
     🆑   X
     fermé 1ᵉʳ au 15 juin, 23 déc. au 23 janv., lundi soir, jeudi soir et vend. – Repas 14/35 ⌚

X   **L'Amandine,** 4 r. République ✆ 04 74 45 33 18, Fax 04 74 22 55 87 – ☖   Z
     fermé 1ᵉʳ au 13 mai, 9 au 23 sept., merc. et dim. – **Repas** 12,20 (déj.), 16,01/33,54
     enf. 7,62

X   **Quatre Saisons,** 6 r. République ✆ 04 74 22 01 86, Fax 04 74 21 10 35 – ☖   Z
     fermé 1ᵉʳ au 8 mai, 19 au 31 août, 2 au 8 janv., sam. midi, dim. et lundi – **Repas** 16/30
     enf. 9

rte de Lons-le-Saunier par ② : 6,5 km N 83 – ✉ 01370 St-Étienne-du-Bois :

X   **Les Mangettes,** ✆ 04 74 22 70 66, 😤 – 🅿. 🆑 ☖
     fermé 25 sept. au 3 oct., 7 au 28 janv., dim. soir, lundi soir et mardi – **Repas** 15 (déj.), 19/3

BOURG-
EN-BRESSE

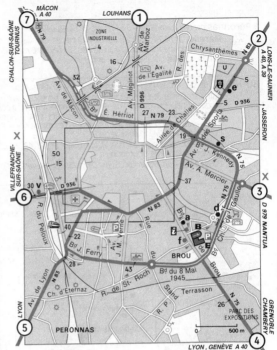

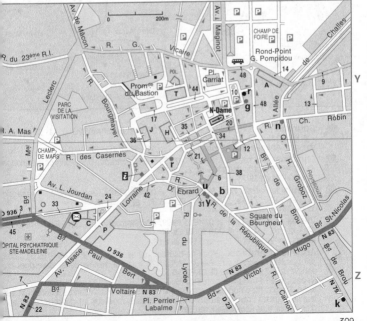

à Péronnas *par ⑤ : 3 km, N 83 – 5 534 h. alt. 281 – ✉ 01960 :*

XX **Marelle,** ☎ 04 74 21 75 21, *Fax 04 74 21 06 81,* 🏞, 🚗 – P. AE GB
fermé 26 août au 12 sept., 24 au 30 déc., 24 fév. au 6 mars, dim. soir, mardi soir et ven
Repas 14,48 (déj.), 20,58/44,21 🍷, enf. 9,91

BOURGES P *18000 Cher* 69 ① *G. Berry Limousin – 72 480 h Agglo. 123 584 h alt. 153.*

Voir *Cathédrale St-Étienne**** *: tour Nord* ≤** **Z** – *Jardins de l'Archevêché** – *P. Jacques-Coeur*** – *Jardins des Prés-Fichaux** – *Maisons à colombage** – *Hôtel des Éc vins** *: musée Estève** **Y M**[2] – *Hôtel Lallemant** **Y M**[3] – *Hôtel Cujas** *: Musée du Ber* **Y M**[1] – *Muséum d'histoire naturelle** **Z** – *Les marais** **V** – *Promenade des remparts Commune de la "Méridienne verte".*

ℹ *Office du tourisme 21 rue Victor Hugo* ☎ *02 48 23 02 60, Fax 02 48 23 02 tourisme@www.ville-bourges.fr.*

Paris 244 ⑦ – Châteauroux 66 ⑥ – Dijon 255 ② – Nevers 69 ③ – Orléans 120 ⑦.

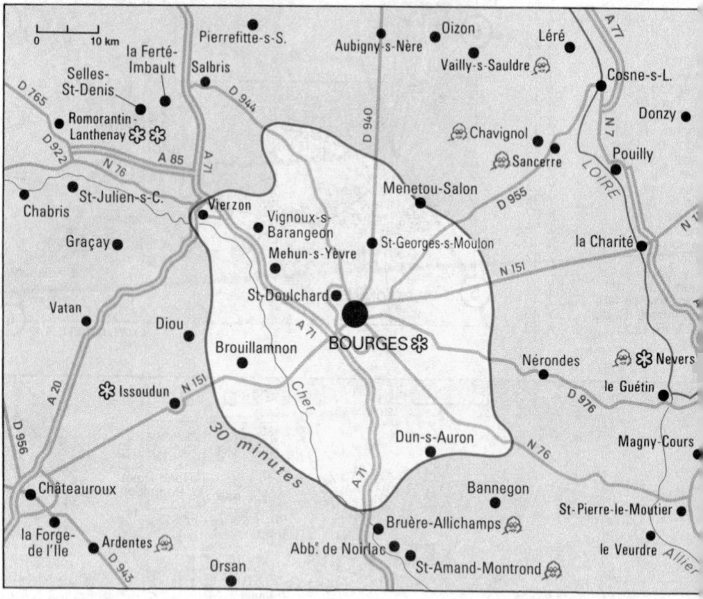

🏨 **Bourbon** M, bd République ☎ 02 48 70 70 00, *hbourbon@infonie.fr, Fax 02 48 70 21* – 🛗 🚭 TV 📞 ♿ P – 🏛 30 à 50. AE ⓓ GB — Y
voir rest. ***Abbaye St-Ambroix*** ci-après – ☕ 11 – **59 ch** 75/110 – ½ P 89

🏨 **Christina** sans rest, 5 r. Halle ☎ 02 48 70 56 50, *christina-hotel-bourges@wanadoo Fax 02 48 70 58 13* – 🛗 TV 📞 – 🏛 25. AE GB — Z
☕ 6,50 – **71 ch** 39/71

🏨 **Tilleuls** sans rest, 7 pl. Pyrotechnie ☎ 02 48 20 49 04, *antoine.falleur@wanadoo Fax 02 48 50 61 73,* 🏋, 🏊, 🚗 – 🚭 TV 📞 ♿ P – 🏛 30. AE ⓓ GB JCB — X
☕ 6 – **38 ch** 53/58

🏨 **Ibis** M, quartier Prado ☎ 02 48 65 89 99, *h0819@accor-hotels.com, Fax 02 48 65 18* 🏞 – 🛗 🚭 TV 📞 ♿ – 🏛 20 à 30. AE ⓓ GB — Z
Repas (12) - 20 🍷, enf. 5,95 – ☕ 5,54 – **86 ch** 62

XXX **Abbaye St-Ambroix** - Hôtel de Bourbon, 60 av. J. Jaurès ☎ 02 48 70 80 00, *abba saint-ambroix@wanadoo.fr, Fax 02 48 70 21 22,* « Salle à manger dans les vestiges d'u abbaye du 17e siècle » – ▤ P. AE ⓓ GB — Y
✿ **Repas** (23) - 38,11/64,03 et carte 60 à 75
Spéc. Ragoût fin d'huîtres et coques à la riche (oct. à mars). Sandre légèrement fur jeunes poireaux, polenta au jus d'oignons. Biscuit moelleux au chocolat, glace au d'amandes. **Vins** Reuilly, Menetou-Salon.

BOURGES

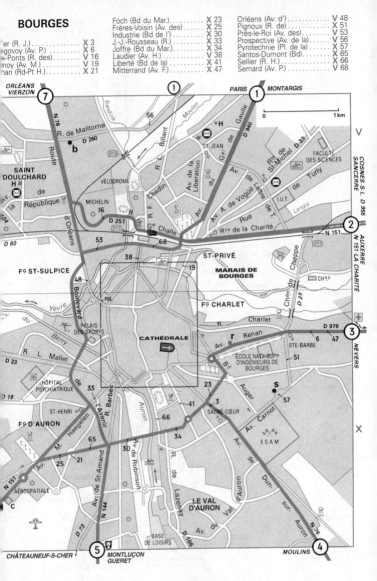

XXX **Philippe Larmat,** 62 bis bd Gambetta ℰ 02 48 70 79 00, *Fax 02 48 69 88 87* – AE ⓞ GB
JCB
Y f
fermé 20 août au 3 sept., sam. midi, dim. soir et lundi – **Repas** 19,82/33,54 ♈, enf. 9,15

XXX **Jacques Coeur,** 3 pl. J. Coeur ℰ 02 48 70 12 72, *cuisinierpoete@aol.com,*
Fax 02 48 70 00 21 – AE ⓞ GB
Y n
fermé 2 au 20 janv. – **Repas** *(12,20)* - 22,87/60,52 ♈

XXX **Jardin Gourmand,** 15 bis av. E. Renan ℰ 02 48 21 35 91, *Fax 02 48 20 59 75,* 斎 – AE
GB
X r
fermé 8 au 25 juil., 20 déc. au 20 janv., mardi midi, dim. soir et lundi – **Repas** 14,48/35,06 et
carte 30 à 46

311

BOURGES

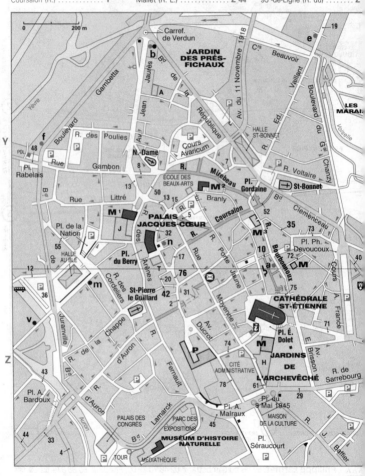

---

de Châteauroux par ⑥ : 7 km, près échangeur A 71 – ⌂ 18570 Le Subdray :

🏨🏨 **Novotel** Ⓜ, ℰ 02 48 26 53 33, Fax 02 48 26 52 22, 佡, ⊒ – 📱 ⅍ ▤ 📺 ☏ ᴑ ₱ –
🔺 30 à 150. 囷 ⓞ 囻 ᴊᴄᴮ
Repas (15) - 18,50 ♀, enf. 8 – ⌂ 9,80 – **93 ch** 76/130

t-Doulchard -V-vers ⑦ – 9 018 h. alt. 158 – ⌂ 18230 :

🏠 **Logitel** sans rest, ℰ 02 48 70 07 26, Fax 02 48 24 59 94, ॐ – 📺 ☏ ₱. 🔺 25. 囻
⌂ 5 – **30 ch** 40/43

BOURGET 93 Seine-St-Denis 🔢 ⑪, 🔢 ⑰ – voir à Paris, Environs.

BOURGET-DU-LAC 73370 Savoie 🔢 ⑮ G. Alpes du Nord – 3 945 h alt. 240.
Voir Lac★★ – Église : frise sculptée★ du choeur.
🅱 Office du tourisme ℰ 04 79 25 01 99, Fax 04 79 25 01 99, office.tourisme@bourget
dulac.com.
Paris 535 – Annecy 44 – Aix-les-Bains 10 – Belley 23 – Chambéry 13 – La Tour-du-Pin 52.

🏨🏨 **Ombremont** ॐ, Nord : 2 km par N 504 ℰ 04 79 25 00 23, ombremontbateauivre@wana
doo.fr, Fax 04 79 25 25 77, ≤ lac et montagnes, « Dans un parc ombragé et fleuri », ⊒, 🅿
– 📱 📺 ₱ – 🔺 50. 囷 ⓞ 囻 ᴊᴄᴮ
8 mai-3 nov. - voir rest. **Bateau Ivre** ci-après – ⌂ 14 – **12 ch** 142/221, 5 appart –
½ P 140/210

🏠 **Port**, ℰ 04 79 25 00 21, Fax 04 79 25 26 82, ≤, 佡 – 📱 📺 ☏. 囻
fermé 15 déc. au 1er fév. – **Repas** (fermé dim. soir et lundi) 19,06/35,06 ♀, enf. 9,91 – ⌂ 6,86
– **23 ch** 50,31/54,88 – ½ P 50,31/54,88

🍴🍴🍴 **Bateau Ivre** - Hôtel Ombremont (Jacob), Nord : 2 km par N 504 ℰ 04 79 25 00 23, ombre
montbateauivre@wanadoo.fr, Fax 04 79 25 25 77, ≤ lac et montagnes, 佡, « Terrasse
dominant le lac » –₱. 囷 ⓞ 囻 ᴊᴄᴮ
début mai-début nov. et fermé lundi midi et mardi midi – **Repas** 45 (déj.), 62/120 et carte
90 à 115, enf. 19
Spéc. Foie gras de canard rôti, tranche de melon et jus à la réglisse (juin à août). Lavaret cuit
en filet, arrosé à l'huile de poivrons rouges aux aromates. Veau de lait rôti en papillote de
lard, chutney de fruits d'été. **Vins** Chignin Bergeron, Mondeuse d'Arbin.

🍴🍴🍴 **Auberge Lamartine** (Marin), Nord : 3,5 km par N 504 ℰ 04 79 25 01 03, auberge
lamartine@wanadoo.fr, Fax 04 79 25 20 66, ≤ lac et montagnes, 佡, 𝄞 –₱. 囷 ⓞ 囻
fermé mi-déc. à début janv., mardi midi de sept. à juin, dim. soir et lundi – **Repas** (24,39) -
35,06/64,02 et carte 49 à 64 ♀
Spéc. Queues de langoustines grillées au chutney (été). Lieu de ligne ''à la plancha''. Râble
de lapereau à la verveine. **Vins** Chignin-Bergeron, Mondeuse d'Arbin.

🍴🍴🍴 **Grange à Sel**, ℰ 04 79 25 02 66, Fax 04 79 25 25 03, 佡, « Ancienne grange à sel, jardin
fleuri », 𝄞 –₱. 囷 ⓞ 囻 ᴊᴄᴮ
fermé janv., dim. soir et merc. – **Repas** 24,50 (déj.), 32/66 et carte 43 à 60 ♀, enf. 18
Spéc. Escalopes de foie gras de canard et gnocchi à la romaine. Poissons du lac meunière.
Moelleux au chocolat mi-amer. **Vins** Chignin-Bergeron, Mondeuse d'Arbin.

🍴🍴 **Beaurivage** avec ch, ℰ 04 79 25 00 38, delaporte.jcl@wanadoo.fr, Fax 04 79 25 06 49, ≤,
佡 – 📺 ₱. 囷 囻. ⌘
fermé 4 au 28 nov., 23 fév. au 13 mars, dim. soir, merc. soir et lundi – **Repas** 20 (déj.), 30/60 ♀
– ⌂ 6,85 – **4 ch** 52

🍴 **Bouchon d'Hélène**, Sud : 1 km par N 504, à Savoie-Technolac ℰ 04 79 25 00 69,
Fax 04 79 25 02 34, 佡 – 囻
fermé 20 août au 5 sept., 2 au 10 janv., sam. midi et dim. soir – **Repas** 16/23,50 ♀, enf. 7

x Catons Nord-Ouest : 2,5 km par D 42 – ⌂ 73370 Le Bourget-du-Lac :

🍴 **Atmosphères** avec ch, ℰ 04 79 25 01 29, Fax 04 79 25 26 19, ≤ lac et montagnes,
佡, 𝄞 – 📺 ₱. 囷 囻
fermé 25 oct. au 15 nov., 1er au 8 janv., mardi soir et merc. sauf juil.-août – **Repas** 17/32,
enf. 9,15 – ⌂ 6 – **5 ch** 46 – ½ P 44

Bourdeau Nord : 4 km par D 14 – 435 h. alt. 315 – ⌂ 73370 :

🍴🍴 **Terrasse** ॐ avec ch, au village ℰ 04 79 25 01 01, francois.novel@wanadoo.fr,
Fax 04 79 25 09 97, ≤, 佡 –₱. 囻. ⌘ ch
hôtel : 15 juin-15 sept. ; rest. : 1er mars-15 oct. et fermé merc. soir hors saison, dim. soir et
lundi – **Repas** 18,30/39, enf. 10 – ⌂ 7 – **12 ch** 46/61 – ½ P 57

URG-LA-REINE 92 Hauts-de-Seine 🔢 ⑩, 🔢 ㉕ – voir à Paris, Environs.

BOURG-LÈS-VALENCE *26 Drôme* 77 ⑫ *– rattaché à Valence.*

BOURG-MADAME *66760 Pyr.-Or.* 86 ⑯ *G. Languedoc Roussillon – 1 166 h alt. 1140.*

Syndicat d'initiative ✆ 04 68 04 55 35, Fax 04 68 04 64 01.

Paris 881 – Font-Romeu-Odeillo-Via 18 – Andorra-la-Vella 68 – Foix 88 – Perpignan 102.

Celisol sans rest, ✆ 04 68 04 53 70, – TV P. GB
5,70 – **14 ch** 42/45

BOURGOIN-JALLIEU *38300 Isère* 74 ⑬, 110 ㊴ *G. Vallée du Rhône – 22 947 h alt. 235.*

Office du tourisme Place Carnot ✆ 04 74 93 47 50, Fax 04 74 93 76 01.

Paris 506 ④ – Lyon 43 ④ – Bourg-en-Bresse 81 ① – Grenoble 66 ② – La Tour-du-Pin 16 ②

BOURGOIN-JALLIEU

Alpes (Av. des) .... A 2
Belmont (R. Robert) .... B 4
Carnot (Pl.) .... B 5
Champ-de-Mars .... B 6
Clemenceau (R. Georges) .... A 9
Diéderichs (Pl. Ch.) .... B 10
Gambetta (Av.) .... A 12
Génin (Av. Ambroise) .... A 15
Halle (Pl. de la) .... B 16
Libération (R. de la) .... B 18
Liberté (R. de la) .... B 19
Molière (R.) .... B 20
Moulin (R. J.) .... B 21
Moulins (R. des) .... B 22
Nations-Unies (Av. des) .... B 23
Paix (R. de la) .... A 2
Pontcottier (R.) .... B
Pouchelon (R. de) .... B 2
République (Pl. de la) .... A
République (R. de la) .... AB
St-Michel (Pl.) .... B
Seigner (R. Joseph) .... A
Victor-Hugo (R.) .... B
19-Mars-62 (R. du) .... AB
23-Août-1944 (Pl. du) .... B

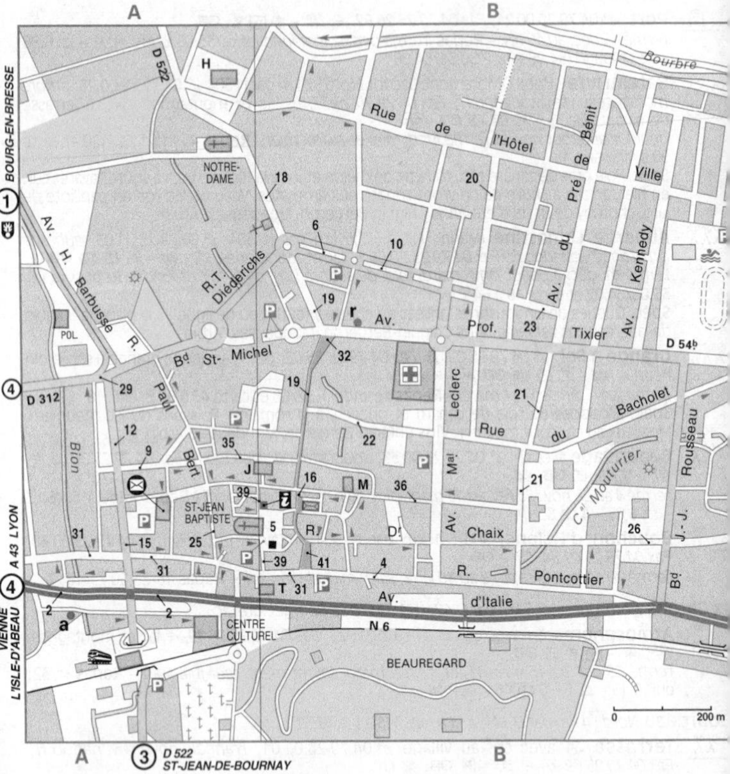

Menestret, par ④ : *1 km sur N 6* ✆ *04 74 93 13 01, Fax 04 74 28 46 70,* – re
TV P. AE GB.
fermé 20 déc. au 8 janv., lundi midi et dim. – **Repas** 13,50/25, enf. 8 – 6 – 9
39,50/43,50 – ½ P 33,75/38,75

XX **Bruno Chavancy,** 1 av. Tixier ℘ 04 74 93 63 88, Fax 04 74 28 42 44 – ▤. ▥ ▣   B   r
fermé 1er juil. au 6 août, jeudi soir, dim. soir et lundi – **Repas** 17/54 ⌷, enf. 9,15

XX **L'Aquarelle,** 19 av. Alpes ℘ 04 74 28 15 00, Fax 04 74 93 12 14, ⌂ – ▥ ▣ ▣   A   a
fermé 1er au 14 août, 2 au 13 janv., dim. soir et lundi – **Repas** 19,05 (déj.), 23,63/42,68 ⌷

r ② : 2 km par N 6 et rte de Boussieu – ⊠ 38300 Bourgoin-Jallieu

XXX **Laurent Thomas - les Séquoias** M avec ch, 54 Vie de Boussieu ℘ 04 74 93 78 00,
Fax 04 74 28 60 90, ⌂, « Demeure bourgeoise dans un parc », ⊿, ⏦ – ▤ rest, ▥ ⌇ ▯ –
⬙ 15. ▥ ▣ ▣. ⌇⌇ ch
fermé 4 août au août, dim. soir, mardi midi, lundi et soirs fériés – **Repas** 27 (déj.), 35/70 et
carte 60 à 90 ⌷ – ⊑ 10 – **5 ch** 99/130
Spéc. Ravioles de chèvre au bouillon de poule. Gratin de queues d'écrevisses (15 juin au
15 oct.). Pigeonneau en bécasse. **Vins** Montagnieu, Côte-Rôtie.

a Combe-des-Éparres par ② et N 85 : 7 km – ⊠ 38300 Bourgoin-Jallieu :

⚑ **L'Auberge,** ℘ 04 74 92 01 17, Fax 04 74 92 01 17 – ▥. ▥ ▣ ▣
fermé 1er au 24 sept., dim. soir et lundi – **Repas** 10,21/25,92 ⌷ – ⊑ 3,96 – **7 ch** 19,82/33,54 –
1/2 P 25,92/32,01

a Grive par ④ : 4,5 km – ⊠ 38080 St-Alban-de-Roche :

XX **Bernard Lantelme,** D 208 ℘ 04 74 28 19 12, Fax 04 74 93 78 88, ⌂ – ▤ ▯. ▣
fermé 26 juil. au 26 août, vend. soir, sam. midi et dim. – **Repas** 18,50/41,50 ⌷

BURG-ST-ANDÉOL 07700 Ardèche 🅖🅞 ⑨ ⑩ G. Vallée du Rhône – 7 768 h alt. 36.
Voir *Église*★.
🄱 Office du tourisme Place du Champ-de-Mars ℘ 04 75 54 54 20, Fax 04 75 54 54 20.
Paris 634 – Montélimar 28 – Nyons 50 – Pont-St-Esprit 14 – Privas 56 – Vallon-Pont-d'Arc 30.

🏠 **Prieuré,** ℘ 04 75 54 62 99, Fax 04 75 54 63 73 – ▤ rest, ▥. ▣
fermé 28 oct. au 4 nov. et 21 au 30 déc. – **Repas** *(fermé sam. midi et dim. soir)* 16,48/24,39,
enf. 7,62 – **16 ch** 39,64/57,93 – 1/2 P 54,88/62,50

En juin et en septembre,
les hôtels sont moins chers qu'en pleine saison, le service est plus soigné.

BURG-STE-MARIE 52150 H.-Marne 🅖🅝 ⑬ – 110 h alt. 329.
Paris 304 – Chaumont 40 – Langres 47 – Neufchâteau 24 – Vittel 38.

🏠 **St-Martin,** ℘ 03 25 01 10 15, Fax 03 25 03 91 68, ⌂, ⌇ – ▤ rest, ▥ ⌇ ▯ – ⬙ 30. ▥
▣ ▣
fermé 10 déc. au 15 janv. et dim. soir sauf hôtel d'avril à sept. – **Repas** 14,50/35,10 ⌷,
enf. 8,50 – ⊑ 6,10 – **18 ch** 35,06/53,35 – 1/2 P 53,50/68,50

BURG-ST-MAURICE 73700 Savoie 🅖🅓 ⑱ G. Alpes du Nord – 6 747 h alt. 850 – Sports d'hiver aux Arcs : 1 600/3 226 m ⌇ 4 ⌇ 72 ⌇.
Env. *Fresque*★ de la chapelle St-Gras à Vulmix S : 4 km.
Paris 667 – Albertville 55 – Aosta 81 – Chambéry 104 – Chamonix-Mont-Blanc 82.

🏨 **L'Autantic** M ⌇ sans rest, 69 rte Hauteville ℘ 04 79 07 01 70, hotel-autantic@wanadoo.
fr, Fax 04 79 07 51 55, ⇐ – ▥ ⌇ ⌇ ▯ – ⬙ 30. ▥ ▣ ▣
⊑ 7 – **23 ch** 60/70

X **Montagnole,** 26 av. Stade ℘ 04 79 07 11 52, Fax 04 79 07 11 52 – ▣
fermé 17 au 27 juin, 13 au 29 nov. et merc. – **Repas** 16/28 ⌷

X **L'Edelweiss,** face gare ℘ 04 79 07 05 55, Fax 04 79 07 05 55, ⌂ – ▣
fermé 1er au 30 juin, 1er au 15 nov., merc. sauf en sept., oct., nov. et jeudi – **Repas** 12/23 ⌷

BURGUEIL 37140 I.-et-L. 🅖🅓 ⑬ G. Châteaux de la Loire – 4 109 h alt. 42.
🄱 Office du tourisme 16 place de l'Église ℘ 02 47 97 91 39, Fax 02 47 97 91 39,
otsi-bourgueil@wanadoo.fr.
Paris 283 – Tours 47 – Angers 81 – Chinon 17 – Saumur 24.

⚑ **Thouarsais** sans rest, pl. Hublin ℘ 02 47 97 72 05 – ▥. ⌇⌇
fermé 5 au 20 oct. et dim. d'oct. à Pâques – ⊑ 5 – **23 ch** 23/46

X **Moulin Bleu,** au Nord : 1,5 km par rte de Courléon ℘ 02 47 97 73 13, Fax 02 47 97 79 66,
⇐, ⌂, ⌇ – ▣
fermé 26 juin au 4 juil., 19 déc. à fin janv., mardi soir et merc. – **Repas** (12) - 16/36,50 bc ⌷

BOURRON-MARLOTTE 77780 S.-et-M. **61** ⑫ – 2 737 h alt. 71.

🛈 Office du tourisme 14 Bis rue du Maréchal Foch ℰ 01 64 45 88 86, Fax 01 64 45 88 86
Paris 73 – Fontainebleau 9 – Melun 26 – Montereau-Fault-Yonne 25 – Nemours 11.

XXX **Les Prémices**, ℰ 01 64 78 33 00, Fax 01 64 78 36 00, 🌡 – **🏛**, **AE** **GB**
fermé 5 au 21 août, 23 au 30 déc., 17 au 23 fév., dim. soir et lundi – **Repas** 30/84 bc et ca
55 à 70

BOURTH 27580 Eure **60** ⑤ – 1 124 h alt. 182.
Paris 126 – Alençon 79 – L'Aigle 16 – Évreux 44 – Verneuil-sur-Avre 11.

XX **Auberge Chantecler**, face église ℰ 02 32 32 61 45, Fax 02 32 32 61 45, 🌡 – **GB**
⊛ fermé 5 août au 2 sept., jeudi soir, dim. soir et lundi sauf fériés – **Repas** 12,96 (dé
21,65/38,11 ⅃, enf. 7,62

BOUSSAC 23600 Creuse **68** ⑳ G. Berry Limousin – 1 602 h alt. 376.
Voir Site★.

🛈 Office du tourisme Place de l'Hôtel de Ville ℰ 05 55 65 05 95, Fax 05 55 65 00 93.
Paris 334 – Aubusson 49 – La Châtre 38 – Guéret 41 – Montluçon 38.

XX **Relais Creusois**, rte La Châtre ℰ 05 55 65 02 20, Fax 05 55 65 13 60 – **GB**
fermé 11 au 19 juin, janv., fév., mardi soir ,merc. sauf en été et fériés – **Repas** (dîner
hiver sur réservation) 20/57,90

BOUT-DU-LAC 74 H.-Savoie **74** ⑯ – rattaché à Doussard.

BOUT-DU-PONT-DE-LARN 81 Tarn **83** ⑫ – rattaché à Mazamet.

BOUTIGNY-SUR-ESSONNE 91820 Essonne **61** ① – 3 002 h alt. 61.
Paris 57 – Fontainebleau 29 – Corbeil-Essonnes 28 – Étampes 19 – Melun 29.

🏛 **Domaine de Bélesbat** 🅼 🐾, ℰ 01 69 23 19 00, domaine.de.belesbat@wanadoo
Fax 01 69 23 19 01, ≼, « Château des 15e et 18e siècles dans un parc avec golf », ƒ₅, ⊼,
🛋, 🐎 – 🛗 ⊁⋈ 🎬 🏥 ⅃ & 🏛 – 🕍 70. **AE** **①** **GB** **JCB**
fermé 24 au 31 déc. et 18 au 24 fév. – **Pavillon** (dîner seul.) (fermé dim.) Rep
37,36 ⅃, enf. 18,30 – **Douves** (déj. seul.) Repas 23/31 ⅃, enf. 16 – ⅏ 18,30 – **43 ch** 195/5
3 appart, 15 duplex

BOUZEL 63910 P.-de-D. **73** ⑮ – 507 h alt. 320.
Paris 430 – Clermont-Ferrand 22 – Ambert 58 – Issoire 38 – Thiers 25 – Vichy 47.

XX **Auberge du Ver Luisant**, ℰ 04 73 62 93 83, Fax 04 73 62 93 83 – **①** **GB**
⊛ fermé 15 août au 9 sept., 1er au 6 janv., merc. soir, dim. soir et lundi – **Repas** 14,48 (dé
22,87/42,69 ⅃, enf. 8,38

BOUZE-LÈS-BEAUNE 21 Côte d'Or **70** ① – rattaché à Beaune.

BOUZIGUES 34 Hérault **83** ⑯ – rattaché à Mèze.

BOYARDVILLE 17 Char.-Mar. **71** ⑬ – voir à Oléron (Ile d').

BOZOULS 12340 Aveyron **80** ③ G. Midi-Pyrénées – 2 329 h alt. 530.
Voir Trou de Bozouls★.

🛈 Office du tourisme Place de la Mairie ℰ 05 65 48 50 52, Fax 05 65 51 28 01, ot.bozo
@wanadoo.fr.
Paris 608 – Rodez 22 – Espalion 11 – Mende 101 – Sévérac-le-Château 40.

🏛 **A la Route d'Argent** 🅼, sur D 988 ℰ 05 65 44 92 27, Fax 05 65 48 81 40, ⊼ – ▤ re
⊛ 🎬 ⇦ 🏛 **GB**
fermé janv., fév., dim. soir et lundi midi – **Repas** 14/39 ⅃ – ⅏ 5,34 – **15 ch** 38/53
½ P 43/46

XX **Belvédère** 🐾 avec ch, rte St-Julien ℰ 05 65 44 92 66, Fax 05 65 48 87 33, ≼ Trou
GB Bozouls, 🌡 – 🎬 ⊱ **GB**. ⊁
fermé 1er déc. au 3 janv., dim. soir et sam. – **Repas** 12/27 ⅃ – ⅏ 5 – **12 ch** 42/45 – ½ P 76

ACIEUX 41250 L.-et-Ch. 64 ⑱ G. Châteaux de la Loire – 1 158 h alt. 70.

🛈 Syndicat d'initiative ℰ 02 54 46 09 15, Fax 02 54 46 41 84.

Paris 185 – Orléans 64 – Blois 19 – Montrichard 39 – Romorantin-Lanthenay 30.

🏠 **Bonnheure** ॐ sans rest, ℰ 02 54 46 41 57, Fax 02 54 46 05 90, ☞ – cuisinette 🄿 🆎 GB
début mars-début déc. – ☲ 7 – **14 ch** 40/53

🏠 **Cygne**, ℰ 02 54 46 41 07, Fax 02 54 46 04 87, 🛋 – 📺 📞 👍 🄿 GB
fermé 15 déc. au 15 fév., dim. soir et lundi – **Autebert : Repas** 14/26 ♈, enf. 10 – ☲ 7 – **14 ch** 45/58 – ½ P 39/44

XXX **Bernard Robin - Relais de Bracieux**, ℰ 02 54 46 41 22, relaisbracieux.robin@wana
😊😊 doo.fr, Fax 02 54 46 03 69, 🛋, ☞ – 🆎 ⓞ GB JCB
fermé mi-déc. à mi-janv., dim. soir et lundi sauf de mars à déc., mardi et merc. – **Repas**
(nombre de couverts limité, prévenir) 42/84 et carte 70 à 90 ♈
Spéc. Croustillant de homard aux tomates séchées. Noisette de cochon braisée au marc de
Loire. Lièvre à la royale (début oct. à mi-déc.). **Vins** Vouvray, Cheverny.

RANCION 71 S.-et-L. 70 ⑪ – rattaché à Tournus.

RANSAC 43 H.-Loire 76 ⑧ – rattaché à Beauzac.

RANTÔME 24310 Dordogne 75 ⑤ G. Périgord Quercy – 2 043 h alt. 104.

Voir *Clocher*★★ *de l'église abbatiale – Bords de la Dronne*★★.

🛈 Syndicat d'initiative Abbaye ℰ 05 53 05 80 52, Fax 05 53 05 80 52, si.mailbratome@
perigord.tm.fr.

Paris 475 – Angoulême 59 – Périgueux 27 – Limoges 86 – Nontron 23 – Thiviers 26.

🏨 **Moulin de l'Abbaye** M, ℰ 05 53 05 80 22, moulin@relaischateaux.fr,
😊 Fax 05 53 05 75 27, ≤, 🛋, « Terrasse au bord de l'eau », ☞ – 📺 📞 👍 🚗. 🆎 ⓞ GB JCB
27 avril-27 oct. – **Repas** *(fermé le midi sauf week-ends et fériés de sept. à juin et lundi midi
en juil.-août)* 38/75 ♈ – ☲ 14 – **16 ch** 152/229, 3 appart – ½ P 144,50/197,50
Spéc. Fritots de langoustines à l'étuvée de rattes. Foie gras poêlé, sauce vieux rhum. Palet
café-caramel. **Vins** Bergerac blanc, Pécharmant.

🏨 **Domaine de la Roseraie** ॐ, Nord : 1,5 km ℰ 05 53 05 84 74, domaine.la.roseraie@wa
nadoo.fr, Fax 05 53 05 77 94, 🛋, « Parc ombragé et fleuri », 🔄, 🕭 – 📺 📞 👍 🄿 🆎 ⓞ GB
JCB
29 mars-9 déc. – **Repas** 39/58 ♈ – ☲ 10 – **9 ch** 120/149 – ½ P 112/147

🏨 **Chabrol**, ℰ 05 53 05 70 15, charbonnel-freres@wanadoo.fr, Fax 05 53 05 71 85, 🛋,
« Terrasse surplombant la rivière » – 📺 📞 🆎 ⓞ GB
fermé 15 nov. au 15 déc., fév., dim. soir et lundi d'oct. à juin sauf fériés – **Repas** 26/63 – ☲ 7
– **20 ch** 40/65 – ½ P 55/65

X **Au Fil de l'Eau**, ℰ 05 53 05 73 65, Fax 05 53 05 73 65, 🛋, « Terrasse au bord de l'eau »
– GB
avril-oct. et fermé mardi soir et merc. sauf juil.-août et fériés – **Repas** 18/23 ♈, enf. 13

X **Au Fil du Temps**, ℰ 05 53 05 24 12, Fax 05 53 05 18 01, 🛋 – GB
fermé 6 au 28 janv., dim. soir d'oct. à mai, mardi midi et lundi – **Repas** 20 ♈, enf. 10

Champagnac de Belair Nord-Est : 6 km par D 78 et D 83 – 685 h. alt. 135 – ⬚ 24530 :

🏨 **Moulin du Roc** (Gardillou) M ॐ, ℰ 05 53 02 86 00, moulinroc@aol.com,
😊 Fax 05 53 54 21 31, ≤, 🛋, « Ancien moulin à huile, terrasse et jardin au bord de l'eau », 🔄,
☞, ⚒ – ⊟ ch, 📺 📞 🄿 🆎 ⓞ GB JCB
fermé 1er janv. au 8 mars – **Repas** *(fermé merc. midi et mardi)* 28 (déj.), 43/69 et carte 53 à
80 – ☲ 14 – **13 ch** 102/142 – ½ P 111/134
Spéc. Tarte chaude moelleuse de langoustines. Pâtes fraîches aux truffes et escalope de
foie gras. Meringue dacquoise en soufflé. **Vins** Montravel, Pécharmant.

Bourdeilles Sud-Ouest : 10 km par D 78 – 777 h. alt. 103 – ⬚ 24310 :

Voir *château*★ : *mobilier*★★, *cheminée*★★ *de la salle à manger.*

🛈 Syndicat d'initiative Place des Tilleuls ℰ 05 53 03 42 96, Fax 05 53 54 56 27.

🏨 **Hostellerie Les Griffons**, ℰ 05 53 45 45 35, griffons@griffons.fr, Fax 05 53 45 45 20,
≤, 🛋 – 📺 📞 🆎 GB
*19 avril-20 oct. et fermé lundi midi, vend. midi en juil.-août et le midi sauf week-end et
fériés de sept. à juin* – **Repas** 20,50/35 (carte dim.) ♈ – ☲ 7,80 – **10 ch** 76/90 – ½ P 74,50

En juin et en septembre,
les hôtels sont moins chers qu'en pleine saison, le service est plus soigné.

BRASSAC-LES-MINES 63570 P.-de-D. **76** ⑤ G. Auvergne – 3 249 h alt. 430.

Voir Galerie★ du musée de la mine, NO : 2,5 km.

Env. Auzon★, statue de N.-D.-du-Portail★★ dans l'église.

🛈 Syndicat d'initiative - Mairie ℘ 04 73 54 30 88, Fax 04 73 54 31 67.

Paris 472 – Clermont-Ferrand 59 – Brioude 16 – Issoire 22 – Murat 62 – St-Flour 55.

XX **Limanais** avec ch., av. Ste-Florine ℘ 04 73 54 13 98, Fax 04 73 54 39 63, 🚗 – 📺 🦯 🐛 📮 GB, 🛠

fermé 22 au 30 sept., fév., sam. midi et vend. sauf juil.-août – Repas 15 (déj.), 21/46 🐍 – ⚌ – **12 ch** 36/48 – ½ P 41

BRAX 47 L.-et-G. **79** ⑮ – rattaché à Agen.

BRÉAUTÉ 76110 S.-Mar. **52** ⑫ – 1 102 h alt. 122.

Paris 194 – Le Havre 36 – Bolbec 10 – Étretat 21 – Fécamp 16 – Rouen 69.

à la gare de Bréauté Sud-Est : 3 km – ✉ 76110 Bréauté :

X **Relais de Maupassant**, D 910 ℘ 02 35 38 92 81, Fax 02 35 38 92 81 – 📮. GB
🍽 fermé 24 sept.au 14 oct., sam. midi, dim. soir, mardi soir et lundi – Repas 14,50 (déj.)
20,50/27

BREBIÈRES 62 P.-de-C. **53** ③ – rattaché à Douai.

BRÉDANNAZ 74 H.-Savoie **74** ⑥ ⑯ – ✉ 74210 Faverges.

Paris 553 – Annecy 15 – Albertville 31 – Megève 47.

🏨 **Port et Lac**, ℘ 04 50 68 67 20, hotel.portetlac@wanadoo.fr, Fax 04 50 68 92 01, ≤, 🍴 ▲, 🚗 – 📺 📮. 🕮 GB
fév.-oct. – Repas 16,01/42,69 ♀, 7,62 – ⚌ 8,38 – **18 ch** 42,70/60,98 – ½ P 48,80/60,98

à Chaparon Sud : 1,5 km par rte secondaire – ✉ 74210 Lathuile :

🏨 **Châtaigneraie** 🦐, ℘ 04 50 44 30 67, info@hotelchataigneraie.com, Fax 04 50 44 83 7
🍽 ≤, 🍴, « Jardin ombragé », ⅓, ⅃, 🚗, 🛠 – 📺 🦯 📮. 🕮 ⓪ GB, 🛠 rest
1er fév.-1er nov. et fermé dim. soir et lundi sauf de mai à sept. – Repas 18/40 ♀, enf. 9 – ⚌
– **25 ch** 60/76 – ½ P 59/67

La BRÉE-LES-BAINS 17 Char.-Mar. **71** ⑬ ⑭ – voir à Oléron (île d').

BRÉHAL 50290 Manche **59** ⑦ – 2 599 h alt. 69.

🛈 Office du tourisme ℘ 02 33 90 07 95, tourism.canton.brehal@wanadoo.fr.

Paris 339 – St-Lô 47 – Coutances 18 – Granville 11 – Villedieu-les-Poêles 28.

🏨 **Gare**, ℘ 02 33 61 61 11, Fax 02 33 61 18 02, 🍴 – 📺 🦯 📮. 🕮 GB
🍽 fermé 28 mai au 10 juin, 17 déc. au 31 janv., dim. soir et lundi sauf fériés – Repas 14/35 ♀
⚌ 6,50 – **9 ch** 38/49 – ½ P 47

La BREILLE-LES-PINS 49390 M.-et-L. **64** ⑬ – 444 h alt. 105.

Paris 284 – Angers 70 – Baugé 32 – Chinon 30 – Saumur 18.

XX **L'Orée des Bois** avec ch., ℘ 02 41 38 85 45, Fax 02 41 38 86 07, 🍴 – 🍽 rest, 📺 📮. GB
fermé 1er au 18 oct., 2 au 25 janv., lundi et mardi – Repas 16,16/36,59 ♀, enf. 7,62 – ⚌ 5,3
– **6 ch** 33,54/41,16 – ½ P 34,30

BRELIDY 22140 C.-d'Armor **59** ② – 335 h alt. 100.

Voir Église de Runan★ NE : 4 km, G. Bretagne.

Paris 498 – St-Brieuc 47 – Carhaix-Plouguer 63 – Guingamp 15 – Lannion 26 – Morlaix 57.

🏰 **Château de Brelidy** 🦐, ℘ 02 96 95 69 38, chateau.brelidy@worldonline.f
🍽 Fax 02 96 95 18 03, « Demeure du 16e siècle dans un parc », ⚘ – 📺 📮. 🕮 ⓪ GB, 🛠 res
30 mars-1er nov. – Repas (dîner seul.) 24,50/31 ♀ – ⚌ 9,50 – **10 ch** 80,50/130 – ½ P 76,2!
101

La BRESSE 88250 Vosges **62** ⑰ G. Alsace Lorraine – 4 928 h alt. 636 – Sports d'hiver : 900/1 350
🎿 33 🏂.

🛈 Office du tourisme 24 rue des Proyes ℘ 03 29 25 41 29, Fax 03 29 25 64 6
info@labresse.net.

Paris 435 – Colmar 54 – Épinal 51 – Gérardmer 13 – Thann 39 – Le Thillot 20.

🏨 **Les Vallées** Ⓜ, 31 r. P. Claudel ℘ 03 29 25 41 39, *hotel.lesvallees@remy-loisirs.com*, Fax 03 29 25 64 38, �_, 🔲, ✗, ♨ – ▯ cuisinette 📺 📞 ➽ **P** – 🏊 100. ⚑ ⓪ 🇬🇧
Repas 15,50/45,50, enf. 9 – ☲ 7,50 – **54 ch** 55/76, 55 studios – ½ P 62

✗ **Chevreuil Blanc** avec ch, 3 r. P. Claudel ℘ 03 29 25 41 08, *auchevreuilblanc@wanadoo.fr*,
🍴 Fax 03 29 25 65 34 – 📺. 🇬🇧. ✗
fermé 15 au 22 avril, 14 au 22 oct., dim. soir et lundi sauf vacances scolaires – **Repas** (nombre de couverts limité, prévenir) 13/33 ⅃, enf. 7 – ☲ 6 – **9 ch** 29/42 – ½ P 39

Nord-Est *rte du col de la Schlucht : 6,5 km par D 34 et D 34D* – ⊠ *88250 La Bresse :*

✗ **Auberge du Pêcheur** avec ch, ℘ 03 29 25 43 86, *aubpecheur@aol.com*,
🍴 Fax 03 29 25 52 59, ≤, 🌿, 🖈 – 📺 **P**. ⚑ ⓪ 🇬🇧
fermé 15 au 30 juin, 1er au 15 déc., mardi et merc. hors saison – **Repas** 11,60/22,90 ⅃, enf. 7,35 – ☲ 4,90 – **4 ch** 30,50/41,20 – ½ P 38,15/39,65

RESSIEUX *38870 Isère* 🔢 ③ – *89 h alt. 510.*
Paris 535 – Grenoble 50 – Lyon 77 – Valence 74 – Vienne 45 – Voiron 30.

✗ **Auberge du Château,** ℘ 04 74 20 91 01, ≤, 🌿 – **P**. 🇬🇧
fermé janv., lundi et mardi – **Repas** 11,50 (déj.), 15/25 ⅃, enf. 8,40

RESSON *38 Isère* 🔢 ⑤ – *rattaché à Grenoble.*

RESSUIRE ◇ *79300 Deux-Sèvres* 🔢 ⑰ *G. Poitou Vendée Charentes* – *17 799 h alt. 186.*
🏢 *Office du tourisme Place de l'Hôtel de Ville ℘ 05 49 65 10 27, Fax 05 49 80 41 49.*
Paris 383 – Angers 85 – Cholet 45 – Niort 64 – Poitiers 81 – La Roche-sur-Yon 86.

🏨 **Boule d'Or,** 15 pl. É. Zola ℘ 05 49 65 02 18, Fax 05 49 74 11 19 – 📺 📞 **P** – 🏊 30. ⚑ 🇬🇧
🍴 *fermé août, 26 déc. au 10 janv., dim. soir et lundi midi* – **Repas** 10,82/31,25 ⅄ – ☲ 5,33 – **20 ch** 36,58/45,73 – ½ P 36,58/41,92

✗ **Bouchon,** 9 r. E. Perochon ℘ 05 49 74 66 34, Fax 05 49 81 28 03, bistrot – 🇬🇧
🍴 *fermé 29 juil. au 20 août, 17 au 25 fév., dim. et lundi* – **Repas** (9,40) - 13,30 ⅄, enf. 6,10

Le Guide change, changez de guide tous les ans.

REST ◇ *29200 Finistère* 🔢 ④ *G. Bretagne* – *149 634 h Agglo. 210 055 h alt. 35.*
Voir *Oceanopolis*★★★ – *Cours Dajot* ≤★★ – *Traversée de la rade*★ – *Arsenal et base navale* ★ *DZ* – *Musée des Beaux-Arts*★ *EZ* M¹ – *Musée de la Marine*★ *DZ* M² – *Conservatoire botanique du vallon du Stang-Alar*★.
Excurs. *Les Abers*★★.
✈ *de Brest : ℘ 02 98 32 01 03, par ② : 10 km.*
🏢 *Office du tourisme Place de la Liberté ℘ 02 98 44 24 96, Fax 02 98 44 53 73, Office.de. Tourisme.Brest@wanadoo.fr.*
Paris 596 ② – Lorient 134 ⑤ – Quimper 72 ⑤ – Rennes 245 ② – St-Brieuc 145 ②.

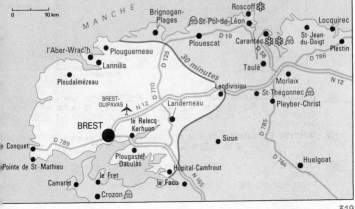

BREST

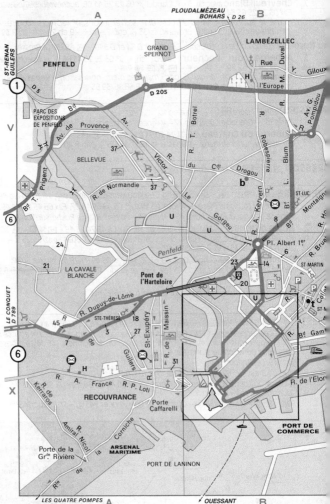

🏛🏛🏛 **Holiday Inn Garden Court** Ⓜ, 41 r. Branda ✆ 02 98 80 84 00, *holiday-inn@hotelsifib* *.com*, Fax 02 98 80 84 84 – 🛗 ❋ 🖳 📺 ❤ 🔥 ⬅ – 🔏 15 à 50. ⅍ ⓞ ☒ ⒿⒸⒷ   **BX**
Repas *(fermé 13 juil. au 18 août, sam., dim. et fériés)* 20,60/28,50, enf. 12,50 – ☲ 10
84 ch 89/105

🏛🏛🏛 **Mercure Continental** Ⓜ sans rest, square La Tour d'Auvergne ✆ 02 98 80 50 4
Fax 02 98 43 17 47 – 🛗 ❋ 🖳 📺 ❤ 🔥 – 🔏 15 à 150. ⅍ ⓞ ☒   **EY**
☲ 10 – **73 ch** 97/135

🏛🏛🏛 **Océania**, 82 r. Siam ✆ 02 98 80 66 66, Fax 02 98 80 65 50 – 🛗 ❋ 📺 ❤ 🔥 – 🔏 15 à 90.
ⓞ ☒   **EY**
Repas *(fermé 15 juil. au 15 août, sam. midi, lundi soir et dim.)* 20/37 ♈ – ☲ 10 – **82 c**
81/119

Corniche (Rte de la) AX
Dajot (Cours) . . . . EZ
Denvers (R.). . . . . EZ
Desmoulins
(Av. C.) . . . . BX 6
Dr-Kerrien (R. du) . . . AX 7
Doumer (R. Paul) . . . BV 8
Dourjacq (Rte du) . . . CV
Drogou (R. Com.) . . . BV
Dupuy-de-Lôme (R.) AX
Duquesne (R.) . . . . . . EY
Duval (R. Marcellin) . BV

Eau-Blanche (R. de l') CV
Elorn (R. de l') . . . . BX
Europe (Bd de l') . . . . ACV
Ferry (R. J.) . . . . BCX 12
Foch (Av. Mar.) . . . . BX 14
Forestou (Pont du) . . . . CX 15
Français Libres (Bd des) . . . . DZ 16
Frégate-La-Belle-Poule
(R. de la) . . . . EZ 17
Gallieni (R. du Mar.) . . . . AX 18
Gambetta (Bd) . . . . BX
Gouesnou (Rte de) CV
Grande-Rivière (Porte de la) . . . . . . AX
Guilers (R. de) . . . . AX
Harteloire (Pt de l') . . . . AX
Harteloire (R. de l') . . . . AX 20
Hoche (R.) . . . . BV
Jaurès (R. J.) . . . . EY
Kent (R. de) . . . . AX 21
Kérabécam (R. de) . . . . EY 22
Kerraros (R. de) . . . . AX
Kervern (R. Auguste) . . . . BV
Kiel (Av. de) CX
Lamotte-Picquet . . . . BX 23
Le Bris (R. J.-M.) . . . . EZ
Le Gorgeu (Av. Victor) . . . . AV
Lesven (R. Jules) . . . . BCV
Libération (Av. de la) . . . . AX 24
Liberté (Pl. de la) . . . . EY
Loti (R. Pierre) . . . . AX
Louppe (R. Albert) CV
Lyon (R. de) . . . . DEY
Macé (R. Jean) . . . . EZ
Maissin (R. de) . . . . AX
Marine (Bd de la) . . . . DZ 25
Michelet (R.) . . . . DY
Montaigne (Bd) . . . . BV
Mouchotte (Bd Cdt) . . . . AX 27
Moulin (Bd Jean) . . . . DY
Nicol (R. de l'Amiral) . . . . AX
Normandie (R. de) . . . . AV
Paris (R. de) CV
Pompidou (R. G.) . . . . BV
Porte (R. de la) . . . . AX 31
Prigent (Bd T.) . . . . AV
Provence (Av. de) . . . . AV
Quimper (Rte de) CV
Recouvrance (Pt de) . . . . DZ
Réveillère (Av. Amiral) . . . . EY 33
Richelieu (R.) CX
Robespierre (R.) . . . . BY
Roosevelt (Av. Fr.) . . . . DZ 34
St-Exupéry (R.) . . . . AX
St-Marc (R.) CX
Salaün-Penquer (Av.) . . . . EZ
Sébastopol (R.) . . . . CX 35
Semard (R. Pierre) CX
Siam (R. de) . . . . EY
Strasbourg (Pl. de) CV
Tarente (Av. de) . . . . AV 37
Tourville (Porte) . . . . DZ
Tourbihan (R. de) . . . . CV 38
Tritshler (R. du) CX
Troude (R. Amiral) . . . . BX 39
Valmy (R. de) . . . . CX 40
Verdun (R. de) CX
Victor-Hugo (R.) . . . . BX 41
Vieux-St-Marc (R. du) CX
Villeneuve (R. de la) CV
Voltaire (R.) . . . . EZ
Wilson (Pl.) . . . . EZ
Zédé (R. G.) CV
Zola (R. Émile) . . . . EY
2e-R.C.I. (R. du) . . . . DY
8-Mai-1945 (R. du) CV
11-Martyrs (R. des) . . . . EY 42
19-Mars-1962 (R. du) . . . . AX 45

Relais Mercure sans rest, 2 rue Y. Collet ☎ 02 98 80 31 80, *mercure.voyageurs@mail.dotcom.fr, Fax 02 98 46 52 98* – ⧉ TV ☎. AE ⓓ GB — EY s
☕ 9,20 – **40 ch** 58,70/84,60

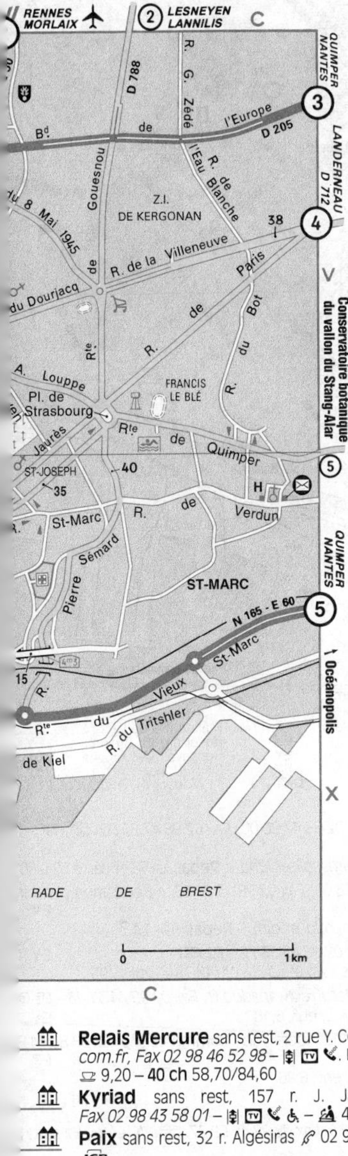

Kyriad sans rest, 157 r. J. Jaurès ☎ 02 98 43 58 58, *kyriadbrest@wanadoo.fr, Fax 02 98 43 58 01* – ⧉ TV ☎ ♿ – 🏠 40. AE ⓓ GB – ☕ 6 – **50 ch** 48/54 — CX d

Paix sans rest, 32 r. Algésiras ☎ 02 98 80 12 97, *Fax 02 98 43 30 95* – ⧉ TV ☎. AE ⓓ GB JCB — EY y
fermé 22 déc. au 5 janv. – ☕ 6 – **25 ch** 42/52

Astoria sans rest, 9 r. Traverse ☎ 02 98 80 19 10, *info@hotel-astoria-brest.com, Fax 02 98 80 52 41* – TV. AE GB JCB — EZ e
fermé 20 déc. au 5 janv. – ☕ 5,50 – **26 ch** 23/46

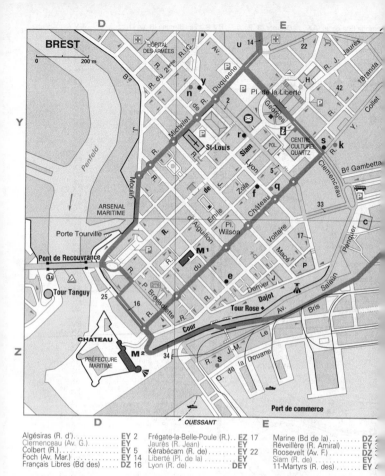

XXX **Nouveau Rossini**, 22 r. Cdt Drogou ℰ 02 98 47 90 00, Fax 02 98 47 90 00, 🍴, 🎐 –
AE GB
BV
fermé 10 au 15 mars, 25 août au 3 sept., dim. soir et lundi – **Repas** 23/58 et carte 52 à 80

XX **Fleur de Sel**, 15 bis r. Lyon ℰ 02 98 44 38 65, Fax 02 98 43 38 53, « Décoration d'inspiration Art-déco » – AE GB JCB
EY
fermé 28 juil. au 23 août, 1er au 7 janv., sam. midi et dim. – **Repas** (19) - 23 ♀

XX **Vatel**, 23 r. Fautras ℰ 02 98 44 51 02, Fax 02 98 43 33 72 – AE GB
EY
fermé sam. midi, dim. soir et lundi – **Repas** 13,57 (déj.), 16,01/48,78 ♀, enf. 5,95

XX **Ruffé**, 1 bis r. Y. Collet ℰ 02 98 46 07 70, leruffe@wanadoo.fr, Fax 02 98 44 31 46 – AE G
EY
fermé dim. soir – **Repas** (11,13) - 14,48/27,44 ♀, enf. 6,10

X **Maison de l'Océan**, 2 quai Douane (port de Commerce) ℰ 02 98 80 44 8
Fax 02 98 46 19 83, ≤, 🍴 – ■, AE GB
EZ
Repas - produits de la mer - 13,57/24,24 ♀, enf. 6,86

au Nord par D 788 CV : 5 km – ✉ 29200 Brest :

🏨 **Novotel**, Z.A. Kergaradec ℰ 02 98 02 32 83, Fax 02 98 41 69 27, 🍴, 🎐, 🏊, ✲, ■ rest,
🔊 🖭 – 🔼 70. AE ① GB
Repas (15) - 19/27 ♀, enf. 9 – 🖵 10 – **85 ch** 77/84

🏨 **Ibis**, près Z.A. Kergaradec ℰ 02 98 47 50 50, IBIS.BREST.KERGARADEC@wanadoo.
Fax 02 98 47 76 62, 🍴 – 🖭 ☎ 🔊 🖭 – 🔼 15. AE ① GB
Repas (10,82) - 13,87 ♀, enf. 5,95 – 🖵 5,64 – **54 ch** 51

au Relecq-Kerhuon par ⑤ : 7,5 km – 10 866 h. alt. 52 – ✉ 29480 :

🏠 **Brit Hotel,** Z.I. de Kerscao ℰ 02 98 28 28 44, brest.brit-hotel@wanadoo.fr, Fax 02 98 28 05 65, �である – ↩ 🔟 ✔ 🛆 🅿 – 🏛 15 à 25. 🗚 ᴳᴮ
Repas (fermé week-end) 13,57/39,64 ♈, enf. 6 – ♈ 6 – **43 ch** 42/53

BRETENOUX 46130 Lot 🟫🟫 ⑲ G. Périgord Quercy – 1 231 h alt. 136.
Voir Château de Castelnau-bretenoux★★ : ≼★ SO : 3,5 km.
🅱 Office du tourisme Avenue de la Libération ℰ 05 65 38 59 53, Fax 05 65 39 72 14, ot.bretenoux@wanadoo.fr.
Paris 531 – Brive-la-Gaillarde 44 – Cahors 84 – Figeac 50 – Sarlat-la-Canéda 65 – Tulle 48.

au Port de Gagnac Nord-Est : 6 km par D 940 et D 14 – ✉ 46130 Bretenoux :

🏠 **Hostellerie Belle Rive,** ℰ 05 65 38 50 04, Fax 05 65 38 47 72, 🌫 – 🔟 ✔. ᴳᴮ. 🌫 ch
fermé 24 déc. au 4 janv. – **Repas** (fermé vend. soir, sam. midi et dim. soir du 15 sept. au 30 juin) 13/39, enf. 8 – ♈ 6 – **12 ch** 39/61 – ½ P 39/46

BRETEUIL 60120 Oise 🟫🟫 ⑩ – 4 131 h alt. 80.
Voir Commune de la Méridienne verte.
Paris 117 – Amiens 31 – Compiègne 56 – Beauvais 29 – Creil 53 – Pontoise 84.

✗ **Globe,** 12 r. République (près poste) ℰ 03 44 07 01 78, Fax 03 44 80 18 63, 🌫 – 🗚 ᴳᴮ
fermé 29 juil. au 13 août, dim. soir, mardi soir et lundi – **Repas** 14/30 ♈

BRETEUIL-SUR-ITON 27160 Eure 🟫🟫 ⑯ G. Normandie Vallée de la Seine – 3 473 h alt. 168.
🅱 Office du tourisme - Mairie ℰ 02 32 29 82 45, Fax 02 32 29 91 25.
Paris 119 – L'Aigle 25 – Alençon 89 – Évreux 31 – Verneuil-sur-Avre 12.

✗ **Grain de Sel,** 76 pl. Laffitte ℰ 02 32 29 70 61, Fax 02 32 29 70 61 – ᴳᴮ
fermé 5 au 25 août, dim. soir, mardi soir et lundi – **Repas** (11,43) - 14,48/25 ♈, enf. 6,40

Au moment de chercher un hôtel ou un restaurant, soyez efficace.
*Sachez utiliser les noms soulignés en rouge sur les **cartes Michelin**
à 1/200 000.*
Mais ayez une carte à jour!

•e BREUIL 71 S.-et-L. 🟫🟫 ⑧ – rattaché au Creusot.

•e BREUIL-EN-AUGE 14130 Calvados 🟫🟫 ⑰ – 846 h alt. 38.
Paris 197 – Caen 54 – Deauville 21 – Lisieux 9.

✗✗ **Auberge du Dauphin** (Lecomte), ℰ 02 31 65 08 11, dauphin@.wanadoo.fr, Fax 02 31 65 12 08 – 🗚 ᴳᴮ
❀ fermé 12 nov. au 8 déc., dim. soir et lundi – **Repas** 31,25/38,87 et carte 60 à 75
Spéc. Gâteau de girolles à la chlorophylle de cresson. Sauté de rognon de veau ''Marie Harel''. Soufflé glacé à la liqueur de pomme.

RÉVIANDES 10 Aube 🟫🟫 ⑯ ⑰ – rattaché à Troyes.

RÉVONNES 10220 Aube 🟫🟫 ⑰ ⑱ – 584 h alt. 120.
Paris 200 – Troyes 27 – Bar-sur-Aube 30 – St-Dizier 59 – Vitry-le-François 52.

✗✗ **Vieux Logis** avec ch, ℰ 03 25 46 30 17, logisbrevonnes@wanadoo.fr, Fax 03 25 46 37 20, 🌫, 🌫 – 🔟 ✔ 🅿. ᴳᴮ
fermé 1er au 24 mars, dim. et lundi hors saison – **Repas** 13/32 ♈ – ♈ 5,50 – **5 ch** 31/40 – ½ P 36/38

REZOLLES 28270 E.-et-L. 🟫🟫 ⑥ – 1 708 h alt. 170.
Paris 102 – Chartres 44 – Alençon 91 – Argentan 92 – Dreux 23.

🏠 **Relais de Brezolles,** ℰ 02 37 48 20 84, Fax 02 37 48 28 46 – 🔟 ✔ 🅿. ⓞ ᴳᴮ ᴶᶜᴮ
fermé 5 au 25 août, 1er au 21 janv., lundi midi, vend. soir et dim. soir – **Repas** (10,67) - 11,73/31,40 ♈, enf. 8,84 – ♈ 6,25 – **25 ch** 30,94/42,99 – ½ P 33,99

BRIANÇON 05100 H.-Alpes 77 18 G. Alpes du Sud – 10 737 h alt. 1321 – Sports d'hiv
1 200/2 800 m 6 9 67 .

Voir Ville haute** : Grande Gargouille*, Statue "La France"*B – Chemin de ronde su
rieur*, ≤* de la porte de la Durance – Puy St-Pierre ⚹** de l'église SO : 3 km par Rte
Puy St-Pierre.

Env. Croix de Toulouse ≤** par Av. de Toulouse et D232ᵀ : 8,5 km.

🚗 ℘ 08 36 35 35 35.

🅱 Office du tourisme 1 place du Temple ℘ 04 92 21 08 50, Fax 04 92 20 56 45.

Paris 683 ④ – Digne-les-Bains 146 ③ – Gap 90 ③ – Grenoble 118 ④ – Torino 109 ①.

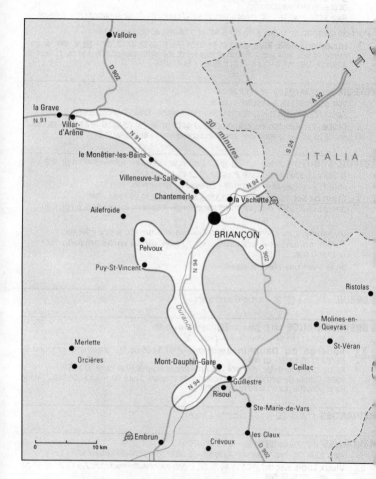

🏨 **Vauban,** 13 av. Gén. de Gaulle **(n)** ℘ 04 92 21 12 11, vauban.hotel@wanadoo.
Fax 04 92 20 58 20, 🌳 – 🛗 📺 📞 🚗 🅿 ⒼⒷ
fermé 1ᵉʳ nov. au 20 déc. – **Repas** 19/26 ♈, enf. 10 – 🍽 5,50 – **38 ch** 62/72 – ½ P 55/62

🏨 **Parc Hôtel** sans rest, Central Parc ℘ 04 92 20 37 47, sep.parchotel@wanadoo.
Fax 04 92 20 53 74 – 🛗 ⚹🍽 📺 🅿 🄰🄴 ⒼⒷ
🍽 9,50 – **60 ch** 75,50/102
A

🏨 **Cristol,** 6 rte Italie **(x)** ℘ 04 92 20 20 11, Fax 04 92 21 02 58 – 📺 🅿 🄰🄴 ⒼⒷ
Repas 11 (déj.), 14/24, enf. 7 – 🍽 6,10 – **24 ch** 37/55 – ½ P 38/48

324

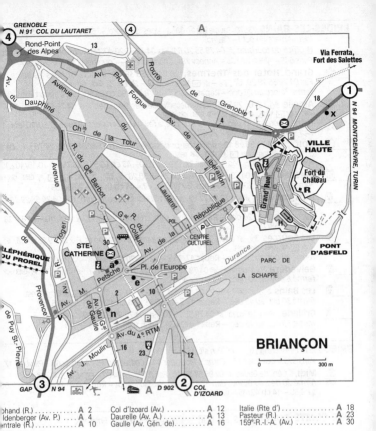

BRIANÇON

0 — 300 m

🏨 **Chaussée**, 4 r. Centrale (e) ℘ 04 92 21 10 37, Fax 04 92 20 03 94 – 📺 ⟿. ⚎ 🆖
Repas *(fermé 22 avril au 9 mai, 30 sept. au 18 oct. et lundi sauf vacances scolaires)* 14,50 (déj.), 17,50/27,50 ⚏, enf. 8 – ⚌ 6 – **13 ch** 43/49 – ½ P 42/46

✗✗ **Péché Gourmand**, 2 rte Gap (v) ℘ 04 92 21 33 21, Fax 04 92 21 33 21, 🍴 – 🄿. ⚎ 🆖
fermé lundi – **Repas** 12,20 (déj.), 21,04/38,87

La Vachette par ① : 3 km – ⊠ 05100 :

✗✗ **Nano**, rte d'Italie ℘ 04 92 21 06 09, Fax 04 92 20 13 61 – 🄿. 🆖
ⓐ *fermé mai, vacances de Toussaint à fin nov., dim. et lundi de sept. à juin. et mardi en juil.-aout* – **Repas** 22,87/49, enf. 9,15

...RIARE 45250 Loiret 🔠 ② *G. Châteaux de la Loire* – 5 994 h alt. 135.
🄱 *Office du tourisme 1 place Charles de Gaulle ℘ 02 38 31 24 51, Fax 02 38 37 15 16.*
Paris 157 – Auxerre 75 – Cosne-sur-Loire 31 – Gien 10 – Orléans 79.

🏨 **Cerf**, 22 bd Buyser ℘ 02 38 37 00 80, Fax 02 38 37 05 15, 🍴 – 📺 ⚒ 🄿. 🆖
fermé 23 déc. au 13 janv., vend.(sauf hôtel d'avril à sept.) et sam. midi – **Repas** 15,50/24 – ⚌ 5,50 – **21 ch** 39/50 – ½ P 38/45

Les prix Pour toutes précisions sur les prix indiqués dans ce guide, reportez-vous aux pages explicatives.

BRIDES-LES-BAINS *73570 Savoie* 74 ⑰ ⑱ *G. Alpes du Nord – 593 h alt. 580 – Stat. the*
(début mars-fin oct.) – Casino.

Office du tourisme ✆ 04 79 55 20 64, Fax 04 79 55 20 40, tourism@brides-les-bains.cc
Paris 645 – Albertville 33 – Annecy 78 – Chambéry 82 – Courchevel 18 – Moûtiers 7.

Grand Hôtel des Thermes, ✆ 04 79 55 38 38, *gdhotel@brides.les.bains.cc*
Fax 04 79 55 28 29, – P – 80. AE GB. rest
fermé 30 oct. au 26 déc. – **Repas** 24/25 ♀ – 8,50 – **98 ch** 89,50/135, 4 appart – P 120/1

Amélie M, ✆ 04 79 55 30 15, *amelie@brides-les-bains.net, Fax 04 79 55 28 08,*
– P. AE GB. rest
fermé 1er nov. au 15 déc. et le midi de déc. à fév. – ***Les Cerisiers :*** **Repas** 17,50/20, enf. 1
7 – **38 ch** 70/135 – ½ P 76/87

Golf, ✆ 04 79 55 28 12, *golfhotel-brides@wanadoo.fr, Fax 04 79 55 24 78,* , cen
d'hydrothérapie – P. GB. rest
fermé 20 oct. au 25 déc. – **Repas** 22,15 – 8,40 – **45 ch** 65,55/106,75 – P 70,15/102,15

Verseau , ✆ 04 79 55 27 44, *Fax 04 79 55 30 20,* , , – P. GB. r
fermé 15 oct. au 20 déc. – **Repas** 15/17 ♀ – 7 – **41 ch** 51/90 – P 69/109

Altis Val Vert, ✆ 04 79 55 22 62, *valvert@brides.les.bains.com, Fax 04 79 55 29 12,*
, – P. AE GB.
fermé 25 oct. au 20 déc. – **Repas** (dîner seul. en hiver) (13) - 17/22 ♀, enf. 10 – 8 – **28**
46/66 – P 58/75

Les Sources , ✆ 04 79 55 29 22, *les.sources.1@wanadoo.fr, Fax 04 79 55 27 06,* ,
– GB. rest
fermé 29 oct. au 20 déc. – **Repas** 17/23 ♀ – 7 – **70 ch** 39/121 – ½ P 44/54

Belvédère sans rest, ✆ 04 79 55 23 41, *Fax 04 79 55 24 96,* – P. GB.
fermé 6 nov. au 20 déc.. – **25 ch** 45/70

Les Bains , ✆ 04 79 55 22 05, *Fax 04 79 55 27 81,* , – GB. rest
fermé 30 oct. au 15 déc. – **Repas** 17 ♀ – 5,35 – **34 ch** 46/69 – P 56,50/57,17

Grillade, résid. Le Royal ✆ 04 79 55 20 90, *Fax 04 79 55 20 90,* – GB.
fermé 30 oct. au 15 déc. – **Repas** 16/24,39 ♀, enf. 9,90

BRIEC *29510 Finistère* 58 ⑮ *– 4 603 h alt. 158.*
Paris 575 – Quimper 17 – Carhaix-Plouguer 44 – Châteaulin 15 – Morlaix 65 – Pleyben 17.

Midi, r. Gén. de Gaulle ✆ 02 98 57 90 10, *Fax 02 98 57 74 82* – P. GB. ch
fermé 20 déc. au 6 janv., dim. soir et sam. sauf juil.-août – **Repas** (11) - 13/26 , enf. 7,50
6,50 – **14 ch** 42/45 – ½ P 42

BRIE-COMTE-ROBERT *77 S.-et-M.* 61 ②, 101 ㊴ *– voir à Paris, Environs.*

BRIGNAIS *69530 Rhône* 73 ⑳, 110 ㉓ *G. Vallée du Rhône – 11 207 h alt. 200.*
Syndicat d'initiative 22 rue du Colonel Guillaud ✆ 04 72 31 14 33.
Paris 468 – Lyon 13 – Givors 13 – St-Étienne 48 – Vienne 25.

Restotel des Barolles, 14 rte Lyon (N 86) ✆ 04 78 05 24 57, *restotel.brignais@wanad*
.fr, Fax 04 78 05 37 57, , – rest, P – 15 à 50. AE GB
Repas *(fermé 5 au 26 août, sam. et dim.)* (12,90) - 16,77/27,90 – 6,50 – **27 ch** 50/53

BRIGNOGAN-PLAGES *29890 Finistère* 58 ④ *– 849 h alt. 17.*
Office du tourisme 7 av. du Gén. de Gaulle ✆ 02 98 83 41 08, Fax 02 98 83 40 4
OTBRIGNO@aol.com.
Paris 585 – Brest 42 – Landerneau 27 – Morlaix 48 – Quimper 89.

Castel Régis , ✆ 02 98 83 40 22, *castel-regis@wanadoo.fr, Fax 02 98 83 44 71,* ,
, – P. GB
début avril-fin sept. – **Repas** *(fermé lundi midi)* 14 (déj.), 18/42, enf. 7 – 7 – **22 ch** 75/90
½ P 60/80

Participez à notre effort permanent
de mise à jour

Adressez-nous vos remarques
et vos suggestions.

Cartes et Guides Michelin
46 avenue de Breteuil - 75324 Paris Cedex 07

RIGNOLES 〈📞〉 83170 Var 🔠 ⑮ – 12 487 h alt. 214.

🛈 Office du tourisme 10 rue du Palais ℘ 04 94 69 27 51, Fax 04 94 69 44 08.
Paris 815 – Aix-en-Provence 58 – Draguignan 58 – Toulon 50.

🏠 **Kyriad,** centre d'Affaires l'Hexagone-Bretelle A8 ℘ 04 94 69 30 30, Fax 04 94 59 03 44, ⚒
– ⫾ 📺 ✦ ⅙ ⅌ 🅿 – 🔏 35. 🆎 ⑩ 🇬🇧
Repas 16 ⅞ – ☲ 6 – **39 ch** 53,40/58

BRIGUE 06 Alpes-Mar. 🔠 ⑳, 🔢 ⑨ – *rattaché à Tende.*

RINON-SUR-SAULDRE 18410 Cher 🔠 ⑳ – 1 089 h alt. 147.
Paris 190 – Orléans 54 – Bourges 65 – Cosne-sur-Loire 60 – Gien 37 – Salbris 25.

🏠 **Solognote** ⑤, ℘ 02 48 58 50 29, Fax 02 48 58 56 00, « Cadre solognot », 🌳 – ▤ rest,
📺 🅿, 🇬🇧, ⚶ ch
fermé 21 au 30 mai, 11 au 20 sept., 15 fév. au 20 mars, mardi et merc. d'oct. à juin – **Repas**
(fermé mardi et merc. sauf le soir de juil. à sept.) (19,50 bc) - 26/55 ⅞, enf. 13,80 – ☲ 10 –
13 ch 55,50/73,50 – ½ P 72,50/80,50

RIOLLAY 49125 M.-et-L. 🔠 ① – 2 282 h alt. 20.
Env. *Plafond★★★ de la salle des Gardes du château de Plessis-Bourré NO : 10 km*
G. *Châteaux de la Loire.*
🛈 *Syndicat d'initiative Place O'Kelly ℘ 02 41 42 50 28, Fax 02 41 37 92 89.*
Paris 289 – Angers 15 – Château-Gontier 42 – La Flèche 41.

ar rte de Soucelles (D 109) : 3 km – ⊠ 49125 Briollay :

🏰 **Château de Noirieux** ⑤, ℘ 02 41 42 50 05, noirieux@relaischateaux.com,
✿ Fax 02 41 37 91 00, ≼, 🌳, « Demeures des 15ᵉ et 17ᵉ siècles dans un parc dominant le
Loir », ⚒, ⚸, 🄬 – 📺 ✦ ⅙ 🅿 – 🔏 60. 🆎 ⑩ 🇬🇧 🇯🇨🇧
fermé 27 oct. au 20 nov., 15 fév. au 14 mars, dim. et lundi de nov. à mi-avril sauf fériés –
Repas *(fermé dim. soir de nov. à mi-avril, mardi sauf le soir de nov. à mi-avril et lundi)* 38
(déj.), 46/87 et carte 75 à 95 ⅞ – ☲ 18 – **19 ch** 206/298 – ½ P 132/198
Spéc. "Grande lasagne" d'araignée de mer en soupe mousseuse d'écrevisses. Dos de bar
grillé sur sa peau et charlotte en brandade de fenouil aux crustacés. Soufflé chaud au
cointreau et citron vert. **Vins** Savennières, Anjou-Villages.

The Guide changes, so renew your Guide every year.

RION 01 Ain 🔠 ④ – *rattaché à Nantua.*

RIONNE 27800 Eure 🔠 ⑮ G. *Normandie Vallée de la Seine* – 4 449 h alt. 56.
Voir *Abbaye du Bec-Hellouin★★ N : 6 km – Harcourt : château★ et arboretum★ SE : 7 km.*
🛈 *Office du tourisme 1 rue du Général de Gaulle ℘ 02 32 45 70 51, Fax 02 32 45 70 51.*
Paris 143 – Rouen 44 – Bernay 16 – Évreux 41 – Lisieux 40 – Pont-Audemer 27.

🎎 **Logis** avec ch, pl. St Denis ℘ 02 32 44 81 73, Fax 02 32 45 10 92 – 📺 ✦ ⟵ 🅿. 🆎 🇬🇧 🇯🇨🇧
fermé 29 juil. au 12 août, 15 fév. au 3 mars, sam. midi, dim. soir et lundi – **Repas** 17/55 et
carte 43 à 51 – ☲ 8,50 – **12 ch** 53,50/59,50 – ½ P 68,50/72,50

🎎 **Auberge du Vieux Donjon** avec ch, r. Soie ℘ 02 32 44 80 62, auberge.vieux
⟋ donjon@wanadoo.fr, Fax 02 32 45 83 23, 🌳, « Maison normande du 18ᵉ siècle » – 📺 ✦
🅿 🇬🇧
*fermé 19 au 26 août, 13 oct. au 4 nov., 9 fév. au 18 mars, dim. soir et jeudi soir d'oct. à juin
et lundi –* **Repas** 13/34 ⅞, enf. 8 – ☲ 6 – **8 ch** 50/53 – ½ P 51/56

RIOUDE 〈📞〉 43100 H.-Loire 🔠 ⑤ G. *Auvergne* – 6 820 h alt. 427.
Voir *Basilique St-Julien★★ (chevet★★, chapiteaux★★).*
Env. *Lavaudieu : fresques★ de l'église et cloître★★ de l'ancienne abbaye 9,5 km par ①.*
🛈 *Office du tourisme Place Lafayette ℘ 04 71 74 97 49, Fax 04 71 74 97 87.*
Paris 483 ① – Le Puy-en-Velay 62 ① – Clermont-Ferrand 71 ① – St-Flour 53 ②.

Plan page suivante

🏰 **Sapinière** Ⓜ 💺, av. P. Chambriard (m) ℘ 04 71 50 87 30, hotel.la.sapiniere@wanadoo.fr,
Fax 04 71 50 87 39, 🌳, 🄬, 🌳 – 📺 ✦ ⅙ 🅿 – 🔏 25. 🆎 ⑩ 🇬🇧
fermé janv., fév. et dim. sauf juil.-août – **Repas** *(fermé nov. à Pâques, dim. soir et lundi)*
(dîner seul.)(résidents seul.) 18/35 ⅞ – ☲ 8 – **11 ch** 70/82 – ½ P 61

327

BRIOUDE

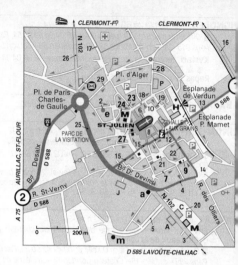

Poste et Champanne (annexe 17 ch.), 1 bd Dr Devins **(a)** ℘ 04 71 50 14
Fax 04 71 50 10 55 – 📺 ✆ 🅿 ⓞ
fermé 25 janv. au 1ᵉʳ mars, dim. soir (sauf hôtel en juil.-aout) et lundi midi – Repas 13/35
enf. 10 – ☲ 6 – **23 ch** 26/49 – ½ P 42

Pons, 7 r. d'Assas **(e)** ℘ 04 71 50 00 03 – ⒼⒷ
fermé 10 au 19 juin, 20 nov. au 12 déc., dim. soir (sauf juil.-août), mardi soir et lundi – **Rep**
(prévenir) 8,80 (déj.), 11,50/14 ♨

BRIOUZE 61220 Orne 🟔 ① – 1 620 h alt. 210.
Paris 220 – Alençon 58 – Argentan 27 – La Ferté-Macé 13 – Flers 17.

Sophie avec ch, ℘ 02 33 62 82 82, Fax 02 33 62 82 83 – 📺 ✆ ⒼⒷ, ⁒ ch
fermé 21 déc. au 4 janv. et 16 au 30 août – **Repas** 10,52/24,39 ♨ – ☲ 5,34 – **7 ch** 40
½ P 40

BRISSAC-QUINCÉ 49320 M.-et-L. 🟔 ⑪ G. Châteaux de la Loire – 2 296 h alt. 65.
Voir Château★★.
🅱 Office du tourisme 8 place de la République ℘ 02 41 91 21 50, Fax 02 41 91 28
Brissac.Tourisme49@wanadoo.fr.
Paris 308 – Angers 18 – Cholet 58 – Saumur 39.

Castel 🅼 sans rest, 1 r. L. Moron (face château) ℘ 02 41 91 24 74, Fax 02 41 91 71 55 – [
✆ 🅿 🄰🄴 ⓞ
☲ 6 – **11 ch** 52/74

BRIVE-LA-GAILLARDE ⟨S⟩ 19100 Corrèze 🟔 ⑧ G. Périgord Quercy – 49 141 h alt. 142.
Voir Musée de Labenche★.
🚗 ℘ 08 36 35 35 35.
🅱 Office du tourisme Place du 14 Juillet ℘ 05 55 24 08 80, Fax 05 55 24 58 24, tourism
.brive@wanadoo.fr.
Paris 486 ③ – Albi 209 ② – Clermont-Ferrand 168 ① – Limoges 92 ③ – Toulouse 213 ②.
Plans pages suivantes

Truffe Noire, 22 bd A. France ℘ 05 55 92 45 00, contact@la-truffe-noire.cor
Fax 05 55 92 45 13, 🈂 – 🛗 📺 ✆ – 🔬 20. 🄰🄴 ⓞ ⒼⒷ 🄹🄲🄱   CY
Repas (15) - 23/64 ⁒ – ☲ 9,15 – **27 ch** 71/91 – ½ P 67,50/75

Collonges 🅼 sans rest, 3 pl. W. Churchill ℘ 05 55 74 09 58, lecollonges@wanadoo.
Fax 05 55 74 11 25 – 🛗 📺 ✆ 🄰🄴 ⓞ ⒼⒷ 🄹🄲🄱   CZ
☲ 6,50 – **24 ch** 45/52

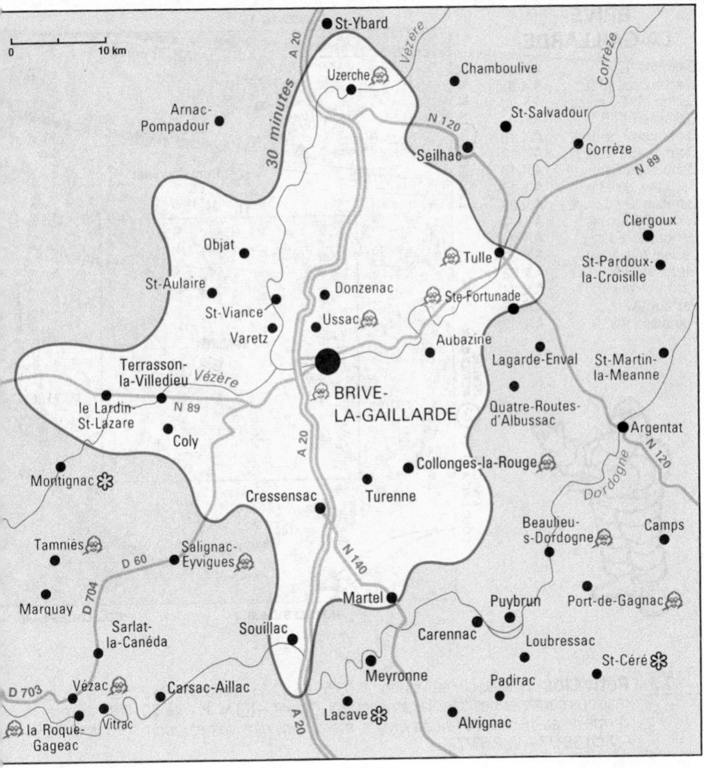

Ibis sans rest, 32 r. M. Roche ☎ 05 55 17 42 42, *h0814@accor-hotels.com, Fax 05 55 23 54 41* – |‡| ⇔ TV ☎ P – 🔔 25. AE GB AX u
☕ 5,50 – **50 ch** 51/55

Quercy sans rest, 8 bis quai Tourny ☎ 05 55 74 09 26, *Fax 05 55 74 06 24* – |‡| TV ☎. AE ⓓ GB CY d
fermé 15 déc. au 5 janv. – ☕ 5,50 – **60 ch** 49/55

XX **Périgourdine,** 15 av. Alsace-Lorraine ☎ 05 55 24 26 55, *Fax 05 55 17 13 22*, 🏠 – AE GB JCB CZ a
fermé 1er au 12 sept., sam. midi, dim. soir et lundi sauf fériés – **Repas** 21/40 ♀

XX **Potinière,** 6 bd Puyblanc ☎ 05 55 24 06 22, *Fax 05 55 24 06 22*, 🏠 – AE GB CZ z
fermé dim. soir sauf juil.-août – **Repas** (12,20) - 18,29 (déj.), 22,87/40,40 ♀, enf. 9,91

XX **Crémaillère** avec ch, 53 av. Paris ☎ 05 55 74 32 47, *Fax 05 55 74 00 15*, 🏠 – TV ☎. GB AX n
fermé 28 juin au 8 juil., 15 au 24 fév., dim. soir et lundi – **Repas** 16/40 ♀ – ☕ 6 – **9 ch** 42/45

X **Chez Francis,** 61 av. Paris ☎ 05 55 74 41 72, *Fax 05 55 17 20 54*, bistrot – GB AX s
fermé 9 au 12 mai, 3 au 18 août, vacances de fév, lundi soir, dim. et fériés – **Repas** bistrot (nombre de couverts limité, prévenir) 13,72/19,82 ♀

X **Toupine,** 11 r. Jean Labrunie ☎ 05 55 23 71 58, *Fax 05 55 23 71 58* – ▤. GB CZ v
fermé 3 au 19 août, vacances de fév., merc. soir et dim. – **Repas** (prévenir) 15/22,50 ♀, enf. 7

Ussac *Nord-Ouest par D 920* **AX** *et D 57 : 5 km – 3 260 h. alt. 350* – ✉ *19270 :*

Auberge St-Jean, ☎ 05 55 88 30 20, *Fax 05 55 87 28 50*, 🏠 – TV. GB
Repas *(fermé dim. soir de nov. à Pâques)* 19/46 – ☕ 9,50 – **27 ch** 57,50/75 – ½ P 70

BRIVE-LA-GAILLARDE

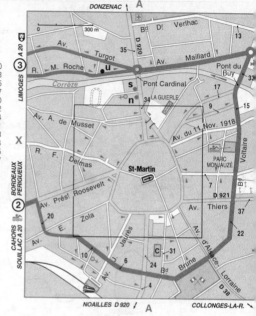

XX Petit Clos ⑤ avec ch, au Pouret ℘ 05 55 86 12 65, Fax 05 55 86 94 32, 斎, « Anciennes
⊕ maisons corréziennes dans la campagne », ⨺, 碎 – ☐ ✆ 🅿 – 🔏 20. ☒ ✻ rest
fermé 1er au 16 oct., 20 fév. au 7 mars, merc. midi, dim. soir et lundi – Repas 19/39 ♀ – ⊡
– **7 ch** 58/77 – 1/2 P 68/77

rte d'Aurillac *Est par D 921 CZ : 2,5 km –* ⊠ *19360 Malemort :*

XX Auberge des Vieux Chênes avec ch, ℘ 05 55 24 13 55, Fax 05 55 24 56 82 – ☐
⇔ ⟺ 🅿 – 🔏 30. ☒ ⓞ ☒
fermé dim. – Repas 12/28 ♀ – ⊡ 7 – **12 ch** 35/40 – 1/2 P 68/75

rte de Périgueux *par ② : 3 km –* ⊠ *19100 Brive-la-Gaillarde :*

🏨 Teinchurier, av. du Teinchurier ℘ 05 55 86 45 00, Fax 05 55 86 45 45, 斎 – 📶, 🔲 rest, ☐
✆ ⅙ 🅿 – 🔏 30. ☒
Repas *(fermé 24 déc. au 1er janv. et dim. soir)* 14,48/29,73 ♀ – ⊡ 5,79 – **40 ch** 45,74/49,55
1/2 P 44,97

rte d'Objat *par ③, D 901 et D 170 : 6 km –* ⊠ *19100 Brive-la-Gaillarde :*

🏨 Mercure ⑤, ℘ 05 55 86 36 36, h0358@accor-hotels.com, Fax 05 55 87 04 40, 斎, ⨺
𝐫, ✻ – 📶 ⅙, 🔲 ch, 🔲 🅿 – 🔏 15 à 50. ☒ ⓞ ☒ ☒
Repas carte 25 à 39, enf. 7,62 – ⊡ 7,93 – **57 ch** 64,03/73,18

à Varetz *par ③, D 901 et D 152 : 10 km – 1 918 h. alt. 109 –* ⊠ *19240 :*

🏨 Château de Castel Novel ⑤, ℘ 05 55 85 00 01, novel@relaischateaux.fr
Fax 05 55 85 09 03, ≼, 斎, « Demeure du 13e siècle isolée dans un parc », ⨺, ✻, ♫ – 📶
🔲 ✆ 🅿 – 🔏 80. ☒ ⓞ ☒ ☒
début mai-fin oct. – Repas *(fermé le midi sauf sam., dim. et fériés)* 40/77, enf. 15 – ⊡ 15
31 ch (1/2 pens. seul.), 3 appart, 3 duplex – 1/2 P 139/216

à St-Viance *par ③, D 901 et D 148 : 12 km – 1 413 h. alt. 119 –* ⊠ *19240 :*
Voir *Châsse★ dans l'église.*

🏨 Jardin de St-Viance, ℘ 05 55 85 00 50, Fax 05 55 84 25 36, 斎 – 🔲 ✆ 🅿 ☒
Repas *(fermé lundi en hiver)* 10,70 (déj.), 15,25/27,45 – ⊡ 6,10 – **10 ch** 50,31 – 1/2 P 37,78

Isace-Lorraine (Av. d').. **CZ** 2
natole-France (Bd)..... **CY** 3
Dalton (R.Gén.) .... **CY** 7
Dauzier (Pl. J.-M.).... **CY** 8
Dellessert (R. B.) ...... **CY** 9
Dr-Massénat (R.) .... **CY** 12

Faro (R.du Lt-Colonel) ...... **CZ** 16
Gambetta (R.) .... **CZ**
Gaulle (Pl. Ch. de) .... **CZ** 18
Halle (Pl. de la) .... **CY** 23
Herriot (Av. E.) .... **CZ** 24
Hôtel-de-Ville (Pl.de l') .... **CY** 26
Hôtel-de-Ville (R.de l') ..... **BZ** 27
Lattre-de-T. (Pl. de) .... **CZ** 29
Latreille (Pl.) .... **CZ** 30
Leclerc (Av. Mar.) .... **CZ** 31
Lyautey (Bd Mar.) .... **BZ** 32

Paris (Av. de) .... **BY** 34
Puyblanc (Bd de) .... **CZ** 39
Raynal (R. B.) .... **CZ** 40
République
  (Pl. de la) .... **BZ** 42
République
  (R. de la) .... **BZ** 43
Salan (R. du) .... **CZ** 45
Ségéral-Verninac (R.) ...... **BY** 46
Teyssier (R.) .... **CY** 47
Toulzac (R.) .... **CY** 48

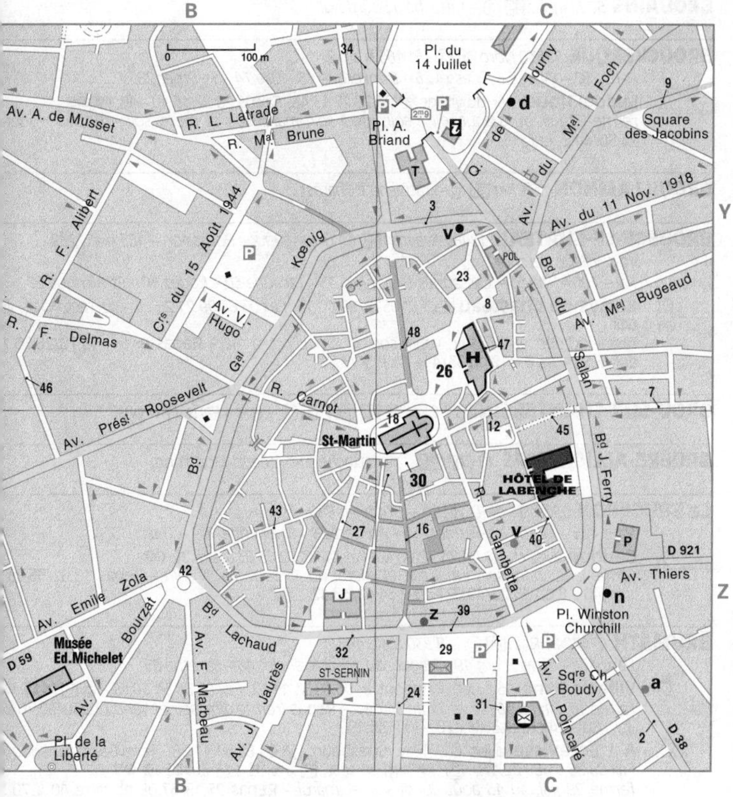

Prices   For notes on the prices quoted in this Guide,
see the explanatory pages.

RON *69 Rhône* 74 ⑫, 110 ㉕ *– rattaché à Lyon.*

ROQUIÈS *12480 Aveyron* 80 ⑬ *– 678 h alt. 386.*
Paris 687 – Albi 64 – Lacaune 56 – Rodez 57 – St-Affrique 23.

   Pescadou ⌂, Sud : 2,5 km rte St-Izaire ℘ 05 65 99 40 21, *Wantiezam@aol.com,*
   Fax 05 65 99 48 04, 佘, ♨, 屛 – 🅿.
   15 mars-15 oct. – **Repas** *(10,70 bc)* - 13,40/21,30 ⁋, enf. 7,50 – ☲ 5,20 – **15 ch** 29/43 –
   ½ P 36/39

ROU *01 Ain* 74 ③ *G. Bourgogne.*
   Curiosités★★★ *et ressources hôtelières : rattachées à Bourg-en-Bresse.*

BROU 28160 E.-et-L. 60 ⑯ – 3 713 h alt. 150.

🛈 *Office du tourisme Rue de la Chevalerie* ℘ 02 37 47 01 12, Fax 02 37 47 01
OTSI.BROU.28@wanadoo.fr.

Paris 143 – Chartres 38 – Châteaudun 22 – Le Mans 86 – Nogent-le-Rotrou 33.

✗ **L'Ascalier**, 9 pl. Dauphin ℘ 02 37 96 05 52, Fax 02 37 96 05 52, 🍽 – GB
fermé vacances de Toussaint, de fév., dim. soir, lundi soir et mardi – **Repas** (prévenir)
16/39, enf. 8

BROUAINS 50 Manche 59 ⑨ – *rattaché à Sourdeval.*

BROUCKERQUE 59630 Nord 51 ③ – 1 165 h alt. 2.

Paris 282 – Calais 36 – Cassel 26 – Dunkerque 15 – Lille 74 – St-Omer 28.

✗ **Middel Houck**, pl. du village ℘ 03 28 27 13 46, Fax 03 28 27 15 10 – AE ⓪ GB
fermé 22 juil. au 6 août, dim. soir, lundi soir, mardi soir et merc. soir – **Repas** 17 (dé)
24,50/44 ⅋, enf. 13

BROUILLAMNON 18 Cher 68 ⑩ – *rattaché à Charost.*

BROUSSE-LE-CHÂTEAU 12480 Aveyron 80 ⑫ G. Languedoc Roussillon – 163 h alt. 239.

Voir *Village perché★.*

Paris 700 – Albi 55 – Cassagnes-Bégonhès 35 – Lacaune 50 – Rodez 60 – St-Affraire 29.

Relays du Chasteau ≫, ℘ 05 65 99 40 15, Fax 05 65 99 21 25, ⇐ – ▤ rest, ℃ 🄿.
GB
fermé 20 déc. au 20 janv., vend. soir et sam. d'oct. à mai – **Repas** (10 bc) - 13,70/26,50
enf. 7,50 – ☕ 6 – **12 ch** 33/41 – ½ P 34/37

BROU-SUR-CHANTEREINE 77 S.-et-M. 56 ⑫, 101 ⑲ – *voir à Paris, Environs.*

BRUÈRE-ALLICHAMPS 18 Cher 69 ① – *rattaché à St-Amand-Montrond.*

Le BRUGERON 63880 P.-de-D. 73 ⑯ – 274 h alt. 850.

Paris 425 – Clermont-Ferrand 69 – Ambert 28 – St-Étienne 109 – Thiers 35.

✗ **Gaudon** avec ch, ℘ 04 73 72 60 46, Fax 04 73 72 63 83 – 🚗 🄿. GB
fermé janv., dim. soir, lundi soir et mardi du 15 sept. au 1er juin – **Repas** 19,82/35,83
☕ 6,40 – **8 ch** 35,22/40,02 – ½ P 34,42/38,42

BRUMATH 67170 B.-Rhin 57 ⑲ – 8 930 h alt. 145.

Paris 474 – Strasbourg 19 – Haguenau 14 – Molsheim 46 – Saverne 35.

Ville de Paris, 13 r. Gén. Rampont ℘ 03 88 51 11 02, Fax 03 88 51 90 19 – 🛗 📺 ℃ 🄿. ℂ
fermé 18 juin au 16 juil. et 27 au 31 déc. – **Repas** (fermé dim. soir et vend.) 18,30/39,70 ⅋
☕ 5,80 – **14 ch** 21,35/41,20 – ½ P 35,10

XXX **A L'Écrevisse** avec ch, 4 av. Strasbourg ℘ 03 88 51 11 08, ecrevisse@wanadoo.
Fax 03 88 51 89 02, 🍽, 🔲, 🌤 – 🛗 ▤ rest, 📺 🚗 🄿 – 🔬 30. AE ⓪ GB
fermé 29 juil. au 13 août, lundi soir et mardi – **Repas** 25,15/67,08 et carte 40 à 70
enf. 11,43 - **Krebs'Stuebel :** Repas 20,58/29,73⅋, enf. 9,15 – ☕ 9 – **19 ch** 35/61

à Mommenheim *Nord-Ouest : 6 km par D 421 – 1 751 h. alt. 155 – ⌧ 67670 :*

XX **Manoir St-Georges** avec ch, 53 rte Brumath ℘ 03 88 51 61 78, e.brot@libertysurf.
Fax 03 88 51 59 96, 🍽 – 📺 🄿. GB
fermé du 5 au 20 août, 1er au 13 janv., sam. midi, dim. soir et lundi – **Repas** 19/50⅋, enf. 9
☕ 6,50 – **7 ch** 34/51

Le BRUSC 83 Var 84 ⑭, 114 ㊹ – *rattaché à Six-Fours-les-Plages.*

BRUSQUE 12360 Aveyron 83 ④ – 366 h alt. 465.

Paris 701 – Albi 90 – Béziers 75 – Lacaune 31 – Lodève 51 – Rodez 107 – St-Affraire 35.

Dent de St-Jean ≫, ℘ 05 65 99 52 87, Fax 05 65 99 53 89, ⇐ – 🄿. GB, ※ ch
15 mars-1er nov., dim. soir et lundi hors saison – **Repas** 13,50/30 – ☕ 5 – **16 ch** 33/44
½ P 40

BRY-SUR-MARNE 94 Val-de-Marne 56 ⑪, 101 ⑱ – *voir à Paris, Environs.*

JELLAS *01310 Ain* **74** ② – *1 288 h alt. 225.*
Paris 427 – Mâcon 32 – Annecy 120 – Bourg-en-Bresse 9 – Lyon 69.

※ **Auberge Bressane**, ℰ 04 74 24 20 20, Fax 04 74 24 20 20, 佘 – ℙ. **GB**
fermé 25 fév. au 17 mars, 21 au 27 oct., dim. soir et merc. – **Repas** 19/32 ♀

BUGUE *24260 Dordogne* **75** ⑯ *G. Périgord Quercy – 2 778 h alt. 62.*
Voir *Gouffre de Proumeyssac★ S : 3 km.*
Paris 522 – Périgueux 43 – Sarlat-la-Canéda 31 – Bergerac 48 – Brive-la-Gaillarde 73.

血血 **Domaine de la Barde** ⑤, rte Périgueux ℰ 05 53 07 16 54, Fax 05 53 54 76 19, 佘,
« Belle demeure périgourdine et jardin à la française », 㠪, ⤓, ※, 丛 – 闦 ⊡ 丛 ℙ. Æ **GB**
12 avril-14 oct. – **L'Oustalou** ℰ 05 53 07 66 63 **Repas** 21,50(déj.), 24,40/53 ♀, enf. 13 –
⊡ 11 – **18 ch** 82/196 – ½ P 81,50/132

血 **Cygne**, 2 le Cingle ℰ 05 53 07 17 77, Fax 05 53 07 17 06, 佘 – ⊡ ◟. **GB**
ﾎﾎ *fermé 1er au 15 oct., 20 déc. au 31 janv., dim. soir et lundi sauf juil.-août* – **Repas**
13,50/27,60 ♀, enf. 6,86 – ⊡ 5,70 – **11 ch** 43/48 – ½ P 38,50/40

※※ **Les Trois As**, pl. Gendarmerie ℰ 05 53 08 41 57, les3as@wanadoo.fr, Fax 05 53 07 16 56,
佘 – **GB**
fermé fév., mardi et merc. – **Repas** 17 (déj.), 25,50/49

Campagne *Sud-Est : 4 km par D 703 – 310 h. alt. 60 – ⊠ 24260 :*
血 **du Château**, ℰ 05 53 07 23 50, Fax 05 53 03 93 69, 佘 – ⊡ ◟ ℙ. **GB**. ※ ch
ﾎﾎ *24 mars-15 oct.* – **Repas** 18,30/38,11 ♀, enf. 9,15 – ⊡ 6,10 – **16 ch** 45,73/53,35 – ½ P 44,20

*Towns underlined in red on the **Michelin maps***
at a scale of 1 : 200 000 are included in this Guide.

Use the latest map to take full advantage of this information.

UIS-LES-BARONNIES *26170 Drôme* **81** ③ *G. Alpes du Sud – 2 226 h alt. 365.*
Voir *Vieille ville★.*
🛈 *Office du tourisme Place des Quinconces* ℰ 04 75 28 04 59, Fax 04 75 28 13 63.
Paris 691 – Carpentras 39 – Nyons 30 – Orange 51 – Sault 37 – Sisteron 72 – Valence 130.

血 **Les Arcades-Le Lion d'Or** sans rest, pl. Marché ℰ 04 75 28 11 31, arcadulion@aol.com,
Fax 04 75 28 12 07, 佘 – ⊡ ◟ ⌂. **GB**. ※
fermé 15 déc. au 31 janv. – ⊡ 5,20 – **15 ch** 35/55

※ **Scala**, 7 allées Platanes ℰ 04 75 28 01 05, pinogreco@aol.com, Fax 04 75 28 01 05, 佘 –
ﾎﾎ **GB**
fermé 5 janv. au 28 fév., merc. soir, vend. midi et jeudi sauf vacances scolaires – **Repas** (11,50)
-14/19,50 ⅋, enf. 8

e BUISSON-CORBLIN *61 Orne* **60** ① – *rattaché à Flers.*

e BUISSON-DE-CADOUIN *24480 Dordogne* **75** ⑯ – *2 075 h alt. 63.*
🛈 *Office du tourisme Place du Général de Gaulle* ℰ 05 53 22 06 09, Fax 05 53 22 06 09.
Paris 533 – Périgueux 53 – Sarlat-la-Canéda 36 – Bergerac 38 – Brive-la-Gaillarde 82.

血血 **Manoir de Bellerive** ⑤, rte Siorac : 1,5 km ℰ 05 53 22 16 16, manoir.bellerive@wana
❀ doo.fr, Fax 05 53 22 09 05, ≤, 佘, « Élégant manoir dans un parc en bordure de la
Dordogne », ⤓, ※, 丛 ◟ ℙ – 丛 20. Æ ① **GB**. ※ rest
fermé 3 janv. au 28 fév. – **Les Délices d'Hortense** *(fermé mardi midi, merc. midi et lundi)*
Repas (28,50)-36/84 et carte 65 à 80 ♀, enf 14 – ⊡ 11,50 – **22 ch** 122/206 – ½ P 113,50/155
Spéc. Escalopes de foie de canard panées au pain d'épice. Coffre de canard gras rôti, sauce
Périgueux (été). Soufflé chaud au chocolat (hiver) **Vins** Bergerac, Pécharmant.

URLATS *81 Tarn* **83** ① – *rattaché à Castres.*

URNHAUPT-LE-HAUT *68520 H.-Rhin* **87** ⑲ – *1 505 h alt. 300.*
Paris 455 – Mulhouse 17 – Altkirch 26 – Belfort 31 – Thann 14.

血血 **Aigle d'Or** 🅼, au Pont d'Aspach Nord : 1 km ℰ 03 89 83 10 10, aigle.or@ifria.fr,
ﾎﾎ Fax 03 89 83 10 33, 佘, 烱 – 闦 rest, ⊡ ◟ 丛 ℙ – 丛 25. Æ ① **GB**
- Coquelicot (fermé 6 au 19 août, 1er au 8 janv., sam. midi et dim. soir) **Repas** 10,50(déj)-14/
46 ♀, enf. 7,50 – ⊡ 8 – **26 ch** 53,50/69 – ½ P 50/55

BUSCHWILLER 68220 H.-Rhin 📖 ⑩ – 883 h alt. 305.
Paris 503 – Mulhouse 34 – Altkirch 26 – Basel 8 – Colmar 67.

XX **Couronne**, ℘ 03 89 69 12 62, alacouronne.lacour@wanadoo.fr, Fax 03 89 70 11 20, 🏡
GB
fermé 22 juil. au 16 août, sam. midi, dim. soir et lundi – **Repas** 14,03 (déj.), 33,54/38,11 ⌽

BUSSEAU-SUR-CREUSE 23 Creuse 📖 ⑩ – ⊠ 23150 Ahun.
Env. *Moutier d'Ahun : boiseries*★★ *de l'église SE : 5,5 km – Ahun : boiseries*★ *de l'église* : *6 : km, G. Berry Limousin.*
Paris 359 – Aubusson 27 – Guéret 19.

XX **Viaduc** avec ch, ℘ 05 55 62 57 20, ch-cl-lemestre@wanadoo.fr, Fax 05 55 62 55 80, ◀
GB 📺 P. GB
fermé janv., dim. soir et lundi – **Repas** 13/34,50 ⅙ – ⊇ 5,80 – **7 ch** 25,95/36,60 – ½ P 41

La BUSSIÈRE 45230 Loiret 📖 ② G. Bourgogne – 749 h alt. 160.
Voir *Château des pêcheurs*★.
Paris 145 – Auxerre 74 – Cosne-sur-Loire 46 – Gien 14 – Montargis 29 – Orléans 78.

🏠 **Nuage**, r. Briare ℘ 02 38 35 90 73, contact@lenuage.com, Fax 02 38 35 90 62, 🏡, *La*
GB 📺 ⅙ P. – 🅰 25. ⌶ ⓞ GB. ❈ rest
Repas *(fermé 24 déc. au 1er janv.)* 12,96/24,39 ⅙, enf. 5,79 – ⊇ 5,33 – **16 ch** 36,64/42,69
½ P 33,73

BUSSY-ST-GEORGES 77 S.-et-M. 📖 ⑫, 📖 ⑳ – voir à Paris, Environs (Marne-la-Vallée).

BUXY 71390 S.-et-L. 📖 ① – 2 098 h alt. 263.
🅱 Office du tourisme Place de la Gare ℘ 03 85 92 00 16, Fax 03 85 92 04 97.
Paris 352 – Chalon-sur-Saône 16 – Chagny 25 – Montceau-les-Mines 33.

🏠 **Fontaine de Baranges** ◈ sans rest, r. Fontaine de Baranges ℘ 03 85 94 10 70, Ho
Fontaine.de.Baranges@wanadoo.fr, Fax 03 85 94 10 79, 🌱 – ❊ 📺 ⅙ ఈ P – 🅰 30. ⌶ ⓖ
fermé 1er au 19 janv. – ⊇ 9 – **17 ch** 50/115

🏠 **Relais du Montagny**, ℘ 03 85 94 94 94, contact@relais.du.montagny.
Fax 03 85 92 07 19, 🏡, 🔟, 🌱 – 📺 ⅙ P – 🅰 30. ⌶ GB
fermé 23 au 29 déc., janv., vend. soir et dim. soir de nov. à avril – **Girardot** ℘ 03 85 94 94
Repas 12/34 ⌽, enf. 8,50 – ⊇ 6 – **30 ch** 47/60 – ½ P 45/50

X **Aux Années Vins**, 2 Grande Rue ℘ 03 85 92 15 76, aux.annees.vins@wanadoo.
Fax 03 85 92 12 20, 🏡 – GB
fermé 16 au 25 sept., 1er au 21 janv., merc. midi et mardi – **Repas** 15/47 ⌽, enf. 10

BUZANÇAIS 36500 Indre 📖 ⑦ – 4 581 h alt. 111.
Paris 286 – Le Blanc 47 – Châteauroux 25 – Chatellerault 78 – Tours 91.

🏠 **Hermitage** ◈, rte d'Argy ℘ 02 54 84 03 90, Fax 02 54 02 13 19, 🌱 – ▤ rest, 📺 ⅙ ◀
P. GB
fermé 8 au 17 sept., 1er au 16 janv., dim. soir et lundi sauf juil.-août – **Repas** (dim. préven
15,24/47,26 ⌽, enf. 9,15 – ⊇ 5,79 – **14 ch** 39,64/57,17 – ½ P 42,69/47,26

🏠 **Croissant**, 53 r. Grande ℘ 02 54 84 00 49, le-croissant@wanadoo.fr, Fax 02 54 84 20 6
🏡 – 📺 ⅙. GB
fermé 4 fév. au 4 mars, vend. soir et sam. sauf juil.-août – **Repas** 14,20/36 ⌽, enf. 9,50
⊇ 5,10 – **14 ch** 35,85/42 – ½ P 40/41,50

BUZET-SUR-BAÏSE 47160 L.-et-G. 📖 ⑭ – 1 236 h alt. 40.
Paris 688 – Agen 31 – Mont-de-Marsan 84 – Nérac 19 – Villeneuve-sur-Lot 43.

X **Auberge du Goujon qui Frétille**, face église ℘ 05 53 84 26 51, 🏡 – GB
fermé mardi soir, merc. et le soir en hiver – **Repas** (prévenir) *(13 bc)* · 19/32, enf. 8

CABASSON 83 Var 📖 ⑯, 📖 ㊽ – rattaché à Bormes-les-Mimosas.

Donnez-nous votre avis sur les tables que nous recommandons,
sur leurs spécialités et leurs vins de pays.

ABOURG *14390 Calvados* **55** ② *G. Normandie Vallée de la Seine – 3 520 h alt. 3 – Casino.*
🛈 *Office du tourisme Jardins du Casino* ℰ *02 31 91 20 00, Fax 02 31 24 14 49, cabourg .tourisme@wanadoo.fr.*
Paris 221 ③ – *Caen 31* ④ – *Deauville 23* ① – *Lisieux 48* ② – *Pont-l'Évêque 33* ②.

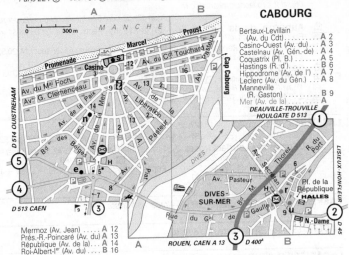

CABOURG

Bertaux-Levillain (Av. du Cdt)	A 2
Casino-Ouest (Av. du)	A 3
Castelnau (Av. Gén.-de)	A 4
Coquatrix (Pl. B.)	A 5
Hastings (R. d')	B 6
Hippodrome (Av. de l')	A 7
Leclerc (Av. du Gén.)	A 8
Manneville (R. Gaston)	B 9
Mer (Av. de la)	
Mermoz (Av. Jean)	A 12
Prés.-R.-Poincaré (Av. du)	A 13
République (Av. de la)	A 14
Roi-Albert-Ier (Av. du)	B 16

🏨🏨 **Grand Hôtel** ⏏, prom. M. Proust ℰ 02 31 91 01 79, h1282@accor-hotels.com, *Fax 02 31 91 83 93*, ≤, 🏠 – 🛗 📺 📞 ⬚ – 🔥 20 à 100. 🆎 ⓞ ☖ 🆒   A s
Repas *(fermé lundi et mardi d'oct. à avril)* 39/48 ♀, enf. 14 – ☲ 14,48 – **70 ch** 170/236 – ½ P 235/322

🏨 **Mercure Hippodrome** 🅼 ⏏, av. M. d'Ornano par av. Hippodrome A ℰ 02 31 24 04 04, *mercurecabourghippodrome@wanadoo.fr, Fax 02 31 91 03 99*, 🏠, 🏊, – 📺 & ⬚ – 🔥 30 à 100. 🆎 ☖
Repas *(fermé les midis du 11 nov. au 12 mars, dim. et lundi)* 27,44/28,96 ♀ – ☲ 9,14 – **70 ch** 99,09/106,71, 8 duplex – ½ P 78,51/82,32

🏨 **Golf** ⏏, av. M. d'Ornano par av. Hippodrome A ℰ 02 31 24 12 34, Fax 02 31 24 18 51, 🏠, 🏊, – 📺 & ⬚ – 🔥 30. 🆎 ☖ 🆒
Repas *(fermé sam. midi et vend.)* (13) 18,30/93 ☖, enf. 7,60 – ☲ 7,30 – **30 ch** 59,50/67, 10 duplex – ½ P 56,40

🏨 **Cabourg** sans rest, 5 av. République ℰ 02 31 24 42 55, Fax 02 31 24 48 93 – 📺 📞 ☖   A n
fermé 1er au 15 déc. et 1er au 15 janv. – ☲ 7,70 – **9 ch** 73,20/92

🏨 **Cottage** sans rest, 24 av. Gén. Leclerc ℰ 02 31 91 65 61, Fax 02 31 28 78 82, 🖐, 🌳 – 📺   A e
📞 ☖ – ☲ 7,20 – **14 ch** 60/86

Dives-sur-Mer : *Sud du plan – 5 812 h. alt. 3 –* ✉ *14160 – Voir Halles★* :
🛈 *Syndicat d'initiative Rue du Général de Gaulle* ℰ 02 31 28 12 50, Fax 02 31 24 42 28, *mairie-dives-sur-mer@wanadoo.fr.*

XX **Guillaume le Conquérant**, 2 r. Hastings ℰ 02 31 91 07 26, 🏠, « Ancien relais de poste du 16e siècle » – 🆎 ☖   B r
fermé 25 juin au 2 juil., 26 nov. au 25 déc., dim. soir et lundi sauf du 15 juil. au 30 août et fériés) – **Repas** 15,55/50,31 ♀

X **Chez le Bougnat**, 27 r. G. Manneville ℰ 02 31 91 06 13, bistrot – ☖   B u
fermé mardi midi, lundi en saison et le soir sauf jeudi, vend. et sam. hors saison – **Repas** 12,95 *(déj.)*, 14,48/18,50

ar ④, D 513 et rte de Gonneville-en-Auge : 7 km – ✉ 14860 Ranville :
XXX **Hostellerie Moulin du Pré** ⏏ avec ch, ℰ 02 31 78 83 68, Fax 02 31 78 21 05, 🔥 – ⬚. 🆎 ⓞ ☖. ❋ ch
fermé du 3 au 18 mars, oct., dim. soir, mardi midi et lundi sauf 15 juil. au 15 août et fériés – **Repas** 32,01/42,69 et carte 38 à 46 ♀ – ☲ 6,86 – **10 ch** 37,35/55,64

u Hôme par ⑤ : 2 km – ✉ 14390 Cabourg :
XX **Au Pied de Cochon**, ℰ 02 31 91 27 55 – ☖. ❋
fermé 2 au 19 déc., 13 au 31 janv., lundi et mardi – **Repas** 20 *(déj.)*, 30/50 ☖

335

CABRERETS 46330 Lot 🔢 ⑨ G. Périgord Quercy – 203 h alt. 130.

Voir *Château de Gontaut-Biron★ – ≤★ de la rive gauche du Célé.*

Env. *Grotte du Pech Merle★★★ NO : 3 km.*

🅱 *Office du tourisme pl. du Sombral Saint-Cirq-Lapopie ℘ 05 65 31 29 06, Fax 05 65 31 06, saint-cirq.lapopie@wanadoo.fr.*

Paris 573 – Cahors 26 – Figeac 45 – Gourdon 42 – St-Céré 57 – Villefranche-de-Rouergue

🏛 **Auberge de la Sagne** ⌂, rte grotte de Pech Merle ℘ 05 65 31 26 6
Fax 05 65 30 27 43, 🌳, 🏊, 🌴 – 🅿. 🆖 🇯🇧. 🗯
15 mai-15 sept. – **Repas** *(nombre de couverts limité, prévenir)* (dîner seul.) 14/20,50 🗄 – 🗄 6 – **10 ch** 50 – ½ P 46

🏛 **des Grottes**, ℘ 05 65 31 27 02, hotel.grottes@wanadoo.fr, Fax 05 65 31 20 15, 🌳
« Terrasse sur la rivière », 🏊 – 🅿. 🕥 🆖
1er avril-1er nov. et fermé dim. soir et lundi du 1er avril au 15 juin – **Repas** 13,57/21,34 🗄
🗄 6,10 – **17 ch** 28,97/45,73 – ½ P 33/41

CABRIÈRES 30210 Gard 🔢 ⑲ – 1 117 h alt. 120.

Paris 701 – Avignon 33 – Alès 64 – Arles 40 – Nîmes 16 – Orange 45 – Pont-St-Esprit 52.

🏨 **L'Enclos des Lauriers Roses** ⌂, 71 r. 14-Juillet ℘ 04 66 75 25 42, hotel-lauriersros
@wanadoo.fr, Fax 04 66 75 25 21, 🌳, 🏊, 🌴 – 🔳 📺 🖦. 🆎 🕥 🆖
15 mars-4 nov. et 19 déc.-5 janv. – **Repas** 18,29/38,11 🗄, enf. 9,15 – 🗄 10 – **15 c**
83,85/167,69 – ½ P 68,60/99,09

CABRIS 06 Alpes-Mar. 🔢 ⑧, 🔢 ⑬, 🔢 ㉔ – rattaché à Grasse.

CADÉAC 65 H.-Pyr. 🔢 ⑲ – rattaché à Arreau.

La CADIÈRE-D'AZUR 83740 Var 🔢 ⑭, 🔢 ㊹ G. Côte d'Azur – 4 239 h alt. 144.

Voir *≤★ – Le Castelet : Village★ NE : 4 km.*

🅱 *Office du tourisme Place Général de Gaulle ℘ 04 94 90 12 56, Fax 04 94 98 30 13.*

Paris 820 – Marseille 44 – Toulon 22 – Aix-en-Provence 64 – Brignoles 53.

🏨 **Hostellerie Bérard** ⌂, près Poste ℘ 04 94 90 11 43, berard@hotel-berard.com
Fax 04 94 90 01 94, ≤, 🌳, 🎬, 🏊, 🌴 – 🔳 📺 🖦 🅿 – 🔏 30. 🆎 🕥 🆖 🗯
fermé 5 janv. au 12 fév. – **Repas** *(fermé lundi midi et sam. midi)* 25/49 🗄 – 🗄 16,80 – **38 c**
81/121, 3 appart – ½ P 95/116

CADILLAC 33410 Gironde 🔢 ⑩ G. Aquitaine – 2 365 h alt. 16.

🅱 *Office de tourisme pl. de la Libération ℘ 05 56 62 12 92, Fax 05 56 76 99 72, cadillac.to risme@wanadoo.fr.*

Paris 610 – Bordeaux 42 – Langon 12 – Libourne 40.

🏨 **Château de la Tour**, D 10 ℘ 05 56 76 92 00, tour@chateaushotels.com
Fax 05 56 62 11 59, 🌳, 🏊, ♨, 🅿 – 🔏 20 à 50. 🆎 🆖
Repas *(fermé vend. soir, dim. soir et sam. de nov. à avril)* 15 (déj.), 22,50/52, enf. 10 – 🗄 10
32 ch 90/105 – ½ P 80

CAEN 🅿 14000 Calvados 🔢 ⑪ ⑫ G. Normandie Cotentin – 113 987 h Agglo. 199 490 h alt. 25.

Voir *Abbaye aux Hommes★★ : église St-Etienne★★ – Abbaye aux Dames★ : église de Trinité★★ – Chevet★★, frise★★ et voûtes★★ de l'église St-Pierre★ – Église et cimetiè St-Nicolas★ – Tour-lanterne★ de l'église St-Jean EZ – Hôtel d'Escoville★ DY B – Vieille maisons★ (nos 52 et 54 rue St-Pierre) DY K – Musée des Beaux-Arts★★ dans le château★ D M1 – Mémorial★★ AV – Musée de Normandie★ DX M2.*

✈ *de Caen-Carpiquet : ℘ 02 31 71 20 10, par D 9 : 7 km.*

🅱 *Office du tourisme Place Saint-Pierre ℘ 02 31 27 14 14, Fax 02 31 27 14 13, touris info@ville-caen.fr.*

Paris 236 ④ – Alençon 105 ⑥ – Cherbourg 125 ⑨ – Le Havre 86 ④ – Rennes 184 ⑧.

Plans pages suivantes

🏨 **Holiday Inn** 🅼, pl. Foch ℘ 02 31 27 57 57, Fax 02 31 27 57 58 – 📱 ↔ 📺 🆖 & – 🔏 15
🆎 🕥 🆖. 🗯 DZ
Rabelais *(fermé 15 juil. au 26 août et sam. midi)* **Repas** 38,87 – 🗄 9 – **88 ch** 75/109

🏨 **Mercure Port de Plaisance** 🅼, 1 r. Courtonne ℘ 02 31 47 24 24, h0869@accor-hote
.com, Fax 02 31 47 43 88 – 📱 cuisinette ↔, 🔳 ch, 📺 🆖 & 🖦 – 🔏 300. 🆎 🕥 🆖
Repas *(14,50)* - 19 🗄, enf. 9 – 🗄 9,15 – **114 ch** 80/94 EY

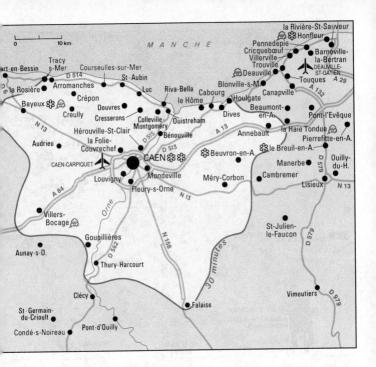

🏰 **Moderne** M sans rest, 116 bd Mar. Leclerc ℰ 02 31 86 04 23, *info@hotel-caen.com*, *Fax 02 31 85 37 93* – 🛗 📺 ✆ 🔥 ⇔. 🆎 ⓞ 📾 🕮
DY d
⚏ 8,30 – **40 ch** 56,50/97,50

🏨 **France** sans rest, 10 r. Gare ℰ 02 31 52 16 99, *Fax 02 31 83 23 16* – 🛗 📺 🔥 🅿. 🆎 ⓞ 📾
🕮
EZ h
⚏ 5,35 – **46 ch** 42/54,50

🏠 **Quatrans** sans rest, 17 r. Gemare ℰ 02 31 86 25 57, *hotel-des-quatrans@wanadoo.fr*, *Fax 02 31 85 27 80* – 🛗 📺 ✆. 📾
DY p
⚏ 6 – **34 ch** 44,50/45,75

🏠 **Royal** sans rest, 1 pl. République ℰ 02 31 86 55 33, *Fax 02 31 79 89 44* – 🛗 📺. 🆎
📾
DY e
⚏ 6 – **43 ch** 45/56

🏠 **Ibis Centre** M, 6 pl. Courtonne ℰ 02 31 95 88 88, *h1183@accor-hotels.com*, *Fax 02 31 43 80 80* – 🛗 ⁎↭ 📺 ✆ 🔥 ⇔ – 🏛 300. 🆎 ⓞ 📾
EY k
Repas (14,50) - 19 🍷, enf. 9 – ⚏ 5,80 – **101 ch** 51/58

🏠 **Central** sans rest, 23 pl. J. Letellier ℰ 02 31 86 18 52, *Fax 02 31 86 88 11* – 📺 ✆. 🆎 ⓞ
📾
DY u
⚏ 5 – **25 ch** 25,95/40

🏠 **Havre** sans rest, 11 r. Havre ℰ 02 31 86 19 80, *hotelduhavre@aol.com, Fax 02 31 38 87 67*
– 📺. 🆎 📾
EZ v
19 ch ⚏ 30/41

🍴🍴🍴 **Bourride** (Bruneau), 15 r. du Vaugueux ℰ 02 31 93 50 76, *Fax 02 31 93 29 63*, « Maison
🕸🕸 du vieux Caen » – 🆎 ⓞ 📾
DX x
fermé 19 août au 3 sept., 7 au 23 janv., dim. et lundi sauf fériés – **Repas** (nombre de couverts limité, prévenir) 37,50/97,50 et carte 60 à 80
Spéc. Fricassée d'andouille de Vire. Bourride à ma façon. ''Pom-Pom-Pom'' d'hier et d'aujourd'hui (dessert).

🍴🍴🍴 **Dauphin** avec ch, 29 r. Gemare ℰ 02 31 86 22 26, *dauphin.caen@wanadoo.fr*, *Fax 02 31 86 35 14* – 🛗 📺 🅿. 🆎 ⓞ 📾
DY a
fermé 22 juil. au 11 août et 17 fév. au 3 mars – **Repas** *(fermé le midi en été, dim. soir en hiver et sam. midi)* 18,50/70 et carte 46 à 61 🍷 – ⚏ 10 – **22 ch** 57/130 – ½ P 61/97

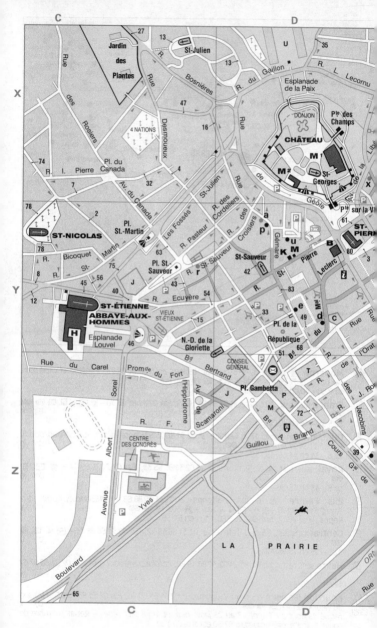

*L'**Atlas Routier FRANCE** de **Michelin**, c'est :*

- *toute la cartographie détaillée (1/200 000) en un seul volume,*
- *des dizaines de plans de villes,*
- *un index de repérage des localités.*

Le copilote indispensable dans votre véhicule.

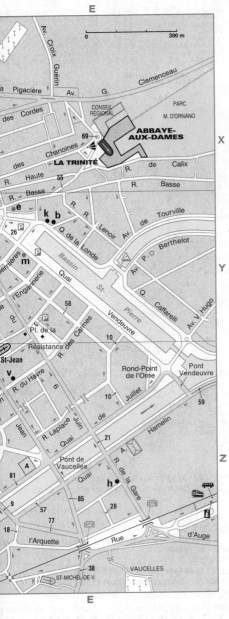

CAEN

*The **Michelin Road Atlas FRANCE** offers:*

- *all of France, covered at a scale of 1:200 000, in one volume*
- *plans of principal towns and cities*
- *comprehensive index*

It makes the ideal navigator.

CAEN

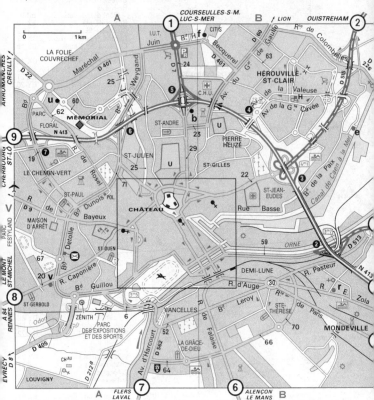

XXX **Pressoir**, 3 av. H. Chéron ℰ 02 31 73 32 71, Fax 02 31 73 32 71 – 🖭. 🖼   AV
fermé 28 juil. au 22 août, vacances de fév., sam. midi, dim. soir et lundi – **Repas** 21,30/53 €
carte 49 à 63

XX **Gastronome**, 43 r. St Sauveur ℰ 02 31 86 57 75, legastronome@wanadoo.fr
Fax 02 31 38 27 78 – 🖼   CY
fermé dim. – **Repas** 15,10/21,95 ⅀

XX **Carlotta**, 16 quai Vendeuvre ℰ 02 31 86 68 99, reservation@lecarlotta.fr
Fax 02 31 38 92 31, brasserie – ▤. 🖼 🖼   EY
fermé dim. – **Repas** 16,76/25,61 ⅀

XX **Alcide**, 1 pl. Courtonne ℰ 02 31 44 18 06, Fax 02 31 94 47 45 – 🖼   EY
🖼 fermé 20 au 31 déc., vend. soir hors saison et sam. – **Repas** 13,15/21,50 ⅀

à l'échangeur Caen-Université (bretelle du bd périphérique) – ⊠ 14000 Caen :

🏨 **Novotel Côte de Nacre** 🅼, av. Côte de Nacre ℰ 02 31 43 42 00, h0405@accor-hotel.
com, Fax 02 31 44 07 28, 🏤, 🔏, 🐧 – 🖢 🗱 ▤ 🖭 🕻 & 🅿 – 🔬 200. 🖼 🕥 🖼   AV
Repas (16) - 21 ⅀, enf. 8 – ⅁ 9,90 – **126 ch** 79/89

à Hérouville St-Clair Nord-Est : 3 km – 24 025 h. alt. 20 – ⊠ 14200 :

🏨 **Quality Hôtel**, 2 pl. Boston Citis ℰ 02 31 44 05 05, quality.caen@dial.oleane.com
Fax 02 31 44 95 94, 🛵, 🔏 – 🗱 🖭 & 🅿 – 🔬 300. 🖼 🕥 🖼. 🛠 rest   BV
Repas 15 (déj.), 22/40,50 – ⅁ 9,15 – **90 ch** 74,70/89,95

✗ **L'Espérance** avec ch, r. Abbé Alix, bord du canal ℰ 02 31 44 97 10, Fax 02 31 94 89 23, ≤
⊕ – �🖵 📶 – 🏖 40. ⊞ ✗ ch
BV e
fermé du 25 sept., vacances de Toussaint, de fév., dim. soir et lundi – **Repas** 12,20/
30,20 ⅃, enf. 8,40 – ☷ 3,85 – **8 ch** 24,40/35 – ½ P 35,08

Bénouville *par* ② : 10 km – 1 741 h. alt. 8 – ⊠ 14970 :
Voir *Château*★ : *escalier d'honneur*★★ – *Pegasus Bridge*★.

🏠 **Glycine** Ⓜ, 11 pl. Commando n° 4 ℰ 02 31 44 61 94, Fax 02 31 43 67 30 – �🖵 ✓ & 📶 –
🏖 20. ⊞ ⊞
fermé 20 déc. au 10 janv. et dim. soir hors saison – **Repas** 15/38 ⅃, enf. 13 – ☷ 6,50 – **25 ch**
45/53 – ½ P 52

✗✗✗ **Manoir d'Hastings et la Pommeraie** ⧀ avec ch, 18 av. Côte de Nacre
ℰ 02 31 44 62 43, Fax 02 31 44 76 18, ☆, « Prieuré du 17e siècle », ☞ – �🖵 ✓ 📶, ⊞ ⓪
⊞
fermé 12 nov. au 4 déc. et vacances de fév. – **Repas** *(fermé dim. soir et lundi)* 20,58 (déj.),
26,68/54,88 ⅃ – ☷ 7,62 – **15 ch** 68,60/121,96 – ½ P 99,09

Mondeville *Est : 3,5 km* – 10 428 h. alt. 10 – ⊠ 14120 :

✗✗ **Les Gourmets**, 41 r. E. Zola ℰ 02 31 82 37 59, Fax 02 31 82 37 92, collection de saucières
⊕ – ⊞
BV r
fermé 1er au 20 août, mardi soir, dim. soir et lundi – **Repas** 14,03/27,44 ⅃

Fleury-sur-Orne *par* ⑦ : *4 km* – 4 231 h. alt. 33 – ⊠ 14123 :

✗✗ **Auberge de l'Ile Enchantée**, au bord de l'Orne (1 r. St-André) ℰ 02 31 52 15 52,
Fax 02 31 72 67 17, ≤ – ⊞
fermé 29 juil. au 13 août, 17 fév. au 4 mars, dim. soir, merc. soir et lundi – **Repas** 16,55/31,25,
enf. 10,55

Louvigny *Sud : 4,5 km par D 212ᴮ AV* – 1 766 h. alt. 10 – ⊠ 14111 :

✗✗ **Auberge de l'Hermitage**, au bord de l'Orne ℰ 02 31 73 38 66, Fax 02 31 73 91 56, ☆
⊕ – ⊞
fermé 18 août au 2 sept., dim. soir et lundi – **Repas** 14/28 ⅃

La Folie-Couvrechef *(près Mémorial) AV* – ⊠ 14000 Caen :

🏠 **Otelinn**, av. Mar. Montgomery ℰ 02 31 44 34 20, otelinn.caen@libertysurf.fr,
Fax 02 31 44 63 80 – �🖵 ✓ & 📶 – 🏖 60. ⊞ ⓪ ⊞
AV u
Repas *(fermé 23 déc. au 2 janv.)* 15,80/23 ⅃ – ☷ 6 – **50 ch** 49/51,50

CAGNES-SUR-MER 06800 Alpes-Mar. 🟦🟦 ⑨, 🟦🟦🟦 ㉘ G. Côte d'Azur – 43 942 h alt. 20 – Casino.
Voir *Haut-de-Cagnes*★ – *Château-musée*★ : *patio*★★, ⋇★ *de la tour* – *Musée Renoir*.
🅱 Office du tourisme 6 boulevard Maréchal Juin ℰ 04 93 20 61 64, Fax 04 93 20 52 63,
Cagnes06@aol.com.
Paris 921 ⑤ – *Nice 14* ② – *Antibes 11* ④ – *Cannes 20* ⑤ – *Grasse 24* ⑥ – *Vence 9* ①.

Plan page suivante

🏛 **Domaine Cocagne** Ⓜ ⧀, colline de la rte de Vence, par ①, D 36 et rte secondaire :
2 km ℰ 04 92 13 57 77, hotel@domainecocagne.com, Fax 04 92 13 57 89, ☆, ⊾, ✗ –
cuisinette ▤ ⎙ & 📶, ⊞ ⊞. ✗
fermé 5 nov. au 10 déc. – **Repas** *(fermé dim. du 15 oct. au 15 avril et merc.)* (20) - 25 (déj.),
30/40 ⅃, enf. 10 – ☷ 12 – **16 ch** 132/182, 4 appart – ½ P 115/126

🏛 **Brasilia** sans rest, chemin Grands Plans ℰ 04 93 20 25 03, Fax 04 93 22 44 09 – 🛗 �🖵 📶 –
🏖 15. ⊞ ⓪ ⊞ ⊣⊂⊟
BX r
☷ 6,86 – **18 ch** 58,69/80,03

🏛 **Comfort Hôtel Le Tiercé** sans rest, 33 bd Kennedy ℰ 04 93 20 02 09, tierce.hotel@wa
nadoo.fr, Fax 04 93 20 31 55 – 🛗 ❄️ ▤ �🖵 ✓ 📶, ⊞ ⓪ ⊞ ⊣⊂⊟
BX v
☷ 7,62 – **23 ch** 57,93/91,47

🏛 **Splendid** sans rest, 41 bd Mar. Juin ℰ 04 93 22 02 00, hotel.splendid@free.fr,
Fax 04 93 20 12 44 – ▤ �🖵 ✓ & 📶 – 🏖 25. ⊞ ⓪ ⊞ ⊣⊂⊟
BX x
☷ 7 – **24 ch** 54/81

🏠 **Chantilly** sans rest, 31 chemin Minoterie ℰ 04 93 20 25 50, Fax 04 92 02 82 63 – �🖵 📶, ⊞
⓪ ⊞ ⊣⊂⊟
BX b
☷ 6 – **20 ch** 48/60

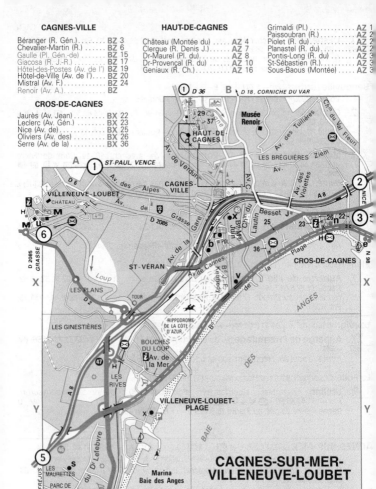

CAGNES-SUR-MER-
VILLENEUVE-LOUBET

HAUT-DE-
CAGNES

CAGNES-
VILLE

Haut-de-Cagnes :

🏨 **Cagnard** 🦢, 45 r. Sous Barri ℘ 04 93 20 73 21, *resa@le-cagnard.com, Fax 04 93 22 06 39,*
≤, 斧 – ▤ ch, ▥ ▣. ▱ – ▨ 25. ▲ ☎ ☐ ▣ ᴶᶜᴮ AZ a
☼ **Repas** *(fermé début nov. à mi- déc., mardi midi et jeudi midi)* 53,36 (déj.), 56,41/76,22 et
carte 80 à 115 – ☞ 16,77 – **20 ch** 225/305, 5 appart – ½ P 165,86/205,86
Spéc. Lasagne de truffes noires du marché d'Aups. Risotto de grosses langoustines aux
truffes. Loup de mer en filet épais cuit à la peau **Vins** Bellet, Côtes de Provence.

✗ **Josy-Jo** (Mme Bandecchi), 4 pl. Planastel ℘ 04 93 20 68 76, *Fax 04 93 73 08 69,* 斧 – ▤.
☼ ▲ ▣ AZ a
fermé sam. midi et dim. – **Repas** carte 45 à 60
Spéc. Farcis ''grand-mère''. Viandes charolaises grillées au charbon de bois. Mousse au
citron du pays. **Vins** Côtes de Provence, Vin des Iles de Lérins.

Cros-de-Cagnes *Sud-Est : 2 km* – ⊠ *06800 Cagnes-sur-Mer.*
🛈 *Office de tourisme av. des Oliviers ℘ 04 93 07 67 08, Fax 04 93 07 61 59.*

✗✗✗ **Bourride**, port du Cros ℘ 04 93 31 07 75, *Fax 04 93 31 89 11,* ≤, 斧 – ▤. ▲ ▣
fermé vacances de fév., dim. soir et merc. – **Repas** 30,50/60 ▨, enf. 15 BX e

✗✗ **Réserve ''Loulou''** (Campo), 91 bd Plage ℘ 04 93 31 00 17 – ▤. ▲ ▣. ✼ BX n
☼ *fermé 14 au 31 juil., le midi en août, sam. midi et dim.* – **Repas** 35,83 et carte 55 à 90
Spéc. Supions et calamars en salade tiède. Soupe de poissons. Poissons grillés ou au four.
Vins Bellet, Côtes de Provence.

✗✗ **Villa du Cros**, port du Cros ℘ 04 93 07 57 83 – ▤ ☎ ▣ ᴶᶜᴮ BX e
fermé 1ᵉʳ déc. au 31 janv., dim. soir et lundi soir hors saison et dim. midi en juil.-août –
Repas *(15)* - 25/40 ▨

Les pages explicatives de l'introduction
vous aideront à mieux profiter de votre **Guide Rouge Michelin**

CAHORS ℗ *46000 Lot* ▨▨ ⑧ *G. Périgord Quercy* – 20 003 h alt. 135.
Voir *Pont Valentré*★★ – *Portail Nord*★★ *et cloître*★ *de la cathédrale St-Etienne*★ BY E – ≤★
du pont Cabessut– *Croix de Magne* ≤★ *O : 5 km par D 27* – *Barbacane et tour St-Jean*★ –
≤★ *du nord de la ville.*
🛈 *Office de tourisme Place François Mitterrand ℘ 05 65 53 20 65, Fax 05 65 53 20 74,*
cahors@wanadoo.fr.
Paris 581 ① – *Agen 87* ① – *Albi 111* ④ – *Brive-la-Gaillarde 98* ① – *Montauban 61* ④.

Plan page suivante

🏨 **Terminus**, 5 av. Ch. de Freycinet ℘ 05 65 53 32 00, *terminus.balandre@wanadoo.fr,*
Fax 05 65 53 32 26 – ▮, ▤ ch, ▥ ✆ ▣ – ▨ 25. ▲ ☎ ▣ ᴶᶜᴮ. ✼ AY s
fermé 15 au 30 nov.- voir rest. **Balandre** *ci-après* – ☞ 9,15 – **22 ch** 48,78/129,58

🏨 **Chartreuse**, fg St-Georges ℘ 05 65 35 17 37, *Fax 05 65 22 30 03,* ≤, ☒ – ▮, ▤ rest, ▥
✆ ▣ – ▨ 20. ▲ ▣ BZ u
Repas 13/36 – ☞ 6,50 – **50 ch** 57/60 – ½ P 43,50/50,50

🏨 **France** sans rest, 252 av. J. Jaurès ℘ 05 65 35 16 76, *hdf46@crdi.fr, Fax 05 65 22 01 08* –
▮ ▥ ✆ ⟷ ▣ – ▨ 50. ▲ ☎ ▣. ✼ AY n
fermé 21 déc. au 5 janv. – ☞ 20 – **80 ch** 37,50/71,65

🏨 **A l'Escargot** sans rest, 5 bd Gambetta ℘ 05 65 35 07 66, *Fax 05 65 35 92 38* – ▥ ✆ ▣.
✼ BY v
fermé déc., vacances de fév.et dim. hors saison – ☞ 5,50 – **9 ch** 36,50/45,50

✗✗✗ **Balandre** - Hôtel Terminus (Marre), 5 av. Ch. de Freycinet ℘ 05 65 53 32 00, *terminus-*
☼ *balandre@wanadoo.fr, Fax 05 65 53 32 26* – ▤. ▲ ☎ ▣ ᴶᶜᴮ
fermé 15 au 30 nov., dim. et lundi sauf le soir en juil. août – **Repas** 33,54/79,27 et carte 56 à
75 ▨
Spéc. Oeufs pochés au foie gras sauce truffe. Filet d'agneau du Quercy, jus au genièvre
grillé. Trilogie au chocolat, glace vanille **Vins** Cahors.

✗✗ **Rendez-Vous**, 49 r. C. Marot ℘ 05 65 22 65 10, *Fax 05 65 35 11 05,* 斧 – ▣ BY e
🍃 *fermé 29 avril au 14 mai, 28 oct. au 12 nov., dim. et lundi* – Repas *(15,50)* - 21,50/24 ▨,
enf. 7

✗ **Au Fil des Douceurs**, 90 quai Verrerie ℘ 05 65 22 13 04, *Fax 05 65 35 61 09,* ≤, 斧,
'' Cabarre'' aménagée » – ▤. ▣ BY x
fermé 1ᵉʳ au 20 janv., dim. soir et lundi – **Repas** 12,20 (déj.), 16,50/42,50, enf. 8

Route de Brive *par* ① *et N 20 : 7 km* – ⊠ *46000 Cahors :*

✗✗ **Garenne**, ℘ 05 65 35 40 67, *Fax 05 65 35 40 67,* 斧, « Joli cadre rustique », ⟷ ▣. ▣
fermé 3 fév. au 22 mars, lundi soir, mardi soir sauf 15 juil. au 31 août et merc. – **Repas**
15,25/43 ▨, enf. 8,40

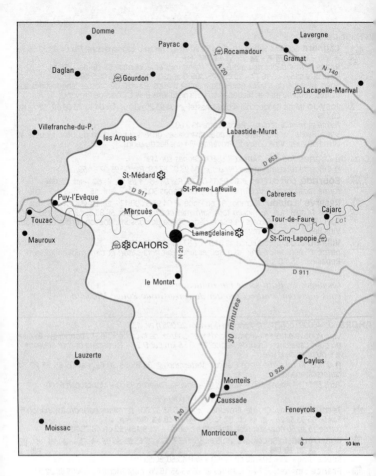

à Mercuès *par* ① *, rte de Villeneuve-sur-Lot : 10 km – 736 h. alt. 133 –* ✉ 46090 :

Château de Mercuès ⚘, *𝒫* 05 65 20 00 01, *mercues@relaischateau.
com, Fax 05 65 20 05 72,* ⩽ vallée du Lot, ⌂, « Ancien château des Comtes-Évêques
Cahors », ⚒, ✕, ⚕ – ⬛ 🔲 🎤 🅿 – ⚖ 60. 🆎 ⓞ 🅶🅱 🅹🅲🅱, ✕ rest
Pâques-1er nov. – **Repas** *(fermé mardi midi, merc. midi, jeudi midi et lundi)* 45/83 ⚖, enf.
– ⚏ 15 – **24 ch** 150/240, 6 appart – ½ P 125/180

à Lamagdelaine *par* ② *: 7 km – 740 h. alt. 122 –* ✉ 46090 :

Claude Marco Ⓜ ⚘ avec ch, *𝒫* 05 65 35 30 64, *Fax 05 65 30 31 40,* ⌂, « Belle sa
voûtée », ⚒, ⌖ – ⬛ ch, 🔲 🎤 🅿 🆎 ⓞ 🅶🅱 🅹🅲🅱
fermé 15 au 24 oct., 2 janv. au 5 mars, et hôtel : fermé dim. et lundi du 15 sept. au 15 juin –
Repas *(fermé lundi sauf le soir du 15 juin au 15 sept., mardi midi et dim. soir)* 23/53 et car
46 à 75 ⚖, enf. 12 – ⚏ 10 – **4 ch** 85/110
Spéc. Escalopines de foie gras de canard. Crépinette de pied de cochon aux truffes
Lalbenque. Pot-au-feu de canard, son foie à la feuille de chou (15 sept. au 15 mai) **Vi**
Cahors.

au Montat *par* ④ *et D 47 : 8,5 km – 774 h. alt. 271 –* ✉ 46090 :

Les Templiers, *𝒫* 05 65 21 01 23, *les.templiers@wanadoo.fr, Fax 05 65 21 02 38,* « Be
salle voûtée » – ⬛, ⓞ 🅶🅱
fermé 1er au 12 juil., 15 janv. au 10 fév., lundi soir sauf en août, dim. soir et mardi – **Rep**
22,87/40,40 et carte 26 à 43, enf. 7,62

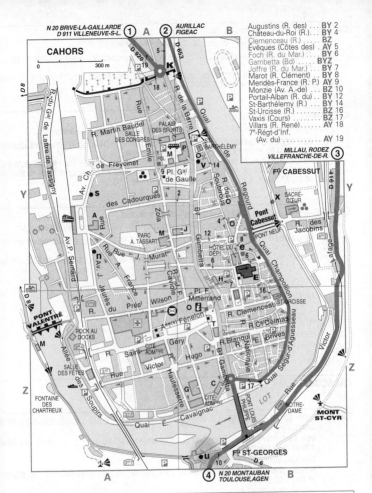

CAHORS

① N 20 BRIVE-LA-GAILLARDE
D 911 VILLENEUVE-S-L.

② AURILLAC
FIGEAC

Augustins (R. des)	**BY** 2
Château-du-Roi (R.)	**BY** 4
Clemenceau (R.)	**BZ**
Evêques (Côtes des)	**AY** 5
Foch (R. du Mar.)	**BY** 6
Gambetta (Bd)	**BYZ**
Joffre (R. du Mar.)	**BY** 7
Marot (R. Clément)	**BY** 8
Mendès-France (R. P.)	**AY** 9
Monzie (Av. A.-de)	**BZ** 10
Portail-Alban (R. du)	**BY** 12
St-Barthélemy (R.)	**AY** 15
St-Urcisse (R.)	**BZ** 16
Vaxis (Cours)	**BZ** 17
Villars (R. René)	**AY** 18
7ᵉ-Régt-d'Inf. (Av. du)	**AY** 19

③ MILLAU, RODEZ
VILLEFRANCHE-DE-R.

④ N 20 MONTAUBAN
TOULOUSE, AGEN

Donnez-nous votre avis sur les tables que nous recommandons,
sur leurs spécialités et leurs vins de pays.

AHUZAC-SUR-VÈRE 81140 Tarn **79** ⑲ – 1 027 h alt. 240.

🛈 Office du tourisme - Mairie ℘ 05 63 33 91 71, Fax 05 63 33 91 71.
Paris 668 – Toulouse 69 – Albi 28 – Gaillac 11 – Montauban 60 – Rodez 87.

🏨🏨 **Château de Salettes** Ⓜ ⑤, Sud : 3 km par D 922 ℘ 05 63 33 60 60, chateau-de-salettes@wanadoo.fr, Fax 05 63 33 60 61, ≤, 佘, « Au milieu d'un vignoble, batisse de caractère au décor contemporain », 🍽, 굻 – 🖭 ☷ & 🅿 – 🔬 20. 🖭 ⓿ 🎫
fermé 4 au 24 fév. – Repas 21,34 (déj.), 28,97/99,09 bc ♀ – ☲ 13,72 – **17 ch** 114,34/266,79 –
½ P 110,53/186,75

✕✕ **Falaise,** rte Cordes ℘ 05 63 33 96 31, Fax 05 63 33 96 31, 佘 – 🅿. ⓿ 🎫. ✑
fermé 2 au 16 déc., 6 au 27 janv., merc. soir de nov. à mars, merc. midi d'avril à oct., dim.
soir et lundi – Repas 19 (déj.), 22/35 ♀

AILLOUET 27 Eure **55** ⑰ – rattaché à Pacy-sur-Eure.

CAILLY-SUR-EURE 27490 Eure 55 ⑰ – 233 h alt. 23.

Paris 103 – Rouen 45 – Évreux 13 – Louviers 13 – Vernon 27.

🏠 **Deux Sapins** ♨, ℰ 02 32 67 75 13, *juhel.eric@wanadoo.fr*, Fax 02 32 67 73 62, 🏤 – ⑤ & 🅿. ⏧. ❀ ch
fermé 10 août au 3 sept., lundi (sauf hôtel) et dim. soir – **Repas** 13,75/33,55 bc ⅄ – ☲ 5,8 – **15 ch** 38,20/41,15 – ½ P 87,90/94,50

CAIRANNE 84290 Vaucluse 81 ② – 850 h alt. 136.

Paris 656 – Avignon 43 – Bollène 47 – Montélimar 51 – Nyons 25 – Orange 18.

🏠 **Auberge Castel Miréïo** Ⓜ, rte Carpentras par D 8 ℰ 04 90 30 82 20, *info@castelmi.* *.fr*, Fax 04 90 30 78 39, 🏤, ⚓, 🐀 – ▤ rest, ⅏ & 🅿. ⏧
fermé 29 août au 1ᵉʳ sept., 26 au 31 oct., 1ᵉʳ au 27 janv. et 22 au 28 fév. – **Repas** *(fermé c soir et merc. soir de sept. à juin, mardi midi et sam. midi en juil.-août et lundi midi)* 15 (d 18,50/37 ⅄, enf. 9,20 – ☲ 6,40 – **9 ch** 50,50/59 – ½ P 52/56

CAJARC 46160 Lot 79 ⑨ G. Périgord Quercy – 1 114 h alt. 160.

Paris 593 – Cahors 52 – Figeac 25 – Rocamadour 60 – Villefranche-de-Rouergue 27.

🏠 **Ségalière** ♨, rte Capdenac ℰ 05 65 40 65 35, *hotel.segaliere@wanadoo* ⏧ Fax 05 65 40 74 92, 🏤, ⚓, 🐀 – ⅏ 🅿. ⏧ ⑩ ⏧ ⏧
15 mars-10 nov.. – **Repas** *(fermé le midi en semaine sauf juil.-août)* 13,75/45,50 ⅄, enf. 8 – ☲ 7 – **18 ch** 53,50/64 – ½ P 52,50

In this Guide,
*a symbol or a character, printed in **black** or another colour*
*in light or **bold** type,*
does not have the same meaning.
Please read the explanatory pages carefully.

CALACUCCIA 2B H.-Corse 90 ⑮ – voir à Corse.

CALAIS ⏧ 62100 P.-de-C. 51 ② G. Picardie Flandres Artois – 77 333 h Agglo. 104 852 h alt. . Casino CX.

Voir *Monument des Bourgeois de Calais (Rodin)*★★ – *Phare* ☀★★ DX – *Musée des Beau Arts et de la Dentelle*★ CX M².

Env. *Cap Blanc Nez*★★ : 13 km par④.

Tunnel sous la Manche : *Terminal de Coquelles* AU, renseignements "Le Shutt ℰ 03 21 00 61 00.

🚢 ℰ 08 36 35 35 35.

🏢 *Office du tourisme* 12 boulevard Clemenceau ℰ 03 21 96 62 40, Fax 03 21 96 01 . *ot@ot-calais.fr.*

Paris 291 ② – Boulogne-sur-Mer 36 ③ – Dunkerque 45 ① – St-Omer 43 ②.

Plans pages suivantes

🏨 **Holiday Inn** Ⓜ, bd Alliés ℰ 03 21 34 69 69, *holidayinn@holidayinn-calais.co* Fax 03 21 97 09 15, ⪦ – ▯ ⤵, ▤ rest, ⅏ & – 🔏 30. ⏧ ⑩ ⏧ ⏧ CX **Repas** *(fermé sam. midi et dim. midi)* 15/20 ⅄, enf. 8,20 – ☲ 11 – **63 ch** 105/112

🏨 **Meurice**, 5 r. E. Roche ℰ 03 21 34 57 03, *meurice@hotel-meurice.fr*, Fax 03 21 34 14 7 ▯ ⅏ ⪦. ⏧ ⑩ ⏧
Repas *(fermé sam. midi)* 14,50/54 ⅄ – ☲ 11,50 – **41 ch** 69/87 – ½ P 60/68 CX

🏠 **Métropol Hôtel** sans rest, 43 quai du Rhin ℰ 03 21 97 54 00, *metropol@metropolhot* com, Fax 03 21 96 69 70 – ▯ ⅏ ⪦. ⏧ ⑩ ⏧ ⏧ CY *fermé 15 déc. au 1ᵉʳ janv.* – ☲ 8 – **40 ch** 39/59

🏠 **George V**, 36 rue Royale ℰ 03 21 97 68 00, *georgev@georgev-calais.co* Fax 03 21 97 34 73 – ▯, ▤ rest, ⅏ & 🅿 – 🔏 25. ⏧ ⑩ ⏧ ⏧ CX **Repas** *(fermé 19 déc. au 11 janv., sam. midi et dim.)* 26/43,50 bc ⅄, enf. 8,84 – **Pet George** brasserie *(fermé 19 déc. au 11 janv., sam.midi et dim)* **Repas** *(12,50)-1* 19,82 ⅄, enf. 8,84 – ☲ 8 – **40 ch** 58/78 – ½ P 51

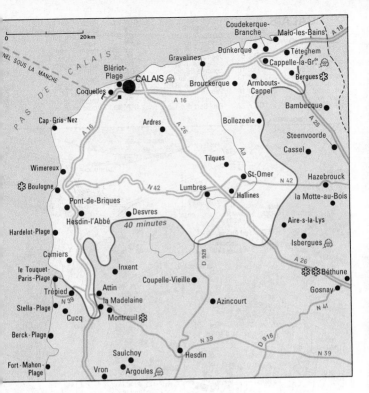

Ibis Centre M sans rest, 35 bd Jacquard ℰ 03 21 97 98 98, *H2045@accor.hotels.com*, Fax 03 21 34 63 62 – 劇 ✲ ☎ 📺 📞 ૬. ℻ ᴁ ᴳᴮ   DY m
� 5,50 – **66 ch** 60

Ibis, ZUP Beau Marais, r. Greuze ℰ 03 21 96 69 69, Fax 03 21 97 89 99 – ✲ 📺 📞 ૬. 🅿. ᴁ ◑ ᴳᴮ. ✤ rest   BT n
Repas (dîner seul.) carte 18 à 23 ♈ – ⊇ 5,50 – **55 ch** 65

Richelieu sans rest, 17 r. Richelieu ℰ 03 21 34 61 60, Fax 03 21 85 89 28 – 📺. ᴁ ◑ ᴳᴮ. ✤   CX k
fermé vacances de Noël – ⊇ 6 – **15 ch** 45

Aquar'aile, 255 r. J. Moulin (4e étage) ℰ 03 21 34 00 00, *f.leroy@aquaraile.com*, Fax 03 21 34 15 00, ≤ plage et port – 劇 ▤. ᴁ ◑ ᴳᴮ   AT s
fermé dim. soir et lundi – **Repas** 22/35 ♈

Au Côte d'Argent, 1 digue G. Berthe ℰ 03 21 34 68 07, *lefebvre@cotedargent.com*, Fax 03 21 96 42 10, ≤ – ᴁ ◑ ᴳᴮ. ✤   CX f
fermé 26 août au 10 sept., 22 déc. au 2 janv., 17 fév. au 4 mars, merc. soir sauf d'avril à sept., dim. soir et lundi – **Repas** 17/36 ♈

Pléiade, 32 r. J. Quehen ℰ 03 21 34 03 70, *e.memain@lapleiade.com*, Fax 03 21 34 03 13 – ▤. ᴁ ◑ ᴳᴮ   CX r
fermé 12 août au 1er sept., vacances de fév., merc. soir, sam.midi et lundi – **Repas** (16) - 22/36 ♈

Channel, 3 bd Résistance ℰ 03 21 34 42 30, Fax 03 21 97 42 43 – ▤. ᴁ ◑ ᴳᴮ   CX e
fermé 26 juil. au 9 août, 23 déc. au 18 janv., dim. soir et mardi – **Repas** 16,77/53,36

Histoire Ancienne, 20 r. Royale ℰ 03 21 34 11 20, *p.comte@histoire-ancienne.com*, Fax 03 21 96 19 58 – ᴁ ◑ ᴳᴮ   CX x
fermé 1er au 15 août, lundi soir et dim. – **Repas** (9,60) - 15,10/25,16 ♈, enf. 7,62

Grand Bleu, 5 r. J.-P. Avron ℰ 03 21 97 97 98, Fax 03 21 97 97 98, 龠 – ᴁ ᴳᴮ   CX n
fermé sam. midi et dim. soir – **Repas** - produits de la mer - 20/25

CALAIS

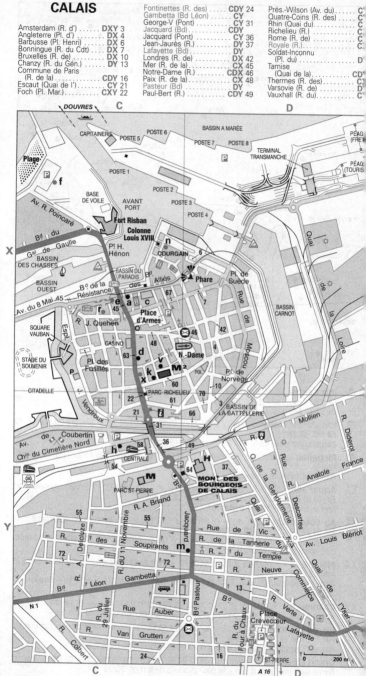

CALAIS

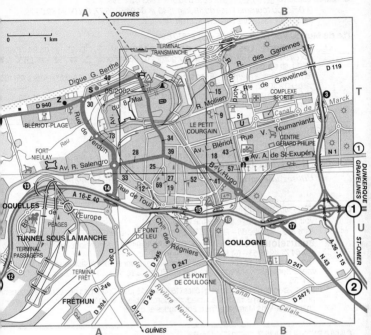

Coquelles *Ouest : 6 km par av. R. Salengro* AT – *2 370 h. alt. 5* – ⊠ *62231 :*

🏨 **Copthorne** Ⓜ ⚘, ℰ 03 21 46 60 60, *sales.calais@mill.coq.com*, Fax 03 21 85 76 76, ℻,
⬛ – 🛗 ⅍, 🍴 rest, 📺 📞 ⚖ 🅿 – 🏛 15 à 80. 🆎 ⓪ ☞
Repas *(fermé sam. midi)* 22,87 bc – ⥩ 15 – **118 ch** 105/155

Blériot-Plage AT – ⊠ *62231 :*

🛈 *Syndicat d'Initiative 31 bis rte Nationale Sangatte* ℰ 03 21 34 97 98, Fax 03 21 97 75 13.

🏠 **Dunes,** 48 rte Nationale ℰ 03 21 34 54 30, *p.mene@les.dunes.com*, Fax 03 21 97 17 63 –
📺 📞 🆎 ⓪ ☞ AT **z**
fermé 2 au 12 janv. – **Repas** *(fermé dim. soir sauf fériés et mardi de sept. à juin)* 15/39 ♈,
enf. 7 – ⥩ 7 – **9 ch** 52/58 – ½ P 54

Write us...

If you have any comments on the contents of this Guide.

Your praise as well as your criticisms will receive careful consideration and, with your assistance, we will be able to add to our stock of information and, where necessary, amend our judgments.

Thank you in advance!

CALALONGA *2A Corse-du-Sud* **90** ⑨ – *voir à Corse (Bonifacio).*

CALA-ROSSA *2A Corse-du-Sud* **90** ⑧ – *voir à Corse (Porto-Vecchio).*

CALLAS *83830 Var* **84** ⑦, **114** ㉓ *G. Côte d'Azur – 1 388 h alt. 398.*
🛈 *Office du tourisme Place du 18 Juin 1940* ℰ *04 94 39 06 77, Fax 04 94 39 06 79.*
Paris 879 – Castellane 51 – Draguignan 14.

rte de Muy *Sud-Est : 7 km par D 25 –* ⊠ *83830 Callas :*

🏨 **Hostellerie Les Gorges de Pennafort** Ⓜ ♨, D 25 ℰ 04 94 76 66 ⁹
❀ *Fax 04 94 76 67 23,* ⩽, 佘, « Face aux gorges de Pennafort », ⌿, ☞, ⅍ – ▤ 📺 ✆ 🕭 ▮
🛆 20. ⒶⒺ ⓞ ☒
fermé mi-janv. à mi-mars – Repas (fermé merc. midi, dim. soir et lundi) 31 (déj.), 45/100
carte 80 à 100 ♀, enf. 15 – **16 ch** 145 – ½ P 145
Spéc. Salade de homard aux tomates confites. Petits gris aux pieds de porc et marjolai▮
Carré d'agneau rôti, jus aux herbes. **Vins** Côtes de Provence.

CALVI *2B H.-Corse* **90** ⑬ – *voir à Corse.*

Les localités dont les noms sont soulignés de rouge
sur les **cartes Michelin** *à 1/200 000 sont citées dans ce guide.*

Utilisez une carte récente pour profiter de ce renseignement.

CALVINET *15340 Cantal* **76** ⑪ – *432 h alt. 600.*
Voir *Commune de la "Méridienne verte".*
Paris 582 – Aurillac 35 – Rodez 57 – Entraygues-sur-Truyère 30 – Figeac 40 – Maurs 18.

✕✕ **Beauséjour** (Puech) avec ch, ℰ 04 71 49 91 68, *beausejour-puech@wanadoo*
❀ *Fax 04 71 49 98 63 –* 📺 ✆ ▮. ⓞ ☒ ☒
fermé 6 janv. au 14 fév., dim. soir d'oct. à juin, lundi et mardi sauf le soir en juil.-août,
merc. hors saison – Repas (prévenir) 16/50 et carte 38 à 50, enf. 10 – ♀ 7 – **12 ch** 4▮
½ P 55
Spéc. Ravioles d'escargots et girolles (15 juin au 15 juil.). Côtelettes de cochon à la couen▮
pommes de terre farcies au pied de porc. Sablé à la châtaigne, caramel au miel
châtaignier **Vins** Marcillac, Vins d'Entraygues et du Fel

CAMARET-SUR-MER *29570 Finistère* **58** ③ *G. Bretagne – 2 668 h alt. 4.*
Env. *Pointe de Penhir*★★★ *SO : 3,5 km.*
🛈 *Office du tourisme 15 quai Kléber* ℰ *02 98 27 93 60, Fax 02 98 27 87 22, ot.cama▮*
@wanadoo.fr.
Paris 598 – Brest 69 – Châteaulin 45 – Crozon 11 – Morlaix 92 – Quimper 59.

🏨 **Thalassa**, ℰ 02 98 27 86 44, *hotel.thalassa@wanadoo.fr, Fax 02 98 27 88 14,* ⩽, ₭₆, ⌿
⫴ 📺 ✆ ⅍ ▮ – 🛆 25. ⒶⒺ ⓞ ☒ ☒
15 avril-30 sept. – Repas (fermé le midi en semaine sauf juil.-août) 17/45 ♀, enf. 8 – ♀ ▮
47 ch 52/108 – ½ P 53/73

🏨 **France**, ℰ 02 98 27 93 06, *hotel.thalassa@wanadoo.fr, Fax 02 98 27 88 14,* ⩽ – ⫴, ▤ re▮
📺. ⒶⒺ ⓞ ☒ ☒. ⅍ rest
1ᵉʳ mars-15 nov. – Repas 13 (déj.)/45 ♀, enf. 8 – ♀ 6 – **20 ch** 40/80 – ½ P 52/62

🏨 **Vauban** sans rest, ℰ 02 98 27 91 36, *Fax 02 98 27 96 34,* ⩽, ☞ – ▮. ☒. ⅍
fermé déc. et janv. – ♀ 5,50 – **16 ch** 28/38

CAMBLANES-ET-MEYNAC *33360 Gironde* **75** ⑪ – *2 089 h alt. 50.*

✕ **Maison du Fleuve,** port neuf, par D 14 et rte secondaire : 2 km ℰ 05 56 20 06 ▮
Fax 05 56 20 01 04, ⩽ la Garonne, 佘 – ▮, ⒶⒺ ☒
fermé janv., dim. et lundi d'oct. à avril – Repas (22,87) - carte 33 à 45

CAMBO-LES-BAINS *64250 Pyr.-Atl.* **85** ③ *G. Aquitaine – 4 416 h alt. 67 – Stat. therm. (fin févrie*
mi déc.).
Voir *Villa Arnaga*★★ M.
🛈 *Office du tourisme avenue de la Mairie* ℰ *05 59 29 70 25, Fax 05 59 29 90 77, Cambotc*
risme@aol.com.
Paris 787 ② – *Biarritz 20* ② – *Pau 117* ① – *San Sebastián 64* ②.

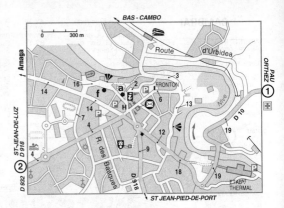

🏨 **Bellevue**, r. Terrasses **(f)** 𝒫 05 59 93 75 75, Fax 05 59 93 75 85, ≤, 🛋, 🏊, 🌳 – 📺 **P**. 🖭 **GB**. ⅏ rest
hôtel : 1ᵉʳ fév.-19 nov. et fermé dim. et lundi sauf juil.-août – **Repas** *(fermé 20 nov. au 5 déc., 23 déc. au 5 janv., dim. soir et lundi sauf juil.-août)* 15/27 – **Bistrot** *(déj. seul.)* *(fermé 20/11 au 5/12, 23/12 au 5/1, lundi sauf juil.-août et fériés)* **Repas** *(6,90)*-10 ⍳ – ⍇ 5,50 – **26 ch** 45/63 – ½ P 46/50,50

🏨 **Trinquet** sans rest, r. Trinquet **(a)** 𝒫 05 59 29 73 38, Fax 05 59 29 25 61
fermé 4 nov. au 3 déc., mardi sauf du 3 juil. au 16 sept. – ⍇ 4,50 – **12 ch** 25,50/33,50

🏨 **Chez Tante Ursule** (annexe 🅼 10 ch), quartier Bas-Cambo, au Nord : 2 km
🍴 𝒫 05 59 29 78 23, Fax 05 59 29 28 57, 🏡 – 📺 ຓ. **P**. 🖭 ⓞ **GB**. ⅏ ch
fermé 15 fév. au 15 mars et mardi – **Repas** 14/30,50 ⍳, enf. 8,40 – ⍇ 5,40 – **17 ch** 27/46 – ½ P 30,25/39,25

Dans ce guide

un même symbole, un même caractère,
*imprimé en couleur ou en **noir**, en maigre ou en **gras**,*
n'ont pas tout à fait la même signification.
Lisez attentivement les pages explicatives.

AMBRAI 〈➓〉 59400 Nord 🗺 ③ ④ G. Picardie Flandres Artois – 33 738 h alt. 53.
Voir *Mise au tombeau★★ de Rubens dans l'église St-Géry AY – Musée Beaux-Arts : clôture du choeur★, char de procession★ AZ M*.
🛈 Office du tourisme 48 rue de Noyon 𝒫 03 27 78 36 15, Fax 03 27 74 82 82, cambrai@tourisme.norsys.fr.
Paris 179 ⑥ – St-Quentin 50 ⑤ – Amiens 98 ⑥ – Arras 37 ⑥ – Lille 77 ⑦.

Plan page suivante

🏰 **Château de la Motte Fénelon** ♨, square Château (par allée St Roch - Nord du plan) BY 𝒫 03 27 83 61 38, cmf@hroy.com, Fax 03 27 83 71 61, ⅏, 🍴 – 📺 **P** – 🔬 150. 🖭 ⓞ **GB**. ⅏ ch
Repas 23/37 ⍳, enf. 15 – ⍇ 10 – **40 ch** 60/230 – ½ P 58/138,50

🏰 **Beatus** ♨ sans rest, 718 av. Paris par ⑤ : 1,5 km 𝒫 03 27 81 45 70, Fax 03 27 78 00 83, 🌳 – 📺 📞 **P** – 🔬 30. 🖭 ⓞ **GB**
⍇ 7,62 – **33 ch** 51/72

🏨 **Mouton Blanc**, 33 r. Alsace-Lorraine 𝒫 03 27 81 30 16, Fax 03 27 81 83 54 – ⃞ 📺 –
🔬 30. 🖭 **GB**   BY a
Repas *(fermé dim. soir et lundi)* 16,62/33,54 – ⍇ 6,86 – **31 ch** 53,36/68,60 – ½ P 45,73/49,55

🍴🍴 **L'Escargot**, 10 r. Gén. de Gaulle 𝒫 03 27 81 24 54, restaurantlescargot@wanadoo.fr, Fax 03 27 83 95 21 – **GB**   BZ n
fermé 22 juil. au 8 août, vend.soir et merc. – **Repas** 16,80 (déj.), 23/33,60 ⅊, enf. 10,70

🍴 **Crabe Tambour**, 52 r. Cantimpré 𝒫 03 27 83 10 18 – ⓞ **GB**   AY r
🍴 *fermé dim. soir et lundi* – **Repas** 11,43/38,11

CAMBRAI

Albert-1er (Av.) . . . . BY 2
Alsace-Lorraine (R. d') . . . . BYZ 4
Berlaimont (Bd de) . . . . BZ 5
Briand (Pl. A.) . . . . AYZ 6
Cantimpré (R. de) . . . . AY 7
Capucins (R. des) . . . . AY 8
Chât.-de-Selles (R. du) . . . . AY 10
Clefs (R. des) . . . . AY 12
Épée (R. de l') . . . . AZ 13
Fénelon (Gde-Rue) . . . . AY 15
Fénelon (Pl.) . . . . AY 16
Feutriers (R. des) . . . . AY 17
Gaulle (R. Gén.-de) . . . . BZ 18
Grand-Séminaire (R. du) . . . . AZ 19
Lattre-de-Tassigny (R. du Mar.-de) . . . . BZ 21
Leclerc (Pl. du Mar.) . . . . . . BZ 22
Lille (R. de) . . . . BY 23
Liniers (R. des) . . . . AZ 24
Moulin (Pl. J.) . . . . AZ 25
Nice (R. de) . . . . AY 27
Pasteur (R.) . . . . AY 29
Porte-Notre-Dame (R.) . . . . B
Porte de Paris (Pl. de la) . . . A
Râtelots (R. des) . . . . A
Sadi-Carnot (R.) . . . . A
St-Aubert (R.) . . . . A
St-Géry (R.) . . . . A
St-Ladre (R.) . . . . B
St-Martin (Mail) . . . . A
St-Sépulcre (Pl.) . . . . A
Selles (R. de) . . . . A
Vaucelette (R.) . . . . A
Victoire (Av. de la) . . . . A
Watteau (R.) . . . . B
9-Octobre (Pl. du) . . . . A

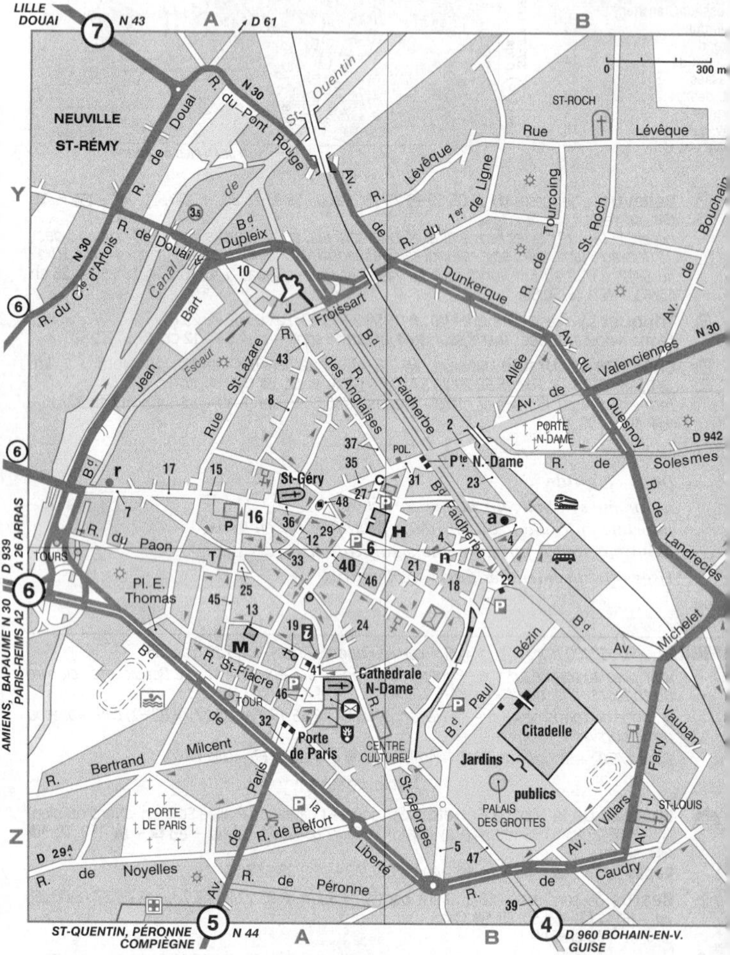

Les pages explicatives de l'introduction vous aideront à mieux profiter de votre ***Guide Rouge Michelin***

CAMBREMER *14340 Calvados 54 ⑰ – 1 092 h alt. 100.*

Syndicat d'initiative Rue Pasteur ☏ 02 31 63 08 87, Fax 02 31 63 08 21, cambremer.fnac.net.

Paris 193 – Caen 38 – Deauville 27 – Falaise 38 – Lisieux 15 – Saint-Lô 105.

🏰 **Château Les Bruyères** ॐ sans rest, rte Cadran (D 85) ℰ 02 31 32 22 45, *chateau.bruyeres@wanadoo.fr*, Fax 02 31 32 22 58, « Parc », ⛲, ♨ – 📺 ᴭ 🅿. ᴀᴇ ⓞ ⒼⒷ Ⓙⓒⓑ. ❦ ch
29 mars-22 déc. – ⟃ 10 – **13 ch** 76,22/167,70

AMIERS 62176 P.-de-C. 🗓 ⑪ – 2 252 h alt. 23.
🖪 Office du tourisme Esplanade Ste-Cécile-Plage ℰ 03 21 84 72 18, Fax 03 21 84 51 77.
Paris 245 – Calais 57 – Arras 99 – Boulogne-sur-Mer 20 – Le Touquet 10.

🏨 **Les Cèdres** ॐ, ℰ 03 21 84 94 54, *hotel-cedres@wanadoo.fr*, Fax 03 21 09 23 29, ⛲, ⋙
hôtel : fermé janv.; rest: fermé 15 déc. au 31 janv., merc. midi et sam. midi sauf juil.-août –
Repas 13,60/25,80 ⟂, enf. 8,40 – ⟃ 6,20 – **27 ch** 51,90 – ½ P 46

AMOËL 56130 Morbihan 🖾 ⑭ – 655 h alt. 26.
Paris 455 – Nantes 79 – Vannes 40 – La Baule 26 – La Roche-Bernard 12 – St-Nazaire 36.

🏨 **Vilaine** sans rest, ℰ 02 99 90 01 96, Fax 02 99 90 09 81 – ✆ 🅿. ᴀᴇ ⓞ ⒼⒷ
1er mars-30 nov. – ⟃ 5 – **24 ch** 36/50

AMORS 56330 Morbihan 🖾 ② – 2 353 h alt. 113.
Paris 473 – Vannes 32 – Auray 27 – Lorient 37 – Pontivy 29.

🏨 **Bruyères** sans rest, ℰ 02 97 39 29 99, Fax 02 97 39 28 34 – 📺 ✆ ᴭ ⟷ 🅿. ⒼⒷ. ❦
fermé 4 au 27 janv. – ⟃ 6,10 – **15 ch** 50

AMPAGNE 24 Dordogne 🗓 ⑯ – rattaché au Bugue.

AMPIGNY 27 Eure 🗓 ④ – rattaché à Pont-Audemer.

---

e **CAMP-LAURENT** 83 Var 🗓 ⑤ ⑮, 🗓 ㊺ – rattaché à Toulon.

AMPS 19 Corrèze 🗓 ⑳ – 243 h alt. 700 – ⊠ 19430 Mercoeur.
Voir Rocher du Peintre ≼✳ S : 1 km, G. Berry Limousin.
Paris 527 – Aurillac 45 – Brive-la-Gaillarde 62 – St-Céré 27 – Tulle 47.

🏨 **Lac** ॐ, ℰ 05 55 28 51 83, Fax 05 55 28 53 71, ⛲ – 📺 🅿. ⒼⒷ
fermé vacances de fév. – **Repas** 11 (déj.), 17/35 ⟂ – ⟃ 5 – **11 ch** 36/38,50 – ½ P 36/37

ANAPVILLE 14 Calvados 🗓 ③ – rattaché à Deauville.

ANCALE 35260 I.-et-V. 🗓 ⑥ G. Bretagne – 5 203 h alt. 50.
Voir Site✶ – Port de la Houle✶ – ✳✳ de la tour de l'église St-Méen – Pointe du Hock et sentier des Douaniers ≼✶.
Env. Pointe du Grouin✶✶.
🖪 OMT 44 rue du Port ℰ 02 99 89 63 72, Fax 02 99 89 75 08, ot.cancale@wanadoo.fr.
Paris 397 ① – St-Malo 16 ② – Avranches 63 ① – Dinan 36 ① – Fougères 73 ①.

Plan page suivante

🏰 **de Bricourt-Richeux** ॐ, rte Mont-St-Michel : 6,5 km par D 76, D 155 et voie secondaire ℰ 02 99 89 64 76, *info@maisons-de-bricourt.com*, Fax 02 99 89 88 47, ≼ baie du Mont-St-Michel, ⛲, « Élégante villa des années 20 dominant la baie du Mont-St-Michel », ♨ – 📺 ᴭ 🅿. ᴀᴇ ⓞ ⒼⒷ Ⓙⓒⓑ
voir aussi rest. **Maisons de Bricourt** ci-après - **Coquillage** ℰ 02 99 89 25 25 (fermé jeudi midi, dim. soir hors saison, mardi midi et lundi) **Repas** 22,11/44,97, enf.12,20 – ⟃ 14,48 –
13 ch 129,58/297,28

🏨 **Querrien** 🅼, 7 quai Duguay-Trouin ℰ 02 99 89 64 56, *le-querrien@wanadoo.fr*, Fax 02 99 89 79 35, ≼, ⛲ – ⫸ rest, 📺 ✆. ᴀᴇ ⒼⒷ   Z v
Repas 15/38 ⟂ – ⟃ 8 – **15 ch** 54/110 – ½ P 52/78

🏨 **Continental,** quai Thomas ℰ 02 99 89 60 16, *hotel-conti@wanadoo.fr*, Fax 02 99 89 69 58, ≼, – ⫸ 📺 ✆. ᴀᴇ ⓞ ⒼⒷ. ❦ rest   Z s
26 mars-17 nov. – **Repas** (fermé vend. midi , mardi midi et lundi) (15) - 20,40/52 ⟂, enf. 10,40
– ⟃ 8,50 – **18 ch** 69/119 – ½ P 60/85

🏨 **Auberge de la Motte Jean** 🅼 ॐ sans rest, par ② : 2 km sur D 355 ℰ 02 99 89 41 99, *hotel-pointe-du-grouin@wanadoo.fr*, Fax 02 99 89 92 22, ⋙ – 📺 🅿. ⒼⒷ
⟃ 6,86 – **9 ch** 68,60/73,20

CANCALE

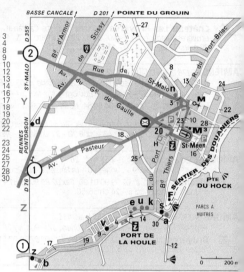

Chatellier sans rest, par ② : 1 km sur D 355 ℰ 02 99 89 81 84, Fax 02 99 89 61 69, ⚞ ⊡ ⟨⟩ ⟨⟩ ⚏. ⟨⟩
⟐ 7 – **13 ch** 50/55

Nuit et Jour sans rest, av. Scissy ℰ 02 99 89 75 59, Fax 02 99 89 77 13, ⚏, ⚞ cuisinette ⊡ ⟨⟩ ⟨⟩ ⚏. ⟨⟩
fermé 15 nov. au 15 déc. et 6 janv. au 1ᵉʳ fév. – ⟐ 6,10 – **30 ch** 42,70/47,30   YZ

Voilerie sans rest, Le Chemin Neuf ℰ 02 99 89 88 00, Fax 02 99 89 74 00 – ⊡ ⚏
⟨⟩
fermé 12 nov. au 14 déc. et lundi hors saison et vacances scolaires – ⟐ 6 – **13 ch** 40/47   Z

XXX **Maisons de Bricourt** (Roellinger), r. Duguesclin ℰ 02 99 89 64 76, info@maisons.de.
❀❀ court.com, Fax 02 99 89 88 47, « Malouinière du 18ᵉ siècle », ⚞ – ⚏. Ⓐ Ⓔ ⓪ ⟨⟩ ⟨ⱼ⟩
mi-mars-mi-déc. – **Repas** (fermé lundi midi et vend. midi d'oct. à avril, merc. sauf le soir juil.-août et mardi) (nombre de couverts limité, prévenir) 48,78 (déj.), 88,42/118,91 et cai
100 à 125   Y
Spéc. Fines lames de bar au vinaigre celtique. Petit homard aux saveurs de l'île aux épic
Saint-Pierre "Retour des Indes"

Les Rimains 🏠 Ⓜ ⚶ sans rest, r. Rimains ℰ 02 99 89 64 76, Fax 02 99 89 88 47, ⟨ b
du Mont-St-Michel, « Jardin surplombant la mer », ⚞ – ⊡ ⚏. Ⓐ Ⓔ ⓪ ⟨⟩ ⟨ⱼ⟩
fermé début janv. à mi-mars – ⟐ 14,48 – **6 ch** 129,58/160,07

XX **St-Cast**, rte Corniche ℰ 02 99 89 66 08, Fax 02 99 89 89 20, ⟨, ⚎ – ▤. ⟨⟩   Z
⚘ fermé 18 nov. au 20 déc., 20 fév. au 13 mars, dim. soir, mardi sauf juil.-août et merc. – **Rep**
19/35 ⟐, enf. 10

XX **Cancalais** Ⓜ avec ch, quai Gambetta ℰ 02 99 89 61 93, Fax 02 99 89 89 24, ⟨ – ▤ re
⊡ ⟨⟩ ⟨⟩. ⚙⚙ ch   Z
fermé 30 nov. au 3 fév., dim. soir (sauf hôtel) et lundi sauf vacances scolaires – **Repas** 15,
– ⟐ 7 – **10 ch** 60/75

XX **Phare** avec ch, quai Thomas ℰ 02 99 89 60 24, Fax 02 99 89 91 75, ⟨, ⚎ – ⚏
⟨⟩   Z
fermé 11 nov. au 10 fév., jeudi sauf juil.-août et merc. – **Repas** 16,80/43,20 ⟐, enf. 1
⟐ 6,70 – **11 ch** 43,20/73,60 – ½ P 48/65

X **Surcouf**, 7 quai Gambetta ℰ 02 99 89 61 75, Fax 02 99 76 41, ⟨, ⚎ – ⟨⟩. ⚙⚙   Z
⚘ fermé 17 nov. au 17 déc., 6 janv. au 4 fév., merc. et jeudi sauf juil.-août
Repas 16,46/60,67

X **Troquet**, 19 quai Gambetta ℰ 02 99 89 99 42, ⟨, ⚎ – ⟨⟩   Z
fermé 18 nov. au 7 fév, vend. soir, dim. soir et lundi – **Repas** 15 (déj.), 23/34

à la Pointe du Grouin ★★ Nord : 4,5 km par D 201 – ✉ 35260 Cancale :

🏠🏠 **Pointe du Grouin** ⚶, ℰ 02 99 89 60 55, hotel-pointe-du-grouin@wanado
Fax 02 99 89 92 22, ⟨ îles et baie du Mt-St-Michel – ⊡ ⚏. ⟨⟩, ⚙⚙
25 mars-30 sept. – **Repas** (fermé jeudi midi hors saison et mardi) 18,30/58,50 ⟐ – ⟐ 7,6
16 ch 68,60/83,85 – ½ P 64,05/72,45

NDES-ST-MARTIN 37500 I.-et-L. 64 ⑬ G. Châteaux de la Loire – 227 h alt. 35.

Voir Collégiale★.

Paris 293 – Angers 76 – Chinon 16 – Saumur 13 – Tours 57.

☆ **Auberge de la Route d'Or,** 2 pl. Église ℘ 02 47 95 81 10, routedor@clubinternet.fr, Fax 02 47 95 81 10, 余 – ⅍ ㏆
14 fév.-12 nov. et fermé mardi soir sauf en juil.-août et merc. – **Repas** 12,96 (déj.), 19,82/28,97 ♀, enf. 9,15

NDÉ-SUR-BEUVRON 41120 L.-et-Ch. 64 ⑰ – 1 208 h alt. 70.

🛈 Office du tourisme 10 route de Blois ℘ 02 54 44 00 44, Fax 02 54 44 00 44.

Paris 198 – Orléans 77 – Tours 50 – Blois 16 – Chaumont-sur-Loire 7 – Montrichard 21.

🏨 **Caillère** ⌂, 36 rte Montils ℘ 02 54 44 03 08, lacaillere@mageos.com, Fax 02 54 44 00 95, 余, 록 – ㏕ ℀ ⅍ 🅿 ⅍ ㏆ ㎉
fermé 1ᵉʳ janv. au 28 fév. – **Repas** (fermé jeudi midi et merc.) 16/47 ♀, enf. 9,50 – ⌷ 10 – **14 ch** 58/63 – ½ P 64

🏠 **Lion d'Or,** ℘ 02 54 44 04 66, Fax 02 54 44 06 19, 余, 록 – ㏕ 🅿. ㏆
fermé 5 au 30 janv., lundi soir hors saison et mardi – **Repas** 14,50/36,50 ♀, enf. 10 – ⌷ 5,50 – **9 ch** 30,50/39,50 – ½ P 27,50/38,50

Les noms des localités citées dans ce guide

sont soulignés de rouge

sur les **cartes Michelin** à 1/200 000.

NET-EN-ROUSSILLON 66140 Pyr.-Or. 86 ⑳ – 10 182 h alt. 11 – Casino BZ.

🛈 Office du tourisme Espace Méditerranée ℘ 04 68 73 61 00, Fax 04 68 73 61 10, infos@ot-canet.fr.

Paris 854 ② – Perpignan 12 ② – Argelès-sur-Mer 20 ① – Narbonne 65 ②.

Plan page suivante

net-Plage G. Languedoc Roussillon – ⊠ 66140 :

Voir Musée du jouet★.

🏨 **Clos des Pins,** 34 av. Roussillon ℘ 04 68 80 32 63, mas.fleuri@wanadoo.fr, Fax 04 68 80 49 19, 余, « Maison catalane », ⌇, 록 – ≡ ch, ㏕ ℀ 🅿 – 📶 15. ㏒ ㏆ AY a
fermé 2 janv. au 28 fév. – **Mas Fleuri** (fermé le midi sauf week-ends) **Repas** 26 ♀ – **17 ch** ⌷ 115/135 – ½ P 88/122,50

🏨 **Relais Mercure** 🅼 sans rest, 120 prom. Côte Vermeille ℘ 04 68 80 28 59, Fax 04 68 80 80 60, ≤ mer – ⌹ ≡ ㏕ ℀ ⅍. ㏒ ⓪ ㏆ BZ b
⌷ 9 – **48 ch** 82/90

🏨 **Aquarius,** 40 av. Roussillon ℘ 04 68 73 30 00, Fax 04 68 80 24 34, 余, ⌇ – ⌹ ㏕ ℀ 🅿 – 📶 20. ㏆ AY d
Repas (fermé 25 déc. au 1ᵉʳ janv. et week-ends d'oct. à avril) 14 ♀, enf. 8,50 – ⌷ 6,50 – **50 ch** 64/68 – ½ P 50/52

🏨 **Port,** 21 bd Jetée ℘ 04 68 80 62 44, Fax 04 68 73 28 83 – ⌹ ㏕ ⇔ 🅿. ㏆ BY e
hôtel: avril-oct.; rest. : juin-sept. – **Repas** (dîner seul.) 13/17 ⅍, enf. 7 – ⌷ 6 – **36 ch** 56 – ½ P 48

🏨 **Galion,** 20 bis av. Grand large ℘ 04 68 80 28 23, le-galion.@wanadoo.fr, Fax 04 68 80 20 46, 余, ⌇ – ⌹ ≡ ㏕ ℀ 🅿. ㏆ BZ r
Repas (11) - 16/26 ♀, enf. 8 – ⌷ 10 – **28 ch** 76/100 – ½ P 63

🏠 **Frégate** sans rest, 12 r. Cerdagne ℘ 04 68 80 22 87, contact@hotel-lafregate.fr, Fax 04 68 73 82 72 – ㏕ 🅿. ⓪ ㏆ BY f
fermé 4 janv. au 20 mars – ⌷ 6,10 – **27 ch** 61/69

🏠 **Chalosse** sans rest, 41 av. Méditerranée ℘ 04 68 80 35 69, hotellachalosse@minitel.net, Fax 04 68 80 56 71 – ⌹ ㏕ ℀ 🅿. ㏆. ✠ AY g
fermé 15 nov. au 15 déc. – ⌷ 5,64 – **15 ch** 48,78/57,17

☆☆ **Don Quichotte,** 22 av. Catalogne ℘ 04 68 80 35 17, ledonquichotte@wanadoo.fr, Fax 04 68 73 36 05 – ≡. ㏒ ⓪ ㏆ ㎉ BY r
fermé vacances de fév., dim. soir de sept. à juin, mardi midi, merc. midi en juil.-août et lundi – **Repas** 20,50/42 ♀

CANET-PLAGE

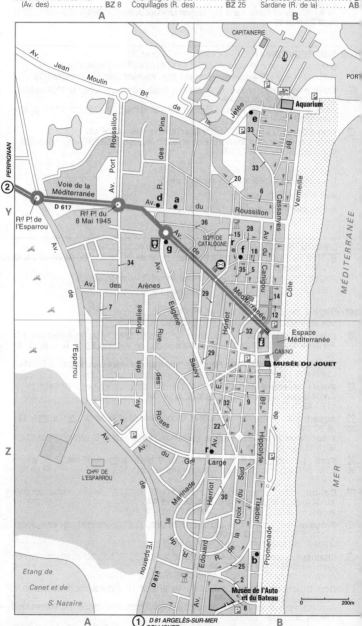

ANGEY 37530 I.-et-L. 📖 ⑯ – 773 h alt. 85.

Paris 210 – *Tours* 35 – Amboise 12 – Blois 29 – Montrichard 26.

🏠 **Fleuray** 🐾, Nord : 7 km sur rte Dame-Marie 🖉 02 47 56 09 25, lefleurayhotel@wanadoo.
fr, Fax 02 47 56 93 97, 🍽, 🌳 – 🛁, 🔁 🅿, GB
fermé 1ᵉʳ au 14 nov, 17 déc. au 7 janv. et 8 au 21 fév. – **Repas** (dîner seul.) (prévenir) 25/35 ♀,
enf. 13 – ☎ 11 – **14 ch** 76/92 – ½ P 72/90

NILLO 📖 ⑭ – *voir à Andorre (Principauté d').*

ANNES 06400 Alpes-Mar. 📖 ⑨, 📖 ㉟ ㊳ G. Côte d'Azur – 67 304 h alt. 2 – Casinos : Carlton
Casino Club BYZ, Croisette BZ.

Voir Site★★ – Le front de Mer★★ : boulevard★★ et pointe★ de la croisette – ≼★ de la tour
du Mont-Chevalier AZ – Musée de la Castre★ AZ – Chemin des Collines★ NE : 4 km V – La
Croix des Gardes X ≼★ O : 5 km puis 15 mn.

🅱 Office du tourisme - Palais des Festivals 1 la Croisette 🖉 04 93 39 24 53, Fax 04 92 99 84
23, semoftou@Palais-Festivals-Cannes.fr.

Paris 907 ⑤ – Aix-en-Provence 150 ⑤ – Marseille 163 ⑤ – Nice 32 ⑤ – Toulon 123 ⑤.

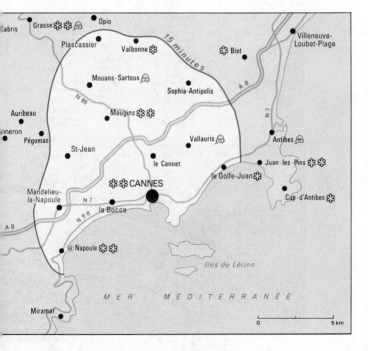

🏨 **Carlton Inter-Continental,** 58 bd Croisette 🖉 04 93 06 40 06, cannes@interconti.com,
Fax 04 93 06 40 25, ≼, 🍽, 🛁, 🐎 – 🛗 🌀 🔲 📺 📞 🛁 🔁 🅿 – 🔏 25 à 250. 🖭 ⓞ GB
JCB, 🛎 rest   CZ e
La Côte 🖉 04 93 06 40 23 (dîner seul.) (juil.-sept. et fermé dim. et lundi) **Repas** 103,67 ♀ –
Brasserie Carlton 🖉 04 93 06 40 21 **Repas** 33,54/39,64 ♀, enf. 15,24 – **Plage** 🖉 04 93 06
44 94 (déj. seul.) (avril-mi-oct.) **Repas** 45 – ☎ 25,92 – **310 ch** 370/750, 28 appart

🏨 **Majestic Barrière,** 14 bd Croisette 🖉 04 92 98 77 00, majestic@lucienbarriere.com,
Fax 04 93 38 97 90, ≼, 🛁, ⚖, 🐎 – 🛗 🔲 📺 📞 🛁 🔁 – 🔏 400. 🖭 ⓞ GB JCB   BZ n
fermé mi-nov. à fin déc. – voir rest. **Villa des Lys** ci-après – **Fouquet's :** **Repas**
carte 38 à 65 ♀ – **Plage** (avril-oct.) (déj. seul.) **Repas** carte 40 à 64 ♀, enf. 17,53 – ☎ 23 –
282 ch 405/760, 23 appart

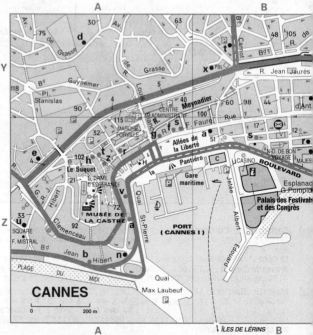

CANNES

0   200 m

ÎLES DE LÉRINS

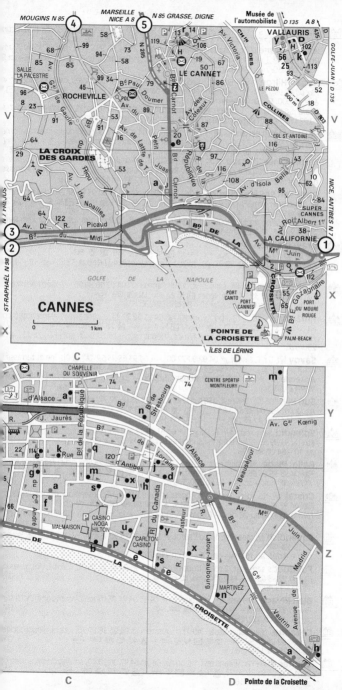

CANNES

POINTE DE LA CROISETTE

ÎLES DE LÉRINS

Pointe de la Croisette

Martinez, 73 bd Croisette 𝓟 04 92 98 73 00, *martinez@concorde-hotels.c*
Fax 04 93 39 67 82, <, 🌸, ⌫, 🐾 – 🛗 🖥 📺 📞 ਠ 🅿️. – 🔒 600. 🆎 ➊ ⒼⒷ ⒿⒸⒷ　　DZ
voir rest. *Palme d'Or* ci-après **- Relais Martinez** 𝓟 04 92 98 74 12 *(fermé 1er au 7 j.*
Repas 34/49 ♈, enf. 16 – **Plage** *(déj. seul.) (avril-oct.)* **Repas** carte 40 à 80 ♈, enf. 16 – ⌫
– **397 ch** 430/740, 33 appart

Noga Hilton Ⓜ, 50 bd Croisette 𝓟 04 92 99 70 00, *sales_cannes@hilton.c*
Fax 04 93 39 03 45, <, « Piscine et terrasse panoramiques », ⌫, 🌊, 🐾 – 🛗 ⚡ 🖥
ਠ – 🔒 500. 🆎 ➊ ⒼⒷ ⒿⒸⒷ. ⌦ ch　　　　CZ
Scala : 𝓟 04 92 99 70 23 *(fermé le midi en juil.-août)* **Repas** 36/52,75 ♈ – **Plage** 𝓟 04 9
70 27 *(avril-sept.)* **Repas** carte 40 à 69 ♈ – ⌷ 23,75 – **186 ch** 329/719, 48 appart

Sofitel Méditerranée Ⓜ, 2 bd J. Hibert 𝓟 04 92 99 73 00, *sofimedcannes@gofor*
com, *Fax 04 92 99 73 29*, <, 🌸, « Piscine et restaurant panoramiques », 🌊 – 🛗 ⚡ 🖥
📞 ਠ 🚗 – 🔒 70. 🆎 ➊ ⒼⒷ ⒿⒸⒷ　　　AZ
Méditerranée (7e étage) 𝓟04 92 99 73 02 *(dîner seul. en juil.-août) (fermé 23 nov*
24 déc., dim. et lundi de sept. à juin) **Repas** 35,06(déj.), 44,97/64,03 ♈ – **Chez Panis**
décor provençal - **Repas** 25,10 ♈, enf. 10,70 – ⌷ 22,11 – **149 ch** 221/358

Radisson SAS Montfleury Ⓜ ⋙, 25 av. Beauséjour 𝓟 04 93 68 86 86, *info.montfle*
@radissonsas.com, *Fax 04 93 68 87 87*, <, 🌸, 🌊, 🌿, ✽ – 🛗 ⚡ 🖥 📺 📞 ਠ 🚗 – 🔒
🆎 ➊ ⒼⒷ ⒿⒸⒷ. ⌦　　　　DY
(grill de piscine en juil.-août) – **L'Olivier** *(fermé juil.-août et dim. de sept. à juin)* Re
22/34 ♈, enf. 12 – ⌷ 17 – **182 ch** 199/350

Gray d'Albion Ⓜ, 38 r. Serbes 𝓟 04 92 99 79 79, *graydalbion@luciennebarriere.c*
Fax 04 92 99 26 10, 🌸, 🐾 – 🛗 ⚡ 🖥 📺 📞 – 🔒 150. 🆎 ➊ ⒼⒷ　　BZ
Royal Gray 𝓟 04 92 99 79 60 *(fermé dim. soir et lundi)* **Repas** 38 ♈ – ⌷ 19 – 19*
250/395, 8 appart

Croisette Beach Ⓜ sans rest, 13 r. Canada 𝓟 04 92 18 88 00, *croisettebea@aw*
Fax 04 93 68 35 38, 🌊 – 🛗 ⚡ 🖥 📺 📞 ਠ 🚗. 🆎 ➊ ⒼⒷ ⒿⒸⒷ　　DZ
fermé 20 nov. au 27 déc. – ⌷ 16 – **94 ch** 190/290

Amarante Ⓜ, 78 bd Carnot 𝓟 04 93 39 22 23, *cannes@amarantehotels.c*
Fax 04 93 39 40 22, 🌸, 🌊 – 🛗 ⚡ 🖥 📺 📞 ਠ 🚗 – 🔒 25. 🆎 ➊ ⒼⒷ ⒿⒸⒷ　　V
fermé déc., sam. et dim. de janv. à mars – **Repas** *(18,29)* - 25/31 bc ♈, enf. 12 – ⌷ 13 – **71**
230/520

Savoy Ⓜ, 5 r. F. Einesy 𝓟 04 92 99 72 00, *Fax 04 93 68 25 59*, 🌸, « Piscine et terrasse
le toit », 🌊, 🐾 – 🛗 ⚡ 🖥 📺 📞 🚗 – 🔒 15 à 80. 🆎 ➊ ⒼⒷ ⒿⒸⒷ. ⌦　　CZ
Roseraie 𝓟 04 92 99 72 09 **Repas** 25/28 ♈ – ⌷ 16 – **101 ch** 182/261, 5 appa
½ P 120,50/146

Sun Riviera Ⓜ sans rest, 138 r. d'Antibes 𝓟 04 93 06 77 77, *sun-riviera-hotel.cannes*
nadoo.fr, *Fax 04 93 38 31 10*, 🌊, ✽ – 🛗 ⚡ 🖥 📺 📞 ਠ 🚗. 🆎 ➊ ⒼⒷ ⒿⒸⒷ　CZ
fermé 17 nov. au 28 déc. – ⌷ 14 – **42 ch** 142/210

Splendid sans rest, 4 r. F. Faure 𝓟 04 97 06 22 22, *hotel.splendid.cannes@wanado*
Fax 04 93 99 55 02, < le Port – 🛗 cuisinette 🖥 📺 📞. 🆎 ➊ ⒼⒷ ⒿⒸⒷ　　BZ
⌷ 10 – **64 ch** 99/198

Belle Plage Ⓜ sans rest, 6 r. J. Dollfus 𝓟 04 93 06 25 50, *belleplage@wanado*
Fax 04 93 99 61 06, « Terrasse panoramique » – 🛗 ⚡ 🖥 📺 📞 ਠ 🚗. 🆎 ➊ ⒼⒷ ⒿⒸⒷ
1er fév.-1er nov. – ⌷ 14 – **48 ch** 200/300　　AZ

Cristal Ⓜ, 15 rd-pt Duboys d'Angers 𝓟 04 93 39 45 45, *reservation@hotel-cristal.c*
Fax 04 93 38 64 66, 🌸 – 🛗 ⚡ 🖥 📺 📞 ਠ 🚗. 🆎 ➊ ⒼⒷ ⒿⒸⒷ. ⌦ ch　　CZ
fermé 25 nov. au 28 déc. – **Repas** 27,50/53,40 ♈ – ⌷ 15 – **50 ch** 165/370 – ½ P 124
212,45

Cavendish Ⓜ sans rest, 11 bd Carnot 𝓟 04 97 06 26 00, *Fax 04 97 06 26 01* – 🛗 ⚡ 🖥
📞. 🆎 ➊ ⒼⒷ　　　　BY
fermé 6 déc. au 15 janv. – ⌷ 18 – **34 ch** 210/260

Fouquet's sans rest, 2 rd-pt Duboys d'Angers 𝓟 04 92 59 25 00, *info@le-fouquets.c*
Fax 04 92 98 03 39 – 🖥 📺 📞. 🆎 ➊ ⒼⒷ　　　CZ
1er avril-15 nov. – ⌷ 12 – **10 ch** 140/185

Bleu Rivage sans rest, 61 bd Croisette 𝓟 04 93 94 24 25, *hotel.bleu-rivage@libertysu*
Fax 04 93 43 74 92 – 🖥 📺 ਠ. 🆎 ➊ ⒼⒷ. ⌦　　DZ
⌷ 10 – **19 ch** 122/260

Cézanne Ⓜ sans rest, 40 bd Alsace 𝓟 04 93 38 50 70, *cezanne@worldne*
Fax 04 92 99 20 99, ✽ – 🛗 🖥 📺 📞 ਠ 🚗 – 🔒 40. 🆎 ➊ ⒼⒷ ⒿⒸⒷ　　CY
⌷ 9 – **29 ch** 108/138

Cannes Riviera Ⓜ sans rest, 16 bd Alsace 𝓟 04 97 06 20 40, *reservation@cannesriv*
com, *Fax 04 93 39 20 75*, 🌊 – 🛗 🖥 📺 📞 🚗 – 🔒 20. 🆎 ➊ ⒼⒷ ⒿⒸⒷ. ⌦　　BY
⌷ 10 – **59 ch** 100/160

🏨 **Paris** sans rest, 34, bd Alsace ℹ 04 93 38 30 89, *reservation@hotel-de-paris.com,*
Fax 04 93 39 04 61, ⚒, � – 劇 ■ 📺 ⛄ 🚗 – 🛗 25. 🄰🄴 ⓪ 🄶🄱 🄹🄲🄱. 🛇   CY **a**
fermé 16 nov. au 26 déc. – ☲ 13 – **47 ch** 105/120, 3 appart

🏨 **America** 🕅 sans rest, 13 r. St-Honoré ℹ 04 93 06 75 75, *info@hotel-america.com,*
Fax 04 93 68 04 58 – 劇 ■ 📺 ⛄. 🄰🄴 ⓪ 🄶🄱 🄹🄲🄱. 🛇   BZ **r**
fermé 26 nov. au 26 déc. – ☲ 11 – **28 ch** 105/152

🏨 **Eden Hôtel** 🕅 sans rest, 133 r. Antibes ℹ 04 93 68 78 00, *reception@eden-hotel-cannes.*
com, Fax 04 93 68 78 01 – 劇 ✦✦ ■ 📺 ⛄ 🚗 – 🛗 60. 🄰🄴 ⓪ 🄶🄱   DZ **d**
☲ 14 – **40 ch** 167,69/228,67

🏨 **Renoir** sans rest, 7 r. Edith Cavell ℹ 04 92 99 62 62, *renoir@worldnet.fr,*
Fax 04 92 99 62 82 – 劇 cuisinette ■ 📺 ⛄. 🄰🄴 ⓪ 🄶🄱 🄹🄲🄱   BY **x**
☲ 12 – **27 ch** 137/243

🏨 **Victoria** sans rest, rd-pt Duboys d'Angers ℹ 04 92 59 40 00, *hotelvicto@aol.com,*
Fax 04 93 38 03 91 – 劇 ■ 📺 ⛄ 🚗. 🄰🄴 ⓪ 🄶🄱   CZ **x**
fermé 22 nov. au 27 déc. – ☲ 13,72 – **25 ch** 182,93/243,91

🏨 **Mondial** sans rest, 1 r. Teisseire ℹ 04 93 68 70 00, *mondial@dial.oleane.com,*
Fax 04 93 99 39 11 – 劇 ✦✦ ■ 📺 ⛄ 🄰🄴 ⓪ 🄶🄱 🄹🄲🄱   CY **e**
☲ 12 – **58 ch** 110/134

🏨 **Villa de l'Olivier** sans rest, 5 r. Tambourinaires ℹ 04 93 39 53 28, *reception@hotelolivier.*
com, Fax 04 93 39 55 85, ⚒ – ■ 📺 🄿. 🄰🄴 ⓪ 🄶🄱. 🛇   AZ **e**
fermé 1ᵉʳ au 22 déc. – ☲ 9 – **24 ch** 91/120

🏨 **Régina** 🕅 sans rest, 31 r. Pasteur ℹ 04 93 94 05 43, *reception@hotel-regina-cannes.com,*
Fax 04 93 43 20 54 – 劇 ■ 📺 ⛄ 🄿 🄶🄱 🄹🄲🄱. 🛇   DZ **x**
fermé 9 nov. au 27 déc. – ☲ 10 – **19 ch** 145

🏨 **Festival** 🕅 sans rest, 3 r. Molière ℹ 04 97 06 64 40, *infos@hotel-festival.com,*
Fax 04 97 06 64 45 – ■ 📺 ⛄. 🄰🄴 ⓪ 🄶🄱 🄹🄲🄱. 🛇   CZ **m**
fermé 20 nov. au 20 déc. – ☲ 8 – **14 ch** 95/112

🏨 **Embassy,** 6 r. Bône ℹ 04 97 06 99 00, *embassy@wanadoo.fr,* Fax 04 93 99 07 98 – 劇 ■
📺 🄰🄴 ⓪ 🄶🄱 🄹🄲🄱   DY **j**
Repas 25/34 ☲ – ☲ 10 – **60 ch** 117/182 – ½ P 97

🏨 **California's** 🕅 sans rest, 8 traverse Alexandre III ℹ 04 93 94 12 21, *nadia@californias-*
hotel.com, Fax 04 93 43 55 17, ⚒, � – 劇 ■ 📺 ⛄ 🕭 – 🛗 15. 🄰🄴 ⓪ 🄶🄱   DZ **h**
☲ 11 – **33 ch** 132/214

🏨 **Albert 1ᵉʳ** sans rest, 68 av. Grasse ℹ 04 93 39 24 04, *Fax 04 93 38 83 75* – 📺 🄿. 🄶🄱   AY **d**
fermé 17 nov. au 16 déc. – ☲ 5,50 – **11 ch** 50/58

🏨 **France** sans rest, 85 r. Antibes ℹ 04 93 06 54 54, *infos@h-de-france.com,*
Fax 04 93 68 53 43 – 劇 ■ 📺 ⛄. 🄰🄴 ⓪ 🄶🄱 🄹🄲🄱   CY **k**
fermé 22 nov. au 26 déc. – ☲ 9 – **33 ch** 104/144

🏨 **Florian** sans rest, 8 r. Cdt André ℹ 04 93 39 24 82, *hotelflorian@wanadoo.fr,*
Fax 04 92 99 18 30 – 劇 ■ 📺. 🄰🄴 ⓪ 🄶🄱 🄹🄲🄱   CZ **g**
fermé 15 nov. au 15 janv. – ☲ 5 – **20 ch** 55/70

🏨 **Beverly** sans rest, 14 r. Hoche ℹ 04 93 39 10 66, *contact@hotel-beverly.com,*
Fax 04 92 98 65 63 – 劇 ■ ⛄. 🄰🄴 ⓪ 🄶🄱 🄹🄲🄱. 🛇   BY **n**
☲ 6 – **19 ch** 46/70

🍽🍽 **Palme d'Or** - Hôtel Martinez, 73 bd Croisette ℹ 04 92 98 74 14, *martinez@concorde-*
★ *hotels.com, Fax 04 93 39 03 38,* ≤, 🏵 – 劇 ■ 🄿. 🄰🄴 ⓪ 🄶🄱   DZ **n**
fermé mi-nov. à mi-déc., lundi et mardi – **Repas** 43 (déj.), 65/130 et carte 95 à 130
Spéc. Cassolette de haricots cocos, persillé de poulpes et supions (printemps-été). Bouillabaisse de légumes, crevettes, bulots et champignons (printemps-été). Chocolat ''Palme
d'Or'' aux éclats de noisettes. **Vins** Coteaux Varois, Côtes de Provence.

🍽🍽 **Villa des Lys** - Hôtel Majestic, 14 bd Croisette ℹ 04 92 98 77 00, *majestic@lucienbarriere.*
★ *com, Fax 04 93 38 97 90,* 🏵 – ■. 🄰🄴 ⓪ 🄶🄱 🄹🄲🄱   BZ **n**
fermé mi-nov. à fin déc., le midi en juil.-août, dim. et lundi – **Repas** 42,69 (déj.)/118,91 et
carte 90 à 130 ☲
Spéc. Sauté de crustacés à l'aïoli. Côte de veau cuite en cocotte et légumes braisés au jus.
Diplomate arabica, fondant au chocolat et sorbet cacao. **Vins** Bandol, Côtes de Provence.

🍽🍽 **Neat,** 11 square Mérimée ℹ 04 93 99 29 19, *neat.resto@wanadoo.fr,* Fax 04 93 68 84 48,
★ 🏵 – ■. 🄰🄴 ⓪ 🄶🄱 🄹🄲🄱   BZ **s**
fermé 28 juil. au 11 août, 17 nov. au 12 janv., le midi en juil.-août, dim. et lundi – **Repas** (35) -
42,70/105 et carte 85 à 120 ☲
Spéc. Escargots aux morilles et purée d'ail doux. Foie gras fumé minute, purée d'oignons
caramélisés. Magret de canard au beurre de lentilles (oct. à avril). **Vins** Côtes de Provence,
Coteaux d'Aix en Provence.

XXX **Mesclun,** 16 r. St-Antoine ℘ 04 93 99 45 19, *lemesclun@wanadoo.fr, Fax 04 93 47 68 29*
▤. 𝓐𝓔 ⒼⒷ ᴊᴄʙ AZ
fermé 20 nov. au 20 déc., 20 au 28 fév. et merc. – **Repas** (dîner seul.) 31 ♈

XXX **Félix,** 63 bd Croisette ℘ 04 93 94 00 61, *Fax 04 93 94 10 71,* 🏠 – ▤. 𝓐𝓔 ⒼⒷ. ✆ DZ
fermé 20 nov. au 20 déc. et merc. hors saison – **Repas** 37/40 ♈

XX **Festival,** 52 bd Croisette ℘ 04 93 38 04 81, *contact@lefestival.fr, Fax 04 93 38 13 82,*
– ▤. 𝓐𝓔 ⓞ ⒼⒷ ᴊᴄʙ CZ
fermé 17 nov. au 27 déc. – **Repas** (24,50) - 36,20 ♈, enf. 22,90 - **Grill : Repas** carte 27 à 51

XX **Gaston et Gastounette,** 7 quai St-Pierre ℘ 04 93 39 47 92, 🏠
▤. 𝓐𝓔 ⓞ ⒼⒷ AZ
fermé 1ᵉʳ au 20 déc. – **Repas** 22,50 (déj.)/33,50 ♈

XX **Relais des Semailles,** 9 r. St-Antoine ℘ 04 93 39 22 32, *Fax 04 93 39 84 73* – ▤.
ⒼⒷ AZ
fermé 1ᵉʳ au 20 déc. et lundi midi – **Repas** 15 (déj.), 30/56

XX **Rest. Arménien,** 82 bd Croisette ℘ 04 93 94 00 58, *lucieetchristian@lerestaurantar*
nien.com, Fax 04 93 94 56 12 – ▤. ⓞ ⒼⒷ DZ
fermé 18 nov. au 10 déc., le midi en juil.-août et lundi – **Repas** - cuisine arménienne - me
unique 40, enf. 20

XX **Madeleine,** 13 bd Jean Hilbert ℘ 04 93 39 72 22, *lemadeleine@fr.st, Fax 04 93 94 61*
≤, 🏠 – ▤. 𝓐𝓔 ⓞ ⒼⒷ AZ
fermé 15 déc. au 15 janv., merc. sauf de juin à sept. et mardi – **Repas** 21/32 ♈, enf. 13

XX **Côté Jardin,** 12 av. St-Louis ℘ 04 93 38 60 28, *contact@chef-cotejardin.co*
Fax 04 93 38 60 28, 🏠 – ▤. 𝓐𝓔 ⒼⒷ X
fermé fév., dim. et lundi – **Repas** (20 bc) - 35

XX **Au Mal Assis,** 15 quai St-Pierre ℘ 04 93 99 19 09, *Fax 04 93 39 13 38,* 🏠 – 𝓐𝓔
ⒼⒷ AZ
fermé 20 nov. au 22 déc. – **Repas** 20/29 ♈

XX **3 Portes,** 16 r. Frères Pradignac ℘ 04 93 38 91 70, *Fax 04 93 38 95 52,* 🏠 – ▤.
ⒼⒷ CZ
fermé 1ᵉʳ au 15 déc., lundi midi et sam. en hiver et dim. – **Repas** 19,80 (déj.)/25,90 bc ♈

X **Mi-Figue, Mi-Raisin,** 27 r. Suquet ℘ 04 93 39 51 25, *Fax 04 93 39 51 25,* 🏠 –
ⒼⒷ AY
fermé 20 nov. au 7 déc. et merc. – **Repas** (dîner seul.) carte 40 à 50

X **Caveau 30,** 45 r. F. Faure ℘ 04 93 39 06 33, *lecaveau30@wanadoo.fr, Fax 04 92 98 05*
🏠 – ▤. 𝓐𝓔 ⓞ ⒼⒷ AZ
Repas brasserie 19,21/27,44 ♈

X **Mère Besson,** 13 r. Frères Pradignac ℘ 04 93 39 59 24, *lamerebesson@wanadoo*
Fax 04 92 18 93 11, 🏠 – ▤. 𝓐𝓔 ⓞ ⒼⒷ CZ
fermé sam. midi, lundi midi et dim. – **Repas** (dîner seul. de juin à sept.) carte 28,50 à 58

X **Radeau,** 53 r. F. Faure ℘ 04 93 39 20 88, *Fax 04 93 39 20 88,* 🏠 – ▤. 𝓐𝓔 ⒼⒷ AZ
fermé 1ᵉʳ au 19 déc. – **Repas** 18,50/31, enf. 9,15

X **Rendez-Vous,** 35 r. F. Faure ℘ 04 93 68 55 10, *Fax 04 93 38 96 21,* 🏠 – ▤.
ⒼⒷ AZ
fermé 1ᵉʳ au 20 déc. – **Repas** 17/24 ♈

X **La Cave,** 9 bd République ℘ 04 93 99 79 87 – ▤. 𝓐𝓔 ⒼⒷ ᴊᴄʙ CY
fermé sam. midi et dim. – **Repas** (22,11) - 27,14

X **Aux Bons Enfants,** 80 r. Meynadier, 🏠 –✆ AZ
fermé 4 août au 1ᵉʳ sept., 24 déc. au 2 janv., sam. soir d'oct. à avril et dim. – **Repas** (nom
de couverts limité) 15

au Cannet Nord : 3 km - V – 42 158 h. alt. 80 – ⊠ 06110 :
🛈 *Office du tourisme Avenue du Campon ℘ 04 93 45 34 27, Fax 04 93 45 28*
tourisme@mairie-lecannet.

X **Pézou,** 346 r. St-Sauveur ℘ 04 93 69 32 50, *Fax 04 93 46 05 59,* 🏠 – ⒼⒷ. ✆ V
fermé nov., dim. soir hors saison et merc. – **Repas** (12,96) - 19,82/27,44 ♈, enf. 8,38

à La Bocca par ③ : 3 km – ⊠ 06150 Cannes-La Bocca :
🛈 *Office de tourisme r. Pierre-Sémard ℘ 04 93 47 04 12, Fax 04 93 90 99 85.*

X **Luna Caffe,** 8 r. Barthélémy ℘ 04 93 90 96 20, 🏠 – ▤. ⒼⒷ
fermé déc., sam. midi et dim. – **Repas** 19,06/25,15

Le CANNET 06 Alpes-Mar. 84 ⑨, 115 ㉟ ㊳ – rattaché à Cannes.

CANNET-DES-MAURES 83340 Var 84 ⑯, 114 ㉟ – 3 478 h alt. 124.

Paris 840 – Fréjus 29 – Brignoles 29 – Cannes 72 – Draguignan 27 – Toulon 55.

🏨 **Mas de Causserène**, N 7 ℰ 04 94 60 74 87, Fax 04 94 60 59 97, 😤, 🏊 – 🔟 📞 ᖕ 📳 –
🏭 30 à 100. 🎫 ⒼⒷ
fermé dim. soir du 15 sept. au 15 avril – **L'Oustalet :** Repas 15(déj.),20/32 ⁈, enf.11 – 🖙 7 –
49 ch 45/54 – ½ P 45/51

♦ voir au nom propre du Cap.

BRETON 40130 Landes 78 ⑰ G. Aquitaine – 6 659 h alt. 6 – Casino.

🅸 Office du tourisme Avenue Georges Pompidou ℰ 05 58 72 12 11, Fax 05 58 41 00 29,
tourisme.capbreton@wanadoo.fr.
Paris 752 – Biarritz 31 – Mont-de-Marsan 88 – Bayonne 24 – St-Vincent-de-Tyrosse 12.

rtier de la plage :

🏨 **L'Océan**, av. G. Pompidou ℰ 05 58 72 10 22, hotel-capbreton@wanadoo.fr,
Fax 05 58 72 08 43, ≼ – 📳 🔟 📳, ⑩ ⒼⒷ, 🦟 rest
fermé 12 nov. au 6 déc. et 14 au 30 janv. – **Repas** brasserie *(fermé mardi)* 15/22 ⅄, enf. 7 –
🖙 8 – **25 ch** 76/81

XX **Café Bellevue**, av. G. Pompidou ℰ 05 58 72 10 30, Fax 05 58 72 11 12 – 🎫 ⑩ ⒼⒷ
fermé 4 nov. au 31 janv. – **Repas** 15,10/23,93

rtier la Pêcherie :

XX **Regalty**, port de plaisance ℰ 05 58 72 22 80, 😤 – 🎫 ⑩ ⒼⒷ
fermé 12 nov. au 4 déc., 13 au 31 janv., dim. soir et lundi hors saison sauf fériés – **Repas** -
produits de la mer - 26,70 et carte 36 à 49

X **Pavé du Port**, 2 quai Pêcherie ℰ 05 58 72 29 28, Fax 05 58 72 29 28, 😤 – 🗐. ⑩ ⒼⒷ
*fermé vacances de Toussaint, 20 déc. au 20 janv., lundi en juil.-août, mardi et merc. hors
saison* – **Repas** 15,85/23,70 ⁈, enf. 8,40

♦ **COZ** 29 Finistère 58 ⑮ – rattaché à Fouesnant.

♦ **D'AGDE** 34 Hérault 83 ⑯ – rattaché à Agde.

♦ **D'AIL** 06 Alpes Mar. 84 ⑩ – voir à Monaco (Principauté de).

PDENAC-GARE 12700 Aveyron 79 ⑩ – 4 587 h alt. 175.

🅸 Office du tourisme Place du 14 Juillet ℰ 05 65 64 74 87, Fax 05 65 80 88 15, office.de.tou-
risme.du.capdenacois@wanadoo.fr.
Paris 594 – Rodez 59 – Aurillac 66 – Villefranche-de-Rouergue 31.

:-Julien-d'Empare Sud : 2 km par D 86 et D 558 – ⊠ 12700 Capdenac-Gare :

🏠 **Auberge La Diège** ⑳, ℰ 05 65 64 70 54, hotel@diege.com, Fax 05 65 80 81 58, 😤,
🏊, 🌳, 🦮 – 🔟 ᖕ 📳 – 🏭 20 à 30. 🎫 ⑩ ⒼⒷ
fermé 19 déc. au 6 janv. – **Repas** *(fermé vend. soir, dim. soir et sam. d'oct. à avril et sam.
midi d'avril à juin)* 9,50/29,50 ⁈, enf. 6,70 – 🖙 7,85 – **24 ch** 47/54 – ½ P 45,25

PESTANG 34310 Hérault 83 ⑭ – 3 007 h alt. 22.

🅸 Office du tourisme Boulevard Pasteur ℰ 04 67 93 34 23.
Paris 786 – Montpellier 88 – Béziers 17 – Carcassonne 62 – Narbonne 18 – St-Pons 40.

oilhes Sud-Est : 5 km par D 11 – 507 h. alt. 33 – ⊠ 34310 :

XX **Tour Sarrasine**, ℰ 04 67 93 41 31 – 🗐. 🎫 ⑩ ⒼⒷ
fermé vacances de fév., dim. soir et lundi – **Repas** 21/39

P FERRET 33 Gironde 78 ⑫ G. Aquitaine – ⊠ 33950 Lege Cap Ferret.

Voir ⁂★ du phare.
Paris 653 – Bordeaux 71 – Arcachon 8 – Lacanau-Océan 55 – Lesparre-Médoc 88.

🏨 **Frégate** sans rest, av. Océan ℰ 05 56 60 41 62, resa@hotel-la-fregate.com,
Fax 05 56 03 76 18, 🏊 – 🔟 ᖕ 🚗 📳. 🎫 ⑩ ⒼⒷ
fermé 3 nov. au 16 déc. et 5 janv. au 1er fév. – 🖙 6,40 – **29 ch** 44,21/114,34

🏠 **Pins**, r. Fauvettes ℰ 05 56 60 60 11, Fax 05 56 60 67 41, 😤, 🌳 – ⒼⒷ, 🦟 rest
29 mars-11 nov. – **Repas** *(fermé lundi)* (dîner seul.) 20 ⁈, enf. 7,62 – 🖙 6,10 – **14 ch** 53/70 –
½ P 49/58

XX **Patrick Chautant,** rd-pt de l'Herbe, Nord : 7 km sur D 106 ↗ 05 56 60 51 3
Fax 05 56 60 51 32, 🍴 – **GB**
1er fév.-3 nov. et fermé lundi sauf le soir en juil.-août et mardi de sept. à juin – **Repas**
(déj.)/50 ⍺

X **Pinasse Café,** 2 bis av. Océan ↗ 05 56 03 77 87, *pinassecafe@wanadoo.*
Fax 05 56 60 63 47, ≤, 🍴 – **GB**
8 fév.-15 nov. – **Repas** - produits de la mer - 14,48/22,71 ⍺, enf. 7,01

X **Chez Hortense,** à la pointe ↗ 05 56 60 62 56, ≤, 🍴 – **GB**
juil.-août et week-ends d'avril à sept. – **Repas** - produits de la mer - carte 31 à 54

CAPINGHEM 59 Nord **51** ⑭, **111** ⑵ – *rattaché à Lille.*

CAPPELLE-LA-GRANDE 59 Nord **51** ⑤ – *rattaché à Dunkerque.*

La CAPTE 83 Var **84** ⑭ ⑮, **114** ⒜ ⒏ – *rattaché à Hyères.*

CAPVERN-LES-BAINS 65130 H.-Pyr. **85** ⑭ G. Midi-Pyrénées – *Stat. therm. (fin avril-fin oct.*
Casino.
Env. *Donjon du château de Mauvezin* ✹★ *O : 4,5 km.*
🇱 *Office du tourisme Pl. des Thermes* ↗ 05 62 39 00 46, *Fax 05 62 39 08 14.*
Paris 830 – *Bagnères-de-Luchon 69* – *Bagnères-de-Bigorre 18* – *Lannemezan 9* – *Tarbes*

🏨 **St-Paul,** r. Provence ↗ 05 62 40 95 00, *au-saint-paul@wanadoo.fr, Fax 05 62 40 95 01* –
📺 ☎ **P. GB.** ⍖ rest
23 avril-20 oct. – **Repas** 13/23 – ∙ 5,50 – **31 ch** 39 – P 32/39

🏨 **Lemoine,** 846 r. Provence ↗ 05 62 39 02 18, *Fax 05 62 39 04 20,* 💨 – 📺 〰 **P. GB.** ≤
22 avril-20 oct. – **Repas** (11) - 12,50/17 ⍺, enf. 7 – ∙ 5,50 – **14 ch** 39/46 – ½ P 34/37,50

⛲ **Bellevue** ⭐, rte Mauvezin, quartier le Laca ↗ 05 62 39 00 29, *Fax 05 62 39 15 72,* ≤ –
GB. ⍖ rest
2 mai-30 sept. – **Repas** 16,50/23 – ∙ 5 – **29 ch** 18/35 – ½ P 31/32,40

CARANTEC 29660 Finistère **58** ⑮ G. Bretagne – *2 724 h alt. 37.*
Voir *Croix de procession★ dans l'église* – *''Chaise du Curé'' (plate-forme)* ≤★.
Env. *Pointe de Pen-al-Lann* ≤★★ *E : 1,5 km puis 15 mn.*
🇱 *Office du tourisme 4 rue Pasteur* ↗ 02 98 67 00 43, *Fax 02 98 67 07 44, carantec.*
risme@wanadoo.fr.
Paris 552 – *Brest 70* – *Lannion 52* – *Morlaix 15* – *Quimper 90* – *St-Pol-de-Léon 10.*

🏨 **L'Hôtel de Carantec-Patrick Jeffroy** Ⓜ ⭐, ↗ 02 98 67 00 47, *patrick.jeffro*
❎❎ *wanadoo.fr, Fax 02 98 67 08 25,* ≤ Baie de Morlaix, 🌱 – 📱 📺 ☎ **P.** – ⚿ 15. **AE GB.** ⍖
fermé 6 janv. au 3 fév., dim. soir du 9 sept. au 16 juin, lundi sauf le soir en saison et m
midi – **Repas** 26 (déj.), 42,50/59 et carte 50 à 70 ⍺, enf. 18,50 – ∙ 10,50 – **12 ch** 110/134
– ½ P 104
Spéc. Coquilles Saint-Jacques de la baie de Morlaix (15 oct. au 15 avril). Homard
langouste. Fine tatin de figues confites au ratafia.

XX **Cabestan,** au port ↗ 02 98 67 01 87, *Fax 02 98 67 90 49,* ≤ – **GB.** ⍖
😀 *fermé 5 nov. au 10 déc., lundi sauf juil.-août et mardi* – **Repas** 19/42

X **Chaise du Curé,** pl. République ↗ 02 98 78 33 27, *Fax 02 98 78 33 27* – **GB**
fermé fév., merc. et jeudi – **Repas** 15 ⍺

CARBON-BLANC 33 Gironde **71** ⑭ – *rattaché à Bordeaux.*

CARCASSONNE 🅿 11000 Aude **83** ⑭ G. Languedoc Roussillon – *43 950 h alt. 110.*
Voir *La Cité★★★* – *Basilique St-Nazaire★ : vitraux★★, statues★★* – *Musée du châ*
Comtal : calvaire★ de Villanière – *Montolieu★ (village du livre)* – *Châteaux de Latours*
Commune de la ''Méridienne verte''.
✈ *de Carcassonne-Salvaza :* ↗ 04 68 71 96 46, *par* ⑤ *: 3 km.*
🇱 *OMT 15 boulevard Camille Pelletan* ↗ 04 68 10 24 30, *Fax 04 68 10 24 38, carcasson*
fnotsi.net.
Paris 794 ⑤ – *Perpignan 114* ② – *Toulouse 92* ⑤ – *Albi 111* ① – *Narbonne 61* ②.

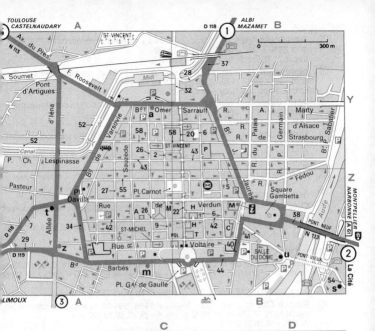

CARCASSONNE

*noms des rues
t soit écrits
le plan
répertoriés
liste
dentifiés
un numéro.*

🏫 **Trois Couronnes** M, 2 r. Trois Couronnes *€* 04 68 25 36 10, *Fax 04 68 25 92 92*, ≤,
🛗 ▤ 📺 ❤ ⅙ ⇔ – 🏊 15 à 100. 🆎 ⓞ ᴳᴮ B.
Repas 21/38 ♈, enf. 10 – ⊃ 9,50 – **68 ch** 62/92 – ½ P 58/65,50

🏫 **Montségur** sans rest, 27 allée d'Iéna *€* 04 68 25 31 41, *reservation@hotelmontse*
com, Fax 04 68 47 13 22 – 🛗 ▤ 📺 🅿 🆎 ⓞ ᴳᴮ ᴶᶜᴮ A.
fermé 22 déc. au 28 janv. – ⊃ 8 – **21 ch** 53/84

🏛 **Pont Vieux** sans rest, 32 r. Trivalle *€* 04 68 25 24 99, *hoteldupontvieux@minite*
Fax 04 68 47 62 71 – 📺 ⇔. 🆎 ⓞ ᴳᴮ B.
⊃ 6,54 – **19 ch** 40/60

ⅩⅩⅩ **Languedoc**, 32 allée Iéna *€* 04 68 25 22 17, *info@languedocrestaurant.*
Fax 04 68 25 04 14, 🎇 – ▤. 🆎 ⓞ ᴳᴮ ᴶᶜᴮ A.
fermé 24 juin au 4 juil., 23 déc. au 23 janv., lundi sauf le soir en juil.-août et dim. soir – **R**
21,80/38,87 ⅜, enf. 11,13

ⅩⅩ **L'Écurie**, 43 bd Barbès *€* 04 68 72 04 04, *Fax 04 68 25 55 89*, 🎇, « Authentiques éc
del 18ᵉ siècle » – 🆎 ᴳᴮ A.
fermé dim. soir – **Repas** 20,58/25,92 ♈, enf. 12,96

Ⅹ **Chez Fred**, 31 bd O. Sarraut *€* 04 68 72 02 23, *chez.fred@wanad*
Fax 04 68 71 52 64, 🎇 – ▤. ᴳᴮ A'
fermé 10 au 20 mai, 10 au 25 nov., vacances de fév., lundi midi en été, lundi soir en hiv
sam. midi – **Repas** (12) - 17,50/26,50, enf. 7

à l'entrée de la Cité : *près porte Narbonnaise :*

🏫 **Mercure Porte de la Cité** M ♨, 18 r. C. Saint-Saens *€* 04 68 11 92 82, *h1622@a*
ᴳᴮ *hotels.com, Fax 04 68 71 11 45*, 🎇, ⅃, 🌿 – 🛗 ❄ ▤ 📺 ❤ ⅙ 🅿 – 🏊 15 à 50. 🆎 ⓞ
ᴶᶜᴮ
Repas 13,72/23,63 ♈, enf. 9,15 – ⊃ 9,15 – **61 ch** 86,90/137,20

🏛 **Espace Cité** sans rest, 132 r. Trivalle *€* 04 68 25 24 24, *hotel-espace-cité@wanad*
Fax 04 68 25 17 17 – ❄ ▤ 📺 ❤ ⅙ ⇔ 🅿 – 🏊 30. 🆎 ⓞ ᴳᴮ ᴶᶜᴮ
⊃ 5,50 – **48 ch** 53,50/70

dans la Cité - *Circulation réglementée en été :*

🏰 **Cité** ♨, pl. Église *€* 04 68 71 98 71, *reservations@hoteldelacite.com, Fax 04 68 71 5*
❀ 🎇, « Demeure néo-gothique avec jardin et piscine sur les remparts », ⅃, 🌿 – 🛗
❤ ⅙ ⇔ 🅿 – 🏊 15 à 60. 🆎 ⓞ ᴳᴮ ᴶᶜᴮ
fermé déc. à mi-janv. – **Barbacane** (dîner seul.) *(mars-nov.)* **Repas** 60/80 et carte 65 à
Chez Saskia : **Repas** 17/31 ♈, enf. 7,62 – ⊃ 23 – **53 ch** 300/490, 8 appart
Spéc. Duo de foie gras de canard. Filet de boeuf au vin de pays. "Rouleaux de printen
chocolat-noisette.

🏫 **Donjon et les Remparts**, 2 r. Comte Roger *€* 04 68 11 23 00, *info@bestwest*
donjon.com, Fax 04 68 25 06 60, 🎇, 🌿 – 🛗 ❄ ▤ 📺 ❤ ⅙ 🅿 – 🏊 15 à 50. 🆎 ⓞ
ᴶᶜᴮ
Brasserie Le Donjon *€* 04 68 25 95 72 *(fermé dim. soir de nov. à mars)* – **R**
(12)-14/20,70 ♈, enf. 6,90 – ⊃ 9 – **62 ch** 60/168 – ½ P 65/113

ⅩⅩ **Marquière**, 13 r. St Jean *€* 04 68 71 52 00, *Fax 04 68 71 30 81*, 🎇 – 🆎 ⓞ ᴳᴮ
fermé 15 janv. au 15 fév., jeudi sauf juil.-août et merc. – **Repas** 14,94/42,69, enf. 10,70

ⅩⅩ **L'Écu d'Or**, 7 r. Porte d'Aude *€* 04 68 25 49 03, *lecudor@free.fr, Fax 04 68 25 33 14*,
ᴳᴮ
fermé 15 nov. au 8 déc., merc. et jeudi d'oct. à juin sauf vacances scolaires – **R**
21,36/42,70, enf. 10,67

ⅩⅩ **Comte Roger**, 14 r. St-Louis *€* 04 68 11 93 40, *Fax 04 68 11 93 41*, 🎇 – 🆎 ⓞ ᴳᴮ
fermé dim. – **Repas** 26/32 ♈, enf. 12

Ⅹ **Auberge de Dame Carcas**, 3 pl. Château *€* 04 68 71 23 23, *Fax 04 68 72 46 17*,
ᴳᴮ ▤. ᴳᴮ
fermé janv., mardi midi et lundi – **Repas** (dîner seul.) 13,42/68,60 ♈, enf. 7,62

au hameau de Montredon *Nord-Est : 4 km par r. A. Marty* BY – ⊠ *11090 Carcassonne :*

🏫 **Château St-Martin "Trencavel"** M ♨, *€* 04 68 71 09 53, *hostellerie@chateau*
martin.net, Fax 04 68 25 46 55, 🎇, « Parc », ⅃, 🐾 – ▤ ch, 📺 ❤ ⅙ 🅿 🆎 ⓞ ᴳᴮ. ❄
Repas *(fermé merc.)* 27/40, enf. 12,50 – ⊃ 8 – **15 ch** 53/79

à Floure *par ② et N 113 : 11 km – 318 h. alt. 77* – ⊠ *11800 :*

🏫 **Château de Floure** ♨, *€* 04 68 79 11 29, *contact@chateau-de-floure.c*
Fax 04 68 79 04 61, 🎇, « Belle décoration intérieure », ⅃, 🌿, ❅ – 📺 🅿 – 🏊 60. 🆎
ᴳᴮ ᴶᶜᴮ. ❄ rest
23 mars-31 oct. – **Repas** *(fermé lundi midi et merc. midi)* 35/55 ♈ – ⊃ 12 – **11 ch** 100/
5 appart – ½ P 92/157

Sud par ③ et Est par D 104 : 3 km – ⊠ 11000 Carcassonne :

Domaine d'Auriac (Rigaudis) ⬙, ℰ 04 68 25 72 22, auriac@relaischateaux.com, Fax 04 68 47 35 54, ≤, 佘, « Demeure du 19e siècle dans un parc, golf », 👗, ℅, 凰 – 🛗 ▤ ﾃﾚ 🦽 📞 P – 🔏 50. ㏂ ⑩ GB JCB
fermé 30/4 au 6/5, 2/1 au 4/2, lundi midi, merc. midi, vend. midi de mai à sept, dim. soir et lundi d'oct. à avril – **Repas** 41/95 et carte 60 à 80 – ⊡ 16 – **26 ch** 115/382 – 1/2 P 127,50/261
Spéc. Les foies gras chauds et froids. Cassoulet. Gibier (saison). **Vins** Cabardès, Minervois.

Cavanac par ③ et rte de St-Hilaire : 7 km – 665 h. alt. 138 – ⊠ 11570 :
Voir Commune de la "Méridienne verte".

Château de Cavanac ⬙, ℰ 04 68 79 61 04, Fax 04 68 79 79 67, 佘, « Bel aménagement intérieur », 👗, 庽, ℅ – 🛗, ▤ ch, ﾃﾚ P – 🔏 20. GB. ℅ ch
fermé janv., fév. et lundi (sauf hôtel hors saison) – **Repas** (dîner seul.) 35 bc – ⊡ 8 – **24 ch** 62/146, 4 appart

CARENNAC 46110 Lot 🔢 ⑲ G. Périgord Quercy – 373 h alt. 123.
Voir Portail★ de l'église St Pierre – Mise au tombeau★ dans la salle capitulaire du cloître.
🄸 Office du tourisme Cour du Prieuré ℰ 05 65 10 97 01, Fax 05 65 10 97 01, ot.inter com.carennac@wanadoo.fr.
Paris 527 – Brive-la-Gaillarde 40 – Cahors 80 – Martel 16 – St-Céré 17 – Tulle 51.

Auberge du Vieux Quercy Ⓜ ⬙, ℰ 05 65 10 96 59, vieuxquercy@medianet.fr, Fax 05 65 10 94 05, 佘, 👗, 庽 – ﾃﾚ 📞 P. ⑩ GB
15 mars-15 nov. et fermé dim. soir du 15 mars au 30 avril et du 1er oct. au 15 nov. – **Repas** (dîner seul. sauf dim. et fêtes) 23, enf. 9 – ⊡ 7,50 – **22 ch** 53/61 – 1/2 P 56/60

Hostellerie Fénelon ⬙, ℰ 05 65 10 96 46, Fax 05 65 10 94 86, 佘, 👗 – ﾃﾚ 📞 P. GB
fermé 6 janv. au 15 mars, 25 nov. au 21 déc., vend. et sam. midi hors saison – **Repas** 17/46,50 ℤ, enf. 8,50 – ⊡ 7,50 – **15 ch** 45/56,50 – 1/2 P 50/57

CARENTAN 50500 Manche 🔢 ⑬ G. Normandie Cotentin – 6 340 h alt. 18.
🄸 Office du tourisme Boulevard de Verdun ℰ 02 33 42 74 01, Fax 02 33 42 74 01, info@ot-carentan.fr.
Paris 308 – Cherbourg 52 – St-Lô 28 – Avranches 86 – Caen 74 – Coutances 36.

Vauban sans rest, 7 r. Sébline ℰ 02 33 71 00 20 – ﾃﾚ 📞 🚙. GB. ℅
⊡ 5,35 – **15 ch** 38,50/53,50

Auberge Normande, bd Verdun ℰ 02 33 42 28 28, accueil@auberge-normande.com, Fax 02 33 42 00 72, 佘 – P. ㏂ GB
fermé 1er au 10 juil., dim. soir et lundi – **Repas** (12) - 15/27 ℤ

St-Hilaire-Petitville Est : 2 km – 1 387 h. alt. 10 – ⊠ 50500 Carentan :

Kyriad, N 13 ℰ 02 33 71 11 11, kyriad.carentan@wanadoo.fr, Fax 02 33 71 92 88, 佘 – ℅ ﾃﾚ ⬙ & P – 🔏 60. ㏂ ⑩ GB
Repas (fermé 24 déc. au 6 janv., sam. et dim.) 12/23 ℤ – ⊡ 5,79 – **37 ch** 46/50

CARGÈSE 2A Corse-du-Sud 🔢 ⑯ – voir à Corse.

CARHAIX-PLOUGUER 29270 Finistère 🔢 ⑰ G. Bretagne – 7 648 h alt. 138.
🄸 Office du tourisme Rue Brizeux ℰ 02 98 93 04 42, Fax 02 98 93 23 83, tourismeCarhaix @wanadoo.fr.
Paris 506 – Quimper 61 – Brest 85 – Guingamp 47 – Lorient 74 – Morlaix 47 – Pontivy 59.

Ahès sans rest, 1 r. F. Lancien ℰ 02 98 93 00 09, Fax 02 98 93 00 09 – ﾃﾚ. GB JCB. ℅
fermé 5 au 22 avril, 20 déc. au 6 janv. et dim. – ⊡ 5 – **9 ch** 29/35

Port de Carhaix Sud-Ouest : 6 km par rte de Lorient – ⊠ 29270 Motreff :

Auberge du Poher, ℰ 02 98 99 51 18, Fax 02 98 99 55 98, 庽 – P. GB
fermé 1er au 21 juil., 3 au 17 fév., merc. soir, mardi soir hors saison, dim. soir et lundi – **Repas** (10/37) - 11,43 (déj.), 15,02/38,50 ℤ

CARIGNAN 08110 Ardennes 🔢 ⑩ – 3 259 h alt. 174.
Paris 270 – Charleville-Mézières 45 – Mouzon 8 – Montmédy 23 – Sedan 22 – Verdun 67.

Gourmandière, 19 av. Blagny ℰ 03 24 22 20 99, la-gourmandiere2@wanadoo.fr, Fax 03 24 22 20 99, 佘, 庽 – ㏂ GB
fermé lundi – **Repas** 10,89/42,69, enf. 9,91

CARNAC 56340 Morbihan **88** ⑫ *G. Bretagne – 4 444 h alt. 16.*

Voir *Musée de préhistoire★★* **M** – *Église St-Cornély★* **E** – *Tumulus St-Michel★* :
Alignements du Ménec★★ par D 196 : 1,5 km – Alignements de Kermario★★ par ② : 2
Alignements de Kerlescan★ par ② : 4,5 km.

🛈 *Office du tourisme 74 avenue des Druides ℘ 02 97 52 13 52, Fax 02 97 52 8*
ot.carnac@ot-carnac.fr.

Paris 490 ② – Vannes 32 ② – Auray 13 ② – Lorient 49 ① – Quiberon 19 ①.

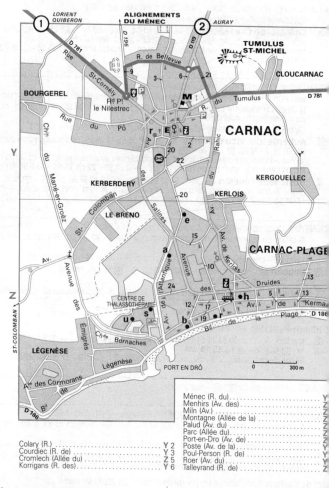

Colary (R.) . . . . **Y** 2
Courdiec (R. de) . . . . **Y** 3
Cromlech (Allée du) . . . . **Z** 5
Korrigans (R. des) . . . . **Y** 6

Ménec (R. du) . . . . **Y**
Menhirs (Av. des) . . . . **Z**
Miln (Av.) . . . . **Z**
Montagne (Allée de la) . . . . **Z**
Palud (Av. du) . . . . **Z**
Parc (Allée du) . . . . **Z**
Port-en-Dro (Av. de) . . . . **Z**
Poste (Av. de la) . . . . **Y**
Poul-Person (R. de) . . . . **Y**
Roer (Av. du) . . . . **Y**
Talleyrand (R. de) . . . . **Z**

🏨 **Diana,** 21 bd Plage ℘ 02 97 52 05 38, *contact@lediana.com, Fax 02 97 52 87 91,* ≤,
🍃 – 📳 📺 📶 🅿 🆎 ⑩ ☒ 🆑
hôtel : 29 mars-3 nov. ; rest. : 26 avril-29 sept. – **Repas** *(fermé le midi sauf week-end*
fériés et merc. soir hors saison et merc. midi en saison) 24,50 (déj.), 40,50/55 🌱 – 🖵 13,
32 ch 166/221 – ½ P 127,50/155

🏨 **Novotel** 🅼 ఈ, av. Atlantique ℘ 02 97 52 53 00, *h0406@accor-hotels.c*
Fax 02 97 52 53 55, ≤, centre de thalassothérapie, 🗜, 🏊, 🌳, 🎾 – 🛗 🖳 🔘 🗔 🍴 ⚒
🅰 50. 🆎 ⑩ ☒ 🆑
fermé 6 au 19 janv. – **Clipper : Repas** *(19)*-27 🌱, enf. 10 – **Diététique : Repas** 27 – 🖵
107 ch 119/154 – ½ P 101/109

🏨 **Celtique** Ⓜ, 17 av. Kermario 𝒫 02 97 52 14 15, *hotel.celtique.bw.carnac@wanadoo.fr,* *Fax* 02 97 52 71 10, 龠, ℔, ⌿ – ⧓ cuisinette ⇥ ⅏ ⌕ & 🅿 – 🔏 70. ⅏ ⅁⅊   **Z h**
Repas *(fermé le midi d'oct. à mars sauf week-ends et vacances scolaires)* 21,35/41,20 ♀, enf. 9,15 – ⏛ 10,60 – **51** ch 138, 5 duplex – ½ P 83,90/89,90

🏨 **Plancton**, 12 bd Plage 𝒫 02 97 52 13 65, *info@hotel-plancton.com,* Fax 02 97 52 87 63, ⩿, 龠 – ⧓ ⅏ ⌕ 🅿 – 🔏 25. ⅏ ⅁⅊   **Z b**
hôtel : 30 mars-6 oct. ; rest. : 6 avril-29 sept. – **Repas** *(dîner seul.)* 20/28 ♀, enf. 10 – ⏛ 8,50 – **23** ch 98/116 – ½ P 78/86

🏨 **Ibis**, av. Atlantique 𝒫 02 97 52 54 00, Fax 02 97 52 53 66, ⩿, centre de thalassothérapie, ℔, ⌧, 霠, ⅌ – ⧓ ⇥ & 🅿 – 🔏 20 à 60. ⅏ ⓞ ⅁⅊   **Z u**
Repas *(14)* - 21 ♀, enf. 7 – ⏛ 9 – **96** ch 80/108, 23 duplex – ½ P 69/79

🏛 **Licorne** sans rest, 5 av. Atlantique 𝒫 02 97 52 10 59, *info@hotel-la-licorne.com,* Fax 02 97 52 80 30, 霠 – ⅏ ⌕ & 🅿 ⅏ ⓞ ⅁⅊   **Z a**
1er mars-15 nov. – ⏛ 6,10 – **26** ch 60,98/91,47

🏛 **Armoric**, 53 av. Poste 𝒫 02 97 52 13 47, *armoric.carnac@wanadoo.fr,* Fax 02 97 52 98 66, 龠, 霠 – ⧓ ⅏ 🅿 – 🔏 20. ⅏ ⓞ ⅁⅊ ⅃⅊⅍ ⅍ rest   **Z e**
30 mars-3 nov. et week-ends en mars, nov. et déc. – **Repas** *(fermé jeudi)* *(12)* - 18/32 ♀, enf. 8 – ⏛ 6,60 – **25** ch 54,50/75,50 – ½ P 65,50/68,50

✕✕ **Côte**, aux Alignements de Kermario, par ② : 2 km 𝒫 02 97 52 02 80, 霠 – 🅿. ⅁⅊
fermé 2 au 12 déc., 6 janv. au 6 fév., 3 au 11 mars, sam. midi et dim. soir sauf juil.-août et lundi – **Repas** 19/40, enf. 8

✕ **Auberge le Râtelier** 龠 avec ch, 4 chemin du Douet, 𝒫 02 97 52 05 04, *Fax* 02 97 52 76 11 – ⅏ ⌕ 🅿 – 🔏 15. ⅁⅊   **Y r**
Repas *(fermé 15 janv. au 13 fév., mardi et merc. d'oct. à mars)* *(½ pens. seul. en juil.-août)* 15/39 – ⏛ 6 – **9** ch 45/49 – ½ P 50,50/53

RNON-PLAGE 34280 Hérault 🎜🎜 ⑦.
Paris 765 – Montpellier 21 – Aigues-Mortes 20 – Nîmes 57 – Sète 37.

🏨 **Neptune** Ⓜ, au port 𝒫 04 67 50 88 00, *hotel-neptune@wanadoo.fr,* Fax 04 67 50 96 72, ⩿, 龠, ⌧ – ⧓ ⇥ ⅏ ⌕ 🅿 – 🔏 30. ⅏ ⓞ ⅁⅊, ⅍ rest
fermé 21 déc. au 6 janv. – **Repas** *(fermé dim. soir et lundi)* *(14)* - 17/38, enf. 7,62 – ⏛ 7,50 – **52** ch 64/91 – ½ P 60/67,50

RNOULES 83660 Var 🎜🎜 ⑯, 🎜🎜🎜 ㉞ – 2 594 h alt. 205.
Paris 837 – Toulon 35 – Brignoles 23 – Draguignan 48 – Hyères 34.

✕ **Tuilière**, rte de Toulon : 2 km sur N 97 𝒫 04 94 48 32 39, Fax 04 94 48 36 06, 龠, ⌧, 霠 – 🅿. ⅁⅊
fermé janv., dim. soir, lundi et mardi – **Repas** *(nombre de couverts limité, prévenir)* 14,48/33,54 ⅌, enf. 9,91

ROMB 84330 Vaucluse 🎜🎜 ⑬ – 3 117 h alt. 95.
🅱 *Office du tourisme Place du Cabaret* 𝒫 04 90 62 36 21, Fax 04 90 62 32 56, *ot-caromb@axit.fr.*
Paris 688 – Avignon 35 – Carpentras 10 – Nyons 34.

✕✕ **Four à Chaux**, rte Malaucène : 2 km 𝒫 04 90 62 40 10, Fax 04 90 62 36 62, 龠 – 🅿. ⅁⅊
fermé 19 nov. au 2 déc., 1er au 26 janv., mardi sauf le soir en juil.-août et lundi – **Repas** 16,77 *(déj.),* 22,87/38,11 ♀

RPENTRAS ◈ 84200 Vaucluse 🎜🎜 ⑫ ⑬ G. Provence – 26 090 h alt. 102.
Voir *Ancienne cathédrale St-Siffrein*★ : *Synagogue*★.
🅱 *Syndicat d'Initiative 170 av. Jean-Jaurès* 𝒫 04 90 63 57 88, Fax 04 90 60 41 02, *tourist. carpentras@axit.fr.*
Paris 684 ④ – Avignon 28 ③ – Digne-les-Bains 144 ② – Gap 145 ① – Marseille 106 ②.

Plan page suivante

🏨 **Forum** Ⓜ sans rest, 24 r. Forum 𝒫 04 90 60 57 00, Fax 04 90 63 52 65 – ⧓ ▤ ⅏ & 🅿 ⅏ ⅁⅊   **Z t**
fermé 2 au 16 fév. – ⏛ 7 – **28** ch 52/57

🏛 **Comtadin** Ⓜ sans rest, 65 bd Albin Durand 𝒫 04 90 67 75 00, *le.comtadin@wanadoo.fr,* Fax 04 90 67 75 01 – ⇥ ▤ ⅏ ⌕ & ⇦ – 🔏 30. ⅏ ⅁⅊   **Z u**
fermé 27 déc. au 20 janv. et dim. d'oct. à fév. – ⏛ 9 – **19** ch 58/74

✕✕ **L'Atelier de Pierre**, 30 pl. de l'Horloge *(début r. des Halles)* 𝒫 04 90 60 75 00, Fax 04 90 60 75 00, 龠 – ▤. ⅁⅊   **Y s**
fermé 28 oct. au 3 nov., dim. et lundi – **Repas** 20,58 *(déj.),* 24,40/51,83, enf. 13

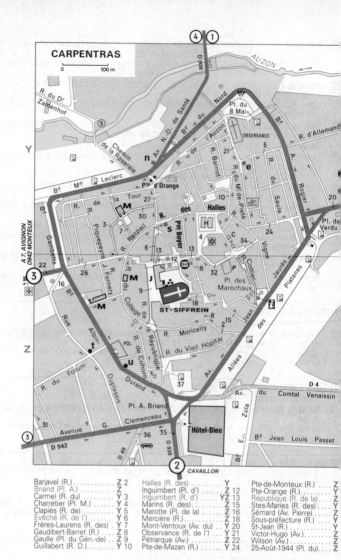

CARPENTRAS

0   100 m

✃ **Rives d'Auzon,** 47 bd Nord (face Porte d'Orange) ℮ 04 90 60 62 62 – GB
fermé 17 déc. au 14 janv., le midi en août, sam. midi et mardi – **Repas** 17 bc /
21,50/29 Ψ, enf. 12

✃ **Vert Galant,** 12 r. Clapiès ℮ 04 90 67 15 50, Fax 04 90 67 15 50 – ■. GB
fermé lundi sauf le soir de mai à sept. et dim. sauf le midi d'oct. à avril – **Repas** (nomb
couverts limité, prévenir) 24,50/41

à Mazan Est : 7 km par D 942 – 4 943 h. alt. 100 – ✉ 84380 :

Voir Cimetière ≤★.

🕚 Office du tourisme 83 place du 8 Mai ℮ 04 90 69 74 27, Fax 04 90 69 66 31, offic
risme-mazan@wanadoo.fr.

🕷 **Siècle** ℝ sans rest, (derrière l'église) ℮ 04 90 69 75 70, hotel.lesiecle@wordlonli
Fax 04 90 69 80 78 – 📺. GB
≓ 6 – **12 ch** 28/48

Didier *Sud-Est par D 4 et D 39 : 2 km – 1 847 h. alt. 98 – ✉ 84210 :*

Trois Colombes ⛰, 148 av. des Garrigues ✆ 04 90 66 07 01, *Fax 04 90 66 11 54*, , , , – TV P. AE GB JCB
fermé 2 janv. au 28 fév. – **Repas** *(fermé lundi et mardi hors saison)* 22,80/33,50, enf. 10,40 – ☕ 9,15 – **38 ch** 60,70/95,30

eaucet *Sud-Est par D 4 et D 39 : 11 km – 352 h. alt. 275 – ✉ 84210 :*

Auberge du Beaucet, ✆ 04 90 66 10 82, *Fax 04 90 66 00 72* – GB
fermé déc., janv., dim. et lundi – **Repas** (nombre de couverts limité, prévenir) 29/35 🍷, enf. 13

nteux *par ③ : 4,5 km – 9 564 h. alt. 42 – ✉ 84170 :*

Office du tourisme Parc du Château d'Eau ✆ 04 90 66 97 18, Fax 04 90 66 97 19.

Blason de Provence ⛰, ✆ 04 90 66 31 34, *blasondeprovence@wanadoo.fr, Fax 04 90 66 83 05*, , , , – TV P – 40. AE GB.
fermé 15 déc. au 1er fév. et dim. hors saison – **Repas** *(fermé lundi midi et sam.)* 15/43, enf. 9 – ☕ 9 – **18 ch** 64/73 – ½ P 36,50

Select, ✆ 04 90 66 27 91, *Fax 04 90 66 33 05*, , – TV P. GB. ch
fermé 15 déc. au 6 janv., sam. et dim. du 15 oct. au 15 mars – **Repas** *(fermé sam. et dim. hors saison, sam. midi et dim. midi en saison)* 15/26, enf. 10 – ☕ 8 – **8 ch** 47/56 – ½ P 58

l'Avignon *par ③ D 942 : 10 km : – ✉ 84180 Monteux :*

Saule Pleureur, ✆ 04 90 62 01 35, *Fax 04 90 62 10 90*, , – P. AE GB
fermé 1er au 21 mars, 5 au 21 nov., sam. midi, dim. soir et lundi – **Repas** 30/60 et carte 47 à 64

En juin et en septembre,
les hôtels sont moins chers qu'en pleine saison, le service est plus soigné.

QUEIRANNE *83320 Var* 84 ⑮, 114 ㊻ *– 8 436 h alt. 30.*

Syndicat d'Initiative pl. de la République ✆ 04 94 01 40 40.
Paris 855 – Toulon 16 – Draguignan 80 – Hyères 7.

Plein Sud sans rest, av. Gén. de Gaulle par rte du port ✆ 04 94 58 52 86, *Fax 04 94 12 95 59* – TV P. AE GB.
fermé 15 oct. au 15 déc. – ☕ 6,70 – **17 ch** 46,50/62,50

Les Pins Penchés, av. Gén. de Gaulle par rte du port ✆ 04 94 58 60 25, *infos@restaurant-pins-penches.com., Fax 04 94 58 69 04*, – . AE GB JCB
fermé dim. soir, mardi midi et lundi – **Repas** 25 (déj.)/38 🍷, enf. 13

Les Santonniers, 18 r. J.-Jaurès (centre ville) ✆ 04 94 58 62 33, – GB
fermé 20 déc. au 10 janv., lundi en saison, merc. et jeudi hors saison – **Repas** 15/27 🍷

RIÈRES-SUR-SEINE *78 Yvelines* 55 ⑳, 101 ⑭ *– voir à Paris, Environs.*

CARROZ-D'ARÂCHES *74300 H.-Savoie* 74 ⑧ *G. Alpes du Nord – Sports d'hiver : 1 140/2 480 m 1 13 .*
Paris 582 – Chamonix-Mont-Blanc 47 – Thonon-les-Bains 70 – Annecy 64 – Bonneville 25.

Croix de Savoie ⛰, rte Flaine : 1 km ✆ 04 50 90 00 26, *jean-marc.tiret@wanadoo.fr, Fax 04 50 90 00 63*, ≤ montagnes et vallée, – P. GB
Repas 11/20, enf. 7,50 – ☕ 6 – **19 ch** 35/44 – ½ P 49

RRY-LE-ROUET *13620 B.-du-R.* 84 ⑫ *G. Provence – 6 009 h alt. 5 – Casino.*

Office du tourisme Avenue Aristide Briand ✆ 04 42 13 20 36, Fax 04 42 44 52 03, ot.carrylerouet@visitprovence.com.
Paris 772 – Marseille 34 – Aix-en-Provence 39 – Martigues 20 – Salon-de-Provence 45.

L'Escale (Clor), prom. du Port ✆ 04 42 45 00 47, *Fax 04 42 44 72 69*, ≤, , « Terrasse surplombant le port » – AE GB
1er mars-29 sept. et fermé lundi sauf le soir du 14 juil. au 15 août et dim. soir – **Repas** (dim. prévenir) *(32)* - 51,50 et carte 60 à 80
Spéc. Terrine de baudroie. Casserole de poissons "Côte bleue". Homard rôti au beurre de corail. **Vins** Cassis, Coteaux d'Aix-en-Provence.

Madrigal, 4 av. Dr G. Montus ✆ 04 42 44 58 63, *Fax 04 42 44 58 63*, ≤, – P. AE GB
fermé dim. soir et lundi – **Repas** 25,76/31,86

CARSAC AILLAC 24200 Dordogne **75** ⑰ G. Périgord Quercy – 1 217 h alt. 80.
Paris 543 – Brive-la-Gaillarde 60 – Sarlat-la-Canéda 9 – Gourdon 18.

🏠 **Relais du Touron** ⑤, rte Sarlat ℘ 05 53 28 16 70, relais.touron@wanadoo
⊚ Fax 05 53 28 52 51, 需, « Parc », ⌘, ⅏ – �📺 ✆ 🅿. 🇬🇧
1er avril-mi-nov. – **Repas** 13,72/30,48 ⚂, enf. 7,62 – ⌷ 6,86 – **12 ch** 53,35/75,46
1/2 P 51,81/54,48

CARTERET 50 Manche **54** ① – voir à Barneville-Carteret.

CARVIN 62220 P.-de-C. **51** ⑮ – 17 772 h alt. 31.
Paris 205 – Lille 24 – Arras 35 – Béthune 27 – Douai 23.

🏠 **Parc Hôtel**, N 17 - Z.I. du Château ℘ 03 21 79 65 65, customer@parc-hotel.co
Fax 03 21 79 80 00, 需 – �📺 ✆ & 🅿 – ▲ 25. 🇦🇪 ⓸ 🇬🇧 🇯🇨🇧
Repas (fermé dim. soir et soirs fériés) 18,15/24,24 bc ⚂ – ⌷ 8,85 – **46 ch** 48,03/57,18

XX **Charolais**, Domaine de la Gloriette, r. Mar. Foch (rte Seclin) ℘ 03 21 40 12 98, lecharola
compuserve.com, Fax 03 21 40 41 15, 需 – ▤ 🅿. 🇦🇪 🇬🇧
fermé août, mardi soir, merc. soir, jeudi soir, dim. soir et lundi – **Repas** (18 bc) - 23/60,20 b
enf. 12

CASAMOZZA 2B H.-Corse **90** ③ – voir à Corse.

Les prix | Pour toutes précisions sur les prix indiqués dans ce guide,
reportez-vous aux pages explicatives.

CASSEL 59670 Nord **51** ④ G. Picardie Flandres Artois – 2 290 h alt. 175.
Voir Site*.
🇮 Office du tourisme Grand'Place ℘ 03 28 40 52 55, Fax 03 28 40 59 17, cassel@touris
norsys.fr.
Paris 252 – Calais 56 – Dunkerque 30 – Hazebrouck 11 – Lille 52 – St-Omer 22.

XX **Petit Bruxelles**, au Petit-Bruxelles, Sud-Est : 3,5 km sur D 916 ℘ 03 28 42 44
bdesnave@nordnet.fr, Fax 03 28 40 58 13, 需 – 🅿. 🇬🇧
fermé vacances de fév., dim. soir, mardi soir, merc. soir et lundi – **Repas** 23/39, enf. 12,1

CASSIS 13260 B.-du-R. **84** ⑬, **114** ㉙ G. Provence – 8 001 h alt. 10 – Casino.
Voir Site* – Les Calanques** (1h en bateau) – Mt de la Saoupe ❊* : 2 km par D 41A.
Env. Cap Canaille, la plus haute falaise maritime d'Europe, ≤*** 5 km par D41A – Sé
phore ❊*** - Corniche des Crêtes** de Cassis à la Ciotat.
🇮 Office du tourisme Place Baragnon ℘ 04 42 01 71 17, Fax 04 42 01 28
omt-cassis@enprovence.com.
Paris 806 ① – Marseille 30 ① – Aix-en-Provence 49 ② – La Ciotat 9 ② – Toulon 42 ②.

CASSIS

Abbé-Mouton (R.)	2
Arène (R. de l')	4
Autheman (R. V.)	5
Baragnon (Pl.)	6
Barthélemy (Bd)	7
Barthélemy (Quai Jean-Jacques)	8
Baux (Quai des)	9
Ciotat (R. de la)	10
Clemenceau (Pl.)	12
Ganteaume (Av. de l'Amiral)	14
Jaurès (Av. J.)	16
Leriche (Av. Professeur)	17
Mirabeau (Pl.)	22
Moulins (Q. des)	23
République (Pl.)	25
Revestel (Av. du)	26
St-Michel (Pl.)	27
Thiers (R. Adolphe)	29
Victor-Hugo (Av.)	32

*Le Guide change,
changez de guide
tous les ans.*

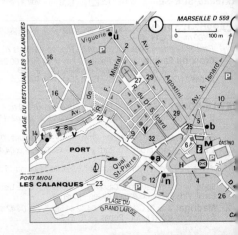

Royal Cottage M sans rest, 6 av. 11 Novembre par ① ☎ 04 42 01 33 34, *info@royal-cottage.com, Fax 04 42 01 06 90,* – ▣ – 20. AE ⓓ GB. ✂
fermé 22 déc. au 4 janv. – ☐ 11 – **22 ch** 104/122, 3 duplex

Les Jardins de Cassis sans rest, r. A. Favier par ① : *1 km* ☎ 04 42 01 84 85, *Fax 04 42 01 32 38,* – TV P. AE ⓓ GB. ✂
1er avril-31 oct. – ☐ 11 – **36 ch** 110/124

Golfe sans rest, quai Barthélemy **(t)** ☎ 04 42 01 00 21, *Fax 04 42 01 92 08,* ← – TV. AE GB
28 mars-4 nov. – ☐ 7,65 – **30 ch** 57,95/73,20

Liautaud sans rest, 2 r. V. Hugo **(a)** ☎ 04 42 01 75 37, *Fax 04 42 01 12 08,* ← – TV. GB. ✂
fermé 1er déc. au 1er fév. – ☐ 6 – **39 ch** 57/67

Clos des Arômes , 10 r. Paul Mouton **(u)** ☎ 04 42 01 71 84, *Fax 04 42 01 31 76,* – TV. AE GB. ✂ ch
mars-Toussaint – **Repas** *(fermé mardi midi, merc. midi et lundi)* 19/25 – ☐ 7 – **14 ch** 45/70 – ½ P 60/63

Grand Jardin sans rest, 2 r. P. Eydin **(b)** ☎ 04 42 01 70 10, *Fax 04 42 01 70 10* – TV. AE ⓓ GB. ✂
☐ 6,25 – **26 ch** 56/64,50

Cassitel sans rest, pl. Clemenceau **(n)** ☎ 04 42 01 83 44, *cassitel@hotel-cassis.com, Fax 04 42 01 96 31* – TV. AE ⓓ GB JCB
☐ 5,80 – **25 ch** 60

XXX **Presqu'île,** par rte Port-Miou, Sud-Ouest : 2 km ☎ 04 42 01 03 77, *restaurantlapresquile@wanadoo.fr, Fax 04 42 01 94 49,* ← mer et Cap Canaille, – P. AE GB
1er mars-12 nov. et fermé dim. soir de sept. à mai et lundi – **Repas** 29/45

X **Nino,** port de Cassis **(v)** ☎ 04 42 01 74 32, *Fax 04 42 01 74 32,* ← – AE ⓓ GB JCB
fermé 16 déc. au 15 fév., dim. soir hors saison et lundi – **Repas** 30,49 ♀

X **Fleurs de Thym,** 5 r. La Martine **(y)** ☎ 04 42 01 23 03
fermé 2 janv. au 10 fév. – **Repas** (dîner seul. sauf dim. hors saison) 22,71/32,01

X **Romano,** port de Cassis **(z)** ☎ 04 42 01 08 16, *Fax 04 42 01 30 33,* ←, – AE ⓓ GB JCB
Repas 21/26, enf. 11,50

*Les localités dont les noms sont soulignés de rouge sur les **cartes Michelin** à 1/200 000 sont citées dans ce guide. Utilisez une carte récente pour profiter de ce renseignement.*

ASTAGNÈDE *64 Pyr.-Atl.* 86 ② *– rattaché à Salies-de-Béarn.*

ASTAGNIERS *06670 Alpes-Mar.* 84 ⑨, 115 ㉖ *– 1 359 h alt. 350.*
Voir *Aspremont :* ✻★ *de la terrasse de l'ancien château SE : 4 km,* G. **Côte d'Azur.**
Paris 945 – Nice 18 – Antibes 34 – Cannes 44 – Contes 31 – Levens 16 – Vence 23.

Chez Michel, ☎ 04 93 08 05 15, *Fax 04 93 08 05 38,* – TV. AE GB
fermé 28 oct. au 1er déc. – **Repas** *(fermé dim. soir et lundi)* (10) - 15/28,50 ♀, enf. 9,20 – ☐ 5,40 – **20 ch** 43,50/46 – ½ P 48,10

Castagniers-les-Moulins *Ouest : 5 km –* ✉ *06670 :*

Servotel, N 202 ☎ 04 93 08 22 00, *info@servotel.fr, Fax 04 93 29 03 66,* – cuisinette, ▤ rest, TV P – 30. AE GB. ✂ rest
Servella ☎ 04 93 08 10 62 *(fermé 1/3 au 15/3, 20/10 au 10/11, dim. soir et lundi midi sauf juil-août* **Repas** 15/46 ♀, enf. 9 – ☐ 8 – **40 ch** 49/58, 31 studios – ½ P 43/49

---

e CASTELET *09 Ariège* 86 ⑮ *– rattaché à Ax-les-Thermes.*

ASTELJALOUX *47700 L.-et-G.* 79 ⑬ *G. Aquitaine – 4 755 h alt. 52.*
Office du tourisme Maison du Roy ☎ 05 53 93 00 00, Fax 05 53 20 74 32, office-tourisme@casteljaloux.com.
Paris 678 – Agen 55 – Mont-de-Marsan 74 – Langon 55 – Marmande 23 – Nérac 30.

Cordeliers, r. Cordeliers ☎ 05 53 93 02 19, *Fax 05 53 93 55 48* – TV P. AE GB
fermé 20 déc. au 15 janv., dim. soir sauf hôtel de juin à oct., vend. midi et lundi – **Repas** 11 (déj.), 15/25 , enf. 8 – ☐ 6 – **24 ch** 35/61 – ½ P 37/44

XXX **Vieille Auberge,** 11 r. Posterne ☎ 05 53 93 01 36, *Fax 05 53 93 18 89* – P. GB
fermé 24 juin au 7 juil., 18 nov. au 1er déc., 18 au 24 fév., mardi soir de nov. à mars, dim. soir et merc. – **Repas** 18,30/38,12 et carte 34 à 40 ♀, enf. 11,44

CASTELLANE ⟨SP⟩ *04120 Alpes-de-H.-P.* **81** ⑱, **114** ⑩ *G. Alpes du Sud – 1 508 h alt. 730.*

Voir *Site*★ – *Lac de Chaudanne*★ *4 km par* ①.

Excurs. *Grand canyon du Verdon*★★★.

🛈 *Office du tourisme Rue Nationale 𝒫 04 92 83 61 14, Fax 04 92 83 76 89, office@ca.lane.org.*

Paris 793 ③ – *Digne-les-Bains 55* ③ – *Draguignan 59* ② – *Grasse 64* ① – *Manosque 95* ②

CASTELLANE

Blondeau (R. du Lt)	2
Église (Pl. de l')	3
Fontaine (R. de la)	4
Liberté (Pl. de la)	5
Mazeau (R. du)	6
Mitan (R. du)	7
Nationale (R.)	8
République (Bd de la)	9
Roc (Pont du)	10
St-Michel (Bd)	12
St-Victor (R.)	13
Sauvaire (Pl. M.)	14
Tesson (R. du)	15
11-Novembre (R. du)	16

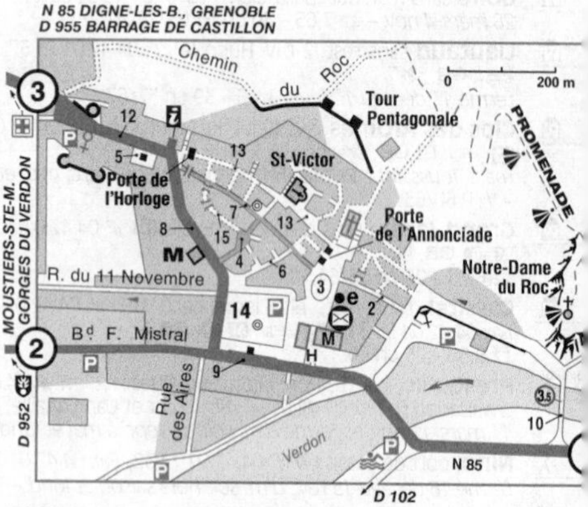

Michelin
n'accroche pas
de panonceau
aux hôtels et restaurants
qu'il signale.

🏠 **Nouvel Hôtel du Commerce**, (e) 𝒫 04 92 83 61 00, *accueil@hotel-fradet.cc*
   Fax 04 92 83 72 82, 🌤 – 🛗 📺 🅿 – 🔏 15. 🅰🅴 ⓪ 🆖
   1ᵉʳ mars-15 oct. – Repas (fermé merc. midi et mardi) 19,82/39,64 ℤ, enf. 9,15 – ⧠ 7,6
   35 ch 45,73/63,27 – ½ P 62,50

à la Garde *par* ① *et N 85 : 6 km – 56 h. alt. 928 – ⊠ 04120 :*

🍴🍴 **Auberge du Teillon** avec ch, 𝒫 04 92 83 60 88, Fax 04 92 83 74 08 – 📺 🅿. 🆖
   fermé 1ᵉʳ déc. au 15 mars, dim. soir d'oct. à Pâques et lundi sauf juil.-août – Repas 18/
   *enf. 8 – ⧠ 7 – **8 ch** 39/49 – ½ P 45/50*

Restaurants, die sorgfältig zubereitete,
preisgünstige Mahlzeiten anbieten, sind
durch das Zeichen ⌂ kenntlich gemacht.

Le CASTELLET *83330 Var* **84** ⑭, **114** ㊹ *G. Côte d'Azur – 3 799 h alt. 252.*

Voir *Site*★.

Circuit automobile permanent, *N : 11 km.*

Paris 822 – Toulon 23 – Brignoles 51 – La Ciotat 21 – Marseille 45.

🍴🍴🍴 **Castel Lumière** ☞ avec ch, 1 r. Portail 𝒫 04 94 32 62 20, Fax 04 94 32 70 33, ≤ *vigno*
   et pays varois, 🌤 – 📺. 🆖
   *fermé 4 janv. au 9 fév., dim. soir et lundi – Repas 20 (déj.), 29/43 ℤ – ⧠ 10 – **6 ch** 58/8*
   ½ P 58/89

CASTELNAUDARY *11400 Aude* **82** ⑳ *G. Languedoc Roussillon – 10 851 h alt. 175.*

🛈 *Office du tourisme Place de la République 𝒫 04 68 23 05 73, Fax 04 68 23 61*
   castelnaudary@fnotsi.net.

Paris 757 ④ – *Toulouse 59* ④ – *Carcassonne 42* ④ – *Foix 63* ④ – *Pamiers 49* ⑤.

Plan page ci-contre

🏠 **Canal** ☞ sans rest, 2 ter av. A. Vidal 𝒫 04 68 94 05 05, Fax 04 68 94 05 06, 🚗 – 📺 🕭 🕪
   🔏 25. 🅰🅴 ⓪ 🆖 🗾
   ⧠ 6 – **38 ch** 40/50   AZ

🏠 **Clos St-Siméon**, 134 av. Mgr. de Langle *par* ③ 𝒫 04 68 94 01 20, *clos-saint-simeon@lo*
   -de-france-aude.com, Fax 04 68 94 05 47, 🌤, 🏊, 🐾 – 📺 🕭 🅿. 🅰🅴 ⓪ 🆖 🗾
   fermé 20 déc. au 6 janv. sam. et dim. de nov. à mars – Repas 11,50 (déj.)/27,50, enf. 6,4
   ⧠ 5 – **31 ch** 38/43 – ½ P 36,60/41,20

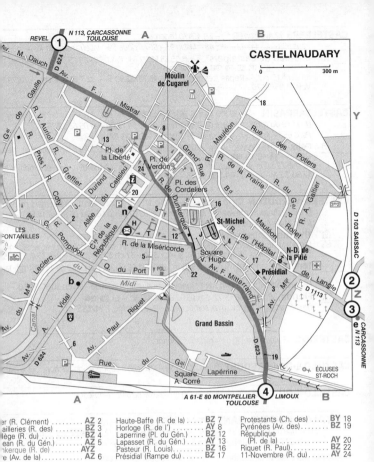

CASTELNAUDARY

Centre et Lauragais, 31 cours République ℰ 04 68 23 25 95, Fax 04 68 94 01 66, 斎 – 🔟 ℂℇ GB   AZ **n**
fermé 7 janv. au 7 fév., mardi soir et merc. – **Repas** 14,50/20,60 – ☲ 4,90 – **16 ch** 36,60/39,70 – ½ P 35,25/37

Tirou, 90 av. Mgr de Langle ℰ 04 68 94 15 95, tirou@ataras-ie.fr, Fax 04 68 94 15 96, 斎, 斎 – 🍽 🅿 GB   BZ **e**
fermé 24 juin au 2 juil., 2 janv. au 2 fév., merc. soir de sept. à juin, dim. soir et lundi – **Repas** 14,50 (déj.), 19,80/39,60

─────────────────────────────────

ASTELNAU-DE-LÉVIS 81 Tarn 🎛 ⑩ – rattaché à Albi.

─────────────────────────────────

ASTELNOU 66300 Pyr.-Or. 🎛 ⑲ G. Languedoc Roussillon – 331 h alt. 300.
Paris 873 – Perpignan 23 – Argelès-sur-Mer 39 – Céret 28 – Prades 30.

L'Hostal, (accès piétonnier) ℰ 04 68 53 45 42, Fax 04 68 53 45 42, ≤, 斎 – 🆎 ⓞ GB
fermé 5 janv. au 28 fév., le soir de nov. à mars et lundi sauf juil.-août – **Repas** 20,14/37,35 bc ☲, enf. 11,45

┌───┐
│ A good moderately priced meal : 🏵 Repas 16/23 │
└───┘

CASTELPERS 12 Aveyron 80 ⑪ – ⊠ 12170 Ledergues.
Paris 698 – Rodez 42 – Albi 48 – Millau 93 – St-Affrique 59 – Villefranche-de-Rouergue 5

🏠 **Château de Castelpers** ⑤, ℘ 05 65 69 22 61, Fax 05 65 69 25 31, ≤, « Parc au b
de l'eau », ⅍ – **P.** ⅏ ⓞ ⅏ ⅏. ℁ rest
15 avril-15 oct. – Repas (résidents seul.) 13,75/22,90 ₤ – ☲ 7,65 – **8 ch** 41,20/79,3
½ P 41,95/58,70

CASTELSARRASIN ◆ 82100 T.-et-G. 79 ⑰ – 11 352 h alt. 82.
🛈 Office du tourisme Place de la Liberté ℘ 05 63 32 75 00, Fax 05 63 32 75 01.
Paris 663 – Agen 54 – Toulouse 68 – Auch 76 – Cahors 82.

🏠 **Félix** ⑤, rte Moissac : 4 km ℘ 05 63 32 14 97, Fax 05 63 32 37 51, 宋, décor Far-West
– ⅏ **P.** – ⅍ 40. ⅏ ⓞ ⅏ ch
fermé 22 sept. au 6 oct. et 1er au 12 janv. – Repas (fermé dim. soir et lundi) 13 (d
17,50/32 ₤ – ☲ 5,50 – **14 ch** 38/63 – ½ P 39/43

CASTÉRA-VERDUZAN 32410 Gers 82 ④ – 830 h alt. 114 – Stat. therm. (début mars-mi déc.)
🛈 Office du tourisme Avenue des Thermes ℘ 05 62 68 10 66, Fax 05 62 68 14 58.
Paris 714 – Auch 26 – Agen 62 – Condom 21.

🏠 **Thermes,** ℘ 05 62 68 13 07, Fax 05 62 68 10 49, 宋 – ⅏ ⓞ ⅏
fermé 11 au 17 mars, 27 janv. au 9 fév., vend. soir et sam. d'oct. à avril et week-ends
janv., fév. et mars – Repas 11,50/32 ₤ – ☲ 5,50 – **37 ch** 32,50/45,60 – ½ P 37,20/38,85

Ténarèze sans rest, Annexe à 500 m. ℘ 05 62 68 10 22, Fax 05 62 68 14 69 – ⅏ ⅏
⅏
Pâques-oct. et fermé dim.soir et lundi sauf juil.-août – ☲ 5,50 – **24 ch** 30,30/39,60

XX **Florida,** ℘ 05 62 68 13 22, Fax 05 62 68 10 44, 宋 – ⅏ ⓞ ⅏
fermé vacances de Goya de fév., dim. soir et lundi – Repas 12 (déj.), 21/38 ₤

CASTERINO 06 Alpes-Mar. 84 ⑩ – rattaché à Tende.

CASTILLON-DE-LARBOUST 31 H.-Gar. 85 ⑳ – rattaché à Bagnères-de-Luchon.

CASTILLON-DU-GARD 30 Gard 80 ⑲, 81 ⑪ – rattaché à Pont-du-Gard.

CASTILLON-EN-COUSERANS 09800 Ariège 86 ② G. Midi-Pyrénées – 424 h alt. 543.
🛈 Office du tourisme ℘ 05 61 96 72 64, Fax 05 61 96 46 12, otcastil@club-internet.fr.
Paris 813 – Bagnères-de-Luchon 62 – Foix 58 – St-Girons 14.

à Audressein par rte de Luchon : 1 km – 107 h. alt. 509 – ⊠ 09800 :
XX **L'Auberge** avec ch, ℘ 05 61 96 11 80, aubergeaudressein@club-internet
Fax 05 61 96 82 96 – ▤ rest,. ⅏
fermé 6 au 31 janv. – Repas (fermé dim. soir et lundi du 15 sept. au 5 mai sauf vacan
scolaires) 12,96 (déj.), 17,53/43,35, enf. 9,15 – ☲ 6,10 – **10 ch** 39,64 – ½ P 38,11

CASTRES ◆ 81100 Tarn 83 ① G. Midi-Pyrénées – 43 496 h alt. 170.
Voir Musée Goya★ – Hôtel de Nayrac★ AY – Centre national et musée Jean-Jaurès AY.
Env. Le Sidobre★ 9 km par ① – Musée du Protestantisme à Ferrières.
✈ de Castres-Mazamet : ℘ 05 63 70 34 77 par ③ : 8 km.
🛈 Office du tourisme 3 rue Milhau-Ducommun ℘ 05 63 62 63 62, Fax 05 63 62 63 60.
Paris 736 ⑦ – Toulouse 71 ④ – Albi 43 ⑦ – Béziers 107 ③ – Carcassonne 67 ③.

Plan page ci-contre

🏨 **Renaissance** ⑤ sans rest, 17 r. V. Hugo ℘ 05 63 59 30 42, Fax 05 63 72 11 57, « Mais
du 17e siècle, belle décoration intérieure » – ⅏ ℁ – ⅍ 20. ⅏ ⓞ ⅏   AZ
fermé 21 déc. au 3 janv. – ☲ 9 – **20 ch** 58/100

🏨 **Europe,** 5 r. V. Hugo ℘ 05 63 59 00 33, Fax 05 63 59 21 38, « Maison du 17e siècle » – ⅏
⅍ 20. ⅏ ⓞ ⅏ ⅏   AYZ
Repas (fermé août, 23 déc. au 2 janv. et dim.) 8,50 (déj.)/10 ₤ – ☲ 6 – **36 ch** 49/54

🏨 **Occitan** Ⓜ, 201 av. Ch. de Gaulle par ③ ℘ 05 63 35 34 20, Fax 05 63 35 70 32, 宋
▤ rest, ⅏ ℁ ⇔ **P.** – ⅍ 15. ⅏ ⓞ ⅏
fermé 25 déc. au 5 janv. – Repas (fermé sam. midi) 13/39 ₤, enf. 8 – ☲ 7 – **41 ch** 57/73
½ P 54/61

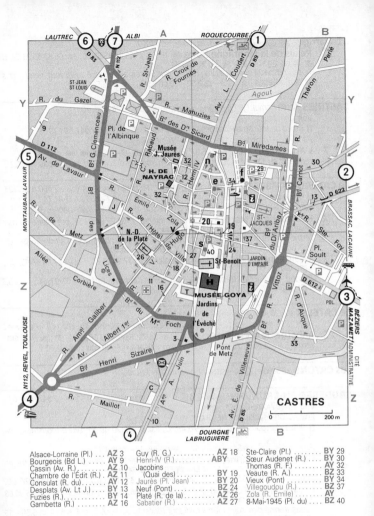

CASTRES

0   200 m

🏠 **Miredames** Ⓜ, 1 pl. R. Salengro ℘ 05 63 71 38 18, *miredames@infonie.fr*,
Fax 05 63 71 38 19, 🏡 – 🛗, ▤ ch, ⊡ ☎ ❄. ᴁ ◑ ☻ BY f
- Relais du Pont Vieux ℘ 05 63 35 56 14 **Repas** 10 bc(déj.), 14/36 ♨, enf.7 – ☐ 5,50 –
14 ch 46,50/56,50 – ½ P 40,50/43

XX **Victoria**, 24 pl. 8-Mai 1945 ℘ 05 63 59 14 68, Fax 05 63 59 14 68 – ▤. ᴁ ◑ ☻
JCB BZ s
fermé 11 au 25 août, sam. midi et dim. – **Repas** 10,67 (déj.), 16,01/40,40 ♨, enf. 8,38

XX **Mandragore**, 1 r. Malpas ℘ 05 63 59 51 27, Fax 05 63 73 29 68 – ▤. ᴁ ◑ ☻
⊶ JCB BY e
fermé 1ᵉʳ au 30 janv., dim. et lundi – **Repas** 11,54 bc/42,31 ♈

Burlats *par* ①, D 89 et D 58 : 9 km – 1 829 h. alt. 191 – ⊠ 81100 :

🏠 **Castel de Burlats** ⤳ sans rest, ℘ 05 63 35 29 20, *le.castel.de.burlats@wanadoo.fr*,
Fax 05 63 51 14 69, ♨ – ⊡ ☎ ⇦ 🅿 – 🔬 20. ᴁ ◑ ☻ JCB
fermé 30 août au 3 sept., et 26 oct. au 3 nov. – ☐ 8 – **10 ch** 61/99

377

à Lagarrigue par ③ : 4 km – 1 641 h. alt. 200 – ⊠ 81090

🏨 **Relais de la Montagne Noire** Ⓜ, N 112 ℰ 05 63 35 52 00, Fax 05 63 35 25 59, ☞
🍽, 🍴 ch, 📺 📞 & 🅟 – 🈹 30. 🕮 ⓪ 🆖
hôtel : fermé 24 déc. au 2 janv.; rest.: fermé 24 déc. au 2 janv., 6 au 26 août, vend. soir, s
et dim. – **Repas** (15) - 21 ♈ – ⇌ 9,50 – **30 ch** 63/70 – ½ P 52,50

CASTRIES 34160 Hérault 🎵🎵 ⑦ G. Languedoc Roussillon – 5 146 h alt. 70.
Voir *Château★*.
🅱 Office du tourisme Place des Libertés ℰ 04 67 91 20 39, Fax 04 67 91 20 39.
Paris 752 – Montpellier 19 – Lunel 14 – Nîmes 44.

🍴 **L'Art du Feu,** ℰ 04 67 70 05 97, Fax 04 67 70 05 97 – 🗐. 🕮 ⓪ 🆖
🍴 *fermé 1er au 10 sept., vacances de fév., dim. soir, mardi soir et merc. –* **Repas** 11,50/22 ♈

Le CATEAU-CAMBRÉSIS 59360 Nord 🎵🎵 ⑭ ⑮ G. Picardie Flandres Artois – 7 460 h alt. 123.
🅱 Office du tourisme Rue Victor Hugo ℰ 03 27 84 10 94, Fax 03 27 77 81 74.
Paris 202 – St-Quentin 41 – Cambrai 24 – Hirson 45 – Lille 86 – Valenciennes 33.

🍴🍴 **Hostellerie du Marché** avec ch, r. Landrecies ℰ 03 27 84 09 32, hostellerie-du-mar
🍴 @wanadoo.fr, Fax 03 27 77 01 00 – 📺. 🆖
fermé 14 avril, 29 juil. au 20 août, 26 déc. au 3 janv., d im. soir et lundi – Repas (11,
20,60 bc/44,25 ♈ – ⇌ 5,35 – **3 ch** 32,10/38,20 – ½ P 30,50

🍴🍴 **Relais Fénelon** avec ch, 21 r. Mar. Mortier ℰ 03 27 84 25 80, Fax 03 27 84 38 60, 🍴,
– 📺. 🆖
fermé 5 au 29 août – **Repas** *(fermé dim. soir et lundi sauf fériés)* 17,07/27,44 ♈ – ⇌ 5,3
4 ch 39,64 – ½ P 32,01

Le CATELET 02420 Aisne 🎵🎵 ⑬ ⑭ – 218 h alt. 90.
Paris 181 – St-Quentin 19 – Cambrai 22 – Le Cateau-Cambrésis 28 – Laon 66 – Péronne 2

🍴🍴 **Auberge de la Croix d'Or,** ℰ 03 23 66 21 71, Fax 03 23 66 28 32, 🍴, 🚗 – 🅟. 🆖
fermé 5 au 23 août, 23 déc. au 6 janv., dim. soir et lundi – **Repas** 20,20/32,70 ♈

Les CATONS 73 Savoie 🎵🎵 ⑮ – rattaché au Bourget-du-Lac.

CAUDEBEC-EN-CAUX 76490 S.-Mar. 🎵🎵 ⑤ G. Normandie Vallée de la Seine – 2 342 h alt. 6.
Voir *Église Notre-Dame★*.
Env. *Vallon de Rançon★ NE : 2 km.*
🅱 Office du tourisme ℰ 02 32 70 46 32, Fax 02 32 70 46 31, office-tourisme-cc@w
doo.fr.
Paris 163 – Le Havre 54 – Rouen 37 – Lillebonne 18 – Yvetot 13.

🏨 **Normotel-La Marine,** quai Guilbaud ℰ 02 35 96 20 11, contact@normotel-lamarine
Fax 02 35 56 54 40, ≤ – 🍴 📺 📞 🅟 – 🈹 50. 🕮 ⓪ 🆖 🆖
Repas 11,89 (déj.), 20,58/43,45 ♈, enf. 9,14 – ⇌ 8 – **31 ch** 45,62/75,46 – ½ P 44,02/58,02

🏨 **Normandie,** quai Guilbaud ℰ 02 35 96 25 11, info@le-normandie.fr, Fax 02 35 96 68
≤ – 📺 📞 🅟. 🕮 ⓪ 🆖 🆖
Repas *(fermé dim. soir et lundi midi sauf fériés)* 14,94/35,05 ♈, enf. 6,85 – ⇌ 5,35 – **15**
35,05/57,93 – ½ P 45,70

🏨 **Cheval Blanc,** 4 pl. R. Coty ℰ 02 35 96 21 66, Fax 02 35 95 35 40 – 📺. 🕮 ⓪ 🆖
Repas *(fermé dim. soir sauf fériés)* (9,15) - 12 (déj.), 18,30/27,50 ♈, enf. 7,70 – ⇌ 5,80 – **16**
38/54 – ½ P 38,20/42,70

CAULIÈRES 80290 Somme 🎵🎵 ⑰ – 186 h alt. 185.
Paris 137 – Amiens 37 – Abbeville 45 – Beauvais 50 – Neufchâtel-en-Bray 35.

🍴🍴 **Auberge de la Forge,** ℰ 03 22 38 00 91, aubergedelaforge@aol.cc
Fax 03 22 38 08 48 – 🆖
fermé merc. soir hors saison – **Repas** (dim. prévenir) (9,15) - 15,24/41,16 ♈, enf. 7,62

CAUREL 22530 C.-d'Armor 🎵🎵 ⑫ – 387 h alt. 188.
Paris 462 – St-Brieuc 48 – Carhaix-Plouguer 44 – Guingamp 48 – Loudéac 24 – Pontivy 2.

🍴🍴 **Beau Rivage** ≫ avec ch, au Lac de Guerlédan : 2 km par D 111 ℰ 02 96 28 52
Fax 02 96 26 01 16, ≤, 🍴, « Au bord du lac » – 📺 – 🈹 30. 🆖
fermé 8 au 22 oct., 24 fév. au 1er mars, dim. soir, lundi soir et mardi – **Repas** 14,48/53,
enf. 9,91 – ⇌ 6,10 – **8 ch** 39,64/50,31 – ½ P 45,73/53,36

URO *2A Corse-du-Sud* 90 ⑰ – *voir à Corse.*

USSADE *82300 T.-et-G.* 79 ⑱ – *5 971 h alt. 109.*

Office du tourisme Rue de la République ☏ 05 63 26 04 04.

Paris 620 – Cahors 39 – Gaillac 50 – Montauban 25 – Villefranche-de-Rouergue 52.

Dupont sans rest, r. Récollets ☏ 05 63 65 05 00, *Fax 05 63 65 12 62* – TV ☎ ♿ 🚗 P. GB
Pâques-mi-oct. et fermé dim. – ☕ 6,85 – **30 ch** 34,30/53,35

Monteils *Nord-Est : 3 km par D 17 – 1 075 h. alt. 120 – ✉ 82300 :*

Clos Monteils, ☏ 05 63 93 03 51, *Fax 05 63 93 03 51,* 🏠 – ✂
fermé janv., fév., mardi de nov. au 15 mai, sam. midi, dim. soir et lundi – **Repas** (nombre de couverts limités, prévenir) 12,50 (déj.), 22,50/28,50

UTERETS *65110 H.-Pyr.* 85 ⑰ *G. Midi-Pyrénées – 1 305 h alt. 932 – Stat. therm. – Sports d'hiver : 1 000/2 350 m* 3 18 *– Casino.*

Voir *La station★ – Route et site du Pont d'Espagne★★★ (chutes du Gave) au Sud par D 920 – Cascade★★ et vallée★ de Lutour S : 2,5 km par D 920.*

Env. *Cirque du Lys★★.*

Office de tourisme pl. du Maréchal-Foch ☏ 05 62 92 50 27, Fax 05 62 92 59 12, espaces.cauterets@sudfr.com.

Paris 846 ① – Pau 75 ① – Argelès-Gazost 17 ① – Lourdes 30 ① – Tarbes 48 ①.

CAUTERETS

njamin-Dulau (Av.)	2
rdenave (Pl.)	3
menceau (Pl. G.)	4
gny (R. d')	5
ia (R. de la)	6
ch (Pl. Mar.)	8
an-Moulin (Pl.)	10
tapie-Flurin (Bd)	12
amelon-Vert (Av.)	13
nt-Neuf (R. du)	15
helieu (R. de)	16
toire (Pl. de la)	18

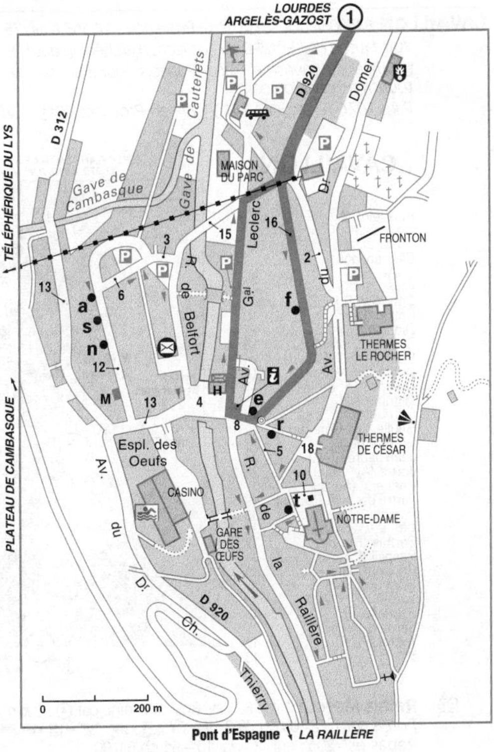

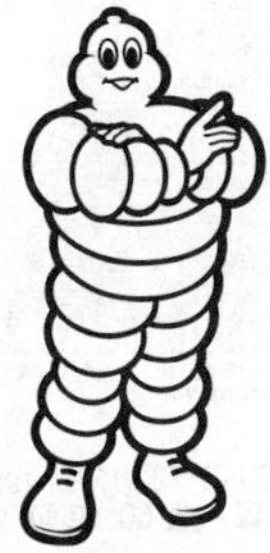

Sacca M, bd Latapie-Flurin **(a)** ☏ 05 62 92 50 02, *Fax 05 62 92 64 63,* – |‡|, ▤ rest, TV ♿. AE ⓞ GB JCB. ✂ rest
fermé 1ᵉʳ oct. au 1ᵉʳ déc. – **Repas** *(10,06 bc)* - 12,20/25,92 – ☕ 5,34 – **44 ch** 41,16/56,41 – ½ P 37,35/42,69

🏛 **Bordeaux**, r. Richelieu **(f)** ℰ 05 62 92 52 50, *hotel.le.bordeaux@wanadoo*
Fax 05 62 92 63 29 – 🛗 📺 ⇌. 🝙 ⓞ 🖭. ℅ rest
fermé 10 oct. au 1ᵉʳ déc. – **Repas** 20/25 – ⊇ 7 – **21 ch** 64, 3 duplex – ½ P 57

🏛 **César**, r. César **(r)** ℰ 05 62 92 52 57, Fax 05 62 92 08 19 – 🛗 📺. 🝙 ⓞ 🖭. ℅ rest
fermé 25 avril au 24 mai et 30 sept. au 24 oct. – **Repas** *(fermé merc. en hiver)* 12,30/27,4
– ⊇ 5,10 – **17 ch** 35,90/47,40 – ½ P 37,40/42,80

🏛 **Astérides**, 9 bd Latapie-Flurin **(s)** ℰ 05 62 92 50 43, Fax 05 62 92 64 89 – 🛗 📺. ⓞ ⓒ
℅ rest
fermé 6 au 26 mai et 4 nov. au 15 déc. – **Repas** *(fermé dim.)* 15/19 – ⊇ 6 – **12 ch** 55/6
½ P 50

🏠 **Paris** sans rest, 1 pl. Mar. Foch **(e)** ℰ 05 62 92 53 85, Fax 05 62 92 02 23 – 🛗 cuisinette
🝙 🖭. ℅
fermé 15 avril au 8 mai et 13 oct. au 7 déc. – ⊇ 5,30 – **8 ch** 41/53, 6 studios

🏠 **Edelweiss**, bd Latapie-Flurin **(n)** ℰ 05 62 92 52 75, *hotel.edelweiss65@wanadoo*
Fax 05 62 92 62 73 – 🛗 📺. ℅ rest
fermé 1ᵉʳ oct. au 1ᵉʳ déc. – **Repas** (10,37) -13,11, enf. 7 – ⊇ 5 – **24 ch** 45 – ½ P 35/42

🏠 **Welcome** ⌂, 3 r. V. Hugo **(t)** ℰ 05 62 92 50 22, Fax 05 62 92 02 90 – 🛗 📺. 🖭
fermé 21 oct. au 30 nov. – **Repas** 12,50/22,50 ⅛ – ⊇ 5 – **28 ch** 38/45 – ½ P 42/45

Dans la liste des rues des plans de villes,
les noms en rouge indiquent les principales voies commerçantes.

CAVAILLON 84300 Vaucluse 🎇 ⑫ G. Provence – 24 563 h alt. 75.
Voir Musée de l'Hôtel-Dieu : collection archéologique⋆ **M** – ≼⋆ de la colline St-Jacques.
🛈 Office du tourisme Place François Tourel ℰ 04 90 71 32 01, Fax 04 90 71 42
tourisme@cavaillon.com.
Paris 707 ④ – Avignon 25 ① – Aix-en-Provence 60 ④ – Arles 44 ④ – Manosque 70 ②.

CAVAILLON

Berthelot (Av.)	2
Bournissac (Cours)	3
Castil-Blaze (Pl.)	5
Clemenceau (Av. G.)	6
Clos (Pl. du)	7
Coty (Av. R.)	9
Crillon (Bd)	10
Diderot (R.)	12
Donné (Chemin)	13
Doumer (Bd. P.)	14
Dublé (Av. Véran)	15
Durance (R. de la)	17
Gambetta (Cours L.)	18
Gambetta (Pl. L.)	19
Gaulle (Av. Gén.-de)	22
Grand-Rue	23
Jean-Jaurès (Av.)	24
Joffre (Av. Mar.)	26
Kennedy (Av. J.F.)	27
Lattre-de-T. (R.P.J. de)	29
Pasteur (R.)	30
Péri (Av. Gabriel)	31
Pertuis (Rte de)	32
Raspail (R.)	34
Renan (Cours E.)	35
République (R. de la)	37
Sarnette (Av. Abel)	38
Saunerie (R.)	40
Sémard (Av. P.)	41
Tourel (Pl. F.)	42
Victor-Hugo (Cours)	43

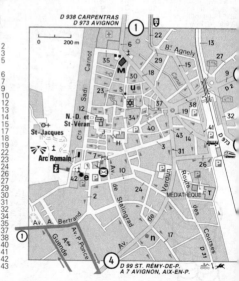

🏛 **Relais Mercure** Ⓜ, 601 av. Boscodomini, par ④ : 2 km ℰ 04 90 71 07 79, h1951@acc
hotels.com, Fax 04 90 78 27 94, 佘, 🏊, ☀, ℅ – 🛗 ⇆ 🖥 📺 ℰ ♿ 🅿 – 🛆 60. 🝙 ⓞ 🖭
Repas (15) -20 𝔜, enf. 8 – ⊇ 10 – **61 ch** 61/90

🏠 **Ibis** Ⓜ sans rest, 601 av. Boscodomini, par ④ : 2 km ℰ 04 90 06 18 88, h2179@acc
hotels.com, Fax 04 90 71 03 50, 🏊, ☀, ℅ – 🛗 ⇆ 🖥 📺 ℰ ♿ 🅿 – 🛆 60. 🝙 ⓞ 🖭
⊇ 5,50 – **47 ch** 50/68

🏠 **Parc** sans rest, pl. F. Tourel **(e)** ℰ 04 90 71 57 78, Fax 04 90 76 10 35 – 🖥 📺 ⇌. 🖭
⊇ 6,50 – **40 ch** 36/52

XXX **Prévot,** 353 av. Verdun **(n)** ℰ 04 90 71 32 43, jean-jacques.prévot2@freesbee.fr, Fax 04 90 71 97 05 – ▤. ▤ ◑ ☒ ☒
fermé 11 au 17 mars, 12 au 25 août, 6 au 12 janv., dim. sauf le midi d'oct. à mai et lundi – Repas 24,40 (déj.), 39,64/85,36 et carte 54 à 74 ♉, enf. 18,29

X **Fleur de Thym,** 91 r. J.-J. Rousseau **(u)** ℰ 04 90 71 14 64, Fax 04 90 71 14 64 – ☒
fermé 1ᵉʳ au 15 juil., dim. et lundi sauf fériés – Repas (nombre de couverts limité, prévenir) 15 (déj.), 20/38

Cheval-Blanc par ③ : 5 km – 3 524 h. alt. 83 – ⊠ 84460 :
X **Auberge de Cheval Blanc,** La Canebière ℰ 04 32 50 18 55, Fax 04 32 50 18 52, 斎 – ▤. ▤ ☒
fermé sam. midi, lundi midi et merc. – Repas 14,94 (déj.), 21,64/45,43

CAVALAIRE-SUR-MER 83240 Var ❽❹ ⑰, ❶❶❹ ㊽ G. Côte d'Azur – 5 237 h alt. 2 – Casino.
Env. Massif des Maures★★★.
🅱 Office du tourisme Maison de la Mer ℰ 04 94 01 92 14, Fax 04 94 64 04 60, accueil cav@franceplus.com.
Paris 884 – Fréjus 42 – Draguignan 55 – Le Lavandou 21 – St-Tropez 20 – Toulon 62.

🏨 **Calanque** ⏀, r. Calanque ℰ 04 94 00 49 00, mario.lacalanque@wanadoo.fr, Fax 04 94 64 66 20, ≤, 斎, « En bordure de mer », ⏁, ⏀ – ▤ ch, ▣ ☒ ▣. ▤ ◑ ☒
fermé 4 janv. au 15 mars – Repas (fermé lundi d'oct. à déc.) 27/47, enf. 12 – ⏄ 12 – 28 ch 160/225 – ½ P 122/153

🏨 **Pergola,** av. Port ℰ 04 94 00 42 22, Fax 04 94 64 60 08, 斎, ⏀ – ▣. ▤ ◑ ☒, ⏀
fermé 5 janv. au 5 fév. – Repas (14,50) -22/32, enf. 12,50 – ⏄ 6 – 25 ch 74/110 – ½ P 79,50/86

🏨 **Golfe Bleu,** rte Croix-Valmer par D 559 : 1 km ℰ 04 94 00 42 81, Fax 04 94 05 48 79, 斎 – ▣ ▣. ▤ ☒
1ᵉʳ fév.-1ᵉʳ nov. – Repas (dîner seul.) 16, enf. 7,62 – ⏄ 6,10 – 15 ch 70,13 – ½ P 109,76

The Guide changes, so renew your Guide every year.

---

a CAVALERIE 12230 Aveyron ❽❶ ⑭ – 813 h alt. 800.
Paris 659 – Montpellier 96 – Millau 19 – Rodez 85.

🏨 **Poste,** N 9 ℰ 05 65 62 70 66, francebonnemayre@wanadoo.fr, Fax 05 65 62 78 24 – ⏃ ▣ ☒ ▣. ◑ ☒
fermé vend. soir et sam. de nov. à fév. – Repas 12,90/32 ♉, enf. 8,40 – ⏄ 6,10 – 29 ch 43,60/58,80 – ½ P 51

AVALIÈRE 83 Var ❽❹ ⑰, ❶❶❹ ㊽ G. Côte d'Azur – ⊠ 83980 Le Lavandou.
Env. Massif des Maures★★★.
Paris 886 – Fréjus 55 – Draguignan 68 – Le Lavandou 8 – St-Tropez 33 – Toulon 48.

🏨 **Club** Ⓜ, ℰ 04 94 05 80 14, cavaliere@relaischateaux.com, Fax 04 94 05 73 16, ≤, 斎, « Elégant ensemble au bord de la mer », ⏁, ⏀, ⏀ – ⏃ ▣ ▣ ☒ ▣. ▤ 30. ▤ ◑ ☒ ☒
4 mai-29 sept. – Repas 52/64 – ⏄ 14 – 42 ch 304/532 – ½ P 260/331

🏨 **Grand Hôtel Moriaz,** ℰ 04 94 05 80 01, grand.hotel.moriaz@wanadoo.fr, Fax 04 94 05 70 88, ≤, 斎, « En bordure de mer », ⏀ – ▤ ▣. ☒. ⏀ rest
hôtel : 20 avril-6 oct. ; rest. : 25 mai-30 sept. – Repas 26/39 – ⏄ 9,20 – 25 ch 99/137 – ½ P 90/110

AVANAC 11 Aude ❽❻ ⑦ – rattaché à Carcassonne.

AYLUS 82160 T.-et-G. ❼❾ ⑲ G. Périgord Quercy – 1 324 h alt. 228.
Voir Christ★ en bois dans l'église.
🅱 Office du tourisme Rue Droite ℰ 05 63 67 00 28, Fax 05 63 67 00 28.
Paris 641 – Cahors 60 – Albi 60 – Montauban 47 – Villefranche-de-Rouergue 30.

X **Renaissance** avec ch, av. du Père Huc ℰ 05 63 67 07 26, Fax 05 63 24 03 57, 斎 – ▤ rest, ▣. ☒. ⏀ ch
fermé 17 au 25 juin, 7 au 21 oct., 24 fév. au 10 mars, dim. soir et lundi – Repas 11/32 ♉, enf. 7,70 – ⏄ 7 – 9 ch 28/44 – ½ P 44

ÉAUX 50 Manche ❺❾ ⑧ – rattaché à Pontaubault.

CEILLAC 05600 H.-Alpes **77** ⑱ ⑲ G. Alpes du Sud – 276 h alt. 1640 – Sports d'hiver : 1 650/2 480 r ⚡ 6 ⚡.

Voir Site★ – Église St-Sébastien★.

Env. Vallon du Mélezet★ – Lac Ste-Anne★★.

🛈 Office de tourisme ℰ 04 92 45 05 74, Fax 04 92 45 47 05.

Paris 732 – Briançon 50 – Gap 76 – Guillestre 14.

🏠 **Cascade** ⚐, au pied du Mélezet Sud-Est : 2 km ℰ 04 92 45 05 92, Fax 04 92 45 22 09, ≼
🍽 – **P**, GB, ⚡
1ᵉʳ juin-8 sept. et 21 déc.-14 avril – **Repas** 13,50/20 ☿, enf. 8 – ☐ 7 – **23 ch** 31/64 –
½ P 41,50/57

La CELLE 83170 Var **84** ⑮ – 1 082 h alt. 260.

Paris 818 – Aix-en-Provence 61 – Draguignan 62 – Marseille 66 – Toulon 48.

🏛 **Hostellerie de l'Abbaye de la Celle** ⚐, ℰ 04 98 05 14 14, contact@abbaye-celle.
com, Fax 04 98 05 14 15, 🍽, « Demeure provençale du 18ᵉ siècle élégamment
agencée », 🏊, 🎾, – ▤ ch, 📺 📞 **P** 🖻 GB, ⚡
fermé 24 nov.au 9 déc. et 5 janv. au 4 fév. – **Repas** 33 (déj.), 45/66 ☿ – ☐ 14 – **9 ch** 245

CELLES-SUR-BELLE 79370 Deux-Sèvres **72** ② G. Poitou Vendée Charentes – 3 480 h alt. 117.

Voir Portail★ de l'église Notre-Dame.

🛈 Office du tourisme Les Halles ℰ 05 49 32 92 28, Fax 05 49 79 78 62, COMCANTON.CELLE
@wanadoo.fr.

Paris 401 – Poitiers 68 – Couhé 36 – Niort 22 – St-Jean-d'Angély 52.

🏠 **Hostellerie de l'Abbaye,** 1 pl. Epoux-Laurant ℰ 05 49 32 93 32, hostellerie.abbaye
wanadoo.fr, Fax 05 49 79 72 65, 🍽 – 📺 **P** – 🖻 25. ⓞ GB
fermé 15 fév. au 9 mars, 26 oct. au 3 nov. et dim. soir du 15 oct. au 31 mars – **Repas** (9
11,50/38 ☿, enf. 8,60 – ☐ 6 – **20 ch** 39/53 – ½ P 34

CELLETTES 41120 L.-et-Ch. **64** ⑰ – 2 138 h alt. 78.

🛈 Office du tourisme 2 rue de la Rozelle ℰ 02 54 70 30 46.

Paris 190 – Orléans 69 – Tours 72 – Blois 9 – Romorantin-Lanthenay 35.

XXX **Bernard Noël - Rest. de la Roselle,** ℰ 02 54 70 31 27, noel-la-roselle@wanadoo.f
Fax 02 54 70 35 48, « Belle demeure dans un parc », 🎾, 🎾, – ▤ **P**, GB
fermé 22 janv. au 8 mars, jeudi soir de sept. à juin, dim. soir et lundi sauf fériés – **Repa**
25/38 et carte 39 à 57 ☿

CELONY 13 B.-du-R. **84** ③,, **114** ⑮ – rattaché à Aix-en-Provence.

CERCY-LA-TOUR 58340 Nièvre **69** ⑤ – 2 108 h alt. 260.

🛈 Syndicat d'initiative Quai Lacharme ℰ 03 86 50 04 15, Fax 03 86 50 04 15.

Paris 286 – Moulins 53 – Châtillon-en-Bazois 24 – Luzy 30 – Nevers 47.

🏠 **Val d'Aron,** r. Écoles ℰ 03 86 50 59 66, terrierje@wanadoo.fr, Fax 03 86 50 04 24, 🍽, ▤
🍴 – 📺 📞 **P**, GB
fermé 23 au 31 déc. – **Repas** (fermé vend. soir, sam. midi, dim. midi et lundi midi en hive
15,30/43 ⚡ – ☐ 7,70 – **14 ch** 54/69 – ½ P 48,80/53,40

CERDON 45620 Loiret **65** ① G. Châteaux de la Loire – 1 009 h alt. 145.

Voir Etang du Puits★ SE : 5 km – Commune de la "Méridienne verte".

🛈 Syndicat d'initiative 2 impasse du Stade ℰ 02 38 36 04 97, Fax 02 38 36 04 46.

Paris 177 – Orléans 50 – Aubigny-sur-Nère 21 – Gien 25 – Sully-sur-Loire 16.

X **Relais de Cerdon,** ℰ 02 38 36 02 15, Fax 02 38 36 05 85 – GB
fermé 6 au 20 mars, 19 au 28 août, 23 au 29 déc., lundi soir, mardi soir et merc. – **Rep**
16,46/27,95 ☿, enf. 10,67

CÉRESTE 04280 Alpes-de-H.-P. **81** ⑭, **114** ③ G. Provence – 1 036 h alt. 356.

🛈 Syndicat d'initiative Place de la République ℰ 04 92 79 09 84, Fax 04 92 79 00 03.

Paris 752 – Digne-les-Bains 77 – Aix-en-Provence 60 – Apt 19 – Forcalquier 24.

🏠 **Aiguebelle,** ℰ 04 92 79 00 91, Fax 04 92 79 07 29, 🍽 – 📺 **P**, GB
15 fév.-15 nov. et fermé lundi sauf hôtel – **Repas** 15/32 ☿, enf. 10 – ☐ 7 – **17 ch** 34/48 –
½ P 46/59

RET ⟨SP⟩ 66400 Pyr.-Or. 86 ⑲ G. Languedoc Roussillon – 7 291 h alt. 153.

Voir *Vieux pont*★ – *Musée d'Art Moderne*★★.

🛈 Office du tourisme Avenue G. Clemenceau ℘ 04 68 87 00 53, Fax 04 68 87 00 56, office.du.Tourisme.CERET@wanadoo.fr.

Paris 881 – Perpignan 33 – Gerona 80 – Port-Vendres 37 – Prades 71.

🏨 **Terrasse au Soleil** ﹤, Ouest : 1,5 km par rte Fontfrède ℘ 04 68 87 01 94, terrasse-au-soleil.hotel@wanadoo.fr, Fax 04 68 87 39 24, ﹤ le Canigou et plaine du Roussillon, �, ⌓, ☞, 🎾 – 🍴, ☰ ch, 📺 ✆ ﺝ 🅿 🆎 ⓪ ⅭⒷ ⒿⒸⒷ
Cerisaie (fermé le midi sauf sam. et dim.) **Repas** 43 ♀, enf. 19 – ♀ 13 – **14 ch** 217/265, 7 appart – ½ P 163/179

🏨 **Mas Trilles** Ⓜ ﹥ sans rest, au Pont de Reynès : 3 km par rte d'Amélie ℘ 04 68 87 38 37, Fax 04 68 87 42 62, « Mas catalan du 17ᵉ siècle », ⌓, ☞ – 📺 🅿 ⒸⒷ
Pâques-8 oct. – **12 ch** ♀ 120/200

🏨 **Les Arcades** sans rest, 1 pl. Picasso ℘ 04 68 87 12 30, Fax 04 68 87 49 44, « Collection de lithographies » – 🛗 cuisinette 📺 ﹤﹥. ⒸⒷ. ﹪
♀ 5,50 – **31 ch** 39/52

XXX **Les Feuillants** avec ch, 1 bd La Fayette ℘ 04 68 87 37 88, contact@les-feuillants.com, Fax 04 68 87 44 68, � – 🛗 ☰ 📺 – ﹤▲ 15. 🆎 ⒸⒷ
fermé 28 oct. au 4 nov. et 24 fév. au 3 mars – **Repas** (fermé dim. soir et lundi) 30/100 bc et carte 54 à 74, enf. 19,50 - **Brasserie Le Carré** (fermé 4 au 10 nov., 3 au 10 mars, dim. soir et lundi hors saison) **Repas** 21 ♀ – ♀ 12,20 – **3 ch** 99, 3 appart 115/140 – ½ P 71/107

X **Frigoulette,** ℘ 04 68 87 48 95 – ⒸⒷ
fermé 28 oct. au 4 nov., dim. soir et lundi – **Repas** 11,50 (déj.), 18,30/21,40 ♀, enf. 8,50

X **Chat qui Rit,** à la Cabanasse : 1,5 km par rte Amélie ℘ 04 68 87 02 22, jean-paul.vander-elst@libertysurf.fr, Fax 04 68 87 43 40, � – ☰ 🅿. ⒸⒷ
fermé 26 nov. au 3 déc., 7 janv. au 5 fév., dim. soir sauf juil.-août et lundi – **Repas** 20,50/30 ♀, enf. 10

CERGNE 42460 Loire 73 ⑧ – 698 h alt. 640.

Paris 402 – Mâcon 73 – Roanne 28 – Charlieu 16 – Chauffailles 17 – Lyon 81 – St-Étienne 101.

XX **Bel'Vue** avec ch, ℘ 04 74 89 87 73, lebelvue@wanadoo.fr, Fax 04 74 89 78 61, ﹤, � – 📺
ⒸⒷ ✆. 🆎 ⓪ ⒸⒷ
fermé 1ᵉʳ au 19 août, dim. soir et lundi – **Repas** 13,72/45,74 ♀, enf. 7,63 – ♀ 6,10 – **8 ch** 44,97/50,31 – ½ P 32,04

RGY 95 Val-d'Oise 55 ⑳, 106 ⑤, 101 ② – voir à Paris, Environs (Cergy-Pontoise Ville Nouvelle).

RILLY 03350 Allier 69 ⑫ G. Auvergne – 1 568 h alt. 340.

🛈 Office du tourisme Place du Champ de Foire ℘ 04 70 67 55 89, Fax 04 70 67 50 96.

Paris 302 – Moulins 46 – Bourges 66 – Montluçon 40 – St-Amand-Montrond 32.

🏨 **Chez Chaumat,** pl. Péron ℘ 04 70 67 52 21, Fax 04 70 67 55 28 – ☰ rest, 📺 ✆. ⒸⒷ
fermé 2 au 20 sept., 20 déc. au 5 janv., dim. soir de sept. à Pâques et lundi – **Repas** 10/30 ♐, enf. 6,10 – ♀ 5,30 – **8 ch** 38/48 – ½ P 36,50/38

RIZAY 79140 Deux-Sèvres 67 ⑯ – 4 589 h alt. 173.

🛈 Syndicat d'initiative - Mairie ℘ 05 49 80 57 11, Fax 05 49 80 58 59.

Paris 378 – Bressuire 15 – Cholet 37 – Niort 67 – La Roche-sur-Yon 71.

🏨 **Cheval Blanc,** 33 av. 25-Août ℘ 05 49 80 05 77, Fax 05 49 80 08 74, ☞ – 📺 ✆ ﺝ 🅿. ⒸⒷ
fermé 4 au 12 mai, 14 déc. au 5 janv., sam. hors saison et dim. – **Repas** 10,50/19,70 ♀ – ♀ 5,50 – **20 ch** 30,20/47,30 – ½ P 37/43

RNAY 68700 H.-Rhin 66 ⑨ G. Alsace Lorraine – 10 446 h alt. 275.

🛈 Office du tourisme 1 rue Latouche ℘ 03 89 75 50 35, Fax 03 89 75 49 24, ot.cernay@newel.net.

Paris 462 – Mulhouse 18 – Altkirch 26 – Belfort 38 – Colmar 36 – Guebwiller 15 – Thann 6.

XX **Hostellerie d'Alsace** avec ch, 61 r. Poincaré ℘ 03 89 75 59 81, Fax 03 89 75 70 22 –
☰ rest, 📺 ✆ ﺝ 🅿. 🆎 ⒸⒷ
fermé 22 juil. au 11 août, 28 déc. au 10 janv., sam. et dim. – **Repas** 17/52 ♀ – ♀ 7 – **10 ch** 37/52 – ½ P 70/80

RNAY-LA-VILLE 78 Yvelines 60 ⑨, 106 ㉙, 101 ㉛ – voir à Paris, Environs.

CERNON 39240 Jura 70 (14) – 254 h alt. 514.

Paris 442 – Lons-le-Saunier 36 – Oyonnax 25 – St-Claude 33.

✗ **Galoubet** ♿ avec ch, ℘ 03 84 48 43 43, Fax 03 84 48 43 49, 🍽 – 📺, 🖭 ᴳᴮ
fermé 4 au 15 nov., 2 janv. au 8 fév., dim. soir et lundi sauf juil.-août – **Repas** 14,48/34,⁷
enf. 6,10 – ☲ 6,86 – **7 ch** 38,11/39,64 – ½ P 35,06/35,06

CESSON 22 C.-d'Armor 59 ③ – *rattaché à St-Brieuc.*

CESSON-SÉVIGNÉ 35 I.-et-V. 59 ⑰ – *rattaché à Rennes.*

CESTAS 33 Gironde 71 ⑨ – *rattaché à Bordeaux.*

CEYSSAT (col de) 63 P.-de-D. 73 ⑭ – *rattaché à Clermont-Ferrand.*

CHABEUIL 26120 Drôme 77 ⑫ – 5 861 h alt. 212.

🛈 *Office du tourisme Place Genissieu ℘ 04 75 59 28 67, Fax 04 75 59 28 60, otc@cg26.f*
Paris 579 – Valence 12 – Crest 22 – Privas 51 – Romans-sur-Isère 17.

🏠 **Relais du Soleil**, rte Romans ℘ 04 75 59 01 81, *rigollet.bernard.relais.du.soleil@w*
doo.fr, Fax 04 75 59 11 82, 🍽, 🏊, 🌳 – 📺 ❤ 📶 – 🔒 60. 🖭 ⑩ ᴳᴮ ᴶᶜᴮ
fermé vacances de Noël – **Repas** 19,06/30,49 🍷, enf. 9,15 – ☲ 8,38 – **16 ch** 42/6
½ P 45/50

CHABLIS 89800 Yonne 65 ⑥ G. Bourgogne – 2 594 h alt. 135.

🛈 *Office du tourisme 1 quai du Biez ℘ 03 86 42 80 80, Fax 03 86 42 49 71, ot-chab*
chablis.net.
Paris 182 – Auxerre 21 – Avallon 39 – Tonnerre 18 – Troyes 76.

🏠 **Ibis**, rte Auxerre ℘ 03 86 42 49 20, *ibis.chablis@wanadoo.fr*, Fax 03 86 42 80 04 – ↩ 📺
📶, 🖭 ⑩ ᴳᴮ ᴶᶜᴮ
Repas 15,09 🍷, enf. 5,95 – ☲ 5,50 – **38 ch** 45/50

✗✗✗✗ **Hostellerie des Clos** (Vignaud) ♿ avec ch, ℘ 03 86 42 10 63, *host.clos@wanado*
🏵 Fax 03 86 42 17 11, 🌳 – 📶, 🍽 rest, 📺 ❤ 📶 – 🔒 20 à 40. 🖭 ᴳᴮ
fermé 23 déc. au 17 janv. – **Repas** 33/69 et carte 47 à 85 🍷, enf. 16 – ☲ 9 – **26 ch** 48/8
½ P 81/103
Spéc. Fricassée d'escargots de Bourgogne. Dos de sandre rôti sur peau au chablis. Rog
de veau poêlé dans sa graisse. **Vins** Chablis, Irancy.

✗ **Vieux Moulin**, 18 r. des Moulins ℘ 03 86 42 47 30, *vxmoulinchablis@aol.c*
Fax 03 86 42 84 44 – 📶, ᴳᴮ
Repas 16,50/38,50 🍷

CHABRIS 36210 Indre 64 ⑱ G. Châteaux de la Loire – 2 652 h alt. 100.

🛈 *Office du tourisme Place Albert Boivin ℘ 02 54 40 10 16.*
Paris 220 – Bourges 77 – Blois 52 – Châteauroux 56 – Loches 62 – Vierzon 37.

✗✗ **Plage** avec ch, 42 r. du Pont ℘ 02 54 40 02 24, *hrdelaplage@wanadoo*
Fax 02 54 40 08 59, 🍽 – 📺, ᴳᴮ
fermé 2 janv. au 8 fév., lundi sauf le soir du 14 juil. au 12 août et dim. soir – **Repas** 15/22,9
☲ 5,50 – **8 ch** 37,50 – ½ P 38

CHAGNY 71150 S.-et-L. 69 ⑨ – 5 591 h alt. 215.

🛈 *Office du tourisme 2 rue des Halles ℘ 03 85 87 25 95, Fax 03 85 87 14 44, ot.cha*
bourgogne@wanadoo.fr.
Paris 328 ① – Beaune 16 ① – Chalon-sur-Saône 19 ② – Autun 44 ① – Mâcon 77 ②.

Plan page ci-contre

🏯 **Lameloise** Ⓜ, pl. d'Armes ℘ 03 85 87 65 65, *reception@lameloise.fr*, Fax 03 85 87 03
🏵🏵🏵 « *Ancienne maison bourguignonne aménagée avec élégance* » – 📶 📺 🚗, 🖭 ⑩
Z
fermé 18 déc. au 23 janv., jeudi midi, mardi midi et merc. – **Repas** (prévenir) 75/105 et ca
72 à 100 – ☲ 19 – **16 ch** 170/260
Spéc. Ravioli d'escargots de Bourgogne dans leur bouillon d'ail doux. Pigeonneau rô
l'émietté de truffes. Griottines au chocolat noir sur une marmelade d'oranges amères. **V**
Rully blanc, Chassagne-Montrachet rouge.

CHAGNY

*pastilles numérotées
plans de ville
②, ③ sont répétées
les cartes Michelin
/200 000.
s facilitent
si le passage
re les cartes
es guides Michelin.*

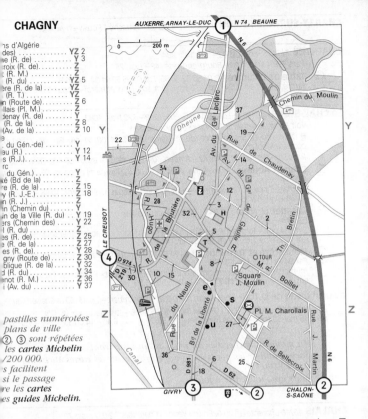

Poste ⊗ sans rest, 17 r. Poste ℘ 03 85 87 64 40, Fax 03 85 87 64 41, ☎ – ▥ ✆ ☞ 🅿.
🇬🇧
⊆ 5,50 – **11 ch** 37/49
Z s

Ferté sans rest, bd Liberté ℘ 03 85 87 07 47, hotelferte@fr-hotel.net, Fax 03 85 87 37 64,
☎ – 🅿. 🆎 🇬🇧
Z u
fermé 22 au 26 déc. – ⊆ 5,18 – **13 ch** 36,59/53,36

de Chalon par ②, N 6 et rte secondaire : 2 km – ⊠ 71150 Chagny :

Hostellerie du Château de Bellecroix ⊗, ℘ 03 85 87 13 86, chateau.de.bellecroix
@wanadoo.fr, Fax 03 85 91 28 62, ⅋, ⌂, ♨ – ▥ 🅿 🆎 ⑩ 🇬🇧 🅹🅲🅱
fermé 18 déc. au 13 fév., jeudi midi et merc. – **Repas** 23 (déj.), 43/56,50 – ⊆ 13 – **20 ch**
84/182 – ½ P 98/147

Chassey-le-Camp par ④, D 974 et D 109 : 6 km – 277 h. alt. 300 – ⊠ 71150 :

Auberge du Camp Romain ⊗, ℘ 03 85 87 09 91, auberge.du.camp.romain@wana
doo.fr, Fax 03 85 87 11 51, ≼, ⅋, Ⅰ₅, ♨, ☒, ⅌ – ▥ ✆ ⅍ 🅿 – 🕭 40. 🇬🇧
fermé 1er janv. au 10 fév. – **Repas** 15 (déj.), 22/41 ⅋, enf. 8,50 – ⊆ 8 – **35 ch** 58/73, 5 duplex
– ½ P 57/74

AILLES 73 Savoie 🗗🗗 ⑮ – rattaché aux Échelles.

AILLOL 05 H.-Alpes 🗗🗗 ⑯ – ⊠ 05260 St-Michel-de-Chaillol.
Paris 669 – Gap 25 – Orcières 20 – St-Bonnet-en-Champsaur 9.

L'Étable ⊗, ℘ 04 92 50 48 35, Fax 04 92 50 48 35, ≼ – 🅿.
25 juin-15 sept. et 20 déc.-30 mars – **Repas** (résidents seul.) 13,26/16,77 ⅋ – ⊆ 5,03 –
14 ch 32,01/36,59 – ½ P 34,30/35,98

CHAILLY-SUR-ARMANÇON *21 Côte-d'or* **65** ⑱ – *rattaché à Pouilly-en-Auxois.*

CHAINTRÉ *71570 S.-et-L.* **74** ① – *503 h alt. 284.*
Paris 398 – Mâcon 10 – Bourg-en-Bresse 48 – Lyon 73.

XX **Table de Chaintré**, ℰ 03 85 32 90 95, Fax 03 85 32 91 04 – ▤. **GB**
fermé 6 au 21 août, 24 déc. au 8 janv., dim. soir, lundi et mardi – **Repas** 30,70 (déj.)/45

La CHAISE-DIEU *43160 H.-Loire* **76** ⑥ *G. Auvergne* – *772 h alt. 1080.*
Voir *Église abbatiale St-Robert★★ : tapisseries★★★*.
🛈 *Office du tourisme Place de la Mairie* ℰ 04 71 00 01 16, Fax 04 71 00 0.
otcasadei@aol.com.
Paris 507 – Le Puy-en-Velay 42 – Ambert 30 – Brioude 34 – Issoire 58 – St-Étienne 80.

🏨 **Écho et Abbaye** ⌂, pl. Écho ℰ 04 71 00 00 45, Fax 04 71 00 00 22, �། – ▣ ☎.
GB. ✦
29 mars-3 nov. et fermé merc. sauf juil.-août – **Repas** 17/58 ⚘, enf. 10,68 – ⚌ 8 – 1
45/58 – ½ P 52/55

🏨 **Casadeï**, pl. Abbaye ℰ 04 71 00 00 58, casadei@es-conseil.com, Fax 04 71 00 01 67,
▣. **GB**
2 mai-4 nov. – **Repas** *(fermé dim., lundi et mardi sauf juil.-août)* (dîner seul.) 15,25/22,
enf. 7,65 – ⚌ 7,65 – **9 ch** 36/48 – ½ P 44,20/48

🏠 **Monastère et Terminus**, ℰ 04 71 00 00 73, hotel.monastereetterminus@wanado
Fax 04 71 00 09 18 – ▣. **GB**
mi-mars-fin-nov. et fermé dim. soir et lundi sauf juil.-août – **Repas** (7,50) - 10,50 (déj.), 12/.
enf. 6,50 – ⚌ 7 – **18 ch** 27/41 – ½ P 26,50/33,50

au plan d'eau de la Tour *Nord : 2 km par D 906, rte d'Ambert* – ⊠ *43160 La Chaise-Dieu :*

🏠 **Vénéré**, ℰ 04 71 00 01 08, Fax 04 71 00 08 36, 🏖 – cuisinette ⇔ ▣. **GB**
15 mai-30 sept. – **Repas** (dîner seul.) 11,50/21 ⚘ – ⚌ 6,40 – **14 ch** 33,50/49 – ½ P 37/4

Au moment de chercher un hôtel ou un restaurant, soyez efficace.
Sachez utiliser les noms soulignés en rouge sur les **cartes Michelin**
à 1/200 000.

Mais ayez une carte à jour !

CHALAIS *16210 Charente* **75** ③ *G. Poitou Vendée Charentes* – *2 027 h alt. 70.*
🛈 *Office du tourisme 38 place de l'Hôtel de Ville* ℰ 05 45 98 02 71.
Paris 495 – Angoulême 47 – Bordeaux 84 – Périgueux 66.

XX **Relais du Château**, au château ℰ 05 45 98 23 58, Fax 05 45 98 00 53, 🌃 – ▣.
GB
fermé nov., dim. soir et mardi midi – **Repas** 16/33,50 ⚘

CHALAMONT *01320 Ain* **74** ② ③, **110** ⑧ *G. Vallée du Rhône* – *1 658 h alt. 325.*
Paris 449 – Lyon 48 – Bourg-en-Bresse 26 – Nantua 49 – Villefranche-sur-Saône 40.

XX **Clerc**, Grande rue ℰ 04 74 61 70 30, Fax 04 74 61 75 00, 🌃 – ▣. **GB**
🐌 *fermé 1ᵉʳ au 13 juil., 12 au 29 nov., 6 au 20 janv., lundi et mardi* – **Repas** 21/53, enf. 13

La CHALDETTE *48 Lozère* **76** ⑭ *G. Auvergne* – ⊠ *48310 Brion.*
Paris 557 – Aurillac 100 – Mende 60 – Aumont-Aubrac 27 – Rodez 79 – St-Flour 41.

XX **La Chaldette**, ℰ 04 66 31 37 00, Fax 04 66 31 85 18, 🌃, 🌿 – ▣. **AE GB**
☯ *avril-oct. et fermé dim. soir et lundi midi* – **Repas** 22,10/37,35 et carte 50 à 60
enf. 12,96
Spéc. Pot-au-feu de sandre au foie gras. Suprême de pigeon rôti sur toast d'abats. Dé
de ma grand'mère, fondue de pommes à la cannelle.

CHALEZEULE *25 Doubs* **66** ⑮ – *rattaché à Besançon.*

CHALLANGES *21 Côte-d'Or* **69** ⑨ – *rattaché à Beaune.*

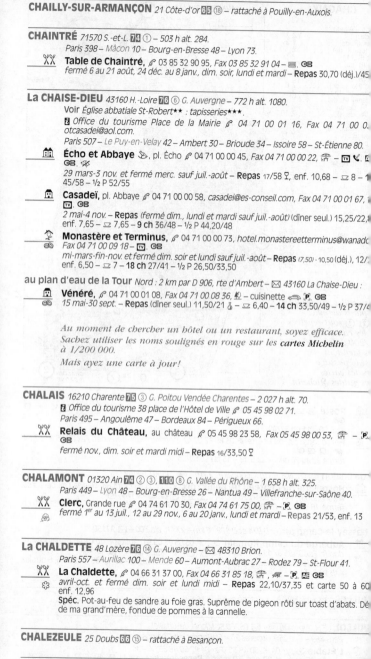

CHALLANS 85300 Vendée **87** ⑫ G. Poitou Vendée Charentes – 16 132 h alt. 8.

🛿 *Office du tourisme* Place de l'Europe ℘ 02 51 93 19 75, Fax 02 51 49 76 04, ot.challans @free.fr.

Paris 441 ② – *La Roche-sur-Yon 42* ③ – *Cholet 84* ② – *Nantes 59* ①.

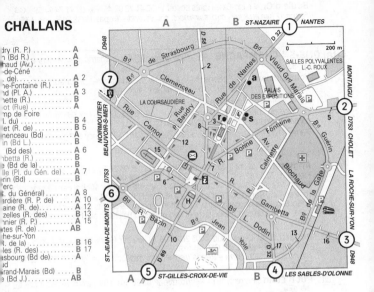

CHALLANS

🏠 **Antiquité** sans rest, 14 r. Gallieni ℘ 02 51 68 02 84, *antiquitehotel@aol.com,* Fax 02 51 35 55 74, ⅂ – ⅏ ℙ. 쯔 ⑩ ☎, ≉   B **a**
⊡ 5,50 – **16 ch** 41,90/62,20

🏠 **Commerce** sans rest, 17 pl. A. Briand ℘ 02 51 68 06 24, *aubard.g@wanadoo.fr,* Fax 02 51 49 44 97 – ⅏ – ⅙ 25. 쯔 ☎   A **r**
⊡ 6 – **21 ch** 43

🏠 **Champ de Foire**, 10 pl. Champ de Foire ℘ 02 51 68 17 54, *hotel.champ.foire@wanadoo* .fr, Fax 02 51 35 06 53 – ⅏. 쯔 ☎, ≉ ch   B **s**
fermé 26 oct. au 9 nov., 24 fév. au 8 mars et vend. soir sauf juil.-août – **Repas** 11,43/41,16 ⅄, enf. 8,80 – ⊡ 4,90 – **12 ch** 35,06/39,63 – 1/2 P 33,53/37

✗ **Chez Charles**, 8 pl. Champ de Foire ℘ 02 51 93 36 65, *chezcharles85@aol.com,* Fax 02 51 49 31 88 – ▤. 쯔 ⑩ ☎ ᴊᴄʙ   B **s**
fermé 20 déc. au 25 janv., dim. soir et lundi – **Repas** 17 (déj.), 21/44, enf. 11

la Garnache par ① : 6,5 km – 3 576 h. alt. 28 – ⊠ 85710 :

✗✗ **Petit St-Thomas**, ℘ 02 51 49 05 99 – ☎
fermé 24 juin au 4 juil., 16 au 22 sept., 18 nov. au 1ᵉʳ déc., 8 au 22 janv. et merc. – **Repas** (12) - 17,50/32

e de St-Gilles-Croix-de-Vie par ⑤ – ⊠ 85300 Challans :

🏰 **Château de la Vérie** ⑅, 2,5 km sur D 69 ℘ 02 51 35 33 44, *verie@wanadoo.fr,* Fax 02 51 35 14 84, « Demeure du 16ᵉ siècle dans un parc », ⅂, ≉, ᴨ – ⅏ ℙ. 쯔 ⑩ ☎
Repas 19,10 (déj.), 24,40/48,80 ⅄, enf. 14,50 – ⊡ 12,20 – **23 ch** 68,60/155,50 – 1/2 P 74,75/ 106,75

✗✗✗ **Gîte du Tourne-Pierre**, 3 km sur D 69 ℘ 02 51 68 14 78, Fax 02 51 68 14 78, ㈜, ⅂ – ℙ. 쯔 ⑩ ☎ ᴊᴄʙ
fermé 8 au 26 mars, 4 au 22 oct., vend. hors saison, sam. midi et dim. soir – **Repas** (prévenir) 33/48 et carte 55 à 78

CHALONNES-SUR-LOIRE 49290 M.-et-L. 🔢 ⑲ G. Châteaux de la Loire – 5 594 h alt. 25.

Voir *Corniche angevine*★ E.

🅱 Office du tourisme Place de l'Hôtel de Ville ✆ 02 41 78 26 21, Fax 02 41 74 91 54.
Paris 319 – Angers 26 – Ancenis 38 – Châteaubriant 63 – Château-Gontier 62 – Cholet ◀

✗ **Boule d'Or**, 4 r. Las-Cases (près poste) ✆ 02 41 78 02 46, Fax 02 41 74 94 38 – **GB**
fermé 17 juin au 8 juil., dim. soir, merc. soir et lundi – **Repas** 15/38,50 ♈, enf. 7,35

CHÂLONS-EN-CHAMPAGNE 🅿 51000 Marne 🔢 ⑰ G. Champagne Ardenne – 47 3
alt. 83.

Voir *Cathédrale St-Étienne*★★ – Église N.-D.-en-Vaux★ : intérieur★★ F – Stat
colonnes★★ du musée du cloître de N.-D.-en-Vaux★ AY M1.

Env. Basilique N.-D.-de-l'Épine★★.

🅱 Office du tourisme 3 quai des Arts ✆ 03 26 65 17 89, Fax 03 26 65 35 65, off
risme.chalons-en-champagne@wanadoo.fr.

Paris 191 ⑥ – Reims 49 ① – Dijon 258 ④ – Metz 161 ② – Nancy 162 ④ – Troyes 84 ⑤.

Plan page ci-contre

🏨 **Angleterre** (Michel) Ⓜ, 19 pl. Mgr Tissier ✆ 03 26 68 21 51, hot.angl@wanado.
❄ Fax 03 26 70 51 67, 🛋 – 🗏 📺 ❤ 🅿 – 🔬 20. 🖭 ⓞ **GB**   BY
fermé 14 juil. au 6 août, vacances de Noël et dim. – **Jacky Michel** (fermé sam. midi, l
midi et dim.) **Repas** 30/75 et carte 62 à 85 ♈, enf. 16 – ☲ 13 – **18 ch** 84/120
Spéc. Salade de langoustines aux tomates et poivrons confits (mai à oct.). Rissolles d'ail
caille, galette de pomme de terre et foie gras. Soufflé chaud au chocolat. **Vins** Champag
Bouzy.

🏨 **Renard**, 24 pl. République ✆ 03 26 68 03 78, lerenard51@wanadoo.fr, Fax 03 26 64 5
– 🌡 📺 ❤ 🅿 – 🔬 30. 🖭 **GB**. 🎇 rest   AZ
fermé 22 déc. au 2 janv. – **Repas** (fermé sam. midi et dim. soir) 16,50/39 – ☲ 10 – **35**
55/84 – ½ P 61/120

🏨 **Pot d'Étain** sans rest, 18 pl. République ✆ 03 26 68 09 09, Fax 03 26 68 58 18 – 📺 ❤
🄪 🄹🄲🄱   AZ
☲ 8 – **27 ch** 43/60

🏨 **Bristol** sans rest, 77 av. P. Sémard ✉ 51510 Fagnières ✆ 03 26 68 24
Fax 03 26 68 22 16 – 📺 ❤ 🚗 🅿. **GB**. 🎇   X
fermé vacances de Noël – ☲ 5 – **24 ch** 39,65/47,26

✗✗ **Pré St-Alpin**, 2 bis r. Abbé Lambert ✆ 03 26 70 20 26, Fax 03 26 68 52 20, 🛋, « Ca
🏵 1900 » – 🗏, **GB**   AZ
fermé dim. soir – **Repas** 20,60/38,83 ♈, enf. 10,67 - **Cuisine d'à Côté** (fermé dim. s
Repas (11,43)-16,01 ♈, enf. 7,62

✗✗ **Les Ardennes**, 34 pl. République ✆ 03 26 68 21 42, Fax 03 26 21 34 55, 🛋 –
GB   AZ
fermé dim. soir et lundi – **Repas** (19) - 25,30/35 ♈, enf. 6,85

✗ **Carillon Gourmand**, 15 pl. Mgr Tissier ✆ 03 26 64 45 07, Fax 03 26 21 06 09 –
GB   BY
fermé 8 au 21 avril, 29 juil. au 19 août, 24 fév. au 9 mars, dim. soir, merc. soir et lune
Repas (14,48) - 22,11 ♈

rte de Reims vers ① : 3 km – ✉ 51520 St-Martin-sur-le-Pré :

🏨 **Campanile**, ✆ 03 26 70 41 02, Fax 03 26 66 87 85, 🛋 – 🌡 📺 ❤ ♿ 🅿 – 🔬 25. 🖭
GB   X
Repas (12) - 15,50/17 ♈, enf. 5,95 – ☲ 6 – **47 ch** 49

à l'Épine par ③ : 8,5 km – 648 h. alt. 153 – ✉ 51460 :

Voir *Basilique N.-Dame*★★.

🏨 **Aux Armes de Champagne**, ✆ 03 26 69 30 30, aux.armes.de.champagne@wanad
❄ fr, Fax 03 26 69 30 26, 🛋, 🎇 – 📺 ❤ 🅿 – 🔬 100. 🖭 ⓞ **GB**
fermé 5 janv. au 12 fév., dim. soir et lundi de nov. à mars – **Repas** 21,35 (déj.), 36,59/83,85
carte 50 à 80 ♈, enf. 15,25 – ☲ 12,20 – **37 ch** 79,28/149,40
Spéc. Noix de Saint-Jacques grillées, dentelle aux gaudes (oct. à janv.) Petits épine
braisés, brebis frais d'Argonne. Pigeonneau rôti, cocos moelleux et caramel de vinaig
Vins Champagne, Coteaux Champenois

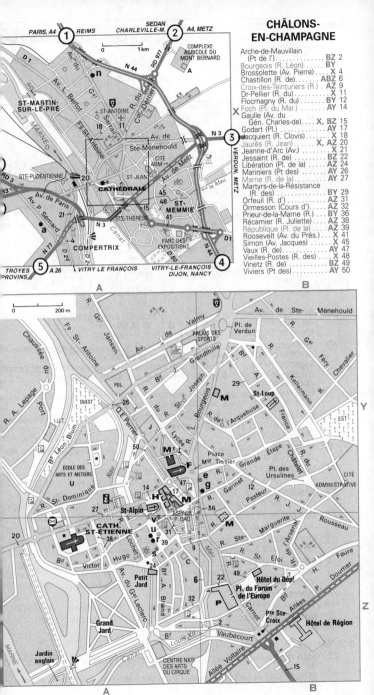

CHÂLONS-EN-CHAMPAGNE

CHALON-SUR-SAÔNE ⟨P⟩ 71100 S.-et-L. [69] ⑨ G. Bourgogne – 50 124 h Agglo. 130 8.
alt. 180 – Voir Musées : Denon★ BZ M¹, Nicéphore Niepce★★ BZ M² – Roseraie St-Nicc
SE : 4 km X.

🛈 Office du tourisme Boulevard de la République ℘ 03 85 48 37 97, Fax 03 85 48 6ℨ
chalon@chalon-sur-saone.net.

Paris 336 ⑦ – Besançon 130 ① – Dijon 69 ⑦ – Lyon 129 ④ – Mâcon 59 ④.

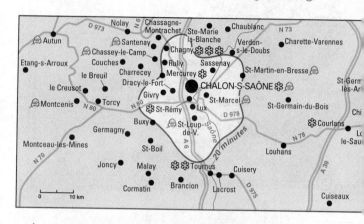

_____
🏨 **St-Régis,** 22 bd République ℘ 03 85 90 95 60, saint-regis@saint-regis-chalon
Fax 03 85 90 95 70 – 📞 🗏 📺 📞 🔄 – 🏛 30. 🖭 ⓞ 🏧 JCB   BZ
Repas (15) - 21/28 ♈, enf. 10 – ⊈ 9 – **36 ch** 70/107 – ½ P 65,50

_____
🏨 **St-Georges** (Choux), 32 av. J. Jaurès ℘ 03 85 90 80 50, reservation@lesaintgeorges7ℳ
✿ Fax 03 85 90 80 55 – 📞 ✤ 🗏 📺 📞 P – 🏛 30. 🖭 ⓞ 🏧 JCB   AZ
Repas (fermé 30 juil. au 13 août et sam. midi) 22,87/66 et carte 43 à 60 ♈ **- Petit Compt**
d'à Côté ℘ 03 85 90 80 52 (fermé sam. midi et dim.) **Repas** 14/20 ♈, enf. 8,40 – ⊈ 8,5
48 ch 46/121 – ½ P 62/75
Spéc. Poêlée d'asperges vertes aux coquillages (mars à juin). Poulette de Bresse en dodi
farcie de foie gras. Pigeon du louhannais rôti en bécasse. **Vins** Montagny, Rully.

_____
🏨 **Kyriad** sans rest, 35 pl. Beaune ℘ 03 85 90 08 00, kyriad-chalon@wanadoo
Fax 03 85 90 08 01, 👍 – ✤ 📺 📞. 🖭 ⓞ 🏧   BY
⊈ 6 – **44 ch** 50/56

_____
🏨 **St-Jean** sans rest, 24 quai Gambetta ℘ 03 85 48 45 65, Fax 03 85 93 62 69 – 📺 📞. 🏧
⊈ 4,57 – **25 ch** 33,54/45,73   BZ

_____
✕✕ **Gourmand,** 13 r. Strasbourg ℘ 03 85 93 64 61, Fax 03 85 93 64 61 – 🗏. 🖭 🏧   CZ
fermé 30 juil. au 21 août, 28 janv. au 13 fév., lundi et mardi – **Repas** 15,25/29,75 ♈

_____
✕✕ **Réale,** 8 pl. Gén. de Gaulle ℘ 03 85 48 07 21, Fax 03 85 48 57 77 – 🗏. 🏧   BZ
fermé 17 juil. au 14 août, vend. midi, dim. soir et lundi – **Repas** 16,01/28,97 ♈, enf. 10,67

_____
✕✕ **L'Île Bleue,** 3 r. Strasbourg ℘ 03 85 48 39 83, Fax 03 85 48 72 58 – 📞   CZ
fermé 1er au 16 août, mardi soir, sam. midi et merc. – **Repas** - produits de la mer - 15/28 ♈

_____
✕ **Chez Jules,** 11 r. Strasbourg ℘ 03 85 48 08 34, Fax 03 85 48 55 48 – 🗏. 🖭 ⓞ 🏧
fermé 1er au 20 août, vacances de fév., sam. midi et dim. – **Repas** 14,94/29,73 ♈   CZ

_____
✕ **Rôtisserie St-Vincent,** 9 r. du Blé ℘ 03 85 48 83 52, Fax 03 85 48 83 52 – 🗏. 🏧
fermé 1er au 15 juil., vacances de fév., dim. et le soir sauf vend. et sam. – **Repas** ca
environ 26 ♈, enf. 9,15   CZ

_____
✕ **Ripert,** 31 r. St Georges ℘ 03 85 48 89 20 – 🏧   BZ
🍴 fermé 12 au 21 mai, 12 au 31 août, 1er au 6 janv., dim. et lundi – **Repas** 12,20/22,10 ♈

_____
✕ **Bistrot,** 31 r. Strasbourg ℘ 03 85 93 22 01, Fax 03 85 93 27 05 – 🏧   CZ
🍴 fermé sam. et dim. – **Repas** 13,26/21,34 ♈

à St-Marcel à l'Est par D 978 : 3 km – 4 705 h. alt. 185 – ⊠ 71380 :

_____
✕✕ **Jean Bouthenet,** 19 r. de la Villeneuve (D 978) ℘ 03 85 96 56 16, Fax 03 85 96 75 8ℨ
🍴 🏧
fermé 16 août au 5 sept., 16 fév. au 4 mars, dim. soir, mardi soir et lundi – **Repas** (13,7ℨ
18,29/62,50 ♈, enf. 10,67

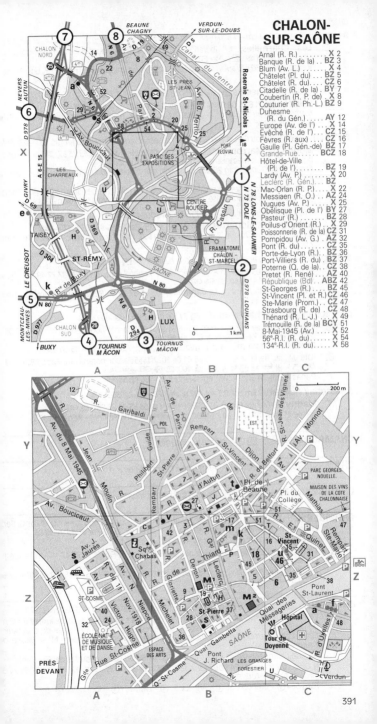

CHALON-SUR-SAÔNE

à Lux vers ③ par N 6 : 4 km – 1 620 h. alt. 180 – ⊠ 71100 :

🏠 **Les Charmilles**, r. Libération ℰ 03 85 48 58 08, hotel.les.charmilles@wanado
⊜ Fax 03 85 93 04 49, ㄹ – 쓪 ☑ ✆ ⊝ 🅿 – 🖴 20. ◭ ㏿
Repas (fermé 30 juil. au 18 août, 22 au 31 déc., sam. midi et dim.) 12,50/15 ♀, enf. 7 – ⊑
32 ch 34/44

à St-Loup-de-Varennes par ③ : 7 km – 1 018 h. alt. 186 – ⊠ 71240 :

XX **Saint Loup**, N 6 ℰ 03 85 44 21 58, Fax 03 85 44 21 58 – ▤ 🅿. ㏿
⊛ fermé 26 juin au 17 juil., 1er au 6 oct., 11 au 19 janv., mardi soir, dim. soir et merc. – Re
(12) - 15/75 ♀, enf. 9

à St-Rémy vers ⑤ (rte du Creusot) N 6, N 80 et rte secondaire : 4 km – 5 961 h. alt. 187 – ⊠ 71¹

XXX **Moulin de Martorey** (Gillot), ℰ 03 85 48 12 98, Fax 03 85 48 73 67, 淸, « Décor
❀ tique avec ancien mécanisme de meunerie » – ▤ 🅿. ◭ ㏿ X
fermé 5 au 20 août, 2 au 20 janv., dim. soir, mardi midi et lundi – **Repas** 24/69 et carte
72 ♀
Spéc. Trois préparations d'escargots. Escalope de foie gras de canard au verjus. Toma
confites et fenouil caramélisé, glace au basilic (avril à oct.) **Vins** Montagny, Givry.

rte de Givry Ouest : 4 km sur D 69 – ⊠ 71880 Châtenoy-le-Royal :

XX **Auberge des Alouettes**, ℰ 03 85 48 32 15, Fax 03 85 93 12 96, 淸 – ㏿ X
⊛ fermé 17 juil. au 8 août, 2 au 16 janv., dim. soir, mardi soir et merc. – **Repas** 16,50 (d
21/46 ♀, enf. 10

à Dracy-le-Fort par ⑥ et D 978 : 6 km – 1 092 h. alt. 180 – ⊠ 71640 :

🏠🏠 **Dracy** ⬗, ℰ 03 85 87 81 81, le-dracy@charmehotel.com, Fax 03 85 87 77 49, 淸, 丄,
✲ – ¶ 쓪 ▤ ☑ ✆ ຉ 🅿 – 🖴 60. ◭ ㏿
fermé 16 fév. au 2 mars – **La Garenne** ℰ 03 85 87 72 73 **Repas** 16/38 ♀, enf. 12 – ⊑
41 ch 59/77 – ½ P 60/65

près échangeur A6 Chalon-Nord – ⊠ 71100 Chalon-sur-Saône :

🏠🏠🏠 **Mercure** Ⓜ, av. Europe ℰ 03 85 46 51 89, H368@accor-hotels.com, Fax 03 85 46 08
淸, 丄, 寒 – ¶ 쓪 ▤ ☑ ✆ ຉ 🅿 – 🖴 80. ◭ ◉ ㏿ X
Repas (fermé sam. midi et dim. midi) 15/21 ⅃, enf. 7,62 – ⊇ 11 – **86 ch** 83/96

🏠 **Ibis** Ⓜ, av. de l'Europe ℰ 03 85 41 04 10, h1565@accor-hotels.com, Fax 03 85 41 04
淸, 丄, – ¶ 쓪 ▤ ☑ ✆ ຉ 🅿 – 🖴 100. ◭ ◉ ㏿ ㎉
Repas (12,50) - 14,50/21,50 ♀, enf. – ⊇ 6,50 – **86 ch** 55/65 X

à Sassenay Nord-Est : 9 km par D 5 – 1 402 h. alt. 178 – ⊠ 71530 :

XX **Magny**, 29 Grande rue ℰ 03 85 91 61 58, Fax 03 85 91 77 28 – ◭ ㏿
fermé 1er au 7 mars, 1er au 21 août, dim. soir, mardi soir et lundi – **Repas** 17/42 ♀

CHAMAGNE 88 Vosges 62 ⑤ – rattaché à Charmes.

CHAMALIÈRES 63 P.-de-D. 73 ⑭ – rattaché à Clermont-Ferrand.

CHAMARANDES 52 H.-Marne 61 ⑳ – rattaché à Chaumont.

CHAMBERET 19370 Corrèze 72 ⑲ – 1 304 h alt. 450 – **Env.** Mont Gargan ⋇ ★★ NO : 9 km, G. Be
Limousin – 🛈 Syndicat d'initiative - Mairie ℰ 05 55 98 30 12, Fax 05 55 97 90 66.
Paris 454 – Limoges 65 – Guéret 84 – Tulle 45 – Ussel 64.

🏠 **France**, ℰ 05 55 98 30 14, sylvie.pouget@wanadoo.fr, Fax 05 55 73 47 15 – ▤ rest, ☑
🅿. ㏿
fermé 10 janv. au 10 fév., vend. et dim. soir d'oct. à mai – **Repas** 16/28 ♀, enf. 10 – ⊇ 6
12 ch 34/45 – ½ P 40

CHAMBÉRY Ⓟ 73000 Savoie 74 ⑮ G. Alpes du Nord – 55 786 h Agglo. 113 457 h alt. 270.
Voir Vieille ville★★ :Château★, place St-Léger★, grilles★ de l'hôtel de Châteauneuf (n°18 r
de la Croix-d'Or) – Crypte★ de l'église St-Pierre-de-Lémenc – Rue Basse-du-Château★
Cathédrale métropolitaine St-François-de-Sales★ – Musée Savoisien★ M¹ – Musée c
Beaux-Arts★ M².
✈ de Chambéry-Aix-les-Bains : ℰ 04 79 54 49 54, au Bourget-du-Lac par ④ : 8 km.
🛈 Office du tourisme 24 boulevard de la Colonne ℰ 04 79 33 42 47, Fax 04 79 85 71 3
info@chambery-tourisme.com.
Paris 564 ④ – Grenoble 56 ② – Annecy 50 ④ – Lyon 101 ④ – Torino 206 ②.

CHAMBÉRY

Mercure Ⓜ sans rest, 183 pl. Gare ℘ 04 79 62 10 11, *h1541@accor-hotels.com,* Fax 04 79 62 10 23 – 劇 🕸 ▤ 📺 & ♿ 🚗. 🖭 ⓪ ☺
ⓘ 11 – **81 ch** 128
A s

France sans rest, 22 fg Reclus ℘ 04 79 33 51 18, *hotellefrance@wanadoo.fr,* Fax 04 79 85 06 30 – 劇 🕸 📺 ♻ 🚗 – 🔬 50. 🖭 ⓪ ☺
ⓘ 8,50 – **48 ch** 58/78
B z

Princes sans rest, 4 r. Boigne ℘ 04 79 33 45 36, *hoteldesprinces@wanadoo.fr,* Fax 04 79 70 31 47 – 劇 🕸 📺 ♻ – 🔬 20. 🖭 ☺ ☺ JCB
ⓘ 6,10 – **45 ch** 53,40/61
B r

City Hôtel sans rest, 9 r. Denfert-Rochereau ℘ 04 79 85 76 79, *cityhotel@acom.fr,* Fax 04 79 85 86 11 – 劇 📺 ♻. ☺
ⓘ 5,30 – **40 ch** 33/48
B n

L'Essentiel, 183 pl. Gare ℘ 04 79 96 97 27, *bouviergas@aol.com,* Fax 04 79 96 17 78, 🌫 – ▤. 🖭 ⓪ ☺
fermé sam. midi, lundi midi et dim. sauf fériés – **Repas** 20 (déj.), 29/52,50 ☡
A s

St-Réal, 86 r. St-Réal ℘ 04 79 70 09 33, Fax 04 79 33 49 65 – 🖭 ⓪ ☺
fermé sam. midi et dim. – **Repas** 30,19/79,27 et carte 58 à 87
B x

XX **Tonneau,** 2 r. St-Antoine ☎ 04 79 33 78 26, Fax 04 79 85 49 69, 斎 – 瓜 ⓞ GB   AB
⊛ *fermé dim. soir et lundi* – Repas 19,90/36,50 ♀

XX **L'Hypoténuse,** 141 Carré Curial ☎ 04 79 85 80 15, Fax 04 79 85 80 18, 斎 – 瓜 ⓞ
JCB   B
fermé vacances de printemps, 21 juil. au 19 août, dim. et lundi – Repas (14) - 18,50/40 ♀

à Sonnaz par ① : 8 km sur D 991 – 1 222 h. alt. 370 – ⊠ 73000 :

XX **Auberge Le Régent,** ☎ 04 79 72 27 70, Fax 04 79 71 63 09, 斎, 寿 – ℙ. GB
fermé 15 août au 10 sept., dim. soir et merc. – Repas (16,01) - 22,11/37,35

au Sud-Est : 2 km par D 912 et D 4 - B – ⊠ 73000 Chambéry :

XXX **Mont Carmel,** à Barberaz (près église) ☎ 04 79 85 77 17, montcarmel@aol.c
Fax 04 79 85 16 65, 斎, 寿 – 瓜 GB. 涨
fermé 26 août au 1ᵉʳ sept., merc. soir, dim. soir et lundi – Repas 17 (déj.), 27/58 et carte 3
65

X **Aux Pervenches** 涨 avec ch, aux Charmettes ☎ 04 79 33 34 26, infos@pervenches.
Fax 04 79 60 02 52, ≤, 斎, 寿 – 瓜 ⓣ ⓛ. 瓜 ⓞ GB. 涨 ch
Repas *(fermé 12 au 27 nov., dim. soir et lundi du 1ᵉʳ oct. au 11 juin)* 14,50/29,75 – 굿 4,6
11 ch 30,50/38,15 – ½ P 33,55/36,60

par ④ : 3 km sur D 201 (sortie La Motte-Servolex) – ⊠ 73000 Chambéry :

🏨 **Novotel,** ☎ 04 79 68 60 00, h0409@accor-hotels.com, Fax 04 79 68 60 01, 斎, 丞, 寿
⧉ ⧘ ▤ ⓣ ⓥ & ℙ – 盆 20 à 120. 瓜 ⓞ GB
Repas carte 21 à 37, enf. 7,96 – 굿 10,50 – **102 ch** 79/106

🏨 **Ibis,** ☎ 04 79 69 28 36, Fax 04 79 96 39 91, 斎 – ⧉ ⧘ ⓣ ℙ – 盆 20. 瓜 ⓞ GB. 涨
Repas *(fermé dim. midi et sam.)* (12,20) - 16 ♀, enf. 6 – 굿 5,96 – **88 ch** 56/59

à Chambéry-le-Vieux par ④ : 5 km par N 201 et rte secondaire (sortie Chambéry-le-Hau⧉
⊠ 73000 :

🏰 **Château de Candie** 🅜 涨, ☎ 04 79 96 63 00, candie@icor.fr, Fax 04 79 96 63 10,
斎, « Demeure du 14ᵉ siècle rénovée avec élégance », 丞, 瓜 – ⧉ ⓣ ⓥ & ℙ – 盆 30 à
瓜
Repas *(fermé le midi et dim. soir)* 40/60 ♀ - **Les Comptoirs de Candie** *(fermé le soir*
dim. midi) Repas 22,50/39 ♀, enf. 14 – 굿 13 – **17 ch** 104/198, 3 duplex – ½ P 82/120

CHAMBOLLE-MUSIGNY 21220 Côte-d'Or 🔢 ⑳ – 313 h alt. 280.
Paris 326 – Beaune 28 – Dijon 17.

🏰 **Château André Ziltener** 涨 sans rest, ☎ 03 80 62 41 62, chateau.ziltener@wanad⧉
fr, Fax 03 80 62 83 75, « Belle demeure du 18ᵉ siècle, petit musée du vin », 寿 – ⓣ ⓥ
⊜ ℙ – 盆 25. 瓜 ⓞ GB JCB
15 mars-30 nov. – 굿 15 – **10 ch** 200/350

CHAMBON (Lac) ★★ 63 P.-de-D. 🔢 ⑬ G. Auvergne – Sports d'hiver : 1 150/1 760 m ⚡9 ⚡
⊠ 63790 Chambon-sur-Lac.
Paris 459 – Clermont-Ferrand 36 – Condat 39 – Issoire 32 – Le Mont-Dore 19.

🏨 **Grillon,** ☎ 04 73 88 60 66, Fax 04 73 88 65 55, 斎, 寿 – ⓣ ⊜ ℙ. 瓜 ⓞ GB
⊛ 1ᵉʳ fév.-15 oct. – Repas *(fermé mardi midi en mars, avril, et oct. sauf vacances scolair*
11/28 ♀, enf. 7 – 굿 **22 ch** 36/42 – ½ P 39/42

🏨 **Beau Site,** ☎ 04 73 88 61 29, Fax 04 73 88 66 73, ≤, 斎 – ⓣ ℙ. GB
⊛ vacances de fév.-15 oct. – Repas 14/25, enf. 8 – 굿 6 – **17 ch** 45 – ½ P 43

CHAMBON-LA-FORÊT 45340 Loiret 🔢 ⑳ – 625 h alt. 117.
Paris 97 – Orléans 43 – Châteauneuf-sur-Loire 26 – Montargis 38 – Pithiviers 15.

XX **Auberge de la Rive du Bois,** Nord : 1 km par rte Pithiviers ⊠ 10 ☎ 02 38 32 28 ⧉
⊛ Fax 02 38 32 02 61, 斎, 寿 – ℙ. GB
fermé 1ᵉʳ au 22 août, 25 déc. au 9 janv., lundi soir, mardi soir et merc. – Repas 13,50/41 ♀

Le CHAMBON-SUR-LIGNON 43400 H.-Loire 🔢 ⑧ G. Vallée du Rhône – 2 642 h alt. 967.
🄱 Office du tourisme 1 rue des Quatre Saisons ☎ 04 71 59 71 56, Fax 04 71 65 88 78.
Paris 580 – Le Puy-en-Velay 45 – Annonay 49 – Lamastre 32 – Privas 77 – St-Étienne 63.

🏨 **Bel Horizon** 涨, chemin de Molle ☎ 04 71 59 74 39, hotel.bel.horizon@free.⧉
Fax 04 71 59 79 81, ≤, 斎, 丞, 寿 – ⓣ ⓥ & – 盆 40. 瓜 ⓞ GB. 涨 rest
avril-sept. et fermé dim. soir et lundi – Repas 15/37 ♂, enf. 11 – 굿 7 – **20 ch** 84 – ½ P 6⧉

au Sud : 3 km par D 151, rte de la Suchère et rte secondaire – ⊠ 43400 Chambon-sur-Lignon :

🏨 **Bois Vialotte** 涨, ☎ 04 71 59 74 03, Fax 04 71 65 86 32, ≤, 寿 – ⓥ ℙ. GB. 涨 rest
⊛ 1ᵉʳ juin-30 sept. – Repas 12,20/18,75 ♀, enf. 6,86 – 굿 5,49 – **17 ch** 53,36 – ½ P 47,50/50,⧉

Est : *3,5 km par D 157 et D 185* – ⊠ *43400 Chambon-sur-Lignon :*

🏠 **Clair Matin** ⑤, ℘ 04 71 59 73 03, *clairmatin@clairmatin.com*, Fax 04 71 65 87 66, ≤, 常, ⻟, ⤫, ⤫, ⤫ – ⬚ ☎ ⤫ ⬚ ⬚ – ⚐ 30. ⚙ ⬚ ⬚ ⬚
avril-oct., 28 déc.-4 janv. et fermé mardi et merc. hors saison – **Repas** 17,53 (déj.), 17,50/
44,21 ⵀ – ⵙ 8,34 – **29 ch** 76,22/121,96 – ½ P 70,13/80,89

⌂AMBORD 41250 *L.-et-Ch.* **64** ⑦ ⑧ – 185 h alt. 71.
Voir *Château*★★★, G. Châteaux de la Loire.
Paris 176 – Orléans 55 – Blois 18 – Châteauroux 101 – Romorantin-Lanthenay 38 – Salbris 55.

🏠 **Grand St-Michel** ⑤, ℘ 02 54 20 31 31, Fax 02 54 20 36 40, 常, « Face au château »,
⤫ – ⬚ ⬚. ⬚. ⤫ ch
fermé 12 nov. au 20 déc. – **Repas** (dim. et fêtes prévenir) 17/22 ⵀ, enf. 10 – ⵙ 6,70 – **38 ch**
46/70

⌂AMBORIGAUD 30530 *Gard* **80** ⑦ – 731 h alt. 297.
Paris 644 – Alès 30 – Florac 52 – La Grand-Combe 19 – Villefort 22.

⌂ **Les Cévennes**, ℘ 04 66 61 47 27, Fax 04 66 61 51 01, 常 – ⬚ ⬚. ⬚
fermé 23 sept. au 1ᵉʳ oct., 1ᵉʳ janv. au 16 fév. et mardi du 15 sept. au 15 juin – **Repas** (9,20) -
11,50/20 ⵀ, enf. 7 – ⵙ 6,10 – **11 ch** 35,10/38,15 – ½ P 34,50/37

⌂AMBOULIVE 19450 *Corrèze* **75** ⑨ G. Berry Limousin – 1 133 h alt. 429.
🄱 Syndicat d'initiative Place de l'Église ℘ 05 55 21 68 40, Fax 05 55 21 20 47 61.
Paris 466 – Brive-la-Gaillarde 43 – Bourganeuf 72 – Seilhac 10 – Tulle 23 – Uzerche 16.

🏠 **Deshors Foujanet**, rte Treignac ℘ 05 55 21 62 05, *hotel.deshors-foujanet@wanadoo.fr*,
Fax 05 55 21 68 80, 常, ⻟, ⤫, ⤫ – ⬚ ⬚ ⬚ ⬚ ⬚ ⬚
fermé 1ᵉʳ au 27 oct. et dim. soir sauf juil.-août – **Repas** (8) - 13,50/20 ⻟, enf. 8 – ⵙ 6 – **25 ch**
43/51 – ½ P 37/48

⌂HAMBRAY-LÈS-TOURS 37 *I.-et-L.* **64** ⑮ – rattaché à Tours.

⌂HAMBRETAUD 85500 *Vendée* **67** ⑤ – 1 275 h alt. 214.
Paris 371 – La Roche-sur-Yon 51 – Angers 82 – Bressuire 50 – Cholet 21 – Nantes 74.

🏠 **Château du Boisniard** ⑤, ℘ 02 51 67 50 01, Fax 02 51 67 53 81, 常, ⤫, ⤫ – ⬚ ⤫ ⬚
– ⚐ 25. ⬚. ⤫
Repas (fermé lundi et mardi) 20,61/45,05 – ⵙ 6,87 – **10 ch** 73,17/125

⌂HAMONIX-MONT-BLANC 74400 *H.-Savoie* **74** ⑧ ⑨ G. Alpes du Nord – 9 830 h alt. 1040 –
Sports d'hiver : 1 035/3 840 m ⻠ 13 ⻠ 35 ⻠ – Casino AY.
Env. E : Mer de glace★★★ et le Montenvers★★★ par chemin de fer à crémaillère – SE :
Aiguille du midi ☀★★★ par téléphérique (station intermédiaire : plan de l'Aiguille★★) – NO :
Le Brévent ☀★★★ par téléphérique (station intermédiaire : Planpraz★★).
Tunnel du Mont-Blanc : réouverture : début 2002.
🄱 Office du tourisme 85 place du Triangle de l'Amitié ℘ 04 50 53 00 24, Fax 04 50 53 58 90,
info@chamonix.com.
Paris 612 ② – Albertville 64 ② – Annecy 93 ② – Aosta 61 ② – Genève 82 ②.

Plan page suivante

🏠🏠 **Hameau Albert 1ᵉʳ** (Carrier) Ⓜ, 119 impasse Montenvers ℘ 04 50 53 05 09, *infos@
hameaualbert.fr*, Fax 04 50 55 95 48, ≤, « Bel ensemble de chalets dans un jardin fleuri »,
⻟, ⤫ – ⬚ ⬚ ⤫ ⬚ ⬚ – ⚐ 15. ⬚ ⬚ ⬚ ⬚   AX f
fermé 13 au 29 mai et fin oct. au 4 déc. – **Repas** (fermé jeudi midi, vend. midi et merc.)
42,50/130 et carte 80 à 110 ⵀ – ⵙ 15 – **27 ch** 150/267, 3 chalets – ½ P 127/185
Spéc. Menu "La Maison de Savoie". Truffes blanches d'Alba (fin sept. à Noël). Les trois
services de homard. **Vins** Chignin-Bergeron, Mondeuse d'Arbin.

La Ferme Ⓜ ⑤, ⤫ ≤ massif du Mont-Blanc, « Bel aménagement intérieur », ⻟, ⻟, ⻟,
⤫ – ⬚ ⬚ ⤫ ⬚ ⤫   AX f
Repas voir **Hameau Albert 1ᵉʳ** et rest. **Maison Carrier** – ⵙ 15 – **12 ch** 351/808 –
½ P 351/455

🏠🏠 **Mont-Blanc**, 62 allée Majestic ℘ 04 50 53 05 64, *mont-blanc@chamonixhotels.com*,
Fax 04 50 55 89 44, ≤, 常, ⻟, ⤫, ⤫ – ⬚ ⤫ ⬚ ⬚ ⤫ ⬚ ⬚ ⬚ ⬚ ⬚   AY g
fermé 15 oct. au 14 déc. – **Matafan : Repas** 26(déj.)/62 ⵀ, enf. 15 – ⵙ 12 – **32 ch** 150/222,
8 appart – ½ P 142/150

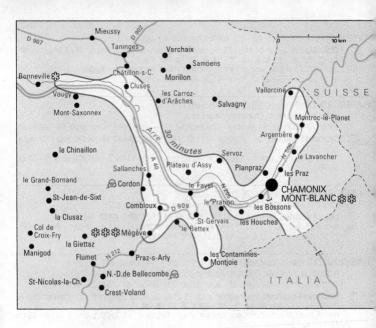

Auberge du Bois Prin ⟨⟩, aux Moussoux ℘ 04 50 53 33 51, boisprin@relaischateaux.f
Fax 04 50 53 48 75, ≤ massif du Mont-Blanc, 斧, « Chalet fleuri », 룹 – 劇 Ⅳ ⇔ P. ⚎ ⓘ
⚎ ⚎ JCB   AZ
fermé 15 avril au 2 mai et 28 oct. au 28 nov. – **Repas** (fermé merc. midi et lundi midi) (20 bc.
27/65 ⊊ – ⊊ 12 – **11 ch** 113,40/198,20 – ½ P 97,60/137,20

Les Aiglons Ⓜ, av. Courmayeur ℘ 04 50 55 90 93, info@aiglons.com, Fax 04 50 53 51 08
≤, 斧, ⅙, ⅏ – 劇 ⅺ Ⅳ ⅖ ఈ P. ⚎ ⓘ ⚎ JCB   AY n
fermé 27 avril au 18 mai et 2 au 30 nov. – **Repas** 20 ⊊, enf. 7,50 – ⊊ 8 – **56 ch** 93/198 –
½ P 86/127

Morgane Ⓜ, 145 av. Aiguille du Midi ℘ 04 50 53 57 15, info@morgane-hotel-chamonix.
com, Fax 04 50 53 28 07, ≤, 斧, ᐃ – 劇 ⅺ Ⅳ ⅖ ⅙ ఈ P – ⚎ 40. ⚎ ⓘ ⚎ JCB
Repas 20 ⊊, enf. 7,50 - **Bistrot Savoyard : Repas** 12,04/30,49 ⊊, enf. 7,50 – ⊊ 8 – **59 ch**
93/198 – ½ P 86/127   AY

Alpina, 79 av. Mt-Blanc ℘ 04 50 53 47 77, alpina@chamonixhotels.com
Fax 04 50 55 98 99, ≤, ⅙ – 劇, ≡ rest, Ⅳ ⅖ ఈ ⇔ – ⚎ 25 à 100. ⚎ ⓘ ⚎ JCB AX
7 juin-30 sept. et 4 déc.-27 avril – **Repas** 23 (déj.), 25/40 ⊊, enf. 15 – ⊊ – **126 ch** 102/164,
9 appart – ½ P 89/112

Hermitage-Paccard ⟨⟩, r. Cristalliers ℘ 04 50 53 13 87, hotel-hermitage@infonie.f
Fax 04 50 55 98 14, ≤, 斧, ⅙, 룹 – 劇 Ⅳ P. ⚎ ⚎   AX
10 juin-25 sept., 20 déc.-15 avril et week-ends en mai – **Repas** (fermé le midi en semaine e
jeudi) 23 ⊊, enf. 9 – ⊊ 9 – **29 ch** 79/108, 3 appart – ½ P 77/82

Prieuré, allée Recteur Payot ℘ 04 50 53 20 72, prieure@chamonixhotels.com
Fax 04 50 55 87 41, ≤, ⅙ – 劇 cuisinette Ⅳ ఈ P – ⚎ 30. ⚎ ⓘ ⚎ JCB   AY
fermé 16 oct. au 13 déc. – **Repas** 20/23 ⊊, enf. 12 – ⊊ – **81 ch** 91/136, 10 appart
½ P 77/93

Savoyarde ⟨⟩, 28 rte Moussoux ℘ 04 50 53 00 77, lasavoyarde@wanadoo.f
Fax 04 50 55 86 82, ≤, 斧, 룹 – Ⅳ ఈ P. ⚎   AZ
fermé 13 au 30 mai et 25 nov. au 19 déc. – **Repas** (fermé mardi midi et jeudi mid
15/30,50 ⊊, enf. 7 – ⊊ 7 – **14 ch** 87/120 – ½ P 65/80

Chantel sans rest, 391 rte Pècles ℘ 04 50 53 02 54, chantel@chamonixleguide.con
Fax 04 50 53 54 52, ≤, 룹 – P. ⚎, ⅏   AZ
fermé 4 au 19 avril et 29 oct. au 10 nov. – ⊊ 4,57 – **7 ch** 51,53/65,25

CHAMONIX-MONT-BLANC

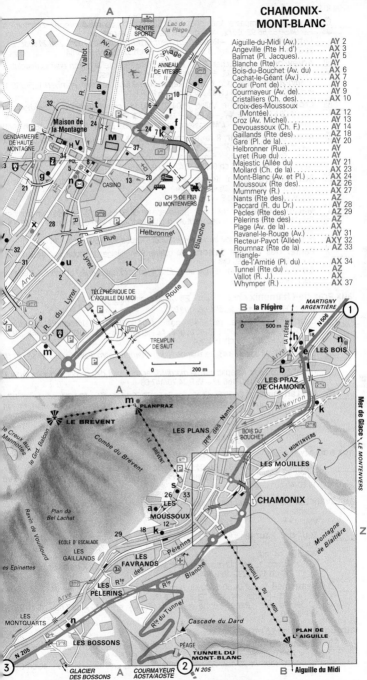

Arve ⑤, 60 impasse Anémones ℰ 04 50 53 02 31, *contact@hotelarve-chamonix.co*
Fax 04 50 53 56 92, ⩽, ⌚, ⌖ – ▯ 🆃🆅 ℗. ⒜Ⓔ ⓞ ⒼⒷ. ⅍ rest   AX
*fermé 1ᵉʳ nov. au 19 déc. – Repas (fermé le midi du 10 mars au 27 avril, 2 au 21 sept., 21 o
au 31 janv.)* 13/19,50 ⅃, enf. 8,50 – ⊆ 7,50 – **39 ch** 52/98 – ½ P 43/64

Arveyron, rte du Bouchet : 2 km ℰ 04 50 53 18 29, *hotel.arveyron-chamonix@club-in*
net.fr, Fax 04 50 53 06 43, ⩽, ⌚, ⌖ – 🆃🆅 ⅍ ℗. ⒼⒷ. ⅍ rest   BZ
1ᵉʳ juin-20 sept. et 21 déc.-6 avril – Repas (fermé lundi et merc. en hiver) 12,50/19,10
enf. 6,90 – ⊆ 7,70 – **31 ch** 32,80/53,40 – ½ P 48,80

Croix Blanche, 87 r. Vallot ℰ 04 50 53 00 11, *croix-blanche@chamonixhotels.co*
Fax 04 50 53 48 83, ⩽, ⌚ – ▯ 🆃🆅 ℗ – ⅍ 20. ⒜Ⓔ ⓞ ⒼⒷ ⒿⒸⒷ   AX
fermé 2 mai au 15 juin – L'M brasserie **Repas** carte 25 à 35 ⅄, enf. 6 – ⊆ 8 – **35 ch** 69/1ξ

Auberge Le Manoir, 8 rte Bouchet ℰ 04 50 53 10 77, *auberge-du-manoir@aol.co*
Fax 04 50 53 36 37, ⩽, ⌚ – 🆃🆅 ℗. ⒼⒷ. ⅍   AX
hôtel : fermé nov. ; rest : fermé mai, nov., merc. midi et mardi – Repas 21,34/27,44
enf. 6,86 – ⊆ 5,34 – **23 ch** 60,98/75,47 – ½ P 47,26/51,84

XX Atmosphère, 123 pl. Balmat ℰ 04 50 53 55 97 97, *infos@restaurant-atmosphere.co*
Fax 04 50 53 38 96 – ▤. ⒜Ⓔ ⓞ ⒼⒷ ⒿⒸⒷ   AY
Repas 17 (déj.), 20/24,50 ⅄

X Maison Carrier, rte du Bouchet ℰ 04 50 53 00 03, *infos@hameaualbert*
Fax 04 50 55 95 48, ⌚, « Reconstitution d'une ancienne ferme savoyarde » – ⒜Ⓔ ⓞ ●
ⒿⒸⒷ   AX
fermé 3 au 18 juin, 12 nov. au 13 déc. et lundi – Repas 25/39,50, enf. 13,75

X Panier des Quatre Saisons, 24 galerie Blanc-Neige, r. Paccard ℰ 04 50 53 98
Fax 04 50 53 98 77 – ⒜Ⓔ ⒼⒷ   AY
fermé 27 mai au 17 juin, 18 nov. au 9 déc., jeudi midi (sauf fériés) et merc. – Repas 1ξ
(déj.), 19,50/31 ⅄, enf. 8

aux Praz-de-Chamonix Nord : 2,5 km – ⊠ 74400 Chamonix :

Voir *La Flégère* ⩽⋆⋆ par téléphérique BZ.

Labrador Ⓜ sans rest, au golf ℰ 04 50 55 90 09, *info@hotel-labrador.co*
Fax 04 50 53 15 85, ⩽ Mont-Blanc et golf, ⅃ⅎ – ▯ 🆃🆅 ⅍ ℗ – ⅍ 25. ⒜Ⓔ ⓞ ⒼⒷ ⒿⒸⒷ   BZ
fermé nov. – ⊆ 9 – 32 ch 130/184

L'Eden, ℰ 04 50 53 18 43, *relax@hoteleden-chamonix.com*, Fax 04 50 53 51 50, ⩽, ⌚
🆃🆅 ℗. ⒼⒷ   BZ
fermé 7 au 30 nov. – Repas (fermé mardi) (dîner seul. sauf dim.de déc. à mai) 14,48/64,7ⁱ
⊆ 8,38 – **14 ch** 80,80/166,17 – ½ P 74,70/147,88

Les Lanchers, ℰ 04 50 53 47 19, Fax 04 50 53 66 14, ⩽, ⌚ – 🆃🆅. ⒼⒷ. ⅍ ch   BZ
fermé 22 mai au 11 juin, 25 nov. au 10 déc. – Repas (fermé merc. midi et mardi) 15/21
enf. 9,50 – ⊆ 6 – **10 ch** 60/82 – ½ P 50/56

XX Cabane, au golf ℰ 04 50 53 23 27, Fax 04 50 53 15 85, ⌚ – ℗. ⒜Ⓔ ⓞ ⒼⒷ   BZ
fermé 1ᵉʳ au 15 mai, 5 nov. au 15 déc. et mardi du 15 déc. au 1ᵉʳ mai – Repas 25/42 ⅄

aux Bois Nord : 3,5 km – ⊠ 74400 Chamonix-Mt-Blanc :

X Sarpé, ℰ 04 50 53 29 31, Fax 04 50 55 81 94, ⌚ – ℗. ⒼⒷ   BZ
fermé 26 mai au 19 juin, 3 nov. au 4 déc., lundi et le midi sauf vacances scolaires – Rep
19,60/40,40

au Lavancher par ①, N 506 et rte secondaire : 6 km – Sports d'hiver : voir à Chamonix – ⊠ 744
Chamonix :

Voir ⩽⋆⋆.

Jeu de Paume Ⓜ ⑤, ℰ 04 50 54 03 76, *jeu-de-paume-chamonix@wanadoo*
Fax 04 50 54 10 75, ⩽, ⌚, « Joli décor de chalet », ⅃, ⌖, ⅏ – ▯ 🆃🆅 ⅍ ℗ – ⅍ 40. ⒜Ⓔ
ⒼⒷ ⒿⒸⒷ. ⅍ rest
15 juin-7 sept., 12 déc.-12 mai et fermé mardi midi et merc. midi – Repas 38/59 ⅄, enf. 1ξ
⊆ 11 – **23 ch** 145/229 – ½ P 114/156

Beausoleil ⑤, ℰ 04 50 54 00 78, *hotel.beausoleil@libertysurf.fr*, Fax 04 50 54 17 34,
⌚, « Jardin fleuri », ⌖, ⅏ – 🆃🆅 ℗. ⒜Ⓔ ⓞ ⒼⒷ ⒿⒸⒷ. ⅍ rest
20 déc.-20 sept. – Repas (fermé jeudi midi) 12/23 ⅃, enf. 8,40 – ⊆ 7,60 – **15 ch** 78/9ᴑ
½ P 86/90

aux Bossons Sud : 3,5 km – ⊠ 74400 :

Aiguille du Midi, ℰ 04 50 53 00 65, *hotel.aiguille@telepost.fr*, Fax 04 50 55 93 69,
⌚, « Parc ombragé et fleuri », ⅃, ⅏, ⅏, ⅏ – ▯ 🆃🆅 ℗ – ⅍ 20. ⒼⒷ. ⅍ rest   AZ
12 mai-20 sept. et 20 déc.-20 avril – Repas 21/29 ⅄, enf. 12 – ⊆ 9,60 – **40 ch** 61/75
½ P 64/72

Planpraz *par télécabine –* ⊠ 74400 :

✗ **Bergerie de Planpraz,** ℰ 04 50 53 05 42, *bergerie.planpraz@wanadoo.fr,*
Fax 04 50 53 93 40, ⩽ Mont-Blanc et aiguilles, 🌳 – 🆎 ☒ ⃝ᴊᴄʙ, ⅏ AZ **m**
mi-juin-fin-sept. et mi-déc.-fin avril – **Repas** (déj. seul.) carte 29 à 36 ⵏ, enf. 8

HAMOUILLE *02 Aisne* 56 ⑤ – *rattaché à Laon.*

HAMOUSSET *73390 Savoie* 74 ⑯ – *383 h alt. 215.*
Paris 594 – Albertville 27 – Allevard 25 – Chambéry 32 – Grenoble 63.

⌂ **Christin,** ℰ 04 79 36 42 06, *Fax 04 79 36 45 43,* 🌳, 🐾 – 🔲 rest, 📺 ⃦ 🅿 ☒ ⅏ rest
fermé 15 sept. au 8 oct., 2 au 10 janv., dim. soir et lundi – **Repas** 13,60/27,50 ⵏ – ⵧ 4,30 –
18 ch 30,50/38,10 – ½ P 36,60

HAMPAGNAC-DE-BELAIR *24 Dordogne* 75 ⑤ – *rattaché à Brantôme.*

HAMPAGNEUX *73 Savoie* 74 ⑭ – *rattaché à St-Génix-sur-Guiers.*

HAMPAGNEY *70 H.-Saône* 66 ⑦ – *rattaché à Ronchamp.*

HAMPAGNOLE *39300 Jura* 70 ⑤ *G. Jura – 8 616 h alt. 541.*
Voir *Musée archéologique : plaques-boucles*★ **M.**
🇧 *Office du tourisme* ℰ 03 84 52 43 67, *Fax 03 84 52 54 57, info@tourisme.champagnole.
com.*
Paris 421 ④ – Besançon 66 ④ – Dole 68 ④ – Genève 86 ② – Lons-le-Saunier 34 ③.

HAMPAGNOLE

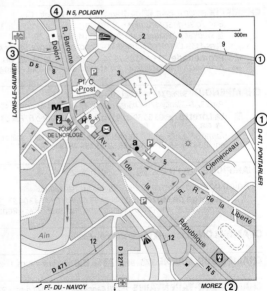

🏨 **Bois Dormant** Ⓜ ⅏, rte Pontarlier par ① : *1,5 km* ℰ 03 84 52 66 66, *hotel@bois-
ⱱ dormant.com, Fax 03 84 52 66 67,* 🌳, « Parc en forêt », ⅏, 🅔 – 📺 ⃦ 🅱 🅿 – 🔺 50 à 60.
⬤ ☒
Repas 14/35,50 ⵏ, enf. 10 – ⵧ 7 – **40 ch** 45/52 – ½ P 43,50

🏨 **Grand Hôtel Ripotot,** 54 r. Mar. Foch **(a)** ℰ 03 84 52 15 45, *Fax 03 84 52 09 11,* 🌳, 🅔 –
🛗 📺 🅿 ☒
1ᵉʳ avril-15 oct. – **Repas** 15/37,35 ⵏ, enf. 8,50 – ⵧ 6,50 – **35 ch** 39/52 – ½ P 42

399

rte de Genève par ② : 8 km – ⊠ 39300 Champagnole :

XX **Auberge des Gourmets** avec ch., sur N 5 ℘ 04 84 51 60 60, Fax 03 84 51 62 83, 🔲, 🖙 – 🔟 🖪. 🖭 ⓪ 🖼
fermé 21 déc. au 31 janv., dim. soir et lundi midi du 1ᵉʳ oct. au 15 mars sauf vacan⸱ scolaires – Repas 15/45 – ⇆ 7,30 – **7 ch** 49/58 – ½ P 58

CHAMPAGNY-EN-VANOISE 73350 Savoie 🔟 ⑱ G. Alpes du Nord – 585 h alt. 1240.
Voir Retable★ dans l'église – Télécabine de Champagny★ : ≤★ – Champagny-le-Haut★★
🖪 Office du tourisme Le Centre ℘ 04 79 55 06 55, Fax 04 79 55 04 66, ot.champagny@t post.fr.
Paris 657 – Albertville 45 – Chambéry 95 – Moûtiers 20.

🏨 **L'Ancolie** Ⓜ 🕭, ℘ 04 79 55 05 00, hotel.ancolie@telepost.fr, Fax 04 79 55 04 42, ≤, 🔲 ℔, 🔲 – 📳 🔟 🕭. 🖼. 🕸 rest
15 juin-1ᵉʳ sept. et 20 déc.-15 avril – Repas 17 (déj.)/19 ℤ, enf. 7,50 – ⇆ 9 – **31 ch** 81/10⸱ ½ P 77

🏨 **Les Glières** 🕭, ℘ 04 79 55 05 52, accueil@hotel-glieres.com, Fax 04 79 55 04 84, ≤, 🔲 – 🖼
15 juin-15 sept. et 21 déc.-22 avril – Repas (14,50) - 21/24, enf. 7,50 – ⇆ 8 – **20 ch** 39/8⸱ ½ P 64/69

CHAMPEAUX 50530 Manche 🔟 ⑦ – 320 h alt. 80.
🖪 Syndicat d'initiative ℘ 02 33 61 85 20.
Paris 352 – St-Lô 70 – St-Malo 83 – Avranches 18 – Granville 17.

XX **Marquis de Tombelaine et H. les Hermelles** 🕭 avec ch., sur D 9 ℘ 02 33 61 85 94, claude.giard@wanadoo.fr, Fax 02 33 61 21 52, ≤, 🏛, 🖙 – 🔟 🖪. 🖼
fermé 20 au 30 nov., 2 au 30 janv., mardi soir et merc. – Repas 17,10/53,35 ℔, enf. 7,6⸱
⇆ 5,79 – **6 ch** 42,69/50,31 – ½ P 44,21/50,31

CHAMPEIX 63320 P.-de-D. 🔟 ⑭ G. Auvergne – 1 135 h alt. 456.
Env. Église de St-Saturnin★★ N : 10 km.
🖪 Syndicat d'initiative Place du Pré ℘ 04 73 96 26 73.
Paris 443 – Clermont-Ferrand 31 – Condat 49 – Issoire 14 – Le Mont-Dore 36 – Thiers 64.

X **Promenade,** ℘ 04 73 96 70 24, Fax 04 73 96 70 24 – 🖭 🖼
fermé oct., mardi soir, jeudi soir et merc. sauf juil.-août – Repas 12,20/25,90

CHAMPENOUX 54280 M.-et-M. 🔟 ⑤ – 1 124 h alt. 234.
Paris 324 – Nancy 17 – Château-Salins 17 – Pont-à-Mousson 40 – St-Avold 62.

🏨 **La Lorette,** ℘ 03 83 39 91 91, la.lorette@wanadoo.fr, Fax 03 83 31 71 04 – 🔟 🕭 🕭 🖪. ⓪ 🖼
fermé 1ᵉʳ au 25 août – Repas (fermé sam. midi, dim. soir et lundi) (9,91) - 16,62/32,78 enf. 8,38 – ⇆ 5,34 – **10 ch** 36,59/43,45 – ½ P 40,78/51,07

CHAMPIGNÉ 49330 M.-et-L. 🔟 ⑳ – 1 501 h alt. 25.

à l'Anjou golf Sud : 3 km par D 190 – ⊠ 49330 Champigné :
XX **Auberge de Mozé,** ℘ 02 41 34 52 42, Fax 02 41 42 04 37, 🔲, 🕸, 🔊 – 🖪. 🖼
fermé 3 au 25 janv. et dim. soir au vend. midi sauf fériés – Repas 24/45 ℤ

CHAMPILLON 51 Marne 🔟 ⑯ – rattaché à Épernay.

CHAMPS-SUR-MARNE 77 S.-et-M. 🔟 ⑫, 🔟🔟 ⑲ – voir à Paris, Environs (Marne-la-Vallée).

CHAMPS-SUR-TARENTAINE 15270 Cantal 🔟 ② – 1 044 h alt. 450.
Env. Gorges de la Rhue★★ SE : 9 km, G. Auvergne.
🖪 Office de tourisme ℘ 04 71 78 72 75, Fax 04 71 78 75 09.
Paris 502 – Aurillac 89 – Clermont-Ferrand 83 – Condat 24 – Mauriac 38 – Ussel 38.

🏨 **Auberge du Vieux Chêne** 🕭, ℘ 04 71 78 71 64, danielle.moins@wanadoo.f⸱ Fax 04 71 78 70 88, 🏛, 🖙 – 🖪. ⓪ 🖼
1ᵉʳ avril-1ᵉʳ nov. et fermé dim. soir et lundi sauf du 15 juin au 15 sept. – Repas (dîner seu⸱ 21/28,50 ℤ – ⇆ 8,40 – **15 ch** 55/78 – ½ P 51,83/62,50

AMPTOCEAUX *49270 M.-et-L.* 63 ⑱ *G. Châteaux de la Loire – 1 748 h alt. 68.*

Voir *Site★ – Promenade de Champalud★★.*

Office du tourisme Maison de Champalud ☏ 02 40 83 57 49.

Paris 357 – Nantes 32 – Ancenis 9 – Angers 64 – Beaupréau 30 – Cholet 50 – Clisson 35.

Champalud M, pl. Église ☏ 02 40 83 50 09, *le-champalud@wanadoo.fr, Fax 02 40 83 53 81* – GB

Repas *(fermé dim. soir d'oct. à Pâques)* 10,70 bc/35 ♀, enf. 6,86 – **13 ch** 39/53 – 1/2 P 38,50/46

Les Jardins de la Forge (Pauvert) M avec ch, pl. Piliers ☏ 02 40 83 56 23, *Fax 02 40 83 59 80,* – ch, . AE GB. ch

fermé 5 au 20 mars et 1er au 16 oct. – **Repas** *(fermé dim. soir, lundi et mardi)* 30/75 et carte 50 à 70 – 10 – **7 ch** 85/130

Spéc. Poêlée de civelles et Saint-Jacques aux amandes (janv. à avril). Dos de sandre de Loire rôti à la mimosa d'huîtres. Blanquette de joue de veau à la julienne de gingembre. **Vins** Muscadet sur lie, Anjou-Villages.

AMPTOCÉ-SUR-LOIRE *49123 M.-et-L.* 63 ⑲ *G. Châteaux de la Loire – 1 533 h alt. 17.*

Syndicat d'Initiative ☏ 02 41 39 91 80, Fax 02 41 39 95 89.

Paris 320 – Angers 27 – Châteaubriant 60 – Cholet 49 – Nantes 76.

Cheval Blanc, ☏ 02 41 39 91 81, *Fax 02 41 39 98 67* – . GB

fermé 4 au 11 mars, 15 au 30 sept., vend. soir (sauf hôtel), dim. soir et sam. hors saison – **Repas** 11,43/29,73 ♀, enf. 6,86 – 5,34 – **12 ch** 28,97/57,93

AMROUSSE *38 Isère* 77 ⑤ *G. Alpes du Nord – 518 h – Sports d'hiver : 1 350/2 255 m 1 25* – ✉ *38410 Uriage.*

Voir *Réserve naturelle de Luitel★ – Fôret de Prémol★.*

Env. *Croix de Chamrousse★★ : ★★ par téléphérique.*

Office du tourisme 24 place de Belledonne ☏ 04 76 89 92 65, Fax 04 76 89 98 06, infos@chamrousse.com.

Paris 597 – Grenoble 30 – Allevard 65 – Chambéry 80 – Uriage-les-Bains 19 – Vizille 26.

L'Écureuil, au Recoin ☏ 04 76 89 90 13, *Fax 04 76 89 90 13,* – GB

fermé 1er mai au 1er juil. – **Repas** 12,50/22 ♀, enf. 6,80

HANAS *38150 Isère* 76 ⑩, 77 ① *– 1 931 h alt. 150.*

Paris 517 – Grenoble 87 – Lyon 57 – St-Étienne 75 – Valence 52.

Halte OK, à l'échangeur A 7 ☏ 04 74 84 27 50, *Fax 04 74 84 36 61,* – – 15 à 50. GB

fermé 22 déc. au 5 janv., 11 au 18 août, sam. midi, dim. sauf le soir en juil.-août, lundi midi et fériés – **Repas** (19,20) - 27,50 ♀ – 6,25 – **41 ch** 44/52

HANCELADE *24 Dordogne* 75 ⑤ *– rattaché à Périgueux.*

HANDAI *61300 Orne* 60 ⑤ *– 532 h alt. 200.*

Paris 130 – Alençon 73 – L'Aigle 9 – Chartres 72 – Dreux 52 – Évreux 56 – Lisieux 66.

L'Écuyer Normand, N 26 ☏ 02 33 24 08 54, *Fax 02 33 24 08 54* – AE GB JCB

fermé merc. soir, dim. soir et lundi – **Repas** 14/30 ♀, enf. 14

HANDOLAS *07230 Ardèche* 80 ⑧ *– 342 h alt. 115.*

Paris 667 – Alès 44 – Privas 63 – Aubenas 33.

Auberge Les Murets , ☏ 04 75 39 08 32, *dominique.rignanese@wanadoo.fr, Fax 04 75 39 39 90,* – . AE GB. ch

fermé 2 janv. au 12 fév., lundi et mardi du 15 oct. au 30 mars – **Repas** 15/26 ♀, enf. 8 – **7 ch** 51 – 1/2 P 45,50

HANGÉ *53 Mayenne* 63 ⑩ *– rattaché à Laval.*

HANTELLE *03140 Allier* 73 ④ *G. Auvergne – 1 040 h alt. 324.*

Office du tourisme Place de la Mairie ☏ 04 70 56 62 37, Fax 04 70 56 62 37.

Paris 342 – Moulins 47 – Gannat 17 – Montluçon 60 – St-Pourçain-sur-Sioule 15.

Poste, ☏ 04 70 56 62 12, – . AE GB

fermé 21 sept. au 15 oct., 22 fév. au 13 mars et merc. – **Repas** (7,70) - 13,80/26 ♀, enf. 6,90 – 4,50 – **12 ch** 34,30/38,50 – 1/2 P 29,50/32,50

CHANTEMERLE 05 H.-Alpes **77** ⑱ – rattaché à Serre-Chevalier.

CHANTEPIE 35 I.-et-V. **59** ⑰ – rattaché à Rennes.

CHANTILLY 60500 Oise **56** ⑪, **106** ⑧ G. Île de France – 10 902 h alt. 59.

Voir Château★★★ – Parc★★ – Grandes Écuries★★ : musée vivant du Cheval★★ – L'Aéphile★ (vol en ballon captif) : ≤★.

Env. Site★ du château de la Reine-Blanche S : 5,5 km.

🛈 Office du tourisme 60 avenue du Maréchal Joffre ℘ 03 44 57 08 58, Fax 03 44 57 74 6◼

Paris 52 ② – Compiègne 45 ① – Beauvais 55 ⑤ – Meaux 51 ② – Pontoise 41 ④.

CHANTILLY

Berteux (Av. de)	A 2	Chantilly (R. de) .... B 5
Canardière		Condé (Av. de) .... B 6
(Quai de la)	A 3	Connétable (R. du) ..... AB
Cascades (R. des)	A 4	Embarcadère (R. de l') .. A 8
		Faisanderie (R. de la) ... B 9
		Joffre (Av. du Mar.) .... A

Leclerc (Av. du Gén.) .... A
Orgemont (R. d') .... A
Paris (R. de) .... A
Schumann (Bd Maurice) ... A
Vallon (Pl. Omer) .... A
Victor-Hugo (R.) .... A

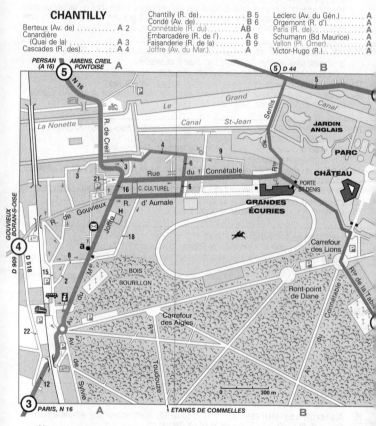

🏨 **Parc** sans rest, 36 av. Mar. Joffre ℘ 03 44 58 20 00, Fax 03 44 57 31 10, 🖭 – 🛗 ⚡️ 📺 📶
🕮 ⓪ ☁ 🇨🇧
⊑ 11 – **57 ch** 78/86

rte d'Apremont par ① et D 606 :

🏨 **Dolce Chantilly** Ⓜ ⚘, à 3 km ⊠ 60500 Vineuil-St-Firmin ℘ 03 44 58 47 77, dolc
chantilly@wanadoo.fr, Fax 03 44 58 50 11, ≤, « Dans un golf », 🛵, ⚴, ◻, 🏮 – 🛗 ⚡
◼ ch, 📺 ⚡ ⚐ 🅿 – ⚠ 300. 🕮 ⓪ ☁ 🇨🇧. ⚱ rest
Carmontelle (fermé sam. midi et lundi) Repas 40/99bc ⚹, enf. 22 – **L'Étoile** (dîner seu
Repas 42/55, enf. 22 – ⊑ 19 – **202 ch** 269/470, 4 appart

🍴🍴 **Tour d'Apremont**, au golf d'Apremont, 7 km ⊠ 60300 Apremont ℘ 03 44 25 61 1
golf.apremont@free.fr, Fax 03 44 25 11 72, ≤, 🏮 – 🅿. 🕮 ☁ 🇨🇧. ⚱
fermé lundi – Repas (déj. seul.) carte 22 à 33

XX **Auberge La Grange aux Loups** ⑤ avec ch, à Apremont, 6 km ⊠ 60300 Apremont
ℰ 03 44 25 33 79, lagrangeauxloups@wanadoo.fr, Fax 03 44 24 22 22, 佘, 舜 – TV ℰ. AE
GB JCB
Repas (fermé dim. soir et lundi) 34 bc/58 bc – ⌓ 8,50 – **4 ch** 79,50

Montgrésin par ② : 5 km – ⊠ 60560 Orry-la-Ville :

🏰 **Relais d'Aumale** M ⑤, ℰ 03 44 54 61 31, relaisd.aumale@wanadoo.fr,
Fax 03 44 54 69 15, 佘, 舜, ℀ – ฿ TV ℰ ℰ P – 逸 30. AE ⓞ GB JCB
fermé 23 déc. au 5 janv. – **Repas** 35,10/40 – ⌓ 10 – **24 ch** 104/130 – ½ P 88,50/99

Gouvieux par ④ : 4 km – 9 406 h. alt. 26 – ⊠ 60270 :

🏰 **Château de la Tour** ⑤, ℰ 03 44 62 38 38, le.chateau.de.la.tour@wanadoo.fr,
Fax 03 44 57 31 97, ≤, 佘, « Parc boisé », ⌓, ℀, ℀ – TV ℰ ℰ P – 逸 100. AE ⓞ GB JCB
fermé 21 au 28 déc. – **Repas** 35/50 ℣, enf. 13 – ⌓ 13 – **41 ch** 110/175 – ½ P 90

🏰 **Château de Montvillargenne** ⑤, ℰ 03 44 62 37 37, montvillargenne@wanadoo.fr,
Fax 03 44 57 28 97, ≤, 佘, ℔, ⌗, ℀, ℀ – ฿ ℀ TV ℰ ℰ P – 逸 180. AE ⓞ GB
Repas 34/66, enf. 15 – ⌓ 15 – **120 ch** 158/300, 3 duplex – ½ P 123,50/192

🏠 **Pavillon St-Hubert** ⑤, à Toutevoie, bord de l'Oise ℰ 03 44 57 07 04,
Fax 03 44 57 75 42, ≤, 佘, « Terrasse au bord de l'Oise », 舜 – 逸 30. AE GB
fermé fév. – **Repas** (fermé dim. soir et lundi sauf fériés) 24/30 – ⌓ 6,50 – **18 ch** 45/65 –
½ P 55/65

X **Renardière**, 2 r. Frères Segard (La Chaussée) ℰ 03 44 57 08 23 – ⓞ GB
fermé 1ᵉʳ au 15 août – **Repas** 15/31 ℣, enf. 8

e de Creil par ⑤ : 4 km – ⊠ 60740 St-Maximin :

XXX **Verbois**, N 16, rd-pt Verbois ℰ 03 44 24 06 22, Fax 03 44 25 76 63, 佘, « Ancien relais de
chasse à l'orée de la forêt », 舜 – P. AE GB
fermé 19 août au 2 sept., 20 janv. au 3 fév., dim. soir et lundi sauf fériés – **Repas** 23/45,
enf. 14

HAOURCE 10210 Aube ⑥① ⑰ G. Champagne Ardenne – 1 092 h alt. 150.
Voir Église St-Jean-Baptiste★ : sépulcre★★.
🮲 Syndicat d'initiative Place de l'Église ℰ 03 25 40 97 22.
Paris 196 – Auxerre 66 – Troyes 32 – Bar-sur-Aube 59 – Châtillon-sur-Seine 52.

Maisons-lès-Chaource Sud-Est : 6 km par D 34 – 188 h. alt. 235 – ⊠ 10210 :

🏠 **Aux Maisons**, ℰ 03 25 70 07 19, accueil@logis-aux-maisons.com, Fax 03 25 70 07 75,
佘, ⌓, ▤ rest, TV P. AE GB
Repas (fermé dim. soir d'oct. à mars) 18/30,20 ℣ – ⌓ 7,70 – **15 ch** 53/63 – ½ P 59

HAPARON 74 H.-Savoie ⑦④ ⑥ ⑯ – rattaché à Bredannaz.

---

a **CHAPELAUDE** 03380 Allier ⑥⑨ ⑪ – 954 h alt. 230.
Paris 325 – La Châtre 53 – Montluçon 20 – Moulins 89 – St-Amand-Montrond 51.

X **Grain d'Sel**, ℰ 04 70 06 47 78, Fax 04 70 06 44 32 – ▤ P. GB
fermé 2 au 20 sept., mardi soir et merc. – **Repas** (8,84) - 11,89/30,49, enf. 7,62

---

a **CHAPELLE-D'ABONDANCE** 74360 H.-Savoie ⑦⓿ ⑱ G. Alpes du Nord – 719 h alt. 1020 –
Sports d'hiver : 1 000/1 800 m ≼ 1 ℟ 11 ⅊.
🮲 Office du tourisme ℰ 04 50 73 51 41, Fax 04 50 73 56 04, ot-chapelle@portesdu
soleil.com.
Paris 603 – Thonon-les-Bains 34 – Annecy 106 – Châtel 6 – Évian-les-Bains 32 – Morzine 32.

🏰 **Cornettes**, ℰ 04 50 73 50 24, valdabondance@lescornettes.com, Fax 04 50 73 54 16,
佘, « Petit musée savoyard », ℔, ⌓, 舜 – ฿ cuisinette, ▤ rest, TV ℰ P – 逸 40. GB
3 mai-mi-oct. et mi-déc.-mi-avril – **Repas** 20/50 ℥, enf. 15 – ⌓ 10 – **43 ch** 90/110, 22
studios – ½ P 85

🏠 **Les Gentianettes** M ⑤, ℰ 04 50 73 56 46, bienvenue@gentiannettes.fr,
Fax 04 50 73 56 39, 佘, ℔, ⌓ – ฿ TV ℰ ℰ P. GB
8 mai-15 sept. et 22 déc.-2 avril et fermé mardi en mai, juin et sept. – **Repas** 20/45 ℣, enf. 9
– ⌓ 8 – **32 ch** 80 – ½ P 67

🏠 **L'Ensoleillé**, ℰ 04 50 73 50 42, info@hotel-ensoleille.com, Fax 04 50 73 52 96, ℔, ⌓,
舜 – ฿ TV P. GB, ℀ rest
20 mai-15 sept. et 15 déc.-31 mars – **Repas** (fermé mardi) 20/45 ℣, enf. 10,60 – ⌓ 8 – **35 ch**
65/70 – ½ P 70/85

Chabi �, ℘ 04 50 73 50 14, Fax 04 50 73 55 84, ≤, 佘, *Ls*, ⍾, – 📺 🅿. ☞
fermé 15 au 30 avril et 30 sept. au 15 oct. – **Repas** 19/35 ♀, enf. 9 – ☲ 8 – **21 ch** 55/6
½ P 62,50

Vieux Moulin ⚶, rte Chevenne ℘ 04 50 73 52 52, *Fax 04 50 73 55 62*, 佘, 佛 – 📺
🅰🅴 ☞. ⍟
20 mai-fin sept., 20 déc.-15 avril et fermé merc. – **Repas** 17/34, enf. 9,15 – ☲ 7 – **16**
35/45 – ½ P 53/60

CHAPELLE-DES-BOIS 25240 Doubs **70** ⑯ *G. Jura* – 244 h alt. 1087 – *Sports d'hiver : 1 0*
1 300 m ⚘.
Paris 458 – Genève 67 – Lons-le-Saunier 62 – Pontarlier 45.

Les Mélèzes, ℘ 03 81 69 21 82, *hotel.melezes@wanadoo.fr*, Fax 03 81 69 12 75, ≤, 佛
📞. ☞. ⍟
20 juin-10 sept., 15 déc.-30 mars et week-ends hors saison – **Repas** *(dîner seul. en é*
14/25 ♀, enf. 9,20 – ☲ 6,70 – **9 ch** 51 – ½ P 60

La **CHAPELLE-DU-GENÊT** 49 M.-et-L. **67** ⑤ – *rattaché à Beaupréau.*

La **CHAPELLE-EN-SERVAL** 60520 Oise **56** ⑪ – 2 462 h alt. 104.
Paris 42 – Compiègne 43 – Beauvais 65 – Chantilly 10 – Meaux 44 – Senlis 10.

Mont-Royal Ⓜ ⚶, Est : 2 km par D 118 ℘ 03 44 54 50 50, *commercial-montroy*
hotels.com, Fax 03 44 54 50 21, ≤, 佘, « Pavillon de chasse dans un parc », *Ls*, ⍾, ⍟,
🛏 ⍟ 🖩 📺 📞 🚹 🅿 – 🔏 180. 🅰🅴 ⓪ ☞ ☕
Repas 32/60 – **100 ch** ☲ 220/260 – ½ P 109/189

Les pages explicatives de l'introduction
vous aideront à mieux profiter de votre **Guide Rouge Michelin**

La **CHAPELLE-EN-VALGAUDEMAR** 05800 H.-Alpes **77** ⑯ *G. Alpes du Sud* – 129 h alt. 108.
Voir *Les "Oulles du Diable"★★ (marmites des géants)* – *Cascade du Casset★ NE : 3,5 km.*
Env. *Chalet-hôtel du Gioberney : cirque★★.*
🄯 *Syndicat d'initiative la Chapelle-en-Valgaudemar* ℘ 04 92 55 23 21, Fax 04 92 55 23 21.
Paris 661 – Gap 49 – Grenoble 95 – La Mure 52.

Mont-Olan, ℘ 04 92 55 23 03, Fax 04 92 55 34 58, ≤, 佘, 佛 – 📺 🅿. ☞
30 mars-15 sept. et fermé 2 au 8 juin – **Repas** 11/21,50 ⅃ – ☲ 6 – **28 ch** 32/41 – ½ P 37

La **CHAPELLE-EN-VERCORS** 26420 Drôme **77** ⑭ *G. Alpes du Nord* – 662 h alt. 945 – *Spo*
d'hiver au Col de Rousset : 1 255/1 700 m ⚘ 8 ⚘.
Voir *Grotte de la Draye blanche★, 5 km au S par D 178.*
🄯 *Office du tourisme Place Pietri* ℘ 04 75 48 22 54, Fax 04 75 48 13 81, ot.verco
@wanadoo.fr.
Paris 609 – Grenoble 60 – Valence 64 – Die 41 – Romans-sur-Isère 46 – St-Marcellin 35.

Bellier ⚶, ℘ 04 75 48 20 03, Fax 04 75 48 25 31, 佘, ⍾, 佛 – 📺 📞 🅿. 🅰🅴 ⓪ ☞
avril-oct. et fermé mardi soir et merc. sauf juil.août – **Repas** 14/30, enf. 11 – ☲ 6 – **13**
58/69 – ½ P 53/58

Sports, ℘ 04 75 48 20 39, *hotel.des.sports@wanadoo.fr*, Fax 04 75 48 10 52, 佘 –
⊸. ☞
fermé déc., janv., dim. soir et lundi sauf vacances scolaires – **Repas** *(11,89)* - 15,24/22,87 ♀
☲ 6,40 – **14 ch** 25,92/39,64 – ½ P 34/40,86

La-**CHAPELLE-ST-LAURENT** 79430 Deux-Sèvres **67** ⑰ – 1 697 h alt. 180.
Paris 394 – Niort 52 – Bressuire 12 – Cholet 56 – La Roche-sur-Yon 89.

Petite Auberge, Basilique Pitié ℘ 05 49 72 02 15, Fax 05 49 80 30 73, 佘 – ☞ ☕
fermé lundi – **Repas** 12,96/37,35 ♀

La **CHAPELLE-ST-MESMIN** 45 Loiret **64** ⑨ – *rattaché à Orléans.*

La **CHAPELLE-SUR-ERDRE** 44 Loire-Atl. **67** ③ – *rattaché à Nantes.*

CHARAVINES 38850 Isère 74 ⑭ G. Vallée du Rhône – 1 423 h alt. 500.

Voir *Tour du Lac★*.

� Office du tourisme Rue des Bains ℘ 04 76 06 60 31, Fax 04 76 06 60 50.

Paris 537 – Grenoble 39 – Belley 47 – Chambéry 54 – La Tour-du-Pin 21 – Voiron 13.

🏛 **Beau Rivage,** Nord : 1 km par D 50 ℘ 04 76 06 61 08, Fax 04 76 06 66 58, ≤, 㑹, ₳₀,
㑹 – 📺 ✆ 🅿 – 🕭 25. ✇ 🗷 ❤ ch
fermé 20 déc. au 1er fév., lundi sauf le soir en juil.-août, dim. soir et mardi soir de sept. à juin
– **Repas** 15/34 ♀, enf. 10 – ☲ 7 – **29 ch** 43/48 – ½ P 43/46

CHARBONNIÈRES-LES-BAINS 69 Rhône 74 ⑪, 110 ⑬ – rattaché à Lyon.

CHARETTE 38390 Isère 74 ⑬ – 281 h alt. 250.

Paris 481 – Aix-les-Bains 76 – Belley 37 – Grenoble 100 – Lyon 62.

🏠 **Auberge du Vernay** ⑤, sur D 52, rte Optevoz ℘ 04 74 88 57 57, aub.vernay.@liberty
surf.fr, Fax 04 74 88 58 57, 㑹 – 📺 ✆ & 🅿 – 🕭 15. 🗺
fermé 14 juin au 2 juil., 9 au 17 sept., 11 au 21 janv., dim. soir et lundi – **Repas** 13,50 (déj.),
15/23 ♀ – ☲ 6 – **7 ch** 44/47 – ½ P 40,50

CHARETTE-VARENNES 71 S.-et-L. 70 ②, 110 ⑳ – rattaché à Pierre-de-Bresse.

la CHARITÉ-SUR-LOIRE 58400 Nièvre 65 ⑬ G. Bourgogne – 5 460 h alt. 170.

Voir *Église N.-Dame★★ : ≤★★
sur le chevet* – *Esplanade rue
du Clos ≤★*.

� Office du tourisme 5 place
Sainte-Croix ℘ 03 86 70 15 06,
Fax 03 86 70 21 55, Sl.LaCharite
@wanadoo.fr.

Paris 215 ① – Bourges 51 ④ –
Auxerre 95 ② – Montargis 102 ① –
– Nevers 25 ①.

🏛 **Grand Monarque,** 33 quai
Clemenceau (e)
℘ 03 86 70 21 73, le.grand.mona
rque@wanadoo.fr,
Fax 03 86 69 62 32, 㑹, 㑹 – ⬧
📺 ✆ & 🚗 – 🕭 20. 🗷 ⓞ 🗺
JCB
fermé 15 fév. au 18 mars – **Repas**
*(fermé dim. soir du 12 nov. au
31 mars)* (15 bc) · 21,05/42,50 ♀,
enf. 10,70 – ☲ 8,40 – **15 ch** 59/
104 – ½ P 54/72

🏠 **Bon Laboureur** sans rest, quai
Romain Mollot (Ile de la Loire), par
④ : 0,5 km ℘ 03 86 70 22 85,
Fax 03 86 70 23 64, 㑹 – 📺 ✆.
🗷 ⓞ 🗺. ❤
☲ 5,50 – **16 ch** 35/48

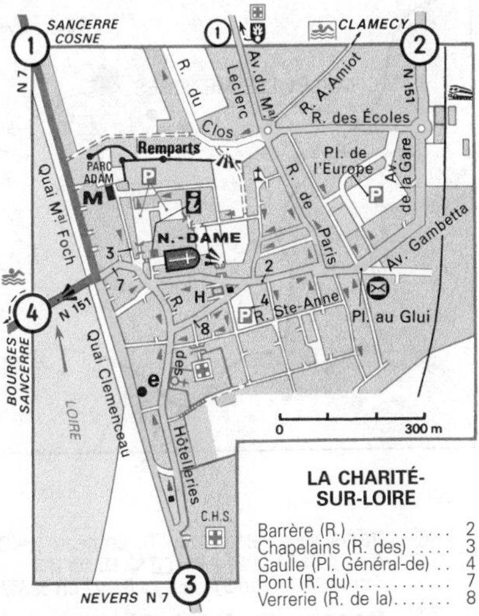

**LA CHARITÉ-
SUR-LOIRE**

Barrère (R.)	2
Chapelains (R. des)	3
Gaulle (Pl. Général-de)	4
Pont (R. du)	7
Verrerie (R. de la)	8

CHARLEVAL 13350 B.-du-R. 84 ②, 114 ① – 2 080 h alt. 136.

� Office de tourisme 2 place André Leblanc ℘ 04 42 28 45 30, Fax 04 42 28 45 30,
office-tourisme-charleval@wanadoo.fr.

Paris 725 – Aix-en-Provence 33 – Cavaillon 27 – Marseille 62 – Salon-de-Provence 20.

✗ **Cherche-Midi,** (derrière l'église) ℘ 04 42 28 52 50, Fax 04 42 28 52 50, 㑹 – 🗺
fermé 21 déc. au 9 janv., dim. de nov. à fév., mardi midi en juil.-août et lundi – **Repas** 11
(déj.), 14,50/31,50 ♀, enf. 9

Gli alberghi o ristoranti ameni sono indicati nella guida
con un simbolo rosso.

Contribuite a mantenere
la guida aggiornata segnalandoci
gli alberghi e ristoranti dove avete soggiornato piacevolmente.

CHARLEVILLE-MÉZIÈRES 🅟 *08000 Ardennes* 🔢 ⑱ *G. Champagne Ardenne* – 55 49
Agglo. 107 777 h alt. 145.

Voir *Place Ducale*★★ – *Musée de l'Ardenne*★ BX **M**¹ – *Musée Rimbaud* BX **M**² – *Basilic*
N.-D.-d'Espérance : vitraux★ BZ.

🇧 *Office du tourisme Place Ducale* ℘ *03 24 55 69 90, Fax 03 24 55 69 89.*
Paris 234 ① – *Liège 193* ② – « *Luxembourg 127* ① – *Reims 88* ① – *Sedan 24* ①.

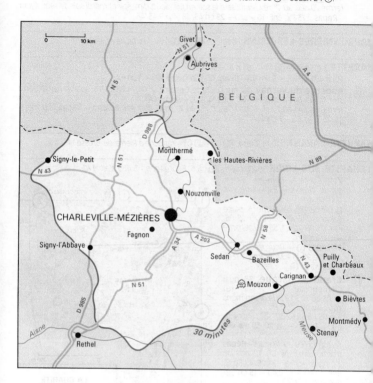

🏠 **Paris** sans rest, 24 av. G. Corneau ℘ 03 24 33 34 38, *hotel.de.paris.08@wanadoo.*
Fax 03 24 59 11 21 – ✂ 📺 📞 ⚿ 🆎 ⓞ ⚿
fermé 23 déc. au 5 janv. – ⚌ 6 – **27 ch** 38/67
BY

🍴🍴 **Manoir du Mont Olympe,** r. Pâquis ℘ 03 24 33 43 20, *c.silva@mcg.*
Fax 03 24 59 93 38, 🏡, 🆎 ⚿
fermé lundi du 30 sept. au 1ᵉʳ juin – **Repas** 17 (déj.), 24,40/40 ⚿
BX

🍴🍴 **Clef des Champs,** 33 r. Moulin ℘ 03 24 56 17 50, *courrier@laclefdeschamps.*
Fax 03 24 59 94 07 – 🍽 🆎 ⓞ ⚿
fermé dim. soir, lundi et soirs fériés – **Repas** (15) - 21/49 bc ⚿
BX

🍴🍴 **Côte à l'Os,** 11 cours A. Briand ℘ 03 24 59 20 16, *Fax 03 24 59 48 30,* 🏡 – 🍽 🆎 ⚿
⚿
BY
fermé dim. soir – **Repas** 12,50/29,75 ⚿ - **Taverne** (1ᵉʳ étage) (fermé dim. soir) 10,37/12,50

à Fagnon *par D 3* AZ *et D 39 : 8 km* – *345 h. alt. 171* – ✉ *08090 :*

🏛 **Abbaye de Sept Fontaines** 🌿, ℘ 03 24 37 38 24, *abbaye-7-fontaines@wanadoo.*
Fax 03 24 37 58 75, ≤, 🏡, « *Ancienne demeure dans un parc, golf* », 🏊 – 📺 ⚿ 🅿 – 🔬 2
🆎 ⓞ ⚿
fermé 10 au 25 janv. – **Repas** 23 (déj.), 30/60 ⚿, enf. 10 – ⚌ 10 – **23 ch** 72/197
½ P 71/98

CHARLEVILLE-MÉZIÈRES

CHARLIEU 42190 *Loire* **73** ⑧ *G. Bourgogne* – 3 582 h alt. 265.

Voir *Ancienne abbaye bénédictine★ : façade★★* – *Couvent des Cordeliers★.*

🛈 *Office du tourisme Place Saint-Philibert ℘ 04 77 60 12 42, Fax 04 77 60 16 91, office.t r
risme.charlieu@wanadoo.fr.*

Paris 385 ④ – Roanne 19 ④ – Mâcon 76 ② – St-Étienne 103 ④.

CHARLIEU

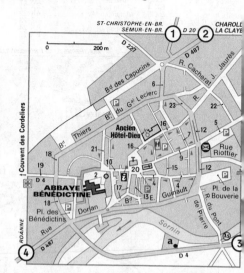

*Ne prenez pas la route
sans connaître
votre temps de parcours.*

La **carte Michelin** *n° 911
c'est
"la carte du temps gagné".*

🏨 **Relais de l'Abbaye,** (a) *℘ 04 77 60 00 88, Fax 04 77 60 14 60,* ⇔ – ⇔ 🔟 ✆ 🅿 – ⛦ 5
AE GB

fermé janv., 26 au 31 août, vend. soir hors saison, dim. soir et lundi midi – **Repas** 12,9
36,80 ♀, enf. 8,35 – ⊋ 6,40 – **27 ch** 39,65/51,80 – ½ P 44,20

rte de Pouilly *par ④ et rte secondaire : 2,5 km :*

XX **Moulin de Rongefer,** ✉ 42190 St-Nizier-sous-Charlieu *℘ 04 77 60 01 5
Fax 04 77 60 33 28,* ⇔ – 🅿. AE GB

fermé 16 août au 5 sept., vacances de fév., dim. soir, mardi soir et merc. – **Repas** 14,50 (déj
17,55/48,75

X **Auberge du Château de Tigny,** ✉ 42720 Pouilly-sous-Charlieu *℘ 04 77 60 09 5
Fax 04 77 69 03 93,* ⇔, « *Demeure du 16ᵉ siècle* », ⇔ – 🅿. GB

*fermé 15 sept. au 11 oct., 26 déc. au 15 janv., merc. soir, jeudi soir, lundi et mardi d'oct.
avril* – **Repas** (13) - 21/34 ♀, enf. 11,50

CHARMES 88130 *Vosges* **62** ⑤ *G. Alsace Lorraine* – 4 665 h alt. 282.

🛈 *Office du tourisme 2 place Henri Breton ℘ 03 29 38 17 09, Fax 03 29 38 17 09.*
Paris 381 – Épinal 33 – Nancy 43 – Lunéville 35 – St-Dié 58 – Toul 63 – Vittel 41.

XX **Dancourt** avec ch, 6 pl. H. de Ville *℘ 03 29 38 80 80, reception@hotel-dancourt.con
Fax 03 29 38 09 15,* ⇔ – 🔟 ✆ ⇔, 🅿. AE ⓪ GB

fermé 19 déc. au 19 janv., dim. soir d'oct. à Pâques, sam. midi et vend. – **Repas** 15/50 ♀
⊋ 6,70 – **16 ch** 34/50 – ½ P 38/44

à Chamagne *Nord : 4 km par D 9 – 416 h. alt. 265 –* ✉ 88130 :

X **Chamagnon,** *℘ 03 29 38 14 74,* ⇔ – GB

fermé 24 juin au 10 juil., 23 au 29 sept., dim. soir, merc. soir et lundi – **Repas** 9,15 (déj
15/34,50 ⌀

à Vincey *Sud-Est : 4 km par N 57 – 2 159 h. alt. 297 –* ✉ 88450 :

🏨 **Relais de Vincey** Ⓜ, *℘ 03 29 67 40 11, relais.de.vincey@wanadoo.fr
Fax 03 29 67 36 66,* ⌂, ⇔, ⌘ – 🔟 ✆ ⛿ 🅿 – ⛦ 25. AE ⓪ GB JCB

fermé 10 au 26 août et 21 déc. au 6 janv. – **Repas** (fermé sam.) 19/42 ♀ – ⊋ 7,10 – **34 c**
43/55 – ½ P 43,50/52,80

CHARMES-SUR-RHÔNE 07800 Ardèche **77** ⑪ ⑫ – 2 070 h alt. 112.
  Paris 577 – Valence 11 – Crest 24 – Montélimar 42 – Privas 30 – St-Péray 11.

XX **Autour d'une Fontaine** Ⓜ avec ch, ℘ 04 75 60 80 10, jmgaudry@hotmail.com,
  Fax 04 75 60 87 47, 🌴 – 🗏 🔟 📞 🕹 ⟵. – 🏍 40. 🖭 ⓪ ⒼⒷ ⒿⒸⒷ
  fermé dim. soir et lundi – Repas 19/58 ♀, enf. 9 – ☲ 8,50 – **15 ch** 46/75 – ½ P 76,22/91,47

CHARNAY-LÈS-MÂCON 71 S.-et-L. **69** ⑲ – rattaché à Mâcon.

CHAROLLES ⬲ 71120 S.-et-L. **69** ⑰ ⑱ G. Bourgogne – 3 027 h alt. 279.
  🛈 Office de tourisme 24 rue Baudinot ℘ 03 85 24 05 95, Fax 03 85 24 28 12, O.T.CHAROLLES
  @wanadoo.fr.
  Paris 365 – Mâcon 54 – Autun 79 – Chalon-sur-Saône 65 – Moulins 82 – Roanne 61.

🏠 **Téméraire** sans rest, 3 av. J. Furtin ℘ 03 85 24 06 66, Fax 03 85 24 05 54 – 🔟 📞 ⟵. 🖭
  ⓪ ⒼⒷ
  fermé 24 juin au 7 juil. et sam. du 1er nov. au 15 avril – ☲ 6,25 – **10 ch** 40,50/53

XXX **Poste** avec ch, av. Libération (près église) ℘ 03 85 24 11 32, hotel-de-la-liberation-doucet
  @wanadoo.fr, Fax 03 85 24 05 74, 🌴, « Terrasse fleurie » – 🔟 ⟵. 🖭 ⒼⒷ
  fermé 15 nov. au 1er déc., dim. soir et lundi – Repas 21/55 et carte 51 à 69 ♀, enf. 11 – ☲ 8 –
  11 ch 57/63 – ½ P 60

au Sud-Ouest par D 985 et D 270 : 11 km – ⊠ 71120 Changy :

X **Chidhouarn**, ℘ 03 85 88 32 07, chidhouarn@wanadoo.fr, Fax 03 85 24 06 21, 🍃, 🌿 –
  🅿. 🖭 ⓪ ⒼⒷ
  fermé 2 au 15 sept., 15 janv. au 10 fév., mardi d'oct. à avril et lundi – Repas 12,50 (déj.),
  18/41,50 ♀, enf. 9

When looking for a hotel or restaurant use the most efficient method.
Look for the names of towns underlined in red
*on the **Michelin maps** scale: 1:200 000.*
But make sure you have an up-to-date map!

CHAROST 18290 Cher **68** ⑩ G. Berry Limousin – 1 069 h alt. 137.
  Paris 240 – Bourges 27 – Châteauroux 40 – Dun-sur-Auron 43 – Issoudun 11 – Vierzon 31.

a Brouillamnon Nord-Est : 3 km par N 151 et D 16ᴱ – ⊠ 18290 Plou :

XX **L'Orée du Bois**, ℘ 02 48 26 21 40, Fax 02 48 26 27 81, 🌴, 🌿 – 🅿. ⒼⒷ. ⛐
⟵ fermé 28 juil. au 13 août, 19 janv. au 12 fév., dim. soir et lundi – Repas 12,20/32 ♀,
  enf. 11,45

CHARQUEMONT 25140 Doubs **66** ⑱ – 2 209 h alt. 864.
  Paris 480 – Besançon 75 – Basel 99 – Belfort 66 – Montbéliard 48 – Pontarlier 59.

🏠 **Haut Doubs Hôtel**, ℘ 03 81 44 00 20, eric.voisard@wanadoo.fr, Fax 03 81 44 09 18, 🍃,
  🌿 – 🔟 🅿. ⒼⒷ
  fermé 15 oct. au 15 nov., dim. soir et lundi – Repas 15,25/40 ♣, enf. 7,40 – ☲ 4,90 – **23 ch**
  36/39 – ½ P 40

XX **Au Bois de la Biche** ⬎ avec ch, Sud-Est : 4,5 km par D 10ᴱ et rte secondaire
  ℘ 03 81 44 01 82, Fax 03 81 68 65 09, ≤, 🌴, 🌿 – 🔟 🅿. ⒼⒷ
  fermé 2 janv. au 2 fév. et lundi – Repas 14,50/34 ♀, enf. 7,30 – ☲ 5,80 – **3 ch** 36 – ½ P 41

CHARRECEY 71510 S.-et-L. **69** ⑨ – 313 h alt. 350.
  Paris 342 – Chalon-sur-Saône 18 – Autun 36 – Beaune 31 – Mâcon 78.

X **Petit Blanc**, Est : 2 km par D 978, rte Chalon-sur-Saône ℘ 03 85 45 15 43,
  Fax 03 85 45 19 80, 🌴 – 🅿. ⒼⒷ
  fermé 7 au 16 avril, 19 août au 2 sept., 23 déc. au 7 janv., jeudi soir, dim. soir et lundi –
  Repas 12,90 (déj.), 19/28,90 ♀, enf. 9

CHARROUX 03140 Allier **73** ④ G. Auvergne – 330 h alt. 420.
  Paris 348 – Clermont-Ferrand 61 – Moulins 52 – Montluçon 66 – Vichy 30.

XX **Ferme St-Sébastien**, ℘ 04 70 56 88 83, Fax 04 70 56 86 66 – 🅿. ⒼⒷ
⟵ fermé 23 juin au 2 juil., 22 sept. au 20 oct., 5 janv. au 5 fév., mardi sauf juil.-août et lundi –
  Repas (prévenir) (14,48) - 21,34/48,78 ♀, enf. 13,72

CHARTRES ⧄ 28000 E.-et-L. 60 ⑦ ⑧, 106 ㉗ G. Île de France – 40 361 h Agglo. 130 681 h
alt. 142 Grand pèlerinage des étudiants (fin avril-début mai).

Voir *Cathédrale Notre-Dame★★★ : le portail Royal★★★, les vitraux★★★ – Vieux Chartres★
église St-Pierre★, ≼★ sur l'église St-André, des bords de l'Eure – Musée des Beaux-Arts :
émaux★ ⋎ M² – COMPA★ (Conservatoire du Machinisme agricole et des Pratiques Agricoles)
2 km par D24.*

🛈 *Office du tourisme Place de la Cathédrale 🕿 02 37 18 26 26, Fax 02 37 21 51 91.*
Chartres.Tourism@wanadoo.fr.

Paris 89 ② – Évreux 78 ① – Le Mans 120 ④ – Orléans 78 ③ – Tours 142 ④.

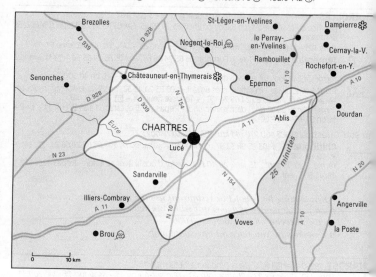

	Grand Monarque, 22 pl. Épars 🕿 02 37 18 15 15, *info@grand.monarque.com*
	Fax 02 37 36 34 18 – 🛗 📺 📞 ⟷ – 🔏 15 à 60. 🖭 ⓪ ☒ JCB — Z
	Repas 29/50 ♀ *Madrigal :* **Repas** 18 ♀, enf. 12 – ⬭ 11 – **47 ch** 79/146, 5 appart

Ibis Centre 🄼, 14 pl. Drouaise 🕿 02 37 36 06 36, *h0917@accor-hotels.com*
Fax 02 37 36 17 20, 🏠 – 🛗 ⋇ ▤ 📺 📞 ዿ ⟷ 🄿 – 🔏 35. 🖭 ⓪ ☒ — X
Repas 15 🍴, enf. 6 – ⬭ 6 – **79 ch** 64

XXX **Vieille Maison,** 5 r. au Lait 🕿 02 37 34 10 67, *rest.la.vieille.maison@wanadoo.fr*
Fax 02 37 91 12 41 – 🖭 ☒. ⋇ — Y
fermé dim. soir et lundi – **Repas** 26,70/57,93 ♀

XX **Moulin de Ponceau,** 21 r. Tannerie 🕿 02 37 35 30 05, *le-moulin-de-ponceau@wanadoo.fr*
.fr, Fax 02 37 35 30 12, 🏠 – 🖭 ☒ — Y
fermé vacances de fév., sam. midi et dim. soir – **Repas** 20 (déj.), 23/39, enf. 10

XX **St-Hilaire,** 11 r. Pont-St-Hilaire 🕿 02 37 30 97 57, Fax 02 37 30 97 57 – ☒ — YZ
fermé 28 juil. au 18 août, 22 déc. au 5 janv., sam. midi, lundi midi et dim. – **Repas** (nombre
de couverts limité, prévenir) (15) - 23/38 ♀, enf. 8

X **Dix de Pythagore,** 2 r. Porte Cendreuse 🕿 02 37 36 02 38, Fax 02 37 36 65 55 – ▤. 🖭
☒. ⋇ — Y
fermé 15 au 31 juil., dim. soir et lundi – **Repas** 11,89/21,04

par ② et N 10 : 4 km – ⊠ 28000 Chartres :

Novotel 🄼, av. Marcel Proust 🕿 02 37 88 13 50, *h0413@accor-hotels.com*
Fax 02 37 30 29 56, 🏠, ⛱, ⟲ – 🛗 ⋇, ▤ rest, 📺 📞 ዿ 🄿 – 🔏 100. 🖭 ⓪ ☒ JCB
Repas (16) - 21 ♀, enf. 8 – ⬭ 10 – **78 ch** 74/89

Campanile, parc des Propylées 🕿 02 37 90 76 00, Fax 02 37 90 84 40, 🏠 – ⋇ 📺 📞 ዿ
🄿 – 🔏 25. 🖭 ☒
Repas (12) - 17 ♀, enf. 5,95 – ⬭ 6 – **48 ch** 53

Z.A. de Barjouville *par* ④ : 4 km – ⊠ 28630 Barjouville :

Mercure, 🕿 02 37 35 35 55, Fax 02 37 34 72 12, 🏠 – ⋇ 📺 📞 ዿ 🄿 – 🔏 60. 🖭 ⓪ ☒
Repas (fermé dim. soir) (14,94) - 22,11 ♀, enf. 6,86 – ⬭ 9,91 – **73 ch** 51,07/68,30

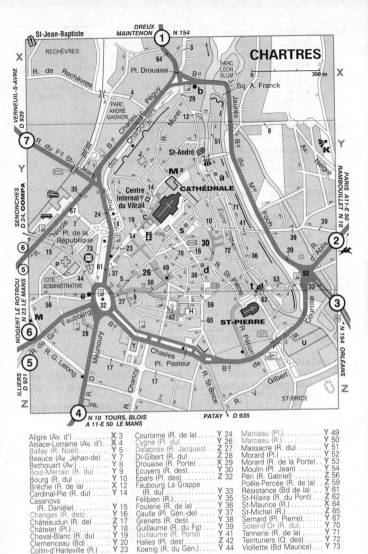

CHARTRES

Lucé par ⑥ et N 23 : 4 km – 17 701 h. alt. 158 – ⊠ 28110 :

🏠 **Ibis,** impasse Périgord 🖉 02 37 35 76 00, *h0688-gm@accor-hotels.com,* Fax 02 37 30 01 49 – 🗫 📺 📞 🔥 🄿 – 🕭 15 à 40. 🄰🄴 ⓞ 🄶🄱
Repas *(12)* - carte environ 15 – 🖙 5,56 – **74 ch** 52

HARTRES-DE-BRETAGNE 35 I.-et-V. 🖸🖸 ⑥ – rattaché à Rennes.

*Towns underlined in red on the **Michelin maps***
at a scale of 1 : 200 000 are included in this Guide.

Use the latest map to take full advantage of this information.

La CHARTRE-SUR-LE-LOIR 72340 Sarthe 64 ④ G. Châteaux de la Loire – 1 547 h alt. 55.
🅱 Office du tourisme ℘ 02 43 44 40 04, Fax 02 43 44 27 40.
Paris 218 – Le Mans 49 – La Flèche 57 – St-Calais 30 – Tours 42 – Vendôme 43.

🏠 **France**, ℘ 02 43 44 40 16, hoteldefrance@worldonline.fr, Fax 02 43 79 62 20, 🍽, ⌫
– 📺 📞 P – 🛗 25. 🆖
fermé 1er fév. au 5 mars, lundi sauf le soir de juil. au 15 sept. et dim. soir du 15 sept. à ju
Repas (dim. prévenir) 12,50 (déj.), 18,30/33,60 ♀, enf. 7,70 – 🖙 5,60 – **24 ch** 38,10/54,
½ P 35,10/42,70

CHASSAGNE-MONTRACHET 21180 Côte-d'Or 70 ① – 472 h alt. 200.
Paris 327 – Beaune 15 – Chalon-sur-Saône 23 – Amboise 347 – Blois 66.

XX **Chassagne**, ℘ 03 80 21 94 94, Fax 03 80 21 97 77 – 🆖
fermé 28 juil. au 12 août, 23 déc. au 14 janv., merc. soir hors saison, dim soir et lun
Repas 16 (déj.), 21/40 ♀

CHASSELAY 69380 Rhône 73 ⑩, 110 ⑬ – 2 590 h alt. 220.
Paris 444 – Lyon 24 – L'Arbresle 15 – Villefranche-sur-Saône 17.

XXX **Guy Lassausaie**, ℘ 04 78 47 62 59, guy.lassausaie@wanadoo.fr, Fax 04 78 47 06 19 –
❀ P 📀 🆖
fermé 5 au 30 août, 24 fév. au 6 mars, mardi et merc. – **Repas** 32/70 et carte 48 à 66
Spéc. Dodine de foie gras frais de canard aux pommes et sauternes. Pigeon cuit au foir
cocotte lutée. Poire de veau rôtie à la réglisse, croustillant de jarret **Vins** Saint-Vér
Moulin à Vent.

CHASSENEUIL-DU-POITOU 86 Vienne 68 ⑭ – rattaché à Poitiers.

CHASSE-SUR-RHÔNE 38 Isère 74 ⑪, 110 ㉞ – rattaché à Vienne.

CHASSEY-LE-CAMP 71 S.-et-L. 69 ⑨ – rattaché à Chagny.

La CHATAIGNERAIE 85120 Vendée 67 ⑯ – 2 762 h alt. 155.
Paris 401 – Bressuire 32 – Fontenay-le-Comte 23 – Parthenay 42 – La Roche-sur-Yon 59.

🏠 **Auberge de la Terrasse**, 7r. Beauregard ℘ 02 51 69 68 68, Fax 02 51 52 67 96 – 📺
🛗 40. 📀 🆖 % rest
fermé 26 oct. au 3 nov., vend. soir, sam. et dim. soir hors saison – **Repas** (10,50) - 15/30
14 ch 🖙 38,50/53,50 – ½ P 41,50

CHÂTEAU-ARNOUX-ST-AUBAN 04160 Alpes-de-H.-P. 81 ⑯ G. Alpes du Sud – 4 97(
alt. 440 – Env. Église St-Donat★ – Belvédère de la chapelle St-Jean★ – Site★ de Montfort
🅱 Office de tourisme La Ferme de Font-Robert ℘ 04 92 64 02 64, Fax 04 92 64 54
ot.district@wanadoo.fr.
Paris 721 – Digne-les-Bains 25 – Forcalquier 31 – Manosque 43 – Sault 71 – Sisteron 15.

🏨 **Bonne Étape** (Gleize) ⏚, Chemin du lac ℘ 04 92 64 00 09, bonneetape@relaischatea
❀ com, Fax 04 92 64 37 36, « Bel aménagement intérieur », ⌫, ❀ – ▤ 📺 P – 🛗 25 à 50.
📀 🆖 📀
fermé 26 nov. au 11 déc., 3 janv. au 11 fév., mardi (sauf hôtel) et lundi hors saison – **Rep**
40/127 bc et carte 65 à 90 ♀, enf. 21 – **Au Goût du Jour** ℘ 04 92 64 48 48 (fermé mardi m
et lundi hors saison) **Repas** (14/-22 ⅃, enf. 10 – 🖙 14 – **11 ch** 183/200, 7 appart – ½ P 15
218
Spéc. Rouget à la tapenade sauce pistou. Agneau de Haute Provence rôti. Crème glacée
miel de lavande. **Vins** Palette, Vacqueyras.

XXX **L'Oustaou de la Foun**, Nord : 1,5 km sur N 85 ℘ 04 92 62 65 30, Fax 04 92 62 65
❀ – P. 📀 📀 🆖
fermé 23 au 30 juin, vacances de Toussaint, 1er au 10 janv., dim. et lundi – **Repas** 24,5
39,50 et carte 50 à 55 ♀, enf. 10,50

XX **Magnanerie** avec ch, sur rte Sisteron, N 85 : 2 km ℘ 04 92 62 60 11, ste7amparoche@a
.com, Fax 04 92 62 63 05, ❀ – 📺 P. 🆖
fermé 20 au 30 déc., 2 au 18 janv., dim. soir et lundi – **Repas** (12,86) - 18,29/36,59, enf. 7,62
🖙 6,86 – **9 ch** 45,73/57,93 – ½ P 36,59/45,73

à St-Auban Sud-Ouest : 3,5 km par N 96 – ✉ 04600 :
Voir Site★ de Montfort S : 2 km.

🏠 **Villiard** sans rest, ℘ 04 92 64 17 42, Fax 04 92 64 23 29, ❀ – 📺 P. 🛗 25. 🆖
fermé 20 déc. au 5 janv. et sam. d'oct. à Pâques – 🖙 6,86 – **20 ch** 42/64

ÎTEAUBOURG 35220 I.-et-V. **59** ⑰ ⑱ – 4 877 h alt. 50.

Paris 329 – Rennes 24 – Angers 114 – Châteaubriant 52 – Fougères 44 – Laval 58.

Ar Milin' ⌘, ℘ 02 99 00 30 91, info@armilin.com, Fax 02 99 00 37 56, « Ancien moulin dans un parc au bord de la Vilaine », 🍽, ▮ – 🛗 📺 🛜 📞 – 🛎 20 à 50. 🅰🅴 ⓞ 🇬🇧
*fermé 22 déc. au 8 janv. – Repas (fermé dim. soir du 1ᵉʳ nov. au 28 fév.) 20 (déj.), 27/40 ♀, enf. 10 – ☑ 10 – **32 ch** 70/102 – ½ P 60/66*

-Didier Est : 6 km par D 33 – 1 275 h. alt. 49 – ⌷ 35220 Chateaubourg :

Pen'Roc ⌘, à La Peinière par D 105 ℘ 02 99 00 33 02, hotellerie@penroc.fr, Fax 02 99 62 30 89, 🍽, 🎣, ⛲, 🌳 – 🛗, ▤ rest, 📺 🛜 📞 – 🛎 60. 🅰🅴 ⓞ 🇬🇧
*fermé 25 déc. au 5 janv. – Repas (fermé vend. soir et dim. soir hors saison) 18,30 (déj.), 26,70/56,40 ♀ – ☑ 9 – **31 ch** 70/138 – ½ P 80/104*

ÎTEAUBRIANT ⌖ 44110 Loire-Atl. **63** ⑦ ⑧ G. Bretagne – 12 065 h alt. 70.

Voir *Château★*.

🅱 *Office du tourisme 22 rue de Couéré ℘ 02 40 28 20 90, Fax 02 40 28 06 02, mairie.cha teaubriant@wanadoo.fr.*

Paris 355 ① – Angers 74 ③ – Laval 66 ② – Nantes 62 ④ – Rennes 61 ⑤.

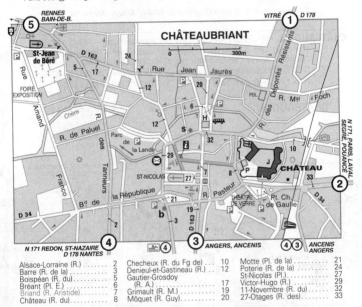

Alsace-Lorraine (R.)	2	Checheux (R. du Fg de)	10	Motte (Pl. de la)	21
Barre (R. de la)	3	Denieul-et-Gastineau (R.)	12	Poterie (R. de la)	24
Boispéan (R. du)	5	Gautier-Grosdoy		St-Nicolas (Pl.)	27
Bréant (Pl. E.)	6	(R. A.)	17	Victor-Hugo (R.)	29
Briand (R. Aristide)	7	Grimault (R. M.)	19	11-Novembre (R. du)	32
Château (R. du)	8	Môquet (R. Guy)	20	27-Otages (R. des)	33

XXX **Poêlon d'Or,** 30 bis r. 11-Novembre **(s)** ℘ 02 40 81 43 33, Fax 02 40 81 43 33 – ▤. 🇬🇧 🇯🇵
fermé 12 au 26 août, 23 fév. au 3 mars, dim. soir et lundi – Repas 15,24/45,73 et carte 49 à 60 ♀

XX **Auberge Bretonne** avec ch, 23 pl. Motte **(b)** ℘ 02 40 81 03 05, Fax 02 40 28 37 51 – 📺 🛜 ⓞ 🇬🇧 🇯🇵
*fermé dim. soir et lundi sauf juil.-août – Repas 13 bc/49,50 ♀ – ☑ 5,80 – **8 ch** 30,50/73,15 – ½ P 31,25*

ÎHÂTEAU-CHINON 58120 Nièvre **69** ⑥ G. Bourgogne – 2 307 h alt. 510.

Voir *Musée du Septennat★ – ⚹★ du Calvaire – Promenade du Château★*.

🅱 *Office du tourisme Place Notre-Dame ℘ 03 86 85 06 58, Fax 03 86 85 06 58.*

Paris 281 – Autun 41 – Clamecy 65 – Nevers 65.

🏠 **Vieux Morvan,** ℘ 03 86 85 05 01, Fax 03 86 85 02 78, ≤, 🍽 – 📺 🛜 📞. 🇬🇧
*fermé mi-déc. à fin janv. et dim. soir hors saison – Repas 14,94/32,78 ♀, enf. 9,91 – ☑ 5,80 – **24 ch** 44,21/53,36 – ½ P 45,74/53,36*

CHÂTEAU D'OLÉRON 17 Char.-Mar. **71** ⑬ ⑭ – voir à Oléron (Île d').

CHÂTEAUDOUBLE 83300 Var **84** ⑦ G. Côte d'Azur – 381 h alt. 540.
Voir Le site★ ≤★ de la tour "sarrasine" – Gorges de Châteaudouble★.
Paris 882 – Castellane 50 – Draguignan 14 – Fréjus 44 – Toulon 92.

XX **Château**, ℘ 04 94 70 90 05, Fax 04 94 70 90 05, 😤 – **AE** **GB**
fermé 1 au 10 juin, 28 oct. au 18 nov.,1ᵉʳ au 15 fév., merc. sauf juil.-août et mardi – **R**
(dîner seul sauf dim.). 29/43

CHÂTEAU-DU-LOIR 72500 Sarthe **64** ④ – 5 148 h alt. 50.
🅑 Office du tourisme 2 avenue Jean Jaurès ℘ 02 43 44 56 68, Fax 02 43 44 56
ot.loir.berce@wanadoo.fr.
Paris 236 – Le Mans 43 – La Flèche 42 – Langeais 47 – Tours 41 – Vendôme 58.

🏠 **Grand Hôtel**, pl. Hôtel de Ville ℘ 02 43 44 00 17, Fax 02 43 44 37 58 – **TV**. **AE** **GB**
fermé mi-nov. à mi-déc. – **Repas** 17/39 ⅃, enf. 10 – ⊡ 6 – **18 ch** 40/55 – ½ P 58

*Un automobiliste averti utilise le **Guide Rouge Michelin** de l'année.*

CHÂTEAUDUN ◁◈▷ 28200 E.-et-L. **60** ⑰ G. Châteaux de la Loire – 14 543 h alt. 140.
Voir Château★★ – Vieille ville★ : église de la Madeleine★ – Promenade du Mail ≤★ – M
des Beaux-Arts et d'Histoire naturelle : Collection d'oiseaux★ **M**.
🅑 Office du tourisme 1 rue de Luynes ℘ 02 37 45 22 46, Fax 02 37 66 00 16.
Paris 131 ① – Orléans 52 ② – Blois 58 ③ – Chartres 45 ① – Tours 98 ③.

CHÂTEAUDUN

Cap-de-la-Madeleine (Pl.) ... A 3	Cuirasserie (Rue de la) ... A 5
Château (R. du) ... A 4	Dunois (Pl. J.-de) ... A 6
	Gambetta (R.) ... AB
	Guichet (R. du) ... A 7
	Huileries (R. des) ... A 8
	Luynes (R. de) ... A 10

Lyautey (R. Mar.) ...
Porte d'Abas (R. de la) ...
République (R.) ... A
St-Lubin (R.) ...
St-Médard (R.) ...
18-Octobre (Pl. du) ...

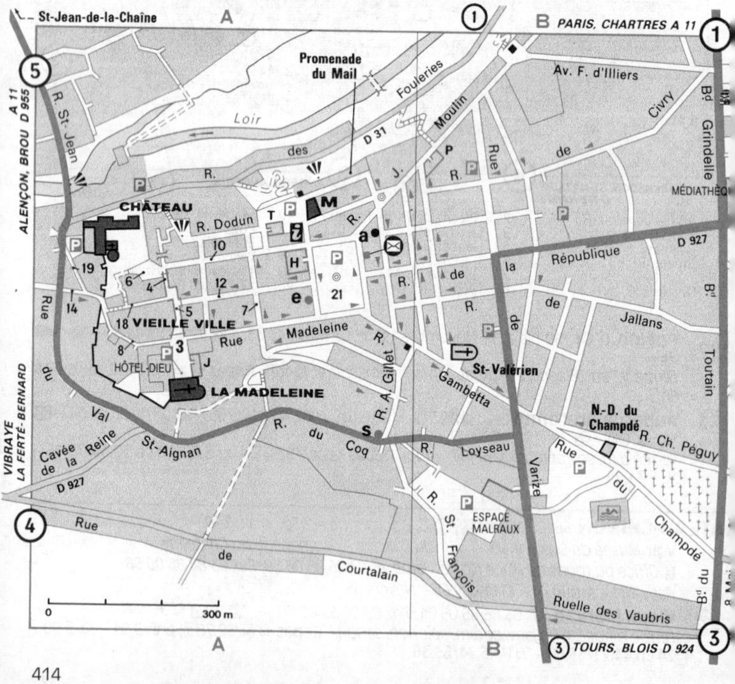

St-Michel sans rest, 5 r. Péan ☎ 02 37 45 15 70, *Fax 02 37 45 83 39* – AE ⓓ GB – *fermé 20 déc. au 5 janv.* – ☕ 6 – **19 ch** 34/48 A a

Aux Trois Pastoureaux, 31 r. A Gillet ☎ 02 37 45 74 40, *restaurant@aux-trois-pastoureaux.fr, Fax 02 37 66 00 32,* – AE ⓓ GB A s
fermé 23 déc. au 6 janv., dim. soir, jeudi soir et lundi – **Repas** (14,75) - 19,50/39,80 🍷, enf. 10

Licorne, 6 pl. 18-Octobre ☎ 02 37 45 32 32, – ▤. GB A e
fermé 19 au 28 juin, 20 déc. au 15 janv., mardi soir et merc. – **Repas** 10,68/27,45

arboué *par ① sur N 10 : 5 km – 1 117 h. alt. 113 – ✉ 28200 :*

Toque Blanche, ☎ 02 37 45 12 14, *Fax 02 37 45 12 14* – ▤. AE GB
fermé 15 sept. au 1er oct., fév., mardi soir et merc. – **Repas** 16,80/33,60 🍷

ÂTEAUFORT *78 Yvelines* 60 ⑩, 101 ㉒ – *voir à Paris, Environs.*

ÂTEAU-GONTIER *53200 Mayenne* 63 ⑩ *G. Châteaux de la Loire* – *11 131 h alt. 33.*

Voir *Intérieur roman★ de l'église St-Jean-Baptiste.*

Office de tourisme quai d'Alsace ☎ 02 43 70 42 74, Fax 02 43 70 95 52, tourisme@cc-chateau-gontier.fr.

Paris 280 ② – Angers 49 ③ – Châteaubriant 56 ⑤ – Laval 30 ① – Le Mans 85 ②.

CHÂTEAU-GONTIER

ace-Lorraine (Quai et R. d') B 2
ou (R. René d') A
rg-Roussel (R. du) A 5
vreul (R.) A
bertin (Q. P. de) B 7
umer (Pl. Paul) A
er (R. d') B 8
Foch (Av. Mar.) B 9
Fouassier (R.) A 10
Français-Libres (Rond-Point des) A 12
Gambetta (R.) A 14
Garnier (R.) A
Gaulle (Quai Ch. de) B 15
Homo (R. René) A 18
Joffre (Av. Mar.) A 20
Leclerc (R. de la Division) A 22
Lemonnier (R. Gén.) B 24
Lierru (R. de) B 25
Olivet (R. d') A 29
Pasteur (Quai) B 31
Pilori (Pl. du) A 33
Razilly (Av. de) A
République (Pl. de la) A 36
St-Jean (Pl.) A 39
St-Just (Pl.) B 40
St-Rémi (Pl.) A
Thiers (R.) B
Thionville (R. de) B 45

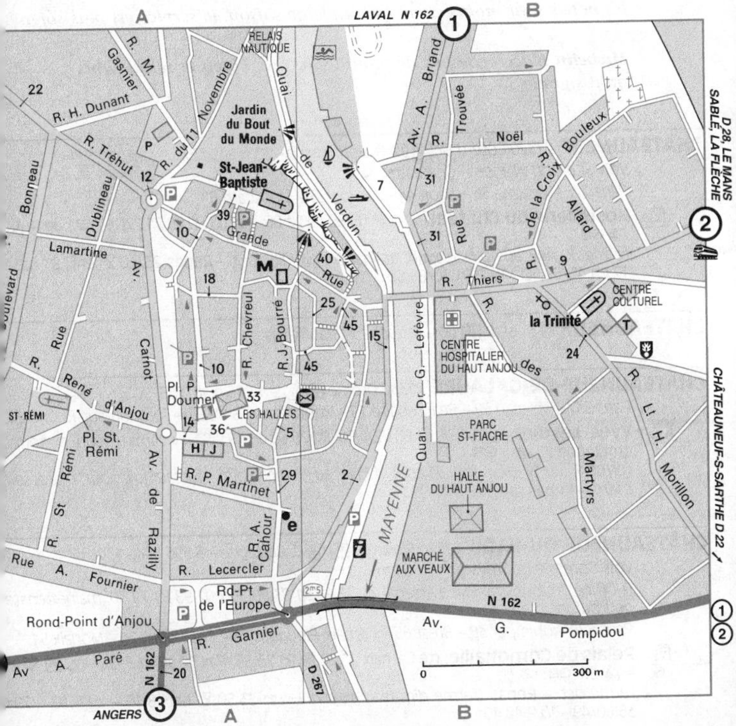

Jardin des Arts ⑤, 5 r. A. Cahour ☎ 02 43 70 12 12, *Fax 02 43 70 12 07*, ≤, 🏠, « Ja dominant la Mayenne », – TV ☎ P – 30. GB. ✗
fermé 4 au 25 août et 20 déc. au 1er janv. – **Repas** *(fermé dim.)* (dîner seul.) 19/25 ♀, en – ☕ 8 – **20 ch** 52/76 – ½ P 50/65

Parc Hôtel sans rest, 46 av. Joffre par ③ ☎ 02 43 07 28 41, *contact@parchot*
Fax 02 43 07 63 79, ⛱, ✗, – TV ☎ P – 25. GB
fermé 22 fév. au 9 mars – ☕ 8 – **21 ch** 51/92

Auberge du Prieuré, à Azé, Sud-Est : 2 km par D 22, près Église ☎ 02 43 70 3
Fax 02 43 70 31 16, 🏠, – GB
fermé fév., dim. soir et lundi – **Repas** 12,50 (déj.), 17,07/32,32, enf. 7,62

L'Aquarelle, Sud (rte de Ménil) par D 267 : 1 km ☎ 02 43 70 15 44, *Fax 02 43 07 88 6*
🏠 – ▤ P. GB
fermé 22 au 30 sept., 15 au 31 janv. et merc. – **Repas** 13,72/28,66 ♀, enf. 8,38

CHÂTEAUMEILLANT *18370 Cher* 68 ⑳ *G. Berry Limousin – 2 058 h alt. 247.*

Voir *Choeur★ de l'église St-Genès.*

ℹ *Office du tourisme Rue de la Victoire* ☎ *02 48 61 39 89, Fax 02 48 61 39 ot.chateaumeillant@wanadoo.fr.*

Paris 302 – Argenton-sur-Creuse 58 – Châteauroux 54 – La Châtre 19 – Guéret 60.

Piet à Terre (Finet) ⑤ avec ch, ☎ 02 48 61 41 74, *Fax 02 48 61 41 88*, « Intéri soigné » – ▤ rest, TV ☎. GB. ✗
1er mars-11 nov. et fermé mardi midi, dim. soir et lundi sauf juil.-août – **Repas** (nombre couverts limité, prévenir) 19,82/68,60 et carte 60 à 78 ♀, enf. 12,20 – ☕ 7,62 – 7 39,64/59,46 – ½ P 49,55/57,93
Spéc. Escalope de foie gras poêlé. Pigeon cuit sur le foin. Moelleux au chocolat guan
Vins Châteaumeillant, Menetou-Salon.

En juin et en septembre,
les hôtels sont moins chers qu'en pleine saison, le service est plus soigné.

***Michelin** n'accroche pas de panonceau aux hôtels et restaurants qu'il signale.*

CHÂTEAUNEUF *21320 Côte-d'Or* 65 ⑲ *G. Bourgogne – 83 h alt. 475.*

Voir *Site★ du village★ – Château★.*

Paris 278 – Beaune 35 – Dijon 44 – Avallon 73 – Montbard 67.

Hostellerie du Château ⑤, ☎ 03 80 49 22 00, *Fax 03 80 49 21 27*, ≤, 🏠, – ♿.
GB
fermé 30 nov. au 10 fév., lundi et mardi sauf juil.-août – **Repas** 23/40 ♀, enf. 8 – ☕
17 ch 45/69,50 – ½ P 51,50/63,50

CHÂTEAUNEUF *71 S.-et-L.* 73 ⑧ – *rattaché à Chauffailles.*

CHÂTEAUNEUF-DE-GALAURE *26330 Drôme* 77 ② – *1 276 h alt. 253.*

Paris 537 – Valence 39 – Beaurepaire 19 – Romans-sur-Isère 27 – Tournon-sur-Rhône 24.

Yves Leydier, ☎ 04 75 68 68 02, *Fax 04 75 68 66 19*, 🏠, « Jardin fleuri et terras ombragée », – GB
fermé 1er au 10 juil., 28 au 31 août, 17 fév. au 12 mars, dim. soir sauf juil.-août, mardi soir merc. – **Repas** carte 26 à 42 ♀

CHÂTEAUNEUF-DU-FAOU *29520 Finistère* 58 ⑯ *G. Bretagne – 3 595 h alt. 130.*

Voir *Domaine de Trévarez★ S : 6 km.*

ℹ *Office du tourisme Place Arsegal* ☎ *02 98 81 83 90, Fax 02 98 81 79 30, mairie@chate neufdufaou.com.*

Paris 528 – Quimper 38 – Brest 65 – Carhaix-Plouguer 23 – Châteaulin 24 – Morlaix 51.

Relais de Cornouaille, rte Carhaix ☎ 02 98 81 75 36, *Fax 02 98 81 81 32* – TV ☎ ♿
– 30. GB. ✗ ch
fermé oct. – **Repas** *(fermé dim. soir et sam.)* 12,20/33,50 ♀, enf. 8,40 – ☕ 6,10 – **29** 36,60/49 – ½ P 40,40

HÂTEAUNEUF-DU-PAPE 84230 Vaucluse 🗺️ ⑫ G. Provence – 2 078 h alt. 87.

Voir ⇐* du château des Papes.

🛈 Office du tourisme Place du Portail 𝄞 04 90 83 71 08, Fax 04 90 83 50 34, tourisme-chato9-pape@wanadoo.fr.

Paris 673 – Avignon 18 – Alès 81 – Carpentras 22 – Orange 10 – Roquemaure 11.

XXX **Hostellerie Château des Fines Roches** 🦢 avec ch, rte Sorgues et voie privée 𝄞 04 90 83 70 23, reservation@chateaufinesroches.com, Fax 04 90 83 78 42, ⇐ les vignes, 🍴, 🎐 – 🔲 📺. ⁣ 🅰🅴 GB, ⁣
Repas 29 (déj.), 43/69 et carte 45 à 60 – 🞏 14 – **6 ch** 150/192 – ½ P 136/158

XX **Mère Germaine** avec ch, 3 r. Cdt Lemaitre 𝄞 04 90 83 54 37, resa@lameregermaine.com, Fax 04 90 83 50 27, ⇐, 🍴 – 📺 🅿. GB. ⁣ ch
fermé fév. – Repas (fermé mardi soir, dim. soir et merc.) 24,39 (déj.), 32,01/65,55 bc ⁣ – 🞏 6,10 – ch 48,78/68,60 – ½ P 57,17/67,08

XX **Verger des Papes**, au Château 𝄞 04 90 83 50 40, vergerdespapes@wanadoo.fr, Fax 04 90 83 79 93, ⇐ le vignoble, le Luberon et Avignon, 🍴 – 🔲. GB
fermé 22 déc. au 24 fév., dim. soir, lundi soir, mardi soir et merc. soir de nov. à mars – Repas 17 (déj.)/23,50 ⁣, enf. 10

X **Pistou**, 𝄞 04 90 83 71 75, lepistou.ramos@wanadoo.fr, Fax 04 90 83 78 68 – GB
fermé 24 au 30 juin, 1ᵉʳ au 21 janv., dim. soir, lundi et le soir de nov. à Pâques sauf sam. – Repas 13,73/25 ⁣, enf. 8,38

l'Ouest 4 km par D 17 – ✉ 84230 Châteauneuf-du-Pape :

🏨 **Sommellerie**, 𝄞 04 90 83 50 00, la-sommellerie@wanadoo.fr, Fax 04 90 83 51 85, 🍴, ⁣ – 🔲 rest, 📺 🅿 – 🛁 30. 🅰🅴 GB. ⁣ rest
fermé 2 au 6 janv., dim. soir et lundi de nov. à mars – Repas 27,50 (déj.), 40/69 ⁣, enf. 16 – 🞏 11 – **14 ch** 80/90 – ½ P 90/95

HÂTEAUNEUF-EN-THYMERAIS 28170 E.-et-L. 🗺️ ⑦ – 2 423 h alt. 204.

Paris 99 – Chartres 26 – Dreux 20 – Nogent-le-Rotrou 46 – Verneuil-sur-Avre 32.

XX **L'Écritoire** (Pasquier) avec ch, 43 r. É. Vivier 𝄞 02 37 51 85 80, Fax 02 37 51 86 87, ⁣ – 🅿.
⁣ ⁣
fermé vacances de Toussaint, de fév., dim. soir et lundi – Repas (nombre de couverts limité, prévenir) 23 (déj.), 27/56 et carte 48 à 62 ⁣ – 🞏 7 – **5 ch** 45
Spéc. Poêlée de foie gras de canard et de Saint-Jacques aux poivres et aux épices (hiver). Fricassée de lapin du Thymerais et de homard au piment doux et aux noix (été). Sauté de poulet fermier aux gambas (printemps)

HÂTEAUNEUF-LE-ROUGE 13790 B.-du-R. 🗺️ ③, 🗺️ ⑯ – 1 869 h alt. 230.

Paris 771 – Marseille 36 – Aix-en-Provence 14 – Aubagne 27 – Brignoles 46 – Rians 31.

🏨 **Galinière**, N 7 - rte St-Maximin : 2 km 𝄞 04 42 53 32 55, Fax 04 42 53 33 80, 🍴, ⁣, ⁣ – 📺 🅿 – 🛁 15. 🅰🅴 ⓞ GB
Repas 22/46 ⁣ – 🞏 8,30 – **17 ch** 48/74 – ½ P 67,10/76,20

HÂTEAUNEUF-SUR-SARTHE 49330 M.-et-L. 🗺️ ① – 2 409 h alt. 20.

🛈 Office du tourisme Quai de la Sarthe 𝄞 02 41 69 82 89, Fax 02 41 69 82 89, tourisme chateauneufsursarthe@wanadoo.fr.

Paris 278 – Angers 31 – Château-Gontier 26 – La Flèche 33.

🏠 **Les Ondines**, quai Sarthe 𝄞 02 41 69 84 38, Fax 02 41 69 83 59, 🍴 – 🛗 ⁣ 📺 ⁣ 🅿. 🅰🅴 GB
fermé 22 fév. au 20 mars – Repas (fermé dim. soir du 15 nov. au 15 mars) (11) -15/35, enf. 9 – 🞏 6 – **24 ch** 39/59 – ½ P 37/41

XX **Sarthe** avec ch, 𝄞 02 41 69 85 29, Fax 02 41 69 85 29, ⇐, 🍴 – GB. ⁣ ch
⁣ fermé oct., dim. soir, mardi soir et lundi sauf juil.-août – Repas 14/16 ⁣ – 🞏 5 – **6 ch** 39/46 – ½ P 46/54

Ne confondez pas :

Confort des hôtels	:	🏨🏨🏨 ... 🏠, ⁣
Confort des restaurants	:	XXXXX ... X
Qualité de la table	:	⁣⁣⁣, ⁣⁣, ⁣, ⁣

CHÂTEAURENARD 13160 B.-du-R. **81** ⑫ G. Provence – 12 999 h alt. 37.

Voir *Château féodal* : ❋★ *de la tour du Griffon.*

🛈 Office du tourisme 11 cours Carnot ℘ 04 90 24 25 50, Fax 04 90 24 25 52, otch. renard@visitprovence.com.

Paris 697 – Avignon 10 – Carpentras 36 – Cavaillon 22 – Marseille 98 – Nîmes 45 – Oranc

✕ **Les Glycines** avec ch, 14 av. V. Hugo ℘ 04 90 94 10 66, Fax 04 90 94 78 10, 🏤 – 🖃
TV. GB
fermé dim. soir et lundi – **Repas** 14,94/22,87 ♀, enf. 7,62 – ♀ 4,57 – **10 ch** 38,
½ P 39,64

✕ **Bistrot Provençal**, ℘ 04 90 94 68 23, 🏤 – ■. **GB**
fermé 23 août au 6 sept., 23 au 28 déc., vacances de fév., mardi soir et merc. – **Repas**
bc (déj.), 14,64/22,11 ♣

When looking for a hotel or restaurant use the most efficient method.
Look for the names of towns underlined in red
*on the **Michelin maps** scale: 1:200 000.*
But make sure you have an up-to-date map!

CHÂTEAUROUX **P** 36000 *Indre* **68** ⑧ G. Berry Limousin – 49 632 h alt. 155.

Voir *Déols* : *clocher★ de l'ancienne abbaye, sarcophage★ dans l'église St-Etienne.*

🛈 Office du tourisme 1 place de la Gare ℘ 02 54 34 10 74, Fax 02 54 27 57 97, tour chateauroux@wanadoo.fr.

Paris 265 ① – Bourges 66 ② – Blois 101 ⑨ – Limoges 125 ⑥ – Tours 116 ⑧.

Plan page ci-contre

🏨 **Mercure** Ⓜ, r. V. Hugo ℘ 02 54 34 61 61, h1080@accor-hotels.com, Fax 02 54 27 69
🛗 ⁜↔ ■ 🔲 ♧ – 🏊 15 à 30. **AE ⓪ GB**   BY
Repas *(fermé sam. et dim.)* 15/21 ♀, enf. 6,10 – ♀ 8,40 – **60 ch** 65/73

🏨 **Elysée Hôtel** sans rest, 2 r. République ℘ 02 54 22 33 66, elysee36@wanado
Fax 02 54 07 34 34 – 🛗 ⁜↔ 🔲 ♧, **AE ⓪ GB JCB**   AY
fermé 24 déc. au 2 janv. – ♀ 7 – **18 ch** 42/54

🏨 **Boischaut** sans rest, 135 av. La Châtre par ④ ℘ 02 54 22 22 34, hotel-boischaut@w
doo.fr, Fax 02 54 22 64 89 – 🛗 🔲 ♧ **P. AE GB**   X
fermé 26 déc. au 5 janv. – ♀ 4,50 – **27 ch** 34,50/44,50

🏠 **Comfort Inn Primevère**, 384 av. Verdun par ⑤ ℘ 02 54 07 87 87, Fax 02 54 07 04
⁜↔, ■ rest, 🔲 ♧ **P. – 🏊** 30. **AE ⓪ GB**
Repas *(12,51)* - 16,77/19,82 ♣, enf. 6,71 – ♀ 5,95 – **50 ch** 45,73

🏠 **Voltaire**, 42 pl. Voltaire ℘ 02 54 34 17 44, Fax 02 54 07 01 90 – 🛗 🔲 ♧. **GB**   BY
Repas *(fermé sam. et dim.)* *(9,15)* - 10,67 ♀ – ♀ 4,88 – **34 ch** 30,49/39,63

✕✕ **Ciboulette**, 42 r. Grande ℘ 02 54 27 66 28, Fax 02 54 27 66 28 – **GB**   BY
fermé 28 juil. au 27 août, 22 déc. au 7 janv., dim., lundi et fériés – **Repas** 15/29 ♀

✕ **Relais d'Alsace**, 5 pl. Gare ℘ 02 54 22 77 80, Fax 02 54 22 83 72, 🏤 – ■ **P. AE**
GB   BY
Repas 16/22,80 ♀

rte de Paris *près Céré par* ① *: 6 km –* ⊠ 36130 Déols :

🏨 **Relais St-Jacques**, ℘ 02 54 60 44 44, Fax 02 54 60 44 00, ☀ – ■ rest, 🔲 ♧ **P**
🏊 30 à 50. **AE ⓪ GB**
Repas *(fermé dim. soir)* 16,77 (déj.), 25,15/42,68 ♀, enf. 13,72 – ♀ 7,32 – **46 ch** 51,85/56
– ½ P 48,78

par ② *rte de Bourges sur N 151 : 8 km –* ⊠ 36130 Montierchaume :

🏠 **Les Ajoncs**, N 151 ℘ 02 54 26 93 93, Fax 02 54 26 93 85, 🏤 – ⁜↔ 🔲 ♧ **P. – 🏊** 50. **AE (**
Repas *(fermé dim. soir)* 10 (déj.), 12/19 ♣ – ♀ 5 – **50 ch** 28/32,50 – ½ P 28

à la Forge de l'Ile *par* ④ *: 6 km –* ⊠ 36330 Le Poinçonnet :

🏠 **Auberge de l'Arc en Ciel** sans rest, ℘ 02 54 34 09 83, info@hotel-arc-en-ciel.cc
Fax 02 54 34 46 74 – 🔲 **P. – 🏊** 15 à 70. **GB.** ❀
fermé Noël au Jour de l'An – ♀ 4,65 – **24 ch** 23,60/35,95

rte de Limoges *par* ⑥ *: 6 km –* ⊠ 36250 St-Maur :

🏠 **Campanile**, ℘ 02 54 08 24 00, Fax 02 54 07 17 09, ☀ – ⁜↔ 🔲 ♧ ♧ **P. – 🏊** 25. **AE**
GB
Repas 15,09 ♀, enf. 5,95 – ♀ 5,95 – **43 ch** 53,36 – ½ P 92,69

CHÂTEAUROUX

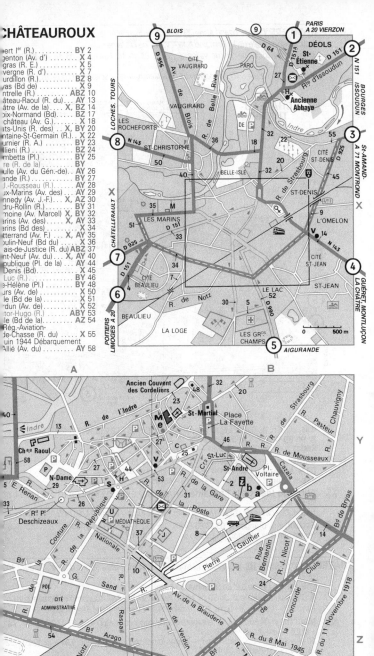

419

CHÂTEAU-THIERRY 02400 Aisne 56 ⑭ *G. Champagne Ardenne – 14 967 h alt. 63.*

Voir *Maison natale de La Fontaine* A **M** – *Vallée de la Marne*★.

Office du tourisme 11 rue Vallée ✆ *03 23 83 10 14, Fax 03 23 83 14 74, otsi-château-thierry@wanadoo.fr.*

Paris 95 ① – Reims 59 ① – Épernay 56 ② – Meaux 48 ⑤ – Soissons 41 ① – Troyes 113 ④

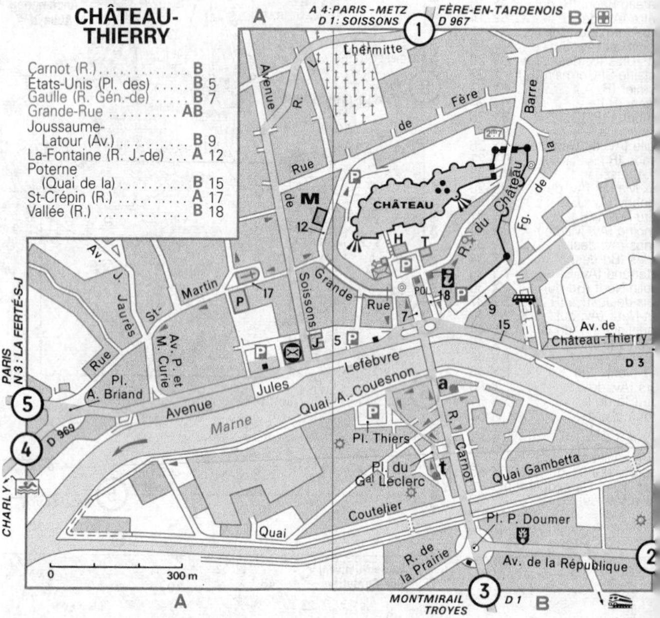

🏨	**Ibis,** av. Gén. de Gaulle à Essomes par ④ : *2 km* ✆ 03 23 83 10 10, *Fax 03 23 83 45 23,* – 🛗 ✻ TV ✆ ♿ P – 🏛 50. AE ⓓ GB Repas *(8,99)* - 15,09 🍷, enf. 5,94 – ☕ 5,50 – **55 ch** 49
🏨	**Campanile,** rte de Soissons par ① : *3 km* ✆ 03 23 69 23 23, *Fax 03 23 69 91 11,* – TV ✆ ♿ P – 🏛 25. AE ⓓ GB JCB Repas *(12,04)* - 15,09 🍷, enf. 5,95 – ☕ 6 – **46 ch** 48,02
XX	**Auberge Jean de la Fontaine,** 10 r. Filoirs ✆ 03 23 83 63 89, *Fax 03 23 83 20 54,* AE ⓓ GB — B *fermé 1er au 21 août, 1er au 16 janv., dim. soir et lundi* – **Repas** 24/58 bc 🍷, enf. 12
X	**Estoril,** 1 pl. Granges ✆ 03 23 83 64 16, *Fax 03 23 83 77 08* – ⓓ GB — B *fermé dim. soir et lundi* – **Repas** *(12,96)* - 19,06/38,11 🍷, enf. 8,38

CHÂTEL *74390 H.-Savoie* 70 ⑱ *G. Alpes du Nord – 1 190 h alt. 1180 – Sports d'hiver : 1 200/2 100 – 2 52*

Voir *Site*★ – *Lac du pas de Morgins*★ *S : 3 km.*

Office du tourisme ✆ *04 50 73 22 44, Fax 04 50 73 22 87, touristoffice@chatel.com.*

Paris 577 – Thonon-les-Bains 39 – Annecy 112 – Évian-les-Bains 38 – Morzine 38.

🏨	**Macchi,** ✆ 04 50 73 24 12, *elisabeth@hotelmachi.com, Fax 04 50 73 27 25,* ←, , – 🛗 TV ✆ P. ⓓ GB. ✻ rest *20 juin-30 août et 20 déc.-1er avril* – **Repas** (dîner seul.) 18,29 🍷, enf. 9,91 – ☕ 12,20 – **32** 76,22/219,53 – ½ P 96,04/128,06
🏨	**Fleur de Neige,** ✆ 04 50 73 20 10, *information@hotel-fleurdeneige. Fax 04 50 73 24 55,* ←, , , – TV ✆ P. AE GB *15 juin-7 sept. et 21 déc.-29 mars* – ***La Grive Gourmande*** *(fermé lundi soir en hiver)* **Rep** 31/64 🍷 – ☕ 9,15 – **37 ch** 63/105 – ½ P 61/96,25

Kandahar ⚞, Sud-Ouest : 1,5 km par rte Béchigne ℰ 04 50 73 30 60, lekandahar@wanadoo.com, Fax 04 50 73 25 17, 🍽, 🕭, ☞ – cuisinette 📺 🅿. ⅌
8 mai-3 juin, 16 juin-3 nov., 22 déc.-Pâques et fermé dim. soir et lundi hors saison – Repas 13/26 ⅌, enf. 8 – ⊇ 8 – 22 ch 31/58 – ½ P 45/58

Triolets ⚞, rte Petit Châtel ℰ 04 50 73 20 28, info@hotel-triolets.com, Fax 04 50 73 24 10, ≤ vallée et montagnes, 🔲 – 📺 ☏ 🅿. ⅌. ⅍ rest
1er juil.-31 août et 21 déc.-31 mars – Repas (dîner seul.) 18,50/30,50 ⅌, enf. 9,15 – ⊇ 9,15 – 20 ch 47,80/91,18 – ½ P 64,05/72,45

Vieux Four, ℰ 04 50 73 30 56, Fax 04 50 73 38 12, 🍽 – ⅌
22 juin-8 sept., 14 déc.-28 avril et fermé lundi midi – Repas 14/33, enf. 8,80

Ripaille, au Linga Sud-Ouest : 2 km ℰ 04 50 73 32 14, 🍽 – 🅿. ⅌
1er juil.-15 sept., 15 déc.-15 avril et fermé lundi – Repas 15/34 ⅌, enf. 8

CHÂTELAILLON-PLAGE 17340 Char.-Mar. 🔟 ⑬ G. Poitou Vendée Charentes – 5 625 h alt. 3 – Casino.
🛈 Office du tourisme 5 avenue de Strasbourg ℰ 05 46 56 26 97, Fax 05 46 56 09 49, mairiechatelaillon@office.fr.
Paris 470 – La Rochelle 18 – Niort 63 – Rochefort 23 – Surgères 29.

Trois Iles 🅼 ⚞, à la Falaise ℰ 05 46 56 14 14, hrcm3iles@aol.com, Fax 05 46 56 23 70, ≤ mer et îles, 🍽, 🔲, ☞, ⅍ – cuisinette ⅍⅍ 📺 ☏ 🅿. – 🔏 60. ⅏ ⓪ ⅌
fermé 22 déc. au 2 janv. – Repas (18) – 23 ⅊, enf. 9 – ⊇ 8,60 – 62 ch 86/105, 17 duplex – ½ P 81/85

Ibis 🅼 ⚞, à la Falaise ℰ 05 46 56 35 35, Fax 05 46 56 33 44, ≤, 🍽, centre de thalasso-thérapie – 🛗 ⅍⅍ 📺 ☏ & 🅿. – 🔏 25. ⅏ ⓪ ⅌
Repas (14,79) 18,29 ⅊, enf. 6,86 – 70 ch 80,80/89,94

Majestic Hôtel, bd République ℰ 05 46 56 20 53, majestic.chatelaillon@wanadoo.fr, Fax 05 46 56 29 24, 🍽 – 📺 ☏ ⟲. ⅏ ⓪ ⅌ ⅉⅭ⅌
fermé 15 déc. au 13 janv., 10 au 20 fév., dim. soir, vend. soir et sam. d'oct. à mars – Repas (10) 15/26 ⅊, enf. 7 – 29 ch 54/70 – ½ P 54

Rivage sans rest, 36 bd Mer ℰ 05 46 56 25 79, Fax 05 46 56 19 03, ≤ – 📺 – 🔏 25. ⅏ ⓪ ⅌
6 avril-11 nov. – ⊇ 5,49 – 40 ch 55,95

Pergola, 2 r. Chassiron ℰ 05 46 56 27 86, Fax 05 46 56 15 67, ≤ – ⅍⅍ 📺. ⅌. ⅍
24 mars-30 sept. – Repas 15/32,10 – ⊇ 5,35 – 14 ch 32,10/53,35 – ½ P 53

Plage, bd Mer ℰ 05 46 56 26 02, fred-lachaux@libertysurf.fr, Fax 05 46 56 01 29, ≤ – 📺 🅿. ⅌
fermé 15 déc. au 2 fév., dim. soir et lundi – Repas 13/23 ⅊ – ⊇ 6,50 – 10 ch 42/68 – ½ P 38/53

Acadie St-Victor avec ch, 35 bd Mer ℰ 05 46 56 25 13, stvictor@wanadoo.fr, Fax 05 46 30 01 92, ≤ – 📺 ☏ ⅌
fermé 17 fév. au 7 mars, 20 oct. au 12 nov., vend. soir (sauf hôtel), dim. soir et lundi du 15 sept. au 15 juin – Repas (12,50) 17/29,50, enf. 8 – ⊇ 5,50 – 13 ch 42/58 – ½ P 46,50/54

Les Flots 🅼 avec ch, 52 bd Mer ℰ 05 46 56 23 42, Fax 05 46 56 99 37, ≤, 🍽, bistrot – 🍴 📺 ☏ & 🅿. – 🔏 20. ⅌
fermé 22 déc. au 31 janv. – Repas (fermé mardi) 21 ⅌ – ⊇ 6,50 – 11 ch 73/76 – ½ P 58/65

CHÂTELARD 38 Isère 🔟 ⑥ – rattaché à Bourg d'Oisans.

e CHÂTELET 18170 Cher 🔟 ⑳ – 1 104 h alt. 200.
Voir Commune de la Méridienne verte.
Paris 290 – Bourges 54 – Argenton-sur-Creuse 66 – Châteauroux 55.

Orsan Nord-Ouest : 7 km par D 951 et D 65, rte de Lignères – ✉ 18170 Maisonnais :
Maison d'Orsan 🅼 ⚞, ℰ 02 48 56 27 50, Fax 02 48 56 39 64, ≤, « Reconstitution originale et authentique d'un jardin monastique médiéval », ☞ – ☏ 🅿. ⅌
1er avril-1er nov. – Repas 23 (déj.), 39/45 ⅌ – ⊇ 15 – 6 ch 170/205 – ½ P 129/152

CHÂTELGUYON 63140 P.-de-D. 🔟 ④ G. Auvergne – 5 241 h alt. 430 – Stat. therm. (début mai-fin sept.) – Casino B.
🛈 Office du tourisme Parc Étienne Clémentel ℰ 04 73 86 01 17, Fax 04 73 86 27 03, ot.chatelguyon@wanadoo.fr.
Paris 414 ① – Clermont-Ferrand 21 ① – Gannat 32 ① – Vichy 43 ① – Volvic 11 ②.

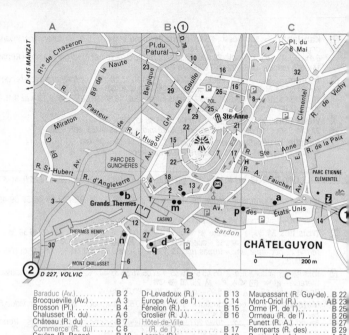

Baraduc (Av.)	**B** 2	Dr-Levadoux (R.)	**B** 13	Maupassant (R. Guy-de). **B** 22
Brocqueville (Av.)	**A** 3	Europe (Av. de l')	**C** 14	Mont-Oriol (R.)	**AB** 23
Brosson (Pl.)	**B** 4	Fénelon (R.)	**B** 15	Orme (Pl. de l')	**B** 25
Chalusset (R. du)	**A** 6	Groslier (R. J.)	**B** 16	Ormeau (R. de l')	**B** 26
Château (R. du)	**B** 7	Hôtel-de-Ville		Punett (R. A.)	**B** 27
Commerce (R. du)	**C** 8	(R. de l')	**B** 17	Remparts (R. des)	**B** 29
Coulon (R. Roger)	**B** 10	Lacroix (R.)	**B** 18	Russie (Av. de)	**A** 30
Dr-Gübler (R.)	**B** 12	Marché (Pl. du)	**B** 21	Thermal (Bd)	**C** 32

🏨 **Thermalia**, av. Baraduc ℰ 04 73 86 00 11, raymondc@nat.fr, Fax 04 73 86 21 97 – 📳
✋ – 🔬 25. ⅅⅇ ⅁ⅅ
B
mai-sept. – **Repas** 17/26 ⅀ – ⅏ 7 – **46 ch** 38,40/54 – P 55,30/65,10

🏨 **Splendid**, 5-7 r. Angleterre ℰ 04 73 86 04 80, splendid.hotel.chatel@wanadoo
Fax 04 73 86 17 56, 🍽, 🔳, 🍷, – 📳 🌫 📺 🄿 – 🔬 40. ⅅⅇ ⅁ⅅ ⅆ. 🌫 rest
A
fermé 15 déc. au 15 janv., dim. soir et sam. hors saison – **Repas** (15) - 22/29 ⅃, enf. 10
⅏ 10 – **75 ch** 89/108 – ½ P 66/75

🏨 **Mont Chalusset** ⊗, r. A. Punett ℰ 04 73 86 00 17, Fax 04 73 86 22 94, ≤, 🍽 – 📳 📺
– 🔬 15. ⅅⅇ ⅆ ⅁ⅅ ⅉⅽⅉ. 🌫 rest
B
fermé nov. – **Repas** (fermé dim. soir) 17/40 ⅀, enf. 10,70 – ⅏ 7,70 – **40 ch** 76/130 – ½ P

🏨 **Bellevue** ⊗, 4 r. A. Punett ℰ 04 73 86 07 62, Fax 04 73 86 02 56, ≤ – 📳 📺. ⅁ⅅ. 🌫 re
B
27 avril-15 sept. – **Repas** 17/25 – ⅏ 7 – **38 ch** 40/63 – P 52/60

🏨 **Hirondelles**, av. États-Unis ℰ 04 73 86 09 11, hotel.hirondelles@wanadoo
🍴 Fax 04 73 86 48 38, 🍽, 🔳, 🍷 – 📺 ✋ 🄿. ⅁ⅅ. 🌫 rest
B
début avril-fin oct. – **Repas** 13,50/25 ⅀, enf. 7,50 – ⅏ 6,50 – **38 ch** 35/50 – P 42/52

🏨 **Bains**, av. Baraduc ℰ 04 73 86 07 97, Fax 04 73 86 11 56 – 📳 🌫 📺 🄿 – 🔬 35. ⅅⅇ
🍴 ⅁ⅅ
B
Repas (fermé lundi d'oct. à avril) (11) - 13/18 ⅀ – ⅏ 5,50 – **33 ch** 50,30/55 – ½ P 38/45

🏨 **Régence**, 31 av. États-Unis ℰ 04 73 86 02 60, hotel-regence3@wanadoo.
Fax 04 73 86 02 49, 🍷 – 📳 🄿. ⅁ⅅ
C
fermé 21 oct. au 20 nov., dim. soir et lundi du 21 nov. au 30 avril – **Repas** 14,50 (dîne
16/23 ⅀, enf. 10,50 – ⅏ 7 – **26 ch** 38,60/44 – P 43,50

🏨 **Beau Site** ⊗, r. Chalusset ℰ 04 73 86 00 49, Fax 04 73 86 14 33, 🍷 – 📺 ✋ 🄿. ⅁ⅅ
🍴 1er mai-30 sept. – **Repas** 14/18, enf. 7 – ⅏ 6 – **30 ch** 23/38 – ½ P 39,50
A

🏨 **Paris**, r. Dr Levadoux ℰ 04 73 86 00 12, hotel.de.paris@wanadoo.fr, Fax 04 73 86 43 5
🍴 📳, 🍽 rest, 📺 – 🔬 30. ⅅⅇ ⅁ⅅ
B
Repas (fermé dim. soir sauf juil.-août) 13,45/27,45, enf. 7,65 – ⅏ 5,80 – **59 ch** 26,68/44,9
½ P 40,40/44,97

🏨 **Chante-Grelet**, av. Gén. de Gaulle ℰ 04 73 86 02 05, Fax 04 73 86 48 58, 🍷 – 🌫 📺
🍴 🚗. ⅁ⅅ. 🌫 rest
B
2 mai-30 sept. – **Repas** 13/23 ⅀, enf. 7 – ⅏ 6 – **35 ch** 34/43 – ½ P 39/43

ÂTELLERAULT ⟨𝔸⟩ 86100 Vienne **68** ④ *G. Poitou Vendée Charentes* – 34 126 h alt. 52.

🛈 *Office du tourisme 2 avenue Treuille ℘ 05 49 21 05 47, Fax 05 49 02 03 26, contact@cc pays-chatelleraudais.fr.*

Paris 305 ① – *Poitiers 36* ③ – *Châteauroux 99* ② – *Cholet 134* ④ – *Tours 72* ①.

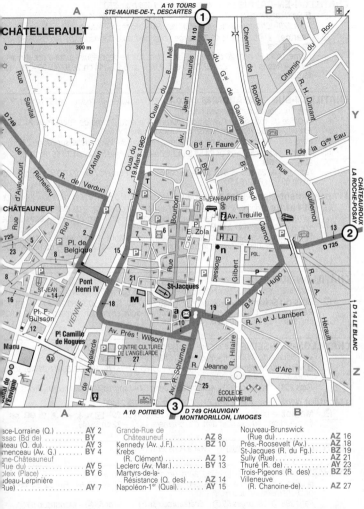

🏨 **Grand Hôtel Moderne,** 74 bd Blossac ℘ 05 49 93 33 00, *grand.hotel.moderne.@wana doo.fr,* Fax 05 49 93 25 19 – 📳, 🍴 rest, 📺 ✆ ⇔, 🆎 ⓪ 🅶🅱, ⁒ ch BY n
Charmille *(fermé 12 nov. au 2 déc.,sam. midi, dim. soir et lundi)* **Repas** 23/38 ♀ – **Grill** *(fermé 25 déc. au 5 janv., sam. midi, dim. et soir.)* **Repas** 10,40/18,30 – ⌑ 8,40 – **21 ch** 63/122, 3 appart

🏨 **Ibis,** av. C. Pagé, par ③ : *3 km* ℘ 05 49 02 18 18, *H0610@accor-hotels.com,* Fax 05 49 02 01 79 – 📳 ⇌ 📺 ✆ – 🔬 20 à 40. 🆎 ⓪ 🅶🅱 🅹🅲🅱
Brasserie ℘ 05 49 02 18 19 **Repas** *(10,52)*-20,12/25,67 ⅄, enf. 7,17 – ⌑ 5,50 – **72 ch** 58,10

✗ **Petite Auberge,** 14 r. Cognet ℘ 05 49 21 72 85, 🌡 – 🅶🅱 BZ a
🍴 *fermé 5 au 19 août, 21 déc. au 6 janv., dim. et lundi* – **Repas** 12/23 ⅄, enf. 5,34

à Naintré par ③ : 9 km sur N 10 – 5 293 h. alt. 73 – ✉ 86530 :

XX **Grillade,** ℰ 05 49 90 03 42, Fax 05 49 90 06 75, 佘, 굓 – **P.** GB
fermé dim. soir – **Repas** 14,03/30,18 ⅋, enf. 7,62

CHATILLON-EN-BAZOIS 58110 Nièvre 閌 ⑤ – 1 056 h alt. 250.
🖪 Syndicat d'Initiative Mairie ℰ 03 86 84 14 76, Fax 03 86 84 11 43.
Paris 279 – Château-Chinon 25 – Clamecy 56 – Decize 34 – Nevers 40.

🏠 **France,** ℰ 03 86 84 13 10, auberge-hotel-de-france@wanadoo.fr, Fax 03 86 84 14 3
TV ℭ P. GB
fermé 14 au 20 oct., 20 déc. au 20 janv., dim. soir de sept. à juin, lundi d'oct. à mars s
fériés – **Repas** (11,43) - 16,77/32,02 ⅋, enf. 9,92 – ⴽ 6,15 – **14 ch** 28,97/45,80 – ½ P 32,
39,65

CHÂTILLON-SUR-CHALARONNE 01400 Ain 閌 ② G. Vallée du Rhône – 4 137 h alt. 177.
Voir Triptyque★ dans l'ancien hôpital.
🖪 Office du tourisme - Pavillon du Tourisme Place du Champ de Foire ℰ 04 74 55 02
Fax 04 74 55 34 78, office tourisme.chatillon@wanadoo.fr.
Paris 418 – Mâcon 29 – Bourg-en-Bresse 28 – Lyon 58 – Villefranche-sur-Saône 27.

🏠 **Tour,** pl. République ℰ 04 74 55 05 12, hotellatour@free.fr, Fax 04 74 55 09 19, 佘 – ▐
ℭ & ⇦. GB
fermé 16 au 25 déc. et dim. soir – **Repas** (dim. soir et merc.) (17) - 22/50 ⅋, enf. 12 – ⴽ
20 ch 69 – ½ P 52/64,50

à l'Abergement-Clémenciat Nord-Ouest : 5 km par D 7 et D 64ᶜ – 728 h. alt. 250 – ✉ 01400

XX **St-Lazare** (Bidard), ℰ 04 74 24 00 23, Fax 04 74 24 00 62, 佘 – ᴁ GB
❀ fermé 16 juil. au 1ᵉʳ août, 12 au 21 nov., vacances de fév., merc. et jeudi – **Repas** (préve
22,11/64,03 et carte 47 à 60 ⅋, enf. 14,48
Spéc. Sandre de Saône (oct. à fév.). Rouget en lasagne et pomme de terre écrasé
l'andouillette. Déclinaison de la fraise (printemps-été). **Vins** Chardonnay du Bugey, Mâc
Uchizy.

CHÂTILLON-SUR-CLUSES 74300 H.-Savoie 閌 ⑦ – 1 061 h alt. 730.
Paris 578 – Chamonix-Mont-Blanc 48 – Thonon-les-Bains 50 – Annecy 59.

🏠 **Bois du Seigneur,** rte Taninges ℰ 04 50 34 27 40, Fax 04 50 34 80 20, ≤ – ℀⇌ TV P.
Repas (fermé dim. soir et lundi midi sauf juil.-août et de déc. à mars) (11) - 19,50/29
enf. 9,15 – ⴽ 5,50 – **10 ch** 40/45 – ½ P 55

CHÂTILLON-SUR-SEINE 21400 Côte-d'Or 閌 ⑧ G. Bourgogne – 6 269 h alt. 219.
Voir Source de la Douix★ – Musée★ du Châtillonnais : trésor de Vix★★.
🖪 Office du tourisme Place Marmont ℰ 03 80 91 13 19, Fax 03 80 91 21 46, touris
chatillon-sur-seine@wanadoo.fr.
Paris 233 – Chaumont 60 – Auxerre 85 – Dijon 84 – Langres 74 – Saulieu 79 – Troyes 68.

à Montliot Nord-Ouest : 4 km par N 71 – 278 h. alt. 224 – ✉ 21400 :

🏠 **Magiot** sans rest, ℰ 03 80 91 20 51, Fax 03 80 91 30 20 – TV ℭ & ⇦ P. ᴁ GB. ❀
fermé 21 déc. au 2 janv. et dim. d'oct. à mars – ⴽ 6 – **22 ch** 35/43

CHATOU 78 Yvelines 閌 ⑳,, 閌 ⑬ – voir à Paris, Environs.

La CHÂTRE ◐ 36400 Indre 閌 ⑲ G. Berry Limousin – 4 547 h alt. 210.
🖪 Office du tourisme Square George Sand ℰ 02 54 48 22 64, Fax 02 54 06 09
ot.la-chatre@wanadoo.fr.
Paris 298 ① – Bourges 69 ② – Châteauroux 36 ① – Guéret 53 ④ – Montluçon 64 ③.

Plan page ci-contre

🏠 **Notre Dame** ⅏ sans rest, 4 pl. N.-Dame (a) ℰ 02 54 48 01 14, Fax 02 54 48 31 14 –
&. ᴁ ⓪ GB
ⴽ 6,60 – **19 ch** 36,10/47

XX **A l'Escargot,** pl. Marché (s) ℰ 02 54 48 03 85 – ᴁ ⓪ GB
fermé 8 janv. au 7 fév., lundi soir et mardi – **Repas** 16,01/35,83 ⅋

X **Auberge du Moulin Bureau,** Sud : 1 km par pl. Abbaye ℰ 02 54 48 04
Fax 02 54 48 04 20, 佘, 굓 – P. GB
fermé 1ᵉʳ janv. au 31 mars, mardi d'oct. à déc., dim.soir et lundi sauf juil.-août – **Rep**
14,50/30,18, enf. 7,62

LA CHÂTRE

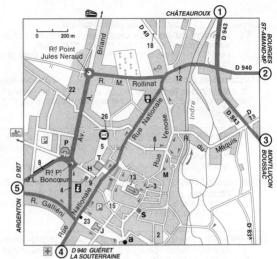

s de publicité
ée dans ce guide.

lohant-Vic par ① et D 918 : 6 km – 500 h. alt. 221 – ⊠ 36400 :

XX **Petite Fadette** ⊗ avec ch, ℰ 02 54 31 01 48, Fax 02 54 31 10 19, 斧, 舞 – 📺 ✔ 🅿. 🆎 ⬡ 🆖 ⑯
Repas 14/40 ⒴ – � 8 – **9 ch** 55/110 – ½ P 49,50/68

t-Chartier par ① et D 918 : 9 km – 540 h. alt. 195 – ⊠ 36400 :
Voir Vic : fresques★ de l'église SO : 2 km.

▦▦ **Château Vallée Bleue** ⊗, rte Verneuil ℰ 02 54 31 01 91, valleebleu@aol.com, Fax 02 54 31 04 48, 斧, « Ancienne maison de maître du 19ᵉ siècle dans un parc », ⊐, ⊕ – 📺 ✔ 🅿 – 🛄 60. 🆎 🆖.
mi-mars-mi-nov. et fermé dim. soir et lundi sauf de mai à sept., le midi sauf sam., dim. et fériés – **Repas** 35 ⒴, enf. 12,50 – ⊑ 10 – **15 ch** 100/120 – ½ P 85/110

ouligny-Notre-Dame par ④ et D 940 : 12 km – ⊠ 36160 :

▦▦▦ **Les Dryades** ⊗, ℰ 02 54 06 60 60, hotel.desdryades@worldonline.fr, Fax 02 54 30 10 24, < Vallée Noire, 斧, balnéothérapie, « Complexe de loisirs et de remise en forme, golf », 🛋, ⊐, 🔲, 舞, ✖ – 🛗 ▤ 📺 ✔ 🖐 🅿 – 🛄 200. 🆎 ⬡ 🆖
Repas 34,50/62,50 – ⊑ 10,60 – **85 ch** 96/115 – ½ P 98,30

IAUBLANC 71 S.-et-L. 📖 ② – rattaché à St-Gervais-en-Vallière.

IAUDES-AIGUES 15110 Cantal 📖 ⑭ G. Auvergne – 986 h alt. 750 – Stat. therm. (fin avril-fin oct.) – Casino.
🄱 Office du tourisme 1 avenue Georges Pompidou ℰ 04 71 23 52 75, Fax 04 71 23 51 98, ot.chaudes-aigues@auvergne.net.
Paris 544 – Aurillac 88 – Espalion 54 – St-Chély-d'Apcher 29 – St-Flour 29.

▦▦ **Arev Hôtel** Ⓜ, ℰ 04 71 23 52 43, casino.chaudes.aigues@wanadoo.fr, Fax 04 71 23 59 94, casino – 🛗 ✖ ▤ rest. 📺 ✔. 🆖
Repas brasserie (fermé lundi et mardi d'oct. à juin sauf vacances scolaires) 13,50/76 ⒝, enf. 6 – ⊑ 6,10 – **36 ch** 35/49, 4 duplex – P 46,50

▦▦ **Beauséjour,** ℰ 04 71 23 52 37, beausejour@wanadoo.fr, Fax 04 71 23 56 89, 斧, ⊐ – 🛗 ✖ 📺. 🆖
2 avril-25 nov. et fermé vend. soir et sam. sauf vacances scolaires – **Repas** 11,28/25,92 ⒴, enf. 6,71 – ⊑ 6,10 – **40 ch** 42,69/53,36 – ½ P 41,62/46,50

▦ **Aux Bouillons d'Or,** ℰ 04 71 23 51 42, Fax 04 71 23 57 41 – 🛗 📺. 🆖
fermé janv., fév., dim. soir et lundi en mars-avril – **Repas** 10 ⒴ – ⊑ 6 – **12 ch** 29/38 – ½ P 31/35

à Lanau *Nord : 4,5 km par D 921 –* ⊠ *15260 Neuvéglise :*

XX **Auberge du Pont de Lanau** avec ch, ℘ 04 71 23 57 76, *aubergedupontdelar wanadoo.fr*, Fax 04 71 23 53 84, 佘, ⋌ – 🖭 ⋗ 🅿. ⊞
fermé janv. – **Repas** *(fermé lundi et mardi de nov. à mars)* 22/45 ⵏ, enf. 10 – ⌒ 8 – 48/60

à Maisonneuve *Sud-Ouest : 10 km par D 921 –* ⊠ *15110 Chaudes-Aigues :*

X **Moulin des Templiers** avec ch, ℘ 04 71 73 81 80, Fax 04 71 73 81 80 – 🅿. ⊞
⊜ *fermé 10 au 30 oct., sam. midi et dim. soir –* **Repas** 9,91/22,87 ⵌ, enf. 6,10 – ⌒ 5,34 – 33,54 – ½ P 33,54

CHAUFFAILLES 71170 S.-et-L. **73** ⑧ *G. Bourgogne – 4 119 h alt. 405.*
🛈 *Office du tourisme 1 rue Gambetta* ℘ 03 85 26 07 06, Fax 03 85 84 62 94, *office.touris chauffaillles@wanadoo.fr.*
Paris 390 – Mâcon 64 – Roanne 34 – Charolles 33 – Lyon 81.

à Châteauneuf *Ouest : 7 km par D 8 G. Bourgogne – 110 h. alt. 370 –* ⊠ *71740 :*

XX **Fontaine**, ℘ 03 85 26 26 87, Fax 03 85 26 26 87 – 🅿. ⊞
⊜ *fermé 29 avril au 2 mai, 2 au 7 nov., 3 janv. au 7 fév., dim. soir, mardi soir et merc. –* Re 14,94 (déj.), 18,29/50,31 ⵏ, enf. 9,15

CHAUFFAYER 05 H.-Alpes **77** ⑯ *– 334 h alt. 910 –* ⊠ *05800 St-Firmin-en-Valgaudemar.*
Paris 647 – Gap 27 – Grenoble 81 – St-Bonnet-en-Champsaur 13.

🏨 **Château des Herbeys** ⌆, Nord : 2 km par N 85 et rte secondaire ℘ 04 92 55 26 *delas-hotel-restaurant@wanadoo.fr*, Fax 04 92 55 29 66, 佘, « Demeure du 13e siècl ⛲, ⵘ, ♨ – 🖭 ⋗ 🅿. 🗚 ⊞
1er avril-11 nov. et fermé mardi sauf vacances scolaires – **Repas** 19,06/36,59 ⵏ, enf. 11, ⌒ 8,50 – **10 ch** 61/115 – ½ P 61/80

Le Guide change, changez de guide tous les ans.

CHAUFFRY 77 S.-et-M. **61** ③ – *rattaché à Coulommiers.*

CHAUFOUR-LÈS-BONNIÈRES 78270 Yvelines **55** ⑱, **106** ① – *413 h alt. 157.*
Paris 73 – Rouen 65 – Évreux 27 – Mantes-la-Jolie 20 – Vernon 9 – Versailles 64.

XX **Au Bon Accueil** avec ch, N 13 ℘ 01 34 76 11 29, Fax 01 34 76 00 36 – ▤ rest, 🖭 🅿.
⊜ *fermé 20 juil. au 19 août, 24 déc. au 5 janv., vend. soir et sam. –* **Repas** 12,96/33,5 enf. 8,38 – ⌒ 4 – **16 ch** 24,39/36,59

X **Relais**, N 13 ℘ 01 34 76 11 33, Fax 01 34 76 17 75 – 🅿. ⊞
⊜ *fermé 7 au 29 août et dim. soir –* **Repas** 11,90/26,68 ⵏ

CHAUMES-EN-BRIE 77390 S.-et-M. **61** ② – *2 743 h alt. 104.*
Paris 57 – Coulommiers 26 – Meaux 37 – Melun 21 – Provins 45.

XXX **Chaum'Yerres** avec ch, 1 av. Libération (rte Melun) ℘ 01 64 06 03 42, *chaumyerre@w doo.fr*, Fax 01 64 06 36 15, 佘 – 🖭 ① ⊞
fermé 28 oct. au 11 nov., 18 au 24 janv., sam. midi, dim. soir et lundi – **Repas** 26 (c 37/43 et carte environ 61 ⵏ – ⌒ 7,50 – **10 ch** 47/84 – ½ P 60/74,70

CHAUMONT 𝕡 52000 H.-Marne **62** ⑪ *G. Champagne Ardenne – 25 996 h alt. 318.*
Voir Viaduc★ – Basilique St-Jean-Baptiste★.
🛈 *Office du tourisme Place du Général de Gaulle* ℘ 03 25 03 80 80, Fax 03 25 32 00 99.
Paris 263 ⑤ – Épinal 127 ② – Langres 34 ③ – St-Dizier 74 ① – Troyes 99 ⑤.

Plan page ci-contre

🏨 **France** Ⓜ, 25 r. Toupot de Béveaux ℘ 03 25 03 01 11, *hotelfrancechaumont@war com*, Fax 03 25 32 35 80 – ▤ cuisinette ⵚ 🖭 ⋗ ℥, ⇦, 🗚 ① ⊞ ⱼⷯⷦ Z
Repas *(fermé sam. midi, lundi midi et dim.)* (15) - 19/30 ⵏ, enf. 9 – ⌒ 9 – **13 ch** 75 7 appart

🏨 **Grand Hôtel Terminus-Reine**, pl. Gén. de Gaulle ℘ 03 25 03 66 66, *relais.sud.te nus@wanadoo.fr*, Fax 03 25 03 28 95 – ▤ 🖭 ⇦ – ⌂ 60. ⊞ Z
Repas *(fermé dim. soir du 1er nov. à Pâques)* 11,43 (déj.), 19,82/64,03 ⵏ – ⌒ 7 – 63 51,83/85,37 – ½ P 45,73/60,98

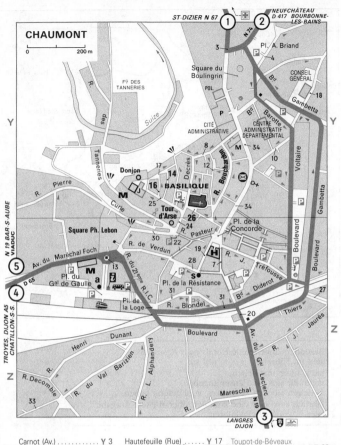

CHAUMONT

0   200 m

Grand Val, rte Langres par ③ : *2,5 km* ☎ 03 25 03 90 35, *legrandval.@wanadoo.fr,*
Fax 03 25 32 11 80 – 🛗 📺 ✆ ⇔ 🅿. 🆎 ⓞ GB
fermé 23 au 31 déc. – **Repas** 9,30 (déj.), 14,18/27,45 ♈, enf. 7,17 – ⚏ 4,27 – **52 ch**
26,68/48,78

L'Étoile d'Or, rte Langres par ③ : *2 km* ☎ 03 25 03 02 23, *Fax 03 25 32 52 33* – 📺 🅿 –
🛦 25. GB
Repas *(fermé dim. soir et soirs fériés)* 13/28 ♈ – ⚏ 6 – **12 ch** 36/60 – ½ P 41/56

hamarandes *par* ③ *et D 162 : 3,5 km* – ✉ 52000 :

Au Rendez-vous des Amis ⌂ avec ch, ☎ 03 25 32 20 20, *pascal.nicard@wanadoo.fr,*
Fax 03 25 02 60 90, 🌲 – 📺 ✆ – 🛦 25. GB
fermé 1er au 22 août, 22 déc. au 2 janv. – **Repas** *(fermé vend. soir, dim. soir et sam.)*
15,24/39,64 ♈, enf. 9,15 – ⚏ 6,10 – **19 ch** 36,59/59,46 – ½ P 41,92/53,36

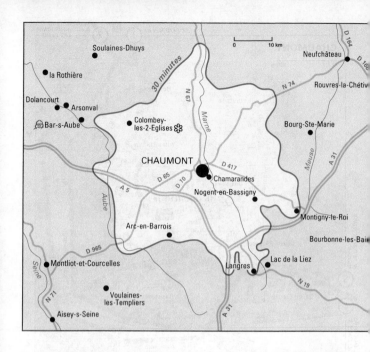

CHAUMONT 89340 Yonne **61** ⑬ – 551 h alt. 70.

Paris 98 – Fontainebleau 34 – Montereau-Fault-Yonne 15 – Nemours 35 – Sens 21.

Château de Chaumont ⑤, ℰ 03 86 96 61 69, le.chateau.de.chaumont@wanado
Fax 03 86 96 61 28, ≤, 佘, 坔 – ☒ ⏃ 🅿 – 諡 25. ⊞
fermé dim. soir et lundi du 1ᵉʳ oct. au 31 mars – **Repas** 22/37 – ☑ 10 – **37 ch** 77/1
½ P 80/90

CHAUMONT-SUR-AIRE 55260 Meuse **56** ⑳ – 157 h alt. 250.

Paris 271 – Bar-le-Duc 24 – St-Mihiel 25 – Verdun 33.

Auberge du Moulin Haut, Est : 1 km sur rte St-Mihiel ℰ 03 29 70 66 46, domaine.r
linhaut@wanadoo.fr, Fax 03 29 70 60 75, 佘, « Ancien moulin au bord de l'eau », ⏃
⊞ ⊞
fermé dim. soir et lundi – **Repas** 14,50 (déj.), 22,90/48, enf. 8,38

CHAUMONT-SUR-LOIRE 41150 L.-et-Ch. **64** ⑯ G. G. Châteaux de la Loire. – 1 031 h alt. 69.

Voir Château★★.

🖪 Office du tourisme 24 rue du Maréchal Leclerc ℰ 02 54 20 91 73, Fax 02 54 20 90 34.
Paris 201 – Tours 44 – Amboise 21 – Blois 19 – Montrichard 19.

Chancelière, ℰ 02 54 20 96 95, Fax 02 54 33 91 71 – ▤, ⊞ ⊞
fermé 8 nov. au 8 déc., 10 janv. au 6 fév., merc. et jeudi – **Repas** 14/34 ⛊, enf. 9

AUMONT-SUR-THARONNE 41600 L.-et-Ch. 64 ⑨ G. Châteaux de la Loire – 1 072 h alt. 122.

🖪 Office du tourisme Place de l'Église 𝒫 02 54 88 64 00, Fax 02 54 88 60 40.
Paris 167 – Orléans 36 – Blois 53 – Romorantin-Lanthenay 32 – Salbris 30.

🏠 **Croix Blanche de Sologne,** 𝒫 02 54 88 55 12, lacroixblanchesologne@wanadoo.fr, Fax 02 54 88 60 40, 壽 – 📺 📞 🖫 – 🏛 15 à 40. 💳 ⬚
Repas (fermé mardi midi et merc. midi) 20 (déj.), 30/55 ☲ – ☲ 8 – **15 ch** 40/90, 3 duplex – ½ P 70/85

AUMOUSEY 88 Vosges 62 ⑮ – rattaché à Épinal.

AUNAY 86510 Vienne 72 ③ – 1 180 h alt. 130.
Paris 382 – Poitiers 47 – Angoulême 67 – Confolens 51 – Niort 67.

🏠 **Central,** 𝒫 05 49 59 25 04, Fax 05 49 53 41 88, ☲, – 🗐 rest, 📺 🖫. ⬚
fermé 1ᵉʳ au 21 fév. et dim. soir d' oct. à mars – **Repas** 14,94/25,15 ⅃ – ☲ 5,94 – **16 ch** 38,87/44,21 – ½ P 59,75/64,02

AUNY 02300 Aisne 56 ③ ④ – 12 523 h alt. 50.
🖪 Office du tourisme Place du Marché Couvert 𝒫 03 23 52 10 79, Fax 03 23 39 38 77.
Paris 125 – Compiègne 40 – St-Quentin 30 – Laon 36 – Noyon 18 – Soissons 33.

%%% **Toque Blanche** (Lequeux) avec ch, pl. av. V. Hugo 𝒫 03 23 39 98 98, Fax 03 23 52 32 79, XX 壽, ⚒, 🐴 – ✦, 🗐 rest, 📺 🖫 – 🏛 30. ⬚. ✦ ch
⨯ fermé 5 au 25 août, 2 au 6 janv., 17 au 28 fév., sam. midi, dim. soir et lundi – **Repas** 28/63 et carte 56 à 72 – ☲ 10 – **6 ch** 60,80/83
Spéc. Etuvée de homard au sauternes. Canon d'agneau aux tomates confites. Soufflé chaud au parfum de saison

gnes Ouest : 2 km par rte de Noyon – 1 120 h. alt. 55 – ⊠ 02300 :

% **Relais St-Sébastien,** 𝒫 03 23 52 15 77, Fax 03 23 39 91 52, 壽 – ⬚
fermé 27 août au 3 sept., vacances de fév. dim. soir, lundi soir et soirs fériés – **Repas** 15,24 (déj.)/28,66, enf. 9,15

Rond-d'Orléans Sud-Est : 8 km par D 937 et D 1750 – ⊠ 02300 Sinceny :

🏠 **Auberge du Rond d'Orléans** 🕭, 𝒫 03 23 40 20 10, Fax 03 23 52 36 80 – 📺 🖫 – 🏛 40. ⬚
fermé 16 au 23 août, 23 déc. au 12 janv., 15 au 23 fév. et dim. soir – **Repas** (15) - 21/45, enf. 10 – ☲ 7 – **21 ch** 45/52 – ½ P 54

AUSEY (Iles) 50 Manche 59 ⑦ G. Normandie Cotentin.
Voir Grande Ile★.
Accès par transports maritimes.
⚓ depuis **Granville** -Traversée 50 mn - Renseignements à : Vedette "Jolie France II" Gare Maritime 𝒫 02 33 50 31 81 (Granville), Fax 02 33 50 39 90, ou en saison, à Émeraudes Lines Gare Maritime 𝒫 02 33 50 16 36 (Granville), F ax 02 33 50 87 80 – ⚓ depuis **St-Malo** -Service saisonnier - Traversée 1 h 10 mn - Renseignements à Émeraude Lines B.P. 35401 St-Malo Cedex 𝒫 02 23 18 01 80, Fax 02 23 18 15 00.

🏠 **Fort et des îles** 🕭, 𝒫 02 33 50 25 02, Fax 02 33 50 25 02, ≼ archipel, 壽, 🐎 – ⬚
30 mars-30 sept. – **Repas** (fermé lundi sauf fériés) (en saison, prévenir) 17 ☲ – ☲ 7 – **8 ch** (½ pens. seul.) – ½ P 51

CHAUSSÉE-ST-VICTOR 41 L.-et-Ch. 64 ⑦ – rattaché à Blois.

AUSSIN 39120 Jura 70 ③ – 1 579 h alt. 191.
Paris 354 – Beaune 51 – Besançon 73 – Chalon-sur-Saône 56 – Dijon 62 – Dole 21.

🏠 **Chez Bach,** pl. Ancienne Gare 𝒫 03 84 81 80 38, hotel-bach@wanadoo.fr, Fax 03 84 81 83 80, 壽 – 📺 📞 🖫 – 🏛 25. ⬚ ⓪ ⬚ JCB
fermé 21 déc. au 6 janv., vend. soir et lundi midi sauf du 14 juil. au 31 août, fériés et dim. soir – Repas (week-end prévenir) 13/52 ☲, enf. 6,50 – ☲ 6,50 – **22 ch** 31/49 – ½ P 42/53

🏠 **Val d'Orain,** 34 r. S.-M. Lévy 𝒫 03 84 81 82 15, Fax 03 84 81 75 24, 壽 – 📺. ⬚
fermé 19 au 25 août, vacances de Toussaint, de fév., vend. soir, sam. midi sauf juil.-août et dim. soir – **Repas** 14/29 ☲, enf. 8,50 – ☲ 5,50 – **10 ch** 28/38 – ½ P 37

CHAUVIGNY 86300 Vienne 🔟🔟 ⑭ ⑮ G. Poitou Vendée Charentes – 7 025 h alt. 65.

Voir *Ville haute*★ – *Église St-Pierre*★ : *chapiteaux du choeur*★★ – *Donjon de Gouzon*★.

Env. *St-Savin* : *abbaye*★★ (*peintures murales*★★★).

🖪 Office du tourisme 5 rue Saint-Pierre ☎ 05 49 46 39 01.

Paris 337 – Poitiers 25 – Bellac 64 – Le Blanc 37 – Châtellerault 30 – Montmorillon 27.

🏠 **Lion d'Or**, 8 r. Marché ☎ 05 49 46 30 28, Fax 05 49 47 74 28, 佘 – 🗐 rest, 🖵 📞 ₺ 🖸
🚳 GB

fermé 24 déc. au 5 janv. – Repas 15/32 ♨, enf. 7 – 🖵 5,50 – **26 ch** 42 – ½ P 39

🏠 **Chalet Fleuri** ⑤, 31 av. A. Briand ☎ 05 49 46 31 12, Fax 05 49 56 48 31, ≤, 佘, 🐜
🚳 🖵 📞 ₺ ⓘ GB

Repas 11,90/32 ⓩ – 🖵 6,86 – **32 ch** 27,50/42,70, 6 duplex – ½ P 37,50

🏡 **Beauséjour**, 18 r. Vassalour ☎ 05 49 46 31 30, Fax 05 49 56 00 34, 🐜 – 🖵 📞 🖸. 🖭 🖭
🚳 fermé 21 déc. au 15 janv., dim. soir, vend. soir et lundi – Repas 10,70/18,30 ⓩ – 🖵 4,
17 ch 27,50/45,70 – ½ P 35,85/38

CHAUX-NEUVE 25240 Doubs 🔟 ⑥ – 223 h alt. 992.

Paris 450 – Besançon 95 – Genève 78 – Lons-le-Saunier 67 – Pontarlier 35 – St-Claude 5

🏠 **Auberge du Grand Gît** ⑤, ☎ 03 81 69 25 75, Fax 03 81 69 15 44, ≤, 🐜 – 📞 🖸. Gᛒ
🚳 fermé avril, 13 oct. au 20 déc., dim. soir et lundi – Repas 11,50/18,50 ♨ – 🖵 6,10 –
34,50/43,50 – ½ P 45

Le Guide change, changez de guide tous les ans.

CHAVANAY 42410 Loire 🔟🔟 ① – 2 288 h alt. 200.

Paris 509 – Annonay 27 – St-Étienne 51 – Serrières 12 – Tournon-sur-Rhône 52 – Vienne

XXX **Alain Charles** avec ch, rte Nationale ☎ 04 74 87 23 02, Fax 04 74 87 01 42, 佘 – 🗐 🖵
GB

fermé 16 août au 7 sept., 2 au 10 janv., dim. soir et lundi sauf fériés – Repas 16,77/57,9
enf. 9,15 – 🖵 7,32 – **4 ch** 38,11/74,70

CHAVIGNOL 18 Cher 🔟🔟 ⑫ – rattaché à Sancerre.

CHAVOIRES 74 H.-Savoie 🔟🔟 ⑥ – rattaché à Annecy.

CHAZELLES-SUR-LYON 42140 Loire 🔟🔟 ⑲ G. Vallée du Rhône – 4 801 h alt. 630.

🖪 Office du tourisme 9 place Jean-Baptiste Galland ☎ 04 77 54 98 86, Fax 04 77 54 9
tourisme@cc.forez-en-lyonnais.fr.

Paris 490 – St-Étienne 36 – Lyon 48 – Montbrison 28 – Roanne 62.

🏨 **Château Blanchard** 🅼 ⑤, 36 rte St-Galmier ☎ 04 77 54 28 88, Fax 04 77 54 36 03
– 🖵 📞 ₺ 🖸 – 🔏 40. 🖭 ⓘ GB

fermé 12 au 26 août – Repas (fermé vend. soir, dim. soir et lundi) 18,30/40,40 ⓩ – 🖵 6,
12 ch 49,55/68,60 – ½ P 50/57,70

CHAZEY-SUR-AIN 01150 Ain 🔟🔟 ③, 🔟🔟 ⑨ – 1 200 h alt. 235.

Paris 471 – Lyon 43 – Bourg-en-Bresse 44 – Chambéry 86 – Nantua 56.

XX **Louizarde**, au Sud par D 62 et rte secondaire : 3 km ☎ 04 74 61 53 23, Fax 04 74 61 5
佘 – 🖸. 🖭 GB

fermé 20/8 au 3/9, 1ᵉʳ au 30/1, mardi soir, merc. soir, jeudi soir d'oct à mai, sam. midi,
soir et lundi – Repas 17 (déj.), 26/48 ⓩ

Le CHEIX 63 P.-de-D. 🔟🔟 ⑭ – ⊠ 63320 St-Diéry.

Voir *Gorges de Courgoul*★ SE : 5 km, G. Auvergne.

Paris 456 – Clermont-Ferrand 44 – Besse-en-Chandesse 9 – Issoire 23 – Le Mont-Dore .

X **Relais des Grottes** avec ch, rte Besse ☎ 04 73 96 30 30, Fax 04 73 96 31 34, ≤, 佘
🚳 GB

fermé 31 août au 7 sept., 22 déc. au 15 janv., dim. soir et merc. sauf juil.-août – Re
14/29 ⓩ, enf. 9 – 🖵 5,50 – **10 ch** 24/33 – ½ P 30/35

CHELLES 60 Oise 🔟🔟 ③ – rattaché à Pierrefonds.

ÉNAS *69840 Rhône* **74** ① *– 442 h alt. 253.*
Paris 409 – Mâcon 18 – Bourg-en-Bresse 45 – Lyon 62 – Villefranche-sur-Saône 27.

XX **Les Platanes de Chénas,** aux Deschamps, Nord : 2 km par D 68 ☎ 03 85 36 79 80, *Fax 03 85 36 78 33,* , « Terrasse ombragée » – AE GB
fermé fév., mardi et merc. sauf juil.-août – **Repas** *(12,96)* - 20,58/48,02 ♀, enf. 10,67

ÈNEHUTTE-LES-TUFFEAUX *49 M.-et-L.* **64** ⑫ *– rattaché à Saumur.*

ÉNÉRAILLES *23130 Creuse* **73** ① *G. Berry Limousin – 759 h alt. 537.*
Voir *Haut-relief★ dans l'église.*
Syndicat d'initiative - Mairie ☎ 05 55 62 91 22.
Paris 370 – Aubusson 19 – La Châtre 62 – Guéret 32 – Montluçon 46.

XX **Coq d'Or** avec ch, ☎ 05 55 62 30 83, *Fax 05 55 62 95 18* – . GB
fermé 24 juin au 4 juil., 23 sept. au 3 oct., 2 au 21 janv., dim. soir, merc. soir et lundi – **Repas** 10 (déj.), 17/33 ♀, enf. 7,50 – ☕ 4,50 – **7 ch** 25/39 – ½ P 34

ÈNNEVIÈRES-SUR-MARNE *94 Val-de-Marne* **61** ①,, **101** ㉘ *– voir à Paris, Environs.*

ÉNONCEAUX *37150 I.-et-L.* **64** ⑯ *G. Châteaux de la Loire – 325 h alt. 62.*
Voir *Château de Chenonceau★★★.*
Office du tourisme 1 rue Bretonneau ☎ 02 47 23 94 45, Fax 02 47 23 82 41.
Paris 235 – Tours 32 – Amboise 12 – Château-Renault 36 – Loches 30 – Montrichard 8.

Bon Laboureur, ☎ 02 47 23 90 02, *laboureur@wanadoo.fr, Fax 02 47 23 82 01,* , , – ch, TV P. GB
fermé 12 nov. au 20 déc., 6 janv. au 7 fév., mardi midi, jeudi midi et sam. midi – **Repas** 30/65 et carte 50 à 68 ♀ – ☕ 8,50 – **22 ch** 65/120, 4 appart – ½ P 75/105
Spéc. Crème d'écrevisses et concassé de tomates au basilic (15 juin au 15 sept.). Filets de rouget barbet, pied de porc croustillant au jus de viande. Dacquoise praliné. **Vins** Montlouis, Chenonceau.

Roseraie, ☎ 02 47 23 90 09, *lfiorito@aol.com, Fax 02 47 23 91 59,* , , – TV P. AE GB
1er mars-20 nov. – **Repas** *(fermé mardi midi et lundi en mars et du 15 oct. au 20 nov.)* 16 (déj.), 22/29 ♀ – ☕ 8,50 – **17 ch** 52/90

Hostellerie La Renaudière, ☎ 02 47 23 90 04, *gerhotel@club-internet.fr, Fax 02 47 23 90 51,* , , , – cuisinette TV P. AE GB JCB. rest
fermé 9 déc. au 6 fév. – **Repas** *(fermé merc. et le midi en semaine)* 19/39 ♀, enf. 8 – ☕ 7 – **16 ch** 40/70 – ½ P 46/61

Relais Chenonceaux, ☎ 02 47 23 98 11, *info@chenonceaux.com, Fax 02 47 23 84 07,* – TV. AE GB
fermé 15 nov. au 1er fév. et merc. de sept. à mars – **Repas** *(11)* - 14,50/24 ♀, enf. 9 – ☕ 7 – **22 ch** 46/65 – ½ P 44

ÉNÔVE *21 Côte-d'Or* **66** ⑫ *– rattaché à Dijon.*

ÉPY *80210 Somme* **52** ⑥ *– 1 277 h alt. 96.*
Paris 206 – Amiens 70 – Abbeville 17 – Le Tréport 23.

Auberge Picarde M , à la Gare ☎ 03 22 26 20 78, *Fax 03 22 26 33 34* – TV P – 30. AE GB
fermé 25 déc. au 4 janv. – **Repas** *(fermé sam. midi et dim. soir)* 13,75/32,25 ♀ – ☕ 5,35 – **25 ch** 37,36/60,25 – ½ P 33,92

ERBOURG-OCTEVILLE SP *50100 Manche* **54** ② *G. Normandie Cotentin – 25 370 h Agglo. 117 855 h alt. 10 – Casino* BY.
Voir *Fort du Roule ≤★ – Château de Tourlaville : parc★ 5 km par ①.*
de Cherbourg-Maupertus : ☎ 02 33 88 57 60, par ① : 13 km.
Office du tourisme 2 quai Alexandre III ☎ 02 33 93 52 02, Fax 02 33 53 66 97, ot.cherbourg-cotentin@wanadoo.fr.
Paris 359 ② – Brest 402 ② – Caen 124 ② – Laval 225 ② – Le Mans 284 ② – Rennes 208 ②.

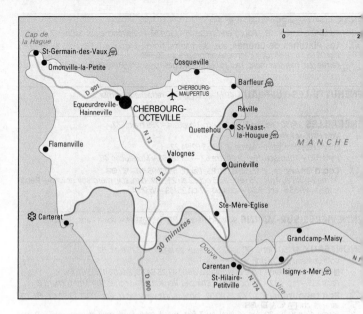

Mercure, gare maritime ℰ 02 33 44 01 11, Fax 02 33 44 51 00, 🎍 – 🛗 ⇄ 📺
🏋 30 à 80. ΑΕ ⓞ ⒼⒷ
BX
Repas (15) - 18/20 ♈, enf. 7,50 – ⇄ 10 – **84 ch** 77/95

Quality Hôtel M, r. G. Sorel par ① ℰ 02 33 43 72 00, quality.cherbourg@wanado
Fax 02 33 43 72 06 – 🛗 ⇄ 📺 & & 🄿 – 🏋 70. ΑΕ ⓞ ⒼⒷ ⒿⒸⒷ
Repas (fermé sam. midi et dim.) 14,48/16,48 ♈, enf. 6,40 – ⇄ 7,62 – **72 ch** 57,93/92,9

Chantereyne sans rest, port de plaisance ℰ 02 33 93 02 20, Fax 02 33 93 45 29 – Ⓓ
& ΑΕ ⓞ ⒼⒷ
A
fermé 20 déc. au 5 janv. – ⇄ 6,86 – **50 ch** 53,05/59,15

Louvre sans rest, 2 r. H. Dunant ℰ 02 33 53 02 28, inter.hotel.le.louvre@wanado
Fax 02 33 53 43 88 – 🛗 ⇄ 📺 & & ΑΕ ⓞ ⒼⒷ ⒿⒸⒷ
A
fermé 21 déc. au 5 janv. – ⇄ 6 – **42 ch** 28,50/57

Ambassadeur sans rest, 22 quai de Caligny ℰ 02 33 43 10 00, Fax 02 33 43 10 01 – 🛗
& & ΑΕ ⒼⒷ ⒿⒸⒷ
B
fermé 24 déc. au 5 janv. – ⇄ 5 – **40 ch** 31/49

Angleterre sans rest, 8 r. P. Talluau ℰ 02 33 53 70 06, Fax 02 33 53 74 36 – 📺 &
⇗
A
fermé 26 déc. au 10 janv. – ⇄ 6,10 – **23 ch** 32,01/45,73

Moderna sans rest, 28 r. Marine ℰ 02 33 43 05 30, hotel-moderna@wanado
Fax 02 33 43 97 37 – 📺 & ΑΕ ⒼⒷ ⒿⒸⒷ
B
⇄ 4,60 – **25 ch** 26/45,80

Café de Paris, 40 quai Caligny ℰ 02 33 43 12 36, cafedeparis.res@wanado
Fax 02 33 43 98 49 – ▤. ΑΕ ⒼⒷ
BX
fermé 11 au 24 mars, 4 au 17 nov., dim. soir et lundi du 1er oct. au 31 mars sauf fér
Repas (13) - 16,50/32,50 ♈

Vauban, 22 quai Caligny ℰ 02 33 43 10 11, Fax 02 33 43 15 18 – ΑΕ ⒼⒷ
B
fermé 20 oct. au 4 nov., vacances de fév., dim. soir hors saison et lundi – **Repas** 14 (
17/45 ♈, enf. 9

Pommier, 15 bis r. Notre-Dame ℰ 02 33 53 54 60, Fax 02 33 53 40 86, 🎍 – ▤.
⇗
AX
fermé 22 fév. au 10 mars, dim. et lundi – **Repas** (11,43) - 22,87

par ② Sud : 3 km par N 13 – ⊠ 50100 Cherbourg :

Ibis M, rd-pt A. Malraux ℰ 02 33 44 31 55, Fax 02 33 44 31 50, 🎍 – ⇄ 📺 & &
🏋 45. ΑΕ ⒼⒷ
Repas 15/20 & , enf. 6 – ⇄ 5,50 – **43 ch** 51/58

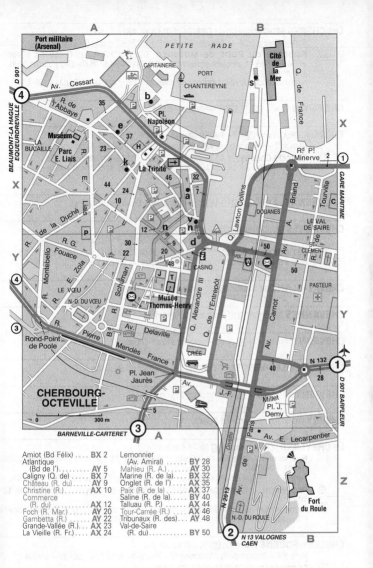

ueurdreville-Hainneville *par* ④ *: 4 km – 18 173 h. alt. 8 –* ⊠ *50120 :*

XX **Gourmandine,** 24 r. Surcouf ℘ 02 33 93 41 26, *rest.gourmandine.equeud@wanadoo.fr,*
Fax 02 33 93 41 26, ⇐ – ▤. AE ⓞ GB
fermé 15 juil. au 6 août, 22 déc. au 7 janv., dim. et lundi – **Repas** 12,20 (déj.), 16,01/31,25,
enf. 11,43

ERENG *59152 Nord* 51 ⑯ *– 2 930 h alt. 24.*
Paris 224 – Lille 16 – Douai 43 – Tournai 16 – Valenciennes 53.

XX **Verzenay,** 142 rte Nationale ℘ 03 20 41 14 56, *leverzenay@wanadoo.fr,*
Fax 03 20 41 28 50, ☎ – P. AE GB JCB
fermé 15 au 22 avril, 1ᵉʳ au 21 août, dim. soir et lundi – **Repas** (15 bc) - 20/37 ♀, enf. 10

Les CHÈRES 69380 Rhône 🟨 ①, 🟦 ③ – 1 073 h alt. 190.

Paris 440 – Lyon 24 – L'Arbresle 16 – Meximieux 54 – Trévoux 8 – Villefranche-sur-Saôn

XX **Auberge du Pont de Morancé,** Ouest : 2 km par D 100 ⊠ 69480
𝒫 04 78 47 65 14, jacquesverdier@mail.com, Fax 04 78 47 05 83, 🏠, « Jardin fleuri »
🐾 – **P**. GB
fermé vacances de fév., lundi soir en hiver, mardi soir et merc. – **Repas** 20/50 🍷

CHERISY 28 E.-et-L. 🟨 ⑦, 🟦 ㉕ – rattaché à Dreux.

CHÉROY 89690 Yonne 🟨 ⑬ – 1 403 h alt. 145.

Paris 102 – Fontainebleau 42 – Auxerre 71 – Montargis 33 – Nemours 25 – Sens 23.

XX **Tour de Chéroy,** 𝒫 03 86 97 53 43, Fax 03 86 97 58 60 – GB
fermé 24 juin au 2 juil., 27 janv. au 25 fév., dim. soir, lundi soir et mardi – **Repas** 15
24/29

Le CHESNAY 78 Yvelines 🟨 ⑨, 🟦 ㉓ – voir à Paris, Environs (Versailles).

CHEVAGNES 03230 Allier 🟨 ⑮ – 716 h alt. 224.

Paris 313 – Moulins 18 – Bourbon-Lancy 18 – Decize 31 – Digoin 43 – Lapalisse 51.

XX **Le Goût des Choses,** 12 rte Nationale 𝒫 04 70 43 11 12, Fax 04 70 43 17 88, 🏠 –
fermé 6 au 15 janv., dim. soir et merc. – **Repas** (14) - 19/38 🍷, enf. 6,86

CHEVAL-BLANC 84 Vaucluse 🟨 ⑫ – rattaché à Cavaillon.

CHEVANNES 89 Yonne 🟨 ⑤ – rattaché à Auxerre.

CHEVERNY 41 L.-et-Ch. 🟨 ⑰ ⑱ – rattaché à Cour-Cheverny.

CHEVIGNEY-LÈS-VERCEL 25 Doubs 🟨 ⑱ – rattaché à Valdahon.

CHEVIGNY 21 Côte-d'Or 🟨 ⑫ – rattaché à Dijon.

CHEVRY 01 Ain 🟨 ⑮ – rattaché à Gex.

Le CHEYLARD 07160 Ardèche 🟨 ⑲ – 3 514 h alt. 450.

🛈 Office du tourisme Rue de la Poste 𝒫 04 75 29 18 71, Fax 04 75 29 46 75, otcheyla@
routes-ardeche.fr.
Paris 605 – Le Puy-en-Velay 62 – Valence 60 – Aubenas 50 – Lamastre 22 – Privas 47.

🏠 **Provençal,** av. Gare 𝒫 04 75 29 02 08, Fax 04 75 29 35 63, 🦎 – 🖃 rest, 📺 🦾 🛁 **P**
🐾 ch
fermé 14 mars au 2 avril, 30 août au 18 sept., 27 déc. au 8 janv., vend. soir, dim. soir et
– **Repas** 18/55 bc 🍷, enf. 11 – 🖂 7 – **10 ch** 41/60 – ½ P 49

CHÉZERY-FORENS 01410 Ain 🟨 ⑤ – 369 h alt. 585.

Paris 506 – Bellegarde-sur-Valserine 17 – Bourg-en-Bresse 79 – Gex 39 – Nantua 32.

🏠 **Commerce,** 𝒫 04 50 56 90 67, 🏠 – GB
fermé 17 au 29 juin, 16 sept. au 12 oct., 1ᵉʳ au 6 janv., mardi soir et merc. – **R**
12,50/30,50 🍷, enf. 6,50 – 🖂 6,10 – **9 ch** 38 – ½ P 38

CHICHILIANNE 38930 Isère 🟨 ⑭ – 207 h alt. 1006.

Paris 620 – Die 45 – Gap 77 – Grenoble 55 – La Mure 62.

🏠 **Château de Passières** 🦎, 𝒫 04 76 34 45 48, Fax 04 76 34 46 25, ≼, 🏠, 🛁, 🚲,
P – 🛎 35. AE GB
fév.-oct. et fermé dim. soir et lundi hors saison – **Repas** 18/34, enf. 11 – 🖂 7 – **23 ch** 4
– ½ P 51/66

CHILLE 39 Jura 🟨 ④ – rattaché à Lons-le-Saunier.

LLEURS-AUX-BOIS 45170 Loiret 🔟 ⑳ – 1 703 h alt. 125.

Paris 97 – Orléans 30 – Chartres 71 – Étampes 47 – Pithiviers 14.

XX **Lancelot,** 12 r. Déportés ℘ 02 38 32 91 15, Fax 02 38 32 92 11, 斎 – 🅿. GB
fermé 5 au 13 août, 4 au 18 nov., dim. soir, merc. soir et lundi – **Repas** *(dim. et fêtes, prévenir) (14,48)* - 19,06/60,98 ♀, enf. 11,43

NAILLON 74 H.-Savoie 🔼 ⑦ – *rattaché au Grand-Bornand.*

NDRIEUX 73310 Savoie 🔼 ⑮ – 1 092 h alt. 300.

Env. Abbaye de Hautecombe★★ SO : 10 km, G. Alpes du Nord.
Paris 523 – Annecy 48 – Aix-les-Bains 16 – Bellegarde-sur-Valserine 39 – Chambéry 33.

🏨 **Relais de Chautagne,** ℘ 04 79 54 20 27, Fax 04 79 54 51 63 – 📺 ♿ 🅿 – 🔬 25. GB. ⚡
fermé 24 déc. au 10 fév., dim. soir et lundi – **Repas** 14,48/32 ♀ – ☲ 5,79 – **26 ch** 38/48,78

NON 🆘 37500 I.-et-L. 🔢 ⑨ G. Châteaux de la Loire – 8 716 h alt. 40.

Voir *Vieux Chinon★★ : Grand Carroi★* A E – *Château★★ : ⩽★★.*
Env. Château d'Ussé★★ 14 km par ①.
🚩 *Office du tourisme Place Hofheim ℘ 02 47 93 17 85, Fax 02 47 93 93 05, tourisme @chinon.com.*
Paris 288 ① – Tours 48 ① – Châtellerault 52 ③ – Poitiers 81 ③ – Saumur 29 ③.

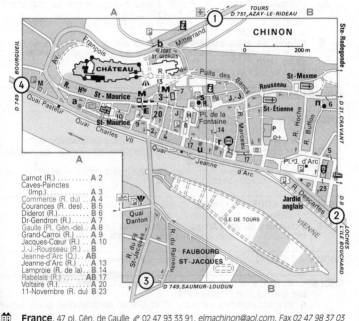

Carnot (R.) . . . . A 2
Caves-Painctes
(Imp.). . . . . A 3
Commerce (R. du) . . . A 4
Courances (R. des) . . B 5
Diderot (R.). . . . . B 6
Dr-Gendron (R.) . . . . A 7
Gaulle (Pl. Gén.-de). . A 8
Grand-Carroi (R.) . . . . A 9
Jacques-Cœur (R.) . . . A 10
J.-J.-Rousseau (R.) . . B
Jeanne-d'Arc (Q.) . . . AB
Jeanne-d'Arc (R.) . . . A 13
Lamproie (R. de la) . . B 14
Rabelais (R.) . . . . . . AB 17
Voltaire (R.). . . . . A 20
11-Novembre (R. du) . B 23

🏨 **France,** 47 pl. Gén. de Gaulle ℘ 02 47 93 33 91, *elmachinon@aol.com,* Fax 02 47 98 37 03 – 🍽 rest, 📺 ✆ 🚗, 🅰🅔 ⓞ GB 🇯🇨🇧, ⚡ ch   A s
fermé 17 fév. au 12 mars, 4 au 25 nov. et dim. de nov. à mars – **Repas** *(fermé dim. soir et lundi sauf du 15 juil. au 31 août)* 23/48 ♀ – ☲ 8 – **28 ch** 61/92, 3 appart – ½ P 61/64

🏨 **Chinon** Ⓜ ⚘, centre St-Jacques (près piscine), par quai Danton - A ℘ 02 47 98 46 46, *lechinon@club-internet.fr,* Fax 02 47 98 35 44, 斎, 🏊, – 📺 📺 ✆ ♿ 🅿 – 🔬 20 à 50. 🅰🅔 ⓞ GB 🇯🇨🇧
fermé 20 déc. au 10 janv. – **Repas** *(11,44)* - 18,30/25,15 ♣ – ☲ 7,62 – **54 ch** 62,50/70,15

🏠 **Diderot** sans rest, 4 r. Buffon ℘ 02 47 93 18 87, *hoteldiderot@wanadoo.fr,* Fax 02 47 93 37 10 – ♿ 🅿 🅰🅔 ⓞ GB, ⚡   B n
fermé 22 au 28 déc. et mi-janv. à mi-fév. – ☲ 6,10 – **28 ch** 42/69

Au Plaisir Gourmand (Rigollet), quai Charles VII ℘ 02 47 93 20 48, Fax 02 47 93 C
🌸 ⛲ – 🍽. 🆎 GB. ⚘
fermé 17 fév. au 18 mars, mardi midi, dim. soir et lundi – **Repas** (nombre de cou
limité, prévenir) 28/59 et carte 45 à 58
Spéc. Lapereau en gelée et crème de foie gras. Ravioles de petits gris de Touraine. Sa
au beurre blanc. **Vins** Vouvray, Chinon

XX **L'Océanic**, 13 r. Rabelais ℘ 02 47 93 44 55, Fax 02 47 93 38 08, ⛲ – 🍽. GB
fermé 6 au 28 janv., 17 au 28 fév., dim. soir et lundi – **Repas** - produits de la mer - 19/49
enf. 9,50

XX **Boule d'Or** avec ch, 21 r. Rabelais ℘ 02 47 98 40 88, Fax 02 47 93 24 25, ⛲ – 📺. A
GB
fermé 15 déc. au 3 fév. – **Repas** *(fermé lundi midi)* (12,20) - 17,99/28,97 ⅊ – 🖙 6,86 – 1
44,21/53,35 – ½ P 47,26/50,31

X **L'Écho de Rabelais**, 2 r. Château ℘ 02 47 93 95 87, Fax 02 47 81 20 63, ≤, ⛲
GB
fermé 15 janv. au 15 fév., dim. soir, lundi soir et mardi – **Repas** 11,50 (déj.), 16/23 ⅊, enf.

à Marçay *par* ③ *et D 116 : 9 km* – *448 h. alt. 65* – ⊠ *37500 :*

🏰 **Château de Marçay** ♨, ℘ 02 47 93 03 47, *marcay@relaischateau*
Fax 02 47 93 45 33, ≤, ⛲, « Château du 15ᵉ siècle, parc », 🏊, ⚻, 🦅 – 🛎 📺 📞
🐜 30 à 80. 🆎 ⓪ GB 📵
fermé mi-janv. à début mars – **Repas** *(fermé dim. soir et lundi hors saison, jeudi mi
saison, lundi midi et mardi midi)* 43/69 ⅊ – 🖙 17 – **26 ch** 110/277, 4 appart – ½ P 137/

à Beaumont-en-Véron *par* ④ *: 5 km* – *2 757 h. alt. 37* – ⊠ *37420 :*

🏰 **Château de Danzay** ♨, ℘ 02 47 58 46 86, *info@danzay.com*, Fax 02 47 58 84 3
⛲, « Château du 15ᵉ siècle », 🏊, 🦅 – 📺 🅿. 🆎 GB. ⚘
hôtel : 1ᵉʳ avril-15 oct. ; rest. : 1ᵉʳ mai-30 sept. – **Repas** *(dîner seul.)(résidents seul.)*
🖙 14 – **10 ch** 160/280 – ½ P 144/204

🏠 **Manoir de la Giraudière** ♨, ℘ 02 47 58 40 36, *giraudiere@hotels-france.*
Fax 02 47 58 46 06, ⛲, « Pigeonnier du 16ᵉ siècle », 🌾 – cuisinette 📺 📞 🅿. – 🐜 2
⓪ GB. ⚘ ch
Repas 19/35 ⅊ – 🖙 6 – **25 ch** 39/92 – ½ P 46/66

CHISSAY-EN-TOURAINE 41 L.-et-Ch. 🔢 ⑯ – *rattaché à Montrichard.*

CHISSEAUX 37150 I.-et-L. 🔢 ⑯ – *575 h alt. 58.*
🛈 *Syndicat d'Initiative Mairie* ℘ 02 47 23 90 75.
Paris 236 – Tours 37 – Amboise 14 – Loches 32 – Romorantin-Lanthenay 60.

🏠 **Clair Cottage**, ℘ 02 47 23 90 69, *hotel.clair.cottage@wanadoo.fr*, Fax 02 47 23 8
⛲, 🏊, 🌾 – 🍽 rest, 📺 🅿. 🆎 GB
1ᵉʳ mars-15 nov. – **Repas** *(fermé merc. midi, lundi midi et mardi hors saison)* (12,50) - 14/
enf. 8,50 – 🖙 6,20 – **20 ch** 43/52 – ½ P 42/49

CHISSEY-SUR-LOUE 39380 Jura 🔢 ④ G. Jura – *350 h alt. 230.*
Paris 390 – Besançon 40 – Arbois 17 – Dole 24 – Lons-le-Saunier 55 – Pontarlier 63.

X **Chaumière du Val d'Amour**, ℘ 03 84 37 61 40, Fax 03 84 37 68 14
fermé lundi, mardi, merc. et jeudi – **Repas** *(prévenir)* 20,73/22,87, enf. 7,62

CHOISY-AU-BAC 60 Oise 🔢 ②,, 🔢 ⑩ – *rattaché à Compiègne.*

CHOLET ◆ *49300 M.-et-L.* 🔢 ⑤ ⑥ G. Châteaux de la Loire – *54 204 h alt. 91.*
Voir *Musée d'Art et d'Histoire*★ Z **M.**
🛈 *Office du tourisme Place Rougé* ℘ 02 41 49 80 00, Fax 02 41 49 80 09, *info-accuei
cholet.fr.*
Paris 351 ① – *Angers 61* ① – *La Roche-sur-Yon 67* ④ – *Ancenis 49* ⑥ – *Nantes 58* ⑤.

Plan page ci-contre

🏨 **Grand Hôtel de la Poste**, 26 bd G.-Richard ℘ 02 41 62 07 20, Fax 02 41 58 54 10
🍽 rest, 📺 📞 ⟵ – 🐜 50. 🆎 ⓪ GB 📵
fermé 22 déc. au 6 janv. – **Rotonde** *(fermé 1ᵉʳ au 12 mai, 22 déc. au 6 janv., vend. soir,
midi et dim.)* **Repas** 16/50,50 ⅊, enf. 9,50 – 🖙 7,62 – **48 ch** 52/89 – ½ P 55

🏨 **Atlantel**, rte Angers ℘ 02 41 71 08 08, Fax 02 41 71 96 96, ⛲ – 📺 📞 🦅 🅿. – 🐜 70.
GB
B
(fermé vend. soir et sam. du 15 sept. au 15 mai) – **Repas** 18,30/42,69 🍷, enf. 9,90 – 🖙 8
57 ch 51,83/57,93 – ½ P 58,39

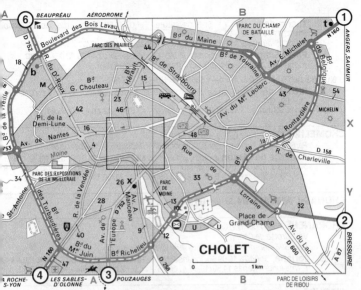

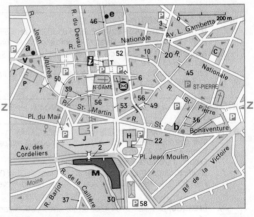

CHOLET

🏠 **Parc** sans rest, 4 av. A. Manceau ℰ 02 41 62 65 45, *Fax 02 41 58 64 08* – 📶 📺 💺 🚗 –
🛎 50. ⅖ 🇬🇧   **AY** x
≈ 6,40 – **46 ch** 44,21/54,88

🏛 **Commerce** sans rest, 194 r. Nationale ℰ 02 41 62 08 97, *Fax 02 41 62 31 57* – 📺. ⅖ 🇬🇧
≈ 5 – **14 ch** 26/46   **Z** a

XX **Touchetière,** rd-pt St-Léger ℰ 02 41 62 55 03, *Fax 02 41 58 82 10,* 🌤 – 🅿. ⅖
     AX b
fermé 30 juil. au 22 août, sam. midi, dim. soir et mardi soir – **Repas** (15,25) - 19/31,25 ⅞,
enf. 10,70

× **Thermidor,** 40 r. St-Bonaventure ℰ 02 41 58 55 18, thermidor@wanado
Fax 02 41 58 55 18 – 🖭 ⓞ 🖭 🖂
fermé 1ᵉʳ au 6 janv., mardi soir et merc. – **Repas** (10,52) - 15,25/32 🍴

× **Passé Simple,** 181 r. Nationale ℰ 02 41 75 90 06, Fax 02 41 75 90 06 – 🖭 🖭
🍴 fermé 4 au 26 août, dim. et lundi – **Repas** (11) - 13/29 🍴, enf. 9

à Nuaillé par ① et D 960 : 7,5 km – 1 356 h. alt. 133 – 🖂 49340 :

🏠 **Biches** sans rest, pl. Église ℰ 02 41 62 38 99, les-biches@wanadoo.fr, Fax 02 41 26 9
🍴 – 🖭 🖭
fermé 28 avril au 5 mai et 20 déc. au 5 janv. – 🖙 8,38 – **12 ch** 48,02/55,64

CHOMELIX 43500 H.-Loire 🔢 ⑦ – 409 h alt. 910.
Paris 524 – Le Puy-en-Velay 30 – Ambert 37 – Brioude 59 – St-Étienne 68.

×× **Auberge de l'Arzon** avec ch, ℰ 04 71 03 62 35, Fax 04 71 03 61 62 – 🖭 ᵫ. 🖭
30 mars-3 nov. et fermé lundi sauf le soir en juil.-août et mardi de sept. à juin – **R**
15,25/38,11 🍴 – 🖙 6,40 – **9 ch** 39,64/54,88 – ½ P 44,21/50,31

CHONAS-L'AMBALLAN 38 Isère 🔢 ⑪ – rattaché à Vienne.

CHORANCHE 38680 Isère 🔢 ③ G. Alpes du Nord – 130 h alt. 280.
Voir Grotte de Confin.
Paris 596 – Grenoble 52 – Valence 49 – Villard-de-Lans 20.

🏠 **Jorjane,** ℰ 04 76 36 09 50, jorjane@free.fr, Fax 04 76 36 00 80, 🌤 – 🌤 🖭 ⓞ 🖭
fermé lundi – **Repas** 14,50/19,80 🍷, enf. 5 – 🖙 6 – **7 ch** 33,60/46 – ½ P 37/43,50

CIBOURE 64 Pyr.-Atl. 🔢 ② – voir à St-Jean-de-Luz.

CIEUX 87520 H.-Vienne 🔢 ⑦ – 897 h alt. 320.
🅱 Syndicat d'initiative - Mairie ℰ 05 55 03 30 28, Fax 05 55 03 32 99.
Paris 388 – Limoges 30 – Bellac 17 – Confolens 35 – St-Junien 18.

🏠 **Auberge La Source,** 1 av. Lac ℰ 05 55 03 33 23, awaldbauer@aol.
Fax 05 55 03 26 88, 🌤, 🌳 – 🖭 📞 ᵫ. – 🏊 60. 🖭
fermé 15 janv. au 15 fév. – **Repas** (fermé dim. soir et lundi sauf juil.-août) 18,30/48
🖙 5,65 – **8 ch** 53,35/68,60 – ½ P 49,55

CINQ CHEMINS 74 H.-Savoie 🔢 ⑰ – rattaché à Thonon-les-Bains.

La CIOTAT 13600 B.-du-R. 🔢 ⑭, 🔢 ㊸ G. Provence – 31 630 h – Casino AZ.
Voir Calanque de Figuerolles★ SO : 1,5 km puis 15 mn par D141AZ – Chapelle N.-D.
Garde ≤★★ O : 2,5 km puis 15 mn.
Excurs. à l'Île Verte ≤★ en bateau 30 mn BZ.
🅱 Office du tourisme Boulevard Anatole France ℰ 04 42 08 61 32, Fax 04 42 08 17 88.
Paris 806 ⑤ – Marseille 30 ⑤ – Toulon 39 ③ – Aix-en-Provence 50 ⑤ – Brignoles 61 ⑤.

Plan page ci-contre

× **Fresque,** pl. Église ℰ 04 42 08 00 60, lafresque@aol.com, Fax 04 42 08 00 60, 🌤 –
🍴 B
fermé déc, janv, sam. midi, lundi soir et dim. – **Repas** 14 (déj.)/28 🍴, enf. 12

au Clos des Plages – 🖂 13600 La Ciotat :

🏠 **Provence Plage,** 3 av. Provence ℰ 04 42 83 09 61, provence-plage@wanado
Fax 04 42 08 16 28, 🌤 – 🖭 📞 🖭 ⓞ 🖭
fermé nov. – **Repas** (fermé dim. soir d'oct. à mai) 11 (déj.), 16/25 🍴, enf. 8,50 – 🖙 6 – **2**
42/57 – ½ P 40/47,50

au Liouquet par ③ et D 559 : 6 km – 🖂 13600 La Ciotat :

🏠 **Ciotel Le Cap** ⌂, ℰ 04 42 83 90 30, leciotel@aol.com, Fax 04 42 83 04 17, 🌤, « Ja
fleuri », 🏊, 🌳 – 🗮 ch, 🖭 📞 🖭 ⓞ 🖭
fermé 15 déc. au 31 janv. – **Repas** (fermé dim. soir sauf juil.-août) 25,15/44,97 🍴, enf. 16
🖙 9,91 – **46 ch** 123,48/134,16 – ½ P 99,09

×× **Auberge Le Revestel** ⌂ avec ch, ℰ 04 42 83 11 06, Fax 04 42 83 29 50, ≤, 🌤 –
🖭 🍴 ch
fermé 18 au 27 nov. et 3 janv. au 13 fév. – **Repas** (fermé lundi midi et merc. sauf le so
juil.-août et dim. soir) (20,60) - 29,75/34,50 🍴, enf. 14,50 – 🖙 6,90 – **6 ch** 50,35 – ½ P 54,

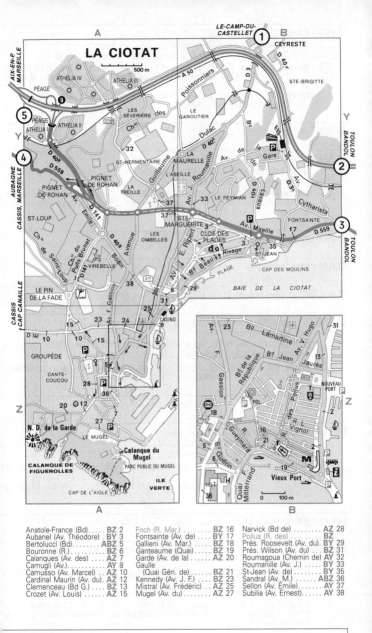

LA CIOTAT

In this Guide,

a symbol or a character,
printed in **black** or another colour, in light or **bold** type,
does not have the same meaning.

Please read the explanatory pages carefully.

CIRES-LÈS-MELLO 60660 Oise 🔟 ① – 3 585 h alt. 39.

Voir *Commune de la Méridienne verte.*

Paris 65 – Compiègne 46 – Beauvais 33 – Chantilly 17 – Clermont 16 – Creil 12.

🏨 **Relais du Jeu d'Arc,** pl. Jeu d'Arc à Mello, Est : 1 km ℰ 03 44 56 8
Fax 03 44 56 85 19, 佘, « Ancien relais de poste du 17ᵉ siècle » – 📺 ₺ 🅿 – 🔏 40. ⴽⴺ
🛠
fermé 1ᵉʳ au 27 août et 23 déc. au 1ᵉʳ janv. – **Repas** *(fermé dim. soir et lundi)* 15 (déj.), 2
– ⛖ 6,50 – **10 ch** 54/92 – ½ P 83

CIRQUE *Voir au nom propre du Cirque.*

CLAIRAC 47320 L.-et-G. 🔟 ⑭ – 2 385 h alt. 52.

🛈 *Office du tourisme 16 place Vicoze* ℰ 05 53 88 71 59, Fax 05 53 88 71 59.

Paris 602 – Agen 34 – Marmande 24 – Nérac 36.

🍽 **L'Écuelle d'Or,** 22 r. Porte Peinte ℰ 05 53 88 19 78, Fax 05 53 88 90 77 – ⴽⴺ ⓞ ⴳⴻ
fermé 8 au 24 fév., 18 août au 2 sept., sam. midi, dim. soir et lundi – **Repas** *(13 b*
bc/44 ₰

CLAIX 38 Isère 🔟 ④ – rattaché à Grenoble.

CLAM 17 Char.-Mar. 🔟 ⑥ – rattaché à Jonzac.

CLAMART 92 Hauts-de-Seine 🔟 ⑩, 🔟 ㉕ – voir à Paris, Environs.

CLAMECY ◆SP◆ 58500 Nièvre 🔟 ⑮ G. Bourgogne – 4 806 h alt. 144.

Voir *Église St-Martin*⋆.

🛈 *Office du tourisme Rue du Grand Marché* ℰ 03 86 27 02 51, Fax 03 86 27 20 65.

Paris 208 – Auxerre 42 – Avallon 38 – Cosne-sur-Loire 52 – Dijon 144 – Nevers 69.

🏨 **Poste,** 9 pl. E. Zola ℰ 03 86 27 01 55, Fax 03 86 27 05 99 – 📺 🕻 – 🔏 20. ⴽⴺ ⓞ ⴳⴻ
Repas 17/28 ₰ – ⛖ 7 – **15 ch** 42/50 – ½ P 40/49

CLAPIERS 34 Hérault 🔟 ⑦ – rattaché à Montpellier.

Le CLAUX 15400 Cantal 🔟 ③ – 260 h alt. 1080.

Voir *Cascade du Sartre*⋆ N : 4 km G. Auvergne.

Paris 517 – Aurillac 50 – Mauriac 56 – Murat 23.

🏨 **Peyre-Arse,** ℰ 04 71 78 93 32, cantallogisdefrance@wanadoo.fr, Fax 04 71 78 90 3.
🔟, 栄 – 🅿 – 🔏 50. ⴽⴺ ⓞ ⴳⴻ
fermé 11 nov. au 11 déc. – **Repas** 15,24/29,73 ♈, enf. 7,62 – ⛖ 6,10 – **28 ch** 45,
½ P 44,21

Les CLAUX 05 H.-Alpes 🔟 ⑱ – rattaché à Vars.

La CLAYETTE 71800 S.-et-L. 🔟 ⑰ ⑱ G. Bourgogne – 2 069 h alt. 369.

Voir *Château de Drée*⋆ N : 4 km.

🛈 *Office du tourisme 3 route de Charolles* ℰ 03 85 28 16 35, Fax 03 85 28 28
office-de-tourisme-de-la-clayette@wanadoo.fr.

Paris 378 – Mâcon 55 – Charolles 20 – Lapalisse 62 – Lyon 90 – Roanne 40.

🍽 **Gare** avec ch, ℰ 03 85 28 01 65, Fax 03 85 28 03 13, 佘, 🔟, 栄 – 📺 🕻 ⌾ 🅿. ⴳⴻ
fermé 15 janv. au 18 fév., dim. soir et lundi sauf juil.-août – **Repas** 16,50/30 ₰ – ⛖ 6,
8 ch 41/61 – ½ P 40/49

CLÉCY 14570 Calvados 🔟 ⑪ G. Normandie Cotentin – 1 252 h alt. 100.

Env. *Croix de la Faverie*⋆.

🛈 *Office du tourisme Place du Tripot* ℰ 02 31 69 79 95, Fax 02 31 69 79 95, otsi.cle
libertysurf.fr.

Paris 268 – Caen 38 – Condé-sur-Noireau 10 – Falaise 31 – Flers 22 – Vire 36.

🏨 **Moulin du Vey** 🦢 (Annexes Manoir du Placy à 400 m et Relais de Surosne à 3 km) - Est : 2 km par D 133 ☎ 02 31 69 71 08, reservations@moulinduvey.com, Fax 02 31 69 14 14, ≤, 🍽, « Parc au bord de l'Orne », 🏖 – 🔟 📞 🅿 – 🔏 80. 🝊 ⓘ ☙
fermé déc. et janv. – **Repas** (fermé dim. soir du 1er nov. au 30 mars) 22/60 ♀ – ➟ 9 – **25 ch** 67,10/94 – ½ P 80/90

🍴🍴 **Auberge du Chalet de Cantepie**, à Cantepie, Nord : 1 km ☎ 02 31 69 88 88, auberge .cantepie@wanadoo.fr, Fax 02 31 69 66 72, 🍽, 🏖 , 🏖 – 🅿. 🝊 ⓘ ☙
fermé 7 au 31 janv., dim. soir et lundi sauf fériés – **Repas** 16/30 ♀

EDEN-CAP-SIZUN 29770 Finistère 58 ⑬ – 1 037 h alt. 30.
Voir Pointe de Brézellec ≤★ N : 2 km, G. Bretagne.
Paris 611 – Quimper 47 – Audierne 11 – Douarnenez 28.

🍴 **L'Étrave**, rte Pointe du Van sur D 7 : 2 km ☎ 02 98 70 66 87, ≤, 🏖 – 🅿. ☙
24 mars-29 sept. et fermé mardi soir sauf juil.-août et merc. – **Repas** 15/44 ♀

ELLES 38930 Isère 77 ⑭ – 378 h alt. 746.
Paris 617 – Gap 72 – Die 61 – Grenoble 52 – La Mure 29 – Serres 58.

🏨 **Ferrat**, à la gare ☎ 04 76 34 42 70, Fax 04 76 34 47 47, ≤, 🛋, 🏖 – 🔟 📞 🚗 🅿. ☙
Repas 19/31 ♀, enf. 9 – ➟ 6 – **24 ch** 45/52 – ½ P 54

RES 76690 S.-Mar. 52 ⑭ G. Normandie Vallée de la Seine – 1 266 h alt. 113.
Voir Parc zoologique★.
🅘 Office du tourisme 59 avenue du Parc ☎ 02 35 33 38 64, Fax 02 35 33 38 64, infos@ot-cleres.fr.
Paris 163 – Rouen 30 – Dieppe 45 – Forges-les-Eaux 35 – Neufchâtel-en-Bray 36 – Yvetot 37.

richemesnil Nord-Est : 4 km par D 6 et D 100 – 402 h. alt. 150 – ⊠ 76690 :
🍴🍴 **Au Souper Fin** 🦢 avec ch, ☎ 02 35 33 33 88, eric.buisset@free.fr, Fax 02 35 33 50 42, 🍽, 🏖 – 🔟 🚗. ☙ ⅏ ch
fermé 16 août au 6 sept., dim. soir d'oct. à avril, merc.(sauf le midi d'oct. à avril) et jeudi – **Repas** 16 (déj.), 26/44, enf. 10 – ➟ 6,50 – **3 ch** 50

ERGOUX 19320 Corrèze 75 ⑩ – 385 h alt. 520.
Paris 501 – Brive-la-Gaillarde 47 – Mauriac 46 – St-Céré 73 – Tulle 21 – Ussel 47.

🏡 **Chammard** sans rest, ☎ 05 55 27 76 04, 🏖 – 🅿. ⅏
➟ 3,70 – **14 ch** 26/32

ERMONT 🕸 60600 Oise 56 ① G. Picardie Flandres Artois – 9 699 h alt. 125.
🅘 Office du tourisme 9 place de l'Hôtel de Ville ☎ 03 44 50 40 25, Fax 03 44 50 40 25.
Paris 78 – Compiègne 35 – Amiens 84 – Beauvais 28 – Mantes-la-Jolie 102 – Pontoise 61.

icourt-Agnetz Ouest : 2 km par ancienne rte de Beauvais – ⊠ 60600 Agnetz :
🍴🍴 **Auberge de Gicourt**, 466 av. Forêt de Hez ☎ 03 44 50 00 31, Fax 03 44 50 42 29, 🏖 – 🝊 ☙
fermé dim. soir, merc. soir et lundi – **Repas** 17/25 ♀, enf. 7

touy Nord-Ouest : 7 km par D 151 – 772 h. alt. 85 – ⊠ 60600 :
🍴🍴 **L'Orée de la Forêt** (Leclercq), 255 r. Forêt ☎ 03 44 51 65 18, Fax 03 44 78 92 11, 🐾 – 🅿. 🝊 ☙. ⅏
🏵️ fermé 5 août au 3 sept., 2 au 10 janv., sam. midi, dim. soir, vend. et les soirs fériés – **Repas** 21,34 (déj.)/59,46 et carte 50 à 67
Spéc. Escalopes de foie gras de canard au jus de betterave. Pigeonneau rôti à la badiane. Millefeuille vanillé.

ERMONT-DESSOUS 47130 T.-et-G. 79 ⑭ – 724 h alt. 40.
Paris 700 – Agen 21 – Marmande 48 – Nérac 22 – Villeneuve-sur-Lot 36.

🍴 **Marmite**, le bourg ☎ 05 53 67 40 72, Fax 05 53 67 40 72, ≤, 🏖 – ☙
fermé 11 au 21 nov., 3 au 14 janv., mardi soir sauf juil.-août et merc. – **Repas** 17 (déj.), 20/45 bc

---

ERMONT-EN-ARGONNE 55120 Meuse 56 ⑳ G. Champagne Ardenne – 1 767 h alt. 229.
🅘 Office du tourisme Place de la République ☎ 03 29 88 42 22, Fax 03 29 88 42 43.
Paris 237 – Bar-le-Duc 50 – Dun-sur-Meuse 41 – Ste-Menehould 15 – Verdun 30.

🍴🍴 **Bellevue** avec ch, r. Libération ☎ 03 29 87 41 02, Fax 03 29 88 46 01, 🏖, 🏖 – 🔟 🅿. 🝊 ⓘ ☙. ⅏ ch
fermé 23 déc. au 10 janv. et merc. – **Repas** 13,72/36,59 ♀ – ➟ 6,10 – **7 ch** 36,59/45,73 – ½ P 42,68

CLERMONT-FERRAND ℙ 63000 P.-de-D. 73 ⑭ G. Auvergne – 137 140 h Agglo. 258 5
alt. 401.

Voir Le Vieux Clermont★★ EFVX : Basilique de N.-D.-du-Port★★ (choeur★★★), Ca
drale★★ (vitraux★★), fontaine d'Amboise★, cour★ de la maison de Savaron EV – C
dans le musée du Ranquet EV M¹, musée Bargoin★ FX – Le Vieux Montferrand★★ : hôt
Lignat★, hôtel de Fontenilhes★, maison de l'Éléphant★, cour★ de l'hôtel Regin, porte
l'hôtel d'Albiat. – Bas-relief★ de la maison d'Adam et d'Ève – Musée d'art Roger-Quill
Belvédère de la D 941^A ≤★★ AY.

Env. Puy de Dôme ☀★★★ 15 km par ⑥ – Vulcania (Parc Européen du Volcanisme).

Circuit automobile de Clermont-Ferrand-Charade AZ.

✈ de Clermont-Ferrand-Auvergne : ℰ 04 73 62 71 00 par D 766 CY : 6 km.

🛈 Office du tourisme Place de la Victoire ℰ 04 73 98 65 00, Fax 04 73 90 04
tourisme@clermont-fd.com.

Paris 421 ② – Lyon 171 ③ – Moulins 104 ① – St-Étienne 146 ③.

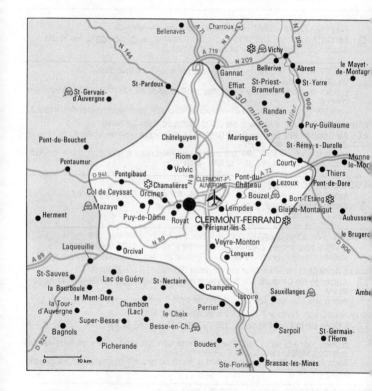

🏨 **Mercure Centre** M, 82 bd F. Mitterrand ℰ 04 73 34 46 46, h1224@accor-hotels.c
Fax 04 73 34 46 36, 🍽 – 🛗 🛬 🖥 TV 📞 🚫 ♿ 🚐 – 🔌 20 à 100. 🕮 ⓞ 🖽 🛒 rest   EX
fermé 28 déc. au 2 janv. – **Repas** (fermé sam. midi et dim. midi) 20,58/30,49 ⏰ – 🚊
123 ch 94/101

🏨 **Novotel** M, Z.I. du Brézet, r. G. Besse ✉ 63100 ℰ 04 73 41 14 14, h1175@accor-hc
com, Fax 04 73 41 14 00, 🍽, 🏊, 🌳 – 🛗 🛬 🖥 TV 📞 ♿ 🅿 – 🔌 100. 🕮 ⓞ 🖽   CY
Repas 20/38 ⏰
🚊 10,50 – **131 ch** 93/103

🏨 **des Puys Arverne**, pl. Delille ℰ 04 73 91 92 06, clermont@hoteldespuys.
Fax 04 73 91 60 25, 🍽 – 🛗 🖥 TV 📞 🚫 – 🔌 15 à 60. 🕮 ⓞ 🖽 JCB   FV
Repas (fermé vacances scolaires, sam. midi, dim. et fériés) 15/22
🚊 9 – **57 ch** 76/87

442

🏨 **Holiday Inn Garden Court** Ⓜ, 59 bd F. Mitterrand ℰ 04 73 17 48 48, higcclermont@
alliance-hospitality.com, Fax 04 73 35 58 47 – 🛗 ✸ ≡ 🔟 📞 🕭 ☞ – �3 15 à 50. 🖭 ⓞ 🖼
🗵🖸
EX a
Repas (fermé sam. midi et dim. midi) 15/21, enf. 6,86 – ⌧ 10 – **94 ch** 95

🏨 **Lafayette** Ⓜ sans rest, 53 av. Union Soviétique ℰ 04 73 91 82 27, hotel-le-lafayette@
massifcentral.net, Fax 04 73 91 17 26 – 🛗 🔟 📞 🖻. 🖭 ⓞ 🖼
GV a
⌧ 8 – **48 ch** 55,65/68,65

🏨 **Coubertin**, 25 av. Libération ℰ 04 73 93 22 22, Fax 04 73 34 88 66, 🏤 – 🛗 ≡ 🔟 📞 🕭
☞ – �3 35. 🖭 ⓞ 🖼
EX m
Repas (fermé dim. midi et sam.) 18,50 – ⌧ 10,50 – **81 ch** 81,50/90

🏨 **Dav'Hôtel Jaude** sans rest, 10 r. Minimes ℰ 04 73 93 31 49, contact@davhotel.fr,
Fax 04 73 34 38 16 – 🛗 🔟 🖻. 🖭 ⓞ 🖼 🗵🖸
EV f
⌧ 6,10 – **28 ch** 41,16/48,78

🏨 **République** Ⓜ, 97, av. République ⌧ 63100 ℰ 04 73 91 92 92, Fax 04 73 90 21 88, 🏤 –
🛗 ✸ 🔟 🕭 🖻 – �3 60. 🖭 ⓞ 🖼 🗵🖸
BY n
Repas (fermé sam. midi et dim.) 15/22 🟡, enf. 7 – ⌧ 6,50 – **55 ch** 49,50/52,50 – ½ P 39/41

🏨 **Marmotel**, Plateau St-Jacques près du CHRU, bd W. Churchill ℰ 04 73 26 24 55, accueil@
hotel-marmotel.com, Fax 04 73 27 99 57, 🏤, ✔ₐ – 🛗 🔟 🕭 🖻 – �3 15 à 80. 🖭 ⓞ 🖼,
✸ rest
BZ h
Repas snack (fermé sam. midi et dim. midi) 14,90 🟡 – ⌧ 7,90 – **87 ch** 55/63 – ½ P 43,50

🏨 **Albert-Élisabeth** sans rest, 37 av. A. Élisabeth ℰ 04 73 92 47 41, hotel-albertelisabeth@
massifcentral.net, Fax 04 73 90 78 32 – 🛗 🔟. 🖭 ⓞ 🖼
GV v
⌧ 6,25 – **38 ch** 42/46,50

🏨 **Beaulieu** sans rest, 13 av. Paulines ℰ 04 73 92 46 99, Fax 04 73 90 47 02 – 🛗 cuisinette 🔟
📞 🖻 🖼. ✸
FX y
⌧ 5 – **21 ch** 35/43

🏨 **Bordeaux** sans rest, 39 av. F. Roosevelt ℰ 04 73 37 32 32, hoteldebordeaux-clermontfd
@wanadoo.fr, Fax 04 73 31 40 56 – 🛗 🔟 ☞. 🖭 🖼. ✸
DX w
⌧ 5 – **27 ch** 28/50

🍴🍴 **Emmanuel Hodencq**, pl. Marché St-Pierre (1ᵉʳ étage) ℰ 04 73 31 23 23, emmanuel.
hodencq@wanadoo.fr, Fax 04 73 31 36 00, 🏤 – ≡. 🖭 ⓞ 🖼
EV a
❄
fermé 10 août au 2 sept., vacances de fév., lundi midi, sam. et dim. – Repas 32,01/
88,42 et carte 60 à 80 🟡
Spéc. Tronçon de turbot au céleri-rave et parfum de truffes (déc. à fév.). Selle de lièvre et
foie gras de canard, façon royale (oct. à déc.). Paris Brest

🍴🍴 **Clavé**, 12 r. St-Adjutor ℰ 04 73 36 46 30, Fax 04 73 31 30 74, 🏤 – 🖭 🖼 🗵🖸
EV k
fermé 18 août au 2 sept. et dim. sauf midis fériés – Repas 25 (déj.), 32/66 et carte 60 à 72 🟡,
enf. 13

🍴🍴 **Gérard Anglard**, 17 r. Lamartine ℰ 04 73 93 52 25, Fax 04 73 93 29 25, 🏤 – ≡. 🖭
🖼
EX r
fermé 12 au 25 août, sam. midi et dim. – Repas 18 (déj.), 29/49 🟡

🍴🍴 **L'Alambic**, 6 r. Ste-Claire ℰ 04 73 36 17 45, Fax 04 73 36 17 45 – 🖼
EV v
fermé mi-juil. à mi-août, vacances de fév., lundi midi, merc. midi et dim. – Repas 20,58/
29,73 🟡

🍴🍴 **5 Claire**, 5 r. Ste-Claire ℰ 04 73 37 10 31, Fax 04 73 37 10 31 – 🖼
EV x
fermé 1ᵉʳ au 30 août, 15 au 28 fév., dim. et lundi – Repas 19 (déj.), 28/42 🟡, enf. 10

🍴 **Brasserie Danièle Bath**, pl. Marché St-Pierre (rez-de-chaussée) ℰ 04 73 31 23 22,
restaurant.bath@wanadoo.fr, Fax 04 73 31 08 33, 🏤 – ≡ ⓞ 🖼
EV e
fermé 1ᵉʳ au 18 mars, 18 août au 2 sept., dim., lundi et fériés – Repas 19,82 🟡

🍴 **Fleur de Sel**, 8 r. Abbé Girard ℰ 04 73 90 30 59, Fax 04 73 90 30 59 – 🖼
FX a
fermé août, dim. et lundi – Repas - produits de la mer - 25/34

🍴 **L'Amphitryon**, 50 r. Fontgiève ℰ 04 73 31 38 39, Fax 04 73 31 38 44 – ≡. 🖼
DV k
fermé août, mardi midi d'oct. à mai, dim. de juin à sept. et sam. midi – Repas 14 (déj.),
21/36, enf. 10

namalières – 18 136 h. alt. 450 – ⌧ 63400 :

🏨 **Radio** 🦢, 43 av. P. et M.-Curie ℰ 04 73 30 87 83, hotel.radio@wanadoo.fr,
Fax 04 73 36 42 44, ≤, « Cadre "Art Déco" », 🌳 – 🛗, ≡ rest, 🔟 📞 🖻 – �3 40. 🖭 ⓞ
🖼
Plan de Royat B w
❄
fermé 29 avril au 2 mai, 4 au 10 nov. et 2 au 27 janv. – Repas (fermé dim. sauf midis fériés,
sam. midi et dim. midi) 27/79 et carte 50 à 75 🟡 – ⌧ 10 – **26 ch** 57/120 – ½ P 79/101
Spéc. Bouchées "vapeur" de langoustines bretonnes. Turbot sauvage rôti aux graines
"mung". Biscuit chicorée "guanaja" Vins Saint-Pourçain blanc et rouge.

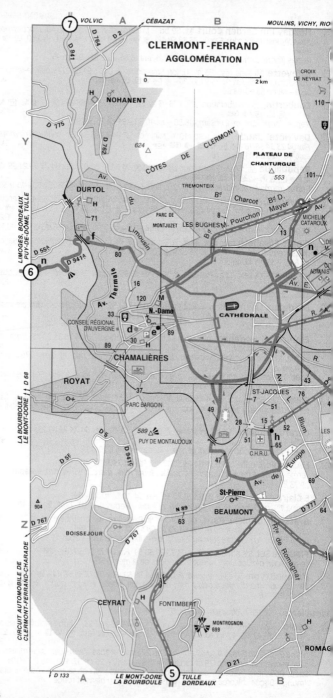

AUBIÈRE

Cournon (Av. de) . . . . **CZ**
Maerte (Av. R.) . . . . **CZ** 55
Mont-Mouchet (Av. du) . . . **BZ** 64
Moulin (Av. Jean) . . . . **CZ**
Noellet (Av. J.) . . . . **BZ** 69
Roussillon (Av. du) . . . . . . **CZ**

BEAUMONT

Europe (Av. de l') . . . . **BZ**
Leclerc (Av. du Gén.) . . . . **BZ** 47
Mont-Dore (Av. du) . . . . . **ABZ** 63
Romagnat (Rte de) . . . . . . **BZ**

CHAMALIÈRES

Claussat (A. J.) . . . . **AY** 16
Europe (Carref. de l') . . . . **AY** 30
Fontmaure (Av. de) . . . . . . **AY** 33
Gambetta (Bd) . . . . **AZ** 37
Royat (Av. de) . . . . **AY** 89
Voltaire (R.) . . . . **AY** 120
Thermale (Av.) . . . . **AY**

CLERMONT-FERRAND

Agriculture (Av. de l') . . . . **CY** 3
Anatole-France (R.) . . . . . . **BY**
Bernard (Bd Cl.) . . . . **BZ** 7
Bingen (Bd J.) . . . . **BCYZ**
Blanzat (R. de) . . . . **BY** 8
Blériot (R. L.) . . . . **CY** 10
Blum (Av. L.) . . . . **BZ**
Brezet (Av. du) . . . . **CY**
Champfleuri (R. de) . . . . . . **BY** 13
Charcot (Bd) . . . . **BY**
Churchill (Bd Winston) . . . **BZ** 15
Clementel (Bd E.) . . . . **BY**
Cugnot (R. N.-J.) . . . . **CY** 22
Dunant (Pl. H.) . . . . **BZ** 28
Flaubert (Bd G.) . . . . **CZ** 32
Forest (Av. F.) . . . . **BY**
Jean-Moulin (Bd) . . . . **CY** 39
Jouhaux (Bd L.) . . . . **CY** 40
Kennedy (Bd J.-F.) . . . . . . **CY** 41
Kennedy (Carref.) . . . . **CY** 42
La Fayette (Bd) . . . . **BZ** 43
Landais (Av. des) . . . . . . **BCZ** 46
Libération (Av. de la) . . . . **BZ** 49
Limousin (Av. du) . . . . **AY**
Liondards (Av. des) . . . . . **BZ** 51
Loucheur (Bd Louis) . . . . . **BZ** 52
Mabrut (R. A.) . . . . **CY** 53
Margeride (Av. de la) . . . . **CZ** 58
Mayer (Bd D.) . . . . **BY**
Mermoz (Av. J.) . . . . **CY**
Michelin (Av. Edouard) . . . **BY**
Montalembert (R.) . . . . **BZ** 64
Oradou (R. de l') . . . . **BCZ**
Pochet-Lagaye (Bd P.) . . . **BZ** 76
Pompidou (Bd G.) . . . . **CY**
Pourchon (Bd M.) . . . . **BY**
Puy-de-Dôme (Av. du) . . . **AY** 80
Quinet (Bd E.) . . . . **CY**
République (Av. de la) . . . **BY** 84
St-Jean (Bd) . . . . **CY** 96
Sous-les-Vignes (R.) . . . . **BY** 101
Torpilleur Sirocco (R. du) . **BY** 110
Verne (R. Jules) . . . . **CY** 117
Viviani (R.) . . . . **CY**

DURTOL

Paix (Av. de la) . . . . **AY** 71

*Pour un bon usage
des plans de villes,
voir les signes
conventionnels
dans l'introduction*

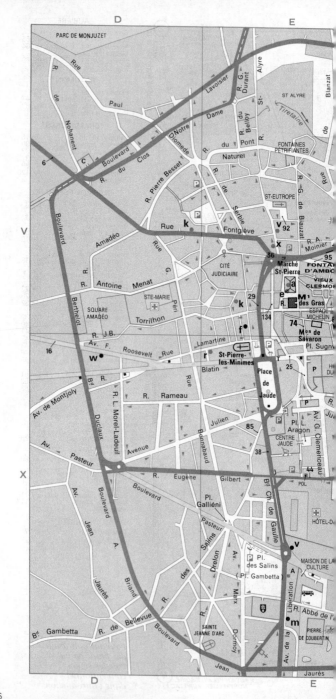

CLERMONT-FERRAND

447

🏠 **Europe Hôtel** sans rest, 29 av. Royat ℘ 04 73 37 61 35, Fax 04 73 31 16 59 – ⧉ ◻
⬛, ⓘ 𝐆𝐁   AV
fermé 5 au 25 août – � 6,90 – **34 ch** 40,90/58,70

✗ **Gravière,** 22 r. Pont Gravière ℘ 04 73 36 99 35, Fax 04 73 36 99 35 – 𝐆𝐁   AV
fermé 15 juil. au 22 août, dim. soir et lundi – **Repas** 15 (déj.)/50

à l'aéroport d'Aulnat *par D 769* – CY – ⊠ 63610 Aulnat :

🏨 **Inter Hôtel Aéroport,** ℘ 04 73 60 42 80, Fax 04 73 90 12 33 – ⬛ 🆃🆅 & 🄿 – ⚿ 2⓪
⬛ ⓘ 𝐆𝐁
Repas 13,50 ⅃ – ⊒ 6,10 – **42 ch** 48,03 – ½ P 37,35

à Pérignat-lès-Sarliève : *8 km* – *2 221 h. alt. 364* – ⊠ 63170 :
Voir *Plateau de Gergovie* ★ : ✳ ★★ *S : 8 km.*

🏰 **Hostellerie St-Martin** ⬎, ℘ 04 73 79 81 00, *reception@hostellerie-st-martin.c*
✗ *Fax 04 73 79 81 00,* ≤, 🏵, « Parc », ⅃, ✗, 🌡 – ⧉ 🆃🆅 ⚲ & 🄿 – ⚿ 20 à 60
𝐆𝐁   C2
Repas *(fermé dim. soir de nov. à mars)* 17/45 ⅊ – ⊒ 8,38 – **34 ch** 70/130 – ½ P 61,50/9

✗✗ **Pescalune** avec ch, r. J. Jaurès ℘ 04 73 79 11 22, Fax 04 73 79 09 30, 🏵 – 🆎
𝐆𝐁   C2
fermé 5 au 27 août, 22 fév. au 9 mars, sam. midi, dim. soir et lundi – **Repas** 17,99/4⁵
enf. 8,50 – ⊒ 4,88 – **3 ch** 25/31 – ½ P 32

rte de La Baraque *vers* ⑥ – ⊠ 63830 Durtol :
✗✗✗✗ **Bernard Andrieux,** ℘ 04 73 19 25 00, Fax 04 73 19 25 04 – ⬛ 🄿 🆎 ⓘ 𝐆𝐁 .
❀ AV
fermé 29 avril au 2 mai, 28 juil. au 22 août, 28 au 31 oct. et 24 fév. au 3 mars – **Repas** *(fe*
lundi d'oct. à juin, dim. midi de juil. à sept., sam. midi et dim. soir) 25,61/68,60 et carte
78
Spéc. Blanc de bar sauvage rôti, pommes rattes écrasées à l'huile d'olive. Côte de vea
limousin en cocotte. Profiteroles glacées au miel. **Vins** Madargues.

✗✗ **L'Aubergade,** ℘ 04 73 37 84 64, Fax 04 73 30 95 57, 🏵, ☞ – 🄿, 𝐆𝐁   BV
fermé vacances de fév. et merc. – **Repas** 22 (déj.), 24/69 ⅊

à Orcines *par* ⑥ : *8 km* – *3 067 h. alt. 810* – ⊠ 63870 :
🏨 **Hostellerie les Hirondelles,** ℘ 04 73 62 22 43, Fax 04 73 62 19 12, 🏵 – 🆃🆅 ⚲ &
⚿ 25. 𝐆𝐁
fermé 23 au 31 déc., 3 fév. au 3 mars, dim. soir et lundi midi d'oct. à avril – **Repas** 15/3
enf. 9 – ⊒ 6,50 – **18 ch** 45/52 – ½ P 40/45

au sommet du Puy-de-Dôme *par* ⑥ : *13 km* – ⊠ 63870 Orcines :
✗✗ **Mont Fraternité,** ℘ 04 73 62 23 00, Fax 04 73 62 10 30, ≤ volcans et Sancy – 𝐆𝐁
avril-oct. – **Repas** *(fermé le soir en avril et oct.)* 20,58/33,54 ⅊, enf. 7,62 - **Brass•**
(1ᵉʳ mai-30 sept.) **Repas** (10,37)-13,57/16,77 ⅊, enf. 6,86

au col de Ceyssat *par* ⑥ *et rte du Puy-de-Dôme* : *12 km* – *467 h. alt. 800* – ⊠ 63810 Orcines
✗ **Auberge des Muletiers,** ℘ 04 73 62 25 95, Fax 04 73 62 28 03, 🏵 – 🄿, 𝐆𝐁
fermé 1ᵉʳ au 29 janv., mardi en hiver, dim. soir et lundi – **Repas** 22,11/26,68 ⅊, enf. 9,15

CLERMONT-L'HÉRAULT 34800 Hérault 🎛 ⑤ G. Languedoc Roussillon – 6 532 h alt. 92.
Voir *Église St-Paul*★.
🮚 *Office du tourisme Rue René Gosse* ℘ 04 67 96 23 86, Fax 04 67 69 98 58.
Paris 717 – Montpellier 42 – Béziers 47 – Lodève 19 – Pézenas 22 – Sète 44.

✗✗ **Fontenay,** rte Lac ℘ 04 67 88 04 06, *valerie@fontenay.net,* Fax 04 67 88 03 40, 🏵 -
🄿 🆎 ⓘ 𝐆𝐁
fermé 1ᵉʳ au 14 juil., sam. midi, dim. soir et merc. soir – **Repas** 13 (déj.), 21/43 ⅊, enf. 10

à St-Guiraud *Nord : 7,5 km par N 9, N 109 et D 130ᵉ* – *184 h. alt. 120* – ⊠ 34725 :
✗✗ **Mimosa,** ℘ 04 67 96 67 96, *le.mimosa@free.fr,* Fax 04 67 96 61 15, 🏵 – ⬛, ⓘ 𝐆𝐁.
15 mars-4 nov. et fermé dim. soir sauf juil.-août, lundi et le midi sauf dim. – **Repas** 48 ⅊

à St-Saturnin-de-Lucian *Nord : 10 km par N 9, N 109 et D 130ᵉ* – *229 h. alt. 150* – ⊠ 34725 :
Env. *Grotte de Clamouse* ★★ *NE : 12 km – St-Guilhem-le-Désert : site* ★★, *église abbatia*
NE : 17 km.

🏨 **Ostalaria Cardabela** ⬎ sans rest, 10 pl. Fontaine ℘ 04 67 88 62 62, *ostalaria.carda.*
@free.fr, Fax 04 67 88 62 82 – ⓘ 𝐆𝐁, ✗
15 mars-4 nov. – ⊒ 10 – **7 ch** 60/85

CLICHY 92 Hauts-de-Seine 🎛 ⑳, 🎜 ⑮ – voir à Paris, Environs.

IMBACH 67510 B.-Rhin 📖 ⑲ – 516 h alt. 347.

Paris 475 – Strasbourg 65 – Bitche 38 – Haguenau 30 – Wissembourg 9.

XX **Cheval Blanc** avec ch, ℰ 03 88 94 41 95, Fax 03 88 94 21 96 – 📺 🅿. 🆖
fermé 1ᵉʳ au 10 juil., 15 janv. au 15 fév., dim. soir du 15 nov. au 15 mars, mardi soir et merc. –
Repas 15,25/26,65 et dim. carte seul. ⅛ – 🖵 5,95 – **12 ch** 41,15/48 – ½ P 44,95/48

OUSCLAT 26270 Drôme 📖 ⑫ – 641 h alt. 235.

Paris 592 – Valence 31 – Montélimar 24.

🏠 **Treille Muscate** ⌕, ℰ 04 75 63 13 10, *latreillemuscate@wanadoo.fr*,
Fax 04 75 63 10 79, ≤, 斎, « Terrasse ombragée » – 📞 🅿. 🆖
1ᵉʳ mars-15 déc. – **Repas** *(fermé merc.)* (13) - 23,50 ⅞ – 🖵 8 – **14 ch** 53,50/120 – ½ P 66,32/
98,33

SSON 44190 Loire-Atl. 📖 ④ 🄶 *Poitou Vendée Charentes* – 5 939 h alt. 34.

Voir Site★ – Domaine de la Garenne-Lemot★.

🅱 Office du tourisme Place du Minage ℰ 02 40 54 02 95, Fax 02 40 54 07 77, ot-
@clisson.com.

Paris 385 ① – Nantes 29 ① – Niort 130 ③ – Poitiers 151 ② – La Roche-sur-Yon 54 ③.

CLISSON

Bertin (R.) 2
Cacault (R.) 3
Clisson (R. O. de) 4
Dr-Boutin (R.) 6
Dimerie (R. de la) 7
Grand-Logis (R. du) 8
Halles (R. des) 12
Leclerc (Av. Gén.) 13
Nid-d'Oie (Pont de) 14
Nid-d'Oie (Rte de) 16
St-Jacques (R.) 18
Trinité (Gde-R. de la) 22
Vallée (R. de la) 23

Ne cherchez pas
au hasard un hôtel
agréable et tranquille
mais consultez les cartes
de l'introduction.

🏠 **Gare,** r. Ferdinand-Albert **(u)** ℰ 02 40 36 16 55, Fax 02 40 54 40 85 – 🍽 rest, 📺. 🆖
Repas *(fermé 2 au 6 janv., vend. soir en hiver, dim. soir et fériés)* 10,50/16 ⅞, enf. 7,30 –
🖵 6,50 – **35 ch** 29/50,50 – ½ P 30,50/38,50

XXX **Bonne Auberge** (Poiron), 1 r. O. de Clisson **(e)** ℰ 02 40 54 01 90, Fax 02 40 54 08 48, 斎
🕄 – 🅰🅴 ⓪ 🆖
fermé 11 août au 4 sept., 17 fév. au 5 mars, dim. soir, mardi midi, merc. midi et lundi –
Repas 21 (déj.), 30/70,13 et carte 55 à 68 ⅞
Spéc. Tarte aux cèpes et foie gras (automne). Langoustine et homard rôtis aux courgettes
et crème de corail. Sandre au fumet de Saint-Émilion **Vins** Muscadet, Saumur Champigny

Gétigné *par* ② : *3 km – 3 076 h alt. 26 –* ⊠ *44190 :*

XX **Gétignière,** 3 r. Navette ℰ 02 40 36 05 37, Fax 02 40 54 24 76 – 🅰🅴 🆖
fermé 15 août au 11 sept., dim. soir, lundi soir, mardi soir et merc. – **Repas** 18/51 ⅞

OHARS-FOUESNANT 29 Finistère 📖 ⑮ – *rattaché à Bénodet.*

Ne confondez pas :

Confort des hôtels	:	🏨🏨 ... 🏠, ⌂
Confort des restaurants	:	XXXXX ... X
Qualité de la table	:	❀❀❀, ❀❀, ❀, 🍃

449

CLOYES-SUR-LE-LOIR 28220 E.-et-L. 60 ⑯ ⑰ G. Châteaux de la Loire – 2 636 h alt. 97.

Voir *Montigny-le-Gannelon*★ : château★ N : 2 km.

🛈 Office du tourisme 11 place Gambetta ℘ 02 37 98 55 27, Fax 02 37 98 55 27.

Paris 143 – Orléans 64 – Blois 55 – Chartres 56 – Châteaudun 12 – Le Mans 92.

🏠 **Hostellerie St-Jacques** ⌂, pl. Marché aux Oeufs ℘ 02 37 98 40 08, *hotel.st-jacqu wanadoo.fr*, Fax 02 37 98 32 63, ⌂, « Jardin au bord du Loir », ⌂ – ⌂ 📺 ⌂ 🅿 – ⌂ 2 ⊙ GB, ⌂
fermé 2 déc. au 5 mars – **- P'tit Bistrot** ℘ 02 37 98 57 63 *(fermé 1er au 10 mars et 30 au 31 déc.)* **Repas** 15/40 ⌂, enf. 10 – ⌂ 10 – **21 ch** 90/105 – ½ P 83

CLUNY 71250 S.-et-L. 69 ⑲ G. Bourgogne – 4 376 h alt. 248.

Voir *Anc. abbaye*★★ : clocher de l'Eau Bénite★★ – *Musée Ochier*★ **M** – Clocher★ de l'é St-Marcel.

Env. *Château de Cormatin*★★ (cabinet de St-Cécile★★★) N : 13 KM – Communauté de N : 10 km.

🛈 Office du tourisme 6 rue Mercière ℘ 03 85 59 05 34, Fax 03 85 59 06 95, cluny@v doo.fr.

Paris 384 ① – Mâcon 25 ③ – Chalon-sur-Saône 48 ① – Montceau-les-Mines 44 ⓪ Tournus 33 ②.

🏠 **Bourgogne,** pl. Abbaye (n) ℘ 03 85 59 00 58, *contact@hotel-cluny.com*, Fax 03 85 59 03 73, « Face à l'abbaye » – 📺 ⌂. ⌂ GB
fermé 1er déc. au 31 janv. et hôtel : mardi et merc. en fév. – **Repas** *(fermé merc. midi et mardi)* 20,50/ 39 ⌂, enf. 9,50 – ⌂ 9,50 – **13 ch** 75/115, 3 appart – ½ P 67,50/ 87,50

🏠 **St-Odilon** M sans rest, rte Azé (y) ℘ 03 85 59 25 00, *saint-odilon @acmtel.com*, Fax 03 85 59 06 18, ⌂ – ⌂ 📺 ⌂ 🅿 ⌂ ⊙ GB
fermé 20 déc. au 20 janv. – ⌂ 6 – **36 ch** 46

🏠 **Abbaye,** av. Ch. de Gaulle (e) ℘ 03 85 59 11 14, *hotel@abbaye-cluny.fr*, Fax 03 85 59 09 76, ⌂ – 📺 🅿 ⌂ ⊙ GB
fermé 29 oct. au 3 nov., 16 fév. au 7 mars, lundi (sauf hôtel de nov. à mars) et dim. soir – **Repas** 16,50/ 40 ⌂, enf. 9 – ⌂ 7 – **12 ch** 37/51 – ½ P 42/49

XX **Hermitage,** rte Cormatin par ① : 1 km ℘ 03 85 59 27 20, Fax 03 85 59 08 06, ⌂, ⌂ – 🅿. ⌂ ⊙ GB JCB
fermé lundi et mardi sauf du 1er juin au 15 sept. – **Repas** 13 bc (déj.), 22/45 ⌂, enf. 10

X **Auberge du Cheval Blanc,** 1 r. Porte de Mâcon (a) ℘ 03 85 59 01 13, Fax 03 85 59 13 32 – ⌂. GB
fermé 1er déc. au 3 mars, 29 juin au 9 juil., le soir en mars et nov., vend. soir et sam. – **Re** 14/34, enf. 9,15

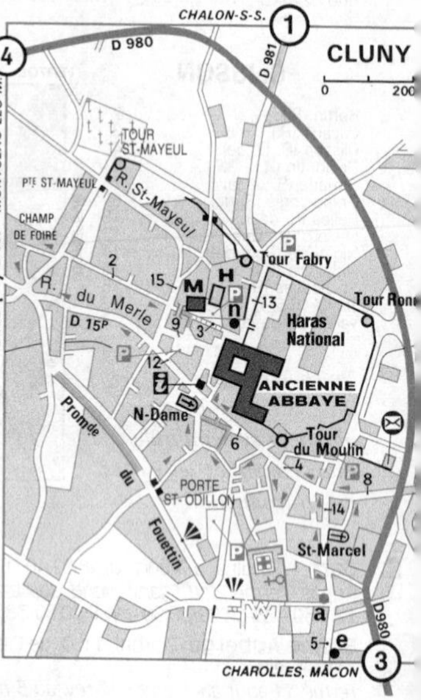

CLUNY

Avril (R. d')	2
Conant (Espace K. J.)	3
Filaterie (R.)	4
Gaulle (Av. Ch.-de)	5
Lamartine (R.)	6

Levée (R. de la)	
Marché (Pl. du)	
Mercière (R.)	
Pte-des-Prés (R.)	
Prud'hon (R.)	
République (R.)	

CLUSAZ 74220 H.-Savoie **74** ⑦ G. Alpes du Nord – 2 023 h alt. 1040 – Sports d'hiver : 1 100/ 2 600 m ⁻≼ 6 ≼ 49 ⅍.

Voir E : Vallon des Confins★ – Vallée de Manigod★ S – Col des Aravis ≼★★ par ② : 7,5 km.

🛈 Office du tourisme ℘ 04 50 32 65 00, Fax 04 50 32 65 01, infos@laclusaz.com.

Paris 567 ① – Annecy 33 ① – Chamonix-Mont-Blanc 59 ② – Albertville 39 ②.

🏨🏨 **Beauregard** ⌂, (k)
℘ 04 50 32 68 00,
info@hotel-beauregard.fr,
Fax 04 50 02 59 00, 🏠, Ⅼ₅,
🔲 – ╪ 📺 ✆ ⅖ ⇔ 🅿 –
🔏 25 à 100. 🆎 ⓪ 🅶🅱.
✻ rest
fermé nov. – Repas 19
(déj.)/21 ⅃ – ♀ 10 – **95 ch**
78/112, (en hiver : ½ pens. seul.) – ½ P 140

🏨🏨 **Sapins** ⌂, (h)
℘ 04 50 63 33 33,
Fax 04 50 63 33 34, ≼, 🏠,
🔟 – ╪ 📺 ✆ 🅿. 🅶🅱. ✻ rest
15 juin-15 sept. et
20 déc.-15 avril – Repas 15/
21 – ♀ 7 – **24 ch** 60/70 –
½ P 57/80

🏨🏨 **Alp'Hôtel**, (e)
℘ 04 50 02 40 06,
alphotel@clusaz.com,
Fax 04 50 02 66 16, Ⅼ₅, 🔲 –
╪ 📺 ✆. 🆎 🅶🅱
20 juin-15 sept. et
14 déc.-20 avril – Repas 19/
26 ♀, enf. 7,80 – ♀ 8,40 –
15 ch 135 – ½ P 118

🏨 **Montagne,** (u) ℘ 04 50 63 38 38, montagne@clusaz.com, Fax 04 50 63 38 39, 🏠 – 📺 ⇔ 🆎 🅶🅱
Repas (fermé dim.soir et lundi) 12/26 ♀, enf. 7,60 – ♀ 7,30 – **27 ch** 95 – ½ P 83

🏨 **Les Airelles,** (a) ℘ 04 50 02 40 51, airelles@clusaz.com, Fax 04 50 32 35 33, Ⅼ₅ – 📺. 🅶🅱
fermé fin avril à fin mai et mi-nov. à mi-déc. – Repas 15/26 ♀, enf. 10 – ♀ 7 – **14 ch** 68,60/106 – ½ P 82

🏨 **Christiania,** (f) ℘ 04 50 02 60 60, Fax 04 50 32 66 98 – ╪ 📺 ⇔ 🅿. 🅶🅱. ✻
29 juin-10 sept. et 20 déc.-20 avril – Repas 16/22,50, enf. 9,20 – ♀ 6,80 – **29 ch** 61/78 – ½ P 55/75

🏨 **Floralp,** (n) ℘ 04 50 02 41 46, info@hotel-floralp74.com, Fax 04 50 02 63 94 – ╪ 📺 ✆. 🅶🅱. ✻ rest
28 juin-15 sept. et 20 déc.-14 avril – Repas 18,30/22,90 – ♀ 6,80 – **22 ch** 42,60/58 – ½ P 59/68,60

Crêt-du-Merle par ② et rte secondaire : 5 km – ✉ 74220 La Clusaz :

🍴 Bercail, ℘ 04 50 02 43 75, Fax 04 50 02 43 75, ≼, 🏠, « Chalet d'altitude dans une ancienne bergerie »
saisonnier (nombre de couverts limité, prévenir)

e du Col des Aravis par ② : 4 km – ✉ 74220 La Clusaz :

🏨🏨 **Chalets de la Serraz** ⌂, ℘ 04 50 02 48 29, info@hotel-chalets-serraz.com,
Fax 04 50 02 64 12, ≼, 🏠, 🔟, ⅍ – 📺 ✆ 🅿 – 🔏 15. 🆎 ⓪ 🅶🅱
fermé 21 avril au 17 mai et 1ᵉʳ oct au 8 nov. – Repas (fermé mardi) 19,50/28,50 ♀ – ♀ 11,50 – **7 ch** 175,50, 3 duplex – ½ P 130

CLUSE 01 Ain **74** ④ – rattaché à Nantua.

Dans ce guide

un même symbole, un même caractère,
imprimé en couleur ou en **noir**, en maigre ou en **gras**
n'ont pas tout à fait la même signification.

Lisez attentivement les pages explicatives.

CLUSES

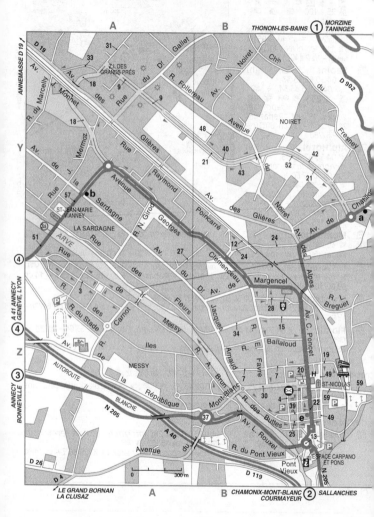

JSES *74300 H.-Savoie* 74 ⑦ *G. Alpes du Nord – 17 711 h alt. 486.*

Voir *Bénitier★ de l'église.*

Office du tourisme Place du 11 Novembre ✆ 04 50 98 31 79, Fax 04 50 96 46 99, OT@cluses.com.

Paris 572 ④ – Chamonix-Mont-Blanc 41 ② – Thonon-les-Bains 59 ④ – Annecy 53 ④.

Plan page ci-contre

4 C M, 301 bd Chevran ✆ 04 50 98 01 00, *hotel4c@aol.com, Fax 04 50 98 32 20,* – TV P – 40. AE GB. rest — BY a

hôtel : fermé 17 au 25 août, sam. et dim. sauf de fév. à mi-mars - ***Bagatelle*** *(fermé 1 au 12/5, 9/8 au 2/9, 1 au 7/1, vend. soir, sam. midi et dim.)* **Repas** 11,43(déj.), 20,58/50,31, enf. 7,47 – 9,30 – **39 ch** 64,79/71,65

Bargy M, 28 av. Sardagne ✆ 04 50 98 01 96, *le.bargy@wanadoo.fr, Fax 04 50 98 23 24,* – TV P. AE GB — AY b

Cercle des Songes *(fermé 4 au 12/05, 3 au 26/08, 21/12 au 1/01, sam. d'avril à déc. et dim.)* **Repas** 14,48/29,57 – 7 – **30 ch** 58/64 – ½ P 50,50/53,50

Grenette, 9 Grande Rue ✆ 04 50 96 31 50, – GB — BZ e

fermé 27 juil. au 26 août, lundi soir, mardi soir et dim. – **Repas** 13,42 (déj.), 19,82/33,54, enf. 6,10

CHEREL *27 Eure* 55 ⑰ *– rattaché à Pacy-sur-Eure.*

CURÈS *48 Lozère* 80 ⑥ *– rattaché à Florac.*

Ne confondez pas :

Confort des hôtels	:	...
Confort des restaurants	:	XXXXX ... X
Qualité de la table	:	✿✿✿, ✿✿, ✿,

GNAC *16100 Charente* 72 ⑫ *G. Poitou Vendée Charentes – 19 534 h alt. 25.*

Office du tourisme 16 rue du 14 Juillet ✆ 05 45 82 10 71, Fax 05 45 82 34 47, office@tourisme-cognac.com.

Paris 480 ⑤ – Angoulême 43 ① – Bordeaux 121 ③ – Niort 82 ⑤ – Saintes 27 ④.

Plan page suivante

Valois sans rest, 35 r. 14-Juillet ✆ 05 45 36 83 00, *hotel.le-valois@wanadoo.fr, Fax 05 45 36 83 01* – TV P – 20. AE GB JCB — Z a

fermé 23 déc. au 1er janv. – 7 – **45 ch** 58/66

Domaine du Breuil , 104 av. Daugas par r. Fichon Y *et dir. Chaudronne : 1,5 km* ✆ 05 45 35 32 06, *Fax 05 45 35 48 06,* – ch, TV P – 15. AE GB

Repas *(fermé sam. midi hors saison et dim. soir)* 18/29, enf. 9 – 6,10 – **24 ch** 50/78 – ½ P 47

Résidence sans rest, 25 av. V. Hugo ✆ 05 45 36 62 40, *la residence@free.fr, Fax 05 45 36 62 49* – TV . AE GB — Z e

6,10 – **20 ch** 38,10/49,60

Pigeons Blancs avec ch, 110 r. J.-Brisson ✆ 05 45 82 16 36, *Fax 05 45 82 29 29,* – TV P. AE GB. ch — Y d

fermé 1er au 15 janv., dim. soir et lundi midi – **Repas** (19) - 27/51, enf. 13 – 8,80 – **6 ch** 61/91 – ½ P 58/77

r ①, rte d'Angoulême et rte de Rouillac (D 15) : 3 km – ✉ 16100 Châteaubernard :

Château de l'Yeuse M , quartier l'Échassier, r. Bellevue ✆ 05 45 36 82 60, *Fax 05 45 35 06 32,* – TV – 40. AE GB JCB

fermé 1er au 10 janv. et vacances de fév. – **Repas** *(fermé dim. soir d'oct. à avril et sam. midi)* 29,72/51,83 – 12 – **21 ch** 121,95/137,20, 3 appart – ½ P 86,13/154,73

L'Échassier M , quartier l'Échassier, 72 r. Bellevue ✆ 05 45 35 01 09, *echassier@wanadoo.fr, Fax 05 45 32 22 43,* – TV P – 20. AE GB JCB

Repas *(fermé vend. sauf le soir du 16 juin au 14 nov., dim. soir du 15 nov. au 15 juin et sam. midi)* 22/55 – 8 – **22 ch** 60/82 – ½ P 65,50/75

COGNAC

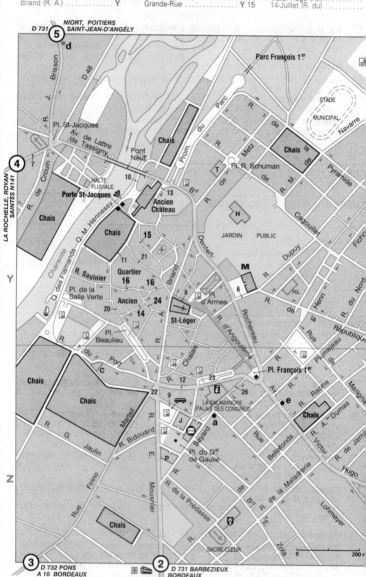

Plans de villes : Les rues sont sélectionnées en fonction de leur importance pour la circulation et le repérage des établissements cités.

Les rues secondaires ne sont qu'amorcées.

COGOLIN 83310 Var **84** ⑰ – 9 079 h alt. 20.

🖪 Office du tourisme Place de la République ✆ 04 94 55 01 10, Fax 04 94 55 01 11, cogolin.tourisme.accueil@wanadoo.fr.

Paris 868 – Fréjus 33 – Ste-Maxime 13 – Toulon 61.

✗ **Grain de Sel**, 6 r. 11-Novembre (derrière Mairie) ✆ 04 94 54 46 86 – 🗐. **AE** **GB**
fermé vacances de Toussaint, de fév., sam. midi et merc. – **Repas** (dîner seul. en juil.-août) 29 ♀

✗ **L'Oustaou d'Italie**, 28 r. Gambetta ✆ 04 94 54 72 41 – 🗐. **GB**
fermé janv., lundi midi et dim. – **Repas** (11,42) -16,75 (déj.), 18,28/24,37 ♀, enf. 8,38

IGNIÈRES 78310 Yvelines **60** ⑨, **106** ㉘, **25** – 4 231 h alt. 160.

Paris 39 – Rambouillet 15 – St-Quentin-en-Yvelines 7 – Versailles 21.

✗✗✗ **Capucin Gourmand**, N 10 ✆ 01 34 61 46 06, Fax 01 34 61 73 46, 😤 – **P.** **AE** **O** **GB**
Repas 27,14/30,49 et carte 44 à 56

✗✗ **Vivier**, N 10 ✆ 01 34 61 64 39, k-vivier@wanadoo.fr, Fax 01 34 61 94 30 – **P.** **AE** **O** **GB**
Repas - produits de la mer - (26,90) -31,80

ISE 73800 Savoie **74** ⑯ – 945 h alt. 292.

Paris 586 – Grenoble 57 – Albertville 32 – Chambéry 24.

🏛 **Château de la Tour du Puits** ⑳, rte du Puits : 1 km ✆ 04 79 28 88 00, info@chateau delatourdupuits.com, Fax 04 79 28 88 01, ≼, 🏊, ♨ – 📺 ❤ **P** – 🕍 50. **AE** **O** **GB** **JCB**. ※
fermé 4 nov. au 11 déc. – **Repas** 29/69 – ☲ 18 – **7 ch** 150/230

IL voir au nom propre du col.

LIGNY 01270 Ain **70** ⑬ – 1 091 h alt. 298.

Paris 409 – Mâcon 58 – Bourg-en-Bresse 24 – Lons-le-Saunier 39 – Tournus 48.

✗ **Petit Relais**, ✆ 04 74 30 10 07, Fax 04 74 30 10 07, 😤 – **AE** **O** **GB** **JCB**
fermé 13 au 22 mars, 1ᵉʳ au 19 oct., merc. soir sauf juil.-août et jeudi – **Repas** 15/51 ♀, enf. 9

ILLÉGIEN 77 S.-et-M. **56** ⑫, **101** ⑲ – voir à Paris, Environs (Marne-la-Vallée).

COLLE-SUR-LOUP 06480 Alpes-Mar. **84** ⑨, **115** ㉟ G. Côte d'Azur – 6 697 h alt. 90.

🖪 Office du tourisme 28 avenue Maréchal Foch ✆ 04 93 32 68 36, Fax 04 93 32 05 07.

Paris 925 – Nice 18 – Antibes 15 – Cagnes-sur-Mer 6 – Cannes 24 – Grasse 19 – Vence 7.

🏛 **Diamant Rose** **M** ⑳, rte de St-Paul : 1 km ✆ 04 93 32 82 20, mav@diamant-rose.com, Fax 04 93 32 69 98, ≼ St-Paul, 😤, « Villas provençales aménagées avec élégance », 🏊, 🌳 – 🗐 📺 ❤ & **P** **AE** **GB**
fermé 15 nov. au 31 déc. – **Repas** carte 47 à 120 – ☲ 17 – **10 ch** 244/701 – ½ P 196,50/427

🏨 **L'Abbaye**, 541 bd Teisseire (rte Grasse) ✆ 04 93 32 68 34, l-abbaye@wanadoo.fr, Fax 04 93 32 85 06, 😤, « Ancienne abbaye, chapelle du 10ᵉ siècle », 🏊 – 📺 ❤ **P.** **AE** **O** **GB**
Repas (fermé mardi midi et lundi)29/75, enf. 18,50 – ☲ 10 – **14 ch** 68,75/198 – ½ P 72,50/ 137,25

🏨 **Marc Hély** ⑳ sans rest, Sud-Est : 0,8 km par D 6 ✆ 04 93 22 64 10, contact@hotelmarc-hely, Fax 04 93 22 93 84, ≼, 🏊, 🌳 – 📺 ❤ **P.** **AE** **O** **GB**
fermé 12 nov. au 20 déc. et 10 janv. au 10 fév. – ☲ 8 – **12 ch** 70/86

✗ **L'Eden**, ✆ 04 93 32 50 25, gillesgalli@libertysurf.fr, Fax 04 93 32 04 78, ≼, 😤, « Terrasse ombragée » – **GB**
fermé 18 nov. au 3 déc., 15 fév. au 4 mars, dim. soir hors saison, sam. midi en saison et lundi – **Repas** 26/43

✗ **Blanc-Manger**, Sud-Est : 1,5 km par D 6 ✆ 04 93 22 51 20, Fax 04 93 22 51 20, 😤 – **P.** **GB**
fermé 18 au 28 mars, 12 au 29 nov.,le midi (sauf dim.) en juil.-août, mardi soir de sept. à juin et merc. – **Repas** (16,90) -26/40

LLEVILLE-MONTGOMERY 14 Calvados **54** ⑯ – rattaché à Ouistreham.

LLIAS 30 Gard **80** ⑲ – rattaché à Pont-du-Gard.

COLLIOURE 66190 Pyr.-Or. **86** ⑳ G. Languedoc Roussillon – 2 763 h alt. 2.

Voir Site★★ – Retables★ dans l'église Notre-Dame-des-Anges.

🅱 Office du tourisme Place du 18 Juin ℘ 04 68 82 15 47, Fax 04 68 82 46 29, collioure@l
france.com.

Paris 885 ② – Perpignan 30 ② – Argelès-sur-Mer 7 ② – Céret 36 ② – Port-Vendres 3 ①

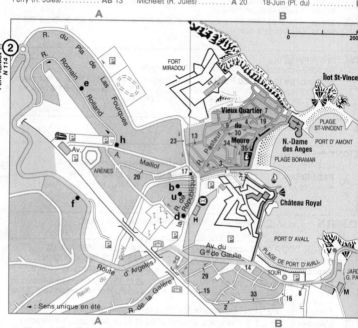

🏨 **Casa Païral** sans rest, impasse Palmiers ℘ 04 68 82 05 81, hotelsmascasa@wanadoo
Fax 04 68 82 52 10, 🔄, 🚗 🕭 – 🔟 🅿 🖭 ⑩ 🖼
23 mars-3 nov. – ☲ 10 – **28 ch** 70/155   A

🏨 **L'Arapède** 🅼, rte Port-Vendres ℘ 04 68 98 09 59, Fax 04 68 98 30 90, ≤, 🏛, 🔄 – 🛗
🔟 🕭 🕭 🅿 ⑩ 🖼
8 mars-25 nov. – **Repas** 16/46, enf. 11,50 – ☲ 8 – **20 ch** 65/142 – ½ P 60/98,50

🏨 **Princes de Catalogne** 🅼 ⑤ sans rest, r. Palmiers ℘ 04 68 98 30 0
Fax 04 68 98 30 31 – 🛗 ☰ 🔟 🕭 🖭 🖼
☲ 6,10 – **29 ch** 67,08/109,77   A

🏨 **Mas des Citronniers,** 22 r. République ℘ 04 68 82 04 82, hotelsmascasa@wanadoo
Fax 04 68 82 52 10 – ☰ 🔟 🕭 🅿 🖭 ⑩ 🖼
hôtel : 2 mars-11 nov. ; rest. : 23 mars-13 oct. – **Repas** (dîner seul.) 21/24, enf. 10 – ☲
30 ch 64/76 – ½ P 50/60   A

🏨 **Madeloc** sans rest, r. R.-Rolland ℘ 04 68 82 07 56, hotel@madeloc.cc
Fax 04 68 82 55 09, 🔄, 🚗 – 🔟 🕭 🅿 🖭 ⑩ 🖼
15 mars-15 nov. – ☲ 6,50 – **22 ch** 57/77   A

🏨 **Méditerranée** sans rest, av. A. Maillol ℘ 04 68 82 08 60, mediterraneehotel@free
Fax 04 68 82 28 07, 🚗 – ☰ 🔟 🖘 🖼
fin mars-début nov. – ☲ 6,10 – **23 ch** 67,50/76,50   A

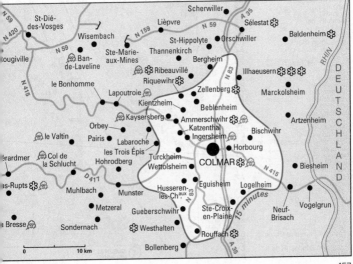

🏛 **Ambeille** sans rest, rte d'Argelès ℰ 04 68 82 08 74, ≤ – 📺 🅿 🖭 ✆   **A f**
fin mars-début oct. – ☲ 6 – **21 ch** 46/59

🍴🍴 **Neptune** (Mourlane), rte Port-Vendres ℰ 04 68 82 02 27, *smourlane@yahoo.fr,*
✆ Fax 04 68 82 50 33, ≤ vieux port, 🏠 – 🗐 🅿 🖭 ⓪ 🖭 ✆   **B V**
fermé 2 au 31 janv., lundi en juil.-août, mardi et merc. de sept. à juin – **Repas** 28,20/51 et
carte 46,50 à 57
Spéc. Salade d'anchois. Parillada. Parfait glacé à la pêche.

LLONGES-AU-MONT-D'OR 69 Rhône 🎼⑪, 🎼⑭ – *rattaché à Lyon.*

LLONGES-LA-ROUGE 19500 Corrèze 🎼⑨ G. Périgord Quercy – 413 h alt. 230.
Voir Village★★ : tympan★ et clocher★ de l'église, castel de Vassinhac★ – Saillac : tympan★
de l'église S : 4 km.
Paris 512 – Brive-la-Gaillarde 22 – Cahors 107 – Figeac 75 – Tulle 35.

🏛 **Relais de St-Jacques de Compostelle** ☙, ℰ 05 55 25 41 02, *relais_st_jacques@*
yahoo.fr, Fax 05 55 84 08 51, 🏠 – 🅿 🖭 ⓪ 🖭
15 mars-15 nov. – **Repas** 14,50/39 – ☲ 6,80 – **11 ch** 32/56 – ½ P 67/120

🍴 **Auberge Le Cantou,** ℰ 05 55 25 41 05, Fax 05 55 84 06 77, 🏠, « Maison du
15ᵉ siècle » – 🖭 ⓪ 🖭
fermé 24 au 30 juin, 16 déc. au 31 janv., dim. soir, lundi et mardi sauf juil.-août – **Repas**
(13,50) - 15 (déj.), 19/45 ☲, enf. 10

Les localités dont les noms sont soulignés de rouge
*sur les **cartes Michelin** à 1/200 000 sont citées dans ce guide.*

Utilisez une carte récente pour profiter de ce renseignement.

LMAR 🅿 68000 H.-Rhin 🎼⑲ G. Alsace Lorraine – 65 136 h Agglo. 116 268 h alt. 194.
Voir Musée d'Unterlinden★★★ (retable d'Issenheim★★★) – Ville ancienne★★ : Maison Pfis-
ter★★ BZ W, Collégiale St-Martin★ BY, Maison des Arcades★ CZK, Maison des Têtes★ BY Y
– Ancienne Douane★ BZ D, Ancien Corps de Garde★ BZ B – Vierge au buisson de roses★★
et vitraux★ de l'église des Dominicains BY – Vitrail de la Grande Crucifixion★ du temple
St-Matthieu CY – La "petite Venise"★ : ≤★ du pont St-Pierre BZ, quartier de la Krutenau★,
rue de la Poissonnerie★, façade du tribunal civil★ BZ J – Maison des vins d'Alsace par ①.
🛈 Office du tourisme 4 rue des Unterlinden ℰ 03 89 20 68 92, Fax 03 89 41 34 13,
info@ot-colmar.fr.
Paris 445 ① – Basel 68 ③ – Freiburg-im-Breisgau 52 ② – Nancy 140 ① – Strasbourg 73 ①.

COLMAR

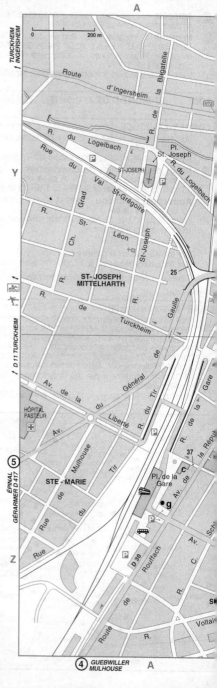

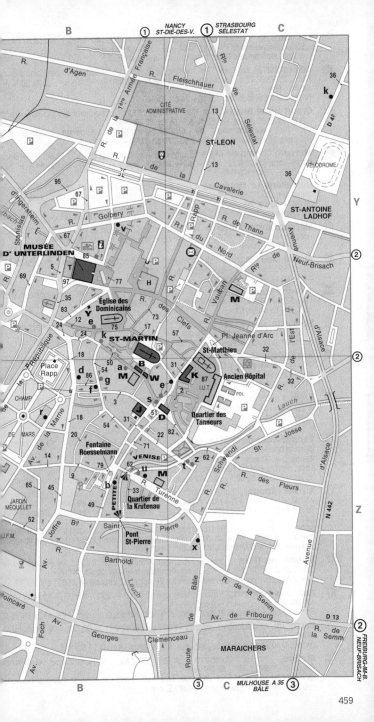

Les Têtes M, 19 r. Têtes 03 89 24 43 43, *les-tetes@rmcnet.fr, Fax 03 89 24 5*
« Belle cour intérieure » – TV P – 30. AE GB JCB BY
voir rest. ***Maison des Têtes*** ci-après – 13 – **21 ch** 95/230

Colombier M sans rest, 7 r. Turenne 03 89 23 96 00, *info@hotel-le-colombier.c*
Fax 03 89 23 97 27, « Décor contemporain dans un cadre Renaissance » – TV
GB JCB BZ
fermé vacances de Noël – 10 – **24 ch** 70/180

Grand Hôtel Bristol, 7 pl. Gare 03 89 23 59 59, *reservation@grand-hotelbrist*
Fax 03 89 23 92 26 – TV – 25. AE GB AZ
voir rest. ***Rendez-vous de Chasse*** ci-après - ***L'Auberge*** brasserie Re
(13)- carte 24 à 45 ♀, enf. 7,5 – 9,50 – **70 ch** 89/90 – ½ P 85/112

Mercure Champ de Mars M sans rest, 2 av. Marne 03 89 21 59 59, *h1225@ac*
hotels.com, Fax 03 89 21 59 00 – TV – 45 à 200. AE GB JCB BZ
10,50 – **75 ch** 105/112

Hostellerie Le Maréchal, 4 pl. Six Montagnes Noires 03 89 41 60 32, *marec*
calixo.net, Fax 03 89 24 59 40, « Maisons du 16e siècle dans la Petite Venise » –
TV. AE GB BZ
- A l'Échevin : Repas 22(déj.), 30/70 ♀, enf. 11 – 12,50 – **30 ch** 90/215 – ½ P 145/17

Mercure Unterlinden M sans rest, 15 r. Golbery 03 89 41 71 71, *H0978@ac*
hotels.com, Fax 03 89 23 82 71 – TV – 15 à 60. AE GB JCB BY
11 – **76 ch** 91/99

Amiral-Bleu Marine M sans rest, 11A bd Champ-de-Mars 03 89 23 26
Fax 03 89 23 83 64, – TV. AE GB BZ
9 – **41 ch** 73/119, 3 duplex

Turenne sans rest, 10 rte Bâle 03 89 21 58 58, *helmlinger@turenne.c*
Fax 03 89 41 27 64 – TV – 15. AE GB CZ
7,30 – **83 ch** 51/63

St-Martin sans rest, 38 Grand'Rue 03 89 24 11 51, *colmar@hotel-saint-martin.c*
Fax 03 89 23 47 78 – TV. AE GB JCB CZ
fermé 1er janv. au 28 fév. – 8,50 – **24 ch** 65/115

Beauséjour M, 25 r. Ladhof 03 89 20 66 66, *resa@beausejour.fr, Fax 03 89 20 66*
, – TV P – 40. AE GB JCB CY
Keller *(fermé sam. midi et dim. hors saison)* **Repas** (13)-18/46 ♀, enf. 8,50 – 8 – **41**
54/110 – ½ P 52/75

Rapp, 1 r. Weinemer 03 89 41 62 10, *rapp-hot@calixo.net, Fax 03 89 24 13 58,*
TV – 30. AE GB JCB BZ
fermé 28 juin au 12 juil., 5 au 18 janv., vend. (sauf hôtel) et sam. midi – **Repas** 17/4
enf. 7,70 – 7,50 – **42 ch** 51,50/70 – ½ P 56/59

Rendez-vous de Chasse - Grand Hôtel Bristol, 7 pl. Gare 03 89 41 10 10, *reserva*
@grand.hotel-bristol.fr, Fax 03 89 23 92 26 – AE GB AZ
Repas 39,60/90 et carte 58 à 76 ♀
Spéc. Pot-au-feu de foie gras d'oie. Selle de chevreuil et blinis aux griottes (15 juil
15 janv.) Émincé de pêches de vignes au vin rouge (août à oct.) **Vins** Pinot noir, Riesling.

Au Fer Rouge (Fulgraff), 52 Grand'Rue 03 89 41 37 24, *au.fer.rouge@calixo.*
Fax 03 89 23 82 24, , « Maison alsacienne du 17e siècle » – AE GB BZ
fermé 6 au 16 janv., dim. (sauf en mai, juin, sept., oct. et déc.) et lundi – **Repas** 45/9
carte 75 à 100
Spéc. Raviole ouverte au foie d'oie poêlé et aux langoustines. Croustillant de Saint-Jacq
homard et fenouil braisé, sauce aux herbes folles. Gratin de quartiers d'oranges au saba
parfumé au Grand Marnier **Vins** Riesling, Pinot noir

Maison des Têtes - Hôtel Les Têtes, 19 r. Têtes 03 89 24 43 43, *les-tetes@rmcnet*
Fax 03 89 24 58 34, , « Belle maison Renaissance » – . AE GB JCB BY
fermé fév., dim. soir, mardi midi et lundi – **Repas** 27/62 et carte 46 à 56 ♀, enf. 12,50

Aux Trois Poissons, 15 quai Poissonnerie 03 89 41 25 21, *Fax 03 89 41 25 21* – .
GB JCB CZ
fermé 16 juil. au 1er août, 23 au 28 déc., dim. soir, mardi soir et merc. – **Repas** 20,58/35,8

Bartholdi, 2 r. Boulangers 03 89 41 07 74, *Fax 03 89 41 14 65,* , « Décor alsacien
GB BY
fermé 10 au 24 juin, 13 au 26 janv., dim. soir et lundi – **Repas** 19,50/45 ♀, enf. 6,86

Arpège, 24 r. Marchands 03 89 23 37 89, *restaurant.arpege@wanadoo*
Fax 03 89 23 39 22, – AE GB JCB BZ
fermé 14 au 21 août, 30 oct. au 6 nov., sam. midi, mardi soir et merc. – **Repas** (nombre
couverts limité, prévenir) 22 (déj.), 25/49 ♀, enf. 9

✗ **Chez Hansi,** 23 r. Marchands ℘ 03 89 41 37 84, Fax 03 89 41 37 84, 斎, « Ambiance
alsacienne » – GB   BZ e
🍽 *fermé 24 au 30 juin, janv., merc. et jeudi* – **Repas** 17/45 ♀

✗ **Garbo,** 15 r. Berthe Molly ℘ 03 89 24 48 55, garbo@restaurantgarbo.com,
Fax 03 89 24 57 68 – ▤. AE GB JCB   BZ g
fermé 4 au 19 août, 1ᵉʳ au 6 janv., sam. midi, dim. et fériés – **Repas** (15) - 30/65 bc, enf. 15

✗ **des halles,** 11 r. Wickram ℘ 03 89 23 61 10, Fax 03 89 41 35 16 – GB   CZ z
fermé 24 déc. au 4 janv., sam. midi et dim. – **Repas** 11 (déj.), 16/31 ♀

✗ **Au Crocus,** 14 pl. École ℘ 03 89 23 32 49, aucrocus@fr.fm – ▤. GB   BY k
fermé 19 août au 1ᵉʳ sept., 15 au 23 fév. et dim. – **Repas** 13 (déj.), 20,50/35

✗ **Wistub Brenner,** 1 r. Turenne ℘ 03 89 41 42 33, Fax 03 89 41 37 99, 斎 – GB.
🍽   BZ u
fermé 18 au 26 juin, 19 au 27 nov., 24 déc. au 2 janv., 17 fév. au 5 mars, mardi et merc. –
Repas carte 27 à 36 ♀, enf. 6,90

à l'aérodrome par ① : 3,5 km – ⊠ 68000 Colmar :

🏨 **Novotel** Ⓜ, ℘ 03 89 41 49 14, h0416@accor-hotels.com, Fax 03 89 41 22 56, 斎, ⊠, 🏊, 斎
– 🐾🔁 ▤ TV P – 🏋 35. AE ⓞ GB
Repas carte 26 à 37 ♀, enf. 8 – ☲ 10,50 – **66 ch** 89/99

Horbourg à l'Est par rte de Neuf-Brisach : 4 km – 5 060 h. alt. 188 – ⊠ 68180 Horbourg Wihr :

🏨 **Europe** Ⓜ, 15 rte Neuf-Brisach ℘ 03 89 20 54 00, reservation@hotel-europe-colmar.fr,
Fax 03 89 41 27 50, ┺, ⊠, 🍽🐾, ▤ ch, TV & P – 🏋 15 à 300. AE ⓞ GB. 🍽 rest
Eden des Gourmets *(fermé 15 juil. au 14 août, janv., dim. soir, mardi midi et lundi)* **Repas**
43,44/68,60 ♀, enf. 12,20 – **Jardin d'Hiver** *(fermé dim. midi)* **Repas** 22,87/
27,47 ♀, enf. 12,20 – ☲ 15,99 – **127 ch** 99,09/151,68, 11 appart – ½ P 95,74

🏨 **Cerf,** 9 Grand'Rue ℘ 03 89 41 20 35, cerf-hotel@wanadoo.fr, Fax 03 89 24 24 98, 斎 – TV
🍽 P. GB, 🍽
11 mars- 31 oct. – **Repas** *(fermé le midi sauf dim. et fériés en avril, mai et juin)* 19,50/30,50 ♀
– ☲ 9 – **26 ch** 61,80/72,50 – ½ P 55

🏨 **Ibis,** 13 rte Neuf Brisach ℘ 03 89 23 46 46, Fax 03 89 24 35 45 – 🔁🐾 ▤ TV 🍽 P – 🏋 20.
AE ⓞ GB JCB
Repas (12) - 15 ♀, enf. 6 – ☲ 5,80 – **86 ch** 68

Bischwihr Nord-Est par D 111 : 8 km – 816 h. alt. 187 – ⊠ 68320 :

🏨 **Relais du Ried,** ℘ 03 89 47 47 06, hotel.relais.duried@wanadoo.fr, Fax 03 89 47 72 58,
斎 – TV 🍽 P. AE ⓞ GB. 🍽 rest
fermé 17 déc. au 15 fév. – **Repas** (dîner seul.) (14) - 18 ♀ – ☲ 7 – **59 ch** 44/59 – ½ P 45

Logelheim Sud-Est par D 13 et D 45 - CZ - 9 km – 585 h. alt. 195 – ⊠ 68280 :

🏨 **A la Vigne** ⑤, ℘ 03 89 20 99 60, Fax 03 89 20 99 69 – TV 🍽. ⓞ GB, 🍽 ch
(fermé 24 juin au 11 juil. et 23 déc. au 9 janv.) – **Repas** *(fermé sam. midi, dim. soir et lundi)*
(7,90) - 9,45 (déj.), 17,55/22,10 ♀ – ☲ 5,35 – **9 ch** 42,70/67,10 – ½ P 43,45

Ste-Croix-en-Plaine par ③ : 10 km – 2 121 h. alt. 192 – ⊠ 68127 :

🏨 **Au Moulin** ⑤ sans rest, rte d'Herrlisheim sur D 1 ℘ 03 89 49 31 20, Fax 03 89 49 23 11,
« Collection d'objets anciens », 斎 – 🔁 TV P. GB
28 mars-3 nov. – ☲ 8 – **17 ch** 40/80

Wettolsheim par ⑤ et D 1 bis II : 4,5 km – 1 692 h. alt. 220 – ⊠ 68000 :

✗✗✗ **Auberge du Père Floranc** avec ch, ℘ 03 89 80 79 14, Fax 03 89 79 77 00, « Jardin
fleuri », 斎 – TV 🔁 P. AE ⓞ GB JCB
fermé 1ᵉʳ janv. au 2 fév., dim. soir hors saison, mardi midi et lundi – **Repas** 20 bc/66 et carte
50 à 69 ♀ – ☲ 10 – **9 ch** 57 – ½ P 71

Annexe : Le Pavillon 🏨 ⑤ sans rest,, « Collection de coquillages », 斎 – TV P. AE
ⓞ GB JCB
☲ 10 – **19 ch** 63/94

Ingersheim Nord-Ouest : 4 km – 4 170 h. alt. 220 – ⊠ 68040 :

✗✗✗ **Kuehn** avec ch, quai Fecht ℘ 03 89 30 08 88, kuehng@club-internet.fr,
Fax 03 89 27 00 77, ≤, 斎, 斎 – 🔁 TV P – 🏋 30. GB. 🍽 rest
fermé 5 janv. au 12 fév. et hôtel : dim. et lundi d'oct. à juil. – **Repas** *(fermé lundi sauf le soir*
d'oct. à juil., dim. soir d'oct. à juil., merc. midi de juil. à oct. et mardi midi) 25/70 et carte 51 à
67 ♀, enf. 10 – ☲ 9 – **25 ch** 46/90 – ½ P 61/81,50

✗✗ **Taverne Alsacienne,** 99 r. République ℘ 03 89 27 08 41, Fax 03 89 80 89 75 – AE GB
🍽 *fermé 23 juil. au 13 août, 1ᵉʳ au 8 janv., dim. soir et lundi sauf fériés* – **Repas** 14 (déj.), 17/52 ♀

Le Guide change, changez de guide tous les ans.

COLOMARS 06670 Alpes-Mar. 84 ⑨ – 2 876 h alt. 340.

🛈 Syndicat d'initiative - Mairie 𝄞 04 93 37 92 33, Fax 04 93 37 83 43.
Paris 939 – Nice 11 – Antibes 29 – Cannes 38 – Grasse 43 – St-Martin-Vésubie 56.

🏛 **Auberge du Rédier** ৯, 𝄞 04 92 15 19 00, auberge-redier@wanadoo
Fax 04 93 37 95 55, 🏡, 🔟, 🐎, – 🔟 rest, 🆕 🅿 – 🏤 35. 🆎 ☖
fermé 3 janv. au 10 fév. – **Repas** (fermé dim. soir , lundi et mardi du 15 oct. au 15 a
21/42 ♀, enf. 11 – ☐ 8 – **25 ch** 76,20/84 – ½ P 68,60/91,50

COLOMBEY-LES-DEUX-ÉGLISES 52330 H.-Marne 61 ⑲ G. Champagne Ardenne – 65
alt. 353.

Voir Mémorial du Général-de-Gaulle et la Boisserie (musée).

🛈 Syndicat d'initiative 72 rue du Général de Gaulle 𝄞 03 25 01 52 33, Fax 03 25 01 98 61
Paris 249 – Chaumont 25 – Bar-sur-Aube 16 – Châtillon-sur-Seine 63 – Neufchâteau 71.

🏛 **Dhuits**, N 19 𝄞 03 25 01 50 10, Fax 03 25 01 56 22, 🏡, 🐎 – ⚡ 🔟 ዿ ⇔ 🅿 – 🏤 50.
fermé 20 déc. au 5 janv. – **Repas** 16/26,22 ৳, enf. 9,15 – ☐ 6,86 – **40 ch** 39,64/59,4
½ P 52,59

✕✕ **Auberge de la Montagne** (Natali) ৯ avec ch, 𝄞 03 25 01 51 69, Fax 03 25 01 53
❀ – 🔟 🅿, 🆎 ☖. ৠ ch
fermé 11 au 19 mars, 22 au 28 déc., 12 au 26 janv., lundi et mardi – **Repas** 19,82/74,70
carte 60 à 80, enf. 12,20 – ☐ 7,62 – **8 ch** 41,16/56,41
Spéc. Turbot à la vanille. Filet de charolais forestière. Rouleaux de printemps au choco
salade à l'huile de menthe.

COLOMIERS 31 H.-Gar. 82 ⑦ – rattaché à Toulouse.

COLROY-LA-ROCHE 67420 B.-Rhin 62 ⑧ – 455 h alt. 475.

Paris 408 – Strasbourg 67 – Lunéville 77 – St-Dié 33 – Sélestat 31.

🏰 **Hostellerie La Cheneaudière** Ⓜ ৯, 𝄞 03 88 97 61 64, chenaudiere@relaischatea
❀ fr, Fax 03 88 47 21 73, ≤, 🏡, « Élégante hostellerie dans un jardin », 🎰, 🔟, 🐎, ৠ
☰ rest, 🔟 ✆ 🅿 – 🏤 25. 🆎 ☖ ☖. ৠ
Princes de Salm (fermé le midi sauf sam. et dim. du 1er nov. au 28 fév.) **Rep**
99 et carte 68 à 90, enf. 12,20 – **Pastoureaux** (fermé le midi sauf sam; et dim. du 1er n
au 28 fév.) **Repas** 44,21, enf. 12,20 – ☐ 19 – **32 ch** 130/260 – ½ P 122/201
Spéc. Tartare de saumon frais d'Écosse. Pigeon de Gugney et foie gras chaud. Ta
fondante de chocolat pur Caraïbes. **Vins** Riesling, Muscat.

COLY 24 Dordogne 75 ⑦ – rattaché au Lardin-St-Lazare.

La COMBE 73 Savoie 74 ⑮ – rattaché à Aiguebelette-le-Lac.

COMBEAUFONTAINE 70120 H.-Saône 66 ⑤ – 496 h alt. 259.

🛈 Syndicat d'initiative - Mairie 𝄞 03 84 92 11 80, Fax 03 84 92 15 23.
Paris 336 – Besançon 75 – Épinal 82 – Gray 42 – Langres 53 – Vesoul 25.

✕✕ **Balcon** avec ch, 𝄞 03 84 92 11 13, Fax 03 84 92 15 89 – 🔟 ⇔. 🆎 ☖ ☖. ৠ ch
fermé 24 juin au 4 juil., 26 déc. au 12 janv., dim. soir, mardi midi et lundi – **Repas** 23/53,50
☐ 6,20 – **15 ch** 38,20/58 – ½ P 46

La COMBE-DES-ÉPARRES 38 Isère 74 ⑬ – rattaché à Bourgoin-Jallieu.

COMBLOUX 74920 H.-Savoie 74 ⑧ G. Alpes du Nord – 1 976 h alt. 980 – Sports d'hiver : 1 00
1 850 m ⭤ 1 ☒ 24 ⚡.

Voir ※★★★ - Table d'orientation★ de la Cry.

🛈 Office du tourisme 𝄞 04 50 58 60 49, Fax 04 50 93 33 55, Combloux@wanadoo.fr.
Paris 595 – Chamonix-Mont-Blanc 30 – Annecy 77 – Bonneville 38 – Megève 6 – Morzine .

🏰 **Aux Ducs de Savoie** ৯, au Bouchet 𝄞 04 50 58 61 43, info@ducs-de-savoie.co
Fax 04 50 58 67 43, ≤ Mont-Blanc, 🏡, 🎰, 🔟, 🐎 – ⟆ 🔟 ✆ ⇔ 🅿 – 🏤 35. 🆎 ☖ ☖
ৠ rest
1er juin-6 oct. et 11 déc.-25 avril – **Repas** 27/32 – ☐ 12 – **50 ch** 136 – ½ P 104

🏛 **Au Coeur des Prés** ৯, 𝄞 04 50 93 36 55, Fax 04 50 58 69 14, ≤ Aravis et Mont-Blan
🎰, 🔟, 🐎, ৠ – ⟆ 🔟 ⇔ 🅿. ☖
1er juin-15 sept. et 20 déc.-30 mars – **Repas** (résidents seul.) 25/40 – ☐ 10 – **33 ch** 98
½ P 76/83

Feug ⛰, ✆ 04 50 93 00 50, *hotel-le-feug@wanadoo.fr, Fax 04 50 21 21 44*, ≤, 🏠, Fö, – |‡| TV ♿ P. AE ⦿ GB. ✻ rest
15 juin-15 sept. et 20 déc.-30 mars – **Repas** *(fermé le midi en juin et sept.)* 20/26 ♀ – ☕ 10 – **28 ch** 75/99 – ½ P 75

Tavaillon, La Barotière ✆ 04 50 58 65 99, *Fax 04 50 93 35 75* – GB. ✻
fermé 17 juin au 4 juil., 3 au 29 nov. et merc. – **Repas** (12,50) - 17,07 (déj.), 23,63/48,02, enf. 11,43

Haut-Combloux *Ouest : 3,5 km – ✉ 74920 Combloux :*

Rond-Point des Pistes ⛰, ✆ 04 50 58 68 55, *rpoinpiste@aol.com, Fax 04 50 93 30 54*, ≤ Mont-Blanc, 🏠, Fö, – |‡| TV P. AE GB. ✻ rest
25 juin-6 sept. et 20 déc.-6 avril – **Repas** 28/40 ♀ – ☕ 9,50 – **29 ch** 68/108 – ½ P 76/81

MBOURG *35270 I.-et-V.* **59** ⑯ *G. Bretagne – 4 850 h alt. 45.*

Voir *Château*★.

ℹ *Office du tourisme Place Albert Parent ✆ 02 99 73 13 93, Fax 02 99 73 52 39, ot@combourg.org.*

Paris 387 – St-Malo 36 – Avranches 52 – Dinan 25 – Fougères 48 – Rennes 42 – Vitré 82.

Château, pl. Chateaubriand ✆ 02 99 73 00 38, *hotelduchateau@wanadoo.fr, Fax 02 99 73 25 79*, 🏠, – TV 📞 P – 🏛 15 à 35. AE ⦿ GB
fermé 13 au 21 avril, 20 déc. au 20 janv., dim. soir sauf du 14/7 au 20/8, lundi soir d'oct. à avril et lundi midi – **Repas** 16,50/45 ♀, enf. 9,15 – ☕ 8,50 – **32 ch** 65/96 – ½ P 47/70

Lac, pl. Chateaubriand ✆ 02 99 73 05 65, *Fax 02 99 73 23 34*, ≤, 🏠, – TV 📞 P – 🏛 20. AE ⦿ GB
fermé fév., dim. soir et vend. hors saison – **Repas** 11,45/42 ♀, enf. 7,70 – ☕ 8,40 – **28 ch** 38,11/62,50 – ½ P 39,65/50,35

L'Écrivain, pl. St-Gilduin (face église) ✆ 02 99 73 01 61, *Fax 02 23 16 46 31*, 🏠 – P. GB
fermé 1er au 16 oct., vacances de fév., merc. soir et dim. soir hors saison et jeudi – **Repas** 13,50/25,50 ♀

MBREUX *45530 Loiret* **64** ⑩ *– 202 h alt. 130.*

Paris 113 – Orléans 41 – Bellegarde 12 – Châteauneuf-sur-Loire 14 – Pithiviers 31.

Auberge de Combreux, ✆ 02 38 46 89 89, *aubergec@compuserve.com, Fax 02 38 59 36 19*, 🏠, 🏊, ✻ – |‡| TV 📞 P – 🏛 20. AE GB
fermé 20 déc. au 20 janv. – **Repas** 18/35, enf. 10 – ☕ 8 – **19 ch** 60/79 – ½ P 64/74

MMENTRY *03600 Allier* **73** ③ *G. Auvergne – 7 204 h alt. 407.*

Paris 338 – Moulins 66 – Aubusson 76 – Gannat 49 – Montluçon 16 – Riom 67.

Michel Rubod, 47 r. J.-J. Rousseau ✆ 04 70 64 45 31, *Fax 04 70 64 33 17* – GB
fermé 3 au 28 août, 22 déc. au 3 janv., vacances de fév., merc. midi, dim. soir et lundi – **Repas** 21,34/68,60 et carte 55 à 85 ♀
Spéc. Foie gras chaud à l'échalote. Grillade d'aubergine et rouget à l'huile des Baux. Sablé de crème brûlée aux fruits du temps **Vins** Saint-Pourçain blanc et rouge

---

MMERCY *55200 Meuse* **62** ③ *– 6 324 h alt. 240.*

ℹ *Office du tourisme Place Charles de Gaulle ✆ 03 29 91 33 16, Fax 03 29 91 75 75.*

Paris 265 – Nancy 52 – Bar-le-Duc 40 – Metz 73 – Toul 30 – Verdun 55.

Côté Jardin avec ch, 40 r. St-Mihiel ✆ 03 29 92 09 09, *Fax 03 29 92 09 10*, 🏠, – rest, TV ♿. ⦿ GB
Repas *(fermé vend. soir et sam. midi du 1er sept. au 30 avril et dim. soir)* 13,60 (déj.), 24,40/48,20 ♀ – ☕ 6,90 – **11 ch** 41,20/65,60 – ½ P 48,20/53,40

MPIÈGNE SP *60200 Oise* **56** ②, **106** ⑩ *G. Picardie Flandres Artois – 41 254 h Agglo. 108 234 h alt. 41.*

Voir *Palais*★★★ *: musée de la voiture*★★*, musée du Second Empire*★★ *– Hôtel de ville*★ BZ **H** *– Musée de la Figurine historique*★ BZ **M** *– Musée Vivenel : vases grecs*★★ AZ **M**1.

Env. *Forêt*★★ *(les Beaux Monts) – Rethondes : Clairière de l'Armistice*★★ *(statue du Maréchal Foch, dalle commémorative, wagon du Maréchal Foch).*

ℹ *Office du tourisme Place de l'Hôtel de Ville ✆ 03 44 40 01 00, Fax 03 44 40 23 28, otsi@mairie-compiegne.fr.*

Paris 81 ⑥ – Amiens 83 ⑦ – Beauvais 62 ⑥ – St-Quentin 70 ① – Soissons 39 ②.

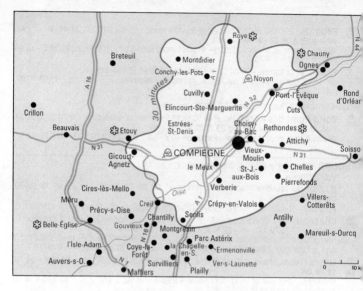

Les Beaux Arts M sans rest, 33 cours Guynemer ℰ 03 44 92 26 26, hotel@bw-lesbe
arts.com, Fax 03 44 92 26 00 – 🛗 cuisinette 🔳 📺 📞 & 🚗 – 🔏 30. 🖭 ⓪
🗋🗋
⊊ 7,62 – **37 ch** 54,80/85,37, 13 appart
AY

Flandre sans rest, 16 quai République ℰ 03 44 83 24 40, Fax 03 44 90 02 75 – 🛗 📺
GB JCB
fermé 21 déc. au 5 janv. – ⊊ 7 – **42 ch** 41/52
AY

de Harlay sans rest, 3 r. de Harlay ℰ 03 44 23 01 50, Fax 03 44 20 19 46 – 🛗 📺 🅿. 🖭
GB. ⌘
⊊ 7 – **20 ch** 51,80/62,50
AY

XXX **Part des Anges,** 18 r. Bouvines ℰ 03 44 86 00 00, Fax 03 44 86 09 00, 🚇 – 🔳 🅿.
GB
AZ
fermé 29 juil. au 29 août, sam. midi, dim. soir et lundi – **Repas** (19,82 bc) - 22,11/35,50 et ca
26 à 41 ♀, enf. 12,20

XXX **Rive Gauche,** 13 cours Guynemer ℰ 03 44 40 29 99, rivegauche@wanadoc
Fax 03 44 40 38 00 – 🔳. 🖭 ⓪ GB JCB
BY
fermé lundi et mardi – **Repas** 30/32 et carte environ 54 ♀

XXX **Nord** avec ch, pl. Gare ℰ 03 44 83 22 30, Fax 03 44 90 11 87 – 🛗 📺 📞. 🖭 GB AY
fermé sam. midi et dim. soir – **Repas** 22,11/35,54 et carte 50 à 67 ♀ – ⊊ 6,86 – **20**
42,69/51,83 – ½ P 51,07

X **Bistrot des Arts,** 35 cours Guynemer ℰ 03 44 20 10 10, Fax 03 44 20 61 01 –
GB
AY
fermé sam. midi et dim. – **Repas** 17,53 bc/21,34 ♀

X **Palais Gourmand,** 8 r. Dahomey ℰ 03 44 40 13 13, Fax 03 44 40 13 13 – G
⌘
BZ
fermé 4 au 22 août, 22 au 28 déc., 23 au 28 fév., 15 au 19 avril, dim. soir et lundi – **Repas**
- 15,50/19,50 bc ♀, enf. 6

à Élincourt-Ste-Marguerite par ① et D 142 : 15 km – 763 h. alt. 83 – ✉ 60157 :

Château de Bellinglise ⌘, Nord : 1 km ℰ 03 44 96 00 33, chateaudebellinglise@wa
doo.fr, Fax 03 44 96 03 00, ≤, 🚇, « Château du 16ᵉ siècle dans un parc », ⌘, 🐾 – 🛗 📺
🅿 – 🔏 70. 🖭 ⓪ GB JCB. ⌘ rest
Repas 30/75, enf. 20 – **35 ch** ⊊ 185/335 – ½ P 130/180

à Choisy-au-Bac par ② : 5 km – 3 571 h. alt. 40 – ✉ 60750 :

XX **Auberge du Buissonnet,** 825 r. Vineux ℰ 03 44 40 17 41, Fax 03 44 85 28 18, ⌘
« Jardin avec étang », ⌘ – 🅿. 🖭 GB
fermé dim. soir, mardi soir et lundi – **Repas** 22,71/33,54 ♀

COMPIÈGNE

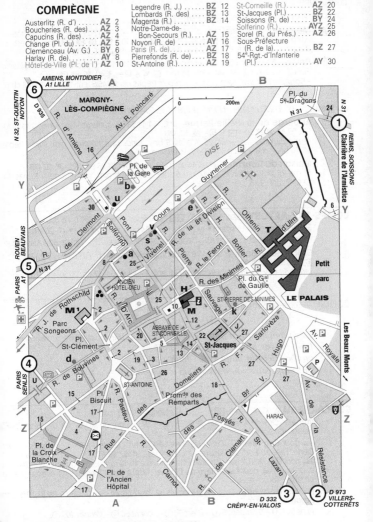

Rethondes par ② : 10 km – 668 h. alt. 38 – ⊠ 60153 :
   Voir *St-Crépin-aux-Bois : mobilier★ de l'église NE : 4 km.*

XXX   **Alain Blot**, ℘ 03 44 85 60 24, Fax 03 44 85 92 35, 📠 – 🟰 ⴳⴱ
      fermé 2 au 17 sept., 2 au 13 janv., sam. midi, dim. soir et lundi – **Repas** (nombre de
      couverts limité, prévenir) 33 bc/66 et carte 55 à 76 ♀
      Spéc. Grillade de bar de ligne et émulsion d'herbes. Petite brioche de homard breton.
      Dacquoise aux amandes grillées et millefeuille de chocolat noir

Vieux-Moulin par ③ et D 14 : 10 km – 579 h. alt. 49 – ⊠ 60350 :
   Voir *Mont St-Marc★ N : 2 km – Les Beaux-Monts★★ : ⩗★ NO : 7 km.*

XXX   **Auberge du Daguet**, face église ℘ 03 44 85 60 72, Fax 03 44 85 61 28 – ⴳⴱ
      fermé 15 au 26 juil., 2 au 24 janv., lundi soir et mardi – **Repas** 20/40 ♀

XX   **Auberge du Mont St-Pierre**, 28 rte des Étangs ℘ 03 44 85 60 00, Fax 03 44 85 23 03,
      📠 – 🅿 🟰 ⴳⴱ
      fermé vacances de fév., dim. soir et lundi sauf fériés – **Repas** 16/33,50 ♀

Z.A.C. de Mercières *par ⑤ et D 200 : 6 km – ✉ 60200 :*

Mercure M, carrefour J. Monnet ✆ 03 44 30 30 30, *h1623@accor-hotel.c*
Fax 03 44 30 30 44, – ⇕ ⊭ ▤ TV ✆ ♿ P – 🏂 40 à 150. AE ⓓ GB JCB. ✂ rest
Repas *(14,48)* et carte 25 à 33 🌡, enf. 7,62 – ☐ 9,45 – **92 ch** 86,90/96,04

Relais Napoléon, av. Europe ✆ 03 44 20 11 11, *contact@aurelaisnapoleon.c*
Fax 03 44 20 41 60, , – ⊭, ▤ rest, TV ✆ ♿ P – 🏂 40. AE ⓓ GB JCB
- Bonaparte *(fermé sam. midi et dim. soir)* **Repas** *(13)*-16/45 🍷, enf. 10 – ☐ 8 – **48 ch** 6C
– ½ P 61,50

au Meux *par ⑤, D 200 et D 98 : 11 km – 1 708 h. alt. 50 – ✉ 60880 :*

Auberge de la Vieille Ferme, ✆ 03 44 41 58 54, *auberge.vielle.ferme@wanado*
Fax 03 44 41 23 50 – TV ✆ P – 🏂 30. GB
fermé 29 juil. au 20 août, 23 déc. au 8 janv., lundi (sauf hôtel) et dim. soir – **Repas**
bc/46 bc – ☐ 8 – **14 ch** 50/60 – ½ P 49/54

Maison du Gourmet, ✆ 03 44 91 10 10, *Fax 03 44 91 13 94,* – P. AE GB
fermé 26 janv. au 8 fév., 22 juil. au 6 août, sam. midi, dim. soir et lundi – **Repas** 14
22,87 🍷, enf. 9,15

COMPS-SUR-ARTUBY *83840 Var* 84 ⑦, 114 ⑩ *G. Alpes du Sud – 280 h alt. 898.*
Env. *Balcons de la Mescla★★★ NO : 14,5 km – Tunnels de Fayet ≤★★★ O : 20 km.*
Paris 830 – Digne-les-Bains 83 – Castellane 29 – Draguignan 31 – Grasse 60 – Manosque

Grand Hôtel Bain, ✆ 04 94 76 90 06, *jmbain@wanadoo.fr, Fax 04 94 76 92 24,* ,
TV ✆ . AE ⓓ GB
fermé 11 nov. au 25 déc. – **Repas** 13/34, enf. 9 – ☐ 6,50 – **17 ch** 43/56 – ½ P 46

CONCA *2A Corse-du-Sud* 90 ⑦ *– voir à Corse.*

When looking for a hotel or restaurant use the most efficient method.
Look for the names of towns underlined in red
on the ***Michelin maps*** *scale: 1:200 000.*
But make sure you have an up-to-date map!

CONCARNEAU *29900 Finistère* 58 ⑪ ⑮ *G. Bretagne – 19 453 h alt. 4.*
Voir *Ville Close★★* **C** – *Musée de la Pêche★* **C M**¹ – *Pont du Moros ≤★* **B** – *Fête des Fi*
bleus★ (fin août).
⛴ *pour* **Beg Meil** *- (juillet-août) Traversée 25 mn - Renseignements et Tarifs : Vedet*
Glenn, face au Port de Plaisance à Concarneau ✆ *02 98 97 10 31, Fax 02 98 60 49 7*
⛴ *pour* 65 *– Iles Glénan - (avril à sept.) Traversée 1h 10 mn - Renseignements et Tarifs :*
ci-dessus – ⛴ *pour* **La Rivière de l'Odet** *- (avril à sept.) Traversée 4h - Renseigneme*
et Tarifs : voir ci-sessus.
ℹ *Office du tourisme Quai d'Aiguillon* ✆ *02 98 97 01 44, Fax 02 98 50 88 81, OTSI.con*
neau@wanadoo.fr.
Paris 547 ① – Quimper 25 ① – Brest 94 ① – Lorient 50 ① – Vannes 103 ①.

Plan page ci-contre

Océan M, plage Sables Blancs ✆ 02 98 50 53 50, *hotel.ocean@wanadoo*
Fax 02 98 50 84 16, ≤, , – ⇕ TV ✆ ♿ P – 🏂 20 à 40. GB. ✂ rest — A
Repas *(fermé lundi midi, dim. soir et sam. d'oct. à avril)* 19/40 – ☐ 8,50 – **53 ch** 90/
17 duplex – ½ P 67/72

Les Halles sans rest, pl. Hôtel de Ville ✆ 02 98 97 11 41, *Fax 02 98 50 58 54* – TV ✆. AE
GB — C
fermé dim. soir hors saison – ☐ 5,50 – **23 ch** 46/55

France et Europe sans rest, 9 av. Gare ✆ 02 98 97 00 64, *danielle.sotiaux@wanadoo*
Fax 02 98 50 76 66 – ⇕ TV ✆ P. AE ⓓ GB JCB — C
fermé 21 déc. au 7 janv. et sam. du 15 nov. au 15 mars – ☐ 6,50 – **26 ch** 47/58

Coquille, quai Moros ✆ 02 98 97 08 52, *Fax 02 98 50 69 13,* , « Collection
tableaux » – AE ⓓ GB — B
fermé 1er au 15 mai, 10 au 31 janv., dim. soir et lundi – **Repas** 25/68 🍷

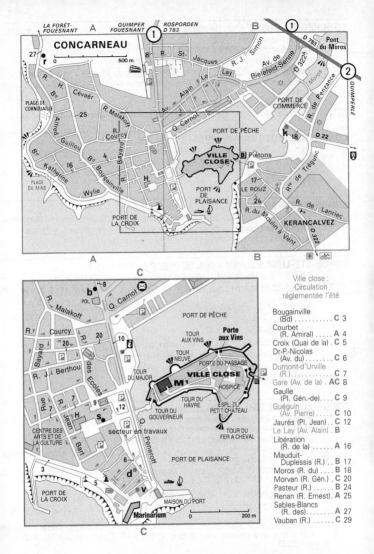

CONCARNEAU

Ville close :
Circulation
réglementée l'été

Bougainville
  (Bd) . . . . **C** 3
Courbet
  (R. Amiral) . . . . . **A** 4
Croix (Quai de la) . **C** 5
Dr-P.-Nicolas
  (Av. du) . . . . **C** 6
Dumont-d'Urville
  (R.) . . . . **C** 7
Gare (Av. de la) . **AC** 8
Gaulle
  (Pl. Gén.-de) . . . . **C** 9
Guéguen
  (Av. Pierre) . . . . **C** 10
Jaurès (Pl. Jean) . . **C** 12
Le Lay (Av. Alain) . **B**
Libération
  (R. de la) . . . . . . **A** 16
Mauduit-
  Duplessis (R.) . . **B** 17
Moros (R. du) . . . . **B** 18
Morvan (R. Gén.) . **C** 20
Pasteur (R.) . . . . . **B** 24
Renan (R. Ernest) . **A** 25
Sables-Blancs
  (R. des) . . . . **A** 27
Vauban (R.) . . . . . **C** 29

XX **Chez Armande,** 15 bis av. Dr Nicolas ℰ 02 98 97 00 76, Fax 02 98 97 00 76 – ⅀ ⅁⅂
⅁ *fermé 27 août au 4 sept., 17 déc. au 1ᵉʳ janv., 18 fév. au 5 mars, mardi sauf juil.-août et merc.*
  – Repas *17,50/31,50 ⅀, enf. 10*   **C d**

X **Buccin,** 1 r. Duguay-Trouin ℰ 02 98 50 54 22, Fax 02 98 50 70 37 – ⅀ ⅁⅂   **C v**
fermé 28 oct. au 11 nov., 24 fév. au 10 mars, dim. soir et jeudi – Repas *16/34 ⅀*

CONCHES-EN-OUCHE 27190 Eure 55 ⑯ G. Normandie Vallée de la Seine – 4 280 h alt. 123.

Voir Église Ste-Foy★.

🖪 Syndicat d'initiative Place A. Briand ℘ 02 32 30 76 42, Fax 02 32 60 22 35.
Paris 116 – Bernay 35 – Dreux 46 – Évreux 18 – Rouen 61.

🏠 **Cygne**, 2 R. Paul Guilbaud ℘ 02 32 30 20 60, Fax 02 32 30 45 73 – 📺 & 🅿 GB
fermé vacances de fév. – **Repas** (fermé dim. soir et lundi) 14,94/24,39 ♀ – � 5,34 – 15
22,11/48,78 – ½ P 41,92/51,83

✕ **Grand'Mare**, ℘ 02 32 30 23 30 – GB
fermé dim. soir, mardi soir et lundi – **Repas** 16,46/25,92 - *Bistro :* **Repas** 11,43 &

CONCHY-LES-POTS 60490 Oise 55 ② – 522 h alt. 106.
Paris 100 – Amiens 57 – Compiègne 28 – Beauvais 69 – Montdidier 14 – Roye 13.

✕✕ **Relais**, N 17 ℘ 03 44 85 01 17, Fax 03 44 85 00 58 – 🅿 GB
fermé 23 juil. au 8 août, 25 nov. au 4 déc., 27 janv. au 5 fév., dim. soir, mardi soir et mer
Repas 23/69, enf. 13

CONDÉ-NORTHEN 57220 Moselle 57 ⑭ – 526 h alt. 208.
Paris 351 – Metz 20 – Pont-à-Mousson 52 – Saarlouis 36 – Saarbrücken 53 – Thionville 4⁸

✕✕ **Grange de Condé**, ℘ 03 87 79 30 50, Fax 03 87 79 30 51, �, 🎏 – 🅿 AE GB
fermé lundi sauf fériés – **Repas** 19,80/28,97 ♀, enf. 6,80

CONDÉ-STE-LIBIAIRE 77450 S.-et-M. 56 ⑫, 106 ② – 1 344 h alt. 47.
Paris 48 – Coulommiers 23 – Lagny-sur-Marne 12 – Meaux 10 – Melun 49.

✕✕ **Vallée de la Marne**, quai Marne ℘ 01 60 04 31 01, Fax 01 64 63 15 83, 🌤, 🎏 – 🅿
◑ GB
fermé 1ᵉʳ au 15 août, lundi soir et mardi – **Repas** 23,63/36,59

Dans ce guide

un même symbole, un même caractère,
imprimé en couleur ou en **noir**, *en maigre ou en* **gras**,
n'ont pas tout à fait la même signification.
Lisez attentivement les pages explicatives.

CONDÉ-SUR-NOIREAU 14110 Calvados 55 ⑪ G. Normandie Cotentin – 5 820 h alt. 85.
🖪 Office du tourisme - Maison du Tourisme et de L'Économie 29 rue du Six ℘ 02 31 69
64, otsi-conde-sur-noireau@wanadoo.fr.
Paris 277 – Caen 48 – Argentan 53 – Falaise 33 – Flers 13 – Vire 26.

✕ **Cerf** avec ch, 18 r. Chêne (rte Aunay-sur-Odon) ℘ 02 31 69 40 55, restcerf@wanadoc
GB Fax 02 31 69 78 29 – 📺 ⚓ 🅿 AE GB JCB
fermé vacances de Toussaint, de fév., lundi (sauf hôtel) et dim. soir – **Repas** 10,52/28,97
enf. 7,47 – � 4,88 – **9 ch** 31,10/36,59 – ½ P 33,54/37,35

à St-Germain-du-Crioult Ouest : 4,5 km sur rte Vire – 848 h. alt. 184 – ⌂ 14110 :

✕ **Auberge St-Germain** avec ch, ℘ 02 31 69 08 10, Fax 02 31 69 14 67 – 📺 ⚓ AE ⓒ
GB ⛝ rest
fermé 28 juil. au 11 août, 20 déc. au 16 janv. et dim. soir d'oct. à avril – **Repas** (fermé ve
soir et sam. midi de sept. à juin et dim. soir) 11,50/25 ♀, enf. 7 – � 4,30 – **9 ch** 33/3
½ P 30/33

CONDOM ◐ 32100 Gers 79 ⑭ G. Midi-Pyrénées – 7 251 h alt. 81.
Voir Cathédrale St-Pierre★ : Cloître★ BZ.
🖪 Office du tourisme Place Bossuet ℘ 05 62 28 00 80, Fax 05 62 28 45 46, otsi-condc
org.
Paris 731 ① – Agen 42 ① – Auch 46 ② – Mont-de-Marsan 80 ③ – Toulouse 121 ②.

Plan page ci-contre

🏠 **Trois Lys** ⑤, 38 r. Gambetta ℘ 05 62 28 33 33, hoteltroislys@wanadoo
Fax 05 62 28 41 85, 🌤, « Hôtel particulier du 18ᵉ siècle », ⤢ – 🗐 📺 ⚓ 🅿 GB Y
Repas (fermé dim. midi et lundi midi) 15/25 ♀ – � 9 – **10 ch** 95/115 – ½ P 70/77,50

🏠 **Logis des Cordeliers** ⑤ sans rest, r. de la Paix ℘ 05 62 28 03 68, reception@logise
cordeliers.com, Fax 05 62 68 29 03, ⤢ – 📺 🅿 GB Z
fermé 3 janv. au 5 fév. – � 5,80 – **21 ch** 41,20/64

468

CONDOM

itaine (Av. d') . . . . Y 2
uriers (R. des) . . . . Y 5
et (Pont) . . . . Y 7
namy (R.) . . . . YZ 8
on (R. et Quai) . . . . Z 12
mes (Pont des) . . . . Z 14
Cazaubon (R. H.) . . . . Z 16
Charron (R.) . . . . Y 19
Cordeliers (R. des) . . . . Z 21
Foch (R. Mar.) . . . . Y 22
Gaichies (R.) . . . . Y 24
Gambetta (R. L.) . . . . Y 26
Jaurès (R. J.) . . . . Z 28
Lannelongue (Pl.) . . . . Y 31
Lion-d'Or (Pl. du) . . . . Y 35
Monnaie (R. de la) . . . . YZ 38
Paix (R. de la) . . . . Z 40
Roquepine (R. de) . . . . Z 44
Roques (R.) . . . . Y 47
Saint-Exupéry (R.) . . . . Z 50
St-Pierre (Pl.) . . . . Y 53

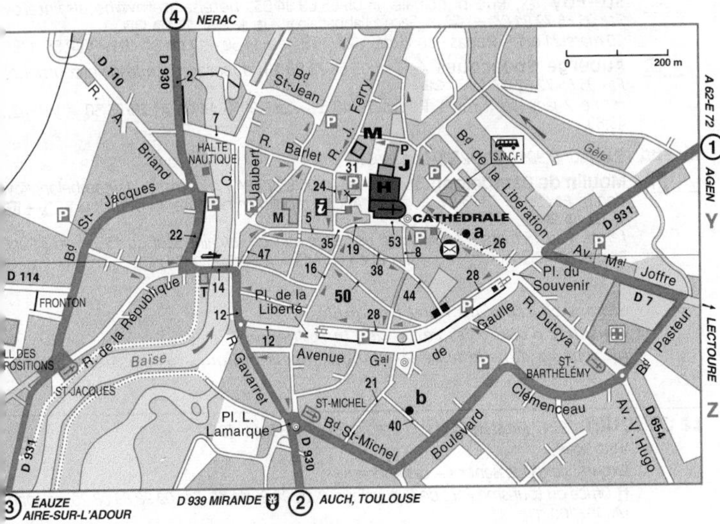

ONDRIEU *69420 Rhône* 74 ⑪ *G. Vallée du Rhône – 3 424 h alt. 150.*

Voir *Calvaire* ≤★.

Office du tourisme Place du Séquoïa ✆ 04 74 56 62 83, Fax 04 74 56 62 83.

Paris 502 – Lyon 42 – Annonay 34 – Rive-de-Gier 20 – Tournon-sur-Rhône 55 – Vienne 12.

Hôtellerie Beau Rivage (Donet), ✆ 04 74 56 82 82, *infos@hotel-beaurivage.com, Fax 04 74 59 59 36*, ≤, « Agréable terrasse avec vue sur le Rhône », rest, GB JCB

Repas 33/69 et carte 60 à 75 – 13 – **25 ch** 104/130

Spéc. Quenelle de brochet au salpicon de homard. Fleur de courgette farcie, beurre d'estragon (15 mai au 15 oct.). Côte de boeuf casserole aux échalotes confites **Vins** Condrieu, Côte Rôtie.

Reclusière Ⓜ avec ch, 14 rte Nationale ✆ 04 74 56 67 27, *Fax 04 74 56 80 05* – GB

fermé 18 fév. au 11 mars – **Repas** *(fermé merc. midi et mardi)* 25/54 – 10 – **8 ch** 50/75

ONFLANS-STE-HONORINE *78 Yvelines* 55 ⑳, 101 ③ – *voir à Paris, Environs.*

ONLEAU *56 Morbihan* 63 ③ – *rattaché à Vannes.*

ONNAUX *30 Gard* 80 ⑲ ⑳ – *rattaché à Bagnols-sur-Cèze.*

ONNELLES *27430 Eure* 55 ⑦ – *188 h alt. 15.*

Paris 110 – Rouen 32 – Les Andelys 13 – Évreux 33 – Vernon-sur-Eure 40.

Moulin de Connelles , D 19 ✆ 02 32 59 53 33, *moulindeconnelles@moulindeconnelles.com, Fax 02 32 59 21 83*, ≤, « Belle demeure normande, parc aménagé sur une île de la Seine », – – 30. GB JCB

fermé janv., dim. soir, mardi midi et lundi d'oct. à avril, mardi midi, merc. midi et jeudi midi de mai à sept. – **Repas** 30/50 – 12 – **7 ch** 84/145, 6 appart – ½ P 89,50/112,50

CONQUES 12320 Aveyron 80 ① ② G. Midi Pyrénées – 302 h alt. 350.

Voir Site★★ - Village★ – Abbatiale Ste-Foy★★ : tympan du portail occidental★★★ et tréso.
Conques★★★ – Le Cendié◆ O : 2 km par D 232 – Site du Bancarel★ S : 3 km par D 901.
🛈 Office du tourisme Place de l'Abbatiale ℘ 05 65 72 85 00, Fax 05 65 72 87 03, conq
@conques.com.
Paris 607 – Rodez 37 – Aurillac 54 – Espalion 42 – Figeac 43.

🏨 **Ste-Foy** ⚘, Rue principale ℘ 05 65 69 84 03, hotelsaintefoy@hotelsaintefoy
Fax 05 65 72 81 04, ≤, 帘, « Face à l'abbatiale » – 📳 🖧 ⇔, AE ① GB
29 mars-21 oct. – **Repas** (15) - 19 (déj.), 27/45 ⚑ – ⚏ 11,50 – **17 ch** 84/181 – ½ P 85/125

🏨 **Auberge St-Jacques** ⚘, ℘ 05 65 72 86 36, aubergestjacques@netcourrier.cc
Fax 05 65 72 82 47, 帘 – GB
fermé 2 janv. au 2 fév. – **Repas** 22/40 ⚑ – ⚏ 6,90 – **13 ch** 41,20/53,30 – ½ P 42,
45,80

au Sud : 3 km sur D 901 – ⌧ 12320 Conques :

XX **Moulin de Cambelong** ⚘ avec ch, ℘ 05 65 72 84 77, domaine-de-combelong@w.
doo.fr, Fax 05 65 72 83 91, ≤, 帘, « Ancien moulin en bordure du Dourdou », ⵛ – 📺
📵 AE ① GB
fermé 4 au 15 mars, 12 nov. au 20 déc. et le midi en semaine sauf du 15 juil. au 31 août
Repas 30/40 ⚑, enf. 14 – ⚏ 11 – **10 ch** 84/145 – ½ P 85,50/113

Si vous cherchez un hôtel tranquille,
consultez d'abord les cartes de l'introduction
ou repérez dans le texte les établissements indiqués avec le signe ⚘.

Le CONQUET 29217 Finistère 58 ③ G. Bretagne – 2 408 h alt. 30.

Voir Site★.

Excurs. Île d'Ouessant★★ – Les Abers★★.
🛈 Office du tourisme Parc de Beauséjour ℘ 02 98 89 11 31, Fax 02 98 89 08 20, ot.conqu
@wanadoo.fr.
Paris 617 – Brest 24 – Brignogan-Plages 57 – St-Pol-de-Léon 83.

🏨 **Pointe Ste-Barbe** ⚘, ℘ 02 98 89 00 26, Fax 02 98 89 14 81, ≤ mer et les îles – 📳 📺
🖧 📵 – 🛎 40. AE ① GB. ⅏ rest
fermé mi-nov. à mi-déc. – **Repas** (fermé lundi du 15 sept. au 30 juin) 16,40/75 ⚑ – ⚏ 6,20
49 ch 31,75/104,50 – ½ P 51,60/87,85

à la Pointe de St-Mathieu Sud : 4 km – ⌧ 29217 Plougonvelin :

Voir Phare ⚙★★ – Ruines de l'église abbatiale★.

🏨 **Hostellerie de la Pointe St-Mathieu** 🅼 ⚘, ℘ 02 98 89 00 19, hotel.saintmathie
wanadoo.fr, Fax 02 98 89 15 68, ≤, 🖵 – 📳 📺 📞 🖧 – 🛎 25. AE GB. ⅏ rest
fermé fév. – **Repas** (fermé dim. soir sauf juil.-août) 15/64 – ⚏ 8 – **23 ch** 49/121
½ P 55/88

Les CONTAMINES-MONTJOIE 74170 H.-Savoie 74 ⑧ G. Alpes du Nord – 1 129 h alt. 1164
Sports d'hiver : 1 165/2 500 m ⅍ 4 ⚶ 22 ⚶.

Voir Le Signal★ (par télécabine).
🛈 Office du tourisme ℘ 04 50 47 01 58, Fax 04 50 47 09 54, Les.Contamines@wanadoo.f.
Paris 608 – Chamonix-Mont-Blanc 33 – Annecy 89 – Bonneville 50 – Megève 20.

🏨 **Chemenaz**, près de la télécabine du Lay ℘ 04 50 47 02 44, info@chemenaz.co.
Fax 04 50 47 12 73, 帘, ⅃♨, ⵛ, 🖾 – 📳 📺 📵. ① GB
hôtel : 8 juin-14 sept. et 21 déc.-12 avril – **Trabla** (1er juil.-31 août et 21 déc.-12 avril) **Rep**
16/30,50bc, enf. 9 – ⚏ 8 – **40 ch** 90/113 – ½ P 74/79

🏨 **Gai Soleil** ⚘, ℘ 04 50 47 02 94, gaisoleil2@wanadoo.fr, Fax 04 50 47 18 43, ≤, 🖾 –
GB. ⅏ rest
15 juin-15 sept. et 20 déc.-20 avril – **Repas** 16/24 ⚑ – ⚏ 7 – **19 ch** 48/67 – ½ P 53/58

🏨 **Grizzli** 🅼 sans rest, 148 rte Notre-Dame de la Gorge ℘ 04 50 91 56 55, grizzlihotel@griz
.com, Fax 04 50 91 57 00, ≤ – 📺. AE GB
fermé 15 au 30 nov. – ⚏ 5,79 – **16 ch** 53,36/59,46

🏨 **Christiania**, ℘ 04 50 47 02 72, hotelchristiana.@wanadoo.fr, Fax 04 50 47 06 90, ≤, 帘
🖾, ⅃, 🖾 – 📺 📵 AE ① GB
20 juin-10 sept. et 20 déc.-15 avril – **Repas** snack (dîner seul.) 17/30 ⚑ – ⚏ 6 – **14 ch** 32/70
½ P 53/56

CONTAMINE-SUR-ARVE 74130 H.-Savoie 74 ⑦ – 1 343 h alt. 450.
Paris 550 – Annecy 44 – Thonon-les-Bains 37 – Chamonix-Mont-Blanc 63 – Genève 20.

※ **Tourne Bride** avec ch., ℘ 04 50 03 62 18, Fax 04 50 03 91 99 – 🺚. 🅶🅱
⍟ *fermé 22 juil. au 12 août, 2 au 15 janv., dim. soir et lundi* – Repas 11,50 (déj.), 19/35 ♀ –
☲ 5,30 – **8 ch** 35/41 – ½ P 36,50

CONTEVILLE 27210 Eure 55 ④ – 726 h alt. 33.
Paris 182 – Le Havre 31 – Évreux 103 – Honfleur 14 – Pont-Audemer 13 – Pont-l'Évêque 29.

※※※ **Auberge du Vieux Logis** (Louet), ℘ 02 32 57 60 16, Fax 02 32 57 45 84, 🏠 – 🆎 ⓪
⍟ 🅶🅱 🅹🅲🅱
fermé 11 au 22 nov. et 18 fév. au 1er mars – Repas *(fermé lundi sauf le soir en août, mardi midi en août, mardi d'oct. à avril et dim. soir de sept. à juil.)* 30/50 et carte 50 à 70 ♀
Spéc. Foie gras poêlé sur lit de pommes, sauce au cidre. Tronçon de turbot et filets de sole "façon normande". Feuilleté aux pommes caramélisées

---

CONTIS-PLAGE 40 Landes 78 ⑮ – ⊠ 40170 St-Julien-en-Born.
Paris 714 – Mont-de-Marsan 75 – Bayonne 88 – Castets 32 – Mimizan 24.

🏠 **Neptune,** ℘ 05 58 42 85 28, hotel.leneptune@wanadoo.fr, Fax 05 58 42 44 47, 🏠 – 🅿.
🆎 ⓪ 🅶🅱
fermé 25 oct. au 15 déc. et 5 janv. au 28 fév. – Repas brasserie (dîner seul.) carte environ
20 ♀ – ☲ 6 – **16 ch** 37/61

In this Guide,
*a symbol or a character, printed in **black** or another colour*
*in light or **bold** type,*
does not have the same meaning.
Please read the explanatory pages carefully.

CONTRES 41700 L.-et-Ch. 64 ⑰ – 3 268 h alt. 98.
Paris 203 – Tours 66 – Blois 22 – Châteauroux 79 – Montrichard 23.

🏠🏠 **France,** ℘ 02 54 79 50 14, metivier@mond.net, Fax 02 54 79 02 95, 🏠, 🝔, ℐ, ※ – ⅍–
▤ rest, 📺 ❤ ₺ ⇔ 🅿 – 🏄 30. 🅶🅱, ※ ch
fermé dim. soir et lundi de Toussaint à Pâques – Repas *(fermé 7 janv. au 7 mars)* 16/40 ♀ –
☲ – **30 ch** 57/90, (en été : ½ pens. seul.) – ½ P 59/71

※※ **Botte d'Asperges,** ℘ 02 54 79 50 49, Fax 02 54 79 08 74 – 🅶🅱
fermé 24 déc. au 27 déc. et lundi sauf fériés – Repas (11) - 14 (déj.), 21/27 ♀, enf. 7,62

CONTREVOZ 01 Ain 74 ⑭ – rattaché à Belley.

CONTREXÉVILLE 88140 Vosges 62 ⑭ G. Alsace Lorraine – 3 708 h alt. 342 – Stat. therm. (fin mars-mi oct.) – Casino Y.
🄱 Office du tourisme 105 rue du Shah de Perse ℘ 03 29 08 08 68, Fax 03 29 08 25 40, CONTREX.TOURISME@wanadoo.fr.
Paris 337 ③ – Épinal 48 ① – Langres 68 ② – Nancy 85 ① – Neufchâteau 28 ③.

Plan page suivante

🏠🏠🏠 **Cosmos,** r. Metz ℘ 03 29 07 61 61, Fax 03 29 08 68 67, 🏠, 🝔, ℐ, 🌿 – ⅍ ⅍ 📺 ❤ 🅿 –
🏄 15 à 40. 🆎 ⓪ 🅶🅱, ※ rest   Y u
28 avril-13 oct. – Repas 33,50 – ☲ 7,70 – **75 ch** 73,95/80,95, 6 appart – ½ P 78,15

🏠🏠 **Souveraine** sans rest, Parc Thermal ℘ 03 29 08 09 59 – 📺 ❤ 🅿. 🆎 ⓪ 🅶🅱
☲ 6,80 – **31 ch** 52,80/60   Y e

🏠 **Villa Beauséjour,** 204 r. Ziwer-Pacha ℘ 03 29 08 04 89, villa.beausejour@wanadoo.fr,
Fax 03 29 08 62 28 – 📺. 🅶🅱, ※ rest   Z v
24 mars-13 oct. – Repas 19,50/38,50 ♀, enf. 8 – ☲ 6 – **30 ch** 40/48

🏠 **France,** 58 av. Roi Stanislas ℘ 03 29 05 05 05, hfrance-@infonie.fr, Fax 03 29 08 69 96 –
🅿. 🅿. 🆎 🅶🅱   Z z
fermé 15 déc. au 20 janv. et dim. soir du 20 janv. au 1er mars – Repas 13,50/25 ♀ – ☲ 6 –
31 ch 40/53 – ½ P 45,75

CONTREXÉVILLE

Daudet (R.) .... Y 2
Hazau (Av. du Bois d') .... Y 5
Hirschauer (R. du Gén.) .... Y 6
Moulin (R. Jean) .... Z 9
Shah-de-Perse (R. du) .... Y 10
Stanislas (R. du Roi) .... Z 12
Thomson (R. Gaston) .... Z 13
Victoire (R. de la) .... Y 15
Wladimir (R. Grande-Duchesse) .... Z 16
Ziwer-Pacha (R.) .... Z 18
11-Septembre (R. du) .... Y 19

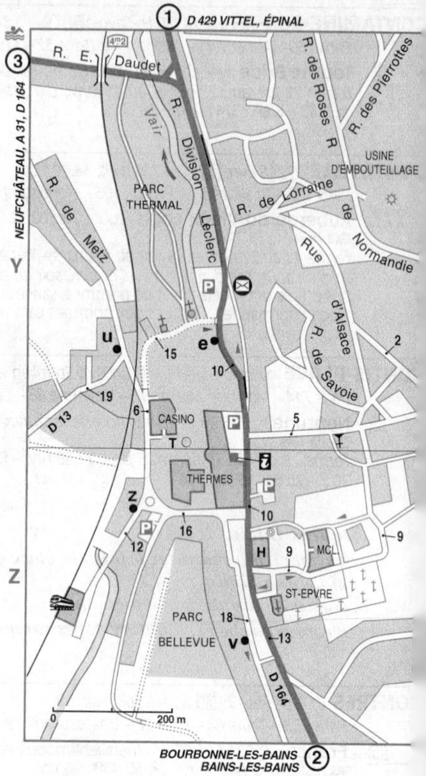

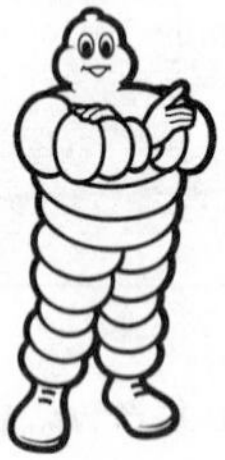

Pas de publicité payée dans ce guide.

COQUELLES *62 P.-de-C.* **51** ② – *rattaché à Calais.*

La COQUILLE *24450 Dordogne* **72** ⑯ – *1 489 h alt. 337.*

Syndicat d'initiative - Mairie ☎ 05 53 52 80 56, Fax 05 53 52 80 46.
Paris 434 – Limoges 45 – Brive-la-Gaillarde 86 – Périgueux 49.

XX **Voyageurs** avec ch, N 21 ☎ 05 53 52 80 13, *lesvoyageurs.lacoquille@wanadoo.f*
Fax 05 53 62 18 29, – TV P. GB
fermé fév., dim. soir et lundi hors saison – **Repas** 12 (déj.), 17/33 ♀, enf. 9 – ☐ 6,40 – **9 c**
42/48,80 – 1/2 P 46

CORBEIL-ESSONNES *91 Essonne* **61** ①, **101** ㊲ – *voir à Paris, Environs.*

CORBIGNY *58800 Nièvre* **65** ⑮ *G. Bourgogne – 1 709 h alt. 203.*

Office du tourisme 8 rue de l'Abbaye ☎ 03 86 20 02 53, Fax 03 86 20 07 5
otsicorbigny@infonie.fr.
Paris 236 – Autun 77 – Avallon 39 – Clamecy 28 – Nevers 59.

Europe, 7 Grande Rue ☎ 03 86 20 09 87, *Fax 03 86 20 06 40,* – TV – 20.
Cépage *(fermé 15 fév. au 15 mars, dim. soir, merc. soir et jeudi sauf juil.-août)* **Rep.**
18,50/33,80 ♀, enf. 9,85 – ***Bistrot*** *(fermé 15 fév. au 15 mars, dim. soir, merc. soir et jeu*
sauf juil.-août) **Repas** 9,80/15,65 ♀, enf. 8,20 – ☐ 6,15 – **18 ch** 42/60 – 1/2 P 32,80/82

Buissonnière, pl. St-Jean ☎ 03 86 20 02 13, *Fax 03 86 20 13 85,* – TV AE
GB
Marode ☎ *03 86 20 13 55 (fermé fév., dim. soir et lundi)* **Repas** 13,72/35,10 ♀ – ☐ 5,50
23 ch 40,50/48,02 – 1/2 P 37,35

CORDES-SUR-CIEL 81170 Tarn 79 ⑳ G. Midi-Pyrénées – 996 h alt. 279.

Voir Site★★ – La Ville haute★★ : maisons gothiques★★ – musée d'Art et d'Histoire Charles-Portal★ – Musée de l'Outil et des Métiers anciens★ à Vindrac-Alayrac O : 5 km.

🚊 OMT Maison Fonpeyrouse ℘ 05 63 56 00 52, Fax 05 63 56 19 52, officedutourisme.cordes@wanadoo.fr.

Paris 668 – Toulouse 82 – Albi 25 – Rodez 80 – Villefranche-de-Rouergue 46.

🏨 **Grand Écuyer** (Thuriès) 🛏, ℘ 05 63 53 79 50, grand.ecuyer@thuries.fr,
Fax 05 63 53 79 51, ≤ vallée, « Demeure gothique, bel intérieur » – 🍽 rest, 📺. 🅰🅴 ⓐ 🆖. ❀ rest
Pâques-nov. – **Repas** (fermé le midi en semaine et lundi sauf août) 26/72 et carte 65 à 85 ♀
– ☷ 11 – **13 ch** 91,50/129,60 – ½ P 104
Spéc. Duo de foie gras de canard. Pigeonneau confit à l'huile d'olive au romarin. Gratin de fraises des bois **Vins** Gaillac.

🏨 **Hostellerie du Vieux Cordes** 🛏, ℘ 05 63 53 79 20, vieux.cordes@thuries.fr,
≤, �́ – 📺 ❤ – ▲ 50. 🅰🅴 ⓐ 🆖
fermé janv. – **Repas** (fermé dim. soir et lundi du 1er nov. à Pâques) 13,42/32,01 – ☷ 6,10 –
21 ch 42,69/59,46 – ½ P 49,95

🏨 **Annexe La Cité** 🏠 sans rest, ℘ 05 63 56 03 53, vieux.cordes@thuries.fr,
Fax 05 63 56 02 47, ≤ – 📺 ❤. 🅰🅴 ⓐ 🆖
Pâques-mi-oct. – ☷ 5,35 – **8 ch** 42,70/45

CORDON 74700 H.-Savoie 74 ⑧ G. Alpes du Nord – 881 h alt. 871 – **Voir** Site★.
🚊 Office du tourisme la Frasse ℘ 04 50 58 01 57, Fax 04 50 91 25 36, ot.cordon@wanadoo.fr.
Paris 591 – Chamonix-Mont-Blanc 31 – Annecy 73 – Bonneville 34 – Megève 10.

🏨 **Les Roches Fleuries** 🛏, ℘ 04 50 58 06 71, info@rochesfleuries.com,
Fax 04 50 47 82 30, ≤ chaîne Mont-Blanc, �́, « Chalet fleuri », ⅃ʂ, ⅃, 🌳 – 📺 ❤ 🅿 –
▲ 30. 🅰🅴 ⓐ 🆖 🆓. ❀ rest
10 mai-25 sept. et mi déc.-mi-avril – **Repas** (fermé lundi midi et mardi midi sauf vacances scolaires) 27 (déj.), 35/60 ♀ - **Boîte à Fromages** (dîner seul.)(prévenir) (juin-sept., 15 déc.-fin mars et fermé lundi sauf vacances scolaires) **Repas** 30 bc – ☷ 13 – **21 ch** 107/183, 4 appart
– ½ P 103/135

🏨 **Chamois d'Or** 🛏, ℘ 04 50 58 05 16, hotel@hotel-chamoisdor.com, Fax 04 50 93 72 96,
≤ chaîne Mont-Blanc, �́, « Chalet fleuri », ⅃ʂ, ⅃, 🌳, ❊ – 🛎 📺 ❤ 🅿. 🅰🅴 🆖 🆓
1er juin-mi-sept. et 21 déc.-début avril – **Repas** (fermé jeudi midi) 22/44 ♀ – ☷ 11,50 – **28 ch**
75/130 – ½ P 92/104

🏨 **Cordonant** 🛏, ℘ 04 50 58 34 56, Fax 04 50 47 95 57, ≤ chaîne Mont-Blanc, �́, ⅃ʂ – 📺
🅿. 🆖. ❀ rest
18 mai-20 sept. et 20 déc.-15 avril – **Repas** 20/27,50 – ☷ 6,80 – **16 ch** 55/68 – ½ P 61/68

🏨 **Les Rhodos** 🛏, ℘ 04 50 58 13 54, mail@hotelrhodos.com, Fax 04 50 58 57 23, ≤ chaîne
Mont-Blanc – 📺 🅿. 🆖
fermé 1er oct. au 15 déc. – **Repas** 13,72 � – ☷ 5,64 – **23 ch** 44,21/56,40 – ½ P 38,87/42,69

🏨 **Planet** 🛏, ℘ 04 50 58 04 91, Fax 04 50 91 38 07, ≤ chaîne Mont-Blanc, �́ – 🅿. 🆖
1er juin-15 sept. et 22 déc.-15 avril – **Repas** 14,94/23,63 ♀, enf. 9,91 – ☷ 6,10 – **28 ch** 50,31 –
½ P 44,21/47,26

CORMATIN 71460 S.-et-L. 70 ⑪ G. Bourgogne – 452 h alt. 212 – **Voir** Château★★.
Paris 372 – Chalon-sur-Saône 36 – Mâcon 36 – Montceau-les-Mines 41.

🏨 **Blés d'Or**, ℘ 03 85 50 10 94, lesblesdor@wanadoo.fr, Fax 03 85 50 13 23, �́ – 📺 ❤ ⅃
Repas 14/22 ♀ – ☷ 7,50 – **15 ch** 46/110 – ½ P 49,75

CORMEILLES-EN-VEXIN 95 Val-d'Oise 55 ⑲, 106 ⑤ – voir à Paris, Environs (Cergy-Pontoise Ville Nouvelle).

CORMERY 37320 I.-et-L. 64 ⑮ G. Châteaux de la Loire – 1 542 h alt. 59.
🚊 Office du tourisme 13 rue Nationale ℘ 02 47 43 30 84, Fax 02 47 43 18 173.
Paris 254 – Tours 20 – Blois 64 – Château-Renault 49 – Loches 22 – Montrichard 33.

🍽🍽 **Auberge du Mail**, pl. Mail ℘ 02 47 43 40 32, Fax 02 47 43 08 72, �́ – 🅰🅴 🆖
fermé 2 au 5/4, 1 au 7/7, 21/12 au 5/1, vend. sauf le soir en juil.-août, jeudi soir de sept. à juin et sam. midi – **Repas** 16/45 ♀, enf. 9,15

🍽 **Auberge des 2 Cèdres**, av. Gare ℘ 02 47 43 03 09, �́ – 🆖
fermé 1er au 16 juil., vacances de fév., dim. soir et lundi – **Repas** 9,91 (déj.), 13,72/23,63 �

CORNAS 07 Ardèche 76 ⑳ – rattaché à St-Péray.

CORNILLON 30630 Gard **80** ⑨ G. Provence – 689 h alt. 168.

Paris 671 – Alès 46 – Avignon 50 – Bagnols-sur-Cèze 17 – Pont-St-Esprit 25.

XX **Vieille Fontaine** ⤴ avec ch., ℰ 04 66 82 20 56, Fax 04 66 82 33 64, ⋜ vallée de la Cèze, 命, « Piscine et jardin en terrasses dominant la vallée », ☒, 屛 – ☒. 歴 ⑨ ㊣
mars-déc. et fermé dim. soir et merc. hors saison – **Repas** 35/55 – ☲ 10 – **8 ch** 100/145

CORPS 38970 Isère **77** ⑮ ⑯ G. Alpes du Sud – 453 h alt. 939.

Voir *Barrage★★ et pont★ du Sautet O : 4 km.*

🚩 *Syndicat d'initiative Rue des Fossés ℰ 04 76 30 03 85, Fax 04 76 30 03 85.*

Paris 633 – Gap 40 – Grenoble 69 – La Mure 25.

🏠 **Tilleul,** ℰ 04 76 30 00 43, Fax 04 76 30 06 12, 命 – ✦ ☒ ✆. ☞. 歴 ⑨ ㊣ ㊗
fermé 26 oct. au 16 déc. – **Repas** 11,50/28 ᵧ – ☲ 5,50 – **17 ch** 35,50/50,50 – ½ P 38,50

🏠 **Napoléon** sans rest., ℰ 04 76 30 00 42, hotelnapoleon@wanadoo.fr, Fax 04 76 30 06 83 - ✦. ㊣
1ᵉʳ mai-15 oct. et 8 fév.-10 mars – ☲ 6 – **22 ch** 33,50/49,50

XX **Poste** avec ch, ℰ 04 76 30 00 03, delas-hotel-restaurant@wanadoo.fr, Fax 04 76 30 02 73, 命, « Maison fleurie » – ☒ ✆. ☞. 歴 ㊣
fermé 2 janv. au 15 fév. – **Repas** 19,50/39 ᵧ, enf. 11 – ☲ 7 – **18 ch** 38/69 – ½ P 41/61

CORRENÇON-EN-VERCORS 38 Isère **77** ④ – rattaché à Villard-de-Lans.

CORRENS 83570 Var **84** ⑤ – 661 h alt. 190.

🚩 *Syndicat d'initiative - Mairie ℰ 04 94 37 21 95, Fax 04 94 59 54 94, mairie-correns@war doo.fr.*

Paris 827 – Aix-en-Provence 71 – Draguignan 573 – Toulon 63.

X **Auberge du Parc** avec ch, ℰ 04 94 59 53 52, aubergeduparc@wanadoo.f Fax 04 94 59 53 54, 命, 屛 – ☒ ✆. 歴 ㊣
Repas *(fermé dim. soir, jeudi midi, lundi, mardi et merc. de nov. à mars)* 32,01, enf. 7,62
☲ 10,67 – **6 ch** 99,09/175,32

CORRÈZE 19800 Corrèze **75** ⑨ G. Berry Limousin – 1 152 h alt. 455.

🚩 *Office du tourisme Place de la Mairie ℰ 05 55 21 32 82, Fax 05 55 21 63 56, CORREZ VILLAGE@wanadoo.fr.*

Paris 486 – Brive-la-Gaillarde 46 – Aubusson 97 – Tulle 18 – Uzerche 35.

🏰 **Seniorie de Corrèze** ⤴, ℰ 05 55 21 22 88, hotelseniorie@wanadoo.f Fax 05 55 21 24 00, ⋜, 命, ☒, 屛, ✖ – 🛗 ☒ ✆ ☞ – ⚑ 30. 歴 ⑨ ㊣. ✖
fermé 20 au 27 déc., fév., sam. (sauf rest.), dim. et lundi de nov. à mars – **Repas** 16,50/24,5
– ☲ 7,50 – **29 ch** 81,50/91,50 – ½ P 61

Les hôtels ou restaurants agréables
sont indiqués dans le guide par un symbole rouge.
Aidez-nous en nous signalant les maisons où,
par expérience, vous savez qu'il fait bon vivre.
Votre **Guide Rouge Michelin** sera encore meilleur.

🏰🏰🏰 ... 🎐

XXXXX ... X

CORSE

⑨⓪ *G. Corse - 249 729 h.*

RENSEIGNEMENTS PRATIQUES

TRANSPORTS MARITIMES

Depuis la France continentale les relations avec la Corse s'effectuent à partir de Marseille, Nice et Toulon

au départ de Marseille : SNCM - 61 bd des Dames (2ᵉ) ℘ 04 91 56 30 30, Fax 04 91 56 95 86. CMN - 4 quai d'Arenc (2ᵉ) ℘ 04 91 99 45 00, Fax 04 91 99 45 99.

au départ de Nice : SNCM - Ferryterranée quai du Commerce ℘ 04 93 13 66 99, Fax 04 93 13 66 81. CORSICA FERRIES - 2 quai Papacino ℘ 04 93 55 55 55, Fax 04 92 00 52 52.

au départ de Toulon : SNCM/CMT - 49 av. Infanterie de Marine (1ᵉʳ avr.-30 sept.) ℘ 04 94 16 66 66, Fax 04 94 16 66 68.

AÉROPORTS

La Corse dispose de quatre aéroports assurant des relations avec le continent, l'Italie et une partie de l'Europe :

Ajaccio ℘ 04 95 23 56 56, Calvi ℘ 04 95 65 88 88, Bastia ℘ 04 95 54 54 54 , et Figari-Sud-Corse ℘ 04 95 71 10 10 (Bonifacio et Porto-Vecchio).

Voir aussi au texte de ces localités.

Ajaccio ℙ *2A Corse-du-Sud* 90 ⑰ *G. Corse* – 52 880 h – Casino Z – ⊠ 20000 .

Voir Vieille Ville★ - Musée Fesch★★ : peintures italiennes★★★ – Maison Bonaparte★ – M.
Napoléonien★ (1er étage de l'hôtel de ville) – Jetée de la Citadelle ⩽★ – Place Gén.
Gaulle ou Place du Diamant⩽★ .

Env. Golfe d'Ajaccio★★ – Les Milelli★ 5 km au NO par ①.

Excurs. aux Iles Sanguinaires★★.

✈ d'Ajaccio-Campo dell'Oro : ℘ 04 95 23 56 56, par ① : 7 km.

🛈 OMT Boulevard du Roi Jérôme ℘ 04 95 51 53 03, Fax 04 95 51 53 01, ajaccio.touri
@wanadoo.fr.

Bastia 150 ① – Bonifacio 132 ① – Calvi 168 ① – Corte 80 ① – L'Ile-Rousse 144 ①.

Plan page ci-contre

🏦 **Fesch** sans rest, 7 r. Cardinal Fesch ℘ 04 95 51 62 62, Fax 04 95 21 83 36 – 🛗 🗏 📺. 🖭
GB JCB
Z
fermé 15 déc. au 15 janv. – ⊇ 6,50 – **77 ch** 62/74

🏦 **Napoléon** sans rest, 4 r. Lorenzo Vero ℘ 04 95 51 54 00, info@hotel-napoleon-aja
com, Fax 04 95 21 80 40 – 🛗 🗏 📺 ✆ ⟵. 🖭 ⓪ GB
Z
⊇ 7 – **62 ch** 76/86

🏦 **San Carlu** sans rest, 8 bd Casanova ℘ 04 95 21 13 84, Fax 04 95 21 09 99 – 🛗 📺 ✆. 🖭
GB JCB. ⁓
Z
fermé 20 déc. au 31 janv. – ⊇ 7 – **40 ch** 71/99

🏦 **Costa** ⁓ sans rest, 2 r. Colomba ℘ 04 95 21 43 02, Fax 04 95 21 59 82 – 🛗 📺 ✆ ⟵
⓪ GB JCB. ⁓
Y
⊇ 6 – **50 ch** 57/85

🏛 **Impérial**, 6 bd Albert 1er ℘ 04 95 21 50 62, Fax 04 95 21 15 20, �, 🐦, 🕳 – 🛗 🗏 📺
⓪ GB. ⁓ rest
Y
mars-nov. – **Repas** 19,82, enf. 7,62 – ⊇ 6,10 – **44 ch** 57,93/88,42 – ½ P 53,67/57,93

🏯 **Marengo** ⁓ sans rest, 2 r. Marengo ℘ 04 95 21 43 66, Fax 04 95 21 51 26 – 🗏 📺.
⁓
Y
20 mars-10 nov. – ⊇ 5,35 – **16 ch** 55,64

🍴 **Grand Café Napoléon**, 10 cours Napoléon ℘ 04 95 21 42 54, cafe.napoleon@wana
.fr, Fax 04 95 21 53 32 – GB
Z
fermé sam. soir, dim. et fériés – **Repas** 14,48 (déj.), 27,44/33,54 ⅄

🍴 **A La Funtana**, 9 r. Notre Dame ℘ 04 95 21 78 04, Fax 04 95 51 40 56 – 🗏. 🖭 ⓪
JCB
Z
fermé lundi midi et dim. – **Repas** (13) - 23/46 ⅄

🍴 **Floride**, au port Charles Ornano ℘ 04 95 22 67 48, Fax 04 95 22 67 48, ⩽, � – 🗏. 🖭
GB
Y
fermé 15 au 30 sept., dim. midi en saison, sam. midi et dim. soir – **Repas** · produits de
mer - 32/51,10 **Bistrot** (rez-de-chaussée)(dîner seul.) *(ouvert 15 juin-15 sept.)* Re
carte 25 à 35

🍴 **L'Estaminet**, 7 r. Roi de Rome ℘ 04 95 50 10 42, � – 🗏. GB
Z
fermé sam. midi et dim. – **Repas** carte 27 à 53

🍴 **Le 20123**, 2 r. Roi de Rome ℘ 04 95 21 50 05, Fax 04 95 24 22 24, �, « Évocation d
village corse » – 🗏
fermé 15 janv. au 15 fév., mardi du 15 juin au 15 sept. et lundi – **Repas** (prévenir) 26

🍴 **U Pampasgiolu**, 15 r. Porta ℘ 04 95 50 71 52, � – 🗏. GB
Z
fermé fév., dim. sauf le soir d'avril à oct. et sam. midi – **Repas** 16,78 ⅄

🍴 **Bec Fin**, 3 bis bd Roi Jérôme ℘ 04 95 21 30 52, Fax 04 95 21 30 52 – 🗏. 🖭 GB
fermé 22 déc. au 22 janv., lundi soir d'oct. au 15 juin et dim. – **Repas** 12,10 (déj.)/20,58
enf. 7,62

🍴 **Piano**, 13 bd Roi Jérôme ℘ 04 95 51 23 81, Fax 04 95 20 95 98, � – 🗏. GB
Z
fermé 15 nov. au 15 déc. et dim. – **Repas** 10,67/25,92 ⅄

🍴 **France**, 59 r. Cardinal Fesch ℘ 04 95 21 11 00, � – 🖭 ⓪ GB
Z
fermé nov. et dim. – **Repas** 15/19 ⅄

à Afa *par* ① : 15 km par rte de Bastia et D 161 – 2 055 h. alt. 150 – ⊠ 20167 Mezzavia :

🍴 **Auberge d'Afa**, ℘ 04 95 22 92 27, Fax 04 95 22 92 27, � – 🅿. 🖭 ⓪ GB
fermé 1er au 15 nov., 15 au 28 fév. et lundi – **Repas** (nombre de couverts limité, préve
15,25 (déj.), 24,40/30,50

Plaine de Cuttoli *par* ① : 15 km par rte de Bastia, rte de Cuttoli (D 1) puis rte de Bastelicacci
⊠ 20167 Mezzavia :

🍴 **U Licettu**, ℘ 04 95 25 61 57, Fax 04 95 53 71 00, ⩽, �, « Jardin fleuri », 🐦 –
GB
fermé janv. et lundi – **Repas** (prévenir)(menu unique) 33,54 bc

🍴 **A Casetta**, ℘ 04 95 25 66 59, acasetta@infonie.fr, Fax 04 95 25 87 67, � – 🅿. 🖭 ⓪ G
fermé dim. soir hors saison et lundi – **Repas** 32,78/42,69 ⅄

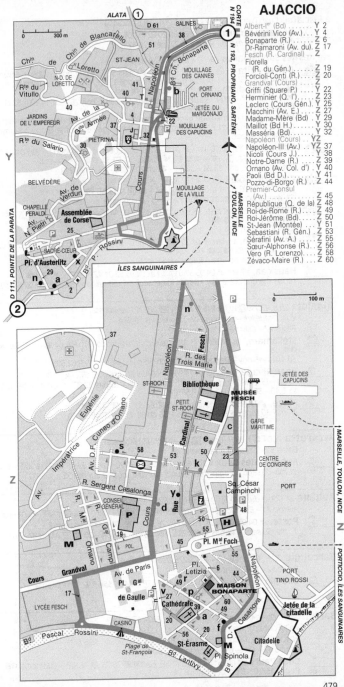

AJACCIO

à Pisciatello par ① et N 196 : 12 km – ⊠ 20129 Bastelicaccia :

X **Auberge du Prunelli**, ℘ 04 95 20 02 75, 斎 – ⒼⒷ
fermé avril et mardi – **Repas** 16,77 (déj.)/26,52 bc ♈

rte des îles Sanguinaires par ② – ⊠ 20000 Ajaccio :

🏨 **Dolce Vita** ⌂, à 9 km ℘ 04 95 52 42 42, hotel.dolcevita@wanadoo.f
❀ *Fax 04 95 52 07 15,* ≼ îles Sanguinaires et le golfe, 斎, « Terrasse en bord de mer », 🖛
🐾, 雺 – 🗏 ch, 🅣🅥 🅿. – 🛁 35. ⒶⒺ ⓸ ⒼⒷ. 🛠 rest
1ᵉʳ avril-31 oct. – **Mer : Repas** 37/51 et carte 55 à 88 ♈, enf. 26 – ♋ 14,50 – **32 ch** 93/209
(½ Pens. seul. en saison) – ½ P 158/186
Spéc. Bouillon crémeux de girolles, langoustines en croustelle de filo. Saint-Pierre poêlé
raviole d'artichaut et petits légumes au jus de barigoule. Soufflé chaud à la myrte **Vin**
Coteaux d'Ajaccio.

🏨 **Eden Roc** ⌂, à 10 km ℘ 04 95 51 56 00, edenroc@wanadoo.fr, Fax 04 95 52 05 0.
≼ golfe, 斎, 🛝, 🛁, 🖛 – 🛗🗏 🅣🅥 🅒 🅿. – 🛁 80. ⒶⒺ ⓸ ⒼⒷ 🅙🅒🅑. 🛠 rest
Repas 30,49 ♈, enf. 15,24 – ♋ 13 – **48 ch** 209/488 – ½ P 196/219

🏨 **Cala di Sole** ⌂, à 6 km ℘ 04 95 52 01 36, caladisole@annuaire-corse.con
Fax 04 95 52 00 20, ≼ mer, 🛝, 🐾, 🅧 – 🗏 🅣🅥 🅒 🅿. ⒶⒺ ⓸ ⒼⒷ. 🛠 rest
1ᵉʳ avril-15 oct. – **Repas** carte 33 à 59 – **31 ch** (½ pens. seul.) – ½ P 122

🏨 **Pinède** 🅜 ⌂ sans rest, à 3,5 km ℘ 04 95 52 00 44, Fax 04 95 52 09 48, ≼, 🛝, 雺, 🅧 –
🗏 🅒 🅖 🅿. ⒶⒺ ⓸ ⒼⒷ. ≼
♋ 6,10 – **38 ch** 120/150

XX **Palm Beach**, ℘ 04 95 52 01 03, noble@studio2prod.com, Fax 04 95 52 02 89, ≼
斎, 🐾 – 🗏. ⒶⒺ ⓸ ⒼⒷ 🅙🅒🅑. 🛠
fermé dim. soir et lundi – **Repas** 19 (déj.)/22

X **Nausicaa**, à 7 km ℘ 04 95 52 01 42, Fax 04 95 52 01 42, ≼, 斎 – 🅿. ⒶⒺ ⒼⒷ
fermé mardi d'oct. à mai – **Repas** (dîner seul. en juin-juil.-août) 18,29 (déj.), 22,89/30,49

Algajola 2B H.-Corse 👀 ⑬ – 216 m alt. 2 – ⊠ 20220 L'Ile-Rousse.
Voir *Citadelle*★ – *Descente de Croix*★ dans l'église.
Bastia 77 – Calvi 16 – L'Ile-Rousse 10.

🏨 **Stellamare**, ℘ 04 95 60 71 18, stellamare2@wanadoo.fr, Fax 04 95 60 69 39, 雺 – 🗏
ⒼⒷ. ≼
30 mars -15 nov. – **Repas** 22,87 – **16 ch** (½ pens. seul.) – ½ P 62,50/67,84

🏨 **Beau Rivage**, ℘ 04 95 60 73 99, Fax 04 95 60 79 51, ≼, 斎, 🐾 – 🅿. ⒶⒺ ⒼⒷ. 🛠 rest
hôtel : 15 avril-15 oct. ; rest. : 1ᵉʳ mai-30 sept. – **Repas** 22,87 (dîner)et carte 26 à 33 ♈
♋ 6,10 – **36 ch** 45/112 – ½ P 56/67

🏠 **Plage**, ℘ 04 95 60 72 12, Fax 04 95 60 64 89, ≼, 斎 – 🅿. ⒼⒷ. 🛠
1ᵉʳ mai-30 sept. – **Repas** 19 – ♋ 5 – **36 ch** 58/77 – ½ P 48/50,50

Arcarotta (col d') 2B H.-Corse 👀 ④ – ⊠ 20234 Piobetta.
Bastia 59 – Corte 65 – Vescovato 40.

X **Auberge des Deux Vallées**, ℘ 04 95 35 91 20, Fax 04 95 35 91 20, ≼, 斎 – ⒼⒷ
♋ *1ᵉʳ mai-30 sept.* – **Repas** (fermé lundi sauf juil.-août) 12,20/19,10 ♈

Aullène 2A Corse-du-Sud 👀 ⑦ – 138 h alt. 825 – ⊠ 20116 .
Ajaccio 71 – Bonifacio 86 – Corte 103 – Porto-Vecchio 59 – Propriano 37 – Sartène 35.

🏠 **Poste**, ℘ 04 95 78 61 21, Fax 04 95 78 61 21, ≼, 斎 – ⒼⒷ. 🛠 rest
1ᵉʳ mai-30 sept. – **Repas** 15,50/21 ♈, enf. 9,15 – ♋ 5,34 – **20 ch** 27,44/38,87 – ½ P 34,30

Barcaggio 2B H.-Corse 👀 ① – ⊠ 20275 Ersa.
Bastia 52 – St-Florent 67.

🏠 **Giraglia** ⌂ sans rest, ℘ 04 95 35 60 54, Fax 04 95 35 65 92, ≼ La Giraglia
1ᵉʳ avril-20 sept. – ♋ 6 – **14 ch** 51/62

Bastelica 2A Corse-du-Sud 👀 ⑥ – 460 h alt. 800 – ⊠ 20119 .
Voir *Route panoramique*★★ du plateau d'Ese.
Env. A 400 m du col de Mercujo : belvédère ≼★★ et SO : 13,5 KM.
Ajaccio 42 – Corte 69 – Propriano 69 – Sartène 81.

X **Chez Paul** avec ch, ℘ 04 95 28 71 59, Fax 04 95 28 73 13, ≼, 斎 – cuisinette. ⒼⒷ
♋ **Repas** 13/20 – **6 ch** ♋ 39 – ½ P 31

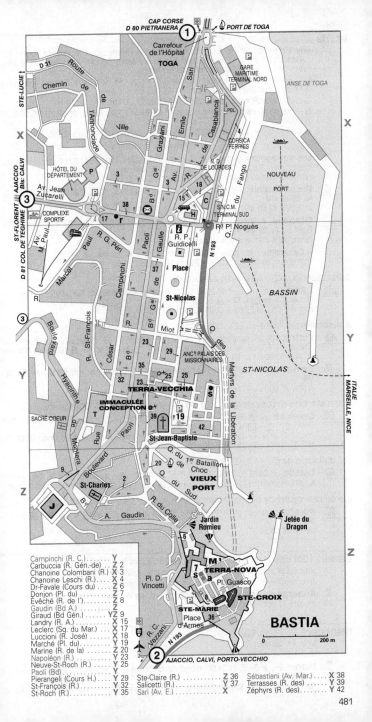

BASTIA

481

Bastia ℙ *2B H.-Corse* **90** ③ – 37 884 h – ⊠ *20200* .

Voir Terra-Vecchia* : le vieux port**, oratoire de l'Immaculée Conception* – Terra-No
: Assomption de la Vierge** dans l'église Ste-Marie, décor** rococo dans la chap.
Ste-Croix – musée d'Ethnographie corse* **M1**.

Env. Église Ste-Lucie ⩽★★ 6 km NO par D 31 X – ✳★★★ de la Serra di Pigno 14 km par
⩽★★ du col de Teghime 10 km par ③.

✈ de Bastia-Poretta : ℘ 04 95 54 54 54, par ② : 20 km.

🛈 Office de tourisme pl. Saint-Nicolas ℘ 04 95 54 20 40, Fax 04 95 54 20 41, OT-BAST
wanadoo.fr.

Ajaccio 151 ② – Bonifacio 171 ② – Calvi 92 ③ – Corte 72 ② – Porto 135 ②.

Plan page précédente

🏠 **Les Voyageurs** 🅜 sans rest, 9 av. Mar. Sébastiani ℘ 04 95 34 90 80, hotel-voyageu
ifrance.com, Fax 04 95 34 00 65 – 🖭 📺 ╲ 🄰🄴 ⒼⒷ. ❀
  X
fermé 20 déc. au 10 janv. – ⊆ 4,60 – **24 ch** 48,90/90,10

🏠 **Posta Vecchia** sans rest, r. Posta Vecchia ℘ 04 95 32 32 38, Fax 04 95 32 14 05 – 📳
╲ 🄰🄴 ⓄⒷ.
  Y
⊇ 6,50 – **49 ch** 41/70

🍴🍴 **Citadelle**, r. Ste-Croix ℘ 04 95 31 44 70, Fax 04 95 32 77 53, ♠, « Ancien mouli
huile » – 🖭. 🄰🄴 ⒼⒷ ⒿⒸⒷ
  Z
fermé sam. midi et dim. – **Repas** 30,50 ⨚

🍴 **A Casarella**, r. Ste-Croix ℘ 04 95 32 02 32, ♠ – 🖭. 🄰🄴 ⒼⒷ. ❀
  Z
fermé nov., sam. midi et dim. – **Repas** 19,82 (déj.)/24,39

à Palagaccio par① : 2,5 km – ⊠ 20200 Bastia :

🏰 **L'Alivi** ⣺ sans rest, ℘ 04 95 55 00 00, hotel-alivi@wanadoo.fr, Fax 04 95 31 03 95, ⩽ m
🔟, 🐾 – 📳 📺 ╲ ℙ – 🛕 50. 🄰🄴 ⒼⒷ
fermé 2 déc. au 3 janv. – ⊇ 10 – **37 ch** 96/128

à Pietranera par① : 3 km – ⊠ 20200 Bastia :

🏰 **Pietracap** ⣺ sans rest, sur D 131 ℘ 04 95 31 64 63, hotel-pietracap@wanadoc
Fax 04 95 31 39 00, ⩽, « Parc arboré et fleuri », 🔟, 🐾 – 📺 ╲ ℙ – 🛕 20. 🄰🄴 Ⓞ ⒼⒷ ⒿⒸⒷ
1er avril-30 nov. – ⊇ 10 – **39 ch** 106/136

🏠 **Cyrnea** sans rest, ℘ 04 95 31 41 71, Fax 04 95 31 72 65, ⩽, 🐾 – 📺 ╲ ⟿ ℙ – 🛕
ⒼⒷ
fermé 1er déc. au 1er fév. – ⊇ 6,10 – **20 ch** 61/79,50

à San Martino di Lota par① et D 131 : 13 km – 2 530 h. alt. 350 – ⊠ 20200 Bastia :

🏨 **Corniche** ⣺, ℘ 04 95 31 40 98, info@hotellacorniche.com, Fax 04 95 32 37 69, ⩽ mer
vallée, ♠, 🔟 – 📺 ╲ ℙ – 🛕 15. 🄰🄴 ⒼⒷ. ❀ ch
fermé 1er janv. au 15 fév. – **Repas** (fermé mardi midi, merc. midi et lundi) 19,52/22,
enf. 11,50 – ⊇ 8 – **19 ch** 53/90 – ½ P 61,50/73

rte d'Ajaccio par② : 4 km – ⊠ 20600 Bastia :

🏨 **Ostella**, ℘ 04 95 30 97 70, Fax 04 95 33 11 70, ♠, 🔟 – 📳, 🖭 ch, 📺 ╲ ℙ. ⒼⒷ. ❀ ch
Repas (fermé dim.) 18,29/22,87 ⨚, enf. 6,86 – ⊇ 6,86 – **28 ch** 73,18/91,47 – ½ P 69,36

rte de l'aéroport de Bastia-Poretta par②, N 193 et D 507 : 20 km – ⊠ 20290 Lucciana :

🏨 **Poretta** sans rest, ℘ 04 95 36 09 54, Fax 04 95 36 15 32 – 🖭 📺 ╲ ⟿ ℙ – 🛕 50. 🄰🄴
ⒼⒷ. ❀
⊇ 7 – **33 ch** 54/77

Bavella (Col de) *2A Corse-du-Sud* **90** ⑦ – ⊠ *20124 Zonza*.
Voir Col et aiguilles de de Bavella*** – Forêt de Bavella**.
Ajaccio 100 – Bonifacio 76 – Porto-Vecchio 49 – Propriano 49 – Sartène 47.

🍴 **Auberge du Col**, ℘ 04 95 72 09 87, ♠ – 🄰🄴 Ⓞ ⒼⒷ ⒿⒸⒷ
⏣ 1er avril-31 oct. – **Repas** 11,50/23 ⣑

Belgodère *2B H.-Corse* **90** ⑬ – 371 h alt. 320 – ⊠ *20226* .
Voir ⩽★ du vieux fort.
Bastia 68 – Calvi 40 – Corte 58 – L'Ile-Rousse 16.

🌳 **Niobel** ⣺, ℘ 04 95 61 34 00, niobeltrani@hotmail.com, Fax 04 95 61 35 85, ⩽ vallée,
⏣ – ℙ. ⒼⒷ
fermé nov. et janv. – **Repas** (fermé lundi) 14/18 ⨚ – ⊇ 4,60 – **11 ch** 45/60 – ½ P 49,50/52,

cognano 2A Corse-du-Sud 🗾 ⑥ – 343 h alt. 600 – ⊠ 20136 .
Ajaccio 39 – Bonifacio 158 – Corte 43.

Beau Séjour ⤸, ℘ 04 95 27 40 26, Fax 04 95 27 40 26, ≤, ☞ – **P**, **GB**
15 avril-15 oct. – **Repas** 13,75 ♈ – ☲ 5,50 – **17 ch** 35,50/41,50 – ½ P 41,25

L'Ustaria, ℘ 04 95 27 41 10, Fax 04 95 27 43 26, ☞ – **GB**
fermé fév. et merc. du 15 sept. au 30 juin – **Repas** (déj. seul.) 16/37,50 ♨

---

nifacio 2A Corse-du-Sud 🗾 ⑨ G. Corse – 2 658 h alt. 55 – ⊠ 20169 .
Voir Site★★★ – Ville haute★★ : Place du marché ≤★★ – Trésor★ des églises de Bonifacio
(Palazzu Publicu) – Eglise St-Dominique★ – Esplanade St-François ≤★ – Cimetière marin★.
Excurs. Grottes marines et la côte★★.
🛳 Figari-Sud-Corse : ℘ 04 95 71 10 10, N : 21 km.
🖪 Office du tourisme 2 rue Fred Scamaroni ℘ 04 95 73 11 88, Fax 04 95 73 14 97.
Ajaccio 134 – Corte 151 – Sartène 52.

Genovese M ⤸ sans rest, ville haute ℘ 04 95 73 12 34, info@hotel-genovese.com,
Fax 04 95 73 09 03, ≤ – ☰ 🆃🆅 📞 **P** – 🕭 25. **AE** ① **GB**. ⋘
fermé 1er janv. au 1er mars – ☲ 16 – **15 ch** 230/290

Caravelle, 35 quai Comparetti ℘ 04 95 73 00 03, Fax 04 95 73 00 41, ☞ – ▌, 🖩 ch, 🆅.
AE ① **GB** **JCB**
8 avril-mi-oct. – **Caravelle** ℘ 04 95 73 06 47 *(Pâques-mi-oct.)* **Repas** 28,97/64,03 ♈ – **28 ch**
☲ 144,83/213,43

A Trama ⤸, rte Santa Manza Est : 2 km ℘ 04 95 73 17 17, hotelatrama@aol.com,
Fax 04 95 73 17 79, ☞, « Jardin », ⌓, ☞ – 🖩 ch, 🆅 **P**. **AE** **GB**. ⋘ rest
Repas *(ouvert 1er mars-15 nov.)* (dîner seul.) 23,60/30 ♈ – ☲ 7,60 – **25 ch** 85,40/160 –
½ P 85/111

Centre Nautique, quai Nord ℘ 04 95 73 02 11, info@centre-nautique.com,
Fax 04 95 73 17 47, ☞ – 🆅 **P**. **AE** ① **GB**. ⋘ ch
Repas carte 30 à 55, enf. 15 – ☲ 10 – **11 ch** 140/190

Roy d'Aragon sans rest, 13 quai Comparetti ℘ 04 95 73 03 99, Fax 04 95 73 07 94 – ▐
🆅. **AE** **GB**. ⋘
☲ 7 – **31 ch** 83/183

Santa Teresa ⤸ sans rest, quartier St-François (ville haute) ℘ 04 95 73 11 32,
Fax 04 95 73 15 99, ≤ – ▐ 🖩 🆅 **P**. **GB**. ⋘
1er avril-7 oct. – ☲ 7,50 – **46 ch** 97,50/116

Stella d'Oro, 7 r. Doria (ville haute) ℘ 04 95 73 03 63, stella.oro@bonifacio.com,
Fax 04 95 73 03 12 – 🖩. **AE** ① **GB**
1er avril-30 sept. – **Repas** (prévenir) 20 (déj.)et carte 31 à 54 ♈

Domaine de Licetto ⤸ avec ch, rte Pertusato, Sud-Est : 2 km ℘ 04 95 73 19 48,
Fax 04 95 73 05 59, ≤, ☞ – **P**.
Repas *(ouvert Pâques-fin oct.)* (nombre de couverts limité, prévenir)(dîner seul.)(menu
unique) 28 – ☲ 5,50 – **7 ch** 65/104

urgazu Nord-Est : 6 km par rte de Santa-Manza – ⊠ 20169 Bonifacio :

Golfe ⤸, ℘ 04 95 73 05 91, golfe.hotel@wanadoo.fr, Fax 04 95 73 17 18, ≤, ☞ – 🖩 ch,
P. **AE** ① **GB**
20 mars-20 oct. – **Repas** 14,48/19,82 – ☲ 6,86 – **12 ch** (½ pens. seul.) – ½ P 60,98

Calalonga Est : 6 km par D 258 et rte secondaire – ⊠ 20169 Bonifacio :

Marina di Cavu ⤸ avec ch, ℘ 04 95 73 14 13, info@marinadicavu.com,
Fax 04 95 73 04 82, ≤ Iles Lavezzi et Cavallo, ☞, ⌓, – 🖩 ch, 🆅 📞 **P**. **AE** ① **GB** **JCB**. ⋘
début avril-fin-oct. – **Repas** (nombre de couverts limité, prévenir) *(28,20)* - 33,55/75 ♈,
enf. 19,85 – ☲ 12,20 – **5 ch** 213,50/289,65 – ½ P 152,50/190,60

Nord-Est : 10 km par rte de Porto-Vecchio (N 198) et rte secondaire – ⊠ 20169 Bonifacio :

U Capu Biancu ⤸, ℘ 04 95 73 05 58, info@ucapiubiancu.com, Fax 04 95 73 18 66, ≤,
☞, ⚓, ☞ – 🖩 rest, 🆅 & **P**. **AE** ① **GB**. ⋘ rest
28 avril-3 nov. – **Repas** 30/76 ♈ – ☲ 14 – **43 ch** 122/224 – ½ P 108/154

---

alacuccia 2B H.-Corse 🗾 ⑮ – 340 h alt. 830 – ⊠ 20224 .
Voir Site★★ – Tour du lac de barrage★★ – Défilé de la Scala di Santa Régina★★ NE : 5 km.
🖪 Syndicat d'initiative Route de Cuccia ℘ 04 95 48 05 22.
Bastia 78 – Calvi 96 – Corte 29 – Piana 68 – Porto 58.

Acqua Viva sans rest, ✆ 04 95 48 06 90, *Fax 04 95 48 08 82* – TV P. GB
7,65 – **12 ch** 66/69

Auberge Casa Balduina, lieu-dit Le Couvent ✆ 04 95 48 08 57, *jeannequilichini@*
com, Fax 04 95 48 08 57, – P. GB.
31 mars-29 sept. – **Repas** 15,25/21,35 ♀

Calvi *2B H.-Corse* **90** ⑬ – *5 177 h* – ✉ *20260*.
Voir *Citadelle*★★ *: fortifications*★ *– La Marine*★.
Env. *Intérieur*★ *de l'église St-Jean-Baptiste.*
Excurs. *La Balagne*★★★.
de Calvi-Ste-Catherine : ✆ 04 95 65 88 88, par ①.
Office du tourisme Port de Plaisance ✆ 04 95 65 16 67, Fax 04 95 65 14 09, c
.calvi@wanadoo.fr.
Bastia 92 ① *– Corte 90* ① *– L'Ile-Rousse 25* ① *– Porto 73* ①.

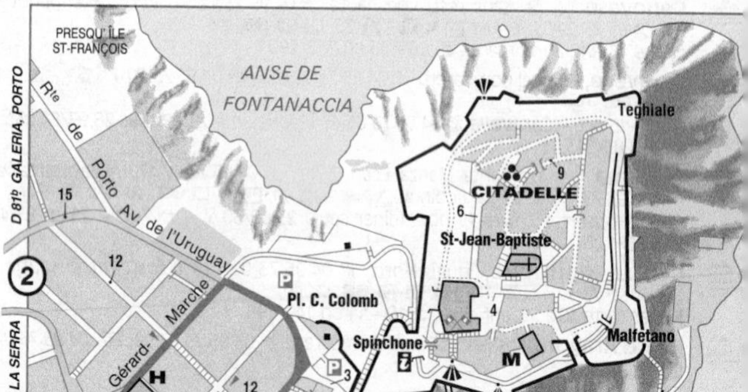

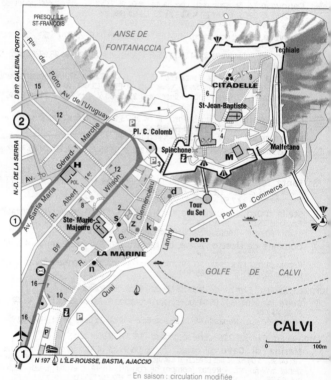

En saison : circulation modifiée

Alsace-Lorraine (R.) 2
Anges (R. des) 3
Armes (Pl. d') 4
Clemenceau (R. G.)
Colombo (R.) 6
Crudelli (Pl.)............ 7
Dr-Marchal (Pl. du) 8
Fil (R. du).............. 9
Joffre (R.) 10
Montée des Écoles (Chemin de)..........
Napoléon (Av.)..........
République (Av. de la)....
Wilson (Bd)

Villa , chemin de Notre Dame de la Serra par ① *: 1 km* ✆ 04 95 65 10 10, *la-villa.re*
vation@wanadoo.fr, Fax 04 95 65 10 50, – TV
40. AE GB JCB.
1er avril-2 janv. – ***L'Alivu :*** **Repas** 60 et carte 65 à 90 ♀ – 22 – **39 ch** 370/680, 10 appart
Spéc. Penne rigate aux coquillages. Denti de palangre rôti aux girolles et pommes de ter
Bavarois aux agrumes.

🏨 **Balanea** sans rest, 6 r. Clemenceau (n) ℰ 04 95 65 94 94, *info@hotel-balanea.com*, Fax 04 95 65 29 71, ≤ – 📶 🖿 📺 ℰ. 🖭 ◑ ☎
⊒ 9,50 – **38 ch** 81/185

🏨 **Meridiana** Ⓜ sans rest, av. Santa Maria par ① ℰ 04 95 65 31 38, *info@hotel-meridiana. com*, Fax 04 95 65 32 72, ≤ – 📶 🖿 📺 ℰ 🅿. 🖭 ◑ ☎. ✿
⊒ 8,40 – **40 ch** 80,90/95

🏨 **Magnolia** Ⓢ, près pl. Marché (s) ℰ 04 95 65 19 16, Fax 04 95 65 34 52, 🏛 – 🖿 📺 ℰ. 🖭 ◑
☎ ✿ ch
fermé 15 janv. au 15 mars – **Jardin** (fermé merc. sauf le soir du 15 avril au 15 oct.) **Repas**
15(déj.),27/43 – ⊒ 9 – **11 ch** 115 – ½ P 95

🏨 **L'Onda** Ⓜ sans rest, av. Christophe Colomb par ① : 1 km ℰ 04 95 65 35 00,
Fax 04 95 65 16 26 – 📶 🖿 📺 🅿. 🖭 ☎. ✿
1er avril-15 nov. – ⊒ 6,86 – **24 ch** 73,18/105,19

🏨 **Caravelle** Ⓢ, à la plage par ① : 0,5 km ℰ 04 95 65 95 50, *hotel-la-caravelle-calvi@wana doo.fr*, Fax 04 95 65 00 03, 🏛, 🛲 – 🖿 📺 ℰ. ☎
28 mars-3 nov. – **Repas** (dîner seul.) 20/30 – **34 ch** ⊒ 81/93 – ½ P 88/102

🏨 **St-Erasme** sans rest, rte Ajaccio par ② : 0,8 km ℰ 04 95 65 04 50, *info@hotel-st-erasme. com*, Fax 04 95 65 32 62, ≤, 🛬, 🛲 – 📶 📺 🅿. ☎
28 avril-20 oct. – ⊒ 7,62 – **33 ch** 97,57/192,09

🏨 **Revellata** sans rest, av. Napoléon, rte d'Ajaccio par ② : 0,5 km ℰ 04 95 65 01 89,
Fax 04 95 65 29 82, ≤ – 📶 🖿 🅿. 🖭 ◑ ☎. ✿
1er avril-30 oct. – ⊒ 6,86 – **43 ch** 91,47/106,71

𝄪𝄪𝄪 **Emile's,** quai Landry (k) ℰ 04 95 65 09 60, ≤, 🏛, « Terrasse panoramique surplombant le port » – 🖿. ☎. ✿
fév.-oct. et fermé mardi – **Repas** 22,87/38,11 et carte 45 à 61 ♈

𝄪 **Calellu,** quai Landry (d) ℰ 04 95 65 22 18, ≤, 🏛 – 🖭 ☎
1er mars-31 oct. et fermé lundi hors saison – **Repas** 18,29 ♈

𝄪 **Aux Bons Amis,** r. Clemenceau (z) ℰ 04 95 65 05 01, Fax 04 95 65 32 41, 🏛 – 🖿. ☎
1er mars-30 oct. et fermé jeudi hors saison et dim. midi en saison – **Repas** 15,24/44,97 ♈

r ① rte de l'aéroport et chemin privé : 5 km – ✉ 20260 Calvi :

🏨 **Signoria** Ⓢ, ℰ 04 95 65 93 00, *info@hotel-la-signoria.com*, Fax 04 95 65 38 77, 🏛,
« Demeure du 17e siècle dans une pinède », 🛬, 🛏, 🎾 – 🖿 ch, 📺 ℰ 🅿. 🖭 ☎. ✿ ch
30 mars-31 oct. et 21 déc.-1er janv. – **Repas** 32,01 (déj.), 54,88/70,13 ♈, enf. 19,82 – ⊒ 17 –
18 ch 195/290

rgèse 2A Corse-du-Sud 𝟡𝟢 ⑯ – 982 h alt. 75 – ✉ 20130 .
Voir Église latine ≤★ – Site★★ depuis le belvédère de la pointe Molendino E : 3 km.
🅸 Office du tourisme Rue du Dr Dragacci ℰ 04 95 26 41 31, Fax 04 95 26 48 80,
ot.cargese@wanadoo.fr.
Ajaccio 51 – Calvi 106 – Corte 119 – Piana 21 – Porto 33.

🏨 **Thalassa** Ⓢ, plage du Pero, Nord : 1,5 km ℰ 04 95 26 40 08, Fax 04 95 26 41 66, ≤, 🛥,
🛲 – 📺 🛇 🅿. ✿ rest
20 mai-30 sept. – **Repas** 23 – ⊒ 5,35 – **22 ch** 46/68, (en été : ½ pens. seul.) – ½ P 65

🏨 **Spelunca** sans rest, ℰ 04 95 26 40 12, Fax 04 95 26 47 36, ≤ – ☎. ✿
1er avril-31 oct. – ⊒ 6 – **20 ch** 55/70

samozza 2B H.-Corse 𝟡𝟢 ③ – ✉ 20290 Borgo.
Bastia 19 – Corte 53 – Vescovato 6.

🏨 **Chez Walter,** N 193 ℰ 04 95 36 00 09, *hotel.chez.walter@wanadoo.fr*,
Fax 04 95 36 18 92, 🏛, 🛬, 🛲, 🎾 – 🖝, 🖿 ch, 📺 🛇 🅿. 🛗 30 à 80. 🖭 ◑ ☎
Repas (fermé 10 au 31 déc. et dim. de sept. à juin.) 18/23 – ⊒ 7 – **54 ch** 60/110 –
½ P 65/70

auro 2A Corse-du-Sud 𝟡𝟢 ⑰ – 1 060 h alt. 450 – ✉ 20117 .
Ajaccio 22 – Sartène 62.

𝄪 **Napoléon,** ℰ 04 95 28 40 78 – 🖭 ◑ ☎
15 juil.-30 sept., week-ends et fermé merc. – **Repas** (prévenir) 22,50/32 ♈

onca 2A Corse-du-Sud 𝟡𝟢 ⑦ – 770 h alt. 360 – ✉ 20135 .
Ajaccio 149 – Bonifacio 50.

🏨 **San Pasquale** Ⓢ sans rest, ℰ 04 95 71 56 13, Fax 04 95 71 56 13, 🛲
mai-oct. – ⊒ 4,57 – **11 ch** 53,36/99,09

Corte ◈ *2B H.-Corse* 90 ⑤ *G. Corse* – 6 329 h alt. 396 – ⊠ 20250 .

Voir *Ville haute*★ : *chapelle Ste-Croix*★, *citadelle*★ ≤★, *Belvédère* ☀★ – *Musée (
Corse*★★.
Env. ☀★★ *du Monte Cecu* N : 7 km – SO : *gorges de la Restonica*★★.
🖸 *Office de tourisme quartier des 4 Fontaines* ℰ 04 95 46 26 70.
Bastia 72 – Bonifacio 151 – Calvi 90 – L'Ile-Rousse 66 – Porto 87 – Sartène 148.

dans les Gorges de La Restonica Sud-Ouest sur D 623 – ⊠ 20250 Corte :

🏨🏨 **Dominique Colonna** ⏘ sans rest, à 2 km ℰ 04 95 45 25 65, *restonica@club-inter*
fr, Fax 04 95 61 03 91, 🗋, 🍧 – 📺 📞 ⚹ 🅿. 🖭 ⓞ 🖼 🗾
1ᵉʳ mars-5 nov. – ⚌ 9,50 – **28 ch** 84/110

✕ **Auberge de la Restonica**, à 2 km ℰ 04 95 46 09 58, Fax 04 95 61 15 79, 🍧 – ▤
🖼
1ᵉʳ mars-31 oct. et fermé lundi hors saison – **Repas** (13) - 19/25 ⏦, enf. 9

Coti-Chiavari 2A Corse-du-Sud 90 ⑰ – 490 h alt. 625 – ⊠ 20138 .
Ajaccio 42 – Propriano 37 – Sartène 49.

🏠 **Belvédère** ⏘, ℰ 04 95 27 10 32, Fax 04 95 27 12 99, ≤ golfe d'Ajaccio, 🍧, « Isolé (
le maquis », 🍧 – 🍧 🅿. 🖼 rest
fermé 11 nov. au 15 févet le midi sauf dim. de fév. à mai – **Repas** (prévenir) 22/26 – ⚌
13 ch 46/61 – ½ P 42

à Portigliolo Nord-Ouest : 10 km – ⊠ 20138 Coti-Chiavari :

✕ **Chez Mico**, ℰ 04 95 25 47 69, Fax 04 95 25 47 69, ≤, 🍧 – 🅿. 🖼
Repas carte 26,07 à 36,59, enf. 7,62

Erbalunga 2B H.-Corse 90 ② – ⊠ 20222 .
Voir *Le port*★.
Bastia 11 – Rogliano 31.

🏠 **Castel'Brando** sans rest, ℰ 04 95 30 10 30, *info@castelbrando.com*, Fax 04 95 33 98
🗋, 🍧 – cuisinette ▤ 📺 📞 ⚹ 🅿. 🖭 🖼 🗾
20 mars-3 nov. – ⚌ 10 – **27 ch** 96/134

✕ **Pirate**, au port ℰ 04 95 33 24 20, *jeanpierrericci@aol.com*, Fax 04 95 33 24 20, ≤, 🍧
▤, 🖭 🖼, 🕊
26 mars-3 nov. et fermé lundi sauf juil.-août – **Repas** (déj. seul.) 21/23 ⏦

Évisa 2A Corse-du-Sud 90 ⑮ – 196 h alt. 850 – ⊠ 20126 .
Voir *Forêt d'Aïtone*★★ – *Cascades d'Aïtone*★★ NE : 3 km puis 30 mn.
Env. *Col de Vergio* ≤★★ NE : 10 km.
Ajaccio 71 – Calvi 96 – Corte 64 – Piana 33 – Porto 23.

🏠 **Scopa Rossa**, ℰ 04 95 26 20 22, Fax 04 95 26 24 17, 🍧 – 🅿. 🖼, 🕊 rest
1ᵉʳ mars-30 nov. – **Repas** 20/23 – ⚌ 6 – **25 ch** 47/64 – ½ P 49/55

Favone 2A Corse-du-Sud 90 ⑦ – ⊠ 20144 Ste-Lucie-de-Porto-Vecchio.
Ajaccio 129 – Bonifacio 57.

🏠 **U Dragulinu** ⏘ sans rest, ℰ 04 95 73 20 30, Fax 04 95 73 22 06, ≤, 🐾, 🍧 – 🅿. 🖭
1ᵉʳ avril-30 oct. – ⚌ 9,91 – **31 ch** 152,45

Feliceto 2B H.-Corse 90 ⑭ – 162 h alt. 350 – ⊠ 20225 Muro.
Bastia 77 – Calvi 26 – Corte 75 – L'Ile-Rousse 15.

🏠 **Mare E Monti** ⏘ sans rest, ℰ 04 95 63 02 00, Fax 04 95 63 02 01, ≤, « "Palais am
cain" du 19ᵉ siècle », 🐉 – 🅿. 🖼
1ᵉʳ avril-15 oct. – ⚌ 7 – **16 ch** 74/80

Galéria 2B H.-Corse 90 ⑭ – 302 h alt. 30 – ⊠ 20245 .
Voir *Golfe de Galéria*★.
🖸 *Syndicat d'initiative Carrefour Cinque Arcate* ℰ 04 95 62 02 27.
Bastia 118 – Calvi 34 – Porto 48.

à Ferayola Nord : 13 km par D 351 et D 81ᴮ – ⊠ 20260 Calvi :

🏠 **Auberge de Ferayola** ⏘, ℰ 04 95 65 25 25, *ferayola@aol.com*, Fax 04 95 65 20
🍧, 🗋, 🍧, 🕊 – 🅿. 🖼, 🕊
1ᵉʳ mai-30 sept. – **Repas** 16 ⏨ – ⚌ 6,75 – **10 ch** (½ pens. seul.) – ½ P 62/67,50

agno-les-Bains 2A Corse-du-Sud 🔟 ⑮ – ⊠ 20160 Poggiolo.
Ajaccio 63 – Calvi 124 – Corte 94 – Vico 12.

🏨 **Thermes** 🐌, 𝒫 04 95 26 80 50, Fax 04 95 28 34 02, ≤, 🏤, 𝄁, 𝄌, 𝄏, ※ – ▯ cuisinette �📺
✆ & 🅿 – 🛁 30. 🆔 ⓞ GB. ※ rest
1er mai-13 oct. – **Repas** 20,58 – 🖙 5,34 – **40 ch** 57/70 – ½ P 60

---

e-Rousse 2B H.-Corse 🔟 ⑬ – 2 774 h – ⊠ 20220 .
Voir Marché couvert★ – Ile de la Bietra★.
Excurs. La Balagne★★★.
🛈 Office du tourisme 7 place Paoli 𝒫 04 95 60 04 35, Fax 04 95 60 24 74.
Bastia 68 – Calvi 25 – Corte 66.

🏨 **Santa Maria** Ⓜ sans rest, rte Port 𝒫 04 95 63 05 05, hotel-santamaria@wanadoo.fr,
Fax 04 95 60 32 48, ≤, 𝄌, 🏖 – ▤ 📺 ✆ & 🅿 – 🛁 15. 🆔 ⓞ GB
🖙 9,91 – **56 ch** 115,85/149

🏨 **Funtana Marina** 🐌 sans rest, 1 km par rte Monticello et rte secondaire
𝒫 04 95 60 16 12, Fax 04 95 60 35 44, ≤ mer, 𝄌 – 📺 ✆ 🅿 🆔 ⓞ GB. ※
fermé fév. – 🖙 7,62 – **29 ch** 60,98/79,27

🏠 **Cala di l'Oru** 🐌 sans rest, bd Fogata 𝒫 04 95 60 14 75, hotelcaladiloru@wanadoo.fr,
Fax 04 95 60 36 40, ≤, 🏤 – 📺 🅿. 🆔 GB. ※
1er mars-1er nov. – 🖙 7,62 – **26 ch** 72/93

🏠 **L'Amiral** 🐌 sans rest, bd Ch.-Marie Savelli 𝒫 04 95 60 28 05, Fax 04 95 60 31 21, ≤ – 📺
🅿. GB. ※
avril-sept. – 🖙 6,85 – **25 ch** 83,85/83,85

🍴 **Grillon**, av. P. Doumer 𝒫 04 95 60 00 49, Fax 04 95 60 43 69 – GB
1er mars-31 oct. – **Repas** 12,50/15,70 𝄁 – 🖙 5,18 – **16 ch** 45,73/51,83 – ½ P 44,97

Monticello Sud-Est : 4,5 km par D 63 – 1 253 h. alt. 220 – ⊠ 20220 L'Ile-Rousse :

🍴🍴 **A Pasturella** avec ch, 𝒫 04 95 60 05 65, Fax 04 95 60 21 78, ≤, 🏤 – ▤ rest, 📺. 🆔
GB
fermé début nov. à mi-déc. et dim. soir de mi-déc. à mars – **Repas** 22,87/33,54 𝄁 – 🖙 8,84 –
12 ch 42,69/68,60 – ½ P 59,46/66,01

Pigna Sud-Ouest : 8 km par N 197 et D 151 – 95 h. alt. 400 – ⊠ 20220 :

🍴 **Casa Musicale** 🐌, 𝒫 04 95 61 77 31, casa.musicale.pigna@wanadoo.fr,
Fax 04 95 61 74 28, ≤, 🏤, « Ambiance musicale » – 🆔 ⓞ GB. ※
fermé 7 janv. au 10 fév. – **Repas** (fermé lundi de nov. à mars) carte 30 à 42 𝄁 – 🖙 5,34 –
7 ch 48,02/74

---

vie 2A Corse-du-Sud 🔟 ⑧ – 696 h alt. 645 – ⊠ 20170 .
Voir Musée de l'Alta Rocca : christ en ivoire★.
Env. Sites★★ de Cucuruzzu et Capula O : 7 km.
🛈 Office du tourisme Rue Sorba 𝒫 04 95 78 41 95, Fax 04 95 78 46 74.
Ajaccio 99 – Bonifacio 58 – Porto-Vecchio 40 – Sartène 28.

🍴 **Pergola**, 𝒫 04 95 78 41 62, 🏤 – GB
mai-oct. – **Repas** (nombre de couverts limité, prévenir) 13,72/15,24 𝄁, enf. 7,62

---

mio 2B H.-Corse 🔟 ⑬ – 1 040 h alt. 150 – ⊠ 20260 .
Bastia 82 – Calvi 10 – L'Ile-Rousse 15.

🍴 **Chez Charles** avec ch, 𝒫 04 95 60 61 71, chezcharles@wanadoo.fr, Fax 04 95 60 62 51,
🏤 – ▤ rest, 📺 ✆ 🅿. 🆔 GB JCB. ※
fermé 1er déc. au 15 fév. – **Repas** (fermé lundi) 29,73/39,64 𝄁, enf. 12,20 – 🖙 8,38 – **15 ch**
54,88/68,60 – ½ P 68,60

---

uri 2B H.-Corse 🔟 ② – 750 h alt. 107 – ⊠ 20228 .
Bastia 32.

🍴 **A Luna**, à Santa Severa 𝒫 04 95 35 03 17, Fax 04 95 35 03 17, ≤, 🏤 – 🆔 GB
1er mai-30 sept. et fermé lundi en juin et sept. – **Repas** 13,60/21,34 𝄁

Macinaggio 2B H.-Corse 🗒0 ① – ✉ 20248 .
Bastia 37.

🏠 **U Libecciu** ⊗, ℘ 04 95 35 43 22, Fax 04 95 35 46 08, 😤 – ▤ rest, 📺 🅿. 🖭 ⑩ 🖼
1er avril-30 sept. – **Repas** 16/21 – ☑ 5,50 – **30 ch** 60/84 – 1/2 P 60

🏠 **U Ricordu**, ℘ 04 95 35 40 20, info@hotel-uricordu.com, Fax 04 95 35 41 88, 😤, 💢
⛵ ఉ 🅿. 🖭 🖼. ✹ rest
1er avril-31 oct. – **Repas** *(10 avril-20 oct.)* 15,50 ☑, enf. 7 – ☑ 7 – **54 ch** 107/118 – 1/2 P 7

Oletta 2B H.-Corse 🗒0 ③ – 830 h alt. 250 – ✉ 20232 .
Bastia 18 – Calvi 77 – Corte 75 – L'Ile-Rousse 53.

🍴🍴 **Auberge A Magina**, ℘ 04 95 39 01 01, Fax 04 95 39 01 01, ≼ Nebbio et golfe de
Florent, 😤 – 🖼
1er avril-15 oct. – **Repas** 18,50/23,70

Olmeto 2A Corse-du-Sud 🗒0 ⑱ – 1 115 h alt. 320 – ✉ 20113 .
🚹 *Syndicat d'initiative Village* ℘ 04 95 74 65 87, Fax 04 95 74 62 86.
Ajaccio 64 – Propriano 7 – Sartène 19.

🏠 **Santa Maria** ⊗, ℘ 04 95 74 65 59, ettorinathalie@aol.com, Fax 04 95 74 60 33, 😤 –
⛵ 🖭 ⑩ 🖼
fermé nov. et déc. – **Repas** 12,20 (déj.), 18,30/22,87 ☑ – ☑ 5,34 – **12 ch** 48,79/51,8
1/2 P 39,64/51,08

Patrimonio 2B H.-Corse 🗒0 ③ – 645 h alt. 100 – ✉ 20253 .
Voir Église St-Martin★ – Nativu★.
Bastia 17 – St-Florent 6 – San-Michele-de-Murato 22.

🍴 **Osteria di San Martinu**, ℘ 04 95 37 11 93, 😤 – 🅿. 🖼. ✹
avril-fin sept. et fermé merc.midi en avril, mai et sept. – **Repas** 18,29 bc ☑

Peri 2A Corse-du-Sud 🗒0 ⑯ – 1 140 h alt. 450 – ✉ 20167 .
Ajaccio 26 – Corte 65 – Propriano 81 – Sartène 93.

🍴 **Chez Séraphin**, ℘ 04 95 25 68 94, 😤
*fermé 1er oct. au 21 nov., lundi, mardi, merc. et jeudi du 21 nov. à juin, mardi midi et lu
de juil. à sept.* – **Repas** (menu unique) 34 bc, enf. 14

Petreto-Bicchisano 2A Corse-du-Sud 🗒0 ⑰ – 549 h alt. 600 – ✉ 20140 Petreto-Bicchisano
Ajaccio 52 – Sartène 34.

🍴🍴 **France**, à Bicchisano ℘ 04 95 24 30 55, 😤 – 🅿. 🖼. ✹
fermé 30 déc. au 21 janv. – **Repas** (prévenir) 22,11 (déj.), 25,92/38,11 ☑, enf. 15,24

Piana 2A Corse-du-Sud 🗒0 ⑮ – 428 h alt. 420 – ✉ 20115 .
Voir Golfe de Porto★★★.
Ajaccio 72 – Calvi 85 – Évisa 33 – Porto 12.

🏨 **Capo Rosso** ⊗, ℘ 04 95 27 82 40, caporosso@wanadoo.fr, Fax 04 95 27 80 00, ≼ go
et les calanche, 😤, « Agréable situation dominant le golfe et les calanche, be
panorama », 💢, 😤 – 📺 🅿. 🖭 🖼. ✹ rest
1er avril-15 oct. – **Repas** 22,87/60,22 – ☑ 9,15 – **57 ch** 68,60/99,09, (en été : 1/2 pens. se
– 1/2 P 97,57

🏠 **Scandola**, rte Cargèse ℘ 04 95 27 80 07, celine@hotelsandola.com, Fax 04 95 27 83
≼, 😤 – 📺 🅿. 🖼
15 avril-30 sept. – **Repas** 14,48/24,39 – ☑ 6,86 – **17 ch** 67,08

🏡 **Continental** sans rest, ℘ 04 95 27 89 00, Fax 04 95 27 84 71, 😤 – 🅿. ✹
1er avril-30 sept. – ☑ 6 – **17 ch** 26/45

Piedicroce 2B H.-Corse 🗒0 ④ – 117 h alt. 636 – ✉ 20229 .
Bastia 53 – Corte 56 – Vescovato 35.

🏡 **Le Refuge**, ℘ 04 95 35 82 65, Fax 04 95 35 84 42, ≼, 😤 – ⑩ 🖼. ✹ rest
avril-oct. – **Repas** 15,24/30,49 🍷 – ☑ 5,34 – **20 ch** 47,26/57,93 – 1/2 P 88,42/99,09

ggiola *2B H.-Corse* 90 ⑬ – *69 h alt. 880* – ⊠ *20259* .
Bastia 84 – Calvi 44.

⚘ **Auberge Aghjola** ⑤, ℘ 04 95 61 90 48, Fax 04 95 61 92 99, 綿, ⊐ – 쯔 ⑩ ⒼⒷ.
⫸ rest
1er avril-10 oct. – **Repas** (nombre de couverts limité, prévenir) 22,11 (déj.)/24,39 ⓓ, enf. 8 –
⊇ 6,10 – **8 ch** 60,98 – ½ P 57,93

---

rticcio *2A Corse-du-Sud* 90 ⑰ – ⊠ *20166* .
🖪 OMT Plage des Marines ℘ 04 95 25 01 01, Fax 04 95 25 11 12.
Ajaccio 19 – Sartène 67.

🏨 **Maquis** ⑤, ℘ 04 95 25 05 55, hotel.le.maquis@wanadoo.fr, Fax 04 95 25 11 70, ≤ Ajaccio
et golfe, 綿, « Agréable situation en bord de mer », ⊐, ⬛, ⚓, ⚓, ⫸ – ᷍, ▤ ch, ⒯ⓥ ⫶
🄿. 쯔 ⑩ ⒼⒷ. ⫸ rest
Repas grill le midi, le soir :carte 42 à 90 ⚒ – ⊇ 20 – **19 ch** 350/450, 4 appart – ½ P 215/290

🏨 **Sofitel** ⑤, ℘ 04 95 29 40 40, h0587@accor-hotels.com, Fax 04 95 00 00 63, ≤ golfe, 綿,
centre de thalassothérapie, ⊐, ⚓, ⚓, ⫸ – ᷍ ⫷ ▤ ⒯ⓥ ⫶ ⓗ 🄿 – 🄰 20 à 60. 쯔 ⑩ ⒼⒷ.
⫸ rest
fermé janv. – **Repas** 40/50 ⚒, enf. 20 – ⊇ 16 – **98 ch** 247/352

gosta-Plage *Sud : 2 km* – ⊠ *20166* :

🍴 **Crique**, ℘ 04 95 25 94 73, 綿 – ⒼⒷ
fermé 15 nov. au 1er déc., 1er au 16 janv., dim. soir et lundi sauf du 14 juil. au 1er sept. –
Repas 13/22 ⚒

---

rto *2A Corse-du-Sud* 90 ⑮ – ⊠ *20150 Ota*.
Voir *La Marine*★ – *Tour génoise*★.
Env. *Golfe de Porto*★★★ : *les Calanche*★★★ – *NO : réserve de Scandola*★★★, *golfe*★★ de
Girolata.
🖪 Office de tourisme pl. de la Marine ℘ 04 95 26 10 55, Fax 04 95 26 14 25, office@porto-tourisme.com.
Ajaccio 84 – Calvi 73 – Corte 87 – Évisa 23.

🏨 **Belvédère** Ⓜ ⑤ sans rest, à la Marine ℘ 04 95 26 12 01, info@hotel-le-belvedere.com,
Fax 04 95 26 11 97, ≤ – ᷍ ▤ ⒯ⓥ ⓓ. 쯔 ⑩ ⒼⒷ
1er avril-31 oct. – ⊇ 6,10 – **20 ch** 64/84

🏨 **Subrini** sans rest, à la Marine ℘ 04 95 26 14 94, subrini@hotels-porto.com,
Fax 04 95 26 11 57, ≤ – ᷍ ▤ ⒯ⓥ ⓓ 🄿. 쯔 ⑩ ⒼⒷ. ⫸
30 mars-15 oct. – ⊇ 7 – **23 ch** 60/120

🏨 **Capo d'Orto** sans rest, ℘ 04 95 26 11 14, hotel.capo.d.orto@wanadoo.fr,
Fax 04 95 26 13 49, ≤, ⊐ – ⒯ⓥ 🄿. ⑩ ⒼⒷ
1er avril-15 oct. – ⊇ 7 – **30 ch** 76/91

🏨 **Bella Vista**, ℘ 04 95 26 11 08, bellavistacorse@aol.com, Fax 04 95 26 15 18, ≤, 綿 –
▤ rest, ⒯ⓥ 🄿. ⒼⒷ. ⫸
ouvert 27 mars-13 oct., 26 oct.-3 nov., 26 déc.-5 janv. et week-ends en fév. – **Repas** (fermé
lundi midi sauf juil.-août) 15/58 ⚒, enf. 11 – ⊇ 10 – **18 ch** 72/95 – ½ P 68/75

🏨 **Romantique** Ⓜ ⑤, à la Marine ℘ 04 95 26 10 85, Fax 04 95 26 14 04, ≤, 綿 – ▤ ch, ⒯ⓥ.
⑩ ⒼⒷ
hôtel : 1er avril-15 oct. ; rest. : 1er mai-30 sept. – **Repas** 14,48/19,82 ⚒ – ⊇ 6,10 – **8 ch**
79,27/89,94

🍴 **Mer**, à la Marine ℘ 04 95 26 11 27, Fax 04 95 96 11 17, ≤, 綿 – ⒼⒷ
15 mars-15 nov. – **Repas** 16,77 (déj.)/22,87

---

rto-Pollo *2A Corse-du-Sud* 90 ⑱ – ⊠ *20140 Petreto-Bicchisano*.
Ajaccio 52 – Sartène 30.

🏨 **Les Eucalyptus** ⑤ sans rest, ℘ 04 95 74 01 52, Fax 04 95 74 06 56, ≤, ⚓, ⫸ – 🄿. 쯔
⑩ ⒼⒷ. ⫸
13 avril-7 oct. – ⊇ 6,50 – **27 ch** 45/59,45

🏨 **Kallisté**, ⊠ 20156 Serra di Ferro ℘ 04 95 74 02 38, Fax 04 95 74 06 26, 綿 – ▤ ⫶ 🄿. ⒼⒷ
1er avril-30 oct. – **Repas** 19,50/22,87, enf. 7,62 – ⊇ 6,86 – **20 ch** 76,22/91,47 – ½ P 55,64/
64,03

Porto-Vecchio 2A Corse-du-Sud 🔟 ⑧ – 10 326 h alt. 40 – ⊠ 20137 .

Env. Golfe de Porto-Vecchio★★ – Castellu d'Arraghju★ ←★★ N : 7,5 km.

✈ Figari-Sud-Corse : ℘ 04 95 71 10 10, SO : 23 km.

🛾 Office du tourisme Rue du Docteur Camille de Rocca Serra ℘ 04 95 70 09 58, Fax 04 95 03 72.

Ajaccio 142 – Bonifacio 27 – Corte 123 – Sartène 61.

🏨 **Belvédère** M ﻬ, rte plage de Palombaggia : 5 km ℘ 04 95 70 54 13, info@hbco com, Fax 04 95 70 42 63, ≤, 龠, « Bel ensemble en bord de mer, piscine panorami jardin fleuri », 🔟, 龠ₛ, 龠 – ▤ ch, 🔟 ✦ & ℙ – 🔏 15. 🖭 ⓞ ☜ ﻬ ch
fermé 5 janv. au 8 mars – Repas (fermé le midi du 1er juin au 26 sept.) 39 (déj.), 52/7 carte 60 à 85 • **Mari e Tarra** (terrasse)(dîner seul.)(grill) (juin-sept.) Repas carte 40 à
⊊ 18,30 – **16 ch** 290/366, 3 appart – ½ P 199/229
Spéc. Ravioli de langoustines à la duxelles de champignons. Dos de loup de ligne cuit s peau. Quasi de veau et pannequet d'aubergine au jambon corse Vins Porto Vecchio, Fi

🏨 **Syracuse** ﻬ, rte plage de Palombaggia : 6 km ℘ 04 95 70 53 63, contact@corse-hot acuse.com, Fax 04 95 70 28 97, ≤, 龠, 🔟, 龠ₛ, 龠 – 🔟 & ℙ. 🖭 ⓞ ☜ ﻬ rest
1er avril-15 oct. – Repas 22,86/53,40 – ⊊ 7,70 – **18 ch** 184/208 – ½ P 145

🏨 **Golfe Hôtel** M, r. du 9-Septembre-1943 ℘ 04 95 70 48 20, info@golfehotel.c Fax 04 95 70 92 00, 🔟 – 🛗 🔟 ✦ & ℙ – 🔏 20. 🖭 ⓞ ☜ ﻬ ch
(fermé dim. soir de nov. à mars) **Les Quatre Saisons** ℘ 04 95 70 92 03 (dîner seul.) (fe 15 nov. au 10 déc. et dim. de nov. à fév.) Repas 13/37 ♀, enf. 9 – ⊊ 8 – **41 ch** 76/229, été : ½ pens. seul.) – ½ P 114,50/190,50

🏨 **Alcyon** M sans rest, 9 r. Mar. Leclerc (face Poste) ℘ 04 95 70 50 50, info@hotel-alc com, Fax 04 95 70 25 84 – 🛗 ▤ 🔟 ✦ & ℙ. 🖭 ⓞ ☜
⊊ 10 – **40 ch** 110/121

🏨 **San Giovanni** ﻬ, rte Arca, Sud-Ouest : 3 km par D 659 ℘ 04 95 70 22 25, info@hc san-giovanni.com, Fax 04 95 70 20 11, ≤, 龠, « Dans un grand parc arboré et fleuri, b piscine », 🔟, ✿, 龠 – ▤ rest, 🔟 ✦ ℙ. 🖭 ⓞ ☜ ﻬ
avril-oct. – Repas (résidents seul.) 18,29 – ⊊ 8 – **29 ch** 73/90 – ½ P 70

⛵ **Goéland** sans rest, à la Marine ℘ 04 95 70 14 15, hotel-goeland@wanadoo Fax 04 95 72 05 18, ≤, 龠ₛ, 龠 – 🔟 ℙ. 🖭 ☜
1er avril-1er nov. – ⊊ 7 – **23 ch** 78/143

🍴🍴 **Troubadour**, 13 r. Gén. Leclerc (près Poste) (1er étage) ℘ 04 95 70 08 62, georges-billo wanadoo.fr, Fax 04 95 70 55 26, 龠 – ▤ ℙ. ☜
fermé dim., d'oct. à avril – Repas (dîner seul. en saison) 15 (déj.)/23 ♀

🍴🍴 **L'Orée du Maquis** avec ch, à la Trinité, Nord : 5 km et chemin de la Lézard ℘ 04 95 70 22 21, Fax 04 95 70 22 21, ≤, 龠, 🔟 – ℙ. ☜
fermé nov., janv., dim. et lundi du 19 mai au 30 juin et sept., du lundi au jeudi d'oct. à av Repas (nombre de couverts limité, prévenir)(menu unique)(dîner seul.) 55 – ⊊ 8 – 3 80/160 – ½ P 105/145

au golfe de Santa Giulia Sud : 8 km par N 198 et rte secondaire – ⊠ 20137 Porto-Vecchio :

🏨 **Moby Dick** M ﻬ (annexe 69 pavillons 🏠), ℘ 04 95 70 70 00, webmaster@sudco com, Fax 04 95 70 46 66, ≤, 龠, « Sur la lagune », 龠ₛ, ✿ – ▤ ch, 🔟 ✦ & ℙ – 🔏 40. ﻬ ⓞ ☜ ﻬ
15 avril-15 oct. – Repas 30 (déj.), 42/55 – ⊊ 11 – **114 ch** 75/101 – ½ P 138/178

🏨 **Castell'Verde** M ﻬ, ℘ 04 95 70 71 00, webmaster@sud-corse.com, Fax 04 95 70 71 ≤ golfe, 🔟, 龠, ✿ – 🛗 🔟 ℙ. 🖭 ⓞ ☜ ﻬ
1er mai-30 sept. – Repas -voir rest. **Costa Rica** – ⊊ 9 – **30 ch** 170 – ½ P 122

🍴🍴 **Costa Rica**, ℘ 04 95 72 24 51, Fax 04 95 72 05 66, ≤, 龠 – ℙ. 🖭 ⓞ ☜
1er mai-15 oct. – Repas 30,50 ♀

à Cala Rossa Nord-Est : 10 km par N 198 et D 468 – ⊠ 20137 Porto-Vecchio :

🏨 **Grand Hôtel de Cala Rossa** ﻬ, ℘ 04 95 71 61 51, calarossa@relaischateaux Fax 04 95 71 60 11, ≤, 龠, « Dans les pins, jardin fleuri », 🎇, 龠ₛ, 龠, ✿ – ▤ 🔟 ℙ. 🖭 ☜ 🕮 ﻬ
29 mars-3 janv. – Repas 46 (déj.), 89/122 et carte 90 à 135 ♀ – ⊊ 23 – **48 ch** 117/319, (en e : ½ pens. seul.) – ½ P 260/457,50
Spéc. Cannelloni de seiche, grosses langoustines en brochette de romarin et capucino crustacés. Chapon de mer farci pêcheur au jus de bouillabaisse. Moelleux tiède à châtaigne Vins Patrimonio, Figari.

à la presqu'île du Benedettu Nord-Est : 10 km par N 198 et D 468 – ⊠ 20137 Porto-Vecchio

🏨 **U Benedettu** ﻬ, ℘ 04 95 71 62 81, benedettu@wanadoo.fr, Fax 04 95 71 66 37, ≤, ﻬ 龠ₛ, 龠 – ▤ ch, 🔟 ✦ ℙ. 🖭 ⓞ ☜ 🕮
A Perla ℘ 04 95 71 60 68 (1er avril-30 nov.) Repas 24,39 (déj.)/75 ♀, enf. 12 – ⊊ 11,43 **11 ch** 88,50/213,45 – ½ P 115,90/149,42

priano 2A Corse-du-Sud 90 ⑱ – 3 166 h alt. 5 – Stat. therm. O (Bains de Baracci) – ⊠ 20110 .
🔋 Office du tourisme Port de Plaisance ℘ 04 95 76 01 49, Fax 04 95 76 00 65.
Ajaccio 72 – Bonifacio 65 – Corte 138 – Sartène 13.

🏨🏨 **Grand Hôtel Miramar**, rte Corniche ℘ 04 95 76 06 13, miramar@wanadoo.fr,
Fax 04 95 76 13 14, ≤ golfe de Valinco, 佘, ₤₅, ⌱, 쿋 – ≡ ch, 📺 ❤ 🄿 – ₤ 25. 🕮 ⓞ 🖼️
15 avril-15 oct. – Repas 30,49 (déj.), 50/80 ♀ – ☲ 14,48 – **25 ch** 227/352, 3 appart –
½ P 202/226

🏨🏨 **Roc é Mare** sans rest, ℘ 04 95 76 04 85, rocemare@rocemare.fr, Fax 04 95 76 17 55,
≤ golfe, 🐾₅, 쿋 – 🛗 📺 🄿 – ₤ 80. 🕮 ⓞ 🖼️ 🗸
25 mars-31 oct. – ☲ 9,15 – **60 ch** 83/117

🏨 **Ibiscus** 🍃 sans rest, ℘ 04 95 76 01 56, Fax 04 95 76 23 88, ≤ – 🛗 📺 ❤ ⅙ 🄿 🖼️
fermé janv. et fév. – ☲ 6,87 – **27 ch** 62,51

🏨 **Loft Hôtel** sans rest, 3 r. Pandolfi ℘ 04 95 76 17 48, Fax 04 95 76 22 04 – 📺 ❤ 🄿. 🖼️. 🗸
15 avril-30 sept. – ☲ 5,80 – **25 ch** 52/60

🏨 **Arcu di Sole** 🍃, rte Barraci, Nord-Est : 2 km ⊠ 20113 Olmeto ℘ 04 95 76 05 10, Arcudi
sole@wanadoo.fr, Fax 04 95 76 13 36, 佘, 쿋, 🗸 – 🄿. 🕮 🖼️. 🗸 rest
12 avril-15 oct. – Repas 18/20 ♀ – ☲ 6 – **51 ch** 81/90 – ½ P 66/68,30

🍴🍴 **Lido** 🍃 avec ch, ℘ 04 95 76 06 37, Fax 04 95 76 31 18, ≤, 佘, « Au bord de l'eau » – 🕮
🖼️. 🗸 ch
2 mai-15 oct. et fermé lundi midi, mardi midi et merc. midi – Repas 27,40 – ☲ 9,90 – **14 ch**
91,45/183

🍴 **A Manella**, 18 r. Gén. de Gaulle ℘ 04 95 76 14 85, 佘 – 🕮 🖼️
fermé fév. et dim. d'oct. à mai – Repas 13,70 (déj.)/22,86

🍴 **Cabanon**, av. Napoléon (sur le port) ℘ 04 95 76 07 76, Fax 04 95 76 27 97, ≤, 佘 – 🕮 ⓞ
🖼️
1er avril-1er nov. – Repas - produits de la mer - 13,74 (déj.), 19,84/28,24

enza 2A Corse-du-Sud 90 ⑦ – 215 h alt. 840 – ⊠ 20122 .
Voir Fresques★ de la chapelle Santa-Maria-Assunta.
Ajaccio 84 – Bonifacio 75 – Porto-Vecchio 47 – Sartène 38.

🏨 **Sole e Monti**, ℘ 04 95 78 62 53, sole.e.monti@wanadoo.fr, Fax 04 95 78 63 88, ≤, 佘,
쿋 – 📺 🄿. 🕮 ⓞ 🖼️. 🗸 rest
1er mai-15 oct. – Repas (fermé lundi et mardi) 23/39 – ☲ 8 – **20 ch** 77/122 – ½ P 69/77

-Florent 2B H.-Corse 90 ③ – 1 474 h – ⊠ 20217 .
Voir Église Santa Maria Assunta★★ – Vieille Ville★.
Env. Les Agriates★.
Bastia 23 – Calvi 70 – Corte 77 – L'Île-Rousse 46.

🏨🏨 **Bellevue**, ℘ 04 95 37 00 06, hotel-bellevue@wanadoo.fr, Fax 04 95 37 14 83, ≤, ⌱, 🗸,
🐿 – 📺 🄿 – ₤ 100. 🖼️
25 mars-31 oct. – Repas 13 (déj.), 20/29, enf. 7 – ☲ 8 – **25 ch** 107/153 – ½ P 86/101,50

🏨🏨 **Tettola** sans rest, Nord : 1 km sur D 81 ℘ 04 95 37 08 53, hotel.tettola@wanadoo.fr,
Fax 04 95 37 09 19, ≤, ⌱ – cuisinette ≡ 📺 ❤ 🄿. 🖼️. 🗸
mars-oct. – ☲ 6 – **30 ch** 65/115

🏨🏨 **Dolce Notte** 🍃 sans rest, ℘ 04 95 37 06 65, info@hotel-dolce-notte.com,
Fax 04 95 37 10 70, ≤ golfe, 🐾₅, 쿋 – 📺 🄿. 🖼️. 🗸
20 mars-20 oct. – ☲ 6,10 – **20 ch** 125

🏨 **Maxime** Ⓜ sans rest, ℘ 04 95 37 05 30, Fax 04 95 37 13 07 – 📺 ⅙ 🄿. 🖼️. 🗸
☲ 7,62 – **19 ch** 64,03/73,18

🍴🍴 **Rascasse**, promenade des Quais ℘ 04 95 37 06 99, Fax 04 95 37 06 99, ≤, 佘 – ≡. 🕮
🖼️. 🗸
1er avril-30 sept. et fermé lundi sauf du 15 juin au 15 sept. – Repas 18,32

te-Lucie-de-Tallano 2A Corse-du-Sud 90 ⑧ – 392 h alt. 450 – ⊠ 20112 .
Ajaccio 90 – Bonifacio 71 – Porto-Vecchio 48 – Sartène 19.

🍴 **Santa Lucia**, ℘ 04 95 78 81 28, 佘 – ≡. 🕮 🖼️
Repas (fermé janv. et dim. hors saison) 14,49/20,58 ♀, enf. 6,09

te-Marie-Sicché 2A Corse-du-Sud 90 ⑰ – 357 h alt. 420 – ⊠ 20190 Santa-Maria-Sicché.
Ajaccio 36 – Sartène 50.

🏨 **Santa Maria**, ℘ 04 95 25 72 65, Fax 04 95 25 71 34, 佘 – 📺 ❤ 🄿. 🕮 ⓞ 🖼️ 🗐. 🗸
Repas 15,26/22,90 ♀ – ☲ 7 – **22 ch** 41,70/60 – ½ P 45,10/51,40

Sartène ◈ *2A Corse-du-Sud* 90 ⑱ *G. Corse – 3 410 h alt. 310 –* ⊠ *20100 .*
Voir *Vieille ville*★★ – *Procession de Catenacciu*★★ *(vend. Saint)* – *Musée de Préhis.*
corse★.
🛈 *Syndicat d'initiative 6 rue Borgo* ℰ *04 95 77 15 40, Fax 04 95 77 15 40.*
Ajaccio 82 – Bonifacio 52 – Corte 148.

🏨 **Villa Piana** ⤴ sans rest, rte Propriano ℰ *04 95 77 07 04, hotel-la-villa-piana@wana.*
fr, Fax 04 95 73 44 65, ≼*, « Parc, piscine panoramique »,* 🛌*,* ⅃*,* ✗*,* 🏸 *–* 📺 📞 🅿 *–* 🔌
🖭 ① ⅁⅃ *,* 🛇
28 mars-15 oct. – ⊡ *8 –* **31 ch** *77/90*

🍴🍴 **Auberge Santa Barbara**, rte de Propriano ℰ *04 95 77 09 06, Fax 04 95 77 09 09,*
🈂 *–* 🅿*,* 🖭 ① ⅁⅃
15 mars-15 oct. et fermé lundi sauf le soir en saison – **Repas** *25*

Soccia *2A Corse-du-Sud* 90 ⑮ *– 121 h alt. 670 –* ⊠ *20125 .*
Ajaccio 69 – Calvi 130 – Corte 100 – Vico 18.

🏨 **U Paese** ⤴ sans rest, ℰ *04 95 28 31 92, hotel.u.paese@wanadoo.fr, Fax 04 95 28 35*
≼ *–* 🛗 🅿*,* ⅁⅃
⊡ *6 –* **30 ch** *35/52*

Solenzara *2A Corse-du-Sud* 90 ⑦ *–* ⊠ *20145 .*
🛈 *Office de tourisme r. Principale* ℰ *04 95 57 43 75, Fax 04 95 57 43 59.*
Ajaccio 119 – Bonifacio 68 – Sartène 77.

🏨 **Solenzara** sans rest, ℰ *04 95 57 42 18, info@lasolenzara.com, Fax 04 95 57 46 84,* ≼*,*
🈂 *–* 📺 🔥 🅿*,* 🖭 ⅁⅃*,* 🛇
1er mars-30 nov. – ⊡ *6,10 –* **28 ch** *86,90*

🏨 **Maquis et Mer** sans rest, ℰ *04 95 57 42 37, maquis-et-mer@wanadoo*
Fax 04 95 57 46 85 – 🛗 📺 🅿 *–* 🔌 *30.* 🖭 ① ⅁⅃ ⅉⅽⅎ
1er avril-30 oct. – ⊡ *8 –* **42 ch** *69/183*

🍴 **A Mandria**, Nord : 1 km ℰ *04 95 57 41 95, Fax 04 95 57 45 96,* 🈂*,* 🈂 *–* 🅿*,* 🖭
⅁⅃
🐾 *fermé janv., dim. soir et lundi hors saison –* **Repas** *20*

Vico *2A Corse-du-Sud* 90 ⑮ *– 898 h alt. 400 –* ⊠ *20160 .*
Voir *Couvent St-François : christ en bois*★ *dans l'église conventuelle.*
Ajaccio 51 – Calvi 112 – Corte 82.

🏨 **U Paradisu** ⤴*,* ℰ *04 95 26 61 62, uparadisu@wanadoo.fr, Fax 04 95 26 67 01,* 🈂*,* ⅃
📺 🖭 ① ⅁⅃
fermé 1er janv. au 1er mars – **Repas** *(14,50)* - *18,30/22* ⅀*, enf. 10 –* ⊡ *6,70 –* **21 ch** *67/85,3*
½ P 57,20

Vizzavona (Col de) *2B H.-Corse* 90 ⑥ *–* ⊠ *20219 Vivario.*
Voir *Forêt*★★.
Bastia 100 – Bonifacio 135 – Corte 31.

🏔 **Monte d'Oro** ⤴*,* ℰ *04 95 47 21 06, monte.oro@sitec.fr, Fax 04 95 47 22 05,* 🈂*,*
forêt, 🈂 *–* 🅿*,* ⅁⅃*,* 🛇 rest
1er avril-30 oct. – **Repas** *carte environ 23* 🍷 *–* ⊡ *–* **30 ch** *35,06/70,13 –* ½ *P 47,26/64,03*

Zicavo *2A Corse-du-Sud* 90 ⑦ *– 237 h alt. 700 –* ⊠ *20132 .*
Ajaccio 62 – Bonifacio 113 – Corte 78 – Porto-Vecchio 86 – Sartène 62.

🏔 **Tourisme** ⤴*,* ℰ *04 95 24 40 06,* ≼*,* 🈂 *–*🛇
⅁⅃ **Repas** *12,20/18,29* ⅀ *–* ⊡ *3,75 –* **15 ch** *33/36*

Zonza *2A Corse-du-Sud* 90 ⑦ *– 1 802 h alt. 780 –* ⊠ *20124 .*
Voir *Col et aiguilles de Bavella*★★★ *NE : 9 km.*
Ajaccio 91 – Bonifacio 67 – Porto-Vecchio 40 – Sartène 38.

🏨 **Tourisme**, ℰ *04 95 78 67 72, letourisme@wanadoo.fr, Fax 04 95 78 73 23,* ≼*,* 🈂*,* 🈂 *–*
📺 ① ⅁⅃ ⅉⅽⅎ
25 mars-30 oct. – **Repas** *17/26* ⅀*, enf. 7,50 –* ⊡ *8 –* **16 ch** *45,50/114,50 –* ½ *P 61/68,50*

🏨 **L'Incudine**, ℰ *04 95 78 67 71, Fax 04 95 78 67 71,* 🈂 *–* 📞*,* 🖭 ⅁⅃
1er avril-30 oct. – **Repas** *(fermé lundi midi) (14,48)* - *19,82/26,68, enf. 8,38 –* ⊡ *6,10 –* **20**
48,78/64,03 – ½ *P 53,36*

SNE-SUR-LOIRE 〈⊕〉 58200 Nièvre **65** ⑬ G. Bourgogne – 11 399 h alt. 150.

Voir Cheminée★ du musée.

🛈 Office du tourisme Place de l'Hôtel de Ville ℘ 03 86 28 11 85, Fax 03 86 28 11 85, otcosne@club-internet.fr.

Paris 187 ① – Bourges 60 ④ – Auxerre 82 ① – Montargis 74 ① – Nevers 54 ③.

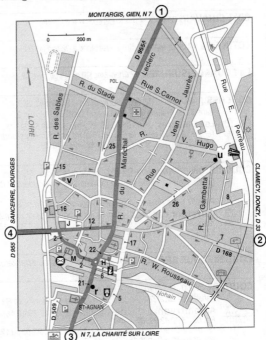

COSNE-SUR-LOIRE

Baudin (R. Alphonse) . . . 2
Buchet-Desforges (R.) 4
Clemenceau (Pl. G.) 5
Dr-J. Moineau (Pl.) 6
Donzy (R. de) . . . 7
Frères-Gambon (R. des) 8
Gaulle (R. du Gén.-de) 12
Pêcherie (Pl. de la) 15
Pelletan (R. Eugène) . . . 16
République (Bd de la) 17
St-Agnan (R.) . . . 21
St-Jacques (R.) . . 22
Vieille-Route 25
14-Juillet (R. du) 26

🏠 **Vieux Relais**, 11 r. St-Agnan (r) ℘ 03 86 28 20 21, contacts@le-vieux-relais.fr, Fax 03 86 26 71 12 – ▣ ✆ ⟺. ◭ ▩
fermé vend. soir, sam. midi et dim. soir – **Repas** 16,80/38,95 bc ♀, enf. 11,50 – ⌑ 9,15 – **11 ch** 63/77,80 – ½ P 60

🏠 **Saint-Christophe**, pl. Gare (u) ℘ 03 86 28 02 01, Fax 03 86 26 94 28 – ▣ ✆. ◭ ▩
fermé 26 juil. au 23 août, 25 déc. au 3 janv., dim. soir et vend. – **Repas** 12,20/33,50 ♀, enf. 9 – ⌑ 5,70 – **8 ch** 32/40 – ½ P 40/43

✗ **Panetière**, 18 pl. Pêcherie (v) ℘ 03 86 28 01 04, 🌣 – ▩
fermé 29 juil. au 20 août, 23 déc. au 3 janv., dim. soir et lundi – **Repas** 15/30,20

SQUEVILLE 50330 Manche **54** ② – 491 h alt. 22.

Paris 357 – Cherbourg 21 – Caen 123 – Carentan 51 – St-Lô 78 – Valognes 27.

✗✗ **Au Bouquet de Cosqueville**, ℘ 02 33 54 32 81, contact@bouquetdecosqueville.com, Fax 02 33 54 63 38 – ◭ ▩
fermé 25 juin au 1er juil., janv., mardi et merc. de sept. à juin – **Repas** 17,53/68,60, enf. 10 - **Petit Gastro : Repas** 11/14 ♀, , enf. 6,86

Le Guide change, changez de guide tous les ans.

La CÔTE-ST-ANDRÉ 38260 Isère **77** ③ G. Vallée du Rhône – 4 240 h alt. 370.

🛈 Office du tourisme Place H. Berlioz 𝒫 04 74 20 61 43, Fax 04 74 20 56 25.

Paris 527 – Grenoble 50 – Lyon 69 – La Tour-du-Pin 33 – Valence 81 – Vienne Voiron 30.

XX **France** avec ch, pl. Église 𝒫 04 74 20 25 99, Fax 04 74 20 35 30 – 🍽 rest, 📺 ⇔ – 🏨
ঔ GB
Repas (fermé dim. soir et lundi sauf fériés) 27,50/68,60 et carte 40 à 65, enf. 15,50 – 🖵
– **14** 49,50/58,50 – ½ P 58,50/64,50
Spéc. Jambonnettes de grenouilles cressonnière. Filets de sole à la barigoule d'artich
Râble de lièvre à la crème (saison). **Vins** Viognier de l'Ardèche, Saint-Joseph

---

COTI-CHIAVARI 2A Corse-du-Sud **90** ⑰ – voir à Corse.

COTINIÈRE 17 Char.-Mar. **71** ⑬ ⑭ – rattaché à Oléron (Ile d').

La COUARDE-SUR-MER 17 Char.-Mar. **71** ⑫ – voir à Ré (île de).

COUCHES 71490 S.-et-L. **69** ⑧ G. Bourgogne – 1 409 h alt. 320.

Paris 311 – Beaune 31 – Chalon-sur-Saône 26 – Autun 25 – Le Creusot 16.

🏠 **Les 3 Maures,** 𝒫 03 85 49 63 93, Fax 03 85 49 50 29, 🍴, 🐎 – 📺, 🅰🅴 GB
ঔ fermé 16 au 26 déc., 18 fév. au 18 mars, mardi midi et lundi du 15 sept. au 15 juil. – Re
14/33 ⌾, enf. 8 – 🖵 6 – **16 ch** 40/48 – ½ P 40/45

COUCOURON 07470 Ardèche **76** ⑰ G. Vallée du Rhône – 713 h alt. 1150.

🛈 Office du tourisme Maison Laurent Quartier Couderc 𝒫 04 66 46 12 58, Fax 04 66 4
58.

Paris 574 – Le Puy-en-Velay 39 – Langogne 21 – Privas 83.

🏠 **Carrefour des Lacs,** 𝒫 04 66 46 12 70, Fax 04 66 46 16 42 – 🅿, GB
ঔ mars-nov. – **Repas** 12,96/27,44 ⌾, enf. 6,10 – 🖵 4,88 – **16 ch** 28,20/47,26 – ½ P 32
37,35

COUDEKERQUE BRANCHE 59 Nord **51** ④ – rattaché à Dunkerque.

COUDRAY 53000 Mayenne **63** ⑩ – 640 h alt. 68.

Paris 283 – Laval 36 – Angers 50 – Château-Gontier 7 – La Flèche 49.

XX **Amphitryon,** 2 rte Daon 𝒫 02 43 70 46 46, amphitryon@wanadoc
Fax 02 43 70 42 93, 🍴 – GB
fermé 29/06 au 10/07, 28 au 31/10, 22 au 25/12, 27/02 au 12/03, dim. soir de 11 à 03, m
soir et merc. – **Repas** 15/22 ⌾, enf. 9

Le COUDRAY-MONTCEAUX 91 Essonne **61** ① – voir à Paris, Environs (Corbeil-Essonnes).

COUILLY-PONT-AUX-DAMES 77860 S.-et-M. **56** ⑫ G. Ile-de-France – 1 897 h alt. 50.

Paris 45 – Coulommiers 21 – Lagny-sur-Marne 13 – Meaux 9 – Melun 47.

XXX **Auberge de la Brie** (Pavard), rte Quincy (D 436) 𝒫 01 64 63 51 80, Fax 01 64 63 51
ঔ 🍴 – 🍽 🅿. GB
fermé 5 au 28 août, 23 déc. au 2 janv., 17 fév. au 5 mars, dim. soir, lundi et mardi – Re
(nombre de couverts limité, prévenir) (26) - 36/62 et carte 55 à 75, enf. 9
Spéc. Pressé de tête de veau au foie gras poêlé. Fricassée de sole et homard. Soufflé ch.
au Grand Marnier

COUIZA 11190 Aude **86** ⑦ G. Languedoc Roussillon – 1 194 h alt. 228.

Paris 811 – Foix 72 – Carcassonne 40 – Perpignan 88 – Toulouse 579.

🏨 **Château des Ducs de Joyeuse** 🅼 ॐ, 𝒫 04 68 74 23 50, d.avelange@chateau-c
ducs.com, Fax 04 68 74 23 36, 🍴 – 📺 – 🏨 20 à 50. 🅰🅴 ⓞ GB
22 mars-15 nov. – **Repas** (dîner seul.) 27/42 ⌾ – 🖵 11 – **35 ch** 60/175 – ½ P 75/122,50

COULANDON 03 Allier **69** ⑭ – rattaché à Moulins.

JLANGES-LA-VINEUSE 89580 Yonne 🖪 ⑤ – 916 h alt. 193.
Paris 181 – Auxerre 14 – Avallon 43 – Clamecy 34 – Cosne-sur-Loire 67.

al-de-Mercy Sud : 4 km par D 165 et D 38 – 369 h. alt. 115 – ⊠ 89580 :

XX **Auberge du Château** ⤢ avec ch, ℰ 03 86 41 60 00, delfontaine.j@wanadoo.fr,
Fax 03 86 41 73 28, 🛱, 🐖 – 🔟 📞, ⑩ 😅, ✵ rest
fermé 15 janv. au 5 mars, dim. soir (sauf hôtel) mardi midi et lundi hors saison – **Repas**
(nombre de couverts limité, prévenir) 22,11 (déj.), 27,14/35,85 ⵛ, enf. 9,15 – ⵚ 10 – **5 ch**
68,60/91,50 – ½ P 76,22

ULLONS 45720 Loiret 🖪 ① – 2 274 h alt. 166.
Paris 168 – Orléans 61 – Aubigny-sur-Nère 18 – Gien 16 – Sully-sur-Loire 22.

XX **Canardière**, ℰ 02 38 29 23 47, Fax 02 38 29 27 33, 🛱 – 😅
fermé 21 août au 11 sept., 1er au 15 janv., dim. soir, mardi soir et merc. – **Repas** 26/59 ⵛ,
enf. 12 **- Brasserie** (fermé le soir et dim. en hiver, dim. soir, mardi soir et merc.)) **Repas**
10,55bc(déj.)/16, enf. 10

ULOMBIERS 86600 Vienne 🖪🖪 ⑬ – 1 017 h alt. 141.
Paris 353 – Poitiers 18 – Couhé 26 – Lusignan 8 – Parthenay 44 – Vivonne 11.

🏠 **Centre Poitou**, ℰ 05 49 60 90 15, Fax 05 49 60 53 70, 🛱 – 🔟 📞 ⇦, 😅
fermé 22 oct. au 7 nov., 28 janv. au 6 fév. et dim. sauf juil.-août – **Repas** (femé dim. soir et
lundi du 15 sept. à juin) 19/58 ⵛ – ⵚ 6,50 – **11 ch** 46/55 – ½ P 46/56

ULOMMIERS 77120 S.-et-M. 🖪🖪 ③, 🖪🖪🖪 ㉔ G. Île de France – 13 852 h alt. 85.
🖪 Office du tourisme 7 rue du Général de Gaulle ℰ 01 64 03 88 09, Fax 01 64 03 88 09.
Paris 63 – Châlons-en-Champagne 111 – Meaux 26 – Melun 47 – Provins 40.

hauffry Est : 8 km par D 222 et D 66 – 850 h. alt. 112 – ⊠ 77169 :

XX **Pot d'Étain**, ℰ 01 64 04 48 22, france.prestige.services@wanadoo.fr,
Fax 01 64 04 42 39, 🛱 – 😅
fermé dim. soir, merc. soir, jeudi soir, lundi et mardi sauf fériés – **Repas** 29/46

ULON 79510 Deux-Sèvres 🖪🖪 ② G. Poitou Vendée Charentes – 2 074 h alt. 6.
Voir Marais poitevin★★.
🖪 Office du tourisme Place de l'Église ℰ 05 49 35 99 29, Fax 05 49 35 84 31, ot@ville-
coulon.fr.
Paris 420 – La Rochelle 63 – Fontenay-le-Comte 25 – Niort 11 – St-Jean-d'Angély 57.

🏠🏠 **Au Marais** sans rest, quai L. Tardy ℰ 05 49 35 90 43, information@hotel-aumarais.com,
Fax 05 49 35 81 98, « Ancienne maison de bateliers » – 🔟 📞 ♿. 😅
fermé 15 déc. au 1er fév. – ⵚ 8 – **18 ch** 47,50/70,50

XX **Central**, pl. Église ℰ 05 49 35 90 20, Fax 05 49 35 81 07, 🛱 – 🖭 😅
fermé 30 sept. au 15 oct., 3 au 25 fév., dim. soir et lundi – **Repas** 15,25/32 ⵛ, enf. 8

ULONGES-SUR-L'AUTIZE 79160 Deux-Sèvres 🖪🖪 ① – 2 146 h alt. 80.
🖪 Syndicat d'initiative - Mairie ℰ 05 49 06 10 72, Fax 05 49 06 13 26.
Paris 427 – La Rochelle 69 – Bressuire 48 – Fontenay-le-Comte 17 – Niort 23 – Parthenay 36.

X **Citronnelle**, 10 r. Commerce (derrière halles) ℰ 05 49 06 17 67, 🛱 – 😅
fermé dim. soir et lundi – **Repas** 8,85 (déj.), 13,70/25,35 ⵛ

UPELLE-VIEILLE 62310 P.-de-C. 🖪🖪 ⑬ – 494 h alt. 147.
Paris 235 – Calais 70 – Abbeville 59 – Arras 65 – Boulogne-sur-Mer 49 – Lille 87.

XX **Fournil**, D 928 ℰ 03 21 04 47 13, Fax 03 21 47 16 06, 🛱, 🐖 – 🗜. ⑩ 😅
fermé 2 au 18 janv.,mardi soir d'oct. à mars, dim. soir et lundi – **Repas** 12,50/27,74 ⵛ,
enf. 7,62

URBEVOIE 92 Hauts-de-Seine 🖪🖪 ⑳, 🖪🖪🖪 ⑮ – voir à Paris, Environs.

URCELLES-DE-TOURAINE 37330 I.-et-L. 🖪🖪 ⑬ – 325 h alt. 85.
Paris 267 – Tours 35 – Angers 76 – Chinon 47 – Saumur 47.

golf Est : 7 km par D 3 et D 34 – ⊠ 37330 Courcelles-de-Touraine :

🏠🏠 **Château des Sept Tours** ⤢, ℰ 02 47 24 69 75, info@7tours.com, Fax 02 47 24 23 74,
≤, « Château au milieu d'un golf », ♨, ♠ – 🗐 🔟 📞 🗜 – 🔏 25 à 40. 🖭 😅
fermé fév. – **Repas** (fermé le midi du lundi au jeudi) (32,78) - 40,40/48,78 ⵛ, enf. 16,01 **Club**
House (déj. seul.) **Repas** 22,11bc/22,87bc ⵛ – ⵚ 12,20 – **46 ch** 151,14/181,41

COURCELLES-SUR-VESLE 02220 Aisne 📖 ⑤ – 295 h alt. 75.

Paris 123 – Reims 38 – Fère-en-Tardenois 20 – Laon 35 – Soissons 21.

🏯 **Château de Courcelles** ⤡, ℘ 03 23 74 13 53, *reservation@chateau-de-courcelle*
❀ *Fax 03 23 74 06 41*, ≤, 🍴, « Parc », ⤴, 🎾, 🛥, ⇆ 📺 📞 🕭 🅿 – 🏦 40. 🖭 ◉
🔟

Repas 30,50 (déj.), 38/73 et carte 75 à 95, enf. 18 – ☲ 15,50 – **15 ch** 168/259, 3 appa
½ P 144/220
Spéc. Petits boudins de brochet truffés, beurre mousseux d'écrevisses. Poulet fermie
cocotte lutée à la vapeur de champagne (oct. à mai). Variation de pommes arrosée
ambré de cidre (sept. à avril)

COURCHEVEL 73120 Savoie 📖 ⑱ *G. Alpes du Nord* – Sports d'hiver : 1 100/2 750 m ✦ 11 ✦ 5t
Altiport International ℘ 04 79 03 31 14, S : 4 km.
🛈 *Office du tourisme la Croisette ℘ 04 79 08 00 29, Fax 04 79 08 15 63, pro@courch*
com.
Paris 660 ① – Albertville 52 ① – Chambéry 99 ① – Moûtiers 25 ①.

à Courchevel 1850.

Voir ☀★ – *Belvédère la Saulire★★★* (télécabine).

🏯 **Byblos des Neiges** Ⓜ ⤡, au jardin Alpin ℘ 04 79 00 98 00, *courchevel@byblos.c*
Fax 04 79 00 98 01, ≤, 🍴, ⌘, 🎾, ⊠ – 🔼 📺 🕭 🛥 📞 – 🏦 40. 🖭 ◉ 😑
🎾 rest
Z
mi-déc.-mi-avril – **La Clairière : Repas** 72♈ – **L'Écailler** (dîner seul.) **Repas** 75 ♈ – 66
11 appart, (½ pens. seul.) –
½ P 340/1000

🏯 **Les Airelles** Ⓜ ⤡, au Jardin Alpin ℘ 04 79 09 38 38, *info@airelles.fr*,
Fax 04 79 08 38 69, ≤, 🍴, « Grand chalet décoré dans le style tyrolien », 🎾, ⊠ – 🔼, 🍽 rest, 📺 🕭 🛥 📞 – 🖭 ◉ 😑 🔟 🎾 rest   Z h
15 déc.-15 avril – **Table du Jardin :** Repas 80 (déj.)/100, enf. 55 – **Coin Savoyard :** spécialités savoyardes (dîner seul.) Repas 100, enf. 55 – ☲ 15 – **57 ch** 615/1190, 3 appart – ½ P 345/595

🏯 **Annapurna** ⤡, rte Altiport ℘ 04 79 08 04 60, *hannapurna@aol.com*, *Fax 04 79 08 15 31*, ≤ pistes et la Saulire, 🍴, 🎾, ⊠ – 🔼 📺 🕭 – 🏦 15 à 80. 🖭 ◉ 😑, 🎾 ch
13 déc.-21 avril – **Repas** 45 (déj.)/60 ♈ – ☲ 15 – **62 ch** 215/280, 4 appart – ½ P 248/ 311

🏯 **Kilimandjaro** Ⓜ ⤡, rte Altiport ℘ 04 79 01 46 46, *welcome@hotelkilimandjaro.com*, *Fax 04 79 01 46 40*, ≤ pistes et montagnes, 🍴, « Beaux chalets savoyards regroupés en hameau », 🎾, ⊠, ⌀ – 🔼 📺 🕭 🛥 📞 🖭 😑
15 juil.-31 août et déc.-avril – **Coeur d'Or** (dîner seul.) **Repas** 60/150 ♈, enf. 25 – **Terrasses du Coeur d'Or** (déj. seul.) **Repas** carte 45 à 60, enf. 23 – **15 ch** (½ pens. seul.), 12 appart, 3 duplex – ½ P 290/850

COURCHEVEL 1850

0   200 r

LE PRAZ

CHENUS

PLANTREY

FORUM

TREMPLIN
(25 m.)

LES TOVETS

LA LOZE

GARE DES TÉLÉCABINES

LA CROISETTE

CHALET DU CURÉ D'ARS

TÉLÉCABINE DES CHENUS

TÉLÉCABINE DES VERDONS

Les Verdons

TREMPLIN
(50 m.)

COSPILL

BELLECOTE

GARE 2

SOMMET DE LA SAULIRE

TÉLÉCABINE DU JARDIN

JARDIN ALPIN

NOGENTIL

GARE 3

GARE 4

ALTIPORT

Carlina M ⊗, ℰ 04 79 08 00 30, *message@hotelcarlina.com*, Fax 04 79 08 04 03, ≤, 斧, balnéothérapie, ⬛ – 🛗 📺 ℃ ⇔ 🅿 – 🛗 25 à 60. 🖭 ⓪ ⬛ % ch   Y a
21 déc.-14 avril – **Repas** 43 (déj.), 60/69 – **51 ch** (½ pens. seul.), 12 appart – ½ P 260/340

Bellecôte ⊗, r. Bellecôte ℰ 04 79 08 10 19, *message@lebellecote.com*, Fax 04 79 08 17 16, ≤ vallée, *I₅*, ⬛ – 🛗 📺 – 🛗 40. 🖭 ⓪ ⬛ % ch   Z d
21 déc.-14 avril – **Repas** 43 (déj.)/60 – **52 ch** (½ pens. seul.) – ½ P 230/300

Lana ⊗, ℰ 04 79 08 01 10, *info@lelana.com*, Fax 04 79 08 36 70, ≤, 斧, *I₅*, ⬛ – 🛗 📺 ℃ ⇔ – 🛗 80. 🖭 ⓪ ⬛ % ch   Y p
15 déc.-15 avril – **Repas** 42 (déj.), 60/80 – **70 ch** (½ pens. seul.), 6 appart – ½ P 232,50/305

des Neiges ⊗, ℰ 04 79 08 03 77, *hotel-des-neiges@wanadoo.fr*, Fax 04 79 08 18 70, ≤, 斧, *I₅* – 🛗 📺 ⇔. 🖭 ⓪ ⬛ % ch   Z e
15 déc.-15 avril – **Repas** 42 (déj.)/62 – ⊒ 17 – **40 ch** 470/590, 8 appart – ½ P 250/312

Alpes Hôtel du Pralong M ⊗, rte Altiport ℰ 04 79 08 24 82, *pralong@relaischateaux. com*, Fax 04 79 08 36 41, ≤ montagnes, 斧, *I₅*, ⬛ – 🛗 📺 ⇔ 🅿 – 🛗 30. 🖭 ⓪ ⬛ 🇯🇨🇧 %
21 déc.-mi-avril – **Repas** 50 (déj.), 70/95 – **57 ch** ⊒ 250/315, 8 appart – ½ P 195/315

St-Joseph, r. Park City ℰ 04 79 08 16 16, *Fax 04 79 08 38 38*, « Élégant décor » – 🛗 📺 ℃ 🅿. 🖭 ⓪ ⬛   Y n
15 déc.-15 avril – **Repas** carte 50 à 80 ℤ – **10 ch** ⊒ 360/750, 3 appart

Mélézin M ⊗, r. Bellecôte ℰ 04 79 08 01 33, *lemelezin@amanresorts.com*, Fax 04 79 08 08 96, ≤, 斧, « Belle décoration contemporaine », *I₅*, ⬛ – 🛗 📺 ℃ ⇔ 🅿. 🖭 ⓪ ⬛ %   Y r
20 déc.-8 avril – **Repas** 49 (dîner)et carte 60 à 80, enf. 25 – ⊒ 23 – **26 ch** 450/780, 5 appart

Sivolière M ⊗, Nord-Ouest : 1 km ℰ 04 79 08 08 33, *sivoliere@wanadoo.fr*, Fax 04 79 08 15 73, ≤, *I₅* – 🛗 📺 ℃ ⇔. ⬛.   Y
30 nov.-29 avril – **Repas** 19 (déj.) 28/43 – ⊒ 14 – **32 ch** 144/546 – ½ P 203/325

Chabichou (Rochedy) M ⊗, ℰ 04 79 08 00 55, *chabi@courchevel.com*, Fax 04 79 08 33 58, ≤, 斧 – 🛗 📺 ⬛ ⇔ – 🛗 40. 🖭 ⓪ ⬛   Y z
juil.-août et déc.-avril – **Repas** (37) - 64 (déj.), 69/130 et carte 85 à 115, enf. 24,50 – **25 ch** (½ pens. seul.), 18 appart – ½ P 199,80/392
Spéc. Filet d'omble chevalier en croûte de pignons de pin. Nougatine d'agneau de lait au céleri sauvage. Millefeuille à la nougatine, crème ''castanéa''. **Vins** Roussette de Marestel, Mondeuse d'Arbin

Les Trois Vallées M ⊗ sans rest, ℰ 04 79 08 00 12, *les3vallees@aol.com*, Fax 04 79 08 17 98, ≤, « Élégant décor contemporain », *I₅* – 🛗 % 📺 ⬛ ⇔ – 🛗 60. 🖭 ⬛ %   Y q
déc.-avril – ⊒ 21,34 – **32 ch** 382/534

Les Grandes Alpes M ⊗, ℰ 04 79 08 03 35, *grandesalpes@wanadoo.fr*, Fax 04 79 08 12 52, ≤, 斧, *I₅*, ⬛ – 🛗 📺 ℃ ⬛ ⇔ – 🛗 15. 🖭 ⬛ % rest   Y s
30 nov.-30 avril – **Repas** 28,20 (déj.)/36,59 ℤ, enf. 9,91 – ⊒ 15,24 – **41 ch** 163,87/686,02, 4 appart – ½ P 179,11/274,39

Pomme de Pin M ⊗, ℰ 04 79 08 36 88, *pommedepin.courchevel@wanadoo.fr*, Fax 04 79 08 38 72, ≤ vallée et montagnes, 斧, *I₅* – 🛗 📺 ℃ ⬛ ⇔ – 🛗 30. 🖭 ⓪ ⬛   Y x
21 déc.-15 avril – **Repas** (voir aussi *Le Bateau Ivre* ci-après) - 34 ℤ – ⊒ 11 – **49 ch** 260/296 – ½ P 189/214

Les Ducs de Savoie ⊗, au Jardin Alpin ℰ 04 79 08 03 00, *message@lesducsdesavoie. com*, Fax 04 79 08 16 30, ≤, 斧, *I₅*, ⬛ – 🛗 📺 ⇔ – 🛗 40. 🖭 ⓪ ⬛   Z f
15 déc.-14 avril – **Repas** 34 (déj.)/48 – **70 ch** (½ pens. seul.) – ½ P 160/250

Loze M sans rest, ℰ 04 79 08 28 25, *info@la-loze.com*, Fax 04 79 08 39 29 – 🛗 📺 ℃ ⬛. 🖭 ⓪ ⬛ %   Y w
mi déc.-mi avril – ⊒ 15,50 – **26 ch** 341/390

Crystal Hôtel ⊗, rte Altiport ℰ 04 79 08 28 22, *crystal.hotel@wanadoo.fr*, Fax 04 79 08 28 39, ≤ montagnes, 斧, ⬛ – 🛗 📺 ℃ ⬛ 🅿. 🖭 ⓪ ⬛
mi-déc.-mi-avril – **Repas** (24) - 34 (déj.)/50 – **47 ch** (½ pens. seul.), 4 appart – ½ P 215/270

Courcheneige ⊗, r. Nogentil ℰ 04 79 08 02 59, *courcheneige-courchevel@telepost.fr*, Fax 04 79 08 11 79, ≤ montagnes, 斧, *I₅* – 🛗 📺 ⇔. 🖭 ⬛ %
20 déc.-20 avril – **Repas** (dîner pour résidents seul.) 28 (déj.) ⅄ – **75 ch** (½ pens. seul.), 3 appart, 6 duplex – ½ P 135/210

L'Aiglon ⊗, ℰ 04 79 08 02 66, *aiglon@courchevel1850.com*, Fax 04 79 08 37 94 – 📺. 🖭 ⓪ ⬛ % rest   Y k
15 déc.-30 avril – **Repas** 28 – **33 ch** (½ pens. seul.) – ½ P 125/149

XXX
⊕⊕ **Bateau Ivre** - Hôtel Pomme de Pin - (Jacob), ℰ 04 79 08 36 88, Fax 04 79 08 3
≤ station et massif de la Vanoise, « Restaurant panoramique » – 🛗, ⅍⅊ ⓪ ⒼⒷ
mi-déc.-mi-avril – **Repas** 50 (déj.), 69/140 et carte 92 à 120, enf. 23
Spéc. Queues de langoustines dorées, jus aigre-doux aux épices. Oeuf cassé aux truff
aux asperges. Chevreuil rôti en papillote de lard, sauce poivrade **Vins** Roussette de M
tel, Mondeuse d'Arbin.

XX
Saulire, pl. Rocher ℰ 04 79 08 07 52, lasaulire@wanadoo.fr, Fax 04 79 08 02 63, 🍽
⅍⅊ ⒼⒷ

fermé mai, juin, et mardi de sept. à nov. – **Repas** (20) - 27 (déj.), 30/38 ⅀, enf. 15

XX
Genépi, r. Park City ℰ 04 79 08 08 63, legenepi@wanadoo.fr, Fax 04 79 08 08 63
ⒼⒷ

fermé 10 juil. au 10 sept., sam. et dim. de mai à nov. – **Repas** 23/33 ⅀, enf. 13

X
Fromagerie, r. Tovets ℰ 04 79 08 27 47, Fax 04 79 08 20 91 – ⒼⒷ
1er juil.-31 août et 1er déc.-1er mai – **Repas** - spécialités savoyardes - 18 (déj.), 22/35, enf

à Courchevel 1650 par ① : 4 km – ☒ 73120 :

🏨 **Portetta,** ℰ 04 79 08 01 47, info@portetta.com, Fax 04 79 08 16 23, ≤, 🍽; Ⓕ❺, 🔲
ⒼⒷ

6 juil.-25 août et 20 déc.-15 avril – **Repas** 25 (déj.)/45 ⅀ – ⳤ 15 – **45 ch** 110/1
½ P 115/130

à Courchevel 1550 par ① : 5,5 km – ☒ 73120 Courchevel

🏠 **Les Ancolies** ⅋, ℰ 04 79 08 27 66, messages@lesancolies.fr, Fax 04 79 08 05 64, ≤
– 🛗 ⒯ⓥ ⓟ, ⅍⅊ ⒼⒷ ⒿⒸⒷ, ⅍ rest
déc.-fin avril – **Repas** (dîner seul.) 30 – **32 ch** (½ pens. seul.) – ½ P 110

🏠 **Les Flocons** ⅋, ℰ 04 79 08 02 70, info@courchevel-hotel-flocons.
Fax 04 79 08 11 29, ≤ – ⒯ⓥ ⓟ, – 🅰 25, ⅍⅊ ⒼⒷ, ⅍
15 déc.-15 avril – **Repas** 18 (déj.), 25/34 – ⳤ 12 – **28 ch** 160 – ½ P 105/113

au Praz (Courchevel 1300) par ① : 8 km – ☒ 73120 Courchevel :

🏠 **Les Peupliers,** ℰ 04 79 08 41 47, lespeuplie@aol.com, Fax 04 79 08 45 05, Ⓕ❺ – 🛗 Ⓓ
⅍⅊ ⓪ ⒼⒷ
21 juin-31 oct. et 11 déc.-30 avril – **Repas** 18 (déj.), 26/31 ⅀ – ⳤ 10 – **34 ch** 2
½ P 105/115

COUR-CHEVERNY 41700 L.-et-Ch. ⒍❹ ⑰ ⑱ – 2 555 h alt. 86.
Env. Château de Cheverny★★★ S : 1 km – Porte de la chapelle du château de Troussay
3,5 km – Château de Beauregard★, G. Châteaux de la Loire.
🇧 Office de tourisme 12 r. du Chêne des Dames ℰ 02 54 79 95 63, Fax 02 54 79 23 90.
Paris 195 – Orléans 74 – Blois 14 – Châteauroux 89 – Romorantin-Lanthenay 28.

🏨 **St-Hubert,** ℰ 02 54 79 96 60, hotel-st-hubert@wanadoo.fr, Fax 02 54 79 21 17, 🍽
ⓒⓢ Ⓓ – 🅰 15, ⅍⅊ ⒼⒷ
fermé 6 au 27 fév. – **Repas** (fermé dim. soir du 15 nov. au 15 mars) 13/36 ⅀, enf. 9 – ⳤ
20 ch 43/61 – ½ P 42/44

à Cheverny Sud : 1 km – 986 h. alt. 110 – ☒ 41700 :

🏰 **Château du Breuil** ⅋ sans rest, Ouest : 3 km par D 52 et voie privée ℰ 02 54 44 2
Fax 02 54 44 30 40, « Dans un parc », 🐾 – ⒯ⓥ Ⓒ ⓟ, ⅍⅊ ⒼⒷ
15 mars-15 nov. et fermé dim. soir et lundi hors saison – ⳤ 11 – **18 ch** 83/140

XX **Rousselière,** au Sud : 1 km par rte secondaire et voie privée ℰ 02 54 79 23
Fax 02 54 79 25 52, 🍽, ⅁, 🐾 – ⓟ, ⅍⅊ ⒼⒷ
fermé 23 déc. au 5 janv. et le soir d'oct. à mai – **Repas** (9,15) - 16,77/25,92

X **Grand Chancelier,** ℰ 02 54 79 22 57, Fax 02 54 79 22 57, 🍽 – ⅍⅊ ⓪ ⒼⒷ
fermé janv., fév., merc. sauf le midi en saison , lundi soir et mardi hors saison – **Re**
14,94/30,49 ⅀

X **Pousse Rapière,** ℰ 02 54 79 94 23, Fax 02 54 79 27 67 – ⅍⅊ ⒼⒷ
fermé déc., janv., mardi et merc. – **Repas** 13,95 (déj.), 22,86/45,73

COURCOURONNES 91 Essonne ⒍❶ ①, ⒑❶ ㊱ – voir à Paris, Environs (Évry).

COURLANS 39 Jura ⓿❶ ⑭ – rattaché à Lons-le-Saunier.

COURRUERO 83 Var ⒏❹ ⑰, ⒒❹ ㊱ – rattaché à Plan-de-la-Tour.

Le Guide change, changez de guide tous les ans.

UR-ST-MAURICE 25380 Doubs 🔟🔟 ⑰ ⑱ – 157 h alt. 500.

Paris 481 – Besançon 68 – Baume-les-Dames 44 – Montbéliard 43 – Maiche 12 – Morteau 37.

🏠 **Moulin** �%, à Moulin du Milieu, Est : 3 km sur D 39 ℘ 03 81 44 35 18, ≼, « Jardin ombragé en bordure de rivière », 龠 – 🔟 ❤ 🅿, 🖙. 🎺 rest
fermé 1er au 5 oct. et 15 janv. au 15 fév. – **Repas** *(fermé merc. sauf le soir en saison)* *(nombre de couverts limité, prévenir)* 16,80/26 – ⊊ 6 – **6 ch** 40/61 – ½ P 43/53,50

✗ **Truite du Moulin**, à Moulin du Bas, Est : 2 km sur D 39 ℘ 03 81 44 30 59, Fax 03 81 44 30 59, 龠 – 🅿. 🖙
fermé déc., mardi soir et merc. – **Repas** 15,38/33,85 ⍱

URSAN 11 Aude 🔠 ⑭ – rattaché à Narbonne.

URSEGOULES 06140 Alpes-Mar. 🔠 ⑨ G. Côte d'Azur – 322 h alt. 1020.

Paris 860 – Castellane 59 – Grasse 33 – Nice 40.

🏠 **Auberge de L'Escaou** 🅼 �%, ℘ 04 93 59 11 28, escaou@wanadoo.fr, Fax 04 93 59 13 70, ≼, 龠 – 💲 🔟 🖙 🖙
fermé dim. soir et lundi hors vacances scolaires – **Repas** 13,50/25,50, enf. 8,50 – ⊊ 6 – **10 ch** 37,50/60 – ½ P 40,50

URSEULLES-SUR-MER 14470 Calvados 🔠🔠 ① G. Normandie Cotentin – 3 886 h.

Voir Clocher★ de l'église de Bernières-sur-Mer E : 2,5 km – Tour★ de l'église de Ver-sur-Mer O : 5 km par D 514.

Env. Château★★ de Fontaine-Henry S : 6,5 km.

🖪 Office du tourisme 54 rue de la Mer ℘ 02 31 37 46 80, Fax 02 31 36 17 18, tourisme.cour seulles@wanadoo.fr.

Paris 252 – Caen 20 – Arromanches-les-Bains 14 – Bayeux 24 – Cabourg 35.

🏠 **Paris**, pl. 6-Juin ℘ 02 31 37 45 07, hoteldeparis14@aol.fr, Fax 02 31 37 51 63, 龠 – 🔟 🅿. 🖙 🖙. 🎺 rest
fermé 12 nov. au 9 déc. – **Repas** 13 (déj.), 16,80/28,50 ⍱ – ⊊ 6,50 – **27 ch** 39/55 – ½ P 40/50

✗✗ **Pêcherie** avec ch, pl. 6-Juin ℘ 02 31 37 45 84, pecherie@wanaddoo.fr, Fax 02 31 37 90 40, 龠 – 🔟 🅿. 🖙 🖙
Repas 13/38 ⍱ – ⊊ 8 – **6 ch** 74/89 – ½ P 74

✗✗ **Crémaillère** avec ch, bd Plage ℘ 02 31 37 46 73, cremaillere@wanadoo.fr, Fax 02 31 37 19 31, ≼, 龠 – 🔟 🅿. 🖙 🖙
Repas 15,09/52,59 ⍱ – ⊊ 7,62 – **11 ch** 72/76, 4 appart – ½ P 76

Annexe Gytan 🏠 sans rest, ℘ 02 31 37 95 96, cremaillere@wanadoo.fr, Fax 02 31 37 19 31, 🖪, 龠 – 🔟 ♿ 🅿 – 🕍 30. 🖙 🖙 🖙
⊊ 7,62 – **25 ch** 37/76, 11 duplex

URS-LA-VILLE 69470 Rhône 🔠 ⑧.

Paris 404 – Mâcon 70 – Roanne 28 – Chauffailles 17 – Lyon 79 – Villefranche-sur-Saône 58.

col du Pavillon Est : 4 km par D 64 – ⊠ 69470 Cours-la-Ville :

🏠 **Pavillon** �%, ℘ 04 74 89 83 55, hotel-le-pavillon@wanadoo.fr, Fax 04 74 64 70 26, 龠, 🏊, 龠 – 🔟 ❤ 🅿 – 🕍 30. 🖙
fermé 15 fév. au 15 mars, vend. soir et sam. d'oct. à avril et dim. soir – **Repas** (18) - 19,67/50,31 ♿, enf. 9,15 – ⊊ 7 – **21 ch** 43/55 – ½ P 47/50

URTABOEUF 91 Essonne 🔠 ⑩, 🔢 ㉞ – voir à Paris, Environs (Villejust).

URTENAY 45320 Loiret 🔠 ⑬ – 3 437 h alt. 146.

🖪 Office du tourisme 5 rue du Mail ℘ 02 38 97 00 60, Fax 02 38 97 39 12.

Paris 119 – Auxerre 57 – Nemours 44 – Orléans 102 – Sens 26.

✗✗✗ **Auberge La Clé des Champs** (Delion) �%, avec ch, rte Joigny : 1 km ℘ 02 38 97 42 68, Fax 02 38 97 38 10, 龠, 🏊, 龠 – 🔟 ❤ 🅿. 🖙 🖙
✿ *fermé 14 au 30 oct., 6 au 22 janv., mardi et merc.* – **Repas** (nombre de couverts limité, prévenir) 23/55 et carte 60 à 95 – ⊊ 9,15 – **7 ch** 73/100,50
Spéc. Parfait de foie gras au pigeon (sept. à mai). Pigeonneau fermier rôti, jus à la réglisse. Noisettine meringuée du duc de Praslin (sept. à mai). **Vins** Chitry, Irancy.

✗ **Raboliot**, pl. Marché ℘ 02 38 97 44 52 – ▤. 🖙
Repas (déj. seul.) 10/20 ⍱, enf. 9

499

à Ervauville *Nord-Ouest : 9 km par N 60, D 32 et D 34 – 389 h. alt. 152 – ⊠ 45320 :*

XXX **Le Gamin,** ℘ 02 38 87 22 02, Fax 02 38 87 25 40, « Décor original », ☞ – GB
☆ *fermé 17 juin au 2 juil., 23 déc. au 2 janv., 3 au 11 fév., dim. soir, lundi et mardi* – Re
(nombre de couverts limité, prévenir) 35,06 (déj.)/50,31 et carte 77 à 98
Spéc. Bouillon de truffe d'été (juin à août). Langoustines rôties, vinaigrette à la truffe.
perdu aux pêches de vignes rôties (juil. à août). **Vins** Chablis, Sancerre rouge.

COURTILS *50220 Manche 59 ⑧ – 257 h alt. 35.*

Paris 348 – St-Malo 58 – Avranches 14 – Dol-de-Bretagne 35 – Fougères 43 – St-Lô 70.

🏠 **Manoir de la Roche Torin** 🐾, Bas Courtils ℘ 02 33 70 96 55, manoir.rocheto.
wanadoo.fr, Fax 02 33 48 35 20, ≤, ⚓ – ☎ 🅿. 🆎 ⓪ GB
*fermé 12 nov. au 20 déc., 3 janv. au 14 fév., lundi sauf le soir en juil.-août, mardi
,merc.midi et sam.midi* – **Repas** 21,50/49 ♈, enf. 10 – ☲ 10,50 – **15 ch** 75/189 – ½ P
131

La COURTINE *23100 Creuse 73 ⑪ – 971 h alt. 789.*

🛈 Syndicat d'initiative - Mairie ℘ 05 55 66 76 58, Fax 05 55 66 70 69.
Paris 426 – Aubusson 38 – La Bourboule 53 – Guéret 80 – Ussel 21.

🏠 **Au Petit Breuil,** rte Felletin ℘ 05 55 66 76 67, Fax 05 55 66 71 84, ☞, ⛱, ☞ – 📶 📳
🞕 ☜ 🅿. GB
fermé 20 déc. au 15 janv. et dim. soir – **Repas** (11) · 12/32 ♈, enf. 8 – ☲ 6 – **11 ch** 34/
½ P 41

*Towns underlined in red on the **Michelin maps***
at a scale of 1 : 200 000 are included in this Guide.

Use the latest map to take full advantage of this information.

COURTY *63 P.-de-D. 73 ⑮ – rattaché à Thiers.*

COUSSAC-BONNEVAL *87500 H.-Vienne 72 ⑰ ⑱ G. Berry Limousin – 1 379 h alt. 376.*

Voir *Château★.*

🛈 Syndicat d'initiative 11 place des Foires ℘ 05 55 75 28 46, Fax 05 55 75 12 94.
Paris 433 – Limoges 44 – Brive-la-Gaillarde 70 – St-Yrieix-la-Perche 11 – Uzerche 30.

XX **Voyageurs** avec ch, ℘ 05 55 75 20 24, Fax 05 55 75 28 90, ☞ – ▤ rest, 📺. GB
fermé en mai, 1er au 10 oct., 2 au 21 janv., dim. soir et lundi de sept. à mai – Re
16,77/38,17 ♈ – ☲ 5,34 – **9 ch** 38,17/44,21 – ½ P 38,11

COUSTELLET *84660 Vaucluse 81 ⑬ G. Provence.*

Paris 711 – Avignon 31 – Apt 23 – Carpentras 26 – Cavaillon 10.

X **Maison Gouin,** N 100 ℘ 04 90 76 90 18, Fax 04 90 76 91 78, ☞ – ▤. GB
fermé 15 nov. au 10 déc., 15 fév. au 10 mars, merc. et dim. – **Repas** 10,67 (déj.)/26
enf. 13,72

COUTANCES ⬗ *50200 Manche 54 ⑫ G. Normandie Cotentin – 9 522 h alt. 91.*

Voir *Cathédrale★★★ : tour-lanterne★★★, parties hautes★★ – Jardin des Plantes★.*
🛈 Office du tourisme Place Georges Leclerc ℘ 02 33 19 08 10, Fax 02 33 19 08 10.
Paris 337 ② – St-Lô 29 ② – Avranches 51 ③ – Cherbourg 77 ⑤ – Vire 56 ③.

Plan page ci-contre

🏠 **Cositel** 🐾, par ④ : 1 km sur D44 ℘ 02 33 19 15 00, hotelcositel@wanadoc
Fax 02 33 19 15 02, ≤ – 📺 📞 ≛ 🅿. – 🔏 15 à 100. 🆎 ⓪ GB
Pommeau : Repas 18,50/35,50 ♈, enf. 8,50 – **Bistro Jazzy : Repas** (13) · 18 ♈, enf. 8,5
☲ 7,50 – **55 ch** 49/56,50 – ½ P 49/61,50

🏠 **Pocatière** sans rest, 25 bd Alsace-Lorraine ℘ 02 33 45 13 77, Fax 02 33 45 77 18 – 📺
🅿. GB
☲ 6 – **18 ch** 22/52

à Gratot *par ④ et D 244 : 4 km – 612 h. alt. 83 – ⊠ 50200 :*

X **Tourne-Bride,** ℘ 02 33 45 11 00, Fax 02 33 45 11 00, ☞ – 🅿. ⓪ GB
fermé 1er au 15 juil., vacances de fév., dim. soir et lundi – **Repas** 14,94/35,83 ♈, enf. 8,3

COUTANCES

rt-1er (Av.) . . . . Z 2
ıte (R. de la) . . . . YZ 3
el (R.) . . . . Y 5
amel (R.) . . . . Z 6
se-Chette (R. de l') . . . . Y 8
oignard (Bd) . . . . Z 9
ı (R. Mar.) . . . . Z 10
ıbetta (R.) . . . . Y 12
ɪert (R. G.) . . . . Z 13
erc (Av. Division) . . . . Y 15
entil-de-la-
alaisière (Bd) . . . . Z 16
e (R. du) . . . . Z 17
est (R. Thomas du) . . . . Y 18
n (R.) . . . . Y 19
tbray (R. G.-de) . . . . Z 20
nandie (R. de) . . . . Y 21
s-de-Justice (R. du) . . . . Y 23
ıel (Bd J.) . . . . Y 24
snel-
orinière (R.) . . . . Z 26
ıblique (Av. de la) . . . . Y 27
ominique (R.) . . . . Y 29
icolas (R.) . . . . Y 30
crède (R.) . . . . Y 32
ville (R.) . . . . Y 33

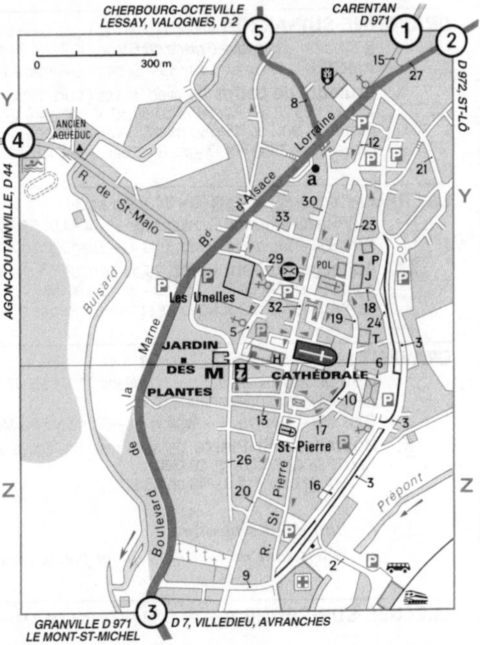

ns la liste
rues
plans de villes,
noms en rouge
iquent
principales
es commerçantes.

UTRAS *33230 Gironde* 75 ② – *7 003 h alt. 15.*

Office du tourisme 17 rue Sully ✆ *05 57 69 36 53, Fax 05 57 69 36 43, office-du-tourisme.pays-de-coutras@wanadoo.fr.*

Paris 528 – Bordeaux 52 – Bergerac 65 – Blaye 51 – Jonzac 59 – Libourne 18 – Périgueux 85.

Henri IV sans rest, pl. 8 Mai 1945 (face gare) ✆ 05 57 49 34 34, *hotel-henriIV.gironde@wanadoo.fr, Fax 05 57 49 20 72,* – TV P – 30. AE GB
6 – **14 ch** 39/56

YE-LA-FORÊT *60580 Oise* 56 ⑪ – *3 516 h alt. 88.*

Paris 46 – Compiègne 51 – Beauvais 47 – Chantilly 8 – Meaux 48 – Senlis 16.

Auberge Les Étangs, 1 r. Clos des Vignes ✆ 03 44 58 60 15, *Fax 03 44 58 75 95,* – AE GB
fermé 13 janv. au 11 fév., lundi et mardi – **Repas** 23/32 ♀, enf. 10,50

ANSAC *12110 Aveyron* 80 ① – *1 821 h alt. 300 – Stat. therm. (début avril-début nov.).*

Office du tourisme 1 place Jean Jaurès ✆ *05 65 63 06 80, Fax 05 65 63 02 92.*

Paris 618 – Rodez 37 – Aurillac 72 – Espalion 64 – Figeac 33 – Villefranche-de-Rouergue 38.

Parc, r. Gén. Artous ✆ 05 65 63 01 78, *Fax 05 65 63 36 98,* – P. GB. rest
fermé fév. – **Repas** 13/32 – 5,60 – **26 ch** 23/45 – ½ P 29/42

Hostellerie du Rouergue, av. J. Jaurès ✆ 05 65 63 02 11, – P. AE GB
1er avril-15 oct. – **Repas** 12,96/34,30, enf. 8,38 – 6,87 – **16 ch** 30,50/45,75 – ½ P 36,60/41,20

APONNE *69290 Rhône* 74 ⑪ *G. Vallée du Rhône* – *8 002 h alt. 285.*

Paris 463 – Lyon 12 – L'Arbresle 20 – Vienne 37 – Villefranche-sur-Saône 38.

Longchamp, 26 r. 11-Novembre-1918 ✆ 04 78 57 83 40, *longchamps.hotel@opsi.fr, Fax 04 78 57 17 54,* – TV P – 30 à 60. AE GB
Repas *(fermé 5 au 18 août, 25 déc. au 5 janv., sam. midi et dim. soir)* (14,50) - 21,50 ♀, enf. 9,15 – 9,15 – **40 ch** 91/100

Poste, 107 av. E. Millaud ✆ 04 78 57 45 40, *Fax 04 37 22 02 15,* – P. AE GB
fermé 12 au 26 août, 24 fév. au 17 mars, merc. soir d'oct. à avril, dim. soir et lundi – **Repas** (10) - 13 (déj.), 16/37 ♀

CRAPONNE-SUR-ARZON 43500 H.-Loire 76 ⑦ G. Vallée du Rhône – 2 653 h alt. 915.
🏢 Syndicat d'initiative 6 place du For ℘ 04 71 03 23 14, Fax 04 71 03 23 14.
Paris 479 – Le Puy-en-Velay 39 – Clermont-Ferrand 109 – St-Etienne 60.

✗ **Brûleurs de Loups** 🦫 avec ch, Les Cours, Nord-Est : 1 km par D 498 et rte second
℘ 04 71 03 22 99, Fax 04 71 03 89 60, ≼, 🚗, 🏖, – 📺 🍴 ᵹ 🅿 🅰🅴 🇬🇧, 🍽 rest
fermé 1ᵉʳ janv. au 15 fév., mardi (sauf hôtel) et lundi de sept. à juin – Repas (week-e
prévenir) 15/35 ⵛ, enf. 7 – ⲤⲎ 6 (½ pens. seul.), 8 chalets 43/67 – ½ P 40/47,50

La CRAU 83260 Var 84 ⑮, 114 ㊻ – 14 509 h alt. 36.
🏢 Office du tourisme Rue Renaude ℘ 04 94 01 56 99, Fax 04 94 01 56 99.
Paris 854 – Toulon 16 – Brignoles 41 – Draguignan 70 – Hyères 9 – Marseille 78.

✗✗ **Auberge du Fenouillet**, 20 av. Gén. de Gaulle ℘ 04 94 66 76 74, auberge.fenoui.
wanadoo.fr, Fax 04 94 57 81 09 – ▦. 🅰🅴 ⓞ 🇬🇧
fermé 16 juil. au 20 août, lundi et mardi – Repas 22,10/46 ⵛ, enf. 12

CRAVANT 89460 Yonne 65 ⑤ – 824 h alt. 120.
🏢 Syndicat d'initiative 4 rue d'Orléans ℘ 03 86 42 25 71, Fax 03 86 42 25 71, syno
dinitiative.cravant@wanadoo.fr.
Paris 185 – Auxerre 19 – Avallon 34 – Clamecy 34 – Montbard 62.

🏠 **Hostellerie St-Pierre** 🦫 sans rest, 5 r. Église ℘ 03 86 42 31 67, lestpierre@aol.c
Fax 03 86 42 37 43 – 📶. 🅰🅴 🇬🇧
1ᵉʳ avril-31 oct. – ⲤⲎ 8 – 16 ch 45/90

En juin et en septembre,
les hôtels sont moins chers qu'en pleine saison, le service est plus soigné

CRÈCHES-SUR-SAÔNE 71 S.-et-L. 69 ⑲ – rattaché à Mâcon.

CRÉCY-EN-PONTHIEU 80150 Somme 52 ⑦ G. Picardie Flandres Artois – 1 577 h alt. 30.
🏢 Syndicat d'initiative 32 rue du Maréchal Leclerc de Hauteclocque ℘ 03 22 23 93
Fax 03 22 23 93 84.
Paris 196 – Amiens 60 – Abbeville 19 – Montreuil 32 – St-Omer 74.

🏠 **Maye**, ℘ 03 22 23 54 35, Fax 03 22 23 53 32, 🌳 – 📺 🅿 🅰🅴 ⓞ 🇬🇧
🍴 fermé 11 fév. au 4 mars, dim. soir et lundi – Repas 11/31 ⵛ, enf. 9 – ⲤⲎ 7 – 11 ch 42/
½ P 42/50

CRÉCY-LA-CHAPELLE 77680 S.-et-M. 56 ⑬ G. Ile de France – 3 851 h alt. 50.
Voir Collégiale Notre-Dame⋆.
🏢 Office du tourisme 12 rue du Général Leclerc ℘ 01 64 63 70 19, Fax 01 64 63 71 39.
Paris 48 – Coulommiers 16 – Lagny-sur-Marne 21 – Meaux 14 – Melun 42.

✗ **Futaie**, 2 r. M. Herry ℘ 01 64 63 72 25, Fax 01 64 63 72 25 – 🅰🅴 ⓞ 🇬🇧
fermé 16 au 30 août, 20 au 30 janv., lundi et mardi – Repas 14,95/24 ⵛ

CREIL 60100 Oise 56 ① ⑪ G. Ile de France – 30 675 h alt. 30.
🏢 Office du tourisme 41 place du Général de Gaulle ℘ 03 44 55 16 07, Fax 03 44 55 05 2
Paris 63 – Compiègne 37 – Beauvais 47 – Chantilly 9 – Clermont 17.

🏠 **Ferme de Vaux**, rte Vaux (sur D 120 direction Verneuil) ℘ 03 44 64 77
Fax 03 44 26 81 50 – 📺 🅿. 🍴 🏖 30. 🅰🅴 🇬🇧 🇯🇨🇧
Repas (fermé sam. midi et dim. soir) 15 (déj.), 25/33, enf. 10 – ⲤⲎ 7 – 29 ch 49/5
½ P 52,50

CRÉMIEU 38460 Isère 74 ⑬, 110 ㉙ G. Vallée du Rhône – 3 169 h alt. 200.
Voir Halles⋆.
🏢 Office du tourisme Place de la Nation Charles de Gaulle ℘ 04 74 90 45 13, Fax 04 74 9
25, office.tourismecremieu@wanadoo.fr.
Paris 490 – Lyon 39 – Belley 48 – Bourg-en-Bresse 63 – Grenoble 86 – La Tour-du-Pin 28

✗ **Auberge de la Chaite** avec ch, ℘ 04 74 90 76 63, Fax 04 74 90 88 08, 🚗, 🌳 – 📺 🍴
🅰🅴 ⓞ 🇬🇧
fermé 22 au 30 avril, 21 déc. au 15 janv., mardi midi d'oct. à mai, dim. soir et lundi – Re
13/30 🍴 – ⲤⲎ 5,80 – 10 ch 38/49

ÉPON 14 Calvados **54** ⑮ *G. Normandie Cotentin* – 199 h alt. 52 – ✉ 14480 Creully.
Paris 257 – Caen 23 – Bayeux 13 – Deauville 69.

🏠 **Ferme de la Rançonnière** ⤸, rte Arromanches-les-Bains ✆ 02 31 22 21 73, *rancon niere@wanadoo.com*, Fax 02 31 22 98 39, « Ancienne demeure fortifiée », ☂ – 📺 ⅙ 🅿 –
🏛 30. ⅍ ☖
Repas 15/35 ⛋ – ⇌ 10 – **35 ch** 44/120 – ½ P 52/120

Annexe Ferme de Mathan ⤸ sans rest, à 800 m., ☂ – 📺 ✆ 🅿. ⅍ ☖
⇌ 10 – **12 ch** 75/135

ÉPY-EN-VALOIS 60800 Oise **56** ⑬ *G. Île-de-France* – 14 436 h alt. 93 – **Voir** *Ville ancienne★.*
🛈 *Office du tourisme 7 rue de Soissons* ✆ 03 44 59 03 97, Fax 03 44 59 23 15,
OTCREPVALOIS@wanadoo.fr.
Paris 66 – Compiègne 24 – Beauvais 79 – Meaux 40 – Senlis 23 – Soissons 39.

🏠 **Château de Geresme**, 1 av. Europe ✆ 03 44 39 63 04, Fax 03 44 87 53 21, 🍴 – 📺 ✆
🅿. ⅍ ☖
Repas (fermé 26 juil. au 2 sept., sam. et dim.) (déj. seul.) 31 – ⇌ 13 – **11 ch** 59/183

ÉSSENSAC 46600 Lot **75** ⑱ – 570 h alt. 300.
Paris 503 – Brive-la-Gaillarde 20 – Sarlat-la-Canéda 44 – Cahors 82 – Gourdon 44 – Larche 18.

XX **Chez Gilles** avec ch, N 20 ✆ 05 65 37 70 06, Fax 05 65 37 77 15 – 📺 ✆ 🚗. ⅍ ⓪ ☖
Repas 17,50/42 ⅖, enf. 10 – ⇌ 6,50 – **8 ch** 46/50 – ½ P 50

ÉSSERONS 14 Calvados **54** ⑯ – rattaché à Douvres-la-Délivrande.

EST 26400 Drôme **77** ⑫ *G. Vallée du Rhône* – 7 739 h alt. 196 – **Voir** *Donjon★ : ❄★.*
🛈 *Office du tourisme Place Dr Maurice Rozier* ✆ 04 75 25 11 38, Fax 04 75 76 79 65,
ot-crest@vallee-drome.com.
Paris 591 ④ – Valence 29 ④ – Die 37 ① – Gap 128 ① – Grenoble 113 ④ – Montélimar 38 ②.

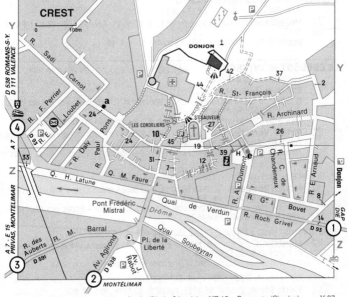

Grand Hôtel, 60 r. Hôtel de Ville ℰ 04 75 25 08 17, Fax 04 75 25 46 42 – ☎. ⑤
fermé 22 déc. au 15 janv., 4 au 18 mars, dim. soir de sept. à juin et lundi sauf le soir d'a
oct. – **Repas** (13) - 14,50/29 ⅀, enf. 8 – ⌷ 6 – **20 ch** 24,50/54 – ½ P 34/45

Porte Montségur avec ch, rte ① : 0,5 km sur D 93 ℰ 04 75 25 41 48, porte-monts
@wanadoo.fr, Fax 04 75 25 22 63, ㇏, ᥅ – ☎ ⛄ 🅿 – ⚗ 15. ⬛ ⓞ ⑤
fermé 5 au 20 mars, 5 au 22 nov., merc. et lundi sauf juil.-août – **Repas** 16 (déj.), 24/
⌷ 6,50 – **8 ch** 44/48 – ½ P 44/47

Kléber avec ch, 6 r. A. Dumont ℰ 04 75 25 11 69, Fax 04 75 76 82 82 – ▤ rest,
⑤
fermé 18 août au 8 sept., 1er au 20 janv., mardi midi, dim. soir et lundi – **Repas** 16/
⌷ 5,34 – **7 ch** 30,49/39,64

Le CRESTET 84 Vaucluse 🗟🗟 ② – rattaché à Vaison-la-Romaine.

CREST-VOLAND 73590 Savoie 🗟🗟 ⑰ G. Alpes du Nord – 418 h alt. 1230 – Sports d'hiver : 1 .
1 650 m ⚡17 ⚝.
🄱 Office du tourisme Maison de Crest-Voland ℰ 04 79 31 62 57, Fax 04 79 31 85
info@crestvoland-cohennoz.com.
Paris 592 – Chamonix-Mont-Blanc 47 – Albertville 24 – Annecy 53 – Megève 15.

Caprice des Neiges ⊗, rte Saisies : 1 km ℰ 04 79 31 62 95, lecapricedes-neiges@v
doo.fr, Fax 04 79 31 79 30, ≤, ㇏, « Chalet fleuri », ᥅, ⛄ – 🅿. ⓞ ⑤. ⚝ rest
20 juin-15 sept. et 15 déc.-20 avril – **Repas** 15/20, enf. 8 – ⌷ 7 – **16 ch** 59/69 – ½ P 58

Mont Charvin, au Cernix Sud : 1,5 km par rte secondaire ℰ 04 79 31 61 21, h.n
charvin@freesbee.fr, Fax 04 79 31 82 10, ≤, ㇏, ᥅ – ⑤
26 juin-3 sept. et 15 déc.-20 avril – **Repas** 12,96/22,87, enf. 8,38 – ⌷ 6,40 – **19 ch** 35,06/
½ P 50,46

CRÉTEIL 94 Val-de-Marne 🗟🗟 ①, 🗟🗟🗟 ㉗ – voir à Paris, Environs.

CREULLY 14480 Calvados 🗟🗟 ⑮ – 1 426 h alt. 27.
Paris 254 – Caen 19 – Bayeux 13 – Deauville 65.

Hostellerie St-Martin avec ch, ℰ 02 31 80 10 11, Fax 02 31 08 17 64 – ☎ ⛄ 🅿. ⬛
⑤
Repas 12,20/35,10 ⅀ – ⌷ 5,50 – **12 ch** 42/46 – ½ P 43

Le CREUSOT-MONTCEAU 71200 S.-et-L. 🗟🗟 ⑧ G. Bourgogne – 26 283 h alt. 348.
Voir Château de la Verrerie★.
Env. Mont St-Vincent★ ⚝★★.
🄱 Office du tourisme Château de la Verrerie ℰ 03 85 55 02 46, Fax 03 85 80 11
OTSI.LECREUSOT@wanadoo.fr.
Paris 315 – Chalon-sur-Saône 37 – Autun 30 – Beaune 46 – Mâcon 90.

Petite Verrerie, 4 r. J. Guesde ℰ 03 85 73 97 97, contact@hotelfp-lecreusot.c
Fax 03 85 73 97 90 – ☎ ⛄ 🅿 – ⚗ 15 à 30. ⬛ ⓞ ⑤. ⚝ rest
fermé 21 déc. au 6 janv., sam., dim. et fériés – **Repas** 23 ⅀, enf. 10 – ⌷ 9 – **41 ch**
½ P 65

au Breuil Est : 3 km par D 290 – 3 667 h. alt. 337 – ⊠ 71670 :

Moulin Rouge ⊗, ℰ 03 85 55 14 11, e.corbanese@wanadoo.fr, Fax 03 85 55 53 37,
㇏, ᥅ – ⚮ ☎ 🅿. ⓞ ⑤ ⌹
fermé 20 déc. au 10 janv., vend. soir, sam. midi et dim. soir – **Repas** 18,30/38,11 ⚖ – ⌷
– **30 ch** 41,16/60,98 – ½ P 45,73/52

à Montcenis Ouest : 3 km par D 784 – 2 352 h. alt. 400 – ⊠ 71710 :

Montcenis, 2 pl. Champ de Foire ℰ 03 85 55 44 36, restaurant.le-montcenis@wana
fr, Fax 03 85 55 89 52 – ⬛ ⑤
fermé 29 juil. au 19 août, 2 au 13 janv., dim. soir et lundi – **Repas** 18/31

à Torcy Sud : 4 km par D 28 – 3 554 h. alt. 310 – ⊠ 71210 :

Vieux Saule, ℰ 03 85 55 09 53, Fax 03 85 80 73 99, ㇏ – 🅿. ⑤
fermé dim. soir et lundi – **Repas** 15,24/60,98 et carte 36 à 54 ⚖, enf. 9,91

Les prix Pour toutes précisions sur les prix indiqués dans ce guide,
reportez-vous aux pages explicatives.

ÉVOUX 05200 H.-Alpes **77** ⑱ G. Alpes du Sud – 103 h alt. 1577 – Sports d'hiver : 1 650/2 400 m ⚡5 ⚡.
Paris 741 – Briançon 57 – Gap 53 – Embrun 14 – Guillestre 29.

🏠 **Parpaillon** ⊗, ℰ 04 92 43 18 08, Fax 04 92 43 69 66, ≤ – **P**. **AE** **①** **GB**. ⚞ rest
fermé 20 au 30 avril et 10 au 30 nov. – **Repas** (13) - 16/21 ♈, enf. 8,50 – ☑ 6 – **25 ch** 29/49 – ½ P 36/42

CQUEBOEUF 14113 Calvados **54** ⑦ G. Normandie Vallée de la Seine – 182 h alt. 25.
Paris 203 – Caen 54 – Le Havre 33 – Lisieux 35 – Rouen 91.

🏨 **Manoir de la Poterie** **M** ⊗, ℰ 02 31 88 10 40, info@honfleur-hotel.com, Fax 02 31 88 10 90, ≤, ☞ – 🛄 **TV** ✆ **P**. **AE** **①** **GB** **JCB**
Repas (fermé mardi et merc.) 25,92/33,54 ♈ – ☑ 11,40 – **18 ch** 112,80/170,40

LLON 60112 Oise **52** ⑰ – 433 h alt. 110.
Paris 104 – Compiègne 77 – Aumale 33 – Beauvais 17 – Breteuil 33 – Gournay-en-Bray 18.

XX **Petite France**, 7 rte Gisors ℰ 03 44 81 01 13, Fax 03 44 81 01 13 – ▤. **GB**
fermé 12 août au 4 sept., dim. soir, lundi et mardi – **Repas** (12,19) - 14,48/28,96 ♨

LLON-LE-BRAVE 84410 Vaucluse **81** ⑬ – 398 h alt. 340.
Paris 692 – Avignon 39 – Carpentras 14 – Nyons 37 – Vaison-la-Romaine 21.

🏨 **Hostellerie de Crillon le Brave** ⊗, pl. Église ℰ 04 90 65 61 61, crillonbrave@relais chateau.fr, Fax 04 90 65 62 86, ≤ plaine et Mont Ventoux, ☞, « Terrasse panoramique », ⅃ – **TV** ✆ **P**. **AE** **①** **GB**. ⚞ rest
fermé 2 janv. au 8 mars – **Repas** (fermé le midi en semaine et mardi de nov. à mars.) 26 (déj.)/64 **Le Bistrot** (1ᵉʳ mai-31 oct. et fermé le midi et mardi) **Repas** carte environ 35, ♈ – **24 ch** 180/400, 8 appart

---

SENOY 77 S.-et-M. **61** ② – rattaché à Melun.

CROISIC 44490 Loire-Atl. **63** ⑭ G. Bretagne – 4 278 h alt. 6.
Voir Océarium★ – ≤★ du Mont-Lénigo.
🅑 Office du tourisme Place du 18 Juin 1940 ℰ 02 40 23 00 70, Fax 02 40 62 96 60.
Paris 463 ① – Nantes 86 ① – La Baule 9 ① – Redon 65 ① – Vannes 73 ①.

Plan page suivante

🏨 **Fort de l'Océan** **M** ⊗, pointe du Croisic ℰ 02 40 15 77 77, Fax 02 40 15 77 80, ≤ Côte Sauvage, ☞, « Ancien fort du 17ᵉ siècle dominant la mer », ⅃, ☞ – 🛄 **TV** ✆ & ⇔. **AE** **①** **GB**
Repas (fermé 12 nov. au 18 déc., 4 janv. au 10 fév., lundi et mardi) 19,82 (déj.), 40,40/53,36 – ☑ 12,96 – **9 ch** 137,21/198,20 – ½ P 126,54/179,89

🏨 **Vikings** sans rest, à Port-Lin ℰ 02 40 62 90 03, Fax 02 40 23 28 03, ≤ – 🛄 **TV** & ⇔ – 🔏 50. **AE** **①** **GB**   AZ e
☑ 8,38 – **24 ch** 64,03/100,62

🏨 **Nids** ⊗, 15 r. Pasteur à Port-Lin ℰ 02 40 23 00 63, hotel.lesnids@worldonline.fr, Fax 02 40 23 09 79, ☞, 🔲, ☞ – **TV** ✆ &. **①** **GB**   AZ f
22 mars-4 nov. – **Repas** (fermé mardi soir) 18,29/33,54 ♈, enf. 9,91 – ☑ 6,56 – **22 ch** 59,76/74,40 – ½ P 56,10/60,22

🏨 **Castel Moor**, av. Castouillet, Nord-Ouest : 1,5 km sur D 45 ℰ 02 40 23 24 18, castel@ castel-moor.com, Fax 02 40 62 98 90, ≤, ☞ – **TV** &. **P**. **①** **GB**
fermé 24 déc. au 31 janv., dim. soir et lundi d'oct. à mars – **Repas** 20/35 ♈, enf. 10 – ☑ 7 – **19 ch** 49/66 – ½ P 51,50/60

🏠 **L'Estacade**, 4 quai Lénigo ℰ 02 40 23 03 77, lestacade@wanadoo.fr, Fax 02 40 23 24 32 – **TV**. **AE** **GB**   AY a
fermé 25 nov. au 13 déc. – **Repas** (fermé mardi soir de sept. à mars et merc. sauf juil.-août) 14,90/30,40 ♈, enf. 9,90 – ☑ 6,10 – **15 ch** 45/56 – ½ P 44,50/50

XX **L'Océan** ⊗ avec ch, à Port-Lin ℰ 02 40 62 90 03, Fax 02 40 23 28 03, ≤ mer et côte, « Sur les rochers de la Côte Sauvage » – **TV** ✆. **AE** **①** **GB**   AZ v
Repas - produits de la mer - carte 45 à 61 – ☑ 8,38 – **14 ch** 74,70/129,58 – ½ P 85,83/116,32

XX **Bretagne**, 11 quai Petite Chambre ℰ 02 40 23 00 51, pierrecoic@restaurant-debretagne. com, Fax 02 40 23 18 32 – ▤. **GB**   BY e
fermé 11 nov. au 20 déc., dim. soir, mardi soir et lundi sauf juil.-août – **Repas** - produits de la mer - 19/50,30, enf. 13

LE CROISIC

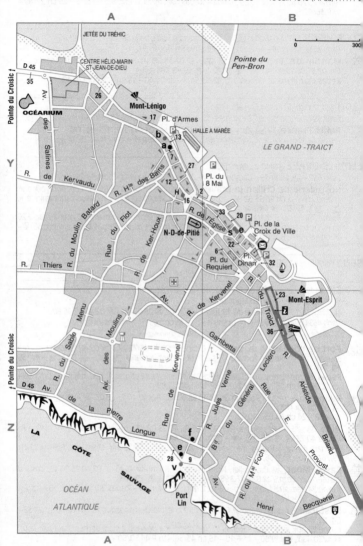

XX **Bouillabaisse Bretonne**, sur le port ℰ 02 40 23 06 74, Fax 02 40 15 71 43 – 🇬🇧 B
fermé 6 janv. au 28 mars, dim. soir et mardi sauf juil.-août et lundi – **Repas** - produits
mer - 19,50/38,50 ♀

X **Lénigo**, 11 quai Lénigo ℰ 02 40 23 00 31, Fax 02 40 23 01 01, 🔆 – 🅰🇪 ⓘ 🇬🇧   A
fermé vacances de Toussaint, de fév., lundi et mardi sauf juil.-août – **Repas** - produits
mer - 15,54/30,48 ♀, enf. 9,45

OISSY-BEAUBOURG 77 S.-et-M. 61 ②, 101 ㉚ – voir à Paris, Environs (Marne-la-Vallée).

OISSY-SUR-SEINE 78 Yvelines 55 ⑳, 101 ⑬ – voir à Paris, Environs.

CROIX-BLANCHE 71 S.-et-L. 69 ⑲ – ⊠ 71960 Berzé-la-Ville.
Voir Berzé-la-Ville : peintures murales★★ de la chapelle aux Moines E : 2 km – Château★ de Berzé-le-Châtel N : 3 km, G. Bourgogne.
Paris 408 – Mâcon 13 – Charolles 44 – Cluny 10 – Roanne 85.

XX **Relais du Mâconnais** avec ch, D 17 (ancienne N 79) par la Roche-Vineuse
⌀ 03 85 36 60 72, lannuel@aol.com, Fax 03 85 36 65 47, 🏠 – 📺 🅿, ᴀᴇ ⑩ ᴳᴮ
fermé 8 au 15 oct., 7 janv. au 4 fév., lundi sauf le soir du 1er juil. au 15 sept. et dim. soir hors saison – Repas 23,63/60,98 ⅖, enf. 11,43 – ⊊ 7,62 – **10 ch** 57,93/64,03 – ½ P 60,22/63,27

CROIX-DU-BREUIL 87 H.-Vienne 72 ⑧ – rattaché à Bessines-sur-Gartempe.

OIX-FRY (Col de) 74 H.-Savoie 74 ⑦ – rattaché à Manigod.

OIX-MARE 76 S.-Mar. 52 ⑬ – rattaché à Yvetot.

CROIX-VALMER 83420 Var 84 ⑰, 114 ㊲ G. Côte d'Azur – 2 734 h alt. 120.
🛈 Office du tourisme Les Jardins de la Gare ⌀ 04 94 55 12 12, Fax 04 94 55 12 10, otac@wanadoo.fr.
Paris 878 – Fréjus 35 – Draguignan 49 – Le Lavandou 28 – Ste-Maxime 16 – Toulon 68.

Sud-Ouest : 3,5 km par D 559 puis rte secondaire par rd-pt du Débarquement – ⊠ 83420 La Croix-Valmer :

X **Petite Auberge de Barbigoua,** quartier Barbigoua ⌀ 04 94 54 21 82, 🏠 – 🅿. ᴳᴮ
fermé 20 nov. au 28 déc., lundi, mardi, merc. hors saison, le midi sauf dim. en saison et dim. soir – **Repas** carte 28 à 40

igaro Sud-Est : 5 km par rte secondaire – ⊠ 83420 La Croix-Valmer :

🏨 **Château de Valmer** Ⓜ 🖐, ⌀ 04 94 79 60 10, chatvalmer@aol.com, Fax 04 94 54 22 68, ≤, 🏠, « Piscine bordée d'une palmeraie », 🏊, 🖈 – 🛗, ≡ ch, 📺 ᴕ 🕹 🅿 – 🛦 30. ᴀᴇ ᴳᴮ. ⍣ rest
avril-oct. – **Repas** (fermé mardi) (dîner seul.) 48 ⅖ – **42 ch** 180/305

🏨 **Souleias** 🖐, ⌀ 04 94 55 10 55, infos@hotel-souleias.com, Fax 04 94 54 36 23, ≤ mer et îles, 🏠, « Au sommet d'une colline dominant le littoral », 🏊, 🖈, ⍣ – 🛗 📺 ᴕ 🅿 – 🛦 25. ᴀᴇ ᴳᴮ. ⍣ rest
29 mars-13 oct. – **Repas** 30 (déj.), 45/69 ⅖, enf. 15 – ⊊ 15 – **41 ch** 117/389 – ½ P 110,50/254,50

🏨 **Les Moulins de Paillas et de Gigaro,** ⌀ 04 94 79 71 11, message@lesmoulinsde paillas.com, Fax 04 94 54 54 37 05, 🏠, 🏊, ᴀ₀, 🖈, ⍣ – 📺 🅿, ᴀᴇ ᴳᴮ
7 mai-fin sept. – **Brigantine** ⌀ 04 94 79 67 16 (dîner seul.) **Repas** 46 – **Pépé Le Pirate** ⌀ 04 94 79 67 16 grill - (déj. seul.) **Repas** 20, enf. 12 – ⊊ 14 – **68 ch** 150/200 – ½ P 140/190

🏨 **Pinède-Plage** 🖐, ⌀ 04 94 54 31 23, pinedepla@aol.com, Fax 04 94 79 71 46, ≤, 🏠, « En bord de mer », 🏊, ᴀ₀, 🖈, ⍣ – ≡ ch, 📺 🅿, ᴀᴇ ⑩ ᴳᴮ. ⍣ ch
avril-oct. – **Repas** 45 (dîner), et carte le midi 50 ⅖ – ⊊ 16 – **34 ch** 295/305

OS-DE-CAGNES 06 Alpes-Mar. 84 ⑨,, 115 ㉖ – rattaché à Cagnes-sur-Mer.

CROTOY 80550 Somme 52 ⑥ G. Picardie Flandres Artois – 2 439 h alt. 1.
🛈 Office de tourisme 1 r. Carnot ⌀ 03 22 27 05 25, Fax 03 22 27 90 58.
Paris 210 – Amiens 74 – Abbeville 22 – Berck-sur-Mer 29 – Hesdin 41.

🏨 **Les Tourelles** 🖐, ⌀ 03 22 27 16 33, lestourelles@nhgroupe.com, Fax 03 22 27 11 45, ≤e – ᴳᴮ
fermé 7 au 30 janv. – **Repas** 20/26 ⅖, enf. 8 – ⊊ 6 – **23 ch** 38/64 – ½ P 47/55

CROZANT 23160 Creuse 68 ⑱ G. Berry Limousin – 581 h alt. 263.

Voir *Ruines*★.

Paris 330 – Argenton-sur-Creuse 31 – La Châtre 46 – Guéret 39 – Montmorillon 68.

XX **Auberge de la Vallée**, ℘ 05 55 89 80 03, Fax 05 55 89 83 22 – AE ① GB
fermé 3 janv. au 3 fév., lundi soir et mardi du 15 sept. au 30 juin – **Repas** 16/3
enf. 9

X **Lac** ⑤ avec ch., au pont de Crozant, Est : 1 km par D 72 et D 30 ℘ 05 55 89 81 96, 斎
GB
fermé fév., dim. soir, merc. soir et lundi – **Repas** 15/35 – ☑ 5 – **7 ch** 20/46 – ½ P 27/3.

CROZON 29160 Finistère 58 ④ G. Bretagne – 7 535 h alt. 85.

Voir *Retable*★ de l'église.

Env. *Circuit des Pointes*★★★.

🅱 *Office du tourisme Boulevard Pralognan ℘ 02 98 27 07 92, Fax 02 98 27 24 89.*

Paris 588 – Brest 59 – Quimper 49 – Châteaulin 35 – Douarnenez 38 – Morlaix 81.

🏨 **Presqu'île** M sans rest, pl. Église ℘ 02 98 27 29 29, mutin.gourmand@wanado
Fax 02 98 26 11 97 – TV ℰ ዼ. AE GB. ✨
fermé dim. et lundi hors saison – ☑ 8 – **13 ch** 54/65

XX **Mutin Gourmand**, pl. Église ℘ 02 98 27 06 51, mutin.gourmand@wanado
Fax 02 98 26 11 97 – 🔳 AE GB
fermé lundi sauf le soir en saison et dim. soir – **Repas** 15/70 ½, enf. 10

XX **Pergola**, 25 r. Poulpatré ℘ 02 98 27 04 01 – GB
fermé nov., lundi sauf le soir en juil.-août et dim. soir – **Repas** 14,48/28,96

au Fret Nord : 5,5 km par D 155 et D 55 – ⊠ 29160 Crozon :

🏠 **Hostellerie de la Mer**, ℘ 02 98 27 61 90, hostellerie.de.la.mer@wanado
Fax 02 98 27 65 89, ≼ – AE GB
fermé 2 janv. au 13 fév. – **Repas** 17/44 ½ – ☑ 7,30 – **25 ch** 45,85/58,85 – ½ P 50,33/56.

CRUIS 04230 Alpes-de-H.-P. 81 ⑮ – 551 h alt. 728.

Paris 735 – Digne-les-Bains 41 – Forcalquier 22 – Manosque 42 – Sisteron 26.

🏠 **Auberge de l'Abbaye**, ℘ 04 92 77 01 93, Fax 04 92 77 01 92, 斎 – TV ℰ – 🄰 25.
15 mars-15 nov. – **Repas** *(fermé dim. soir et merc.)* 16,77/28,20 ½, enf. 8 – ☑ 6,10 –
42,69/51,83 – ½ P 45,73

CRUSEILLES 74350 H.-Savoie 74 ⑥ – 3 186 h alt. 781.

🅱 *Syndicat d'initiative 35 place de la Mairie ℘ 04 50 32 10 33, Fax 04 50 44 07 36.*

Paris 539 – Annecy 19 – Bellegarde-sur-Valserine 44 – Bonneville 35 – Genève 27.

XX **L'Ancolie** M ⑤ avec ch., au parc des Dronières, Nord-Est : 1 km par D
℘ 04 50 44 28 98, ancolie.hotel@wanadoo.fr, Fax 04 50 44 09 73, ≼, 斎, « Au bord
lac, bel environnement », ☞ – TV ℰ P – 🄰 35. AE ① GB. ✨ rest
fermé vacances de Toussaint, de fév., dim. soir sauf de juin à sept. et lundi sauf hô
Repas 22 (déj.), 33,50/60 – ☑ 10 – **10 ch** 64/94 – ½ P 68/80

aux Avenières Nord : 6 km par D 41 et rte secondaire – ⊠ 74350 Cruseilles :

🏨 **Château des Avenières** ⑤, ℘ 04 50 44 02 23, chateau-des-avenieres@a
Fax 04 50 44 29 09, ≼ chaîne des Aravis, 斎, « Parc », ☷ – ▯ TV ℰ P – 🄰 30. AE ①
✨ ch
fermé nov. et lundi – **Repas** 26 (déj.), 45/65 ½ – ☑ 13 – **12 ch** 115/245 – ½ P 102,50/16

CUBRY 25680 Doubs 66 ⑯ – 70 h alt. 340.

Paris 391 – Besançon 52 – Belfort 51 – Lure 28 – Montbéliard 41 – Vesoul 31.

🏨 **Château de Bournel** ⑤, ℘ 03 81 86 00 10, info@bournel.com, Fax 03 81 86 0
斎, « Enceintes et dépendances du 18e siècle », ✨, ☷ – 🄰 50. AE ① GB. ✨
1er avril-31 oct. – **Le Maugré** ℘03 81 86 06 60 *(fin mars-début nov.)* **Repas** 13(déj.)
50 ♨, enf. 11 – ☑ 10 – **16 ch** 130/175 – ½ P 118/130,50

CUCHERON (Col du) 38 Isère 77 ⑤ – rattaché à St-Pierre-de-Chartreuse.

CUCQ 63 P.-de-C. 51 ⑪ – rattaché à Le Touquet-Paris-Plage.

CUGNAN 11350 Aude 🔟🔟 ⑧ G. Languedoc Roussillon – 113 h alt. 310.

Voir *Circuit des Corbières cathares★★*.

Paris 855 – Perpignan 43 – Carcassonne 77 – Limoux 78 – Quillan 51.

XX **Auberge du Vigneron** ⑤ avec ch, 𝒫 04 68 45 03 00, *auberge.vigneron@ataraxie.fr*, Fax 04 68 45 03 08, 🍴 – 📺 ✆ GB. ✄
1er mars-30 nov. et fermé dim. soir et lundi – **Repas** 39,64/30,18 ⚘ – ☲ 5,80 – **6 ch** 39,64/42,68 – ½ P 46,70

X **Auberge de Cucugnan** M ⑤ avec ch, 𝒫 04 68 45 40 84, Fax 04 68 45 01 52, 🍴 –
🕭 ch, 📺 ✆ P. GB
fermé janv., fév. et merc. hors saison – **Repas** 15 bc/39 bc, enf. 7 – ☲ 6 – **6 ch** 42/47 – ½ P 40/43

CURON 84160 Vaucluse 🔟🔟 ⑭ G. Provence – 1 792 h alt. 350.

🅱 Office du tourisme Rue Léonce Brieugne 𝒫 04 90 77 28 37, Fax 04 90 77 17 00, *ot-cucuron@axit.fr.*

Paris 747 – Digne-les-Bains 109 – Apt 25 – Cavaillon 40 – Manosque 35.

XX **Petite Maison,** pl. Étang 𝒫 04 90 77 18 60, *la-petite-maison@wanadoo.fr*, Fax 04 90 77 18 61, 🍴 – 🅰🅴 GB
fermé 13 nov. au 9 déc., 6 au 20 janv., dim. soir en hiver, mardi midi et lundi – **Repas** 21,34 (déj.), 42,68/58,69 et carte 55 à 70 ⚘
Spéc. Rougets en écailles de pommes de terre rattes. Râble de lapin farci de ses rognons. Soufflé chaud au chocolat.

X **Horloge,** 𝒫 04 90 77 12 74, Fax 04 90 77 29 90 – GB
fermé 10 fév. au 15 mars, 23 au 28 déc., mardi soir et merc. – **Repas** (11,50 bc) - 15/32,50 ⚘, enf. 8

ERS 83390 Var 🔟🔟 ⑮, 🔢🔢 ㉝ – 8 174 h alt. 140.

🅱 Office du tourisme 18 place du Général de Gaulle 𝒫 04 94 48 56 27, Fax 04 94 28 03 56.
Paris 840 – Toulon 23 – Brignoles 23 – Draguignan 58 – Marseille 85.

XX **Lingousto,** Est : 2 km par rte Pierrefeu 𝒫 04 94 28 69 10, Fax 04 94 48 63 79, 🍴 – P. 🅰🅴 ⓞ GB
fermé 2 janv. au 1er fév., dim soir, merc. soir et lundi – **Repas** 37/64 et carte 37 à 50 ⚘

XX **Verger des Kouros,** rte de Solliès-Pont par N 97 : 2 km 𝒫 04 94 28 50 17, Fax 04 94 48 69 77, 🍴 – P. 🅰🅴 GB
fermé 1er au 15 nov, 7 au 15 janv. et merc. – **Repas** 13,72 (déj.), 24,39/35,83

SEAUX 71480 S.-et-L. 🔟🔟 ⑬ G. Bourgogne – 1 749 h alt. 280.

🅱 Office du tourisme Cours du Château des Princes d'Orange 𝒫 03 85 72 70 86, Fax 03 85 72 54 22.
Paris 396 – Chalon-sur-Saône 60 – Mâcon 74 – Lons-le-Saunier 26 – Tournus 46.

🏠 **Vuillot,** 𝒫 03 85 72 71 79, Fax 03 85 72 54 22, 🍲 – 🕭 rest, 📺 ✆ ⇔ P. 🅰🅴 GB
fermé janv., lundi sauf hôtel et dim. soir – **Repas** 13/33 ⚘, enf. 7 – ☲ 5,70 – **16 ch** 31/42 – ½ P 35,50/38

SERY 71290 S.-et-L. 🔟🔟 ⑫ G. Bourgogne – 1 612 h alt. 211.

🅱 Syndicat d'initiative Place de l'Hôtel de Ville 𝒫 03 85 40 11 70, Fax 03 85 40 11 70.
Paris 369 – Chalon-sur-Saône 36 – Lons-le-Saunier 50 – Mâcon 37 – Tournus 8.

XX **Hostellerie Bressane** avec ch, 𝒫 03 85 40 11 63, *hostellerie.bressane@worldonline.fr*, Fax 03 85 40 14 96, 🍴, 🌿 – 📺 ✆ &. GB
fermé 18 déc. au 23 janv., jeudi midi et merc. – **Repas** 17 (déj.), 21/46 et carte 32 à 52 ⚘, enf. 12 – ☲ 8 – **14 ch** 47/70 – ½ P 56/66

Q-TOULZA 81470 Tarn 🔟🔟 ⑨ – 519 h alt. 203.

Paris 733 – Toulouse 38 – Albi 63 – Castelnaudary 36 – Castres 33 – Gaillac 54.

🏠 **Cuq en Terrasses** ⑤, Sud-Est : 2,5 km par D 45 𝒫 05 63 82 54 00, *cuq-en-terrasses@wanadoo.fr*, Fax 05 63 82 54 11, ≼, 🍴, « Maison du 18e siècle », 🍲, – 📺 ✆. 🅰🅴 ⓞ GB 🅹🅲🅱, ✄
fermé 3 janv. au 31 mars et le midi – **Repas** (prévenir) (menu unique) 28 ⚘, enf. 14 – ☲ 10 – **8 ch** 85/145 – ½ P 68/99

CURE 39 Jura 🔟🔟 ⑯ – rattaché aux Rousses.

REBOURSE (Col de) 15 Cantal 🔟🔟 ⑫ ⑬ – rattaché à Vic-sur-Cère.

Le CURTILLARD 38 Isère 🔢 ⑥ – rattaché à La Ferrière.

CURTIL-VERGY 21 Côte-d'Or 🔢 ⑫ – rattaché à Nuits-St-Georges.

CURZAY-SUR-VONNE 86600 Vienne 🔢 ⑫ – 426 h alt. 125.

Paris 364 – Poitiers 29 – Lusignan 11 – Niort 54 – Parthenay 34 – St-Maixent-l'École 27.

🏰 **Château de Curzay** Ⓜ ⊗, rte Jazeneuil ℘ 05 49 36 17 00, info@chateau-curzay.
❄ Fax 05 49 53 57 69, ≤, 斎, ⌛, ⅏ – 🔟 ⅋ & 🄿 – 🔏 30. 🆎 ① ⊝ 🅹🅲🅱, 彩
12 avril-3 nov. – **La Cédraie** (fermé mardi midi, merc. midi, et jeudi midi sauf du 20 ju
3 sept.) Repas 32/86 et carte 65 à 95 ⅋, enf. 20 – ⌑ 15 – **22 ch** 145/275 – ½ P 135/225
Spéc. Cassolette de petits gris aux lentins de chêne. Dos de cabillaud au sel fumé et
moelle. Soufflé au chocolat noir **Vins** Haut-Poitou

CUSSAY 37 I.-et-L. 🔢 ⑤ – rattaché à Ligueil.

CUSSEY-SUR-L'OGNON 25870 Doubs 🔢 ⑮ – 621 h alt. 227.

Env. Château de Moncley★, G. Jura.

Paris 413 – Besançon 15 – Gray 40 – Vesoul 46.

XX **Vieille Auberge** avec ch, ℘ 03 81 48 51 70, Fax 03 81 57 62 30, 斎 – 🔟 ⅋. ⊝
fermé 19 août au 9 sept., 23 déc. au 6 janv., lundi (sauf hôtel), vend. soir hors saison et
soir – **Repas** 14 (déj.), 20/38,50, enf. 8,50 – ⌑ 7 – **8 ch** 39/49 – ½ P 45

CUTS 60400 Oise 🔢 ③ – 858 h alt. 79.

Paris 110 – Compiègne 26 – St-Quentin 45 – Chauny 15 – Noyon 11 – Soissons 30.

XX **Auberge Le Bois Doré,** 5 r. Ramée - D 934 ℘ 03 44 09 77 66, Fax 03 44 09 79 27 –
fermé 25 fév. au 15 mars, dim. soir, mardi soir et lundi – **Repas** (12,50) - 14 (déj.), 18/30 ⅋

CUVES 50 Manche 🔢 ⑨ – 360 h alt. 78 – ⊠ 50670 St-Pois.

Paris 333 – St-Lô 55 – Avranches 23 – Domfront 42 – Fougères 48 – Vire 25.

XX **Moulin de Jean,** Nord-Est : 2 km sur D 48 ℘ 02 33 48 39 29, reservations@lemou
jean.com, Fax 02 33 48 35 32, 斎 – 🄿. 🆎 ① ⊝
fermé 11 au 27 mars , 13 nov. au 5 déc. et lundi du 1er oct. au 1er avril – **Repas** 20/27 ⅋

CUVILLY 60490 Oise 🔢 ② – 520 h alt. 78.

Paris 93 – Amiens 56 – Compiègne 21 – Beauvais 62 – Montdidier 15 – Noyon 32 – Roy

X **L'Auberge Fleurie,** 64 rte Flandres (N 17) ℘ 03 44 85 06 55, 斎, 🚋 – ⊝
⊝ fermé dim. soir et lundi – **Repas** 12,20/33,54 🝙

DABISSE 04 Alpes-de-H.-P. 🔢 ⑯ – ⊠ 04190 Les Mées.

Paris 737 – Digne-les-Bains 33 – Forcalquier 19 – Manosque 27 – Sisteron 30.

XXX **Vieux Colombier,** rte d'Oraison, Sud : 2 km sur D 4 ℘ 04 92 34 32 32, snowak@wan.
.fr, Fax 04 92 34 34 26, 斎 – 🄿. 🆎 ① ⊝
fermé 2 au 5 janv., dim. soir et merc. – **Repas** 19/54 ⅋, enf. 13

DACHSTEIN 67120 B.-Rhin 🔢 ⑨ – 1 271 h alt. 160.

Paris 477 – Strasbourg 23 – Molsheim 6 – Saverne 28 – Sélestat 40.

XX **Auberge de la Bruche,** ℘ 03 88 38 14 90, Fax 03 88 48 81 12, 斎 , « Décor élégan
▤. ⊝
fermé 19 août au 4 sept., 26 déc. au 9 janv., sam. midi, dim. soir et mardi – **Repas** 25/6

DAGLAN 24250 Dordogne 🔢 ⑰ – 535 h alt. 101.

Paris 536 – Cahors 47 – Sarlat-la-Canéda 21 – Fumel 42 – Gourdon 19 – Périgueux 79.

X **Petit Paris,** ℘ 05 53 28 41 10, Fax 05 53 28 41 10, 斎 – 🆎 ⊝. 彩
fermé 1er déc au 13 fév., dim. soir et lundi – **Repas** 12,50 (déj.), 15,50/45 ⅋

La DAILLE 73 Savoie 🔢 ⑲ – rattaché à Val-d'Isère.

MBACH-LA-VILLE 67650 B.-Rhin 🔢 ⑨ G. Alsace Lorraine – 1 973 h alt. 210.

🛈 Office du tourisme - Mairie ℘ 03 88 92 61 00, Fax 03 88 92 60 09, otdlv@netcourrier.com.
Paris 510 – Strasbourg 48 – Obernai 24 – Saverne 61 – Sélestat 9.

🏠 **Vignoble** sans rest, ℘ 03 88 92 43 75, Fax 03 88 92 62 21 – 🔟 📞 &. 🆚. 🛏
  fermé 22 juin au 4 juil., 24 déc. au 9 mars et dim. hors saison – 🖙 6 – **7 ch** 42/49,50

🏠 **Au Raisin d'Or**, ℘ 03 88 92 48 66, au-raisin-d-or@wanadoo.fr, Fax 03 88 92 61 42 –
  ▤ rest, 🔟 🌐 🆚. 🛏
  fermé 20 déc. au 30 janv., mardi et lundi – **Repas** 15/20 ♨, enf. 5,50 – 🖙 5,80 – **8 ch** 42/46
  – ½ P 35,25/36,75

MGAN 56750 Morbihan 🔢 ⑬ – 1 327 h.

🛈 Office du tourisme Place du Presbytère ℘ 02 97 41 11 32, Fax 02 97 41 13 22.
Paris 473 – Vannes 27 – Muzillac 10 – Redon 52 – La Roche-Bernard 25.

🏠 **Plage** 🅼 sans rest, ℘ 02 97 41 10 07, arrele@wanadoo.fr, Fax 02 97 41 12 82, ≤ – 🛗 🔟 &.
  🅿. 🆚
  fermé 12 nov. au 21 déc. et 3 janv. au 1er fév. – 🖙 6,30 – **18 ch** 45/59

🏠 **Albatros**, ℘ 02 97 41 16 85, Fax 02 97 41 21 34, ≤, 🏡 – ▤ rest, 🔟 📞 & 🅿. 🆚
  23 mars-mi-oct. – **Repas** 10 (déj.), 15/33 ♈, enf. 7,62 – 🖙 5,80 – **27 ch** 46/61 – ½ P 43/52

MPIERRE-EN-YVELINES 78 Yvelines 🔢 ⑨, **101** ㉛ – voir à Paris, Environs.

MPRICHARD 25450 Doubs 🔢 ⑱ – 1 768 h alt. 825.

Paris 486 – Besançon 81 – Basel 92 – Belfort 64 – Montbéliard 46 – Pontarlier 67.

🏠 **Lion d'Or**, ℘ 03 81 44 22 84, hotel.damprichard@wanadoo.fr, Fax 03 81 44 23 10, 🏡 –
  🔟 🍴 🅿. 🆚
  fermé dim. soir et lundi – **Repas** 12,96 (déj.), 17,53/42,69 ♈, enf. 7,60 – 🖙 6,60 – **16 ch** 39/47
  – ½ P 39/46

NJOUTIN 90 Ter.-de-Belf. 🔢 ⑧ – rattaché à Belfort.

NNEMARIE 68210 H.-Rhin 🔢 ⑨ – 1 988 h alt. 320.

Paris 448 – Mulhouse 27 – Basel 41 – Belfort 24 – Colmar 58 – Thann 27.

✕ **Wach**, près H. de Ville ℘ 03 89 25 00 01, Fax 03 89 25 00 01 – 🆚 🍴
  fermé 16 au 27 août, 24 déc. au 12 janv. et lundi – **Repas** (déj. seul.) 10/30 ♈, enf. 8,50

✕ **Ritter**, face gare ℘ 03 89 25 04 30, Fax 03 89 08 02 34, 🏡, 🌿 – 🅿. 🌐 🆚 🍴
  fermé 10 au 16 juil., 20 au 31 déc., 14 fév. au 3 mars, jeudi soir, lundi soir et mardi – **Repas**
  22,11/29 ♈, enf. 8,50

VÉZIEUX 07 Ardèche 🔢 ⑩ – rattaché à Annonay.

X ◁🔊▷ 40100 Landes 🔢 ⑥ ⑦ G. Aquitaine – 19 515 h alt. 12 – Stat. therm. – Casinos : La
Potinière, et à St-Paul-lès-Dax.

🛈 Office du tourisme Place Thiers ℘ 05 58 56 86 86, Fax 05 58 56 86 80, tourisme.dax
@wanadoo.fr.
Paris 731 ① – Biarritz 60 – Mont-de-Marsan 54 ② – Bordeaux 146 ① – Pau 87 ③.

Plan page suivante

🏩 **Grand Hôtel Mercure Splendid**, cours Verdun ℘ 05 58 56 70 70, h2148@accor-
  hotels.com, Fax 05 58 74 76 33, ≤, centre thermal, « Décor art-déco originel », 🔟, 🌿 – 🛗
  🔟 🅿 – 🔬 20 à 100. 🆎 🌐 🆚. 🛏 rest   B a
  2 mars-30 nov. – **Repas** 23/32 ♈, enf. 10 – 🖙 10 – **155 ch** 70/115, 6 appart – ½ P 62/81

🏠 **Grand Hôtel** 🅼, r. Source ℘ 05 58 90 53 00, tadour@aol.com, Fax 05 58 90 52 88, centre
  thermal, 🌿 – 🛗 cuisinette, ▤ rest, 🔟 📞 🅿 – 🔬 50. 🆎 🆚 🍴. 🛏 rest   B f
  fermé 22 déc. au 5 janv. – **Repas** 14/22 – 🖙 6 – **129 ch** 64/79, 7 appart – ½ P 53/57,50

🏠 **Richelieu**, 13 av. V. Hugo ℘ 05 58 90 49 49, Fax 05 58 90 80 86, 🏡 – 🛗 cuisinette 🔟 📞 🅿
  – 🔬 25. 🆎 🌐 🆚   B n
  fermé 25 déc. au 5 janv. – **Repas** (fermé sam. midi, dim. soir et lundi) 14 bc (déj.), 19/34 ♈ –
  🖙 5 – **39 ch** 50/60 – ½ P 71

🏠 **Vascon** sans rest, pl. Fontaine Chaude ℘ 05 58 56 64 60, Fax 05 58 90 85 47 – 🛗 🔟 📞.
  🆚   B u
  3 mars-1er déc. – 🖙 4 – **25 ch** 28/40

DAX

Jean Le Bon, 12 r. Jean Le Bon *℘* 05 58 74 29 14, *dutauzia@hotel-jean-le-bon.*
Fax 05 58 90 03 04, **⍛** – **▯** cuisinette, ▤ rest, **📺 ▯ AE GB JCB**, ⛷ rest
fermé fév. – **Repas** *(fermé sam. soir et dim. de nov. à mars)* 11,43/30,49 ⚄, enf. 7,▮
⚃ 5,50 – **27 ch** 35/43 – ½ P 36/44

XX L'Amphitryon, 38 cours Galliéni *℘* 05 58 74 58 05 – **GB**
fermé 26 août au 6 sept., 2 au 27 janv., dim. soir, sam. midi et lundi – **Repas** 18/30 ⚄

X Auberge des Pins avec ch, 86 av. F. Planté *℘* 05 58 74 22 46, Fax 05 58 56 05 62, ▮
📺 ▯ GB
fermé 15 déc. au 15 janv. – **Repas** *(fermé vend. soir du 15 oct. au 15 juin)* 10 (déj.), 14/▮
enf. 6,10 – ⚃ 4,80 – **13 ch** 30/46 – ½ P 29,50/34

St-Paul-lès-Dax – 10 226 h. alt. 21 – ⌖ 40990 :

🛈 *Office du tourisme* 68 avenue de la Résistance *℘* 05 58 91 60 01, Fax 05 58 91 9.
ot-stpauldx@wanadoo.fr.

Calicéo ⓜ ⌖, au Lac de Christus *℘* 05 58 90 66 00, *caliceo@nomac*
Fax 05 58 90 68 68, ≤, ⇪, espace de remise en forme aquatique, centre thermal, ▮▮,
▯ cuisinette ▤ 📺 ⛄ ⇄ ▯ – ⚖ 25 à 80. **AE ⓞ GB JCB**, ⛷ rest
Repas 15,25, enf. 6,10 – ⚃ 8 – **50 ch** 75/100

Les Jardins du Lac ⓜ ⌖, au lac de Christus *℘* 05 58 91 43 43, *jardinsdulac@wana*
fr, Fax 05 58 91 34 24, 🌲, ⇪, ⟿ – **▯** cuisinette, ▤ rest, 📺 ⛄ ⚴ ▯ – ⚖ 15. **AE ⓞ**
JCB, ⛷ rest
Repas 14,50/29,50 ⚗, enf. 8,50 – ⚃ 7,50, 51 appart 82,50/122,50 – ½ P 62,50

🏨 **Lac** ⟨⟩, au lac de Christus ℰ 05 58 90 60 00, Fax 05 58 91 34 88, 🏤, centre thermal, 🌫 –
🕪 cuisinette, 🍴 rest, 📺 ℂ ⟨ 🄿 – 🔬 25 à 80. 🄰🄴 ⓞ 🄶🄱, 🛠 rest   A t
2 mars-30 nov. - **L'Arc-en-Ciel :** Repas 14/23, enf. 8 – 🖃 6 – **250 ch** 54/60 – ½ P 59

🏨 **Campanile,** rte Bayonne - N 124 ℰ 05 58 91 35 34, Fax 05 58 91 37 00, 🏤 – 🍴 ⟨ 🄿 🄿 – 🔬 25. 🄰🄴 ⓞ 🄶🄱   A b
Repas *(12)* - 17 🝐 – 🖃 6 – **46 ch** 52

🏨 **Kyriad,** au lac de Christus ℰ 05 58 91 70 70, Fax 05 58 91 90 00 – 📺 🄿 ⟨ 🄿 – 🔬 25. 🄰🄴 ⓞ 🄶🄱 🄹🄲🄱   A f
Repas *(10,52 bc)* - 14,48/22,10, enf. 5,34 – 🖃 6 – **42 ch** 52

❌❌ **Moulin de Poustagnacq,** ℰ 05 58 91 31 03, Fax 05 58 91 37 97, 🏤, « Ancien moulin
au bord d'un étang » – 🄿. 🄰🄴 ⓞ 🄶🄱   A r
fermé vacances de Toussaint, mardi midi, dim. soir et lundi – Repas 23/54 et carte 45 à 54

❌❌ **Relais des Plages** avec ch, rte de Bayonne par ④ : 3 km ℰ 05 58 91 78 86,
Fax 05 58 91 85 13, 🏤, 🛋, 🌫 – 🍴 rest, 📺 ℂ 🄿. 🄰🄴 ⓞ 🄶🄱 :
Repas *(fermé dim. soir et lundi sauf juil.-août)* 16/30,50 🝐 – 🖃 6,50 – **9 ch** 39/54 –
½ P 40,50/48,50

eyreluy *Sud : 5 km par D 6 - A - et rte secondaire – 1 120 h. alt. 10 – ⊠ 40180 :*

❌ **Auberge Au Point du Jour,** ℰ 05 58 57 81 01, Fax 05 58 57 81 01 – 🄰🄴 ⓞ 🄶🄱
fermé 27 janv. au 8 fév., dim. soir, lundi soir et merc. – Repas 9,91 (déj.), 19,80/30,50 🝐,
enf. 6,86

Si vous êtes retardé sur la route, dès 18 h,
confirmez votre réservation par téléphone,
c'est plus sûr... et c'est l'usage.

UVILLE *14800 Calvados* 🆖🆖 ③ *G. Normandie Vallée de la Seine* – 4 364 h alt. 2 – *Casino* AZ.
Voir Mont Canisy★ 5 km par ④ puis 20 mn.
Excurs. La corniche normande★★ – La côte fleurie★★.
🛫 de Deauville-St-Gatien : ℰ 02 31 65 65 65, S : 7 km BY.
🄱 Office du tourisme Place de la Mairie ℰ 02 31 14 40 00, Fax 02 31 88 78 88,
info-deauville@deauville.org.
Paris 203 ③ – Caen 47 ④ – Le Havre 42 ③ – Évreux 101 ③ – Lisieux 30 ③ – Rouen 90 ③.

Plan page suivante

🏨🏨 **Normandy,** 38 r. J. Mermoz ℰ 02 31 98 66 22, normandy@lucienbarriere.com,
Fax 02 31 98 66 23, ≼, 🏤, 🛠, 🛋, 🛠 – 🕪 📺 ℂ ⟨ 🚗 🄿 – 🔬 15 à 160. 🄰🄴 ⓞ 🄶🄱 🄹🄲🄱
🛠 rest   AZ h
Belle Époque : Repas 45/57 🝐, enf. 20 – 🖃 22 – **272 ch** 276/407, 19 appart

🏨🏨 **Royal,** bd E. Cornuché ℰ 02 31 98 66 33, royal@lucienbarriere.com, Fax 02 31 98 66 34,
≼, 🏤, 🛠, 🛋, 🛠 – 🕪 📺 ℂ ⟨ 🄿 – 🔬 20 à 200. 🄰🄴 ⓞ 🄶🄱 🄹🄲🄱   AZ y
1er mars-4 nov. – carte 43 à 68 🝐 - **L'Etrier** (dîner seul.) Repas 53,30 🝐, enf. 18,20 – 🖃 22 –
223 ch 300/595, 30 appart

🏨🏨 **L'Augeval** 🅼, 15 av. Hocquart de Turtot ℰ 02 31 81 13 18, info@augeval.com,
Fax 02 31 81 00 40, 🏤, 🛋, – 🕪, 🍴 rest, 📺 ℂ ⟨ – 🔬 30 à 50. 🄰🄴 ⓞ 🄶🄱 🄹🄲🄱   AZ d
Repas *(20)* - 27/41 🝐 – 🖃 10 – **32 ch** 105/215 – ½ P 86,50/141,50

🏨 **Libertel Yacht Club** 🅼 sans rest, 2 r. Breney ℰ 02 31 87 30 00, h2876-gm@accor-
hotels.com, Fax 02 31 87 05 80 – 🕪 🍴 📺 ℂ ⟨. 🄰🄴 ⓞ 🄶🄱 🄹🄲🄱   BY b
fermé 6 janv. au 5 fév. – 🖃 9,50 – **43 ch** 132/136, 6 duplex

🏨 **Trophée,** 81 r. Gén. Leclerc ℰ 02 31 88 45 86, Fax 02 31 88 07 94, 🏤 – 🕪 📺 ℂ. 🄰🄴 ⓞ 🄶🄱
🄹🄲🄱   AZ u
Flambée ℰ 02 31 88 28 46 Repas *(15,50)*-19/45 🝐, enf. 13 – 🖃 10 – **35 ch** 109/119 –
½ P 82,50/97,50

🏨 **Hélios** sans rest, 10 r. Fossorier ℰ 02 31 14 46 46, Fax 02 31 88 53 87, 🛋 – 🕪 📺 ⟨. 🄰🄴 ⓞ
🄶🄱 🄹🄲🄱 🛠   AZ e
🖃 8 – **45 ch** 74, 8 duplex

🏨 **Continental** sans rest, 1 r. Désiré Le Hoc ℰ 02 31 88 21 06, Fax 02 31 98 93 67 – 🕪 📺 ℂ
– 🔬 30. 🄰🄴 ⓞ 🄶🄱 🄹🄲🄱   BZ s
fermé 12 nov. au 21 déc. – 🖃 6,86 – **42 ch** 69

🏨 **Ibis,** quai Marine ℰ 02 31 14 50 00, h0795@accor-hotels.com, Fax 02 31 14 50 05, 🏤 – 🕪
🍴 📺 ℂ ⟨ 🚗 – 🔬 15 à 30. 🄰🄴 ⓞ 🄶🄱   BZ e
Repas *(12)* - 15/24 🝐, enf. 7 – 🖃 7 – **81 ch** 74/84, 14 duplex

DEAUVILLE

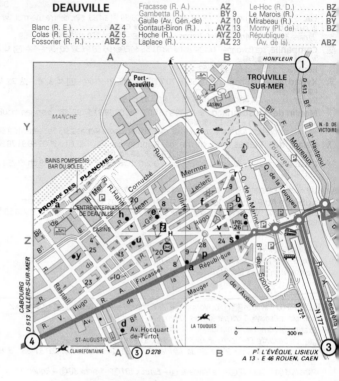

🏨 **Chantilly** sans rest, 120 av. République 𝄞 02 31 88 79 75, hchantilly@aol.
Fax 02 31 88 41 29 – 📺 ☏ 🖭 ① ⊞ ⒿⒸⒷ
⊠ 6,75 – **15 ch** 57/88
B.

🏯 **L'Espérance,** 32 r. V. Hugo 𝄞 02 31 88 26 88, Fax 02 31 88 33 29, 🍽 – 📺.
🕉 ch
B.
fermé 15 au 30 juin – **Repas** (fermé merc. et jeudi sauf vacances scolaires) 17,53/27
⊠ 6,71 – **10 ch** 44,21/65,55 – ½ P 43,30/53,97

XXXX **Ciro's,** prom. Planches 𝄞 02 31 14 31 31, Fax 02 31 98 66 71, ≤, 🍽 – 🖭 ①
ⒿⒸⒷ
A
fermé 7 au 23 janv., mardi et merc. d'oct. à avril sauf vacances scolaires et fériés – **Re**
produits de la mer - 32 et carte 40 à 76 ♀

XX **Spinnaker,** 52 r. Mirabeau 𝄞 02 31 88 24 40, Fax 02 31 88 43 58 – 🖭 ① ⊞
B
fermé 15 au 30 nov., 2 au 31 janv., mardi d'oct. à avril et lundi – **Repas** 27/43 ♀

XX **Yearling,** 38 av. Hocquart de Turtot (Sud du plan AZ) D 278 𝄞 02 31 88 33 37, le-year
🍴 wanadoo.fr, Fax 02 31 88 33 89 – 🖭 ⊞
fermé 11 au 24 nov., 6 au 30 janv., mardi et merc. – Repas 20,58/57,93 bc ♀

X **Garage,** 118 bis av. République 𝄞 02 31 87 25 25, Fax 02 31 87 38 37, brasserie – 🖪
⊞ ⒿⒸⒷ
B
fermé 12 nov. au 10 déc., dim. soir et lundi de nov. à avril – **Repas** 15,09/25,31 ♀

X **Chez Marthe,** 1 quai de la Marine 𝄞 02 31 88 92 51, Fax 02 31 87 34 95 – 🖭 ⊞
fermé janv., mardi et merc. hors saison – **Repas** (21,34) - carte 32 à 52 ♀
B

à l'aéroport Deauville-St-Gatien Est : 7 km par D 74 – ✉ 14130 Pont-l'Évêque :

XX **Rest. Aéroport,** 1er étage 𝄞 02 31 64 81 81, Fax 02 31 64 83 83, 🍽 – 🖭 ① ⊞
fermé 10 janv. au 20 fév., lundi et mardi – **Repas** 19,82/40,40

ouques *par ③ : 2,5 km – 3 500 h. alt. 10 – ✉ 14800 :*

L'Amirauté Ⓜ, N 177 ✆ 02 31 81 82 83, *amiraute@mail.cpod.fr, Fax 02 31 81 82 93*, ⛱, ⛳, 🏊, 🏊, 🎾, ⛳ – 🛗 📺 📞 ♿ 🅿 – 🏛 20 à 400. AE ⓓ GB JCB
Grill : **Repas** 24,39 🍷, enf. 12,50 – ***Pré St-Arnoult*** *(fermé lundi et mardi de sept. à mars)* **Repas** 36,59🍷, enf. 17,53 – ☕ 11 – **225 ch** 115/220, 6 appart – ½ P 187/227

Aux Landiers, 90 r. Louvel et Brière ✆ 02 31 88 00 39, *salmont@wanadoo.fr, Fax 02 31 88 00 39*, ⛱, « Terrasse fleurie » – AE ⓓ GB
fermé 6 janv.au 7 fév., jeudi midi et merc. sauf juil.-août – **Repas** 15/51

Village avec ch, 64 r. Louvel et Brière ✆ 02 31 88 01 77, *Fax 02 31 88 99 24*, ⛱ – 📺. AE GB. 🚭 ch
fermé dim. soir, lundi et mardi sauf juil.-août et fériés – **Repas** *(15)* - 23/37 🍷, enf. 8,38 – ☕ 5,79 – **8 ch** 45,73/53,36 – ½ P 99/115

anapville *par ③ : 6 km – 222 h. alt. 10 – ✉ 14800 :*

Auberge du Vieux Tour, sur N 177 ✆ 02 31 65 21 80, *Fax 02 31 65 03 75*, ⛱, 🌳 – 🅿. GB
fermé vacances de Noël, janv., vacances de fév., dim. soir en hiver ,mardi soir et merc. – **Repas** 16/32 🍷

New Golf *Sud : 3 km par D 278 - BAZ – ✉ 14800 Deauville :*

Golf 🐦, ✆ 02 31 14 24 00, *hoteldugolfdeauville@lucienbarriere.com, Fax 02 31 14 24 01*, ⩤ campagne deauvillaise », ⛱, « Au milieu du golf », ⛳, 🏊, 🎾, ⛳ – 🛗 📺 🅿 – 🏛 30 à 150. AE ⓓ GB JCB. 🚭 rest
fermé 18 nov. au 26 déc. – ***Pommeraie*** (dîner seul) **Repas** *(27)*-35/65 🍷 – ***Club House*** ✆ 02 31 14 24 23 (déj. seul.) **Repas** *(25)*-32 🍷, enf. 12 – ☕ 19 – **169 ch** 260/440, 9 appart

Sud : *6 km par D 278 et chemin de l'Orgueil – ✉ 14800 Deauville :*

Hostellerie de Tourgéville 🐦, ✆ 02 31 14 48 68, *hostellerie@hotel-de-tourgeville.com, Fax 02 31 14 48 69*, ⩤, ⛱, ⛳, 🏊, 🎾, ⛳ – 📺 🅿 – 🏛 20. AE GB JCB
fermé 16 fév. au 10 mars – **Repas** 35/48 – ☕ 13 – **6 ch** 137, 6 appart 275, 13 duplex 175 – ½ P 111,50/180,50

golf de l'Amirauté *Sud : 7 km par D 278 – ✉ 14800 Deauville :*

Chaumes, ✆ 02 31 14 42 00, *golf@amiraute-resort.com, Fax 02 31 88 32 00*, ⛱ – 🅿. GB
fermé le soir d'oct. à juin – **Repas** *(22,41)* - 26,57/37,78 🍷

CAZEVILLE *12300 Aveyron 80 ① G. Midi-Pyrénées – 6 805 h alt. 230.*

ℹ *Office du tourisme Square Jean Segalat ✆ 05 65 43 18 36, Fax 05 65 43 19 89, officetourismedecazeville@wanadoo.fr.*

Paris 612 – Rodez 39 – Aurillac 64 – Figeac 27 – Villefranche-de-Rouergue 40.

Moderne, 16 av. A. Bos (derrière église) ✆ 05 65 43 04 33, *Fax 05 65 43 17 17* – 📺 📞 – 🏛 30. AE GB
Repas *(fermé sam. et dim.)* 13/29 🍷 – ☕ 5 – **24 ch** 38/67 – ½ P 40/47

Foulquier, 16 av. V. Hugo (rte Figeac) ✆ 05 65 63 27 42, *Fax 05 65 43 37 33* – 📺 ♿ 🅿. GB
Repas *(fermé 1er au 13 juil., 23 déc. au 6 janv., sam. soir et dim.)* 10/15 🍷, enf. 7,50 – ☕ 6 – **21 ch** 35/44,50 – ½ P 55

CIZE *58300 Nièvre 69 ④ G. Bourgogne – 6 456 h alt. 197.*

ℹ *Office du tourisme Place du Champs de Foire ✆ 03 86 25 27 23, Fax 03 86 77 16 58, tourisme.decize@wanadoo.fr.*

Paris 273 – Moulins 35 – Châtillon-en-Bazois 34 – Luzy 44 – Nevers 34.

Charolais, 33 bis rte Moulins ✆ 03 86 25 22 27, *Fax 03 86 25 52 52*, ⛱ – ▤. ⓓ GB
fermé dim. soir et lundi sauf fériés – **Repas** 14,79/50,31

DÉFENSE *92 Hauts-de-Seine 55 ⑳, 101 ⑭ – voir à Paris, Environs.*

Les hôtels ou restaurants agréables
sont indiqués dans le guide par un symbole rouge.
Aidez-nous en nous signalant les maisons où,
par expérience, vous savez qu'il fait bon vivre.
Votre **Guide Rouge Michelin** sera encore meilleur.

🏨🏨🏨🏨🏨 ... 🏠
XXXXX ... X

DELME *57590 Moselle* 57 ⑭ *– 728 h alt. 220.*

Syndicat d'initiative - Mairie ✆ 03 87 01 42 42, Fax 03 87 01 42 42.

Paris 366 – Metz 33 – Nancy 32 – Château-Salins 12 – Pont-à-Mousson 27 – St-Avold 43

A la XIIe Borne Ⓜ, ✆ 03 87 01 30 18, *XIIborne@infonie.fr, Fax 03 87 01 38 39,* , rest, TV ✆. AE ⓓ GB
Repas 15/40 – 6 – **15 ch** 40/58 – 1/2 P 31/40

Auberge de Delme, ✆ 03 87 01 33 33, *Fax 03 87 01 38 12,* , – TV ✆ P. AE G
fermé 4 au 22 janv. – **Repas** 14,48/35,06 – 6,10 – **11 ch** 33,54/53,36 – 1/2 P 35,83

DENNEMONT *78 Yvelines* 55 ⑱ *– rattaché à Mantes-la-Jolie.*

DESCARTES *37160 I.-et-L.* 68 ⑤ *G. Châteaux de la Loire – 4 019 h alt. 50.*

Office de tourisme Mairie ✆ 02 47 92 42 20, Fax 02 47 59 72 20.

Paris 293 – Tours 59 – Châteauroux 92 – Châtellerault 24 – Chinon 50 – Loches 32.

Moderne, 15 r. Descartes ✆ 02 47 59 72 11, *Fax 02 47 92 44 90,* – TV P. GB
fermé 15 au 29 sept., 3 au 12 janv., vend. soir et sam. midi de sept. à mai, lundi midi de j août et dim. soir – **Repas** 13/28,96, enf. 8 – 6,10 – **11 ch** 36/49 – 1/2 P 39/42

Auberge de l'Islette, à Lilette (86 Vienne) Ouest : 3 km par D 58 et D5 ✉ 3 Descartes ✆ 02 47 59 72 22, *Fax 02 47 92 93 93* – P. GB
fermé mardi soir et merc. du 4 sept. au 15 juin – **Repas** 10 (déj.), 14,70/27,50, enf. 8,5

DESVRES *62240 P.-de-C.* 51 ⑫ *– 5 205 h alt. 98.*

Office du tourisme Rue Jean Macé ✆ 03 21 83 69 23, Fax 03 21 83 44 desvres@tourisme.norsys.fr

Paris 264 – Calais 45 – Arras 102.

Ferme du Moulin aux Draps Ⓜ sans rest, rte Crémarest (D 254^E) : 1,5 km ✆ 03 21 10 69 59, *Fax 03 21 87 14 56,* – TV ✆ P. AE ⓓ GB JCB
11,45 – **20 ch** 68,80/80,80

Les DEUX-ALPES (Alpes de Mont-de-Lans et de Vénosc) *38860 Isère* 77 ⑥ *G. Alpes du Nord – Alpe de Vénosc, 1 660 m Alpe de Mont-de-Lans – Sports d'hiver : 1 650/3 600 m 7 51 .*

Voir *Belvédères : de la Croix★, des Cîmes – Croisière Blanche★★★.*

Office de tourisme ✆ 04 76 79 22 00, Fax 04 76 79 01 38.

Paris 642 ① – Grenoble 78 ① – Le Bourg-d'Oisans 26 ①.

Bérangère , (a) ✆ 04 76 79 24 11, *berang e@fr.inter.net, Fax 04 76 79 55 08,* ←, , , , – TV ✆ P – 25. AE GB. rest
juil.-août et début déc.-mi-avril – **Repas** 28 (déj.), 34/75 – 11 – **59 ch** 122/330 – 1/2 P 98/136

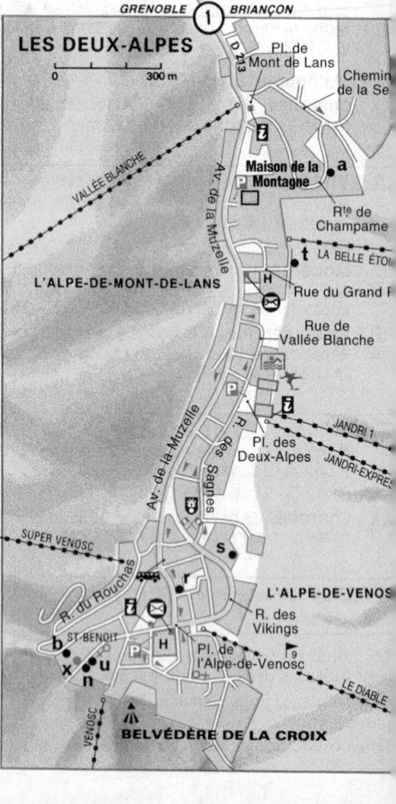

🏨 **Farandole** ⑤, (b) ℘ 04 76 80 50 45, hotellafarandole@free.fr, Fax , Fax 04 76 79 56 12, ≤ massif de la Muzelle, 🍽, ✵, ▨, ✵ – ▯ ▥ ✆ ▯ – 🚗 25 à 60. ◭ ⌾. ✵ rest
6 juil-24 août et 14 déc.-19 avril – **Repas** (29) - 35 ♀, enf. 15 – ▭ 10 – **46 ch** 155/249, 4 appart., 10 duplex – ½ P 139,50/149,50

🏨 **Chalet Mounier**, (n) ℘ 04 76 80 56 90, doc@chalet-mounier.com, Fax 04 76 79 56 51, ✵ ≤, 🍽, ▨, ✵, ▨, ✵, ✵ – ▯ ▥ ▮ ▯ – 🚗 15 à 25. ⌾. ✵
❀ *29 juin-1er sept. et 14 déc.- 25 avril* – **Repas** (dîner seul. sauf dim. et fériés) 23 (dîner), 26/33 ♀
- P'tit Polyte (dîner seul.) *(fermé lundi)* **Repas** (29)-42/52 ♀ – **44 ch** ▭ 89/174, 3 duplex – ½ P 75/112
Spéc. Escalope de foie gras de canard aux fruits de saison. Dos de féra aux coquillages et miettes de diot fumé. Composition d'agneau des Alpes, daube à l'écrasée de pommes aux orties sauvages **Vins** Coteaux du Grésivaudan, Chignin-Bergeron.

🏨 **Souleil'Or** ⑤, (t) ℘ 04 76 79 24 69, hotel.le.souleil.or@wanadoo.fr, Fax 04 76 79 20 64, ≤, 🍽, ▮₆ – ▮ ✵ , ▤ rest, ▨ ▯ – 🚗 25. ◭ ⌾. ✵
22 juin-1er sept. et 19 déc.-1er mai – **Repas** (dîner seul.) 26 ♀ – ▭ 10 – **42 ch** 120,50 – ½ P 95,60/101,60

🏨 **Les Mélèzes**, (s) ℘ 04 76 80 50 50, Fax 04 76 79 20 70, ≤, 🍽, ▮₆ – ▥ ▯ – 🚗 25. ⌾. ✵ rest – *20 déc.-28 avril* – **Repas** 24/58 – ▭ 8,50 – **32 ch** 59/79,50 – ½ P 68/78

🏨 **Serre-Palas** sans rest, (u) ℘ 04 76 80 56 33, htl-serre-palas@wanadoo.fr, Fax 04 76 79 04 36 – ▥. ⌾
fermé 6 mai au 21 juin, 4 sept. au 26 oct. et 4 nov. au 6 déc. – **24 ch** ▭ 55,40/114

✗ **Bel'Auberge**, (x) ℘ 04 76 79 57 90, Fax 04 76 80 56 89, 🍽 – ▯. ⌾
24 juin-1er sept. et 1er déc.-30 avril – **Repas** (dîner seul.en hiver sauf week-ends) 17/29 ♀, enf. 10

✗ **Panoramic**, au sommet du téléphérique Jandri 2 ou Jandri-Express 1 ℘ 04 76 79 06 75, Fax 04 76 79 20 37, ≤ du massif du Vercors au versant italien du Mont-Blanc, 🍽, « Restaurant d'altitude (2600 m), au coeur des pistes » – ⌾
1er déc.-2 mai – **Repas** (déj. seul.)(dîner sur réservation) carte environ 28 ♀, enf. 8,50

UIZON 41220 L.-et-Ch. 64 ⑧ – 1 254 h alt. 93.
Paris 175 – Orléans 46 – Beaugency 23 – Blois 29 – Romorantin-Lanthenay 26.

✗✗ **Auberge du Grand Dauphin** avec ch, ℘ 02 54 98 31 12, auberge-grand-dauphin@wa nadoo.fr, Fax 02 54 98 37 64, 🍽 – ▯ ⌾
fermé 1er janv. au 15 fév., mardi du 15 nov. au 1er avril, dim. soir et lundi – **Repas** 15/38 ♀, enf. 8 – ▭ 5 – **9 ch** 36/39 – ½ P 38/40

■ ◈ 26150 Drôme 77 ⑬ ⑭ G. Alpes du Sud – 4 451 h alt. 415.
Voir Mosaïque★ dans l'hôtel de ville – **Env.** Paysages du Diois★★.
🅱 Office du tourisme Place Saint-Pierre ℘ 04 75 22 03 03, Fax 04 75 22 40 46, otdie@vallee drome.com.
Paris 630 – Valence 67 – Gap 91 – Grenoble 111 – Montélimar 69 – Nyons 84 – Sisteron 102.

🏨 **Relais de Chamarges**, rte Valence : 1 km ℘ 04 75 22 00 95, Fax 04 75 22 19 34, 🍽, ✵ – ▥ ▯. ⌾
fermé déc., janv., fév., dim. soir et lundi hors saison sauf fériés – **Repas** 15/24 ♀, enf. 8,50 – ▭ 6,56 – **12 ch** 45 – ½ P 43/45

🏨 **Alpes** sans rest, 87 r. C. Buffardel ℘ 04 75 22 15 83, Fax 04 75 22 09 39 – ▮ ▥ ✆. ◭ ⌾ ▭ 6 – **24 ch** 35/43

✗✗ **Petite Auberge** avec ch, av. Sadi-Carnot (face gare) ℘ 04 75 22 05 91, Fax 04 75 22 24 60, 🍽, ✵ – ▥ ▯. ⌾
fermé 15 déc. au 20 janv., dim. soir sauf juil.-août et lundi – **Repas** (1/2 pens. seul. en été) 15,25/26 ♀, enf. 8 – ▭ 6,10 – **11 ch** 23/41,16 – ½ P 37,50/43

EFFENTHAL 67650 B.-Rhin 87 ⑯ – 226 h alt. 185.
Paris 437 – Strasbourg 50 – Lunéville 100 – St-Dié 45 – Sélestat 8.

🏨 **Les Châteaux** Ⓜ ⑤, ℘ 03 88 92 49 13, hotel.restaurant.les.chateaux@wanadoo.fr, Fax 03 88 92 40 99, ≤, 🍽, ✵ – ▮ ▥ ✆ ✵ ▯ – 🚗 30. ⌾. ✵ rest
fermé 24 au 27 déc. – **Repas** 24,39/73,18 ♀ – ▭ 5,34 – **32 ch** 54,88/76,22 – ½ P 47,26

EFMATTEN 68780 H.-Rhin 66 ⑨ – 251 h alt. 300.
Paris 450 – Mulhouse 21 – Belfort 24 – Colmar 47 – Thann 16.

✗✗ **Auberge du Cheval Blanc**, ℘ 03 89 26 91 08, Fax 03 89 26 92 28, 🍽, ✵ – ▮ ▯. ◭ ⓪ ⌾
fermé 15 juil. au 6 août, vacances de fév., lundi et mardi sauf les midis fériés – **Repas** 19,50 (déj.), 27/59,50 et carte 45 à 65 ♀, enf. 9,50

DIENNE 15300 Cantal **76** ③ G. Auvergne – 293 h alt. 1053 – **Voir** ≤★★ du Pas de Peyrol.
Paris 534 – Aurillac 56 – Allanche 21 – Condat 30 – Mauriac 52 – Murat 10 – St-Flour 34.

Poste, ℘ 04 71 20 80 40, Fax 04 71 20 82 75, ≤ – **P**, **AE** **GB**, ✗
fermé 15 nov. au 1er fév. – **Repas** (dîner seul.) 13,72/18,29 ⅜ – ☑ 5,34 – **10 ch** 38,11/53,
½ P 38,11/41,16

DIEPPE ◁**SP**▷ 76200 S.-Mar. **52** ④ G. Normandie Vallée de la Seine – 34 653 h alt. 6 – Ca
Municipal AY – **Voir** Église St-Jacques★ – Chapelle N.-D.-de-Bon-Secours ≤★ – Musée
château (ivoires dieppois★).

🛈 Office du tourisme Pont Jehan Ango ℘ 02 32 14 40 60, Fax 02 32 14 40 61, OFFICET
DIEPPE@wanadoo.fr.

Paris 198 ② – Abbeville 68 ① – Caen 172 ② – Le Havre 110 ② – Rouen 65 ②.

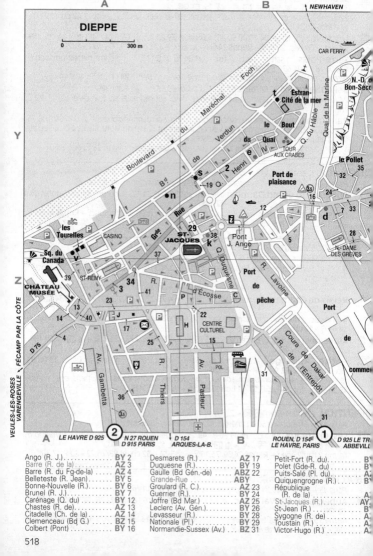

Aguado sans rest, 30 bd Verdun ℰ 02 35 84 27 00, Fax 02 35 06 17 61, ≤ – ⌷ 𝖳𝖵, 𝖦𝖡, ✼
⇌ 8 – 56 ch 58/84
BY s

Europe Ⓜ sans rest, 63 bd Verdun ℰ 02 32 90 19 19, Fax 02 32 90 19 00, ≤ – ⌷ ✼⇌ 𝖳𝖵 ✓
♿ – ⌷ 25. 𝖦𝖡
BY t
⇌ 7,20 – 60 ch 60/78

Plage sans rest, 20 bd Verdun ℰ 02 35 84 18 28, plagehotel@wanadoo.fr,
Fax 02 35 82 36 82, ≤ – ⌷ 𝖳𝖵 ✓, 𝖠𝖤 ⓞ 𝖦𝖡
AY n
⇌ 6 – 40 ch 48/61

Présidence, 1 bd Verdun ℰ 02 35 84 31 31, hotel-la-presidence@wanadoo.fr,
Fax 02 35 84 86 70, ≤ – ⌷, ≡ rest, 𝖳𝖵 ✓ ♿ ⇌ – ⌷ 70. 𝖠𝖤 ⓞ 𝖦𝖡
AY v
Repas 13,72/21,34 ⊈ – ⇌ 8,38 – 89 ch 64,79/116,62 – ½ P 59,61/62,50

Ibis Ⓜ ⅋, par ② le Val Druel ℰ 02 35 82 65 30, Fax 02 35 82 41 52 – ✼⇌ 𝖳𝖵 ✓ 𝖯 – ⌷ 25.
𝖠𝖤 ⓞ 𝖦𝖡, ✼ rest
Repas 12,50/15,50 ♿ – ⇌ 6 – 45 ch 60

Mélie, 2 Gde rue du Pollet ℰ 02 35 84 21 19, Fax 02 35 06 24 27 – 𝖠𝖤 𝖦𝖡 𝖩𝖢𝖡
BY d
fermé lundi et mardi – Repas (en hiver et week-ends, prévenir) 27,50/60

Marmite Dieppoise, 8 r. St-Jean ℰ 02 35 84 24 26, Fax 02 35 84 31 12 – 𝖦𝖡
BY k
fermé 23 juin au 1er juil., 19 nov. au 10 déc., 25 fév. au 2 mars, jeudi soir, dim. soir et lundi –
Repas 17 (déj.), 25/38

Musardière, 61 quai Henri IV ℰ 02 35 82 94 14 – 𝖦𝖡
BY e
fermé 15 déc. au 20 janv., merc. soir et dim. soir sauf juil.-août et lundi – Repas 12,04/
25,76 ⊈

Martin-Église par D 1 BYZ : 7 km – 1 331 h. alt. 11 – ⊠ 76370 :

Auberge du Clos Normand ⅋ avec ch, ℰ 02 35 04 40 34, Fax 02 35 04 48 49, 🍽,
« Auberge du 15e siècle en bordure de rivière », 🌳 – 𝖳𝖵 𝖯 𝖠𝖤 𝖦𝖡
fermé 15 nov. au 15 déc., lundi soir et mardi – Repas 27/43 ⊈ – ⇌ 6 – 8 ch 53/79 –
½ P 61/67

Vertus par ② et N 27 : 3,5 km – ⊠ 76550 Offranville :

Bucherie, ℰ 02 35 84 83 10, Fax 02 35 84 18 19, 🍽 – 𝖯 𝖠𝖤 𝖦𝖡 𝖩𝖢𝖡
fermé 29 juil. au 11 août, 25 nov. au 8 déc., 24 fév. au 9 mars, dim. soir, mardi soir et lundi –
Repas 22,87/27,44 et carte 32 à 56 ⊈

Tourville-sur-Mer Ouest par D 75 AZ : 5 km – ⊠ 76550 :

Trou Normand, ℰ 02 35 84 59 84, Fax 02 35 40 29 41 – 𝖠𝖤 𝖦𝖡
fermé 1er au 19 août, 21 déc. au 4 janv., mardi soir, merc. soir et dim. – Repas 15,70/24,39 ⊈

DIEULEFIT 26220 Drôme 𝟪𝟣 ② 𝖦. Vallée du Rhône – 3 096 h alt. 366.
🇧 Office du tourisme Place Abbé Magnet ℰ 04 75 46 42 49, Fax 04 75 46 36 48,
OT.DIEULEFIT@wanadoo.fr.
Paris 621 – Valence 58 – Crest 30 – Montélimar 28 – Nyons 30 – Orange 59.

Auberge de l'Escargot d'Or, rte Nyons : 1 km ℰ 04 75 46 40 52, l.escargot.or@wana
doo.fr, Fax 04 75 46 89 49, 🍽, ⊒, 🌳 – 𝖳𝖵 ✓ 𝖯 𝖦𝖡, ✼ rest
fermé 20 nov. au 24 déc. et 1er janv. au 10 fév. – Repas 13,42 (déj.), 16,80/23,48 ⊈, enf. 9,50 –
15 ch 39,60/57,93 – ½ P 43,45/58,69

Relais du Serre avec ch, rte Nyons : 3 km sur D 538 ℰ 04 75 46 43 45, le-relais-du-serre
@club-internet.fr, Fax 04 75 46 40 98, 🍽 – 𝖳𝖵 ✓ 𝖯, 𝖦𝖡 𝖩𝖢𝖡
fermé 2 au 25 janv., dim. soir et lundi d'oct. à mai – Repas 11,50 (déj.), 21/24 ⊈, enf. 7 – ⇌ 6
– 8 ch 33,50/49 – ½ P 46

Poët-Laval Ouest : 5 km par D 540 – 809 h. alt. 311 – ⊠ 26160 :
Voir Site★.

Les Hospitaliers ⅋, ℰ 04 75 46 22 32, contact@hotel-les-hospitaliers.com,
Fax 04 75 46 49 99, ≤ vallée et montagnes, 🍽, « Au vieux village », ⊒, 🌳 – 𝖳𝖵 ✓ 𝖯, 𝖠𝖤
ⓞ 𝖦𝖡
15 mars-11 nov. – Repas (fermé lundi sauf du 1er juil. au 15 sept.) 25/52 ⊈, enf. 15 – ⇌ 13 –
22 ch 69/135 – ½ P 72,50/105,50

Si vous cherchez un hôtel tranquille,
consultez d'abord les cartes de l'introduction
ou repérez dans le texte les établissements indiqués avec le signe ⅋.

DIGNE-LES-BAINS 🅿 04000 Alpes-de-H.-P. **81** ⑰ *G. Alpes du Sud* – 16 064 h alt. 608 – therm. (mi fév.-début déc.).

Voir *Musée départemental★* B M² – *Cathédrale N.D.-du-Bourg★* – *Dalles à ammo géantes★* N : 1 km par D 900¹.

Env. ≤★ *de Courbons* – ≤★ *du Relais de Télévision*.

🅱 *Office du tourisme Place du Tampinet* ℘ 04 92 36 62 62, Fax 04 92 32 27 24, info dignelesbains.fr.

Paris 746 ② – *Aix-en-Provence 108* ② – *Avignon 166* ② – *Cannes 136* ② – *Gap 89* ②.

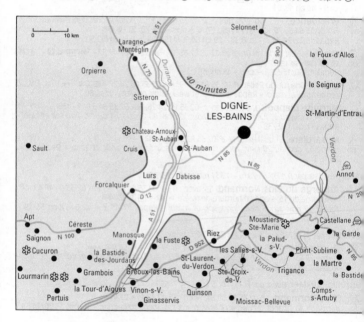

🏛 **Grand Paris,** 19 bd Thiers ℘ 04 92 31 11 15, *gransparis@wanadoo.fr, Fax 04 92 32 32* 🏠 – 🔟 📞 🚗 – 🛗 15. 🖭 ⓸ 🖼 🌐
1ᵉʳ mars-30 nov. – **Repas** *(15,50)* - 23 (déj.), 30/67 ♀, enf. 14,50 – ☑ 10 – **24 ch** 75/ 4 appart – P 110

🏛 **Tonic Hôtel** Ⓜ ⑤, rte Thermes Est : 2 km par av. 8-Mai B ℘ 04 92 32 20 31, *tonic.he digne@wanadoo.fr, Fax 04 92 32 44 54,* 🏠, 🔟, – 🛗 🔟 📞 🔥 – 🛗 80, 🖭 ⓸ 🖼 ⑤ rest *1ᵉʳ avril-31 oct.* – **Repas** 18,29/24,39 ♀ – ☑ 8,69 – **60 ch** 62,50/76,22 – ½ P 54,12/60,22

🏠 **Coin Fleuri,** 9 bd V. Hugo ℘ 04 92 31 04 51, *Fax 04 92 32 55 75,* 🏠 – 🔟. 🖼 B *fermé 26 oct. au 4 nov., 22 au 30 déc., dim. soir et lundi* – **Repas** 15,50 (déj.), 20/22 ☑ 5,50 – **14 ch** 36/47 – P 42/47,50

🏠 **Provence** sans rest, 17 bd Thiers ℘ 04 92 31 32 19, *Fax 04 92 31 48 39* – 🔟 📞 🖼
☑ 6 – **17 ch** 33/55

♉ **Central** sans rest, 26 bd Gassendi ℘ 04 92 31 31 91, *Hcentral@wanadoo Fax 04 92 31 49 78* – 🔟. 🖼
☑ 5 – **20 ch** 24/45

✗ **L'Origan** avec ch, 6 r. Pied-de-Ville ℘ 04 92 31 62 13, *rest-origan@wanadoo Fax 04 92 31 62 13,* 🏠 – 🖭 ⓸ 🖼 🌐
fermé 21 au 28 déc., 15 fév. au 1ᵉʳ mars et dim. – **Repas** (en saison, prévenir) 19/ ☑ 4,50 – **8 ch** 14/22 – P 31/34

rte de Nice *par* ② *et N 85 : 2 km* – ✉ 04000 Digne-les-Bains :

🏛 **Villa Gaïa** ⑤, ℘ 04 92 31 21 60, *hotel.gaia@wanadoo.fr, Fax 04 92 31 20 12,* 🏠, 🐎 🖼, ⑤
15 avril-26 oct. – **Repas** *(fermé merc. et dim. sauf juil.-août)* (dîner seul.)(résidents s 26/39 – ☑ 8,50 – **12 ch** 61/91 – ½ P 65/72

520

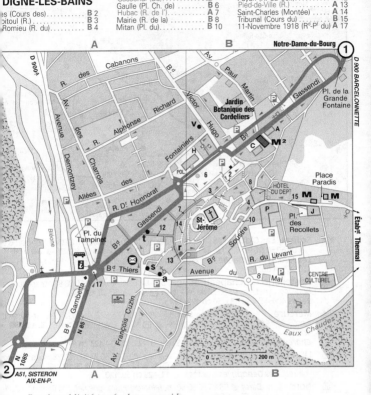

Pas de publicité payée dans ce guide.

GOIN 71160 S.-et-L. **69** ⑯ G. Bourgogne – 8 947 h alt. 232.

🛈 Office du tourisme 8 rue Guilleminot ℰ 03 85 53 00 81, Fax 03 85 53 27 54, ot.digoin @wanadoo.fr.

Paris 339 – Moulins 56 – Autun 68 – Charolles 26 – Roanne 57 – Vichy 68.

XXX **Gare** avec ch, 79 av. Gén. de Gaulle ℰ 03 85 53 03 04, jean-pierre.mathieu@worldonline.fr, Fax 03 85 53 14 70, 🌂 – 🍴, 🍽 rest, 📺 📞 🅿. ᏀᏴ

fermé janv., merc. sauf juil.-août et dim. soir en hiver – **Repas** 17/58 et carte 35 à 60 ♀ – ⌷ 8 – **13 ch** 42/61 – ½ P 49

Neuzy Nord-Est : 4 km par D 994 – ✉ 71160 Digoin :

🏠 **Merle Blanc**, ℰ 03 85 53 17 13, Fax 03 85 88 91 71 – 📺 📞 🅿. ᏀᏴ

fermé dim. soir et lundi midi – **Repas** (10) - 13,30/35,80 🍷, enf. 8,40 – ⌷ 6 – **16 ch** 31/44 – ½ P 33/36

JON 🅿 21000 Côte-d'Or **66** ⑫ G. Bourgogne – 149 867 h Agglo. 236 953 h alt. 245.

Voir Palais des Ducs et des États de Bourgogne★★ : Musée des Beaux-Arts★★ (tombeaux des Ducs de Bourgogne★★★) - Rue des Forges★ - Eglise Notre-Dame★ – Plafonds★ du Palais de Justice DY J – Chartreuse de Champmol★ : Puits de Moïse★★, Portail de la Chapelle★ A – Église St-Michel★ – Jardin de l'Arquebuse★ CY – Rotonde★★ de la crypte★ dans la cathédrale St-Bénigne – Musée de la Vie bourguignonne★ DZ M⁷ – Musée Archéo-logique★ CY M² – Musée Magnin★ DY M⁵ – Muséum d'Histoire naturelle★ CY M⁸.

✈ Dijon-Bourgogne ℰ 03 80 67 67 67 par ⑤ : 4,5 km.

🛈 Office du tourisme 34 rue des Forges ℰ 03 80 44 11 44, Fax 03 80 30 90 02, infotou risme@ot-dijon.fr.

Paris 312 ⑦ – Auxerre 152 ⑦ – Besançon 92 ③ – Genève 193 ③ – Lyon 195 ④.

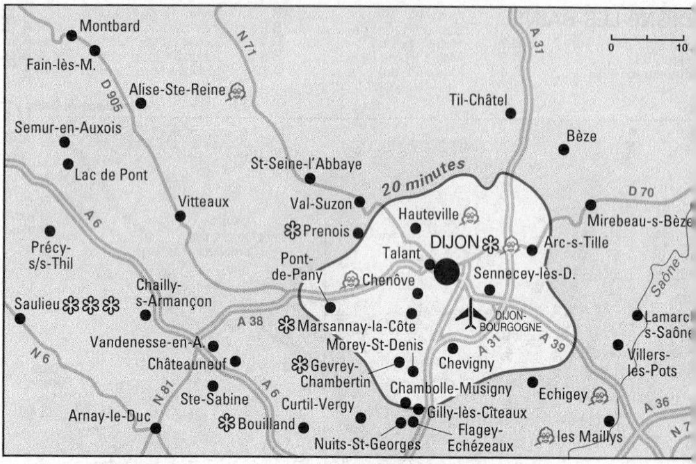

Sofitel La Cloche M, 14 pl. Darcy ✆ 03 80 30 12 32, *h1202@accor-hotels.c…* *Fax 03 80 30 04 15*, – ch, – 80. AE GB JCB
***Les Jardins de la Cloche** (fermé dim. soir)* Repas 25(déj)30/35 ♀, enf. 18,50 – 15 – 6… 130/200, 4 duplex CY

Hostellerie du Chapeau Rouge, 5 r. Michelet ✆ 03 80 50 88 88, *chapeau.rou… bourgogne.net, Fax 03 80 50 88 89* – – 50. AE GB CY
Repas 40/64 ♀ – 13 – **30 ch** 122/197

Mercure M, 22 bd Marne ✆ 03 80 72 31 13, *h1227@accor-hotels.c…* *Fax 03 80 73 61 45*, – – 25 à 200. AE GB … rest EX
Château Bourgogne : Repas 25/42 ♀, enf. 9 – 10,50 – **123 ch** 92/127

Libertel Philippe Le Bon M, 18 r. Ste-Anne ✆ 03 80 30 73 52, *h2878gm@accor-ho… com, Fax 03 80 30 95 51* – ch, – 25 à 50. AE GB JCB DY
voir rest. ***Les Oenophiles*** ci-après – 11 – **29 ch** 69/120

Nord M, pl. Darcy ✆ 03 80 50 80 50, *hotelnord@bourgogne.net, Fax 03 80 50 80 51* – 30. AE GB CY
fermé 20 déc. au 6 janv. – ***Porte Guillaume :*** Repas 16,50/32 ♀, enf. 12,20 – 8,… **27 ch** 62,50/80,10 – ½ P 61

Wilson M sans rest, pl. Wilson ✆ 03 80 66 82 50, *hotelwilson@wanado… Fax 03 80 36 41 54*, « Ancien relais de poste du 17e siècle » – . AE GB
9 – **27 ch** 64/81 DZ

Jura sans rest, 14 av. Mar. Foch ✆ 03 80 41 61 12, *hotel-du-jura@wanado… Fax 03 80 41 51 13* – – 35. AE GB JCB. CY
fermé 21 déc. au 13 janv. – 9 – **79 ch** 64/130

Ibis Central, 3 pl. Grangier ✆ 03 80 30 44 00, *H0654@accor-hotels.c… Fax 03 80 30 77 12* – – 25. AE GB JCB CY
***Rôtisserie "Le Central"** (fermé dim.)* Repas *(12)*-20 ♀ – 7 – **90 ch** 56/70 – ½ P 63

des Ducs sans rest, 5 r. Lamonnoye ✆ 03 80 67 31 31, *hoteldesducs@wanado… Fax 03 80 67 19 51* – – 25. AE GB DY
7 – **35 ch** 55/83

Jacquemart sans rest, 32 r. Verrerie ✆ 03 80 60 09 60, *hotel@hotel-lejacquema… Fax 03 80 60 09 69* – . GB JCB DY
5,50 – **32 ch** 25,50/56

Ibis Arquebuse, 15 av. Albert 1er ✆ 03 80 43 01 12, *h1380@accor-hotels.c… Fax 03 80 41 69 48*, – – 100. AE GB JCB A…
Repas *(13,50)* - 16,20 ♀ – **128 ch** 57/63

Victor Hugo sans rest, 23 r. Fleurs ✆ 03 80 43 63 45, *Fax 03 80 42 13 01* – .
5 – **23 ch** 28/43 CX

Congrès, 16 av. R. Poincaré ✆ 03 80 71 10 56, *Fax 03 80 74 34 89* – . AE
Repas 17/23 ♀, enf. 6,90 – 6,40 – **47 ch** 47,30/61 B…

DIJON

DIJON

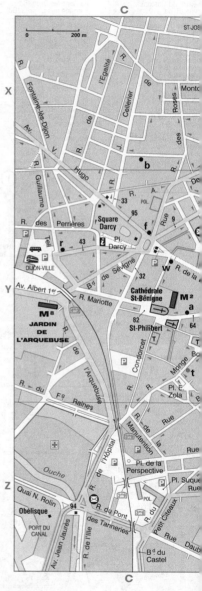

*Si vous cherchez un hôtel tranquille,
consultez d'abord les cartes de l'introduction
ou repérez dans le texte les établissements indiqués avec le signe ⌂.*

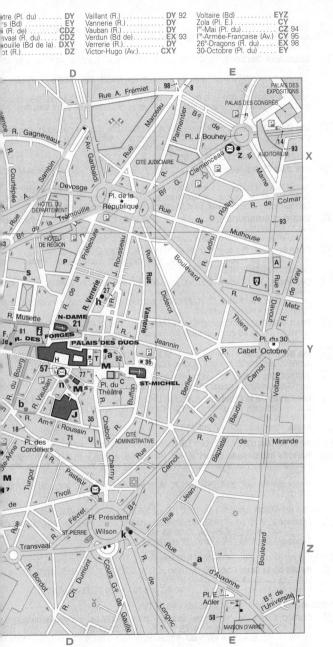

When looking for a quiet hotel
use the maps in the introduction
or look for establishments with the sign ⌂.

Allées sans rest, 27 cours Gén. de Gaulle ✆ 03 80 66 57 50, *info@hotelallees.c Fax 03 80 36 24 81* – 🛗 TV 📞 P. AE ⓓ GB JCB E
☕ 5,80 – **31 ch** 36/68

XXX **Stéphane Derbord,** 10 pl. Wilson ✆ 03 80 67 74 64, *Fax 03 80 63 87 72* – ▤. AE GB DZ
✿ *fermé 3 au 26 août, 2 au 11 janv., lundi midi, mardi midi et dim.* – **Repas** 21,50/69 et c 50 à 65 ♀, enf. 12,20
Spéc. Escalopes de foie gras de canard poêlées au pain d'épice. Queues d'écrevisse bouillon de badiane. Coeur de filet de charolais et croustillant de jarret **Vins** Saint-Au Marsannay

XXX **Les Oenophiles** - Hôtel Philippe Le Bon, 18 r. Ste-Anne (Compagnie Bourguignonne Oenophiles) ✆ 03 80 30 73 52, *h2878-gm@accor-hotels.com, Fax 03 80 30 95 51,* « Hôtel particulier du 15e siècle » – ▤ P. AE ⓓ GB JCB DY
fermé dim. – **Repas** 28,20/45 et carte 37 à 53 ♀, enf. 15,50

XXX **Pré aux Clercs** (Billoux), 13 pl. Libération ✆ 03 80 38 05 05, *Fax 03 80 38 16 16* – AE GB DY
✿ *fermé 20 au 28 août, dim. soir et lundi* – **Repas** 33 bc (déj.), 44/84 et carte 58 à 85
Spéc. Marbré de tourteau et foie gras de canard. Charlotte de canard au pain d'ép Gâteau moelleux au chocolat. **Vins** Marsannay blanc, Pernand-Vergelesses

XX **Dame d'Aquitaine,** 23 pl. Bossuet ✆ 03 80 30 45 65, *dame.aquitaine@wanado Fax 03 80 49 90 41,* « Dans une crypte du 13e siècle » – AE ⓓ GB JCB. ⚮ CY
fermé 1er au 6 janv., lundi midi et dim. – **Repas** 21,10 bc (déj.), 25,70/35,90 ♀

XX **Côte St-Jean,** 13 r. Monge ✆ 03 80 50 11 77, *Fax 03 80 50 18 75* – AE GB CY
fermé 14 juil. au 15 août, 1er au 15 janv., merc. midi, sam. midi et mardi – **Repas** (prév 19,82 (déj.), 24,39/32,01 ♀

XX **Cézanne,** 38 r. Amiral Roussin ✆ 03 80 58 91 92, *Fax 03 80 49 86 80* – ▤. AE JCB DY
fermé 19 août au 3 sept., 23 au 31 déc., lundi midi et dim. – **Repas** (nombre de couv limité, prévenir) 16/45 ♀, enf. 13

XX **Petit Vatel,** 73 r. Auxonne ✆ 03 80 65 80 64, *Fax 03 80 31 69 92* – ▤. AE GB EZ
fermé 29 juil. au 28 août, vacances de fév., sam. midi et dim. sauf fériés – **Repas** (18, 22,71/36,44

XX **Ma Bourgogne,** 1 bd P. Doumer ✆ 03 80 65 48 06, *Fax 03 80 67 82 65,* 🏡 – AE GB B
fermé 12 au 28 août, dim. soir et sam. – **Repas** 20,58/28,97

X **Bistrot des Halles,** 10 rue Bannelier ✆ 03 80 49 94 15, *Fax 03 80 38 16 16* – GB DY
fermé dim. et lundi – **Repas** 15 (déj.)et carte 24 à 28 ♀

X **Les Caves de la Cloche** - Hôtel Sofitel La Cloche, 14 pl. Darcy ✆ 03 80 30 12 32, *h12 accor-hotels.com, Fax 03 80 30 04 15,* « Caveau bourguignon, ambiance musicale » – AE ⓓ GB JCB
Repas (dîner seul.) 23/30 ♀, enf. 12,50

au Parc de la Toison d'Or *Nord : 5 km par N 74 – ✉ 21000 Dijon :*

Holiday Inn Garden Court Ⓜ, 1 pl. Marie de Bourgogne ✆ 03 80 60 46 00, *dijon.r vation@6C.com, Fax 03 80 72 32 72* – 🛗 ⚮ ▤ TV 📞 ♿ P – 🧑‍🏫 70. AE ⓓ GB
⚮ rest B
Repas *(fermé sam. midi, dim. midi et fériés le midi)* 17/22,87 ♀, enf. 5,50 – ☕ 10,5 **100 ch** 87/102

à Sennecey-lès-Dijon *Sud-Est : 6 km sur D 905 – 2 168 h. alt. 224 – ✉ 21800 Quétigny :*

Flambée, ✆ 03 80 47 35 35, *hotelrestaurantlaflambée@wanadoo.fr, Fax 03 80 47 07* 🏡, 🏊, 🌳 – 🛗 ▤ TV 📞 P – 🧑‍🏫 25. AE ⓓ GB
Repas grill 15,09/33,23 ♀ – ☕ 8 – **23 ch** 67/115 – ½ P 54

à Chevigny *par ⑤ et D 996 : 9 km – ✉ 21600 Longvic :*

Relais de la Sans Fond, 33 rte Dijon ✆ 03 80 36 61 35, *Fax 03 80 36 94 89,* 🏡, 🌳 - 📞 P – 🧑‍🏫 60. AE ⓓ GB
Repas *(fermé dim. soir)* 13 (déj.), 17/40 ♀ – ☕ 5,50 – **14 ch** 34/43 – ½ P 38,50

à Chenôve *par ⑥ : 6 km – 16 257 h. alt. 263 – ✉ 21300 :*

Comfort Inn Ⓜ, N 74 (rte Beaune) ✆ 03 80 54 04 04, *comfort@bourgogne. Fax 03 80 54 04 05,* 🏡 – 🛗 ⚮ ▤ TV 📞 ♿ P – 🧑‍🏫 50. AE ⓓ GB
fermé 23 déc. au 5 janv. – ***Véranda :*** **Repas** *(12,20)*-16,77 ♀, enf. 6,10 – ☕ 6,10 – **41 ch** 4 – ½ P 94,52

XX **Clos du Roy,** 35 av. 14-Juillet ✆ 03 80 51 33 66, *Fax 03 80 51 36 66* – ▤ P. GB
fermé 5 au 18 août, dim. soir et lundi
Repas *(15,24)* - 20,58/54,12 ♀, enf. 15,24

Marsannay-la-Côte *par ⑥ : 8 km – 5 211 h. alt. 275 – ⊠ 21160 :*

🛈 *Office du tourisme 41 rue de Mazy ℘ 03 80 52 27 73, Fax 03 80 52 30 23, ot-marsannay@wanadoo.fr.*

🏤 **Novotel** Ⓜ, rte Beaune ℘ 03 80 51 59 00, *H0418@accor-hotels.com, Fax 03 80 51 59 01,* 🍽, ⌫, 🏊, ☆, – ✳ ☰ 🖵 ℂ ৬ 🅿 – ⚙ 100. ⒶⒺ ⓄⒷ
Repas 16/20 ⵏ, enf. 8 – ⵎ 10,50 – **122 ch** 92/102 – ½ P 85

✕✕ **Gourmets** (Perreaut), 8 r. Puits de Têt (près église) ℘ 03 80 52 16 32, *JOEL--NICOLE.PERRE
AUT@wanadoo.fr, Fax 03 80 52 03 01,* ☆ – ⒶⒺ ⓄⒷ ᴊᴄ̅ʙ
✿ *fermé 29 juil. au 13 août, 20 janv. au 11 fév., mardi midi, dim. soir et lundi* – **Repas**
27,44/71,65 et carte 66 à 94
Spéc. Profiteroles d'escargots à la menthe fraîche. Pastilla de rouget au pesto. Travers de veau aux saveurs d'orange et parmesan. **Vins** Marsannay blanc et rouge.

Talant *: 4 km – 12 176 h. alt. 354 – ⊠ 21240 :*

Voir *Table d'orientation* ⩻★.

🏤 **Bonbonnière** ॐ *sans rest, au vieux village (près église) ℘ 03 80 57 31 95, kreis.jocelyne
@wanadoo.fr, Fax 03 80 57 23 92,* ☛ – 📶 🖵 🅿. ⒶⒺ A S
fermé 4 au 15 août, 21 déc. au 5 janv., sam. et dim. en fév. et mars – ⵎ 7,50 – **20 ch** 50/75

Orenois *par ⑧ : 12 km par N 71 et D 104 – 310 h. alt. 485 – ⊠ 21370 :*

✕✕ **Auberge de la Charme** (Zuddas), ℘ 03 80 35 32 84, *Fax 03 80 35 34 48* – ⒶⒺ Ⓑ
✿ *fermé 1ᵉʳ au 14 août, vacances de fév., dim. soir, mardi midi et lundi* – **Repas** (prévenir) 16
(déj.), 22/68 et carte 42 à 70 ⵏ, enf. 10
Spéc. Escargots et galette de brebis au pain trempé. Sandre de Saône cuit sur peau, crème mousseuse à la chicorée (saison). Tarte sablée aux pêches de vignes (20 août au 20 sept.)
Vins Saint-Romain, Fixin

de Troyes *par ⑧ : 4 km – ⊠ 21121 Daix :*

🏨 **Castel Burgond** Ⓜ *sans rest, 3 rte Troyes (N 71) ℘ 03 80 56 59 72, Fax 03 80 57 69 48* –
📶 🖵 ℂ ৬ 🅿 – ⚙ 20 à 30. ⒶⒺ ⓄⒷ
fermé 25 déc. au 2 janv. – ⵎ 6 – **38 ch** 48/52

✕✕ **Trois Ducs**, ℘ 03 80 56 59 75, *Fax 03 80 56 00 16,* ☆ – 🅿. ⒶⒺ ⓄⒷ ᴊᴄ̅ʙ
fermé 5 au 20 août, 26 déc. au 5 janv. , sam. midi , dim. soir et lundi – **Repas** 21/43 ⵏ,
enf. 13

Hauteville-lès-Dijon *par ⑧ et D 107ᶠ : 6 km – 1 023 h. alt. 402 – ⊠ 21121 :*

✕✕ **Musarde** ॐ *avec ch, ℘ 03 80 56 22 82, hotel.rest.lamusarde@wanadoo.fr,
Fax 03 80 56 64 40,* ☆, ☛ – 🖵 ℂ. ⒶⒺ ⓄⒷ ᴊᴄ̅ʙ
✿ *fermé 22 déc. au 8 janv.* – **Repas** (fermé le dim. soir, mardi midi et lundi) 18,30/62,50 ⵏ,
enf. 9,90 – ⵎ 7,65 – **12 ch** 38,10/53,40 – ½ P 53,40/61

DINAN ◁Ⓢ▷ *22100 C.-d'Armor ⒌⒐ ⑮ G. Bretagne – 10 907 h alt. 92.*
Voir *Vieille ville★★ : Tour de l'Horloge ☀★★ R, Jardin anglais ⩻★★, place des Merciers★ BZ ,
rue du Jerzual★ BY, – Promenade de la Duchesse-Anne ⩻★, Tour du Gouverneur ⩻★★,
Tour Ste-Catherine ⩻★★ – Château★ : ☀★.*
🛈 *Office du tourisme 6 rue du Château ℘ 02 96 876 976, Fax 02 96 876 977, infos@dinan-
tourisme.com.*
Paris 401 ② – St-Malo 31 ① – Rennes 56 ② – St-Brieuc 62 ③ – Vannes 119 ③.

Plan page suivante

🏤 **Jerzual** Ⓜ, 26 quai Talards (au port) ℘ 02 96 87 02 02, *hotel-jerzualdinan@wanadoo.fr,
Fax 02 96 87 02 03,* ☆, 🔧, ⌫ – 📶 ✳, ☰ rest, 🖵 ℂ ৬ 🅿 – ⚙ 30 à 120 BY b
Repas (fermé sam. midi et dim. soir) 14,49 (déj.), 23,64/29,75 ⵏ, enf. 9,15 – ⵎ 8,85 – **54 ch**
88,50/103,70 – ½ P 77/84

🏨 **Challonge** Ⓜ, 29 pl. Duguesclin ℘ 02 96 87 16 30, *lechallonge@wanadoo.fr,
Fax 02 96 87 16 31,* ☆ – 📶 🖵 ℂ ৬. Ⓑ AZ e
fermé sam. midi – **Repas** 10 (déj.), 12/22 ⵏ – ⵎ 6,50 – **18 ch** 54/67 – ½ P 37,50/42

🏨 **Avaugour** *sans rest, 1 pl. Champ ℘ 02 96 39 07 49, Fax 02 96 85 43 04,* ☛ – 📶 🖵 ℂ. ⒶⒺ
ⓄⒷ AZ r
fermé déc. et janv. – ⵎ 9 – **24 ch** 105/120

🏨 **Arvor** Ⓜ *sans rest, 5 r. Pavie ℘ 02 96 39 21 22, Fax 02 96 39 83 09* – 📶 🖵 ℂ ৬ 🅿.
Ⓑ BZ u
fermé 6 janv. au 2 fév. – ⵎ 6 – **23 ch** 40/61

🏨 **Grandes Tours** *sans rest, 6 r. Château ℘ 02 96 85 16 20, carregi@wanadoo.fr,
Fax 02 96 85 16 04* – 📶 🖵 ◌̇. ⒶⒺ Ⓑ BZ v
fermé 15 déc. au 15 fév. – ⵎ 4,88 – **34 ch** 47,26

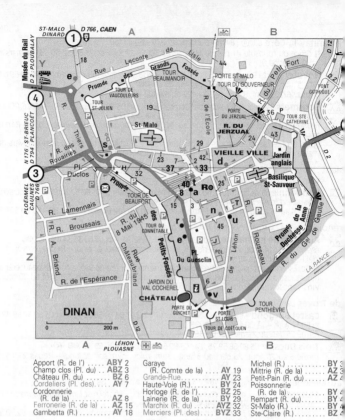

DINAN

Apport (R. de l')	**ABY** 2	Garaye (R. Comte de la)	**AY** 19	Michel (R.)	**BY** 3
Champ clos (Pl. du)	**ABZ** 3	Grande-Rue	**AY** 23	Mittrie (R. de la)	**AZ** 3
Château (R. du)	**BZ** 6	Haute-Voie (R.)	**BY** 24	Petit-Pain (R. du)	**AZ** 4
Cordeliers (Pl. des)	**AY** 7	Horloge (R. de l')	**BZ** 25	Poissonnerie (R. de la)	**BY** 4
Cordonnerie (R. de la)	**AZ** 15	Lainerie (R. de la)	**BY** 29	Rempart (R. du)	**BY** 4
Ferronerie (R. de la)	**AZ** 15	Marchix (R. du)	**AYZ** 32	St-Malo (R.)	**BY** 4
Gambetta (R.)	**AY** 18	Merciers (Pl. des)	**BYZ** 33	Ste-Claire (R.)	**BZ** 4

🏠 **Tour de l'Horloge** sans rest, 5 r. Chaux ℰ 02 96 39 96 92, hiliotel@wanado
Fax 02 96 85 06 99 – cuisinette 📺, 🖭 ⓪ 🖼
⬜ 5,80 – **12 ch** 46/53   ABZ

XXX **Les Grands Fossés**, 2 pl. Gén. Leclerc ℰ 02 96 39 21 50, Fax 02 96 39 42 60 – 🖼
fermé 20 juin au 3 juil. et jeudi – **Repas** 16 (déj.), 28/48 et carte 39 à 52   AY

XXX **Mère Pourcel**, 3 pl. Merciers ℰ 02 96 39 03 80, Fax 02 96 39 49 91, 🍽, « Maison b
tonne du 15ᵉ siècle » – 🖭 ⓪ 🖼   BZ
fermé fév., dim. soir sauf juil.-août, mardi d'oct. à Pâques et lundi – **Repas** 14,80 (c
25,70/60,50 et carte 42 à 69

XX **Caravelle**, 14 pl. Duclos ℰ 02 96 39 00 11 – 🖭 ⓪ 🖼   AY
fermé 12 au 19 mars, 12 nov. au 8 déc., dim. soir et merc. sauf 12 juil. au 12 nov. – Re
21/43,50 &

X **Cantorbery**, 6 r. Ste-Claire ℰ 02 96 39 02 52 – 🖭 🖼. 🛇   BZ
fermé 11 au 30 nov., 1ᵉʳ au 15 fév. et lundi – **Repas** 10,51/29,72 ♈

X **Auberge du Pélican**, 3 r. Haute Voie ℰ 02 96 39 47 05, Fax 02 96 87 53 30, 🍽   BY
fermé 15 au 30 nov. et lundi sauf juil.-août – **Repas** 14/42 &, enf. 9,50

Participez à notre effort permanent
de mise à jour

Adressez-nous vos remarques
et vos suggestions.

Cartes et Guides Michelin

46 avenue de Breteuil - 75324 Paris Cedex 07

35800 I.-et-V. 🔢 ⑤ *G. Bretagne* – *10 430 h alt. 25* – *Casino* BY.

Voir *Pointe du Moulinet* ⇐★★ – *Grande Plage ou Plage de l'Écluse*★ – *Promenade du Clair de Lune*★ - *Pointe de la Vicomté*★★ – *La Rance*★★ *en bateau* - *St-Lunaire : pointe du Décollé* ⇐★★ *et grotte des Sirènes*★ *4,5 km par* ② – *Usine marémotrice de la Rance : digue* ⇐★ *SE :* *4 km.*

Env. *Pointe de la Garde Guérin*★ *:* ☀★★ *par* ② *: 6 km puis 15 mn.*

✈ *de Dinard-Pleurtuit-St-Malo* ☎ *02 99 46 18 46, par* ① *: 5 km.*

🛈 *Office du tourisme 2 boulevard Féart* ☎ *02 99 46 94 12, Fax 02 99 88 21 07, dinard. office.de.tourisme@wanadoo.fr.*

Paris 420 ① – *St-Malo 12* ① – *Dinan 23* ① – *Dol-de-Bretagne 29* ① – *Rennes 75* ①.

DINARD

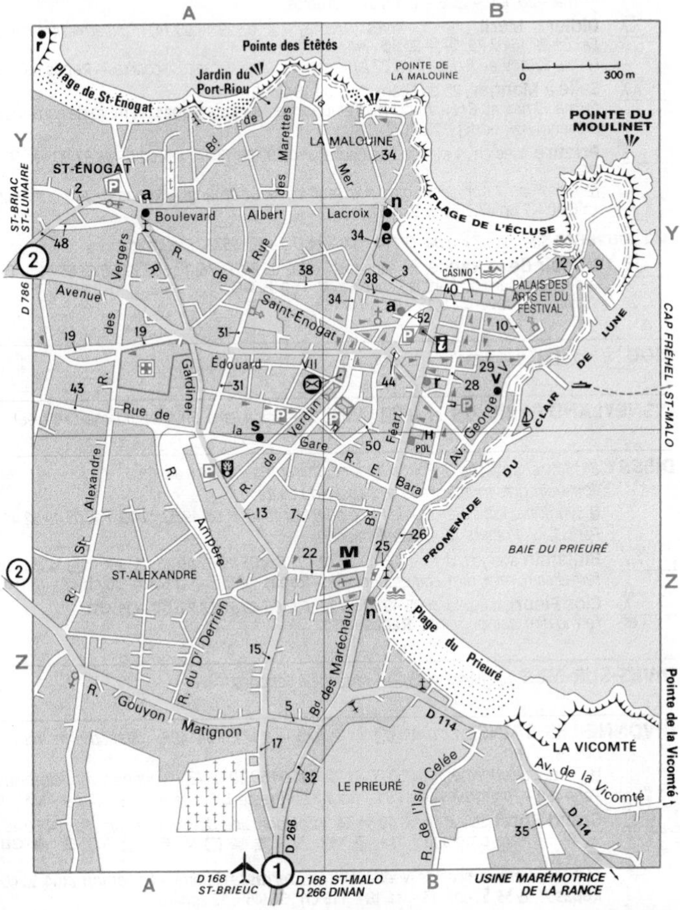

Grand Hôtel Barrière de Dinard, 46 av. George V ☎ 02 99 88 26 26, *grand dinard@lucienbarriere.com*, Fax 02 99 88 26 27, ≤, ₤₅, ⊠, ⚘ – 🛗 ⇔ 🔟 📞 & 🅿 – 🚗
🖭 ⓪ 🇯🇨🇧 🍽 rest
23 mars-31 oct. – **Repas** (dîner seul.) *(35,06)* - 50,31 ♀, enf. 18 – ☷ 16,50 – **90 ch** 175/35

Novotel Thalassa Ⓜ ⌂, av. Château Hébert ☎ 02 99 16 78 10, *h114@accor-hc com*, Fax 02 99 16 78 29, ≤ mer, ⚌, centre de thalassothérapie, ₤₅, ⊠, ⚘, 🍽 – 🛗 🕍
📞 & ⇔ 🅿 – 🔬 25. 🖭 ⓪ 🇬🇧 🍽 rest
fermé 9 au 25 déc. – **Repas** 26/29, enf. 12 – ☷ 11 – **106 ch** 142

Reine Hortense ⌂ sans rest, 19 r. Malouine ☎ 02 99 46 54 31, *reine.hortense@ doo.fr*, Fax 02 99 88 15 88, ≤ mer et St-Malo – 🔟 🅿. 🖭 🇬🇧
25 mars-15 nov. – ☷ 12 – **8 ch** 150/196

Crystal sans rest, 15 r. Malouine ☎ 02 99 46 66 71, *hcrystal@club-intern Fax* 02 99 88 17 73, ≤ – 🛗 cuisinette ⇔ 🔟 📞 🅿. 🖭 ⓪ 🇬🇧
☷ 8 – **26 ch** 76/126

Les Tilleuls, 36 r. Gare ☎ 02 99 82 77 00, Fax 02 99 82 77 55, ⚘ – 🍽 rest, 🔟 & 🅿. 🖭
🇬🇧. 🍽
Repas *(fermé 22 déc. au 15 janv., sam. et dim. d'oct. au 20 avril)* 12,50/26 ♀, enf. 8 – ☷
53 ch 43/63 – ½ P 51,50/56,50

Améthyste sans rest, pl. Calvaire ☎ 02 99 46 61 81, *hotel-amethyste@wanadc Fax* 02 99 46 96 91 – cuisinette 🔟 📞. 🖭 🇬🇧. 🍽
1er mars-20 nov. – ☷ 6 – **19 ch** 57, 5 studios

Didier Méril, 6 r. Yves Verney ☎ 02 99 46 95 74, *didiermeril@wanadc Fax* 02 99 16 07 75, 🍽 – 🖭 ⓪ 🇬🇧
fermé 25 nov. au 8 déc., 6 au 27 janv. et merc. sauf vacances scolaires – **Repas** *(16)* - 23/

Salle à Manger, 25 bd Féart ☎ 02 99 16 07 95 – 🇬🇧
fermé 10 nov. au 8 fév., mardi midi et lundi hors saison – **Repas** (nombre de couverts lir prévenir) *(12)* - 15 (déj.), 22/40 ♀

Prieuré avec ch, 1 pl. Gén. de Gaulle ☎ 02 99 46 13 74, Fax 02 99 46 81 90, ≤, 🍽 –
🇬🇧
fermé 1er au 7 oct., janv., dim. soir sauf juil.-août et lundi – **Repas** *(13,45)* - 18,30/25,15
☷ 6,40 – **7 ch** 47,26 – ½ P 48,78

à la Jouvente *Sud-Est : 7 km par D 114 - BZ – et D 5 – ⊠ 35730 Pleurtuit :*

Manoir de la Rance ⌂ sans rest, ☎ 02 99 88 53 76, Fax 02 99 88 63 03, ≤, « Dan jardin fleuri surplombant la Rance », ⚘ – 🔟 🅿. 🇬🇧
15 mars-15 nov. – ☷ 9,15 – **9 ch** 76/138

DIOU *36 Indre* 🔠 ⑨ – *rattaché à Issoudun.*

DISNEYLAND PARIS *77 S.-et-M.* 🔠 ⑫, 🔢 ㉒ – *voir à Paris, Environs (Marne-La-Vallée).*

DISSAY *86130 Vienne* 🔠 ⑭ *G. Poitou Vendée Charentes – 2 634 h alt. 69.*
Voir *Peintures murales★ de la chapelle du château.*
🇧 *Syndicat d'initiative - Mairie Place du 8 Mai 1945 ☎ 05 49 52 41 09, Fax 05 49 52 41 0
Paris 321 – Poitiers 16 – Châtellerault 19.*

Binjamin avec ch, N 10 ☎ 05 49 52 42 37, Fax 05 49 62 59 06, ⊠, ⚘ – 🔟 📞 🅿. 🖭 🇬
fermé sam. midi, dim. soir et lundi soir – **Repas** 18/43 ♀ – ☷ 6,10 – **10 ch** 43 – ½ P 45/

Clos Fleuri, r. Église ☎ 05 49 52 40 27, Fax 05 49 62 37 29, 🍽 – 🅿. 🇬🇧
fermé dim. soir et merc. – **Repas** 14/31

DIVES-SUR-MER *14 Calvados* 🔠 ⑰ – *rattaché à Cabourg.*

DIVONNE-LES-BAINS *01220 Ain* 🔟 ⑯ *G. Jura – 6 171 h alt. 486 – Stat. therm. (mi mar nov.) – Casino.*
🇧 *Office du tourisme ☎ 04 50 20 01 22, Fax 04 50 20 32 12, divonne@divonnelesbains.c Paris 489 – Thonon-les-Bains 51 – Bourg-en-Bresse 128 – Genève 18 – Gex 9 – Nyon 9.*

Grand Hôtel ⌂, ☎ 04 50 40 34 34, *info@domaine-de-divonne.com*, Fax 04 50 40 3
≤, 🍽, « Parc ombragé », ₤₅, ⊠, 🍽, 🔬, 🅿 – 🛗 🍽 🔟 📞 🅿 – 🔬 200. 🖭 ⓪ 🇬🇧
🍽 rest
fermé fév. et vacances de Noël – voir rest. **Terrasse** ci-après - **Le Léman** ☎ 04 50 40 3
Repas 23,50/33, ♀, enf. 13 – ☷ 18 – **118 ch** 250/465, 12 appart

Château de Divonne ⊗, 115 r. Bains ℰ 04 50 20 00 32, *divonne@grandesetapes.fr*, Fax 04 50 20 03 73, ≤ lac Léman et Mont-Blanc, 余, « Dans un parc ombragé », ⊿, ※, ☆ – ┧, ▤ rest, ▥ ✆ ⅌ – ☆ 30. ◭ ⓞ ☲ ☕, ❀ rest
fermé 3 janv. au 7 fév. – **Repas** 45 (déj.), 50/90 et carte 67 à 110, enf. 21 – ☲ 16 – **29 ch** 115/270, 5 appart – ½ P 168/228
Spéc. Escalope de truite du Jura mi-fumée. Persillé d'escargots et pieds de cochon en cannelloni. Épaule d'agneau confite à la lavande. **Vins** Bugey, Vin Jaune.

Jura Ⓜ ⊗ sans rest, rte Arbère ℰ 04 50 20 05 95, *hoteljura@aol.com*, Fax 04 50 20 21 21, ≈ – ▥ ⇔ ⅌. ◭ ⓞ ☲
☲ 7 – **22 ch** 54/89

Les Coccinelles ⊗ sans rest, rte de Lausanne ℰ 04 50 20 06 96, *hotel@coccinelles.fr*, Fax 04 50 20 01 18, ≈ – ┧ ▥ ✆ ⅌. ◭ ⓞ ☲
☲ 6,10 – **24 ch** 33/53

Terrasse - Grand Hôtel, av. des Thermes ℰ 04 50 40 35 39, *info@domaine-de-divonne.com*, Fax 04 50 40 34 24, 余 – ▤ ⅌. ◭ ⓞ ☲ ☕
fermé dim. soir et lundi – **Repas** 35/74,50 et carte 60 à 78
Spéc. Langoustines marinées à la coriandre fraîche. Omble chevalier du Léman cuit à l'étouffée sur le foin (mars à début oct.). Pigeon de grain cuit dans un pain de seigle. **Vins** Arbois-Chardonnay, Manicle.

La Champagne, 51 av. Salève ℰ 04 50 20 13 13, Fax 04 50 20 31 90, 余 – ⅌. ◭ ☲
fermé 23 déc. au 3 janv., jeudi midi, lundi midi sauf fériés et merc. – **Repas** grill carte 26 à 47 ♀

Marée, 93 av. Genève ℰ 04 50 20 01 87, Fax 04 50 20 35 35, 余 – ◭ ⓞ ☲
fermé 7 au 12 mai, 27 août au 9 sept., 31 déc. au 6 janv., mardi midi, dim. soir et lundi – **Repas** - produits de la mer - 24,39/42,69 ♀, enf. 12,96

Auberge du Vieux Bois, rte Gex : 1 km ℰ 04 50 20 01 43, Fax 04 50 20 17 74, 余 – ⅌. ◭ ☲ ☕
fermé 1er au 8 juil., 30 sept. au 7 oct., 3 au 24 fév., dim. soir et lundi – **Repas** 15/40 ♀, enf. 10

OLANCOURT 10 Aube 🖫🖬 ⑱ – *rattaché à Bar-sur-Aube.*

OL-DE-BRETAGNE 35120 I.-et-V. 🖫🖫 ⑥ *G. Bretagne –* 4 563 h alt. 20.
Voir *Cathédrale St-Samson★★ - Cathédraloscope★ - Collection★ du musée Les "Trésors du mariage ancien" – Promenade des Douves★ : ≤★ – Mont-Dol ✳★ 4,5 km NO par D 155.*
🄑 Office du tourisme 3 Grande Rue des Stuarts ℰ 02 99 48 15 37, Fax 02 99 48 14 13, *office.dol@wanadoo.fr.*
Paris 378 – St-Malo 26 – Alençon 154 – Dinan 26 – Fougères 52 – Rennes 59.

Bretagne, pl. Châteaubriand ℰ 02 99 48 02 03, Fax 02 99 48 25 75, 余 – ▥. ☲
fermé oct., 8 au 18 fév. et sam. du 11 nov. au 8 avril sauf fériés – **Repas** 10/25,61 ♀, enf. 6 – ☲ 5,18 – **27 ch** 32,62/48,78 – ½ P 27,44/37,65

Bresche Arthur avec ch, 36 bd Deminiac ℰ 02 99 48 01 44, *lbahotel@wanadoo.fr*, Fax 02 99 48 16 32 – ▤ rest, ⅌. ☲
fermé 23 déc. au 31 janv., dim. soir et lundi de nov. à mars – **Repas** *(fermé dim. soir et lundi de sept. à juin)* 15/30 ♀ – ☲ 6 – **24 ch** 38/43 – ½ P 42

Grabotais, 4 r. Ceinte ℰ 02 99 48 19 89 – ◭ ☲
fermé 2 déc. au 6 janv., dim. soir hors saison et lundi – **Repas** 11,90 (déj.), 16,47/31,71 ♀, enf. 7,32

OLE ⑤Ⓟ 39100 Jura 🖫🖬 ③ *G. Jura –* 24 949 h alt. 220.
Voir *Le Vieux Dole★★ BZ : Collégiale Notre-Dame★ - Grille★ en fer forgé de l'église St-Jean-l'Évangéliste AZ – Le musée des Beaux-Arts★.*
Env. *Fôret de Chaux★.*
🄑 Office du tourisme 6 place Grevy ℰ 03 84 72 11 22, Fax 03 84 82 49 27.
Paris 364 ① – Beaune 65 ① – Besançon 53 ① – Dijon 50 ⑤ – Lons-le-Saunier 56 ③.

Plan page suivante

Chaumière, 346 av. Mar. Juin par ③ : 3 km ℰ 03 84 70 72 40, Fax 03 84 79 25 60, 余, ⊿, ≈ – ▥ ✆ ⇔ ⅌ – ☆ 25. ☲
fermé 6 au 15 avril, 26 oct. au 4 nov., 20 déc. au 14 janv. et dim. de sept. à juin – **Repas** *(fermé dim. sauf le soir en juil.-août, sam. midi et lundi midi de sept. à juin)* 24/64 ♀, enf. 11,50 – ☲ 9,60 – **18 ch** 58,70/74,70 – ½ P 63,30/70

Cloche sans rest, 1 pl. Grévy ℰ 03 84 82 06 06, Fax 03 84 72 73 82 – ┧ ▥ ✆ – ☆ 50. ◭ ☲ ☕
BY v
fermé 24 déc. au 2 janv. – ☲ 7,35 – **30 ch** 50,35/68,65

531

DOLE

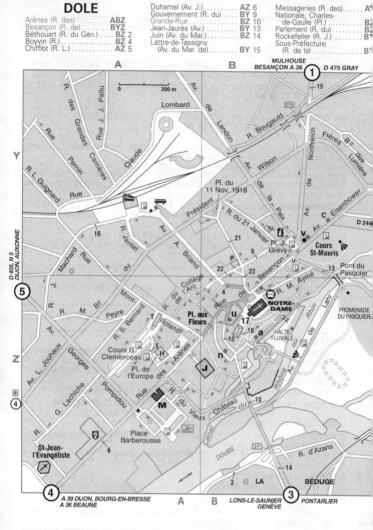

XXX **Les Templiers,** 35 Gde Rue ℰ 03 84 82 78 78, *Fax 03 84 72 12 52,* « Chapelle 13ᵉ siècle » – 🍽, 🖭 ⓸ 🆖
BZ
fermé sam. midi, dim. soir et lundi – **Repas** 14,94 (déj.), 24,39/44,21 ℒ, enf. 9,15

XX **Bec Fin,** 67 r. Pasteur ℰ 03 84 82 43 43, *Fax 03 84 79 28 07,* 🛋, « Salle voûtée » – 🖭
🆖
BZ
fermé 3 au 11 sept., 2 au 16 janv., mardi et merc. sauf juil.-août – **Repas** (13) - 23/48
enf. 10

XX **Romanée,** 13 r. Vieilles Boucheries ℰ 03 84 79 19 05, *la-romanee.franchini@wanadoo*
🆖 *Fax 03 84 79 26 97,* 🛋, « Salle voûtée » – 🖭 ⓸ 🆖
fermé 24 au 30 juin, 26 août au 1ᵉʳ sept., merc. et dim. sauf juil.-août – **Repas** 12/46
enf. 10

X **Grévy,** 2 av. Eisenhower ℰ 03 84 82 44 42, *Fax 03 84 82 44 42,* 🛋 – 🆖
BY
fermé 29 juil. au 18 août, 25 déc. au 1ᵉʳ janv., sam. et dim. – **Repas** 13 (déj.)/17 ℒ, enf. 6

Rochefort-sur-Nenon *par ② : 7 km par N 73 – 641 h. alt. 210 – ⊠ 39700 :*

🏚 **Fernoux-Coutenet** ⌂, r. Barbière, ℘ 03 84 70 60 45, Fax 03 84 70 50 89, 龠 – 📺 ❤.
GB
fermé 24 déc. au 10 janv., sam. midi et dim. d'oct. à avril – **Repas** 11/25 ⌂, enf. 8,50 – ⊆ 7 –
20 ch 40/54 – ½ P 39/42

Parcey *par ③ rte de Lons-le-Saunier : 8 km – 838 h. alt. 197 – ⊠ 39100 :*

XX **Les Jardins Fleuris,** ℘ 03 84 71 04 84, Fax 03 84 71 09 43, 龠 – GB
fermé 26 nov. au 5 déc., mardi sauf juil.-août et dim. soir – **Repas** 15/37 Ⓨ, enf. 9

DOMFRONT 61700 Orne 59 ⑩ G. Normandie Cotentin – 4 262 h alt. 185.
Voir Site★ - Vieille ville★ – Église N.-D-sur-l'Eau★ – Jardin du donjon ⍟★ – Croix du
Faubourg ⍟★.
🛈 Office du tourisme 12 place de la Roirie ℘ 02 33 38 53 97, Fax 02 33 37 40 27,
ot.bocagedomfrontais@wanadoo.fr.
Paris 252 – Alençon 61 – Argentan 55 – Avranches 67 – Fougères 56 – Mayenne 34 – Vire 40.

X **Auberge Grandgousier,** 1 pl. Liberté (près Poste) ℘ 02 33 38 97 17 – GB. ❀
fermé oct., fév., lundi soir, merc. soir et jeudi – **Repas** 13,26/24,39

DOMFRONT-EN-CHAMPAGNE 72240 Sarthe 60 ⑬ – 936 h alt. 131.
Paris 216 – Le Mans 20 – Alençon 54 – Laval 77 – Mayenne 54.

XX **Midi,** D 304 ℘ 02 43 20 52 04, Fax 02 43 20 56 03 – 📧. GB
fermé fév., mardi soir ,dim. soir et lundi – **Repas** 12,20 (déj.), 18,30/30,50 ⌂, enf. 7,62

Prices	For notes on the prices quoted in this Guide, see the explanatory pages.

DOMME 24250 Dordogne 75 ⑰ G. Périgord Quercy – 987 h alt. 250.
Voir La bastide★ : ⍟★★★.
🛈 Office du tourisme Place de la Halle ℘ 05 53 31 71 00, Fax 05 53 31 71 09.
Paris 527 – Cahors 50 – Sarlat-la-Canéda 13 – Fumel 52 – Gourdon 20 – Périgueux 76.

🏛 **L'Esplanade** ⌂, ℘ 05 53 28 31 41, esplanade.domme@wanadoo.fr, Fax 05 53 28 49 92,
≤, 龠, 🍽 – 🗏 rest, 📺 ❤. 匯 ① GB
14 fév.-11 nov. – **Repas** *(fermé lundi sauf le soir de Pâques au 15 oct. et merc. midi)* 31/69 Ⓨ,
enf. 23 – ⊆ 11 – **25 ch** 69/122 – ½ P 80,50/111

DOMPAIRE 88270 Vosges 62 ⑮ – 919 h alt. 300.
Paris 365 – Épinal 21 – Luxeuil-les-Bains 61 – Nancy 64 – Neufchâteau 56 – Vittel 24.

XXX **Commerce** avec ch, pl. Gén. Leclerc ℘ 03 29 36 50 28, Fax 03 29 36 66 12 – 📺. 匯 GB
fermé 23 déc. au 13 janv. – **Repas** *(fermé dim. soir et lundi)* 11/26,70 ⌂ – ⊆ 4,10 – **7 ch**
33,50/36,50 – ½ P 26,60/30,50

DOMPIERRE-SUR-BESBRE 03290 Allier 69 ⑮ – 3 477 h alt. 234.
Paris 328 – Moulins 30 – Bourbon-Lancy 19 – Decize 46 – Digoin 27 – Lapalisse 36.

🏚 **Auberge de l'Olive,** av. Gare ℘ 04 70 34 51 87, auberge-olive@wanadoo.fr,
Fax 04 70 34 61 68 – 🗏 rest, 📺 ❤ & 🅿. GB
fermé 15 nov. au 1ᵉʳ déc., 22 fév. au 9 mars et vend. sauf juil.-août – **Repas** 11/42 ⌂, enf. 7 –
⊆ 5,50 – **17 ch** 40,50 – ½ P 37

DOMPIERRE-SUR-VEYLE 01240 Ain 74 ③ – 968 h alt. 285.
Paris 441 – Mâcon 54 – Belley 71 – Bourg-en-Bresse 18 – Lyon 58 – Nantua 46.

X **Aubert,** ℘ 04 74 30 31 19, Fax 04 74 30 36 98, 🍽 – GB
fermé 17 au 26 juil., fév., dim. soir, merc. soir et jeudi – **Repas** 17,53/39,64, enf. 7,62

DOMRÉMY-LA-PUCELLE 88630 Vosges 62 ③ G. Alsace Lorraine – 167 h alt. 280.
Voir Maison natale de Jeanne d'Arc★.
Paris 284 – Nancy 65 – Neufchâteau 10 – Toul 45.

♔ **Jeanne d'Arc** sans rest, ℘ 03 29 06 96 06 – ⇔. ❀
1ᵉʳ avril-15 nov. – ⊆ 4 – **7 ch** 25/32

DONON (Col du) *67 B.-Rhin* 62 ⑧ *G. Alsace Lorraine–* ⊠ *67130 Schirmeck.*
Voir ✳✴✴ *sur la chaîne des Vosges.*
Paris 398 – Strasbourg 62 – Lunéville 61 – St-Dié 41 – Sarrebourg 38 – Sélestat 68.

🏠 **Donon** ⟲, ℰ 03 88 97 20 69, hotelrestdudonon@wanadoo.fr, Fax 03 88 97 20 17, 🏡, 🐎, ⚒ – 🅿 – ᴁ 50. ⚙
fermé 18 au 26 mars, 18 nov. au 9 déc. et jeudi hors saison – **Repas** 15,70/36 🍷, enf. 5,9
☲ 6,86 – **21 ch** 37/54 – ½ P 49/52

DONZENAC *19270 Corrèze* 75 ⑧ *G. Périgord Quercy – 2 147 h alt. 204.*
Voir *Les Pans de Travassac*✶.
🅱 *Office du tourisme - Mairie* ℰ 05 55 85 65 35, Fax 05 55 85 69 03, donzenac.touris
@free.fr.
Paris 475 – Brive-la-Gaillarde 11 – Limoges 81 – Tulle 26 – Uzerche 26.

au Nord-Est *par rte d'Uzerche sur D 920 :*

🏨 **Relais du Bas Limousin**, à 4 km ℰ 05 55 84 52 06, relais-du-bas-limousin@wanadoo
🍴 Fax 05 55 84 51 41, 🏡, 🏊, 🐎 – 🖭 📞 ⟲ 🅿. ⚙
fermé 5 au 13 nov., 7 au 22 janv., dim. soir de mi-sept. à mi-juin et lundi midi – **Rep**
13,70/42,60 🍷 – ☲ 6 – **22 ch** 35,06/60,98 – ½ P 39,64/53,36

🏠 **Maleyrie**, à 5 km ℰ 05 55 84 50 67, Fax 05 55 84 20 63, 🏡, 🐎 – 🖭 📞 ⟲ 🅿. ⚙
🍴 mars-oct. – **Repas** 13/27 🍷, enf. 7,50 – ☲ 5 – **15 ch** 22/36 – ½ P 32/36

En juin et en septembre,
les hôtels sont moins chers qu'en pleine saison, le service est plus soigné.

DONZY *58220 Nièvre* 65 ⑬ *G. Bourgogne – 1 659 h alt. 188.*
🅱 *Office du tourisme 7 rue de l'Eminence* ℰ 03 86 39 45 29.
Paris 203 – Bourges 72 – Auxerre 66 – Clamecy 39 – Cosne-sur-Loire 18 – Nevers 49.

🏠 **Grand Monarque**, près église ℰ 03 86 39 35 44, Fax 03 86 39 37 09, 🏡 – 🖭 📞. ᴁ.
🇯🇨🇧
fermé 10 janv.au 10 fév., lundi soir et mardi du 15 oct. au 15 avril – **Repas** 14 (déj.), 20/35
☲ 7 – **11 ch** 50/64

Le DORAT *87210 H.-Vienne* 72 ⑦ *G. Berry Limousin – 1 963 h alt. 209.*
Voir *Collégiale St-Pierre*✶✶.
🅱 *Office du tourisme 17 place de la Collégiale* ℰ 05 55 60 76 81, Fax 05 55 68 27 87.
Paris 370 – Limoges 58 – Poitiers 76 – Bellac 13 – Le Blanc 49 – Guéret 68.

✗ **Promenade** avec ch, 3 av. Verdun ℰ 05 55 60 72 09, Fax 05 55 68 67 62 – 🖭 📞 ⟲
🍴 ⚙
fermé 16 sept. au 7 oct., 14 janv. au 4 fév., dim. soir et lundi – **Repas** 10,30/29,73 🍷, enf. 8
– ☲ 4,80 – **8 ch** 27/32 – ½ P 26,70/29,75

DORMANS *51700 Marne* 56 ⑮ *G. Champagne – 3 126 h alt. 70.*
🅱 *Office du tourisme Château de Dormans* ℰ 03 26 53 35 86, Fax 03 26 53 35 87.
Paris 118 – Reims 42 – Château-Thierry 24 – Épernay 25 – Meaux 71 – Soissons 46.

✗✗ **Table Sourdet**, ℰ 03 26 58 20 57, Fax 03 26 58 88 82 – ᴁ ⚙
fermé le soir sauf sam. – **Repas** 26/45 🍷 - *Petite Table* ℰ03 26 58 25 12 (déj. seul.) *(fer*
dim. et lundi) Repas 13/26 🍷

DORNECY *58530 Nièvre* 65 ⑮ – *561 h alt. 167.*
Paris 216 – Auxerre 50 – Avallon 31 – Cosne-sur-Loire 59 – Nevers 75.

✗ **Manse** avec ch, rte Clamecy, 1 km ℰ 03 86 24 23 24, Fax 03 86 24 04 80, 🏡 – 🖭 📞
🍴 ⚙
fermé 1ᵉʳ au 15 oct., 1ᵉʳ au 15 janv., lundi sauf hôtel et dim. soir – **Repas** 13/27 🍷, enf. 9,1
☲ 5,35 – **13 ch** 36,60/51,85 – ½ P 32,80

DORRES *66760 Pyr.-Or.* 86 ⑯ *G. Languedoc Roussillon – 219 h alt. 1458.*
Paris 883 – Font-Romeu-Odeillo-Via 15 – Ax-les-Thermes 47 – Perpignan 103.

🏠 **Marty** ⟲, ℰ 04 68 30 07 52, Fax 04 63 30 08 12, ≤, 🏡 – 🖭 🅿. ⚙
fermé 25 oct. au 20 déc. – **Repas** 14,50 bc/28,20 ♨, enf. 7,60 – ☲ 5,80 – **21 ch** 39,65/44
– ½ P 37,75

DOUAI <SP> 59500 Nord **53** ③ *G. Picardie Flandres Artois – 42 796 h Agglo. 518 727 h alt. 31.*

Voir *Beffroi*★ **BY D** – *Musée de la Chartreuse*★.

Env. *Centre historique minier de Lewarde*★★ *SE : 8 km par* ②.

Office du tourisme 70 place d'Armes ✆ 03 27 88 26 79, Fax 03 27 99 38 78, douai@tourisme.norsys.fr.

Paris 196 ③ – Lille 42 ④ – Arras 26 ③ – Tournai 38 ① – Valenciennes 44 ②.

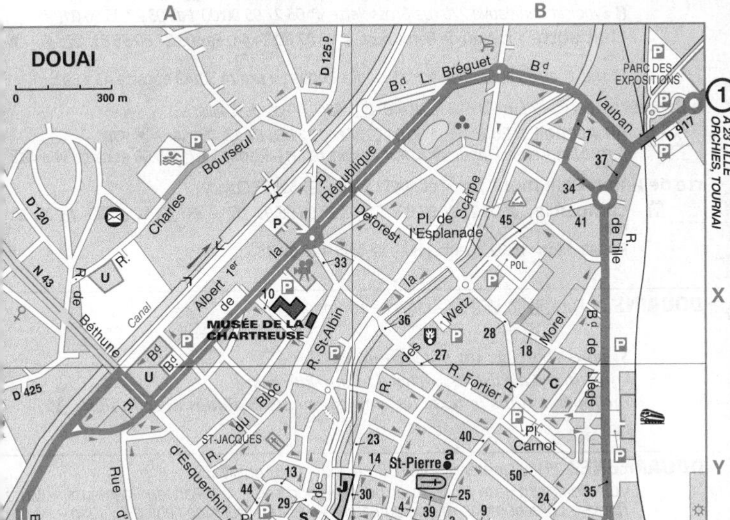

…nes (Pl. d') .... **BY** 2	Faidherbe (Bd) .... **BY** 19	Paris (R. de) .... **BZ**
…lain (R. de) .... **BY** 3	Foulons (R. des) .... **AZ** 20	Phalempin (Bd Paul) .... **BY** 35
…legambe (R. J.) .... **BY** 4	Gambetta (R. L.) .... **BY** 21	Pont-St-Vaast (R. du) .... **BX** 36
…utique (R. A.) .... **BX** 7	Gouvernement (R. du) .... **BY** 23	Raches (R. de) .... **BX** 37
…bières (R. de) .... **AZ** 8	Leclerc (Av. Mar.) .... **BY** 24	St-Christophe (R.) .... **BY** 39
…nteleu (R. du) .... **BY** 9	Madeleine (R. de la) .... **BY** 25	St-Jacques (R.) .... **BY** 40
…not (Pl.) .... **BY**	Mairie (R. de la) .... **BY** 26	St-Michel (R.) .... **BX** 41
…artreux (R. des) .... **AX** 10	Malvaux (R. des) .... **BX** 27	St-Samson (R.) .... **AY** 44
…che (R. de la) .... **AY** 13	Marceline (R.) .... **BX** 28	St-Sulpice (R.) .... **BX** 45
…cher-St-Pierre (R. du) .... **BY** 14	Massue (R. de la) .... **AY** 29	Université (R. de l') .... **BZ** 46
…ris (R. de la) .... **AY** 15	Merlin-de-Douai (R.) .... **BY** 30	Valenciennes (R. de) .... **BZ** 49
…médie (R. de la) .... **AZ** 17	Ocre (R. d') .... **AX** 33	Victor-Hugo (R.) .... **BY** 50
…bois (R. P.) .... **BX** 18	Orchies (R. d') .... **BX** 34	

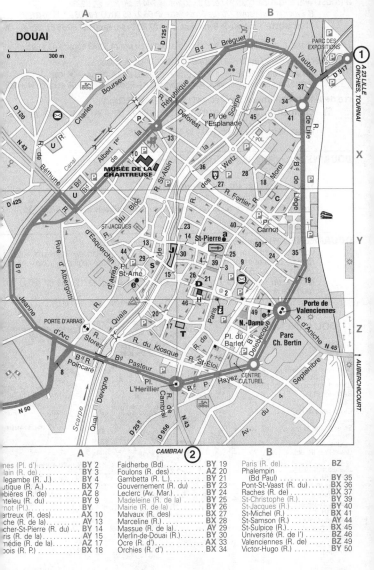

Terrasse, 36 terrasse St-Pierre ✆ 03 27 88 70 04, *Fax 03 27 88 36 05* – rest, TV P – 30. AE GB — **BY a**

Repas 20,50/66 ♀ – 8,50 – **24 ch** 45/95 – 1/2 P 80

DOUAI

🏨 **Ibis**, pl. St-Amé ℘ 03 27 87 27 27, Fax 03 27 98 31 64 – 📱 ⇆ 📺 ℡ ⚓ 🅿 – 🔏 60. 🖭
GB   AY
   Repas *(fermé en août, sam. midi et dim. soir)* 16/22,86 ♈, enf. 13,72 – ☲ 5,33 – **42 ch** 5

XX **Au Turbotin**, 9 r. Massue ℘ 03 27 87 04 16, Fax 03 27 87 87 57 – ▤. 🖭 ⑩ GB   AY
   fermé août, 17 au 23 fév., sam. midi, dim. soir et lundi – **Repas** 14,94/39,48 ♈

à Roost-Warendin par ①, D 917 et D 8 : 10 km – 5 744 h. alt. 22 – ⊠ 59286 :
   🔰 *Syndicat d'initiative* 270 rue Brossolette ℘ 03 27 95 90 00, Fax 03 27 95 90 01.
XXX **Chat Botté**, Château de Bernicourt ℘ 03 27 80 24 44, Fax 03 27 80 35 81, 🌳, ⚓ – 🅿.
GB
   fermé 1ᵉʳ au 15 août, dim. soir et lundi – **Repas** (14,50) - 24,50/49 et carte 43 à 59 ♈

à Brebières par ③ : 7 km – 4 424 h. alt. 48 – ⊠ 62117 (Pas-de-Calais) :
XXX **Air Accueil**, N 50 ℘ 03 21 50 01 02, Fax 03 21 50 84 17, 🌳, ⚘ – 🅿. GB
   fermé lundi en juil.-août, dim. soir et soirs fériés – **Repas** 22,71/35,06 et carte 31 à 48 ♈

rte de Hénin-Beaumont par ④ et N 43 : 3 km – ⊠ 59553 Cuincy :
🏨 **Campanile**, ℘ 03 27 96 97 00, Fax 03 27 98 98 93, 🌳 – ⇆ 📺 ⚓ 🅿 – 🔏 25. 🖭
GB
   Repas (12,04) - 16,62 ♈, enf. 4,88 – ☲ 5,95 – **49 ch** 48

DOUAINS 27 Eure 55 ⑰, 106 ① – rattaché à Vernon.

     Si vous cherchez un hôtel tranquille,
     consultez d'abord les cartes de l'introduction
     ou repérez dans le texte les établissements indiqués avec le signe 🦤.

DOUARNENEZ 29100 Finistère 58 ⑭ *G. Bretagne* – 15 827 h alt. 25.
   Voir *Boulevard Jean-Richepin et nouveau port* ⩽ ⋆ Y – *Port du Rosmeur* ⋆ – *Musé*
   flot ⋆⋆ *- collection* ⋆ *au musée du bateau* – *Ploaré : tour* ⋆ *de l'église S : 1 km* – *Pointe*
   Leydé ⋆ ⩽ ⋆ *NO : 5 km.*
   🔰 *Office du tourisme* 2 rue Docteur Mével ℘ 02 98 92 13 35, Fax 02 98 92 70
   tourisme.douarnenez@wanadoo.fr.
   Paris 587 ① – *Quimper* 24 ② – *Brest* 75 ① – *Lorient* 90 ② – *Vannes* 143 ②.

DOUARNENEZ

Sens unique en saison :
flèche noire

🏨 **Clos de Vallombreuse** 🦢, 7 r. d'Estienne-d'Orves, 🖉 02 98 92 63 64, Fax 02 98 92 84 98, ≤, 🌡, 🎾, 🐗 – 📺 ✆ 🐾 🖭, 🖭 **GB**   Y x
Repas 15,10/51,80 ♀ – ☲ 7,32 – **25 ch** 68,60/120,40 – ½ P 59,46/85,37

🏠 **France**, 4 r. J. Jaurès 🖉 02 98 92 00 02, Fax 02 98 92 27 05 – 📺, 🖭 **GB** **JCB**, ✀ rest   Y s
Repas (fermé 7 au 13 janv., sam. midi dim. soir et lundi sauf juil.-août) 14,94 (déj.), 18,29/33,54 ♀, enf. 9,15 – ☲ 6,40 – **25 ch** 48,02/51,83 – ½ P 46,50

🏠 **Bretagne**, 23 r. Duguay-Trouin 🖉 02 98 92 30 44, Fax 02 98 92 09 07 – 🛗 📺. **GB**   Z e
Repas (fermé lundi midi, sam. midi et dim.) 9,90 (déj.), 14,50/17,50 ⅃ – ☲ 5,50 – **23 ch** 30/44 – ½ P 31/38

✗ **Kériolet** avec ch, 29 r. Croas Talud 🖉 02 98 92 16 89, Fax 02 98 92 62 94, 🐗 – 📺 ✆.
🕰 **GB**   Z n
fermé vacances de fév. et lundi midi hors saison – **Repas** 10,50/30, enf. 7,50 – ☲ 5 – **8 ch** 35/40 – ½ P 45

e de Quimper : 4 km – ✉ 29100 Douarnenez :

🏠 **Auberge de Kerveoc'h**, 🖉 02 98 92 07 58, auberge.de-kerveoch@worldonline.fr, Fax 02 98 92 03 58 – 📺 ✆ 🖭. 🖭 **GB**, ✀ rest
Repas 15/18,30 ♀ – ☲ 8,40 – **14 ch** 43/60 – ½ P 45,70/51,50

réboul Nord-Ouest : 3 km – ✉ 29100 :

🏨 **Thalasstonic** Ⓜ, r. des Professeurs Curie 🖉 02 98 74 45 45, hotel-thalasstonic@wanadoo.fr, Fax 02 98 74 36 07, 🎇 – 🛗 📺 ✆ 🐾 🖭, 🖭 ⓪ **GB**, ✀ rest
Repas (14,50) - 19/28 ♀, enf. 9 – ☲ 7 – **50 ch** 54/79 – ½ P 63/65,50

🏠 **Ty Mad** 🦢, près chapelle St-Jean 🖉 02 98 74 00 53, Fax 02 98 74 15 16, ≤, 🎇, 🐗 – 🖭.
🕰 **GB**
1er avril-30 sept. – **Repas** (dîner seul.) 13/27,50 – ☲ 6 – **19 ch** 39/54 – ½ P 50

DUBS 25 Doubs 🔟 ⑥ – rattaché à Pontarlier.

DUCIER 39130 Jura 🔟 ⑭ ⑮ – 270 h alt. 526.
Voir Lac de Chalain★★ N : 4 km G. Jura.
Paris 426 – Champagnole 21 – Lons-le-Saunier 25.

✗✗ **Comtois** avec ch, 🖉 03 84 25 71 21, restaurant.comtois@wanadoo.fr, Fax 03 84 25 71 21, 🎇 – **GB**
mars-nov.et fermé mardi soir, dim. soir et merc. de mi-sept. à mi-juin – Repas 18,14/25,92 ♀, enf. 8,54 – **9 ch** ☲ 30,49/45,73 – ½ P 36,59/41,92

✗✗ **Sarrazine**, 🖉 03 84 25 70 60, Fax 03 84 25 79 34, 🎇 – 🖭. **GB**
fermé début déc. à début janv. et jeudi hors saison – Repas - grillades - 12,50/20,42 ♀, enf. 10,37

DUÉ-LA-FONTAINE 49700 M.-et-L. 🔟 ⑧ G. Châteaux de la Loire – 7 450 h alt. 75.
Voir Zoo de Doué★★.
🖪 Office du tourisme place des Fontaines 🖉 02 41 59 20 49, Fax 02 41 59 93 85, Tourisme@ville-douelafontaine.fr.
Paris 323 – Angers 41 – Châtellerault 83 – Cholet 51 – Saumur 18 – Thouars 30.

🏠 **Saulaie** sans rest, rte Montreuil-Bellay : 2 km 🖉 02 41 59 96 10, hoteldelasaulaie@wanadoo.fr, Fax 02 41 59 96 11, 🌡, 🐗 – 📺 ✆ 🐾 🖭. ⓪ **GB**
fermé 20 déc. au 1er janv. – ☲ 6 – **32 ch** 33/50

✗✗ **Auberge Bienvenue**, rte Cholet (face Zoo) 🖉 02 41 59 22 44, Fax 02 41 59 93 49, 🎇 – 🖭. 🖭 **GB**
fermé 2 au 8 sept., vacances de fév., merc. soir d'oct. à mars, dim. soir et lundi – Repas 19/40 ♀, enf. 11

✗✗ **France** avec ch, 19 pl. Champ de Foire 🖉 02 41 59 12 27, Fax 02 41 59 76 00 – 📺 ✆. **GB**
fermé 25 juin au 3 juil., 22 déc. au 24 janv., dim. soir et lundi sauf juil.-août – Repas (14) - 19/37 ♀, enf. 8 – ☲ 6 – **18 ch** 37/47 – ½ P 42

DURDAN 91410 Essonne 🔟 ⑨, 🔟🔟 ㊶ G. Ile de France – 9 555 h alt. 100.
Voir Place du Marché aux grains★ – Vierge au perroquet★ au musée.
🖪 Office du tourisme Place du Général de Gaulle 🖉 01 64 59 86 97, Fax 01 60 81 05 69, cdt@tourisme-essonne.com.
Paris 55 – Chartres 47 – Étampes 18 – Évry 44 – Orléans 80 – Rambouillet 22 – Versailles 51.

✗✗ **Auberge de l'Angélus**, 4 pl. Chariot 🖉 01 64 59 83 72, angelus-gourmet@wanadoo.fr, Fax 01 64 59 83 72, 🎇 – 🖭 ⓪ **GB**
fermé 12 août au 5 sept., vacances de fév., lundi soir, mardi soir et merc. – Repas 19/35

DOURGNE 81110 Tarn 82 ⑳ – 1 186 h alt. 250.

🛈 Syndicat d'initiative - Mairie ℘ 05 63 74 27 19, Fax 05 63 50 15 13.
Paris 770 – Toulouse 67 – Carcassonne 47 – Castelnaudary 35 – Castres 19 – Gaillac 60.

Ⓧ **Hostellerie de la Montagne Noire** avec ch, pl. Promenades ℘ 05 63 50 31 12, hô
restaurant.montagne.noire@wanadoo.fr, Fax 05 63 50 13 55 – ▣ ⓪ ☒
fermé 24 sept. au 7 oct. – Repas (fermé dim. soir et lundi) 12,04/30,49 ⅄ – ☲ 5,34 – 9
38,11/42,69 – ½ P 35,06/37,35

DOURLERS 59228 Nord 53 ⑥ – 568 h alt. 171.
Paris 244 – St-Quentin 76 – Avesnes-sur-Helpe 10 – Lille 95 – Maubeuge 13 – Le Quesnoy

ⓍⓍ **Auberge du Châtelet**, rte Avesnes-sur-Helpe sur N 2 : 1 km ⊠ 59440 Avesnes-s
Helpe ℘ 03 27 61 06 70, Fax 03 27 61 20 02, �, ☞ – 🅿. ▣ ⓪ ☒
fermé dim. et soirs fériés – Repas 22,87/60,98 bc ⅄, enf. 12,20

DOUSSARD 74210 H.-Savoie 74 ⑯ – 2 781 h alt. 456.
🛈 Syndicat d'initiative - Mairie ℘ 04 50 44 81 69, Fax 04 50 44 81 75.
Paris 558 – Annecy 20 – Albertville 27 – Megève 43.

🏠 Arcalod, ℘ 04 50 44 30 22, info@hotelarcalod.fr, Fax 04 50 44 85 03, 🌤, ▮6, 🏊, ☞ –
▣ ✆ ⅏ 🅿
saisonnier – 33 ch

à Bout-du-Lac Nord-Ouest : 3 km par N 508 – ⊠ 74210 :

Ⓧ **Chappet** avec ch, ℘ 04 50 44 30 19, hotel-chappet@wanadoo.fr, Fax 04 50 44 83 26, ≼
« Terrasse au bord de l'eau », ▲☞, ☞ – ▣ 🅿. ▣ ☒
20 fév.-30 sept. et fermé jeudi soir, dim. soir et lundi – Repas 25/46 – ☲ 7,80 – 9 ch 52/5
½ P 58

DOUVAINE 74140 H.-Savoie 70 ⑯ – 3 859 h alt. 428.
🛈 Office du tourisme 35 rue du Centre ℘ 04 50 94 10 55, Fax 04 50 94 36
ot.ville.douvaine@wanadoo.fr.
Paris 558 – Thonon-les-Bains 16 – Annecy 62 – Chamonix-Mont-Blanc 87 – Genève 18.

🏠 **Couronne**, ℘ 04 50 85 10 20, la.couronne2@freesbee.fr, Fax 04 50 85 10 40 – ▣ 🅿. ¢
fermé 3 au 18 juin et 22 déc. au 1er janv. – Repas (fermé dim. soir et lundi) 11,43 bc (dé
14,79/39,64 – ☲ 6,10 – 10 ch 27,44/42,69 – ½ P 27,44/33,54

DOUVRES LA DÉLIVRANDE 14440 Calvados 54 ⑯ G. Normandie Cotentin – 4 809 h alt. 19.
🛈 Syndicat d'initiative 41 rue Général de Gaulle ℘ 02 31 37 93 10, Fax 02 31 37 93 10.
Paris 247 – Caen 14 – Bayeux 25 – Deauville 58.

ⓍⓍ **Jacques Quirié**, 1 pl. Ancienne Mairie ℘ 02 31 37 20 04, Fax 02 31 37 76 12 – 🅿. ▣ ☒
fermé 6 au 25 juil., vacances de fév., dim. soir et lundi – Repas 11,89/28,66

à Cresserons Est : 2 km par D 35 – 1 202 h. alt. 9 – ⊠ 14440 :

ⓍⓍⓍ **Valise Gourmande**, rte Lion sur Mer ℘ 02 31 37 39 10, Fax 02 31 37 59 13, ☞
« Élégante demeure bourgeoise », ☞ – 🅿. ☒, ⚘
fermé 5 au 20 mars, 17 au 29 sept., dim. soir et lundi – Repas 23/45 et carte 36 à 51
enf. 19,50

DRACY-LE-FORT 71 S.-et-L. 69 ⑨ – rattaché à Chalon-sur-Saône.

DRAGUIGNAN ⬡ 83300 Var 84 ⑦, 114 ㉓ G. Côte d'Azur – 32 829 h alt. 178.
Voir Musée des Arts et Traditions populaires de moyenne Provence★ M².
Env. Site★ de Trans-en-Provence S : 5 km.
🛈 Office du tourisme 20 avenue Carnot ℘ 04 98 105 105, Fax 04 98 105 110, Conn
@coeurdeprovence.com.
Paris 869 ② – Fréjus 31 ② – Marseille 126 ② – Nice 89 ② – Toulon 79 ②.

Plan page ci-contre

🏨 **Relais Mercure** sans rest, 11 bd G. Clemenceau ℘ 04 94 68 66 77, Fax 04 94 68 23 4
⌷ ❄ ▤ ▣ ✆ ⅏ ⇔. ▣ ⓪ ☒ ᴊᴄʙ   Z
☲ 9 – 38 ch 61/95

🏠 **Parc** sans rest, 21 bd Liberté ℘ 04 98 10 14 50, hotelduparc@provence-verdon.cc
Fax 04 98 10 14 55 – ▣ 🅿. ▣ ☒   Y
☲ 6 – 20 ch 42/50

Ⓧ **Lou Galoubet**, 23 bd J. Jaurès ℘ 04 94 68 08 50 – ▤. ▣ ☒   Z
fermé 16 au 31 août, dim. soir et lundi soir – Repas 20 ♀

DRAGUIGNAN

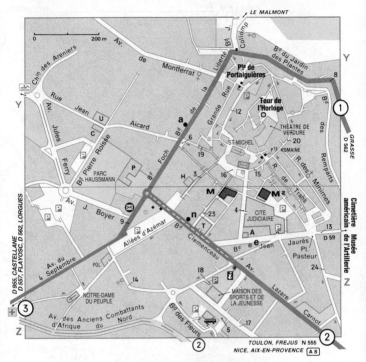

e de Flayosc *par* ③ *et D 557 : 4 km –* ⊠ *83300 Draguignan :*

🏠 **Les Oliviers** sans rest, 𝒸 04 94 68 25 74, *hotel-les-oliviers@club-internet.fr*, Fax 04 94 68 57 54, ⤢, ⚞, ⟨ – ⊡ 𝒸 ፊ 🅿 ⒶⒺ 🅖🅑 *fermé janv.* – ⊇ 6,86 – **12 ch** 45,73/59,46

Flayosc *par* ③ *et D 557 : 7 km – 3 924 h. alt. 310 –* ⊠ *83780 :*

🚹 *Office du tourisme Place Pied Barri* 𝒸 04 94 70 41 31, Fax 04 94 70 47 91.

%% **Vieille Bastide** avec ch, par rte Salernes et rte secondaire 𝒸 04 98 10 62 62, *lavieille bastide@provence-verdon.com*, Fax 04 94 84 61 23, 🌴, ⤢, 🌳 – ⊡ 𝒸 🅿 🅖🅑 *fermé 28 oct. au 17 nov., 6 au 26 janv., merc. midi de nov. à mars, dim. soir et lundi –* **Repas** (16,01) - 20,58/47,26, enf. 13,72 – ⊇ 7,62 – **8 ch** 54,88/88,42 – ½ P 50,31/65,55

% **L'Oustaou**, au village 𝒸 04 94 70 42 69, 🌴 – ⒶⒺ 🅖🅑 *fermé 29 avril au 6 mai, 11 nov. au 16 déc., jeudi soir de sept. à juin, dim. sauf le midi de sept. à juin et lundi –* **Repas** 19,80/43,45, enf. 11,45

● **DRAMONT** 83 Var 🄼🄸 ⑧, 🄼🄼🄸 ㉖ – *rattaché à St-Raphaël.*

DREUX 〰 28100 E.-et-L. **60** ⑦, **106** ㉕ G. Normandie Vallée de la Seine – 31 849 h alt. 82.

Voir Beffroi★ AY B – Glaces peintes★★ de la chapelle royale St-Louis AY.

🯄 Office du tourisme 4 rue Porte-Chartraine ℘ 02 37 46 01 73, Fax 02 37 46 02 contact@ot-dreux.fr.

Paris 79 ② – Chartres 34 ④ – Évreux 44 ⑥ – Mantes-la-Jolie 44 ①.

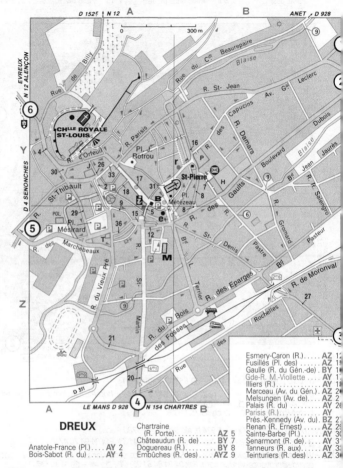

DREUX

🏛 **Beffroi** sans rest, 12 pl. Métézeau ℘ 02 37 50 02 03, Fax 02 37 42 07 69 – 📺, 🖭 **⓪**
JCB AZ
fermé 29 juil. au 10 août – ⯑ 5 – **16 ch** 51/55

✗ **St-Pierre**, 19 r. Sénarmont ℘ 02 37 46 47 00, lesaint.pierre@wanadoo
🚗 Fax 02 37 46 43 19 – 🖭 🖼 BY
fermé 15 au 30 juil., 3 au 10 fév., dim. soir et lundi – **Repas** (11) - 13/23 ⅋, enf. 8

à Cherisy par ② : 4,5 km – 1 768 h. alt. 88 – ⊠ 28500 :
✗✗ **Vallon de Chérisy**, ℘ 02 37 43 70 08, Fax 02 37 43 86 00, 🚗 – 🅿. 🖼
fermé 16 juil. au 6 août, 2 au 9 fév., dim. soir, mardi soir et merc. – **Repas** 20,57/29,
enf. 10,37

à Ste-Gemme-Moronval par ②, N 12, D 912 et D 308¹ : 6 km – 691 h. alt. 79 – ⊠ 28500 :
✗✗✗ **L'Escapade**, ℘ 02 37 43 72 05, Fax 02 37 43 86 96, 🏛 – 🅿. 🖭 🖼
fermé 13 août au 5 sept., dim. soir, lundi soir et mardi – **Repas** 27,50 (déj.), 32/61 et carte
à 68 ⵏ

ernouillet-centre *Sud par D 311 AZ : 2 km – 11 496 h. alt. 97 –* ⊠ *28500 :*

XX **Auberge de la Vallée Verte** *avec ch, (près Église)* 𝄞 02 37 46 04 04,
Fax 02 37 42 91 17 – 📺 ⇔ 🅿 🕮 ⬚ ⬚ *ch*
fermé 1ᵉʳ au 25 août, 25 déc. au 9 janv., dim. et lundi – **Repas** 22,11/38,11 bc 🍷, enf. 9,91 –
⊇ 6,10 – **11 ch** 53,36/59,46 – ½ P 44,97

USENHEIM *67410 B.-Rhin* **87** ④ *– 4 723 h alt. 122.*
Paris 501 – Strasbourg 29 – Haguenau 18 – Saverne 62 – Wissembourg 48.

XX **Auberge du Gourmet** M *avec ch, rte Strasbourg, Sud-Ouest : 1 km* 𝄞 03 88 53 30 60,
Fax 03 88 53 31 39, 🕮, ⬚ – 📺 📞 ⬚ 🅿 🕮 ⬚ ⬚
fermé 1ᵉʳ au 15 août et 1ᵉʳ au 21 fév. – **Repas** *(fermé mardi soir et merc.)* 23/39 – ⊇ 6 –
11 ch 37/50 – ½ P 38,11

UYES-LES-BELLES-FONTAINES *89560 Yonne* **65** ⑭ *– 288 h alt. 168.*
Paris 182 – Auxerre 34 – Clamecy 17 – Gien 75 – Montargis 98.

⌂ **Auberge des Sources** ⬚, 𝄞 03 86 41 55 14, Fax 03 86 41 90 31 – 📞 ⬚ 🅿 🕮
fermé 10 janv. au 10 mars, mardi midi et lundi – **Repas** 16/38 🍷 – ⊇ 8 – **17 ch** 37/53 –
½ P 41/44

CEY *50220 Manche* **59** ⑧ *G. Normandie Cotentin – 2 174 h alt. 15.*
Paris 347 – St-Lô 69 – Avranches 13 – Fougères 41 – Rennes 78 – St-Hilaire-du-Harcouët 16.

⌂ **Moulin de Ducey** M ⬚ *sans rest,* 𝄞 02 33 60 25 25, info@moulindeducey.com,
Fax 02 33 60 26 76, ≤, « *Ancien moulin sur la Sélune* » – 📱 📺 ⬚ 🅿 🕮 ⬚ 🕮 ⬚
fermé 5 janv. au 12 fév. – ⊇ 9,15 – **28 ch** 55,64/98

⌂ **Auberge de la Sélune**, 𝄞 02 33 48 53 62, info@selune.com, Fax 02 33 48 90 30, 🕮,
« *Jardin en bordure de rivière* », ⬚ – 📺 – 🕮 15. 🕮 ⬚ ⬚
fermé 14 nov. au 13 déc., 19 janv. au 3 fév. et lundi d'oct. à mars – **Repas** 13,60/33,50 🍷,
enf. 9,90 – ⊇ 7 – **20 ch** 47,20/51 – ½ P 51,50/53

UCLAIR *76480 S.-Mar.* **55** ⑥ *G. Normandie Vallée de la Seine – 4 163 h alt. 8.*
Bac: *renseignements* 𝄞 02 35 37 53 11.
🗊 *Office du tourisme 227 avenue du Président Coty* 𝄞 02 35 37 38 29, Fax 02 35 37 12 59,
MDT.Duclair@wanadoo.fr.
Paris 153 – Rouen 20 – Dieppe 69 – Lillebonne 35 – Yvetot 22.

⌂ **Poste,** quai Libération 𝄞 02 35 05 92 50, hoteldelaposte@worldonline.fr,
Fax 02 35 37 39 19, ≤ – 📱 📺 🕮 ⬚ 🕮 ⬚
fermé 1ᵉʳ au 15 juil., 1ᵉʳ au 10 nov., lundi (sauf hôtel) et dim. soir sauf fériés – **Repas**
(1ᵉʳ étage) 12,20/38,10 🍷 – ⊇ 5,34 – **9 ch** 32,50/52 – ½ P 42/46

JINGT *74410 H.-Savoie* **74** ⑥ *G. Alpes du Nord – 797 h alt. 450.*
🗊 *Syndicat d'initiative - Mairie* 𝄞 04 50 68 67 07, Fax 04 50 77 03 17.
Paris 551 – Annecy 12 – Albertville 34 – Megève 49 – St-Jorioz 3.

⌂ **Clos Marcel,** 𝄞 04 50 68 67 47, lionel@clos-marcel.com, Fax 04 50 68 61 11, ≤, 🕮,
« *Jardin au bord du lac* », ⬚, ⬚ – 📺 ⬚ 🅿 ⬚ *rest*
hôtel : 8 fév.-6 oct. ; rest. : 6 avril-30 sept. et fermé mardi soir et merc. hors saison – **Repas**
23/26 🍷, enf. 10 – ⊇ 7,50 – **13 ch** 56/70,10 – ½ P 50/68

⌂ **Auberge du Roselet,** 𝄞 04 50 68 67 19, nicolas.falquet@wanadoo.fr,
Fax 04 50 68 64 80, 🕮, « *Terrasse au bord de l'eau* », ⬚, ⬚ – 📺 🅿 🕮
fermé 1ᵉʳ nov. au 5 janv. – **Repas** 18/45,75 🍷, enf. 10,68 – ⊇ 8 – **14 ch** 77 – ½ P 64

Participez à notre effort permanent
de mise à jour

Adressez-nous vos remarques
et vos suggestions.

Cartes et Guides Michelin
46 avenue de Breteuil - 75324 Paris Cedex 07

DUNES *82340 T.-et-G.* 79 ⑮ *– 893 h alt. 120.*
Paris 662 – Agen 21 – Auvillar 13 – Miradoux 12 – Moissac 32.

XX **Les Templiers,** ✆ 05 63 39 86 21, *Fax 05 63 39 86 21,* 🏠 – GB
fermé 1er au 15 oct., mardi soir sauf juil.-août, sam. midi, dim. soir et lundi – **Repas** 18/...
enf. 10

DUNIÈRES *43220 H.-Loire* 76 ⑧ *– 2 949 h alt. 760.*
Paris 554 – Le Puy-en-Velay 51 – St-Étienne 36 – St-Agrève 30.

Tour, D 61 ✆ 04 71 66 86 66, *la.tour-hotel-restaurant@wanadoo.fr, Fax 04 71 66 8...*
🏠 – TV 📞 ♿ P. AE GB
fermé 25/8 au 9/9, week-ends en janv., vac. de fév., vend. soir de 10 à 05 (sauf hôtel), ...
soir et lundi midi – **Repas** 12 (déj.), 16/42 🍷, enf. 8 – ☕ 6 – **11 ch** 41/46 – ½ P 41

DUNKERQUE SP *59140 Nord* 51 ③ ④ *G. Picardie Flandres Artois – 70 850 h Agglo. 191 1...*
alt. 4 – Casino à Malo-les-Bains.
Voir *Port*★★ *– Musée d'Art contemporain*★ *: jardin des sculptures*★ **CDY** *– Musée ... Beaux-Arts*★ **CDZ M**² *– Musée portuaire*★ **CZ M**³ *– Commune de la "Méridienne verte".*
ℹ *Office du tourisme 4 place Charles Valentin* ✆ *03 28 26 27 27, Fax 03 28 26 27 ... dunkerque@tourisme.norsys.fr.*
Paris 287 ② – Calais 47 ③ – Amiens 204 ② – Ieper 55 ② – Lille 73 ② – Oostende 57 ①.

DUNKERQUE

Banc Vert (R. du)	AX 8
Berteaux (Av. M.)	AX 10
Cambon (Bd P.)	BX 17
Darses (Chaussées des)	AX 25
Jaurès (R. Jean)	BX 39
Lille (R. de)	BX 45
Malo (R. Célestin)	BX 50
Mendès-France (Bd)	B...
Pasteur (R.)	B...
République (R. de la)	A...
Waldeck-Rousseau (R.)	B...

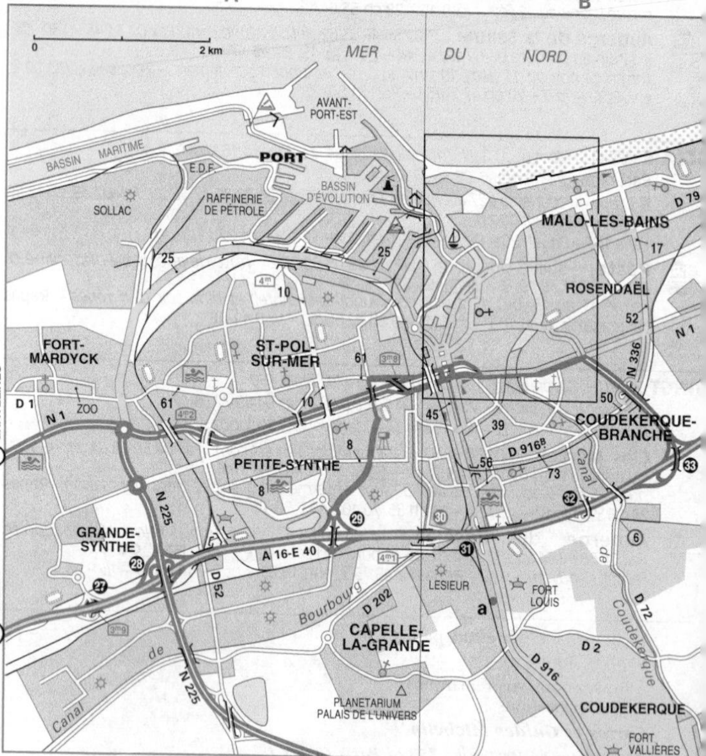

DUNKERQUE

543

Borel M sans rest, 6 r. L'Hermite ℰ 03 28 66 51 80, borel@hotelbore
Fax 03 28 59 33 82 – 📶 ❄ 📺 📞 – 🚗 25. ⚿ ⓞ ⬛ ⱼⱼ
🍽 9,45 – **48 ch** 61/71,65
CY

Europ'Hôtel M, 13 r. Leughenaer ℰ 03 28 66 29 07, europhotel@aol.c
Fax 03 28 63 67 87 – 📶, ☰ rest, 📺 ⬛ – 🚗 40 à 200. ⚿ ⓞ ⬛ ⱼⱼ
La Ferme ℰ 03 28 65 08 05 (fermé vend., sam. et dim.) **Repas** (dîner s
carte 18 à 22 ⓙ, enf. 5,33 – 🍽 8,40 – **116 ch** 59,50/67,10
CY

XX **L'Estouffade,** 2 quai Citadelle ℰ 03 28 63 92 78, Fax 03 28 63 92 78, 🌲 – ⓞ ⬛
fermé 5 au 29 août, vacances de fév., dim. soir et lundi – **Repas** 22,87/32,01 ⓨ
CZ

X **Au Petit Pierre,** 4 r. Dampierre ℰ 03 28 66 28 36, Fax 03 28 66 28 49 – ⚿ ⓞ ⬛
fermé sam. midi et dim. soir – **Repas** 14,50/26 ⓨ, enf. 6,90
CZ

à Malo-les-Bains – ✉ 59240 Dunkerque :

Hirondelle, 46 av. Faidherbe ℰ 03 28 63 17 65, hotelhirondelle@netinf
Fax 03 28 66 15 43 – 📶 ☰ 📺 📞 ♿ – 🚗 40. ⚿ ⓞ ⬛
DY
Repas (fermé 19 août au 8 sept., dim. soir et lundi midi) 20,80/46 ⓨ – 🍽 5,50 – **42**
47,50/60 – ½ P 38,25/44,45

à Téteghem Sud-Est par N 1 BX et D 204 : 6 km – 7 237 h. alt. 1 – ✉ 59229 :

XXX **Meunerie** ⑳ avec ch, au Galghouck, Sud Est : 2 km par D 4 ℰ 03 28 26 14
Fax 03 28 26 17 32, 🌲, « Décor élégant », ❀ – 📺 📞 ⬛ 🅿 – 🚗 20. ⚿ ⓞ ⬛
Repas (fermé 25 juil. au 6 août, 2 au 15 janv., mardi midi, dim. soir et lundi) 27,44/60,2
carte 58 à 78 ⓨ, enf. 13 – 🍽 12 – **9 ch** 84/130 – ½ P 100/130

à Coudekerque-Branche – 24 152 h. alt. 1 – ✉ 59210 :

🛈 Office du tourisme 59 rue du Boòrntd ℰ 03 28 64 60 00, Fax 03 28 64 60 00.

XXX **Soubise,** 49 rte Bergues ℰ 03 28 64 66 00, Fax 03 28 25 12 19 – 🅿. ⚿ ⓞ ⬛
fermé 7 au 16 avril, 27 juil. au 20 août, 20 déc. au 7 janv., sam. midi et dim. soir – **Re**
19,06/37,35 ⓙ, enf. 8,36
BX

à Cappelle-la-Grande Sud : 5 km sur D 916 – 8 613 h. – ✉ 59180 :

🛈 Syndicat d'initiative Place du Palais des Arts ℰ 03 28 64 94 41, Fax 03 28 61 38 37.

XX **Bois de Chêne,** 48 rte Bergues ℰ 03 28 64 21 80, Fax 03 28 61 22 00, 🌲 – 🅿. ⚿ ⬛
fermé 3 au 20 août, vacances de fév., dim. soir, lundi soir et sam. – **Repas** 25,15/51,07 b
enf. 9,15

au Lac d'Armbouts-Cappel par ② (sortie Bourbourg) : 9 km – 2 677 h. – ✉ 59380 Armbou
Cappel :

Lac M ⑳, ℰ 03 28 60 70 60, christophe@hoteldulac.com, Fax 03 28 61 06 39, 🌲, ❀
❄ 📺 🅿 – 🚗 80. ⚿ ⓞ ⬛
Repas (fermé sam. midi) 22,11/24,40 – 🍽 9,15 – **66 ch** 49/76,50

Campanile, ℰ 03 28 64 64 70, Fax 03 28 60 53 12, 🌲 – ❄ 📺 📞 ♿ 🅿 – 🚗 25. ⚿
⬛
Repas (12,04) -15,09/18,90 ⓨ, enf. 5,95 – 🍽 5,95 – **40 ch** 54,88

DUN-LE-PALESTEL 23800 Creuse ⑥⑧ ⑱ – 1 106 h alt. 370.
🛈 Office du tourisme Place de la Poste ℰ 05 55 89 24 61, Fax 05 55 89 95 11.
Paris 339 – Argenton-sur-Creuse 40 – Guéret 28 – La Souterraine 19.

Joly, ℰ 05 55 89 00 23, Fax 05 55 89 15 89 – 📺 📞 ♿ – 🚗 20. ⬛ ✿ rest
fermé 1er au 20 mars, 5 au 25 oct., dim. soir et lundi midi – **Repas** 13,20 (déj.), 18,30/31
enf. 8 – 🍽 5,60 – **24 ch** 35/40 – ½ P 35/38

DUN-SUR-AURON 18130 Cher ⑥⑨ ① G. Berry Limousin – 4 013 h alt. 182.
🛈 Office du tourisme Place du Châtelet ℰ 02 48 59 85 26, Fax 02 48 59 84 22.
Paris 269 – Bourges 27 – Moulins 81 – Montluçon 74 – Nevers 57 – St-Amand-Montrond

X **Les Heures Gourmandes,** 12 Grande Rue ℰ 02 48 59 88 94, jean-louis.fenayro
wanadoo.fr, Fax 02 48 59 15 82, rest. exclusivement non-fumeurs – ☰. ⬛
fermé 13 au 22 oct., 20 fév. au 20 mars, dim. soir, merc. soir et lundi – **Repas** 15/32 ⓨ

DURAS 47120 L.-et-G. ⑦⑤ ⑬ G. Aquitaine – 1 214 h alt. 122.
🛈 Office du tourisme 14 boulevard Jean Brisseau ℰ 05 53 83 63 06, Fax 05 53 83 63 06.
Paris 577 – Périgueux 88 – Agen 90 – Marmande 23 – Ste-Foy-la-Grande 22.

XX **Hostellerie des Ducs** ⑳ avec ch, ℰ 05 53 83 74 58, hostellerie.des.ducs@wanadoo
Fax 05 53 83 75 03, 🌲, 🏊, ❀ – 📺 📞 ⬛ 🅿 – 🚗 20. ⚿ ⓞ ⬛ ✿ ch
Repas (fermé sam. midi, dim. soir et lundi hors saison, sam. midi et lundi midi de ju
sept.) (15) -25/38 ⓨ, enf. 10 – 🍽 7 – **16 ch** 50,50/81 – ½ P 55/70

RTAL 49430 M-et-L. **64** ② *G. Châteaux de la Loire* – 3 224 h alt. 39.

🛈 *Syndicat d'initiative Porte Verron* ℰ 02 41 76 37 26, Fax 02 41 24 76 12, regiondurtaloise @free.fr.

Paris 262 – Angers 38 – Le Mans 63 – La Flèche 14 – Laval 67 – Saumur 66.

✗ **Boule d'Or** avec ch, 19 av. d'Angers ℰ 02 41 76 30 20, Fax 02 41 76 06 99 – 📺 **P**. 🆖 fermé 5 au 21 août, 19 au 26 fév., dim. soir, mardi soir, merc. et soirs fériés – **Repas** 11,89/33,54, enf. 5,79 – ☑ 5,34 – **5 ch** 38,11/41,16

RY 80 Somme **52** ⑱ – *rattaché à Amiens*.

UX-PUISEAUX 10130 Aube **61** ⑯ – 194 h alt. 220.

Paris 162 – Troyes 32 – Auxerre 53 – Sens 63.

✗✗ **Ferme du Clocher,** ℰ 03 25 42 02 21, la-ferme-du-clocher@wanadoo.fr, Fax 03 25 42 03 30, 🍴, 🌳 – **P**. 🆖 fermé 26 août au 3 sept., janv., merc. soir de mai à août, dim. soir et lundi – **Repas** 15 (déj.), 21/28 ☑

S ÉCHELLES 73360 Savoie **74** ⑮ *G. Alpes du Nord* – 1 248 h alt. 386.

🛈 *Syndicat d'initiative Rue Stendhal* ℰ 04 79 36 56 24, Fax 04 79 36 53 12, ot.vallee-de-chartreuse@wanadoo.fr.

Paris 555 – Grenoble 40 – Chambéry 24 – Lyon 92 – Valence 107.

hailles Nord : 5 km – ✉ 73360 Les Échelles :

✗ **Auberge du Morge** avec ch, N 6 ℰ 04 79 36 62 76, gil.bouvier@wanadoo.fr, Fax 04 79 36 51 65, 🍴, 🌳 – **P**. 🝙 🆖, ✻ ch fermé 1ᵉʳ déc. au 20 janv. et merc. – **Repas** 13 (déj.), 18/23 ☑, enf. 7 – ☑ 5 – **8 ch** 25/35 – ½ P 40

Pas de publicité payée dans ce guide.

HENEVEX 01 Ain **70** ⑮ – *rattaché à Gex*.

S ÉCHETS 01 Ain **74** ② – ✉ 01700 Miribel.

Paris 455 – Lyon 20 – L'Arbresle 29 – Bourg-en-Bresse 47 – Villefranche-sur-Saône 29.

✗✗✗ **Jacques et Christophe Marguin** avec ch, ℰ 04 78 91 80 04, Fax 04 78 91 06 83, 🌳 – 🍽 rest, 📺 🝙 **P**. 🝙 🝙 🆖 🝙 fermé 4 au 23 août, 22 déc. au 3 janv., dim. soir et lundi – **Repas** 19/61 et carte 50 à 62 – ☑ 8 – **8 ch** 39/49

HIGEY 21 Côte-d'Or **66** ⑫ – *rattaché à Genlis*.

HIROLLES 38 Isère **77** ⑤ – *rattaché à Grenoble*.

CKBOLSHEIM 67 B.-Rhin **87** ⑤ – *rattaché à Strasbourg*.

FIAT 63260 P.-de-D. **73** ⑤ *G. Auvergne* – 744 h alt. 350.

Voir *Château*★.

Paris 394 – Clermont-Ferrand 39 – Gannat 11 – Riom 22 – Thiers 39 – Vichy 17.

✗ **Cinq Mars,** r. Cinq-Mars (D 984) ℰ 04 73 63 64 16, Fax 04 73 63 64 16 – 🆖 fermé 6 au 19 avril, 16 au 31 août et le soir sauf vend., sam. et dim. – **Repas** 11 (déj.), 17/25 ☑, enf. 6,10

GLETONS 19300 Corrèze **75** ⑩ – 4 087 h alt. 650.

🛈 *Office du tourisme Rue Joseph Vialaneix* ℰ 05 55 93 04 34, Fax 05 55 93 00 09, OT.EGLETONS@wanadoo.fr.

Paris 463 – Aurillac 97 – Aubusson 75 – Limoges 112 – Mauriac 46 – Tulle 30 – Ussel 29.

🏨 **Ibis,** rte Ussel par N 89 : 1,5 km ℰ 05 55 93 25 16, Fax 05 55 93 37 54, 🍴, 🌳, ✗ – ✻ 📺 ♿ **P** – 🔏 15. 🝙 🝙 🆖 **Repas** (12,04) - 15,09 ♿, enf. 5,95 – ☑ 5,50 – **41 ch** 51/58

EGUISHEIM 68420 H.-Rhin 🔢 ⑱ ⑲ *G. Alsace Lorraine – 1 548 h alt. 210.*

Voir *Circuit des remparts★ – Route des Cinq Châteaux★ SO : 3 km.*

🇧 *Office du tourisme 22A Grand'Rue ℘ 03 89 23 40 33, Fax 03 89 41 86 20, info@ eguisheim.fr.*

Paris 477 – Colmar 7 – Belfort 67 – Gérardmer 52 – Guebwiller 21 – Mulhouse 42.

🏠 **Hostellerie du Pape** Ⓜ, 10 Grand Rue ℘ 03 89 41 41 21, info@hostellerie-pape.c
Fax 03 89 41 41 31, 🈴 – 📲 📺 ♦ & 🅿 – 🏬 30. 🆎 ⓞ ☖ ᴊᴄʙ
fermé 2 janv. au 7 fév. – **Repas** *(fermé lundi et mardi)* 14,94/48,78 🕎, enf. 9,15 – 🖵 9,
33 ch 58/83,85 – ½ P 68,60

🏠 **St-Hubert** Ⓜ ⌕ sans rest, r. Trois Pierres ℘ 03 89 41 40 50, hotel.st.hubert@wanade
, Fax 03 89 41 46 88, ≤, 🔲 – 📺 ♦ & 🅿. ☖, ✿
fermé 17 au 28 nov. et fév. – 🖵 9,50 – **12 ch** 75/95

🏠 **Hostellerie du Château** Ⓜ sans rest, 2 r. Château ℘ 03 89 23 72
Fax 03 89 41 63 93 – 📺 ♦. 🆎 ⓞ ☖
fermé 2 janv. au 10 fév. – 🖵 9 – **11 ch** 63/120

🏠 **Auberge des Trois Châteaux**, 26 Grand'Rue ℘ 03 89 23 11 22, contact@aube
3-chateaux.com, Fax 03 89 23 72 88 – ☖. ✿ ch
fermé 20 au 30 juin et 6 janv. au 14 fév. – **Repas** *(fermé mardi soir et merc.)* 15 🕎, enf. 7,
🖵 7 – **13 ch** 49/61 – ½ P 49/52

🏠 **Auberge des Comtes**, 1 pl. Ch. de Gaulle ℘ 03 89 41 16 99, Fax 03 89 24 97 10 –
🅿. ☖
fermé 1er janv. au 15 mars – **Repas** *(fermé merc. et jeudi)* 15/28 🕎, enf. 6,10 – 🖵 7,
14 ch 44/56 – ½ P 50/53

XX **Caveau d'Eguisheim**, 3 pl. Château St-Léon ℘ 03 89 41 08 89, Fax 03 89 23 79 99 –
fermé 20 janv. au 23 fév., lundi et mardi – **Repas** 27 *(déj.)*, 34/52 🕎

XX **Grangelière**, 59 r. Rempart Sud ℘ 03 89 23 00 30, Fax 03 89 23 61 62 – ☖
fermé fév. et jeudi – **Repas** 21,50 bc/64 bc

XX **Au Vieux Porche**, 16 r. Trois Châteaux ℘ 03 89 24 01 90, Fax 03 89 23 91 25,
« Maison de vignerons » – ☖
fermé 23 juin au 4 juil., 12 au 20 nov., merc. sauf le soir de Pâques à nov. et mardi – Re
20,58/57,93 🕎, enf. 9,15

ÉLINCOURT-STE-MARGUERITE 60 Oise 🔢 ② – *rattaché à Compiègne.*

ELNE 66200 Pyr.-Or. 🔢 ⑳ *G. Languedoc Roussillon – 6 410 h alt. 30.*

Voir *Cloître★★ de la Cathédrale Ste-Eulalie et Ste-Julie.*

🇧 *Office du tourisme 2 rue Dr Bolte ℘ 04 68 22 05 07, Fax 04 68 37 95 05, office.de. risme.elne@wanadoo.fr.*

Paris 871 – Perpignan 15 – Argelès-sur-Mer 8 – Céret 29 – Port-Vendres 17 – Prades 59.

🛁 **Week-End**, av. P. Reig ℘ 04 68 22 06 68, hotel.weekend@libertysurf
Fax 04 68 22 17 16, 🈴 – 🗏 ch, 📺 ♦. 🆎 ⓞ ☖ ᴊᴄʙ
fermé 15 au 30 nov. – **Repas** *(fermé sam. sauf le soir en saison)* 10 bc *(déj.)*, 15/23 🔔, enf.
🖵 6 – **8 ch** 45/49

ÉLOISE 74 H.-Savoie 🔢 ⑤ – *rattaché à Bellegarde-sur-Valserine.*

EMBRUN 05200 H.-Alpes 🔢 ⑰ ⑱ *G. Alpes du Sud – 6 152 h alt. 871.*

Voir *Cathédrale N.-D. du Réal★ : trésor★, portail★ – Peintures murales★ dans la chap des Cordeliers – Rue de la Liberté et Rue Clovis-Huques★.*

🇧 *Office du tourisme Place Général Dosse ℘ 04 92 43 72 72, Fax 04 92 43 54 06, ot.emb laposte.fr.*

Paris 728 – Briançon 51 – Gap 40 – Barcelonnette 55 – Digne-les-Bains 93 – Guillestre 22.

🏠 **Mairie**, pl. Mairie ℘ 04 92 43 20 65, Fax 04 92 43 47 02, 🈴 – 📲 & – 🏬 20. 🆎 ☖
fermé 28 avril au 15 mai, oct. et nov. – Repas *(fermé lundi sauf le soir en juin et sept* dim. soir de déc. à avril) 15,40/21,30 🕎 – 🖵 6,50 – **24 ch** 41,50/47,50 – ½ P 43/45

🏠 **Notre-Dame**, av. Gén. Nicolas ℘ 04 92 43 08 36, Fax 04 92 43 58 41, 🈴, 🌳 – 📺 ♦.
fermé 20 déc. au 30 janv., dim. soir et lundi – **Repas** 18/26 🕎, enf. 10 – 🖵 7 – **14 ch** 38/4
½ P 45

rte de Gap *Sud-Ouest : 3 km par N 94 – ⊠ 05200 Embrun :*

🏠 **Les Bartavelles**, ℘ 04 92 43 20 69, info@bartavelles.com, Fax 04 92 43 11 92, 🈴,
🌳, ✕ – 📲, 🗏 rest, 📺 ♦ 🅿 – 🏬 80. 🆎 ⓞ ☖
fermé en janv., dim. soir de nov. à avril sauf vacances scolaires – **Repas** 15 *(déj.)*/33 🕎, enf.
– 🖵 8,50 – **43 ch** 66/80 – ½ P 64/71

ERAINVILLE 77 S.-et-M. **61** ②, **101** ㉙ – voir à Paris, Environs (Marne-la-Vallée).

ERINGES 69840 Rhône **74** ① – 215 h alt. 353.
Paris 409 – Mâcon 20 – Bourg-en-Bresse 51 – Lyon 68 – Villefranche-sur-Saône 33.

✗ **Auberge des Vignerons**, ℘ 04 74 04 45 72, Fax 04 74 04 48 96 – ▤. **GB**
◎ *fermé 23 au 30 juin, 1ᵉʳ au 7 janv., merc. de déc. à fév., lundi soir et mardi* – **Repas** 20,59/38,13 ♀, enf. 10,76

MERIN 59 Nord **51** ⑯ – rattaché à Lille.

CAMP **86** ⑭ – voir à Andorre (Principauté d').

CAUSSE-LES-THERMES 31160 H.-Gar. **86** ① – 591 h alt. 362.
🛈 Office du tourisme Rue de la Fontaine ℘ 05 61 89 32 64, Fax 05 61 89 32 64, OT.Encausse.les.thermes@wanadoo.fr.
Paris 797 – Bagnères-de-Luchon 43 – St-Gaudens 12 – St-Girons 42 – Toulouse 99.

✗ **Aux Marronniers**, ℘ 05 61 89 17 12, Fax 05 61 89 17 12, 🏡 – **GB**
◎ *fermé janv., dim. soir et lundi hors saison* – **Repas** 12,50/23

GHIEN-LES-BAINS 95 Val-d'Oise **55** ⑳, **101** ⑤ – voir à Paris, Environs.

GLOS 59 Nord **51** ⑮, **111** ㉑ – rattaché à Lille.

TRAYGUES-SUR-TRUYÈRE 12140 Aveyron **76** ⑫ G. Midi-Pyrénées – 1 267 h alt. 236.
Voir *Vieux Quartier : Rue Basse★ – Pont gothique★.*
Env. *Vallée du Lot★★.*
🛈 Office du tourisme 30 Tour de Ville ℘ 05 65 44 56 10, Fax 05 65 44 50 85, ot-pays-entraygues@wanadoo.fr.
Paris 599 – Aurillac 43 – Rodez 42 – Figeac 58 – St-Flour 83.

🏠 **Deux Vallées**, ℘ 05 65 44 52 15, Fax 05 65 44 54 47, 🏡 – 📶 📺 🚗. **GB**
◎ *fermé 1ᵉʳ au 15 fév., vend. soir et sam. de nov. à mars* – **Repas** 11/30 ♂, enf. 7 – ☲ 5,50 – 17 ch 33/40 – ½ P 35

Fel *Ouest : 10 km par D 107 et D 573 – 146 h. alt. 530 –* ✉ *12140 Entraygues-sur-Truyère :*

🏠 **Auberge du Fel** ⌂, ℘ 05 65 44 52 30, info@auberge-du-fel.com, Fax 05 65 48 64 96,
◎ 🏡, 🍽 –📶. ⓞ **GB**
30 mars-3 nov. – **Repas** *(fermé le midi sauf sam., dim., vacances scolaires et fériés)* 11 (déj.)/32 ♀, enf. 7 – ☲ 6 – **11 ch** 41,20/61 – ½ P 39,65/43,50

TRECHAUX 84 Vaucluse **81** ③ – rattaché à Vaison-la-Romaine.

TRE-LÈS-FOURGS 25 Doubs **70** ⑦ – rattaché à Jougne.

TZHEIM 67 B.-Rhin **87** ⑤ – rattaché à Strasbourg.

ERNAY ⬨ 51200 Marne **56** ⑯ G. Champagne Ardenne – 25 844 h alt. 75.
Voir *Caves de Champagne★★ – Collection archéologique★ au musée municipal.*
🛈 Office du tourisme 7 avenue de Champagne ℘ 03 26 53 33 00, Fax 03 26 51 95 22, tourisme@ot-epernay.fr.
Paris 142 ④ – Reims 28 ① – Châlons-en-Champagne 34 ② – Château-Thierry 56 ④.

Plan page suivante

🏨 **Clos Raymi** Ⓜ ⌂ sans rest, 3 r. Joseph de Venoge ℘ 03 26 51 00 58, closraymi@wanadoo.fr, Fax 03 26 51 18 98, 🍽 – 📺 📞, **AE** **GB** **JCB**, ⌘
fermé du 15 déc. au 1ᵉʳ fév. – ☲ 14 – **7 ch** 125/144   BZ **a**

🏨 **Les Berceaux** (Michelon), 13 r. Berceaux ℘ 03 26 55 28 84, les.berceaux@wanadoo.fr,
ⵝ Fax 03 26 55 10 36 – 📶, ▤ rest, 📺. **AE** ⓞ **GB**. ⌘   AZ **a**
Repas *(fermé 15 au 31 août, 28 janv. au 17 fév., lundi et mardi)* 25/59 et carte 62 à 80 ♀, enf. 13 **- Le Wine Bar** *(fermé sam. et dim.)* **Repas** 23/39 ♀, enf. 10 – ☲ 11 – **29 ch** 66/75
Spéc. Grosse asperge des bords de Marne rôtie (mai-juin). Galette de pied de porc en croûte de pommes de terre. Bouquet de homard, langoustines et poissons de roche. **Vins** Champagne, Coteaux Champenois.

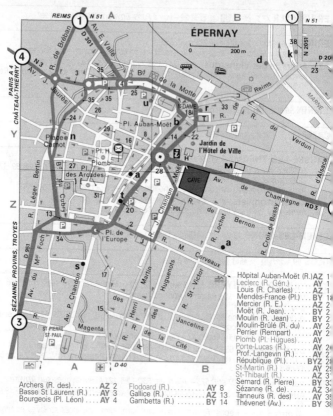

ÉPERNAY

Hôpital Auban-Moët (R.) . **AZ** 1
Leclerc (R. Gén.) . . . . . . **AY** 1
Louis (R. Charles) . . . . . . **AZ** 1
Mendès-France (Pl.) . . . . . **BY** 1
Mercier (R. E.) . . . . **AZ** 2
Moët (R. Jean) . . . . **BY** 2
Moulin (R. Jean) . . . . **BY** 2
Moulin-Brûlé (R. du) . . . . . **AY** 2
Perrier (Rempart) . . . . . . **AY** 2
Plomb (Pl. Hugues) . . . . . **AY**
Porte-Lucas (R.) . . . . **AY** 2
Prof.-Langevin (R.) . . . . . **AY** 2
République (Pl.) . . . . **BYZ** 28
St-Martin (R.) . . . . **AY** 29
St-Thibault (R.) . . . . **AZ** 3
Semard (R. Pierre) . . . . . **BY** 32
Sézanne (R. de) . . . . **AZ** 34
Tanneurs (R. des) . . . . . . **AY** 35
Thévenet (Av.) . . . . **BY** 38

Archers (R. des) . . . . **AZ** 2
Basse St Laurent (R.) . . . . **AY** 3
Bourgeois (Pl. Léon) . . . . **AY** 4
Flodoard (R.) . . . . **AY** 8
Gallice (R.) . . . . **AZ** 13
Gambetta (R.) . . . . **BY** 14

Champagne 🅼 sans rest, 30 r. E. Mercier ✉ 51200 𝓟 03 26 53 10 60, infos@bw-ho
champagne.com, Fax 03 26 51 94 63 – 📶 📺 📞, ⚞ ⓪ ☒
⚌ 9,15 – **33 ch** 70,13/85,40
AZ

St-Pierre sans rest, 14 av. P. Chandon 𝓟 03 26 54 40 80, Fax 03 26 57 88 68 – 📺
☒
fermé fév. – ⚌ 5 – **15 ch** 19/32
AZ

Les Cépages, 16 r. Fauvette 𝓟 03 26 55 16 93, Fax 03 26 54 51 30 – ▤. ⚞ ☒   **AY**
fermé 6 au 21 mars, 25 au 30 déc., 5 au 20 sept., merc. et jeudi sauf fériés – **Repas** 17/5▤

Théâtre, 8 pl. P. Mendès-France 𝓟 03 26 58 88 19, Fax 03 26 58 88 38 – ▤. ⓪ ☒
fermé 18 juil. au 8 août, 17 fév. au 11 mars, dim. soir du 1er déc. au 15 mars, mardi soir
merc. – **Repas** (15) - 21/40 ♀
BY

Table Kobus, 3 r. Dr Rousseau 𝓟 03 26 51 53 53, Fax 03 26 58 42 68 – ▤. ☒   **ABY**
fermé 8 au 15 avril, 4 au 22 août, 23 déc. au 6 janv., dim. soir, jeudi soir et lundi – **Repas** (1
22,50/37

Cave à Champagne, 16 r. Gambetta 𝓟 03 26 55 50 70, cave.champagne@wanadoo
Fax 03 26 51 07 24 – ▤. ☒
fermé mardi soir et merc. en juil.-août – **Repas** (nombre de couverts limité, prévenir) (1
13/25 ♀
BY

Terrasse, 7 quai Marne 𝓟 03 26 55 26 05, la-terrasse-epernay@wanadoo
Fax 03 26 55 33 79 – ⚞ ⓪ ☒
fermé 24 au 30 déc., mardi soir, dim. soir et lundi sauf fériés – **Repas** (9,50) - 12,50/25,10
enf. 8,40
BY

Chez Max, 13 av. A. Thévenet (à Magenta) 𝓟 03 26 55 23 59, Fax 03 26 54 02 97 –
☒
fermé 5 au 26 août, 2 au 16 janv., merc. soir, dim. soir et lundi – **Repas** 11,50/32,80 ♀
BY

hampillon *par* ① : *6 km – 528 h. alt. 210 –* ⊠ *51160 :*

Royal Champagne Ⓜ ⌂, N 2051 *℘ 03 26 52 87 11, royalchampagne@wanadoo.fr,*
Fax 03 26 52 89 69, ≤ *Épernay, vignoble et vallée de la Marne,* 🎠 – 📺 ✆ & 🚗 **P** –
🏛 15 à 25. ⒶⒺ ⓪ ⒼⒷ ⒿⒸⒷ
fermé 10 au 26 fév. – **Repas** 30,50 (déj.), 46/92 et carte 72 à 100 – ⊡ 16 – **20 ch** 195/215,
5 appart
Spéc. Foie gras de canard au pain d'épice poêlé. Volaille de Bresse en croûte de noisettes.
Croquant de chocolat amer. **Vins** Champagne, Bouzy.

de Reims *par* ① : *8 km –* ⊠ *51160 St-Imoges :*

XX **Maison du Vigneron,** N 51 *℘ 03 26 52 88 00, Fax 03 26 52 86 03 –* ▤ **P.** ⒶⒺ ⓪ ⒼⒷ ⒿⒸⒷ
fermé 29 juil. au 8 août, dim. soir et merc. – **Repas** 21/45 ♈, enf. 13

inay *par* ③ : *6 km – 463 h. alt. 102 –* ⊠ *51530 :*

Hostellerie La Briqueterie Ⓜ, rte de Sézanne *℘ 03 26 59 99 99, info@labriqueterie.*
com, Fax 03 26 59 92 10, Ⅰ♨, ⊠, 🎠 – ▤ 📺 ✆ 🚗 **P** – 🏛 35. ⒶⒺ ⒼⒷ
fermé 22 au 27 déc. – **Repas** 34 (déj.)/67 et carte 50 à 70 ♈, enf. 17 – ⊡ 14 – **42 ch** 134/235
Spéc. Foie gras de canard aux figues et ratafia. Pigeonneau désossé au foie gras et aux
truffes. Crêpes soufflées au marc de Champagne (oct. à avril). **Vins** Coteaux Champenois,
Bouzy.

ERNON *28230 E.-et-L.* ⏚⓪ ⑧ *G. Ile de France – 5 498 h alt. 106.*
Paris 80 – Chartres 27 – Dreux 32 – Étampes 51 – Rambouillet 14 – Versailles 47.

🍴 **Madeleine,** 24 r. Madeleine *℘ 02 37 83 42 06, Fax 02 37 83 57 34,* 🍴 – 📺 ✆ **P.** ⒼⒷ
fermé 1ᵉʳ au 8 mars, août, dim. soir et lundi – **Repas** 14,94/39,64 bc ♈, enf. 7,93 – ⊡ 5,79 –
7 ch 35,06/54,88 – ½ P 39,64/47,26

PINAL **P** *88000 Vosges* ⏚⏚ ⑯ *G. Alsace Lorraine – 35 794 h alt. 324.*
Voir *Vieille ville*★ : *Basilique*★ – *Parc du château*★ – *Musée départemental d'art ancien et*
contemporain★ – *Imagerie d'Épinal*★.
🅱 *Office du tourisme 6 place St. Goéry ℘ 03 29 82 53 32, Fax 03 29 82 88 22.*
Paris 385 ⑦ *– Belfort 96* ⑤ *– Colmar 86* ④ *– Mulhouse 107* ④ *– Nancy 74* ① *– Vesoul 90* ④.

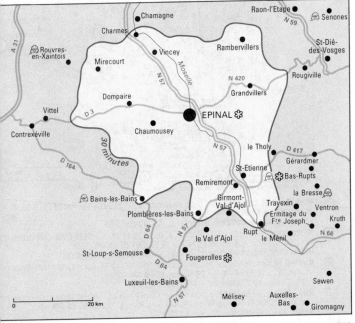

ÉPINAL

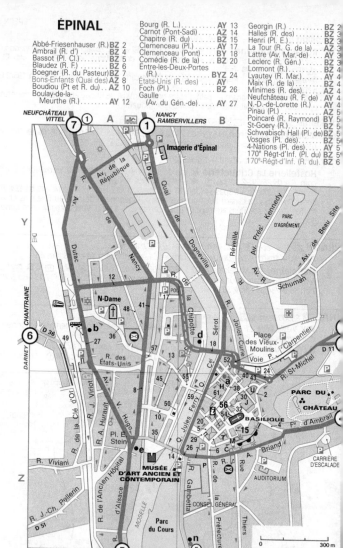

Manoir des Ducs Ⓜ ⚘, 5 av. Provence ℰ 03 29 29 55 55, *Fax 03 29 29 55 56* –
⬛ ch, 📺 ✔ 🅿 ⅁ ⅁ ⅁ ⅁. ❋ ch
voir rest. **Ducs de Lorraine** ci-après – �) 12 – **12 ch** 75/83   **BZ**

Mercure, 13 pl. E. Stein ℰ 03 29 29 12 91, *H0831-GM@accor-hotels.co*
Fax 03 29 29 12 92 – 🛗 ❋ ⬛ 📺 ✔ 🅿 – 🔬 30 à 80. ⅁ ⅁ ⅁
Repas *(fermé dim. midi et sam.)* (15) - 19 – ☍ 10 – **54 ch** 81/96, 6 appart   **AZ**

Kyriad Ⓜ sans rest, 12 av. Gén. de Gaulle ℰ 03 29 82 10 74, *hotel-kyriad-epinal@wanac*
.fr, Fax 03 29 35 35 14 – 🛗 ❋ 📺 ✔ ⅁ ⅁ ⅁
fermé 21 déc. au 1ᵉʳ janv. – ☍ **46 ch** 55, 3 appart   **AY**

Ibis Ⓜ, quai Mar. de Contades ℰ 03 29 64 28 28, *h0890-gm@accor-hotels.co*
Fax 03 29 35 37 88, ❦ – 🛗 ❋ ⬛ 📺 ✔ ⅁ ⇔ 🅿 – 🔬 20 à 80. ⅁ ⅁ ⅁
Repas (13) - 16 ᗡ, enf. 6 – ☍ 5,50 – **60 ch** 55   **BY**

XXX **Ducs de Lorraine** (Obriot), 5 r. Provence ℰ 03 29 29 56 00, *Fax 03 29 29 56 01*, 🍴 – ▣
ⓞ ⒼⒷ BZ f
fermé dim. soir – **Repas** 30 (déj.), 39/77 et carte 60 à 80 ⒴, enf. 14,50
Spéc. Tartare de homard aux légumes croquants. Rognon de veau rôti entier au poivre.
Soufflé à la mirabelle, coulis et sorbet. **Vins** Gris de Toul, Pinot noir d'Alsace.

XX **Petit Robinson**, 24 r. R. Poincaré ℰ 03 29 34 23 51, *Fax 03 29 31 27 17* – ▣ ⓞ
BZ a
fermé 15 juil. au 15 août, 23 déc. au 1ᵉʳ janv., sam., dim. et fériés – **Repas** 16,50/31 ⒥,
enf. 9,50

▸ ⓞ : *3 km* – ⊠ *88000 Épinal :*

🏠 **La Fayette** Ⓜ, parc économique Le Saut Le Cerf ℰ 03 29 81 15 15, *hotel.lafayette.epinal*
@wanadoo.fr, Fax 03 29 31 07 08, 🍴, ⒥ₛ, ⒲ – ⊱ ▤ ⒸⒽ & ⊂⊃ ℗ – 🔔 50. ▣ ⓞ
ⒼⒷ
Repas 17,07/39,64 ⒴ – ⊒ 9,15 – **48 ch** 77/95 – ½ P 57,17/67,08

🏠 **Campanile**, r. Merle Blanc, Bois de la Voivre ℰ 03 29 31 38 38, *Fax 03 29 34 71 65*, 🍴, 🌲
– ⊱ ▤ ⒸⒽ ℗ – 🔔 25. ▣ ⓞ ⒼⒷ
Repas (15,09) - 16,62 ⒴, enf. 5,95 – ⊒ 5,95 – **44 ch** 54

Chaumousey *par ⑥ et D 460 : 10 km* – 784 h. alt. 360 – ⊠ 88390 :

XX **Calmosien**, ℰ 03 29 66 80 77, *lecalmosien@wanadoo.fr, Fax 03 29 66 89 41*, 🍴 – ▣ ⓞ
ⒼⒷ
fermé dim. soir et lundi – **Repas** 19/44 ⒴, enf. 8

ÉPINE *51 Marne* 🔢 ⑱ – *rattaché à Châlons-en-Champagne.*

ÉPINE *85 Vendée* 🔢 ① – *voir à Noirmoutier (Ile de).*

ÉPINEAU-LES-VOVES *89 Yonne* 🔢 ④ – *rattaché à Joigny.*

ÉPINOUZE *26210 Drôme* 🔢 ② – 1 096 h alt. 208.
Paris 528 – Grenoble 77 – Lyon 68 – St-Étienne 86 – Valence 62.

🏠 **Galliffet** ⒮, ℰ 04 75 31 72 98, *j.j.galliffet@libertysurf.fr, Fax 04 75 31 62 30*, 🍴, 🌲 – ⏢
ⓣⓥ & ℗. ⒼⒷ
Repas (fermé sam.) (déj. seul.) 10/31 ⒥ – ⊒ 6 – **19 ch** 40/47 – ½ P 39

QUEURDREVILLE-HAINNEVILLE *50 Manche* 🔢 ① – *rattaché à Cherbourg-Octeville.*

ERBALUNGA *2B H.-Corse* 🔢 ② – *voir à Corse.*

ERDEVEN *56410 Morbihan* 🔢 ① – 2 523 h alt. 18.
🅱 *Office du tourisme 7 rue Abbé-Le-Barh ℰ 02 97 55 64 60, Fax 02 97 55 66 75, ot.erdeven*
@wanadoo.fr.
Paris 492 – Vannes 34 – Auray 15 – Carnac 10 – Lorient 27 – Quiberon 20 – Quimperlé 46.

🏠 **Voyageurs**, r. Océan ℰ 02 97 55 64 47, *Fax 02 97 55 64 24* – ⓣⓥ ℗. ⒼⒷ
18 mars-30 sept. – **Repas** 9/22,60 ⒴, enf. 6,10 – ⊒ 5,50 – **20 ch** 27,45/45 – ½ P 35,40/43

ERMENONVILLE *60950 Oise* 🔢 ⑫, 🔢 ⑨ G. Ile de France – 830 h alt. 92.
Voir *Mer de Sable*★ - *Forêt d'Ermenonville*★ - *Abbaye de Chaalis*★★ N : 3 km.
🅱 *Office du tourisme rue René de Girardin ℰ 03 44 54 01 58, Fax 03 44 54 04 96.*
Paris 51 – Compiègne 42 – Beauvais 70 – Meaux 25 – Senlis 14 – Villers-Cotterêts 38.

à **Ver-sur-Launette** *Sud : 3 km par D 84* – 1 006 h. alt. 85 – ⊠ 60950 :

XX **Rabelais**, 3 pl. Église ℰ 03 44 54 01 70, *Fax 03 44 54 05 20* – ▣ ⒼⒷ
fermé 29 juil. au 19 août, dim. soir et merc. – **Repas** 24 (déj.), 28,50/46 ⒴

ERMITAGE FRÈRE JOSEPH *88 Vosges* 🔢 ⑰ – *rattaché à Ventron.*

ERNÉE 53500 Mayenne 59 ⑲ *G. Normandie Cotentin – 5 703 h alt. 120.*

🛈 *Office du tourisme Place de la Mairie ℘ 02 43 08 71 17.*
Paris 304 – Domfront 46 – Fougères 22 – Laval 32 – Mayenne 26 – Vitré 31.

XX **Grand Cerf** avec ch, 19 r. A.-Briand ℘ 02 43 05 13 09, Fax 02 43 05 02 90 – 📺 ✆ 🚗 🏨 JCB, ⅏ ch
fermé 15 au 31 janv., dim. soir et lundi sauf hôtel en saison – Repas (13) - 18,50/29 ♈, enf – ⌓ 6,50 – **7 ch** 32,50/42 – ½ P 55/61

à La Coutancière *Est : 9 km sur N 12 – ⊠ 53500 Vautorte :*

X **Coutancière,** ℘ 02 43 00 56 27, Fax 02 43 00 66 09 – 🄿, GB
fermé 15 juil. au 7 août, 22 fév. au 2 mars et merc. – Repas 14,64/33,84 ♈, enf. 8,38

ERQUY 22430 C.-d'Armor 59 ④ *G. Bretagne – 3 760 h alt. 12.*

Voir *Cap d'Erquy* ★ *NO : 3,5 km puis 30 mn.*
🛈 *Office du tourisme Boulevard de la Mer ℘ 02 96 72 30 12, Fax 02 96 72 02 TOURISME.ERQUY@wanadoo.fr.*
Paris 452 – St-Brieuc 33 – Dinan 47 – Dinard 39 – Lamballe 21 – Rennes 101.

🏠 **Beauséjour,** 21 r. Corniche ℘ 02 96 72 30 39, Fax 02 96 72 16 30 – 📺 🄿, GB, ⅏
fermé 18 déc. au 4 janv., dim. soir et lundi 15 sept. au 15 juin – Repas 13,26/26 enf. 8,84 – ⌓ 6,10 – **16 ch** 41,16/48,78 – ½ P 44,97/51,07

XXX **L'Escurial,** bd Mer ℘ 02 96 72 31 56, Fax 02 96 63 57 92, ≼ – 🄰🄴 GB, ⅏
fermé 24 au 27 juin, 22 nov. au 7 janv., dim. soir sauf juil.-août et lundi – Repas 18/58 carte 43 à 58 ♈

à St-Aubin *Sud-Est : 2,5 km par rte secondaire – ⊠ 22430 Erquy :*

X **St-Aubin,** ℘ 02 96 72 13 22, Fax 02 96 63 54 31, 🌲, 🎋 – 🄿, 🄰🄴 GB
fermé 20 au 30 sept., 20 au 27 déc., 17 fév. au 3 mars, mardi soir, jeudi midi et merc. s juil.-août et lundi – Repas 13 (déj.), 19/34 ⅃

ERSTEIN ◐ 67150 B.-Rhin 62 ⑩ – *9 664 h alt. 150.*

🛈 *Office du tourisme 2 rue du Couvent ℘ 03 88 98 14 33, Fax 03 88 98 04 39, grandrioterstein@wanadoo.fr.*
Paris 513 – Strasbourg 26 – Colmar 49 – Molsheim 24 – St-Dié 68 – Sélestat 27.

🏨 **Crystal** 🅼, 41 av. Gare ℘ 03 88 64 81 00, hotel-crystal@wanadoo.fr, Fax 03 88 98 11 🌲 – 🛗 📺 ✆ ⅇ 🚗 🄿 – 🔒 25 à 50. 🄰🄴 GB, ⅏ rest
Repas *(fermé 1ᵉʳ au 21 août, en déc., vend. soir, sam. midi et dim.)* 13 (déj.), 15/38 ♈, enf. ⌓ 9 – **69 ch** 54/69 – ½ P 45

XXX **Jean-Victor Kalt,** 43 av. Gare ℘ 03 88 98 09 54, Fax 03 88 98 83 01 – 🍽 🄿, 🄰🄴 ⓞ GB
fermé 15 juil. au 12 août, 6 au 19 janv., merc. soir, dim. soir et lundi sauf fériés – Repas (déj.), 25/75 et carte 40 à 60 ♈

ERVAUVILLE 45 Loiret 61 ⑬ – *rattaché à Courtenay.*

Les ESCALDES-ENGORDANY 86 ⑭ – *voir à Andorre (Principauté d').*

ESPALION 12500 Aveyron 80 ③ *G. Midi-Pyrénées – 4 360 h alt. 342.*

Voir *Église de Perse* ★ *SE : 1 km.*
🛈 *Office du tourisme 2 rue Saint-Antoine ℘ 05 65 44 10 63, Fax 05 65 48 02 57, otespainfosud.fr.*
Paris 598 – Rodez 31 – Aurillac 69 – Figeac 93 – Mende 107 – Millau 81 – St-Flour 82.

🏠 **France** 🅼 sans rest, bd J. Poulenc ℘ 05 65 44 06 13, Fax 05 65 44 76 26 – 🛗 📺 ✆ 🕭 GB
⌓ 6,10 – **9 ch** 35,06/41,16

🏠 **Moderne,** bd Guizard ℘ 05 65 44 05 11, Fax 05 65 48 06 94 – 🛗, 🍽 rest, ✆ 🕭, GB
fermé 4 nov. au 11 déc. et 5 janv. au 4 fév. – **L'Eau Vive** *(fermé dim. soir et lundi)* Rep 18,5/40,5 ♈, enf. 8 – ⌓ 6 – **28 ch** 40/54 – ½ P 39/46

XX **Méjane,** r. Méjane ℘ 05 65 48 22 37, Fax 05 65 48 13 00 – 🍽, 🄰🄴 ⓞ GB
fermé 25 juin au 1ᵉʳ juil., vacances de fév., merc. de sept. à juin, lundi en juil.-août et d soir – Repas (15) - 21/48 ♈, enf. 10,50

ESPALY-ST-MARCEL 43 H.-Loire 76 ⑦ – *rattaché au Puy-en-Velay.*

ESQUIÈZE-SÈRE 65 H.-Pyr. 85 ⑱ – *rattaché à Luz-St-Sauveur.*

TAING 12190 Aveyron 🔟 ③ G. Midi-Pyrénées – 612 h alt. 313.

🛈 Syndicat d'initiative Rue François d'Estaing 🕾 05 65 44 03 22, Fax 05 65 44 03 22, syndicatinitiative.estaing@wanadoo.fr.

Paris 607 – Rodez 36 – Aurillac 60 – Conques 33 – Espalion 10 – Figeac 74.

St-Fleuret, face mairie 🕾 05 65 44 01 44, auberge.st.fleuret@wanadoo.fr, Fax 05 65 44 72 19, 🌾 – 🕻 🖘. ⓪ 🆖
mars-nov. et fermé dim. soir et lundi hors saison – Repas 14,94/42,69 ♀, enf. 7,65 – ☑ 5,35 – **14 ch** 42,69/45,73 – ½ P 37,80/42,38

Aux Armes d'Estaing, 🕾 05 65 44 70 02, remicatusse@wanadoo.fr, Fax 05 65 44 74 54 🖳 🆖
1er mars-15 nov. – Repas 10,70/30 ♂, enf. 5,80 – ☑ 5,30 – **36 ch** 35,10/48,80 – ½ P 33,50/47,30

TAING 65400 H.-Pyr. 🔠 ⑰ G. Aquitaine – 67 h alt. 970.

Voir Lac d'Estaing★ S : 4 km.

Paris 840 – Pau 69 – Argelès-Gazost 12 – Arrens 7 – Laruns 43 – Lourdes 24 – Tarbes 42.

Lac d'Estaing 🦢 avec ch, au Lac Sud : 4 km 🕾 05 62 97 06 25, Fax 05 62 97 06 25, <, 🏤 – 🖳, 🆖
1er mai-15 oct. – Repas 14/25 – ☑ 6 – **8 ch** 30/40, (en été : ½ pens.seul.) – ½ P 38/44

TÉRENÇUBY 64 Pyr.-Atl. 🔠 ③ – rattaché à St-Jean-Pied-de-Port.

Un automobiliste averti utilise le Guide Rouge Michelin de l'année.

TIVAREILLES 03190 Allier 🔠 ⑫ – 1 033 h alt. 90.

Paris 319 – Moulins 79 – Bourbon-l'Archambault 45 – Montluçon 11 – Montmarault 37.

Lion d'Or, N 144 🕾 04 70 06 00 35, Fax 04 70 06 09 78, 🏤 – 🖳 🆎 🆖
fermé 13 janv. au 5 fév., dim. soir et lundi – Repas 16/44 ♀

TRABLIN 38 Isère 🔳 ⑫ – rattaché à Vienne.

TRÉES-ST-DENIS 60190 Oise 🔠 ⑲ – 3 542 h alt. 70.

Paris 81 – Compiègne 17 – Beauvais 47 – Clermont 21 – Senlis 27.

Moulin Brûlé, 70 r. Flandres (N 17) 🕾 03 44 41 97 10, Fax 03 44 51 87 96, 🏤, 🌾 – 🆖
fermé 5 au 18 août, vacances de Toussaint, dim. soir, lundi et mardi – Repas (14,95) - 19,83/47,27 ♀

TAIN 55400 Meuse 🔠 ⑫ G. Alsace Lorraine – 3 709 h alt. 210.

🛈 Office du tourisme 31 rue Raymond Poincaré 🕾 03 29 87 20 80, Fax 03 29 87 20 80.

Paris 287 – Metz 49 – Briey 26 – Longwy 38.

Sirène, r. Prud'homme-Havette (rte Metz) 🕾 03 29 87 10 32, Fax 03 29 87 17 65, 🌾 – 📺 🖳. ⓪ 🆖
fermé 23 déc. au 1er fév., dim. soir et lundi – Repas 11/39 ♂, enf. 6,50 – ☑ 7 – **21 ch** 39/57 – ½ P 34/42

TAMPES ◈ 91150 Essonne 🔠 ⑩, 🔟🔟 ㊷ G. Ile de France – 21 839 h alt. 80.

Voir Collégiale Notre-Dame★.

Paris 51 – Fontainebleau 46 – Chartres 61 – Évry 35 – Melun 50 – Orléans 74 – Versailles 58.

Auberge de France, allée Coquerive, rte Pithiviers (N 191) 🕾 01 60 80 04 72, auberge.de.france@wanadoo.fr, Fax 01 60 80 04 77, 🏤 – ⅍, 🍴 rest, 📺 🕻 🖳 – 🏛 25. 🆎 🆖
Repas (13) - 16/36 ♀, enf. 6 – ☑ 6 – **50 ch** 50/63 – ½ P 44/63

Auberge de la Tour St-Martin, 97 r. St-Martin 🕾 01 69 78 26 19, Fax 01 69 78 26 07 – 🆎 🆖
fermé 12 au 25 août, sam. midi, dim. soir et lundi – Repas 31

Ormoy-la-Rivière au Sud : 5 km par D 49 et rte secondaire – 943 h. alt. 81 – ⊠ 91150 :

Auberge du Vieux Chaudron, 🕾 01 64 94 39 46, Fax 01 64 94 39 46, 🏤 – 🆖
fermé 19 août au 8 sept., jeudi soir , dim. soir et lundi – Repas 25,76

---

es ÉTANGS-DES-MOINES 59 Nord 🔳 ⑯ – rattaché à Fourmies.

ÉTANG-SUR-ARROUX 71190 S.-et-L. **69** ⑦ – 1 836 h alt. 277.

Voir Mont Beuvray : ※★★ (table d'orientation) G. Bourgogne.

🛈 Syndicat d'initiative Route de Toulon ℘ 03 85 82 29 38, espacinfo.etang71@wanadoo
Paris 305 – Chalon-sur-Saône 61 – Moulins 85 – Autun 18 – Digoin 50 – Mâcon 113.

✗ **Hostellerie du Gourmet** avec ch, rte Toulon ℘ 03 85 82 20 88, Fax 03 85 82 20 88-
℆. **GB**
fermé 10 au 30 nov. – **Repas** (fermé dim. soir et lundi) (9) - 10,52/28,81 ⚡ – �« 4,57 – 14
22,86/32,77 – ½ P 30,48/36,58

ETEL 56410 Morbihan **63** ① G. Bretagne – 2 165 h alt. 20.

🛈 Syndicat d'initiative Place des Thoniers ℘ 02 97 55 23 80, Fax 02 97 55 58 26.
Paris 495 – Vannes 37 – Lorient 26 – Quiberon 24.

🏚 **Trianon** ⍋, ℘ 02 97 55 32 41, Fax 02 97 55 44 71, ☞ – **TV** ℆ **P**. **GB**
Repas (fermé janv., dim. soir et lundi midi de nov. à mars) 13,72/34,72, enf. 10,67 – �« 7
– 24 ch 48,78/60,98 – ½ P 57,93/60,98

ÉTOILE-SUR-RHÔNE 26800 Drôme **77** ⑫ – 4 054 h alt. 170.

🛈 Office du tourisme 45 Grande Rue ℘ 04 75 60 75 14, Fax 04 75 60 70 12, off
tourisme.etoile@wanadoo.fr.
Paris 575 – Valence 12 – Crest 17 – Privas 35.

✗✗ **Vieux Four**, pl. Centre ℘ 04 75 60 72 21, Fax 04 75 60 72 21, ☞ – ▤. **GB**. ℀
fermé 6 au 27 août, 24 déc. au 1er janv., merc. soir, dim. soir et lundi – **Repas** 17,68/39,33

ÉTOUY 60 Oise **56** ① – rattaché à Clermont.

L'ÉTRAT 42 Loire **73** ⑲ – rattaché à St-Étienne.

ÉTRÉAUPONT 02580 Aisne **53** ⑯ – 933 h alt. 127.

🛈 Syndicat d'initiative ℘ 02 23 97 77 00, Fax 02 23 97 77 00.
Paris 185 – St-Quentin 50 – Avesnes-sur-Helpe 25 – Hirson 16 – Laon 43.

🏚 **Clos du Montvinage**, 8 rue Albert Ledant ℘ 03 23 97 91 10, contact@clos-du-m
vinage.fr, Fax 03 23 97 48 92, ☞, ☞ – **TV** ℆ & **P** – ⚞ 30. **AE GB**. ℀ ch
fermé dim. soir – **Auberge du Val de l'Oise** ℘ 03 23 97 40 18 (fermé 12 au 18 août, 1er
8 janv., 17 au 24 fév., dim. soir et lundi) **Repas** 18,50/34,30 ⚡, enf.11 – �« 6,70 – 20
48,05/76,25 – ½ P 48,05/56,80

ÉTRETAT 76790 S.-Mar. **52** ⑪ G. Normandie Vallée de la Seine – 1 615 h alt. 8 – Casino A.

Voir Le Clos Lupin★ – Falaise d'Aval★★★ – Falaise d'Amont★★.

🛈 Office du tourisme Place Maurice Guillard ℘ 02 35 27 05 21, Fax 02 35 28 87
ot-etretat@wanadoo.fr.
Paris 207 ③ – Le Havre 29 ④ – Bolbec 30 ③ – Fécamp 17 ② – Rouen 89 ②.

Plan page ci-contre

🏚 **Dormy House** ⍋, rte Le Havre ℘ 02 35 27 07 88, dormy.house@wanadoo
Fax 02 35 29 86 19, ⩤ falaise et mer, ☞, ⅍ – 卜 **TV** ℆ **P** – ⚞ 50. **AE GB**. ℀ rest   A
Repas 17,55 (déj.), 31,25/43,45, enf. 14,50 – �« 9,15 – 61 ch 57,17/125,80 – ½ P 63,30/93

🏠 **Ambassadeur** sans rest, 10 av. Verdun ℘ 02 35 27 00 89, Fax 02 35 28 63 69 – **TV P**.
GB   B
fermé 1er au 20 déc. – �« 7,62 – 19 ch 59,46/103,67

🏠 **Falaises** sans rest, bd R. Coty ℘ 02 35 27 02 77 – **TV**. **GB**   B
�« 5,50 – 24 ch 43/60

🏠 **Poste** sans rest, av. George V ℘ 02 35 27 01 34, Fax 02 35 27 76 28 – **TV** ℆. **AE GB** B
�« 7 – 16 ch 29/43

✗✗ **Galion**, bd R. Coty ℘ 02 35 29 48 74, Fax 02 35 29 74 48 – **AE GB**   B
fermé 15 déc. au 15 janv., mardi soir et merc. – **Repas** 19,10/35,90 ⚡

au Tilleul par ④ et D 940 : 3 km – 582 h. alt. 107 – ⊠ 76790 Étretat :

🏠 **St-Christophe** sans rest, ℘ 02 35 28 84 29, Fax 02 35 28 84 30 – **TV** ℆. **AE ⓪ GB**. ℀
�« 5,34 – 21 ch 44,21/47,26

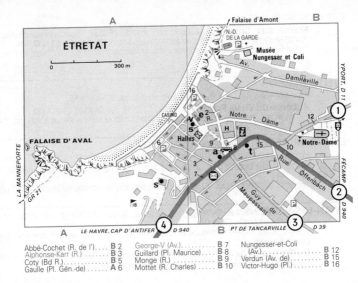

ÉTRETAT

Abbé-Cochet (R. de l')..... **B 2**	George-V (Av.)........... **B 7**	Nungesser-et-Coli
Alphonse-Karr (R.)........ **B 3**	Guillard (Pl. Maurice)... **B 8**	(Av.)............. **B 12**
Coty (Bd R.)............. **B 5**	Monge (R.)............... **B 9**	Verdun (Av. de)........ **B 15**
Gaulle (Pl. Gén.-de)..... **A 6**	Mottet (R. Charles)...... **B 10**	Victor-Hugo (Pl.)........ **B 16**

*Un automobiliste averti utilise le **Guide Rouge Michelin** de l'année.*

76260 S.-Mar. 52 ⑤ G. Normandie Vallée de la Seine – 8 081 h alt. 19.

Voir *Collégiale Notre-Dame et St-Laurent*⋆ – *Chapelle du Collège*⋆.

🛈 Office du tourisme 41 rue Paul Bignon ℘ 02 35 50 16 03.

Paris 177 – Amiens 87 – Abbeville 33 – Dieppe 34 – Rouen 102 – Le Tréport 5.

🏨 **Domaine du Pavillon de Joinville** ⤢, Ouest : 1 km par D 1915 ℘ 02 35 50 52 52, pavillon76@aol.com, Fax 02 35 50 27 37, 🌱, ⅃ゟ, ⌧, ⌧, ※, 🐾 – 📺 🅿 – 🔺 30 à 200. 🝰 ⅁Ⴆ. ※

Repas *(fermé janv., mardi midi, dim. soir et lundi) (dîner seul.)* 37,25, enf. 15,24 – ⌑ 13,72 – **26 ch** 90,71/132,63 – ½ P 162,36/222,58

🏨 **Cour Carrée** sans rest, Le Briquet, Sud-Ouest : 2 km par rte Dieppe ℘ 02 35 50 60 60, reservations@hotel-carree-eu.fr, Fax 02 35 50 60 61 – 📺 ℆ & 🅿. – 🔺 90. 🝰 ⅁Ⴆ ⅉⅭⒷ ⌑ 10,55 – **28 ch** 55/59,50

🏨 **Maine**, 20 pl. Gare ℘ 02 35 86 16 64, hotelmaine@aol.com, Fax 02 35 50 86 25, 🌱 – 📺 ℆ 🅿. 🝰 ⅁Ⴆ

Repas *(fermé 18 août au 3 sept. et dim. soir)* 14,50/38,10 ⅄ – ⌑ 6,40 – **18 ch** 39,64/56,41 – ½ P 50,31/54,12

JGÉNIE-LES-BAINS 40320 Landes 82 ① G. Aquitaine – 507 h alt. 65 – Stat. therm. (mi fév.-début déc.).

🛈 Office du tourisme Rue René Vielle ℘ 05 58 51 13 16, Fax 05 58 51 12 02.

Paris 736 – Mont-de-Marsan 26 – Aire-sur-l'Adour 12 – Dax 71 – Orthez 52 – Pau 59.

🏨 **Les Prés d'Eugénie** (Guérard) 🅼 ⤢, ℘ 05 58 05 06 07, guerard@relaischateaux.fr, Fax 05 58 51 10 10, ≼, 🌱, « Demeure du 19e siècle élégamment décorée - parc et ❀❀❀ "ferme" thermale », ⅃ゟ, ⌧, ※, 🐾 – 🛗 📺 ℆ 🅿 – 🔺 40. 🝰 ⅁ ⅁Ⴆ. ※

fermé 2 au 20 déc. et 5 janv. au 21 mars – *(menus minceur pour résidents seul.)* - **rest. Michel Guérard** (nombre de couverts limité, prévenir)(menu unique le midi) *(fermé lundi et mardi sauf août et fériés)* **Repas** 70(déj.), dîner sam. et dim. : 110/150 et carte 110 à 140 enf. 32 – ⌑ 28 – **29 ch** 285/300, 6 appart

Spéc. Huîtres "d'une bouchée" et papillote de farce fine truffée à l'ancienne. Poitrine de volaille des Landes cuisinée au lard sur la braise. Pêche blanche brûlée au sucre en Melba de fruits rouges. **Vins** Tursan blanc et rosé.

🏨 **Couvent des Herbes** 🅼 ⤢,,, ≼, « Ancien couvent du 18e siècle », 🐾 – 📺 ℆ 🅿. ※ rest fermé 2 au 20 déc. et 5 janv. au 7 fév. - voir **rest. Les Prés d'Eugénie et Michel Guérard** – ⌑ 28 – **5 ch** 360, 3 appart

🏨 **Maison Rose** 🅼 ⤢ (voir aussi rest. **Michel Guérard**), ℘ 05 58 05 06 07, guerard@relaischateaux.fr, Fax 05 58 51 10 10, « Ambiance guesthouse », ⌧, ※, 🐾 – cuisinette 📺 ℆ & 🅿 🝰 ⅁ ⅁Ⴆ

(fermé déc. et 5 janv. au 9 fév.) – **Repas** *(résidents seul.)* – ⌑ 17 – **31 ch** 90/160 – P 140/175

555

♘ **Ferme aux Grives** M ₾ avec ch, ₲ 05 58 05 05 06, guerard@relaischateau
Fax 05 58 51 10 10, 🍽, « Ancienne auberge de village », ℓ, ⚙, ₩ – 📽 ✖ 📡 – 📸
fermé 5 janv. au 7 fév. – Repas (fermé merc. et jeudi sauf du 11 juil. au 1er sept. et férié
– ⌜ 20 – **4 ch** 360/470

ÉVELLE 21340 C.-d'Or **70** ①.

Paris 312 – Beaune 15 – Autun 36 – Chalon-sur-Saône 32 – Dijon 59.

♘ **Auberge du Vieux Pressoir,** ₲ 03 80 21 82 16, Fax 03 80 21 82 16 – 📸
fermé en janv., vacances de fév., lundi midi, mardi midi et merc. – Repas 20/26, enf. 7,●

EVETTE-SALBERT 90350 Ter.-de-Belf. **66** ⑧ – 2 155 h alt. 390.

Paris 417 – Besançon 102 – Mulhouse 47 – Belfort 9 – Lure 28 – Montbéliard 32 – Thann

♘ **Auberge du Lac,** 27 r. Lac ₲ 03 84 29 14 10, Fax 03 84 29 14 10, ≤ le lac et les Balle
🍽 – 📸
fermé 15 au 30 oct., 2 janv. au 15 fév., mardi midi et lundi – Repas 13/24,40 ❿, enf. 7,60

ÉVIAN-LES-BAINS 74500 H.-Savoie **70** ⑧ G. Alpes du Nord – 7 273 h alt. 370 – Stat. the
(début fév.-mi nov.) – Casino B.

Voir Lac Léman★★★ – Promenade en bateau★★★ – L'escalier d'honneur★ de l'hôtel de В
Env. Falaises★★.

📘 Office du tourisme Place d'Allinges ₲ 04 50 75 04 26, Fax 04 50 75 61 08, otevian@ico
Paris 579 ① – Thonon-les-Bains 10 ① – Genève 44 ① – Montreux 39 ①.

ÉVIAN-LES-BAINS

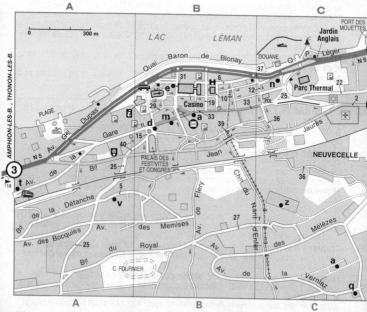

🏨 **Royal** ⏩, ✆ 04 50 26 85 00, hotelroyal@royalparcevian.com, Fax 04 50 75 38 40, ≤, 🍴,
🛁, 🔽, 🔲, 🎾, 🏖️-🛗 🚻 🅿 - 🔬 25 à 50. 🖭 ◑ ⌾ 🃏, 🛠 rest
C z
fermé 1er déc. au 7 fév. – voir rest. **Café Royal** *ci-après -* **Véranda** (rôtisserie) **Repas** 55 ⎅ –
Jardin des Lys (rest. diététique) **Repas** 55 ⎅ – 🖙 20 – **130 ch** 420/670, 24 appart –
½ P 255/380

🏨 **La Verniaz et ses Chalets** ⏩, rte Abondance ✆ 04 50 75 04 90, *verniaz@relais
chateaux.com*, Fax 04 50 70 78 92, ≤, 🍴, « Chalets isolés dans la verdure », 🔽, 🎾, 🏖️-🛗
🚻 🃏 🅿 - 🔬 15. 🖭 ◑ ⌾ 🃏
C q
11 fév.-11 nov. – **Repas** *(fermé mardi sauf juil.-août)* 35/65 ⎅ – 🖙 14 – **32 ch** 130/215,
5 chalets – ½ P 122/165

🏨 **Ermitage** ⏩, rte Abondance ✆ 04 50 26 85 00, hotelermitage@royalparcevian.com,
Fax 04 50 75 29 37, ≤ lac et montagnes, 🍴, « Parc », 🛁, 🔽, 🔲, 🎾, 🏖️- 🛗 🚻 🃏 🅿 -
🔬 25 à 100. 🖭 ◑ ⌾ 🃏, 🛠 rest
C a
fermé 11 nov. au 7 fév. – **Gourmandin** ✆ 04 50 26 85 54 **Repas** 42/64 ⎅, enf. 17,5 – 🖙 17 –
87 ch 200/600, 4 appart – ½ P 170/335

🏨 **Bourgogne,** pl. Charles Cottet ✆ 04 50 75 01 05, *bourgogne@wanadoo.fr,*
B d
Fax 04 50 75 04 05, 🏖️-🛗 🚻, 🖭 ◑ ⌾ 🃏
fermé 2 au 18 déc. et 3 janv. au 2 fév. – **Repas** *(fermé dim. soir et lundi)* 23,65/25,15 ⎅,
enf. 11,45 - **Brasserie** *(fermé lundi sauf du 15 juil. au 30 août)* **Repas** (10,70)- 11,89/
22,10 ⎅, enf. 8,40 – 🖙 6,10 – **31 ch** 77,75/86,90 – ½ P 61/67,10

🏨 **Alizé** Ⓜ, 2 av. J. Léger ✆ 04 50 75 49 49, alize.hotel@wanadoo.fr,
C n
▤ ch, 🃏 🚻. ⌾. 🛠
fermé 15 nov. au 31 janv. – **Grand Café** ✆ 04 50 75 46 73 *(fermé lundi et mardi sauf
juil.-août)* **Repas** 20,58/26,68 ⎅, enf. 8,99 – 🖙 6,40 – **22 ch** 81,55/89,20 – ½ P 69,20

🏨 **Littoral** Ⓜ sans rest, av. de Narvik ✆ 04 50 75 64 00, hlittoral@aol.com,
B e
Fax 04 50 75 30 04, ≤, 🏖️-🛗 🚻 🃏 ⌾. 🖭 ◑ ⌾
fermé 26 oct. au 5 nov. et 2 au 16 fév. – 🖙 7 – **30 ch** 68/86

🏨 **Oasis,** 11 bd Bennevy ✆ 04 50 75 13 38, hotel-oasis@excite.fr, Fax 04 50 74 90 30, ≤, 🍴,
🔽, 🌳 – 🚻 🅿 🅿. ⌾
A v
25 mars-6 oct. – **Repas** 16/22, enf. 7 – 🖙 6 – **19 ch** 73/95 – ½ P 55

🏨 **France** Ⓜ sans rest, 59 r. Nationale ✆ 04 50 75 00 36, hotel-france-evian@wanadoo.fr,
B a
Fax 04 50 75 32 47, 🌳 – 🛗 🚻 🃏 🅿. – 🔬 30. 🖭 ◑ ⌾ 🃏
fermé 15 nov. au 15 déc. – 🖙 6 – **45 ch** 58/70

🏨 **Continental** sans rest, 65 r. Nationale ✆ 04 50 75 37 54, hcontinental-evian@wanadoo.fr
B m
, Fax 04 50 75 31 11 – 🛗 🚻 🃏. 🖭 ⌾ 🃏, 🛠
fermé 1er au 15 janv. – 🖙 5 – **32 ch** 44/50

🏨 **Terminus,** 32 av. Gare ✆ 04 50 75 15 07, hotelterminusevian@wanadoo.fr,
A t
Fax 04 50 74 63 23 – 🛗 🚻. 🖭 ◑ ⌾
fermé 15 déc. au 5 janv. – **Repas** *(fermé dim. sauf juil.-août)* 11/20 ⎅, enf. 7 – 🖙 5,50 –
14 ch 38/54 – ½ P 40/43

🍴🍴 **Café Royal** - Hôtel Royal, ✆ 04 50 26 85 00, hotelroyal@royalparcevian.com,
Fax 04 50 75 38 40, 🍴, « Fresques "Belle Époque" » -🅿. 🖭 ◑ ⌾ 🃏, 🛠
fermé 1er déc. au 7 fév. – **Repas** 55/87 et carte 90 à 140 ⎅
Spéc. Perchaux à la farine de gaude grillée. Ecrevisses "pattes rouges" en gelée corsée.
Omble chevalier du lac Léman cuit meunière. **Vins** Roussette de Marestel, Mondeuse.

Grande-Rive par ① : 2 km – ✉ 74500 Évian-les-Bains :

🏨 **Panorama,** ✆ 04 50 75 14 50, Fax 04 50 75 59 12, ≤, 🍴, 🌳 – 🛗 🚻. 🖭 ⌾
fin avril-début oct. – **Repas** 12/30, enf. 8 – 🖙 5,50 – **28 ch** 46/58 – ½ P 50

ÉVISA *2A Corse-du-Sud* 🟩🟢 ⑮ *– voir à Corse.*

ÉVOSGES *01230 Ain* 🟨🟦 ④ *– 109 h alt. 750.*
Paris 484 – Aix-les-Bains 70 – Belley 38 – Bourg-en-Bresse 52 – Lyon 79 – Nantua 32.

🏨 **Auberge Campagnarde** ⏩, ✆ 04 74 38 55 55, mano-merloz@wanadoo.fr,
Fax 04 74 38 55 62, 🍴, 🌳, 🔽 – 🚻 🅿. ⌾, 🛠
fermé 12 nov. au 5 déc., 7 janv. au 6 fév., mardi soir et merc. (sauf hôtel) de mai à sept. –
Repas 21/43, enf. 10 – 🖙 14 – **14 ch** 28/62 – ½ P 40/54

ÉVREUX 🅿 *27000 Eure* 🟦🟦 ⑯ ⑰ *G. Normandie Vallée de la Seine – 51 198 h alt. 64.*
*Voir Cathédrale Notre-Dame** – Châsse** dans l'église St-Taurin – Musée** M.*
🛈 *Office du tourisme 1Ter place de Gaulle ✆ 02 32 24 04 43, Fax 02 32 31 28 45,
information@evreux-tourisme.org.*
Paris 99 ② – Rouen 55 ① – Alençon 120 ③ – Caen 134 ④ – Chartres 78 ③.

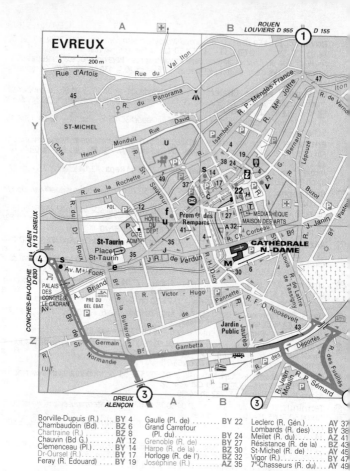

EVREUX

Borville-Dupuis (R.) .... BY 4	Gaulle (Pl. de) .... BY 22	Leclerc (R. Gén.) ...... AY 37
Chambaudoin (Bd).... BZ 6	Grand Carrefour	Lombards (R. des) .... BY 38
Chartraine (R.) .... BZ 8	(Pl. du) .... BY 24	Meilet (R. du).......... AZ 41
Chauvin (Bd G.) ...... AY 12	Grenoble (R. de) ...... BY 27	Résistance (R. de la) ... BZ 43
Clemenceau (Pl.) ...... BY 14	Harpe (R. de la) ...... BZ 30	St-Michel (R. de) ...... AY 45
Dr-Oursel (R.) .... BY 17	Horloge (R. de l') ...... BZ 32	Vigor (R.) .... BY 47
Feray (R. Édouard) .... BY 19	Joséphine (R.) .... AZ 35	7e-Chasseurs (R. du) ... AY 49

🏨 **Mercure** 🅼, bd Normandie ℰ 02 32 38 77 77, h1575@accor-hotels.c
Fax 02 32 39 04 53 – 📶 ⛌ ≡ 📺 📞 🔥 🚗 🅿 – 🔬 80. 🅰🅴 ⓪ 🆖
Repas (14,50) - 18/20, enf. 7 – 🖳 9 – **60 ch** 75/83   AZ

🍴🍴 **Michel Thomas**, 87 r. Joséphine ℰ 02 32 33 05 70, Fax 02 32 33 05 70 – 🆖   AZ
fermé 11 au 26 août et dim. – **Repas** (13 bc) - 18/36 🍷, enf. 11

🍴🍴 **Vieille Gabelle**, 3 r. Vieille Gabelle ℰ 02 32 39 77 13, Fax 02 32 39 77 13 –
🆖   BY
fermé 5 au 26 août, 26 déc. au 1er janv., sam. midi, dim. soir et lundi – **Repas** 12,96/22,87

🍴 **Gazette**, 7 r. St-Sauveur ℰ 02 32 33 43 40, Fax 02 32 33 43 40 – 🅰🅴 🆖   AY
fermé 5 au 26 août, sam. midi et dim. – **Repas** (13,50) - 16/35,83 🍷

🍴 **Bretagne**, 3 r. St-Louis ℰ 02 32 39 27 38, Fax 02 32 39 62 63 – 🅰🅴 ⓪ 🆖   BY
fermé 15 au 30 juil., vacances de fév., merc. soir et lundi – **Repas** 12,20/25,61 🍷, enf. 6,8

🍴 **Croix d'Or**, 3 r. Joséphine ℰ 02 32 33 06 07, Fax 02 32 31 14 27, 🌿 – 🅰🅴 🆖   AZ
Repas 10,21 (déj.), 13,26/30,34 🍶

à Parville par ④ : 4 km – 320 h. alt. 130 – ⌖ 27180 :

🍴🍴 **Côté Jardin**, rte Lisieux ℰ 02 32 39 19 19, Fax 02 32 31 21 85, 🌿 – 🅿 🆖
Repas (16) - 26/35 🍷, enf. 12

Use this year's Guide.

RON *53600 Mayenne* 60 ⑪ *G. Normandie Cotentin – 7 283 h alt. 114.*

Voir *Basilique Notre-Dame★ : chapelle N.-D.-de l'Épine★★.*

Office du tourisme Place de la Basilique ✆ 02 43 01 63 75, Fax 02 43 01 63 75, tourisme.evron@wanadoo.fr.

Paris 251 – Le Mans 55 – Alençon 57 – La Ferté-Bernard 98 – Laval 32 – Mayenne 25.

de Mayenne *6 km par D 7 – ✉ 53600 Mézangers :*

Relais du Gué de Selle, ✆ 02 43 91 20 00, *relaisduguedeselle@wanadoo.fr, Fax 02 43 91 20 10*, – 15 à 60. GB

fermé 24 déc. au 7 janv., vacances de fév., dim. soir, vend. soir et lundi d'oct. à mai – **Repas** 13,50 (déj.), 22/41 ♀, enf. 7,50 – ☕ 8 – **28 ch** 54/99, 6 duplex – ½ P 49/68

RY *91 Essonne* 61 ①, 101 ㊲, 106 ㉜ – *voir à Paris, Environs (Évry Agglomération d').*

BENS *38 Isère* 77 ⑤ – *rattaché à Grenoble.*

GALIÈRES *13810 B.-du-R.* 84 ① *G. Provence – 1 851 h alt. 134.*

Paris 706 – Avignon 28 – Cavaillon 14 – Marseille 87 – St-Rémy-de-Provence 12.

Mas de la Brune sans rest, rte St-Rémy par D 74^A : 1,5 km ✆ 04 90 90 67 67, masbrune@francemarket.com, *Fax 04 90 95 99 21*, « Belle demeure Renaissance dans un parc », – P. GB

fermé déc. et janv. – ☕ 13 – **10 ch** 200/230

Bastide M sans rest, rte Orgon (D 24^B) et chemin privé : 1 km ✆ 04 90 95 90 06, *Fax 04 90 95 99 77*, « Dans la garrigue, au pied des Alpilles », – P. GB.

mars-nov. – ☕ 10 – **12 ch** 62/92

Auberge de la Pierre Blanche, rte Orgon (D 24^B) : 3 km ✆ 04 90 95 93 17, bernadette.courdon@free.fr, *Fax 04 90 90 60 62*, – P. GB

avril-oct. – **Repas** 25/39 – ☕ 8 – **10 ch** 85 – ½ P 70

Mas Du Pastre sans rest, rte Orgon (D 24^B) : 1,5 km ✆ 04 90 95 92 61, *Fax 04 90 90 61 75*, – P. GB.

fermé 15 nov. au 15 déc. – ☕ 10 – **13 ch** 61/183

annexe Maison Roumanille sans rest, au village ✆ 04 90 95 92 61, *Fax 04 90 90 61 75* – GB

fermé 15 nov. au 15 déc. – ☕ 8 – **8 ch** 84/100

Bistrot d'Eygalières "Chez Bru" avec ch, r. République ✆ 04 90 90 60 34, *Fax 04 90 90 60 37*, – AE GB

fermé 3 au 8 août, 6 janv. au 15 mars, dim. soir d'oct. à mai, mardi de juin à sept. et lundi – **Repas** (nombre de couverts limité, prévenir) 64/73 et carte 60 à 75 – ☕ 12 – **4 ch** 99/160

Spéc. Tarte à la tomate confite et aux gambas (juin à sept.). Oeuf poché aux truffes, confit d'oignons et morue fraîche. Saint-Jacques marinées au foie gras (oct. à janv.). **Vins** Coteaux d'Aix-en-Provence.

'GUIÈRES *13430 B.-du-R.* 84 ① *G. Provence – 5 392 h alt. 75.*

Office du tourisme Place de l'Ancien Hôtel de Ville ✆ 04 90 59 82 44, Fax 04 90 59 89 07, ot.eyguieres@visitprovence.com.

Paris 721 – Avignon 40 – Aix-en-Provence 49 – Arles 45 – Istres 27 – Marseille 68.

Relais du Coche, pl. Monier ✆ 04 90 59 86 70, *Fax 04 90 45 09 50*, « Anciennes écuries » – AE GB

fermé 1er au 9 juil., 2 au 21 janv., mardi midi en juil.-août, dim. soir de sept. à juin et lundi – **Repas** 16 (déj.), 25/32, enf. 8

'MET *24500 Dordogne* 75 ⑭ *G. Périgord Quercy – 2 552 h alt. 54.*

Office du tourisme Place Gambetta ✆ 05 53 23 74 95, Fax 05 53 23 74 95, ot.eymet@perigord.tm.fr.

Paris 559 – Périgueux 72 – Arcachon 72 – Bayonne 240 – Bordeaux 100 – Dax 188.

Les Vieilles Pierres, rte de Marmande ✆ 05 53 23 75 99, *Fax 05 53 27 87 14*, – GB. ch

fermé vacances de fév. et 28 oct. au 10 nov. – **Repas** *(fermé dim. soir sauf 14 juil. au 25 août)* 9,50 (déj.), 19/34 ♀, enf. 7,50 – ☕ 5 – **9 ch** 29/45 – ½ P 33/37

'SINES *33 Gironde* 71 ⑨ – *rattaché à Bordeaux.*

Les EYZIES-DE-TAYAC 24620 Dordogne **75** ⑯ G. Périgord Quercy – 909 h alt. 70.

Voir *Musée national de Préhistoire★ – Grotte du Grand Roc★★ : ≼★ – Grotte de Font Gaume★*.

🛈 *Office du tourisme 19 avenue de la Préhistoire ℘ 05 53 06 97 05, Fax 05 53 06 9(ot.les.eyzies@perigord.tm.fr.*

Paris 513 – Périgueux 47 – Sarlat-la-Canéda 21 – Brive-la-Gaillarde 62 – Fumel 64.

   Centenaire (Mazère) Ⓜ (annexe 4 ch. ⟨S⟩, ≼ site des Eyzies, 🦌 🏊), ℘ 05 53 06 6(hotel.centenaire@wanadoo.fr, Fax 05 53 06 92 41, 🍽, « Bel aménagement intérieur »
🏊, 🦌 – ⊟ ch, 🏧 ⓥ 🄿 – 🍴 15. 🄰🄴 ⓪ 🄶🄱 🃏
début avril-début nov. – **Repas** (dîner seul sauf jeudi, sam., dim. et fériés) 34 (déj.), 58/11
carte 70 à 100 ♈ – ⊑ 17 – **14 ch** 110/230, 5 appart – ½ P 140/200
Spéc. Terrine chaude de cèpes du pays. Esturgeon caramélisé, crème de maïs blan(
caviar de truffe. Steak d'oie ''Rossini'', gratin de macaroni et galette de pommes de terr
vieux cantal. **Vins** Bergerac blanc, Pécharmant.

   Moulin de la Beune ⟨S⟩, ℘ 05 53 06 94 33, Fax 05 53 06 98 06, 🍽, « Ancien mo
dans un jardin au bord de la Brune », 🦌 – 🏧 ⓥ 🄿. 🄰🄴 ⓪ 🄶🄱. 🍽 rest
1ᵉʳ avril-1ᵉʳ nov. – **Au Vieux Moulin** (fermé mardi midi, merc. midi et sam. midi) Re
20,58/60,98 ♈ – ⊑ 6,40 – **20 ch** 45,73/59,46

   des Roches sans rest, rte Sarlat ℘ 05 53 06 96 59, hotel@roches-les-eyzies.c
Fax 05 53 06 95 54, « Jardin en bord de rivière », 🏊, 🦌 – 🏧 ⅚ 🄿. 🄶🄱. 🍽
13 avril-3 nov. – ⊑ 6,50 – **41 ch** 60/89

   Hostellerie du Passeur, ℘ 05 53 06 97 13, hostellerie-du-passeur@perigord.c
Fax 05 53 06 91 63, 🍽 – 🏧 ⓥ 🄿. 🄶🄱
début fév.-début nov. – **Repas** (fermé lundi et mardi midi sauf en saison) 19 (déj.), 21/4(
enf. 10 – ⊑ 6,50 – **19 ch** 50/85 – ½ P 58/68

   Les Glycines, rte Périgueux ℘ 05 53 06 97 07, les-glycines-aux-eyzies@wanado(
Fax 05 53 06 92 19, ≼, 🍽, « Parc fleuri », 🏊, ♨ – 🏧 🄿. 🄶🄱
15 mars-15 nov. – **Repas** (fermé sam. midi et lundi midi) 21/46 ♈ – ⊑ 10 – **23 ch** 66/16(
½ P 71/87

à l'Est : *7 km par rte de Sarlat – ⊠ 24620 Les-Eyzies-de-Tayac* :

   Métairie, sur D 47 ⊠ . ℘ 05 53 29 65 32, bourgeade@wanadoo.fr, Fax 05 53 29 65
🍽 – 🄿. 🄰🄴 ⓪ 🄶🄱 🃏
fermé 11 nov. à début fév., dim. soir hors saison et lundi – **Repas** 10 (déj.), 18,50/30
enf. 8

à l'Ouest : *8 km par D 47, C 3 dir. Meyrals et rte secondaire – ⊠ 24620 Meyrals* :

   Ferme Lamy Ⓜ ⟨S⟩ sans rest, ℘ 05 53 29 62 46, ferme-lamy@wanadoo(
Fax 05 53 59 61 41, ≼, 🏊, 🦌 – 🏧 ⓥ 🄿. 🄰🄴 ⓪ 🄶🄱
⊑ 9 – **12 ch** 80/160

ÈZE 06360 Alpes-Mar. **84** ⑩, **115** ㉗ G. Côte d'Azur – 2 509 h alt. 390.

Voir *Site★★ – Sentier Frédéric Nietzsche★ – Le vieux village★ – Jardin exotique ⁕★★★*.
Env. *''Belvédère'' d'Èze ≼★★ : O : 4 km.*

🛈 *Office du tourisme Place de Gaulle ℘ 04 93 41 26 00, Fax 04 93 41 04 80, eze@v(
store.fr.*

Paris 944 – Monaco 8 – Nice 12 – Cap d'Ail 6 – Menton 18 – Monte-Carlo 8.

   Château de la Chèvre d'Or ⟨S⟩, r. Barri (accès piétonnier) ℘ 04 92 10 66 66, re
vation@chevredor.com, Fax 04 93 41 06 72, ≼ côte et presqu'île, 🍽, « Site pittoresc
dominant la mer », 🏊, 🦌 – ⊟ 🏧 ⓥ – 🍴 20. 🄰🄴 ⓪ 🄶🄱 🃏
mars-nov. – **Repas** (fermé merc. en mars et en nov.) (prévenir) 54 (déj.), 68/122 et carte ˆ
à 150 – ⊑ 23 – **33 ch** 400/720
Spéc. Fondant de pigeon et de foie gras de canard aux aubergines. Rouget bar
meunière et risotto de calmars. Longe d'agneau des Alpes de Haute-Provence farci
tomates et ail. **Vins** Côtes de Provence.

   Les Terrasses d'Eze Ⓜ ⟨S⟩, rte La Turbie par N 7 et D 45 : 1,5 km ℘ 04 92 41 55 55, i(
@terrasses-eze.com, Fax 04 92 41 55 10, ≼ mer, 🍽, « Terrasse et piscine panoramiques
🅵🅰, 🍽, 🍸 – ⊟ 🏧 ⓥ ⅚ 🄿 – 🍴 100. 🄰🄴 ⓪ 🄶🄱. 🍽 rest
Repas (*1ᵉʳ mars-31 oct. et fermé sam. et dim.*) (dîner seul.) 32/55 – ⊑ 20 – **75 ch** 175/2(
6 appart – ½ P 147/174,50

   Hermitage du Col d'Èze, Nord-Ouest : 2,5 km par D 46 et Gde Cornic(
℘ 04 93 41 00 68, Fax 04 93 41 24 05, ≼, 🏊, 🦌 – 🏧 🄿. 🄰🄴 🄶🄱
fermé déc. – **Repas** (15 fév.-15 oct. et fermé jeudi midi, vend. midi et lundi) 16/30 – **14**
53 – ½ P 37/44

Château Eza ⬧ avec ch, (accès piétonnier) ℘ 04 93 41 12 24, *chateza@webstore.fr,*
Fax 04 93 41 16 64, ≤ côte et presqu'île, 綜, « Terrasses dominant la baie » – ▤ 🖭 ⑭ ⓞ
⑭ ⑉
hôtel : 29 mars-4 nov. ; rest. : fermé 4 nov. au 1ᵉʳ déc., mardi et merc. du 25 déc. au 1ᵉʳ avril
– **Repas** 45 bc (déj.), 60/85 et carte 83,08 à 99,85 ⓨ – **7 ch** ⊂⊃ 350/600, 3 appart

L'Oliveto, pl. Gén. de Gaulle ℘ 04 92 41 50 40, *commercial@chevredor.com,*
Fax 04 92 41 50 45, 綜 – ▤. ⑭ ⑉
fermé 16 au 27 déc., 20 au 26 janv. et 10 au 16 fév. – **Repas** -cuisine italienne *(fermé mardi*
soir et merc. de sept. à mai, mardi midi, merc. midi et jeudi midi de juin à août) 30 (déj.)et
carte 35 à 50 ⓨ

Troubadour, r. du Brec (accès piétonnier) ℘ 04 93 41 19 03 – ⑉
fermé 30 juin au 9 juil., 23 nov. au 23 déc., 24 fév. au 5 mars, lundi sauf le soir d'avril à sept.
et dim. – **Repas** (prévenir) 27/38

GNON 08 Ardennes 🆉🆉 ⑱ – rattaché à Charleville-Mézières.

N-LÈS-MONTBARD 21 Côte-d'Or 🆖🆖 ⑦ – rattaché à Montbard.

AISE 14700 Calvados 🆖🆖 ⑫ G. Normandie Cotentin – 8 434 h alt. 132.
Voir *Château Guillaume-Le-Conquérant*★ – *Église de la Trinité*★.
🅱 *Office de tourisme - Le Forum Boulevard de la Libération* ℘ 02 31 90 17 26, *Fax 02 31 90*
98 70, falaise-tourism@mail.cpod.fr.
Paris 223 ③ – *Caen 36* ① – *Argentan 23* ③ – *Flers 37* ⑤ – *Lisieux 47* ① – *St-Lô 102* ①.

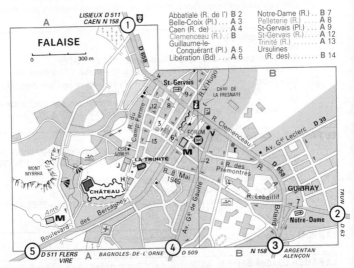

Abbatiale (R. de l')	**B** 2
Belle-Croix (Pl.)	**A** 3
Caen (R. de)	**A** 4
Clemenceau (R.)	**B**
Guillaume-le-Conquérant (Pl.)	**A** 5
Libération (Bd)	**A** 6
Notre-Dame (R.)	**B** 7
Pelleterie (R.)	**A** 8
St-Gervais (Pl.)	**A** 9
St-Gervais (R.)	**A** 12
Trinité (R.)	**A** 13
Ursulines (R. des)	**B** 14

Poste, 38 r. G. Clemenceau ℘ 02 31 90 13 14, *Fax 02 31 90 01 81* – 🖭 – 🛆 15. ⑭
⑉   **B V**
fermé 18 au 30 nov., 1ᵉʳ au 20 janv., dim. soir et lundi – **Repas** (11) - 14/37 ⓨ, enf. 8,50 –
⊂⊃ 6,86 – **15 ch** 44,21/55 – ½ P 43,45/45,75

Ibis Ⓜ, rd-pt de l'Attache par ① : 1,5 km ℘ 02 31 90 11 00, *h1678@accor-hotels.com,*
Fax 02 31 90 08 00, 綜 – ▤ ↳ 🖭 ⓥ ᕧ 🄿 – 🛆 15 à 50. ⑭ ⓞ ⑉
Repas (12) - 15 ⓨ, enf. 6 – ⊂⊃ 5,50 – **53 ch** 44

Fine Fourchette, 52 r. G. Clemenceau ℘ 02 31 90 08 59, *Fax 02 31 90 00 83* – ⑭
⑉   **B r**
fermé 8 au 28 fév. et mardi soir hors saison – **Repas** 13,57/51,99 et carte 32 à 47 ⓨ,
enf. 8,38

L'Attache, rte Caen par ① : 1,5 km ℘ 02 31 90 05 38, *Fax 02 31 90 57 19* – ▤ ⑉. ⋘
fermé 15 au 30 sept., mardi soir et merc. – **Repas** (nombre de couverts limité, prévenir)
14,48/29,37

au Sud-Ouest *par ⑤ et D 44, rte de Fourneaux-le-Val : 5 km –* ⊠ *14700 St-Martin-de-Mieux :*

🏠 **Château du Tertre** ⏿ *sans rest,* ℘ 02 31 90 01 04, *chateaudutertre@wanado* Fax 02 31 90 33 16, ≤, « *Château du 18ᵉ siècle dans un grand parc* », 🏊 – 🅿. 🆎 ⚌ 🎾 *avril-oct.* – ⏥ 11 – **9 ch** 92/148

Le FALGOUX *15380 Cantal* 🔟🔟 ② – *193 h alt. 930 – Sports d'hiver : 1 050 m* 🎿 *1* 🎿.
Voir *Vallée du Falgoux*★.
Env. *Cirque du Falgoux*★★ *SE : 6 km – Puy Mary* 🌲★★★ : *1 h AR du Pas de Peyrol*★★
12 km, G. Auvergne.
Paris 536 – Aurillac 56 – Mauriac 28 – Murat 34 – Salers 14.

🏠 **Eterlou** ⏿, ℘ 04 71 69 51 14, Fax 04 71 69 53 26, ≤, 🍴 – *cuisinette* 📺, 🆖
⊜ *1ᵉʳ avril-11 nov.* – **Repas** 11,50/25,50 ⏥, enf. 6,90 – ⏥ 6,10 – **10 ch** 56 – ½ P 46

🏕 **Voyageurs**, ℘ 04 71 69 51 59, ≤, 🍴 – 🆖
⊜ *fermé 10 nov. au 10 déc. et merc. soir sauf de mai à sept.* – **Repas** 13/20, enf. 7,65 – ⏥
– **14 ch** 26/40 – ½ P 30,50/33,55

FALICON *06950 Alpes-Mar.* 🔟🔟 ⑩, 🔟🔟🔟 ㉖ *G. Côte d'Azur – 1 644 h alt. 396.*
Voir *Terrasse* ≤★ *– Mont Chauve d'Aspremont* 🌲★★ *N : 8,5 km puis 30 mn.*
Paris 942 – Nice 12 – Aspremont 11 – Colomars 13 – Levens 19 – Sospel 42.

🍴🍴 **Bellevue**, ℘ 04 93 84 94 57, Fax 04 93 84 94 57, ≤, 🍴 – 🆎 🆖
fermé oct., le soir de nov. à mai, dim. soir de juin à sept. et lundi – **Repas** 18/23, enf. 1⁴

Une réservation confirmée par écrit ou par fax est toujours plus sûre.

Le FAOU *29580 Finistère* 🔟🔟 ⑤ *G. Bretagne – 1 571 h alt. 10.*
Voir *Site*★.
🅱 *Office du tourisme 10 rue du Général de Gaulle* ℘ 02 98 81 06 85.
Paris 561 – Brest 30 – Châteaulin 20 – Landerneau 22 – Morlaix 52 – Quimper 43.

🏠 **Beauvoir**, *pl. aux Foires* ℘ 02 98 81 90 31, *hotel-beauvoir@wanadoo.c*
Fax 02 98 81 92 93 – 🛗 📺 📞 – 🔨 15 à 100. 🆎 ⚌ 🆖. 🎾 *rest*
fermé 10 au 28 déc. et dim. – **Vieille Renommée** *(fermé dim. soir d'oct. à mai et lu*
midi) **Repas** 19/40 ⏥, enf. 11 – ⏥ 8 – **30 ch** 55/75 – ½ P 50/52

Le FAOUËT *56320 Morbihan* 🔟🔟 ⑰ *G. Bretagne – 2 806 h alt. 68.*
Voir *Chapelle St-Fiacre*★ : *jubé*★★ *SE : 2,5 km – Site*★ *de la chapelle Ste-Barbe NE : 3 km*
🅱 *Office du tourisme 1 rue de Quimper* ℘ 02 97 23 23 23, Fax 02 97 23 11 66, *OFFIC*
TOURISME.LEFAOUET@wanadoo.fr.
Paris 516 – Vannes 87 – Concarneau 45 – Lorient 39 – Pontivy 47 – Quimper 53.

🏠 **Croix d'Or**, ℘ 02 97 23 07 33, Fax 02 97 23 06 52 – 📺 📞 🆖. 🎾 *ch*
⊜ *fermé 15 déc. au 15 janv., dim. soir et lundi hors saison* – **Repas** 13,26/35,83 🍷 – ⏥ 6,8
11 ch 35,06/41,16 – ½ P 34,30

FARROU *12 Aveyron* 🔟🔟 ⑩ – *rattaché à Villefranche-de-Rouergue.*

La FAUCILLE (Col de)★★ *01 Ain* 🔟🔟 ⑮ *G. Jura – Sports d'hiver : (Mijoux-Lelex-la Faucille)* 9
1 680 m 🎿 *3* 🎿 *27* 🎿 *–* ⊠ *01170 Gex.*
Voir *Descente sur Gex*★★ *(N 5)* 🌲★★ *SE : 2 km – Mont-Rond*★★ *(accès par télécabine - g*
à 500 m au SO du col).
Paris 480 – Bourg-en-Bresse 107 – Genève 28 – Gex 11 – Morez 28 – Nantua 60.

🏠 **Mainaz** ⏿, *Sud : 1 km par N5* ℘ 04 50 41 31 10, *mainaz@club-internet*
Fax 04 50 41 31 77, ≤ *lac Léman et les Alpes*, 🍴, 🔅 – 🛗 📺 📞 🅿. 🆎 ⚌ 🆖
fermé 26 oct. au 12 déc., dim. soir et lundi sauf vacances scolaires – **Repas** 22/46 ⏥, enf.
– ⏥ 11 – **22 ch** 54/95 – ½ P 68,60/76,22

🏠 **Couronne**, ℘ 04 50 41 32 65, *hotel-de-la-couronne@wanadoo.fr*, Fax 04 50 41 32 47,
🍴, 🔅 – 📺 📞 🚗 🅿. 🆖
15 mai-15 sept. – **Repas** 19/35 – ⏥ 7 – **15 ch** 46/54 – ½ P 46

🏠 **Petite Chaumière** ⏿, ℘ 04 50 41 30 22, *info@petitechaumiere.co*
Fax 04 50 41 33 22, ≤, 🍴 – 🛗 📺 🅿. 🆖
fermé 2 au 28 avril et 14 oct. au 20 déc. – **Repas** 17/27 – ⏥ 8 – **34 ch** 47/57,50 – ½ P 57

ᴠERGES 74210 H.-Savoie **74** ⑯ ⑰ G. Alpes du Nord – 6 310 h alt. 507.

🛈 Office du tourisme Place Marcel Piquand 🕿 04 50 44 60 24, Fax 04 50 44 45 96, ot.faverges@wanadoo.fr.

Paris 566 – Albertville 20 – Annecy 28 – Megève 35.

🏨 **Florimont,** rte Albertville : 2,5 km 🕿 04 50 44 50 05, info@hotelflorimont.com, Fax 04 50 44 43 20, 🏡, ☞ – ⓶ 🔟 & 🅿 – 🔬 30. 🆎 ⓞ 🇬🇧 ⚑
Repas *(fermé dim. soir et sam.)* 19/46 ₰, enf. 8 – ⌷ 8,50 – **27 ch** 50/91 – ½ P 54/68

🏠 **Genève,** 34 r. République 🕿 04 50 32 46 90, hotel-de-geneve@wanadoo.fr, Fax 04 50 44 48 09, ☞ – ⓶ 🔟 & 🅿 – 🔬 25. 🆎 🇬🇧
fermé 21 déc. au 6 janv. – **Repas** *(fermé vend., sam. sauf juil.-août et dim.)* (dîner seul.) 13,50/17 ₰, enf. 6,60 – ⌷ 6 – **30 ch** 49/63 – ½ P 44/46,50

✕ **Carte d'Autrefois,** 25 r. Gambetta 🕿 04 50 32 49 98, Fax 04 50 32 49 98 – 🇬🇧
fermé 27 mai au 5 juin, 26 août au 3 sept., 2 au 8 janv., le soir en semaine du 15/10 au 31/03, dim. soir et lundi – **Repas** 14/20 ₰, enf. 7

Tertenoz Sud-Est : 4 km par D 12 et rte secondaire – ✉ 74210 Faverges :

✕✕ **Au Gay Séjour** ⚘ avec ch, 🕿 04 50 44 52 52, hotel-gay-sejour@wanadoo.fr, Fax 04 50 44 49 49, ≤, ☞ – 🔟 ❤ 🅿 🆎 ⓞ 🇬🇧 🇯🇨🇧 ⚑
fermé 17 nov. au 19 déc., dim. soir et lundi de sept. à juin sauf fériés – **Repas** 24/68 ₰ – ⌷ 10 – **11 ch** 44/78,50 – ½ P 75/83

ᴠERGES-DE-LA-TOUR 38 Isère **74** ⑭ – rattaché à La Tour-du-Pin.

FAVIÈRE 83 Var **84** ⑯,, **114** ㊽ – rattaché au Lavandou.

ᴠIÈRES 80120 Somme **52** ⑥ – 405 h alt. 1.
Voir Le Crotoy : Butte du Moulin ≤★ SO : 5 km, G. Picardie Flandres Artois.
Paris 210 – Amiens 74 – Abbeville 22 – Berck-Plage 28 – Le Crotoy 5.

✕✕ **Clé des Champs,** 🕿 03 22 27 88 00, Fax 03 22 27 79 36 – ▤ 🅿 🆎 ⓞ 🇬🇧
fermé 18 août au 10 sept., 2 au 16 janv., vacances de fév., dim. soir et lundi sauf fériés – Repas 13,72/38,11 ₰

ᴠONE 2A Corse-du-Sud **90** ⑦ – voir à Corse.

ᴠENCE 83440 Var **84** ⑦, **114** ⑪ ㉔, **115** ㉒ G. Côte d'Azur – 4 253 h alt. 350.
Voir ≤★ de la terrasse de l'Église.
🛈 Office du tourisme Place Léon Roux 🕿 04 94 76 20 08, Fax 04 94 84 71 86, ot.fayence@wanadoo.fr.
Paris 891 – Castellane 55 – Draguignan 30 – Fréjus 35 – Grasse 27 – St-Raphaël 37.

🏨 **Les Oliviers** sans rest, quartier La Ferrage (rte Grasse) 🕿 04 94 76 13 12, daniel.delavault1 @libertysurf.fr, Fax 04 94 76 08 05, 🌊 – ▤ 🔟 🅿 🇬🇧
fermé 15 nov. au 6 déc. – ⌷ 7 – **22 ch** 46/70

✕ **Farigoulette,** pl. Château 🕿 04 94 84 10 49, Fax 04 94 84 10 49, ☞ – 🇬🇧 ⚑
1er avril-30 sept. et fermé lundi – **Repas** (dîner seul.) 30/43

Ouest par rte de Seillans (D 19) et rte secondaire – ✉ 83440 Fayence :

🏨 **Moulin de la Camandoule** ⚘, à 2 km 🕿 04 94 76 00 84, moulin.camandoule@wana doo.fr, Fax 04 94 76 10 40, ≤, ☞, « Ancien moulin à huile », 🌊, ♨ – 🔟 ❤ 🅿 🇬🇧
Repas *(fermé 4 au 20 janv., merc. midi et jeudi midi)* 27/51 ₰ – ⌷ 12 – **11 ch** 85/152 – ½ P 100/121

✕✕✕ **Castellaras** (Carro), à 4 km 🕿 04 94 76 13 80, Fax 04 94 84 17 50, ≤, ☞, 🌊, ⛭ – 🅿 🆎 ⚘ ⓞ 🇬🇧
fermé 11 au 26 mars, 24 juin au 2 juil., 18 nov. au 10 déc., lundi sauf juil.-août et mardi – **Repas** 36,60/45,75 et carte 58 à 70 ₰
Spéc. Soupière chaude de coquillages et crustacés en croûte (hiver). Croustillant de queues de langoustines sauce homardine (printemps). Escalope de foie gras poêlée à la rhubarbe (été). **Vins** Côtes de Provence.

FAYET 74 H.-Savoie **74** ⑧ – voir à St-Gervais-les-Bains.

---

es prix	Pour toutes précisions sur les prix indiqués dans ce guide, reportez-vous aux pages explicatives.

FÉCAMP 76400 S.-Mar. 52 ⑫ *G. Normandie Vallée de la Seine* – 21 027 h alt. 15 – Casino **AZ**.

Voir *Abbatiale de la Trinité*★ – *Palais Bénédictine*★★ – *Musée des Terres-Neuvas et Pêche*★ **M³** – *Chapelle N.-D.-du-Salut* ☀★★ N : 2 km par D 79 **BY**.

🛈 *Office du tourisme 113 rue Alexandre Le Grand ℰ 02 35 28 51 01, Fax 02 35 27 0. fecamp-tourisme@wanadoo.fr.*

Paris 202 ③ – *Le Havre* 44 ③ – *Amiens* 162 ② – *Caen* 114 ③ – *Dieppe* 66 ① – *Rouen* 74

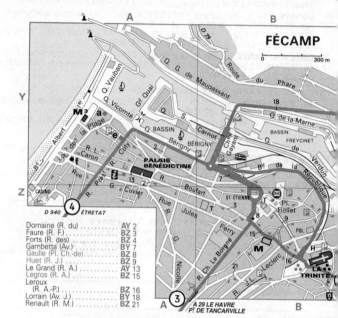

Domaine (R. du) . . . . **AY** 2
Faure (R. F.) . . . . **BZ** 3
Forts (R. des) . . . . **BZ** 4
Gambetta (Av.) . . . . **BY** 7
Gaulle (Pl. Ch.-de) . . . . **BZ** 8
Huet (R. J.) . . . . **BZ** 9
Le Grand (R. A.) . . . . **AY** 13
Legros (R. A.) . . . . **BZ** 15
Leroux
  (R. A.-P.) . . . . **BZ** 16
Lorrain (Av. J.) . . . . **BY** 18
Renault (R. M.) . . . . **BZ** 21

🏠 **Ferme de la Chapelle** ⅌, côte de la Vierge par ①, rte du Phare et D 79 : 2 ℰ 02 35 10 12 12, *fermedelachapelle@wanadoo.fr*, Fax 02 35 10 12 13, ≼, ⌇, 🍴 cuisinette 📺 🅿 – 🏄 15. 🆎 ❾❽
fermé 4 au 24 nov. – **Repas** *(fermé lundi)* 14,48 ⅏, enf. 9,15 – ➳ 6,86 – **17 ch** 59,45/80,8 studios – ½ P 51,85

🏠 **Plage** sans rest, 87 r. Plage ℰ 02 35 29 76 51, Fax 02 35 28 68 30 – 📶 📺 🆎 ⓞ ❾❽ ➳ 6 – **22 ch** 48/61
AY

✕✕✕ **Auberge de la Rouge** avec ch, par ③ : 2 km ℰ 02 35 28 07 59, *auberge.rouge@w. doo.fr*, Fax 02 35 28 70 55, 🍴, 🌿 – 📺 ✆ ⅗ 🅿 – 🏄 25. 🆎 ⓞ ❾❽
Repas *(fermé dim. soir et lundi)* 17 (déj.), 32/49 et carte 33 à 63 ⅏, enf. 10 – ➳ 6,50 – **8** 54

✕✕ **Plaisance**, 33 quai Vicomté ℰ 02 35 29 38 14, Fax 02 35 28 95 76, 🍴 – 🆎 ❾❽ AY
fermé 27 juin au 11 juil. , 13 fév. au 6 mars, mardi soir, jeudi soir et merc. – **Repas** (13, 15,25 (déj.), 22,13/35,82 ⅏, enf. 8,39

✕ **Le Vicomté**, 4 r. Prés. R. Coty ℰ 02 35 28 47 63 – ❾❽ AY
fermé 19 août au 2 sept., 23 déc. au 6 janv., merc. soir, dim. et fériés – **Repas** 14,20 ⅏

FEGERSHEIM 67 B.-Rhin 62 ⑩ – rattaché à Strasbourg.

FEISSONS-SUR-ISÈRE 73260 Savoie 74 ⑰ – 505 h alt. 407.

Paris 629 – *Albertville* 17 – *Bourg-St-Maurice* 38 – *Chambéry* 66 – *Moûtiers* 11.

✕✕✕ **Château de Feissons**, Sud : 2 km par rte secondaire ℰ 04 79 22 59 Fax 04 79 22 59 76, 🍴, « *Château médiéval restauré* », 🌿 – 🅿. 🆎 ❾❽
fermé dim. soir et lundi – **Repas** (17,42) - 25,92/52,59

Le Guide change, changez de guide tous les ans.

SSONS-SUR-SALINS 73350 Savoie 📖 ⑱ – 161 h alt. 1272.

Paris 647 – Albertville 36 – Annecy 81 – Bourg-St-Maurice 37 – Chambéry 85 – Moûtiers 10.

☖ **Balcon des 3 Vallées** ⴳ, ℘ 04 79 24 24 34, b3v@club-internet.fr, Fax 04 79 24 24 79, ≤, 佘 – **GB**

fermé 9 au 12 mai, vacances de Toussaint et merc. sauf le soir en saison – **Repas** 14,50/20 ⴲ – ⴲ 5,35 – **11 ch** 36,89/41,92 – ½ P 36,89/39,33

FEL 12 Aveyron 📖 ⑫ – *rattaché à Entraygues-sur-Truyères.*

DBACH 68640 H.-Rhin 📖 ⑳ ⓖ G. Alsace Lorraine – 401 h alt. 410.

Paris 461 – Mulhouse 34 – Altkirch 14 – Basel 32 – Belfort 45 – Colmar 73 – Montbéliard 41.

XX **Cheval Blanc,** ℘ 03 89 25 81 86, Fax 03 89 07 72 88, 佘 – ᒫ. **GB**

fermé 15 au 30 juil., 17 fév. au 4 mars, lundi et mardi – **Repas** 9 (déj.), 13/33 ⵣ, enf. 7

LICETO 2B H.-Corse 📖 ⑭ – *voir à Corse.*

NEYROLS 82140 T.-et-G. 📖 ⑲ – 166 h alt. 124.

Paris 645 – Cahors 64 – Limoges 251 – Lyon 427 – Montpellier 256 – Toulouse 95.

XX **Hostellerie Les Jardins des Thermes** ⴳ avec ch, ℘ 05 63 30 65 49, raffi-frederic@wanadoo.fr, Fax 05 63 30 60 17, 佘, ᒫ, – 🛏 🔟 🗪, 🄿. **GB**

fermé 1ᵉʳ au 15 oct. et janv. – **Repas** *(fermé mardi du 15 sept. au 1ᵉʳ mars et merc. du 15 sept. au 15 juin)* 15/33, enf. 9 – ⴲ 6 – **5 ch** 38/58 – ½ P 40/51

The Guide changes, so renew your Guide every year.

RAYOLA 2B H.-Corse 📖 ⑭ – *voir à Corse (Galéria).*

RE-EN-TARDENOIS 02130 Aisne 📖 ⑭ ⑮ ⓖ G. Picardie Flandres Artois – 3 356 h alt. 180.

Voir *Château de Fère*⋆ : *Pont-galerie*⋆⋆ N : 3 km.

🄸 Office du tourisme 18 rue Étienne-Moreau-Nelaton ℘ 03 23 82 31 57, Fax 03 23 82 28 19, tardenois@aol.com.

Paris 111 – Reims 51 – Château-Thierry 25 – Laon 56 – Soissons 27.

🏰 **Château de Fère** ⴳ, au Nord, 3 km par D 967 ℘ 03 23 82 21 13, chateau.fere@wanadoo.fr, Fax 03 23 82 37 81, ≤, 佘, « Belle demeure du 16ᵉ siècle, parc », ᒫ, ⚞, ᒫ – 🔟 ⴺ 🄿 – ᒫ 30. 🄰🄴 ⓞ **GB** 🄹🄲🄱

fermé 2 janv. au 12 fév. – **Repas** 31/80 ⵣ – ⴲ 16 – **19 ch** 150/290, 6 appart

---

RNEY-VOLTAIRE 01210 Ain 📖 ⑯ ⓖ G. Jura – 7 083 h alt. 430.

Voir *Château*⋆.

Env. *Genève*⋆⋆⋆.

✈ de Genève-Cointrin ℘ (00 41 22) 717 71 11, S : 4 km.

🄸 Office du tourisme 26 Grand'Rue ℘ 04 50 28 09 16, Fax 04 50 40 78 99, otferney@cc-pays-de-gex.fr.

Paris 500 – Thonon-les-Bains 43 – Bellegarde-sur-Valserine 37 – Genève 8 – Gex 11.

🏨 **Novotel** ⓜ, par D 35 rte de Meyrin ℘ 04 50 40 85 23, h0422@accor.hotels.com, Fax 04 50 40 76 33, 佘, ᒫ, ⚞, ⚞ – 🛏 🔟 ⴺ 🄿 – ᒫ 100. 🄰🄴 ⓞ **GB**

Repas 18,50 ⵣ, enf. 7,60 – ⴲ 10,50 – **80 ch** 90/98

🏨 **Médian** ⓜ, chemin de Colovrex (près douane) ℘ 04 50 28 00 50, Fax 04 50 42 88 93 – 🛗 ⚞ 🔟 ⴺ 🄿 – ᒫ 30. 🄰🄴 ⓞ **GB**. ⚞ rest

Repas *(11)* - 15 ⵣ, enf. 8,50 – ⴲ 8 – **57 ch** 108/129

🏨 **Campanile,** par D 35 et chemin Planche Brûlée ℘ 04 50 40 74 79, Fax 04 50 42 97 29, 佘 – ⚞ 🔟 ⴺ 🄿. 🄰🄴 ⓞ **GB**

Repas *(12)* -15,09/16,50 ⵣ, enf. 6 – ⴲ 6 – **62 ch** 63/67

XX **France** avec ch, 1 r. Genève ℘ 04 50 40 63 87, hotelfranceferney@wanadoo.fr, Fax 04 50 40 47 27, 佘 – 🄰🄴 ⓞ **GB**

fermé 22 déc. au 14 janv., lundi midi et dim. – **Repas** *(17)* - 20 (déj.), 28,20/40,40 ⵣ, enf. 7,70 – ⴲ 7,70 – **12 ch** 57/66 – ½ P 55

X **Chanteclair,** 13 r. Versoix ℘ 04 50 40 79 55, Fax 04 50 40 93 04 – **GB**

fermé 15 au 31 août, 22 déc. au 4 janv., dim. et lundi – **Repas** 24,39 (déj.), 28,97/54,98, enf. 10,64

FERRETTE *68480 H.-Rhin* **66** ⑨ ⑩ *G. Alsace Lorraine – 1 020 h alt. 470.*

Voir *Site★ – Ruines du Château* ⩽★.

🛈 *Syndicat d'initiative Route de Lucelle ℘ 03 89 08 23 88, Fax 03 89 40 33 84, inf*
risme@jura-alsacien.net.

Paris 467 – Mulhouse 40 – Altkirch 20 – Basel 26 – Belfort 51 – Colmar 83 – Montbéliard

à Ligsdorf *Sud : 4 km par D 432 – 297 h. alt. 520 – ⊠ 68480 :*

XX **Moulin Bas** ⧖ avec ch, 1. r. Raedersdorf ℘ 03 89 40 31 25, *info@le-moulin-ba*
Fax 03 89 40 37 15, 😤, « Ancien moulin au bord de l'Ill », ☞ – 📺 ❤ 🅿. **GB**
fermé lundi et mardi sauf fériés – **Repas** 29/58 ♀ – ☲ 9,20 – **8 ch** 62 – ½ P 62/67

à Moernach *Ouest : 5 km par D 473 – 536 h. alt. 470 – ⊠ 68480 :*

XX **Aux Deux Clefs** ⧖ avec ch, ℘ 03 89 40 80 56, Fax 03 89 08 10 47, 🐎 – 📺 🚗 🅿.
fermé 26 oct. au 9 nov. et vacances de fév. – **Repas** *(fermé merc. soir et jeudi)* 15/4
enf. 7,60 – ☲ 5,30 – **7 ch** 35/45,70 – ½ P 45,70/52

à Lutter *Sud-Est : 8 km par D 23 – 297 h. alt. 428 – ⊠ 68480 :*

XX **Auberge Paysanne** avec ch, r. Principale ℘ 03 89 40 71 67, Fax 03 89 07 33 38,
📺 🅿. **GB**
fermé 1ᵉʳ au 15 juil., vacances de fév. – **Repas** *(fermé mardi midi de mi-oct. à mi-mai*
lundi) 21/51 ♀, enf. 9,50 – ☲ – **7 ch** 37/47 – ½ P 45

Annexe Hostellerie Paysanne 🏠 ⧖ *sans rest.,* « Reconstitution d'une ancie
ferme alsacienne du 17ᵉ siècle », 🐎 – 📺 ❤ 🅿 – 🔏 20. **GB**
☲ 6 – **8 ch** 46/68 – ½ P 49/52

When looking for a hotel or restaurant use the most efficient method.
Look for the names of towns underlined in red
*on the **Michelin maps** scale: 1:200 000.*
But make sure you have an up-to-date map!

La FERRIÈRE *38580 Isère* **77** ⑥ *– 214 h alt. 926.*
Paris 608 – Grenoble 53 – Allevard 12.

au Curtillard *Sud : 2 km par D 525ᴬ – ⊠ 38580 La Ferrière :*

🏨 **Curtillard** ⧖, ℘ 04 76 97 50 82, hotel@curtillard.com, Fax 04 76 97 56 57, ⩽ massi
Belledonne, 😤, 🎀, 🛋, 🐎, 🎾 – cuisinette 📺 ❤ 🅿 – 🔏 25. 🖭 **GB**. 🛇
15 juin-15 sept. et 17 déc.-10 avril – **Repas** *(dîner seul.)* 18,50/22 ♀ – ☲ 8 – **11 ch**
9 studios – ½ P 59/71

La FERRIÈRE-AUX-ÉTANGS *61 Orne* **60** ① *– rattaché à Flers.*

FERRIÈRES-EN-BRIE *77 S.-et-M.* **61** ②, **101** ㉚ *– voir à Paris, Environs (Marne-la-Vallée).*

FERRIÈRES *45210 Loiret* **61** ⑫ *G. Bourgogne – 3 049 h alt. 96.*

Voir *Croisée du transept★ de l'église St-Pierre et St-Paul.*

🛈 *Office de tourisme pl. des Églises ℘ 02 38 96 58 86, Fax 02 38 96 60 39.*

Paris 102 – Auxerre 81 – Fontainebleau 43 – Montargis 12 – Nemours 27 – Orléans 84.

🏨 **Abbaye** ⧖, ℘ 02 38 96 53 12, Fax 02 38 96 57 63, 😤 – 📺 ❤ & 🅿 – 🔏 30. 🖭 **GB**
Repas 19/45 ♀, enf. 9,50 – ☲ 6,50 – **30 ch** 53/75 – ½ P 45/60

La FERTÉ-BERNARD *72400 Sarthe* **60** ⑮ *G. Châteaux de la Loire – 9 239 h alt. 90.*

Voir *Église N.-D.-des Marais★★.*

🛈 *Office du tourisme 15 place de la Lice ℘ 02 43 71 21 21, Fax 02 43 93 25 85, ot.la.fe*
bernard@wanadoo.fr.

Paris 165 – Le Mans 54 – Alençon 57 – Chartres 78 – Châteaudun 65.

XXX **Perdrix** avec ch, 2 r. Paris ℘ 02 43 93 00 44, restaurantlaperdrix@hotmail.c
Fax 02 43 93 74 95 – ■ rest, 📺 ❤ 🚗. **GB**
fermé fév., lundi soir et mardi – **Repas** 24,39/38,11 et carte 36 à 60 – ☲ 5,34 – **7**
38,11/51,83

XX **Dauphin**, 3 r. d'Huisne (secteur piétonnier) ℘ 02 43 93 00 39, Fax 02 43 71 26 65,
GB
fermé 15 au 31 août, dim. soir et lundi – **Repas** 15/37,50, enf. 11,50

FERTÉ-IMBAULT 41300 L.-et-Ch. 🔟 ⑲ – 1 035 h alt. 99.

🯄 Syndicat d'initiative 26 rue Nationale ℘ 02 54 96 26 82.

Paris 192 – Bourges 67 – Orléans 69 – Romorantin-Lanthenay 19 – Vierzon 24.

🏛 **Auberge A la Tête de Lard,** ℘ 02 54 96 22 32, Fax 02 54 96 06 22, 🌦 – 🍽 rest, 📺 ✆ 🅿️, 🅶🅱, 🕮 ch
fermé 6 au 20 sept., 23 janv. au 13 fév., dim. soir, mardi midi et lundi sauf fériés – **Repas**
19,80/45,70 ♀, enf. 5,50 – ☞ 6,10 – **11 ch** 44,20/71,70 – 1/2 P 44,20/59,50

FERTÉ-MACÉ 61600 Orne 🅶🅾 ① ② G. Normandie Cotentin – 6 679 h alt. 250.

🯄 Office du tourisme 11 rue de la Victoire ℘ 02 33 37 10 97, Fax 02 33 37 13 37.

Paris 237 ① – Alençon 46 ③ – Argentan 33 ① – Domfront 23 ④ – Falaise 41 ⑤ – Flers 26 ⑤.

LA FERTÉ-MACÉ

and-Macé (R.)	B 2	Clouet (R. du)	A 8	Leclerc (Pl. du Gén.) ...... B 15
e (R. de la)	B 4	De Contades (Bd Gérard) ... A 10	République
uvière (R.)	B 7	Fossés Nicole (R. des)	B 12	(Pl. de la) .... B 16
		Hautvie (R. d')	B	Teinture (R. de la) .... B 18
		Le Meunier de la Raillère		Val Vert (R. du) .... A 19
		(Av.)	B 13	4 Roues (R. des) .... B 21

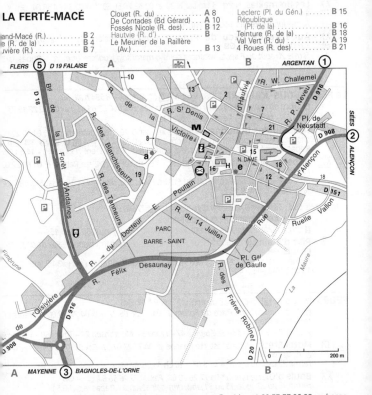

Auberge d'Andaines, rte Bagnoles-de-l'Orne par ③ : 2 km ℘ 02 33 37 20 28, auberge-audaines@hotmail.com, Fax 02 33 37 25 05, 🌦, 🌱 – 🅿️ – 🛎 30. 🅶🅱
fermé 15 janv. au 15 fév. et vend. du 1ᵉʳ nov. au 1ᵉʳ avril – **Repas** 14,50/30,50 ♀ – ☞ 5,35 – **15 ch** 29/53,40 – 1/2 P 38,20/42,70

🍴 **Auberge de Clouet** 🍃 avec ch, Le Clouet ℘ 02 33 37 18 22, Fax 02 33 38 28 52, 🌦,
« Terrasse fleurie » – 📺 🅿️, 🅰🅴 🅶🅱, 🕮 ch   A a
fermé dim. soir – **Repas** 16,77/60,98 ♀ – ☞ 6,86 – **6 ch** 39,64/53,66 – 1/2 P 52

🍴 **L'Espérance,** 13 r. Barre ℘ 02 33 37 38 21, Fax 02 33 37 38 24 – 🅶🅱   B e
fermé 25 au 31 mars, 30 juil. au 12 août, 1ᵉʳ au 8 nov., 21 au 28 déc., dim. soir et merc. –
Repas 8,50/28 ♀, enf. 7,62

Repas à prix fixes :
des menus à prix intermédiaires à ceux indiqués sont
généralement proposés.

epas 11/28

La FERTÉ-ST-AUBIN 45240 Loiret 64 ⑨ G. Châteaux de la Loire – 6 783 h alt. 114.

Voir *Château★*.

🅰 *Office de tourisme r. des jardins* ✆ *02 38 64 67 93, Fax 02 38 64 61 39.*

Paris 154 – Orléans 23 – Blois 63 – Romorantin-Lanthenay 45 – Salbris 34.

🏨 **L'Orée des Chênes** ⌾, Nord-Est : 3 km par rte Marcilly ✆ 02 38 64 84 00, oree-chenes@aol.com, Fax 02 38 64 84 20, ≤, 霖, « Parc avec étang », 🍴 – 📺 🆚 ⌖ 🅿 – 🔏 🗚 GB

fermé 20 déc. au 4 janv., 15 au 28 fév., dim. soir sauf hôtel de mars à oct. et lundi – Re 38/48, enf. 19 – ⌷ 10 – **24 ch** 73/85

XX **Ferme de la Lande**, Nord-Est : 3 km par rte Marcilly ✆ 02 38 76 64 Fax 02 38 64 68 87, 霖, « Ancienne ferme aménagée », 🍴 – 🅿. 🝙 GB
fermé 18 fév. au 4 mars – **Repas** 24,39/51,83 ⵟ, enf. 16,48

XX **Les Brémailles**, Nord : 3 km sur N 20 ✆ 02 38 76 56 60, Fax 02 38 64 68 04, 霖, 🍴 GB
fermé lundi – **Repas** 18/24 ⵟ, enf. 10

XX **Auberge de l'Écu de France**, 6 r. Gén. Leclerc (N 20) ✆ 02 38 64 69 GB Fax 02 38 64 09 54 – GB
fermé 20 août au 6 sept., vacances de fév., mardi soir, jeudi soir et merc. – **Repas** 13/3 enf. 9

La FERTÉ-SOUS-JOUARRE 77260 S.-et-M. 56 ⑬, 106 ㉔ – 8 584 h alt. 58.

🅰 *Office du tourisme 26 place de l'Hôtel de Ville* ✆ *01 60 22 63 43, Fax 01 60 22 19 73.*

Paris 67 – Melun 69 – Reims 85 – Troyes 123.

🏰 **Château des Bondons** ⌾, Est : 2 km par D 70, rte Montménard ✆ 01 60 22 00 chateau-des-bondons@club.internet.fr, Fax 01 60 22 97 01, 🍴 – 📺 🅿. 🝙 ⓪ GB JCB **Repas** (fermé début janv. à début fév., lundi et mardi) 34/61, enf. 13 – ⌷ 10 – **14 ch** 90/

XX **Auberge du Petit Morin**, Sud-Est : 1,5 km par D 204, rte Rebais ✆ 01 60 22 02 Fax 01 60 22 02 39, 霖, 🎄 – GB
fermé 26 août au 17 sept, 17 fév. au 3 mars, merc. soir, dim. soir et lundi sauf fériés – **Re** 16,77/38,11 ⵟ, enf. 9,15

à Jouarre Sud : 3 km par D 402 – 3 415 h. alt. 141 – ✉ 77640 :

Voir *Crypte★ de l'abbaye, G. Ile de France.*

🅰 *Office du tourisme Rue de la Tour* ✆ *01 60 22 64 54, Fax 01 60 22 65 15.*

🏨 **Plat d'Étain**, ✆ 01 60 22 06 07, hotel-le-plat-d-etain@wanadoo.fr, Fax 01 60 22 35
📺 🆚 🅿 GB
fermé 1ᵉʳ au 12 oct., 17 au 31 déc., dim. soir et vend. – **Repas** (11) - 15/34 ⵟ, enf. 8 – ⌷ **18 ch** 37/48 – ½ P 44

FEURS 42110 Loire 73 ⑱ G. Vallée du Rhône – 7 669 h alt. 343.

🅰 *Office du tourisme Place du Forum* ✆ *04 77 26 05 27, Fax 04 77 26 00 55, feurs.of tourisme@libertysurf.fr.*

Paris 437 – Roanne 38 – St-Étienne 47 – Lyon 65 – Montbrison 24 – Thiers 68 – Vienne 9

🏨 **Motel Etésia** M sans rest, rte Roanne ✆ 04 77 27 07 77, Fax 04 77 27 03 33, 🎄 – 📺 ⌖ 🅿. 🝙 ⓪ GB. ⌗
fermé 22 déc. au 6 janv. – ⌷ 5,03 – **15 ch** 35,06/42,69

XX **Boule d'Or**, rte Lyon ✆ 04 77 26 20 68, Fax 04 77 26 56 84, 霖 – GB
fermé 1ᵉʳ au 22 août, 15 au 31 janv., dim. soir et lundi – **Repas** 15,24/50,31

à Salt-en-Donzy Est : 5 km – 393 h. alt. 337 – ✉ 42110 :

X **Assiette Saltoise**, ✆ 04 77 26 04 29, Fax 04 77 26 04 29, 霖 – GB
🍴 *fermé vacances de fév., mardi soir et merc.* – **Repas** (9,15) - 12,20/20 🍴

FEY 57 Moselle 57 ⑬ – rattaché à Metz.

FIGEAC ⬗ 46100 Lot 79 ⑩ G. Périgord Quercy – 9 606 h alt. 214.

Voir *Le vieux Figeac★★ : hôtel de la Monnaie★ M¹, musée Champollion★ M² près de la p aux Écritures★ – Chapelle N.D.-de-Pitié★ dans l'église St-Sauveur.*

🅰 *Office du tourisme Place Vival* ✆ *05 65 34 06 25, Fax 05 65 50 04 58, figeac@wanadoo*

Paris 586 ⑥ – Rodez 66 ② – Aurillac 64 ① – Villefranche-de-Rouergue 36 ③.

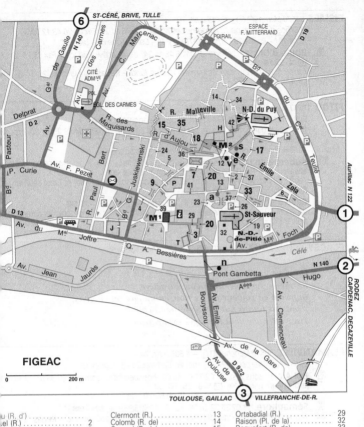

FIGEAC

0   200 m

🏰 **Château du Viguier du Roy** ❦, r. É. Zola **(e)** ☎ 05 65 50 05 05, *hotel@chateau-viguier-figeac.com*, Fax *05 65 50 06 06*, « Demeure ancienne aménagée avec élégance », ⊥, ☞ – ♨ ⇆, ▤ ch, 🖵 📞 🅿 – 🕰 30. 🆎 ⓪ 🇬🇧. ⋘
6 avril-28 oct. – voir rest. **Dînée du Viguier** – ☲ 17 – **18 ch** 130/230, 3 appart

🏨 **Champollion** Ⓜ sans rest, 3 pl. Champollion **(v)** ☎ 05 65 34 04 37, Fax *05 65 34 61 69* – 🖵 📞 🆎 ⓪ 🇬🇧
☲ 6 – **10 ch** 39/45

🏨 **Bains** sans rest, 1 r. Griffoul **(n)** ☎ 05 65 34 10 89, Fax *05 65 14 00 45* – 🖵 📞. 🆎 ⓪ 🇬🇧. ⋘
fermé 13 déc. au 13 janv., sam. et dim. du 11 nov. à fév. – ☲ 6 – **21 ch** 27,50/59

🍴 **Dînée du Viguier** - Hôtel Château du Viguier du Roy, r. Boutaric **(s)** ☎ 05 65 50 08 08, Fax *05 65 50 09 09*, 😤, « Aménagé dans une demeure historique » – ▤. 🆎 ⓪ 🇬🇧
fermé 20 au 26 nov., 22 janv. au 11 fév., lundi hors saison, sam. midi et dim. soir – **Repas** 23/57 ♀, enf. 10

🍴 **Cuisine du Marché,** 15 r. Clermont **(a)** ☎ 05 65 50 18 55, Fax *05 65 50 18 55*, 😤 – 🆎 ⓪ 🇬🇧 🇯🇨🇧
fermé dim. – **Repas** 14 (déj.), 21/29 ♂

569

FISMES 51170 Marne 56 ⑤ – 5 313 h alt. 70.

🖪 Office du tourisme 28 rue René Letilly 𝒫 03 26 48 81 28, Fax 03 26 48 12 09.
Paris 131 – Reims 29 – Château-Thierry 45 – Compiègne 69 – Laon 37.

🏠 **Boule d'Or**, 11 r. Lefèvre 𝒫 03 26 48 11 24, boule.or@wanadoo.fr, Fax 03 26 48 17
📺 ✆ AE ⓞ GB
fermé 3 au 17 fév., dim. soir, mardi midi et lundi – **Repas** (11) - 15 (déj.), 20/34 ₰, enf
⊇ 6,50 – **8 ch** 48/52 – ½ P 51

FITOU 11510 Aude 86 ⑨ ⑩ – 676 h alt. 38.
Env. Fort de Salses★★ SO : 11 km, G. Languedoc Roussillon.
🖪 Syndicat d'initiative Rue de la Mairie 𝒫 04 68 45 69 11, Fax 04 68 45 61 80, fitou@f
si.net.
Paris 829 – Perpignan 29 – Carcassonne 90 – Narbonne 40.

XX **Auberge de la Tour** avec ch, Les Cabanes de Fitou, N 9 𝒫 04 68 45 66 90, daniel.a
@wanadoo.fr, Fax 04 68 45 65 97, 🌬 – 📺 P. AE ⓞ GB
fermé 29 oct. au 8 déc., 2 janv. au 12 fév., dim. soir, mardi midi et lundi sauf juil.-ac
Repas 25/55 – ⊇ 7 – **6 ch** 60/64

X **Cave d'Agnès**, 𝒫 04 68 45 75 91, « Grange aménagée » – P. GB
⊛ 23 mars-29 sept. et fermé jeudi midi et merc. – Repas (nombre de couverts lin
prévenir) 19,50/25,60 ₰

FLAGEY-ÉCHEZEAUX 21 C.-d'Or 65 ⑳ – rattaché à Vougeot.

Dans ce guide
un même symbole, un même caractère,
*imprimé en couleur ou en **noir**, en maigre ou en **gras**,*
n'ont pas tout à fait la même signification.
Lisez attentivement les pages explicatives.

FLAMANVILLE 50340 Manche 54 ① – 1 683 h alt. 74.
Paris 372 – Cherbourg 27 – Barneville-Carteret 23 – Valognes 36.

🏠 **Bel Air** ⤳ sans rest, 𝒫 02 33 04 48 00, hotelbelair@aol.com, Fax 02 33 04 49 56, « I
jardin fleuri », 🌬 – ⇔ 📺 ✆ P. AE GB. ⋘
fermé 20 déc. au 15 janv. – ⊇ 8 – **15 ch** 55/70

X **Sémaphore**, 𝒫 02 33 52 18 98, Fax 02 33 52 36 39, ≤, 🌬 – GB
⊛ fermé 15 déc. au 31 janv., dim. soir ,mardi soir sauf juil.-août et lundi – **Repas** 12,80/23

FLAVIGNY-SUR-MOSELLE 54 M.-et-M. 62 ⑤ – rattaché à Nancy.

FLAYOSC 83 Var 84 ⑦,, 114 ⑳ – rattaché à Draguignan.

La FLÈCHE ⬛ 72200 Sarthe 64 ② G. Châteaux de la Loire – 15 241 h alt. 33.
Voir Prytanée militaire★ – Boiseries★ de la chapelle N.-D.-des-Vertus – Parc zoologiqu
Tertre Rouge★ 5 km par ② puis D 104.
Env. Bazouges-sur-le-Loir : pont ≤★, 7 km par ④.
🖪 Office du tourisme Boulevard de Montréal 𝒫 02 43 94 02 53, Fax 02 43 94 43
otsi-lafleche@libertysurf.fr.
Paris 246 ① – Angers 52 ④ – Le Mans 44 ① – Laval 70 ⑤ – Tours 70 ②.
Plan page ci-contre

🏨 **Relais Cicero** ⤳ sans rest, 18 bd Alger 𝒫 02 43 94 14 14, Fax 02 43 45 98
« Demeure du 17ᵉ siècle, belle décoration intérieure », 🌬 – 📺 AE GB
fermé 29 juil. au 13 août , 23 déc. au 6 janv. et dim. – ⊇ 9 – **20 ch** 67/103

XX **Moulin des Quatre Saisons**, r. Galliéni 𝒫 02 43 45 12 12, Fax 02 43 45 10 31, 🌬
AE GB
fermé vacances de Toussaint, 5 au 20 janv., merc. soir, dim. soir et lundi – **Repas** 16,62 (c
21,19/31,86

XX **Fesse d'Ange**, pl. 8 Mai 1945 𝒫 02 43 94 73 60, Fax 02 43 45 97 33 – ▦, GB
fermé 1ᵉʳ au 22 août, 1ᵉʳ au 12 fév., dim. soir , mardi soir et lundi – **Repas** 16,62 (c
26,37/32,78 ⛾

LA FLÈCHE

Pas de publicité payée dans ce guide.

ÉRÉ-LA-RIVIÈRE 36700 Indre 68 ⑥ – 594 h alt. 95.
Paris 278 – Tours 61 – Le Blanc 50 – Châtellerault 60 – Châtillon-sur-Indre 7 – Loches 17.

Relais du Berry, 2 rte Tours ℘ 02 54 39 32 57 – GB
fermé 2 au 12 sept., dim. soir, lundi et mardi – **Repas** 13/35 ⅃

ERS 61100 Orne 60 ① G. Normandie Cotentin – 16 947 h alt. 270.
🖪 Office du tourisme Place Charles de Gaulle ℘ 02 33 65 06 75, Fax 02 33 65 09 84, otsi.flers@wanadoo.fr.
Paris 236 ② – Alençon 72 ③ – Argentan 43 ② – Caen 60 ① – Laval 85 ④ – Vire 31 ⑥.

Plan page suivante

🏨 **Galion** ॐ sans rest, 5 r. V. Hugo ℘ 02 33 64 47 47, Fax 02 33 65 10 10 – 📺 📞 🕭 🚗 🅿 🖭
GB
AZ **b**
⌕ 5,50 – **30 ch** 37/43

🏨 **Lys d'Or** sans rest, 22 r. Gare ℘ 02 33 65 28 28, Fax 02 33 65 20 56 – 📺 📞 🅿 🖭 ⓞ
GB
AZ **e**
⌕ 4,60 – **12 ch** 30,50/45,75

🏨 **Beverl'inn,** 9 r. Chaussée ℘ 02 33 96 79 79, beverlinn@free.fr, Fax 02 33 65 94 89 – 📺
📞 GB ⅏ ch
AZ **s**
fermé 24 juil. au 6 août et 24 déc. au 4 janv. – **Repas** grill (fermé sam. midi et dim.) (8,08) -
11,73/21,19 ⅀, enf. 6,10 – ⌕ 4,57 – **16 ch** 29/38,10 – ½ P 31,04/34,30

FLERS

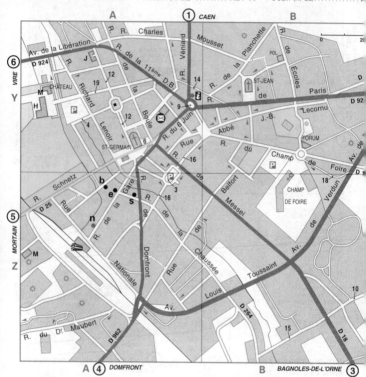

XX **Auberge Le Relais Fleuri,** 115 r. Schnetz, 1 km – AZ – ℘ 02 33 65 2
Fax 02 33 65 23 89, 🐦 – ⊞
fermé 29 juil. au 14 août, 6 au 19 janv., dim. soir et lundi – **Repas** 16,76/29,72

XX **Au Bout de la Rue,** 60 r. Gare ℘ 02 33 65 31 53, lebouleux@wanadoo
Fax 02 33 65 46 81 – ▤. ⊞
fermé sam.midi, dim. et fériés – **Repas** 18/23 ⅞, enf. 9

au Buisson-Corblin par ② : 3 km – ⊠ 61100 Flers :

XX **Auberge des Vieilles Pierres,** ℘ 02 33 65 06 96, aubergedesvieillespierres@wana
⊞ .fr, Fax 02 33 65 80 72 – ▤ **P.** ⅍ ⊞
fermé 4 au 27 août, vacances de fév., lundi et mardi – **Repas** 13,80/34, enf. 7,60

à La Ferrière-aux-Étangs par ③ : 10 km – 1 727 h. alt. 304 – ⊠ 61450 :

XX **Auberge de la Mine,** le Gué-Plat par rte Dompierre : 2 km ℘ 02 33 66 9
Fax 02 33 96 73 90 – **P.** ⅍ ⊙ ⊞
fermé 16 août au 4 sept., 2 au 25 janv., mardi et merc. – **Repas** 18/45, enf. 9,50

FLEURANCE 32500 Gers 🗓 ⑤ G. Midi-Pyrénées – 6 273 h alt. 97.
🚹 Office du tourisme 112 Bis rue de la République ℘ 05 62 64 00 00, Fax 05 62 06 2
Tourisme.Fleurance@mipnet.fr.
Paris 692 – Auch 25 – Agen 49 – Condom 34 – Montauban 66 – Toulouse 86.

Fleurance, rte Agen ℰ 05 62 06 14 85, *le.fleurance.hotel@libertysurf.fr*, Fax 05 62 64 05 12, 🍴, 🐴 – 📺 📞 🅿 – 🔏 30. GB
fermé 2 au 21 janv. – **Repas** *(fermé dim. soir de nov. à avril)* 15/39 ⊠, enf. 10 – ⊐ 7 – **23 ch** 40/70 – ½ P 50/61

Relais sans rest, rte Auch ℰ 05 62 06 05 08, *hotel-le-relais@wanadoo.fr*, Fax 05 62 06 03 84 – 📺 🅿. 🇦🇪 GB
fermé 21 déc. au 5 janv. et 22 fév. au 2 mars – ⊐ 4,60 – **24 ch** 28,20/42,70

EURIE 69820 Rhône 🔢 ① *G. Vallée du Rhône* – *1 190 h alt. 320.*
Paris 412 – *Mâcon 22* – *Bourg-en-Bresse 45* – *Lyon 61* – *Villefranche-sur-Saône 26.*

Grands Vins 🦢 sans rest, Sud : 1 km par D 119ᴱ ℰ 04 74 69 81 43, Fax 04 74 69 86 10, ≤, 🍷, 🐴 – 📺 🅿. GB. ⚹
fermé déc. et janv. – ⊐ 8,50 – **20 ch** 59,50/68,60

Cep (Mme Chagny), pl. Église ℰ 04 74 04 10 77, Fax 04 74 04 10 28 – 🍽. 🇦🇪 GB
fermé 1ᵉʳ au 8 août, 15 déc. au 15 janv. et lundi – **Repas** *(prévenir)* 21/40 et carte 30 à 50 ⊠, enf. 15
Spéc. Cuisses de grenouilles rôties aux fines herbes. Volaille fermière mijotée en coq au vin. Cassis du terroir en entremets. **Vins** Beaujolais blanc, Fleurie.

EURVILLE 71260 S.-et-L. 🔢 ⑲ ⑳ – *471 h alt. 174.*
Paris 377 – *Mâcon 17* – *Cluny 26* – *Pont-de-Vaux 8* – *St-Amour 43* – *Tournus 16.*

Château de Fleurville, ℰ 03 85 33 12 17, *fleurville@free.fr*, Fax 03 85 33 95 34, 🍴, 🍷, ⚹, 🐴, ₰ – 📺 🅿. 🇦🇪 GB
14 mars-17 nov. et fermé dim. soir, mardi midi et lundi du 17 mars au 21 avril et du 6 oct. au 17 nov. – **Repas** *(15)* - 25/42 ⊠, enf. 12 – ⊐ 9 – **15 ch** 89/149

Fleurvil avec ch, ℰ 03 85 33 10 65, Fax 03 85 33 10 37, 🍴 – 📺 🅿. 🇦🇪 GB
fermé 3 au 11 juin, 12 nov. au 10 déc., lundi et mardi – **Repas** 14/39 ⊠, enf. 9,50 – ⊐ 6 – **9 ch** 29/46 – ½ P 41/45

-Oyen-Montbellet Nord : 3 km par N6 – ✉ 71260 Lugny :

Chaumière avec ch, ℰ 03 85 33 10 41, Fax 03 85 33 12 99, 🍴, « Jardin fleuri », 🐴 – 📺 📞 🅿. GB
fermé jeudi midi et merc. – **Repas** 18,29/41,16 🍷 – ⊐ 6,86 – **9 ch** 39,64/59,46

EURY-SUR-ORNE 14 Calvados 🔢 ⑪ – *rattaché à Caen.*

ORAC ◁🆂🅿▷ 48400 Lozère 🔢 ⑥ *G. Languedoc Roussillon* – *1 996 h alt. 542.*
Env. *Corniche des Cévennes⋆.*
🅱 *Office du tourisme Avenue J. Monestier* ℰ 04 66 45 01 14, Fax 04 66 45 25 80, *otsi@ville-florac.fr.*
Paris 629 – *Mende 40* – *Alès 67* – *Millau 78* – *Rodez 123* – *Le Vigan 71.*

Grand Hôtel du Parc, ℰ 04 66 45 03 05, *grand-hotel-du-parc@wanadoo.fr*, Fax 04 66 45 11 81, 🍴, 🍷, 🐴 – 🛗 📺 📞 🅿 – 🔏 40. 🇦🇪 ⓞ GB. ⚹ ch
15 mars-30 nov. – **Repas** *(fermé dim. soir en saison sauf le soir en saison et mardi midi hors saison)* 15 (déj.), 20,60/30, enf. 8 – ⊐ 6,80 – **60 ch** 41,20/59,50 – ½ P 41,20/50,30

Gorges du Tarn, ℰ 04 66 45 00 63, *gorges-du-tarn.adonis@wanadoo.fr*, Fax 04 66 45 10 56 – cuisinette 📺 🅿. GB. ⚹
Pâques- Toussaint et fermé dim. soir sauf juil.-août – **L'Adonis :** Repas 16/47 ⊠, enf. 9,50 – ⊐ 6,50 – **27 ch** 29/41 – ½ P 33/39

Source du Pêcher, 1 r. Remuret ℰ 04 66 45 03 01, Fax 04 66 45 28 82, 🍴
Pâques-Toussaint et fermé merc. sauf juil.-août – **Repas** 19,82/30,49, enf. 10,67

ocurès Nord-Est : 5,5 km par N 106 et D 998 – *175 h. alt. 600* – ✉ 48400 :

Lozerette, ℰ 04 66 45 06 04, *lalozerette@wanadoo.fr*, Fax 04 66 45 12 93, 🐴 – 📺 🅿. 🇦🇪 ⓞ GB JCB. ⚹ rest
Pâques-Toussaint – **Repas** *(fermé mardi sauf le soir en juil.-août et merc. midi de sept. à juin)* 14,18 (déj.), 19,51/21,04 ⊠, enf. 10,04 – ⊐ 6,71 – **21 ch** 45/66,30 – ½ P 48/58

FLOTTE 17 Char.-Mar. 🔢 ⑫ – *voir à Ré (Ile de).*

URE 11 Aude 🔢 ⑧ – *rattaché à Carcassonne.*

FLUMET 73590 Savoie 🟤🟤 ⑦ G. Alpes du Nord – 769 h alt. 920 – Sports d'hiver : 1 000/2 030 m 🚡.

🅱 Office du tourisme Avenue de Savoie ℘ 04 79 31 61 08, Fax 04 79 31 84 67, resa@flu valdarly.cm.

Paris 584 – Chamonix-Mont-Blanc 42 – Albertville 22 – Annecy 51 – Megève 10.

🏨 **Hostellerie du Parc des Cèdres**, ℘ 04 79 31 72 37, Fax 04 79 31 61 66, ≤, 🚪, 🅿, 🝙 ⓪ 🆖 🗷
hôtel : 15/6-20/9 ; 20/12-6/1 et 7/2-17/3 ; rest. : 30/6-1er/9 ; 20/12-6/1 et 7/2-17/3 – R *(fermé le midi sauf dim.)* 15/28, enf. 8 – ☑ 8 – **20 ch** 39/60 – ½ P 55/60

à St-Nicolas-la-Chapelle Sud-Ouest : 1,2 km par N 212 – 418 h. alt. 950 – ☒ 73590 :

🏠 **Vivier**, sur N 212 ℘ 04 79 31 73 79, contact@hotelduvivier.fr, Fax 04 79 31 60 70, ≤, 🝙 🅿, 🅖🅑, 🚿
fermé 1er au 25 avril, 14 oct. au 1er déc., dim. soir et lundi hors saison – **Repas** 13/19 ☑ 6 – **20 ch** 42/48 – ½ P 40/43

FOIX 🅿 09000 Ariège 🟦🟦 ④ ⑤ G. Midi-Pyrénées – 9 109 h alt. 375.
Voir Site★ – ⁂★ de la tour du château – Route Verte★★ O par D17 A.
Env. Rivière souterraine de Labouiche★ NO : 6,5 km par D1.
🅱 Office de tourisme 29 r. Delcassé ℘ 05 61 65 12 12, Fax 05 61 65 64 63.
Paris 783 ① – Andorra-la-Vella 103 ② – Carcassonne 87 ① – St-Girons 44 ③.

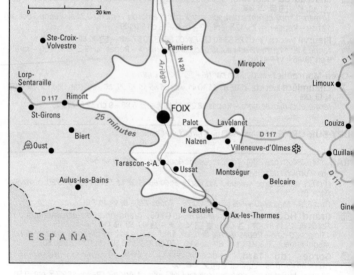

🏨 **Pyrène** sans rest, par ② : 2 km ℘ 05 61 65 48 66, hotel.pyrene@wanado Fax 05 61 65 46 69, 🚊, 🚪, 🛖 – 🝙 🅿, 🅖🅑
fermé 20 déc. au 20 janv. et dim. d' oct. au 10 mars – ☑ 6 – **20 ch** 45/54

🏨 **Lons**, 6 pl. G. Duthil ℘ 05 61 65 52 44, hotel-lons-foix@wanadoo.fr, Fax 05 61 02 68 🎐, 🍽 rest, 🝙 – 🔺 25. 🅰🅔 ⓪ 🅖🅑
fermé 21 déc. au 5 janv. – **Repas** *(fermé vend. soir et sam. midi)* 11,90/22,90 ☑ **- Brass du XIX siècle** *(fermé avril et dim.)* **Repas** 10,67/13,57 ☑, enf. 6,10 – ☑ 6,30 – **38 ch** 43 55,65 – ½ P 39,65/48,80

🍴🍴 **Ste-Marthe**, 21 r. N. Peyrévidal ℘ 05 61 02 87 87, restaurant@le-saintemarth Fax 05 61 05 19 00, 🌤 – 🅰🅔 ⓪ 🅖🅑 🆖
fermé 16 au 31 janv., mardi soir et merc. de sept. à mai – **Repas** 22,11/39,64, enf. 10,6

🍴🍴 **Phoebus**, 3 cours Irénée Cros ℘ 05 61 65 10 42, Fax 05 61 65 10 42, ≤ – 🔳
🅖🅑
fermé 15 juil.-15 août, sam. midi et lundi – **Repas** 18,30/35,83 ☑, enf. 9,15

FOIX

plans de villes
t orientés
ord en haut.

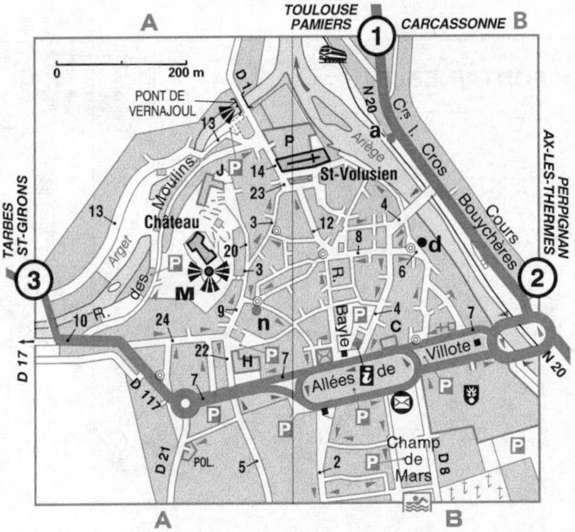

Sud *par ② : 7 km bifurcation N 20 et D 117 – ✉ 09000 St-Paul-de-Jarrat :*

Charmille avec ch, ☎ 05 61 64 17 03, *Fax 05 61 64 10 05* – TV P. AE ⊙ GB
fermé 1er au 8 juil., 29 sept. au 16 oct., 19 janv. au 5 fév., lundi sauf hôtel en saison et dim. soir hors saison – **Repas** 15/33 ♀, enf. 8 – ☕ 5,70 – **10 ch** 43 – 1/2 P 37

Col des Marrous *Ouest : 19 km par D 17 – ✉ 09000 Foix :*

Auberge Les Myrtilles ⛰, ☎ 05 61 65 16 46, *aubergelesmyrtilles@wanadoo.fr, Fax 05 61 65 16 46*, ←, 🌳, 🏊, 🪑 – TV P. GB. ✂ rest
fermé 4 nov. au 14 fév., lundi et mardi de fin sept. à mi-juin – **Repas** 14/23 ♀, enf. 7 – ☕ 6 – **7 ch** 49/63 – 1/2 P 43,50/50,50

FOLIE-COUVRECHEF *14 Calvados* 55 ⑭ *– rattaché à Caen.*

NCINE-LE-HAUT *39460 Jura* 70 ⑯ *– 945 h alt. 790.*
Paris 444 – Besançon 89 – Genève 76 – Lons-le-Saunier 61 – Pontarlier 41 – St-Claude 47.

Grand Chalet, au Sud : 2 km par rte secondaire ☎ 03 84 51 95 51, *grand.chalet@wanadoo.fr, Fax 03 84 51 93 58*, ←, 🌳, 🏋, 🏊, 🪑 – TV ♿ P – 🏢 30. GB. ✂
4 mai-28 sept. et 21 déc.-29 mars – **Repas** 14/23 ♀, enf. 6 – **31 ch** (1/2 pens. seul.), 26 duplex – 1/2 P 66

NDAMENTE *12540 Aveyron* 80 ⑭ *– 303 h alt. 430.*
Paris 681 – Montpellier 101 – Albi 110 – Millau 41 – Rodez 107 – St-Affrique 28.

Baldy avec ch, ☎ 05 65 99 37 38, *Fax 05 65 99 37 38* – TV. GB. ✂ ch
hôtel : 15 mars-15 oct. – **Repas** *(fermé 20 déc. au 20 fév., le soir du 15 oct. au 15 mars et sam. midi)* 12 bc (déj.)/33 bc, enf. 8,50 – ☕ 6 – **10 ch** 21/43 – 1/2 P 39/43

NTAINEBLEAU SP *77300 S.-et-M.* 61 ② ⑫, 106 ㊺ ㊻ *G. Île de France – 15 942 h alt. 75.*
Voir *Palais*** : Grands appartements*** (Galerie François 1er***, Salle de Bal***) – Jardins* – Musée napoléonien d'Art et d'Histoire militaire : collection de sabres et d'épées** **M**1 *– Forêt*** – Gorges de Franchard** 5 km par ⑥.*
Office du tourisme 4 rue Royale ☎ 01 60 74 99 99, Fax 01 60 74 80 22.
Paris 65 ⑦ – Melun 18 ① – Montargis 53 ④ – Orléans 90 ⑤ – Sens 55 ③.

Plan page suivante

Aigle Noir M, 27 pl. Napoléon ☎ 01 60 74 60 00, *hotel.aigle.noir@wanadoo.fr, Fax 01 60 74 60 01*, 🌳, « Bel aménagement intérieur », 🏋, 🏊 – ⇅ ✂ ≡ TV ☎ ♿ 🚗 – 🏢 50. AE ⊙ GB **AZ a**
Repas *(fermé du 23 au 31 déc. et le midi sauf dim.)* 38/58 ♀ – ☕ 17 – **53 ch** 198/230, 3 appart

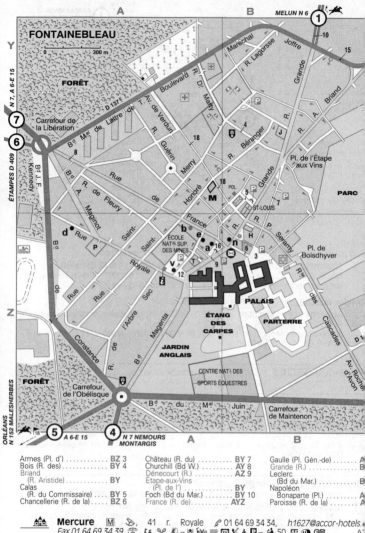

FONTAINEBLEAU

Armes (Pl. d')	**BZ** 3
Bois (R. des)	**BY** 4
Briand (R. Aristide)	**BY**
Calas (R. du Commissaire)	**BY** 5
Chancellerie (R. de la)	**BZ** 6
Château (R. du)	**BY** 7
Churchill (Bd W.)	**AY** 8
Dénecourt (R.)	**AZ** 9
Étape-aux-Vins (Pl. de l')	**BY**
Foch (Bd du Mar.)	**BY** 10
France (R. de)	**AYZ**
Gaulle (Pl. Gén.-de)	A
Grande (R.)	B
Leclerc (Bd du Mar.)	B
Napoléon Bonaparte (Pl.)	A
Paroisse (R. de la)	A

Mercure M ⟡, 41 r. Royale ☎ 01 64 69 34 34, *h1627@accor-hotels.* Fax 01 64 69 34 39, ☆, ╟, ⚒, ☎-│☀╳≡ TV ℀ & P - △ 50. AE ⓞ GB   A
Repas *(19)* - carte 31 à 41 ₰, enf. 8,40 - ☲ 11 - **91 ch** 112/135

Napoléon, 9 r. Grande ☎ 01 60 39 50 50, *napoleon@worldonline.fr*, Fax 01 64 22 2 ☆ - │☀ TV ℀ - △ 80. AE ⓞ GB JCB   B
Table des Maréchaux : Repas 25/40 ₰, enf. 12,50 - ☲ 12,50 - **57 ch** 108/136 - ½ P 181

Londres sans rest, 1 pl. Gén. de Gaulle ☎ 01 64 22 20 21, Fax 01 60 72 39 16, ⟨ - ☀ P. AE ⓞ GB, ✶   A
fermé 13 au 18 août et 23 déc. au 8 janv. - ☲ 10 - **12 ch** 105/135

Ibis M, 18 r. Ferrare ☎ 01 64 23 45 25, *h1028@accor-hotels.com*, Fax 01 64 23 42 22, │☀≡ TV ℀ & ⟳ - △ 40. AE ⓞ GB   A
Repas *(11,74)* - 15,09, enf. 5,94 - ☲ 5,94 - **81 ch** 48,02

Croquembouche, 43 r. France ☎ 01 64 22 01 57, Fax 01 60 72 08 73 - ≡. AE ✶   A
fermé août, vacances de Noël, dim. soir, jeudi midi et merc. - **Repas** *(14)* - 20/32 ₰

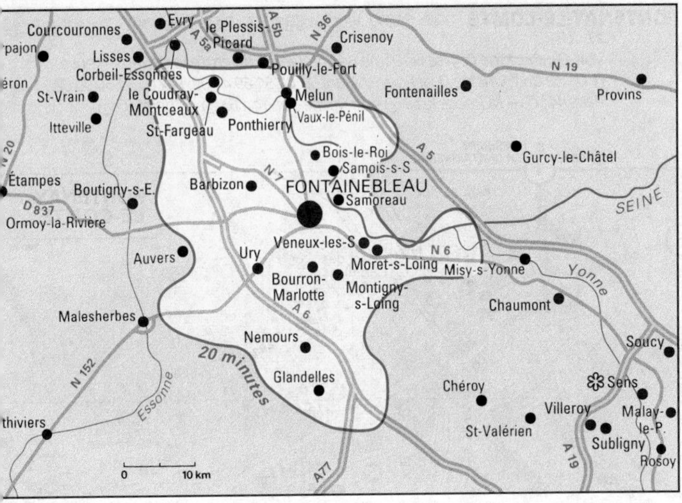

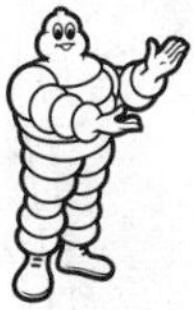

Write us...

If you have any comments on the contents of this Guide.

Your praise as well as your criticisms will receive careful consideration and, with your assistance, we will be able to add to our stock of information and, where necessary, amend our judgments.

Thank you in advance!

TAINE-DE-VAUCLUSE *84800 Vaucluse* 81 ⑬ *G. Provence – 610 h alt. 75.*

Voir *La Fontaine de Vaucluse★★ – Collection Casteret★ au Monde souterrain de Norbert Casteret – Église St-Véran★.*

Office du tourisme Chemin du Gouffre ✆ 04 90 20 32 22, Fax 04 90 20 21 37, officetourisme.vaucluse@wanadoo.fr.

Paris 702 – Avignon 33 – Apt 34 – Carpentras 21 – Cavaillon 13 – Orange 43.

X **Philip,** ✆ 04 90 20 31 81, *Fax 04 90 20 28 63*, ≤, 余, « Au pied des cascades » – GB
30 mars-29 sept. et fermé le soir sauf juil.-août – **Repas** 21/29, enf. 14

TANGES *15 Cantal* 76 ② *– rattaché à Salers.*

ONTANIL *38 Isère* 77 ⑤ *– rattaché à Grenoble.*

TENAILLES *77370 S.-et-M.* 61 ③ *– 887 h alt. 102.*

Paris 67 – Fontainebleau 31 – Coulommiers 35 – Melun 22 – Provins 27.

Golf Hôtel de Fontenailles M, Domaine du Bois Boudran Nord : 1 km ✆ 01 64 60 51 00, *Fax 01 60 67 52 12*, ≤, 余, parc, ⅼ₆, %, – , rest, TV ✆ ♿ P – 35. AE ⓓ GB JCB
fermé 24 déc. au 4 janv. – **Repas** *(17)* - 31/41 – ☕ 9,50 – **48 ch** 100/221, 3 appart – ½ P 110/202

Forge, rte Melun ✆ 01 64 08 44 11, *Fax 01 60 67 56 26*, 余 – TV ✆ P. GB.
fermé août, dim. soir et lundi – **Repas** 16/22,87 – ☕ 5,34 – **16 ch** 30,50/38,11 – ½ P 30,49

TENAI-SUR-ORNE *61 Orne* 60 ② *– rattaché à Argentan.*

FONTENAY-LE-COMTE 85200 Vendée 71 ① G. Poitou Vendée Charentes – 13
alt. 21.

Voir Clocher★ de l'église N.-Dame **B** – Intérieur★ du château de Terre-Neuve.
🛈 Office du tourisme Quai Poey-d'Avant ℰ 02 51 69 44 99, Fax 02 51 50 00 90.
Paris 443 ① – La Rochelle 51 ④ – La Roche-sur-Yon 63 ⑤ – Cholet 83 ①.

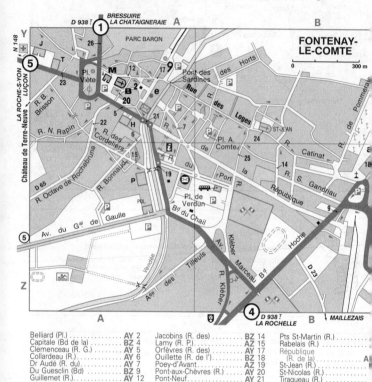

Belliard (Pl.) .... **AY** 2	Jacobins (R. des) .... **BZ** 14	Pts St-Martin (R.) ....
Capitale (Bd de la) .... **BZ** 4	Lamy (R. P.) .... **AZ** 15	Rabelais (R.) ....
Clemenceau (R. G.) ...... **BZ** 5	Orfèvres (R. des) .... **AY** 17	République
Collardeau (R.) .... **AY** 6	Ouillette (R. de l') .... **BZ** 18	(R. de la) .... A
Dr Audé (R. du) .... **AY** 7	Poey-d'Avant (R.) .... **AZ** 19	St-Jean (R.) ....
Du Guesclin (Bd) .... **BZ** 9	Pont-aux-Chèvres (R.) .... **AY** 20	St-Nicolas (R.) ....
Guillemet (R.) .... **AY** 12	Pont-Neuf .... **AY** 21	Tiraqueau (R.) ....

🏨 **Rabelais** M 🕭, rte Parthenay ℰ 02 51 69 86 20, rabelais85@aol.com, Fax 02 51 69 8
⬜ 🛏, ☎ – 📶 ⬚ 🔟 ₺ ⬚ 🅿 – 🛆 15 à 50. 🆎 ⑩ 🇬🇧. 🕷 rest E
Repas 14/25 ₺, enf. 7 – ⬚ 7 – **54 ch** 54/62 – ½ P 52

🍴🍴 **Aux Chouans Gourmets**, 6 r. Halles ℰ 02 51 69 55 92, Fax 02 28 13 02 08
🇬🇧 p
fermé 11 au 25 mars, 26 août au 9 sept. 7 au 13 janv., dim. soir et lundi – R
13,50/34,60 ₺, enf. 7

à St-Martin-de-Fraigneau par ③ et N 148 : 5 km – 787 h. alt. 35 – ⬚ 85200 :

🏨 **Les Eleis,** ℰ 02 51 53 03 30, hotel.leseleis@freesbee.fr, Fax 02 51 53 01 56, �, 🚗
🇬🇧 🕭 ₺ 🅿 🇬🇧
Repas snack (fermé 24 déc. au 5 janv., sam. soir et dim. de sept. à avril) (9,20) - 13 ₺ – ⬚
– **30 ch** 30,50/38,85 – ½ P 45,75

à Velluire par ④, D 938 ter et D 68 : 11 km – 508 h. alt. 9 – ⬚ 85770 :

🍴🍴🍴 **Auberge de la Rivière** M 🕭 avec ch, ℰ 02 51 52 32 15, Fax 02 51 52 37 42,
bordure de la Vendée » – 🔟. 🇬🇧
fermé 20 déc. au 2 mars, dim. soir (sauf hôtel) de sept. à juin et lundi sauf le so
juil.-août – Repas 19,10 (déj.), 31,30/38,90 et carte 40 à 50 ₺ – ⬚ 10,68 – **11 ch** 82
½ P 76,23/82,33

FONTENAY-SOUS-BOIS 94 Val-de-Marne 56 ⑪, 101 ⑰ – voir à Paris, Environs.

TEVRAUD-L'ABBAYE 49590 M.-et-L. **67** ⑨ *G. Châteaux de la Loire* – 1 189 h alt. 75.

Voir *Abbaye*★★ – *Église St-Michel*★.

🅱 *Office du tourisme Allée Ste-Catherine* ℘ 02 41 51 79 45, Fax 02 41 51 79 01, *officetou risme-fontevraud@libertysurf.fr*.

Paris 299 – Angers 78 – Chinon 21 – Loudun 22 – Poitiers 78 – Saumur 15 – Thouars 38.

🏨 **Prieuré St-Lazare** ⑤, dans l'Abbaye Royale ℘ 02 41 51 73 16, *contact@hotelfp-fontevraud.com*, Fax 02 41 51 75 50, « Dans l'ancien prieuré de l'abbaye », 🍴 – 📶 📺 📞 🅿 – 🛎 60. 🆎 🆚. ✂
31 mars-3 nov. – **Repas** *(15)* - 27/54 ♀ – ♀ 10 – **52 ch** 40/85 – ½ P 53,50/73,50

🏨 **Croix Blanche**, pl. Plantagenets ℘ 02 41 51 71 11, *snc.lacroixblanche@wanadoo.fr*, Fax 02 41 38 15 38, 🍴 – 🍽 rest, 📺 📞 🅿 – 🛎 50. 🆎 🆚
fermé 18 au 29 nov. et 13 janv. au 10 fév. – **Repas** *(8,90)* - 16/38,90 – ♀ 8,90 – **21 ch** 50/79,90 – ½ P 53,50/69,40

🍴🍴 **Licorne**, allée Ste-Catherine ℘ 02 41 51 72 49, Fax 02 41 51 70 40, 🍴, 🍴 – 🆎 ⓪ 🆚
❄ *fermé mi-déc. à fin janv., merc. soir hors saison, dim. soir et lundi* – **Repas** (nombre de couverts limité, prévenir) 25/66 et carte 45 à 65
Spéc. Ravioli de langoustines au basilic, sauce morilles. Ris d'agneau poêlés à la sauge (printemps). Tarte gratinée à la rhubarbe, sorbet fraise (été). **Vins** Saumur blanc, Saumur-Champigny.

🍴 **L'Abbaye "Le Délice"**, 8 av. Roches ℘ 02 41 51 71 04, Fax 02 41 51 43 10 – 🅿. 🆚
☕ *fermé 16 fév. au 14 mars, mardi soir et merc.* – **Repas** 10,67/25,15 ♀, enf. 7,62

TFROIDE (Abbaye de) 11 Aude **83** ⑬, **86** ② – *rattaché à Narbonne.*

TJONCOUSE 11360 Aude **86** ⑨ – 119 h alt. 298.

Paris 823 – Perpignan 66 – Carcassonne 57 – Narbonne 32.

🍴🍴 **Auberge du Vieux Puits** (Goujon) Ⓜ ⑤ avec ch, ℘ 04 68 44 07 37,
❄ Fax 04 68 44 08 31, 🌊 – 🍽 📺 📞 🔥 🅿 – 🛎 30. 🆎 ⓪ 🆚
fermé 2 janv. au 10 fév., lundi et mardi sauf juil.-août – **Repas** 35/68,50 et carte 62 à 82 ♀, enf. 14 – ♀ 14 – **8 ch** 114,50/191 – ½ P 124/178
Spéc. Galette d'estofinade en crème de verjus. Cannelloni à l'encre et lagoustine à la cardamome. Tête de cèpe à la jambe de noix de Saint-Jacques (automne). **Vins** Corbières, Minervois.

T-ROMEU 66120 Pyr.-Or. **86** ⑯ *G. Languedoc Roussillon* – 2 003 h alt. 1800 – Sports d'hiver : 1 710/2 200 m ≤️ 1 ≤️ 32 ☀️ – Casino.

Voir *Camaril*★★★, *retable*★ *et chapelle*★ *de l'Ermitage* – ☀️★★ *Calvaire.*

🅱 *Office du tourisme Avenue Emmanuel Brousse* ℘ 04 68 30 68 30, Fax 04 68 30 29 70, *free@wanadoo.fr.*

Paris 892 ② – Andorra la Vella 85 ② – Ax-les-Thermes 56 ② – Bourg-Madame 18 ②.

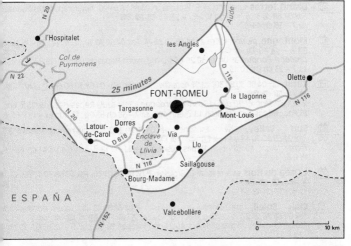

FONT-ROMEU

Allard (R. Henri) . . . . **BX** 2
Brousse (Av. Emmanuel) . . **BX** 3
Calvet (R.) . . . . **BX** 5

Capelle
(R. du docteur) . . . . **AX** 6
Cytises (R. des) . . . . **AX** 8
Ecureuils (R. des) . . . . . . **AX** 9
Espagne (Av.d') . . . . **AX**
Genêts d'Or (R. des) . . . . . **BY** 12

Liberté (R. de la) . . . .
Maillol (R.) . . . . E
République
(R. de la) . . . .
Saules (R. des) . . . .
Trombe (R. Professeur) . . . .

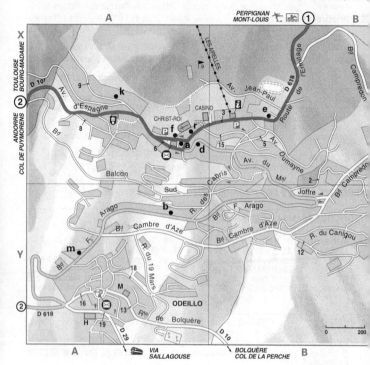

🏨 **Grand Tétras** sans rest, av. E. Brousse 🖉 04 68 30 01 20, *hotelgrandtetras@wanade*
Fax 04 68 30 35 67 – |♨| 📺 ✆ ⇦ – 🕸 40. 🎫 ⓪ ◑ ☁ GB
☕ 7 – **36 ch** 43/67
A

🏨 **Montagne,** av. Mar. Joffre 🖉 04 68 30 36 44, *Fax 04 68 30 14 14*, ≤, 𝄐, ◪ – |♨| cuisi*
📺 ఉ – 🕸 40. 🎫 ⓪ ◑ ☁ GB
A
Chalet à Fondue 🖉 04 68 30 26 63 *(fermé mardi)* **Repas** 11,89(déj.)/19,82 𝄐, enf. 7
☕ 7 – **23 ch** 61/70,13

🏨 **Carlit,** 🖉 04 68 30 80 30, *carlit.hotel@wanadoo.fr, Fax 04 68 30 80 68*, ◪, 🎏 – |♨|
🕸 40. 🎫 ◑ ☁ GB
A
2 mai-30 sept. et 10 déc.-15 avril – **Cerdagne** *(dîner seul.)* **Repas** *(15,25)*-19/25 𝄐, enf.
El Foc : **Repas** carte environ 18 𝄐, enf. 10 – ☕ 7 – **58 ch** 62/72, 12 duplex – ½ P 60/6

🏨 **Sun Valley,** av. Espagne 🖉 04 68 30 21 21, *pierre.mitjaville@wanade*
😍 *Fax 04 68 30 30 38*, 𝄐 – |♨| 📺 ⇦. ◑ ☁ GB. ❄ rest
A
fermé 10 oct. au 30 nov. – **Repas** *(résidents seul.)* 14/19 𝄐 – ☕ 8,40 – **41 ch** 69/76
½ P 69

🏨 **L'Orée du Bois** sans rest, av. E. Brousse 🖉 04 68 30 01 40, *Fax 04 68 30 41 60*, ≤ –
ఉ ⇦. 🎫 ◑ ☁ GB
B
☕ 6 – **37 ch** 48/51

🏨 **Clair Soleil,** rte Odeillo : 1 km 🖉 04 68 30 13 65, *clairsoleil2@wanade*
Fax 04 68 30 08 27, ≤ Cerdagne et four solaire, ◪, 🎏 – |♨| 📺 🅿. 🎫 ☁ GB. ❄ A
fermé 15 avril au 15 mai et 31 oct. au 21 déc. – **Repas** 19/30, enf. 9 – ☕ 6,50 – **29 ch** 4
– ½ P 45/53

🏠 **Y Sem Bé** ⌂, ℘ 04 68 30 00 54, *Fax 04 68 30 25 42*, ≤ Cerdagne, 🐦 – 📺 GB AX k
15 juin-22 sept., 26 oct.-3 nov. et 14 déc.-22 avril – **Repas** 15/18, enf. 11 – ⌒ 7 – **22 ch**
56/70 – ½ P 41/60

🏠 **Romarin**, rte d'Odeillo : 2,5 km ℘ 04 68 30 09 66, *hotel.leromarin@libertysurf.fr,*
Fax 04 68 30 18 52, ≤ Cerdagne, 🐦 – ℃ 🅿. 🖭 ⓞ GB AY m
Repas 12,50/15,50 Ⴘ – ⌒ 6 – **14 ch** 42/49 – ½ P 41/48

à Sud : 5 km par D 29 AY – ⌾ 66120 Font-Romeu :

🏠 **L'Oustalet**, ℘ 04 68 30 11 32, *Fax 04 68 30 31 89*, ≤, 🔟, 🐦 – 🛗 📺 ℃ 🅿. GB. 🞓 rest
1ᵉʳ juin-20 sept. – **Repas** (dîner seul.)(résidents seul.) 18 – ⌒ 6 – **26 ch** 35/46 – ½ P 43/47

rgasonne par ② : 4 km – 203 h. alt. 1600 – ⌾ 66120 :

🏠 **Tourane** ⌂, ℘ 04 68 30 15 03, *latourane@aol.com, Fax 04 68 30 55 07*, ≤ – 📺 🅿. 🖭 GB
fermé 30 sept. au 20 déc. – **Repas** 12 bc/27 ⅃ – ⌒ 6 – **28 ch** 30/39 – ½ P 32/38

NTVIEILLE 13990 B.-du-R. 🎯 ⑩ *G. Provence* – 3 456 h alt. 20.

Voir *Moulin de Daudet* ≤★.

Env. *Chapelle St-Gabriel*★ *N : 5 km.*

🄳 *Office du tourisme 5 rue Marcel Honorat ℘ 04 90 54 67 49, Fax 04 90 54 69 82,*
ot.fontvieille@visitprovence.com.

Paris 717 – Avignon 30 – Arles 10 – Marseille 95 – St-Rémy-de-Provence 18.

🏨 **Regalido** (Michel) ⌂, r. F. Mistral ℘ 04 90 54 60 22, *regalido@avignon-parwan.net,*
Fax 04 90 54 64 29, 🐦, « Jardin fleuri » 🐦 – 📺 🅿. 🖭 ⓞ GB JCB
fermé 3 janv. au 15 fév., sam. midi, mardi midi et lundi. – **Repas** 31 (déj.), 46/67 et carte 55 à
75 Ⴘ – ⌒ – **15 ch** 188/278 – ½ P 135/206
Spéc. Gratinée de moules aux épinards. Dos de loup à l'huile d'olive. Truffes fraîches de
Sommières (fév.-mars). **Vins** Coteaux d'Aix-en-Provence-les-Baux, Châteauneuf-du-Pape.

🏨 **Hostellerie St-Victor** ⌂ sans rest, chemin des Fourques par rte Arles
℘ 04 90 54 66 00, *aps@hotel-saint-victor.com, Fax 04 90 54 67 88*, 🔟, 🐦 – 📺 ⅙ 🅿. 🖭 ⓞ
GB JCB
⌒ 11 – **14 ch** 80/170

🏨 **Val Majour** sans rest, rte Arles ℘ 04 90 54 62 33, *contact@hotel-valmajour.com,*
Fax 04 90 54 61 67, 🔟, 🞓, 🕏 – 📺 🅿 – 🛗 30. 🖭 GB JCB
⌒ 9,15 – **32 ch** 60,98/91,47

🏠 **Daudet** M sans rest, 7 av. Montmajour ℘ 04 90 54 76 06, *Fax 04 90 54 76 95*, 🔟, 🐦 – ⅙
🅿. GB
29 mars-30 sept. – ⌒ 10 – **14 ch** 54/61

🏠 **Hostellerie de la Tour**, rte Arles ℘ 04 90 54 72 21, 🐦, 🔟 – 📺 🅿. GB
15 mars-31 oct. – **Repas** 8 (déj.)/17, enf. 8 – ⌒ 8 – **10 ch** 37/59 – ½ P 41,50/49

🍴 **Table du Meunier**, 42 cours Hyacinthe Bellon ℘ 04 90 54 61 05, *Fax 04 90 54 77 24*, 🐦
– ▤ 🅿. GB
fermé vacances de Toussaint, de fév., 20 au 27 déc., mardi de sept. à juin et merc. – **Repas**
(prévenir) 21/29 Ⴘ

🍴 **Cuisine au Planet**, 144 Grand'rue ℘ 04 90 54 63 97, *cuisineplanet@wanadoo.fr,*
Fax 04 90 54 63 97, 🐦 – ▤. 🖭 GB
1ᵉʳ mars-31 oct. et 20 déc.-15 janv. et fermé lundi sauf le soir en été et mardi midi – **Repas**
24/30, enf. 11

des Baux Est : 3 km par D 17 – ⌾ 13990 Fontvieille :

🏠 **Ripaille**, ℘ 04 90 54 73 15, *hotel@laripaille.com, Fax 04 90 54 60 69*, 🐦, 🔟 – 📺 🅿. GB
hôtel : 15 mars-31 oct. ; rest. : 23 mars-31 oct. et fermé merc. midi sauf juil.-août – **Repas**
15/23 Ⴘ, enf. 9 – ⌒ 8 – **20 ch** 53/69 – ½ P 58,50/64

de Tarascon Nord-Ouest : 5 km par D 33 – ⌾ 13150 Tarascon :

🏨 **Mazets des Roches** M ⌂, ℘ 04 90 91 34 89, *mazets-roches@wanadoo.fr,*
Fax 04 90 43 53 29, 🐦, 🔟, 🞓, 🕏 – ▤ 📺 🅿 – 🛗 40. 🖭 ⓞ GB. 🞓
1ᵉʳ avril-31 oct. – **Repas** (fermé jeudi midi et sam. midi sauf juil.-août) 15/32 Ⴘ – ⌒ 10 –
37 ch 69/137 – ½ P 70/90

> Campers...   Use the current **Michelin Guide**
> **Camping Caravaning France.**

FORBACH ⬦ 57600 Moselle 🔟 ⑥ *G. Alsace Lorraine* – 22 807 h Agglo. 104 074 h alt. 222.
🏢 *Office du tourisme 174 rue Nationale 🖉 03 87 85 02 43, Fax 03 87 87 80 22.*
Paris 386 ② – Metz 57 ② – St-Avold 20 ② – Sarreguemines 21 ② – Saarbrücken 14 ①.

FORBACH

Alliés (R. des) . . . . **B** 2	Eglise (R. de l') . . . . **B** 10
Arras (R. d') . . . . **A** 3	Gare (R. de la) . . . . **B** 12
Briand (Pl A.) . . . . **A** 6	Jardins (R. des) . . . . **A** 13
Chapelle (R. de la) . . . . **A** 7	Moulins (R. des) . . . . **A** 15
Couturier (R.) . . . . **A** 9	Nationale (R.) . . . . **AB**
	Ney (R. P.) . . . . **A** 17
	Parc (R. du) . . . . **B** 18
	Remsing (R. de) . . . . **A** 20

République
(Pl. de la) . . . .
Schlossberg (R. du) . . . .
Schuman (Pl. R.) . . . .
St-Remy (Av.) . . . . **A**
Tuilerie (R. de la) . . . .
22-Novembre
(R. du) . . . .

🏨 **Poste** sans rest, 57 r. Nationale 🖉 03 87 85 08 80, *Fax 03 87 85 91 91* – 📺 🅿. 🆎 ⓞ ⓒ
⇔ 6 – **29 ch** 28/49

🏨 **Relais Mercure**, par ②, *près piscine et échangeur Forbach-Sud Centre de L*
🖉 03 87 87 06 06, *h1976@accor-hotels.com, Fax 03 87 84 04 23,* 🏝 – ☝ ⇄ 📺 ☎
🏊 20. 🆎 ⓞ ⓒ 🃏
Repas 15/18 ⅁, enf. 13 – ⇔ 6,85 – **40 ch** 57,50/80,05 – ½ P 46/54

🍴🍴 **Schlossberg**, 13 r. Parc 🖉 03 87 87 88 26, *Fax 03 87 87 83 86* – ⓞ ⓒ. ⅍
fermé 15 au 31 août, vacances de fév., mardi soir et merc. – **Repas** 22,87/42,69 ⅁, enf. 1

à Stiring-Wendel *Nord-Est : 3 km par N 3 – 13 129 h. alt. 240* – ⊠ 57350 :
🏢 *Office du tourisme Place de Wendel* 🖉 03 87 87 07 65, *Fax 03 87 87 69 98.*

🍴🍴🍴 **Bonne Auberge** (Mlle Egloff), 15 r. Nationale 🖉 03 87 87 52 78, *Fax 03 87 87 18 19,*
❀ 🗏 🅿. ⓒ🅱
fermé 1ᵉʳ au 8 avril, 19 août au 8 sept., 27 déc. au 3 janv., sam midi, dim. soir et lund
fériés – **Repas** 36,59 (déj.), 44,21/68,60 et carte 62 à 78 ⅁
Spéc. Ravioles d' oie à la crème de châtaignes et céleri frit (nov. à avril). Sandre
choucroute de chou rouge. Brûlé glacé au thé.

à Rosbrück *par ③ : 6 km – 912 h. alt. 200* – ⊠ 57800 :

🍴🍴🍴 **Auberge Albert Marie**, 1 r. Nationale 🖉 03 87 04 70 76, *Fax 03 87 90 52 55* – 🅿
🃏
fermé sam. midi, dim. soir et lundi – **Repas** 22,87 (déj.)/57,93 (midi seul.)et carte 43 à 5

RCALQUIER ✆ 04300 Alpes-de-H.-P. **81** ⑮ G. Alpes du Sud – 4 302 h alt. 550.

Voir Site★ – Cimetière classé★ – ✸✶ de la terrasse N.-D. de Provence.

Env. Mane★ – St-Michel-l'Observatoire★ – Observatoire de Haute-Provence★.

🛈 Office du tourisme 8 place du Bourguet ✆ 04 92 75 10 02, Fax 04 92 75 26 76, oti@forcalquier.com

Paris 754 – Digne-les-Bains 54 – Aix-en-Provence 80 – Apt 42 – Manosque 23 – Sisteron 47.

🏠 **Auberge Charembeau** ⑤ sans rest, Est : 4 km par N 100 et rte secondaire ✆ 04 92 70 91 70, charembeau@provenceweb.fr, Fax 04 92 70 91 83, ≤, « Ancienne ferme du 18ᵉ siècle », ⅃, ❅, 🅰 – cuisinette 📺 ⅙ 🅿. 🕮 🇬🇧
15 fév.-15 nov. – ⊃ 7,40 – **24 ch** 51,81/80,10

RÊT voir au nom propre de la forêt.

FORÊT-FOUESNANT 29940 Finistère **58** ⑮ G. Bretagne – 2 809 h alt. 19.

🛈 Office du tourisme 2 rue du Vieux Port ✆ 02 98 51 42 07, Fax 02 98 51 42 07, accueil@Foret-Fouesnant.Tourisme.com.

Paris 552 – Quimper 16 – Concarneau 8 – Pont-l'Abbé 23 – Quimperlé 36.

🏠 **Beauséjour**, pl. Baie ✆ 02 98 56 97 18, Fax 02 98 51 40 77 – 📺 ⅙ 🅿. ⓪ 🇬🇧
22 mars-15 oct. – **Repas** (fermé lundi midi) 12/30 ⅄, enf. 7,60 – ⊃ 5,90 – **24 ch** 32/48 – ½ P 49/52

🏠 **L'Espérance**, pl. Église ✆ 02 98 56 96 58, Fax 02 98 51 42 25, ❀ – 🇬🇧
28 mars-28 sept. – **Repas** (fermé mardi midi, merc. midi et lundi soir) 15/42 ⅄, enf. 9,50 – ⊃ 6 – **27 ch** 28/55 – ½ P 37,50/48

✕✕ **Auberge St-Laurent**, rte Concarneau par la côte : 2 km ✆ 02 98 56 98 07, Fax 02 98 56 98 07, ❀ – 🅿. 🇬🇧
fermé vacances de Toussaint, de fév., mardi soir sauf juil.-août et merc. – **Repas** 12 (déj.), 16/32 ⅄, enf. 9

RÊT-SUR-SÈVRE 79380 Deux-Sèvres **57** ⑯ – 2 229 h alt. 153.

Paris 385 – Bressuire 16 – Nantes 101 – Niort 63 – La Roche-sur-Yon 73.

✕ **Auberge du Cheval Blanc** avec ch, ✆ 05 49 80 86 35, Fax 05 49 80 66 75 – 📺 ❅. 🕮 🇬🇧
fermé 9 au 15 sept., 3 au 9 fév., dim. soir et lundi midi – **Repas** 11,50/33,60 ⅄, enf. 8 – ⊃ 4,60 – **4 ch** 33,60/42,70 – ½ P 30,50/33,60

FORGE-DE-L'ILE 36 Indre **68** ⑧ – rattaché à Châteauroux.

RGES-LES-EAUX 76440 S.-Mar. **55** ⑧ G. Normandie Vallée de la Seine – 3 465 h alt. 161 – Casino.

🛈 Office du tourisme Rue Albert Bochet ✆ 02 35 90 52 10, Fax 02 35 90 34 80.

Paris 121 – Amiens 71 – Rouen 45 – Abbeville 72 – Beauvais 52 – Le Havre 123.

🏠 **Folie du Bois des Fontaines** M, rte Dieppe ✆ 02 32 89 50 68, elfontaine@free.fr, Fax 02 32 89 50 67, ❀, 🛏, 🅰 – 📳 📺 ❅ 🅿. 🕮 ⓪ 🇬🇧 🇯🇨🇧, ❀
fermé 2 au 31 janv., mardi et merc. – **Repas** (fermé 1ᵉʳ au 14 août) 29 (déj.), 43/93 – ⊃ 12 – **10 ch** 120/290

🏠 **Continental** sans rest, av. des Sources ✆ 02 32 89 50 50, casinoforges@wanadoo.fr, Fax 02 35 90 26 14 – 📳 📺 ❅ ⅙ 🅿. 🕮 🇬🇧, ❀
⊃ 5,34 – **44 ch** 46,50/64,03

🏠 **Paix**, 15 r. Neufchâtel ✆ 02 35 90 51 22, Fax 02 35 09 83 62, ❀ – 📳 📺 ❅ ⅙ 🅿 – 🔏 15. 🕮 ⓪ 🇬🇧
fermé 24 juin au 8 juil., 16 déc. au 6 janv., dim. soir hors saison et lundi midi – Repas (13,42 déj) - 14,70/37,71 ⅄, enf. 9,76 – ⊃ 6,71 – **18 ch** 47,26/57,17 – ½ P 47,41/51,53

✕✕ **Auberge du Beau Lieu** avec ch, rte Gournay : 2 km (D 915) ✆ 02 35 90 50 36, aubeaulie u@aol.com, Fax 02 35 90 35 98, ❀, ❀ – 📺 🅿. 🕮 ⓪ 🇬🇧 🇯🇨🇧
fermé 2 au 6 sept., 9 au 13 déc., 20 janv. au 12 fév., lundi soir et mardi – **Repas** 16/46,50 ⅄, enf. 12,50 – ⊃ 6,50 – **3 ch** 36/53

RT-MAHON-PLAGE 80790 Somme **51** ⑪ G. Picardie Flandres Artois – 1 140 h alt. 2 – Casino.

Env. Parc ornithologique du Marquenterre★★ S : 15 km.

🛈 Office du tourisme 1000 avenue de la Plage ✆ 03 22 23 36 00, Fax 03 22 23 93 40.

Paris 226 – Calais 93 – Abbeville 42 – Amiens 90 – Berck-sur-Mer 19 – Étaples 36.

Terrasse, ℰ 03 22 23 37 77, Fax 03 22 23 36 74, ≤, 佘 – 劇, ■ rest, 🆃 ৬ 🅿 – 🔏 25
🆎 ⓞ ☺ ⑤. ⅍ ch
Repas 12,50/49 bc, enf. 6,90 – ☷ 8 – **56 ch** 61/77 – ½ P 40/54

XXX **Auberge Le Fiacre** ⅍ avec ch, à Routhiauville Sud-Est : 2 km par rte de Rue ⊠ 8
Quend ℰ 03 22 23 47 30, Fax 03 22 27 19 80, « Ancienne ferme aménagée », 舞 – 🆃
☺ ⑤. ⅍ ch
fermé janv., mardi midi et merc. midi – **Repas** 18/37 et carte 34 à 55 ♀ – ☷ 8 – **11 ch** 7'
3 appart – ½ P 70

La FOSSETTE (Plage de) 83 Var 邸 ⑯, 邸 ㊽ – rattaché au Lavandou.

FOS-SUR-MER 13270 B.-du-R. 邸 ⑪ G. Provence – 13 922 h alt. 11 – **Voir** Village ★.
🚹 Office du tourisme Place de l'Hôtel de Ville ℰ 04 42 47 71 96, Fax 04 42 05 5
tourismefossurmer@visitprovence.com
Paris 756 – Marseille 51 – Aix-en-Provence 55 – Arles 42 – Martigues 12.

ᐱᐱᐱ **Provence-Camargue** Ⓜ ⅍, rte d'Istres : 3 km ℰ 04 42 05 00 57, contact@prove
camargue.net, Fax 04 42 05 51 00, 佘, ⅃, ℀ – ■ 🆃 ℰ 🅿 – 🔏 140. 🆎 ⓞ ☺ ⅍ re
Repas (fermé week-end) 20/30 ♣, enf. 9 – ☷ 9 – **72 ch** 80/113

FOUDAY 67 B.-Rhin 邸 ⑧ G. Alsace Lorraine – 303 h – ⊠ 67130 Le Ban-de-la-Roche.
Paris 408 – Strasbourg 62 – St-Dié 34 – Saverne 56 – Sélestat 37.

Julien, N 420 ℰ 03 88 97 30 09, hoteljulien@wanadoo.fr, Fax 03 88 97 36 73, 佘, 舞
🆃 ℰ ৬ 🅿 – 🔏 40. 🆎 ☺
fermé 3 au 20 janv. et 23 au 26 oct. – **Repas** (fermé mardi) 11 (déj.), 15,20/32 ♀, enf.
☷ 7,80 – **36 ch** 48,75/94,50, 8 duplex – ½ P 48,75/76

FOUDON 49 M.-et-L. 邸 ⑳ – rattaché à Angers.

FOUESNANT 29170 Finistère 邸 ⑮ G. Bretagne – 8 076 h alt. 30.
🚹 Office du tourisme 49 rue de Kérourgué ℰ 02 98 56 00 93, Fax 02 98 56 6
accueil@ot-fouesnant.fr.
Paris 555 – Quimper 16 – Carhaix-Plouguer 69 – Concarneau 11 – Quimperlé 39.

L'Orée du Bois sans rest, 4 r. Kergoadig ℰ 02 98 56 00 06, Fax 02 98 56 14 17 – 🆃
ⓞ ☺
☷ 5,80 – **15 ch** 26/45

au Cap Coz Sud-Est : 2,5 km par rte secondaire – ⊠ 29170 Fouesnant :

Pointe du Cap Coz ⅍, ℰ 02 98 56 01 63, Fax 02 98 56 53 20, ≤ mer et port, 佘
ℰ. 🆎 ⓞ ☺. ⅍
fermé 1er janv. au 10 fév., dim. soir du 15 sept. au 15 juin et merc. – **Repas** 18/33 ♀, enf.
☷ 7 – **15 ch** 46/66 – ½ P 59/63

Belle-Vue, ℰ 02 98 56 00 33, hotel-belle-vue@wanadoo.fr, Fax 02 98 51 60 85, ≤,
🆃 🅿. ☺. ⅍
hôtel : 1er mars-31 oct. ; rest. : 20 mars-31 oct. et fermé lundi – **Repas** 15/28,20 ♀, enf.
☷ 6,10 – **16 ch** 45/62,50 – ½ P 45/55

à la Pointe de Mousterlin Sud-Ouest : 6 km par D 145 et D 134 – ⊠ 29170 Fouesnant :

Pointe de Mousterlin ⅍, ℰ 02 98 56 04 12, hopointe@club-interne
Fax 02 98 56 61 02, ≤, ℔, 舞, ℀ – 劇 🆃 ℰ ৬ 🅿 – 🔏 30. 🆎 ☺. ⅍
Pâques-30 sept. – **Repas** 13/30,50 ♀, enf. 9,50 – ☷ 7,50 – **44 ch** 80/96 – ½ P 65/77,5(

FOUGÈRES ⬦ 35300 I.-et-V. 邸 ⑱ G. Bretagne – 21 779 h alt. 115.
Voir Château★★ – Église St-Sulpice★ – Jardin public★ : ≤★ – Vitraux★ de l'église St-Léc
– Rue Nationale★.
🚹 Office du tourisme 1 place Aristide Briand ℰ 02 99 94 12 20, Fax 02 99 94 7
ot.fougeres@wanadoo.fr.
Paris 326 ③ – Avranches 46 ⑤ – Laval 54 ② – Le Mans 132 ② – Rennes 49 ④ – St-Malo ⑦

Plan page ci-contre

H. Voyageurs sans rest, 10 pl. Gambetta ℰ 02 99 99 08 20, hotel-voyageurs-fouge
wanadoo.fr, Fax 02 99 99 99 04 – 劇 🆃 ℰ. 🆎 ⓞ ☺   B
fermé 20 déc. au 3 janv. et sam. de janv. à fév. – ☷ 6 – **37 ch** 30/86

Balzac sans rest, 15 r. Nationale ℰ 02 99 99 42 46, Fax 02 99 99 65 43 – 劇 🆃. 🆎 ⓞ
☷ 4,72 – **20 ch** 30,48/39,63   B

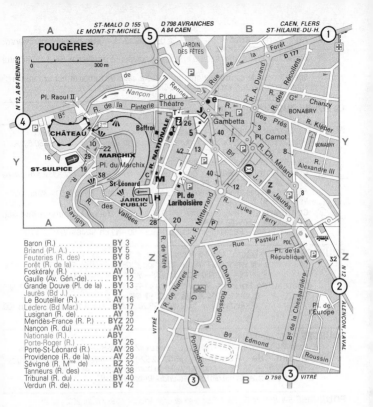

FOUGÈRES

XX **Haute Sève,** 37 bd J. Jaurès ℰ 02 99 94 23 39 – **GB** BY z

 fermé 20 juil. au 16 août, 1er au 28 janv., 9 au 19 fév., dim. soir et lundi – **Repas** 15,25 (déj.), 18,30/39,65

XX **Rest. Voyageurs,** 10 pl. Gambetta ℰ 02 99 99 14 17, Fax 02 99 99 28 89 – ▤. **AE** **GB** BY e

 fermé sam. midi et dim. soir – **Repas** 15/37,20 ⴵ

arigné *par* ①, D 108 *rte de Mellé* : 11 km – 1 133 h. alt. 162 – ⊠ 35133 :

🏠 **Château du Bois Guy** ⚘, rte Mellé par D 108 : 2 km ℰ 02 99 97 25 76, chateau.bois. guy@wanadoo.fr, Fax 02 99 97 27 27, 佘, ⚘ – 🖵 ⅃ ⅁ – 🕰 25 à 60. **AE** **GB**. ⚘ rest

 15 avril-15 oct. et fermé sam. midi, dim. soir et lundi – **Repas** 20 bc (déj.), 29/58 ⴵ, enf. 15 – ⊂⊃ 9 – **12 ch** 61/114 – ½ P 64/91

andéan *par* ① : 8 km – 1 166 h. alt. 142 – ⊠ 35133 :

XX **Au Cellier,** D 177 ℰ 02 99 97 20 50, Fax 02 99 97 20 50 – **AE** **①** **GB**

 fermé 19 au 26 août, 6 au 26 janv., dim. soir et lundi – **Repas** ⴵ (11) – 15 (déj.)/36, enf. 7,50

N 12 par ② *rte de Laval* : 11 km – ⊠ 35133 *Fougères* :

XX **Petite Auberge,** ℰ 02 99 95 27 03, Fax 02 99 95 27 03 – ⅁. **①** **GB**

 fermé 3 au 9 mars, 30 juil. au 12 août, dim. soir, mardi soir et lundi – **Repas** (nombre de couverts limité, prévenir) (12) – 15 (déj.), 21/37 bc ⴵ

UGEROLLES 70220 H.-Saône ⑥⑥ ⑥ G. Jura – 3 967 h alt. 311.

 Voir Ecomusée du Pays de la Cerise et de la Distillation★.

 🖪 Office du tourisme 1 rue de la Gare ℰ 03 84 49 12 91, Fax 03 84 49 12 91, accueil@otsi-fougerolles.net.

 Paris 376 – Épinal 49 – Luxeuil-les-Bains 10 – Remiremont 26 – Vesoul 43.

XX **Au Père Rota** (Kuentz), 📞 03 84 49 12 11, *jean-pierre-kuentz@wanado*
℘ *Fax 03 84 49 14 51* – 🄿. AE ⓪ GB
  fermé 2 au 28 janv., mardi soir, dim. soir et lundi sauf fériés – **Repas** (17) - 28/57 et carte
  68 ♀, enf. 14
  Spéc. Terrine de canard aux griottines. Petite nage de turbot et homard au Vin Ja
  Suprême de pintade aux morilles. **Vins** Charcenne, Côtes du Jura.

La FOUILLOUSE 42480 Loire 🔟🔟 ⑱ – *rattaché à St-Étienne.*

FOURAS 17450 Char.-Mar. 🔟🔟 ⑬ G. Poitou Vendée Charentes – *3 835 h alt. 5 – Casino.*
  Voir *Donjon* ❄️★ – 🄱 *Office du tourisme Avenue du Bois Vert* 📞 05 46 84 60 69, Fax (
  84 28 04, otourisme@fouras.net.
  Paris 487 – La Rochelle 33 – Châtelaillon-Plage 18 – Rochefort 15.

🏠 **Grand Hôtel des Bains,** r. Gén.-Bruncher 📞 05 46 84 03 44, hoteldesbains@wana
  fr, Fax 05 46 84 58 26, 🌮 – 📺 ☜. AE GB. 🍽 rest
  fév.-nov. – **Repas** (dîner seul.)(résidents seul.) 17/26 ♀, enf. 7 – ☷ 6,50 – **32 ch** 49/55
  ½ P 43,50/50

🏊 **Commerce,** r. Gén. Bruncher 📞 05 46 84 22 62, fouras.lecommerce@wanado
  Fax 05 46 84 14 50 – 📺 ☜. GB
  15 mars-15 nov. – **Repas** (résidents seul.) – ☷ 4,50 – **12 ch** 34/46 – ½ P 33/40,50

FOURCÈS 32250 Gers 🔟🔟 ⑬ G. Midi-Pyrénées – *277 h alt. 76.*
  Voir *Bastide* – 🄱 *Syndicat d'initiative Au Village* 📞 05 62 29 50 96, Fax 05 62 29 47 44.
  Paris 725 – Agen 48 – Auch 60 – Condom 13 – Mont-de-Marsan 71 – Nérac 21.

🏨🏨 **Château de Fourcès** ♨, 📞 05 62 29 49 53, chatogers@aol.com, Fax 05 62 29 5
  🍴, 🏊, 🌮 – 🛗, 🍴 ch, 📺 ☜ 🄿 – 🅰 15. AE ⓪ GB JCB
  1ᵉʳ mars-15 oct. – **Repas** (18,01) - 22,11 (déj.), 28,20/35,06 ♀, enf. 9,15 – ☷ 12 – **17 ch** 100.
  – ½ P 104/144

FOURGES 27630 Eure 🔢🔢 ⑱ – *772 h alt. 14.*
  Paris 74 – Rouen 63 – Les Andelys 26 – Évreux 47 – Mantes-la-Jolie 23 – Vernon 14.

XX **Moulin de Fourges,** 📞 02 32 52 12 12, info@moulin-de-fourges.c
  Fax 02 32 52 92 56, 🌮, « Ancien moulin au bord de l'Epte », 🌮 – GB
  1ᵉʳ avril-31 oct. et fermé dim. soir et lundi – **Repas** 26/55 ♀

FOURMIES 59610 Nord 🔢🔢 ⑯ G. Picardie Flandres Artois – *13 867 h alt. 200.*
  Voir *Musée du textile et de la vie sociale*★.
  🄱 *Office du tourisme Place Verte* 📞 03 27 60 40 97, Fax 03 27 57 30 44, fourmies@
  risme.norsys.fr.
  Paris 206 – St-Quentin 65 – Avesnes-sur-Helpe 16 – Charleroi 60 – Hirson 13 – Lille 115.

aux Étangs-des-Moines Est : 2 km par D 964 et rte secondaire – ✉ 59610 Fourmies :
🏠 **Ibis** ♨ sans rest, 📞 03 27 60 21 54, Fax 03 27 57 40 44 – ☀ 📺 ☜ – 🅰 25. AE ⓪ GB
  ☷ 5,64 – **31 ch** 49/51,07

XX **Auberge des Étangs des Moines,** 📞 03 27 60 02 62, Fax 03 27 60 10 25, 🌮 – ⓪
  fermé 16 août au 11 sept., 4 au 18 fév., sam. midi, dim. soir et lundi – **Repas** 16,77/33,5
  enf. 9,91

FOURQUES 30 Gard 🔢🔢 ⑩ – *rattaché à Arles.*

La FOUX 83 Var 🔢🔢 ⑰, 🔢🔢🔢 ㊲ – *rattaché à Port-Grimaud.*

La FOUX D'ALLOS 04 Alpes-de-H.-P. 🔢🔢 ⑧ – *rattaché à Allos.*

FRANCESCAS 47600 L.-et-G. 🔟🔟 ⑭ – *714 h alt. 109.*
  Paris 719 – Agen 29 – Condom 18 – Nérac 14 – Toulouse 136.

XXX **Relais de la Hire,** 📞 05 53 65 41 59, la.hire@wanadoo.fr, Fax 05 53 65 86 42,
  « Demeure du 18ᵉ siècle », 🌮 – 🄿. AE ⓪ GB JCB
  fermé 30 oct. au 5 nov., dim. soir et lundi – **Repas** (prévenir) 22/55 et carte 45 à 5
  enf. 13

FRANCHEVILLE 69 Rhône 🔢🔢 ⑪ – *rattaché à Lyon.*

FRANQUEVILLE-ST-PIERRE 76 S.-Mar. 🔢🔢 ⑦ – *rattaché à Rouen.*

HEL 22240 C.-d'Armor **59** ④ – 2 047 h alt. 72 – Casino.

Voir ※***✱*** – Env. Fort La Latte★★ : site★★, ※※✱★ SE : 5 km.

🛈 Office de tourisme le Bourg ℘ 02 96 41 53 81, otfrehel@wanadoo.fr.

Paris 439 – St-Malo 39 – Dinan 38 – Lamballe 28 – St-Brieuc 40 – St-Cast-le-Guildo 15.

XX **Victorine**, pl. Mairie ℘ 02 96 41 55 55, Fax 02 96 41 55 55, 🈂 – ⓪ ☎ 𝕁𝕔𝔹
fermé 10 au 26 mars, 10 nov. au 5 déc., mardi et merc. sauf juil.-août – **Repas** 15,24 (déj.),
22,10/68,60 ♀, enf. 9,15

HEL (Cap) 22 C.-d'Armor **59** ⑤ G. Bretagne – ✉ 22240 Fréhel.

Voir Site★★★ – ※✱★★ – Fort La Latte : site★★, ※※★★ SE : 5 km.

Paris 444 – St-Malo 44 – Dinan 43 – Dinard 36 – Lamballe 36 – Rennes 99 – St-Brieuc 48.

🏠 **Fanal** 🍃 sans rest, Sud : 2,5 km par D 16 ℘ 02 96 41 43 19, 🚗 – 🅿. ☎
1er juin - 16 sept. – ☎ 5,50 – **9 ch** 37/52

X **Fauconnière**, à la Pointe ℘ 02 96 41 54 20, ⩽ mer et côte – ☎
20 mars-30 sept. – **Repas** 16/27 ♀, enf. 7,62

FREISSINOUSE 05 H.-Alpes **81** ⑥ – rattaché à Gap.

JUS 83600 Var **84** ⑧, **114** ㉕, **115** ㉝ G. Côte d'Azur – 46 801 h alt. 20.

Voir Groupe épiscopal★★ : baptistère★★, cloître★, cathédrale★ – Ville romaine★ A :
arènes★ – Parc zoologique★ N : 5 km par ③ – 🚗, ℘ 08 36 35 35 35.

🛈 Office du tourisme 325 rue Jean Jaurès ℘ 04 94 51 83 83, Fax 04 94 51 00 26,
frejus.tourisme@wanadoo.fr.

Paris 875 ③ – Cannes 39 ④ – Draguignan 31 ③ – Hyères 90 ② – Nice 65 ④.

FRÉJUS-ST-RAPHAËL

hon (Av. de l') . . . . **A** 2	Decuers (Bd S.) . . . . **A** 23	Myrtes (Av. des) . . . . **B** 45
(Bd) . . . . **B** 5	Donnadieu (R.) . . . . **A** 24	Papin (R. Denis) . . . . **B** 46
set (Av. du Gén.) . . . . **AB** 13	Einaudi (R. Albert) . . . . **A** 25	Poincaré
ra (R. Jean) . . . . **A** 16	Europe (Av. de l') . . . . **A** 26	(Av. Raymond) . . . . **B** 47
(Prom. René) . . . . **B** 20	Fabre (Av. Hippolyte) . . . . . . **B** 26	Rivière (Av. Théodore) . . . . . **B** 51
	Garros (R. Roland) . . . . **B** 32	Triberg (R. de) . . . . **B** 53
	Gaulle (Av. du Gén.-de) . . . . **A** 33	Valescure (Av. de) . . . . **B** 54
	Leclerc (Av. Mar.) . . . . **B** 39	Verdun (Av. de) . . . . **B** 60
	Libération (Bd de la) . . . . . . **B** 40	Victor-Hugo (Av.) . . . . **B** 60
	Mimosas (Bd des) . . . . **B** 43	XVe-Corps (Av. du) . . . . **A** 62

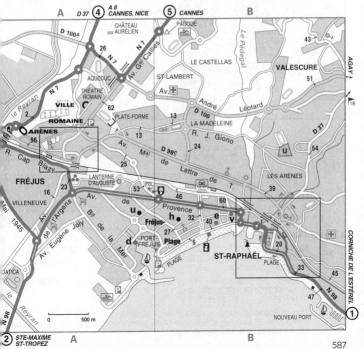

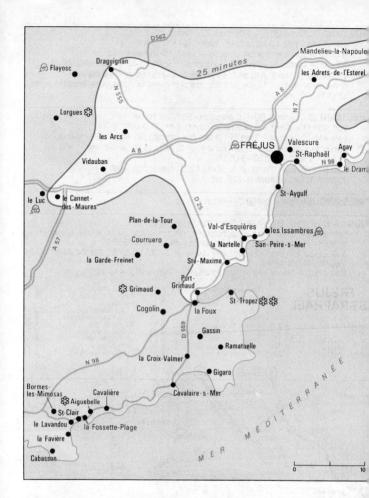

L'Aréna 🅼, 145 bd Gén. de Gaulle ℰ 04 94 17 09 40, info@arena-hotel.
Fax 04 94 52 01 52, 🌿, « Décor provençal », ⤢ – 🛗 🌡 🔲 📺 📞 🔧 🚗 🅿 🆎 ⓪
🎖 ch
fermé 15 nov. au 15 janv. – Repas (fermé sam. midi et lundi midi) 22,20/41,20, enf. 12
🍽 8,50 – **36 ch** 90/140 – ½ P 76/99

✕ **Les Potiers,** 135 r. Potiers ℰ 04 94 51 33 74 – 🔲. 🆖
fermé 1er au 15 mars, 1er au 20 déc., le midi en juil.-août, merc. midi et mardi de sept. a
– Repas (nombre de couverts limité, prévenir) 21/29

à Fréjus-Plage AB – ⊠ 83600 Fréjus :

🏠 **Sable et Soleil** sans rest, 158 r. P. Arène ℰ 04 94 51 08 70, guyduale@fre
Fax 04 94 53 49 12 – 🔲 📺 🔧 🔲 🅿 🆖 🎖
fermé 15 nov. au 15 déc. – 🍽 5,50 – **20 ch** 39/59

🏠 **L'Oasis** 🌿 sans rest, imp. Charcot ℰ 04 94 51 50 44, info@hotel-oasis
Fax 04 94 53 01 04 – 📺 🅿 🆖 🎖
1er fév.-10 nov. – 🍽 6 – **27 ch** 56/63

✕✕✕ **Toque Blanche,** 394 av. V. Hugo ℰ 04 94 52 06 14, Fax 04 94 52 06 14 – 🔲 🆖
fermé 17 au 25 juin, 7 au 10 oct., 2 au 17 déc., dim. soir d'oct. à juin et lundi – **Repas**
(déj.), 21/50 et carte 39 à 56, enf. 10,67

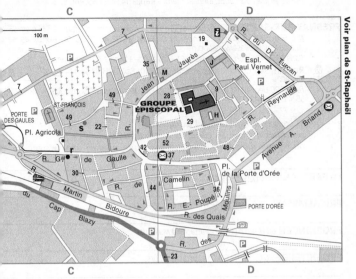

Voir plan de St-Raphaël

XX **Port-Royal**, pl. Tambourinaire à Port-Fréjus $\mathscr{C}$ 04 94 53 09 11, Fax 04 94 53 75 24, ≤, 🍴
– AE ① GB   A d
1/2-31/10 et fermé dim. soir, mardi soir et merc hors saison, mardi midi, merc. midi et jeudi
midi en saison – **Repas** 22,86 (déj.), 32/45 et carte 45 à 51 ⊊

X **Mérou Ardent**, 157 bd Libération $\mathscr{C}$ 04 94 17 30 58, Fax 04 94 17 33 79, 🍴 – ▤.
GB
fermé 4-14/06, 15/11-12/12, lundi midi et jeudi midi du 01/07-03/09, dim. soir , merc. soir
et jeudi hors saison – **Repas** 14/22 &   B e

°RENEY-D'OISANS 38142 Isère **77** ⑥ – 221 h alt. 926.
Voir Barrage du Chambon★★ SE : 2 km – Gorges de l'Infernet★ SO : 2 km, G. Alpes du
Nord.
🛈 Syndicat d'initiative $\mathscr{C}$ 04 76 80 05 82.
Paris 628 – Bourg-d'Oisans 12 – La Grave 16 – Grenoble 64.

🏠 **Cassini**, $\mathscr{C}$ 04 76 80 04 10, info@hotel-cassini.com, Fax 04 76 80 23 06, 🍴, 🐎 – 📺 ✆
🚗. GB
1er juin-20 sept. et 26 déc.-20 avril – **Repas** (fermé lundi midi) 14/25 ⊊ – 🖵 7 – **10 ch** 46/66
– 1/2 P 60

zoën Nord-Est : 4 km par N 91 et D 25 – 163 h. alt. 1100 – ⊠ 38142 :

🏨 **Panoramique** ॐ, $\mathscr{C}$ 04 76 80 06 25, info@hotel-panoramique.com,
Fax 04 76 80 25 12, ≤ montagne et vallée, 🍴, « Chalet fleuri », 🐎 – ⚄ 📺 ✆ 🅿. GB.
🛠 rest
1er juin-30 sept. et 20 déc.-1er mai – **Repas** 20/30 ⊊, enf. 11 – 🖵 7 – **9 ch** 55/59 – 1/2 P 44/54

SNAY-EN-RETZ 44580 Loire-Atl. **67** ② – 855 h alt. 15.
Paris 425 – Nantes 38 – La Roche-sur-Yon 63 – Challans 27 – St-Nazaire 50.
XX **Colvert**, $\mathscr{C}$ 02 40 21 46 79, Fax 02 40 21 95 99 – AE GB
fermé 19 août au 2 sept., 23 déc. au 6 janv., merc. soir, dim. soir et lundi – **Repas** 15 (déj.),
19/40 ⊊

North is at the top on all town plans.

La FRESNAYE-SUR-CHÉDOUET 72600 Sarthe 🔟 ③ – 845 h alt. 160.
Paris 183 – Alençon 14 – L'Aigle 51 – Argentan 46 – Domfront 76 – Mortagne-au-Perc

au Nord-Ouest : 3 km par D 17 – ⊠ 72600 La Fresnaye-sur-Chédouet :
　❌　**Auberge St-Paul,** 𝒫 02 43 97 82 76, Fax 02 43 97 82 84, 🌫️, 🌲 – **P**. 🖭 **GB**
　　fermé 15 juil. au 31 août, lundi et mardi – **Repas** 14,94/37,35, enf. 8,75

FRESNAY-SUR-SARTHE 72130 Sarthe 🔟 ⑫ ⑬ G. Normandie Cotentin – 2 335 h alt. 95.
　🖪 *Office du tourisme 19 avenue du Dr Riant 𝒫 02 43 33 28 04, Fax 02 43 34 ·
　ot.alpes-mancelles@wanadoo.fr.*
　Paris 235 – Alençon 22 – Le Mans 41 – Laval 73 – Mamers 30 – Mayenne 53.

　🏛️　**Ronsin,** 5 av. Ch. de Gaulle 𝒫 02 43 97 20 10, Fax 02 43 33 50 47 – 📺 📞 🛏️ – 🖼️
　🍴　**①** **GB**
　　fermé 20 déc. au 13 janv., dim. soir et lundi – **Repas** 13/23 ⊻, enf. 7,30 – ⊊ 5,50 –
　　35/41 – ½ P 42/43

　　Si vous cherchez un hôtel tranquille,
　　consultez d'abord les cartes de l'introduction
　　ou repérez dans le texte les établissements indiqués avec le signe ⚘.

Le FRET 29 Finistère 🔟 ④ – rattaché à Crozon.

FRICHEMESNIL 76 S.-Mar. 🔟 ⑭ – rattaché à Clères.

FROENINGEN 68 H.-Rhin 🔟 ⑨ – rattaché à Mulhouse.

FROIDETERRE 70 H.-Saône 🔟 ⑦ – rattaché à Lure.

FRONTIGNAN 34110 Hérault 🔟 ⑯ ⑰ G. Languedoc Roussillon – 19 145 h alt. 2.
　🖪 *Office de tourisme r. de la Raffinerie 𝒫 04 67 48 33 94, Fax 04 67 43 26 34.*
　Paris 783 – Montpellier 26 – Lodève 60 – Sète 10.

　❌❌　**Jas d'Or,** 2 bd V. Hugo 𝒫 04 67 43 07 57, Fax 04 67 43 07 57 – **GB**
　　fermé mardi soir et merc. hors saison, lundi midi, jeudi midi et sam. midi en juil.-a
　　Repas 16,77/32,01

au Nord-Est : 4 km sur N 112 – ⊠ 34110 Frontignan :
　🏨　**Hostellerie de Balajan,** 𝒫 04 67 48 13 99, balajanvic@aol.com, Fax 04 67 43 06 6
　　– ▦ 📺 📞 **P**. **GB**. 🎇 rest
　　fermé 24 déc. au 5 janv., fév., sam. midi, lundi midi et dim. soir du 15 oct. au 15 m
　　Repas 19/44,21 – ⊊ 7,35 – **18 ch** 54/87 – ½ P 54/59

FRONTONAS 38290 Isère 🔟 ⑬ – 1 714 h alt. 260.
　Paris 497 – Lyon 35 – Ambérieu-en-Bugey 43 – La Tour-du-Pin 27 – Vienne 35.

　❌　**Auberge du Ru,** Le Bergeron-Les Quatre Vies 𝒫 04 74 94 25 71, info@aubergedu
　　Fax 04 74 94 25 71, 🌫️ – **P**. 🖭 **GB**
　　fermé 17 fév. au 2 mars, 15 au 31 juil., dim. soir et lundi – **Repas** 16 (déj.), 22/28 ⊻

FUISSÉ 71960 S.-et-L. 🔟 ⑲ G. Bourgogne – 317 h alt. 290.
　Paris 402 – Mâcon 9 – Charolles 53 – Chauffailles 51 – Villefranche-sur-Saône 48.

　❌❌　**Pouilly Fuissé,** 𝒫 03 85 35 60 68, Fax 03 85 35 60 68, 🌫️ – **GB**
　⚘　*fermé 29 juil. au 7 août, 2 au 22 janv., dim. soir, lundi soir, mardi soir et merc.* – **Repas**
　　et dim. prévenir) 15/35 ⊻, enf. 8

La FUSTE 04 Alpes-de-H.-P. 🔟 ⑮, 🔟 ⑤ – rattaché à Manosque.

FUTEAU 55 Meuse 🔟 ⑲ – rattaché à Ste-Menehould (51 Marne).

FUTUROSCOPE 86 Vienne 🔟 ⑬ ⑭ – rattaché à Poitiers.

BRIAC 12340 Aveyron 80 ③ – 446 h alt. 580.

Paris 611 – Rodez 27 – Espalion 13 – Mende 94 – Sévérac-le-Château 34.

   Bouloc avec ch., ℘ 05 65 44 92 89, Fax 05 65 48 86 74, 🌊, 🌧, – 🖵 ⇦ 🅿 GB
fermé 10 au 24 mars, 19 au 26 juin, 8 au 23 oct. et merc. – **Repas** 13/26 ♣, enf. 7,50 – 🖵 5,50 – **11 ch** 43/49 – ½ P 43

CÉ 61230 Orne 60 ④ – 2 041 h alt. 210.

🖪 Office du tourisme - Mairie ℘ 02 33 35 50 24, Fax 02 33 35 92 82, ville-gace@wanadoo.fr.
Paris 166 – Alencon 47 – Argentan 28 – Rouen 102.

   Hostellerie Les Champs, rte Alençon ℘ 02 33 39 09 05, Fax 02 33 36 81 26, 🌧, 🌊,
🌧, 🗞 – 🅿 GB
1er avril-31 oct. et fermé lundi et mardi sauf juil.-août – **Repas** 14,95/42,70 – 🖵 7,60 –
14 ch 29/57,90

GNY 93 Seine-St-Denis 56 ⑪, 101 ⑱ – voir à Paris, Environs.

LLAC 81600 Tarn 82 ⑨ ⑩ G. Midi-Pyrénées – 11 073 h alt. 143.

🖪 OMT Abbaye Saint-Michel ℘ 05 63 57 14 65, Fax 05 63 57 61 37.
Paris 671 – Toulouse 58 – Albi 26 – Cahors 90 – Castres 52 – Montauban 50.

   Verrerie M, r. Égalité ℘ 05 63 57 32 77, verrerie@club-internet.fr, Fax 05 63 57 32 27,
🌧, « Parc », 🌊, 🐾 – 🖵 ♨ & 🅿 – 🔬 25. 🖭 ⓪ GB JCB. 🗞 rest
Repas (fermé dim. soir du 15 oct. au 15 avril) 13 bc (déj.), 20/31 ♀, enf. 6 – 🖵 14 – **14 ch**
45/58 – ½ P 38/44

   L'Occitan sans rest, pl. Gare ℘ 05 63 57 11 52, Fax 05 63 57 56 18 – 🖵. 🖭 GB
fermé week-ends de nov. à mars – 🖵 5,50 – **13 ch** 16/36

   Les Sarments, 27 r. Cabrol (derrière abbaye St-Michel) ℘ 05 63 57 62 61,
Fax 05 63 57 62 61, « Décor rustique » – ⓪ GB. 🗞
fermé 16 déc. au 13 janv., 17 fév. au 10 mars, merc. soir de sept. à juin, dim. soir et lundi –
Repas 23/31 ♀

LLAN-EN-MÈDOC 33 Gironde 71 ⑰ – rattaché à Lesparre-Médoc.

LLON 27600 Eure 55 ⑰ G. Normandie Vallée de la Seine – 6 861 h alt. 15.

🖪 Syndicat d'initiative 1 place de l'Église ℘ 02 32 53 08 25, Fax 02 32 53 08 25.
Paris 93 – Rouen 47 – Les Andelys 13 – Évreux 25 – Vernon 15.

   Grain de Sel, 12 r. P. Brossolette ℘ 02 32 53 51 10, 🌧 – GB
fermé 30 juil. au 15 août, 24 déc. au 3 janv., dim. soir, mardi soir, merc. soir et lundi – **Repas**
16/25 ♀

LÉRIA 2B H.-Corse 90 ⑭ – voir à Corse.

MBAIS 78950 Yvelines 60 ⑧, 106 ㉗ – 2 064 h alt. 119.

Paris 56 – Dreux 27 – Mantes-la-Jolie 32 – Rambouillet 22 – Versailles 38.

   Auberge du Clos St-Pierre, 2 bis r. Goupigny ℘ 01 34 87 10 55, Fax 01 34 87 03 88,
🌧 – 🖭 GB
fermé 4 au 26 août, dim. soir, mardi soir et lundi – **Repas** 31,25/40,39

NGES 34190 Hérault 83 ⑥ G. Languedoc Roussillon – 3 502 h alt. 175.

Env. Gorges de la Vis★★ SO – Grotte des Lauriers★ SE : 3 km – Grotte des Demoiselles★★★
SE : 9 km.
Paris 729 – Montpellier 44 – Alès 47 – Nîmes 59 – Le Vigan 19.

   Les Norias 🛎 avec ch, à Cazilhac, Est sur D25 ℘ 04 67 73 55 90, lesnorias@wanadoo.fr,
Fax 04 67 73 62 08, 🌧, 🌧 – 🖵 🅿 🖭 ⓪ GB JCB
fermé 1er au 15 nov., vacances de fév., lundi soir et mardi hors saison – **Repas** 18,50/53,50 ♀,
enf. 13,75 – 🖵 – **11 ch** 43,50/51,10 – ½ P 45,75/47,30

When looking for a hotel or restaurant use the most efficient method.
Look for the names of towns underlined in red
*on the **Michelin maps** scale: 1:200 000.*
But make sure you have an up-to-date map!

GANNAT 03800 Allier 🔢 ④ G. Auvergne – 5 838 h alt. 345.

Voir Évangéliaire★ au musée municipal (château).

🛈 Office du tourisme Place des Anciens d'AFN ℰ 04 70 90 17 78.

Paris 385 – Clermont-Ferrand 49 – Montluçon 76 – Moulins 57 – Vichy 20.

XX **Frégénie,** 20 r. Frères Bruneau ℰ 04 70 90 04 65, Fax 04 70 90 35 90 – **GB**
fermé 2 au 9 avril, 19 août au 3 sept., 26 déc. au 8 janv., dim. soir, mardi soir et lundi – **R**
13 (déj.), 20/38 ⅞

GAP 🅿 05000 H.-Alpes 🔢 ⑯ G. Alpes du Sud – 36 262 h alt. 735.

Voir Vieille ville★ – Musée départemental★.

🛈 Office du tourisme 12 rue Faure de la Serre ℰ 04 92 52 56 56, Fax 04 92 52 5●
office.TourismeGap@wanadoo.fr.

Paris 687 ① – Avignon 169 ④ – Grenoble 108 ① – Sisteron 53 ③ – Valence 157 ①.

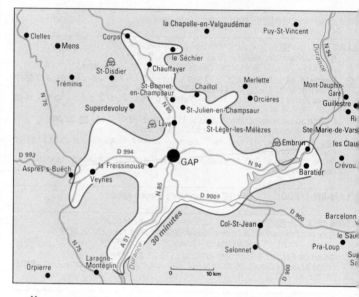

🏨 **Porte Colombe,** 4 pl. F. Euzières ℰ 04 92 51 04 13, Fax 04 92 52 42 50 – 📱 📺 ✎ 🖙
⓪ **GB**
Repas (fermé 26 avril au 19 mai, 3 au 19 janv., vend., sam. et dim.) (dîner seul.) 20/37, en
– ⚏ 6 – **27 ch** 38/60 – ½ P 43/45

🏨 **Kyriad** sans rest, par ③ : 2,5 km (près piscine), rte Sisteron ℰ 04 92 51 57
Fax 04 92 51 56 52, 🌳 – ✻ 📺 ✎ 🅿 🆎 ⓪ **GB**
⚏ 6,10 – **26 ch** 46,50/51,83

🏨 **Clos** ⤸, par ① rte Grenoble et chemin privé ℰ 04 92 51 37 04, leclos@lewe●
Fax 04 92 52 41 06, 🍽, 🌳 – 📺 ✎ 🅿 – 🔏 15. **GB**
Repas (fermé 1ᵉʳ au 15 nov., dim. soir et lundi hors saison) 16,50/28,50 ⅞ – ⚏ 5,50 – **3**
41,50/55 – ½ P 43

🏨 **Grille,** 2 pl. F. Euzières ℰ 04 92 53 84 84, ecrire@hotel-lagrille.fr, Fax 04 92 52 42 38
cuisinette, 🍽 ch, 📺 ✎ 🖙, 🆎 ⓪ **GB** Jⅽв
Repas (fermé dim. soir et lundi) 14,18/29,73 ⅞, enf. 8,38 – ⚏ 5,80 – **28 ch** 53/54,●
½ P 47,26

🏨 **Ibis,** 5 bd G. Pompidou ℰ 04 92 53 57 57, ibisgap@gofornet.com, Fax 04 92 53 38 15
✻ 📺 ✎ & 🖙 – 🔏 30 à 50. 🆎 ⓪ **GB**
Repas (12) · 15, enf. 6 – ⚏ 5,50 – **61 ch** 52/60

🏨 **Ferme Blanche** ⤸, par ① et rte secondaire : 2 km (vers Romette) ℰ 04 92 51 0●
la.ferme.blanche@wanadoo.fr, Fax 04 92 51 35 39, <, 🍽, 🌳 – 📺 🅿. 🆎 ⓪ **GB**
Repas (14) · 23/38,50 ⅞, enf. 9,20 – ⚏ 7 – **23 ch** 43/69 – ½ P 40/56

🏨 **Paix** sans rest, 1 pl. F. Euzières ℰ 04 92 51 03 29, Fax 04 92 51 19 87 – 📱 📺 ✎. **GB**
⚏ 5,10 – **23 ch** 23/40

GAP

ens (R.) .... Z 3
ot (R.) .... Z 4
(Bd P. et M.) .... Y 5
nt (Av. du Cdt) .... Y 6
Euzières (Pl. Frédéric) ...... Z 7
Eymar (R. Jean) .... Y 8
Faure-du-Serre (R.) .... Y 9
France (R. de) .... Y 10
Jaurès (Av. Jean) .... Z 12
Ladoucette (Cours) .... Y 13
Libération (Bd de) .... Y 14
Mazel (R. du) .... Z 15
Moreau (R. E.) .... Z 16
Révelly (Pl. du) .... Y 17
Roux (R. Colonel) .... Z 19
St-Arnoux (Pl.) .... Z 20
Valserres (R. de) .... Z 23

XX **Patalain,** 2 pl. Ladoucette ✆ 04 92 52 30 83, *sarl-le-patalain@wanadoo.fr, Fax 04 92 52 30 83,* ☂, ☂ – P. AE ◑ GB JCB — Y d
fermé 2 au 21 janv., dim. et lundi – **Repas** 29/32, enf. 10 - ***Bistro du Patalain :*** Repas (12,60)-15/18,50 ♀, enf. 10

XX **Pasturier,** 18 r. Pérolière ✆ 04 92 53 69 29, ☂ – AE GB — Y a
fermé 30 juin au 13 juil., 5 au 20 janv., dim. et lundi sauf fêtes – **Repas** 21/40, enf. 11

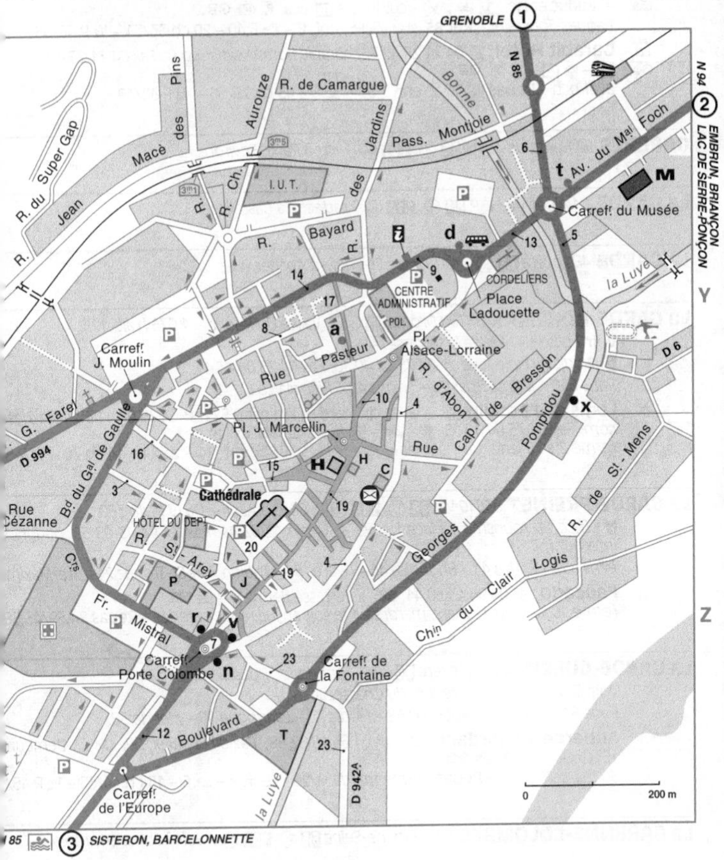

X **Grangette,** 1 av. Foch ✆ 04 92 52 39 82 – GB — Y t
fermé 16 au 31 juil., 14 au 31 janv., dim. soir et lundi – **Repas** 16,50/27,50

X **Pique Feu,** par ③ *: 2,5 km, (près piscine) rte Sisteron* ✆ 04 92 52 16 06, ☂, ☂ – P. GB
fermé 1er au 15 juil., 2 au 6 janv., dim. soir et lundi – **Repas** 17/24, enf. 8,40

Freissinouse *par ④ : 9 km – 456 h. alt. 965 – ✉ 05000 :*

Azur, D 994 ✆ 04 92 57 81 30, *@.hotelazur-fr.com, Fax 04 92 57 92 37,* – TV P. GB
Repas 13/26, enf. 8 – ☕ 5 – **45 ch** 50 – ½ P 43/58

GARABIT (Viaduc de) ★★ *15 Cantal* **76** ⑭ *G. Auvergne* – ⊠ *15320 Ruynes-en-Margeride.*
Env. Maison du paysan★ à Loubaresse S : 7 km – Belvédère de Mallet ⩽★★ SO : 13 km 10 mn.
Paris 524 – Aurillac 87 – Mende 68 – Le Puy-en-Velay 90 – St-Flour 14.

🏠 **Beau Site**, N 9 🔎 04 71 23 41 46, garabitbeausite@wanadoo.fr, Fax 04 71 23 4
🌐 ⩽ viaduc et lac, ☒, 斧, ✕ – cuisinette 📺 ⇦ **P.** ⓪ **GB**
Pâques-Toussaint – **Repas** *(9)* -11/31 ♈, enf. 8 – ⊡ 6,40 – **20 ch** 33/54 – ½ P 46/53

🏠 **Garabit Hôtel**, 🔎 04 71 23 42 75, garabit-hotel@wanadoo.fr, Fax 04 71 23 49 60, ⩽
🌐 🔲 – ╬ 📺 ⇦ **P.** **GB**
avril-oct. – **Repas** 12/29 ♈, enf. 7,50 – ⊡ 6 – **45 ch** 29/56 – ½ P 38/49

GARCHES *92 Hauts-de-Seine* **55** ⑳, **101** ⑭ – *voir à Paris, Environs.*

La GARDE *04 Alpes-de-H.-P.* **81** ⑱, **114** ⑩ – *rattaché à Castellane.*

La GARDE *48 Lozère* **76** ⑮ – *rattaché à St-Chély-d'Apcher.*

La GARDE-ADHÉMAR *26700 Drôme* **81** ① *G. Vallée du Rhône* – *1 075 h alt. 178.*
Voir Église★ – ⩽★ de la terrasse.
🛈 *Syndicat d'initiative* 🔎 04 75 04 40 10, Fax 04 75 04 43 44.
Paris 630 – Montélimar 24 – Nyons 42 – Pierrelatte 6.

✕✕ **Logis de l'Escalin** Ⓜ ⌂ avec ch, Nord : 1 km par D 572 🔎 04 75 04 41 32, info@les
🍺 com, Fax 04 75 04 40 05, 斧, 斧 – 📺 ╲ **P.** Æ **GB**. ✕ ch
fermé 2 au 8 janv., dim. soir et lundi – **Repas** 20/45, enf. 14 – ⊡ 11 – **14 ch** 70 – ½ P 5

La GARDE-FREINET *83310 Var* **84** ⑰, **114** ㊱ *G. Côte d'Azur* – *1 619 h alt. 380.*
🛈 *Office du tourisme 1 place Neuve* 🔎 04 94 43 67 41, Fax 04 94 43 08 69, ot-lgf@
internet.fr.
Paris 857 – Fréjus 41 – Brignoles 46 – Hyères 54 – Toulon 71 – St-Tropez 21 – Ste-Maxim

✕ **Faücado**, 🔎 04 94 43 60 41, 斧, « Terrasse fleurie » – Æ **GB**
fermé 10 janv. au 10 mars, mardi sauf le soir en juil.-août et fériés – **Repas** 24,39/45,58

La GARDE-GUÉRIN *48800 Lozère* **80** ⑦ *G. Languedoc Roussillon.*
Voir Donjon ❈★ – Belvédère du Chassezac★★.
Paris 615 – Alès 60 – Aubenas 68 – Florac 71 – Langogne 36 – Mende 58.

🏠 **Auberge Régordane** ⌂, 🔎 04 66 46 82 88, Fax 04 66 46 90 29, 斧, « Demeur
16ᵉ siècle » – 📺 ⓪ **GB**
30 mars-29 sept. – **Repas** *(fermé mardi)* 15/29 ♈, enf. 9 – ⊡ 6 – **15 ch** 44/55 – ½ P 45/

La GARENNE-COLOMBES *92 Hauts-de-Seine* **55** ⑳, **101** ⑭ – *voir à Paris, Environs.*

GARETTE *79 Deux-Sèvres* **71** ② *G. Poitou Vendée Charentes* – ⊠ *79270 Sansais.*
Paris 421 – La Rochelle 60 – Fontenay-le Comte 28 – Niort 12 – St-Jean-d'Angély 59.

✕✕ **Mangeux de Lumas**, (accès piétonnier en été) 🔎 05 49 35 93 42, Fax 05 49 35 8
斧 – **GB**
fermé 4 au 19 janv., lundi soir et mardi sauf juil.-août – **Repas** 15/43, enf. 10

GARNACHE *85 Vendée* **67** ⑫ – *rattaché à Challans.*

GARONS *30 Gard* **80** ⑲ – *rattaché à Nîmes.*

GASNY *27620 Eure* **55** ⑱ – *2 941 h alt. 36.*
Paris 75 – Rouen 72 – Évreux 43 – Mantes-la-Jolie 23 – Vernon 10 – Versailles 66.

✕✕ **Auberge du Prieuré Normand**, 1 pl. République 🔎 02 32 52 10 01, 斧 – **GB**
🌐 *fermé 1ᵉʳ au 22 août, vacances de fév., mardi soir et merc.* – **Repas** 13,72/31,25 ♈

SSIN 83580 Var **84** ⑰, **114** ㉝ G. Côte d'Azur – 2 710 h alt. 200.
Voir Terrasse des Barri ≤★.
Env. Moulins de Paillas ※★★ SE : 3,5 km.
Paris 876 – Fréjus 33 – Le Lavandou 31 – St-Tropez 9 – Ste-Maxime 14 – Toulon 69.

XX **Auberge la Verdoyante**, Nord : 2 km par rte St-Tropez et chemin privé
   & 04 94 56 16 23, Fax 04 94 56 43 10, ≤, **P**, ℀
   1er avril-20 oct. et fermé merc. sauf le soir en juil.-août – **Repas** 22,11/29,73

URIAC 33710 Gironde **71** ⑧ – 826 h alt. 50.
Paris 552 – Bordeaux 41 – Blaye 11 – Jonzac 56 – Libourne 38.

X **Filadière**, Ouest : 2 km sur D 669^E1 *&* 05 57 64 94 05, Fax 05 57 64 94 06, ≤, 余, « Au
   bord de l'estuaire » – **P**. **GB**
   fermé 18 nov. au 14 déc., mardi soir du 15 sept. au 30 juin et merc. – **Repas** 15 (déj.),
   23/40 ⅀, enf. 8

VARNIE 65120 H.-Pyr. **85** ⑱ G. Midi-Pyrénées – 164 h alt. 1350 – Sports d'hiver : 1 350/2 400 m
 ⁄ 11 ≭.
Voir Village★ – Cirque de Gavarnie★★★ S : 3 h 30.
🛈 *Office du tourisme &* 05 62 92 49 10, Fax 05 62 92 41 00.
Paris 867 – Pau 97 – Lourdes 52 – Luz-St-Sauveur 20 – Tarbes 70.

🏠 **Marboré**, *&* 05 62 92 40 40, hotel@lemarbore.com, Fax 05 62 92 40 30, ≤, 余, **I₆** – **TV**
   ℃ P – **👥** 25. **AE** **①** **GB**, ℀
   fermé 4 nov. au 20 déc. – **Repas** 13,50/24,50 ⅀ – ⊡ 6 – **24 ch** 52,50 – ½ P 44,50/47,50

VRINIS (Ile) 56 Morbihan **63** ⑫ G. Bretagne.
Voir Cairn★★ 15 mn en bateau de Larmor-Baden.

MENOS 13420 B.-du-R. **84** ⑭, **114** ㉚ G. Provence – 5 485 h alt. 150.
Env. Parc de St-Pons★ E : 3 km.
🛈 *Office du tourisme Cours Pasteur &* 04 42 32 18 44, Fax 04 42 32 15 49, contact
@gemenos.com.
Paris 795 – Marseille 24 – Toulon 50 – Aix-en-Provence 38 – Brignoles 50.

🏛 **Relais de la Magdeleine** ℀, rd-pt de la Madeleine, N 396 *&* 04 42 32 20 16,
   Fax 04 42 32 02 26, 余, « Élégante demeure avec mobilier ancien, parc », ℥, ♨ – ▨ **TV** ℃
   P – **👥** 30. **AE** **GB**
   15 mars-1er déc. – **Repas** *(fermé merc. midi du 1er oct. au 15 juin)* 29 (déj.), 42/52 ⅀ – ⊡ 13 –
   24 ch 90/140 – ½ P 105/125

🏠 **Parc** ℀, Vallée St-Pons par D 2 : 1 km *&* 04 42 32 20 38, Fax 04 42 32 10 26, 余, ☞ – **TV**
   P – **👥** 20. **AE** **GB**
   Repas *(10,70)* - 14,50 (déj.), 23,70/30,50 ⅀, enf. 11,50 – ⊡ 6,10 – **11 ch** 47,30/79,30 –
   ½ P 47,30/58

NÉRARGUES 30 Gard **80** ⑰ – rattaché à Anduze.

NESTON 44140 Loire-Atl. **67** ③ – 2 217 h alt. 28.
Paris 403 – Nantes 20 – La Roche-sur-Yon 47 – Cholet 59.

XX **Pélican**, 13 pl. G. Gaudet *&* 02 40 04 77 88, Fax 02 40 04 77 88 – ▤. **GB**. ℀
   fermé 29 juil. au 23 août, vacances de fév., dim. soir, lundi et merc. – **Repas** 19,50/29 ⅀,
   enf. 6

NIN (Lac) 01 Ain **74** ④ – rattaché à Oyonnax.

NLIS 21110 Côte-d'Or **66** ⑫ ⑬ – 5 257 h alt. 199.
Paris 330 – Dijon 18 – Auxonne 16 – Dole 34 – Gray 46.

chigey Sud : 8 km par D 25 et D 34 – 214 h. alt. 197 – ⊠ 21110 :

XX **Place-Rey** avec ch, *&* 03 80 29 74 00, dany.rey@wanadoo.fr, Fax 03 80 29 79 55, ☞ – **P**.
   AE **①** **GB**
   fermé 29 juil. au 5 août, 2 au 29 janv., dim. soir et lundi sauf fériés – **Repas** 12,96/38,11 ⅀ –
   ⊡ 6,10 – **9 ch** 36,59 – ½ P 42,69/45,73

GENNES 49350 M.-et-L. **64** ⑫ G. Châteaux de la Loire – 1 946 h alt. 28.

Voir Église★★ de Cunault SE : 2,5 km – Église★ de Trèves-Cunault SE : 3 km.

🛈 Office du tourisme Square de l'Europe 🕾 02 41 51 84 14, Fax 02 41 51 83 48.

Paris 306 – Angers 33 – Bressuire 65 – Cholet 68 – La Flèche 46 – Saumur 20.

🏨 **Aux Naulets d'Anjou** 🦢, 18 r. Croix de Mission 🕾 02 41 51 81 88, Fax 02 41 38 0(
≤, 霜, ⅃, 氣 – 🔟 ℙ – 🔬 20. ☎
fermé 1ᵉʳ fév. au 15 mars – **Repas** (fermé merc. soir et le midi sauf dim. et fériés) 16/22
– ⌸ 5,20 – **19 ch** 47,10 – ½ P 42

✗✗ **L'Aubergade**, 7 av. Cadets 🕾 02 41 51 81 07, Fax 02 41 38 07 85 – ☎
fermé vacances de fév., dim. soir hors saison, mardi soir et merc. – **Repas** (15 bc) - 23/3
enf. 10

GÉNOLHAC 30450 Gard **80** ⑦ G. Languedoc Roussillon – 840 h alt. 490.

🛈 Office du tourisme 🕾 04 66 61 18 32, Fax 04 66 61 15 29.

Paris 636 – Alès 37 – Florac 49 – La Grand-Combe 25 – Nîmes 80 – Villefort 15.

⚘ **Mont Lozère**, D 906 🕾 04 66 61 10 72, Fax 04 66 61 23 91 – 🔟 ℙ. ◑ ☎
15 fév.-15 nov. et fermé mardi et merc. du 15 sept. au 15 juin – **Repas** 13/26 ⅀, enf. 7,
⌸ 5,50 – **14 ch** 38/44 – ½ P 43

GENSAC 33890 Gironde **75** ⑬ – 800 h alt. 78.

🛈 Office du tourisme 5 place de l'Hôtel de Ville 🕾 05 57 47 42 37, Fax 05 57 47 46
gensac@free.fr.

Paris 561 – Bergerac 39 – Bordeaux 58 – Libourne 33 – La Réole 35.

✗✗ **Remparts** 🅼 🦢 avec ch, 16 r. Château 🕾 05 57 47 43 46, rempartsgensac@aol.c
Fax 05 57 47 46 76, ≤, 霜 – 🔟 ℂ ❖, ℙ. ☎
fermé 10 nov. au 6 déc. et 26 janv. au 28 fév. – **Repas** (fermé dim. soir, mardi midi et lu
22,56/37,35 ⅀, enf. 9,14 – ⌸ 6,10 – **7 ch** 48,78 – ½ P 48,78

au Nord-Ouest : 2 km – ✉ 33890 Juillac :

✗✗ **Belvédère**, 🕾 05 57 47 40 33, le-belvedere@wanadoo.fr, Fax 05 57 47 48 07, ≤, 霜 –
🗚 ◑ ☎ 🎴
fermé oct., mardi sauf le midi en juil.-août et merc. – **Repas** 16 (déj.), 23/54 ⅀

GENTILLY 94 Val-de-Marne **60** ⑩, **101** ㉖ – voir à Paris, Environs.

GÉRARDMER 88400 Vosges **62** ⑰ G. Alsace Lorraine – 8 845 h alt. 669 – Sports d'hiver : €
1 150 m ⚐20 ⚑ – Casino AZ.

Voir Lac de Gerardmer★ – Lac de Longemer★ – Saut des Cuves★ E : 3 km par ①.

🛈 Office du tourisme 4 place des Déportés 🕾 03 29 27 27 27, Fax 03 29 27 23
info@gerardmer.net.

Paris 425 ③ – Colmar 53 ① – Épinal 41 ③ – Belfort 79 ② – St-Dié 28 ① – Thann 50 ②.

Plan page ci-contre

🏨 **Grand Hôtel**, pl. Tilleul 🕾 03 29 63 06 31, gerardmer-grandhotel@wanado(
Fax 03 29 63 46 81, 霜, « Parc », ⅃, 🔲, ⚖ – 🛗 ⅌ 🔟 ℂ ❖ ℙ – 🔬 20 à 100. ☎
☎
AZ
Grand Cerf (fermé dim. soir, mardi midi et lundi sauf vacances scolaires) **Repas**
59⅀, enf. 11 – **L'Assiette du Coq à l'Âne** (fermé merc.) **Repas** 15,10 , enf. 8,50 – ⌸ ⁱ
58 ch 76,50/145, 4 appart – ½ P 84/115

🏨 **Manoir au Lac** 🦢 sans rest, par ③ : 1 km rte d'Épinal 🕾 03 29 27 10 20, valen
manoir-au-lac.com, Fax 03 29 27 10 27, ≤ lac, « Chalet vosgien du 19ᵉ siècle dans
parc », 🔲, ⚖ – 🔟 ℂ ❖ ⇦ ℙ – 🔬 20. ☎ ◑ ☎ 🎴. 🎋
⌸ 15,50 – **14 ch** 122/260

🏨 **Beau Rivage** 🅼, esplanade du Lac 🕾 03 29 63 22 28, Fax 03 29 63 29 83, ≤ lac, 霜,
🛗 🔟 ℂ ℙ ◑ ☎
AY
Repas (fermé 15 nov. au 15 déc., dim. soir et lundi hors saison sauf vacances scolaire
jours fériés) 20 (déj.), 23/50 – ⌸ 9,15 – **46 ch** 72/96 – ½ P 78/82

🏨 **Jamagne** 🅼, 2 bd Jamagne 🕾 03 29 63 36 86, hotel.jamagne@wanadoc
Fax 03 29 60 05 87, 霜, 🖪, 🔲 – 🛗 🔟 ℙ – 🔬 20 à 50. 🎋 rest
AY
fermé 3 au 31 mars, 12 nov. au 20 déc. – **Repas** 13/23 ⅀, enf. 8 – ⌸ 9 – **48 ch** 54/8
½ P 55/57

🏠 **Paix**, 6 av. Ville de Vichy 🕾 03 29 63 38 78, hoteldelapaix@wanadoo.fr, Fax 03 29 63 18
霜 – 🛗 🔟 ℂ ℙ. ☎. 🎋
AZ
Bouquet des Saveurs (fermé 10 au 25 mars, 25 nov. au 15 déc., dim. soir, vend. mi
lundi sauf juil.-août) **Repas** (21)- 26⅀, enf. 8 – ⌸ 8,50 – **24 ch** 60/75 – ½ P 47,50/72

🏠 **Les Reflets du Lac** 🅼 sans rest, au bout du lac, par ③ : 2,5 km 🕾 03 29 60 31
Fax 03 29 60 31 51, ≤ – 🔟 ℂ ℙ. ☎. 🎋
fermé nov. – ⌸ 6,10 – **14 ch** 42,69/76,22

596

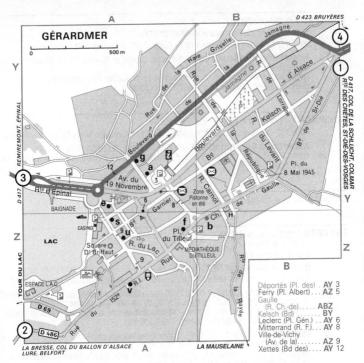

GÉRARDMER

Gérard d'Alsace sans rest, 14 r. 152ᵉ R. I. ℘ 03 29 63 02 38, *gerard.dalsace.hotel@liberty surf.fr,* Fax 03 29 60 85 21, 🏊, 🌳 – 🄿 ⓞ GB. 🛇
fermé 4 au 24 nov. – ☄ 6,50 – **17 ch** 37/54
AZ v

Loges du Parc, 12 av. Ville de Vichy ℘ 03 29 63 32 43, *les.loges.du.parc@wanadoo.fr,* Fax 03 29 63 17 03, 😚, 🏊 – 🆃🆅 🄿 🄰🄴 GB. 🛇 ch
30 mars-6 oct. et 21 déc.-9 mars – **Repas** 18,50/43 ⅃, enf. 10 – ☄ 7 – **30 ch** 56/65 – ½ P 53/58
AZ u

Chalet du Lac, par ③ : 1 km rte Épinal ℘ 03 29 63 38 76, Fax 03 29 60 91 63, ≤ lac, 🌳 – 🆃🆅 🄿. GB
fermé oct. – **Repas** 15,24/53,36 ⅃, enf. 9,91 – ☄ 7,17 – **11 ch** 51,83/65,55 – ½ P 50,31

Viry, pl. Déportés ℘ 03 29 63 02 41, *hotel-viry-aubergade@yahoo.fr,* Fax 03 29 63 14 03, 😚 – 🆃🆅 🄿 🄰🄴 GB
AY a
L'Aubergade (fermé vend. soir hors saison) **Repas** 12/37 ⅄, enf. 7,5 – ☄ 6,10 – **17 ch** 44,50/58 – ½ P 46/55

🍴 **Bistrot de la Perle,** 32 r. Ch. de Gaulle ℘ 03 29 60 86 24, Fax 03 29 60 86 24, 😚 – GB
BZ b
fermé 3 au 25 oct., mardi soir et merc. hors saison – **Repas** (9,50) · 14/19 ⅄, enf. 6,50

à Bas Rupts par ② : 4 km – ⊠ 88400 Gérardmer :

🏨 **Chalet Fleuri** 🄼, ℘ 03 29 63 09 25, *bas-rupts@wanadoo.fr,* Fax 03 29 63 00 40, ≤, « Beau décor rustique », 🏊, 🌳, 🛇 – 🆃🆅 🄿. 🄰🄴 GB
voir rest. *Host. Bas-Rupts* ci-après – ☄ 15,25 – **13 ch** 122/168 – ½ P 137/168

🍴🍴🍴 **Hostellerie des Bas-Rupts** (Philippe) avec ch, ℘ 03 29 63 09 25, *bas-rupts@relais chateaux.com,* Fax 03 29 63 00 40, ≤, 😚, « Élégante installation », 🏊, 🌳, 🛇 – ▤ rest, 🆃🆅 🛆 🄿. 🄰🄴 GB
Repas (dim. et fêtes prévenir) 28 (déj.), 38/84 et carte 56 à 78 ⅄, enf. 18 – ☄ – **11 ch** 100/145 – ½ P 107/168
Spéc. Terrine tiède de foie gras d'oie et pommes de terre. Tripes au riesling à la crème et moutarde. Civet de joues de porcelet en chevreuil. **Vins** Riesling, Tokay-Pinot gris.

🍴🍴 **A la Belle Marée,** ℘ 03 29 63 06 83, Fax 03 29 63 20 76, ≤, « Décor bateau en acajou », 🌳 – 🄿. 🄰🄴 ⓞ GB
fermé 24 juin au 6 juil., lundi et mardi – **Repas** · produits de la mer · 21/41 ⅄, enf. 9,20

GERBEROY 60380 Oise **55** ⑨ – 111 h alt. 180.

🛈 *Syndicat d'initiative - Mairie* ℘ 03 44 82 33 63.

Paris 111 – Aumale 30 – Beauvais 23 – Breteuil 37 – Compiègne 83 – Rouen 63.

XX **Hostellerie du Vieux Logis**, 25 r. Logis du Roy ℘ 03 44 82 71 66, *levieuxlogis@v*
online.fr, Fax 03 44 82 61 65, 🏠 – **GB**
fermé vac. de Noël, de fév., du lundi soir au vend. soir de nov. à fév, mardi soir, dim. s
merc. en saison – **Repas** 19,50/39,50 🌱, enf. 10,60

GERMAGNY 71430 S.-et-L. **69** ⑱ – 156 h alt. 265.

Paris 362 – Chalon-sur-Saône 26 – Mâcon 54 – Montceau-les-Mines 28 – Paray-le-Monia

X **Auberge La Gourmandière**, ℘ 03 85 49 25 46, Fax 03 85 49 25 46 – **GB**
fermé 28 août au 11 sept., 24 au 31 déc., 28 fév. au 6 mars, mardi et merc. – **Re**
10,50/25,90 🌱, enf. 7,30

GÉTIGNÉ 44 Loire-Atl. **67** ④ – *rattaché à Clisson.*

Les GETS 74260 H.-Savoie **74** ⑧ G. Alpes du Nord – 1 352 h alt. 1170 – Sports d'hiver : 1
2 000 m ⛷ 5 ⛷ 48 ⚡.

Env. Mont Chéry ✳️ ★★.

🛈 *Office du tourisme* ℘ 04 50 75 80 80, Fax 04 50 79 76 90, *lesgets@lesgets.com.*
Paris 582 – Thonon-les-Bains 37 – Annecy 72 – Bonneville 31 – Cluses 20 – Morzine 7.

🏨🏨 **Labrador**, rte La Turche ℘ 04 50 75 80 00, *info@labrador-hotel.com*, Fax 04 50 79 8.
≼, 🏠, 🖐, 🔄, 🎾, 🗇, ✕ – 🛗 📺 🅿 🅰🅴 ⑩ **GB** 🅹🅲🅱. ✻ rest
22 juin-8 sept. et 21 déc.-6 avril – **St-Laurent** *(fermé le midi en semaine)* **Repas**
38 🌱, enf. 10 – 🍽 13 – **23 ch** 145/190 – ½ P 100/137

🏨🏨 **Marmotte** 🅼, ℘ 04 50 75 80 33, *marmotte@portesdusoleil.com*, Fax 04 50 75 83 26
🖐, 🔄 – 🛗 📺 🗇 🅿 🅰🅴 ⑩ **GB** 🅹🅲🅱. ✻ rest
29 juin-1er sept. et 21 déc.-31 mars – **Repas** *(dîner seul.) (résidents seul.)* 23/28 🌱, enf.
🍽 9 – **43 ch** 210/239, 5 duplex – ½ P 160/198

🏨 **Mont Chéry**, ℘ 04 50 75 80 75, *hotel.mont-chery@wanadoo.fr*, Fax 04 50 79 70 13
🏠, 🖐, 🔄, ▤ rest, 🛗 – 🛗 📺 🗇 🅿 🅰🅴 ⑩ **GB**, ✻
hôtel :1er juil.-31 août et 20 déc.-15 avril ; rest. : 20 déc.-15 avril – **Repas** 29/43 🌱 – 2⑨
🍽 99/198 – ½ P 100/198

🏨 **Alpina** 🔅, par rte La Turche ℘ 04 50 75 80 22, *info@hotel-alpina74.c*
Fax 04 50 75 83 48, ≼, 🔄, 🎾 – 🛗 📺 ✆ 🗇 🅿 🅰🅴 ⑩ **GB**. ✻ rest
20 mai-20 sept. et 15 déc.-20 avril – **Repas** 16 *(déj.)*, 18/29, enf. 8 – 🍽 6,50 – **35 ch** 81/
½ P 71

🏨 **Alpages**, rte La Turche ℘ 04 50 75 80 88, *info@hotel.alpages.com*, Fax 04 50 79 76 98
🖐, 🔄, 🎾 – 🛗 📺 🗇 🅿 🅰🅴 ⑩ **GB**. ✻
hôtel : 1er juil.-31 août et 15 déc.-31 mars, rest : 15 déc.-31 mars – **Repas** 13/29, enf.
🍽 13 – **22 ch** 122/130 – ½ P 140

🏠 **Bellevue**, ℘ 04 50 75 80 95, *bellevue.gets@wanadoo.fr*, Fax 04 50 79 81 81, ≼, 🏠,
📺 🗇. **GB**. ✻ ch
30 juin-10 sept. et 20 déc.-15 avril – **Repas** 15,25 *(déj.)*, 16,80/21,35 🌱 – 🍽 5,50 – **16 ch** 48
– ½ P 57/81

🏠 **Stella**, ℘ 04 50 75 80 40, *jmbaud@stella-galaxy.com*, Fax 04 50 75 89 25, 🏠 – 🛗 📺 ✆
– ⚡ 40. 🅰🅴 ⑩ **GB**. ✻ rest
8 juil.-26 août et 22 déc.-13 avril – **Repas** *(résidents seul.)(½ pens. seul.)* – 🍽 6 – 25
110/150 – ½ P 75/81

🏠 **Bel'Alpe**, ℘ 04 50 79 74 11, *belalpe@portesdusoleil.com*, Fax 04 50 79 80 99, ≼, 🏠,
– 🛗 📺 🅿. **GB**
20 juin-10 sept. et 15 déc.-20 avril – **Repas** 15,24 *(déj.)*, 18,30/22,87 🌱, enf. 9,15 – 🍽 6,⑧
34 ch 42,69/73,18 – ½ P 45,73/70,89

🏠 **Régina**, ℘ 04 50 75 80 44, Fax 04 50 79 87 29 – 📺. ⑩ **GB**. ✻ rest
hôtel : juil.-août et 22 déc.-15 avril ; rest. : 22 déc.-15 avril – **Repas** 13,70/30 🌱 – 🍽 6,4
21 ch 56,40/74,70 – ½ P 71/73

🏠 **Crychar** 🔅 sans rest, par rte La Turche ℘ 04 50 75 80 50, *info@crychar.c*
Fax 04 50 79 83 12, ≼, 🔄, 🎾 – 📺 🗇 🅿 🅰🅴 ⑩ **GB**. ✻
21 déc.-15 avril – 🍽 10 – **12 ch** 112/125

🛈 *Office du tourisme 3 rue Gaston Roupnel &* 03 80 34 38 40, Fax 03 80 34 15 49, *GEVREY.INFO@wanadoo.fr.*

Paris 315 ① – Beaune 33 ① – Dijon 12 ① – Dole 61 ①.

GEVREY-CHAMBERTIN

🏠 **Grands Crus** ⬥ sans rest, & 03 80 34 34 15, *hotel.lesgrandscrus@ipac.fr,* Fax 03 80 51 89 07, « Jardin fleuri », 🌳 – ℃ 🅿. 🖸   A c
1er mars-1er déc. – ☲ 8 – **24 ch** 60/75

🏠 **Arts et Terroirs** sans rest, N 74 & 03 80 34 30 76, Fax 03 80 34 11 79, 🌳 – 📺 ℃ 🅿. 🆀 B e
⓪ 🖸
☲ 7 – **16 ch** 45/75

🏠 **Aux Vendanges de Bourgogne,** N 74 & 03 80 34 30 24, *aux-vendanges-de-bourgogne@wanadoo.fr,* Fax 03 80 58 55 44, 😀 – 📺 ℃ 🅿. 🖸   B n
fermé 22 déc. au 5 janv. – **Repas** *(fermé dim. et lundi midi)* 14 (déj.), 20/24 ⅋, enf. 9 –
☲ 6,50 – **14 ch** 36/50 – ½ P 50/60

XXX **Les Millésimes** (Sangoy), 25 r. Église & 03 80 51 84 24, *lesmillesimes@lesmillesimes.fr,* ⚜ Fax 03 80 34 12 73, 😀, « Cave aménagée, décor élégant » – 🗐 🅿. 🆀 🖸   A r
fermé 10 déc. au 25 janv., merc. midi et mardi – **Repas** 53/99 et carte 80 à 115
Spéc. Confit d'échalotes aux escargots de Bourgogne. Bar en croûte de sel à la lie de vin.
Selle d'agneau en croûte de pain aux épis de blé **Vins** Gevrey-Chambertin, Nuits-Saint-Georges

XXX **Rôtisserie du Chambertin,** & 03 80 34 33 20, Fax 03 80 34 12 30, « Caves anciennes aménagées, petit musée » – 🗐 🅿. 🖸 🆐   A s
fermé 1er au 15 août, 7 au 28 fév., dim. soir et lundi – **Repas** 33/66 et carte 47 à 68 ⌇ -
Le Bonbistrot : Repas carte 20 à 28 ⌇

X **Chez Guy,** 3 pl. Mairie & 03 80 58 51 51, Fax 03 80 58 50 39 – 🖸   A z
fermé vacances de fév., mardi hors saison et merc. – **Repas** (16,50) - 20/24 ⌇, enf. 9

GEX *01170 Ain 70 ⑮ ⑯ G. Jura – 7 733 h alt. 626.*

Office du tourisme Square Jean Clerc ☎ 04 50 41 53 85, Fax 04 50 41 81 00, ot degex@wanadoo.fr.

Paris 490 – Genève 18 – Lons-le-Saunier 94 – Pontarlier 111 – St-Claude 42.

Parc sans rest, av. Alpes ☎ 04 50 41 50 18, *Fax 04 50 42 37 29*, – TV P. AE GB.
fermé 3 au 25 janv. et dim. – 7,50 – **15 ch** 43/61

à Echenevex *Sud : 4 km par D 984ᶜ et rte secondaire – 1 197 h. alt. 580 – ✉ 01170 Gex :*

Auberge des Chasseurs , ☎ 04 50 41 54 07, *Fax 04 50 41 90 61*, ≤ Mont-Blanc, « Belle décoration intérieure, agréable terrasse fleurie », , – TV P – 30. AE
1er mars-11 nov. et fermé dim. soir et lundi sauf juil.-août – **Repas** (prévenir) 31/51
10 – **15 ch** 84/130 – ½ P 88/120

à Chevry *Sud : 7 km par D 984c – 803 h. alt. 500 – ✉ 01170 :*

Auberge Gessienne, ☎ 04 50 41 01 67, *Fax 04 50 41 01 67*, – P. GB
fermé 29 juil. au 22 août, 3 au 18 fév., mardi soir, dim. et lundi – **Repas** 11,50 (déj.), 15,30

GICOURT *60 Oise 56 ① – rattaché à Clermont.*

GIEN *45500 Loiret 65 ② G. Châteaux de la Loire – 15 332 h alt. 162.*

Voir *Château★ : musée de la Chasse★★, terrasse du château ≤★* **M** – *Pont ≤★.*

Env. *Pont-canal★★ de Briare : 10 km par ②.*

Office de tourisme pl. Jean-Jaurès ☎ 02 38 67 25 28, Fax 02 38 38 23 16.

Paris 151 ① – Orléans 69 ④ – Auxerre 85 ② – Bourges 78 ③ – Cosne-sur-Loire 45 ②.

GIEN

Anne-de-Beaujeu (R.) ...... Z 2
Bildstein (R. du Lt.) ...... Y 3
Briqueteries (R. des) ...... Y
Château (Pl. du) ...... Z
Clemenceau (R. G.) ...... Z 5
Curie (Place) ...... Y
Gambetta (R.) ...... Z 6
Hôtel-de-Ville (R. de l') ...... Z 7
Jean-Jaurès (Pl.) ...... Z 9
Jeanne-d'Arc (R.) ...... YZ
Joffre (Q. du Mar.) ...... Z
Leclerc (Av. du Mar.) ...... Z 12
Lenoir (Quai) ...... Z
Louis-Blanc (R.) ...... Z 13
Marienne (R. de l'Adj.-Chef) ...... Z 15
Montbricon (R. de) ...... YZ
Noé (R. de) ...... Y
Paris (R. de) ...... YZ
Paul-Bert (R.) ...... Z 16
Président-Wilson (Av.) ...... Y 17
République (Av. de la) ...... Y 19
Thiers (R.) ...... Z 23
Verdun (R. de) ...... Y
Victor-Hugo (R.) ...... Z 24
Vieille-Boucherie (R.) ...... Z 25
Villejean (Av. J.) ...... Y

Pour un bon usage des plans de villes, voir les signes conventionnels dans l'introduction.

Axotel sans rest, 14 r. Bosserie, par ① : *3 km* ☎ 02 38 67 11 99, *Fax 02 38 38 16 61*, – TV P – 30. AE GB
10 – **48 ch** 50/55

Anne de Beaujeu sans rest, 10 rte Bourges par ③ ☎ 02 38 29 39 39, *hotel.a.beauje wanadoo.fr, Fax 02 38 38 27 29* – TV P. AE GB JCB
fermé 22 déc. au 7 janv. – 8 – **30 ch** 43/58

XX **Poularde** avec ch, 13 quai Nice ✆ 02 38 67 36 05, *Fax 02 38 38 18 78* – rest, TV. AE GB Z e
fermé 1er au 15 janv., dim. soir et lundi midi – **Repas** 15,09/40, enf. 9 – 7 – **9 ch** 41/53

XX **Côté Jardin,** 14 rte Bourges par ③ ✆ 02 38 38 24 67, *Fax 02 38 38 24 67,* – . GB
fermé 1er au 14 juil., vacances de fév., sam. midi et lundi – **Repas** (nombre de couverts limité, prévenir) 16,77/44,21 ♀, enf. 12,20

X **Loire,** 18 quai Lenoir ✆ 02 38 67 00 75 – GB. Z r
fermé 14 au 28 nov., 16 janv. au 6 fév., mardi soir et merc. – **Repas** 14/26 ♀

X **P'tit Bouchon,** 66 r. B. Palissy (par r. Hôtel de Ville Z) ✆ 02 38 67 84 40, *Fax 02 38 67 84 40* – GB.
fermé 4 au 25 août, 22 déc. au 5 janv., sam. midi et dim. – **Repas** (13,72) - 16,77 ♀, enf. 10,67

Sud par ③, *D 940 et rte secondaire : 3 km* – ✉ *45500 Poilly-lez-Gien :*

Villa Hôtel, ✆ 02 38 27 03 30, *Fax 02 38 27 03 43* – TV P. GB
Repas *(fermé 20 déc. au 5 janv., vend., sam. et dim.)* (dîner seul.) 11/13 – 4,50 – **14 ch** 29 – ½ P 26

ENS *83 Var* 84 ⑯, 114 ㊻ *G. Côte d'Azur* – ✉ *83400 Hyères.*
Voir *Ruines du château des Pontevès* ★★.
Paris 868 – Toulon 29 – Carqueiranne 11 – Draguignan 88 – Hyères 10.
Voir plan de Giens à Hyères.

Provençal, ✆ 04 98 04 54 54, *leprovencal@wanadoo.fr, Fax 04 98 04 54 40,* ←, , « Parc en terrasses ombragé et fleuri », , – TV P – 50. AE GB. rest
13 avril-20 oct. – **Repas** 22/42 ♀, enf. 11 – 11 – **41 ch** 66/110 – ½ P 85/105 X s

XX **Tire Bouchon,** ✆ 04 94 58 24 61, ←, – . GB X a
fermé 15 au 28 oct., déc., mardi et merc. sauf le soir en juil.-août – **Repas** 23/29, enf. 13

En juin et en septembre,
les hôtels sont moins chers qu'en pleine saison, le service est plus soigné.

GIETTAZ *73590 Savoie* 74 ⑦ – *488 h alt. 1120.*
Paris 578 – Chamonix-Mont-Blanc 48 – Albertville 28 – Chambéry 80 – Megève 16.

Arondine, ✆ 04 79 32 90 60, *Fax 04 79 32 91 78,* , – TV P
saisonnier – **21 ch**

Flor'Alpes, ✆ 04 79 32 90 88, ←, – GB. rest
15 juin-15 sept. et 20 déc.-10 avril – **Repas** (6,95) - 9,90/17,50 – 5,35 – **11 ch** 35,05/36,60 – ½ P 36,95

FFAUMONT-CHAMPAUBERT *51290 Marne* 61 ⑨ *G. Champagne Ardenne* – *234 h alt. 130.*
Voir *Lac du Der-chantecoq*★★.
Office du tourisme Station Nautique-Maison du Lac ✆ 03 26 72 62 80, Fax 03 26 72 64 69, LAC-DU-DER@wanadoo.fr.
Paris 206 – Bar-le-Duc 52 – Chaumont 69 – St-Dizier 24 – Vitry-le-François 29.

Cheval Blanc, ✆ 03 26 72 62 65, *Fax 03 26 73 96 97,* – TV P. AE GB. ch
fermé 2 au 24 sept., 2 au 24 janv., mardi midi, dim. soir et lundi – **Repas** 19,80/53,36 ♀, enf. 8,38 – 5,65 – **14 ch** 48,80/60,98 – ½ P 48,10/53

GARO *83 Var* 84 ⑰,, 114 ㊲ – *rattaché à La Croix-Valmer.*

GNAC *34150 Hérault* 83 ⑥ – *3 955 h alt. 53.*
Office du tourisme Place du Général Claparède ✆ 04 67 57 58 83, Fax 04 67 57 67 95.
Paris 724 – Montpellier 31 – Béziers 52 – Lodève 25 – Sète 59.

XX **Les Liaisons Gourmandes,** 3 bd Esplanade ✆ 04 67 57 50 83, *Fax 04 67 57 93 70* – . AE GB
fermé mars, lundi sauf le soir en juil.-août, sam. midi et dim. soir hors saison – **Repas** 15/43, enf. 8,38

GONDAS *84190 Vaucluse* 81 ② *G. Provence* – *648 h alt. 313.*
Office du tourisme Place du Portail ✆ 04 90 65 85 46, Fax 04 90 65 88 42, ot-gigondas@axit.fr.
Paris 668 – Avignon 40 – Nyons 32 – Orange 21 – Vaison-la-Romaine 16.

Les Florets 🏠, Est : 2 km par rte secondaire 𝒫 04 90 65 85 01, Fax 04 90 65 83 80, 🚗 – 📺 🅿, 🆎 ⓪ **GB**
fermé 1ᵉʳ janv. au 15 mars, lundi soir, jeudi midi et mardi de nov. à mars et merc. sauf ⓗ *d'avril à oct.* – Repas 22/32 ♈, enf. 15 – ⌑ 11 – **15 ch** 80/85 – ½ P 79/96,50

L'Oustalet, 𝒫 04 90 65 85 30, loustalet-gigondas@libertysurf.fr, Fax 04 90 65 85 30, – 🆎 **GB**
fermé 15 nov. au 28 déc., dim. sauf le midi de Pâques au 15 sept. et lundi – Repas *(17)* (déj.), 39/60 ♈, enf. 13,50

GILETTE 06830 Alpes-Mar. **81** ⑳ G. Côte d'Azur – 1 254 h alt. 420.
Voir ❋** des ruines du château.
🛈 Syndicat d'initiative - Mairie 𝒫 04 93 08 57 19, Fax 04 93 08 52 70.
Paris 954 – Antibes 43 – Nice 37 – St-Martin-Vésubie 45.

à Vescous par rte de Rosquesteron (D 17) : 9 km – ⊠ 06830 Gilette :

Capeline, 𝒫 04 93 08 58 06, Fax 04 93 08 58 06, 🏡 – 🅿, **GB**
ouvert mars-oct., week-ends de nov. à fév. et fermé lundi – Repas (prévenir)(déj. s◼ 17/24, enf. 10

GILLY-LÈS-CÎTEAUX 21 Côte-d'Or **65** ⑳ – rattaché à Vougeot.

GIMBELHOF 67 B.-Rhin **57** ⑲ – rattaché à Lembach.

GINASSERVIS 83560 Var **84** ④ – 984 h alt. 407.
Paris 786 – Aix-en-Provence 53 – Avignon 110 – Manosque 23 – Marseille 82 – Toulon 92

Chez Marceau avec ch, pl. G. Péri 𝒫 04 94 80 11 21, Fax 04 94 80 16 82, 🏡 – 🆎 **GB**
fermé vacances de Toussaint, de fév., mardi soir et merc. – Repas 13/35 ♈ – ⌑ 5,50 – 5◼ 40/46 – ½ P 36/41,50

GINCLA 11140 Aude **86** ⑰ – 43 h alt. 570.
Voir Commune de la "Méridienne verte".
Paris 859 – Foix 88 – Perpignan 67 – Carcassonne 76 – Quillan 24.

Hostellerie du Grand Duc 🏠, 𝒫 04 68 20 55 02, host-du-grand-duc@ataraxi◼ Fax 04 68 20 61 22, 🏡, 🚗 – 📺 📞 ⌂ 🅿, **GB**
30 mars-5 nov. – Repas *(fermé merc. midi sauf juil.-août)* 21,50/42 ♈, enf. 12 – ⌑ 7 – 12◼ 44,21/59,46 – ½ P 54,88/58,69

GIRMONT-VAL-D'AJOL 88340 Vosges **62** ⑯ – 273 h alt. 650.
Paris 391 – Épinal 42 – Colmar 93 – Mulhouse 80 – Vesoul 58.

au Nord-Est par D 83, D 57 et rte secondaire : 6,5 km – ⊠ 88340 Le Girmont-Val-d'Ajol :

Auberge de la Vigotte 🏠, 𝒫 03 29 61 06 32, courrier@lavigotte.c◼ Fax 03 29 61 07 88, ≤, 🏡, 🚗, ❋ – 🅿, **GB**
fermé 12 nov. au 20 déc. – Repas *(fermé mardi et merc.)* 13,72/20,89 ♈, enf. 7,63 – ⌑ 5◼ – **20 ch** 30,49/64,03 – ½ P 38,12/53,36

GIROMAGNY 90200 Ter.-de-Belf. **66** ⑧ G. Jura – 3 300 h alt. 495.
🛈 Office de tourisme parc du Paradis des Loups 𝒫 03 84 29 09 00, Fax 03 84 29 55 45.
Paris 419 – Épinal 81 – Mulhouse 47 – Belfort 15 – Lure 30 – Thann 33 – Le Thillot 32.

à Auxelles-Bas Ouest : 4 km par D 12 – 461 h. alt. 480 – ⊠ 90200 :

Vieux Relais, 𝒫 03 84 29 31 80, bpoxo@aol.com, Fax 03 84 29 56 13 – **GB**
fermé 1ᵉʳ au 15 sept., sam. midi d'oct. à avril, dim. soir et lundi – Repas 13,72/28,97◼ enf. 9,91

rte du Ballon d'Alsace Nord : 7 km par D 465 – alt. 701 – ⊠ 90200 Lepuix-Gy :

Saut de la Truite avec ch, 𝒫 03 84 29 32 64, Fax 03 84 29 57 42, ≤, 🏡, « Frais jar◼ dans le vallon », 🚗 – 📺 ⌂ 🅿, 🆎 ⓪ **GB**
fermé 15 déc. au 1ᵉʳ fév. et vend. – Repas 15/28 ♈, enf. 7 – ⌑ 5,50 – **5 ch** 43 – ½ P 46

GIROUSSENS 81 Tarn **82** ⑨ – rattaché à Lavaur.

ORS 27140 Eure **55** ⑧ ⑨ G. Normandie Vallée de la Seine – 10 882 h alt. 60.

Voir Château fort★★ – Église St-Gervais et St-Protais★.

🛈 Office du tourisme 3 rue Baléchaux ℘ 02 32 55 14 60, Fax 02 32 27 38 28.

Paris 77 – Rouen 58 – Beauvais 33 – Évreux 67 – Mantes-la-Jolie 40 – Pontoise 38.

XX **Cappeville**, 17 r. Cappeville ℘ 02 32 55 11 08, pierre.potel@worldonline.fr, Fax 02 32 55 93 92 – **AE** **JCB**
fermé 2 au 17 sept., 2 au 17 janv., merc. soir et jeudi – Repas 17,53/41,92, enf. 9,91

azincourt-sur-Epte Nord : 6 km par D 14 – 578 h. alt. 55 – ⊠ 27140 :

🏛 **Château de la Rapée** ⑤, Ouest : 2 km par rte secondaire ℘ 02 32 55 11 61, info@
hotel-la-rapee.com, Fax 02 32 55 95 65, 佘, « Parc », ⌧, ⚕ – ⊡ ✓ **P** – ⚕ 30. ⊡ **GB**. ✵
fermé 15 août au 1er sept. et 20 janv. au 1er mars – **Pommeraie** (fermé merc.) Repas
27/36 ⅞, enf. 15 – ⊒ 10 – **14 ch** 77/123

t-Denis-le-Ferment Nord-Ouest : 7 km par rte secondaire et D 17 – 456 h. alt. 70 – ⊠ 27140 :

XX **Auberge de l'Atelier**, ℘ 02 32 55 24 00, Fax 02 32 55 10 20, 佘 – **P**. **GB**
fermé 1er au 15 sept., mardi d'oct. à fin mars, dim. soir et lundi sauf fériés – Repas
23,63/48,02 et carte 40 à 55 ⅞

VERNY 27620 Eure **55** ⑱ G. Normandie Vallée de la Seine – 524 h alt. 17.

Voir Maison de Claude Monet★ – Musée d'Art américain Giverny★.

Paris 73 – Rouen 67 – Beauvais 70 – Évreux 35 – Mantes-la-Jolie 21.

XXX **Jardins de Giverny**, D 5 ℘ 02 32 21 60 80, Fax 02 32 51 93 77, 佘, ⚕ – **P**. **AE** **GB**
mars-nov. et fermé le soir (sauf sam.) et lundi – Repas 20/38 ⅞

VET 08600 Ardennes **53** ⑨ G. Champagne Ardenne – 7 372 h alt. 103.

Voir ≤★ du fort de Charlemont★.

🛈 Office du tourisme Place de la Tour Victoire ℘ 03 24 42 03 54, Fax 03 24 42 40 10 70,
ot-givet@dial-oleane.com.

Paris 281 – Charleville-Mézières 58 – Fumay 24 – Rocroi 41.

🏛 **Les Reflets Jaunes** M sans rest, 2 r.Gén. de Gaulle ℘ 03 24 42 85 85, reflets-jaunes@wa
nadoo.fr, Fax 03 24 42 85 86 – ⌿ ☰ ⊡ ✓ ⚕ **P**. **AE** ⓞ **GB**
⊒ 9,15 – **17 ch** 36,59/94,37

🏛 **Val St-Hilaire**, 7 quai des Fours ℘ 03 24 42 38 50, Fax 03 24 42 07 36 – ⊡ ✓ ⚕ **P** –
⚕ 25. **AE** ⓞ **GB**. ✵ ch
Fermé 20 déc. au 5 janv. – **Auberge de la Tour** (fermé 20 déc. au 15 janv. et lundi midi)
Repas 15(déj.) 18,30/28,20 ⅞, enf. 10,67 – ⊒ 7,32 – **20 ch** 45/53,50 – ½ P 48,78

🏠 **Rivhôtel-Roosevelt** sans rest, 14 quai Remparts ℘ 03 24 42 14 14, Fax 03 24 42 15 15
– ⚕✵ ⊡ ✓. **GB**
fermé vend. – ⊒ 8,38 – **8 ch** 44,97/52,59

XXX **Méhul Gourmand**, 10 r. Flayelle ℘ 03 24 42 78 37, Fax 03 24 42 78 37 – **AE** **GB** **JCB**
fermé 13 au 30 avril, 9 sept. au 1er oct., dim. soir, lundi et mardi – Repas 23/36 et carte 40 à
48 ⅞, enf. 11

VORS 69700 Rhône **74** ⑪, **110** ㉝ G. Vallée du Rhône – 18 437 h alt. 156.

🛈 Office du tourisme 1 place de la Liberté ℘ 04 78 07 41 38, Fax 04 78 07 41 39,
office.tourisme.fleuve@wanadoo.fr.

Paris 485 – Lyon 25 – Rive-de-Gier 17 – Vienne 13.

oire-sur-Rhône : 5 km par N 86, rte de Condrieu – 2 126 h. alt. 140 – ⊠ 69700 :

XX **Camerano**, ℘ 04 78 07 96 36, Fax 04 72 49 99 94, 佘 – **P**. **GB**
fermé 3 au 26 août, 26 déc. au 2 janv., sam. midi, dim. soir et lundi soir – Repas (14) - 21/48

VRY 71640 S.-et-L. **69** ⑨ G. Bourgogne – 3 596 h alt. 247.

Paris 344 – Chalon-sur-Saône 9 – Autun 47 – Chagny 15 – Mâcon 65.

XX **Halle** avec ch, pl. Halle ℘ 03 85 44 32 45, Fax 03 85 44 49 45 – **GB**
fermé 4 au 12 nov., dim. soir et lundi – Repas 16,46/42,69 ⅞ – ⊒ 6,86 – **3 ch** 35,06 –
½ P 36,28

AINE-MONTAIGUT 63160 P.-de-D. **73** ⑮ – 482 h alt. 350.

Paris 438 – Clermont-Ferrand 29 – Issoire 37 – Thiers 21.

X **Auberge de la Forge** ⑤ avec ch, ℘ 04 73 73 41 80, a.delaforge@wanadoo.fr,
⊜ Fax 04 73 73 33 83, 佘 – ✓. **AE** **GB**
fermé1er au 20 sept. – Repas (fermé dim. soir et mardi) (10,50) - 13,60/24,25 ⅞, enf. 7,50 –
⊒ 6,10 – **4 ch** 38,10/48,80 – ½ P 57,95

GLANDELLES 77 S.-et-M. **61** ⑫ – rattaché à Nemours.

GLUIRAS 07190 Ardèche **76** ⑲ – 349 h alt. 800.
Paris 612 – Valence 47 – Le Cheylard 20 – Lamastre 33 – Privas 33.

※ **Relais de Sully,** ℘ 04 75 66 63 41, Fax 04 75 64 69 88, 佘 – **GB**
⊜ fermé 21 au 28 déc. et 1er fév. au 15 mars – Repas 14/29 �, enf. 8

Le GOLFE-JUAN 06 Alpes-Mar. **84** ⑨, **115** ㉟ ㊴ G. Côte d'Azur – ⊠ 06220 Vallauris.
🅱 Office de tourisme Vieux-Port ℘ 04 93 63 73 12, Fax 04 93 63 95 01.
Paris 913 – Cannes 7 – Antibes 5 – Grasse 23 – Nice 29.

pour Vallauris voir plan de Cannes.

🏨 **Beau Soleil** Ⓜ ⑤, impasse Beau-Soleil par N 7 (dir. Antibes) ℘ 04 93 63 63 63, conta
hotel-beau-soleil.com, Fax 04 93 63 62 89, 佘, ⊒ – ⌷ ≣ ⅣV ⇔ P. 죠 GB. ℅
28-mars-14 oct. – Repas (dîner seul.)(résidents seul.) 19 Ⓨ – ⊒ 9 – **30 ch** 91/10
½ P 56,50/72

🏨 **Lauvert** ⑤ sans rest, impasse des Hameaux de Beau-Soleil par N 7 (dir. Anti
℘ 04 93 63 46 06, hotel.lauvert@wanadoo.fr, Fax 04 93 63 28 57, ⊒, ☞, ℅ – ⌷ cuisin
Ⅳ P. GB
1er fév.-15 oct. – ⊒ 7 – **28 ch** 75

🏨 **de la Mer** Ⓜ sans rest, N 7, 226 av. Liberté ℘ 04 93 63 80 83, Fax 04 93 63 10 83, ⊒ ·
Ⅳ. 죠 GB
fermé 4 au 8 mars, 4 au 29 nov. et merc. sauf juil.-août – ⊒ 7,62 – **33 ch** 45,73/99,10

🏨 **Crijansy,** av. J. Adam, par N 7 (dir. Cannes) ℘ 04 93 63 84 44, Fax 04 93 63 42 04, 佘
≣ ch, Ⅳ ⇔ P. GB
1er fév.-30 oct. – Repas (dîner seul.) 15,25/23 – ⊒ 5,50 – **20 ch** 50/70 – ½ P 61

XX **Tétou,** à la plage ℘ 04 93 63 71 16, Fax 04 93 63 16 77, ≤ îles de Lérins, ⌂ – ≣ P.
❀ 10 mars-31 oct. et fermé merc. – Repas - produits de la mer - carte 92 à 115
Spéc. Bouillabaisse. Langoustes grillées ou mayonnaise. Loup au four au vin blanc. Ⅴ
Côtes de Provence, Bellet.

XX **Nounou,** à la plage ℘ 04 93 63 71 73, Fax 04 93 63 46 91, ≤ îles de Lérins, 佘, ⌂ -
죠 ⓞ GB 죠
fermé 10 nov. au 25 déc., dim. soir et lundi sauf juil.-août – Repas - produits de la m
31/55

à Vallauris Nord-Ouest : 2,5 km par D 135 – 25 773 h. alt. 120 – ⊠ 06220 :
Voir Musée national "la Guerre et la Paix" (château) – Musée de l'Automobile★ NO : 4 km
🅱 Office du tourisme Square du 8 Mai 1945 ℘ 04 93 63 82 58, Fax 04 93 63 13
Tourisme.vgj@wanadoo.fr.

🏨 **Val d'Auréa** sans rest et sans ⊒, 11 bis bd M. Rouvier ℘ 04 93 64 64 29 – ⌷. GB Ⅴ
1er avril-15 sept. – **28 ch** 50,31

XX **Gousse d'Ail,** 11 rte Grasse ℘ 04 93 64 10 71 – ≣. 죠 GB Ⅴ
❀ fermé 25 juin au 8 juil., 5 au 25 nov., dim. soir et lundi – Repas 15 (déj.), 20/27,50
enf. 11,50

GORDES 84220 Vaucluse **81** ⑬ G. Provence – 2 092 h alt. 372.
Voir Site★ - Village★ – Château : cheminée★ – Village des Bories★★ SO : 2 km par D 15 p
15 mn – Abbaye de Sénanque★★ NO : 4 km – Pressoir★ dans le musée des Moulins
Bouillons S : 5 km.
🅱 Office du tourisme Le Château ℘ 04 90 72 02 75, Fax 04 90 72 02 26, office.gor
@wanadoo.fr.
Paris 718 – Avignon 38 – Apt 19 – Carpentras 26 – Cavaillon 17 – Sault 35.

🏨 **Les Bories** Ⓜ ⑤, rte Vénasque : 2 km ℘ 04 90 72 00 51, lesbories@wanado
❀ Fax 04 90 72 01 22, ≤ le Luberon, 佘, ⌂, ⊒, ⌷, ℅, ♨ – ⌷ ≣ Ⅳ ⌷ P – 죠 30. 죠 ⓞ
JCB. ℅ rest
2 mars-2 janv. – Repas (prévenir) 30 (déj.), 50/80 et carte 68 à 87 – ⊒ 17 – **28 ch** 220/31
½ P 157/237
Spéc. Kadaïf de grosses langoustines sur barigoule d' artichauts. Pigeonneau cuit au pla
risotto d'épeautre aux truffes. Bugnes aux olives vertes des Baux **Vins** Côtes du Vent
blanc, Côtes du Luberon.

🏨 **Bastide de Gordes** Ⓜ ⑤, ℘ 04 90 72 12 12, bastide-gordes@avignon.pacwan.r
Fax 04 90 72 05 20, ≤ le Luberon, 佘, ⊒, ≣ rest, Ⅳ ⌷ P – 죠 30. 죠 GB. ℅ rest
fermé 2 janv. au 28 fév. – **Les Terrasses** (fermé mardi sf le soir du 15/6 au 15/9, lundi m
merc. midi sf fériés) Repas 56/91 bc Ⓨ – ⊒ 21 – **35 ch** 155/453

Gordos � sans rest, rte Cavaillon : 1,5 km ℰ 04 90 72 00 75, hotellegordos@pacwan.fr, Fax 04 90 72 07 00, ♨, ৯ – 📺 🄿, 🖭 GB
15 mars-3 nov. – ☑ 12 – **19 ch** 105/165

Gacholle ⚫, rte Murs par D 15 : 1,5 km ℰ 04 90 72 01 36, la.gacholle.gordes@wanadoo.fr, Fax 04 90 72 01 81, ⩽ vallée, 斎, ♨, ৯, ❀ – 📺 🄿, 🖭 GB, ❀ rest
fermé 15 janv. au 15 fév. – **Repas** (fermé lundi) (20 bc) - 32/40, enf. 12 – ☑ 11 – **11 ch** 107/125

Les Romarins ⚫ sans rest, rte Sénanque ℰ 04 90 72 12 13, Fax 04 90 72 13 13, ⩽ village, ♨ – 📺 ৬ 🄿, 🖭 GB, ❀
fermé 15 déc. au 15 fév. – ☑ 9,50 – **10 ch** 83/141

✕✕ **L'Estellan,** rte Cavaillon : 1 km ℰ 04 90 72 04 90, estellan@wanadoo.fr, Fax 04 90 72 04 90, ⩽, 斎 – 🄿, 🖭 GB
fermé janv., jeudi sauf le soir en juil.-août et merc. – **Repas** (19) - 25 (déj.)/34 ♈, enf. 11

d'Apt Est : par D 2 – ✉ 84220 Gordes :

Auberge de Carcarille ⚫, à 4 km ℰ 04 90 72 02 63, carcaril@club-internet.fr, Fax 04 90 72 05 74, 斎, ৯ – 📺 🄿 ♨, GB
fermé 15 nov. au 28 déc. et vend. sauf le soir d'avril à sept. – **Repas** 15/35 ♈, enf. 9,50 – ☑ 8 – **11 ch** 58/62 – ½ P 60,50/64

Ferme de la Huppe ⚫, à 5 km, rte Goult ℰ 04 90 72 12 25, gerald.konings@wanadoo.fr, Fax 04 90 72 01 83, 斎, « Ferme provençale du 18ᵉ siècle », ♨ – 📺 🄿, GB, ❀
22 mars- 15 nov. – **Repas** (fermé jeudi et le midi sauf dim.) 25/38 ♈, enf. 18 – **9 ch** 77/130 – ½ P 54/89

des Imberts Sud-Ouest : par D 2 – ✉ 84220 Gordes :

Mas de la Senancole Ⓜ sans rest, à 4 km ℰ 04 90 76 76 55, gordes@mas-de-la-senancole.com, Fax 04 90 76 70 44, ♨, 斎 – 📺 ৬ 🄿, GB
fermé 5 janv. au 25 fév. – ☑ 12,25 – **21 ch** 107,17/206,10

✕ **Beaumettes** Sud : 5,5 km par D 15 et D 103 – 194 h. alt. 127 – ✉ 84220 :

Bastide des 5 Lys ⚫, N 100 ℰ 04 90 72 38 38, info@bastide-des-5-lys.fr, Fax 04 90 72 29 90, 斎, ♨, ৯, ❀ – 📺 🄿, GB JCB
Repas (avril-oct. et fermé dim. soir, mardi midi et lundi) 31 (déj.), 34/82 – **18 ch** ☑ 169/261 – ½ P 130/176

RGES voir au nom propre des gorges.

RZE 57680 Moselle 57 ⑬ G. Alsace Lorraine – 1 392 h alt. 300.
🄱 Office du tourisme 22 rue de l'Église ℰ 03 87 52 04 57, Fax 03 87 52 04 57.
Paris 325 – Metz 20 – Jarny 17 – Pont-à-Mousson 22 – St-Mihiel 42 – Verdun 54.

✕✕ **Hostellerie du Lion d'Or** avec ch, ℰ 03 87 52 00 90, Fax 03 87 52 09 62, 斎, ৯ – 📺 – ♨ 25.
fermé dim. soir et lundi – **Repas** 16 (déj.), 22/56 ♉ – ☑ 7 – **15 ch** 35/51 – ½ P 46

SNAY 62 P.-de-C. 51 ⑭ – rattaché à Béthune.

UESNACH 29950 Finistère 58 ⑮ – 2 119 h alt. 33.
Paris 564 – Quimper 14 – Bénodet 7 – Concarneau 20 – Pont-l'Abbé 16 – Rosporden 27.

Aux Rives de l'Odet, ℰ 02 98 54 61 09, Fax 02 98 54 73 21, 斎 – 📺 ✆ 🄿, 🖭 ⓞ GB
fermé 22 déc. au 7 janv., vend. soir, dim. soir et sam. hors saison – **Repas** 13,72/20,58 ♈ – ☑ 4,57 – **33 ch** 28,20/47,26 – ½ P 32,78/42,69

GOUESNIÈRE 35350 I.-et-V. 59 ⑥ – 1 068 h alt. 22.
Paris 389 – St-Malo 13 – Dinan 26 – Dol-de-Bretagne 13 – Lamballe 57 – Rennes 66.

Maison Tirel-Guérin, à la Gare (rte Cancale) : 1,5 km D 76 ℰ 02 99 89 10 46, hotel.tirel-guerin@wanadoo.fr, Fax 02 99 89 12 62, « Jardin fleuri », ℐ, ♨, 斎, ৯ – 📲, 🍽 rest, 📺 ✆ ৬ 🄿 – ♨ 25 à 30. 🖭 ⓞ GB JCB
fermé 20 déc. au 20 janv. – **Repas** (fermé dim. soir du 1ᵉʳ oct. au 1ᵉʳ avril) (dim. et fêtes prévenir) 19,82/70 et carte 45 à 70, enf. 13 – ☑ 9,15 – **50 ch** 61/137,20, 5 appart – ½ P 62,50/89,20
Spéc. Marguerite de Saint-Jacques. Homard braisé en deux services. Dos de bar aux artichauts et épices

Château de Bonaban 🦢, r. Alfred de Folliny ℰ 02 99 58 24 50, chateau.bonaban nadoo.fr, Fax 02 99 58 28 41, ⚙, 🏊 – 📶 📺 🕶 ⚓ 🅿 – 🏛 30. 🖭 ⒼⒷ
Repas (fermé 1er-15/11, 28/1-27/2, dim. soird'oct. à juin, mardi et jeudi midi de juil. à s lundi midi et merc.) 22/40 🇿, enf. 13 – ☑ 13 – **32 ch** 73/274 – ½ P 69/166

GOULT 84220 Vaucluse 🞱🞱 ⑬ – 1 285 h alt. 258.
Paris 720 – Apt 14 – Avignon 40 – Bonnieux 7 – Carpentras 35 – Cavaillon 19 – Sault 38.

XX **Bartavelle,** r. Cheval Blanc ℰ 04 90 72 33 72, Fax 04 90 72 33 72, 🏖, « Salle voûtée ⒼⒷ
début mars-fin nov. et fermé mardi de sept. à mai et merc. – **Repas** (dîner seul. sauf hors saison) 28 🇿

GOUMOIS 25470 Doubs 🞵🞵 ⑱ – 196 h alt. 490.
Voir Corniche de Goumois★★, G. Jura.
Paris 510 – Besançon 93 – Biel 42 – Montbéliard 53 – Morteau 48.

🏠 **Taillard** 🦢, alt. 605 ℰ 03 81 44 20 75, hotel.taillard@wanadoo.fr, Fax 03 81 44 2 ≤vallée du Doubs, 🏖, « Jardin fleuri », 🛁, 🗻, 🌊 – 📺 ⚓ 🅿 – 🏛 25. 🖭 ⒼⒷ
début mars-début nov. – **Repas** (fermé merc. sauf le soir d'avril à sept. et mardi mid sept. à juin) 21 (déj.), 25,90/56,50 🇿, enf. 12 – ☑ 9,15 – **18 ch** 44,20/83,90, 4 dupl ½ P 63/93

🏚 **Moulin du Plain** 🦢, Nord : 5 km par rte secondaire ℰ 03 81 44 41 99, thomas.cho @libertysurf.fr, Fax 03 81 44 45 70, ≤, « Au bord du Doubs », 🌊 – 📺 ⚓ 🅿. ⒼⒷ
24 fév.-31 oct. – **Repas** 14,50/29,60 🇿, enf. 8,70 – ☑ 6,40 – **22 ch** 35,10/52,60 – ½ P 41 58,70

Les prix	Pour toutes précisions sur les prix indiqués dans ce guide, reportez-vous aux pages explicatives.

GOUPILLIÈRES 14210 Calvados 🞱🞶 ⑮ – 150 h alt. 162.
Paris 255 – Caen 24 – Condé-sur-Noireau 26 – Falaise 30 – Saint-Lô 61.

XX **Auberge du Pont de Brie** 🦢 avec ch, Halte de Grimboscq, Est : 1,5 ℰ 02 31 79 37 84, Fax 02 31 79 87 22 – 🅿. ⒼⒷ
fermé 16 déc. au 8 fév., mardi de sept. à mai et lundi – **Repas** 14,50/37,50 🇿, enf. 7,8 ☑ 5,34 – **7 ch** 42/54,90 – ½ P 42/47,30

GOURDON ◆ 46300 Lot 🞷🞵 ⑱ Ⓖ Périgord Quercy – 4 882 h alt. 250.
Voir Rue du Majou★ – Cuve baptismale★ dans l'église des Cordeliers – Esplanade ☀★.
Env. Grottes de Cougnac★ NO : 3 km.
🅱 Office du tourisme 24 rue du Majou ℰ 05 65 27 52 50, Fax 05 65 27 52 52, gour @wanadoo.fr.
Paris 550 – Cahors 44 – Sarlat-la-Canéda 26 – Bergerac 89 – Brive-la-Gaillarde 67 – Figeac

🏠 **Domaine du Berthiol** 🦢, Est : 1 km par D 704 ℰ 05 65 41 33 33, le.berthiol@a inter.com, Fax 05 65 41 14 52, 🗻, ⚙, 🏊 – 📶, 🍴 rest, 📺 ⚓ 🅿 – 🏛 25. 🖭 ⓄⒼⒷ. 🞕 cl 1er avril-Toussaint – **Repas** (fermé mardi midi, mercredi midi et jeudi midi) 16 (déj.), 23/4 enf. 10 – ☑ 10 – **29 ch** 73/75 – ½ P 71

🏠 **Hostellerie de la Bouriane** 🦢, pl. Foirail ℰ 05 65 41 16 37, hotellabouriane@ oleane.com, Fax 05 65 41 04 92, 🌊 – 📶 🍴 rest, 📺 ⚓ 🅿. 🖭 ⓄⒼⒷ
fermé 15 janv. au 10 mars, dim. soir et lundi du 15 oct. au 30 avril – **Repas** (dîner seul. dim.) 16/45 🇿, enf. 11 – ☑ 8 – **20 ch** 55/87 – ½ P 54/60

GOURDON 06620 Alpes-Mar. 🞱🞶 ⑧ Ⓖ Côte d'Azur – 379 h alt. 800.
Voir Site★★ – ≤★★ du chevet de l'église – Château : musée de Peintures naïves★.
🅱 Syndicat d'initiative Place de l'Église ℰ 04 93 09 68 25, Fax 04 93 09 68 gourdon@gourdon-france.com.
Paris 924 – Cannes 27 – Castellane 62 – Grasse 15 – Nice 38 – Vence 25.

XXX **Nid d'Aigle,** pl. Victoria ℰ 04 93 77 52 02, resa@nid-daigle.com, Fax 04 93 77 14 ≤ gorges du Loup et la Méditerranée, 🏖 – 🖭 ⒼⒷ
fermé 15 nov. au 15 déc., 10 janv. au 10 fév., dim. soir et lundi du 15 sept. au 30 avril s **Repas** 39 (déj.), 49/88

X **Au Vieux Four,** r. Basse (au village) ℰ 04 93 09 68 60
fermé 3 au 18 juin, 4 nov. au 6 janv. et sam.
Repas (déj. seul.)(prévenir) 16,77 🍴, enf. 8,38

URETTE 64 Pyr.-Atl. 🗺 ⑰ G. Aquitaine – Sports d'hiver : 1 400/2 400 m 🎿 3 🎿 20 🎿 – ⊠ 64440 Eaux Bonnes.

Voir *Col d'Aubisque* ❄ ★★ N : 4 km.

🛈 *Office de tourisme pl. Sarrières* 𝒸 05 59 05 12 17, Fax 05 59 05 12 56, office.du.tourisme.eaux.bonnes.gourette@wanadoo.fr.

Paris 831 – Pau 53 – Argelès-Gazost 36 – Eaux-Bonnes 9 – Laruns 14 – Lourdes 48.

🏠 **Boule de Neige** 🦮, 𝒸 05 59 05 10 05, bouledeneige@wanadoo.fr, Fax 05 59 05 11 81, ≤, 🏠, 🛋 – ⇔ 📺. 🇬🇧. ⚡
1ᵉʳ juil.-15 sept. et 1ᵉʳ déc.-20 avril – **Repas** 10,52/19,82 ♀, enf. 7,62 – ⊊ 7,62 – **20 ch** 62,50/68,60 – ½ P 58,69/60,22

🏠 **Pene Blanque,** 𝒸 05 59 05 11 29, hotelaupeneblanque@wanadoo.fr, Fax 05 59 05 10 85, ≤, 🏠, 🛋, 🛋 – 📺 P. – 🛋 15. 🇬🇧. ⚡ rest
1ᵉʳ juil.-1ᵉʳ sept. et 21 déc.-1ᵉʳ avril – **Repas** 13,72/28,96, enf. 8,38 – ⊊ 7,62 – **24 ch** 56,41/74,70 – ½ P 59,45/60,98

URNAY-EN-BRAY 76220 S.-Mar. 🗺 ⑧ G. Normandie Vallée de la Seine – 6 275 h alt. 94.
🛈 *Office du tourisme 9 place d'Armes* 𝒸 02 35 90 28 34, Fax 02 35 09 62 07, OT-GOURNAY-EN-BRAY@wanadoo.fr.
Paris 101 – Rouen 51 – Amiens 78 – Les Andelys 38 – Beauvais 31 – Dieppe 76 – Gisors 25.

🏠 **Cygne** sans rest, 20 r. Notre Dame 𝒸 02 35 90 27 80, Fax 02 35 90 59 00 – 📱 ⇔ 📺 P. 🖭 ⓪ 🇬🇧 🇯🇨🇧
⊊ 6 – **29 ch** 45/56

USSAINVILLE 95 Val-d'Oise 🗺 ①, 🗺 ⑦ – voir à Paris, Environs.

UVIEUX 60 Oise 🗺 ⑪, 🗺 ⑦ ⑧ – rattaché à Chantilly.

UZON 23230 Creuse 🗺 ① – 1 381 h alt. 378.
🛈 *Syndicat d'initiative 16 rue du Cheval Blanc* 𝒸 05 55 62 26 92, Fax 05 55 62 26 92.
Paris 359 – Aubusson 30 – La Châtre 57 – Guéret 31 – Montluçon 34.

🏠 **Lion d'Or,** 𝒸 05 55 62 28 54, Fax 05 55 62 21 63 – ⇔ 📺 🚗 – 🛋 20. 🇬🇧
Repas (12,96) - 20,58/38,11 ♀, enf. 6,10 – ⊊ 6,10 – **11 ch** 27,44/50,31 – ½ P 44,21

AÇAY 18310 Cher 🗺 ⑨ – 1 562 h alt. 111.
🛈 *Office du tourisme Place du Marché* 𝒸 02 48 51 22 83, Fax 02 48 51 25 92, gracay.ot@wanadoo.fr.
Paris 234 – Bourges 46 – Blois 71 – Châteauroux 43 – Romorantin-Lanthenay 30.

❌❌ **Grange aux Dîmes,** à St-Outrille, Ouest : 1 km ⊠ 18310 St-Outrille 𝒸 02 48 51 12 13, Fax 02 48 51 12 13, 🏠 – 🇬🇧
fermé 1ᵉʳ au 17 juil., vacances de fév., mardi soir et merc. – **Repas** 10,37 (déj.), 14,48/30,49 ♀

ADIGNAN 33 Gironde 🗺 ⑨ – rattaché à Bordeaux.

AMAT 46500 Lot 🗺 ⑲ G. Périgord Quercy – 3 545 h alt. 305.
🛈 *Office du tourisme Place de la République* 𝒸 05 65 38 73 60, Fax 05 65 33 46 38, gramat@wanadoo.fr.
Paris 541 – Cahors 58 – Brive-la-Gaillarde 58 – Figeac 36 – Gourdon 38 – St-Céré 22.

🏠 **Lion d'Or,** pl. République 𝒸 05 65 38 73 18, lion.d.or@wanadoo.fr, Fax 05 65 38 84 50, 🏠, 🛋 – 📱 ▤ 📺 🦮 🚗 – 🛋 15. 🖭 ⓪ 🇬🇧 🇯🇨🇧
fermé 15 déc. au 15 janv. – **Repas** (fermé jeudi et vend.d'oct. à mai) 25,76/53,85 – ⊊ 9,09 – **15 ch** 48,48/75,76 – ½ P 77,27

🏠 **Relais des Gourmands** 🅼, à la gare 𝒸 05 65 38 83 92, gcurtet@aol.com, Fax 05 65 38 70 99, 🏠, 🛋, 🛋 – 📺 🦮, ⓪ 🇬🇧
fermé 24 fév. au 10 mars, dim. soir et lundi midi sauf juil.-août – **Repas** 14,50/36,50 ♂, enf. 7,60 – ⊊ 6,95 – **16 ch** 49,60/74,50 – ½ P 58,40/74

🏠 **Centre,** pl. République 𝒸 05 65 38 73 37, le.centre@wanadoo.fr, Fax 05 65 38 73 66, 🏠 – 📺 🦮 🚗. 🖭 ⓪ 🇬🇧
fermé 10 au 30 nov., vend.,sam.et dim. de nov. à Pâques – **Repas** (fermé vend. soir et sam.hors saison) (12,20) - 13,72/40 ♂, enf. 6,86 – ⊊ 6,86 – **14 ch** 40/50 – ½ P 47/53

avergne Nord-Est : 4 km par D 677 – 410 h. alt. 320 – ⊠ 46500 :

❌ **Limargue,** 𝒸 05 65 38 76 02, jackydambleve5@libertysurf.fr, Fax 05 65 33 68 13 – 🅿. 🇬🇧
2 mars-10 nov. et fermé mardi et merc. hors saison – **Repas** 11,43/20,58

rte de Brive *4,5 km par N 140 et rte secondaire – ✉ 46500 Gramat :*

Château de Roumégouse ⚘, ☎ 05 65 33 63 81, *roumegouse@relaischateau*
Fax 05 65 33 71 18, ← Causse de Gramat, ⛱, « Château du 19e siècle dans un parc »,
– ▤ TV P. AE ◐ GB JCB
24 mars-27 oct.. – **Repas** *(fermé mardi midi, jeudi midi et merc.)* 30/58 ♀, enf. 15 –
16 ch 100/298 – ½ P 275/336

GRAMBOIS *84240 Vaucluse* 81 ⑭ *– 1 113 h alt. 390.*

Syndicat d'initiative Rue de la Mairie ☎ 04 90 77 96 29, Fax 04 90 77 94 otsi-grambois@wanadoo.fr.

Paris 764 – Digne-les-Bains 82 – Aix-en-Provence 35 – Apt 42 – Manosque 22.

Clos des Sources Ⓜ ⚘, D 122 ☎ 04 90 77 93 55, *Fax 04 90 77 92 96*, ←, ⛱, – AE GB. ✗ rest
Repas *(fermé 15 déc. au 1er mars, dim. soir et lundi hors saison)* 25/38 ♀, enf. 13 –
12 ch 115/130 – ½ P 105

Le GRAND-BORNAND *74450 H.-Savoie* 74 ⑦ *G. Alpes du Nord – 2 115 h alt. 934 – Sp d'hiver : 1 000/2 100 m 2 37.*

Office du tourisme Place de l'Église ☎ 04 50 02 78 00, Fax 04 50 02 78 01, infos@legr bornand.com.

Paris 567 – Annecy 33 – Chamonix-Mont-Blanc 78 – Albertville 47 – Bonneville 23.

Vermont sans rest, rte du Bouchet ☎ 04 50 02 36 22, *hotel.vermont@wanado*
Fax 04 50 02 39 36, ←, – TV GB
15 mai-20 sept. et 15 déc.-15 avril – **23 ch** 89,50

Delta sans rest, L'Envers de Villeneuve ☎ 04 50 02 26 25, *info@hotel.delta74.c*
Fax 04 50 02 32 71 – TV ♿ P. GB
22 juin-8 sept. et 15 déc.-20 avril – 6,50 – **15 ch** 54

Glaïeuls, à la télécabine la Joyère ☎ 04 50 02 20 23, *Fax 04 50 02 25 00*, ← – TV P. GB
15 juin-15 sept. et 20 déc.-15 avril – **Repas** 13/22,50, enf. 8,54 – 6,40 – **21 ch**
½ P 57,90

Croix St-Maurice, face église ☎ 04 50 02 20 05, *Fax 04 50 02 35 37*, ← – TV. AE GB
fermé 1er au 15 oct. et lundi soir de sept. à déc. – **Repas** 15/25, enf. 8 – 6,50 – **21 ch**
½ P 60

L'Hysope, Pont de Suize, rte du Bouchet ☎ 04 50 02 29 87, ⛱ – GB JCB
fermé 7 au 25 oct. et merc. hors saison – **Repas** 18,29/54,88 ♀, enf. 9,15

Traîneau d'Angeline, ☎ 04 50 63 27 64, *Fax 04 50 63 27 64*, ⛱ – GB
1er juil.-30 sept., 20 nov.-31 mai et fermé mardi midi et lundi sauf vacances scolair
Repas 12 (déj.)et carte 27 à 34,50, enf. 7

au Chinaillon *Nord : 5,5 km par D 4 – ✉ 74450 Le Grand-Bornand :*

Les Cimes Ⓜ sans rest, ☎ 04 50 27 00 38, *info@hotel-les-cimes.com, Fax 04 50 27 08*
← – TV P. GB
15 juin-15 sept. et 15 nov.-25 avril – **10 ch** 100/130

Crémaillère, ☎ 04 50 27 02 33, *Fax 04 50 27 07 91*, ←, ⛱ – GB
22 juin-15 sept. et 21 déc.-15 avril – **Repas** *(fermé mardi)* 14 (déj.), 18/26 ♀, enf. 6,5
6,50 – **16 ch** 82 – ½ P 58/60

GRANDCAMP-MAISY *14450 Calvados* 54 ③ *G. Normandie Cotentin – 1 831 h alt. 5.*

Office du tourisme 118 rue A. Briand ☎ 02 31 22 62 44, Fax 02 31 22 99 95, grandca maisy@wanadoo.fr.

Paris 295 – Cherbourg 74 – St-Lô 40 – Caen 61.

Duguesclin, sur la plage ☎ 02 31 22 64 22, *Fax 02 31 22 34 79*, ← – TV P. AE GB
fermé 15 au 21 oct. et 15 janv. au 12 fév. – **Repas** 10,67/30,49 ♀, enf. 7,62 – 6,10 – 24
27,44/48,78 – ½ P 34,30/48,78

Marée, ☎ 02 31 21 41 00, *Fax 02 31 21 44 55*, ←, ⛱ – AE GB
fermé janv., dim. soir et lundi d'oct. à mars – **Repas** 15/25 ♀

Les localités dont les noms sont soulignés de rouge sur les ***cartes Michelin*** *à 1/200 000 sont citées dans ce guide. Utilisez une carte récente pour profiter de ce renseignement.*

GRAND-COMBE 30110 Gard 80 ⑦ ⑧ – 5 800 h alt. 185.

Paris 682 – Alès 13 – Aubenas 77 – Florac 54 – Nîmes 58 – Villefort 40.

Nord-Ouest : 6 km par rte de Florac – ⊠ 30110 La Grand-Combe :

☆☆ **Lac**, ℘ 04 66 34 12 85, hoteldulac@aol.com, Fax 04 66 34 38 35, 佘 – **₽**. **GB**
fermé 6 au 14 nov., 29 janv. au 27 fév. et merc. – **Repas** 13/24,10 ⅍ – ヱ 5 – **12 ch**
22,50/41,60 – ½ P 28,25/37,40

AND'COMBE-CHÂTELEU 25 Doubs 70 ⑦ – rattaché à Morteau.

GRANDE-MOTTE 34280 Hérault 83 ⑧ G. Languedoc Roussillon – 6 458 h alt. 1 – Casino.

🛈 Office du tourisme Place du 1er Octobre 1974 ℘ 04 67 56 42 00, Fax 04 67 29 03 45,
Infos@ot-lagrandemotte.fr.

Paris 753 – Montpellier 29 – Aigues-Mortes 11 – Lunel 16 – Nîmes 46 – Sète 46.

🏨🏨🏨 **Grand M'Hôtel** ⤸, quartier Point Zéro ℘ 04 67 29 13 13, ebourqui@thalasso-grande
motte.com, Fax 04 67 29 14 74, ≤ littoral, 佘, institut de thalassothérapie, Ⅰₛ, ⊥, ◳ – ⌷
🗏 📺 & ⇔ – 🔏 50. 🖭 ◑ **GB**. ⅍⅍
fermé 16 déc. au 20 janv. – **Repas** 21/28 – ヱ 8 – **33 ch** 115/144, 3 appart – ½ P 101

🏨🏨🏨 **Novotel** M ⤸, av. Golf ℘ 04 67 29 88 88, h2190-@accor.hotels.com, Fax 04 67 29 17 01,
≤, 佘, Ⅰₛ, ⊥ – ⌷ 🗏 📺 & ₽ – 🔏 60. 🖭 ◑ **GB**
Repas 15/20 – ヱ 10 – **81 ch** 90/112 – ½ P 86

🏨🏨🏨 **Mercure**, 140 r. du port ℘ 04 67 56 90 81, h1230@accor-hotels.com, Fax 04 67 56 92 29,
≤ littoral, 佘, ⊥ – ⌷ 🗏 📺 ✆ ₽ – 🔏 90. 🖭 ◑ **GB**
Repas (ouvert juil.-août) carte 35 à 45 – ヱ 10 – **117 ch** 95/115

🏨🏨 **Azur Bord de Mer** ⤸ sans rest, esplanade de la Capitainerie ℘ 04 67 56 56 00,
Fax 04 67 29 81 26, ≤, ⊥ – 🗏 📺 ✆ ₽. 🖭 ◑ **GB** 🗖
ヱ 8 – **20 ch** 100/115

🏨🏨 **Golf** ⤸ sans rest, 1920 av. Golf ℘ 04 67 29 72 00, golfhotel.34@wanadoo.fr,
Fax 04 67 56 12 44, ⊥ – ⌷ 📺 & ⇔ ₽ – 🔏 20. 🖭 ◑ **GB**
ヱ 8 – **45 ch** 79/111

🏨🏨 **Europe** sans rest, près de la poste ℘ 04 67 56 62 60, hoteleurope@wanadoo.fr,
Fax 04 67 56 93 07, ⊥ – 🗏 📺 ₽. 🖭 ◑ **GB** 🗖
ヱ 7,60 – **34 ch** 91,50/106,71

🏨🏨 **Plage**, allée du Levant par av. Grau-du-Roi ℘ 04 67 29 93 00, Fax 04 67 56 00 07, ≤, 佘 –
📺 ₽ 🖭 ◑ **GB**
hôtel : 23 mars-20 oct. ; rest : 30 mars-6 oct. – **Repas** 18,30 ⅍, enf. 7,65 – ヱ 7,65 – **39 ch**
96/102,15 – ½ P 74,70

XXX **Alexandre**, esplanade Maurice Justin ℘ 04 67 56 63 63, Fax 04 67 29 74 69, ≤ – 🗏 ₽. 🖭
◑ **GB**
fermé vacances de Toussaint, 6 janv. au 12 fév., dim. soir sauf juil.-août et lundi – **Repas**
31/61 et carte 50 à 78 ⅍, enf. 10,67

GRAND-PRESSIGNY 37350 I.-et-L. 68 ⑤ G. Châteaux de la Loire – 1 119 h alt. 63.

Voir Château★.

🛈 Office du tourisme - Mairie ℘ 02 47 94 96 82, Fax 02 47 94 96 82, tlc.ot@wanadoo.fr.

Paris 305 – Poitiers 65 – Le Blanc 45 – Châtellerault 30 – Loches 31 – Tours 71.

🏠 **Auberge Savoie-Villars**, ℘ 02 47 94 96 86, Fax 02 47 91 07 81, 佘 – ৬. 🖭 **GB**
fermé vacances de Toussaint, de fév., dim. et lundi sauf juil.-août – **Repas** (fermé dim. soir
sauf juil.-août et lundi) (10,67) - 15,24/23,63 ⅍, enf. 6,86 – ヱ 5,34 – **10 ch** 35,06/38,11 –
½ P 29,73

GRAND-QUEVILLY 76 S.-Mar. 55 ⑥ – rattaché à Rouen.

RANDVILLERS 88600 Vosges 62 ⑯ – 712 h alt. 365.

Paris 404 – Épinal 21 – Lunéville 50 – Gérardmer 29 – Remiremont 37 – St-Dié 28.

🏨🏨 **Europe et Commerce** M, ℘ 03 29 65 71 17, Fax 03 29 65 85 23, 佘, ⅍ – 📺 ✆ & ₽ –
🔏 20. 🖭 **GB**
Repas (fermé vend. soir et dim. soir) 11,50/35 ⅍, enf. 10 – ヱ 5,50 – **21 ch** 39/55 –
½ P 38/42

GRANE 26400 Drôme **77** ⑫ – 1 567 h alt. 175.

    🄱 Syndicat d'initiative Route de Roche-Sur-Grâne ℘ 04 75 62 66 08, Fax 04 75 62 68 77.
    Paris 596 – Valence 28 – Crest 10 – Montélimar 36 – Privas 30.

  XXX **Patrick Giffon** ⊗ avec ch, ℘ 04 75 62 60 64, Fax 04 75 62 70 11, 霜, ☰, ☞ – 🗐 ⇔
       🔟 🅿 – 🚵 30. 🅰🅴 ⓞ 🅶🅱 🄹🅲🄱
       fermé mardi de sept. à mai et lundi – **Repas** 27/58 et carte 42 à 60 ♀, enf. 12,50 – ☑ 9,
       13 ch 43/90 – ½ P 76/90

GRANGES-LÈS-BEAUMONT 26 Drôme **77** ② – rattaché à Romans-sur-Isère.

Les GRANGES-STE-MARIE 25 Doubs **70** ⑥ – rattaché à Malbuisson.

Les GRANGETTES 25160 Doubs **70** ⑥ – 182 h alt. 864.

    Paris 456 – Besançon 71 – Champagnole 42 – Morez 48 – Pontarlier 12.

  🛶 **Bon Repos** ⊗, ℘ 03 81 69 62 95, hotel.bon.repos.@wanadoo.fr, Fax 03 81 69 66 61
  🚵 – 🅿, 🅰🅴 🅶🅱,
       fermé 10 au 19 mars, 21 oct. au 19 déc., dim. soir et lundi hors saison – **Repas** 13,49/28
       enf. 6,71 – ☑ 5,03 – **13 ch** 37,96/42,08 – ½ P 39,03/43,75

GRANS 13450 B.-du-R. **84** ② – 3 753 h alt. 52.

    🄱 Office de tourisme bd Victor-Jauffret ℘ 04 90 55 88 92, Fax 04 90 55 86 27.
    Paris 732 – Marseille 49 – Arles 43 – Martigues 29 – Salon-de-Provence 6.

  X **Planet,** pl. J. Jaurès ℘ 04 90 55 83 66, Fax 04 90 55 85 78, 霜 – 🅶🅱
      fermé 23 sept. au 8 oct., 28 oct. au 5 nov., 17 fév. au 4 mars, lundi et mardi – **Repas** 14 (d
      20/36 ♀, enf. 9,20

GRANVILLE 50400 Manche **59** ⑦ G. Normandie Cotentin – 12 687 h alt. 10 – Casino Z et à St-P
sur-Mer.

    Voir Le tour des remparts★ : place de l'Isthme ⩽★ Z – Pointe du Roc : site★.
    🄱 Office du tourisme 4 cours Jonville ℘ 02 33 91 30 03, Fax 02 33 91 30 19, office
    risme@ville-granville.fr.
    Paris 340 ② – St-Lô ① – St-Malo 92 ③ – Avranches 26 ③ – Cherbourg 105 ①.

    Plan page ci-contre

  🏨🏨 **Grand Large** 🅼 sans rest, 5 r. Falaise ℘ 02 33 91 19 19, infos@hotel-le-grand-large.c
       Fax 02 33 91 19 00, ⩽, centre de thalassothérapie, 🛁 – 🛗 cuisinette 🔟 ℃ 🕭 ⇔ – 🚵
       🅰🅴 ⓞ 🅶🅱 🄹🅲🄱, ⫽
       ☑ 7,50 – **34 ch** 80/88, 13 duplex
            Z

  🏨 **Bains** sans rest, 19 r. G. Clemenceau ℘ 02 33 50 17 31, Fax 02 33 50 89 22, ⩽ – 🛗 🔟 ℃
      🅶🅱
      ☑ 6,86 – **47 ch** 56,41/135,68
            Z

  🏠 **Michelet** sans rest, 5 r. J. Michelet ℘ 02 33 50 06 55, Fax 02 33 50 12 25 – 🔟 🅿. 🅰🅴
      ⫽
      ☑ 5,50 – **20 ch** 22/46
            Z

  XXX **Gentilhommière,** 152 r. Couraye ℘ 02 33 50 17 99, Fax 02 33 50 17 99 –
      🄹🅲🄱
               Y
      fermé 3 au 21 mars, dim. soir et lundi sauf juil.-août – **Repas** (nombre de couverts lim
      prévenir) 14,94/33,83 et carte 39 à 50

  XX **Citadelle,** 34 r. Port ℘ 02 33 50 34 10, citadell@club-internet.fr, Fax 02 33 50 15 36,
      霜 – ☰. 🅶🅱
              Y
      fermé 19 déc. au 7 janv., vacances de fév., merc. de sept. à juin et mardi d'oct. à ma
      Repas 14 (déj.), 17/29 ♀

par ① rte de Coutances : 4,5 km – ⊠ 50290 Bréville-sur-Mer :

  🏨 **Beaumonderie,** ℘ 02 33 50 36 36, la-beaumonderie@wanadoo.fr, Fax 02 33 50 36
      ⩽, 霜, « Maison bougeoise face aux îles Anglo-Normandes », 🔲, ℀, 🕭 – 🔟 ℃ 👍
      🚵 250. 🅰🅴 🅶🅱 🄹🅲🄱, ℀ rest
      fermé 12 au 20 janv. – **L'Orangerie** (fermé dim. soir et lundi d'oct. à mars) **Repas** 25/61
      ☑ 12 – **13 ch** 73/145 – ½ P 54/87,50

à St-Pair-sur-Mer par ④ : 4 km – 3 616 h. alt. 30 – ⊠ 50380 :

    🄱 Office du tourisme 3 rue Mathurin ℘ 02 33 50 52 77, Fax 02 33 50 00 04, OFFIT
    ST.PAIR.S.MER@wanadoo.fr.

  X **Au Pied de Cheval,** au Casino ℘ 02 33 91 34 01, Fax 02 33 50 26 27, ⩽, 霜 – ☰. 🅶🅱
      fermé 14 au 29 oct., 1ᵉʳ au 21 janv., lundi sauf le soir en juil.-août et mardi – **Repas** - cuis
      franco-italienne - 18,50/26,68 ♀

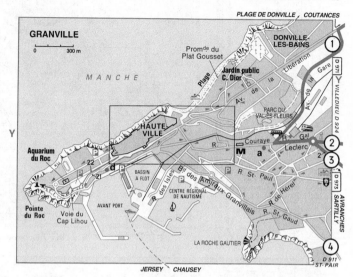

GRANVILLE

Briand (Av. A.) . . . . Y 2
Clemenceau (R. G.) . . . Z 3
Corsaires (Pl. aux) . . . . Z 4
Corsaires (R. aux) . . . . Z 6
Couraye (R.) . . . . Z

Desmaisons (R. C.) . . . . Z 7
Granvillais (Bd des Amiraux) Z 8
Hauteserve (Bd d') . . . . Z 9
Juifs (R. des) . . . . Z
Lecampion (R.) . . . . Z
Leclerc (R. Gén.) . . . . Y
Parvis Notre-Dame
(Montée du) . . . . Z 12

Poirier (R. Paul) . . . . Z 15
St-Sauveur (R.) . . . . Z 16
Ste-Geneviève (R.) . . . . Z 17
Saintonge (R.) . . . . Z 18
Terreneuviers (Bd) . . . . Y 21
Vaufleury (Bd) . . . . Y 22
2e et 202e de Ligne
(Bd des) . . . . Z 25

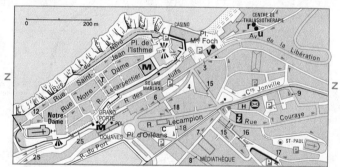

Donnez-nous votre avis sur les tables que nous recommandons,
sur leurs spécialités et leurs vins de pays.

GRASSE   06130 Alpes-Mar. **84** ⑧, **114** ⑬, **115** ㉔ *G. Côte d'Azur* – 43 874 h alt. 250 – Casino.

Voir *Vieille ville*★ : *Place du Cours*★ ⩻★ Z, *musée d'Art et d'Histoire de Provence*★ Z M¹ –
Toiles★ *de Rubens dans la cathédrale Notre-Dame-du-Puy* Z **B** – *Parc de la Corniche* ⩻★★
30 mn Z – *Jardin de la Princesse Pauline* ⩻★ X **K** – *Musée international de la Parfumerie*★
Z M³.

Env. *Montée au col du Pilon* ⩻★★ 9 km par ④.

🛈 *Office du tourisme - Palais des Congrès 22 cours Honoré Cresp 𝄞 04 93 36 66 66,
Fax 04 93 36 86 36, Tourisme.Grasse@wanadoo.fr.*

Paris 913 ② – Cannes 17 ② – Digne-les-Bains 119 ④ – Draguignan 54 ③ – Nice 36 ②.

GRASSE

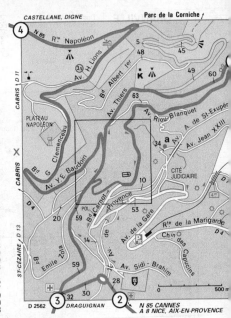

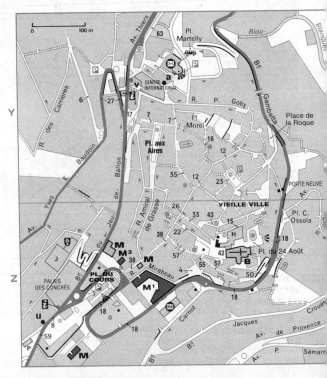

Patti M, pl. Patti ℰ 04 93 36 01 00, hotelpatti@libertysurf.fr, Fax 04 93 36 36 40, 🏤 – 📱
▤ 📺 🔥. 🝙 ⓞ 🏧 🍴 Y a
Repas (fermé dim.) 16 ⅛ – ☑ 6,50 – **73 ch** 66/100 – ½ P 48/65

Panorama sans rest, 2 pl. Cours ℰ 04 93 36 80 80, hotelpanorama@wanadoo.fr,
Fax 04 93 36 92 04 – 📱 cuisinette 📺. 🝙 🏧 Z u
fermé 6 janv. au 15 fév. – ☑ 8 – **36 ch** 55/100

Bastide St-Antoine (Chibois) ॐ avec ch, 48 av. H. Dunant (quartier St-Antoine) par ② et
rte Cannes : 1,5 km ℰ 04 93 70 94 94, info@jacques-chibois.com, Fax 04 93 70 94 95, ≤,
🏤, « Bastide du 18ᵉ siècle dans une oliveraie », 🛋, 🐾 – 📱 ▤ 📺 📞 🝙 📇 – 🚗 20 à 80. 🝙
ⓞ 🏧 🍴
Repas 44 (déj.), 99/130 et carte 80 à 120 ⅖ – ☑ 21 – **11 ch** 235/285
Spéc. Fleur de Saint-Jacques à la citronnelle (15 oct. au 15 mars). Denti à l'infusion de
verveine sur mijotade de légumes au basilic. Fraises cuites au vin d'épices et glace à l'huile
d'olive (avril à oct.) Vins Bellet, Coteaux d'Aix-en-Provence

Moulin des Paroirs, 7 av. Jean XXIII ℰ 04 93 40 10 40, Fax 04 93 36 76 00, 🏤, « Ancien
moulin à huile » – 🝙 🏧 X a
fermé 1ᵉʳ au 15 août, 1ᵉʳ au 15 nov., dim. et lundi – Repas 19,06 (déj.), 24,39/38,11, enf. 11,43

Café Arnaud, 10 pl. Foux ℰ 04 93 36 44 88 – 🝙 ⓞ 🏧 Y v
fermé vacances de Toussaint, sam. midi et dim. – Repas 21,50/37 ⅛, enf. 12,50

Magagnosc par ① rte de Nice : 5 km – ☒ 06520 :
Voir ≤★ du cimetière de l'Église St-Laurent – Le Bar-sur-Loup : site★, danse macabre★ dans
l'église St-Jacques, place de l'Église ≤★ NE : 3,5 km.

Petite Auberge, ℰ 04 93 42 75 32 – 📇. 🏧
fermé juil. et merc. – Repas 13,42 (déj.)/19,06 ⅛, enf. 7,32 – **5 ch** (½ pens. seul.) – ½ P 33,54

Toque Blanche, ℰ 04 93 36 20 64, Fax 04 93 36 16 67, ≤, 🏤 – 🝙 ⓞ 🏧
fermé 15 nov. au 8 déc., dim. soir et lundi – Repas 19,82/38,11 ⅖

Val du Tignet par ③ rte de Draguignan : 8 km par D 2562 – ☒ 06530 Peymeinade :
Auberge Chantegrill, ℰ 04 93 66 12 33, restaurantchantegrill@wanadoo.fr,
Fax 04 93 66 02 31, 🏤, « Terrasse fleurie », 🐾 – 📱 📇. 🝙 ⓞ 🏧 🍴
fermé 15 au 30 nov., dim. soir et lundi hors saison – Repas 16/36

Cabris Ouest : 5 km par D 4 X – 1 472 h. alt. 550 – ☒ 06530 :
Voir Site★ – ≤★★ des ruines du château.
🅱 Office du tourisme 9 rue Frédéric Mistral ℰ 04 93 60 55 63, Fax 04 93 60 55 94.

Horizon ॐ sans rest, ℰ 04 93 60 51 69, Fax 04 93 60 56 29, ≤ massifs de l'Esterel et des
Maures, « Terrasse panoramique », 🛋 – 📱 📺 📞 📇. 🝙 ⓞ 🏧. 🍴
1ᵉʳ avril-15 oct. – ☑ 8,50 – **22 ch** 67/106

Vieux Château ॐ avec ch, ℰ 04 93 60 50 12, auberge.vieux.chateau@wanadoo.fr,
Fax 04 93 60 50 12, 🏤 – 📺. 🏧
fermé 7 janv. au 1ᵉʳ fév., mardi (sauf le soir du 21 avril au 14 sept.) et lundi – Repas 23 (déj.),
30/40 ⅖, enf. 11 – ☑ 8,50 – **4 ch** 60/96 – ½ P 65/83

Petit Prince, ℰ 04 93 60 63 14, Fax 04 93 60 62 87, 🏤 – 🝙 🏧
fermé 1ᵉʳ déc. au 4 janv., mardi sauf juil.-août et merc. – Repas 16 (déj.), 25,90/33,55 ⅖,
enf. 10,70

RATENTOUR 31 H.-Gar. 82 ⑧ – rattaché à Toulouse.

RATOT 50 Manche 54 ⑫ – rattaché à Coutances.

e GRAU-D'AGDE 34 Hérault 83 ⑮ – rattaché à Agde.

e GRAU-DU-ROI 30240 Gard 83 ⑧ G. Provence – 5 875 h alt. 2 – Casino.
🅱 Office du tourisme 30 rue Michel Rédares ℰ 04 66 51 67 70, Fax 04 66 51 06 80,
ot-legrauduroi-portcamargue@wanadoo.fr.
Paris 756 – Montpellier 35 – Aigues-Mortes 7 – Arles 55 – Lunel 22 – Nîmes 45 – Sète 52.

Port Camargue Sud : 3 km par D 62B – ☒ 30240 Le Grau-du-Roi.
🅱 Office de tourisme Carrefour 2000 ℰ 04 66 51 71 68.

Mercure M ॐ, rte Marines ℰ 04 66 73 60 60, h1947@accor-hotels.com,
Fax 04 66 73 60 50, ≤, centre de thalassothérapie, 🛋, 🍽 – 📱 ⇄ ▤ 📺 🔥 📇 – 🚗 90. 🝙 ⓞ
🏧. 🍴 rest
fermé 1ᵉʳ au 20 déc. – Repas 25/35, enf. 10 – ☑ 11 – **89 ch** 116

613

Spinaker (Cazals) Ⓜ ⌂, pointe de la Presqu'île ℘ 04 66 53 36 37, spinaker@wanado
Fax 04 66 53 17 47, ≤, 佘, ⌧, 帚 – 圖 ⅣⅤ Ⅴ Ⅴ 🅟 – ♨ 40. 🖭 ⑩ ⅭⅮ ⅭⅮ
fermé 12 nov. au 13 fév. – **- Carré des Gourmets** (fermé lundi et mardi sauf juil.-août
midi en été sauf dim.) **Repas** 30/76 et carte 60 à 80 ⅇ, enf. 13 – 🖂 11 – **16 ch** 106/
5 appart – ½ P 90/104
Spéc. Soupe de petits poissons de roche. Filets de rougets rôtis à l'huile d'olive. Trilogi
desserts. **Vins** Vin de Pays de l'Hérault

Oustau Camarguen ⌂, 3 rte Marines ℘ 04 66 51 51 65, Fax 04 66 53 06 65, 佘,
帚 – 圖 Ⅴ 🅟 – ♨ 30. 🖭 ⑩ ⅭⅮ ⅭⅮ
hôtel : 22 mars-13 oct. ; rest : 9 mai-fin sept. et fermé lundi – **Repas** (dîner seul.) 25 – 🖂
39 ch 81/90 – ½ P 74

L'Amarette, centre commercial Camargue 2000 ℘ 04 66 51 47 63, ≤, 佘 – ⅭⅮ
fermé déc., janv. et merc. hors saison – **Repas** 32/42 ⅇ, enf. 14

GRAUFTHAL 67 B.-Rhin 57 ⑰ – rattaché à La Petite-Pierre.

GRAULHET 81300 Tarn 82 ⑩ G. Midi-Pyrénées – 12 663 h alt. 166.
🄑 Office du tourisme Square Maréchal Foch ℘ 05 63 34 75 09, Fax 05 63 34 75 09.
Paris 707 – Toulouse 61 – Albi 34 – Castelnaudary 63 – Castres 32 – Gaillac 21.

Rigaudié, Est : 1,5 km par D 26 (rte St-Julien-du-Puy) ℘ 05 63 34 50
Fax 05 63 34 29 27, 佘, ♨, – 圖 🅟. ⅭⅮ. ✼
fermé août, 25 au 31 déc., dim. soir, lundi soir et sam. – **Repas** 13 (déj.), 19/37 ⅇ

La GRAVE 05320 H.-Alpes 77 ⑦ G. Alpes du Nord – 511 h alt. 1526 – Sports d'hiver : 1 450/3 25
✼ 2 ✼ 2 ✦.
Voir Glacier de la Meije★★★ (par téléphérique) – ✳★★★.
Env. Oratoire du Chazelet★★★ NO : 6 km.
🄑 Office du tourisme ℘ 04 76 79 90 05, Fax 04 76 79 91 65.
Paris 644 – Briançon 38 – Gap 127 – Grenoble 79 – Col du Lautaret 11.

Chalets de la Meije ⌂ sans rest, ℘ 04 76 79 97 97, contact@chalet-meije.cc
Fax 04 76 79 97 98, ≤, 🄵, ⌧ – cuisinette Ⅳ 🖘. ⅭⅮ
fermé 7 oct. au 20 déc. et 9 au 23 mai – 🖂 6 – **12 ch** 50/71, 9 appart, 6 duplex

Meijette, ℘ 04 76 79 90 34, Fax 04 76 79 94 76, ≤, 佘 – 📱 Ⅳ 🅟. ⅭⅮ. ✼ rest
1er juin-20 sept., 1er mars-1er mai et fermé mardi sauf juil.-août – **Repas** 23/29 ⅇ, enf. 1
🖂 7,20 – **18 ch** 52/76,20 – ½ P 53,30/72

GRAVELINES 59820 Nord 51 ③ G. Picardie Flandres Artois – 12 430 h.
🄑 Office du tourisme 11 rue de la République ℘ 03 28 51 94 00, Fax 03 28 65 58
gravelines@tourisme.norsys.fr.
Paris 289 – Calais 27 – Cassel 37 – Dunkerque 21 – Lille 89 – St-Omer 36.

Hostellerie du Beffroi, pl. Ch. Valentin ℘ 03 28 23 24 25, Fax 03 28 65 59 71, 佘 –
Ⅳ Ⅴ & – ♨ 30. 🖭 ⑩ ⅭⅮ
Repas (fermé sam. midi et dim) 15,09/29,72 ⅇ – 🖂 6,86 – **40 ch** 60,83 – ½ P 51,07

GRAVESON 13690 B.-du-R. 80 ⑳ G. Provence – 3 188 h alt. 14.
Voir Musée Auguste-chabaud★.
🄑 Syndicat d'initiative Cours National ℘ 04 90 95 88 44, Fax 04 90 95 81 75, ot.graveso.
visitprovence.com.
Paris 701 – Avignon 14 – Carpentras 39 – Cavaillon 29 – Marseille 104 – Nîmes 38.

Moulin d'Aure ⌂, rte St-Rémy-de-Provence : 1 km par D 5 ℘ 04 90 95 84 05, hot
moulin-d-aure@wanadoo.fr, Fax 04 90 95 73 84, 佘, ⌧, 帚 – Ⅳ 🅟 – ♨ 20. ⅭⅮ Ⅼ
✼ rest
fermé 5 janv. au 15 fév. – **Repas** (dîner seul.) 22 ♨ – 🖂 8 – **14 ch** 69/84 – ½ P 52/63,50

Mas des Amandiers, rte d'Avignon : 1,5 km ℘ 04 90 95 81 76, Fax 04 90 95 85 18, 佘
⌧, 帚 – rest, Ⅳ & 🅟 – ♨ 35. ⅭⅮ ⅭⅮ
15 mars-15 oct. – **Repas** (fermé merc. midi) 15/22 ⅇ, enf. 8 – 🖂 7 – **25 ch** 52/56 – ½ P 4

Cadran Solaire ⌂ sans rest, r. Cabaret Neuf ℘ 04 90 95 71 79, cadransolaire@wanad
.fr, Fax 04 90 90 55 04, 帚 – 🅟. ⅭⅮ
mi-mars-début nov. – 🖂 6 – **12 ch** 45/71

Clos des Cyprès, rte Châteaurenard ℘ 04 90 90 53 44, Fax 04 90 90 55 84, 佘, 帚 –
🅟. ⅭⅮ
fermé 2 au 20 janv., dim. soir et lundi – **Repas** 32/44, enf. 16

70100 H.-Saône **B6** ⑭ *G. Jura* – 6 773 h alt. 220.

Voir *Hôtel de ville★ – Collection de pastels et dessins★ de Prud'hon au musée Baron-Martin★* M¹.

🛈 *Office du tourisme Ile Sauzay* ℘ 03 84 65 14 24, Fax 03 84 65 46 26, otsi.gray@wanadoo.fr.

Paris 336 ⑤ – *Besançon 46* ③ – *Dijon 51* ⑤ – *Dole 45* ④ – *Langres 56* ① – *Vesoul 58* ②.

GRAY

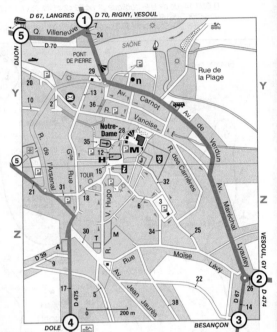

🏨 **Fer à Cheval** sans rest, 9 av. Carnot ℘ 03 84 65 32 55, *Fax 03 84 65 42 63* – 📺 ✆ 🅿. 🆎 ⓪ 🆖 🅹🅲🅱
Y n
fermé 22 déc. au 6 janv. – ⊇ 6,10 – **46 ch** 32,01/42,68

Rigny *par* ① *D 70 et D 2 : 5 km* – 586 h. alt. 196 – ⊠ 70100 :

🏨 **Château de Rigny** ⚜, ℘ 03 84 65 25 01, *chateau-de-rigny@wanadoo.fr*, *Fax 03 84 65 44 45*, ≤, 🏤, « Manoir du 18ᵉ siècle dans un parc au bord de la Saône », 🏊, ⚒ 🐾 – 📺 🅿. 🆎 ⓪ 🆖, ⚒ rest
Repas 17,50 (déj.), 29/55 ⚲, enf. 12 – ⊇ 9,50 – **29 ch** 61/185 – ½ P 69/131

Nantilly *par* ① *et D 2 : 5 km* – 452 h. alt. 200 – ⊠ 70100 :

🏨 **Château de Nantilly** ⚜, ℘ 03 84 67 78 00, *nantilly@romantik.de*, Fax 03 84 67 78 01, 🏤, « Manoir fin 19ᵉ siècle dans un parc », Ⅰ₆, 🏊, ⚒ 🐾 – 📺 ᕒ 🅿 – 🎪 25 à 60. 🆎 ⓪ 🆖
15 mars-1ᵉʳ nov. – **Repas** (dîner seul.) 40/75, enf. 18 – ⊇ 17 – **30 ch** 61/130, 4 appart, 7 duplex – ½ P 110/118

RENADE-SUR-L'ADOUR 40270 Landes **82** ① – 2 265 h alt. 55.

🛈 *Office du tourisme 1 place des Déportés* ℘ 05 58 45 45 98, Fax 05 58 45 45 55.
Paris 724 – *Mont-de-Marsan 15* – *Aire-sur-l'Adour 18* – *Orthez 53* – *St-Sever 14* – *Tartas 33.*

🏨 **Pain Adour et Fantaisie** (Garret), 14 pl. Tilleuls ℘ 05 58 45 18 80, *pain.adour.fantaisie @wanadoo.fr*, Fax 05 58 45 16 57, 🏤, « Terrasse au bord de l'eau » – 📺 – 🎪 25. 🆎 ⓪ 🆖
fermé 2 au 9 janv. et vacances de fév. – **Repas** *(fermé lundi sauf le soir du 14 juil. au 15 août, dim. soir du 13 juil. au 16 août et merc. midi)* 27,44/82,32 bc et carte 50 à 65 ⚲ – ⊇ 11,43 – **11 ch** 64,02/121,95 – ½ P 134,15/185,98
Spéc. Thon mi-cru à l'huile de Maussane. Piccata de foie gras aux légumes du temps. Fondant croustillant au sorbet cacao **Vins** Côtes de Gascogne, Madiran

GRENOBLE 🄿 38000 Isère 🗺 ⑤ G. Alpes du Nord – 153 317 h Agglo. 419 334 h alt. 213.

Voir *Site***★★★** – *Église-musée St-Laurent***★★** : *crypte St-Oyand***★** FY – *Fort de la Bastille* ⁂ par téléphérique EY – *Vieille ville*★ EY : *Palais de Justice*★ (boiseries★) - *escalier*★ *de l'l* d'Ornacieux EY **J** – *Musées : de Grenoble***★★★** FY, *de la Résistance et de la Déportation* *l'ancien Évêché* – *Patrimoines de l'Isère***★★** – *Musée dauphinois*★ : *chapelle***★★**, *expos. thématique***★★** EY.

🛬 *de Grenoble-St-Geoirs* 𝒫 04 76 65 48 48, par ⑥ : 45 km.

🛈 *OMT 14 rue de la République* 𝒫 04 76 42 41 41, Fax 04 76 00 18 92, office-de-touris. de-grenoble@wanadoo.fr.

Paris 568 ⑥ – *Chambéry 56* ② – *Genève 148* ② – *Lyon 105* ⑥ – *Torino 237* ②.

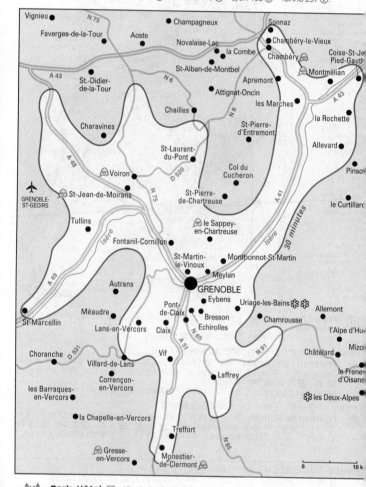

Vignieu ● / N 75
Favergesde-la-Tour ● / Aoste ● / ● Champagneux / Sonnaz ●
A 43 / Novalaise-Lac ● / ● Chambéry-le-Vieux
la Combe ● / Chambéry 🏛
St.-Didierde-la-Tour ● / N 6 / St-Alban-de-Montbel / Coise-St-Je Pied-Gauth
N 6 / Apremont ● / 🏛 Montmélian
Attignat-Oncin ● / A 43
Chailles ● / les Marches ● / la Rochette ●
Charavines ● / St-Pierred'Entremont / Allevard ●
St-Laurentdu-Pont ● / Pinso
🏛 Voiron / Col du Cucheron / A 41
A 48 / D 520
🏭 St-Jean-de-Moirans ● / St-Pierrede-Chartreuse / le Curtillard ●
N 75 / Isère / 30 minutes
GRENOBLEST-GEOIRS ✈ / Tullins ● / 🏛 le Sappeyen-Chartreuse
A 49 / Fontanil-Cornillon ● / Isère
Autrans ● / St-Martinle-Vinoux ● / Montbonnot-St-Martin ●
● Meylan
Méaudre ● / Pontde-Claix ● / **GRENOBLE** ● Eybens / Uriage-les-Bains ❄❄ / Allemont ●
St-Marcellin ● / Lans-en-Vercors ● / Bresson ● / ● Chamrousse
Claix ● / Echirolles / l'Alpe d'Hue
A 51 / Châtélard ● / Mizo
Choranche ● / D 531 / Vif ● / N 85
Villard-de-Lans ● / le Freney d'Oisans
Corrençonen-Vercors ● / ● Laffrey
les Barraquesen-Vercors ● / N 91
● la Chapelle-en-Vercors / ❄ les Deux-Alpes
Treffort ●
🏛 Gresseen-Vercors ● / N 85
Monestierde-Clermont 🏛
0 ————— 10 km

🏨 **Park Hôtel** Ⓜ, 10 pl. Paul Mistral 𝒫 04 76 85 81 23, resa@park-hotel-grenoble.
Fax 04 76 46 49 88, « Beaux aménagements intérieurs » – 📱 ⚙ 🍴 📺 🅲 🚗 – 🅰 15 à 🄴 𝖔 🅾 ⒼⒷ 🅹ⒸⒷ
FZ
fermé 27 juil. au 18 août et 21 déc. au 1ᵉʳ janv. – **Le Parc** (fermé sam. midi, dim. midi
midis fériés) **Repas** ⒛-29/42 ⵘ – ⲯ 13 – **40 ch** 158/250, 12 appart

🏨 **Grand Hôtel Mercure Président** Ⓜ, 11 r. Gén. Mangin ✉ 38100 𝒫 04 76 56 26 5
h2947@accor-hotels.com, Fax 04 76 56 26 82, 🌳 – 📱 ⚙ 🍴 📺 🅲 ♿ 🚗 🄿 – 🅰 20 à 12
𝖔 🅾 ⒼⒷ 🅹ⒸⒷ
AX
Repas 24,50/34 ⵘ, enf. 9 – ⲯ 12 – **105 ch** 120/165

Mercure Centre M, 12 bd Mar. Joffre 📞 04 76 87 88 41, *H0652@accor-hotels.com*, Fax 04 76 47 58 52 – 🛗 ✦ ≡ 📺 ❤ ⅙ ⇔ – 🔏 20 à 150. 🆎 ⓿ 🆖 EZ d
Magnolia *(fermé sam., dim. et fériés)* – **Repas** *(13,15)* - 19,70 � – ⊆ 11 – **88 ch** 105/121

Novotel Atria M, à Europole, pl. R. Schuman 📞 04 76 70 84 84, *h1624@accor-hotels.com*, Fax 04 76 70 24 93 – 🛗 ✦ ≡ 📺 ❤ ⅙ 🅿 – 🔏 15 à 540. 🆎 ⓿ 🆖 🆑 AV r
Repas *(15)* - 18 �, enf. 7,70 – ⊆ 10 – **118 ch** 89/145

Ugerel Alpexpo, 1 av. Innsbruck 📞 04 76 33 02 02, *reception@hotel-ugerel-alpexpo.com*, Fax 04 76 33 34 44, 🈴, 🏊, – 🛗 ✦ ≡ 📺 ❤ ⅙ ⇔ 🅿 – 🔏 20 à 150. 🆎 ⓿ 🆖 BX a
Repas 21,50/24 � – ⊆ 10,50 – **100 ch** 92/100

Angleterre sans rest, 5 pl. V. Hugo 📞 04 76 87 37 21, *hotel-angleterre@hotel-angleterre.fr*, Fax 04 76 50 94 10 – 🛗 ✦ ≡ 📺 ❤. 🆎 ⓿ 🆖 🆑 EZ z
⊆ 10 – **62 ch** 84/130

Terminus sans rest, 10 pl. Gare 📞 04 76 87 24 33, *terminush@aol.com*, Fax 04 76 50 38 28 – 🛗 ✦ 📺 ❤ – 🔏 25. 🆎 ⓿ 🆖 🆑 DY t
⊆ 8 – **40 ch** 69/115

Quality Hotel sans rest, 116 cours Libération 📞 04 76 21 26 63, *info@quality-hotel-grenoble.com*, Fax 04 76 48 01 07 – 🛗 cuisinette ✦ ≡ 📺 ❤ 🅿 – 🔏 60. 🆎 ⓿ 🆖 AX n
fermé 24 déc. au 3 janv. – ⊆ 7,32 – **56 ch** 60,22/65,56, 4 studios

Gambetta M, 59 bd Gambetta 📞 04 76 87 22 25, Fax 04 76 87 40 94 – 🛗 ≡ 📺 ❤. 🆎 🆖 EZ a
Repas *(fermé 8 au 29 juil., dim. soir et sam.)* *(10)* - 14/24,50 �, enf. 8 – ⊆ 7 – **44 ch** 36/55

Splendid sans rest, 22 r. Thiers 📞 04 76 46 33 12, *info@splendid-hotel.com*, Fax 04 76 46 35 24 – 🛗 ✦ 📺 ❤ 🅿. 🆎 ⓿ 🆖 🆑 DZ q
⊆ 5,80 – **45 ch** 48,02/66,31

Patinoires sans rest, 12 r. Marie Chamoux 📞 04 76 44 43 65, *info@hotel-patinoire.com*, Fax 04 76 44 44 77 – 🛗 ✦ 📺 ❤ 🅿. 🆎 ⓿ 🆖 🆑 GZ b
⊆ 5,34 – **35 ch** 39,64/53,35

Trianon sans rest, 3 r. P. Arthaud 📞 04 76 46 21 62, *info@hotel-trianon.com*, Fax 04 76 46 37 56 – 🛗 ✦ 📺. 🆎 ⓿ 🆖 🆑 DZ m
fermé 29 juil. au 26 août et 23 déc. au 6 janv. – ⊆ 5,80 – **38 ch** 47,26/74,70

Ibis gare sans rest, 27 quai C. Bernard 📞 04 76 86 68 68, Fax 04 76 50 95 03 – 🛗 ✦ 📺 ❤. 🆎 🆖 DY k
⊆ 6 – **36 ch** 62

Gallia sans rest, 7 bd Mar. Joffre 📞 04 76 87 39 21, *gallia-hotel@wanadoo.fr*, Fax 04 76 87 65 76 – 🛗 ✦ 📺. 🆎 ⓿ 🆖. 🌿 EZ s
fermé 27 juil. au 26 août – ⊆ 5,65 – **35 ch** 24,40/46

Europe sans rest, 22 pl. Grenette 📞 04 76 46 16 94, *hotel.europe.gre@wanadoo.fr*, Fax 04 76 46 16 94, 🛋 – 🛗 📺 ❤ – 🔏 70. 🆎 ⓿ 🆖 🆑. 🌿 EY t
⊆ 6,50 – **45 ch** 32/55

Alpes sans rest, 45 av. F. Viallet 📞 04 76 87 00 71, *hotel-desalpes@wanadoo.fr*, Fax 04 76 56 95 45 – 🛗 📺 ❤ ⇔. 🆎 ⓿ 🆖 DY z
⊆ 5,34 – **67 ch** 41/49

Paris-Nice sans rest, 61 bd J. Vallier ⊠ 38100 📞 04 76 96 36 18, *hotel.paris.nice@wanadoo.fr*, Fax 04 76 48 07 79 – 📺 ❤ ⇔. 🆎 🆖 AVX t
⊆ 5,40 – **29 ch** 40

Auberge Napoléon, 7 r. Montorge 📞 04 76 87 53 64, *Caby@auberge-napoleon.fr*, Fax 04 76 87 80 67 – ≡. 🆎 ⓿ 🆖 EY b
fermé 8 au 22 mai, 12 au 18 août, 2 au 5 janv., lundi midi, mardi midi, merc. midi et dim. – **Repas** *(nombre de couverts limité, prévenir)* 26/54 et carte 39 à 56 �

L'Escalier, pl. Lavalette 📞 04 76 54 66 16, Fax 04 76 63 01 58, 🈴 – ≡. 🆎 ⓿ 🆖 🆑 FY p
fermé sam. midi, lundi midi et dim. – **Repas** 30,50/68,60 et carte 46 à 70

A Ma Table, 92 cours J. Jaurès 📞 04 76 96 77 04, Fax 04 76 96 77 04, *(rest. non fumeurs)* – ≡. 🆖 DZ t
fermé 1er août au 1er sept., sam. midi, dim. et lundi – **Repas** *(nombre de couverts limité, prévenir)* carte 36 à 50 �

Table d'Ernest, 2 r. Doudart de Lagrée 📞 04 76 43 19 56 – 🆖 DEZ v
fermé août, sam. midi, dim. et fériés – **Repas** *(rest. non-fumeurs)(nombre de couverts limité, prévenir)* 16 (déj.), 21/33 �

Chasse-Spleen, 6 pl. Lavalette 📞 04 38 37 03 52 FY e
fermé sam. et dim. – **Repas** 20 (déj.)/22,90 �

GRENOBLE

619

GRENOBLE

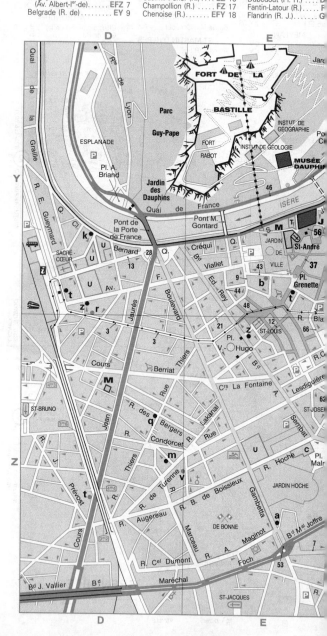

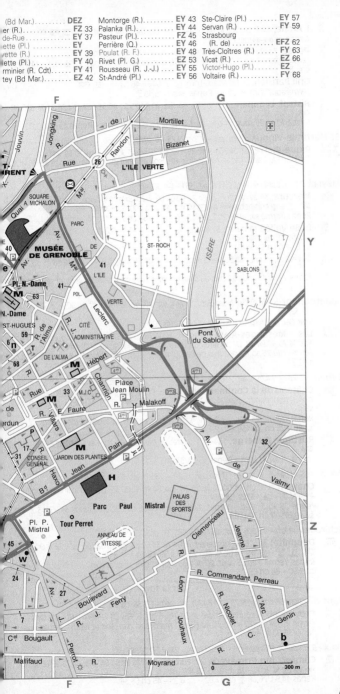

✗ **L'Arche,** 4 r. P. Duclot ℘ 04 76 44 22 62, Fax 04 76 44 70 04, 斎 – 匯 ⓞ ⓒ☰   EY
Repas *(12 bc)* - 14 (déj.), 20/28 ⓨ

✗ **Panse,** 7 r. Paix ℘ 04 76 54 09 54, Fax 04 76 42 64 54 – 匯 ⓒ☰   FY
fermé 8 au 14 avril, 22 juil. au 18 août, dim. et fériés – **Repas** 12,20 (déj.), 14,18/25,1
enf. 6

✗ **Grill Parisien,** 34 bd Alsace-Lorraine ℘ 04 76 46 10 16 – 匯 ⓒ☰   DYⓩ
fermé août, sam. et dim. – **Repas** *(14,94)* - 25,15 ⓨ

✗ **Bistrot Lyonnais,** 168 cours Berriat ℘ 04 76 21 95 33, Fax 04 76 21 95 33, 斎 –
ⓒ☰   AV
fermé 10 au 25 août, 21 déc. au 7 janv., sam., dim. et fériés – **Repas** 19,14/32,92

à St-Martin-le-Vinoux : *2 km par A 48 et N 75* – *5 187 h. alt. 250* – ⌷ *38950* :

✗✗✗ **Pique-Pierre,** ℘ 04 76 46 12 88, Fax 04 76 46 43 90, 斎 – 頁 ⓟ. 匯 ⓒ☰   AV
fermé 21 juil. au 20 août, dim. soir, merc. soir et lundi sauf fériés – **Repas** 30/55 et carte
à 59 ⓨ

à Meylan : *3 km par N 90* – *18 741 h. alt. 331* – ⌷ *38240* :

🏨 **Mercure,** 34 av. Verdun ℘ 04 76 90 63 09, h2948@accor-hotels.com, Fax 04 76 90 2⬛
斎, ⬛ – 頁 cuisinette ⬄ ⬛ ⓣ ⓥ ⓟ. – ⬛ 20 à 100. 匯 ⓞ ⓒ☰ ⓙ   BV
Repas *(fermé sam.)* 18/22 ⓨ, enf. 7,50 – ⌷ – **60 ch** 77/110, 23 studios

🏨 **Belle Vallée** sans rest, 32 av. Verdun ℘ 04 76 90 42 65, Fax 04 76 90 65 98 – 頁 ⬛ ⓣ
⬄ ⓟ. 匯 ⓞ ⓒ☰ ⓙ   CV
⌷ 6 – **30 ch** 53,35/61

✗✗ **Cerisaie,** 18 chemin St-Martin (par N 90) ℘ 04 76 41 91 29, Fax 04 76 18 25 30, 斎, ⬛
– ⓟ. 匯 ⓒ☰ ⓙ
fermé 11 au 18 août, 22 déc. au 5 janv., dim. sauf le midi de mai à sept. et sam. midi – **Re**
21 (déj.), 27/51

à Montbonnot-St-Martin *Nord-Est* : *7 km par av. de Verdun et N 90* – *3 827 h. alt. 3*⬛
⌷ *38330* :
Voir *Bec de Margain* ⩽⋆⋆ *NE* : *13 km puis 30 mn.*

✗✗✗ **Les Mésanges-Alain Pic,** ℘ 04 76 90 21 57, info@restaurant-alain-pic.c⬛
Fax 04 76 90 44 48, 斎, « Jardin et terrasse ombragés », ⬛ – 匯 ⓒ☰
fermé 22 au 26 août, vacances de fév., dim. soir, sam. midi et lundi – **Repas** 24/75 et carte
à 92 ⓨ

à Eybens : *5 km* – *9 471 h. alt. 230* – ⌷ *38320* :

🏨 **Château de la Commanderie** ⬛, av. Échirolles ℘ 04 76 25 34 58, chateau.comm⬛
derie@wanadoo.fr, Fax 04 76 24 07 31, 斎, ⬛, ⬛ – ⓣ ⓥ ⓟ – ⬛ 25. 匯 ⓞ ⓒ
⬛   BX
Repas *(fermé 23 déc. au 8 janv., sam. midi, dim. soir et lundi)* 28 (déj.), 34/59 ⓨ, enf. 1⬛
⌷ 10 – **25 ch** 75/130 – ½ P 77/92

✗✗ **Rustique Auberge,** 134 av. J. Jaurès ℘ 04 76 25 24 70, Fax 04 76 62 39 53 – ⬛. 匯
ⓒ☰   BX
fermé 1ᵉʳ au 21 août – **Repas** 15,50/33,60 ⓨ

à Bresson *Sud par av. J. Jaurès* : *8 km par D 269* – *739 h. alt. 300* – ⌷ *38320* :

✗✗✗✗ **Chavant** avec ch, ℘ 04 76 25 25 38, Fax 04 76 62 06 55, 斎, « Jardin ombragé », ⬛,
– ⓣ ⓥ ⓟ – ⬛ 15. 匯 ⓞ ⓒ☰
fermé 25 au 31 déc. – **Repas** *(fermé sam. midi, dim. soir et lundi)* 31,25/43 ⓨ, enf. 1⬛
⌷ 10,67 – **7 ch** 104/160

à Échirolles : *4 km* – *32 806 h. alt. 237* – ⌷ *38130* :

🏨 **Dauphitel** Ⓜ, 16 av. Kimberley ℘ 04 76 33 60 60, info@dauphitel.fr, Fax 04 76 33 60⬛
斎, ⬛, ✗ – 頁 ⬄ ⬛ ⓣ ⓥ ⓟ – ⬛ 15 à 50. 匯 ⓞ ⓒ☰ ⓙ ⬄ rest   AX
Repas *(fermé 3 au 25 août, 20 déc. au 2 janv., sam. midi et dim.)* *(15,30)* - 22,10 ⓨ, enf. 9,5⬛
⌷ 7,90 – **68 ch** 65/73

par la sortie ④ :

à Pont-de-Claix *8 km par N 75* – *11 612 h. alt. 240* – ⌷ *38800* :

✗ **Provençal,** 16 cours St-André ℘ 04 76 98 01 16, Fax 04 76 98 01 16 – ⬛. ⓒ☰
fermé 22 juil. au 20 août, 1ᵉʳ au 6 janv., mardi soir, dim. soir et lundi – **Repas** *(10)* - 15 (dé⬛
18,50/38,50 ⓛ, enf. 8

à Claix : *9 km par A 480, sortie 9* – *7 388 h. alt. 300* – ⌷ *38640* :

🏨 **Comfort Inn Primevère,** 2 r. Europe ℘ 04 76 98 84 54, Fax 04 76 98 66 22, 斎, ⬛
⬄ ⬛ ⓣ ⓥ ⓙ ⓟ – ⬛ 15 à 30. 匯 ⓒ☰ ⬄
Repas 14,94/26,68 ⓛ, enf. 7,62 – ⌷ 6,25 – **45 ch** 53,36

par la sortie ⑥ :

ontanil : 8 km par A 48, sortie 14 et N 75 – 2 454 h. alt. 210 – ⊠ 38120 :

XX **Queue de Cochon,** rte Lyon ℰ 04 76 75 65 54, qcochon@free.fr, Fax 04 76 75 76 85, 佘 – 🗏 P. 🖭 GB
fermé 15 oct. au 5 nov., sam. midi, dim. soir et lundi – **Repas** (22) - 27/33 ♀, enf. 10,40

s échangeur A 48 sortie n° 12/13 : 12 km – ⊠ 38340 Voreppe :

🏨 **Novotel** M, ℰ 04 76 50 55 55, h0423@accor-hotels.com, Fax 04 76 56 76 26, 佘, 🌊, 쿄 – 🛉 🗱 🗏 🖭 ᛒ ᵹ P – 🛦 15 à 130. 🖭 ◑ GB
Repas (17) - 20 ♀, enf. 8 – 🖵 10,50 – **114 ch** 88

EOUX-LES-BAINS 04800 Alpes-de-H.-P. 🕮 ④ ⑤, 🎞 ⑤ G. Alpes du Sud – 1 921 h alt. 386 –
Stat. therm. (début mars-fin déc.) – Casino.
🚇 Office du tourisme 5 avenue des Marronniers ℰ 04 92 78 01 08, Fax 04 92 78 13 00, tourisme@greoux-les-bains.com.
Paris 768 – Digne-les-Bains 68 – Aix-en-Provence 54 – Brignoles 53 – Manosque 15.

🏨 **Crémaillère** ⑤, rte Riez ℰ 04 92 70 40 04, Fax 04 92 78 19 80, 🌊, 쿄 – 🛉 🗱, 🗏 rest, 🖭 ᛒ ᵹ P – 🛦 40. 🖭 ◑ GB
1er mars-20 déc. – **Repas** (16) - 23 ♀ – 🖵 11 – **51 ch** 72 – ½ P 67

🏨 **Villa Borghèse** ⑤, av. Thermes ℰ 04 92 78 00 91, villa.borghese@wanadoo.fr, Fax 04 92 78 09 55, 🌊, 쿄, ᛜ – 🛉, 🗏 rest, 🖭 ᛒ ⟷ P – 🛦 30 à 80. 🖭 ◑ GB. ᛜ rest
23 mars-4 nov. – **Repas** (18) - 26,50/38 – 🖵 10 – **66 ch** 82/114 – P 93/109

🏨 **Lou San Peyre,** av. Thermes ℰ 04 92 78 01 14, contact@lousanpeyre.com, Fax 04 92 78 03 85, 佘, 🌊, 쿄, ᛜ – 🛉 🖭 ᛒ ᵹ P – 🛦 40. 🖭 ◑ GB. ᛜ rest
15 mars-31 oct. – **Repas** 15/28 ♀, enf. 12 – 🖵 10,23 – **38 ch** 84 – P 96

🏨 **Chêneraie** M ⑤, Les Hautes Plaines, par av. Thermes ℰ 04 92 78 03 23, contact@la-cheneraie.com, Fax 04 92 78 11 72, ≼, 佘, 🌊, 쿄 ᛒ ⟷ GB. enf. 8,50 – 🖵 9,15 – **20 ch** 53/77 – P 59/70
fermé 25 nov. au 25 fév. – **Repas** 16/34 ᛒ, enf. 8,50 – 🖵 9,15 – **20 ch** 53/77 – P 59/70

🏨 **Alpes,** av. Alpes ℰ 04 92 74 24 24, Fax 04 92 74 24 26, 佘, 🌊 – 🖭 P. 🖭 GB
mars-nov. – **Repas** (fermé dim. soir et lundi) 16/35 ᛒ – 🖵 6,86 – **30 ch** 42/62,50 – ½ P 40/46,50

🏨 **Grand Jardin,** av. Thermes ℰ 04 92 70 45 45, a.vidal@wanadoo.com, Fax 04 92 74 24 79, 佘, 🌊, 쿄, ᛜ – 🛉 🖭 P – 🛦 30. 🖭 ◑ GB JCB. ᛜ rest
1er mars-26 nov. – **Repas** 15/35 ♀, enf. 10 – 🖵 8 – **85 ch** 45/70 – ½ P 57/65,50

ESSE-EN-VERCORS 38650 Isère 🗷 ⑭ G. Alpes du Nord – 299 h alt. 1205 – Sports d'hiver :
1 300/1 700 m ⚡ 16 ⚡.
Voir Col de l'Allimas ≼★ S : 2 km.
🚇 Office de tourisme le Faubourg ℰ 04 76 34 33 40, Fax 04 76 34 31 26.
Paris 613 – Grenoble 48 – Clelles 22 – Monestier-de-Clermont 14 – Vizille 43.

🏨 **Chalet** ⑤, ℰ 04 76 34 32 08, lechalet@free.fr, Fax 04 76 34 31 06, ≼, 佘, 🌊, ᛜ – 🛉 🖭 ᛒ ⟷ P – 🛦 25. GB. ᛜ
4 mai-13 oct. et 21 déc.-17 mars – **Repas** (fermé merc. sauf vacances scolaires) 16/46, enf. 10 – 🖵 8 – **26 ch** 39/74 – ½ P 57/64

ESSWILLER 67190 B.-Rhin 🗷 ⑮ – 1 287 h alt. 200.
Paris 482 – Strasbourg 34 – Obernai 15 – Saverne 33 – Sélestat 41.

🏨 **L'Écu d'Or,** Z.A. : 1 km par D 217 ℰ 03 88 50 16 00, info@lecudor.fr, Fax 03 88 50 15 11 – 🗏 rest, 🖭 ᛒ ᵹ P. GB
Repas 9,20 (déj.), 15,10/30,50 ♀, enf. 10 – 🖵 6,10 – **25 ch** 45/50

ESSY 77 S.-et-M. 🗷 ⑫., 🔟 ⑩ – voir à Paris, Environs.

ÉSY-SUR-ISÈRE 73740 Savoie 🗷 ⑯ – 1 043 h alt. 350.
Env. Site★★ – Château de Miolans ≼★ : Tour St-Pierre ≼★★, souterrain de défense★ Alpes du Nord.
Paris 601 – Albertville 18 – Aiguebelle 12 – Chambéry 39 – St-Jean-de-Maurienne 47.

XX **Tour de Pacoret** ⑤ avec ch, Nord-Est : 1,5 km par D 201 ⊠ 73460 Frontenex ℰ 04 79 37 01 59, info@hotel-pacoret-savoie.com, Fax 04 79 37 93 84, ≼ vallée et montagnes, 佘, 🌊, 쿄 – 🖭 P. GB. ᛜ rest
début mai-fin oct. – **Repas** (fermé merc. midi sauf juil.-août, lundi en oct. et mardi) (14) - 21/44 ♀ – 🖵 8 – **10 ch** 64/86 – ½ P 57

GRÉZIEU-LA-VARENNE 69290 Rhône **74** ⑪, **110** ⑫ – 4 133 h alt. 332.

Paris 461 – Lyon 16 – L'Arbresle 18 – Villefranche-sur-Saône 36.

XXX   **Hostellerie de la Varenne**, 9 r. É. Evellier, ℘ 04 78 57 31 05, Fax 04 37 22 02 94,
ⅎ ⅁ⅅ
fermé 22 juil. au 11 août, 18 au 24 fév., dim. soir, merc. soir et lundi – **Repas** 19 (
25,50/47,50 et carte 40 à 52 ☿, enf. 12

La GRIÈRE 85 Vendée **71** ⑪ – *rattaché à La Tranche-sur-Mer.*

GRIGNAN 26230 Drôme **81** ② G. Provence – 1 353 h alt. 198.

Voir *Château*★★ – *Église St-Sauveur* ⚹★.

🄳 *Office du tourisme Grande Rue ℘ 04 75 46 56 75, Fax 04 75 46 55 89.*

Paris 635 – Crest 47 – Montélimar 24 – Nyons 24 – Orange 52 – Pont-St-Esprit 37.

🏛   **Manoir de la Roseraie** ⚶, rte Valréas ℘ 04 75 46 58 15, *roseraie.hotel@wanado*
Fax 04 75 46 91 55, ≤, 🍽, « Élégant manoir dans un parc », 🛝, ⚒, ⚘ – ≤⚶, 🍽 rest, [
ⅎ ⅁, ⅅⅇ ⓪ ⅁ⅅ
fermé 3 au 12 déc., 5 janv. au 14 fév., mardi et merc. hors saison – **Repas** (prévenir)
(déj.), 48/58 ☿, enf. 19,80 – ☲ 15,25 – **17 ch** 141/184,50 – ½ P 124/145

🏛   **Clair de la Plume** ⚶ sans rest, pl. Mail ℘ 04 75 91 81 30, *plume2@wanado*
Fax 04 75 91 81 31, « Maison du 17ᵉ siècle à la décoration soignée », 🌿 – 🄣 ℃. ⅅⅇ ⓪
ⅉⅭⅮ
fermé en fév. – **10 ch** ☲ 85/150

XX   **Relais de Grignan**, rte Montélimar D 541 : 1 km ℘ 04 75 46 57 22, Fax 04 75 46 9.
🍽, 🌿 – 🍽 ⅎ, ⅅⅇ ⅁ⅅ
fermé 26 août au 4 sept., 23 déc. au 8 janv., merc. soir, dim. soir et lundi – **Repas** 15 (
23,50/48 ☿, enf. 9,15

X   **Poème**, montée du Tricot ℘ 04 75 91 10 90 – ⅁ⅅ
fermé fév., le midi en semaine en juil.-août, lundi sauf le soir en hiver, merc. midi et ma
Repas 20 (déj.), 25/43 ☿, enf. 10

GRIMAUD 83310 Var **84** ⑰, **114** ㊲ G. Côte d'Azur – 3 780 h alt. 105.

Voir *Château* ≤★.

Env. *Port Grimaud*★ : ≤★ 5 km.

🄳 *Office du tourisme 1 boulevard des Aliziers ℘ 04 94 43 26 98, Fax 04 94 43 32*
bureau.du.tourisme.grimaud@wanadoo.fr.

Paris 866 – Fréjus 31 – Le Lavandou 32 – St-Tropez 11 – Ste-Maxime 12 – Toulon 64.

🏛   **Boulangerie** ⚶ sans rest, rte de Collobrières, Ouest : 2 km par D 14 ℘ 04 94 43 23
Fax 04 94 43 38 27, ≤, parc, 🛝, ⚒, ⚘ – ℃ ⅎ. ⅅⅇ ⅁ⅅ
Pâques-10 oct. – ☲ 10 – **11 ch** 106/128

🏛   **Athénopolis** Ⓜ ⚶ sans rest, rte La Garde-Freinet, Nord-Ouest : 3,5 km par D
℘ 04 98 12 66 44, *hotel@athenopolis.com*, Fax 04 98 12 66 40, 🛝, 🌿, ⚒ – ℃ ⅎ. ⅅⅇ
⅁ⅅ
1ᵉʳ avril-31 oct. – ☲ 8 – **11 ch** 90/111

🏛   **Hostellerie du Coteau Fleuri**, pl. Pénitents ℘ 04 94 43 20 17, *coteaufleuri@wana*
.fr, Fax 04 94 43 33 42, ≤ – 🍽 ⅁ⅅ. ⚘ rest
fermé 10 nov. au 15 déc., 5 au 20 janv. – **Repas** (fermé mardi et vend. midi sauf juil.-a*
29,73/45,73 ☿, enf. 14,48 – ☲ 6,86 – **14 ch** 64,79/83,85

XXX   **Les Santons** (Girard), ℘ 04 94 43 21 02, *lessantons@wanadoo.fr*, Fax 04 94 43 24
❀   « Cadre provençal » – 🍽. ⅁ⅅ
23 mars-3 nov et fermé le midi en juil.-août – **Repas** (fermé merc. sauf le soir en sai*
mardi midi de juin à sept. et jeudi midi) 32,78 (déj.), 41,92/66,32 et carte 65 à 95
enf. 18,29
Spéc. Petite bourride des Santons. Selle d'agneau de Sisteron rôtie au thym. Gibier (sais*
Vins Côtes de Provence, Bandol

XX   **Bretonnière**, pl. Pénitents ℘ 04 94 43 25 26, Fax 04 94 54 19 43 – 🍽. ⅅⅇ ⅁ⅅ
fermé 10 au 18 mars, 19 nov. au 16 déc., dim. soir et lundi – **Repas** 25 (déj.), 35/58 ☿, enf

XX   **Jardin des Cabris**, Sud : 1 km, carrefour D 552 - D 14 ℘ 04 94 43 26
Fax 04 94 43 39 41, 🍽 – ⅎ. ⅅⅇ ⅁ⅅ. ⚘
fév.-fin oct. et fermé lundi sauf juil.-août – **Repas** (dîner seul. sauf dim.) 34/50 ☿

XX   **Mûrier**, Sud-Est : 1,5 km sur D 14 ℘ 04 94 43 34 94, Fax 04 94 43 32 65, 🍽 – 🍽 ⅎ. ⅅⅇ
fermé vacances de fév. et jeudi hors saison – **Repas** 32,01/74,70 ☿, enf. 15,24

X   **Auberge La Cousteline**, Sud-Est : 2,5 km sur D 14 ℘ 04 94 43 29 47, 🍽 – ⅎ. ⅁ⅅ
fermé 1ᵉʳ au 15 déc., janv., sam. midi et mardi – **Repas** 22 (déj.), 30/40

S-NEZ (Cap)★★ 62 P.-de-C. 51 ① *G. Picardie Flandres Artois –* ✉ 62179 Audinghen.
Paris 288 – Calais 32 – Arras 127 – Boulogne-sur-Mer 21 – Marquise 13 – St-Omer 63.

🏠 **Les Mauves** 🦢, ℘ 03 21 32 96 06, 🍴, 🌳 – 📺 🅿. ☺. ⅌
28 mars-15 nov. – **Repas** 19,50/36,60 ⅄ – ⯑ 7,50 – **16 ch** 49/89 – ½ P 56/73

✗ **Sirène,** ℘ 03 21 32 95 97, Fax 03 21 32 74 75, ≤ mer – 🅿. ☺
fermé 15 déc. au 25 janv., le soir sauf sam. de sept. à Pâques, dim. soir et lundi – **Repas** 19/33,85 ⅄, enf. 7,10

GRIVE 38 Isère 74 ⑬ – *rattaché à Bourgoin-Jallieu.*

OISY 74570 H.-Savoie 74 ⑥ – *2 605 h alt. 690.*
Paris 536 – Annecy 16 – Bellegarde-sur-Valserine 40 – Bonneville 27 – Genève 36.

✗✗ **Auberge de Groisy,** ℘ 04 50 68 09 54, Fax 04 50 68 09 54, 🍴 – ☺
fermé 15 juil. au 15 août, 22 déc. au 2 janv., dim. soir, mardi soir et merc. – **Repas** 17/48 ⅄

OIX (Ile de) ★ 56590 Morbihan 58 ⑫ *G. Bretagne – 2 275 h alt. 38.*
Voir *Site★ de Port-Lay – Trou de l'Enfer★.*
Accès par transports maritimes pour Port-Tudy (en été réservation recommandée pour le passage des véhicules).
⛴ depuis **Lorient**.- *Traversée 45 mn - Tarifs, se renseigner :* Cie Morbihannaise et Nantaise de Navigation, bd A.-Pierre ℘ 0820 056 000, Fax 02 97 64 77 69.
⛴ depuis **Doëlan** *servive saisonnier - Traversée 1h - Renseignements et tarifs :* Vedettes Glenn ℘ 02 98 97 10 31.
🚹 *Syndicat d'initiative Quai de Port Tudy* ℘ 02 97 86 54 96.

🏠 **Marine,** au Bourg ℘ 02 97 86 80 05, *hotel.dela.marine@wanadoo.fr,* Fax 02 97 86 56 37, 🍴, 🌳 – ☺
fermé janv., dim. soir et lundi hors saison sauf vacances scolaires – **Repas** 14/25 ⅄, enf. 8 – ⯑ 7,60 – **22 ch** 40,50/75 – ½ P 45/62,50

🏠 **Ty Mad,** au port ℘ 02 97 86 80 19, Fax 02 97 86 50 79, 🍴, ⯑, – ℃ 🅿. ☒ ⓞ ☺. ⅌
hôtel : fermé janv. ; rest. : Pâques-nov. – **Repas** 13,72/30,49, enf. 8,38 – ⯑ 6,10 – **32 ch** 42,69/60,98

OTTE *voir au nom propre de la grotte.*

OUIN (Pointe du) 35 I.-et-V. 59 ⑥ – *rattaché à Cancale.*

UFFY 74540 H.-Savoie 74 ⑯ – *1 157 h alt. 570.*
Paris 548 – Annecy 17 – Aix-les-Bains 19 – Chambéry 36 – Genève 64.

🏠 **Gorges du Chéran** 🦢, au Pont de l'Abîme ℘ 04 50 52 51 13, Fax 04 50 52 57 33, ≤, 🍴, 🌳 – 📺 🅿. ☺. ⅌ ch
24 mars-3 nov. – **Repas** 43/29 ⅄, enf. 8 – ⯑ 6 – **8 ch** 43/58 – ½ P 40/50

UISSAN 11430 Aude 86 ⑩ *G. Languedoc Roussillon – 3 061 h alt. 2 – Casino.*
🚹 *OMT 1 boulevard du Pech-Maynaud* ℘ 04 68 49 03 25, Fax 04 68 49 33 12, *office.tourisme@gruissan-mediterranee.com.*
Paris 802 – Perpignan 77 – Carcassonne 73 – Narbonne 15.

🏨 **Corail** M, quai Ponant, au port ℘ 04 68 49 04 43, *corail2@wanadoo.fr,* Fax 04 68 49 62 89, ≤, 🍴 – 📳 ▤ 📺 ℃ 🅿. ☒ ⓞ ☺
1er fév.-5 nov. – **Repas** 15,85/31,10 ⅄ – ⯑ 6,90 – **32 ch** 58/65,60 – ½ P 55,70

🏨 **du Casino** M, bd Sagne (au casino) ℘ 04 68 49 03 05, *hotel@phoebus-sa.com,* Fax 04 68 49 07 67 – ▤ ch, 📺 ℃ 🔌 🅿. ☺. ⅌ rest
Repas 15,09/30,34 ⅄ – ⯑ 7,50 – **50 ch** 52/69 – ½ P 53/57

🏠 **Plage** sans rest, à la plage ℘ 04 68 49 00 75 – 🅿. ☺. ⅌
Pâques-mi-sept. – **17 ch** ⯑ 54

✗✗ **L'Estagnol,** au village ℘ 04 68 49 01 27, Fax 04 68 32 23 38, ≤, 🍴 – ▤. ☺
fin mars-30 sept. et fermé lundi – **Repas** 14 (déj.), 21/28 ⅄, enf. 7

✗ **Lamparo,** au village ℘ 04 68 49 93 65, Fax 04 68 49 93 65, 🍴 – ▤. ☺
fermé 17 déc. au 27 janv., dim. soir et lundi – **Repas** 16,77/27,44 ⅄

Le GUA 17680 Char.-Mar. **71** ⑭ – 1 856 h alt. 3.
Paris 493 – Royan 16 – La Rochelle 63 – Bordeaux 127 – Rochefort 26.

🏠 **Moulin de Châlons,** Châlons, Ouest : 1 km rte de Royan 🖉 05 46 22 82 72, mou
chalons@wanadoo.fr, Fax 05 46 22 91 07, 佘, « Ancien moulin à marée du 18ᵉ siècle »
🔟 **P.** 🖭 **GB**
fermé 6 au 29 janv., dim. soir et lundi du 31 oct. au 1ᵉʳ mai – **Repas** 19/60 ♀ – � 11 – 1
56/86 – ½ P 64/79

GUAGNO-LES-BAINS 2A Corse-du-Sud **90** ⑮ – voir à Corse.

GUEBERSCHWIHR 68420 H.-Rhin **62** ⑱ ⑲ G. Alsace Lorraine – 816 h alt. 260.
Paris 488 – Colmar 13 – Guebwiller 18 – Mulhouse 36 – Strasbourg 85.

🏠 **Relais du Vignoble** ⑤, 🖉 03 89 49 22 22, hotelrelaisduvignoble@wanadoo
Fax 03 89 49 27 82, ≤, 佘 – 🛗 🔟 🕊 **P.** – 🔏 40. **GB**
fermé 28 janv. au 8 mars – **Belle Vue** *(fermé merc. midi et jeudi)* **Repas** (12),18/20 ♀, ent
– ⊑ 7,50 – **30 ch** 45/68 – ½ P 49/53

GUEBWILLER ⊗ 68500 H.-Rhin **62** ⑱ G. Alsace Lorraine – 11 525 h alt. 300.
Voir Église St-Léger★ : façade Ouest★★ – Intérieur★★ de l'église N.-Dame★ : Ma
Hôtel★★ - Hôtel de ville★ – Musée du Florival★.
Env. Vallée de Guebwiller★★ NO.
🅱 Office de tourisme 73 rue de la République 🖉 03 89 76 10 63, Fax 03 89 76 5
o.t.guebwiller@wanadoo.fr.
Paris 475 – Mulhouse 24 – Belfort 51 – Colmar 27 – Épinal 95 – Strasbourg 104.

🏠 **Château de la Prairie** ⑤ sans rest, allée Marronniers 🖉 03 89 74 28 57, pra
chateauxhotels.com, Fax 03 89 74 71 88, 🐾 – 🔆 🔟 **P.** – 🔏 30. 🖭 ⓪ **GB** **JCB**
⊑ 8 – **18 ch** 55/89

🏠 **L'Ange,** 4 r. Gare 🖉 03 89 76 22 11, Fax 03 89 76 50 08 – 🛗 🔟 **P.** – 🔏 30. 🖭 **GB**
fermé 4 au 11 mars – **Repas** *(fermé vend. midi, dim. soir et lundi)* 15,24/45,73 ♀ – ⊑ 6,
36 ch 36,58/57,16 – ½ P 48,78/64,02

à Murbach Nord-Ouest : 5 km par D 40ᴵᴵ – 136 h. alt. 420 – ⊠ 68530 :
Voir Église★★.

🏠 **Hostellerie St-Barnabé** ⑤, 🖉 03 89 62 14 14, hostellerie.st.barnabe@wanado
Fax 03 89 62 14 15, 佘, 🐾, 💥 – 🗏 rest, 🔟 **P.** 🖭 ⓪ **GB** **JCB**
fermé 22 au 26 déc. et 6 janv. au 9 mars – **Repas** *(fermé le midi sauf dim. et dim. so*
nov. à avril) 26/75 ♀ – ⊑ 14 – **27 ch** 76/150 – ½ P 96/149,50

à Jungholtz Sud-Ouest : 6 km par D 51 – 658 h. alt. 332 – ⊠ 68500 :
🗙🗙 **Biebler "La Roseraie"** avec ch, 🖉 03 89 76 85 75, Fax 03 89 74 91 45, 佘, 🐾 – 🔟
🖭 **GB**
fermé janv. – **Repas** *(fermé merc.)* 13,72/42,69 ♣ – ⊑ 9,15 – **7 ch** 42,69/57,93 – ½ P 4

à Hartmannswiller Sud : 7 km par D 5 – 523 h. alt. 255 – ⊠ 68500 :
🏠 **Meyer,** sur D 5 🖉 03 89 76 73 14, info@hotel-meyer-alsace.com, Fax 03 89 76 79 57,
🐾 – 🔆 🔟 **P.** 🖭 ⓪ **GB.** 💥
fermé 1ᵉʳ au 6 mars, 27 oct. au 5 nov. et vend. – **Repas** *(dîner seul. sauf dim.)* 16/30
⊑ 6,70 – **9 ch** 37/61 – ½ P 42/48

à Rimbach-près-Guebwiller Ouest : 11 km par D 51 – 244 h. alt. 550 – ⊠ 68500 :
🏠 **L'Aigle d'Or** ⑤, 🖉 03 89 76 89 90, Fax 03 89 74 32 41, 佘, 🐾 – ⇐ **P.** 🖭 ⓪ **GB**
fermé 4 fév. au 4 mars et 2 au 6 déc. – **Repas** *(fermé lundi d'oct. à juin)* 13/30 ♀ – ⊑
20 ch 21/37 – ½ P 30/42

GUÉCELARD 72230 Sarthe **64** ㊸ – 2 594 h alt. 45.
Paris 220 – Le Mans 18 – Château-du-Loir 38 – La Flèche 26 – Le Grand-Lucé 38.

🗙🗙 **Botte d'Asperges,** 🖉 02 43 87 29 61, Fax 02 43 87 29 61 – ⓪ **GB**
fermé 11 au 17 mars, 5 au 26 août, dim. soir et lundi sauf fériés – **Repas** 15,24/24
enf. 7,62

GUÉMENÉ-SUR-SCORFF 56160 Morbihan **59** ⑪ – 1 205 h alt. 180.
🅱 Syndicat d'initiative - Mairie 🖉 02 97 39 33 47.
Paris 483 – Vannes 70 – Concarneau 71 – Lorient 45 – Pontivy 21 – Rennes 130.

🏠 **Bretagne,** r. J. Peres 🖉 02 97 51 20 08, Fax 02 97 39 30 49, 🐾 – 🔟 🕊 **P.** – 🔏 40. **GB**
fermé 1ᵉʳ au 15 sept., 20 déc. au 10 janv. et sam. hors saison – **Repas** *(7,62)* - 8,99/25,1
enf. 5,34 – ⊑ 5,03 – **19 ch** 27,44/41,92 – ½ P 30,80/34,99

ENROUËT 44530 Loire-Atl. 🗺 ⑮ – 2 408 h alt. 30.
Paris 424 – Nantes 55 – Redon 21 – St-Nazaire 41 – Vannes 71.

XX **Relais St-Clair**, rte Nozay ✆ 02 40 87 66 11, *cuisinerie@relais-saint-clair.com*,
Fax 02 40 87 71 01, � – 🗐. GB
fermé 3 au 10 nov., 5 au 12 déc., 15 au 28 fév., dim. soir, mardi soir et lundi sauf juil.-août –
Repas 23/61, enf. 11,50

XX **Paradis des Pêcheurs**, au Cougou sur D 102 : 5 km ✆ 02 40 87 64 10,
Fax 02 40 87 64 10, � – 🅿. GB
fermé vacances de fév., lundi soir, mardi soir et merc. sauf du 14 juil. au 15 août et dim. soir
– **Repas** 8,84 (déj.), 22,11/26,68 🍷

ÉRANDE 44350 Loire-Atl. 🗺 ⑭ G. Bretagne – 13 603 h alt. 54.
Voir *Collégiale St-Aubin*★.
🅸 *Office du tourisme 1 place du Marché Au Bois ✆ 02 40 24 96 71, Fax 02 40 62 04 24,
Office.Tourisme.Guerande@wanadoo.fr.*
Paris 455 – Nantes 78 – La Baule 6 – St-Nazaire 20 – Vannes 61.

🏛 **Les Voyageurs**, pl. du 8 Mai 1945 ✆ 02 40 24 90 13, Fax 02 40 62 06 64, � – 📺 📞. GB
fermé 23 déc. au 21 janv. (fermé dim. soir et lundi de sept. à juin) 11,30/29 🍷 –
⊡ 5,50 – **12 ch** 40/50 – ½ P 45,50/47,50

XX **Les Remparts** avec ch, bd Nord ✆ 02 40 24 90 69, Fax 02 40 62 17 99 – 📺. GB
fermé 25 nov. au 22 janv., dim. soir et lundi sauf juil.-août – **Repas** 17/26 🍷, enf. 9,50 – ⊡ 6
– **8 ch** 39/45 – ½ P 46

X **Vieux Logis**, pl. Psalette (intra-muros) ✆ 02 40 62 09 73, � – GB
fermé 12 nov. au 12 déc., mardi soir et merc. sauf juil.-août et fériés – **Repas** - grillades -
17,50/23,60, enf. 9,30

X **L'Ostréa**, 5 r. St-Michel (intra-muros) ✆ 02 40 42 93 03, � – GB
fermé 7 au 25 oct., 23 déc. au 7 fév., dim. soir, jeudi soir et lundi sauf juil.-août – **Repas**
-produits de la mer- 14,94/33,54, enf. 6,86

aillé Sud : 3 km – ✉ 44350 Guérande :

X **Salorge**, ✆ 02 40 15 14 19, Fax 02 40 15 14 19, �, 🌺 – 🅿. GB
fermé 1ᵉʳ au 30 janv., 24 au 30 juin, jeudi sauf vacances scolaires et merc. – **Repas**
crêperie carte 13 à 18

Si vous êtes retardé sur la route, dès 18 h,
confirmez votre réservation par téléphone,
c'est plus sûr... et c'est l'usage.

GUERCHE-DE-BRETAGNE 35130 I.-et-V. 🗺 ⑧ G. Bretagne – 4 095 h alt. 77.
🅸 *Office du tourisme Place Charles de Gaulle ✆ 02 99 96 30 78.*
Paris 325 – Châteaubriant 30 – Laval 55 – Redon 85 – Rennes 42 – Vitré 23.

XX **Calèche** 🐾 avec ch, 16 av. Gén. Leclerc ✆ 02 99 96 21 63, Fax 02 99 96 49 52, � – 📺 🅿.
GB
fermé 1ᵉʳ au 20 août, dim. soir et lundi – **Repas** 11,50 (déj.), 20,60/29,75 🍷 – ⊡ 6,86 – **10 ch**
34,30/45,79 – ½ P 35,06

ÜÉRET 🅿 23000 Creuse 🗺 ⑨ G. Berry Limousin – 14 123 h alt. 457.
Voir *Émaux Champlevés*★ *du musée d'art et d'archéologie de la Sénatorerie.*
🅸 *Office du tourisme 1 avenue Charles de Gaulle ✆ 05 55 52 14 29, Fax 05 55 41 19 38,
tourisme.gueret.st.vaury@wanadoo.fr.*
Paris 351 ① – Limoges 91 ② – Châteauroux 89 ① – Montluçon 65 ③.

Plan page suivante

🏛 **Auclair**, 19 av. Sénatorerie ✆ 05 55 41 22 00, *hotel-auclair@wanadoo.fr*,
Fax 05 55 52 86 89, �, 🏊, 🌺 – 🔧 📺. GB   Z s
Repas (fermé dim. soir) 20,58/27,44 🍷, enf. 11,43 – ⊡ 6,10 – **32 ch** 33,54/45,73 –
½ P 49,54

🏛 **Campanile**, av. R. Cassin par ⑤ ✆ 05 55 51 54 00, Fax 05 55 52 56 16, � – 🔧 📺 📞 ♿ 🅿
– 🔥 15 à 30. ⒶⒺ ⓪ GB JCB
Repas (12,04) - 15,09/16,62 🍷, enf. 5,95 – ⊡ 5,95 – **49 ch** 53,36

ste-Feyre par ③ : 7 km – 2 250 h. alt. 450 – ✉ 23000 :

XX **Les Touristes-Michel Roux**, ✆ 05 55 80 00 07, Fax 05 55 81 11 04 – 🗐. GB. 🎉
fermé dim. soir et lundi – **Repas** 14,50/37 🍷, enf. 9

GUÉRET

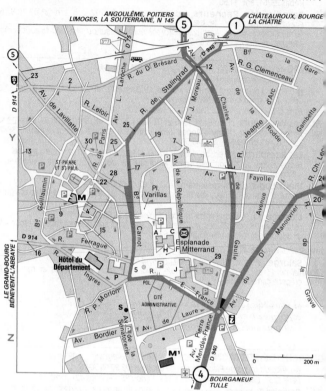

ANGOULÊME, POITIERS LIMOGES, LA SOUTERRAINE, N 145 — CHÂTEAUROUX, BOURGE LA CHÂTRE

BOURGANEUF TULLE

A good moderately priced meal : 🍴 Repas 16/23

GUÉRY Lac de 63 P.-de-D. 78 ⑬ – rattaché au Mont-Dore.

GUÉTHARY 64210 Pyr.-Atl. 78 ⑪ ⑱ G. Aquitaine – 1 284 h alt. 15.
🛈 Office du tourisme Rue du Comte de Swiecinski ℘ 05 59 26 56 60, Fax 05 59 54 92
office@guethary-france.com.
Paris 784 – Biarritz 9 – Bayonne 19 – Pau 126 – St-Jean-de-Luz 6.

🏠 **Brikéténia** sans rest, r. Église ℘ 05 59 26 51 34, Fax 05 59 54 71 55, ≤ – 📶 📺 ৬ 🅿.
※
15 mars-15 nov. – 🍽 7,62 – **25 ch** 68,60/83,85

Le GUÉTIN 18 Cher 69 ③ – ⊠ 18150 La Guerche-sur-l'Aubois.
Paris 256 – Bourges 58 – La Guerche-sur-l'Aubois 11 – Nevers 13 – St-Pierre-le-Moutier

🍴 **Auberge du Pont-Canal**, ℘ 02 48 80 40 76, Fax 02 48 80 45 11, ☎ – ᴳᴮ
fermé 6 au 14 oct., janv. et lundi – **Repas** (déj. seul. d'oct. à avril sauf sam.) 11,50/27
enf. 6,20

EUGNON 71130 S.-et-L. **69** ⑰ – 8 563 h alt. 243.

Paris 337 – Moulins 62 – Bourbon-Lancy 27 – Mâcon 86 – Montceau-les-Mines 29.

🏠 **Centre,** 34 r. Liberté ℘ 03 85 85 21 01, Fax 03 85 85 02 67 – ▤ rest, 📺 📞 🅿 ⒜ 🆎 ☜
Repas (fermé dim. soir) 15,24/28,20 ⅄ – ☷ 5,79 – **20 ch** 28,97/44,21

EWENHEIM 68116 H.-Rhin **87** ⑲ – 1 176 h alt. 323.

Paris 459 – Mulhouse 21 – Altkirch 23 – Belfort 26 – Thann 9.

XX **Gare,** ℘ 03 89 82 51 29, Fax 03 89 82 84 62, 🍽, 🌿 – 🅿 ☜
fermé 29 juil. au 14 août, 15 fév. au 3 mars, mardi soir et merc. – **Repas** 24,40/55 ⅄

IGNIÈRE 37 I.-et-L. **64** ⑭ ⑮ – rattaché à Tours.

ILHERAND-GRANGES 07 Ardèche **77** ⑫ – rattaché à Valence (26 Drôme).

ILLESTRE 05600 H.-Alpes **77** ⑱ G. Alpes du Sud – 2 211 h alt. 1000.

Voir Porche★ de l'église – Pied-la-Viste ⩽★ E : 2 km – Peyre-Haute ⩽★ S : 4 km puis 15 mn.

Env. Combe du Queyras★★ NE : 5,5 km.

🛈 Office du tourisme Place Salva ℘ 04 92 45 04 37, Fax 04 95 45 19 09, pays.du.guil @wanadoo.fr.

Paris 718 – Briançon 37 – Gap 62 – Barcelonnette 51 – Digne-les-Bains 114.

🏠🏠 **Les Barnières** ⋑, ℘ 04 92 45 04 87, hotel-lesbarnieres@wanadoo.fr, Fax 04 92 45 28 74, ⩽ vallée et montagnes, **Ⅰ6**, ⬟, 🌿, ⚒ – 📶 ⇔ 📺 🅿 ☜ ⚒ ch
fermé 15 oct. au 20 déc. – **Repas** 16,77/32,01, enf. 9,91 – ☷ 9,15 – **40 ch** 70,13/76,22 –
½ P 73,18

🏠 **Catinat Fleuri,** ℘ 04 92 45 07 62, Fax 04 92 45 28 88, 🍽, ⬟, 🌿, ⚒ – 📶 📺 🅿 – ⚓ 15.
⓪ ☜
Repas 13,70 (déj.), 17,10/28,40, enf. 6,60 – ☷ 5,80 – **31 ch** 53,40/100,60 – ½ P 56,40/59,50

Mont-Dauphin gare Nord-Ouest : 4 km par D 902ᴬ et N 94 – 87 h. alt. 1050 – ⌗ 05600 :

Voir Charpente★ de la caserne Rochambeau.

🏠 **Lacour et rest. Gare,** ℘ 04 92 45 03 08, renseignement@hotel-lacour.com,
⬙ Fax 04 92 45 40 09, 🌿 – 📺 📞 🅿 – ⚓ 30. 🆎 ☜, ⚒ rest
fermé sam. du 1ᵉʳ mai au 30 juin et du 1ᵉʳ sept. au 20 déc. – **Repas** 13,30/33 ⅄ – ☷ 6,50 –
46 ch 54 – ½ P 48

ILLIERS 56490 Morbihan **63** ④ – 1 216 h alt. 86.

Paris 418 – Vannes 60 – Dinan 65 – Lorient 91 – Ploërmel 13 – Rennes 68.

🏠🏠 **Relais du Porhoët,** ℘ 02 97 74 40 17, Fax 02 97 74 45 65, 🌿 – 📺 📞 🅿 – ⚓ 20. ☜
⬙ fermé 1ᵉʳ au 8 oct., 1ᵉʳ au 21 janv., lundi sauf le soir en saison et dim. soir – Repas 13/26 ⅄,
enf. 8 – ☷ 6 – **12 ch** 39/44 – ½ P 35/37

ILVINEC 29730 Finistère **58** ⑭ G. Bretagne – 3 042 h alt. 5.

🛈 Office de tourisme 62 r. de la Marine ℘ 02 98 58 29 29, Fax 02 98 58 34 05.

Paris 585 – Quimper 30 – Douarnenez 44 – Pont-l'Abbé 11.

🏠 **Centre,** r. Gén. de Gaulle ℘ 02 98 58 10 44, Fax 02 98 58 31 05, 🍽, 🌿 – 📺 📞 🅿 ☜
⬙ fermé janv. – **Repas** (fermé dim. soir et lundi midi d'oct. à mars) 11,50/29 ⅄, enf. 7,32 –
☷ 5,80 – **9 ch** 36,60/48,78 – ½ P 44,21/48,80

XX **Chandelier,** 16 r. Marine ℘ 02 98 58 91 00, restaurant.le.chandelier.martin@wanadoo.fr,
Fax 02 98 58 08 68 – ☜
fermé vacances de Toussaint, de fév., mardi soir et lundi hors saison et dim. soir – **Repas**
(13,57) - 21,19/30,34 ⅄, enf. 9,91

Vous aimez le camping ?
Utilisez le **guide** Michelin **Camping Caravaning France.**

GUINGAMP ⟨SP⟩ *22200 C.-d'Armor* 59 ② *G. Bretagne* – *8 008 h alt. 81.*

Voir *Basilique N.D.-de-Bon-Secours*★ B.

🅱 *Office du tourisme Place Champ Au Roy* 𝒫 *02 96 43 73 89, Fax 02 96 40 01 95.*
Paris 483 ③ – *St-Brieuc 32* ③ – *Carhaix-Plouguer 47* ⑥ – *Lannion 31* ⑦ – *Morlaix 53* ⑦

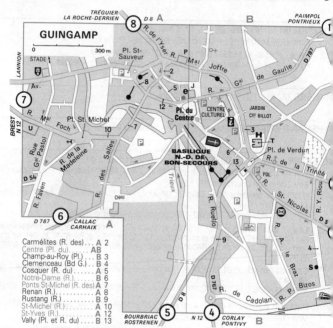

Carmélites (R. des) ... A 2
Centre (Pl. du) ... AB
Champ-au-Roy (Pl.) ... B 3
Clemenceau (Bd G.) ... B 4
Cosquer (R. du) ... A 5
Notre-Dame (R.) ... B 6
Ponts St-Michel (R. des) ... A 7
Renan (R.) ... A 8
Rustang (R.) ... B 9
St-Michel (R.) ... A 10
St-Yves (R.) ... A 12
Vally (Pl. et R. du) ... B 13

🏠 **Armor** sans rest, 44 bd Clemenceau 𝒫 02 96 43 76 16, hotelarmor.guingamp@wanad
fr, Fax 02 96 43 69 62 – 📺 📞 ⚠ ① 🆖 🆖 ⅏
⌷ 6,40 – **23 ch** 51,50/53,50   B

🟩🟩🟩 **Relais du Roy** ≫ avec ch, pl. Centre 𝒫 02 96 43 76 62, Fax 02 96 44 08 01 – 📺 – ⚙
⚠ ① 🆖 🆖   A
fermé 1ᵉʳ au 15 janv. et dim. hors saison – **Repas** (13) - 21/34 et carte 34 à 57 ⛂, enf. 1
⌷ 11 – **7 ch** 76/106 – ½ P 85

GUISE *02120 Aisne* 53 ⑮ *G. Picardie Flandres Artois* – *5 901 h alt. 97.*

Voir *Château fort des Ducs de Guise*★.

🅱 *Office du tourisme 2 rue Chantraine* 𝒫 *03 23 60 45 71, Fax 03 23 05 60 15.*
Paris 193 – *St-Quentin 28* – *Avesnes-sur-Helpe 39* – *Cambrai 49* – *Hirson 38* – *Laon 39.*

🍴 **Guise** avec ch, 103 pl. Lesur 𝒫 03 23 61 17 58 – 📺 🆖
fermé 15 au 31 déc. – **Repas** *(fermé sam. en hiver, dim. soir et vend.)* (10) - 12/25 🍸 – ⌷
8 ch 33/37 – ½ P 42

GUJAN-MESTRAS *33470 Gironde* 78 ② *G. Aquitaine* – *14 958 h alt. 5.*

Voir *Parc ornithologique du Teich*★ *E : 5 km.*
Paris 640 – *Bordeaux 56* – *Andernos-les-Bains 26* – *Arcachon 10.*

🏨 **Guérinière**, à Gujan 𝒫 05 56 66 08 78, hotel@lagueriniere.com, Fax 05 56 66 13 39,
🌊 – 📺 ch, 📺 🅿 – ⚙ 20. ⚠ ① 🆖 🆖
Repas *(fermé sam. midi et dim. soir d'oct. à Pâques)* 30 bc/60 ⛂ – ⌷ 9 – **27 ch** 85/11
½ P 80/92

à La Hume – ⌧ *33470* :

🅱 *Office du tourisme 19 avenue de Lattre-de-Tassigny* 𝒫 *05 56 66 12 65, Fax 05 56 66 94*
🍴 **Les Deux Écluses**, 58 rte des lacs 𝒫 05 56 66 77 12, Fax 05 56 66 73 73, 🌳 – ① 🆖
fermé dim. soir et lundi – **Repas** 17,53 (déj.), 30,49/45,73

NDERSHOFFEN 67110 B.-Rhin 57 ⑲ – 3 490 h alt. 180.
Paris 464 – Strasbourg 48 – Haguenau 16 – Sarreguemines 61 – Wissembourg 33.

XX **Au Cygne** (Paul), 35 Gd Rue ℘ 03 88 72 96 43, Fax 03 88 72 86 47 – ▤. **GB**
fermé 5 au 26 août, 2 au 6 janv., vacances de fév., jeudi soir, dim. soir et lundi – **Repas**
32/68 et carte 50 à 70 ♀
Spéc. Jambonnettes de grenouilles sautées aux herbes, schniederspaedle. Le cochon de la
tête aux pieds, sur choucroute. Filet de chevreuil, chou rouge confit et spaetzele (saison)
Vins Tokay-Pinot gris, Pinot noir

XX **Chez Gérard**, à la Gare ℘ 03 88 72 91 20, Fax 03 88 72 89 25, ㎡ – **GB**
fermé 23 juil. au 12 août, 28 janv. au 11 fév., lundi soir, merc. soir et mardi – **Repas** 18,29
(déj.), 25,92/53,36 ♀, enf. 9,90 - **Bahnstuebel :** **Repas** carte environ 22 ♀

RCY-LE-CHÂTEL 77520 S.-et-M. 61 ③ – 384 h alt. 129.
Paris 88 – Fontainebleau 34 – Coulommiers 48 – Melun 38 – Provins 23.

X **Loiseau**, 21 r. Ampère ℘ 01 60 67 34 00, Fax 01 60 67 34 00 – **GB**
fermé 14 août au 3 sept., 29 déc. au 7 janv.,mardi soir, merc. soir, jeudi soir,dim. soir et lundi
– **Repas** (prévenir) 9,91 (déj.), 15,55/21,35 ♀, enf. 7,62

70700 H.-Saône 66 ⑭ G. Jura – 1 018 h alt. 237.
Voir *Château★.*
🛈 Syndicat d'initiative ℘ 03 84 32 92 75.
Paris 355 – Besançon 33 – Dijon 70 – Dôle 49 – Gray 20 – Langres 75 – Vesoul 39.

🏠 **Pinocchio** Ⓜ ⍲ sans rest, ℘ 03 84 32 95 95, Fax 03 84 32 95 75, ⍩, ㎡, ℀ – cuisinette
📺 ✆ 🅿 – 🕭 30. 🖭 **GB**
⊆ 5 – **14 ch** 45/103

Dans ce guide
un même symbole, un même caractère,
imprimé en couleur ou en noir, en maigre ou en gras,
n'ont pas tout à fait la même signification.
Lisez attentivement les pages explicatives.

BÈRE-POCHE 74420 H.-Savoie 70 ⑰ – 729 h alt. 945 – Sports d'hiver : 930/1 600 m ≰ 9 ≰.
Voir *Col de Cou★ NO : 4 km, G. Alpes du Nord.*
🛈 Syndicat d'initiative ℘ 04 50 39 54 46, Fax 04 50 39 56 62, habere@wanadoo.fr
Paris 567 – Thonon-les-Bains 19 – Annecy 61 – Bonneville 32 – Genève 37.

🏠 **Chardet** ⍲, à Ramble, Nord : 2,5 km ℘ 04 50 39 51 46, chardet@wanadoo.fr,
Fax 04 50 39 57 18, ≤, ㎡, ⍩, 🔲, ㎡, ℀ – ♨, ▤ rest, 📺 🅿. **GB**
*hôtel : 19 mai-6 oct. et 20 déc.-31 mars ; rest. : week-ends de printemps, 19 mai-6 oct. et
20 déc.-31 mars* – **Repas** 18/29 ♀, enf. 7 – ⊆ 7,50 – **32 ch** 52/68 – ½ P 49/59

X **Tiennolet**, ℘ 04 50 39 51 01, Fax 04 50 39 58 15, ㎡ – **GB**
fermé 3 au 29 juin, 14 oct. au 16 nov., mardi soir et merc. sauf vacances scolaires – **Repas**
14,60 (déj.), 20,60/33,55, enf. 10,40

HABITARELLE 48 Lozère 76 ⑯ – ⊠ 48170 Châteauneuf-de-Randon.
Paris 592 – Mende 28 – Le Puy-en-Velay 62 – Langogne 19.

🏠 **Poste**, ℘ 04 66 47 90 05, contact@hoteldelaposte48.com, Fax 04 66 47 91 41 – 📺 ✆ ₫
◿ 🅿. **GB**
fermé 25 oct. au 4 nov. et 20 déc. au 31janv. – **Repas** (fermé dim. soir et sam. midi)
13,50/27,50 ♀, enf. 4,80 – ⊆ 6,10 – **16 ch** 42/48 – ½ P 42/43

AGENTHAL-LE-HAUT 68220 H.-Rhin 87 ⑩ – 410 h alt. 400.
Paris 483 – Mulhouse 41 – Altkirch 27 – Basel 13 – Colmar 74.

XX **Ancienne Forge**, ℘ 03 89 68 56 10, Fax 03 89 68 17 38 – **GB**
fermé 29 mars au 1ᵉʳ avril, 13 août au 2 sept., 23 déc. au 6 janv, dim. et lundi – **Repas** 29
(déj.), 48/64 et carte 50 à 75
Spéc. Cuisses de grenouilles poêlées et risotto. Filet de sandre en robe de lard. Jarret de
veau de lait comme autrefois

HAGETMAU *40700 Landes* 78 ⑦ *G. Aquitaine – 4 403 h alt. 96.*

Voir *Chapiteaux★ de la Crypte de St-Girons.*

Office du tourisme Place de la République ✆ 05 58 79 38 26, Fax 05 58 79 4 tourisme.hagetmau@wanadoo.fr.

Paris 741 – Mont-de-Marsan 30 – Aire-sur-l'Adour 34 – Dax 49 – Orthez 25 – Pau 56.

Les Lacs d'Halco M, Sud-Ouest : 3 km sur rte de Cazalis ✆ 05 58 79 30 79, *jac demen@wanadoo.fr, Fax 05 58 79 36 15,* ←, – P – 120. AE GB. rest
Repas *(fermé 10 au 20 janv.)* 19,86/45,74 ♀ – 7,63 – **24 ch** 53,36/83,85 – ½ P 55,65/

Jambon M, r. Carnot ✆ 05 58 79 32 02, *Fax 05 58 79 34 78,* – rest, TV
GB. ch
fermé 20 oct. au 4 nov., dim. soir et lundi – **Repas** 17/27 ♀ – 5,50 – **8 ch** 43/61 – ½

HAGONDANGE *57300 Moselle* 57 ④ *G. Alsace Lorraine – 8 675 h alt. 160.*

Office du tourisme 2 place Jean Burger ✆ 03 87 70 35 27, Fax 03 87 71 31 27.

Paris 329 – Metz 19 – Briey 19 – Saarlouis 56 – Thionville 15.

Agena M, 50 r. 11 Novembre ✆ 03 87 70 21 32, *Fax 03 87 70 11 48,* – TV
– 25. AE GB
Repas *(fermé dim. soir)* 15/38 ♀, enf. 8 – 10 – **41 ch** 54/108

HAGUENAU SP *67500 B.-Rhin* 57 ⑲ *G. Alsace Lorraine – 32 242 h alt. 150.*

Voir *Musée historique★* BZ **M²** – *Retable★ dans l'église St-Georges – Boiseries★ l'église St-Nicolas.*

Office du tourisme Place de la Gare ✆ 03 88 93 70 00, Fax 03 88 93 69 89, touri haguenau@wanadoo.fr.

Paris 481 ④ – Strasbourg 33 ④ – Baden-Baden 43 ② – Sarreguemines 76 ⑥.

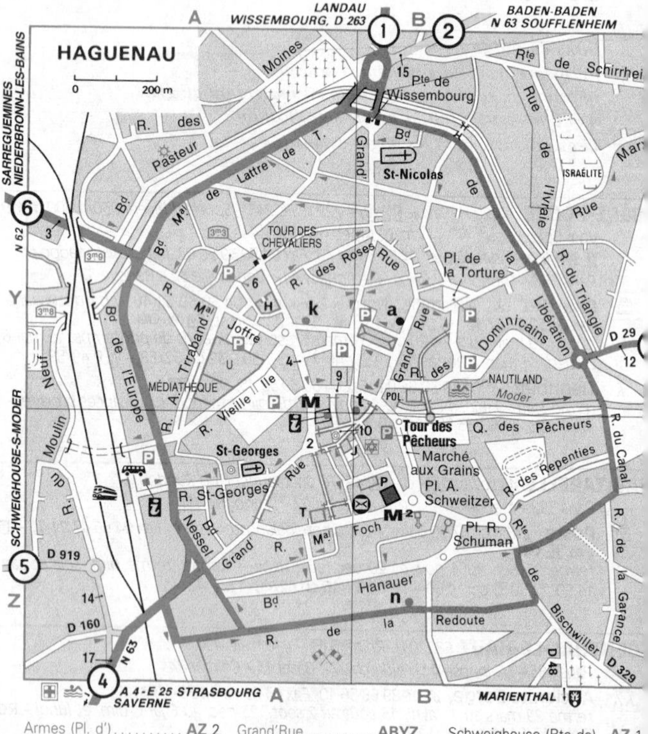

Armes (Pl. d') .... AZ 2	Grand'Rue .... ABYZ	Schweighouse (Rte de) . AZ 1
Bitche (Rte de) .... AY 3	Moder (R. de la) .... AY 9	Soufflenheim (Rte de) .... BY 1
Château (R. du) .... AY 4	République (Pl. de la) .. ABZ 10	Strasbourg (Rte de) ..... AZ 1
Gaulle (Pl. Ch.-de) ...... AY 6	Rhin (Rte du) .... BY 12	

Europe, 15 av. Prof. René Leriche par ④ ✆ 03 88 93 58 11, Fax 03 88 06 05 43, 佘, ⌂, ⌂ – 劇 ⇆, ▤ rest, �📺 ✆ ℙ – 益 40. 亜 ⒢⒝ ⒿⒸⒷ, ⁒ rest
Repas *(fermé sam. midi) (8,50)* - 11,60 (déj.), 19,50/30 ⅄ – ⌷ 6,50 – **82 ch** 43,50/52 – ½ P 36,25/39,50

Kaiserhof sans rest, 119 Gd Rue ✆ 03 88 73 43 43, Fax 03 88 73 28 91 – 劇 📺 ⅋. ⒢⒝ BY a
⁒
fermé 3 au 17 mars, 2 au 15 sept. – ⌷ 6,80 – **15 ch** 44/54

Pins, 112 rte Strasbourg par ④ ✆ 03 88 93 68 40, Fax 03 88 93 34 14, 佘 – 📺 ✆ ℙ. 亜 ⒢⒝ ⒿⒸⒷ
Repas *(fermé 29 juil. au 19 août, 18 fév. au 4 mars, 28 oct. au 4 nov., sam. midi, dim. soir et vend.)* (11) - 14,50 (déj.), 19/48 ⅄, enf. 8 – ⌷ 7,50 – **23 ch** 51/53 – ½ P 43

Jardin, 16 r. Redoute ✆ 03 88 93 29 39, Fax 03 88 93 29 39 – ▤ ℙ. ⒢⒝ BZ n
fermé 18 fév. au 5 mars, 15 au 30 août, en oct., mardi et merc. – **Repas** (22) - 30/45 ⅄

Barberousse, 8 pl. Barberousse ✆ 03 88 73 31 09, Fax 03 88 73 45 14, 佘 – AY k
⒢⒝
fermé 25 juil. au 18 août, mardi soir, dim. soir et lundi – **Repas** 9,90/41,16 ⅄, enf. 6,10

Cuisine des Saveurs, 2 r. Étoile ✆ 03 88 06 07 73, Fax 03 88 06 09 22 – ⁒ BYZ t
fermé août, vacances de fév., sam. midi, dim. soir et lundi – **Repas** (15) - 28,50/48

chweighouse-sur-Moder par ⑤ : 4 km – 4 595 h. alt. 150 – ⊠ 67590 :
Auberge du Cheval Blanc avec ch, 46 r. Gén. de Gaulle ✆ 03 88 72 76 96, jml01@hotmail.com, Fax 03 88 72 07 32, 佘 – 📺 ℙ. ⒢⒝
fermé 27 juil. au 21 août, 26 déc. au 4 janv., dim. soir (sauf hôtel) et sam. – **Repas** 12,97/33,54 ⅄, enf. 8,39 – ⌷ 5,34 – **6 ch** 29/36,60

Sud-Est par D 329 et rte secondaire : 3 km – ⊠ 67500 Haguenau :
Champ'Alsace, 12 r. St-Exupéry ✆ 03 88 93 30 13, champalsace@aol.fr, Fax 03 88 73 90 04, 佘 – 劇, ▤ rest, 📺 ✆ ⅋ ℙ – 益 40. 亜 ⓪ ⒢⒝
Repas *(sam. midi et dim. soir)* 10,50 (déj.), 14/30 ⅄, enf. 6 – ⌷ 6 – **40 ch** 46/76 – ½ P 41

When looking for a hotel or restaurant use the most efficient method.
Look for the names of towns underlined in red
*on the **Michelin maps** scale: 1:200 000.*
But make sure you have an up-to-date map!

HAIE FOUASSIÈRE 44 Loire-Atl. 67 ④ – rattaché à Nantes.

HAIE-TONDUE 14130 Calvados 55 ③.
Paris 198 – Caen 39 – Le Havre 49 – Deauville 15 – Lisieux 25 – Pont-l'Évêque 8.
Haie Tondue, ✆ 02 31 64 85 00, Fax 02 31 64 34 06, 佘 – ▤ ℙ. ⒢⒝
fermé 23 déc. au 22 janv., lundi soir sauf août et mardi – **Repas** 19,10/35,50 ⅄

ALLINES 62 P.-de-C. 51 ① – rattaché à St-Omer.

MBACH 57910 Moselle 57 ⑯ – 2 501 h alt. 230.
Paris 397 – Strasbourg 98 – Metz 69 – Saarbrücken 23 – Sarreguemines 8.
Hostellerie St-Hubert M ⌂, La Verte Forêt ✆ 03 87 98 39 55, Fax 03 87 98 39 57, 佘, ⌂, ⁒ – 劇 📺 ✆ ⅋ ℙ. 亜 ⓪ ⒢⒝
Taverne Hansi *(fermé 23 au 30 déc., sam. midi et vend.)* **Repas** 16/36,59 ⅄, enf. 6,87 – **53 ch** ⌷ 6,86 – 52,59/60,22

MBYE 50450 Manche 54 ⑬ G. Normandie Cotentin – 1 121 h alt. 111.
Voir Église abbatiale★★.
Paris 314 – St-Lô 26 – Coutances 20 – Granville 30 – Villedieu-les-Poêles 17.
Abbaye Sud : 3,5 km par D 51 – ⊠ 50450 Hambye :
Auberge de l'Abbaye ⌂ avec ch, ✆ 02 33 61 42 19, Fax 02 33 61 00 85 – 📺. ⒢⒝
fermé 28 sept. au 5 oct., vacances de fév., dim. soir et lundi – **Repas** 19/50, enf. 10 – ⌷ 8 – **7 ch** 52 – ½ P 50

ANAU (Étang-de) 57 Moselle 57 ⑱ – rattaché à Philippsbourg.

HARDELOT-PLAGE 62 P.-de-C. **51** ⑪ G. Picardie Flandres Artois – ⊠ 62152 Neufch
Hardelot.

Paris 256 – Calais 51 – Arras 131 – Boulogne-sur-Mer 15 – Le Touquet-Paris-Plage 23.

🏨 **Parc** Ⓜ ⑤, 111 av. Francois 1ᵉʳ ℘ 03 21 33 22 11, parc.hotel@najeti.c
Fax 03 21 83 29 71, 😤, ♨, ⚒, ❄ – ➡ ♨, ⯐ rest. ☎ ✆ & ⯐ – 🏛 25 à 100. ﷼ ⓞ Ⓖ
Repas 23/34 – ☑ 10 – **81 ch** 94/124

🏨 **Régina,** 185 av. François 1ᵉʳ ℘ 03 21 83 81 88, leregina.hotel@wanado
Fax 03 21 87 44 01, 😤 – ➡ ☎ ⯐. – 🏛 40. ﷼ ⓞ Ⓖ
14 fév.-10 nov. – **Repas** (fermé dim. soir et lundi sauf juil.-août) 20/34 ♀ – ☑ 7 – **40 ch**
½ P 48,50

HARTMANNSWILLER 68 H.-Rhin **66** ⑨ – rattaché à Guebwiller.

HASPARREN 64240 Pyr.-Atl. **85** ③ G. Aquitaine – 5 477 h alt. 50.
Env. Grottes d'Oxocelhaya et d'Isturits★★ SE : 11 km.
🛈 Office du tourisme 2 place Saint-Jean ℘ 05 59 29 62 02, Fax 05 59 29 13 80.
Paris 787 – Biarritz 35 – Bayonne 25 – Cambo-les-Bains 9 – Pau 108.

🏨 **Les Tilleuls,** pl. Verdun ℘ 05 59 29 62 20, Fax 05 59 29 13 58 – ➡ ☎. Ⓖ ⑤
fermé vacances de fév. – **Repas** (fermé dim. soir et sam. d' oct. à juin sauf fé
13,15/22,85 ♀ – ☑ 5,50 – **25 ch** 38/51 – ½ P 38,50/83

HASPRES 59198 Nord **58** ④ – 2 753 h alt. 44.
Paris 198 – Lille 67 – Avesnes-sur-Helpe 49 – Cambrai 18 – Valenciennes 16.

✕✕ **Auberge St-Hubert,** rte Denain (D 955) ℘ 03 27 25 70 97, Fax 03 27 25 76 21, 😤, ✱
⯐. ﷼ ⓞ Ⓖ ᴊᴄʙ
fermé août, 3 au 14 janv., mardi soir et lundi sauf fériés – **Repas** 20,58/42,68 bc, enf. 13

HAUTE-GOULAINE 44 Loire-Atl. **67** ④ – rattaché à Nantes.

HAUTERIVES 26390 Drôme **77** ② G. Vallée du Rhône – 1 333 h alt. 299.
Voir Le Palais Idéal★.
🛈 Office du tourisme Rue du Palais Idéal ℘ 04 75 68 86 82, Fax 04 75 68 92 96.
Paris 534 – Valence 46 – Grenoble 73 – Lyon 74 – Vienne 43.

🏨 **Relais,** ℘ 04 75 68 81 12, Fax 04 75 68 92 42, 😤 – ☎. Ⓖ
fermé mi-janv. à fin fév., dim. soir sauf juil.-août et lundi – **Repas** 13/25, enf. 7 – ☑ 5,5
17 ch 28/48

Les HAUTES-RIVIÈRES 08800 Ardennes **53** ⑲ G. Champagne Ardenne – 1 949 h alt. 175.
Voir Croix d'Enfer ≤★ S : 1,5 km par D 13 puis 30 mn – Vallon de Linchamps★ N : 4 km.
Paris 256 – Charleville-Mézières 22 – Dinant 57 – Sedan 29.

🏨 **Auberge en Ardenne,** ℘ 03 24 53 41 93, auberge.ardenne@wanadoo
Fax 03 24 53 60 10, 😤 – ☎ ✆. Ⓖ
fermé 1ᵉʳ au 15 janv. – **Repas** (fermé sam. midi de nov. à mars et dim. soir sauf juil.-ac
11/26, enf. 9 – ☑ 6 – **14 ch** 41/47 – ½ P 41,50/44,50

✕✕ **Les Saisons,** ℘ 03 24 53 40 94, Fax 03 24 54 57 51 – ▤. ﷼ ⓞ Ⓖ. ✎
fermé 26 août au 3 sept., fév., dim. soir, lundi sauf fériés et merc. soir – **Repas** 11/36,5
enf. 8

HAUTEVILLE-LÈS-DIJON 21 Côte-d'Or **65** ⑳ – rattaché à Dijon.

Le HAVRE ◁◐ 76600 S.-Mar. **55** ③ G. Normandie Vallée de la Seine – 190 905 h Agglo. 248 54
alt. 4.
Voir Port★★ EZ – Quartier moderne★ EFYZ : intérieur★★ de l'église St-Joseph★ EZ, pl.
l'Hôtel-de-Ville★ FY47, Av. Foch★ EFY – Musée des Beaux-Arts André-Malraux★ EZ.
Env. Ste-Adresse★★ : circuit★.
✈ du Havre-Octeville : ℘ 02 35 54 65 00 A.
🛈 Office du tourisme 186 boulevard Clemenceau ℘ 02 32 74 04 04, Fax 02 35 42 38
office.du.tourisme.havre@wanadoo.fr.
Paris 201 ④ – Amiens 182 ③ – Caen 86 ④ – Lille 317 ③ – Nantes 376 ④ – Rouen 88 ③.

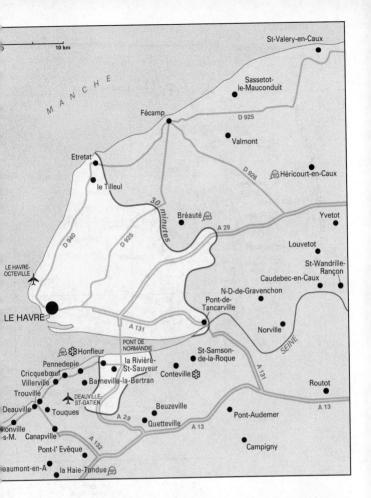

Mercure Ⓜ, chaussée G. Pompidou, ℰ 02 35 19 50 50, *h0341@accor-hotels.com*,
Fax 02 35 19 50 99 – 🛗 ⇆ 🍽 📺 ✆ ৬ ⇔ – 🏛 25 à 100. 🆎 ⓪ 🆖   GZ b
Repas (13,56) - 16,61 ♀, enf. 7,47 – ☲ 10,06 – **96 ch** 90,70/120,44

Vent d'Ouest Ⓜ sans rest, 4 r. Caligny ℰ 02 35 42 50 69, *contact@ventdouest.fr*,
Fax 02 35 42 58 00 – 🛗 📺 ✆ – 🏛 15. 🆎 🆖   EZ a
☲ 9 – **33 ch** 75/100

Marly sans rest, 121 r. Paris ℰ 02 35 41 72 48, *hotellemarly@libertysurf.fr*,
Fax 02 35 21 50 45 – 🛗 ⇆ 📺 ✆. 🆎 ⓪ 🆖 🎴   FZ n
☲ 9 – **37 ch** 62/77

Ibis Centre Ⓜ, r. 129ᵉ Régt d'Infanterie ℰ 02 35 22 29 29, *h1123@accor-hotels.com*,
Fax 02 35 21 00 00 – 🛗 ⇆ 📺 ✆ ৬ ⇔ – 🏛 15 à 30. 🆎 ⓪ 🆖   GZ a
Repas (12) - 15 ♀, enf. 6 – ☲ 6,02 – **91 ch** 57/90

Parisien sans rest, 1 cours République ℰ 02 35 25 23 83, Fax 02 35 25 05 06 – 🛗 📺 ✆. 🆎
⓪ 🆖 🎴   HZ e
☲ 5,34 – **22 ch** 38,11/48,78

Petit Vatel sans rest, 86 r. L.-Brindeau ℰ 02 35 41 72 07, *lepetitvatel@multimania.com*,
Fax 02 35 21 37 86 – 📺 ✆. 🆎 🆖   FZ t
fermé vacances de Noël – ☲ 5,50 – **26 ch** 39/46

HARFLEUR

Doumer
(R. Paul) .... D 30
Verdun (Av. de) .... D 90
104 (R. des) .... D 98

LE HAVRE

Abbaye (R. de l') .... C 2
Aplemont
(Av. d') .... C 7
Churchill (Bd W.) .... B 24

Hermann-du-
Pasquier (Quai) ....
Joannès-Couvert
(Quai) ....
Mouchez (Bd Amiral) ....
Octeville (Rte d') ....

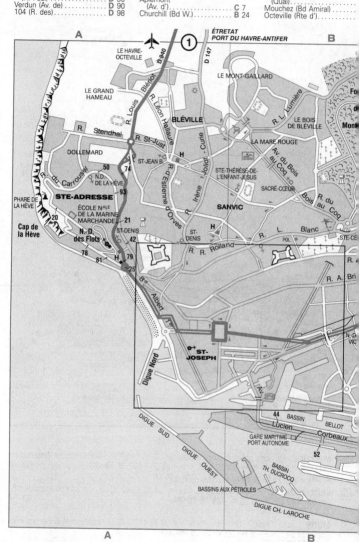

🏠 **Celtic** sans rest, 106 r. Voltaire 🕿 02 35 42 39 77, *hotel-celtic@proximedia*
Fax 02 35 21 67 65 – 📺. 🆎 ⒼⒷ
fermé 27 déc. au 5 janv. – ▴ 6,86 – **14 ch** 31,30/47,30
FZ

🏠 **Richelieu** sans rest, 132 r. Paris 🕿 02 35 42 38 71, *Fax 02 35 21 07 28* – 📺. 🆎 ⓪ ⒼⒷ
▴ 5,33 – **19 ch** 36,59/46,50
FZ

XX **Petite Auberge,** 32 r. Ste-Adresse 🕿 02 35 46 27 32, *Fax 02 35 48 26 15* – 🗏.
ⒼⒷ
fermé 4 au 28 août, 17 au 25 fév., sam. midi, dim. soir et lundi – Repas 19,06 (dé
22,11/37,35
EY

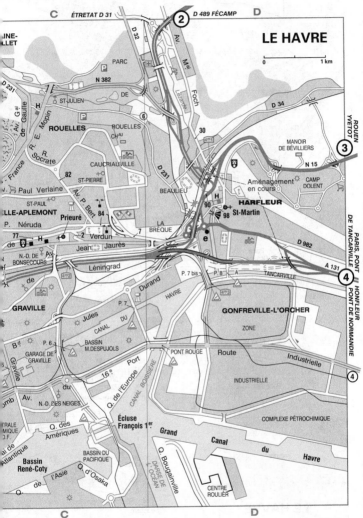

XX **Sorrento,** 77 quai Southampton $\mathscr{C}$ 02 35 22 55 84, *Fax 02 35 41 12 34*, 🍴 – 🆎 ⅭⒷ
FZ **a**
fermé 1ᵉʳ au 8 mai, 15 août au 5 sept., sam. midi et dim. – **Repas** - cuisine italienne -
19/26,70 ♀

X **L'Odyssée,** 41 r. Gén. Faidherbe $\mathscr{C}$ 02 35 21 32 42, *Fax 02 35 21 32 42* – 🆎 ⒼⒷ GZ **s**
fermé 29 juil. au 19 août, 17 fév. au 3 mars, sam. midi, dim. soir et lundi – **Repas** 19/32 ♀

X **Wilson,** 98 r. Prés. Wilson $\mathscr{C}$ 02 35 41 18 28, *restaurant-le-wilson@planete-b.fr* –
ⒼⒷ EY **k**
fermé 12 au 30 août, 17 au 27 fév., sam. midi, dim. soir et lundi – **Repas** 15/25,95 ♨

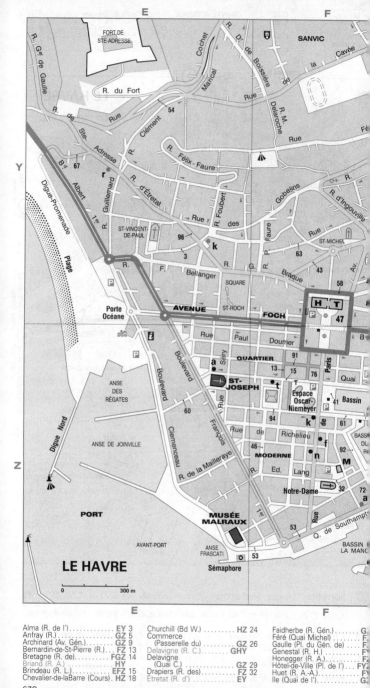

LE HAVRE

0   300 m

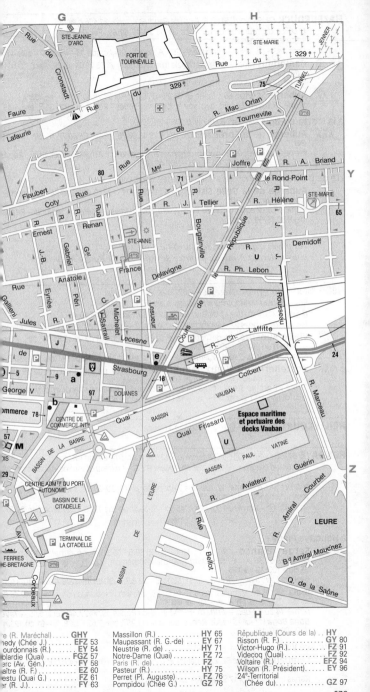

HAZEBROUCK 59190 Nord **51** ④ *G. Picardie Flandres Artois* – 21 396 h alt. 25.

🛈 *Office du tourisme Grand Place* ℘ 03 28 49 59 89, Fax 03 28 49 53 04, hazeb @tourisme.norsys.fr.

Paris 240 – Calais 64 – Armentières 29 – Arras 60 – Dunkerque 43 – Ieper 37 – Lille 44.

🏠 **Gambrinus** sans rest, 2 r. Nationale (rue face gare) ℘ 03 28 41 98 79, Fax 03 28 43 – 📺. **GB**
fermé 12 au 25 août – ⊆ 5,50 – **15 ch** 47/52

XX **Auberge St-Éloi**, 60 r. Église ℘ 03 28 40 70 23, Fax 03 28 40 70 44 – 🔳. **GB**
fermé 28 juil. au 22 août, dim. soir et lundi sauf fériés – **Repas** 14,94/28,81 🛇, enf. 9,15

à la Motte-au-Bois *Sud-Est : 6 km par D 946* – ⊠ 59190 :

XXX **Auberge de la Forêt** avec ch, ℘ 03 28 48 08 78, Fax 03 28 40 77 76, 🏤, 🌳 – [
GB
fermé 20 au 26 août, 26 déc. au 20 janv., sam. midi, d'oct. à mars, dim. et lundi – **Repa**
22,50/46 – ⊆ 6,50 – **12 ch** 36/55 – ½ P 40,50/71

rte de Béthune *Sud : 7 km par D 916* – ⊠ 59189 Steenbecque :

XX **Auberge de la Belle Siska**, ℘ 03 28 43 61 77, Fax 03 28 42 10 84, « Jardin fle▪ arboré », 🌳 – 🅿. **GB**
fermé 1er au 7 août, vacances de fév., dim. soir, mardi soir, merc. soir et lundi – **Repas**
(déj.), 30,18/59,45 bc 🛇

Les pages explicatives de l'introduction
*vous aideront à mieux profiter de votre **Guide Rouge Michelin***

HÉDÉ 35630 I.-et-V. **59** ⑯ *G. Bretagne* – 1 822 h alt. 90.

Env. *Château de Montmuran★ et église des Iffs★ O : 8 km.*

🛈 *Syndicat d'initiative - Mairie* ℘ 02 99 45 46 18, Fax 02 99 45 50 48.

Paris 372 – Rennes 27 – Avranches 73 – Dinan 32 – Dol-de-Bretagne 31 – Fougères 69.

XX **Vieille Auberge**, rte de Tinténiac ℘ 02 99 45 46 25, Fax 02 99 45 51 35, 🏤, « Ter▪ au bord d'un étang » – 🅿. 🆎 **GB**
fermé 27 août au 3 sept., 7 janv. au 4 fév., dim. soir et lundi – **Repas** 14 (déj.), 22/56 🛇

XX **Hostellerie du Vieux Moulin** avec ch, rte de Tinténiac ℘ 02 99 45 4▪ Fax 02 99 45 44 86, 🏤, 🌳 – 📺 🅿. 🆎 **GB**
fermé 21 oct. au 3 nov., 1er au 25 fév., lundi sauf le soir en juil.-août et dim. soir – **R**▪
12,50 (déj.), 19/37 🛇, enf. 10 – ⊆ – **13 ch** 40/45 – ½ P 40/45

HEILLECOURT 54 M.-et-M. **62** ⑤ – *rattaché à Nancy.*

HENDAYE 64700 Pyr.-Atl. **85** ① *G. Aquitaine* – 12 596 h alt. 30 – Casino AX.

Voir *Grand crucifix★ dans l'église St-Vincent* BY B – *Château d'Antoine-Abbadie★★ (sa*▪ *3 km par* ①.

🛈 *Office du tourisme 12 rue des Aubépines* ℘ 05 59 20 00 34, Fax 05 59 20 7▪ tourisme.hendaye@wanadoo.fr.

Paris 803 ② – Biarritz 31 ② – Pau 145 ② – St-Jean-de-Luz 12 ② – San Sebastián 20 ③.

Plan page ci-contre

à Hendaye Plage :

🏨 **Serge Blanco** Ⓜ, bd Mer ℘ 05 59 51 35 35, *info@thalassoblanco.c*▪ Fax 05 59 51 36 00, ≤, 🏤, centre de thalassothérapie, 🎗, 🏊 – 🛗 🔳 📺 ℡ ⚹ ▪ 🅰 30 à 100. 🆎 ⓞ **GB**
A▪
fermé 14 au 29 déc. – **Repas** 28,97/38,11 🛇 – ⊆ 8,75 – **90 ch** 134/278 – ½ P 110/130

🏨 **Ibaïa** Ⓜ, 76 av. Mimosas ℘ 05 59 48 88 88, *info@thalasoblanco.com*, Fax 05 59 48 8▪ ≤, 🏤, 🏊 – 🛗 🔳 📺 ⚹ ⇔. 🆎 ⓞ **GB**
A▪
fermé 14 au 29 déc. – **Enbata** (*fermé en déc.*) Repas 19,06/27,44🛇, enf. 9,15 – **Tav**▪
Boga Boga (*1er juil.-31 août*) Repas (déj. seul.)12,95🛇, enf. 7,62 – ⊆ 8,75 – **61 ch** 123/1▪
½ P 109,50/119

à Hendaye Ville :

🏠 **Campanile**, 102 rte Béhobie par ② ℘ 05 59 48 04 48, Fax 05 59 48 05 83 – 🙀 📺 ⓫▪ 🅰 25. 🆎 ⓞ **GB**
Repas (12,50) - 15,50/17 🛇, enf. 6 – ⊆ 6 – **47 ch** 54

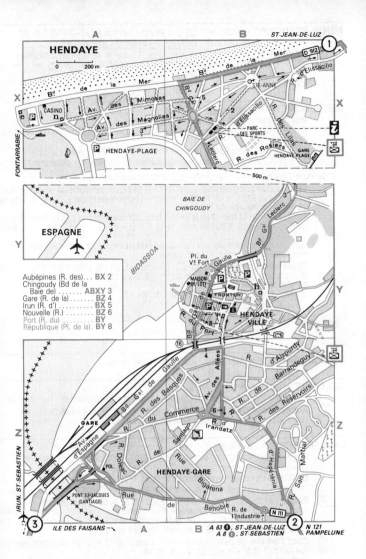

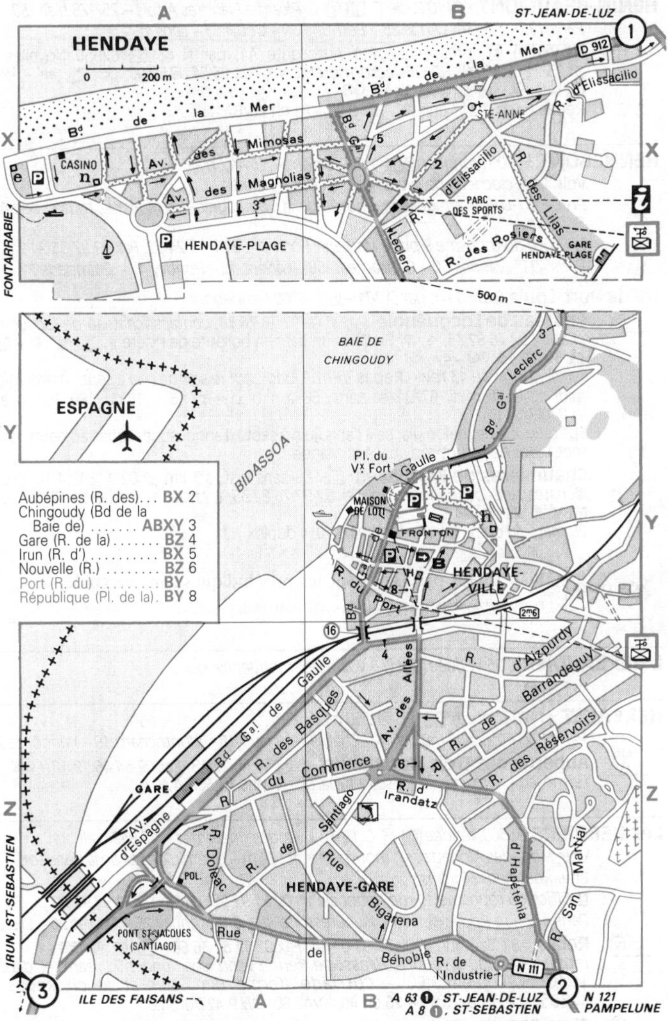
HENDAYE
0
200 m
ST-JEAN-DE-LUZ
D 912
Bd de la Mer
R. d'Elissacilio
STE-ANNE
CASINO
Av. des Mimosas
Av. des Magnolias
Bd Gal Leclerc
PARC DES SPORTS
R. des Lilas
R. des Rosiers
GARE HENDAYE-PLAGE
HENDAYE-PLAGE
FONTARRABIE
500 m
BAIE DE CHINGOUDY
ESPAGNE
BIDASSOA
Pl. du Vx Fort
Bd Gal de Gaulle
MAISON DE LOTI
FRONTON
HENDAYE-VILLE
R. du Port
R. d'Aizpurdy
R. de Barrandeguy
R. des Réservoirs
Av. des Allées
R. des Basques
R. du Commerce
R. d'Irandatz
GARE
Av. d'Espagne
R. de Santiago
R. Doléac
POL.
HENDAYE-GARE
Rue Bigarena
R. d'Hapétenia
R. San Martial
PONT ST-JACQUES (SANTIAGO)
Rue de Béhobie
R. de l'Industrie
N 111
IRUN, ST-SEBASTIEN
ILE DES FAISANS
A 63, ST-JEAN-DE-LUZ
A 8, ST-SEBASTIEN
N 121 PAMPELUNE
Aubépines (R. des)... BX 2
Chingoudy (Bd de la Baie de) .... ABXY 3
Gare (R. de la)....... BZ 4
Irun (R. d')........... BX 5
Nouvelle (R.) .... BZ 6
Port (R. du).......... BY
République (Pl. de la). BY 8

iriatou *par ② et D 258 : 4 km – 831 h. alt. 60 – ✉ 64700 :*

XX **Bakéa** (Duval) avec ch, ✆ 05 59 20 76 36, *bakea@fr.st, Fax 05 59 20 58 21*, ≤, « Terrasse ombragée sur la vallée », – TV. AE GB. ch
fermé 26 janv. au 28 fév., lundi midi et mardi midi de Pâques à fin sept., dim. soir et lundi d'oct. à Pâques – **Repas** 28/39 et carte 45 à 60 – ☕ 7,93 – **7 ch** 45,74/60,98 – 1/2 P 62,81/66,62
Spéc. Salade gourmande au homard. Gigot de lotte rôti à la paysanne. Homard à la nage et aux petits légumes **Vins** Jurançon sec, Irouléguy.

Les Jardins de Bakéa, ✆ 05 59 20 02 01, *bakea@fr.st, Fax 05 59 20 58 21*, – TV P. AE GB.
Pâques-fin sept. et fermé dim. et lundi d'avril à juin – **Repas** voir rest ***Bakéa*** – ☕ 7,93 – **23 ch** 42,69/60,98 – 1/2 P 61,29/66,62

HÉNIN-BEAUMONT 62110 P.-de-C. 5️⃣1️⃣ ⑮ G. Picardie Flandres Artois – 25 178 h alt. 30.
 Paris 195 – Lille 34 – Arras 25 – Béthune 30 – Douai 13 – Lens 12.

🏨 **Novotel** M., près échangeur Autoroute A1, par N 43 ⌧ 62950 Noyelles-Go
 ℘ 03 21 08 58 08, H0426@accor-hotels.com, Fax 03 21 08 58 00, 🌳, ⌁, 🎠 – 🐾, 📺 ✆ & 🅿 – 🔏 30 à 80. 🆎 ⓪ 🇬🇧
 Repas *(17,50)* - 22 ♀, enf. 10 – ☲ 9,90 – **81 ch** 78/82

HENNEBONT 56700 Morbihan 6️⃣3️⃣ ① G. Bretagne – 13 412 h alt. 15.
 Voir Tour-clocher★ de la basilique N.-D.-de-Paradis.
 Env. Port-Louis : citadelle★★ (musée de la Compagnie des Indes★★, musée de l'Arse
 S : 13 km.
 🅱 Office du tourisme 9 place Maréchal Foch ℘ 02 97 36 24 52, Fax 02 97 36 21 91.
 Paris 491 – Vannes 50 – Concarneau 56 – Lorient 12 – Pontivy 47 – Quimperlé 27.

rte de Port-Louis *Sud : 4 km par D 781* – ⌧ 56700 Hennebont :

🏨 **Château de Locguénolé** ≫, ℘ 02 97 76 76 76, contact@chateau-de-locguenole
✿ , Fax 02 97 76 82 35, ≤, 🌳, « Dans un parc en bordure de rivière », ⌁, ✖, 🎱 – 📺 ✆
 🏊 50. 🆎 ⓪ 🇬🇧 🃏, ✗ rest
 fermé 2 janv. au 13 fév. – **Repas** *(fermé lundi sauf le soir de mai à sept., mardi midi, n*
 midi et jeudi midi) 67/91 et carte 68 à 110 ♀ – ☲ 15 – **18 ch** 180/258, 4 app.
 ½ P 147/211
 Spéc. Soupe de melon glacée à l'anis (juin à sept.). Langoustines rôties au beurre salé (j
 sept.). Dos de turbot rôti au jus de viande

 Chaumières de Kerniaven 🏠 ≫ sans rest, à 3 km ℘ 02 97 81 14 14, chaum
 @chateau-de-locguenole.com, Fax 02 97 76 82 35, « Ancienne ferme du 17ᵉ siècle »,
 📺 ✆ 🅿. 🆎 ⓪ 🇬🇧
 29 mars-30 oct. – ☲ 13 – **5 ch** 94/110, 4 duplex

Les prix	Pour toutes précisions sur les prix indiqués dans ce guide, reportez-vous aux pages explicatives.

L'HERBAUDIÈRE 85 Vendée 6️⃣7️⃣ ① – voir à Noirmoutier (île de).

HERBAULT 41190 L.-et-Ch. 6️⃣4️⃣ ⑥ – 1 050 h alt. 138.
 Paris 197 – Tours 46 – Blois 16 – Château-Renault 18 – Montrichard 38 – Vendôme 28.

✗✗ **Auberge des Trois Marchands**, ℘ 02 54 46 12 18, Fax 02 54 46 12 18 – 🇬🇧
 fermé janv., dim. soir, lundi soir et mardi – **Repas** 18,30/34,40 🍴

Les HERBIERS 85500 Vendée 6️⃣7️⃣ ⑮ G. Poitou Vendée Charentes – 13 932 h alt. 110.
 Voir Mont des Alouettes★ : moulin≤★★ N : 2 km – Chemin de fer de la Vendée★.
 Env. Route des Moulins★.
 🅱 Office du tourisme 10 rue Nationale ℘ 02 51 92 92 92, Fax 02 51 92 93 70.
 Paris 377 – La Roche-sur-Yon 41 – Bressuire 48 – Chantonnay 25 – Cholet 26 – Clisson

🏠 **Relais,** 18 r. Saumur ℘ 02 51 91 01 64, Fax 02 51 67 36 50 – 📺, 🆎 ⓪ 🇬🇧
 fermé 29 juil. au 12 août – **Brasserie** *(fermé vend. soir, lundi midi, sam. et dim.)* R·
 11,10/15,20 🍴, enf.7,60 – **Cotriade** *(fermé dim. soir et lundi)* Repas 15
 34,30 ♀, enf. 7,60 – ☲ 6 – **26 ch** 40,40/45,80 – ½ P 42,70/54,80

🏠 **Chez Camille,** rte de Mouchamps Sud : 2 km ℘ 02 51 91 07 57, chez.camille@onli
🄴🄱 Fax 02 51 67 19 28 – 🍽 rest, 📺 ✆ & 🅿. 🆎 🇬🇧
 fermé 22 déc. au 5 janv. – **Repas** *(fermé dim. soir du 15 sept. au 15 mai)* 13/26 ♀ – ☲ 5·
 13 ch 38/48,80 – ½ P 37,35/42

rte de Cholet *Nord : 3 km sur N 160* – ⌧ 85500 Les Herbiers :

✗ **Mont des Alouettes**, ℘ 02 51 67 02 18, Fax 02 51 67 03 22, ≤ – 🅿. 🇬🇧
 fermé 7 au 23 oct., 10 au 28 fév. et lundi – **Repas** 12,96 (déj.), 14,94/29,73 ♀

HERBIGNAC 44410 Loire-Atl. 6️⃣3️⃣ ⑭ – 4 353 h alt. 18.
 Paris 450 – Nantes 73 – La Baule 22 – Redon 36 – St-Nazaire 28.

rte de Guérande *Sud : 7 km sur D 774* – ⌧ 44410 Herbignac :

✗ **Auberge L'Eau de Mer**, ℘ 02 40 91 32 36, 🌳, « Chaumière briéronne » – 🅿. 🆎 ◁
 fermé 1ᵉʳ au 22 janv., dim. soir et lundi – **Repas** *(nombre de couverts limité, prévenir)*
 (déj.), 19,82/38,11

RICOURT-EN-CAUX 76560 S.-Mar. **52** ⑬ – 867 h alt. 65.
Paris 184 – Le Havre 60 – Rouen 46 – Bolbec 28 – Dieppe 49 – Fécamp 31 – Yvetot 11.

XX **Saint-Denis**, ℰ 02 35 96 55 23, Fax 02 35 96 55 23 – **P**. **GB**
fermé mardi soir et merc. – Repas 12,65/39,65 ♀

HERMAUX 48340 Lozère **80** ④ – 111 h alt. 1045.
Paris 597 – Mende 50 – Espalion 56 – Florac 74 – Millau 67 – Rodez 75 – St-Flour 88.

🏠 **Vergnet** ⤷, ℰ 04 66 32 60 78, Fax 04 66 32 68 13, 🍽 – **TV**. **GB**
Repas 9/23 – 😊 4 – **12 ch** 31/33

RMENT 63470 P.-de-D. **78** ⑫ – 352 h alt. 824.
🄱 *Syndicat d'initiative - Mairie ℰ 04 73 22 13 92.*
Paris 408 – Clermont-Ferrand 54 – Aubusson 50 – Le Mont-Dore 38 – Montluçon 80.

🏠 **Souchal**, ℰ 04 73 22 10 55, Fax 04 73 22 13 63 – **TV P**. **AE GB**
Repas 9,14/27,44 ♀ – 😊 4,87 – **27 ch** 33,53/38,11 – ½ P 32,01

ROUVILLE 95 Val-d'Oise **55** ⑳ – voir à Paris, Environs (Cergy-Pontoise).

ROUVILLE-ST-CLAIR 14 Calvados **55** ⑫ – rattaché à Caen.

SDIN 62140 P.-de-C. **51** ⑫ ⑬ G. Picardie Flandres Artois – 2 686 h alt. 27.
🄱 *Office du tourisme Place d' Armes ℰ 03 21 86 19 19, Fax 03 21 86 04 05, officetou rismedes7vallees@wanadoo.fr.*
Paris 213 – Calais 91 – Abbeville 37 – Arras 57 – Boulogne-sur-Mer 73 – Lille 109.

🏠 **Trois Fontaines** ⤷, 16 rte Abbeville à Marconne ℰ 03 21 86 81 65, Fax 03 21 86 33 34, 🍽 – **TV** 👍 **P**. **GB**
*fermé 20 au 31 déc., le midi du 1ᵉʳ au 14 août, lundi midi et sam. midi – Repas (12,20) 14,50/28 ♀ – 😊 6,10 – **16 ch** 46/64 – ½ P 43/48*

🏠 **Flandres**, r. Arras ℰ 03 21 86 80 21, Fax 03 21 86 28 01 – **TV P** – 👍 15. **GB**
*fermé 17 déc. au 7 janv. – Repas (12,96) – 15,38/28,92 ♀, enf. 7,93 – 😊 7,32 – **14 ch** 44,21/50,31 – ½ P 51,83*

XX **L'Écurie**, 17 av. Jacquemont ℰ 03 21 86 86 86, Fax 03 21 86 86 86 – **GB**
fermé vacances de fév., dim. soir et lundi – Repas 13,42 bc/22,56 ♀, enf. 7,62

SDIN L'ABBÉ 62 P.-de-C. **51** ⑪ – rattaché à Boulogne-sur-Mer.

SINGUE 68 H.-Rhin **66** ⑩ – rattaché à St-Louis.

UDICOURT-SOUS-LES-CÔTES 55 Meuse **57** ⑫ – rattaché à St-Mihiel.

UGUEVILLE-SUR-SIENNE 50200 Manche **54** ⑫ – 484 h alt. 15.
Paris 343 – St-Lô 36 – Avranches 52 – Cherbourg 80 – Coutances 7 – Vire 63.

XX **Mascaret**, ℰ 02 33 45 86 09, le.mascaret@wanadoo.fr, Fax 02 33 07 90 01, 🍽, 🌳 – **P**. **GB**
fermé 3 au 31 janv., merc. soir et dim. soir de sept. à juin, mardi midi en juil.-août et lundi – Repas 21 (déj.), 28,20/57 ♀, enf. 10,67

YRIEUX 38540 Isère **74** ⑫, **110** ⑳ – 4 163 h alt. 220.
Paris 488 – Lyon 30 – Pont-de-Chéruy 22 – La Tour-du-Pin 35 – Vienne 25.

XX **L'Alouette**, rte St-Jean-de-Bournay : 3 km ℰ 04 78 40 06 08, alouette@jc.marlhins.com, Fax 04 78 40 54 74, 🍽 – 🍴 **P**. **AE GB JCB**
fermé 4 au 27 août, sam. midi, dim. soir et lundi – Repas 21 (déj.), 29/43 et carte 35 à 46 ♀

JSINGEN 67260 B.-Rhin **57** ⑯ – 72 h alt. 220.
Paris 408 – St-Avold 35 – Sarrebourg 37 – Sarreguemines 22 – Strasbourg 93.

X **Grange du Paysan**, ℰ 03 88 00 91 83, Fax 03 88 00 93 23 – 🍴 **P**. **GB**
fermé lundi – Repas 9,91/45,43 ⤶, enf. 7,62

RMENTAZ 74 H.-Savoie **70** ⑰ – rattaché à Bellevaux.

HOERDT 67720 B.-Rhin 🔠 ④ – 4 123 h alt. 135.
Paris 485 – Strasbourg 17 – Haguenau 21 – Molsheim 44 – Saverne 46.

✗ **A la Charrue**, 30 r. République ✆ 03 88 51 31 11, *lacharrue@wanado*
Fax 03 88 51 32 55, ㈎ – **P.** **GB**
fermé 5 au 26 août, 23 déc. au 3 janv. et lundi de mi-juin à fin mars – **Repas** (
d'asperges d'avril à juin) 10,50 (déj.), 23/31,50 ♀

HOHRODBERG 68 H.-Rhin 🔠 ⑱ *G. Alsace Lorraine* – ✉ 68140 Munster.
Voir ≤★★.
Paris 462 – Colmar 27 – Gérardmer 37 – Guebwiller 47 – Munster 8 – Le Thillot 59.

🏨 **Panorama** ॐ, ✆ 03 89 77 36 53, *hotel.panorama@libertysurf.fr*, Fax 03 89 77 0
≤ vallée et montagnes, 🔲 – 🛗 📺 & **P.** **AE** **GB**
fermé 3 au 22 mars, 12 au 29 nov. et 23 au 26 déc. – **Repas** 15/34 ♀, enf. 7,50 – 🖙 7 – 3
45/64 – ½ P 44/55

🏠 **Roess** ॐ, ✆ 03 89 77 36 00, *info@hotel-roess.fr*, Fax 03 89 77 01 95, ≤ les Ha
Vosges, ㈎, ㈜ – 🛗 📺 **P.** **GB.** ⚡ ch
fermé 4 au 28 nov. et 13 au 26 janv. – **Repas** 17,50/29,30 ♀, enf. 8,50 – 🖙 7 – **28 ch** 34,
½ P 43/49

Le HOHWALD 67140 B.-Rhin 🔠 ⑨ *G. Alsace Lorraine* – 386 h alt. 570 – *Sports d'hiver :*
1 100 m ≰1 ⚡.
Env. Le Neuntelstein★★ ≤★★ N : 6 km puis 30 mn.
🛈 Office du tourisme Square Kuntz ✆ 03 88 08 33 92, Fax 03 88 08 32 05, *ot.leho*
@wanadoo.fr.
Paris 426 – Strasbourg 53 – Lunéville 88 – Molsheim 33 – St-Dié 46 – Sélestat 26.

🏨 **Clos Ermitage** M ॐ sans rest, à 1,5 km par rte secondaire ✆ 03 88 08 3
Fax 03 88 08 34 99, « En lisière de forêt », 🔲, ⚡ – cuisinette 📺 📞 & **P.** **GB**
fermé 4 nov. au 15 déc., 2 janv. au 9 fév. et mardi – 🖙 8,50 – **12 ch** 53/73, 7 studios

✗✗ **Petite Auberge**, ✆ 03 88 08 33 05, Fax 03 88 08 34 62, ㈎ – **P.** **GB**
🚭 *fermé 1er au 10 juil., 1er janv. au 5 fév., mardi soir et merc. –* **Repas** 13,50/22,90 et car
dim. 23 à 33 ♀, enf. 6,40

HOLNON 02 Aisne 🔠 ⑬ *– rattaché à St-Quentin.*

Le HÔME 14 Calvados 🔠 ② *– rattaché à Cabourg.*

L'HOMME d'ARMES 26 Drôme 🔠 ⑪ *– rattaché à Montélimar.*

HOMPS 11200 Aude 🔠 ⑬ – 605 h alt. 48.
Paris 814 – Carcassonne 33 – Lézignan-Corbières 11 – Narbonne 28 – Perpignan 88.

✗✗ **Auberge l'Arbousier** ॐ avec ch, av. Carcassonne ✆ 04 68 91 1
Fax 04 68 91 12 61, ≤, ㈎ – 📺 📞 **P.** **GB**
fermé 25 oct. au 30 nov., 23 déc. au 5 janv. et 22 fév. au 15 mars – **Repas** *(fermé lun*
juil.-août, dim. soir et merc.) 13 (déj.), 20/34 ♀, enf. 8 – 🖙 6 – **7 ch** 40/61 – ½ P 40/42

HONFLEUR 14600 Calvados 🔠 ③ ④ *G. Normandie Vallée de la Seine* – 8 178 h alt. 5.
Voir le vieux Honfleur★★ : Vieux bassin★★ AZ, église Ste-Catherine★ AY et clocher★ A'
Côte de Grâce★★ AY : calvaire★★.
Env. Pont de Normandie★★ par ① : 4 km (péage)..
🛈 Office du tourisme Quai Lepaulmier ✆ 02 31 89 23 30, Fax 02 31 89 31 82.
Paris 195 ① – Caen 66 ② – Le Havre 24 ① – Lisieux 37 ② – Rouen 83 ①.

Plan page ci-contre

🏰 **Ferme St-Siméon** ॐ, r. A. Marais par ③ ✆ 02 31 81 78 00, *simeon@relaischatea*
Fax 02 31 89 48 48, ≤, ㈎, « Parc ombragé dominant l'estuaire », ⚡, 🔲, ⚡ – 🛗 📺
🎾 50. **AE** **GB** **JCB**, ⚡ ch
Repas *(fermé mardi midi et lundi sauf fériés)* 52 (déj.)/98 ♀ – 🖙 20 – **30 ch** 250/550, 4 ap
– ½ P 235/535

🏰 **Manoir du Butin** ॐ, r. A. Marais par ③ ✆ 02 31 81 63 00, Fax 02 31 89 59 23, ≤, ㈎
– 📺 📞 **P.** **GB** **JCB**
fermé 11 nov. au 2 déc. et 2 au 18 janv. – **Repas** *(fermé jeudi midi, vend. midi et merc.*
fériés) 30/46 ♀ – 🖙 10 – **9 ch** 120/350 – ½ P 102/217

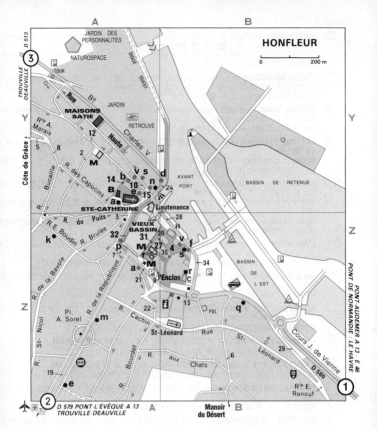

HONFLEUR

0 — 200 m

L'Écrin ⅏ sans rest, 19 r. E. Boudin ℰ 02 31 14 43 45, *hotel.ecrin@honfleur.com*, *Fax 02 31 89 24 41*, « Demeure du 18e siècle », 舞 – TV V P. AE ◑ GB. ℀ AZ **k**
⌑ 10 – **26 ch** 95/153

L'Absinthe sans rest, 1 r. de la Ville ℰ 02 31 89 23 23, *absinthe@reservation.fr*, *Fax 02 31 89 53 60*, « Ancien presbytère du 16e siècle » – TV ⅍ ⇔. ◑ GB BZ **s**
fermé 13 nov. au 13 déc. et 15 au 22 janv. – ⌑ 9,91 – **7 ch** 118,91/213,43

Diligence sans rest, 53 r. République ℰ 02 31 14 47 47, *hotel.diligence@honfleur.com*, *Fax 02 31 98 83 87* – TV P. AE ◑ GB JCB AZ **m**
⌑ 10 – **27 ch** 80/185

Mercure M sans rest, r. Vases ℰ 02 31 89 50 50, *H0986@accor-hotels.com*, *Fax 02 31 89 58 77* – ⍓ 紐 TV V ⅍ P – 益 30. AE ◑ GB BZ **q**
⌑ 9,20 – **56 ch** 90

Tour sans rest, 3 quai Tour ℰ 02 31 89 21 22, *hoteldelatourhonfleur@wanadoo.fr*, *Fax 02 31 89 53 51* – ⍓ TV. AE GB JCB BZ **r**
fermé mi-nov. à Noël – ⌑ 7 – **44 ch** 65/75, 4 duplex

🏨🏨 **Hostellerie Lechat**, pl. Ste-Catherine ℘ 02 31 14 49 49, hotel.lechat@honfleur.con
Fax 02 31 89 28 61, 😷, – 📺. 🖭 ⓞ ⏺ ⋯ ✗ ch   AY
ferm janv. à mi-fév. (sauf hôtel les week-ends) – **Repas** *(fermé merc. soir et jeudi)* 23/40
⊐ 8,50 – **22 ch** 69/92 – ½ P 58/73,50

🏨 **Castel Albertine** sans rest, 19 cours A. Manuel ℘ 02 31 98 85 56, info@honfleurhotel
com, *Fax 02 31 98 83 18,* 🌿 – 📺 ♿ 🅿 – 🔬 25. 🖭 ⓞ ⏺
fermé 5 au 20 janv. – ⊐ 8 – **26 ch** 61/107   AZ

🏨 **Cheval Blanc** sans rest, 2 quai Passagers ℘ 02 31 81 65 00, lecheval.blanc@wanadoo.f
Fax 02 31 89 52 80, ⩽, – 🔋 📺. ⏺   AY
fermé 2 au 31 janv. – ⊐ 3 – **35 ch** 114/191

🏨 **Otelinn**, 62 cours A. Manuel par ② ℘ 02 31 89 41 77, *Fax 02 31 89 48 09,* 🍽 – 📺 ♿ 🅿.
ⓞ ⏺ ⋯
Repas *(fermé lundi midi et mardi midi de nov. à janv.)* (11,28) - 14,17/20,58 ⏿, enf. 7,62
⊐ 5,95 – **50 ch** 51,07

❌❌❌ **L'Assiette Gourmande** (Bonnefoy), quai Passagers ℘ 02 31 89 24 8
⭐ *Fax 02 31 89 90 17* – ▣. 🖭 ⓞ ⏺   ABY
fermé 15 janv. au 15 fév., dim. soir sauf jul.-août et lundi – **Repas** 25,95/73,20 et carte 60
·75 ⏿
Spéc. Tournedos de Saint-Jacques au lard (oct. à avril). Poitrine de pigeon rôti et crépinet
d'abats. Entremets chocolat-gingembre

❌❌❌ **L'Absinthe**, 10 quai Quarantaine ℘ 02 31 89 39 00, *Fax 02 31 89 53 60,* 🍽, « Cadre 1
et 17ᵉ siècles » – ⓞ ⏺   BZ
fermé 13 nov. au 13 déc. et 15 au 22 janv. – **Repas** 27,50/58 et carte 58 à 100

❌❌ **Au Vieux Honfleur**, 13 quai St-Étienne ℘ 02 31 89 15 31, *Fax 02 31 89 92 04,* ⩽, 🍽
⏺   AZ
Repas 26,28/46,50

❌❌ **Auberge du Vieux Clocher**, 9 r. de l'Homme de Bois ℘ 02 31 89 12 0
Fax 02 31 89 44 75 – ⏺   AY
fermé janv., lundi et mardi sauf juil.-août – **Repas** 19,51/37,80 ⏿

❌❌ **Champlain**, 6 pl. Hamelin ℘ 02 31 89 14 91, *Fax 02 31 99 91 84* – 🖭 ⏺   AY
fermé janv. à mi-fév., merc. soir et jeudi – **Repas** 15/24,10 ⏿

❌❌ **L'Ancrage**, 12 r. Montpensier ℘ 02 31 89 00 70, *Fax 02 31 89 92 78* – ⏺   AZ
fermé 4 au 20 mars, mardi soir et merc. sauf juil.-août – **Repas** (13) - 19 ⏿

❌ **Terrasse de l'Assiette**, 8 pl. Ste-Catherine ℘ 02 31 89 31 33, *Fax 02 31 89 90 17,* 🍽
⏺   AY
fermé 15 nov. au 15 déc., 5 au 15 janv., mardi sauf juil.-août et lundi – **Repas** 21,50

❌ **Au P'tit Mareyeur**, 4 r. Haute ℘ 02 31 98 84 23, jule.rastacoop@freesbee
Fax 02 31 89 99 32 – ⏺   AY
fermé 6 janv. au 4 fév., lundi et mardi – **Repas** 19,06

❌ **Grenouille**, 16 quai Quarantaine ℘ 02 31 89 04 24, reservation@absinthe
Fax 02 31 89 53 60, 🍽 – ⏺   BZ
fermé 15 nov. au 15 déc. et 20 au 26 janv. – **Repas** 14,48/21,34 ⏿

❌ **Fleur de Sel**, 17 r. Haute ℘ 02 31 89 01 92, *Fax 02 31 89 01 92* – ⏺   AY
fermé 6 au 31 janv., mardi et merc. sauf fériés – **Repas** 21/38

❌ **Ascot**, 76 quai Ste-Catherine ℘ 02 31 98 87 91, *Fax 02 31 89 38 72,* 🍽 – ⏺   AZ
fermé janv., merc. soir de mai à sept. et jeudi – **Repas** 19,82/27,29 ⏿

à la Rivière-St-Sauveur *par* ① *: 2 km – 1 578 h. alt. 1 –* ✉ *14600 :*

🏨🏨 **Antarès** Ⓜ sans rest, ℘ 02 31 89 10 10, antares.honfleur@wanadoo
Fax 02 31 89 58 57, 🌿, ▣ – 🔋 📺 ✆ ♿ 🅿 – 🔬 60. 🖭 ⓞ ⏺
⊐ 9 – **66 ch** 87/106, 10 duplex

à Barneville-la-Bertran *par* ②, *D 62 et D 279 : 5 km – 138 h. alt. 48 –* ✉ *14600 :*

🏨 **Auberge de la Source** 🌳 sans rest, ℘ 02 31 89 25 02, *Fax 02 31 89 44 40,* « Ja
fleuri », 🍽 – 📺 🅿. ⏺. ✗
15 fév.-1ᵉʳ nov. – **16 ch** ⊐ 61/104

par ③ *rte de Trouville : 3 km –* ✉ *14600 Vasouy :*

🏨🏨 **Chaumière** 🌳, rte du Littoral, Vasouy ℘ 02 31 81 63 20, chaumiere@relaischateau
Fax 02 31 89 59 23, ⩽, 🍽, 🌿 – 📺 ✆ 🅿. 🖭 ⏺ ⋯
fermé 2 au 19 déc. et 13 janv. au 6 fév. – **Repas** *(fermé merc. midi, jeudi midi et mardi
fériés) (nombre de couverts limité, prévenir)* 29 (déj.), 40/58 – ⊐ 15 – **9 ch** 180/4
½ P 165/275

ennedepie *par ③ : 5 km – 310 h. alt. 20 – ✉ 14600 :*

Moulin St-Georges, ✆ 02 31 81 48 48, – GB
fermé mi-fév. à mi-mars, mardi soir et merc. – **Repas** 13/22 ♀, enf. 6,80

③ rte de Trouville et rte secondaire : 8 km – ✉ 14600 Honfleur :

Romantica, chemin Petit Paris ✆ 02 31 81 14 00, *Fax 02 31 81 54 78*, ≤, , , ,
– TV & P – 25. AE GB
Repas *(fermé 3 au 21 déc., 3 au 25 janv., jeudi midi et merc. sauf vacances scolaires)* 22,50/32 ♀ – 7 – **34 ch** 57/123 – ½ P 61/92

ÔPITAL-CAMFROUT *29460 Finistère* 58 *⑤ – 1 641 h alt. 20.*
Voir *Daoulas : enclos paroissial★ et cloître★ de l'abbaye N : 4,5 km,* **G. Bretagne.**
Paris 568 – Brest 25 – Morlaix 57 – Quimper 50.

Auberge du Camfrout, ✆ 02 98 20 01 01, *Fax 02 98 20 06 91* – AE GB
Repas 9,75/34 – 5,50 – **14 ch** 26/43 – ½ P 38

ÔPITAL-ST-BLAISE *64130 Pyr.-Atl.* 85 *⑤ G. Aquitaine – 74 h alt. 145.*
Voir *Église★.*
Paris 809 – Pau 51 – Oloron-Ste-Marie 18 – Orthez 32 – St-Jean-Pied-de-Port 53.

Auberge du Lausset avec ch, ✆ 05 59 66 53 03, *Fax 05 59 66 21 78*, – TV. AE GB.
fermé 15 oct. au 5 nov., 5 au 18 fév., dim. soir et lundi hors saison – **Repas** 9,20 (déj.), 14/25,90 ♀, enf. 6,10 – 5,34 – **7 ch** 35/38,11 – ½ P 34/38

RBOURG *68 H.-Rhin* 62 *⑲ – rattaché à Colmar.*

ORME *42 Loire* 73 *⑲ – rattaché à St-Chamond.*

OSPITALET-PRÈS-L'ANDORRE *09390 Ariège* 86 *⑮ – 166 h alt. 1446.*
Paris 855 – Font-Romeu-Odeillo-Via 38 – Ax-les-Thermes 19 – Foix 62.

Puymorens, ✆ 05 61 05 20 03 – GB
Repas 14,79/18,29 – 4,42 – **12 ch** 24,39/32,78

SSEGOR *40150 Landes* 78 *⑰ G. Aquitaine – Casino.*
Voir *Le lac★ – Les villas basco-landaises★.*
Office du tourisme Place des Halles ✆ 05 58 41 79 00, Fax 05 58 41 79 09, hossegor.tourisme@wanadoo.fr.
Paris 755 – Biarritz 34 – Mont-de-Marsan 91 – Bayonne 27 – Bordeaux 170 – Dax 38.

Les Hortensias du Lac sans rest, av. Tour du Lac ✆ 05 58 43 99 00, *Fax 05 58 43 42 81*, ≤, – TV & P – 30. AE GB JCB
29 mars-3 nov. – 14 – **11 ch** 125/145, 4 appart, 8 duplex

Lacotel, av. Touring Club ✆ 05 58 43 93 50, *lacotel@wanadoo.fr, Fax 05 58 43 49 49*, ≤, , – TV P – 30. GB
fermé 9 déc. au 20 janv. – **Repas** *(fermé dim. soir du 15 janv. au 31 mars)* (11) - 15/32 , enf. 8 – 6,50 – **42 ch** 83 – ½ P 64

HOUBE *57 Moselle* 62 *⑧ – ✉ 57850 Dabo.*
Paris 454 – Strasbourg 44 – Lunéville 88 – Phalsbourg 19 – Sarrebourg 25 – Saverne 17.

Vosges, ✆ 03 87 08 80 44, *info@hotel-restaurant-vosges.com, Fax 03 87 08 85 96*, ≤, – P. GB. ch
fermé 1er fév. au 1er mars, mardi soir et merc. hors saison – **Repas** 10,70 (déj.), 18,30/27,45 ♀, enf. 7,60 – **11 ch** 24,50/46 – ½ P 37/42

Les HOUCHES 74310 · H.-Savoie **74** ⑧ G. Alpes du Nord – 2 706 h alt. 1004 – Sports d'hiver 1 010/1 900 m ⛷ 2 ⟋14 ⟋.

Voir Le Prarion★★.

🛈 Office du tourisme ℘ 04 50 55 50 62, Fax 04 50 55 53 16, ot.les.houches@wanadoo.fr.
Paris 605 – Chamonix-Mont-Blanc 9 – Annecy 86 – Bonneville 47 – Megève 26.

🏠 **du Bois**, La Griaz ℘ 04 50 54 50 35, reception@hotel-du-bois.com, Fax 04 50 55 50 87, ⟋
🍴, 🔲 – ⬛ 📺 📷, ⟋ 🔒 40. GB
Repas (fermé le midi en nov.) 15/35 ⅃, enf. 7 – 🍽 9 – **43 ch** 126/166 – ½ P 107

🏠 **Auberge Beau Site**, près Église ℘ 04 50 55 51 16, hotelbeausite@wanadoo.f
Fax 04 50 54 53 11, ⟋, 🍴, « Terrasse fleurie », 🔲 – ⬛ 📺 📷, 🔒 ⓞ GB, ⟋ rest
20 mai-10 oct. et 20 déc.-20 avril – **Le Pèle** (fermé le midi sauf dim. et fériés et merc. ho
saison) Repas 18,5 ⅃ – 🍽 8 – **18 ch** 59/76 – ½ P 62

🏠 **Auberge Le Montagny** M ⟋ sans rest, Le Pont ℘ 04 50 54 57 37, hotel.montagny
wanadoo.fr, Fax 04 50 54 52 97, ⟋ – 📺 📞, GB, ⟋
fermé 5 nov. au 15 déc. – 🍽 6,40 – **8 ch** 65

🏠 **Chris-Tal**, 242, av des Alpages ℘ 04 50 54 50 55, info@chris-tal.fr, Fax 04 50 54 45 77, ⟋
« Terrasse fleurie », 🔲, ⟋ – ⬛ cuisinette 📺 📞 ⟋ 📷, GB
18 mai-30 sept. et 20 déc.-15 avril – Repas (dîner seul.) 20/30, enf. 8,50 – 🍽 7,50 – **19 c**
74, 4 appart – ½ P 57/62

au Prarion par télécabine – ⌧ 74170 St-Gervais-les-Bains.

Voir ☀★★ 30 mn.

🏠 **Prarion** ⟋, alt.1 860 ℘ 04 50 54 40 07, info@prarion.com, Fax 04 50 54 40 03, ☀ sor
mets, glaciers et vallées, 🍴 – GB, ⟋ ch
29 juin-8 sept. et 21 sept.-mi-avril – Repas (self au déj. en hiver) carte 22 à 34 ⅃ – 🍽 8
12 ch 40/80 – ½ P 90

HOUDAN 78550 Yvelines **60** ⑧, **106** ⑭ G. Ile de France – 3 112 h alt. 104.

🛈 Syndicat d'initiative 69 Grande-Rue ℘ 01 30 59 61 41, Fax 01 30 59 61 41.
Paris 61 – Chartres 53 – Dreux 20 – Évreux 52 – Mantes-la-Jolie 28 – Versailles 43.

XXX **Poularde**, 24 av. République (rte Maulette) ℘ 01 30 59 60 50, alapoul@wanadoo.co
Fax 01 30 59 79 71, 🍴, ⟋ – 📷, GB
fermé 10 au 19 fév., 5 au 21 août, dim. soir, mardi soir et merc. – Repas 28/49 ⅃

X **Donjon**, 14 r. Epernon (près église) ℘ 01 30 59 79 14, eric.deserville@wanadoo
Fax 01 30 88 12 31 – ▤, AE GB
fermé 5 au 21 août, jeudi soir, dim. soir et lundi – Repas 25 (déj.), 35/49

à Berchères-sur-Vesgre Nord-Ouest : 7 km par D 933 – 712 h. alt. 86 – ⌧ 28560 :

🏠 **Château de Berchères** ⟋ sans rest, ℘ 02 37 82 28 22, chateau-de-bercheres@wa
doo.fr, Fax 02 37 82 28 23, ⟋, ⟋ – ⬛ 📷, 🔒 50. AE GB
fermé dim. soir – 🍽 12,96 – **20 ch** 100/213

HOUDEMONT 54 M.-et-M. **62** ⑤ – rattaché à Nancy.

HOULGATE 14510 Calvados **55** ② G. Normandie Vallée de la Seine – 1 832 h alt. 11 – Casino.

Voir Falaise des Vaches Noires★ au NE.

🛈 Office du tourisme Boulevard des Belges ℘ 02 31 24 34 79, Fax 02 31 24 42
houlgate@wanadoo.fr.
Paris 215 – Caen 33 – Deauville 14 – Lisieux 33 – Pont-l'Évêque 24.

🏠 **1900**, 17 r. Bains ℘ 02 31 28 77 77, Fax 02 31 28 08 07 – 📺, AE GB
fermé 8 janv. au 1er fév. et 12 nov. au 7 déc. – Repas 16/41,16 ⅃, enf. 7,01 – 🍽 7,01 – **16**
91,47 – ½ P 64,03/72,42

X **Mon Castel** avec ch, 1 bd Belges ℘ 02 31 24 83 47, Fax 02 31 28 50 36 – GB, ⟋ ch
fermé oct. et vacances de fév. – Repas (fermé lundi soir, jeudi soir et dim. soir du 15 nov
15 fév., mardi soir et merc.) 11,50/32 ⅃ – 🍽 6 – **10 ch** 38/41,30 – ½ P 36,50/42

HUELGOAT 29690 Finistère **58** ⑥ G. Bretagne – 1 687 h alt. 149.

Voir Site★★ – Forêt★.
Env. St-Herbot : clôture★★ de l'église★ SO : 7 km.
🛈 Office du tourisme Moulin de Chaos ℘ 02 98 99 72 32, Fax 02 98 99 72 32.
Paris 523 – Brest 65 – Carhaix-Plouguer 17 – Châteaulin 36 – Morlaix 30 – Quimper 56.

🏠 **Lac**, ℘ 02 98 99 71 14, Fax 02 98 99 70 91, ⟋ – 📺, GB
fermé janv. et lundi – Repas carte 16 à 28 ⅃, enf. 7 – 🍽 6,10 – **15 ch** 45/52 – ½ P 49

UISMES 37420 I.-et.-L. ⬛64 ⑬ – 1 390 h alt. 94.

Paris 281 – Tours 45 – Angers 89 – Chinon 9 – Saumur 29.

✗ **Auberge de la Lanterne,** ☎ 02 47 95 43 46 – ⏍
⬠ *fermé 1ᵉʳ au 18 nov., dim. soir et mardi hors saison* – **Repas** *(9,15)* - 12,20/21,34 ♀, enf. 5,34

HUME 33 Gironde⬛71 ⑳ – *rattaché à Gujan-Mestras.*

UNINGUE 68 H.-Rhin⬛66 ⑩ – *rattaché à St-Louis.*

USSEREN-LES-CHÂTEAUX 68420 H.-Rhin⬛62 ⑲ G. Alsace Lorraine – 397 h alt. 380.

Paris 480 – Colmar 10 – Belfort 68 – Gérardmer 55 – Guebwiller 22 – Mulhouse 39.

🏨 **Husseren-les-Châteaux** Ⓜ 🐾, r. Schlossberg ☎ 03 89 49 22 93, lucas@calixo.net,
Fax 03 89 49 24 84, ≤, 🍽, 🎴, 🔲, ✗ – 📶 ✸ 📺 📞 🔥 📞 – 🛎 20 à 100. ⏍ ⓪ ⏍
JCB
Repas 19/51 ♀ – 🖙 11 – **2 ch** 79/210, 36 duplex – ½ P 86/141

In this Guide,
*a symbol or a character, printed in **black** or another colour*
*in light or **bold** type,*
does not have the same meaning.
Please read the explanatory pages carefully.

ÈRES 83400 Var⬛84 ⑮ ⑯, ⬛114 ⑯ ⑰ G. Côte d'Azur – 51 417 h alt. 40 – Casino des Palmiers Z.

Voir ≤* de la place St-Paul Y 49 – ≤* du parc St-Bernard Y – ≤* de l'esplanade de la
Chapelle N.-D. de Consolation V **B** – ※* des Ruines du Château des aires – Presqu'île de
Giens**.

🛬 de Toulon-Hyères : ☎ 04 94 00 83 83, SE : 4 km V.

🚹 Office du tourisme Rotonde Jean-Salusse ☎ 04 94 01 84 50, Fax 04 94 01 84 51,
ot.hyeres@libertysurf.fr.

Paris 858 ③ – Toulon 20 ③ – Aix-en-Provence 101 ③ – Cannes 122 ③ – Draguignan 78 ③.

Plan page suivante

🏨 **Mercure,** 19 av. A. Thomas ☎ 04 94 65 03 04, h1055@accor-hotels.com,
Fax 04 94 35 58 20, 🍽, 🔲 – 📶 ✸ 🖭 📺 📞 🔥 📞 – 🛎 20 à 100. ⏍ ⓪ ⏍   V   x
Repas grill 15 (déj.), 20/30 ♀, enf. 6,50 – 🖙 9 – **84 ch** 73/99 – ½ P 57/68

🏨 **Soleil** sans rest, r. Rempart ☎ 04 94 65 16 26, soleil@hotel-du-soleil.fr, Fax 04 94 35 46 00
– 📺 📞 ⏍ ⓪ ⏍ JCB   Y   r
🖙 6 – **20 ch** 39/75

✗✗ **Les Jardins de Bacchus,** 32 av. Gambetta ☎ 04 94 65 77 63, santionijeanclaude@wana
doo.fr, Fax 04 94 65 71 19, 🍽 – 🖭. ⏍ ⓪ ⏍   Z   v
fermé 24 juin au 8 juil., 6 au 20 janv., sam. midi de sept. à juin, dim. soir et lundi – **Repas**
30,18/47,25, enf. 9,15

✗✗ **Crèche Provençale,** 15 rte Toulon ☎ 04 94 65 30 28 – 🖭. ⏍   V   b
fermé en avril et en juil., sam. midi et lundi – **Repas** 26/60

✗ **Grand Large,** 46 av. Gambetta ☎ 04 94 65 18 22, 🍽 – 🖭. ⏍   Z   f
fermé janv., 1ᵉʳ au 15 juil., dim. soir et merc. – **Repas** *(14)* - 21 ♀, enf. 8,40

vères-Plage Sud-Est : 5 km - X – ⊠ 83400 Hyères :

🏨 **Rose des Mers** sans rest, 3 allée E. Gérard ☎ 04 94 58 02 73, rosemer@club-internet.fr,
Fax 04 94 58 06 16, ≤, 🐾 – 📺 📞 ⏍ ⏍   X   k
15 mars-15 nov. – 🖙 6,86 – **20 ch** 62,50/74,70

Capte Sud-Est : 8 km – ⊠ 83400 Hyères :

🏨 **Ibis Thalassa,** allée Mer ☎ 04 94 58 00 94, h1559@accor-hotels.com, Fax 04 94 58 09 35,
≤, 🍽, centre de thalassothérapie, 🔲, 🐾, 🌳 – ✸ 🖭 📺 📞 🔥 📞 – 🛎 20. ⏍ ⓪ ⏍
※ rest   X   d
fermé 5 au 26 janv. – **Repas** *(17)* - 21 ♀, enf. 10 – 🖙 8 – **95 ch** 96/105

Bayorre Ouest : 2,5 km par rte de Toulon – ⊠ 83400 :

✗ **Colombe,** ☎ 04 94 35 35 16, Fax 04 94 35 37 68, 🍽 – 🖭. ⓪ ⏍
fermé mardi midi et lundi en juil.-août – **Repas** 23/31

HYÈRES
GIENS

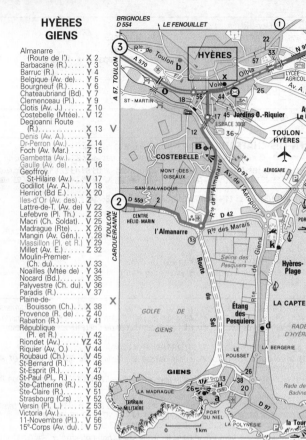

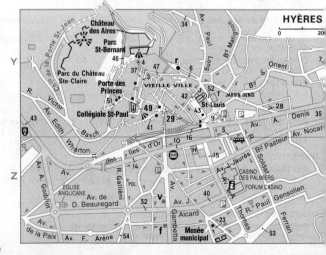

VRE-PAROISSE 25110 Doubs ⬛⬛ ⑰ – 188 h alt. 288.

Paris 447 – Besançon 37 – Belfort 62 – Lure 54 – Montbéliard 47 – Pontarlier 71 – Vesoul 53.

🏨 **Relais de la Vallée** Ⓜ, ℘ 03 81 84 46 46, Fax 03 81 84 37 52, 🍴 – 🖭 📺 ⚓ & 🅿 –
🏧 **20.** 🇬🇧
fermé 24 déc. au 2 janv. – **Repas** *(fermé sam. midi)* 13,50/26,70 ♈ – ⌗ 9,20 – **21 ch**
38,50/44 – ½ P 73,10

RRON 64 Pyr.-Atl. ⬛⬛ ② – rattaché à St-Pée-sur-Nivelle.

le du Château d') 13 B.-du-R. ⬛⬛ ⑬, ⬛⬛⬛ ㉗ G. Provence.
⚓ au départ de **Marseille** pour le château d'If★★ (⚡ ★★★) 20 mn.

71960 S.-et-L. ⬛⬛ ⑪ – 768 h alt. 265.

Paris 398 – Mâcon 14 – Cluny 13 – Tournus 41.

🏨 **Château d'Igé** 🏖, ℘ 03 85 33 33 99, ige@relaischateaux.com, Fax 03 85 33 41 41, 🍴,
🌳 – 📺 ⚓ 🅿 🍴 🎴 ⓪ 🇬🇧
✿✿ *1ᵉʳ mars-30 nov. –* **Repas** *(fermé lundi midi, mardi midi et merc midi. sauf fériés)* 26 *(déj.)*,
33/65 et carte 50 à 78 ♈ – ⌗ 13 – **8 ch** 107,50/131, 6 appart – ½ P 93,50/116,50
Spéc. Escalopes de foie gras poêlées. Filet de canette rôtie au jus de griottes. Pastilla
caramélisée sur crème brûlée aux framboises. **Vins** Mâcon-Villages.

Les localités dont les noms sont soulignés de rouge
*sur les **cartes Michelin** à 1/200 000 sont citées dans ce guide.*

Utilisez une carte récente pour profiter de ce renseignement.

✓ 39 Jura ⬛⬛ ⑮ G. Jura – ✉ 39150 St-Laurent-en-Grandvaux.
Voir *Cascades du Hérisson★★★.*
🅱 *Office du tourisme pl. Charles Thevenin St-Laurent* ℘ 03 84 60 15 25, Fax 03 84 60 15 25.
Paris 440 – Champagnole 19 – Lons-le-Saunier 37 – Morez 22 – St-Claude 39.

🏠 **Auberge du Hérisson**, carrefour D 75-D 39 ℘ 03 84 25 58 18, auberge@herisson.com,
Fax 03 84 25 51 11, 🍴 – 📺 🅿. 🇬🇧
fermé 2 nov. au 3 janv. – **Repas** 13/35 ♈, enf. 6 – ⌗ 7 – **16 ch** 35/46 – ½ P 37/42

voir nom propre de l'île (sauf si nom de commune).

AUX-MOINES 56780 Morbihan ⬛⬛ ⑫ G. Bretagne – 610 h alt. 16.
Paris 474 – Vannes 14 – Auray 15 – Quiberon 46.

🍴 **Les Embruns,** r. Commerce ℘ 02 97 26 30 86, Fax 02 97 26 31 94, 🍴 – 🇬🇧
fermé 1ᵉʳ au 15 oct., janv., fév. et merc. – **Repas** 15/22 ♈, enf. 7

E BOUCHARD 37220 I.-et-L. ⬛⬛ ④ G. Châteaux de la Loire – 1 764 h alt. 41.
Voir *Chapiteaux★ et Cathèdre★ dans le prieuré St-Léonard.*
Env. *Champigny-sur-Veude : vitraux★★ de la Ste-Chapelle★ SO : 10,5 km.*
Paris 285 – Tours 52 – Châteauroux 120 – Chinon 16 – Châtellerault 50 – Saumur 43.

🍴🍴 **Auberge de l'Ile**, ℘ 02 47 58 51 07, aubergedelile@wanadoo.fr, Fax 02 47 58 51 07, 🍴
– 🇬🇧
fermé janv., fév., mardi et merc. – **Repas** *(16)* · 23/30 et carte 35 à 60, enf. 8

D'AIX ★ 17123 Char.-Mar. ⬛⬛ ⑬ G. Poitou Vendée Charentes – 186 h alt. 10.
Accès *par transports maritimes.*
⚓ *depuis la* **Pointe de la Fumée** *(2,5 km NO de Fouras) - Traversée 25 mn - Renseigne-*
ments et Tarifs à Société Fouras-Aix ℘ 05 46 41 76 24, Fax 05 46 84 69 88.
⚓ *depuis* **La Rochelle** *- Service saisonnier - Traversée 1h 15 mn - Renseignements :*
Croisières Inter Iles, ℘ 05 46 50 51 88 (La Rochelle) - ⚓ *depuis* **Boyardville** *(Ile d'Oléron)*
- Service saisonnier - Traversée 30 mn - Renseignements Inter Iles ℘ 05 46 47 01 45,
Fax 05 46 75 05 55 (Boyardville) – ⚓ *depuis* **La Tranche-sur-Mer** *- Service saisonnier -*
Traversée – ⚓ *depuis* **Sablanceaux** *- Service saisonnier - Agences Inter Iles de*
Sablonceaux - Renseignements et tarifs ℘ 05 46 09 87 27, Fax 05 46 09 35 28 – ⚓ *depuis*
Fouras *- Service permanent - Traversée 30 mn - Renseignements et tarifs*
℘ 05 46 84 60 50, Fax 05 46 84 53 83.

ÎLE-D'ARZ *56840 Morbihan* 🆖 ⑬ *G. Bretagne – 231 h alt. 25.*

Accès *par transports maritimes.*

🚢 *depuis* **Barrarach et Conleau -** *Traversée 20 mn - Renseignements : le passe* *l'Ile-d'Arz* ℘ *06 08 32 81 14, Fax 02 97 50 88 89 –* 🚢 *depuis* **Vannes** *Service saison* *Traversée 30 mn - Renseignements : Navix S.A. Gare Maritime (Vannes)* ℘ *02 97 46* *Fax 02 97 46 60 29.*

ILE-DE-BATZ *29253 Finistère* 🆘 ⑥ *G. Bretagne – 575 h alt. 30.*

Accès *par transports maritimes.*

🚢 *depuis* **Roscoff -** *Traversée 15 mn - Renseignements et tarifs : Cie Finistérien* *transports maritimes BP 10 - 29253 Ile de Batz* ℘ *02 98 61 78 87, Fax 02 98 61 75 94.*

🄳 *Syndicat d'initiative* ℘ *02 98 61 75 70, Fax 02 98 61 75 85.*

ILE-DE-BRÉHAT ★ *22870 C.-d'Armor* 🆘 ② *G. Bretagne – 421 h alt. 7.*

Voir *Tour de l'île*★★ *– Phare du Paon*★ *– Croix de Maudez* ≤★ *– Chapelle St-Michel* ⚜ *Bois de la citadelle* ≤★*.*

Accès *par transports maritimes, pour* **Port-Clos.**

🚢 *depuis la* **Pointe de l'Arcouest -** *Traversée 10 mn - Renseignements et t* *Vedettes de Bréhat* ℘ *02 96 20 00 11, Fax 02 96 55 79 55 –* 🚢 *depuis* **St-Quay-Port** *- Service saisonnier - Traversée 1 h 15 mn - Renseignements et tarifs :* ℘ *02 96 70 4* 🚢 *depuis* **Binic -** *Service saisonnier - Traversée 1 h 30 mn - Renseignements et t* ℘ *02 96 73 60 12.*

🚢 *depuis* **Erquy -** *Service saisonnier - Traversée 1 h 30 mn - Renseignements et t* ℘ *02 96 72 30 12.*

🄳 *Syndicat d'initiative Le Bourg* ℘ *02 96 20 04 15, Fax 02 96 20 06 94, syndicatinit* *brehat@wanadoo.fr.*

🏨 **Bellevue** ⧖, Port-Clos ℘ 02 96 20 00 05, *hotelbellevue.brehat@wanad* Fax 02 96 20 06 06, ≤, 🌤, 🎐 – 📶 📺, 🄶🄱
fermé 18 nov. au 13 déc. et 5 janv. au 6 fév. – **Repas** 21/31 ♈, enf. 11,50 – ☑ 7,50 – 76/133 – ½ P 72/80

🏨 **Vieille Auberge** ⧖, au bourg ℘ 02 96 20 00 24, *vieille-auberge.brehat@wanac* 🍴 Fax 02 96 20 05 12– 🄶🄱
Pâques-nov. – **Repas** 13,57/36,59 – ☑ 7 – **14 ch** 82,32/97,57 – ½ P 73,94

ILE D'HOUAT *56 Morbihan* 🆖 ⑫ *G. Bretagne – 335 h alt. 31 –* ✉ *56170 Quiberon.*

Voir *Le Bourg* ≤★*.*

Accès *par transports maritimes.*

🚢 *depuis* **Quiberon -** *Traversée 40 mn - Renseignements et tarifs : Cie Morbihanna* *Nantaise de Navigation* ℘ *0820 056 000 (Quiberon), Fax 02 97 50 11 40.*

🏨 **Sirène** ⧖, ℘ 02 97 30 66 73, Fax 02 97 30 66 94, 🌤 – 📺 📞, 🄰🄴 🄶🄱, 🐾
avril-oct. – **Repas** 16,77/45,73 – **14 ch** (½ pens. seul.) – ½ P 73,18/83,85

L'ILE-ROUSSE *2B H.-Corse* 🆕 ⑬ *– voir à Corse.*

Las ILLAS *66 Pyr.-Or.* 🆕 ⑲ *– rattaché à Maureillas-las-Illas.*

ILLHAEUSERN *68970 H.-Rhin* 🆔 ⑲ *– 646 h alt. 173.*

Paris 447 – Colmar 18 – Artzenheim 15 – St-Dié 55 – Sélestat 15 – Strasbourg 65.

🏨 **Clairière** ⧖ sans rest, rte Guémar ℘ 03 89 71 80 80, *hotel.la.clairiere@wanac* Fax 03 89 71 86 22, 🔲, 🌤, ⚞ – 📶 🏊 📺 📵, 🄶🄱
fermé 1er janv. au 14 mars – ☑ 12,95 – **25 ch** 74,70/236,29

🏨 **Les Hirondelles,** au village ℘ 03 89 71 83 76, *hotelleshirondelles@wanad* Fax 03 89 71 86 40, 🔲, 🌤 – 🔲 ch, 📺 📞 📵, 🐾 rest
hôtel : fermé 20 au 27 déc. et 28 janv. au 1er mars ; rest. : 1er avril-1er oct. et fermé dim. **Repas** (dîner seul.)(résidents seul.) – ☑ 6,50 – **19 ch** 48,80/54,90 – ½ P 52,45

XXXXX **Auberge de l'Ill** (Haeberlin), ℘ 03 89 71 89 00, *auberge-de-l-ill@auberge-de-l-ill* ❀❀❀ Fax 03 89 71 82 83, ≤ jardins fleuris, « **Élégante installation au bord de l'Ill** », 🌤 – 🔲 ⑩ 🄶🄱
fermé 28 janv. au 7 mars, lundi et mardi – **Repas** (prévenir) 89,94 (déj.), 105,19/126 carte 80 à 130 ♈
Spéc. Assiette de homard aux différentes saveurs. Filet d'omble chevalier à la chouc et crème de caviar. Canard colvert légèrement laqué (sept. à déc.). **Vins** Riesling, Pino
Hôtel des Berges 🏨🏨 Ⓜ ⧖, ℘ 03 89 71 87 87, Fax 03 89 71 87 88, ≤, « Recor tion d'un séchoir à tabac du Ried », 🌤 – 🏊, 🔲 ch, 📺 📞 ⛵ 🄰🄴 ⑩ 🄶🄱
fermé 28 janv. au 28 fév. et mardi - voir rest. **Aub. de l'Ill** – ☑ 25 – **11 ch** 255/305

ERS-COMBRAY 28120 E.-et-L. 60 ⑰ G. Châteaux de la Loire – 3 226 h alt. 160.

🛈 Office du tourisme 5 rue Henri Germond ℘ 02 37 24 24 00, Fax 02 37 24 21 79.

Paris 115 – Chartres 26 – Châteaudun 29 – Le Mans 98 – Nogent-le-Rotrou 37.

XX **Florent,** pl. Église ℘ 02 37 24 10 43, Fax 02 37 24 11 78 – AE GB

fermé mardi soir d'oct. à avril, merc. soir, dim. soir et lundi sauf fériés – **Repas** 18,50/49 ♉,
enf. 8,50

KIRCH-GRAFFENSTADEN 67 B.-Rhin 62 ⑩ – rattaché à Strasbourg.

STHAL (Étang d') 67 B.-Rhin 57 ⑰ ⑱ – rattaché à La Petite-Pierre.

ERSHEIM 68 H.-Rhin 87 ⑰ – rattaché à Colmar.

WILLER 67340 B.-Rhin 87 ⑬ – 3 847 h alt. 185.

🛈 Office du tourisme 68 rue du Général Goureau ℘ 03 88 89 23 45, Fax 03 88 89 60 27,
tourisme@pays-de-hanau.com.

Paris 446 – Strasbourg 48 – Haguenau 28 – Sarrebourg 47 – Sarreguemines 51 – Saverne 23.

XX **Aux Comtes de Hanau** avec ch, 139 r. Gén. de Gaulle ℘ 03 88 89 42 27, aux.comtes.de.
Hanau@wanadoo.fr, Fax 03 88 89 51 18, 佘 – ♨ ᴛᴠ ℃ 🄿 – 🛦 25. AE ⓞ GB JCB

fermé 1er au 15 juil., 11 au 28 fév., merc. soir et lundi – **Repas** 13,42/44,98 ♉, enf. 8,50 –
♋ 5 – **12 ch** 41/62 – ½ P 40/50

NENHEIM 67880 B.-Rhin 62 ⑨ – 1 015 h alt. 150.

Paris 489 – Strasbourg 24 – Molsheim 14 – Obernai 10 – Sélestat 34.

🏠 **Au Cep de Vigne,** N 422 ℘ 03 88 95 75 45, Fax 03 88 95 79 73, 佘 – 閶 ᴛᴠ ℃ ♿ 🄿 –
🛦 40. GB

fermé 15 au 28 fév., lundi (sauf hôtel) et dim. soir – **Repas** (15) -23/38 ♉, enf. 9,15 – ♋ 6,86
– **38 ch** 45,73/60,98 – ½ P 50,31

KENT 62 P.-de-C. 51 ⑫ – rattaché à Montreuil.

ERGUES 62 P.-de-C. 51 ⑭ – rattaché à Aire-sur-la-Lys.

GNY-SUR-MER 14230 Calvados 54 ⑬ G. Normandie Cotentin – 2 920 h alt. 4.

🛈 Office du tourisme 1 rue Victor Hugo ℘ 02 31 21 46 00, Fax 02 31 22 90 21.

Paris 298 – Cherbourg 64 – St-Lô 40 – Bayeux 34 – Caen 63 – Carentan 13.

🏠 **France,** 13 r. E. Demagny ℘ 02 31 22 00 33, hotel.france.isigny@wanadoo.fr,
Fax 02 31 22 79 19 – ᴛᴠ 🄿 – 🛦 25. AE GB

19 fév.-15 nov. et fermé vend. soir, dim. soir et sam. hors saison et week-ends fériés –
Repas (9,50) -11,50/20 ♉, enf. 7,35 – ♋ 5,35 – **19 ch** 33,55/45,75 – ½ P 42,70/47,25

SLE-ADAM 95290 Val-d'Oise 55 ⑳ G. Ile de France – 11 163 h alt. 28.

Voir Chaire★ de l'église St-Martin.

🛈 Office du tourisme 46 Grande Rue ℘ 01 34 69 41 99, Fax 01 34 08 09 79.

Paris 40 – Compiègne 66 – Beauvais 49 – Chantilly 24 – Pontoise 17 – Taverny 13.

XX **Gai Rivage,** 11 r. Conti ℘ 01 34 69 01 09, Fax 01 34 69 30 37, 佘 – AE GB, ❄

fermé 26 août au 9 sept., vacances de Toussaint, de fév., dim. soir et lundi – **Repas** 30/33

X **Relais Fleuri,** 61 bis r. St-Lazare ℘ 01 34 69 01 85, 佘 – AE GB

fermé 29 juil. au 23 août, dim. soir, lundi soir, merc. soir et mardi – **Repas** 24,50

SLE-D'ABEAU 38080 Isère 74 ⑬ – 12 034 h alt. 265.

Paris 501 – Lyon 39 – Bourgoin-Jallieu 6 – Grenoble 72 – La Tour-du-Pin 22 ②

XX **Relais du Catey** 🌭 avec ch, r. Didier ℘ 04 74 18 26 50, Fax 04 74 18 26 59, 佘, 佘 – ᴛᴠ
℃ 🄿 AE GB

fermé 3 au 9 mars, 4 au 26 août, lundi midi et dim. – **Repas** 17,60 (déj.), 24,50/39 ♉ – ♋ 5,50
– **7 ch** 49/57 – ½ P 43,50/47

à l'Isle-d'Abeau-Ville-Nouvelle Ouest : 4 km par N 6 – ⊠ 38080 L'Isle-d'Abeau :

🏨 **Mercure** M, ℰ 04 74 96 80 00, H1132@accor-hotels.com, Fax 04 74 96 80 99, 😕, ▮◀
🔲, 🛠 – 劇 ⇖ ▦ 🔟 ℃ ఈ 🄿 – 🏧 25 à 150. 🖭 ⓞ 🆖 🇯🇨🇧
Belle Époque : Repas (16)-21♈,enf.9 – **New Sunset** - brasserie Repas (11,50) et carte
ron 15 – � 8,50 – **116 ch** 91/99

L'ISLE-JOURDAIN 32600 Gers ⑧② ⑥ ⑦ G. Midi-Pyrénées – 5 560 h alt. 116.
Voir Centre-musée européen d'art campanaire★.
🛈 Office du tourisme Au Bord du Lac ℰ 05 62 07 25 57, Fax 05 62 07 24 81, ot
jourdain@wanadoo.fr.
Paris 700 – Auch 43 – Toulouse 37 – Montauban 57.

🏠 **Hostellerie du Lac**, Ouest : 1 km par rte d'Auch ℰ 05 62 07 03 91, Fax 05 62 07 0
≤, 😕, 🔲, 🐾 – 🔟 🄿 – 🏧 20 à 30. 🆖
fermé vacances de fév. – **Repas** (fermé dim. soir) 10,30 (déj.), 19/36 ♈ – ⊑ 5,50 – **27 ch**

à Pujaudran Est : 8 km par N 124 – 898 h. alt. 302 – ⊠ 32600 :

🏵️ **Puits St-Jacques** (Bach), ℰ 05 62 07 41 11, Fax 05 62 07 44 09, 😕 – 🖭 ⓞ 🆖
❀ fermé 16 août au 6 sept., vacances de fév., mardi midi, dim. soir et lundi – R◀
(week-ends prévenir) 20 (déj.), 28/65 et carte 48 à 68
Spéc. Pressé de foie gras aux poires caramélisées. Poitrine de pigeonneau rôtie, c
farcie aux cèpes. Soupe de pêche au madiran (été). **Vins** Madiran, Côtes de Gascogne.

Pas de publicité payée dans ce guide.

L'ISLE-JOURDAIN 86150 Vienne ⑦② ⑤ G. Poitou Vendée Charentes – 1 287 h alt. 142.
🛈 Office du tourisme Place de l'Ancienne Gare ℰ 05 49 48 80 36, Fax 05 49 48 80 36.
Paris 388 – Poitiers 53 – Confolens 29 – Niort 103.

à Port de Salles Sud : 7 km par D 8 et rte secondaire – ⊠ 86150 Le Vigeant :

🏨 **Val de Vienne** M 😕 sans rest, ℰ 05 49 48 27 27, info@hotel-valdevienne.c
Fax 05 49 48 47 47, ≤, 🔲, 🐾 – 🔟 ℃ ఈ 🄿 – 🏧 20. 🖭 🆖
fermé 2 janv. au 28 fév. – ⊑ 9 – **22 ch** 71/112

🏵️🏵️🏵️ **La Grimolée,** ℰ 05 49 48 75 22, info@hotel-valdevienne.com, Fax 05 49 48 47 47,
« Terrasse et jardin au bord de la Vienne », 🐾 – 🖭 🆖. 🛠
fermé 2 janv. au 28 fév. – **Repas** 17/35 et carte 38 à 46 ♈, enf. 10

L'ISLE-SUR-LA-SORGUE 84800 Vaucluse ⑧① ⑫ ⑬ G. Provence – 16 971 h alt. 57.
Voir Décoration★ de la collégiale de Notre-Dame des Anges.
Env. Église★ du Thor O : 5 km.
🛈 Office du tourisme Place de la Liberté ℰ 04 90 38 04 78, Fax 04 90 38 35 43, o◀
tourisme.islesur-sorgue@wanadoo.fr.
Paris 699 – Avignon 23 – Apt 34 – Carpentras 18 – Cavaillon 11 – Orange 35.

🏨 **Araxe** M 😕, rte Apt : 1,5 km ℰ 04 90 38 40 00, 😕, « Jardi◀
bordure de la Sorgue », 🔲, 🐾, 🛠 – 劇 cuisinette 🔟 ఈ 🄿 – 🏧 40. 🖭 ⓞ 🆖. 🛠 rest
Repas (fermé janv.) 20,58/26,53 ♈ – ⊑ 10 – **50 ch** 66/129,50, 4 duplex – ½ P 92/155,5◀

🏠 **Névons** sans rest, chemin des Névons (derrière Poste) ℰ 04 90 20 72 00, info@hote◀
nevons.com, Fax 04 90 20 56 20, 🔲 – 劇 🔟 ℃ ఈ 🄿. 🆖. 🛠
fermé 8 déc. au 20 janv. – ⊑ 6 – **26 ch** 59/86

🏵️🏵️ **Prévôté** (Mercier), 4 r. J.-J. Rousseau (derrière l'église) ℰ 04 90 38 5◀
❀ Fax 04 90 38 57 29, 😕 – 🆖. 🛠
fermé 4 nov. au 4 déc., 17 fév. au 4 mars, dim. soir, mardi midi d'oct. à juin et lundi – R◀
24 (déj.), 41/59 ♈
Spéc. Cannelloni de saumon au chèvre frais. Canette laquée au miel de lavande. Râb◀
lapin farci à la tapenade. **Vins** Côtes du Luberon.

🏵️ **L'Oustau de l'Isle,** 21 av. 4 Otages ℰ 04 90 38 54 84, Fax 04 90 38 54 84, 😕 – ▦
🇯🇨🇧
fermé 21 au 25 oct., 6 janv. au 7 fév., jeudi sauf le soir de Pâques à oct., mardi midi et r◀
– **Repas** (15,15) -21,96/31,82 🍴, enf. 11

au Nord par D 938 et rte secondaire – ⊠ 84740 Velleron :

🏨 **Hostellerie La Grangette** 😕, à 6 km ℰ 04 90 20 00 77, hostellerie-grangette@cl◀
ternet.com, Fax 04 90 20 07 06, 😕, « Demeure provençale dans un parc », 🔲, 🛠, ▮◀
– 🏧 80
1ᵉʳ fév.-1ᵉʳ nov. – **Repas** (fermé le midi sauf juil.-août, merc. et jeudi) 25 (déj.)/40 ♈, enf. ◀
– **16 ch** ⊑ 97/208 – ½ P 97/142

d'Apt Sud-Est : 6 km par N 100 – ⊠ 84800 L'Isle-sur-la-Sorgue :

🏦 **Mas des Grès,** ✆ 04 90 20 32 85, info@masdesgres.com, Fax 04 90 20 21 45, 🐾, ⌇, 🏕
– 🄿. 🅶🄱. ⌘
15 mars-15 nov. – **Repas** (dîner seul. sauf juil.-août) (prévenir) 18 (déj.)/30, enf. 15 – ⌷ 10 –
14 ch 85/185 – ½ P 78/113

tit-Palais Sud-Est : 6 km par D 31 ou par N 100 et D 24 – ⊠ 84800 L'Isle-sur-la-Sorgue :

✗✗ **Bernard Auzet,** ✆ 04 90 38 09 74, Fax 04 90 20 91 26, 🐾 – 🄿. 🅶🄱
fermé 10 nov. au 15 déc., dim. soir et merc. – **Repas** 19,67 (déj.), 28,66/48,78, enf. 12,20

Sud-Ouest : 3 km par rte de Caumont sur D 25 et rte secondaire – ⊠ 84800 L'isle-sur-la-
Sorgue :

🏦 **Mas de Cure Bourse** ⌇, ✆ 04 90 38 16 58, Fax 04 90 38 52 31, 🐾, « Ancien mas au
milieu des vergers », ⌇, 🏕 – 📺 🄿 – 🄐 60. 🅶🄱
Repas (fermé 5 au 26 nov., 1er au 14 janv., mardi midi et lundi) 26/74 bc 🐾, enf. 15 – ⌷ 10 –
13 ch 85/115 – ½ P 77,50/97,50

LE-SUR-SEREIN 89440 Yonne 🎅🎅 ⑥ – 716 h alt. 190.
Paris 210 – Auxerre 50 – Avallon 17 – Montbard 35 – Tonnerre 36.

✗✗ **Auberge du Pot d'Étain** avec ch, ✆ 03 86 33 88 10, potdetain@ipoint.fr,
Fax 03 86 33 90 93, 🐾 – 🗐 rest, 📺 🆅 ⌇. 🅶🄱
fermé 21 au 28 oct., fév., dim. soir et lundi hors saison – **Repas** 18/49 ⌷, enf. 9 – ⌷ 7 – **9 ch**
45/73 – ½ P 57/68

LA 2000 06420 Alpes-Mar. 🎅🎅 ⑩, 🎅🎅🎅 ⑤ G. Alpes du Sud – Sports d'hiver : 2 000/2 600 m ✄ 1
✄ 23 ✄.
Voir Vallon de Chastillon✶ O.
Paris 832 – Barcelonnette 77 – Nice 90 – St-Martin-Vésubie 56.

🏦 **Chastillon** ⌇, ✆ 04 93 23 26 00, chastillon@dial.oleane.com, Fax 04 93 23 26 12, ≤, 🐾
– 🎄 📺 ⌇ 🄿 – 🄐 40. 🄰🄴 🅾 🅶🄱 🄹🄲🄱
déc.-avril – **Repas** 20/27, enf. 13 – ⌷ 12 – **51 ch** 165/220, 3 appart

---

E 40 Landes 🎅🎅 ⑬ – rattaché à Biscarrosse.

ISSAMBRES 83380 Var 🎅🎅 ⑱, 🎅🎅🎅 ㊳ G. Côte d'Azur.
Paris 884 – Fréjus 11 – Draguignan 40 – St-Raphaël 14 – Ste-Maxime 9 – Toulon 101.

n-Peire-sur-Mer – ⊠ 83380 Les Issambres :

🏦 **Provençal,** N 98 ✆ 04 94 55 32 33, info@hotel-le-provencal.com, Fax 04 94 55 32 34, ≤,
🐾 – 🗐 ch, 📺 🄿. 🄰🄴 🅶🄱
4 fév.-2 nov., 20 déc.-6 janv. – **Repas** (fermé mardi midi et merc. midi en juil.-août)
23/38,50 ⌷ – ⌷ 9,40 – **27 ch** 75/95 – ½ P 70,50/79

parc des Issambres – ⊠ 83380 Les Issambres :

🏨 **Villa-St-Elme** 🄼, N 98 ✆ 04 94 49 52 52, info@saintelme.com, Fax 04 94 49 63 18, ≤,
🐾, « Terrasse en bordure de mer », ⌇, 🏖, 🐾 – 🎄 🗐 📺 🆅 🄿. 🄰🄴 🅾 🅶🄱 🄹🄲🄱
Repas 43,45/67,08 ⌷, enf. 18,29 – ⌷ 13,72 – **16 ch** 252/564

🏦 **Quiétude,** N 98 ✆ 04 94 96 94 34, laquietude@hotmail.com, Fax 04 94 49 67 82, ≤, 🐾,
⌇, 🏕 – 🗐 ch, 📺 🆅 🄿. 🅶🄱
23 fév.-9 oct. – **Repas** 15,10/28,20, enf. 8,30 – ⌷ 6 – **19 ch** 54/61,15 – ½ P 55/59,80

✗✗ **Réserve,** N 98 ✆ 04 94 96 90 41, Fax 04 94 96 96 11, ≤, 🐾 – 🄿. 🄰🄴 🅶🄱
fév.-oct. et fermé mardi soir et merc. de sept. à mai – **Repas** 24/31,50, enf. 11,45

calanque des Issambres – ⊠ 83380 Les Issambres :

✗✗ **Chante-Mer,** au village ✆ 04 94 96 93 23, 🐾 – 🅶🄱
fermé 15 déc. au 31 janv., dim. soir de sept. à Pâques, mardi midi de Pâques à sept. et lundi
– **Repas** 19,51/32,78

IGEAC 24560 Dordogne 🎅🎅 ⑮ G. Périgord Quercy – 617 h alt. 106.
🄱 Syndicat d'initiative Place du Château ✆ 05 53 58 79 62, si.issigeac@perigord.tm.fr.
Paris 555 – Périgueux 68 – Bergerac 20 – Villeneuve-sur-Lot 45.

✗✗ **Chez Alain,** ✆ 05 53 58 77 88, info@chez-alain.com, Fax 05 53 57 88 64, 🐾 – 🅾 🅶🄱
fermé 15 janv. au 20 fév., dim. soir, lundi et mardi midi sauf de mai à sept. – **Repas** (11) -
19/58 ⌷, enf. 9

ISSOIRE ⟨ℙ⟩ 63500 P.-de-D. **78** ⑭ ⑮ G. Auvergne – 13 773 h alt. 400.

Voir *Anc. abbatiale St-Austremoine*★★ Z.

🛈 *Office du tourisme Place du Général de Gaulle* ℰ 04 73 89 15 90, Fax 04 73 89 96 1
ot.issoire.pays@wanadoo.fr.

Paris 450 ① – *Clermont-Ferrand 38* ① – *Le Puy-en-Velay 94* ③ – *Thiers 56* ①.

ISSOIRE

Altaroche (Pl.) .... Z 2
Ambert (R. d') .... Y
Ancienne-Caserne (R. de l') ..... Z 3
Berbiziale (R. de la) .... Y
Buisson (Bd A.) .... Y
Cerf-Volant (R. du) .... Y 4
Châteaudun (R. de) .... Y 5
Cibrand (Bd J.) .... Y
Dr Sauvat (R.) .... Z
Duprat (Pl. Ch.) .... Z
Espagnon (R. d') .... Z
Foirail (Pl. du) .... Y
Fours (R. des) .... Z
Gambetta (R.) .... Z 6
Gare (Av. de la) .... Y 9
Gaulle (R. du Gén.-de) .... Y
Gauttier (R. E.) .... Y
Haïnl (Bd G.) .... Z
Hauterive (R. E. d') .... Z 10
Libération (Av. de la) .... Z 10
Manlière (Bd de la) .... Y
Mas (R. du) .... Y
Montagne (Pl. de la) .... Y
Notre-Dame-des-Filles (R.) ..... Z 12
Palais (R. du) .... Z
Pomel (Pl. N.) .... Z 13
Pont (R. du) .... Y 14
Ponteil (R. du) .... Y 16
Postillon (R. du) .... Z
République (Pl. de la) .... Y
St-Avit (Pl.) .... Y 22
Sous-Préfecture
(Bd de la) .... Z
Terraille (R. de la) .... Z 24
Triozon-Bayle (Bd) .... YZ 25
Verdun (Pl. de) .... Z 26
8-Mai (Av. du) .... Y 30

Une réservation
confirmée par écrit
est toujours plus sûre.

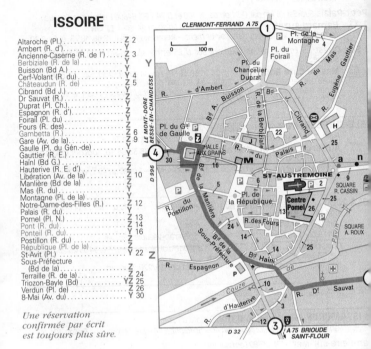

🏨 **Pariou** sans rest, 18 bd Kennedy par ① : 1 km ℰ 04 73 55 90 37, *info@hotel-pariou.c*
Fax 04 73 55 96 16 – 📶 🗏 📺 📶 ఠ & 🅿 – 🔬 20. 🆎 ⊖🅱
fermé 23 déc. au 5 janv. – ☑ 6 – **33 ch** 51/55

🏨 **Tourisme** sans rest, 13 av. Gare ℰ 04 73 89 23 68, Fax 04 73 89 65 28 – 📺. 🆎
⊖🅱
fermé 28 avril au 5 mai et 22 déc. au 19 janv. – ☑ 5,50 – **13 ch** 35,50/42,70 | YZ

🏨 **Grilotel**, ZAC des Prés (centre commercial), Nord-Est : 1,5 km par D 716 ou
ℰ 04 73 89 60 76, Fax 04 73 89 41 83, 😤 – 🎘 📺 📶 ఠ & 🅿. 🆎 ⊙ ⊖🅱
Repas *(fermé sam. midi et dim. d'oct. à mai)* (9,99), 13,50/24 🍴 – ☑ 6 – **35 ch** 42 – ½ P

🍴 **Relais** avec ch, 1 av. Gare ℰ 04 73 89 16 61, Fax 04 73 89 55 62 – 📺. ⊖🅱. ⋇ ch | YZ
fermé 25 oct. au 5 nov., vacances de fév., lundi (sauf hôtel) et dim. soir – **Repas** 10/32,01
☑ 5,20 – **6 ch** 30,35/45,60 – ½ P 34,30/38,10

à Sarpoil *par* ② *et D 999 : 10 km* – ⊠ 63490 St-Jean-en-Val :

XXX **Bergerie,** ℰ 04 73 71 02 54, *ljury@fr.packardbell.org*, Fax 04 73 71 02 99, 😤 , 🎋 – 🅿
⊖🅱
fermé vacances de Toussaint, janv., dim. soir, lundi et mardi de sept. à mai sauf fér
Repas *(nombre de couverts limité, prévenir)* 22/66 et carte 36 à 61 🍴

à Perrier *par* ④ *et D 996 : 5 km – 775 h. alt. 415* – ⊠ 63500 :

🍴 **Cour Carrée,** ℰ 04 73 55 15 55, 😤 – 🅿. ⊖🅱
fermé 25/8-6/9, vacances de fév.,lundi midi en juil.-août, dim. soir, merc. soir, lundi et
fériés de 09 à 06 – **Repas** *(nombre de couverts limité, prévenir)* 23/32 🍴, enf. 13

Restaurants serving a good but moderately priced meal
are distinguished in the Guide by the symbol 🍴.

RES ⏛ 13800 B.-du-R. 84 ① G. Provence – 38 993 h alt. 32.

🖪 Office du tourisme 30 allées Jean Jaurès ℰ 04 42 55 51 15, Fax 04 42 56 59 50, otistres@visitprovence.com.

Paris 750 ③ – Marseille 55 ② – Arles 46 ③ – Martigues 14 ② – Salon-de-Provence 25 ②.

Plan page ci-contre

🏛 **Castellan** sans rest, pl. Ste-Catherine ℰ 04 42 55 13 09, Fax 04 42 56 91 36, ⌁ – 📺 🅿. 🆎
GB. 🛠 AX a
≤ 6,10 – **17 ch** 45,73/53,36

XX **St-Martin**, Port des Heures Claires, Sud-Est : 3 km ℰ 04 42 56 07 12, restaurant-le-saint-martin@voila.fr, Fax 04 42 56 04 59, ≤, 🏤 – 🗐. GB BZ e
fermé 3 au 10 sept., 1er au 8 janv., mardi soir et merc. – **Repas** 20/25 🕭, enf. 10

XX **Les Deux Toques**, 7 av. H. Boucher ℰ 04 42 55 16 01, Fax 04 42 55 95 02, 🏤 – 🗐. ⓞ
GB. 🛠 AX n
fermé 26 août au 3 sept., 23 déc. au 7 janv., dim. sauf le soir de mai à oct. et lundi – **Repas** 16 (déj.), 26/55 ⵛ, enf. 12

ERSWILLER 67140 B.-Rhin 62 ⑨ G. Alsace Lorraine – 270 h alt. 235.

🖪 Syndicat d'initiative - Mairie ℰ 03 88 85 50 12, Fax 03 88 85 56 09.

Paris 502 – Strasbourg 47 – Erstein 24 – Mittelbergheim 5 – Molsheim 27 – Sélestat 16.

🏔 **Arnold** Ⓜ 🏝, ℰ 03 88 85 50 58, arnold-hotel@wanadoo.fr, Fax 03 88 85 55 54, ≤, 🏤, 🍴 – 📺 🕻 ᴌ 🅿. – 🔬 40. 🆎 GB
Winstub Arnold (fermé vacances de Noël, de fév., dim. soir de nov. à juin et lundi) **Repas** 44/60 ⵛ, enf.10 – ≤ 8 – **29 ch** 83/105 – ½ P 75/88

EVILLE 91760 Essonne 61 ①, 106 ㊸ – 5 354 h alt. 72.

Paris 45 – Fontainebleau 36 – Arpajon 14 – Corbeil-Essonnes 20 – Étampes 20 – Melun 30.

XX **Auberge de l'Épine**, Nord : 3 km, au domaine de l'Épine (29 r. Gén.-Leclerc) ℰ 01 64 93 10 75, Fax 01 64 93 00 89, 🏤 – 🆎 ⓞ GB
fermé 29 juil. au 28 août, 6 au 15 janv., lundi soir, mardi soir et merc. – **Repas** 26/35, enf. 8

ASSOU 64250 Pyr.-Atl. 85 ③ G. Aquitaine – 1 770 h alt. 39.

Voir Église★.

Paris 791 – Biarritz 24 – Bayonne 23 – Cambo-les-Bains 5 – Pau 121 – St-Jean-de-Luz 34.

🏛 **Fronton**, ℰ 05 59 29 75 10, Fax 05 59 29 23 50, ≤, 🏤, 🍴 – 🛗, 🗐 rest, 📺 🕻 ᴌ 🅿. 🆎 ⓞ
GB. 🛠 rest
fermé 12 au 17 nov., 1er janv. au 17 fév. et merc. – **Repas** 15/34, enf. 8 – ≤ 6,70 – **25 ch** 43/49 – ½ P 44/49

🏛 **Txistulari** 🏝, ℰ 05 59 29 75 09, Fax 05 59 29 80 07, 🏤, 🍴 – 📺 🕻 ᴌ 🅿. 🆎 ⓞ GB ᴊⒸᴮ.
🛠
fermé 14 déc. au 7 janv. et dim. soir hors saison – **Repas** (en hiver, sur réservation le soir) 13,80/25,95 ⵛ, enf. 6,10 – ≤ 4,90 – **20 ch** 38,15/47,60 – ½ P 60,06

🏛 **Chêne** 🏝, près église ℰ 05 59 29 75 01, Fax 05 59 29 27 39, ≤, 🏤, 🍴 – 🅿. GB. 🛠 rest
fermé janv., fév., mardi d'oct. à juin et lundi de juil. à sept. – **Repas** 13,72/28,97, enf. 7,62 – ≤ 5,34 – **16 ch** 28,20/37,35 – ½ P 41,16

RY-LA-BATAILLE 27540 Eure 55 ⑰, 106 ⑬ G. Normandie Vallée de la Seine – 2 639 h alt. 54.

Paris 77 – Anet 6 – Dreux 21 – Évreux 36 – Mantes-la-Jolie 25 – Pacy-sur-Eure 17.

XX **Moulin d'Ivry**, ℰ 02 32 36 40 51, Fax 02 32 26 05 15, 🏤, « Jardin et terrasse au bord de l'Eure », 🍴 – 🅿. 🆎 ⓞ GB
fermé 7 au 22 oct., 10 fév. au 4 mars, lundi et mardi sauf fériés – **Repas** 26/48 ⵛ

Y-SUR-SEINE 94 Val-de-Marne 61 ①, 101 ㉖ – voir à Paris, Environs.

RNORE 01580 Ain 74 ④ – 1 656 h alt. 452.

🖪 Syndicat d'initiative - Maison de Pays Place de l'Église ℰ 04 74 76 51 30, Fax 04 74 76 51 39, ot.izernore@wanadoo.fr.

Paris 478 – Bourg-en-Bresse 51 – Lyon 92 – Nantua 10 – Oyonnax 12.

🏛 **Michaillard**, ℰ 04 74 76 96 46, Fax 04 74 76 90 33 – 📺 ⇦ 🅿. GB
fermé 16 août au 6 sept., dim. soir (sauf hôtel) et lundi soir – **Repas** (9,50) - 11,50/23 ⵛ, enf. 7 – ≤ 6,50 – **14 ch** 30/55 – ½ P 32/38

JARNAC 16200 Charente 72 ⑫ G. Poitou Vendée Charentes – 4 659 h alt. 26.

Voir Donation François-Mitterrand – Maison Courvoisier – Maison Louis-Royer.

🖪 Office du tourisme Place du Château ℘ 05 45 81 09 30, Fax 05 45 36 52 45, o
tourisme-pays-de-jarnac@wanadoo.fr.

Paris 458 – Angoulême 30 – Barbezieux 31 – Bordeaux 116 – Cognac 15 – Jonzac 40.

XX **Château**, pl. Château ℘ 05 45 81 07 17, Fax 05 45 35 35 71 – ▤. AE GB
fermé 6 au 27 août, 15 au 29 janv., dim. soir, merc. soir et lundi – **Repas** 16,70 (déj.), 25,€

à Bourg-Charente Ouest : 6 km par N 141 et rte secondaire – 753 h. alt. 14 – ⊠ 16200 :

XXX **Ribaudière** (Verret), ℘ 05 45 81 30 54, la.ribaudiere@wanadoo.fr, Fax 05 45 81 2
🍽, « Terrasse face à la Charente », 🐎 – P. AE ⓞ GB
fermé 15 oct. au 1er nov., vacances de fév., mardi midi, dim. soir et lundi – **Repas** 25/
carte 50 à 65 ♀
Spéc. Soupe de cèpes et foie gras de canard (sept. à fév.). Millefeuille de crabe dor
(juin à sept.). Biscuit tendre au chocolat chaud **Vins** Vins de Pays Charentais blanc et ro

à Vibrac Sud-Est : 11 km par N 141 et D 22 – 244 h. alt. 25 – ⊠ 16120 :

🏠 **Les Ombrages** ⅌, rte Angeac ℘ 05 45 97 32 33, Fax 05 45 97 32 05, 🍽, 🍴, 🐎,
▥ ✆ P. – ⚿ 15. GB
fermé 15 déc. au 15 janv., dim. soir et lundi sauf juil.-août – **Repas** 11,43/29,42 ⅃ – ⊈ 6
9 ch 42,69/48,78 – ½ P 35,83/38,90

JARNAC-CHAMPAGNE 17520 Char.-Mar. 71 ⑤ – 727 h alt. 55.

Paris 506 – Angoulême 58 – Bordeaux 101 – Cognac 19 – La Rochelle 112 – Royan 55.

X **Relais de Jarnac-Champagne** avec ch, Le Bourg ℘ 05 46 49 5
Fax 05 46 49 43 16 – ▥ & ☎. GB
fermé 15 au 30 nov., 2 au 10 janv., 15 au 28 fév., dim. soir et lundi – **Repas** 10 bc (
12,20/28,20 ♀, enf. 6,10 – ⊈ 5,30 – **7 ch** 27,50/32

When looking for a hotel or restaurant use the most efficient method.
Look for the names of towns underlined in red
*on the **Michelin maps** scale: 1:200 000.*
But make sure you have an up-to-date map!

JARVILLE-LA-MALGRANGE 54 M.-et-M. 62 ⑤ – rattaché à Nancy.

JAVRON 53 Mayenne 60 ① – 1 512 h alt. 176 – ⊠ 53250 Javron-les-Chapelles.

🖪 Syndicat d'initiative - Mairie ℘ 02 43 03 40 67, Fax 02 43 03 43 43.

Paris 226 – Alençon 35 – Bagnoles-de-l'Orne 22 – Le Mans 68 – Mayenne 26.

XXX **Terrasse**, 30 Grande Rue ℘ 02 43 03 41 91, Fax 02 43 04 49 48 – GB
fermé 1er au 12 juil., 24 fév. au 7 mars, mardi soir et merc. sauf fériés – **Repas** 18/45, en

---

JERSEY (Ile de) ★★ 54 ⑤ G. Normandie Cotentin – 85 150 h.

Accès par transports maritimes pour St-Hélier (réservation indispensable).

⚓ depuis **St-Malo** (réservation obligatoire) : par **car-ferry** -Traversée 70 mn.
seignements et tarifs à Émeraude Lines, Terminal Ferry du Naye (St-Malo) ℘ 02 23 18 0
Fax 02 23 18 15 00, par **Hydroglisseur** (Condor Ferries) - Traversée 1 h - Renseignem
et tarifs : gare maritime de la bourse (St-Malo) ℘ 02 99 20 03 00, Fax 02 99 56 39 27.

⚓ depuis **Carteret** : Catamaran -service saisonnier (traversée 50 mn -Corey
Émeraude Lines - Renseignements et tarifs : voir Granville.

⚓ depuis **Granville** - Catamaran rapide - service saisonnier - traversée 60 mn (St-H
par Émeraude Lines ℘ 02 33 50 16 36, Fax 02 33 50 87 80 depuis **Carteret** - Catama
service saisonnier - traversée 50 mn (Gorey) par Émeraude Lines - Renseignemen
tarifs : voir Granville.

Ressources hôtelières : *voir Guide Rouge Michelin :* **Great Britain and Ireland**

JOIGNY 89300 Yonne 65 ④ G. Bourgogne – 10 032 h alt. 79.

Voir Vierge au sourire★ dans l'église St-Thibault A E – Côte St-Jacques★ ⇐★ 1,5 km
D 20 A.

🖪 Office du tourisme 4 quai Ragobert ℘ 03 86 62 11 05, Fax 03 86 91 76 38, ot.joig
libertysurf.fr.

Paris 144 ④ – Auxerre 28 ② – Gien 74 ④ – Montargis 60 ④ – Sens 33 ⑤ – Troyes 76 ③

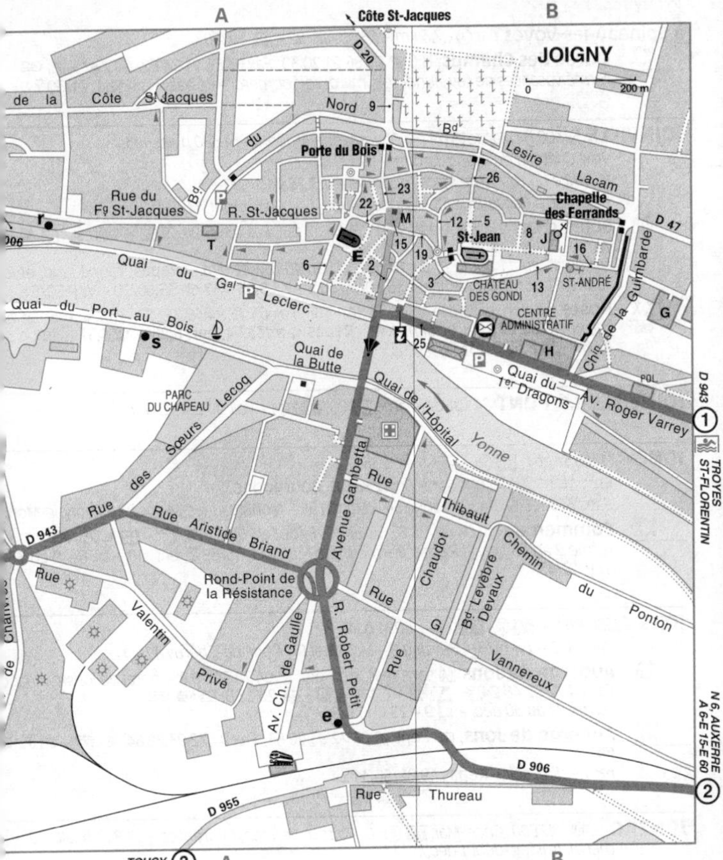

Côte St-Jacques (Lorain) M, 14 fg Paris ✆ 03 86 62 09 70, *lorain@relaischateaux.fr, Fax 03 86 91 49 70,* ←, « Élégante intallation au bord de l'Yonne », – ▤ rest, TV ✆ ♿ P – 30. AE ⊙ GB JCB — A r

3 ✿ *fermé 6 janv. au 5 fév.* – **Repas** (dim. prévenir) 64 (déj.), 95/128 et carte 95 à 150 ♀, enf. 28 – ☐ 22 – **32 ch** 125/305 – 1/2 P 183/236

Spéc. Huîtres creuses en petite terrine océane. Tronçon de turbot cuit en croûte de sel, émulsion au lait d'amande. Canard croisé aux lentilles vertes, sauce cresson au thé vert. **Vins** Chardonnay de Bourgogne, Irancy.

Rive Gauche M, r. Port au Bois ✆ 03 86 91 46 66, *clorain@dial.oleane.com, Fax 03 86 91 46 93,* ←, – ▤ rest, TV ✆ ♿ P – 25 à 50. AE GB — A s

Repas *(fermé dim. soir de nov. à fév.)* 16,01/38,12 ♀, enf. 9,15 – ☐ 7,63 – **42 ch** 57,93/100,62 – 1/2 P 50,31/65,56

Modern'Hôtel Godard, 17 av. R. Petit ✆ 03 86 62 16 28, *modern.godard@wanadoo.fr, Fax 03 86 62 44 33,* – TV P – 15 à 30. AE ⊙ GB JCB — A e

fermé dim. soir et lundi – **Repas** 16/58 ♀ – ☐ 7 – **20 ch** 39/77 – 1/2 P 72/77

à Épineau-les-Voves *par ③ : 7,5 km – 665 h. alt. 92 – ✉ 89400 :*

XX **L'Orée des Champs,** N 6 ☎ 03 86 91 20 39, *Fax 03 86 91 24 92,* 🏕, 🏞 – P. GB
fermé vacances de fév., lundi soir, mardi soir et merc. – **Repas** 14,50 (déj.), 21/30 ♀

JOINVILLE *52300 H.-Marne* 62 ① *G. Champagne Ardenne – 4 380 h alt. 195.*
Voir *Château du Grand Jardin*★.
ℹ *Office du tourisme Place Saunoise ☎ 03 25 94 17 90.*
Paris 238 – Bar-le-Duc 53 – Bar-sur-Aube 47 – Chaumont 43 – St-Dizier 32.

🏠 **Soleil d'Or,** 9 r. Capucins ☎ 03 25 94 15 66, *Fax 03 25 94 39 02* – ▤ rest, TV 📞 ...
🏛 20. AE ⓓ GB
fermé 1er au 11 août, 1er au 10 nov., 1er au 10 fév. et dim. – **Repas** *(fermé lundi et le sauf dim. et fériés)* 19 (dîner), 33,60/50,30 ♀ – ☕ 9,15 – **17 ch** 36,60/70 – ½ P 50/61

XX **Poste** avec ch, pl. Grève ☎ 03 25 94 12 63, *Fax 03 25 94 36 23,* 🏕 – TV 📞 🚗. AE ⓓ
fermé 10 au 27 janv. et dim. soir – **Repas** 12,20/33,54, enf. 6,86 – ☕ 4,57 – **10 ch** 3
42,69 – ½ P 32,01/35,06

JOINVILLE-LE-PONT *94 Val-de-Marne* 61 ①, 101 ㉗ *– voir à Paris, Environs.*

JONCY *71460 S.-et-L.* 69 ⑱ *– 457 h alt. 236.*
Env. *Mont St-Vincent* ✳★★ *O : 12 km,* **G. Bourgogne.**
Paris 369 – Chalon-sur-Saône 34 – Mâcon 51 – Montceau-les-Mines 22 – Paray-le-Moni

XX **Commerce** avec ch, ☎ 03 85 96 27 20, *Fax 03 85 96 21 76,* 🏕 – TV 📞 P. GB
fermé 2 au 25 janv. – **Repas** *(fermé merc.)* 10 (déj.), 15/38 ♀, enf. 10 – ☕ 6 – **9 ch** 33
½ P 38/45

JONS *69330 Rhône* 74 ⑫, 110 ⑰ *– 1 094 h alt. 205.*
Paris 473 – Lyon 26 – Meyzieu 9 – Montluel 8 – Pont-de-Chéruy 12.

🏠 **Auberge de Jons** M sans rest, rte Pont ☎ 04 78 31 29 85, *hotel.de.jons@wanad*
Fax 04 72 02 48 24, ≤, 🏊, 🎾 – TV 📞 ♿ P – 🏛 20 à 50. AE ⓓ GB
fermé 21 au 30 déc. – ☕ 9 – **25 ch** 76/99

XX **Auberge de Jons,** rte Pont ☎ 04 72 93 20 63, *Fax 04 72 93 20 64,* ≤, 🏕 – ▤ P.
GB
fermé dim. soir – **Repas** 19,82/50,31 ♀

JONZAC ⟨SP⟩ *17500 Char.-Mar.* 71 ⑥ *G. Poitou Vendée Charentes – 3 817 h alt. 40 – therm. (mi fév.-début déc.).*
ℹ *OMT 25 place du Château ☎ 05 46 48 49 29, Fax 05 46 48 51 07, Tourisme.Jc @wanadoo.fr.*
Paris 513 – Angoulême 58 – Bordeaux 86 – Cognac 36 – Royan 59 – Saintes 44.

X **Auberge du Moulin,** par rte de Pons : 2 km sur D 142 ☎ 05 46 48 39 76, 🏕, 🏞
GB
fermé vacances de fév., lundi soir, mardi soir et merc. – **Repas** 15,20/26 ♀, enf. 7

X **Bistro 108,** face gare ☎ 05 46 48 02 95, *Fax 05 46 48 02 95,* 🏕 – P. GB
fermé dim. soir et lundi – **Repas** 10,67/22,87 ♀

à Clam *Nord : 6 km par D 142 – 283 h. alt. 67 – ✉ 17500 :*

🏠 **Vieux Logis** M, ☎ 05 46 70 20 13, *Fax 05 46 70 20 64,* 🏕, 🏊, 🏞 – TV 📞 ♿ P –
AE ⓓ GB. ✻ ch
fermé 12 janv. au 4 fév., dim. soir et lundi d'oct. à avril – **Repas** 14/31 ♀, enf. 9 – ☕ 7 –
39/48 – ½ P 43/48

au Sud *: 12 km par D 19 – ✉ 17130 Tugeras-St-Maurice :*

X **Au Sarment,** ☎ 05 46 49 06 05, *Fax 05 46 49 05 98,* 🏕, 🏞 – P. ⓓ GB
fermé 1er au 15 mars, mardi soir et merc. – **Repas** 10/19 🍷

JOSSELIN *56120 Morbihan* 63 ④ *G. Bretagne – 2 419 h alt. 58.*
Voir *Château*★★ *: façade*★★ *– Basilique N.-D.-du-Roncier*★ *– ≤*★ *du Pont Ste-Croix.*
ℹ *Office du tourisme Place de la Congrégation ☎ 02 97 22 36 43, Fax.*
Paris 428 – Vannes 44 – Dinan 85 – Lorient 75 – Rennes 80 – St-Brieuc 75.

Château, 1 r. Gén. de Gaulle 📞 02 97 22 20 11, *contact@hotel-chateau.com*, Fax 02 97 22 34 09, ≤, 🍴 – 📺 📞 ⇔ 📶 – 🛁 30. 🅰🅴 ᴳᴮ
fermé 23 au 31 déc. et fév. – Repas 13,57/38,11 ♀, enf. 7,62 – ☲ 6,10 – **36 ch** 42,69/62,50 – ½ P 43,45

JARRE 77 S.-et-M. 56 ⑬ – *rattaché à La Ferté-sous-Jouarre.*

CAS 84220 Vaucluse 81 ⑬ – 317 h alt. 263.
Paris 722 – Apt 15 – Avignon 42 – Carpentras 31 – Cavaillon 21.

Hostellerie Le Phébus (Mathieu) ⬙, rte Murs 📞 04 90 05 78 83, *resphebus@wanadoo.fr*, Fax 04 90 05 73 61, ≤ le Luberon, 🍴, 🏊, 🎾, 🛎️ – 🟰 ch, 📺 📞 ♿ 📶 🅰🅴 ᴳᴮ
15 mars-31 oct. – Repas *(fermé mardi midi, merc. midi et jeudi)* 33,54/53,36 ♀ – ☲ 14,48 – **21 ch** 164,64/228,67, 5 appart – ½ P 137,20/169,98
Spéc. Barigoule de céleri et pâtisson, foie de canard gras. Chaud-froid d'oeuf mollet au basilic. Filet de sole de ligne poêlé au beurre demi-sel. Vins Côtes du Ventoux, Côtes du Lubéron.

Mas des Herbes Blanches ⬙, rte Murs : 2,5 km 📞 04 90 05 79 79, *masherbes@relais chateaux.com*, Fax 04 90 05 71 96, ≤ le Luberon, 🍴, 🏊, 🎾, 🛎️ – 🟰 ch, 📺 📶 🅰🅴 🅾 ᴳᴮ
fermé 3 janv. au 9 mars – Repas 38/68 et carte 67 à 90 – ☲ 17 – **16 ch** 185/329, 3 appart – ½ P 143,50/233,50
Spéc. Grosses gambas piquées de vanille bourbon. Lièvre à la royale (1er oct. au 3 janv.). Fraises marinées au basilic et à l'huile d'olive (1er juin au 25 sept.). Vins Côtes du Ventoux.

Mas du Loriot ⬙, rte Murs : 4 km 📞 04 90 72 62 62, *mas.du.loriot@wanadoo.fr*, Fax 04 90 72 62 54, ≤ le Luberon, 🍴, « Dans la garrigue », 🏊 – 📺 📶 ᴳᴮ
hôtel: 6 mars-30 nov.; rest.: 6 mars-4 nov. – Repas *(fermé mardi, jeudi, sam. et dim.)* *(dîner seul.)* *(résidents seul.)* 20 ♀ – ☲ 11 – **8 ch** 86/115

JÉ-LÈS-TOURS 37 I.-et-L. 64 ⑮ – *rattaché à Tours.*

JGNE 25370 Doubs 70 ⑦ G. Jura – 1 198 h alt. 1001 – Sports d'hiver : voir Métabief.
Paris 465 – Besançon 80 – Champagnole 51 – Lausanne 48 – Morez 50 – Pontarlier 21.

Couronne, 📞 03 81 49 10 50, Fax 03 81 49 19 77, 🍴, 🞨 – ✅. ᴳᴮ. 🞨 rest
fermé 26 oct. au 30 nov., dim. soir et lundi soir hors vacances scolaires et fériés – Repas 15/39, enf. 8 – ☲ 5,50 – **12 ch** 26/52 – ½ P 39/49

ntre-lès-Fourgs Sud-Est : 4,5 km par D 423 – ✉ 25370 Les Hôpitaux-Neufs :

Les Petits Gris ⬙, 📞 03 81 49 12 93, Fax 03 81 49 13 93, ≤, 🎾 – 📺 🅾 ᴳᴮ
fermé 24 sept. au 15 oct. – Repas *(fermé merc.)* 14/27,50 ♌, enf. 8,50 – ☲ 8,50 – **13 ch** 37/43 – ½ P 45/49

JOUVENTE 35 I.-et-V. 59 ⑤ – *rattaché à Dinard.*

VEUSE 07260 Ardèche 80 ⑧ G. Vallée du Rhône – 1 483 h alt. 180.
Voir Corniche du Vivarais Cévenol★★ O.
🛈 Office du tourisme Route D104 📞 04 75 39 56 76, Fax 04 75 39 58 87.
Paris 655 – Alès 55 – Mende 96 – Privas 53.

Cèdres, 📞 04 75 39 40 60, *hotelcedres@wanadoo.fr*, Fax 04 75 39 90 16, 🏊, 🎾 – 🛗, 🟰 ch, 📺 ♿ 📶 🅰🅴 🅾 ᴳᴮ. 🞨 rest
15 avril-15 oct. – Repas 12,50/28 ♀, enf. 7 – ☲ 7 – **44 ch** 47/55 – ½ P 53

AN-LES-PINS 06160 Alpes-Mar. 84 ⑨, 115 ㉟ ㊴ G. Côte d'Azur – Casino Eden Beach **FZ**.
Env. Massif de l'Esterel★★★ – Massif de Tanneron★.
🛈 Office de tourisme 51 bd Ch.-Guillaumont 📞 04 92 90 53 05.
Paris 918 ③ – Cannes 10 ② – Aix-en-Provence 161 ③ – Nice 22 ①.

Plan page suivante

Juana ⬙, la Pinède, av. G. Gallice 📞 04 93 61 08 70, *info@hotel-juana.com*, Fax 04 93 61 76 60, 🍴, 🏊 – 🛗, 🟰 ch, 📺 📶 – 🛁 25. 🅰🅴 ᴳᴮ ᴶᶜᴮ   FZ f
10 avril-31 oct. – **Terrasse-Christian Morisset** 📞 04 93 61 20 37-*(dîner seul.en juil.-août)* *(fermé lundi midi, jeudi midi et merc. sauf juil.-août)* Repas 52(déj), 92/120 et carte 90 à 140 ♀ – ☲ 19 – **45 ch** 185/457, 5 appart – ½ P 217,50/313,50
Spéc. Cannelloni de supions et palourdes à l'encre de seiche. Selle d'agneau de Pauillac cuite en terre d'argile de Vallauris. Millefeuille de fraises des bois à la crème de mascarpone. Vins Bellet, Côtes de Provence.

Accès et sorties : voir à Antibes

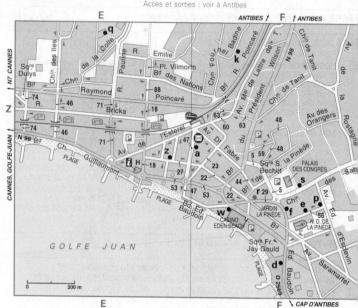

664

🏨🏨🏨🏨 **Belles Rives,** bd E. Baudoin ℘ 04 93 61 02 79, info@bellesrives.com, Fax 04 93 67 4
≤ mer et massif de l'Estérel, 帝, « Bel ensemble ''Art Déco'' en bord de mer », 🐦 –
📺 ✆ 🅰🅴 🅶🅱 🄽🄲🄱, ⚹ rest
FZ
10 mars-10 nov. – Repas (dîner seul.) 59,50/83,80 ♀ **- Plage Belles Rives** (déj. seul.) Re
carte 42 à 86 ♀, enf. 16 – ⚌ 18,30 – **40 ch** 215/550, 5 appart

🏨🏨🏨 **Méridien Garden Beach** Ⓜ, 15 bd Baudoin ℘ 04 92 93 57 57, contact@lemeric
juanlespins.com, Fax 04 92 93 57 56, ≤, 帝, 𝕝ఠ, 🏊, 🐦 – 🛗 ⚹❄ 🗏 ch, 📺 ✆ 👌 ⇌ – 🧴
🅰🅴 ⓪ 🅶🅱 🄽🄲🄱
FZ
Plage (1ᵉʳ avril-15 oct.) Repas carte 33 à 58 ♀, enf. 11 – ⚌ 19 – **171 ch** 270/850, 4 appa

🏨🏨 **Ambassadeur** Ⓜ, 50 chemin des Sables ℘ 04 92 93 74 10, Fax 04 93 67 79 85, 𝕝ఠ
🏊 – 🛗 ⚹❄, 🗏 ch, 📺 ✆ 👌 – 🧴 250. 🅰🅴 ⓪ 🅶🅱 🄽🄲🄱
FZ
Le Gauguin (fermé le midi en juil.-août) Repas 24,44 ♀, enf. 13,72 – **Grill Les Palmiers**
seul.) (19 juin-16 sept.) Repas carte 27 à 33 – ⚌ 16,77 – **221 ch** 162/488, 4 appart

annexe La Villa de l'Ambassadeur 🏨 ⌘ sans rest, av. Saram
℘ 04 92 93 48 00, manager@hotel-ambassadeur.com, Fax 04 93 61 86 78, 🏊, 帝 – 🛗
📺 ✆ 🅿 – 🧴 15. 🅰🅴 🅶🅱
FZ
31 mars-30 oct. – ⚌ 14 – **26 ch** 149/350

🏨 **Ste-Valérie** ⌘, r. Oratoire ℘ 04 93 61 07 15, saintevalerie@juanlespins
Fax 04 93 61 47 52, 帝, 🏊, 帝 – 🛗, 🗏 ch, 📺 ⇌ 🅿 🅶🅱, ⚹
FZ
29 mars-15 oct. – Repas (fermé jeudi) (dîner seul.) 27,50 – ⚌ 12 – **30 ch** 99/18
½ P 104,50/130,50

annexe Villa Christie 🏨 ⌘ sans rest, ℘ 04 93 61 01 98, christie@juanlespins
Fax 04 93 61 47 52, 帝 – 📺 🅿, ⚹
FZ
29 mars-15 oct. – ⚌ 7 – **11 ch** 61/84

🏨 **Mimosas** ⌘ sans rest, r. Pauline ℘ 04 93 61 04 16, Fax 04 92 93 06 46, « Parc fleu
🏊, 🏊 – 📺 🅿 🅰🅴 🅶🅱, ⚹
EZ
1ᵉʳ mai-30 sept. – ⚌ 10 – **31 ch** 78/106, 3 appart

🏨 **Astoria** Ⓜ, 15 av. Mar. Joffre ℘ 04 93 61 23 65, *astoria@dial.oleane.com,*
Fax 04 93 67 10 40 – 📲 cuisinette ❄️ 🗏 📺 🖪 ⚑ 🅐🅔 ⓞ ⮂ – 🈺 FZ **a**
Repas *(fermé 15 nov. au 20 déc., lundi et mardi) (dîner seul.)* 17 – 🍽 11 – **49 ch** 100/125 –
½ P 90,50

🏨 **Eden Hôtel** sans rest, 16 av. L. Gallet ℘ 04 93 61 05 20, Fax 04 92 93 05 31 – 📺 ⮂. ⮂
mars-sept. – 🍽 5,40 – **17 ch** 58/79 EZ **z**

🏨 **Astor** sans rest, 61 r. Ch. Fournel Badine ℘ 04 92 93 34 00, Fax 04 92 93 34 01 – cuisinette
🗏 📺 ⚡ ⚑ 🅐🅔 ⓞ ⮂ FZ **k**
🍽 6,10 – **19 ch** 400/550

🏨 **Juan Beach**, r. Oratoire ℘ 04 93 61 02 89, *juan.beach@atsat.com,* Fax 04 93 61 16 63, �です
– 🗏 ch, 📺 ⚑. ⮂. ❄️ ch FZ **e**
1ᵉʳ avril-15 nov. – **Repas** 24/40 – 🍽 6,50 – **26 ch** 70/92, (½ pens. seul. mi-juin à mi-sept.) –
½ P 60/70

🍴🍴 **Bijou Plage**, bd Guillaumont ℘ 04 93 61 39 07, Fax 04 93 67 81 78, ≤ îles de Lérins, 🌳,
▲ – 🗏. 🅐🅔 ⓞ ⮂ voir plan d'Antibes AU **d**
Repas 18,30 (déj.), 26,70/44,20 ⚘, enf. 11,43

🍴🍴 **Perroquet**, La Pinède, av. G. Gallice ℘ 04 93 61 02 20, Fax 04 93 61 02 20, 🌳 – 🗏. ⮂
fermé 2 nov. au 26 déc. – **Repas** 24,39/29,73 ⚘ FZ **r**

JULIÉNAS 69840 Rhône **74** ① G. Vallée du Rhône – 792 h alt. 276.
Paris 404 – Mâcon 15 – Bourg-en-Bresse 52 – Lyon 66 – Villefranche-sur-Saône 31.

🏨 **Vignes** 🏖 sans rest, rte St-Amour : 0,5 km ℘ 04 74 04 43 70, *hoteldesvignes@wanadoo.*
fr, Fax 04 74 04 41 95 – 📺 ⚓ ⚑ 🅐🅔 ⮂
🍽 6,25 – **22 ch** 36,59/45,73

🍴🍴 **Le Coq à Juliénas**, pl. Marché ℘ 04 74 04 41 98, *leon@relaischateaux.fr,*
Fax 04 74 04 41 44, 🌳 – 🅐🅔 ⮂
fermé déc., janv., mardi soir et merc. – **Repas** 20/29, enf. 10

🍴🍴 **Chez la Rose** avec ch, pl. Marché ℘ 04 74 04 41 20, *info@chez-la-rose.fr,*
Fax 04 74 04 49 29, 🌳 – 📺 ⚡. 🅐🅔 ⓞ ⮂ 🅹🅒🅑
fermé 15 au 25 déc., 8 au 28 fév., lundi (sauf hôtel en été),mardi midi , jeudi midi et vend.
midi – **Repas** 24/56 ⚘, enf. 12 – 🍽 8 – **10 ch** 47/58 – ½ P 51/85

JULLOUVILLE 50610 Manche **59** ⑦ G. Normandie Cotentin – 1 506 h alt. 60.
Env. ≤⭐⭐ de Carolles.
🛈 Office du tourisme Place de la Gare ℘ 02 33 61 82 48, Fax 02 33 61 52 99, *otjullou@club-*
internet.fr.
Paris 345 – St-Lô 64 – St-Malo 89 – Avranches 23 – Granville 9.

🏨 **Equinoxe** sans rest, 28 av. Libération ℘ 02 33 50 60 82, Fax 02 33 50 87 71, « Beaux
meubles anciens », 🌳 – 📺 ⚓ ⚑. ⮂
1ᵉʳ avril-30 sept. – 🍽 6 – **12 ch** 46/60

JUMIÈGES 76480 S.-Mar. **55** ⑤ G. Normandie Vallée de la Seine – 1 714 h alt. 25.
Voir *Ruines de l'abbaye*⭐⭐⭐.
Bac: de Jumièges - renseignements ℘ 02 35 95 94 74.
Paris 160 – Rouen 28 – Caudebec-en-Caux 16.

🍴🍴 **Auberge des Ruines**, ℘ 02 35 37 24 05, Fax 02 35 37 87 34, 🌳 – 🅐🅔 ⮂ 🅹🅒🅑
fermé 20/08 au 5/09 , 20/12 au 10/01, lundi soir et jeudi soir de nov. au 15 mars, dim. soir,
mardi soir et merc. – **Repas** 15 (déj.), 22/44

JUNGHOLTZ 68 H.-Rhin **62** ⑱ – rattaché à Guebwiller.

JURANÇON 64 Pyr.-Atl. **85** ⑥ – rattaché à Pau.

JUVIGNAC 34 Hérault **83** ⑦ – rattaché à Montpellier.

JUVIGNY-SOUS-ANDAINE 61140 Orne **60** ① – 1 055 h alt. 200.
Paris 241 – Alençon 50 – Argentan 47 – Domfront 12 – Mayenne 34.

🍴🍴 **Au Bon Accueil** avec ch, ℘ 02 33 38 10 04, Fax 02 33 37 44 92 – 🗏 rest, 📺 ⮂. ⮂
fermé 15 fév. au 15 mars, dim. soir et lundi – **Repas** 13 (déj.), 25/34 ⚘, enf. 11 – 🍽 7 – **8 ch**
40/52 – ½ P 46

🍴 **Forêt** avec ch, ℘ 02 33 38 11 77 – ⮂
⮂ *fermé 26 déc. au 15 janv.* – **Repas** 13,07/24,40 ⚘, enf. 7,70 – 🍽 5,40 – **7 ch** 35/41,20

KATZENTHAL 68230 H.-Rhin 87 ⑰ – 497 h alt. 280.

Paris 441 – Colmar 7 – Gérardmer 53 – Munster 18 – St-Dié 48.

XX **A l'Agneau** avec ch, ℰ 03 89 80 90 25, hotel-restaurant.agneau@wanadoo.f
Fax 03 89 27 59 58, 斎 – ⊡ 🅿. ⅁ℬ. ⅍ ch
fermé 1ᵉʳ au 10 juil., 12 au 20 nov. et 6 janv. au 5 fév. – **Repas** (fermé lundi et mardi sauf
soir de juil. à mi-oct.) 12 (déj.), 18/43 ⅀, enf. 8 – ⚌ 7 – **12 ch** 43/55 – ½ P 43/54

KAYSERSBERG 68240 H.-Rhin 62 ⑱ G. Alsace Lorraine – 2 676 h alt. 242.

Voir Église Ste-Croix ★ : retable★★ – Hôtel de ville★ - Vieilles maisons★ – Pont fortifié★
Maison Brief★.

🛈 Office du tourisme 39 rue du Général de Gaulle ℰ 03 89 78 22 78, Fax 03 89 78 27 4
ot.kaysersberg@calixo.net.

Paris 434 – Colmar 11 – Gérardmer 47 – Guebwiller 35 – Munster 22 – St-Dié 41 – Sélestat 2

🏯 **Chambard et sa Résidence** Ⓜ ⅍, r. Gén. de Gaulle ℰ 03 89 47 10 17, hotelrestaura
chambard@wanadoo.fr, Fax 03 89 47 35 03, 斎 – 🛗 ⊡ ℭ 🅿. – 🛣 25. ⅁ℰ ⅁ℭ🅑. ⅍
Repas (fermé mardi midi et lundi) 29 (déj.), 40/65 ⅀ - **Winstub : Repas** (15/18,50⅀, enf. 9
⚌ 10 – **20 ch** 85/130 – ½ P 97,50/120

🏠 **Les Remparts** Ⓜ ⅍ sans rest (annexe Les Terrasses 🏯 Ⓜ 🛗 15 ch), 4 r. Flie
ℰ 03 89 47 12 12, hotel@lesremparts.com, Fax 03 89 47 37 24 – cuisinette ⊡ ℭ 🅿 ⇦
🛣 25. ⅁ℰ ⅁ℬ
⚌ 6,25 – **40 ch** 50/75

🏠 **A l'Arbre Vert** (annexe Belle Promenade 14 ch), 1 r. Haute du Rempart ℰ 03 89 47 11 5
Fax 03 89 78 13 40 – ⊡. ⅁ℬ
fermé 5 janv. au 15 fév. – **Repas** (fermé mardi midi et lundi) 22,20/42,70, enf. 9,20 – ⚌ 6,
– **35 ch** 53,40/65,60 – ½ P 62/64

🏠 **Constantin** Ⓜ ⅍ sans rest, 10 r. Père Kohlman ℰ 03 89 47 19 90, reservation@ho
constantin.com, Fax 03 89 47 37 82 – 🛗 ⊡ ℭ ⇦ – 🛣 25. ⅁ℬ. ⅍
⚌ 6 – **20 ch** 46/64

X **Vieille Forge**, 1 r. Écoles ℰ 03 89 47 17 51, Fax 03 89 78 13 53 – ▤. ⅁ℬ
fermé 4 au 27 juil., vacances de fév., mardi et merc.
Repas 18,29/33,54 ⅀, enf. 8,38

X **Couvent**, 1 r. Couvent ℰ 03 89 78 23 29, Fax 03 89 47 31 62 – ⅁ℬ. ⅍
fermé 24 déc. au 28 janv., lundi soir et mardi – **Repas** 19,10/46,50 ⅀

à Kientzheim Est : 3 km par D 28 – 827 h. alt. 225 – ⊠ 68240 :

Voir Pierres tombales★ dans l'église.

🏠 **Hostellerie Schwendi**, ℰ 03 89 47 30 50, Fax 03 89 49 04 49, 斎 – ⊡ 🅿. ⅁ℰ ⓞ ⅁ℬ
hôtel : fermé 2 janv. au 15 mars et merc. ; rest. : fermé 23 déc. au 15 mars, jeudi midi
merc. – **Repas** 19/51 ⅀ – ⚌ 7 – **17 ch** 54/67

🏠 **Hostellerie de l'Abbaye d'Alspach** sans rest, ℰ 03 89 47 16 00, Fax 03 89 78 29
« Ancien couvent du 13ᵉ siècle » – ⊡ ℭ 🅿. ⅁ℰ ⓞ ⅁ℬ
fermé 7 janv. au 15 mars – ⚌ 8,40 – **29 ch** 58/122, 4 appart

---

KEMBS-LOÉCHLÉ 68680 H.-Rhin 87 ⑨.

Paris 493 – Mulhouse 25 – Altkirch 26 – Basel 16 – Belfort 69 – Colmar 58.

X **Les Écluses**, 8 r. Rosenau ℰ 03 89 48 37 77, restaurant.les.ecluses@freesbee
Fax 03 89 48 49 31, 斎 – 🅿. ⅁ℬ
fermé vacances de Toussaint, de fév., merc. soir d'oct. à avril, dim. soir et lundi – **Repas**
(déj.), 14,20/39, enf. 9

KIENTZHEIM 68 H.-Rhin 62 ⑱ ⑲ – rattaché à Kaysersberg.

KILSTETT 67840 B.-Rhin 87 ④ – 1 923 h alt. 130.

Paris 490 – Strasbourg 14 – Haguenau 23 – Saverne 51 – Wissembourg 60.

🏠 **Oberlé**, 11 rte Nationale ℰ 03 88 96 21 17, oberle@hotel-oberle.fr, Fax 03 88 96 62
斎 – ⊡ ℭ 🅿. ⅁ℬ
fermé 12 août au 1ᵉʳ sept. et 13 au 28 fév. – **Repas** (fermé vend. midi et jeudi) 9,50 (d
18,50/36 ⅀, enf. 9,50 – ⚌ 5 – **23 ch** 27/51 – ½ P 32,50/36

Le KREMLIN-BICÊTRE 94 Val-de-Marne 61 ①, 101 ㉘ – voir à Paris, Environs.

---

*Un automobiliste averti utilise le **Guide Rouge Michelin** de l'année.*

...TH 68820 H.-Rhin **62** ⑱ – 1 010 h alt. 498.

Voir *Cascade St-Nicolas★ SO : 3 km par D 13^b¹ – Musée du textile et des costumes de Haute-Alsace à Husseren-Wesserling SE : 6 km,* G. Alsace Lorraine.

Paris 451 – Épinal 67 – Mulhouse 40 – Colmar 61 – Gérardmer 31 – Thann 20 – Le Thillot 26.

🏠 **Auberge de France**, rte Oderen ℘ 03 89 82 28 02, *aubergedefrance@wanadoo.fr,* Fax 03 89 82 24 05, 🞱 – 🔟 **P**. **GB**
fermé 17 au 30 juin, 2 au 7 fév.et jeudi – **Repas** 9,50 (déj.), 14,50/38 ⅌, enf. 7,50 – 🖵 6 – **16 ch** 33/45 – ½ P 35

...AROCHE 68910 H.-Rhin **62** ⑱ – 1 985 h alt. 750.

Paris 437 – Colmar 17 – Gérardmer 49 – Munster 25 – St-Dié 44.

🏠 **Au Tilleul** ♨, ℘ 03 89 49 84 46, *au-tilleul@wanadoo.fr,* Fax 03 89 78 91 88, 🞱 – ⧉ 🔟 **P**.
🕾 **GB**. 🞱 rest
fermé 6 janv. au 6 fév. et lundi de nov. à mars – **Repas** 13/20 ⅌ – 🖵 5,50 – **30 ch** 44 – ½ P 42

🍴 **Rochette** avec ch, ℘ 03 89 49 80 40, *hotel-la-rochette@wanadoo.fr,* Fax 03 89 78 94 82, 🞱 – 🔟 **P**. **GB**
fermé 12 au 21 nov., 18 fév. au 12 mars, – **Repas** 16/39, enf. 8,50 – 🖵 7 – **7 ch** 53,50 – ½ P 50

...ARTHE-INARD 31800 H.-Gar. **86** ② – 781 h alt. 330.

Paris 782 – Bagnères-de-Luchon 56 – St-Gaudens 11 – Toulouse 85.

🏠 **Hostellerie du Parc**, N 117 ℘ 05 61 89 08 21, Fax 05 61 95 99 14, 🞱 – 🔟 🞱 & **P**. ➊
🕾 **GB**
fermé fév., dim. soir et lundi – **Repas** 11,40/39 ⅃, enf. 7,65 – 🖵 5,50 – **16 ch** 38,10/45,75 – ½ P 36,75/44,40

Towns underlined in red on the **Michelin maps**
at a scale of 1 : 200 000 are included in this Guide.

Use the latest map to take full advantage of this information.

...ARTHE-SUR-LÈZE 31860 H.-Gar. **82** ⑱ – 4 632 h alt. 162.

Paris 721 – Toulouse 20 – Auch 89 – Pamiers 45 – St-Gaudens 82.

🞱🞱 **Poêlon**, ℘ 05 61 08 68 49, Fax 05 61 08 78 48, 🞱 – **GB**
fermé 22 déc. au 6 janv., dim. et lundi – **Repas** 21/36,50

🞱🞱 **Rose des Vents**, carrefour D 19-D 4 ℘ 05 61 08 67 01, Fax 05 61 08 85 84, 🞱, 🞱 – **P**.
🕾 ➊ **GB**
fermé 18 août au 5 sept., 1ᵉʳ au 11 mars, dim., lundi et mardi – **Repas** 14 (déj.), 21/34

...BASTIDE-MURAT 46240 Lot **75** ⑱ G. Périgord Quercy – 690 h alt. 447.

🗒 *Office du tourisme Place Daniel Roques ℘ 05 65 21 11 39, Fax 05 65 21 11 39.*

Paris 551 – Cahors 32 – Sarlat-la-Canéda 48 – Brive-la-Gaillarde 68 – Figeac 47 – Gourdon 22.

🏠 **Kyriad** Ⓜ, ℘ 05 65 21 18 80, *kyriad.labastide@wanadoo.fr,* Fax 05 65 21 10 97, 🞱 – 🞱,
⬜ ch, 🔟 🞱 🕾 ➊ **GB**
fermé 15 déc. au 15 janv. – **Repas** 11 (déj.), 15/25 ⅃, enf. 7 – 🖵 6 – **20 ch** 51/54 – ½ P 42

...C voir au nom propre du lac.

...CABARÈDE 81240 Tarn **83** ⑫ – 304 h alt. 325.

Paris 752 – Béziers 70 – Carcassonne 53 – Castres 36 – Mazamet 18 – Narbonne 61.

🏠 **Demeure de Flore** ♨, ℘ 05 63 98 32 32, *demeure.de.flore@hotelrama.com,* Fax 05 63 98 47 56, 🞱, 🞱, 🞱 – 🔟 & ⇍ **P**. ➊ **GB** **JCB**. 🞱 rest
fermé 6 au 21 janv. et lundi hors saison – **Repas** 22,87 (déj.)/29,73 ⅌, enf. 16,77 – 🖵 9,45 – **11 ch** 59,45/83,85 – ½ P 78,51/82,32

...CANAU-OCÉAN 33680 Gironde **71** ⑱ G. Aquitaine.

Voir *Lac de Lacanau★ E : 5 km.*

Paris 638 – Bordeaux 63 – Andernos-les-Bains 38 – Arcachon 87 – Lesparre-Médoc 52.

🏠 **Aplus** Ⓜ ♨, rte Baganais ℘ 05 56 03 91 00, *aplus.lacanau@wanadoo.fr,* Fax 05 56 03 91 10, 🞱, 🞱, 🞱, 🞱, 🞱 – 🞱 🔟 🞱 & **P** – 🞱 15 à 70. 🕾 ➊ **GB**
fermé 1ᵉʳ déc. au 28 fév. – **Repas** 20, enf. 10 – 🖵 8,50 – **57 ch** 80/96 – ½ P 76,50

LACAPELLE-MARIVAL *46120 Lot* **75** ⑲ ⑳ *G. Périgord Quercy – 1 247 h alt. 375.*

ℹ *Office du tourisme Place de la Halle ✆ 05 65 40 81 11, Fax 05 65 40 81 11.*

Paris 562 – Cahors 63 – Aurillac 65 – Figeac 21 – Gramat 21 – Rocamadour 32 – Tulle 77

⌂ ☺ **Terrasse,** près château ✆ 05 65 40 80 07, *terrasse2@wanadoo.fr, Fax 05 65 40 99 45* – TV ✆. GB
fermé 2 janv. à début mars, dim. soir et lundi hors saison – **Repas** *(fermé mardi midi, soir et lundi sauf juil.-août, lundi midi en juil.-août)* 12,20/33,54 🍶, enf. 8,38 – ☕ 6,
13 ch 32,01/48,78 – ½ P 42,69/45,73

LACAPELLE-VIESCAMP *15150 Cantal* **76** ⑪ *– 434 h alt. 550.*

Paris 554 – Aurillac 19 – Figeac 57 – Laroquebrou 11 – St-Céré 49.

⌂ ⊚ **Lac** ☽, ✆ 04 71 46 31 57, *hoteldulac@wanadoo.fr, Fax 04 71 46 31 64,* <, ≋, ♣ – ♿ P. ⓓ GB. ⊘
fermé janv., fév., dim. soir et vend. du 1er nov. au 15 avril – **Repas** 14/30,50 🍷, enf. 8 – ☕
23 ch 50/58 – ½ P 47/50

LACAUNE *81230 Tarn* **83** ③ *G. Midi-Pyrénées – 2 914 h alt. 793 – Casino.*

ℹ *Office du tourisme - Mairie Place Général de Gaulle ✆ 05 63 37 04 98, Fax 05 63 37 0*

Paris 710 – Albi 68 – Béziers 90 – Castres 46 – Lodève 72 – Millau 69 – Montpellier 131.

⌂⌂ ⊚ **Fusiès,** r. République ✆ 05 63 37 02 03, *espoutis@infonie.fr, Fax 05 63 37 10 98,* ☂, ⇕ TV. AE ⓓ GB JCB
fermé 3 au 21 janv., vend. soir et dim. soir du 15 nov. au 15 mars – **Repas** 13,42/56,4 enf. 9,90 – ☕ 7 – **48 ch** 45,70/59,46, 4 appart – ½ P 56,40/59,45

XX ⊚ **Calas** avec ch, pl. Vierge ✆ 05 63 37 03 28, *hotelcalas@wanadoo.fr, Fax 05 63 37 09 19* ♣ – TV. AE ⓓ GB JCB
fermé 15 déc. au 15 janv., vend. soir et sam. midi d'oct. au 10 mars – **Repas** 13,70/38,1 enf. 8,99 – ☕ 5,49 – **16 ch** 40,40 – ½ P 38,11/39,64

LACAVE *46200 Lot* **75** ⑱ *G. Périgord Quercy – 293 h alt. 130.*

Voir Grottes★.

Paris 534 – Brive-La-Gaillarde 51 – Sarlat-La-Canéda 41 – Cahors 61 – Gourdon 26.

⌂⌂⌂⌂ ✿ **Château de la Treyne** ☽, Ouest : 3 km par D 23, D 43 et voie privée ✆ 05 65 27 60 *Fax 05 65 27 60 70,* <, ☂, « Château du 17e siècle dominant la Dordogne, jardin française », ≋, ♣, ✗, ⚕ – ⇕ ▤ TV ✆ P. AE ⓓ GB JCB
29 mars-11 nov. et 27 déc.-5 janv. – **Repas** *(fermé mardi midi, merc. midi et jeudi mid* (déj.), 55/80 et carte 70 à 90 🍷 – ☕ 15 – **16 ch** 240/320 – ½ P 150/230
Spéc. Foie gras de canard en terrine. Rognonnade d'agneau rôti à la moutarde de th Corne d'abondance aux fruits rouges confits. **Vins** Bergerac, Cahors.

XXX ✿ **Pont de l'Ouysse** (Chambon) ☽ avec ch, ✆ 05 65 37 87 04, *pont.ouysse@wanado Fax 05 65 32 77 41,* <, ☂, « Promenade aménagée au bord de la rivière », ≋, ♣ – ▤ TV ✆ P. AE ⓓ GB JCB
début mars-11 nov. et fermé lundi sauf le soir en saison et mardi midi – **Repas** 28/9 carte 62 à 95 🍷 – ☕ 13 – **14 ch** 130/153 – ½ P 138
Spéc. Foie de canard "Bonne Maman". Cassolette d'écrevisses aux parfums de l'Ou (juin à nov.). Estouffade de légumes aux truffes. **Vins** Cahors.

LACHAPELLE-SOUS-AUBENAS *07 Ardèche* **80** ⑨ *– rattaché à Aubenas.*

LACHASSAGNE *69 Rhône* **74** ①, **110** ② *– rattaché à Anse.*

LACROIX-FALGARDE *31 H.-Gar.* **82** ⑱ *– rattaché à Toulouse.*

LACROST *71 S.-et-L.* **69** ⑳ *– rattaché à Tournus.*

LADOIX-SERRIGNY *21 Côte-d'Or* **69** ⑨ *– rattaché à Beaune.*

LAFARE *84190 Vaucluse* **81** ⑫ *– 97 h alt. 220.*

Paris 676 – Avignon 36 – Carpentras 13 – Nyons 34 – Orange 26.

⌂ **Grand Jardin** Ⓜ ☽, ✆ 04 90 62 97 93, *Fax 04 90 65 03 74,* < vignobles et Dentelles Montmirail, ☂, ≋, ♣ – TV ♿. AE ⓓ GB
21 mars-3 nov. – **Repas** *(fermé mardi midi et lundi)* 16 (déj.), 24/32 🍷, enf. 11 – ☕ 9 – 8 77 – ½ P 64

AFFREY 38220 Isère **77** ⑤ *G. Alpes du Nord* – 311 h alt. 910.

Voir *Prairie de la Rencontre★*.

Paris 594 – Grenoble 29 – Le Bourg-d'Oisans 37 – La Mure 15 – Villard-de-Lans 58.

⚔ **Pacodière** ⛾ avec ch, rte du Lac ℮ 04 76 73 16 22, Fax 04 76 73 16 22, 斎, 痙 – **P**. 延

1ᵉʳ mai-3 oct., week-ends de nov. à avril (sauf janv.) et fermé dim. soir et lundi en sept.-oct.
*– Repas 20/32 ⵡ – ⵦ 6,50 – **3 ch** 46*

AGARDE-ENVAL 19150 Corrèze **75** ⑨ – 748 h alt. 480.

Paris 495 – Brive-la-Gaillarde 36 – Aurillac 71 – Mauriac 67 – St-Céré 51 – Tulle 14.

⚔ **Central** avec ch, ℮ 05 55 27 16 12, Fax 05 55 27 13 79 – 📺 ✇. GB, 🕸 ch
*fermé sept. et lundi – Repas 12 (déj.), 16/20 – ⵦ 6 – **7 ch** 28/34 – 1/2 P 40*

AGARRIGUE 81 Tarn **83** ① – rattaché à Castres.

AGUÉPIE 82250 T.-et-G. **79** ⑳ – 720 h alt. 149.

🚩 *Office du tourisme Place de Foirail ℮ 05 63 30 20 34, Fax 05 63 30 20 34.*

Paris 662 – Rodez 72 – Albi 38 – Montauban 68 – Villefranche-de-Rouergue 33.

🏛 **Les Deux Rivières,** ℮ 05 63 31 41 41, Fax 05 63 30 20 91 – 劇 📺 ♿. GB
fermé vacances de fév. – Repas (fermé vend. soir, sam. midi, dim. soir et lundi) 10 (déj.),
*14,50/28 √, enf. 8 – ⵦ 6 – **8 ch** 30/34 – 1/2 P 33*

AGUIOLE 12210 Aveyron **76** ⑬ *G. Midi-Pyrénées* – 1 248 h alt. 1004 – Sports d'hiver : 1 100/
1 400 m 🔜12 ❤.

🚩 *Office du tourisme Place du Foirail ℮ 05 65 44 35 94, Fax 05 65 44 35 76, ot-laguiole@*
wanadoo.fr.

Paris 576 – Aurillac 78 – Rodez 52 – Espalion 22 – Mende 78 – St-Flour 60.

🏛 **Grand Hôtel Auguy** (Mme Muylaert), ℮ 05 65 44 31 11, grand-hotel.auguy@wanadoo.
☸ *fr, Fax 05 65 51 50 81, 痙 – 劇 📺 ♿ ⛀. ⓪ GB*
26 mars-17 nov. et fermé dim. soir, mardi midi et lundi sauf le soir en juil.-août – Repas
(nombre de couverts limité, prévenir) 26 (déj.), 43,50/45,50 et carte 40 à 55 ⵡ, enf. 13,75 –
*ⵦ 8,40 – **20 ch** 59,50/79,30 – 1/2 P 61/70,90*
Spéc. Crépinettes de joues de porc confites à la crème de lentilles. Filet de boeuf Aubrac,
sauce au vin de Marcillac. Petite tasse de chocolat et mousseux au café. **Vins** Marcillac blanc
et rouge.

🏛 **Relais de Laguiole,** espace Les Cayres ℮ 05 65 54 19 66, relais-de-laguiole@wanadoo.
☸ *fr, Fax 05 65 54 19 49, ⵧ – 劇 📺 ♿ ⛀ – ⵤ 15 à 100. 延 ⓪ GB*
fermé 15 nov au 20 déc., 2 au 20 janv. et lundi hors saison – Repas (10) · 14/26,70 √, enf. 8,40
*– ⵦ 7,70 – **34 ch** 59/134 – 1/2 P 51/74*

🏛 **Régis,** ℮ 05 65 44 30 05, Fax 05 65 48 46 44, ⵨ – 劇 🍴 📺 ♿ **P**. 延 ⓪ GB
*fermé 11 nov. au 26 déc. – Repas (10,70) · 15/22,50 √, enf. 10,70 – ⵦ 5,20 – **24 ch** 39/62 –*
1/2 P 39/44,97

'Est : *6 km par rte d'Aubrac (D 15) – ⵧ 12210 Laguiole :*

🏛🏛 **Michel Bras** Ⓜ ⛾, ℮ 05 65 51 18 20, michel.bras@wanadoo.fr, Fax 05 65 48 47 02, 🕸
☸☸ *paysages de l'Aubrac, « Au sommet d'une colline » – 劇, ⵧ rest, 📺 ♿ **P**. 延 ⓪ GB. 🕸*
avril-oct. et fermé lundi sauf juil.-août – Repas (fermé mardi midi, merc. midi sauf juil.-août
et lundi) (nombre de couverts limité, prévenir) 44,40 (déj.), 80,86/126,84 et carte 90 à 120,
*enf. 19,02 – ⵦ 19,02 – **15 ch** 174,40/301,24*
Spéc. "Gargouillou" de jeunes légumes. Viandes, volailles et gibier de pays. Biscuit de
chocolat "coulant". **Vins** Marcillac, Gaillac.

Soulages-Bonneval *Ouest : 5 km par D 541 – 235 h. alt. 830 – ⵧ 12210 :*

🚗 **Auberge du Moulin** ⛾, ℮ 05 65 44 32 36, Fax 05 65 54 11 01, 斎, 痙 – ⵩ **P**. GB.
☸ 🕸
*fermé vend. soir d'oct. à juin sauf vacances scolaires – Repas 9,15/19,82 √ – ⵦ 4,27 – **12 ch***
19,82/25,92 – 1/2 P 24,39/27,44

LAIGNE 17170 Char.-Mar. **71** ② – 275 h alt. 12.

Paris 439 – La Rochelle 34 – Fontenay-le-Comte 38 – Niort 31 – Rochefort 46.

Ouest : *4 km par N 11, sortie Benon-Courçon – ⵧ 17170 Courçon :*

🏛 **Relais de Benon,** dir. Benon par D 116 ℮ 05 46 01 61 63, infos@bw-relais-benon.com,
*Fax 05 46 01 70 89, 斎, ⵨, 🎾 🏌 – 📺 **P**. – ⵤ 15 à 80. 延 ⓪ GB*
*Repas 14,06/40,63 ⵡ, enf. 8,75 – ⵦ 8,08 – **30 ch** 59,46/71,96 – 1/2 P 65,71*

LAJOUX 39 Jura **70** ⑮ – rattaché à Lamoura.

LALACELLE 61320 Orne **60** ② – 268 h alt. 300.

Env. Château de Carrouges★ N : 11 km, G. Normandie Cotentin.

Paris 211 – Alençon 19 – Argentan 35 – Domfront 42 – Falaise 57 – Mayenne 41.

✗ **Lentillère,** rte d'Alençon : 1,5 km sur N 12 ℰ 02 33 27 38 48, Fax 02 33 27 38 30, 🏤
⊜ – 🚗 **P. ⓪ ⒼⒷ**
fermé 15 janv. au 15 fév., dim. soir et lundi – **Repas** 12,50/26 ⵧ, enf. 7,50

LALANDE 31 H.-Gar. **82** ⑧ – rattaché à Toulouse.

LALINDE 24150 Dordogne **75** ⑮ – 2 966 h alt. 46.

🚹 Office du tourisme Jardin Public ℰ 05 53 61 08 55, Fax 05 53 61 00 64, ot.lalir
perigord.tm.fr.

Paris 537 – Périgueux 50 – Bergerac 23 – Brive-La-Gaillarde 97 – Villeneuve-sur-Lot 61.

🏨 **Périgord,** pl. 14-Juillet ℰ 05 53 61 19 86, philippe.amagat@wanado
⊜ Fax 05 53 61 27 49, 🏤 – 🔟 **Ⓥ. ⒶⒺ ⓪ ⒼⒷ ⒿⒸⒷ**
fermé 20 déc. au 10 janv. – **Repas** (fermé dim. soir et lundi sauf juil.-août) 14/69 ⵧ – ⵠ
16 ch 42/69 – ½ P 42/52

à St-Capraise-de-Lalinde Ouest, rte de Bergerac : 7 km – 531 h. alt. 42 – ⊠ 24150 :

✗ **Relais St-Jacques** avec ch, ℰ 05 53 63 47 54, Fax 05 53 73 33 52 – ▤ rest, 🔟 Ⓥ.
✾ rest
fermé 15 au 30 nov., vacances de fév. et merc. – **Repas** 14,48/33,54 ⵧ, enf. 9,60 – ⵠ 7,
7 ch 36,59/45,73 – ½ P 38,11/45,73

LALLEYRIAT 01130 Ain **74** ④ – 195 h alt. 850.

Paris 487 – Bourg-en-Bresse 60 – Genève 61 – Nantua 13 – Oyonnax 24.

✗✗ **Auberge Les Gentianes,** ℰ 04 74 75 31 80, Fax 04 74 75 30 60, 🏤 – ⒼⒷ
⊕ fermé 8 au 31 janv., dim. soir, mardi et merc. – **Repas** 20/36

LAMAGDELAINE 46 Lot **79** ⑧ – rattaché à Cahors.

LAMALOU-LES-BAINS 34240 Hérault **83** ④ G. Languedoc Roussillon – 2 156 h alt. 200 –
therm. (début fév.-mi déc.) – Casino.

Voir Église de St-Pierre-de-Rhèdes★ SO : 1,5 km.

Env. St-Pierre-de-Rhèdes★ SO : 1,5 km.

🚹 Office de tourisme 1 av. Capus ℰ 04 67 95 70 91, Fax 04 67 95 64 52, omt.Lamal
wanadoo.fr.

Paris 735 – Montpellier 79 – Béziers 39 – Lodève 37 – St-Pons-de-Thomières 38.

🏨 **L'Arbousier et Paix** ⤢, ℰ 04 67 95 63 11, arbousier.hotel@wanado
⊜ Fax 04 67 95 67 78, 🏤 – 📶 🔟 Ⓥ **P ⒶⒺ ⓪ ⒼⒷ**
Repas (9,50) - 14/40 ⵧ, enf. 8,50 – ⵠ 6,50 – **31 ch** 36,50/54 – P 50/55

🏨 **Belleville,** ℰ 04 67 95 57 00, hotel.belleville@wanadoo.fr, Fax 04 67 95 64 18 – 📶 🔟
⊜ ⒼⒷ
Repas (11) - 13,20/30 ⵧ, enf. 6,50 – ⵠ 5,80 – **57 ch** 24,40/46 – P 39,50/54

✗✗ **Les Marronniers,** 8 av. Capus ℰ 04 67 95 76 00, Fax 04 67 95 76 00, 🏤 – ▤. ⒶⒺ ⓪
⊕ fermé 2 au 22 janv., dim. soir et lundi – **Repas** (13) - 16/38 ⵧ

LAMARCHE-SUR-SAÔNE 21 Côte-d'Or **66** ⑬ – rattaché à Auxonne.

LAMASTRE 07270 Ardèche **76** ⑲ G. Vallée du Rhône – 2 467 h alt. 375.

🚹 Office du tourisme Place Montgolfier ℰ 04 75 06 48 99, Fax 04 75 06 37 53.

Paris 583 – Valence 39 – Privas 52 – Le Puy-en-Velay 72 – St-Étienne 87 – Vienne 93.

🏨 **Château d'Urbilhac** ⤢, Sud-Est : 2 km par rte Vernoux-en-Vivarais ℰ 04 75 06 42
⊜ Fax 04 75 06 52 75, ≤ montagnes, 🏤, « Élégante installation, mobilier ancien », ⵧ, ✾
– 🚗 **P. ⒶⒺ ⓪ ⒼⒷ**
1ᵉʳ mai-30 sept. – **Repas** (dîner seul. en semaine) 38 ⵧ, enf. 18,30 – ⵠ 10 – **12 ch** 84/10
½ P 100

LAMASTRE

Midi (Perrier), pl. Seignobos ✆ 04 75 06 41 50, Fax 04 75 06 49 75, 🚗 – 📺 ⇐, 🅰🅴 🅾 🆖 🅹🅲🅱

fermé fin déc. à mi-fév., vend. soir, dim. soir et lundi – **Repas** 32/71 ⅞ – ⊒ 12 – **12 ch** 59/89 – ½ P 72/84

Spéc. Salade tiède de foie gras de canard. Pain d'écrevisses sauce cardinal. Soufflé glacé aux marrons de l'Ardèche. **Vins** Saint-Péray, Saint-Joseph.

MBALLE 22400 C.-d'Armor 🔟 ④ ⑭ G. Bretagne – 10 563 h alt. 55.

Voir Haras national★.

🖪 *Office du tourisme Place du Martray* ✆ 02 96 31 05 38, Fax 02 96 50 01 96, otsi.lamballe@netcourrier.com.

Paris 432 ② – St-Brieuc 21 ④ – Dinan 43 ② – Rennes 81 ② – St-Malo 53 ① – Vannes 131 ③.

LAMBALLE

Augustins (R. des) ... 2	Dr-Lavergne (R. du) ... 16	Mouëxigné (R.) ... 31
Bario (R.) ... 3	Foch (R. Mar.) ... 19	Poincaré (R.) ... 34
Blois (R. Ch. de) ... 5	Gesle (Ch. de la) ... 23	Préville (R.) ... 35
Boucouets (R.) ... 7	Grand Boulevard (R. du) . 24	St-Jean (R.) ... 37
Cartel (R. Ch.) ... 8	Hurel (R. du Bg) ... 25	St-Lazare (R.) ... 38
Charpentier (R. Y.) ... 14	Jeu-de-Paume (R. du) ... 26	Tery (R. G.) ... 39
Dr-A.-Calmette (R. du) .. 15	Leclerc (R. Gén.) ... 29	Tour-aux-Chouettes (R.) .. 42
	Marché (Pl. du) ... 30	Val (R. du)
	Martray (Pl. du)	Villedeneu (R.) ... 45

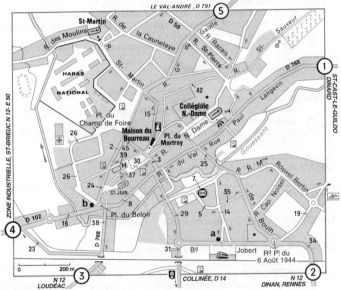

Alizés, Z.I., par ④ : 2 km ✆ 02 96 31 16 37, alizes.hotel.rest.@wanadoo.fr, Fax 02 96 31 23 89, 🚗 – 📺 ✆ & 🅿 – 🔺 60. 🅰🅴 🅾 🆖 ⚘
fermé 20 déc. au 10 janv. – **Repas** *(fermé dim. sauf juil.-août)* 11,40 (déj.), 14,45/27,40 ⅞, enf. 8,80 – ⊒ 7,95 – **32 ch** 45,45/50 – ½ P 43,45

Angleterre, 29 bd Jobert (a) ✆ 02 96 31 00 16, hotel-dangleterre@wanadoo.fr, Fax 02 96 31 91 54 – 🛗 📺 ✆ ⇐. 🅰🅴 🅾 🆖 🅹🅲🅱
fermé en fév. et dim. d'oct. à mars – **Repas** *(fermé dim. soir et sam. sauf août)* (13,57) - 16,50/24 ⅞, enf. 9,15 – ⊒ 6,50 – **18 ch** 53,50/61 – ½ P 55

Tour d'Argent, 2 r. Dr Lavergne (b) ✆ 02 96 31 01 37, latourdargent@wanadoo.fr, Fax 02 96 31 37 59 – 🍽 rest, 📺 – 🔺 50. 🅰🅴 🅾 🆖
Repas *(fermé sam. de nov. à mars)* (9,45) - 14,03/43 ⅞, enf. 8 – ⊒ 6,10 – **31 ch** 46/60 – ½ P 43/50

Prices For notes on the prices quoted in this Guide, see the explanatory pages.

LAMOTTE-BEUVRON 41600 L.-et-Ch. 64 ⑨ – 4 251 h alt. 114.

🖪 Syndicat d'initiative - Hôtel de Ville 𝒫 02 54 88 00 28, Fax 02 54 88 55 39.

Paris 172 – Orléans 37 – Blois 60 – Gien 58 – Romorantin-Lanthenay 39 – Salbris 21.

🏠 **Tatin,** face gare 𝒫 02 54 88 00 03, hoteltatin@wanadoo.fr, Fax 02 54 88 96 73, �,
🍽 rest, 📺 ✆ 🅿 – 🚗 15. 🖭 ⋙
fermé 29 juil. au 5 août, 23 déc. au 2 janv., 17 fév. au 10 mars, dim. soir et lundi. – **R**
23/43, enf. 9 – ⌾ 8,50 – **14 ch** 49/72

LAMOURA 39310 Jura 70 ⑮ – 436 h alt. 1156 – Sports d'hiver : voir aux Rousses.

Paris 478 – Genève 46 – Gex 29 – Lons-le-Saunier 74 – St-Claude 16.

🏠 **Spatule,** 𝒫 03 84 41 20 23, Fax 03 84 41 24 16, ≤, 🌂 – 📺 ✆ 🅿. ⋙. ⋙ ch
⋙ 19 mai-13 oct., 15 déc.-Pâques et fermé mardi midi et lundi hors saison – **Repas** 13/25,
enf. 8,50 – ⌾ 7 – **25 ch** 47/49,50 – ½ P 43,50/49,50

à Lajoux Sud : 6 km par D 292 – 220 h. alt. 1180 – ⊠ 39310 :

🏠 **Haute Montagne,** 𝒫 03 84 41 20 47, hotel-haute-montagne@wanadc
⋙ Fax 03 84 41 24 20, 🌂, ⋙ – 🕴 📺 ⚹ 🅿. ⋙
fermé 2 au 23 avril et 30 sept. au 8 déc. – **Repas** 11,50/26,70, enf. 7 – ⌾ 5,60 – **2**
29,60/42,10 – ½ P 41,40

LAMURE-SUR-AZERGUES 69870 Rhône 73 ⑨ – 871 h alt. 383.

🖪 Office du tourisme Rue du Vieux Pont 𝒫 04 74 03 13 26, Fax 04 74 03 13 26.

Paris 444 – Mâcon 58 – Roanne 51 – Lyon 55 – Tarare 37 – Villefranche-sur-Saône 28.

⛲ **Ravel,** 𝒫 04 74 03 04 72, Fax 04 74 03 05 26, 🌂, ⋙ – 📺. ⋙
⋙ fermé 2 au 30 nov. et vend. de sept. à mai – **Repas** 12/36 ⅃ – ⌾ 4,60 – **8 ch** 25/41 – ½

Utilisez le guide de l'année.

LANARCE 07660 Ardèche 76 ⑰ – 199 h alt. 1180.

Paris 584 – Le Puy-en-Velay 47 – Aubenas 43 – Langogne 18 – Privas 71.

🏠 **Sapins,** 𝒫 04 66 69 46 08, Fax 04 66 69 42 87, 🌂 – 📺 ⚹ 🅿. ⋙
⋙ fermé 25 nov. au 7 fév., mardi soir et merc. d'oct. à mars – **Repas** 14/28 ⅄, enf. 5,
⌾ 5,50 – **17 ch** 31,50/45,73 – ½ P 37/39

LANAU 15 Cantal 76 ⑭ – rattaché à Chaudes-Aigues.

LANCIEUX 22 C.-d'Armor 59 ⑤ – rattaché à St-Briac-sur-Mer.

LANCRANS 01 Ain 74 ⑤ – rattaché à Bellegarde-sur-Valserine.

LANDÉAN 35 I.-et-V. 59 ⑱ – rattaché à Fougères.

LANDERNEAU 29800 Finistère 58 ⑤ G. Bretagne – 14 281 h alt. 10.

Voir Enclos paroissial★ de Pencran S : 3,5 km Z – Enclos paroissial★ de la Roche-Maur
5 km par ①.

🖪 Office du tourisme Pont de Rohan 𝒫 02 98 85 13 09, Fax 02 98 21 39 27, otpaysla.
neau-daoulas@wanadoo.fr.

Paris 576 ③ – Brest 27 ③ – Carhaix-Plouguer 59 ② – Morlaix 39 ① – Quimper 64 ③.

Plan page ci-contre

🏠 **Clos du Pontic** ⌂, r. Pontic 𝒫 02 98 21 50 91, clos.pontic@wanadoo
Fax 02 98 21 34 33, ⚿ – ⋙ 📺 🅿 – 🚗 30. ⋙   Z
Repas (fermé sam. midi, dim. soir et lundi midi) 15/70 ⅃, enf. 12 – ⌾ 7 – **32 ch** 46/
½ P 45/47

🏠 **Ibis** 🅼 ⌂, Nord : 1,5 km par ③ et rte Lesneven 𝒫 02 98 21 85 00, ibis-landerne
mescoat.com, Fax 02 98 21 67 61 – ⋙ 📺 ✆ 🅿. 🖭 ⓞ ⋙
Trois Rouleaux (fermé 22 déc. au 2 janv.) **Repas** (12,96)-16/30 ⅄, enf. 11,43 – ⌾ 6 – **4**
50

🍴🍴 **L'Amandier** avec ch, 55 r. Brest 𝒫 02 98 85 10 89, Fax 02 98 85 34 14, 🌂 – 📺 ✆
⋙ rest   Y
fermé dim. soir et lundi – **Repas** (13) - 18/30 ⅃ – ⌾ 7 – **8 ch** 40/60 – ½ P 45

672

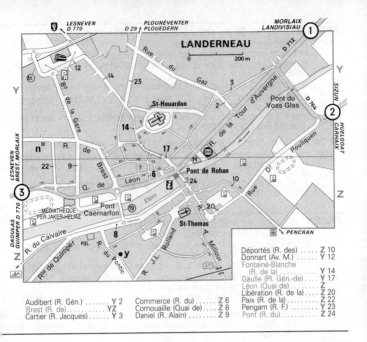

LANDERNEAU

Audibert (R. Gén.) ...... Y 2	Commerce (R. du) ...... Z 6	Déportés (R. des) ..... Z 10
Brest (R. de) .... YZ	Cornouaille (Quai de) ... Z 8	Donnart (Av. M.) ...... Y 12
Cartier (R. Jacques) ..... Y 3	Daniel (R. Alain) .... Z 9	Fontaine-Blanche (R. de la) ...... Y 14
		Gaulle (Pl. Gén.-de) ... Y 17
		Léon (Quai de) .... Z
		Libération (R. de la) ... Z 20
		Paix (R. de la) .... Z 22
		Pengam (R. F.) .... Z 23
		Pont (R. du) .... Z 24

NDES-LE-GAULOIS 41190 L.-et-Ch. **64** ⑦ – 582 h alt. 105.

Paris 195 – Tours 53 – Blois 17 – Château-Renault 25 – Vendôme 21.

🏛 **Château de Moulins** ⑤ sans rest, Nord-Est : 2 km par D 26 ℘ 02 54 20 17 93, Fax 02 54 20 17 99, « Dans un domaine boisé avec pièce d'eau », 𝕃 – 📺 ⟷ 🅿 – 🔬 25. 🖭 ⒼⒷ ⒿⒸⒷ

☲ 11 – **22 ch** 107/183

NDEVANT 56690 Morbihan **63** ② – 2 123 h alt. 29.

Paris 485 – Vannes 37 – Auray 18 – Lorient 24 – Pontivy 41.

🍴 **Forestière**, 1,5 km par rte Nostang (D 33) ℘ 02 97 56 90 55, Fax 02 97 56 90 55, 🍴 – 🅿. ⒼⒷ

fermé 22 fév.au 11 mars, dim. soir et lundi sauf fériés – **Repas** 13,72 (déj.), 19,06/39,64, enf. 7,62

NDIVISIAU 29400 Finistère **58** ⑤ G. Bretagne – 8 751 h alt. 75.

Voir Porche★ de l'église St-Thivisiau – Jubé★ de la Chapelle Ste-Anne.

Env. Église★ de Bodilis – St-Thégonnec★★ – Guimiliau★★.

Paris 559 – Brest 38 – Landerneau 17 – Morlaix 23 – Quimper 73 – St-Pol-de-Léon 23.

🏛 **Kyriad**, Z.A. Le Vern par rte Roscoff : 2 km ℘ 02 98 24 42 42, kyriad.landi@gofornet.com, Fax 02 98 24 42 00, 🍴 – ⥤ 📺 🅲 & 🅿 – 🔬 15 à 30. 🖭 ⓪ ⒼⒷ

fermé 21 déc. au 5 janv. – **Repas** (fermé dim. soir hors saison) (11) – 14/21 ♈, enf. 6,50 – ☲ 7 – **52 ch** 49/55

NDSER 68 H.-Rhin **87** ⑲ – rattaché à Mulhouse.

NGEAC 43300 H.-Loire **76** ⑤ G. Auvergne – 4 070 h alt. 505.

🅱 Office de tourisme pl. Aristide-Briand ℘ 04 71 77 05 41, Fax 04 71 77 19 93,.

Paris 512 – Le Puy-en-Velay 45 – Brioude 30 – Mende 93 – St-Flour 54.

Reilhac Nord : 3 km par D 585 – ⊠ 43300 Mazeyrat-d'Allier :

🏛 **Val d'Allier** Ⓜ, ℘ 04 71 77 02 11, Fax 04 71 77 19 20 – 📺 🅲 🅿. ⒼⒷ. ⬚ rest

1er avril-15 nov. et fermé dim. soir et lundi hors saison – **Repas** (dîner seul. sauf dim. et fériés) (prévenir) (16) – 20 (dîner), 22,50/32 ♈ – ☲ 7,50 – **22 ch** 46/55 – ½ P 47,50

LANGEAIS 37130 I.-et-L. 64 ⑭ G. Châteaux de la Loire – 3 865 h alt. 41.

Voir Château★★ : appartements★★★.

Env. Parc★ du château de Cinq-Mars-la-Pile NE : 5 km par N 152.

🖪 Office du tourisme Place du 14 Juillet ℘ 02 47 96 58 22, Fax 02 47 96 83 otsi@neuronnexion.fr.

Paris 263 – Tours 26 – Angers 101 – Château-la-Vallière 28 – Chinon 26 – Saumur 41.

XXX **Errard Hosten** avec ch, 2 r. Gambetta ℘ 02 47 96 82 12, info@errard. Fax 02 47 96 56 72, 😭 – 📺 📞 🚗, 🖭 ⑩ ⒼⒷ ᴊⒸⒷ
fermé 18 fév. au 26 mars, mardi midi, dim. soir et lundi hors saison – **Repas** 24/39 ᴸ carte 39 à 58 ℤ – ☱ 14 – **10 ch** 56/84

à St-Patrice Ouest : 10 km par rte de Bourgueil – 639 h. alt. 39 – ⊠ 37130 Langeais :

🏰 **Château de Rochecotte** ⑤, ℘ 02 47 96 16 16, chateau.rochecotte@wanado Fax 02 47 96 90 59, ≼, « Jardin à la française, parc », ⻌, ⚞ – 🛗 📺 📞 🖻 – 🖄 40. 🖭 🛠 rest
fermé 28 janv. au 24 fév., lundi midi et jeudi midi – **Repas** 36,60/58 ℤ, enf. 13,80 – ☱ 1 – **32 ch** 122/192, 3 appart – ½ P 108/141

LANGON ⬠ 33210 Gironde 79 ② G. Aquitaine – 6 168 h alt. 10.

Env. Château de Roquetaillade★★ S : 7 km.

🖪 Office du tourisme 11 allées Jean Jaurès ℘ 05 56 63 68 00, Fax 05 56 63 68 office-du-tourisme-langon@wanadoo.fr.

Paris 627 – Bordeaux 50 – Bergerac 82 – Libourne 54 – Marmande 47 – Mont-de-Marsar

XXX **Claude Darroze** avec ch, 95 cours Gén. Leclerc ℘ 05 56 63 00 48, Fax 05 56 63 4 ❀ 😭 – 📺 📞 🚗 🖻 – 🖄 40. 🖭 ⑩ ⒼⒷ ᴊⒸⒷ. 🛠
fermé 15 oct. au 10 nov., 6 au 25 janv., dim. soir et lundi midi d'oct. à juin – **Repas** 36/7 carte 54 à 74 – ☱ 12 – **16 ch** 54/94 – ½ P 100
Spéc. Huîtres chaudes farcies, beurre blanc aux petits légumes. Foie gras de canard ch aux pommes caramélisées. Filet de boeuf au foie gras grillé, sauce bordelaise. **Vins** Gr blanc et rouge.

à St-Macaire Nord : 2 km – 1 541 h. alt. 15 – ⊠ 33490 :

Voir Verdelais : calvaire ≼★ N : 3 km – Château de Malromé★ N : 6 km – Ste-Croix-du-M ≼★, grottes★ NO : 5 km.

XX **Abricotier** avec ch, N 113 ℘ 05 56 76 83 63, Fax 05 56 76 28 51, 😭, 🚗 – cuisinette ⒼⒷ. 🛠 ch
fermé 12 nov. au 12 déc., mardi soir et lundi – **Repas** 18,30/35 – ☱ 5 – **3 ch** 41,16/47,2

LANGRES ⬠ 52200 H.-Marne 66 ③ G. Champagne Ardenne – 9 586 h alt. 466.

Voir Site★★ – Promenade des remparts★★ – Cathédrale St-Mammès★ Y – Section g romaine★ au musée d'art et d'histoire Y M¹.

🖪 Office du tourisme Place Bel Air ℘ 03 25 87 67 67, Fax 03 25 88 99 07, office.touri .pays.de.langres@wanadoo.fr.

Paris 285 ① – Chaumont 34 ① – Dijon 78 ③ – Nancy 137 ① – Vesoul 77 ②.

Plan page ci-contre

🏰 **Cheval Blanc**, 4 r. Estres ℘ 03 25 87 07 00, info@hotel-langres.com, Fax 03 25 87 2 – 📺 📞 🚗. 🖭 ⒼⒷ. 🛠 rest Z
fermé 15 au 30 nov. – **Repas** (fermé merc. midi) 23/61 ℤ, enf. 10 – ☱ 8,40 – **22** 47,25/76,50 – ½ P 66,25/105

🏰 **Grand Hôtel de L'Europe**, 23 r. Diderot ℘ 03 25 07 10 88, Fax 03 25 87 60 65 – 📺 🖻 Z
fermé dim. soir en hiver – **Repas** 13,30/27 ℤ, enf. 9,20 – ☱ 7 – **26 ch** 42/58 – ½ P 56,40

🏠 **Lion d'Or**, rte Vesoul ℘ 03 25 87 03 30, relais.sud.terminus@wanadoo Fax 03 25 87 60 67, 🚗 – 📺 🖻 – 🖄 15. ⒼⒷ Z
fermé dim. soir de nov. à avril – **Repas** 12,90/33,50 ℤ, enf. 8,40 – ☱ 6,40 – **14 ch** 41,20/5 ½ P 40/45,70

🏠 **Poste** sans rest, 10 pl. Ziegler ℘ 03 25 87 10 51, Fax 03 25 88 46 18 – 📺 🖻. ⒼⒷ ☱ 4,88 – **35 ch** 20,58/38,87 Y

au Lac de la Liez par ②, N 19 et D 284 : 4 km – ⊠ 52200 Langres :

XX **Auberge des Voiliers** ⑤ avec ch, au bord du Lac ℘ 03 25 87 05 74, auberge.voilie wanadoo.fr, Fax 03 25 87 24 22, ≼, 😭 – 📺 📞 🛠
fermé 15 nov. au 15 janv. et lundi – **Repas** 13 (déj.), 16/38 ℤ, enf. 7 – ☱ 6 – **8 ch** 50/9 ½ P 52/125

LANGRES

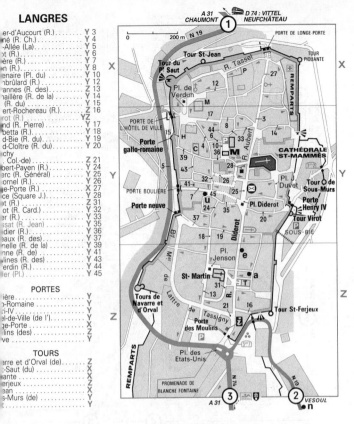

*Un automobiliste averti utilise le **Guide Rouge Michelin** de l'année.*

NGUIMBERG 57810 Moselle **57** ⑦ – 175 h alt. 290.

Paris 414 – Nancy 62 – Lunéville 43 – Metz 81 – Sarrebourg 18 – Saverne 47.

XX **Chez Michèle**, ℘ 03 87 03 92 25, Fax 03 87 03 93 47 – AE GB
fermé 22 déc. au 10 janv., mardi et merc. – **Repas** 22/58 ⌐, enf. 9,20

NNILIS 29870 Finistère **58** ④ – 4 473 h alt. 48.

🛈 Office du tourisme 1 place de l'Église ℘ 02 98 04 05 43, Fax 02 98 04 12 47, office@abers-tourisme.com.

Paris 600 – Brest 23 – Landerneau 31 – Morlaix 63 – Quimper 88.

XX **Auberge des Abers**, pl. Gén. Leclerc (près église) ℘ 02 98 04 00 29 – AE GB
fermé 11 au 24 mars, 23 sept. au 15 oct., dim. soir, mardi soir et lundi – **Repas**
(1er étage)(nombre de couverts limité, prévenir)(dîner seul. sauf dim) 44,21/68,60 ⌐,
enf. 9,15 - **Rez-de-chaussée :** (déj. seul.) (fermé dim. et lundi) **Repas** 9,15 bc ⌐

NNION 〒 22300 C.-d'Armor **59** ① G. Bretagne – 18 368 h alt. 12.

Voir Maisons anciennes★ (pl.Général Leclerc Y17) – Église de Brélévenez★ : mise au tombeau★ Y.

✈ de Lannion : ℘ 02 96 05 82 00, N par ① : 2 km.

🛈 Office du tourisme 2 quai d'Aiguillon ℘ 02 96 46 41 00, Fax 02 96 37 19 64, Tourisme.lannion@wanadoo.fr.

Paris 514 ③ – St-Brieuc 63 ③ – Brest 96 ⑤ – Morlaix 42 ⑤.

LANNION

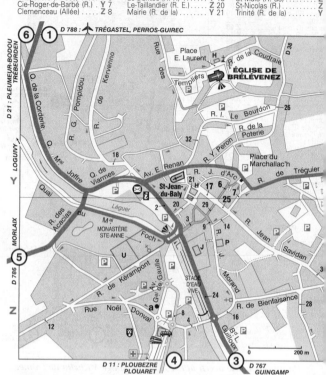

Ibis sans rest, 30 av. Gén. de Gaulle ℘ 02 96 37 03 67, Fax 02 96 46 45 83 – 📱 ⇆ 🔲 ⬜
&. – 🛋 15 à 30. 🆎 ⓞ 🇬🇧
☕ 6 – **70 ch** 54/61

rte de Perros-Guirec par ① D 788 : 5 km – ⊠ 22300 Lannion :

Arcadia Ⓜ sans rest, ℘ 02 96 48 45 65, Fax 02 96 48 15 68, 🔲, 🌳 – 📺 📞 &. 🅿 – 🛋
🆎 🇬🇧
fermé 20 déc. au 8 janv. – ☕ 5,80 – **14 ch** 54/61, 6 duplex

à La Ville-Blanche par ②, rte de Tréguier : 5 km sur D 786 – ⊠ 22300 Lannion :

XXX **Ville Blanche** (Jaguin), ℘ 02 96 37 04 28, jaguin@la-ville-blanche.com, Fax 02 96 46 5.
❀ – 🅿 🆎 ⓞ 🇬🇧 🇯🇨🇧
fermé 16 déc. au 7 fév., dim. soir, merc. soir et lundi – **Repas** (week-end prévenir) 25/6.
carte 42 à 58 ♈, enf. 14
Spéc. Homard rôti au beurre salé, ses pinces en ragoût (avril à oct.). Coquilles Saint-Jacq
(oct. à mars). Millefeuille aux pommes caramélisées

Ne confondez pas :

    Confort des hôtels   : 🏰🏰🏰 ... 🏠, 🏕
    Confort des restaurants   : XXXXX ... X
    Qualité de la table   : ❀❀❀, ❀❀, ❀, 🍴

ANS-EN-VERCORS 38250 Isère ⑦⑦ ④ – 2 026 h alt. 1120 – Sports d'hiver : 1 020/1 980 m ⚡16 ⊼.

🛈 Office du tourisme Place de la Mairie ℘ 04 76 95 42 62, Fax 04 76 95 49 70, tourisme @ot-lans-en-vercors.fr.

Paris 579 – Grenoble 27 – Villard-de-Lans 8 – Voiron 36.

🏠 **Val Fleuri,** ℘ 04 76 95 41 09, Fax 04 76 94 34 69, ≤, 斎, « Belle salle à manger 1930 », ⅋ – �📺 ℅ ⇔ 🅿. ☖. ⅌ rest
1ᵉʳ juin-10 sept. et 20 déc.-20 mars – **Repas** (résidents seul. ou sur réservation) 18/28 ⅃, enf. 9,50 – ⊆ 6,50 – **16 ch** 29/63 – ½ P 38/50

🏠 **Au Bon Accueil,** D 531 ℘ 04 76 95 42 02, Fax 04 76 95 44 32, 斎, ⅋ – ⇔ 🅿. ☖
fermé 17 au 23 juin, 28 oct. au 3 nov., vend. soir, dim. soir et sam. hors saison – **Repas** (11,45) - 16,80/34,50 ⅃ – ⊆ 6,10 – **17 ch** 30,50/45,73 – ½ P 38,87/43,70

u col de la Croix Perrin Sud-Ouest : 4 km par D 106 – ⊠ 38250 Lans-en-Vercors :

🍴 **Auberge de la Croix Perrin** ☞ avec ch, ℘ 04 76 95 40 02, Fax 04 76 94 33 10, ≤, 斎, ⑤ « En lisière de forêt », ⅋ – �📺 ℅ 🅿. ☖
fermé 1ᵉʳ au 24 avril, 1ᵉʳ nov. au 20 déc., dim. soir et lundi – **Repas** 14/23 et carte le soir ⅌ – ⊆ 6 – **9 ch** 40,50/44 – ½ P 44

ANSLEBOURG-MONT-CENIS 73480 Savoie ⑦⑦ ⑨ G. Alpes du Nord – 640 h alt. 1399 – Sports d'hiver : 1 400/2 800 m ⚡1 ⚡21 ⊼.

🛈 Office de tourisme r. du Mont-Cenis, Val-Cenis ℘ 04 79 05 23 66, Fax 04 79 05 82 17, info@valcenis.com.

Paris 687 – Albertville 112 – Chambéry 125 – St-Jean-de-Maurienne 54 – Torino 94.

🏨 **Alpazur,** ℘ 04 79 05 93 69, hotelalpazur@wanadoo.fr, Fax 04 79 05 86 55 – 📺 ℅. ⅏ ⓞ ☖. ⅍
28 juin-15 sept. et 15 déc.-25 avril – **Repas** (dîner seul.) 15,24 – ⊆ 8,38 – **27 ch** 118/190 – ½ P 75/120

🏠 **Vieille Poste,** ℘ 04 79 05 93 47, info@lavieilleposte.com, Fax 04 79 05 86 85 – 📺 ℅. ⅏ ☖
11 juin-26 oct. et 26 déc.-14 avril – Repas 13/23 ⅌, enf. 6,90 – ⊆ 6,10 – **18 ch** (½ pens. seul.) – ½ P 54

🏠 **Relais des Deux Cols,** ℘ 04 79 05 92 83, Fax 04 79 05 83 74, 斎, ⅊ – 📺. ⅏ ⓞ ☖
4 mai-6 oct. et 18 déc.-7 avril – **Repas** 13/26 – ⊆ 6 – **28 ch** 32/48 – ½ P 43/54

ANSLEVILLARD 73480 Savoie ⑦⑦ ⑨ G. Alpes du Nord – 431 h alt. 1500 – Sports d'hiver (voir à Lanslebourg-Mont-Cenis).

Voir Peintures murales★ dans la chapelle St-Sébastien.

🛈 Office du tourisme Grande Rue ℘ 04 79 05 23 66, Fax 04 79 05 82 17, info@valcenis.com.

Paris 692 – Albertville 117 – Briançon 90 – Chambéry 129 – Val-d'Isère 47.

🏨 **Les Mélèzes,** ℘ 04 79 05 93 82, Fax 04 79 05 93 82, ≤, ⅋ – 🅿. ⅏ ☖. ⅍
20 juin-10 sept. et 20 déc.-20 avril – **Repas** (dîner seul.) 15/24,50 ⅌ – ⊆ 6,10 – **16 ch** 61 – ½ P 41/53

🏠 **Grand Signal,** ℘ 04 79 05 91 24, info@hotel-grandsignal.com, Fax 04 79 05 82 47, ≤, ⅋ – 🅿. ☖
23 juin-1ᵉʳ sept. et 22 déc.-6 avril – **Repas** 16/26, enf. 7 – ⊆ 6 – **18 ch** 45/46 – ½ P 56

ANVOLLON 22290 C.-d'Armor ⑤⑨ ② – 1 388 h alt. 90.

🛈 Syndicat d'initiative Place du Marché Au Blé ℘ 02 96 70 12 47, Fax 02 96 70 27 34.

Paris 475 – St-Brieuc 28 – Guingamp 16 – Lannion 49 – Paimpol 19.

🏠 **Lucotel** Ⓜ, rte de St-Quay-Portrieux (par D 9 : 1 km) ℘ 02 96 70 01 17, lucotel@wanadoo. fr, Fax 02 96 70 08 84, ⅍ – ▦ rest, 📺 ℅ ♿ 🅿 – ⅍ 25. ⅏ ⓞ ☖
fermé 28 oct. au 9 nov. et 24 fév. au 8 mars – **Repas** (fermé dim. soir et lundi midi d'oct. à mars) 12,35/29,75 ⅌, enf. 7,55 – ⊆ 6,50 – **25 ch** 44,25/56,45 – ½ P 48,75/51,85

ON 🅿 02000 Aisne ⑤⑥ ⑤ G. Picardie Flandres Artois – 26 265 h alt. 181.

Voir Site★★ – Cathédrale Notre-Dame★★ : nef★★★ – Rempart du Midi et porte d'Ardon★ CZ – Abbaye St-Martin★ BZ – Porte de Soissons★ ABZ – Rue Thibesard ≤★ BZ – Musée★ et chapelle des Templiers★ CZ.

🛈 Office du tourisme - Hôtel-Dieu Place du Parvis de la Cathédrale ℘ 03 23 20 28 62, Fax 03 23 20 68 11, tourisme.info.laon@wanadoo.fr.

Paris 141 ③ – Reims 63 ② – St-Quentin 48 ② – Soissons 37 ③.

LAON

Arquebuse (R. de l') . . . . CZ 2
Aubry (Pl.) . . . . CZ 3
Berthelot (R. Marcelin) . . . . AZ 5
Bossus (R. del'Abbé) . . . . . . DY 6
Bourg (R. du) . . . . BCZ 8
Carnot (Av.) . . . . CY
Change (R. au) . . . . CZ 9
Charles de Gaulle
(Av.) . . . . DY 12
Châtelaine (R.) . . . . CZ 1
Cloître (R. du) . . . . CZ 1
Combattants d'Afrique
du Nord (Pl. des) . . . . . . DZ 1
Cordeliers (R. des) . . . . CZ 1
Doumer (R. Paul) . . . . CZ 1

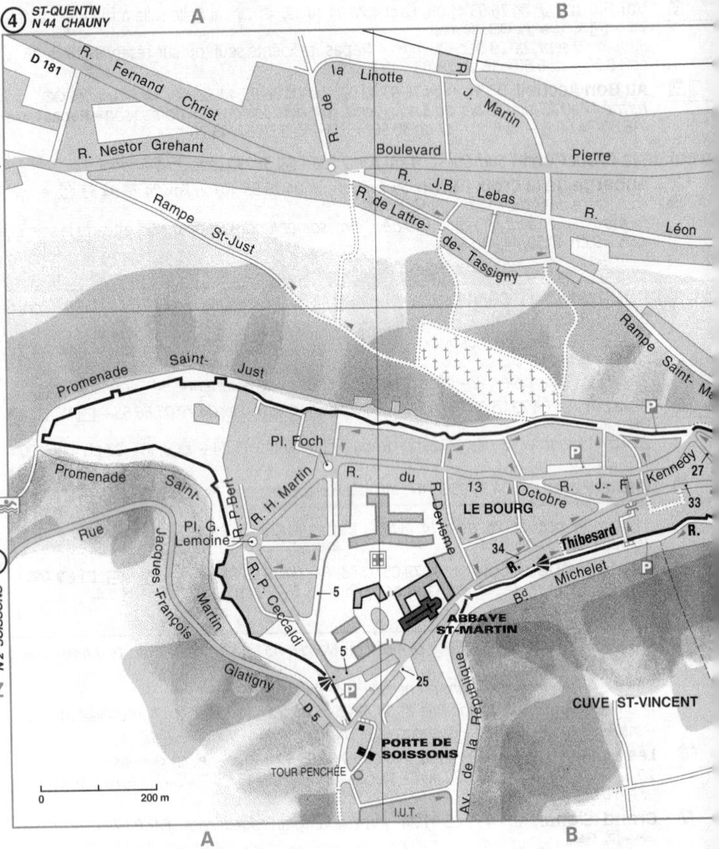

Bannière de France, 11 r. F. Roosevelt ☎ 03 23 23 21 44, *hotel.banniere.de.france@nadoo.fr, Fax 03 23 23 31 56* – TV – 60. AE ⓓ GB JCB. BCZ
fermé 20 déc. au 19 janv. – **Repas** *(15)* - 20/51 ♀, enf. 8 – ☕ 6,50 – **18 ch** 41/60
½ P 45,70/51,10

Hostellerie St-Vincent, av. Ch. de Gaulle par ② ☎ 03 23 23 42 43, *hotel.st.vincent@nadoo.fr, Fax 03 23 79 22 55,* – TV ♿ P – 25. AE GB
Repas *(fermé sam. midi et dim. soir)* 15/24 ♀, enf. 8 – ☕ 5,80 – **47 ch** 49,50/57

Petite Auberge, 45 bd Brossolette ☎ 03 23 23 02 38, *w.marc.zorn@wanadoo* CY
Fax 03 23 23 31 01 – AE GB
fermé vacances de printemps, 3 au 19 août, vacances de fév., sam. midi, lundi soir et d sauf fériés – **Repas** *(19,97)* - 23,93/35,06 ♀ - ***Bistrot St-Amour*** ☎ 03 23 23 31 01 **Rep** *(10,52)*-12,50/21,95 ♀, enf. 6,86

à Samoussy *par ② et D 977 : 13 km – 376 h. alt. 84 – ✉ 02840 :*

Relais Charlemagne, ☎ 03 23 22 21 50, *relais.charlemagne@wanadoo*
Fax 03 23 22 18 75, – AE ⓓ GB
fermé 1er au 19 août, 15 au 28 fév., merc. soir, dim. soir et lundi – **Repas** 23/46 et ca 51 à 67

Ermant (R. Georges) ...... CZ 21	Marquette (R. Père) .... BZ 27	St-Jean (R.) .... BZ 33
Herriot (Pl. Edouard) ...... CY 22	Martinot (Allée Jean) ...... DZ 28	Saint-Martin (R.) .... BZ 34
Hurée (R. de la) .... DY 23	Mortagne (Pl. Gautier de) .. CZ 29	Signier (R. de) .... CZ 36
Jur (Prom. Barthélemy de) CZ 24	Rabin (Promenade Yitzhak) .... CZ 30	Thuillart (R. Fernand) ...... DY 37
Leduc (R. Eugène) .... DY	Roosevelt (R. Franklin) .... CZ 31	Victor Hugo (Pl.) .... DY 39
Libération (R. de la) .... BZ 25		Vinchon (R.) .... CZ 40

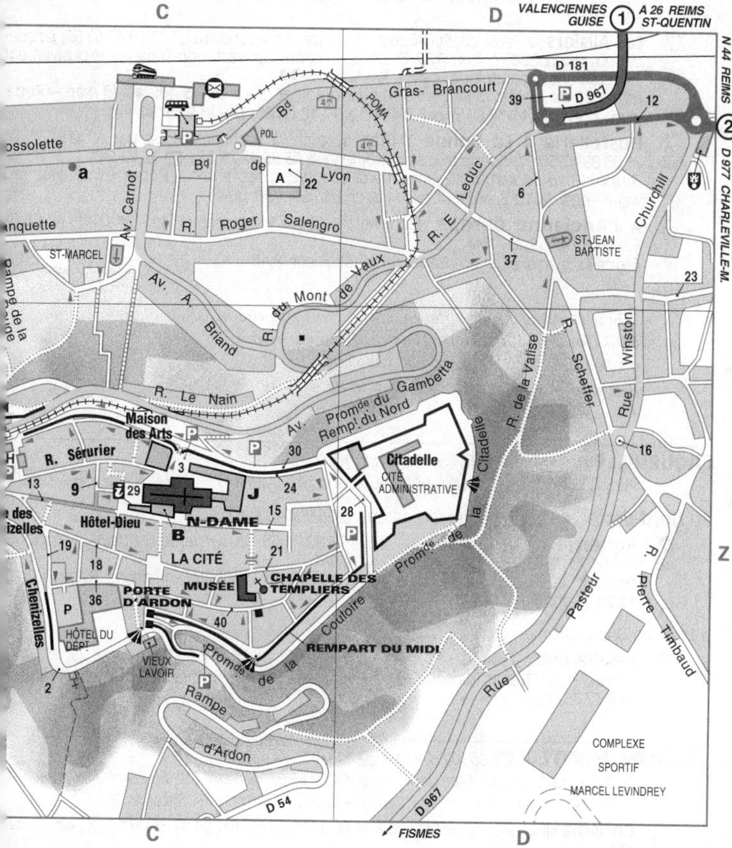

Chamouille *par D 967* **DZ** *: 13 km – 204 h. alt. 112 – ✉ 02860 :*

Mercure Ⓜ, parc nautique de l'Ailette, Sud 0,5 km par D 967 ✆ 03 23 24 84 85, *hotel-mercure@ailette.fr, Fax 03 23 24 81 20,* ≤, – rest, – 40. AE GB

Repas *(15)* - 20, enf. 10 – **58 ch** 75/93

LAPALISSE *03120 Allier* **73** ⑥ *G. Auvergne – 3 332 h alt. 280.*

Voir *Château*★★.

Office de tourisme 3 r. du Prés.Roosevelt ✆ 04 70 99 08 39, Fax 04 70 99 28 09.

Paris 350 – Moulins 50 – Digoin 45 – Mâcon 121 – Roanne 51 – St-Pourçain-sur-Sioule 30.

XXX **Galland** avec ch, pl. République ✆ 04 70 99 07 21, *Fax 04 70 99 34 64* – – 40. GB

fermé 25 nov. au 9 déc, 27 janv. au 17 fév., dim. soir hors saison et lundi – **Repas** (dim. et fêtes, prévenir) 22/45 et carte 35 à 50, enf. 12,20 – 6,40 – **8 ch** 43/48

X **Bourbonnais** avec ch, pl. 14-Juillet ✆ 04 70 99 29 23, *Fax 04 70 99 19 79,* – . GB

fermé mardi sauf juil.-août – **Repas** 12,95/30,20 – 4,60 – **9 ch** 38 – 1/2 P 33,50

LAPOUTROIE 68650 H.-Rhin **62** ⑱ G. Alsace Lorraine – 2 104 h alt. 420.

Paris 426 – Colmar 20 – Munster 31 – Ribeauvillé 20 – St-Dié 33 – Sélestat 39.

🏨 **Faudé**, ℘ 03 89 47 50 35, info@faude.com, Fax 03 89 47 24 82, 佘, **I₅**, 🔲, 絤 – 劇 **P. AE ◑ GB**
🍴 *fermé 27 fév. au 16 mars et 4 au 29 nov.* – Repas 14,70/65 ♀, enf. 9,85 – 立 9 – **29 ch** 5 – ½ P 55/73

🍴🍴 **Les Alisiers** 🖂 avec ch, Sud-Ouest : 3 km par rte secondaire ℘ 03 89 47 52 82, jac
🍴 degouy@wanadoo.fr, Fax 03 89 47 22 38, ≤ vallon, 佘, rest. non-fumeurs exclusivem
« Restaurant panoramique », 絤 – 🖇 ❤ & **P. GB**
fermé 20 au 26 déc., 3 janv. au 3 fév., lundi soir et mardi du 15 nov. au 15 mars – Re
(dim., prévenir) 14/36,60 ♀, enf. 8,40 – 立 9 – **18 ch** 60/92 – ½ P 55/84

🍴 **Hostellerie A La Bonne Truite** avec ch, à Hachimette, Est par N 415 : 1
💳 ℘ 03 89 47 50 07, bonne.truite@calixo.net, Fax 03 89 47 25 35 – 📺 **P. AE GB**
fermé 18 au 30 juin, nov., janv., mardi et merc. d'oct. à juin – Repas (dîner seul.
week-ends) 13/29 ♀, enf. 6 – 立 7 – **10 ch** 39/45 – ½ P 44/48

🍴 **A l'Ancienne Gare**, à Hachimette, Est : 1 km par N 415 ℘ 03 89 47 5
Fax 03 89 47 59 28 – **GB**
fermé sam. midi et jeudi – Repas 14,95/32 ♀, enf. 8,40

When looking for a hotel or restaurant use the most efficient method.
Look for the names of towns underlined in red
*on the **Michelin maps** scale: 1:200 000.*
But make sure you have an up-to-date map!

LAQUEUILLE 63820 P.-de-D. **73** ⑬ – 384 h alt. 1000.

Paris 460 – Clermont-Ferrand 41 – Aubusson 74 – Mauriac 73 – Le Mont-Dore 15 – Usse

au Nord-Est 2 km par D 922 et rte secondaire – ⌧ 63820 Laqueuille :

🏨 **Auberge de Fondain** 🖂, ℘ 04 73 22 01 35, auberge.de.fondain@wanadoo
💳 Fax 04 73 22 06 13, ≤, 佘, **I₅**, 絤 – ❤ **P. GB**
fermé 1ᵉʳ au 15 nov., 5 au 12 mars, dim. soir et lundi sauf hôtel en saison – Repas 10 (c
13/21 ₰, enf. 8 – 立 6 – **6 ch** 39/58 – ½ P 46

à la gare Ouest : 3 km par D 922 et D 82 :

🏨 **Les Clarines**, ℘ 04 73 22 00 43, Fax 04 73 22 06 10, 佘, 絤 – 📺 🚗 – 🔏 25. **AE ◑**
2 mai-2 nov. – Repas (dîner seul.) carte environ 25 ♀, enf. 5,79 – 立 – **12 ch** 38,11/48,7
½ P 37,35/44,21

LARAGNE-MONTÉGLIN 05300 H.-Alpes **81** ⑤ – 3 296 h alt. 571.

🟦 Office du tourisme Place des Aires ℘ 04 92 65 09 38, Fax 04 92 65 28 41.
Paris 690 – Digne-les-Bains 57 – Gap 40 – Sault 61 – Serres 17 – Sisteron 18.

🏨 **Chrisma** sans rest, rte de Grenoble ℘ 04 92 65 09 36, Fax 04 92 65 08 12, 🔲, 絤 – 🚗
GB
1ᵉʳ mars-15 nov. – 立 5,50 – **17 ch** 34,50/45,50

⌂ **Terrasses**, av. Provence (N 75) ℘ 04 92 65 08 54, Fax 04 92 65 21 08, 佘 – 📺 🚗 **P**
GB, ❀ rest
1ᵉʳ mai-1ᵉʳ oct. – Repas (dîner seul.) (14)-19/25 ₰, enf. 9 – 立 6,50 – **15 ch** 27,50/48 – ½ P

LARÇAY 37270 I.-et-L. **64** ⑮ – 2 037 h alt. 82.

Paris 244 – Tours 10 – Angers 121 – Blois 55 – Poitiers 103 – Vierzon 107.

🍴🍴 **Chandelles Gourmandes**, ℘ 02 47 50 50 02, Fax 02 47 50 55 94 – **AE ◑ GB**
fermé 19 au 31 août, dim. soir et lundi – Repas 24/54 ♀, enf. 12

Le LARDIN-ST-LAZARE 24570 Dordogne **75** ⑦ – 1 846 h alt. 86.

Paris 484 – Brive-la-Gaillarde 28 – Lanouaille 38 – Périgueux 47 – Sarlat-la-Canéda 34.

🏨 **Sautet**, ℘ 05 53 51 45 00, contact@hotelsautet-dordogne.com, Fax 05 53 51 45 09, 🌢
« Parc », 🔲, ❀, 🕭 – 劇 📺 ❤ **P** – 🔏 25. **◑ GB**
fermé 6 déc. au 4 janv., week-ends d'oct. à mars, mardi midi, vend. midi et sam. midi d'a
à sept. – Repas (13)-21,34/35,83 ♀ – 立 7,32 – **26 ch** 50,31/68,60

Sud : 4 km par D 704, D 62 et rte secondaire – ⊠ 24570 Condat-sur-Vézère :

🏥 **Château de la Fleunie** ⟩⟩, ℰ 05 53 51 32 74, Fax 05 53 50 58 98, ⩽, 🏠, « Château des 12e et 15e siècles dans un parc », 🖾, 🔄, 🎾, 🐾 – 🖂 📞 🅿 – 🔒 80. 🖭 ⓪ 🖼
fermé janv. et fév. – **Repas** 22/43 ⵞ – ⵌ 10 – **33 ch** 63/128 – ½ P 58/93

oly Sud-Est : 6 km par D 74 et D 62 – 230 h. alt. 113 – ⊠ 24120 :

Voir *Église*★★ de St-Amand-de-Coly SO : 3 km, G. Périgord Quercy.

🏨 **Manoir d'Hautegente** ⟩⟩, ℰ 05 53 51 68 03, hotel@manoir-hautegente.com, Fax 05 53 50 38 52, 🏠, « Ancien moulin à draps du 14e siècle dans un bel environnement », 🔄, 🐾 – 🖂 🅿
début avril-début nov. – **Repas** *(fermé du lundi au jeudi midi)* 23/60 ⵞ – ⵌ 12,30 – **11 ch** 115/190, 4 duplex

---

RGENTIÈRE ⟨⟩ 07110 Ardèche 🎱 ⑧ G. Vallée du Rhône – 1 942 h alt. 240.

Voir *Le vieux Largentière*★.

🚩 Office du tourisme Place des Récollets ℰ 04 75 39 14 28, Fax 04 75 39 23 66, otardeche-@free.fr.

Paris 650 – Alès 65 – Aubenas 17 – Privas 48.

ocher Nord : 4 km par D 5 – 227 h. alt. 353 – ⊠ 07110 Largentière :

🏥 **Chêne Vert** ⟩⟩, ℰ 04 75 88 34 02, Fax 04 75 88 33 85, ⩽, 🏠, 🔄 – 🖂 ⅛ 🅿, 🖼
1er avril-1er nov. et fermé lundi en oct. – **Repas** 15/31, enf. 7 – ⵌ 7 – **25 ch** 52/61 – ½ P 47/53

RMOR-BADEN 56870 Morbihan 🎱 ⑫ – 954 h alt. 10.

Paris 474 – Vannes 15 – Auray 15 – Lorient 54 – Pontivy 67.

🏠 **Centre**, ℰ 02 97 57 04 68, Fax 02 97 57 20 94 – 🖂 ⅛ 🅿
fermé janv. et lundi du 1er oct. au 15 avril – **Repas** 12,81 (déj.), 17,50/23 ⵞ – ⵌ 5,34 – **13 ch** 52,59/57,17 – ½ P 45,73

RMOR-PLAGE 56260 Morbihan 🎱 ① G. Bretagne – 8 470 h alt. 4.

Voir ⩽★ du Pont St-Maurice.

Paris 509 – Vannes 66 – Lorient 7 – Quimper 73.

🏥 **Les Mouettes** 🅼 ⟩⟩, Anse de Kerguélen, Ouest : 1,5 km ℰ 02 97 65 50 30, info@les mouettes.com, Fax 02 97 33 65 33, ⩽, 🏠 – ▤ rest, 🖂 ⅛ 🅿 – 🔒 15. 🖭 ⓪ 🖼. 🎀 rest
Repas 18,30 (déj.), 25,92/41,20 ⵞ, enf. 9,15 – ⵌ 7,35 – **21 ch** 63/73,20 – ½ P 65,60

RRAU 64560 Pyr.-Atl. 🎱 ⑭ – 214 h alt. 636.

Paris 834 – Pau 76 – Oloron-Ste-Marie 42 – St-Jean-Pied-de-Port 65.

🏠 **Etchemaïté** ⟩⟩, ℰ 05 59 28 61 45, hotel-etchemaite@wanadoo.fr, Fax 05 59 28 72 71, ⩽, 🏠, 🌳 – 🖂 ⅛. 🖼. 🎀 ch
fermé 11 au 26 nov., 12 janv. au 4 fév., dim. soir et lundi sauf du 1er juil. au 11 nov. – **Repas** 15/21,50 ⵞ, enf. 8,40 – ⵌ 7,30 – **16 ch** 41,20/58 – ½ P 42,70/48

🏠 **Despouey** ⟩⟩ sans rest, ℰ 05 59 28 60 82, 🌳 – 🅿. 🖭 🖼. 🎀
15 avril-1er nov. – ⵌ 5 – **10 ch** 25/31

RUNS 64440 Pyr.-Atl. 🎱 ⑯ – 1 425 h alt. 523.

🚩 Office du tourisme Maison de la Vallée d'Ossau ℰ 05 59 05 31 41, Fax 05 59 05 35 49.

Paris 817 – Pau 39 – Argelès-Gazost 49 – Lourdes 51 – Oloron-Ste-Marie 34.

🍴 **Auberge Bellevue**, ℰ 05 59 05 31 58, ⩽, 🏠 – 🅿. 🖼
fermé 6 au 21 avril, 25 nov. au 8 déc., mardi soir et merc. sauf juil.-août – **Repas** 10,52/27,44, enf. 6,86

TOUR-DE-CAROL 66760 Pyr.-Or. 🎱 ⑯ – 367 h alt. 1260.

Paris 873 – Font-Romeu-Odeillo-Via 20 – Ax-les-Thermes 37 – Perpignan 109.

🏠 **Auberge Catalane**, ℰ 04 68 04 80 66, carolee@club-internet.fr, Fax 04 68 04 95 25, 🏠 – 🖂 🅿. 🖼
fermé 21 au 31 mai, 17 nov. au 19 déc., dim. soir et lundi sauf vacances scolaires – **Repas** 13,60/27,50 ⅛, enf. 6,90 – ⵌ 5,80 – **10 ch** 36,60/47,30 – ½ P 37,35

TTES 34 Hérault 🎱 ⑦ – rattaché à Montpellier.

LAUTERBOURG 67630 B.-Rhin 🔢 ⑳ – 2 269 h alt. 115.

🚹 Office du tourisme - Mairie 𝒫 03 88 94 66 10, Fax 03 88 54 61 11, tourisme.lauterb
@wanadoo.fr.

Paris 531 – Strasbourg 59 – Haguenau 41 – Karlsruhe 22 – Wissembourg 20.

XXX **Poêle d'Or**, 35 r. Gén. Mittelhauser 𝒫 03 88 94 84 16, info@poeledor.c
Fax 03 88 54 62 30, 🏠 – ▤, 🆎 ⓞ 🖭
fermé 24 juil. au 8 août, 2 au 24 janv., merc. et jeudi – **Repas** 25,92 (déj.), 38,64/73,18 et c
36 à 62 ₤, enf. 12,96

LAUTREC 81440 Tarn 🔢 ⑩ G. Midi-Pyrénées – 1 554 h alt. 294.

🚹 Office du tourisme Rue du Mercadial 𝒫 05 63 75 31 40, Fax 05 63 75 32 90.

Paris 722 – Toulouse 76 – Albi 31 – Castelnaudary 55 – Castres 17 – Gaillac 35.

X **Moulin Gourmand**, rte Castres 𝒫 05 63 75 30 13, Fax 05 63 75 30 13 – ▤ 🅿, ⓞ 🖰
🕿 fermé 16 sept. au 5 oct., merc. soir d'oct. à juin, lundi soir et mardi soir – **Repas** 10,3
(déj.), 13,72/32,01, enf. 7,32

LAUZERTE 82110 T.-et-G. 🔢 ⑰ – 1 487 h alt. 224.

🚹 Office du tourisme Place des Cornières 𝒫 05 63 94 61 94, Fax 05 63 94 61
lauzerte.tourisme@quercy-blanc.net.

Paris 621 – Cahors 39 – Agen 53 – Auch 96 – Montauban 38.

🕯 **Quercy**, fg d'Auriac 𝒫 05 63 94 66 36 – ▤
fermé 1er au 22 oct., 4 au 18 fév., dim. soir sauf juil.-août et lundi – **Repas** 9,50 (déj.), 22/₤
enf. 8 – ⏸ 5,50 – **10 ch** 29/38 – ½ P 30/35

Une réservation confirmée par écrit ou par fax est toujours plus sûre.

LAVAL 🅿 53000 Mayenne 🔢 ⑩ G. Normandie Cotentin – 50 947 h alt. 65.

Voir Vieux château★ Z : charpente★★ du donjon, musée d'Art naïf★, ≤★ des rempar
Vieille ville★ YZ : – Les quais★ ≤★ – Jardin de la Perrine★ Z – Chevet★ de la basilique N
d'Avesnières X – Église N.-D. des Cordeliers★ : retables★★ X.

🚹 Office du tourisme 1 allée du Vieux Saint-Louis 𝒫 02 43 49 46 46, Fax 02 43 49 46
office.tourisme.laval@wanadoo.fr.

Paris 281 ① – Angers 78 ④ – Le Mans 87 ① – Rennes 76 ⑦ – St-Nazaire 153 ⑤.

Plan page ci-contre

🏨 **Grand Hôtel de Paris** sans rest, 22 r. Paix 𝒫 02 43 53 76 20, Fax 02 43 56 91 83 – 🛗
♨ 🚗, 🆎 ⓞ 🖭 🥇
⏸ 6,50 – **39 ch** 45/75,50   Y

🏨 **Ibis**, rte Mayenne par ① : 3 km 𝒫 02 43 53 81 82, Fax 02 43 53 11 19, 🏠 – ⇆ 🖭 ♥ ₤
🕿 ♨ 45. 🆎 ⓞ 🖭
Repas 12/16 ₰, enf. 5,95 – ⏸ 5,50 – **51 ch** 55

🏨 **Marin'Hôtel** sans rest, 102 av. R. Buron 𝒫 02 43 53 09 68, decouacon@wanado
🕿 Fax 02 43 56 95 35 – 🛗 🖭 ♥ ₤, 🆎 🖭
⏸ 6 – **25 ch** 35/48   X

XXX **Bistro de Paris** (Lemercier), 67 r. Val de Mayenne 𝒫 02 43 56 98 29, bistro.de.pa
❄ wanadoo.fr, Fax 02 43 56 52 85, « Décor ''Art Nouveau'' » – ▤. 🆎 🖭. 🛗
Y
fermé 4 au 27 août, sam. midi, dim. soir et lundi – **Repas** 22/40 et carte environ 45
enf. 13
Spéc. Petites entrées gourmandes. Turbot au champagne, feuilles de gingembre
carotte au miel. Noisettes d'agneau, petit sauté au curry épicé et légumes à la boulang
Vins Savennières, Anjou rouge

XXX **Capucin Gourmand**, 66 r. Vaufleury 𝒫 02 43 66 02 02, capucingourmand@fre
Fax 02 43 26 25 05, 🏠 – 🆎 🖭
fermé 29 juil. au 20 août, dim. soir, merc. midi et lundi – **Repas** (16 bc) - 19/42 et carte 4
50 ₤, enf. 11

XX **Gerbe de Blé** avec ch, 83 r. V.-Boissel 𝒫 02 43 53 14 10, gerbedeble@wanado
Fax 02 43 49 02 84 – 🖭 ♥, 🆎 🖭
fermé 28 juil. au 20 août, lundi midi et dim. sauf fériés – **Repas** 15,50 (déj.), 21,50/40 ₤, er
– ⏸ 8 – **8 ch** 53,50/75 – ½ P 57/75

XX **Bonne Auberge** avec ch, 170 r. Bretagne par ⑥ 𝒫 02 43 69 07 81, labonneauberg
🕿 free.fr, Fax 02 43 91 15 02 – 🖭 ♥ 🚗 🅿, 🆎 🖭
fermé 27 juil. au 25 août, 23 déc. au 4 janv., vend. soir, dim. soir et sam. – **Repas** 14,50 (dé
21,35/29 ₤, enf. 10 – ⏸ 7 – **11 ch** 45,75/68,60

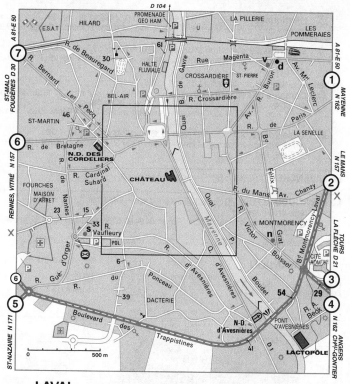

LAVAL

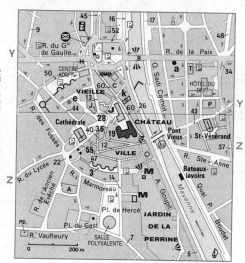

XX **L'Antiquaire**, 5 r. Béliers ℘ 02 43 53 66 76, Fax 02 43 56 92 18 – 🍽. **GB**   Y
fermé 4 au 27 juil., vacances de fév., sam. midi, dim. soir et merc. – **Repas** 16/37,50 ⅀
enf. 8,38

X **Edelweiss**, 99 av. R. Buron ℘ 02 43 53 11 00, Fax 02 43 53 36 51 – ➊ **GB**   X
fermé 5 au 30 août, vacances de fév., dim. soir et lundi – **Repas** 12,80 (déj.), 15,10/26,30 ⅀
enf. 7,70

à Changé *au Nord : 4 km* – 4 909 h. alt. 55 – ⊠ 53810 :

XX **Domaine des Saveurs**, rte Louverné par D 561 : 2 km ℘ 02 43 67 16 66, *domainede-saveurs@wanadoo.fr*, Fax 02 43 67 19 39, �, 🚗, – **P**. **AE GB**. 🛇
fermé 5 au 25 août, 4 au 15 fév., dim. soir, sam. midi et lundi – **Repas** (12,50) - 16,50 (déj.)
21,90/26,70

XX **Table Ronde**, pl. Mairie ℘ 02 43 53 43 33, Fax 02 43 49 05 60, � – **GB**
fermé dim. soir, merc. soir et lundi – **Repas** 20/37 ⅀, enf. 7,50 - **Bistrot : Repas** (12)-14
37 ⅀, enf. 7,50

Le LAVANCHER *74 H.-Savoie* **74** ⑨ – *rattaché à Chamonix.*

Le LAVANDOU *83980 Var* **84** ⑯, **114** ㊽ *G. Côte d'Azur* – 5 449 h alt. 1.
Env. *Ile d'Hyères*★★★.
🅱 *Office du tourisme Quai Gabriel Péri ℘ 04 94 00 40 50, Fax 04 94 00 40 59, info@lelavan-dou.com.*
Paris 880 ② – Fréjus 63 ① – Cannes 100 ① – Draguignan 76 ① – Toulon 42 ②.

LE LAVANDOU

Bois Notre-Dame (R. du).... **A** 2	Cazin (R. Charles) .... **A** 4
Bouvet (Bd. Gén. G.) .... **A** 3	Gaulle (Av. Gén. de) .... **AB**
	Lattre-de-Tassigny (Bd. de) ... **A** 7
	Martyrs-de-la-Résistance
	(Av. des) .... **A** 8

Patron Ravello (R.) .... **B**
Péri (Quai Gabriel) .... **B**
Port (R. du)................. **B**
Port Cros (R.)............... **A**
Vincent Auriol (Av. Prés.).... **A**

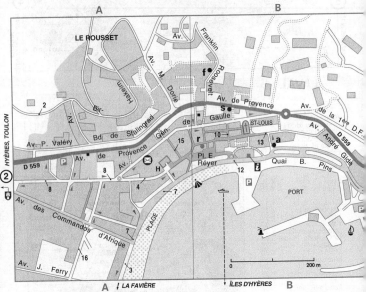

🏨 **Petite Bohème** ⬙, av. F.-Roosevelt ℘ 04 94 71 10 30, *hotelpetiteboheme@wanadoo.*
fr, Fax 04 94 64 73 92, �, 🚗 – 🍽 **TV** 🚗. **AE GB**   B
fermé 31 oct. au 1ᵉʳ janv. – **Repas** 18,29/32,01, enf. 9,15 – 🖵 6,40 – **19 ch** 60,98, (en é
½ pens. seul.) – ½ P 65,50

🏠 **Rabelais** *sans rest, face Vieux Port ℘ 04 94 71 00 56, hotel.le rabelais@wanadoo*   B
Fax 04 94 71 82 55, ≤ – **TV**. **GB**
fin janv.-11 nov. – 🖵 5,35 – **19 ch** 51,80/65,60

🏠 **L'Escapade** sans rest, chemin du Vannier *ℰ* 04 94 71 11 52, *hotelescapa@wanadoo.fr,*
Fax 04 94 71 22 14 – 📺 ⅢⅤ 🅰🅴 🆎 B s
fév.-oct. – ☲ 6,86 – **17 ch** 57,93

✕✕ **Krill**, r. Patron Ravello *ℰ* 04 94 71 06 43, Fax 04 94 15 10 56, ㄞ – ▤. 🅰🅴 🅾 🆎 B r
fermé 1ᵉʳ nov. au 20 déc. et lundi hors saison – **Repas** 25,15/28,20 ⌇

à la Favière *Sud : 2 km* – A – ⌧ 83230 Bormes-les-Mimosas :

🏠 **Plage,** *ℰ* 04 94 71 02 74, *hotel.sarl@wanadoo.fr,* Fax 04 94 71 77 22, ㄞ, ᾷ – ▤ rest, 📺
🅿 🆎. ㄡ rest
1ᵉʳ avril-30 sept. – **Repas** 16/25, enf. 8 – ☲ 7,50 – **45 ch** 50/72 – ½ P 52/59

à St-Clair *par ① : 2 km* – ⌧ 83980 Le Lavandou :

🏠🏠 **Roc Hôtel** ⑤ sans rest, *ℰ* 04 94 01 33 66, Fax 04 94 01 33 67, ≤ – ▤ 📺 🅿. 🆎, ㄡ
30 mars-20 oct. – ☲ 8 – **25 ch** 80/125

🏠🏠 **Belle Vue** ⑤, *ℰ* 04 94 00 45 00, *hotelbellevue@wanadoo.fr,* Fax 04 94 00 45 25, ≤, ᾷ –
📺 ㄤ 🅿. 🅰🅴 🅾 🆎, ㄡ
avril-.oct. – **Repas** *(fermé dim.)* (dîner seul.) 31 – ☲ 11 – **19 ch** 64/149 – ½ P 69/116

🏠🏠 **Méditerranée** ⑤, *ℰ* 04 94 01 47 70, *hotel.med@wanadoo.fr,* Fax 04 94 01 47 71, ≤,
ㄞ – ▤ ch, 📺 🅿. 🆎. ㄡ rest
15 mars-20 oct. – **Repas** (résidents seul.) ⌇ – ☲ 6,40 – **22 ch** 70,90/96,80 – ½ P 54,40/
72,70

🏠 **Bastide** Ⓜ sans rest, *ℰ* 04 94 01 57 00, *hôtel-la-bastide@free.fr.,* Fax 04 94 01 57 13 – ▤
📺 ㄤ ㄥ 🅿. 🅾 🆎
1ᵉʳ mars-31 oct. – ☲ 8,50 – **17 ch** 75/80

🏠 **Tamaris** ⑤ sans rest, *ℰ* 04 94 71 79 19, Fax 04 94 71 88 64, ᾷ – 📺 ㄥ 🅿. 🅰🅴 🆎
28 mars-3 nov. – **41 ch** 70/80

🏠 **L'Orangeraie** sans rest, *ℰ* 04 94 71 04 25, *hotelorangeraie@aol.com,* Fax 04 94 15 24 42
– cuisinette – 📺 🅿. 🆎
23 mars-6 oct. – ☲ 7,50 – **20 ch** 64/96

La Fossette-Plage *par ① : 3 km* – ⌧ 83980 Le Lavandou :

🏠🏠🏠 **83 Hôtel,** ᾷ *ℰ* 04 94 71 20 15, *hotel83@wanadoo.fr,* Fax 04 94 71 63 42, ≤ côte et mer, ㄞ,
☌, ㄥ, ᾷ, ㄤ – ㅐ ▤ 📺 🅿. 🆎 🆎
28 mars-fin oct. – **Jardin de la Fossette : Repas** 32,77/54,87, enf. 19,05 – **Grill** (déj. seul.)
Repas carte environ 35 – ☲ 12,19 – **28 ch** 106,70/259,14 – ½ P 117,37/182,16

Aiguebelle *par ① : 4,5 km* – ⌧ 83980 Le Lavandou :

🏠🏠🏠 **Les Roches** Ⓜ ⑤, *ℰ* 04 94 71 05 07, Fax 04 94 71 08 40, ≤ mer et les îles, ㄞ,
« Agréables terrasses en bordure de mer », ☌, ㄤ – ▤ 📺 ㄤ 🅿 – ㄥ 20. 🅰🅴 🅾 🆎, ㄡ
15 mars-31 oct. – **Repas** (dîner seul.) 53/84 - **Beach** (déj. seul.) **Repas** carte environ 54, enf 19 – ☲ 17 – **35 ch** 300/600, 5 appart – ½ P 232/382

🏠🏠 **Les Alcyons** sans rest, *ℰ* 04 94 05 84 18, *alcyons@net-up.com,* Fax 04 94 05 70 89 – ▤
📺 🅿. 🅰🅴 🅾 🆎, ㄡ
24 mars-15 oct. – ☲ 6,09 – **24 ch** 79,27/94,51

🏠🏠 **Hydra** sans rest, *ℰ* 04 94 71 65 46, Fax 04 94 15 08 07, ☌, ᾷ – ▤ 📺 ㄤ ㄥ ㅿ. 🅰🅴 🅾
🆎 ㄐㄈㅂ, ㄡ
☲ 10 – **26 ch** 78/95

🏠 **Beau Soleil,** *ℰ* 04 94 05 84 55, Fax 04 94 05 70 89, ㄞ – ▤ 📺 🅿 – ㄥ 20. 🅰🅴 🆎
hôtel: Pâques-30 sept. ; rest.: mi-mai-30 sept. – **Repas** (snack le midi) 22/27 ⌇, enf. 9 – ☲ 6
– **17 ch** 70/77, (en été : ½ pens. seul.) – ½ P 63/66,50

✕ **Le Sud** (Petra), *ℰ* 04 94 05 76 98, ㄞ – 🆎
⑳ *fermé 2 au 31 janv., le midi en sem. du 15 juin au 15 sept., dim. soir et lundi hors saison* –
Repas (menu unique) 54
Spéc. Cappuccino de pétoncles aux cèpes et truffes. Risotto de homard à l'américaine et
vinaigre balsamique. Pigeon en croûte, foie gras, chou et truffe **Vins** Côtes de Provence
rosé et rouge

AVARDENS 32360 Gers 🟪🟪 ④ – 378 h alt. 193.
🖪 Syndicat d'initiative Au Village *ℰ* 05 62 64 56 21, Fax 05 62 64 51 20, *info@coeur-
gascogne.com.*
Paris 711 – Auch 22 – Agen 68 – Condom 31.

✕ **Château,** *ℰ* 05 62 64 58 90, Fax 05 62 64 57 85, ㄞ – ㄐㄈㅂ
fermé 15 au 30 oct., 2 janv. au 13 fév. et lundi – **Repas** 25,92/33,54

AVARDIN 41 L.-et-Ch. 🟦🟦 ⑤ – rattaché à Montoire-sur-le-Loir.

LAVAUDIEU 43100 H.-Loire **76** ⑤ G. Auvergne – 225 h alt. 465.

Voir *Fresques★ de l'église abbatiale - Cloître★ – Carrefour du vitrail★*.

Paris 492 – Le Puy-en-Velay 56 – Brioude 10 – Clermont-Ferrand 80 – St-Flour 63.

※ **Auberge de l'Abbaye**, ℘ 04 71 76 44 44 – **GB**
fermé dim. soir sauf en été et lundi – Repas 16/28,20 ♀

※ **Court La Vigne**, ℘ 04 71 76 45 79, Fax 04 71 76 45 79, 佘 – **①** **GB**
fermé janv., mardi soir et merc. – Repas (nombre de couverts limité, prévenir) 12,50/21,5

Les LAVAULTS 89 Yonne **65** ⑯ – rattaché à Quarré-les-Tombes.

LAVAUR 81500 Tarn **82** ⑨ G. Midi-Pyrénées – 8 537 h alt. 140.

Voir *Cathédrale St-Alain★*.

🛈 OMT Tour des Rondes ℘ 05 63 58 02 00, Fax 05 63 41 42 89.

Paris 700 – Toulouse 44 – Albi 51 – Castelnaudary 56 – Castres 40 – Montauban 59.

※※ **Jardin** avec ch, 8 allées Ferréol-Mazas ℘ 05 63 41 40 30, Fax 05 63 41 41 74 – **▤** rest,
♦, **AE** **①** **GB** **JCB**
fermé 18 août au 2 sept. – Repas (fermé dim. et lundi) 13,50 (déj.), 18,50/35 ♦ – 立 5 – 9
37/40 – ½ P 32,50

à Giroussens Nord-Ouest : 10 km par D 87 – 1 040 h. alt. 204 – ⊠ 81500 :

※※ **L'Échauguette** ॐ avec ch, ℘ 05 63 41 63 65, Fax 05 63 41 63 13, ≼, 佘 – **AE** **①** **GE**
fermé 17 au 30 sept., 4 au 24 fév., dim. soir et lundi sauf de juil. à sept. – Repas 21/43
enf. 9 – 立 4,50 – **4 ch** 43

En juin et en septembre,
les hôtels sont moins chers qu'en pleine saison, le service est plus soigné.

LAVELANET 09300 Ariège **86** ⑤ – 6 872 h alt. 512.

🛈 Office du tourisme-Maison de Lavelanet ℘ 05 61 01 22 20, Fax 05 61 03 06 39, lavelar
tourisme@wanadoo.fr.

Paris 798 – Foix 28 – Carcassonne 71 – Castelnaudary 53 – Limoux 48 – Pamiers 42.

à Villeneuve-d'Olmes Sud-Ouest : 3 km par D 109 – 1 292 h. alt. 595 – ⊠ 09300 :

※※※ **Castrum** (Benet) **M** ॐ avec ch, ℘ 05 61 01 35 24, lecastrum@lecastrum
✿ Fax 05 61 01 22 85, ≼, 佘, **⌂**, **☞** – **▤** **TV** **♦** **&** **P**, **AE** **①** **GB** **JCB**
fermé 17 fév. au 9 mars – Repas 21 (déj.), 31/68 et carte 47 à 64 ♀, enf. 11 – 立 11 – **7**
69/122 – ½ P 70/102
Spéc. Filet de loup aux artichauts barigoule. Mignon de veau rôti aux noisettes. Gibier (c
à janv.) **Vins** Limoux, Corbières.

à Nalzen Ouest : 6 km sur D 117 – 141 h. alt. 632 – ⊠ 09300 :

※ **Les Sapins**, ℘ 05 61 01 03 85, Fax 05 61 01 03 85 – **P**, **①** **GB** **JCB**
fermé 13 au 27 nov., 2 au 22 janv., dim. soir, merc. soir et lundi – Repas 10,67 bc/43,
enf. 7,62

à Palot Ouest : 10 km sur D 117 – ⊠ 09300 Roquefixade :

※※ **Relais des Trois Châteaux** avec ch, ℘ 05 61 01 33 99, Fax 05 61 01 73 73, ≼, **J-5**,
☞ – **▤** **TV** **♦** **P** – **▲** 15. **GB**
fermé 12 au 28 nov., 20 janv. au 12 fév., vend. soir hors saison, dim. soir et mardi – Repas
(déj.), 21/40 ♦, enf. 9 – 立 7,50 – **7 ch** 49/58 – ½ P 42/44

à Montségur Sud : 13 km par D 109 et D 9 – 117 h. alt. 900 – ⊠ 09300 Lavelanet :

🛈 Office du tourisme ℘ 05 61 03 03 03, Fax 05 61 03 03 03, info.tourisme@montsegur.c

✿ **Costes** ॐ, ℘ 05 61 01 10 24, Fax 05 61 03 06 28, 佘 – **GB**
1er avril-11 nov. et fermé dim. soir et lundi – Repas 15,25/25,95 ♦, enf. 7,32 – 立 6,60 – **9**
45 – ½ P 36,60/41,30

LAVENTIE 62840 P.-de-C. **51** ⑮ – 4 383 h alt. 18.

Paris 230 – Lille 29 – Armentières 13 – Arras 46 – Béthune 18 – Dunkerque 63 – Ieper 30.

※※ **Cerisier** (Delerue), 3 r. Gare ℘ 03 21 27 60 59, Fax 03 21 27 60 87 – **GB**. **✸**
✿ *fermé août, vacances de fév., sam. midi, dim. soir et lundi* – Repas 26/54 et carte 46 à 6
Spéc. Millefeuille de saumon fumé au gingembre. Sauvageon de la baie de Somme a
pommes caramélisées. Parfait glacé aux spéculos, à l'orange et au Grand Marnier.

VERGNE 46 Lot 🔟🔟 ⑲ – rattaché à Gramat.

VILLEDIEU 07 Ardèche 🔟🔟 ⑨ – rattaché à Aubenas.

VIOLLE 07530 Ardèche 🔟🔟 ⑱ – 130 h alt. 650.
Paris 612 – Le Puy-en-Velay 68 – Aubenas 20 – Lamastre 52 – Mézilhac 9 – Privas 41.

🏠 **Les Plantades** ⑤, rte Antraigues Sud : 2 km sur D 578 ℘ 04 75 38 71 58, ≤, 🏤, 🐾 –
☎ 🖘 🄿. 🄶🄱
fermé 11 nov. au 15 déc., mardi soir et merc. de nov. à Pâques – **Repas** 10,67/22,87 ½,
enf. 6,86 – ☲ 4,57 – **9 ch** 35,06/45,73 – ½ P 29,73/32,01

XOU 54 M.-et-M. 🔢 ⑤ – rattaché à Nancy.

YE 05 H.-Alpes 🔟🔟 ⑯ – rattaché à Bayard (Col).

LÉCHÈRE 73260 Savoie 🔟🔢 ⑰ G. Alpes du Nord – Stat. therm. (fin mars-fin oct.).
🄱 Office du tourisme Les Eaux Claires ℘ 04 79 22 51 60, Fax 04 79 22 57 10, info@
la-lechere.com.
Paris 633 – Albertville 22 – Celliers 16 – Chambéry 71 – Moûtiers 6.

🏨 **Radiana** 🅼 ⑤, ℘ 04 79 22 61 61, hotelradiana@ifrance.com, Fax 04 79 22 65 25, ≤, 🏊 –
😒 ⋈, 🍴 rest, 🄿 🄲 🄳 🄿 – 🄴 30. 🄰🄴 🄾 🄶🄱, 🛇 rest
hôtel : avril-mi-oct. et fin déc.-début mars – **Repas** (avril-mi-oct.) 17/24 ½ – ☲ 8 – **87 ch**
57/116 – ½ P 66,50/70,50

---

s LECQUES 83 Var 🔢🔢 ⑭, 🔢🔢🔢 ㊸ – rattaché à St-Cyr-sur-Mer.

CTOURE 32700 Gers 🔢🔢 ⑤ G. Midi-Pyrénées – 3 933 h alt. 155.
Voir Site★ – Promenade du bastion ≤★ – Musée municipal★.
🄱 Office du tourisme Place de l'Hôtel de Ville ℘ 05 62 68 76 98, Fax 05 62 68 79 30,
ot.lectoure@wanadoo.fr.
Paris 687 – Agen 39 – Auch 35 – Condom 26 – Montauban 74 – Toulouse 96.

🏨 **Bastard**, r. Lagrange ℘ 05 62 68 82 44, hoteldebastard@wanadoo.fr, Fax 05 62 68 76 81,
🏤, 🏊, 🐾 – 🄿 🖘 – 🄴 15 à 30. 🄰🄴 🄶🄱
fermé 20 déc. au 1er fév. – **Repas** 14 (déj.), 25/54 ½, enf. 8 – ☲ 8 – **29 ch** 42/61 – ½ P 49/65

🍴 **L'Auberge des Bouviers**, ℘ 05 62 68 95 13, Fax 05 62 68 75 33 – 🄰🄴 🄶🄱
fermé dim. et lundi – **Repas** 12,50 (déj.), 19,50/21,80 ½, enf. 7,71

IGNÉ-LES-BOIS 86450 Vienne 🔢🔢 ⑤ – 465 h alt. 125.
Paris 319 – Poitiers 54 – Le Blanc 36 – Châtellerault 16 – Loches 53 – La Roche-Posay 10.

🍴🍴 **Bernard Gautier**, ℘ 05 49 86 53 82, Fax 05 49 86 58 05 – 🄶🄱
fermé 15 fév. au 15 mars, 12 au 30 nov., dim. soir et lundi – **Repas** 20,60/40

LEX 01410 Ain 🔟🔟 ⑮ – 221 h alt. 900 – Sports d'hiver : voir au Col de la Faucille.
🄱 Office du tourisme Monts-Jura ℘ 04 50 20 91 43, Fax 04 50 20 93 95, otmtjura@cc-pays-
de-gex.fr.
Paris 492 – Bourg-en-Bresse 91 – Gex 27 – Morez 39 – Nantua 44 – St-Claude 31.

🏠 **Crêt de la Neige**, ℘ 04 50 20 90 15, maryline.grospiron@wanadoo.fr,
Fax 04 50 20 94 46, 🏤 – 🄲 🄿. 🄰🄴 🄶🄱. 🛇 rest
22 juin-12 sept. et 21 déc.-10 avril – **Repas** 13,50/19,85 🦴, enf. 7,90 – ☲ 5,20 – **25 ch**
30,50/53,40 – ½ P 38,15/50,30

🏠 **Centre**, ℘ 04 50 20 90 81, lecentrelelex@wanadoo.fr, Fax 04 50 20 93 97, 🏤 – 🄲 🄿. 🄶🄱.
🛇
12 juil.-30 sept. et 21 déc.-30 avril – **Repas** (fermé du vend. soir au dim. soir hors saison)
15,25/24,40 ½, enf. 8 – ☲ 5,50 – **19 ch** 44,20/54,70 – ½ P 42/52,80

X **Mont Jura** avec ch, ℘ 04 50 20 90 53, noelhoutin@free.fr, Fax 04 50 20 95 20, 🏤
🅿. ☺
fermé mardi hors saison – **Repas** 15/23, enf. 7,30 – 🖵 5,49 – **12 ch** 27,44/41,1
½ P 44,21

LEMBACH 67510 B.-Rhin 57 ⑲ G. Alsace Lorraine – 1 689 h alt. 190.
Env. Château de Fleckenstein★★ NO : 7 km.
🅱 Office du tourisme 23 route de Bitche ℘ 03 88 94 43 16, Fax 03 88 94 20 04, info
lembach.com.
Paris 469 – Strasbourg 59 – Bitche 32 – Haguenau 24 – Wissembourg 15.

🏠 **Heimbach** sans rest, 15 rte Wissembourg ℘ 03 88 94 43 46, contact@hotel
heimbach.fr, Fax 03 88 94 20 85 – 🛗 🅿. ☺. ⁂
🖵 9 – **18 ch** 52/65

🏠 **Vosges du Nord** sans rest, 59 rte Bitche ℘ 03 88 94 43 41, Fax 03 88 94 23 08 – 🅿.
fermé fév. et lundi – 🖵 4,50 – **7 ch** 44/48

XXXX **Auberge du Cheval Blanc** (Mischler) avec ch, 4 rte Wissembourg ℘ 03 88 94 41
✿✿ info@au-cheval-blanc.fr, Fax 03 88 94 20 74, « Ancien relais de poste », 🏤 – 🔲 📺 ⚡ &
🖭 ⓞ ☺
fermé 1ᵉʳ au 19 juil. et 3 au 28 fév. – **Repas** (fermé vend. midi, lundi et mardi) 32,01/81,5
carte 60 à 75 ♀, enf. 19,82 **D'Rössel Stub** (fermé merc. et jeudi) **Repas** carte environ 27
4 ch 137,20/198,18, 3 appart
Spéc. Filet de bar, fondant de jeunes poireaux au jus d'huître acidulé. Poitrines de pig
en croûte de noix, ravioles à l'alsacienne. Médaillons de chevreuil à la moutarde de fr
rouges **Vins** Tokay-Pinot gris, Pinot noir.

à Gimbelhof Nord : 10 km par D 3, D 925 et rte forestière – ✉ 67510 Lembach :

X **Gimbelhof** 🏖 avec ch, ℘ 03 88 94 43 58, Fax 03 88 94 23 30, ≤ – 🅿. ☺
fermé 20 nov. au 26 déc. et vacances de fév. – **Repas** (fermé lundi et mardi) 10,20 (d
18,30/26 ♀, enf. 5,20 – 🖵 4,70 – **7 ch** 32/38 – ½ P 32/36,60

Dans ce guide
un même symbole, un même caractère,
*imprimé en couleur ou en **noir**, en maigre ou en **gras**,*
n'ont pas tout à fait la même signification.
Lisez attentivement les pages explicatives.

LEMPDES 63800 P.-de-D. 73 ⑭ – 8 401 h alt. 330.
Paris 422 – Clermont-Ferrant 11 – Issoire 38 – Thiers 36 – Vichy 50.

X **Poids de Ville,** 6 r. Caire ℘ 04 73 61 74 71, Fax 04 73 61 66 21 – ▣. ☺
⊜ fermé 1ᵉʳ au 7 janv., dim. sauf le midi de sept. à juin et lundi – **Repas** 13,57/32,78, enf. 9,

---

LENCLOITRE 86140 Vienne 68 ③ G. Poitou Vendée Charentes – 2 253 h alt. 71.
🅱 Office du tourisme Place du Champ de Foire ℘ 05 49 19 70 75, Fax 05 49 19 70 75.
Paris 320 – Poitiers 30 – Châtellerault 18 – Mirebeau 12 – Richelieu 24.

XX **Champ de Foire**, pl. Champ de foire ℘ 05 49 90 74 91, Fax 05 49 93 33 76 – ☺. ⁂
⊛ fermé 19 août au 1ᵉʳ sept., 21 au 29 déc., dim. soir et lundi – **Repas** (12) - 15/34,50 ♀

LENS ◈ 62300 P.-de-C. 51 ⑮ G. Picardie Flandres Artois – 36 206 h Aggl. 323 174 h alt. 38.
🅱 Syndicat d'initiative 26 rue de la Paix ℘ 03 21 67 66 66, Fax 03 21 67 65 66, ler
tour@aol.com.
Paris 200 ③ – Lille 37 ① – Arras 18 ① – Béthune 19 ④ – Douai 25 ② – St-Omer 68 ④.
Plan page ci-contre

🏠 **Lensotel**, centre commercial Lens 2 par ⑤ : 3,5 km ✉ 62880 Vendin-le-V
℘ 03 21 79 36 36, Fax 03 21 79 36 00, ♨, 🏤 – 📺 ⚡ 🅿 – 🛗 120. 🖭 ⓞ ☺. ⁂ rest
Repas 15/25 ♀ – 🖵 8 – **70 ch** 55/62 – ½ P 46

🏠 **Espace Bollaert**, 13C rte Béthune ℘ 03 21 78 30 30, hotelbollaert@wordnet
Fax 03 21 78 24 83 – 🛗, ▤ rest, 📺 ⚡ & 🅿 – 🛗 150. 🖭 ☺   AX
Repas (fermé août et dim. soir) 16,77/25,92 ♀ – 🖵 7 – **54 ch** 51/54

XX **L'Arcadie**, 13 r. Decrombecque ℘ 03 21 70 32 22, Fax 03 21 70 32 22 – ⓞ ☺   BY
fermé 4 au 18 août et dim. soir – **Repas** 13 (déj.), 17/34 ♀

LENS

ole-France (R.) . . . . . . BXY 2
(Bd Emile) . . . . ABY
nelot (R. Marcelin) . . . . BY 3
bes (R. Emile) . . . . CX 4
ombecque
Guilsain) . . . . BXY 6
rot (R. Denis) . . . . CY 7
erbe (R. Louis) . . . . . . BY 8
ent (R. Etienne) . . . . . . BX 10
Freycinet (R. Louis de) . . . . . **CX** 12
Gare (R. de la) . . . . **BCY**
Gauthier (R. François) . . . . . . **BY** 13
Havre (R. du) . . . . **BY** 14
Hospice (R. de l') . . . . **CY** 15
Huleux (R. François) . . . . . . **BXY** 16
Jean Jaurès (Pl) . . . . **BY** 18
Jean Moulin (R.) . . . . **BX** 19
Lamendin (R. Arthur) . . . . . **CXY** 20
Lanoy (R. René) . . . . **BXY** 21
Leclerc (R. du Mar.) . . . . **BY** 22
Paix (R. de la) . . . . **BY** 23
Paris (R. de) . . . . **BY** 24
Pasteur (R. Louis) . . . . **BX** 25
Pourquoi-Pas (R. du) . . . . . . **ABX** 26
Pressense
(R. Francis de) . . . . **CX** 27
République (Pl. de la) . . . . . . **BY** 28
Reumaux (Av. Elie) . . . . . . **ABX** 29
Sorriaux (R. Uriane) . . . . **BCX** 30
Varsovie (Av de) . . . . **CY** 31
Wetz (R. du) . . . . **BX** 32
8 Mai 1945 (R.) . . . . **CY** 33
11 Novembre (R. du) . . . . . **ABX** 36

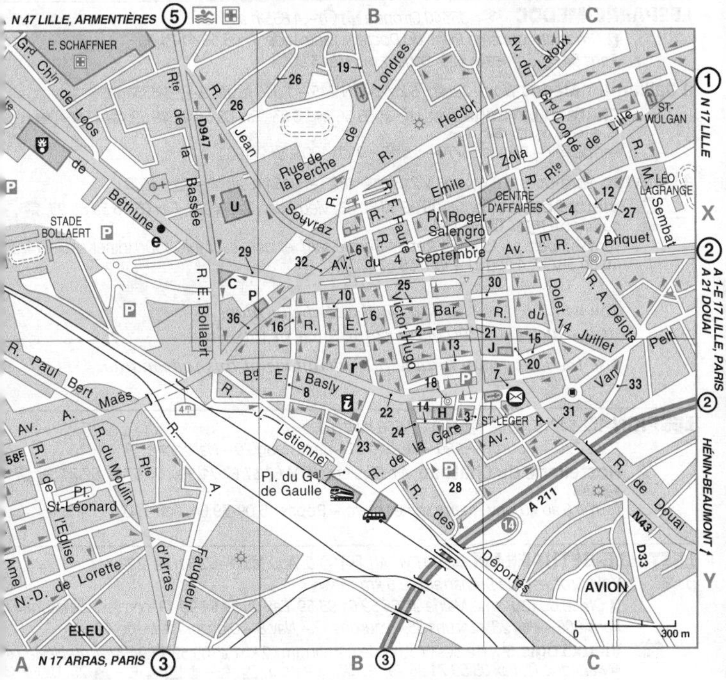

North is at the top on all town plans.

ON *40550 Landes* 78 ⑯ *– 1 453 h alt. 9.*
Voir *Courant d'Huchet★ en barque NO : 1,5 km,* **G. Aquitaine.**
Office du tourisme Place Jean-Baptiste Courtiau ✆ 05 58 48 76 03, Fax 05 58 48 70 38, ot.leon@wanadoo.fr.
Paris 728 – Mont-de-Marsan 81 – Castets 14 – Dax 29.

Lac, 2 r. des Berges du Lac ✆ 05 58 48 73 11, ←, – GB.
début avril-fin sept. – **Repas** 10,98/26,68 – 4,60 – **15 ch** 41/58

RÉ *18240 Cher* 65 ⑫ *G. Berry Limousin – 1 296 h alt. 145.*
Office du tourisme ✆ 02 48 72 54 32, Fax 02 48 72 17 48.
Paris 181 – Auxerre 73 – Bourges 65 – Montargis 65 – Nevers 63 – Orléans 105.

Lion d'Or, ✆ 02 48 72 60 12, Fax 02 48 72 56 18 – GB
fermé 15 au 28 fév. et dim. soir – **Repas** 16,01/46,50, enf. 9,91

RINS (Iles de) *06 Alpes-Mar.* 84 ⑨ *– voir à Ste-Marguerite et St-Honorat.*

SCAR *64 Pyr.-Atl.* 85 ⑥ *– rattaché à Pau.*

LESCUN 64490 Pyr.-Atl. 85 ⑮ G. Aquitaine – 203 h alt. 900.

Voir ✳✳✳ 30 mn.

Paris 858 – Pau 71 – Lourdes 89 – Oloron-Ste-Marie 37.

⌂ **Pic d'Anie** ⑤, ℘ 05 59 34 71 54, Fax 05 59 34 53 22, ≤, 畲 – **GB**. ⅛ ch

15 juin-15 sept. – **Repas** (dîner seul.) 15/30 ♀, enf. 10 – ☲ 5 – **10 ch** 33,50/43 – ½ P 4

LÉSIGNY 77 S.-et-M. 61 ②, 101 ㉙ – voir à Paris, Environs.

LESPARRE-MÉDOC ◁▷ 33340 Gironde 71 ⑰ – 4 855 h alt. 12.

🛈 Office du tourisme Place du Docteur Lapeyrade ℘ 05 56 41 21 96.

Paris 541 – Bordeaux 68 – Soulac-sur-Mer 31.

à Gaillan-en-Médoc Nord-Ouest : 5 km par N 215 – 1 915 h. alt. 9 – ⊠ 33340 :

XXX **Château Layauga** avec ch, ℘ 05 56 41 26 83, Fax 05 56 41 19 52, 畲, ⋈ – 🔲 res
🍴 ㅅ ⇌ 🅿. 🆎 **GB** 🅹🅲🅱
fermé fév. – **Repas** 35/70 – ☲ 12 – **7 ch** 100 – ½ P 100

à Queyrac Nord-Ouest : 8 km par N 215 et D 102E² – 1 164 h. alt. 4 – ⊠ 33340 :

🏠 **Vieux Acacias** ⑤, ℘ 05 56 59 80 63, vieuxacaci@aol.com, Fax 05 56 59 85 93, 畲,
⇌ cuisinette 🔲 📞 🅿. ⊙ **GB**
fermé 5 déc. au 15 fév. – **Repas** (fermé sam. et dim. sauf juil.-août) (dîner seul.) 14/2
10 ch 38/57, 4 appart – ½ P 39

*Towns underlined in red on the **Michelin maps***
at a scale of 1 : 200 000 are included in this Guide.

Use the latest map to take full advantage of this information.

LESPIGNAN 34710 Hérault 83 ⑭ – 2 568 h alt. 61.

Paris 778 – Montpellier 80 – Béziers 11 – Capestang 20 – Narbonne 19.

X **Hostellerie du Château,** 4 r. Figuiers ℘ 04 67 37 67 71, Fax 04 67 37 67 71, ≤, 畲
⊙ **GB**
fermé 6 au 20 janv., mardi soir et merc. – **Repas** 15,09/39,64, enf. 7,47

LESTELLE-BÉTHARRAM 64800 Pyr.-Atl. 85 ⑦ G. Aquitaine – 786 h alt. 299.

Voir Grottes★ de Bétharram S : 5 km.

🛈 Office de tourisme Mairie ℘ 05 59 61 93 59, Fax 05 59 61 99 19, comlestelle@cdg64
Paris 806 – Pau 28 – Laruns 35 – Lourdes 17 – Nay 8 – Oloron-Ste-Marie 43.

🏠 **Vieux Logis** ⑤, rte des Grottes de Bétharram : 2 km ℘ 05 59 71 94 87, hotel.levieux
@wanadoo.fr, Fax 05 59 71 96 75, ≤, 畲, « Parc », ♨, 🄯 – 🔟 🔲 ㅅ 🅿.– 🄰 25. 🆎 ⊙ ●
fermé 25 oct. au 8 nov., 1er fév. au 1er mars, dim. soir et lundi hors saison – **Repas** 2
enf. 8 – ☲ 8 – **40 ch** 37/50, 5 chalets – ½ P 44,50/51

⌂ **Touristes-Chez Lartigue,** ℘ 05 59 71 93 05, Fax 05 59 71 90 09, 畲 – **GB**. ⅛ res
⇌ fermé 26 déc. au 10 fév., dim. soir et lundi – **Repas** 11/19 ♀, enf. 7,80 – ☲ 5,35 – **1**
22,90/42,70 – ½ P 30,50/36,60

LEUCATE 11370 Aude 86 ⑩ G. Languedoc Roussillon – 2 732 h alt. 21.

Voir ≤★ du sémaphore du Cap E : 2 km.

🛈 OMT - Espace Culturel ℘ 04 68 40 91 31, Fax 04 68 40 24 76, tourisme.leucate@
doo.fr.

Paris 827 – Perpignan 35 – Carcassonne 88 – Narbonne 38 – Port-la-Nouvelle 18.

XX **Jouve** avec ch, sur la plage ℘ 04 68 40 02 77, jouveleucate@ifrance.
Fax 04 68 40 03 60, ≤, 畲 – 🔟. 🆎 ⊙ **GB**. ⅛ ch
30 mars-30 sept. – **Repas** (fermé lundi sauf le soir en juil.-août et dim.-août et dim. soir) 17/36 ♀, en
– ☲ 7 – **7 ch** 59/72 – ½ P 56/62

X **Village,** au village, 129 av. J. Jaurès ℘ 04 68 40 06 91, andrieu.eric@fre
Fax 04 68 40 06 91 – ▤. **GB**
fermé mardi et merc. – **Repas** 12,20 (déj.), 16,10/24,40 ♀, enf. 6,90

à Port-Leucate Sud : 7 km par D 627 – ⊠ 11370 :

🏠 **Deux Golfs** sans rest, sur le port ℘ 04 68 40 99 42, Fax 04 68 40 79 79 – 🛗 🔲 ㅅ 🅿. 🄰
GB
1er mars-31 oct. – ☲ 4,60 – **30 ch** 45/60,25

LEUTENHEIM 67480 B.-Rhin 🔟 ③ – 788 h alt. 119.

Paris 506 – Strasbourg 41 – Haguenau 23 – Karlsruhe 43.

XX **Auberge Au Vieux Couvent**, à Koenigsbruck, Nord-Ouest : 2 km par D 163 ☎ 03 88 86 39 86, 🏤 – 🅿️. GB
fermé 4 au 20 mars, 2 au 19 sept., 30 déc. au 8 janv., 17 fév. au 2 mars, lundi et mardi – **Repas** (7,62) - 22,87/33,54 ♀

LEVALLOIS-PERRET 92 Hauts-de-Seine 🗔 ⑳, 🔟🔟 ⑮ – *voir à Paris, Environs.*

LEVENS 06670 Alpes-Mar. 🔟 ⑲, 🔟🔟🔟 ⑯ *G. Côte d'Azur* – 3 700 h alt. 600.

Voir ≼* – *Saut des Français** N : 8 km.*

🛈 *Office du tourisme Place de la République ☎ 04 93 79 71 00, Fax 04 93 79 71 00, ot.levens@free.fr.*

Paris 953 – Antibes 42 – Cannes 52 – Nice 25 – Puget-Théniers 51 – St-Martin-Vésubie 40.

🏛 **Vigneraie** 🦢, rte St-Blaise 1,5 km ☎ 04 93 79 70 46, Fax 04 93 79 84 35, 🏤, 🐴 – 📺 🅿️. GB
1ᵉʳ fév.-7 oct. – **Repas** (dîner pour résidents seul.) 16/23,50 – 🖂 5 – **18 ch** 27,50/33,50

X **Les Santons**, au village ☎ 04 93 79 72 47, 🏤 – GB
fermé 24 juin au 3 juil., 30 sept. au 9 oct., 6 janv. au 12 fév., merc. et le soir sauf sam. – **Repas** (prévenir) 17,54/30,18, enf. 9,15

LÉVERNOIS 21 Côte-d'Or 🔟 ⑨ – *rattaché à Beaune.*

LEVIE 2A Corse-du-Sud 🔟 ⑧ – *voir à Corse.*

LÉVROUX 36110 Indre 🔟 ⑧ *G. Berry Limousin* – 2 914 h alt. 142.

Voir *Collégiale St-Sylvain*.

Env. *Château de Bouges**, parc* NE : 9,5 km.

🛈 *Office du tourisme Rue Gambetta ☎ 02 54 35 63 39, otlevrouxwanadoo.fr.*

Paris 262 – Blois 81 – Châteauroux 20 – Châtellerault 96 – Loches 55 – Vierzon 55.

🏛 **Cloche**, 3 r. Nationale ☎ 02 54 35 70 43, Fax 02 54 35 67 43 – GB. 🛠 ch
fermé fév., dim. soir, lundi soir et mardi – **Repas** 12,96/39,64 ♀, enf. 7,62 – 🖂 5,34 – **18 ch** 28,97/48,79

XX **Relais St-Jean**, 34 r. Nationale ☎ 02 54 35 81 56, accueil.relais.saint.jean@wanadoo.fr, Fax 02 54 35 36 09, 🏤 – 🖭 GB
fermé 23 sept. au 6 oct., vacances de fév., mardi soir sauf juin à sept., dim. soir et merc. – **Repas** 14,50/36 ♀, enf. 11

LÉZIGNAN-CORBIÈRES 11200 Aude 🔟 ⑬ – 8 266 h alt. 51.

🛈 *Office du tourisme 9 place de la République ☎ 04 68 27 05 42, Fax 04 68 27 05 42, tourisme-lezignan@wanadoo.fr.*

Paris 814 – Perpignan 85 – Carcassonne 40 – Narbonne 22 – Prades 130.

X **Rest. Tournedos et H. Tassigny** avec ch, pl. de Lattre-de-Tassigny ☎ 04 68 27 11 51, Fax 04 68 27 67 31 – 📺 rest, 🖭 ᚕ. 🖭 GB
fermé 29 sept. au 14 oct., 26 janv. au 10 fév., lundi (sauf hôtel) et dim. soir – **Repas** (10,50) - 12,50 bc/40 ᚕ, enf. 7 – 🖂 6 – **19 ch** 29/42 – ½ P 35/37

LEZOUX 63190 P.-de-D. 🔟 ⑮ *G. Auvergne* – 4 957 h alt. 340.

🛈 *Syndicat d'initiative - Mairie ☎ 04 73 73 01 00, Fax 04 73 73 04 48.*

Paris 437 – Clermont-Ferrand 29 – Issoire 43 – Riom 28 – Thiers 16 – Vichy 42.

XX **Les Voyageurs** avec ch, pl. de la Mairie ☎ 04 73 73 10 49, Fax 04 73 73 92 60 – 📺 ᚕ. GB
fermé 19 août au 9 sept., 6 au 15 janv., dim. soir et lundi – **Repas** 13,72/33,54 ᚕ, enf. 9,15 – 🖂 5,34 – **9 ch** 32,78/44,97 – ½ P 33,54/42,69

Bort-l'Étang Sud-Est : 8 km par D 223 et D 309 – 445 h. alt. 420 – ✉ 63190 :

Voir ✻* *de la terrasse du château* à Ravel O : 5 km.

🏛 **Château de Codignat** 🦢, Ouest : 1 km ☎ 04 73 68 43 03, Fax 04 73 68 93 54, ≼, 🏤, « Château du 15ᵉ siècle décoré avec raffinement », 🖪, 🛠, 🐴 – 📺 🥂 🅿️ – 🕍 40. 🖭 ⓞ GB
20 mars-2 nov. – **Repas** (fermé le midi du lundi au vend. sauf fériés) (nombre de couverts limité, prévenir) 46/79 et carte 65 à 80 – 🖂 – **20 ch** 185/250 – ½ P 168/228
Spéc. Dos de bar flanqué de pistaches sous la peau. Pigeon légèrement fumé et rôti. Tarte aux abicots soufflée au fromage blanc (juil.-août) **Vins** Châteaugay, Madargues.

LIBOURNE ⊕ 33500 *Gironde* **75** ⑫ *G. Aquitaine* – 21 761 h alt. 7.

🛈 *Office du tourisme 40 place Abel Surchamp* ℘ 05 57 51 15 04, Fax 05 57 25 00
officedetourismelibourne@wanadoo.fr.

Paris 579 ⑤ – *Bordeaux 32* ④ – *Agen 130* ③ – *Bergerac 63* ③ – *Périgueux 96* ②.

LIBOURNE

Amade (Q. du Gén. d')	**AZ** 4	Gambetta (R.)	**ABY**	Prés.-Doumer (R. du)	**ABY**
Clemenceau (Av. G.)	**BY** 5	Jaurès (R. J.)	**ABZ**	Prés.-Wilson (R. du)	**BY**
Decazes (Pl.)	**BY** 6	J.-J.-Rousseau (R.)	**ABZ** 10	Princeteau (Pl.)	**ABY**
Ferry (R. J.)	**AZ** 7	Lattre-de-Tassigny		Salinières	
Foch (Av. du Mar.)	**BY** 8	(Pl. du Mar.-de)	**AZ** 14	(Quai des)	**AZ**
		Montaigne (R. M.)	**BZ** 21	Surchamp (Pl. A.)	**AY**
		Montesquieu (R.)	**BY** 23	Thiers (R.)	**AZ**
		Prés.-Carnot (R. du)	**ABY**	Waldeck-Rousseau (R.)	**AY**

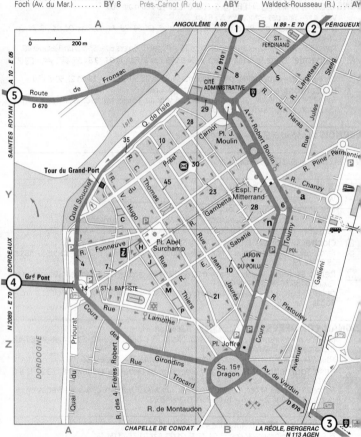

Le Guide change, changez de guide tous les ans.

692

LIÈPVRE *68660 H.-Rhin* 62 ⑱ *– 1 632 h alt. 272.*

Paris 423 – Colmar 34 – Ribeauvillé 27 – St-Dié 30 – Sélestat 15.

XX **Auberge Frankenbourg** avec ch, à La Vancelle Nord-Est : 2,5 km par rte secondaire ✉ 67730 ☎ 03 88 57 93 90, *hrfrankenbourg@wanadoo.com, Fax 03 88 57 91 31,* – GB

fermé 1er au 13 mars et 24 juin au 6 juil. – **Repas** *(fermé dim. soir sauf de juil. à sept., mardi soir et merc.)* 19,80/37,35 – 6,09 – **11 ch** 38,11/42,70 – ½ P 42,70

XX **Vieille Forge,** à Bois-l'Abbesse, Est : 3 km par rte Sélestat ☎ 03 89 58 92 54, *Fax 03 89 58 43 58* – AE GB

fermé en fév., 10 au 24 juil., dim. soir, mardi soir et lundi – **Repas** 20,60/47,75

LIESSIES *59740 Nord* 53 ⑥ *G. Picardie Flandres Artois – 501 h alt. 165.*

Voir *Parc départemental du Val Joly★ E : 5 km.*

Syndicat d'initiative 20 rue du Mal. Foch ☎ 03 27 61 82 54, Fax 03 27 61 81 43.

Paris 219 – St-Quentin 74 – Avesnes-sur-Helpe 14 – Charleroi 48 – Hirson 24 – Maubeuge 24.

Château de la Motte, Sud : 1 km par rte secondaire ☎ 03 27 61 81 94, *chateaudelamotte@aol.com, Fax 03 27 61 83 57,* – 50. GB

fermé 20 déc. au 10 fév. et dim. soir – **Repas** 19/33 – 7 – **9 ch** 51/60,50 – ½ P 56,25

XX **Carillon,** ☎ 03 27 61 80 21, *contact@le-carillon.com, Fax 03 27 61 82 34* – GB JCB

fermé 12 au 27 nov., 12 fév. au 5 mars, dim. soir, mardi soir et merc. – **Repas** 14,50 bc/34

LIEUSAINT *77 S.-et-M.* 56 ①, 101 ㊳ *– voir à Paris, Environs.*

LIEZ (Lac de la) *52 H.-Marne* 66 ③ *– rattaché à Langres.*

LIGNAN-SUR-ORB *34 Hérault* 83 ⑭ *– rattaché à Béziers.*

LIGNY-EN-CAMBRÉSIS *59191 Nord* 53 ⑭ *– 1 658 h alt. 127.*

Paris 194 – St-Quentin 35 – Arras 51 – Cambrai 17 – Valenciennes 40.

Château de Ligny, ☎ 03 27 85 25 84, *Fax 03 27 85 79 79,* – 100. AE GB.

fermé vacances de fév. et lundi sauf fériés – **Repas** 40/70 et carte 60 à 90 – 13 – **28 ch** 100/170 – ½ P 103/223

Spéc. Tarte friande de rouget barbet. Tourte de volaille de Licques au foie gras. Soufflé chaud à la chicorée.

LIGNY-LE-CHÂTEL *89144 Yonne* 65 ⑤ *G. Bourgogne – 1 289 h alt. 130.*

Env. *Abbaye de Pontigny★ 4 km au NE.*

Office du tourisme 22 rue Paul Desjardins ☎ 03 86 47 47 03, Fax 03 86 47 58 38, pontigny@wanadoo.fr.

Paris 178 – Auxerre 22 – Sens 60 – Tonnerre 27 – Troyes 64.

Relais St-Vincent, ☎ 03 86 47 53 38, *relais.saint.vincent@libertysurf.fr, Fax 03 86 47 54 16,* – 50. AE GB

fermé 21 déc. au 6 janv. – **Repas** 12,50/25,50 – 7 – **15 ch** 39/63 – ½ P 38/50

LIGSDORF *68 H.-Rhin* 87 ⑳ *– rattaché à Ferrette.*

LIGUEIL *37240 I.-et-L.* 68 ⑤ *G. Châteaux de la Loire – 2 166 h alt. 85.*

Office du tourisme 49 rue Aristide Briand ☎ 02 47 92 06 88, Fax 02 47 59 94 97, ligueil@free.fr.

Paris 275 – Tours 46 – Le Blanc 55 – Châteauroux 81 – Châtellerault 37 – Loches 19.

Colombier, pl. Gén. Leclerc ☎ 02 47 59 60 83, *Fax 02 47 59 61 12* – GB

fermé 1er au 15 sept., 2 janv. au 6 fév., dim. soir et vend. sauf juil.-août – **Repas** *(7,92)* - 10,40/26, enf. 7 – 5 – **11 ch** 22/35

à Cussay *Sud-Ouest : 3,5 km par D 31 – 560 h. alt. 105 – ✉ 37240 :*

XX **Auberge du Pont Neuf** avec ch, ☎ 02 47 59 66 37, *Fax 02 47 59 67 53,* – AE GB

fermé vacances de Toussaint, de fév., et merc. – **Repas** *(12,50)* - 15,50/36, enf. 10,50 – 7,50 – **5 ch** 40/51 – ½ P 46

LILLE

P 59000 Nord **51** ⑯ *G. Picardie Flandres Artois*
184 657 h. - Agglo. 1 000 900 h - alt. 10.
Paris 223 ⑩ – Bruxelles 115 ⑧ – Gent 76 ② – Luxembourg 310 ⑧ – Strasbourg 529 ⑧

OFFICE DE TOURISME

Palais Rihour ☎ 03 20 21 94 21, Fax 03 20 21 94 20, info@lilletourisme.com

RENSEIGNEMENTS PRATIQUES

TRANSPORTS

Auto-train ☎ 08 36 35 35 35.

AÉROPORTS

Lille-Lesquin ☎ 03 20 49 68 68 par A1 : 8 km HT

DÉCOUVRIR

AUTOUR DU BEFFROI DE L'HÔTEL DE VILLE

Quartier St-Sauveur FZ *: porte de Paris★, ≤★ du beffroi - Palais des Beaux-Arts★★★* EZ

AUTOUR DU BEFFROI DE LA CHAMBRE DE COMMERCE

Le Vieux-Lille★★ EY *: Vieille Bourse★★, Demeure de Gilles de la Boé★ (29 place Louise-de-Bettignies) - Rue de la Monnaie★ - Hospice Comtesse★ - Maison natale du Général de Gaulle* EY *- Église St-Maurice★* EFY, *La Citadelle★* BV

LES QUARTIERS QUI BOUGENT

Place du Général-de-Gaulle (Grand'Place)★ EY *- Place Rihour* EY *- Rue de Béthune (cinémas)* EYZ *- Euralille (tour du Crédit Lyonnais★).*

Et autour de la gare Lille-Flandres FY.

...ET AUX ENVIRONS

Villeneuve d'Ascq : musée d'Art moderne★★ HS **M**
Bondues : château du Vert-Bois★ HR
Bouvines : vitraux de l'église et évocation de la bataille JT

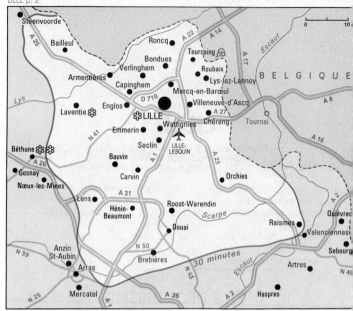

 filmmm **Alliance** Ⓜ ⑤, 17 quai du Wault ⊠ 59800 ℘ 03 20 30 62 62, *alliancelille@alliance-hos lity.com*, Fax 03 20 42 94 25, « Ancien couvent du 17ᵉ siècle » – ⓘ 为 ⓣ ⓒ 占 ▶
🏨 35 à 100. ⒶⒺ ⑩ ⒼⒷ ⒿⒸⒷ   p. 6 BV
Repas *(fermé 15 juil. au 31 août)* 26,68/31,25 bc Ⓨ, enf. 6,86 – ⊊ 14 – **80 ch** 185/2
3 appart

filmm **Carlton** sans rest, 3 r. Paris ⊠ 59800 ℘ 03 20 13 33 13, *carlton@carltonlille.c*
Fax 03 20 51 48 17, Ⓕ₅ – ⓘ 为 ▤ ⓣ ⓒ 占 ⟷ – 🏨 15 à 170. ⒶⒺ ⑩ ⒼⒷ ⒿⒸⒷ   p. 8 EY
⊊ – **59 ch** 150/224

🏨🏨 **Novotel Flandres** Ⓜ, 49 r. Tournai ⊠ 59800 ℘ 03 28 38 67 00, *H3165@accor-hoI*
com, Fax 03 28 38 67 10, ⇪ – ⓘ 为 ▤ ⓣ ⓒ 占 – 🏨 80   p. 8 FZ
Repas *(17,60)* - 21,90 Ⓨ, enf. 8 – ⊊ 10,50 – **88 ch** 114/125, 5 appart

🏨🏨 **Grand Hôtel Bellevue** sans rest, 5 r. J. Roisin ℘ 03 20 57 45 64, *grand.hotel.bellevu*
wanadoo.fr, Fax 03 20 40 07 93 – ⓘ 为 ⓣ ⓒ – 🏨 50. ⒶⒺ ⑩ ⒼⒷ ⒿⒸⒷ   p. 8 EY
⊊ 9,90 – **60 ch** 135,67/182,94

🏨🏨 **Novotel Centre** Ⓜ, 116 r. Hôpital Militaire ⊠ 59800 ℘ 03 28 38 53 53, *h0918-gm@ac*
-hotels.com, Fax 03 20 14 71 48 – ⓘ 为 ▤ ⓣ ⓒ 占 – 🏨 25. ⒶⒺ ⑩ ⒼⒷ ⒿⒸⒷ   p. 8 EY
Repas *(16,01)* - 20,58 Ⓨ, enf. 7,62 – ⊊ 10,06 – **102 ch** 109/144

🏨 **Mercure Royal** Ⓜ sans rest, 2 bd Carnot ⊠ 59800 ℘ 03 20 14 71 47, *h0802@ac*
hotels.com, Fax 03 20 14 71 48 – ⓘ 为 ▤ ⓣ ⓒ – 🏨 25. ⒶⒺ ⑩ ⒼⒷ ⒿⒸⒷ   p. 8 EY
⊊ 10 – **101 ch** 145/155

🏨 **Express by Holiday Inn** Ⓜ, 75 bis r. Gambetta ℘ 03 20 42 90 90, *expresslille@alliar*
hotellerie.fr, Fax 03 20 57 14 24 – ⓘ 为 ⓣ ⓒ 占 ⟷ – 🏨 15 à 100. ⒶⒺ ⑩ ⒼⒷ ⒿⒸⒷ
Repas *(fermé août)* carte environ 26 ⅊, enf. 7 – **97 ch** ⊊ 150   p. 8 EZ

🏨 **Paix** sans rest, 46 bis r. Paris ⊠ 59800 ℘ 03 20 54 63 93, *hotelpaixlille@aol.c*
Fax 03 20 63 98 97 – ⓘ ⓣ ⓒ. ⒶⒺ ⑩ ⒼⒷ ⒿⒸⒷ   p. 8 EY
⊊ 7,62 – **35 ch** 61/84

🏨 **Ibis Gare** Ⓜ, 29 av. Ch. St-Venant ⊠ 59800 ℘ 03 28 36 30 40, *h0901@accor-hotels.c*
Fax 03 28 36 30 99, ⇪ – ⓘ 为 ⓣ ⓒ 占 ⟷ – 🏨 20 à 60. ⒶⒺ ⑩ ⒼⒷ   p. 8 FYZ
Repas carte environ 22 ⅊, enf. 6 – ⊊ 5,50 – **151 ch** 68

🏨 **Brueghel** sans rest, parvis St-Maurice ℘ 03 20 06 86 69, Fax 03 20 63 25 27 – ⓘ ⓣ ⓒ
⑩ ⒼⒷ – ⊊ 7 – **66 ch** 62/96   p. 8 EY

🏨 **Lille Europe** Ⓜ sans rest, av. Le Corbusier ℘ 03 28 36 76 76, *lilleeurope@citadines*
Fax 03 28 36 77 77 – ⓘ ⓣ 占 ⟷. ⒶⒺ ⑩ ⒼⒷ ⒿⒸⒷ   p. 8 FY
⊊ 8 – **97 ch** 75

A L'Huîtrière, 3 r. Chats Bossus ⊠ 59800 ℰ 03 20 55 43 41, *poisson.huitriere@liberty surf.fr*, Fax 03 20 55 23 10, « Original décor de céramiques dans la poissonnerie » – 🗏. 🖭 ⓪ ☷ ᴊᴄʙ
p. 8 EY **g**
fermé 22 juil. au 24 août, dim. soir et soirs fériés – **Repas** 43 (déj.), 75/100 et carte 65 à 100 ♈.
Spéc. Pressé d'anguille fraîche et d'anguille fumée de la Somme. Filet de turbot en croûte de pomme de terre. Produits de la mer.

Sébastopol (Germond), 1 pl. Sébastopol ℰ 03 20 57 05 05, Fax 03 20 40 11 31 – 🖭 ☷ ᴊᴄʙ
p. 8 EZ **a**
fermé 4 au 26 août, dim. sauf le midi de sept. à juin et sam. – **Repas** 26 (déj.)/41 et carte 36 à 63 ♈.
Spéc. Mousseline de brocheton au foie gras. Filet de boeuf, ravioli au Maroilles et jus à la bière. Opéra glacé au café, coulis à la chicorée.

Laiterie, 138 av. Hippodrome à Lambersart ⊠ 59130 Lambersart ℰ 03 20 92 79 73, Fax 03 20 22 16 19, 😤, 🌲 – ᴘ. 🖭 ☷ ᴊᴄʙ
p. 6 AV **s**
fermé 14 au 18 août, dim. soir, merc. soir et lundi – **Repas** 20/45 ♈.

Cour des Grands, 61 r. Monnaie ⊠ 59800 ℰ 03 20 06 83 61, Fax 03 20 14 03 75 – 🖭 ⓪ ☷
p. 8 EY **v**
fermé 1er au 19 août, 15 fév. au 2 mars, sam. midi, lundi midi et dim. – **Repas** (nombre de couverts limité, prévenir) 28,20/48,02 et carte 45 à 65 ♈.

Varbet, 2 r. Pas ⊠ 59800 ℰ 03 20 54 81 40, *levarbet@aol.com*, Fax 03 20 57 55 18 – 🖭
p. 8 EY **t**
fermé 16 juil. au 17 août, 24 déc. au 4 janv., dim., lundi et fériés – **Repas** 28/74

Cardinal, 84 façade Esplanade ⊠ 59800 ℰ 03 20 06 58 58, Fax 03 20 51 42 59 – 🖭 ☷ ᴊᴄʙ
p. 6 BU **x**
fermé 13 au 19 août et dim. – **Repas** 22,10 (déj.), 25,15/29,73 ♈.

Baan Thaï, 22 bd J.-B. Lebas ℰ 03 20 86 06 01, Fax 03 20 86 03 23 – 🗏. 🖭 ☷
p. 8 EZ **s**
fermé 27 juil. au 25 août, sam. midi et dim. soir – **Repas** - cuisine thaïlandaise - 23 (déj.) et carte 33 à 40

Clément Marot, 16 r. Pas ⊠ 59800 ℰ 03 20 57 01 10, *cmarot@nordnet.fr*, Fax 03 20 57 39 69 – 🗏. 🖭 ⓪ ☷
p. 8 EY **n**
fermé dim. soir – **Repas** 21,95 (déj.), 30,95/44,97 ♈, enf. 12,20

Lanathaï, 189 r. Solférino ℰ 03 20 57 20 20, 😤 – 🖭 ☷, 🌮
p. 8 EZ **t**
fermé dim. – **Repas** - cuisine thaïlandaise - 23 (déj.), 32/40

L'Écume des Mers, 10 r. Pas ⊠ 59800 ℰ 03 20 54 95 40, *aproye@nordnet.com*, Fax 03 20 54 96 66 – 🗏. 🖭 ⓪ ☷ ᴊᴄʙ
p. 8 EY **n**
fermé 28 juil. au 27 août et dim. soir – **Repas** - produits de la mer - (16) - 20,50 (dîner en semaine) et carte 27 à 39

Brasserie de la Paix, 25 pl. Rihour ℰ 03 20 54 70 41, Fax 03 20 40 15 52 – 🗏. 🖭 ☷
p. 8 EY **z**
fermé dim. – **Repas** 15 (déj.)/23 ♈, enf. 8

Bistrot Tourangeau, 61 bd Louis XIV ⊠ 59800 ℰ 03 20 52 74 64, *hehochart@nordnet. fr*, Fax 03 20 85 06 39 – 🗏. 🖭 ☷
p. 8 FZ **t**
fermé sam. midi et dim. – **Repas** 24,50 ♈.

Champlain, 13 r. N. Leblanc ℰ 03 20 54 01 38, *le.champlain@wanadoo.fr*, Fax 03 20 40 07 28, 😤 – 🖭 ☷. 🌮
p. 8 EZ **u**
fermé 28 juil. au 25 août, sam. midi et dim. soir – **Repas** 23,64 bc (déj.), 25,92/38,12 ♈.

Coquille, 60 r. St-Étienne ⊠ 59800 ℰ 03 20 54 29 82, Fax 03 20 54 29 82 – ☷
p. 8 EY **e**
fermé 5 au 25 août, sam. midi et dim. – **Repas** (17) - 27 ♈.

Alcide, 5 r. Débris St-Étienne ⊠ 59800 ℰ 03 20 12 06 95, *bigarade@easynet.fr*, Fax 03 20 55 93 83 – 🗏. 🖭 ⓪ ☷
p. 8 EY **f**
Repas 20/32 🍺.

Bistrot de Pierrot, 6 pl. Béthune ℰ 03 20 57 14 09, Fax 03 20 30 93 13, 😤 – 🗏. ☷
p. 8 EZ **t**
fermé dim. et fériés – **Repas** carte 25 à 32 ♈, enf. 9,50

ondues – *10 680 h. alt. 37* – ⊠ *59910* :
🖪 *Syndicat d'initiative 266 Domaine de la Vigne* ℰ *03 20 25 94 94.*

Auberge de l'Harmonie, pl. Église ℰ 03 20 23 17 02, Fax 03 20 23 05 99 – 🗏. 🖭
p. 5 HR **t**
fermé 15 juil. au 10 août, dim. soir, mardi soir et lundi – **Repas** (23) - 25/42 et carte environ 53 ♈.

Val d'Auge, 805 av. Gén. de Gaulle ℰ 03 20 46 26 87, *valdauge@nornet.fr*, Fax 03 20 37 43 78 – 🗏 ᴘ. 🖭 ⓪ ☷
p. 5 HR **a**
fermé 12 au 21 mars, 16 au 30 août, dim. soir, mardi et merc. – **Repas** 31,71/44,36 ♈, enf. 7,62

HAUBOURDIN

Carnot (R. Sadi) . . . . **GT** 22
Vanderhaghen (R. A.) . . . . **GT** 157

HELLEMMES-LILLE

Salengro (R. Roger) . . . . . **HS** 142

HEM

Clemenceau . . . . **JS** 28
Croix (R. de) . . . . **JS** 40
Gaulle (Av. Ch. de) . . . . . . **JS** 64

LAMBERSART

Hippodrome (Av. de l') . . . **GS** 76

LANNOY

Leclerc (R. du Gén.) . . . . . **JS** 97
Tournai (R. de) . . . . **JS** 153

LILLE

Arras (R. du Fg-d') . . . . . . **GT** 4
Postes (R. du Fg-des) . . **GST** 129

LOMME

Dunkerque (Av. de) . . . . . **GS** 52

LOOS

Doumer (R. Paul) . . . . **GT** 49
Foch (R. du Mar.) . . . . . . **GST** 58
Potié (R. Georges) . . . . . . **GT** 130

LYS-LEZ-LANNOY

Guesde (R. Jules) . . . . **JS** 75
Lebas (R. J.-B.) . . . . **JS** 94

MADELEINE (LA)

Gambetta (R.) . . . . **GS** 63
Gaulle (R. du Gén.-de) . . . **HS** 69
Lalau (R.) . . . . **HS** 87

MARCQ-EN-BARŒUL

Clemenceau . . . . **HS** 30
Couture (R. de la) . . . . **HS** 39
Foch (Av. Mar.) . . . . **HS** 57
Nationale (Rue) . . . . **HS** 122

MARQUETTE-LEZ-LILLE

Lille (R. de) . . . . **GS** 103
Menin (R. de) . . . . **HS** 117

MONS-EN-BARŒUL

Gaulle (R. du Gén.-de) . . . **HS** 70

MOUVAUX

Carnot (Bd) . . . . **HR** 21

ST-ANDRE

Lattre-de-Tassigny
  (Av. du Mar. de) . . . . . . **GS** 91
Leclerc (R. du Gén.) . . . . . **GS** 99

TOUFFLERS

Déportés (R. des) . . . . **JS** 48

TOURCOING

Yser (R. de l') . . . . **JR** 165
3 Pierres (R. des) . . . . **JR** 166

VILLENEUVE-D'ASCQ

Ouest (Bd de l') . . . . **HS** 124
Ronsse (R. Ch.) . . . . **JT** 136
Tournai (Bd de) . . . . **JT** 151

WAMBRECHIES

Marquette (R. de) . . . . **GS** 108

WATTIGNIES

Clemenceau (R.) . . . . **GT** 31
Gaulle
  (R. du Gén.-de) . . . . . . **GT** 72
Victor-Hugo (R.) . . . . **GT** 160

WATTRELOS

Carnot (R.) . . . . **JRS** 24
Jaurès (R. J.) . . . . **JR** 82
Lebas (R. J.-B.) . . . . **JR** 96
Mont-à-Leux (R. du) . . . . . **JR** 121

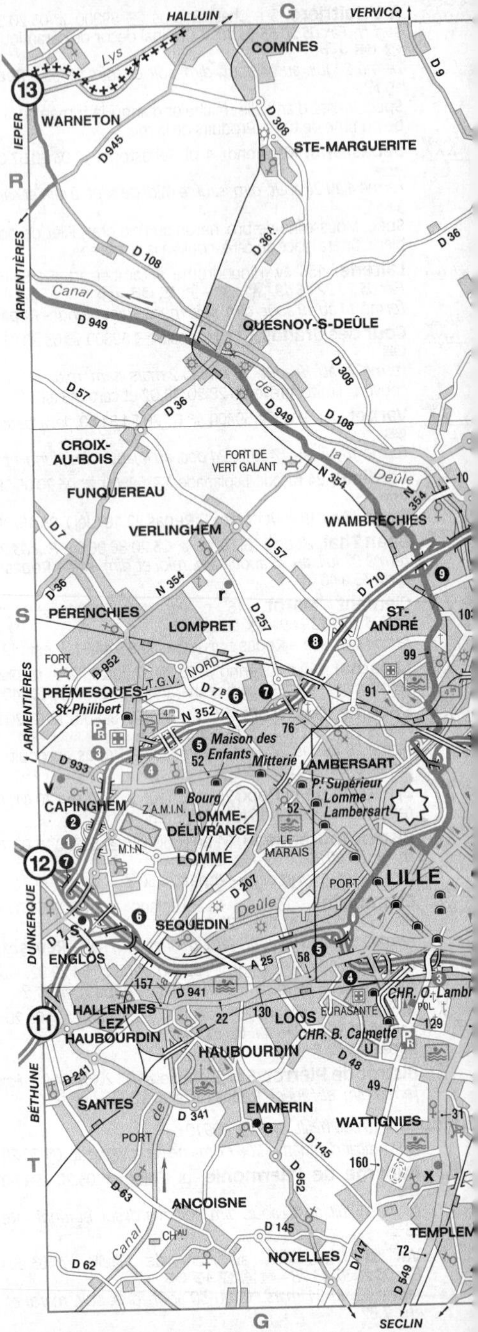

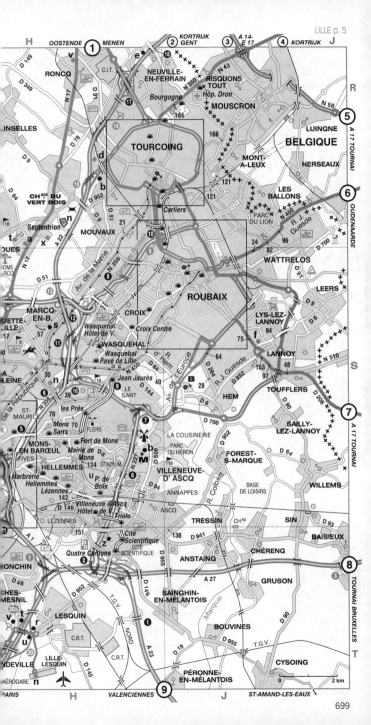

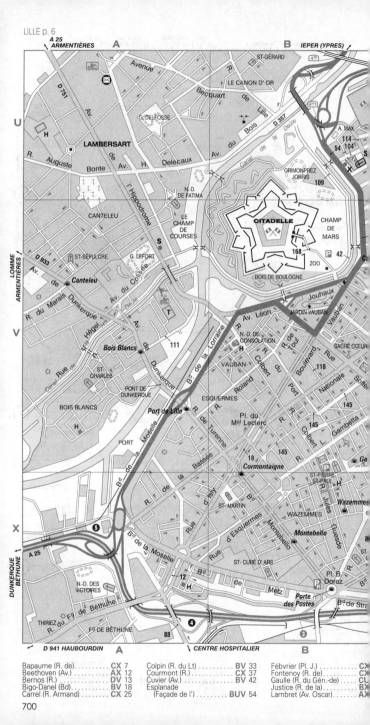

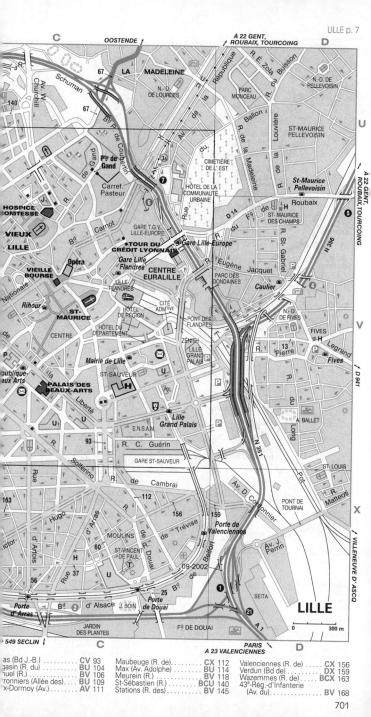

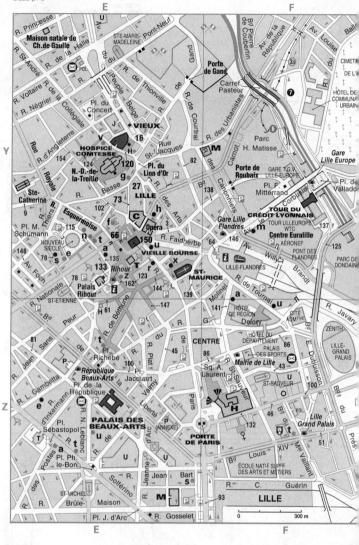

ncq – *12 705 h. alt. 37* – ⊠ 59223 :

✗ **Hexagone,** 463 r. Lille (N 17) ℘ 03 20 94 03 79 – ⌾
fermé 10 au 25 août, sam. midi, dim. soir et lundi – **Repas** 22,87/30,49   p. 5 HR v

arcq-en-Baroeul – *37 177 h. alt. 15* – ⊠ 59700 :

🏨 **Sofitel** Ⓜ, av. Marne, par N 350 : 5 km ℘ 03 28 33 12 12, *h1099@accor-hotels.com,*
Fax 03 28 33 12 24 – ⓵ ✂ ▤ 🔟 ⓛ & 🅿 – ⛫ 15 à 150. ⌶ ⓞ   p. 5 HS s
Europe *(fermé sam. midi et dim. soir)* **Repas** *(16,77)*-21,34/38,11 Ⓩ, enf. 7,62 – ⌸ **125 ch**
190/228

✗✗ **L'Auberge de Didier Beckaert,** 287 bd Clemenceau ℘ 03 20 45 90 00,
Fax 03 20 45 90 45, 😊 – ▤ 🅿. ⌶ ⓞ ⌾ ⌡⌽⌐   p. 5 HS n
fermé 15 au 31 août, sam., dim. et le soir en semaine sauf vend. – **Repas** 24,24/53,36 bc,
enf. 12,20

✗✗ **Septentrion,** parc du château Vert-Bois, par N 17 : 9 km ℘ 03 20 46 26 98,
Fax 03 20 46 38 33, 😊, « Dans un parc, pièce d'eau », 🎐 – 🅿. ⌶ ⌾   p. 5 HR n
fermé 24 juil. au 14 août, mardi soir, merc. soir et lundi – **Repas** *(14,96)* - 28,13 bc/56,48 bc,
enf. 8,39

✗✗ **Auberge de la Garenne,** 17 chemin de Ghesles ℘ 03 20 46 20 20, *contact@aubergega*
renne.fr, Fax 03 20 46 32 33, 😊, 🌳 – 🅿. ⌶ ⌾ ⌡⌽⌐   p. 5 HR x
fermé 30 juil. au 23 août, mardi d'oct. à avril, dim. soir et lundi – **Repas** 29 bc/68 bc, enf. 14

lleneuve d'Ascq – *65 042 h. alt. 26* – ⊠ 59650 :

🛈 *Office du tourisme* Chemin du Chat Botté ℘ 03 20 43 55 75, Fax 03 20 91 28 28,
ot-vdascq@nordnet.fr.

🏨 **Campanile,** 48 av. Canteleu, La Cousinerie ℘ 03 20 91 83 10, *Fax 03 20 67 21 18,* 😊 –
✂ ⌾ ⓛ & 🅿. ⌶ ⓞ ⌾   p. 5 HS b
Repas *(12,04)* - 15,09/16,62 Ⓩ, enf. 5,95 – ⌸ 5,95 – **46 ch** 56

🏨 **Ascotel** Ⓜ sans rest, av. P. Langevin-Cité Scientifique ℘ 03 20 67 34 34, *gilmo@clubinternet.fr,*
Fax 03 20 91 39 28 – ⓵ ⓛ & 🅿 – ⛫ 400. ⌶ ⌾   p. 5 HT z
Repas *(fermé août, sam. et dim.)* *(12,20)* - 15,20/45,60 Ⓩ, enf. 7 – ⌸ 6,25 – **83 ch** 54/56

aéroport de Lille-Lesquin – ⊠ *59810 Lesquin* :

🏨 **Mercure Aéroport,** ℘ 03 20 87 46 46, *h1098@accor-hotels.com, Fax 03 20 87 46 47,*
✂ – ⓵ ✂ ▤ 🔟 ⓛ & 🅿 – ⛫ 900. ⌶ ⓞ ⌾ ⌡⌽⌐   p. 5 HT r
Flamme : **Repas** 22/36bc Ⓩ, enf. 8 – ***Poêlon*** *(déj. seul.)* *(fermé sam. et dim.)* **Repas**
carte environ 20 Ⓩ, enf. 7 – ⌸ 10 – **212 ch** 86/97

🏨 **Suite Hôtel** Ⓜ sans rest, ℘ 03 28 54 24 24, *H2855@accor-hotels.com, Fax 03 28 54 24 99*
– ⓵ cuisinette ✂ ▤ 🔟 ⓛ & 🅿. ⌶ ⓞ ⌾   HT u
⌸ 10 – **73 ch** 72

🏨 **Novotel Aéroport,** ℘ 03 20 62 53 53, *H0427@accor-hotels.com, Fax 03 20 97 36 12,*
😊, 🌳 – ✂ ▤ 🔟 ⓛ & 🅿 – ⛫ 25 à 140. ⌶ ⓞ ⌾ ⌡⌽⌐   p. 5 HT t
Repas *(17,50)* - 22 Ⓩ, enf. 8 – ⌸ 10,50 – **92 ch** 82/89

🏨 **Agena** sans rest, ⊠ 59155 Faches-Thumesnil ℘ 03 20 60 13 14, *Fax 03 20 97 31 79* – 🔟
ⓛ & 🅿. ⌶ ⓞ ⌾ ⌡⌽⌐   p. 5 HT v
⌸ 8 – **40 ch** 55/60

✗✗ **Septième Ciel,** niveau supérieur de l'aérogare ℘ 03 20 49 67 77, *Fax 03 20 49 67 75,* ≼ –
▤. ⌶ ⌾   p. 5 HT n
Repas 19,06/25,13 - ***Zingue :*** brasserie **Repas** 14,48 Ⓩ, enf. 6,86

attignies – *14 440 h. alt. 39* – ⊠ 59139 :

✗✗ **Cheval Blanc,** 110 r. Gén. de Gaulle ℘ 03 20 97 34 62, *Fax 03 20 95 24 29* – ▤. ⌶ ⓞ
⌾   p. 4 GT x
fermé 19 au 31 août, 24 janv. au 4 mars, mardi soir, dim. soir et lundi – **Repas** 23/39 Ⓩ

mmerin – *3 029 h. alt. 24* – ⊠ 59320 :

🏨 **Howarderie** Ⓜ ⌾ sans rest, 1 r. Fusillés ℘ 03 20 10 31 00, *howarderie@howarderie.co*
m, Fax 03 20 10 31 09 – 🔟 ⓛ &. ⌶ ⓞ ⌾ ⌡⌽⌐. ✂   p. 4 GT e
fermé 21 déc. au 6 janv. – ⌸ 12,97 – **8 ch** 114,34/190,83

nglos – *507 h. alt. 46* – ⊠ 59320 :

🏨 **Novotel Englos** Ⓜ, ℘ 03 20 10 58 58, *h0429@accor-hotels.com, Fax 03 20 10 58 59,*
😊, 🏊, 🌳 – ✂ 🔟 ⓛ & 🅿 – ⛫ 130. ⌶ ⓞ ⌾   p. 4 GS s
Repas *(17,50)* - 22 Ⓩ, enf. 8 – ⌸ 10 – **124 ch** 80/84

apinghem – *1 524 h. alt. 50* – ⊠ 59160 :

✗ **Marmite,** 93 r. Poincaré ℘ 03 20 92 12 41, *Fax 03 20 92 72 51,* « Cadre rustique » – 🅿. ⌶
⌾   p. 4 GS v
fermé 15 juil. au 15 août, dim. soir et lundi – **Repas** carte 18 à 23 Ⓩ, enf. 7,62

à Verlinghem – 2 377 h. alt. 27 – ⊠ 59237 :

XXX **Château Blanc** ⊗ avec park, 20 rte Lambersart ℘ 03 20 21 81 41, Fax 03 20 21 81 40
🕭 – 🖵 **P** – 🕍 15. 🖭 ⌷🖻
p. 4 G⌷
Repas (fermé dim. soir) 35/100 et carte environ 58 – ☲ 10 – **8 ch** 182,94

LIMERAY 37530 I.-et-L. **64** ⑯ – 945 h alt. 70.
Paris 219 – Tours 32 – Amboise 9 – Blois 31 – Loches 46 – Vendôme 47.

🏠 **Auberge de Launay,** N 152 ℘ 02 47 30 16 82, auberge.de.launay@wanadoo
Fax 02 47 30 15 16, 🍴, 🐾 – 🖵 📞 🕭 **P**. ⌷🖻. 🞕 ch
fermé 15 déc. au 2 fév., lundi et mardi midi hors saison – **Repas** (15,50) - 20/30,50 ⅄ – ☲
15 ch 50/71 – ½ P 52/63

LIMEUIL 24510 Dordogne **75** ⑯ G. Périgord Quercy – 315 h alt. 65.
Voir Site★.
🖪 Syndicat d'initiative Le Bourg ℘ 05 53 63 38 90.
Paris 528 – Périgueux 48 – Sarlat-la-Canéda 37 – Bergerac 43 – Brive-la-Gaillarde 78.

🏠 **Les Terrasses de Beauregard** ⊗, rte de Trémolat : 1,5 km ℘ 05 53 63 30
⌷🖻 Fax 05 53 24 53 55, ≼, 🍴, 🐾 – 🖵 📞 **P**. 🖭 ⌷ ⌷🖻
1er avril-30 oct. – **Repas** 13,72/39,64 ⅄ – ☲ 6,10 – **8 ch** 48,78/57,36 – ½ P 50,31

LIMOGES **P** 87000 H.-Vienne **72** ⑰ G. Berry Limousin – 133 968 h Agglo. 173 299 h alt. 300.
Voir Cathédrale St-Étienne★ – Église St-Michel-des-Lions★ – Cour du temple★ CZ ⑭
Jardins de l'évêché★ – Musée A. Dubouché★★ (porcelaines) BY – Rue de Boucherie
Musée de l'évêché★ : les émaux★ – Chapelle St-Aurélien★ - Gare des Bénédictins★.
✈ Limoges : ℘ 05 55 43 30 30, par ① : 10 km.
🖪 Office du tourisme Boulevard de Fleurus ℘ 05 55 34 46 87, Fax 05 55 34 19
ot.limoges.haute-vienne@en-france.com.
Paris 391 ① – Angoulême 105 ⑦ – Brive-la-Gaillarde 92 ④ – Châteauroux 126 ①.

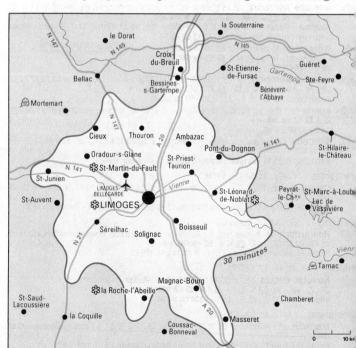

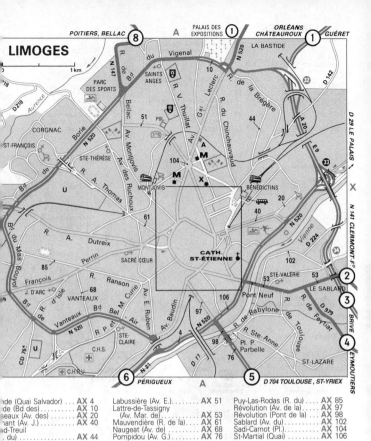

LIMOGES

POITIERS, BELLAC   ⑧   PALAIS DES EXPOSITIONS ①   ORLÉANS CHÂTEAUROUX ①   GUÉRET

1 km

PARC DES SPORTS

CORGNAC

ST-FRANÇOIS

LA BASTIDE

SAINTS ANGES

STE-THÉRÈSE

MONTJOVIS

BÉNÉDICTINS

CATH. ST-ÉTIENNE

SACRÉ CŒUR

VANTEAUX

STE-CLAIRE

C.H.S.

C.H.R.U.

PÉRIGUEUX ⑥

D 704 TOULOUSE, ST-YRIEX ⑤

LE PALAIS

CLERMONT-F°

STE-VALÉRIE

LE SABLARD

BRIVE

Pont Neuf

PI. P. Parbelle

ST-LAZARE

EYMOUTIERS

Royal Limousin Ⓜ sans rest, 1 pl. République ✆ 05 55 34 65 30, *Fax 05 55 34 55 21* – 🛗 📺 ✆ – ⚿ 150. ᴀᴇ ⓪ ɢʙ   CY   u
⚏ 9,50 – **72 ch** 70/105, 5 appart

Richelieu Ⓜ sans rest, 40 av. Baudin ✆ 05 55 34 22 82, *Fax 05 55 34 35 36* – 🛗 📺 ✆ 🅿.
ᴀᴇ ⓪ ɢʙ ᴊᴄʙ   CZ   k
⚏ 8 – **32 ch** 51/85

St-Martial sans rest, 21 r. A. Barbès ✆ 05 55 77 75 29, *Fax 05 55 79 27 60* – 🛗 📺 ✆ ᴀᴇ
ɢʙ   AX   x
⚏ 6,86 – **30 ch** 53,36/57,93

Boni "Petit Paris" sans rest, 48 bis av. Garibaldi ✆ 05 55 77 39 82, *petit.paris@wanadoo.
fr, Fax 05 55 77 23 99* – 🛗 📺 ✆ 🚗. ɢʙ   CY   n
fermé 11 au 18 août, 21 déc. au 6 janv., sam. et dim. hors saison – ⚏ 6,25 – **35 ch** 40/47,50

Jeanne-d'Arc sans rest, 17 av. Gén. de Gaulle ✆ 05 55 77 67 77, *hoteljeanned'arc.
limoges@wanadoo.fr, Fax 05 55 79 86 75* – 🛗 📺 🅿 – ⚿ 30. ᴀᴇ ⓪ ɢʙ   DY   s
fermé 21 déc. au 7 janv. – ⚏ 6,86 – **50 ch** 48,02/73,18

Luk Hôtel sans rest, 29 pl. Jourdan ✆ 05 55 33 44 00, *Fax 05 55 34 33 57* – 🛗 📺 ✆ ᴀᴇ ⓪
ɢʙ   DY   x
fermé 22 déc. au 2 janv. – ⚏ 4,60 – **57 ch** 39,65/51

Paix sans rest, 25 pl. Jourdan ✆ 05 55 34 36 00, *Fax 05 55 32 37 06*, « Collection de pho-
nographes » – 📺. ɢʙ   DY   r
⚏ 5 – **31 ch** 35/56

LIMOGES

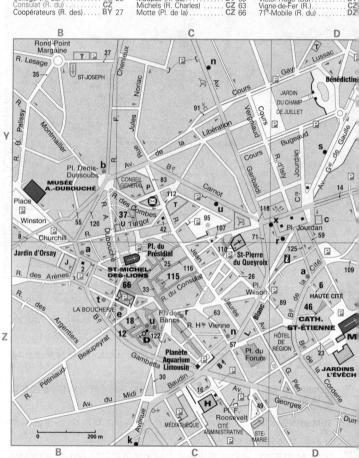

XXX **Philippe Redon,** 3 r. d'Aguesseau ℰ 05 55 34 66 22, *Fax 05 55 34 18 05* – ■. **AE**
GB
❀ *fermé 12 au 25 mai, sam. midi, lundi midi et dim.*
Repas 31/58 et carte 42 à 60 ♀
Spéc. Marbré de pied de cochon, foie gras et cèpes. Civet de canard et homard au
Jaune. Biscuit moelleux au chocolat.

XX **L'Escapade du Gourmet,** 5 r. 71ᵉ Mobiles ℰ 05 55 32 40 26, *Fax 05 55 32 11 95* –
GB   DZ
fermé dim. soir
Repas (14,95) - 21,35/38,12 ♀

XX **Amphitryon,** 26 r. Boucherie   ℘ 05 55 33 36 39,   amphitryon@inext.fr, Fax 05 55 32 98 50, 龠 – ﹍ ᴳᴮ, ✻   CZ   u
fermé 15 août au 2 sept., sam. midi, lundi midi et dim. – **Repas** (17) - 24/58 ♀

XX **Castel Marie** avec ch, 43 r. Nexon   ℘ 05 55 31 11 34, Fax 05 55 31 30 17, 龠, ﹗ – ᴛᵥ ᶜ ᴾ – ﹍ 25
Repas *(fermé dim. soir)* (14,09) - 24,39/47,29 ♀, enf. 11,43 – ☲ 11,43 – **6 ch** 91,47 – ½ P 76,22/99,09

X **Trou Normand,** 1 r. François Chénieux   ℘ 05 55 77 53 24, Fax 05 55 77 30 00 – ᴳᴮ *fermé dim. soir et lundi* – **Repas** 16/34   BY   b

X **Pré St-Germain,** 26 r. Loi   ℘ 05 55 32 71 84 – ▤. ⓞ ᴳᴮ   CZ   r *fermé 5 juil. au 25 août, dim. soir et lundi* – **Repas** 12,19 (déj.), 16,77/30,49 ♨, enf. 7,01

X **Versailles,** 20 pl. Aine   ℘ 05 55 34 13 39, Fax 05 55 32 84 73, brasserie – ▤. ᴳᴮ   BZ   a
☞ **Repas** *(10,22)* - 12,65/21,35 ♀, enf. 5,35

X **Les Petits Ventres,** 20 r. Boucherie   ℘ 05 55 34 22 90, Fax 05 55 32 41 04, 龠 – ﹍ ⓞ ᴳᴮ   CZ   u
fermé 1ᵉʳ au 15 mai, 10 au 26 sept., dim. et lundi – **Repas** *(11,43)* - 16,77/30,49 ♀, enf. 6,86

X **Chez Alphonse,** 5 pl. Motte   ℘ 05 55 34 34 14, Fax 05 55 34 34 14, bistrot – ▤. ᴳᴮ.
☞ ✻   CZ   e
fermé 1ᵉʳ au 18 août, 1ᵉʳ au 6 janv., dim. et fériés – **Repas** 13 bc (déj.), et carte environ 32

X **Grillon,** 18 r. Charles Michels   ℘ 05 55 34 64 36 – ▤. ᴳᴮ   CZ   n
fermé 16 au 27 mars, 12 août au 3 sept., merc. midi, lundi et mardi – **Repas** 15,50 ♀

① *et A 20* – ⊠ *87280 Limoges :*

🏨 **Novotel** ᴹ, sortie n° 30 : 5 km   ℘ 05 44 20 20 00,   h0431@accor-hotels.com, Fax 05 44 20 20 10, 龠, ⁵, 龠, ✻ – ᴥ 灬 ▤ ᴛᵥ ᶜ ﹗ ᴾ – ﹍ 30 à 100. ﹍ ⓞ ᴳᴮ ᴶᶜᴮ
Repas *(17,60)* - 21,90 ♀, enf. 7,93 – ☲ 10 – **90 ch** 81/92

🏨 **Résidence,** sortie n° 28 : 12 km ⊠ 87280 Beaune-les-Mines   ℘ 05 55 39 90 47, la-resi dence2@wanadoo.fr, Fax 05 55 39 28 85, 龠, ﹗ – ᴛᵥ ᶜ ﹗ – ﹍ 50. ﹍ ⓞ ᴳᴮ ᴶᶜᴮ
fermé 15 août au 1ᵉʳ sept., sam. midi et dim. soir – **Repas** 17,54/35,07 ♀, enf. 7,62 – ☲ 6,40 – **20 ch** 38,12/45,74 – ½ P 51,84

③ *et A 20 sortie n° 36 : 6 km* – ⊠ *87220 Feytiat :*

🏨 **Campanile,**   ℘ 05 55 06 14 60, Fax 05 55 06 38 93, 龠 – ᴛᵥ ᶜ ﹗ – ﹍ 25. ﹍ ᴳᴮ
☞ **Repas** *(12,04)* -13,57/16,62 ♀, enf. 5,95 – ☲ 6 – **50 ch** 54

golf municipal *par* ⑤ *et rte secondaire : 3 km* – ⊠ *87000 Limoges :*

🏨 **Albatros** ⏦,   ℘ 05 55 06 00 00, Fax 05 55 06 23 49, 龠, « A l'orée du golf » – ᴛᵥ ᶜ ﹗ – ☞ ﹍ 30 à 100. ᴳᴮ
fermé 24 déc. au 1ᵉʳ janv. – **Repas** *(fermé dim. soir)* 12/20 ♀, enf. 6,50 – ☲ 6,50 – **33 ch** 47/57 – ½ P 45

t-Martin-du-Fault *par* ⑦, *N 141 et D 20 : 13 km* – ⊠ *87510 Nieul :*

🏨 **Chapelle St-Martin** (Dudognon) ⏦,   ℘ 05 55 75 80 17, chapelle@relaischateaux.fr, ✿ Fax 05 55 75 89 50, ≼, 龠, « Gentilhommière dans un parc », ⁵, ✻, ﹗ – ᴛᵥ ⇔ ﹗ – ﹍ 25. ﹍ ⓞ ᴳᴮ ᴶᶜᴮ. ✻ rest
fermé janv. – **Repas** *(fermé dim. soir de nov. à mars, lundi sauf le soir du 15 juin au 15 sept., mardi midi et merc. midi)* (nombre de couverts limité, prévenir) 30 (déj.)/66 et carte 55 à 75 ♀ – ☲ 13 – **10 ch** 105/198, 3 appart – ½ P 151/191
Spéc. Rémoulade de Saint-Jacques aux truffes (15 oct. au 15 avril). Filets de sole vapeur, huile tranchée au romarin (printemps). Lièvre à la royale (saison)

de Bellac *par* ⑧ *sur N 147 : 12 km* – ⊠ *87510 Nieul :*

XX **Les Justices** avec ch,   ℘ 05 55 75 84 54, 龠 – ﹗. ᴳᴮ
fermé dim. soir et lundi – **Repas** (nombre de couverts limité, prévenir) 23,93/30,03 – ☲ 6,86 – **3 ch** 40,40

MONEST 69 Rhône ⁷⁴ ⑪, ¹¹⁰ ⑬ – *rattaché à Lyon.*

MOUX ⓐ 11300 Aude ⁸⁶ ⑦ G. Languedoc Roussillon – 9 411 h alt. 172.
🅱 Office du tourisme Promenade du Tivoli   ℘ 04 68 31 11 82, Fax 04 68 31 87 14, limoux@fnotsi.net.
Paris 794 – Foix 70 – Carcassonne 25 – Perpignan 104 – Toulouse 93.

🏨 **Grand Hôtel Moderne et Pigeon,** 1 pl. Gén. Leclerc (près Poste) ℘ 04 68 31 00 25
modpig@chez.com, Fax 04 68 31 12 43, 🏠 – 📺 🐾 AE ⓞ ⒼⒷ
fermé 9 déc. au 13 janv. – **Repas** (fermé dim. soir sauf juil.-août, sam. midi et lundi) 26/36 🍷
enf. 11,50 – 🖵 11 – **19 ch** 49/84 – ½ P 58/74

✕ **Maison de la Blanquette,** 46 bis promenade du Tivoli ℘ 04 68 31 01 63
Fax 04 68 31 20 59, 🏠 – 🍽. ⓞ ⒼⒷ
Repas 14,90 bc/30,50 bc, enf. 7,50

LINGOLSHEIM 67 B.-Rhin 🖸🖸 ⑩ – rattaché à Strasbourg.

Le LIOUQUET 13 B.-du-R. 🖸🖸 ⑭, 🖸🖸🖸 ㊸ – rattaché à La Ciotat.

LIPSHEIM 67 B.-Rhin 🖸🖸 ⑤ – rattaché à Strasbourg.

LISIEUX ◀🆂▶ 14100 Calvados 🖸🖸 ⑬ G. Normandie Vallée de la Seine – 23 166 h alt. 51 Pèlerinage
(fin septembre).

Voir Cathédrale St-Pierre★ BY – Env. Château★ de St-Germain-de-Livet 7 km par ④.
🅱 Office du tourisme 11 rue d'Alençon ℘ 02 31 48 18 10, Fax 02 31 48 18 11, officelx@club
internet.fr.
Paris 179 ② – Caen 62 ⑥ – Alençon 94 ④ – Évreux 73 ② – Le Havre 56 ① – Rouen 93 ②.

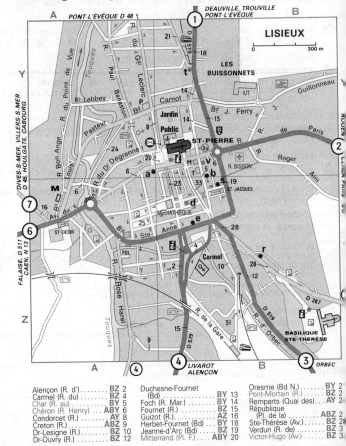

Alençon (R. d')	BZ 2
Carmel (R. du)	BZ 4
Char (R. au)	BY 5
Chéron (R. Henry)	AY 6
Condorcet (R.)	ABY 8
Creton (R.)	ABZ 9
Dr-Lesigne (R.)	BZ 10
Dr-Ouvry (R.)	BZ 12

Duchesne-Fournet (Bd)	BY 13
Foch (R. Mar.)	BY 14
Fournet (R.)	BZ 15
Guizot (R.)	AZ 16
Herbet-Fournet (Bd)	BY 18
Jeanne-d'Arc (Bd)	BZ 19
Mitterrand (Pl. F.)	ABY 20

Oresme (Bd N.)	BY 2
Pont-Mortain (R.)	BZ 2
Remparts (Quai des)	AY 2
République (Pl. de la)	ABZ 2
Ste-Thérèse (Av.)	BZ 2
Verdun (R. de)	BZ 3
Victor-Hugo (Av.)	BZ 3

Mercure Ⓜ, par ②, *2,5 km (rte de Paris)* ℰ 02 31 61 17 17, *h1725@accor-hotels.com*, Fax 02 31 32 33 43, 🌲, 🏊 – 🛗 📺 📞 ♿ 🅿 – 🛄 15 à 80. 🆎 ⑩ 🇬🇧
Repas *(16)* - 19/21 👤, enf. 9 – 🍴 9 – **69 ch** 86/92

Azur Ⓜ sans rest, 15 r. au Char ℰ 02 31 62 09 14, *resa@azur-hotel.com*, Fax 02 31 62 16 06 – 🛗 📺 📞. 🆎 🇬🇧. ✁ BYZ **b**
🍴 8,40 – **15 ch** 60/75

Place sans rest, 67 r. H. Chéron ℰ 02 31 48 27 27, Fax 02 31 48 27 20 – 🛗 📺 📞. 🆎 ⑩ 🇬🇧 ABY **a**

Grand Hôtel de l'Espérance, 16 bd Ste Anne ℰ 02 31 62 17 53, *booking@lisieux-hotel.com*, Fax 02 31 62 34 00 – 🛗 ✂ 📺 📞 🚗. 🆎 ⑩ 🇬🇧 BZ **e**
15 avril-15 oct. – **Pays d'Auge :** Repas 14,05/24,25👤, enf. 7,65 – 🍴 6,85 – **100 ch** 68,60/90 – ½ P 57,90/65,40

Terrasse Hôtel, 25 av. Ste Thérèse ℰ 02 31 62 17 65, Fax 02 31 62 20 25 – 📺 🅿. 🆎 ⑩ 🇬🇧 BZ **r**
fermé 3 janv. au 8 fév. – **Repas** *(fermé dim. soir du 15 déc. au 10 fév.)* 15/25 👤 – 🍴 6 – **17 ch** 39/47 – ½ P 37/44,50

St-Louis sans rest, 4 r. St-Jacques ℰ 02 31 62 06 50 – 📺. 🇬🇧 BZ **s**
🍴 6 – **17 ch** 29/44

Parc, 21 bd H. Fournet ℰ 02 31 62 08 11, *sarl-leparc@wanadoo.fr*, Fax 02 31 62 79 55, « Salle à manger néo-gothique » – 🅿. 🇬🇧 BY **t**
fermé 1ᵉʳ au 15 août, sam. midi, dim. soir et lundi – **Repas** 15,20/50 👤

Ferme du Roy, par ① : *2 km* ℰ 02 31 31 33 98, 🌲, « Ancienne ferme, jardin », 🌳 – 🅿. 🆎
fermé dim. soir et lundi sauf fériés – **Repas** (prévenir) 17,99/46,95 👤

Aux Acacias, 13 r. Résistance ℰ 02 31 62 10 95 – 🍽. 🇬🇧 BZ **d**
fermé dim. soir et lundi sauf fériés et jeudi soir de nov. à mars – **Repas** 14,94/44,21 👤, enf. 8,38

France, 5 r. au Char ℰ 02 31 62 03 37, *restaurant-lefrance@hotmail.com*, Fax 02 31 62 03 37 – 🆎 🇬🇧 BY **v**
fermé 2 au 23 janv., dim. soir de sept. à juin et lundi – **Repas** 14/24 👤, enf. 9,50

Ouilly-du-Houley par ②, D 510 et D 262 : *10 km* – *193 h. alt. 55* – ⊠ *14590 Moyaux :*

Paquine, rte Moyaux ℰ 02 31 63 63 80, *paquine@hotmail.com*, Fax 02 31 63 63 80, 🌲, « Auberge fleurie » – 🅿. 🇬🇧
fermé 3 au 12 sept., 12 au 28 nov., 23 fév. au 6 mars, dim. soir, mardi soir et merc. de sept. à avril – **Repas** 28

Manerbe par ⑦ : *7 km* – *500 h. alt. 58* – ⊠ *14340 :*

Pot d'Étain, ℰ 02 31 61 00 94, 🌲, « Jardin fleuri », 🌳 – 🅿. 🇬🇧
fermé 15 janv. au 15 fév., mardi soir et merc. – **Repas** 23,63/32,01 👤, enf. 8,38

SLE-SUR-TARN *81310 Tarn* 🟦 ⑨ – *3 683 h alt. 127.*
🅱 *OMT Place Paul Saissac* ℰ 05 63 40 31 85, Fax 05 63 33 36 18.
Paris 686 – Toulouse 51 – Albi 32 – Castres 57 – Montauban 45.

Romuald, 6 r. Port ℰ 05 63 33 38 85, 🌲 – 🇬🇧
fermé vacances de Toussaint, dim. soir et lundi – **Repas** *(8,84)* - 10,67 (déj.), 12,96/25,15

SSES *91 Essonne* 🟦 ①, 🟦 ㉜ – *voir à Paris, Environs (Évry Agglomération d').*

/RY-GARGAN *93 Seine-St-Denis* 🟦 ⑪, 🟦 ⑱ – *voir à Paris, Environs.*

LLAGONNE *66 Pyr.-Or.* 🟦 ⑯ – *rattaché à Mont-Louis.*

O *66 Pyr.-Or.* 🟦 ⑯ – *rattaché à Saillagouse.*

Participez à notre effort permanent
de mise à jour

Adressez-nous vos remarques
et vos suggestions.

Cartes et Guides Michelin
46 avenue de Breteuil - 75324 Paris Cedex 07

LOCHES ⬤ 37600 I.-et-L. 🔳 ⑥ *G. Châteaux de la Loire* – 6 328 h alt. 80.

Voir *Cité médiévale*★★ : *donjon*★★, *église St-Ours*★, *Porte Royale*★, *porte des cordelie* *hôtel de ville*★ Y H – *Châteaux*★★ : *gisant d'Agnès Sorel*★, *triptyque*★ – *Carrières trog tiques de Vignemont*★.

Env. *Portail*★ *de la Chartreuse du Liget* E : 10 km par ②.

🯅 *Office du tourisme Place de la Marne ℘ 02 47 91 82 82, Fax 02 47 91 61 50, loches.er raine@wanadoo.fr.*

Paris 261 ① – *Tours 42* ① – *Blois 75* ① – *Châteauroux 73* ③ – *Châtellerault 56* ④.

LOCHES

Anciens A.F.N. (Pl. des) .... **Z**
Auguste (Bd Ph.) .... **Z**
Balzac (R.) .... **YZ**
Bas-Clos (Av. des) .... **Y 2**
Blé (Pl. au) .... **Y 3**
Château (R. du) .... **YZ 5**
Descartes (R.) .... **Y 7**
Donjon (Mail du) .... **Z**
Droulin (Mail) .... **Z**
Filature (Q. de la) ...... **Y 8**
Foulques-Nerra
  (R.) .... **Z 9**
Gaulle (Av. Gén.-de) ..... **Y 10**
Grand Mail (Pl. du) ...... **Y 12**
Grande-Rue .... **Y 13**
Lansyer (R.) .... **Y 14**
Marne (Pl. de) .... **Y**
Mazerolles (Pl.) .... **Y 15**
Moulins (R. des) .... **Y 16**
Pactius (R. T.) .... **Z 17**
Picois (R.) .... **Y**
Poterie (Mail de la) ..... **Z**
Ponts (R. des) .... **Y 18**
Porte-Poitevine
  (R. de la) .... **Z 19**
Quintefol (R.) .... **YZ**
République (R. de la) .... **Y**
Ruisseaux (R. des) .... **Z 20**
St-Antoine (R.) .... **Y 21**
St-Ours (R.) .... **Z 22**
Tours (R. de) .... **Y**
Verdun (Pl. de) .... **Y**
Victor-Hugo (R.) .... **Y**
Vigny (R. A.-de) .... **Y**
Wermelskirchen
  (Pl. de) .... **Y 29**

*Dans la liste des rues
des plans de villes,
les noms en rouge
indiquent
les principales voies
commerçantes.*

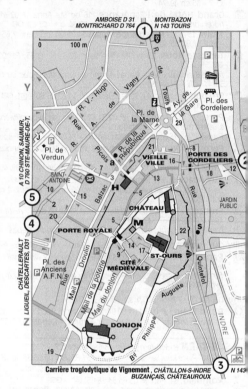

Carrière troglodytique de Vignemont, *CHÂTILLON-S-INDRE
BUZANÇAIS, CHÂTEAUROUX*

 George Sand, 39 r. Quintefol ℘ 02 47 59 39 74, Fax 02 47 91 55 75, 🏤 – 📺 📞. 🅶🅱
Repas 16/38 ♀, enf. 9,15 – ☑ 6,50 – **20 ch** 46/107 – ½ P 39,75/70,03.   Z

 Luccotel ⬙, r. Lézards, par ⑤ : 1 km ℘ 02 47 91 30 30, *luccotel@wanadoo*
Fax 02 47 91 30 35, ◁, 🏤, ℐ₆, 🔲, 🐜, ✗ – 🛏 rest, 📺 ⬙ ⅙ 🄿 – 🔬 15 à 100. 🄐🄴 🅶🅱
fermé 21 déc. au 8 janv. – **Repas** *(fermé sam. midi)* 15 bc/25 ♂, enf. 10 – ☑ 6 – **42 ch** 52
– ½ P 45

 France, 6 r. Picois ℘ 02 47 59 00 32, Fax 02 47 59 28 66, 🏤 – 📺 ⬙ ☜. ① 🅶🅱
🄎 *fermé 7 janv. au 11 fév., lundi sauf le soir en juil.-août, dim. soir de sept. à juin et mardi*
– **Repas** 13,57/42,69 ♀, enf. 8,54 – ☑ 5,95 – **13 ch** 38,11/56,41, 4 duplex – ½ P 41,16/44

LOCMARIAQUER 56740 Morbihan 🔳 ⑫ *G. Bretagne* – 1 367 h alt. 5.

Voir *Ensemble mégalithique* ★★ - *dolmens de Mané Lud*★ *et de Mané Rethual*★ – *Tum de Mané-er-Hroech*★ S : 1 km – *Dolmen des Pierres Plates*★ SO : 2 km – *Pointe de Kerpe* ⩽★ SE : 2 km.

🯅 *Office du tourisme Rue de la Victoire ℘ 02 97 57 33 05, Fax 02 97 57 44 30, o mariaquer@wanadoo.fr.*

Paris 489 – *Vannes 31* – *Auray 13* – *Quiberon 31* – *La Trinité-sur-Mer 10.*

🏠🏠 **Trois Fontaines** Ⓜ sans rest, rte Auray 𝒫 02 97 57 42 70, *hot3f@aol.com*, *Fax 02 97 57 30 59*, 🚗 – 📺 ❤ & 🅿. 🗫
23 mars-4 nov. – 🖭 9 – **18 ch** 67/97

🏠 **Neptune** Ⓜ 🕭 sans rest, port du Guilvin 𝒫 02 97 57 30 56, ≤ – 📺 ❤ & 🅿.
avril-oct. – 🖭 6 – **12 ch** 50/70

🏠 **Lautram**, près église 𝒫 02 97 57 31 32, *Fax 02 97 57 37 87*, 🚗 – 📺. 🗫
⊚ *28 mars-28 sept.* – **Repas** 13/31 🏆, enf. 7 – 🖭 6 – **24 ch** 40/56 – ½ P 40/52

─MINÉ 56500 Morbihan 🔢 ③ *G. Bretagne* – *3 430 h alt. 108.*

🅱 *Syndicat d'initiative Place Anne de Bretagne 𝒫 02 97 60 00 37.*

Paris 453 – Vannes 29 – Lorient 51 – Pontivy 26 – Quimper 112 – Rennes 105.

🍴🍴 **Auberge de la Ville au Vent**, r. O. de Clisson 𝒫 02 97 60 08 40, *Fax 02 97 60 56 24* – 🅿.
⊚ 🅰🅴 ⓞ 🗫
fermé 4 au 19 nov., mardi soir et merc. soir de sept. à juin, dim. soir et lundi – **Repas** 14/53,50 🏆, enf. 11

─gnan *Est : 5 km par D 1 – 2 546 h. alt. 148 – ⊠ 56500 :*

🍴🍴 **Auberge La Chouannière**, 𝒫 02 97 60 00 96, *Fax 02 97 44 24 58* – 🗫
fermé 4 au 18 mars, 21 au 28 juin, 1ᵉʳ au 15 oct., merc. soir hors saison, dim. soir et lundi – **Repas** 19/53,36 🏆

─COUIREC 29241 Finistère 🔢 ⑦ *G. Bretagne* – *1 293 h alt. 15.*

Voir Église★ – Pointe de Locquirec★ 30 mn – Table d'orientation de Marc'h Sammet ≤★ O : 3 km.

🅱 *Office du tourisme Place du Port 𝒫 02 98 67 40 83, Fax 02 98 79 32 50.*

Paris 534 – Brest 80 – Guingamp 51 – Lannion 22 – Morlaix 26.

🏠🏠 **Grand Hôtel des Bains** 🕭, 𝒫 02 98 67 41 02, *hotel.des.bains@wanadoo.fr*, *Fax 02 98 67 44 60*, ≤ la baie, « Dans un jardin en bordure de mer », 🏖, 🏊, 🐾, 🚗 – 🛗 📺 ❤ & 🅿. 🗫 ⊚ 🕅
fermé en janv. et en fév. – **Repas** *(fermé le midi en semaine hors saison)* 27,45 🏆 – 🖭 11,50 – **36 ch** 110/164 – ½ P 82,50/105

🍴 **St-Quirec**, rte Plestin : 1,5 km 𝒫 02 98 67 41 07 – 🅿. 🗫
⊚ *fermé 7 au 20 mars, 2 au 16 déc., lundi et mardi d'oct. à avril* – **Repas** 12/25

─CRONAN 29180 Finistère 🔢 ⑮ *G. Bretagne* – *799 h alt. 105.*

Voir Place★★ – Église St-Ronan et chapelle du Pénity★★ – Montagne de Locronan 🕅★ : 2 km.

🅱 *Office du tourisme Place de la Mairie 𝒫 02 98 91 70 14, Fax 02 98 51 81 20, locronan.Tourisme@wanadoo.fr.*

Paris 577 – Quimper 16 – Brest 66 – Briec 21 – Châteaulin 17 – Crozon 32 – Douarnenez 11.

🏠 **Prieuré**, 𝒫 02 98 91 70 89, *leprieure1@aol.com*, *Fax 02 98 91 77 60*, 🏡, 🚗 – 📺 ❤ 🅿.
⊚ 🗫 🕅 ch
hôtel : 17 mars-11 nov. ; rest.: 17 mars-8 déc. – **Repas** 12,50/34,50 🏆 – 🖭 6 – **14 ch** 50/60 – ½ P 50/52,50

Nord-Ouest : *3 km par rte secondaire – ⊠ 29550 Plonévez-Porzay :*

🏠🏠 **Manoir de Moëllien** 🕭, 𝒫 02 98 92 50 40, *manmoel@aol.com*, *Fax 02 98 92 55 21*, ≤, 🚗, 🕭 – 📺 ❤ & 🅿. 🅰🅴 ⓞ 🗫
23 mars-3 nov. – **Repas** *(fermé mardi, merc. et jeudi de mars à juin, jeudi midi, mardi midi et merc. de mi-sept. à mi-nov.)* 20/34 🏆, enf. 9 – 🖭 8 – **13 ch** 62/114, 5 duplex – ½ P 41,50/57

─DÈVE 🆦 34700 Hérault 🔢 ⑤ *G. Languedoc Roussillon* – *6 900 h alt. 165.*

Voir Anc. cathédrale St-Fulcran★ – Musée de Lodève★.

🅱 *Office du tourisme 7 place de la République 𝒫 04 67 88 86 44, Fax 04 67 44 07 56, Ot34lodevois@lodeve.com.*

Paris 699 ② – Montpellier 55 ② – Alès 97 ① – Béziers 65 ② – Millau 59 ① – Pézenas 40 ②.

Plan page suivante

🏠🏠 **Paix**, 11 bd Montalangue (n) 𝒫 04 67 44 07 46, *hotel-de-la-paix@wanadoo.fr*, ⊚ *Fax 04 67 44 30 47*, 🏡, 🏊 – 📺 – 🍴 20. 🗫
fermé 1ᵉʳ fév. au 11 mars, dim. soir et lundi d'oct. à mars – **Repas** 13/25 – 🖭 6,80 – **22 ch** 53/56 – ½ P 50/53

🏠 **Nord** sans rest, 18 bd Liberté (u) 𝒫 04 67 44 10 08, *hoteldunord.lodeve@wanadoo.fr*, *Fax 04 67 44 10 08* – 🛗 cuisinette 🕅 📺 &. 🗫
🖭 6,10 – **28 ch** 38,10/64

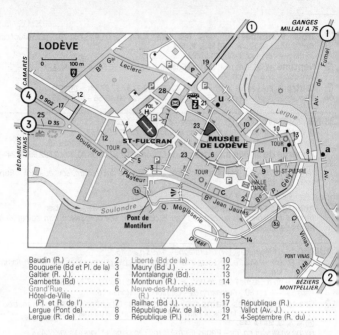

LODÈVE

☆ **Croix Blanche**, 6 av. Fumel (a) ℘ 04 67 44 10 87, hotel-croix-blanche@wanado
Fax 04 67 44 38 33, 🏤 – ◻. ⊖B. ⚒ rest
1er avril-30 nov. – **Repas** (fermé vend. midi) 12/26, enf. 7 – ⇌ 5,50 – **32 ch** 25/
½ P 30/39

LODS 25930 Doubs ⑦⓪ ⑥ G. Jura – 271 h alt. 361.
Paris 442 – Besançon 37 – Baume-les-Dames 51 – Levier 22 – Pontarlier 24 – Vuillafans
🏠 **Truite d'Or**, ℘ 03 81 60 95 48, latruite-dor@wanadoo.fr, Fax 03 81 60 95 73, 🏤, ⚹
📺 ◻, ⅍ ⊖B
fermé 15 déc. au 25 janv., dim. soir et lundi d'oct. à avril – **Repas** 15,50/42 ⚐, enf. 8,
⇌ 6 – **11 ch** 43 – ½ P 46

LOGELHEIM 68 H.-Rhin ⑥② ⑲ – rattaché à Colmar.

Les LOGES-EN-JOSAS 78 Yvelines ⑥⓪ ⑩, ⑩⓵ ㉓ – voir à Paris, Environs.

LOGNES 77 S.-et-M. ⑤⑥ ⑫, ⑩⓵ ㉙ – voir à Paris, Environs (Marne-la-Vallée).

LOHÉAC 35550 I.-et-V. ⑥③ ⑥ – 603 h alt. 50.
Voir Manoir de l'automobile★★, G. Bretagne.
Paris 381 – Rennes 35 – Châteaubriant 50 – Ploërmel 46 – Redon 33.
🏠 **Gibecière**, ℘ 02 99 34 06 14, Fax 02 99 34 10 37, 🏤 – 📺 ⚹ ⅍ ◻. ⅍ ⊖B
fermé vacances de fév. – **Repas** (fermé dim. soir) 15,09/49,55 bc ⚐ – ⇌ 5,34 – 2
32,01/59,46 – ½ P 49,55

LOIRÉ 49440 M.-et-L. ⑥③ ⑲ – 754 h alt. 39.
Paris 322 – Angers 46 – Ancenis 34 – Châteaubriant 34 – Laval 66 – Nantes 72 – Rennes
✗ **Auberge de la Diligence**, ℘ 02 41 94 10 04, Fax 02 41 94 10 04 – ⊖B
fermé 3 au 26 août, 2 au 13 janv., sam. midi, dim. soir et lundi – **Repas** (nombre de couv
limité, prévenir) 14 (déj.), 18/48 ⚐, enf. 11

RE-SUR-RHÔNE 69 Rhône **74** ⑪ – rattaché à Givors.

MENER 56 Morbihan **58** ⑫ – rattaché à Ploemeur.

NDINIÈRES 76660 S.-Mar. **52** ⑮ – 1 158 h alt. 78.

🛈 Syndicat d'initiative - Mairie 𝒫 02 35 93 80 08.
Paris 151 – Amiens 77 – Dieppe 27 – Neufchâtel-en-Bray 14 – Le Tréport 30.

✗ **Auberge du Pont** avec ch, 𝒫 02 35 93 80 47, Fax 02 32 97 00 57, 🍴 – 📺 **P** – 🏛 25.
GB
fermé 1ᵉʳ au 15 fév. et lundi – **Repas** 8,54/30,49 ♀, enf. 5,95 – ☲ 4,57 – **10 ch** 22,87/33,54 –
½ P 24,54/28,36

NGCHAMP 73 Savoie **74** ⑰ – rattaché à St-François-Longchamp.

NGJUMEAU 91 Essonne **60** ⑩, **101** ㉟ – voir à Paris, Environs.

NGNY-AU-PERCHE 61290 Orne **60** ⑤ G. Normandie Vallée de la Seine – 1 590 h alt. 165.

🛈 Office du tourisme Place de l'Hôtel de Ville 𝒫 02 33 73 66 23, Fax 02 33 73 47 75.
Paris 133 – Alençon 63 – Rennes 221 – Rouen 132 – Tours 159.

✗✗ **Moulin de la Fenderie**, rte Rémalard-Bizou 𝒫 02 33 83 66 98, Fax 02 33 73 16 71, 🍴,
« Terrasse à l'abri d'un saule pleureur, en bordure de rivière », 🐎 – **P**. ⓞ GB
fermé fév., lundi et mardi – **Repas** 19/46 ♀, enf. 10

NGUES 63 P.-de-D. **73** ⑭ – rattaché à Vic-le-Comte.

NGUEVILLE-SUR-SCIE 76590 S.-Mar. **52** ⑭ – 936 h alt. 61.

Paris 183 – Dieppe 20 – Le Havre 96 – Rouen 50.

✗✗ **Cheval Blanc**, 𝒫 02 35 83 30 03, Fax 02 35 83 30 03, 🍴
fermé 15 au 30 août, vacances de fév., dim. soir et merc. – **Repas** (8,08) · 14,94/22,11,
enf. 6,86

NGUYON 54260 M.-et-M. **57** ② – 5 876 h alt. 213.

🛈 Office du tourisme Place S. Allende 𝒫 03 82 39 21 21, Fax 03 82 26 44 37.
Paris 316 – Metz 82 – Nancy 136 – Sedan 71 – Thionville 56 – Verdun 48.

✗✗ **Mas et H. Lorraine** avec ch, face gare 𝒫 03 82 26 50 07, mas.lorraine@wanadoo.fr,
Fax 03 82 39 26 09, 🍴 – 📺 ⇔ – 🏛 40. 🎔 ⓞ GB JCB
fermé 6 janv. au 1ᵉʳ fév. – **Repas** (fermé lundi) 18,50/59 et carte 36 à 54 ♀ – ☲ 7 – **14 ch**
43/53 – ½ P 52

---

uvrois-sur-Othain (Meuse) Sud : 7,5 km par N 18 – 190 h. alt. 223 – ✉ 55230 :

✗✗ **Marmite,** 𝒫 03 29 85 90 79, Fax 03 29 85 99 23 – 🍽. GB. ✘
fermé 16 au 24 août, 2 au 10 janv., dim. soir, lundi et mardi sauf 15 mai au 15 août – **Repas**
20,58/41,16 ♀, enf. 7,62

NGWY 54400 M.-et-M. **57** ② G. Alsace Lorraine – 14 521 h alt. 262.

Voir Musée municipal : collection de fers à repasser★ M.
🛈 Office du tourisme Hôtel de Ville 𝒫 03 82 24 27 17, Fax 03 82 24 77 75, ot-longwy@wana
doo.fr.
Paris 330 ③ – Luxembourg 37 ① – Metz 65 ② – Thionville 39 ②.

Plan page suivante

ngwy-Haut :

🏨 **Nord**, pl. Darche 𝒫 03 82 23 40 81, Fax 03 82 23 17 73 – 📺 ☏. 🎔 ⓞ GB   A   a
Repas (fermé sam. midi, lundi soir, dim. et fériés) carte 16 à 24 ♀ – ☲ 6,10 – **20 ch**
38,11/45,73 – ½ P 38,11

éxy Sud : 3 km par ② (N 52) – 1 997 h. alt. 369 – ✉ 54400 :

🏨 **Relais Mercure** 🅼, 𝒫 03 82 23 14 19, Fax 03 82 25 61 06, 🍴 – 🛗 ❄ 📺 ☏ 🕭 **P** –
🏛 25. 🎔 ⓞ GB JCB
Repas (11,43) · 18,14/21,19 ♀, enf. 8,38 – ☲ 6,10 – **42 ch** 51,53/54,58 – ½ P 38,11

LONGWY

Aviation (Av. de l') .... A
Banque (R. de la) ...... AB
Boismont (R. de)....... AB
Briand (R. A.) .... A 2
Carnot (R.) .... B 3
Chiers (R. de la) .... B
Darche (Pl. du Col.) ...... A 5
Faïencerie (R. de la)...... B
Foch (Av. du Mar.) .... A
Friclot (R. Abbé).......... A 6
Gaulle (Av. Ch. de) ..... AB
Giraud (Pl.)................ B 8
Huart (R. Hippolyte d') ... B
Labro (R. Albert).......... B
Lattre-de-Tassigny
(Av. Mar. de).......... B 9
Leclerc (Pl. du Gén.) ..... B 12
Legendre (R.) .... A
Malraux (Av. André)....... A
Margaine (R.) .... A 13
Mercy (R.) .... A
Merlin (R. du Col.) .... B 15
Metz (R. de) .... B
Pershing (R. du Gén.) .... B 16
Poincaré (Av. Raymond) .. A
République (Av. de la).... A
Saintignon
(Av. de) ....AB
Saint-Louis (R.) .... B
Stanislas (R.) .... A
Tanneries (R. des) .... B 18
11 Nov. 1918 (Pl. du) .... A 19

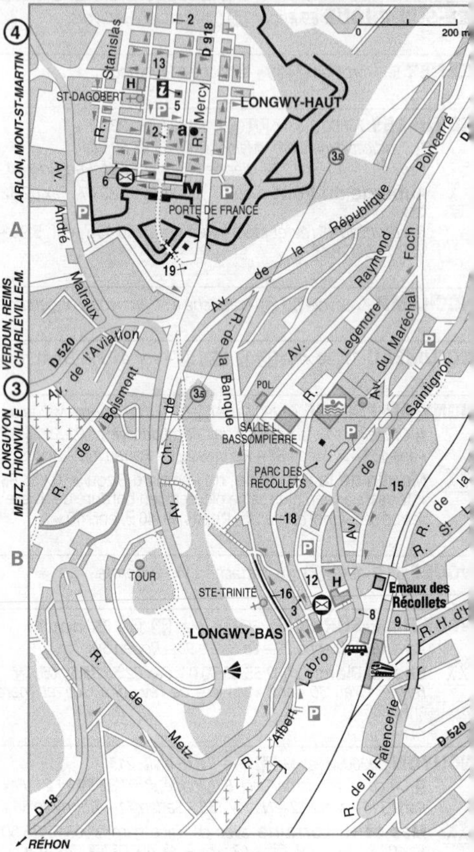

Si vous cherchez un hôtel tranquille, consultez d'abord les cartes de l'introduction ou repérez dans le texte les établissements indiqués avec le signe 🐎.

à Cosnes-et-Romain *par r. A. Briand puis D 43 – 2 089 h. alt. 378 – ✉ 54400 :*

XX **Auberge des Trois Canards,** 69 rue de Lorraine ✆ 03 82 24 35 36, *Fax 03 82 25 6*
– AE ⓓ GB JCB
fermé 19 août au 9 sept., 18 fév. au 4 mars, jeudi soir, dim. soir et lundi – **R**
18,30/33,80 ♀

LONS-LE-SAUNIER 🅿 *39000 Jura* **70** ④ ⑭ *G. Jura – 18 483 h alt. 255 – Stat. therm. (d avril-fin oct.) – Casino.*

Voir *Rue du Commerce★ – Théâtre★ – Pharmacie★ de l'Hôtel-Dieu.*

ℹ *Office du tourisme Place du 11 Novembre ✆ 03 84 24 65 01, Fax 03 84 43 22 59.*

Paris 408 ③ – Chalon-sur-Saône 62 ③ – Besançon 84 ① – Bourg-en-Bresse 73 ③.

Plan page ci-contre

Parc Ⓜ, 9 av. J. Moulin ✆ 03 84 86 10 20, *Fax 03 84 24 97 28* – 🛗 ▤ TV ✆ ♿. AE ⓓ JCB
Repas 14/25 ♀, enf. 6 – ☕ 5,50 – **16 ch** 46/51 – ½ P 40

Nouvel Hôtel sans rest, 50 r. Lecourbe ✆ 03 84 47 20 67, *Fax 03 84 43 27 49* – 🛗 TV
AE ⓓ GB
fermé 20 déc. au 6 janv. – ☕ 7 – **26 ch** 35/49

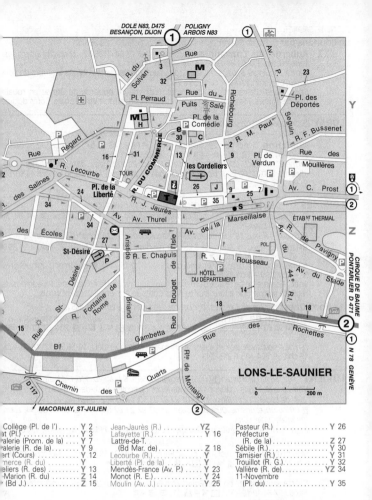

XX **Comédie,** 65 r. Agriculture ℘ 03 84 24 20 66, *Fax 03 84 24 12 64,* ☆ – ■. **GB**   Y e
fermé vacances de Pâques, 28 juil. au 20 août, dim. et lundi – **Repas** 15/25 ⌑

XX **Relais d'Alsace,** 740 rte Besançon par ① ℘ 03 84 47 24 70, *Fax 03 84 24 17 14,* ☆ – **P.**
GB
fermé 15 au 31 juil., vacances de fév., dim. soir et lundi – **Repas** 16/39

...ille par ① *rte de Besançon et D 157 : 3 km – 254 h. alt. 330 –* ⊠ *39570 :*

🏨 **Parenthèse** **M** ⑤, ℘ 03 84 47 55 44, *parenthese.hotel@wanadoo.fr,*
Fax 03 84 24 92 13, ☆, ⊼, ❧ – ⧚ ⊡ ⑤ **P.** – ⏲ 30. ⋈ **GB**
Repas *(fermé dim. soir et lundi midi)* 15,25/42,70 ⌑, enf. 9,10 – ⊡ 8,50 – **29 ch** 73/135 –
½ P 71/96

...ud *par D 117 et D 41 : 6 km –* ⊠ *39570 Vernantois :*

🏨 **Golf** **M** ⑤, ℘ 03 84 43 04 80, *info@valdesorne.com, Fax 03 84 47 31 21,* ≤, ☆, « Sur le
golf », ✵, ⊼, ⚲ – ⧚, ▤ rest, ⊡ **P.** – ⏲ 50. ⋈ ⏻ **GB**
Repas *(fermé 20 déc. au 6 janv. et dim. soir d'oct. à avril)* 16/24,39 ⌑ – ⊡ 10 – **36 ch** 84/118

LONS-LE-SAUNIER

à Courlans par ③ *rte de Chalon, N 78 : 6 km – 737 h. alt. 227 –* ⊠ *39570 :*

XXX **Auberge de Chavannes** (Carpentier), ℘ 03 84 47 05 52, *contact@auberge-de*
    vannes.com, Fax 03 84 43 26 53, 佘 – ≡ **P**. ⲅⲃ
⸙   *fermé 25 juin au 5 juil., janv., dim. soir, mardi midi et lundi –* **Repas** (nombre de cou
    limité, prévenir) 29/46 et carte 55 à 70 ⲧ
    Spéc. Nage d'escargots en cassolette. Suprême de poularde de Bresse en rouelle
    morilles farcies. Filets de pigeon rôtis et cuisses en caillette **Vins** L'Etoile, Côtes du Jura

---

LORAY 25390 Doubs 🞵🞶 ⑰ – 404 h alt. 745.
    Paris 450 – Besançon 45 – Baume-les-Dames 36 – Morteau 22 – Pontarlier 40.

XX **Robichon** avec ch, 22 Grande Rue ℘ 03 81 43 21 67, *hotel.robichon@fre*
    Fax 03 81 43 26 10, 佘, 🍃 – ⲧⲭ ✔ **P**. – 🏛 30. ⲅⲃ
    fermé 1ᵉʳ au 8 oct., 20 au 30 nov., 24 au 30 déc., 20 au 30 janv., dim. soir et lundi – **Rep**
    (dîner), 21,80/68,60 ⲧ **- P'tit Bichon : Repas** 13,70 ⲧ, enf. 7 – ⲍ 8,30 – **11 ch** 44,50/50
    ½ P 49/50,50

LORGUES 83510 Var 🞴🞵 ⑥, 🞱🞱🞴 ㉒ *G. Côte d'Azur – 7 319 h alt. 200.*
    🛈 *Office du tourisme Place d'Entrechaus* ℘ 04 94 73 92 37, Fax 04 94 84 3₄
    lorotsi@aol.com.
    Paris 847 – Fréjus 38 – Brignoles 33 – Draguignan 12 – St-Raphaël 43 – Toulon 72.

XXX **Bruno** 🝆 avec ch, Sud-Est : 3 km par rte des Arcs ℘ 04 94 85 93 93, Fax 04 94 85 9
    ≼, 佘, 🍃 – ⲧⲭ **P**. ⲁⲉ ⓞ ⲅⲃ
⸙   *fermé merc. soir, dim. soir et lundi du 15 sept. au 15 juin –* **Repas** (menu unique)(prév
    52 – ⲍ 12,20 – **4 ch** 83,85/129,58
    Spéc. Pomme de terre aux truffes et champignons. Truffe en feuilleté. Pigeon désoss
    feuilleté au foie gras et aux truffes. **Vins** Côtes de Provence, Coteaux Varois.

au Nord-Ouest *par rte de Salernes, D 10 et rte secondaire : 8 km –* ⊠ *83510 :*

🏛🏛 **Château de Berne** ⲙ 🝆, ℘ 04 94 60 48 88, *auberge@chateauberne.c*
    Fax 04 94 60 48 89, ≼, 佘, 🛏, 🍃, ⛾, 🕊 –🛗 🍴 ≡ ⲧⲭ ✔ & **P** – 🏛 20 à 30. ⲁⲉ ⓞ ⲅⲃ
    ⛾
    fermé 4 nov. au 26 déc. et 6 janv. au 1ᵉʳ mars – **Repas** 29 (déj.), 39/58 ⲧ, enf. 18,30 – ⲍ
    19 ch 259/564 – ½ P 213/349

LORIENT ◉ 56100 Morbihan 🞵🞶 ① *G. Bretagne – 59 189 h Agglo. 116 174 h alt. 4.*
    Voir Base des sous-marins★ AZ – Intérieur★ de l'église N.-D.-de-Victoire BY **E.**
    ✈ de Lorient Lann-Bihoué : ℘ 02 97 87 21 50, par D 162 : 8 km AZ.
    🛈 *Office du tourisme Quai de Rohan* ℘ 02 97 21 07 84, Fax 02 97 21 99 44, *tour*
    lorient@azimail.com.
    Paris 503 ② – Vannes 60 ② – Quimper 68 ② – St-Brieuc 114 ② – St-Nazaire 134 ②.

    Plan page ci-contre

🏛🏛 **Mercure** ⲙ sans rest, 31 pl. J. Ferry ℘ 02 97 21 35 73, *H0873@accor-hotels.*
    Fax 02 97 64 48 62 – 🛗 🍴 ≡ ⲧⲭ – 🏛 50. ⲁⲉ ⓞ ⲅⲃ ⲓⲥⲃ   B
    ⲍ 10 – **58 ch** 76/84

🏛🏛 **Cléria** sans rest, 27 bd Mar. Franchet d'Esperey ℘ 02 97 21 04 59, *info@hotel-cleria*
    Fax 02 97 64 19 10 – 🍴 ⲧⲭ ✔ – 🏛 15. ⲁⲉ ⓞ ⲅⲃ   A
    ⲍ 6 – **33 ch** 64

🏠 **Victor-Hugo** sans rest, 36 r. L. Carnot ℘ 02 97 21 16 24, Fax 02 97 84 95 13 – ⲧⲭ
    ⲅⲃ. ⛾   B
    ⲍ 6 – **29 ch** 39/61

🏠 **Central Hôtel** sans rest, 1 r. Cambry ℘ 02 97 21 16 52, Fax 02 97 84 88 94 – ✔. 🝃
    ⲅⲃ   B
    ⲍ 7 – **22 ch** 49/55

🏠 **Léopold** sans rest, 11 r. W. Rousseau ℘ 02 97 21 23 16, Fax 02 97 84 93 27 – 🍴 🝄 🝃
    ⲁⲉ ⓞ ⲅⲃ   B
    ⲍ 5,03 – **26 ch** 36,59/41,16

XX **Jardin Gourmand**, 46 r. J. Simon ℘ 02 97 64 17 24, Fax 02 97 64 15 75, 佘
    ⲅⲃ   A
    fermé 28 juil. au 8 août, vacances de fév., dim. sauf fériés et lundi – **Repas** 21/28,50 et
    le soir 30 à 42 ⲧ

XX **Saint-Louis**, 48 r. J. Le Grand ℘ 02 97 21 50 45, Fax 02 97 84 00 77 – ⲅⲃ   B
ⲥⲋ   *fermé 20 août au 12 sept., vacances de fév., mardi soir et merc. –* **Repas** 10,21/34,30
XX **Neptune** avec ch, 15 av. Perrière, au Sud par r. de Carnel AZ ℘ 02 97 37 0
ⲥⲋ   Fax 02 97 87 07 54 – 🝄 🝃. ⲁⲉ ⓞ ⲅⲃ
    fermé 4 au 17 mars, 2 au 22 sept. et dim. – **Repas** 12/53,50 ⲧ – ⲍ 5,80 – **23 ch** 33,55/
    – ½ P 37,35

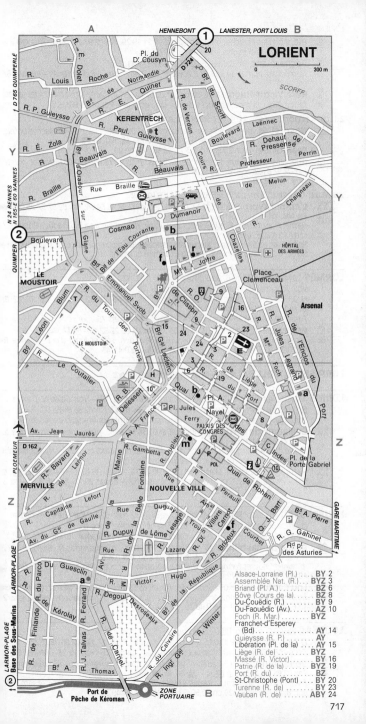

LORIENT

X **Pic,** 2 bd Mar. Franchet d'Esperey ✆ 02 97 21 18 29, *Fax 02 97 21 92 64,* ☂ – GB A
fermé sam. midi et dim. – **Repas** (13) - 17/36 ♀

X **Pécharmant,** 5 r. Carnel ✆ 02 97 21 33 86 – GB A
fermé 5 au 14 mai, 14 juil. au 5 août, 1er au 7 janv., dim., lundi et fériés – **Repas** 16/
enf. 9,15

X **Rest. Victor-Hugo,** 36 r. L. Carnot ✆ 02 97 64 26 54, *Fax 02 97 64 24 87* – AE ⓓ GB
fermé 1er au 15 sept., vacances de fév., dim. et lundi – **Repas** 13,60/45 ♀ B

Z.I. de Kerpont *par ① : 6 km – ✉ 56850 Caudan :*

Novotel M, centre hôtelier de Bellevue ✆ 02 97 89 21 21, *H0434@accor-hotels*
Fax 02 97 89 21 24, ☂, ⛱, – |‡| ⇆ TV ✆ P – 🏫 100. AE ⓓ GB JCB
Repas carte environ 25 ♀, enf. 8,30 – ☕ 10 – **87 ch** 99

Ibis sans rest, centre hôtelier de Bellevue ✆ 02 97 76 40 22, *h0616@accor-hotels*
Fax 02 97 81 28 56 – ⇆ TV ✆ P. AE ⓓ GB
☕ 5,50 – **41 ch** 58

au Nord-Ouest *: 3,5 km par D 765 AY – ✉ 56100 Lorient :*

XXX **L'Amphitryon** (Abadie), 127 r. Col. Müller ✆ 02 97 83 34 04, *Fax 02 97 37 25 02* –
ⓓ GB. ✱
✿✿ *fermé 1er au 13 mai, 1er au 16 sept., 2 au 8 janv., dim. et lundi sauf juil.-août* – **Repas** 30/
carte 62 à 80 ♀, enf. 14
Spéc. Filet de Saint-Pierre, jus des arêtes rôties. Salade de homard aux artichauts (fin
fin oct.). Cabillaud demi-sel, mangue, cannelle et girofle

LORMES *58140 Nièvre* 65 ⑯ *G. Bourgogne – 1 398 h alt. 420.*
Voir *Terrasse du cimetière* ✱★ – *Mont de la Justice* ✱★ *NO : 1,5 km.*
ℹ *Office du tourisme 5 route d'Avallon ✆ 03 86 22 82 74, Fax 03 86 22 8*
ot.morvandeslacs@wanadoo.fr.
Paris 249 – Autun 63 – Avallon 29 – Clamecy 34 – Nevers 75.

Perreau, 8 rte Avallon ✆ 03 86 22 53 21, *Fax 03 86 22 82 15* – TV P. GB
fermé 25 nov. au 2 déc., 10 janv. au 20 fév., dim. soir et lundi d'oct. à avril – **R**
13,20/33,50 ♀, enf. 7,70 – ☕ 5 – **17 ch** 41/46 – ½ P 41/43

LORP-SENTARAILLE *09 Ariège* 86 ③ *– rattaché à St-Girons.*

LORRIS *45260 Loiret* 65 ① *G. Châteaux de la Loire – 2 674 h alt. 126* – **Voir** *Église N.-Dame★.*
ℹ *Office du tourisme 2 rue des Halles ✆ 02 38 94 81 42, Fax 02 38 94 88 00.*
Paris 134 – Orléans 55 – Gien 27 – Montargis 23 – Pithiviers 44 – Sully-sur-Loire 19.

XX **Guillaume de Lorris,** 8 Grande Rue ✆ 02 38 94 83 55, *guillaumedelorris@club-inte*
fr, Fax 02 38 94 83 55 – GB
fermé 19 août au 3 sept., 2 au 7 janv., 17 au 25 fév., lundi et mardi – **Repas** (nomb
couverts limité, prévenir) (17) - 22/28 ♀

XX **Sauvage** avec ch, pl. Martroi ✆ 02 38 92 43 79, *Fax 02 38 94 82 46* – ▤ rest, TV.
GB – *fermé 1er au 20 oct., fév., dim. soir et vend.* – **Repas** 20/45 ♁, enf. 8,50 – ☕ 5
8 ch 43,50/61 – ½ P 45/50

LOUBRESSAC *46130 Lot* 75 ⑲ *G. Périgord Quercy – 432 h alt. 320* – **Voir** *Site★ du château.*
ℹ *Office de tourisme ✆ 05 65 10 82 18, saint-cere@wanadoo.fr.*
Paris 534 – Brive-la-Gaillarde 47 – Cahors 74 – Figeac 44 – Gramat 16 – St-Céré 10.

Relais de Castelnau M ⛰, ✆ 05 65 10 80 90, *rdc@wanadoo.fr, Fax 05 65 38 2*
≤ vallée, ☂, ⛱, ✗ – TV ♿ P – 🏫 25 à 50. GB. ✱ rest
1er avril-1er nov. et fermé dim. soir et lundi en avril et oct. – **Repas** 17 (déj.), 21/39 –
40 ch 79/100 – ½ P 72

Lou Cantou ⛰, ✆ 05 65 38 20 58, *Fax 05 65 38 25 37,* ≤, ☂ – ▤ rest, TV P. AE G
fermé 25 oct. au 15 nov. et 15 au 28 fév., dim. soir et lundi hors saison – **Repas** 10,65/2
☕ 6,10 – **12 ch** 46/51 – ½ P 48,70

LOUDÉAC *22600 C.-d'Armor* 58 ⑲ *G. Bretagne – 9 371 h alt. 155.*
ℹ *Syndicat d'initiative 1 rue Saint-Joseph ✆ 02 96 28 25 17, Fax 02 96 28 25 33.*
Paris 437 – St-Brieuc 40 – Carhaix-Plouguer 68 – Dinan 75 – Pontivy 23 – Rennes 87.

Voyageurs, 10 r. Cadélac ✆ 02 96 28 00 47, *hoteldesvoyageurs@wanad*
Fax 02 96 28 22 30 – |‡| TV ✆ – 🏫 40. AE ⓓ GB
fermé 24 déc. au 3 janv. – **Repas** *(fermé dim. soir hors saison, vend. soir et sam.)* 13/
enf. 8,40 – ☕ 6,28 – **28 ch** 30,50/52,60 – ½ P 37,58/49,35

France, 1 r. Cadélac ✆ 02 96 66 00 15, *jflb@wanadoo.fr, Fax 02 96 28 61 94* – 100. AE GB
fermé 19 déc. au 6 janv. – **Repas** *(fermé dim.)* (10) - 13/28 ♀, enf. 7,50 – ☕ 6 – **35 ch** 30/55 – ½ P 34/41

La Prénessaye *Est : 7 km sur N 164 – 858 h. alt. 109 – ✉ 22210 Plémet :*

Motel d'Armor, ✆ 02 96 25 90 96, *Fax 02 96 25 76 72*, – P. GB
fermé vacances de fév. et sam. – **Repas** 13/36 ♀, enf. 9 – ☕ 6 – **10 ch** 36/43

***Michelin** n'accroche pas de panonceau aux hôtels et restaurants qu'il signale.*

OUDUN *86200 Vienne* 67 ⑨ *G. Poitou Vendée Charentes – 7 704 h alt. 120.*
Voir *Tour carrée* ✻★ **AY.**
Office du tourisme 2 rue des Marchands ✆ 05 49 98 15 96, Fax 05 49 98 69 49.
Paris 314 ① – Angers 80 ④ – Châtellerault 47 ① – Poitiers 56 ④ – Tours 74 ①.

LOUDUN

jou (Av. d') .... **BY** 2
âteau (R. du) .... **AY** 3
evreau (R. U.) .... **BZ** 4
llège (R. du) .... **BZ** 6
rderie (R. de la) .... **ABY** 7
oix-Bruneau (R. de la) .... **AY** 9
Grand-Cour .... **BY** 10
Jeu de Paume (R. du) .... **BYZ** 12
Leuze (Av. de) .... **BY** 13
Meures (R. des) .... **BY** 15
Palais (R. du) .... **BYZ** 16
Petit Château (R. du) .... **AYZ** 17
Portail-Chaussé (R. du) .... **BY** 18
Porte-de-Chinon (R.) .... **BY**
Poitou (Av. du) .... **BZ** 20
Porte de Chinon (Pl.) .... **BY** 22
Porte Mirebeau (Pl.) .... **BZ** 23
Porte Mirebeau (R.) .... **BZ** 24
Porte St-Nicolas (R.) .... **AY** 27
Renaudot (R.) .... **BY** 28
Touraine (Av. de) .... **BY** 29
Vieille Charité (R.) .... **BZ** 31
Vieille porte du Martray .... **AY** 32

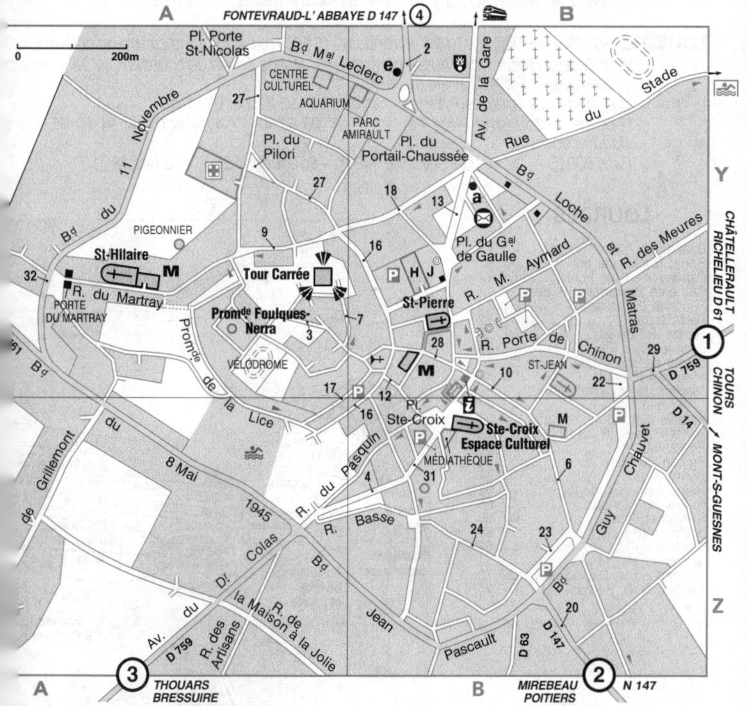

Hostellerie de la Roue d'Or, 1 av. Anjou ✆ 05 49 98 01 23, *Fax 05 49 22 31 05* – P. AE GB **BY e**
fermé vacances de fév., dim. soir et sam. du 15 oct. au 15 avril – **Repas** 12,96/33,54 ♀ – ☕ 5,79 – **14 ch** 38,11/50,31 – ½ P 42,69/50,31

Renaudot sans rest, 40 av. de Leuze ✆ 05 49 98 19 22, *Fax 05 49 98 94 22* – GB
☕ 5,34 – **29 ch** 35 **BY a**

LOUÉ *72540 Sarthe* 60 ⑫ *– 2 042 h alt. 112.*
Paris 230 – Le Mans 29 – Laval 59 – Rennes 127 – Sillé-le-Guillaume 26.

Ricordeau M, 13 r. Libération ✆ 02 43 88 40 03, *hotel-ricordeau@wanadoo.fr*
Fax 02 43 88 62 08, – 25. AE GB. ch
fermé 27 janv. au 28 fév., dim. soir et lundi – **Repas** 19,82/68 ♀, enf. 12 – ☕ 10 – **14 ch**
73,18/103,67, 4 appart – ½ P 52,59/75,46

LOUHANS 71500 *S.-et-L.* 70 ⑬ *G. Bourgogne – 6 237 h alt. 179.*
Voir *Grande-Rue★ – Office du tourisme 1 Arcades Saint-Jean ✆ 03 85 75 05 02, Fax 03 8 75 48 70, otlouhans@wanadoo.fr.*
Paris 374 – Chalon-sur-Saône 37 – Bourg-en-Bresse 60 – Dijon 85 – Dole 76 – Tournus 31.

Moulin de Bourgchâteau, r. Guidon (rte Chalon) ✆ 03 85 75 37 12, *bourgchatea @netcourrier.com, Fax 03 85 75 45 11,* « Ancien moulin sur la Seille », – 15. GB
fermé 20 déc. au 20 janv. et dim. du 15 sept. à Pâques – **Repas** *(fermé le midi, dim. du 15 sep à Pâques et lundi)* (nombre de couverts limités, prévenir) 25/29 ♀, enf. 10 – ☕ 8 – **18 ch** 39/8

Hostellerie du Cheval Rouge, 5 r. Alsace ✆ 03 85 75 21 42, *hotel-chevalrouge@wa doo.fr, Fax 03 85 75 44 48,* – . GB
fermé 17 au 27 juin, 23 déc. au 15 janv., dim. soir du 24 nov. au 30 mars, mardi midi et lur – **Repas** 15/36,60, enf. 8,40 – ☕ 6,10 – **9 ch** 31/42,70 – ½ P 38,50
annexe La Buge M sans rest, – – 20. GB.
fermé 17 au 27 juin, 23 déc. au 15 janv. et dim. du 24 nov. au 30 mars – ☕ 6,10 – **14 c** 41/54,90

Cotriade, 4 r. Alsace ✆ 03 85 75 19 91, *Fax 03 85 75 19 91* – AE GB
fermé 22 au 28 juin et mardi soir sauf juil.-août – **Repas** (10) - 12/32 ♀, enf. 8

LOURDES *65100 H.-Pyr.* 85 ⑱ *G. Midi-Pyrénées – 15 203 h alt. 420 Grand centre de pèlerinage.*
Voir *Château fort★* **DZ** *: musée pyrénéen★ – Musée Grévin de Lourdes★* **DZ M¹** *– Basiliq souterraine St-Pie X* **CZ** *– Pic du Jer★.*
de Tarbes-Lourdes-Pyrénées : ✆ 05 62 32 92 22, par ① : 1m.
Office du tourisme Place Peyramale ✆ 05 62 42 77 40, Fax 05 62 94 60 95, lour @sudfr.com.
Paris 808 ① – Pau 46 ④ – Bayonne 148 ④ – St-Gaudens 85 ② – Tarbes 18 ①.

LOURDES

Basse (R.) .... DZ 5
Bourg (Chaussée du) .... DZ 8
Capdevielle (Rue Louis) .... EZ 12
Carrières Peyramale (R. des) CZ 15
Fontaine (R. de la) .... DZ 20
Fort (R. du) .... DZ 22
Grotte (Bd de la) .... DZ 30
Jeanne-d'Arc (Pl.) .... DZ 35
Latour-de-Brie (R. de) .... DZ 40
Marcadal (Pl. du) .... DZ 45
Martyrs de la Déportation (R. des) .... EZ 47
Paradis (Espl. du) .... CZ 50
Petits Fossés (R. des) .... DZ 53
Peyramale (Av.) .... CZ 55
Peyramale (Pl.) .... DZ 56
Pont-Vieux .... CZ 57
Reine Astrid (R. de la) .... CZ 60
St-Frai (R. Marie) .... CZ 65
St-Michel (Pont) .... DZ 66
St-Pierre (R.) .... DZ 67
Ste-Marie (R.) .... CZ 68
Schœpfer (Av. Mgr) .... CZ 71
Soubirous (Av. Bernadette) .. CZ 73
Soubirous (R. Bernadette) .. DZ 74

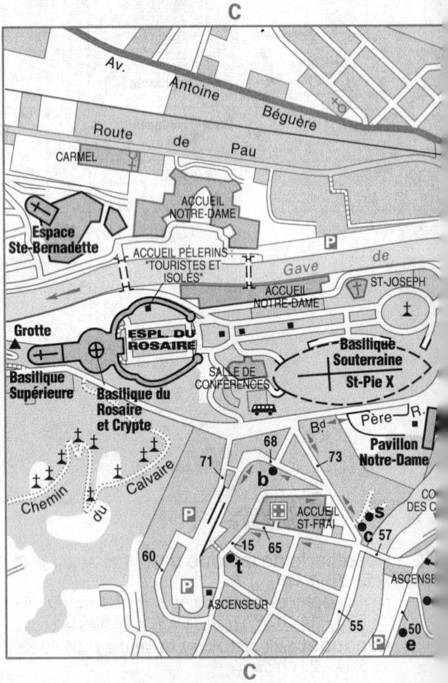

Grand Hôtel de la Grotte, 66 r. Grotte ℘ 05 62 94 58 87, *grotte@hotel-grotte.com*, Fax 05 62 94 20 50, ≤, 佘 – ﴾, 🍴 rest, 📺 ☎ ⇔ 🅿 🖭 ① 🖭 🖭
DZ y
28 mars-31 oct. – **Repas** 14/27 ᘒ, enf. 7 – ⇄ 10 – **76 ch** 61/125 – ½ P 92,50/135

Alba 🅼, 27 av. Paradis ℘ 05 62 42 70 70, *hotelalba@aol.com*, Fax 05 62 94 54 52, 佘 – ﴾
🍴 🕭 ⇔ 🅿 – 🔏 60. 🖭 🖭. 🗶 rest
AY f
10 mars-fin oct. – **Repas** 8 (déj.), 10/23 ᘒ, enf. 7,50 – ⇄ 6,50 – **237 ch** 78,50/120 – ½ P 58

Méditerranée 🅼, 23 av. Paradis ℘ 05 62 94 72 15, Fax 05 62 94 10 54 – ﴾ 🍴 🕭 🅿 –
🔏 20 à 60. 🖭 🖭
AY s
15 mars-10 nov. – **Repas** 14,50/19 ᘒ, enf. 7 – ⇄ 6,50 – **171 ch** 63,50/78,50 – ½ P 58

Impérial 🅼, 3 av. Paradis ℘ 05 62 94 06 30, *hotelimperial.lourdes.fr@gofornet.com*, Fax 05 62 94 48 04 – ﴾ 🍴 📺 🕭. 🖭 ① 🖭 🖭. 🗶
CZ u
15 mars-31 oct. – **Repas** 14,50 – ⇄ 9,50 – **93 ch** 63/78 – ½ P 64

Solitude 🅼, 3 passage St-Louis ℘ 05 62 42 71 71, *contact@hotelsolitude*, Fax 05 62 94 40 65, ≤ – ﴾, 🍴 rest, 🕭 ⇔ – 🔏 15 à 100. 🖭 ① 🖭 🖭. 🗶
CZ s
1ᵉʳ avril-5 nov. – **Repas** 15 ᘒ – ⇄ 10 – **281 ch** 67/114, 4 appart, 8 duplex – ½ P 54/62

Paradis 🅼, 15 av. Paradis ℘ 05 62 42 14 14, Fax 05 62 94 64 04, ≤ – ﴾, 🍴 rest, 📺 🕭 ⇔
🅿 – 🔏 150. 🖭 🖭
AY n
25 mars-fin oct. – **Repas** 22 – ⇄ 10 – **300 ch** 90 – ½ P 70

Excelsior, 83 bd Grotte ℘ 05 62 94 02 05, *hotel.excelsior@wanadoo.fr*, Fax 05 62 94 82 88 – ﴾, 🍴 rest, 📺. 🖭 ① 🖭 🖭. 🗶 rest
DZ h
28 mars-fin oct. – **Repas** 17,50/20 – ⇄ 9,50 – **67 ch** 55,50/73,50 – ½ P 55,50

Espagne, 9 av. Paradis ℘ 05 62 94 50 02, *hoteldespagne@wanadoo.fr*, Fax 05 62 94 58 15, ≤ – ﴾, 🍴 rest, 🕭 🅿 – 🔏 35. 🖭 ① 🖭. 🗶
CZ e
1ᵉʳ avril-30 oct. – **Repas** 16,77/17,68 – ⇄ 6,40 – **129 ch** 79,12 – ½ P 54,81

Gallia et Londres, 26 av. B. Soubirous ℘ 05 62 94 35 44, *contact@hotelgallialondres.com*, Fax 05 62 42 24 64, 佘 – ﴾, 🍴 rest, 📺. 🖭 ① 🖭 🖭
CZ c
1ᵉʳ avril-31 oct. – **Repas** 20 ᘒ – ⇄ 10 – **91 ch** 86/120 – ½ P 68/75

Christ-Roi, 9 r. Mgr Rodhain ℘ 05 62 94 24 98, Fax 05 62 94 17 65 – ﴾, 🍴 rest, 🕭 ⇔ –
🔏 30. 🖭 🖭. 🗶 rest
AY t
Pâques-15 oct. – **Repas** 15,50 – ⇄ 6,10 – **173 ch** 46/65, 7 duplex – ½ P 54

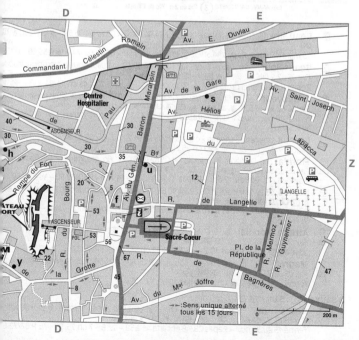

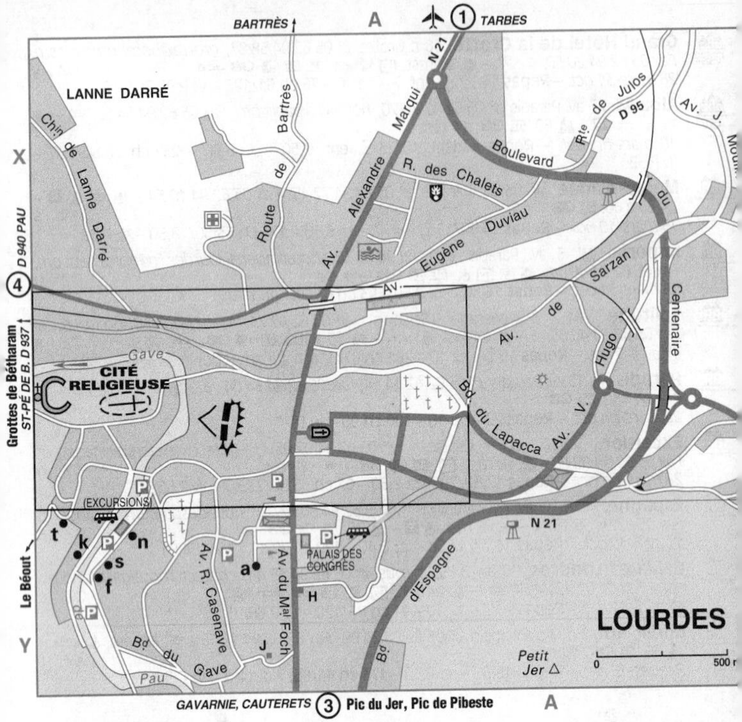

Beau Site [M], 36 av. Peyramale ✆ 05 62 94 04 08, *Fax 05 62 94 06 59* – |‡|, ▤ rest, ♿ P GB — AY
15 mars-15 nov. – **Repas** 14,50/19 ♀, enf. 7 – ☐ 6,50 – **66 ch** 60/74 – ½ P 55,50

Beauséjour, 16 av. Gare ✆ 05 62 94 38 18, *beausejour.p.martin@wanado*... — EZ
Fax 05 62 94 96 20, ⛱ – |‡| TV P. AE ◑ GB JCB
Repas *(fermé lundi du 15 nov. au 30 mars)* 17/43 ♀ – ☐ 6,70 – **45 ch** 44/84 – ½ P 44/4...

St-Sauveur [M], 9 r. Ste-Marie ✆ 05 62 94 25 03, *contact@hotelsaintsauveur.c*... — CZ
Fax 05 62 94 36 52 – |‡|, ▤ rest, ♿. AE ◑ GB JCB. ✂ ch
fermé 16 déc. au 31 janv. – **Repas** 15 ♀, enf. 6 – ☐ 10 – **170 ch** 67/114, 4 duple...
½ P 54/62

Cazaux sans rest, 2 chemin Rochers ✆ 05 62 94 22 65, *Fax 05 62 94 48 32* – GB — AY
Pâques-fin oct. – ☐ 5,34 – **20 ch** 25,20/42,69

Florida, 3 r. Carrières Peyramale ✆ 05 62 94 51 15, *flo_aca_mira_hotels@hotmail.c*... — CZ
Fax 05 62 94 69 49 – |‡| ▤ TV ♿ P. AE ◑ GB. ✂ rest
4 avril-31 oct. et 8 au 12 fév. – **Repas** 11,50 – ☐ 5 – **119 ch** 45,50/59,50 – ½ P 45,50

Nevers, 13 av. Maransin ✆ 05 62 94 90 88, *hotel.nevers@wanadoo.fr, Fax 05 62 94 84* ... — DZ
|‡| TV P. AE ◑ GB JCB. ✂ rest
25 mars-3 nov. – **Repas** *(fermé dim.)* (résidents seul.)(dîner seul.) – ☐ 6 – **38 ch** 42/...
½ P 41,50

Atrium Mondial ⛰, 9 r. Pélerins ✆ 05 62 94 27 28, *atriummondialhotel@minite*... — DZ
Fax 05 62 94 70 92 – |‡|. AE GB JCB
23 mars-15 oct. – **Repas** 10 ♀ – ☐ 4,50 – **52 ch** 35/40 – ½ P 35/37

Magret, 10 r. 4 Frères Soulas ✆ 05 62 94 20 55, *pene.philippe@wanado*... — DZ
Fax 05 62 94 20 55 – ▤. ◑ GB JCB
fermé 6 au 27 janv. et lundi – **Repas** 12,96/38,11 ♀

à Saux *par ① : 3 km* – ✉ *65100 Lourdes :*

Relais de Saux avec ch, ✆ 05 62 94 29 61, *relais.de.saux@sudfr*...
Fax 05 62 42 12 64, ←, ⛱, ⛱ – TV ✆ P. AE ◑ GB. ✂
fermé 15 au 30 nov. – **Repas** 28/48 et carte 41 à 59 – ☐ 8 – **7 ch** 75/90 – ½ P 67/72

é par ① : 4,5 km – 674 h. alt. 428 – ⊠ 65100 :

🏠 **Virginia,** 3 av. Pyrénées ℘ 05 62 94 66 18, Fax 05 62 94 61 32, 徐, 拜 – 劇, 🗐 rest, 🗹 ❤
& ⇦ 🅿. 🖭 ⅁ℬ
Repas 15/25, enf. 8 – ⚏ 5,50 – **43 ch** 42/54 – ½ P 39/45

RMARIN 84160 Vaucluse 🟦 ③, 🟦 ② G. Provence – 1 119 h alt. 224.

Voir *Château*★.

🚪 *Office du tourisme 9 avenue Philippe de Girard ℘ 04 90 68 10 77, Fax 04 90 68 10 77, ot-lourmarin@axit.fr.*

Paris 740 – Digne-les-Bains 112 – Apt 19 – Aix-en-Provence 37 – Cavaillon 34.

🏠 **Moulin de Lourmarin** (Loubet) 🖩 ⛐, r. Temple ℘ 04 90 68 06 69, *lourmarin@france market.com*, Fax 04 90 68 31 76, 徐 – 劇 🗐 🗹 ⇦. 🖭 ⑥ ⅁ℬ. ⁓ rest
fermé 27 nov. au 12 déc. et 7 janv. au 1ᵉʳ mars – **Repas** *(fermé merc. midi et mardi)* 95/138 et carte 105 à 140 – ⚏ 16 – **22 ch** 280/380 – ½ P 210,38/280,51
Spéc. Coeur de tournesol vinaigrette. Cromesqui de joue de porc en farinette de noisette. Millefeuille de framboises tiédies et fraises des bois en chiboust. **Vins** Côtes du Lubéron blanc et rouge

🏠 **de Guilles** ⛐, rte Vaugines : 2 km ℘ 04 90 68 30 55, *hotel@guilles.com*, Fax 04 90 68 37 41, ≤, 徐, « Mas provençal au milieu des vignes et vergers », ⅃, 拜, ⁓ – 🗹 🅿 – ⚒ 25. 🖭 ⑥ ⅁ℬ
fermé 16 déc. au 31 janv. – **Repas** *(dîner seul.)* 38/43, enf. 12 – ⚏ 11 – **28 ch** 74/104 – ½ P 86/118

🍴 **Auberge La Fenière** (Mme Sammut) 🖩 ⛐ avec ch, Sud, rte de Cadenet par D 943 : 2 km ℘ 04 90 68 11 79, *reine@wanadoo.fr*, Fax 04 90 68 18 60, ≤ plaine de la Durance, 徐, ⅃, ♨ – 🗐 rest, 🗹 & ⇦ 🅿. 🖭 ⑥ ⅁ℬ 🅹🅲🅱
fermé 24 nov. au 4 fév. – **Repas** *(fermé mardi midi d'oct. à fin juin et lundi)* 40/95 et carte 70 à 95 ⚏ – ⚏ 13 – **9 ch** 100/170 – ½ P 125/160
Spéc. Salade de pourpier et cigale de mer.(avril à sept.). Tarte fine aux pommes de terre, truffes et foie gras façon Tatin (fév.-mars). Risotto aux herbes et citron vert, Saint-Pierre rôti au foie de baudroie (juil. à sept.). **Vins** Côtes de Provence, Côtes du Rhône-Villages

🍴 **L'Antiquaire,** 9 r. Grand Pré ℘ 04 90 68 17 29, Fax 04 90 68 17 29 – 🗐. ⅁ℬ
fermé 18 nov. au 9 déc., 13 janv. au 3 fév., dim. soir d'oct. à avril, mardi midi et lundi – **Repas** 16 *(déj.)*, 26/37 ⚏

*Pour être inscrit au **Guide Rouge Michelin***
– pas de piston,
– pas de pot de vin !

VETOT 76490 S.-Mar. 🟦 ⑬, 🟦 ⑨, 🟦 ⑤ – 575 h alt. 137.
Paris 167 – Le Havre 55 – Rouen 44 – Bolbec 20 – Fécamp 34 – Yvetot 9.

🏠 **Louvhôtel-Au Grand Méchant Loup,** carr. D 131 - D 33 ℘ 02 35 95 46 56, *louvhotel @wanadoo.fr*, Fax 02 35 95 33 73, 徐 – 🗹 & 🅿 – ⚒ 40 à 100. 🖭 ⅁ℬ
fermé 16 au 30 août – **Repas** *(fermé dim. soir)* 8,85/24,39 ⚏, enf. 6,86 – ⚏ 4,27 – **24 ch** 38,11/40,40

VIERS 27400 Eure 🟦 ⑯ ⑰ G. Normandie Vallée de la Seine – 18 328 h alt. 15.
Voir *Église N.-Dame*★ : *oeuvres d'art*★, *porche*★ BY.
Env. *Vironvay ≤*★.

🚪 *Office du tourisme 10 rue du Maréchal Foch ℘ 02 32 40 04 41, Fax 02 32 40 04 41.*

Paris 104 ③ – Rouen 32 ② – Les Andelys 21 ③ – Lisieux 75 ⑤ – Mantes-la-Jolie 52 ③.

Plan page suivante

🏠 **Pré-St-Germain** ⛐, 7 r. St-Germain ℘ 02 32 40 48 48, *le.pre.saint.germain@wanadoo. fr*, Fax 02 32 50 75 60, 徐 – 劇 🗹 & 🅿 – ⚒ 70. 🖭 ⅁ℬ. ⁓ rest BY s
Repas *(fermé 28 juil. au 19 août, dim. sauf le midi de sept. à juin et sam. midi)* *(15 bc)* - 30/55 ⚏, enf. 10,67 – ⚏ 9,15 – **30 ch** 65,55/93 – ½ P 69,52/77

Pierre-du-Vauvray par ② : 8 km – 1 346 h. alt. 20 – ⊠ 27430 :

🏠 **Hostellerie St-Pierre** ⛐, bords de Seine ℘ 02 32 59 93 29, *stpierre@free.fr*, Fax 02 32 59 41 93, ≤, 拜 – 劇 🗹 🅿. 🖭 ⅁ℬ
hôtel : mi-mars-mi-nov. ; rest. : 1ᵉʳ avril-30 oct. et fermé le midi sauf dim. et fériés – **Repas** 25/33 ⚏ – ⚏ 10 – **15 ch** 110/168 – ½ P 89/118

LOUVIERS

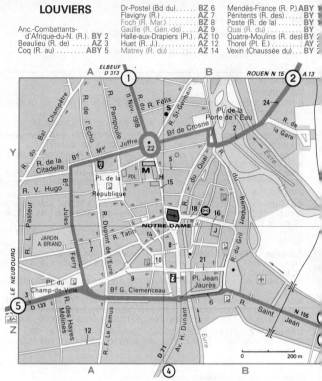

à Vironvay par ③ : 5 km – 275 h. alt. 119 – ✉ 27400 .

Voir Église★.

🍴🍴🍴 **Les Saisons** (Portier) 🔔 avec ch, ✆ 02 32 40 02 56, Fax 02 32 25 05 26, 🌳, « Pav
🌸 dans un jardin », 🔺, 🌲, 🎾 – 📺 ⚹ 🅿 – 🔏 30. 🝙 ⓪ ☺ ⚹
fermé 23 au 30 déc., 9 fév. au 9 mars, dim. soir, merc. soir et lundi – **Repas** 33,54/68
carte 52 à 72 ♀ – ⇆ 10,67 – **8 ch** 99,09/129,58, 4 appart – ½ P 86,14/158,55
Spéc. Soupière de coquillages et crustacés en croûte (oct. à mars). Homard rôti à l'es
d'huile d'olive. Tarte fine aux pommes amandine

LOUVIGNY 14 Calvados 🖽🖽 ⑪ – rattaché à Caen.

LUBBON 40240 Landes 🖽🖽 ⑫ ⑬ – 95 h alt. 140.

Paris 690 – Mont-de-Marsan 49 – Aire-sur-l'Adour 61 – Condom 42 – Nérac 36.

🏠 **du Bon Coin "Chez Jeanne"**, D 933 ✆ 05 58 93 60 43, Fax 05 58 93 61 42, 🔺, 🌿
🍴 ☺ ⚹
fermé 28 juin au 21 juil., 3 au 18 janv., vend. soir et sam. de sept. à juin, sam. soir et dir
en juil.-août – **Repas** (8,40) - 10,70/36,60 ♀, enf. 6,10 – ⇆ 4,57 – **7 ch** 27,50/33
½ P 30,50

Le LUC 83340 Var 🖽🖽 ⑯ G. Côte d' Azur – 7 282 h alt. 160.

🅱 Office de tourisme Le Château des Vintimilles ✆ 04 94 60 74 51.

Paris 842 – Fréjus 42 – Cannes 74 – Draguignan 29 – St-Raphaël 46 – Toulon 53.

🍴🍴 **Gourmandin**, pl. L. Brunet ✆ 04 94 60 85 92, gourmandin@aol.com, Fax 04 94 47
🍽 – 🗐, 🝙 ⓪ ☺ 🅹🅲🅱
fermé 20 août au 20 sept., 20 fév. au 10 mars, dim. soir et lundi – **Repas** (week
prévenir) 21,34/30,49 ♀, enf. 10,67

uest : *4 km par N 7 – ✉ 83340 Le Luc :*

Grillade au Feu de Bois ⑤, ✆ 04 94 69 71 20, *Fax 04 94 59 66 11*, ☂, antiquités, ⛱, – ‖ TV ✆ P. AE GB JCB
Repas 30,49 ♀ – ☕ 7,62 – **15 ch** 60,98/99,09

É *28 E.-et-L.* **60** ⑦ *– rataché à Chartres.*

ELLE *68480 H.-Rhin* **66** ⑲ *– 47 h alt. 640.*
Paris 472 – Altkirch 29 – Basel 38 – Belfort 55 – Colmar 96 – Delémont 18 – Montbéliard 47.

ord-Est : *4,5 km par D 41 et rte secondaire – ✉ 68480 Lucelle :*

Petit Kohlberg ⑤, ✆ 03 89 40 85 30, *petitkohlberg@fr.fm, Fax 03 89 40 89 40*, ≤, ☂, – ‖ TV ♿ P – 40. GB
Repas *(fermé lundi et mardi)* 13/45 ♀ – ☕ 9,50 – **35 ch** 38,50/51,50

EY *54 M.-et-M.* **62** ④ *– rattaché à Toul.*

HÉ-PRINGÉ *72800 Sarthe* **64** ③ *G. Châteaux de la Loire – 1 531 h alt. 34.*
Syndicat d'initiative Place des Tilleuls ✆ 02 43 94 94 25, Fax 02 43 45 75 71.
Paris 245 – Angers 68 – Le Mans 39 – La Flèche 14 – Le Lude 10.

Auberge du Port des Roches ⑤ avec ch, au Port des Roches Est : 2,5 km par D 13 et D 214 ✆ 02 43 45 44 48, *Fax 02 43 45 39 61*, ☂, « Terrasse au bord du Loir », – TV ✆ P. GB
fermé 28 janv. au 10 mars, dim. soir, mardi midi et lundi – **Repas** 18,50/34 ♀ – ☕ 5,50 – **12 ch** 39/48 – ½ P 40/45

HON *31 H.-Gar.* **85** ⑳ *– voir Bagnères-de-Luchon.*

ON *85400 Vendée* **71** ⑪ *G. Poitou Vendée Charentes – 9 311 h alt. 8.*
Voir *Cathédrale Notre-Dame★ – Jardin Dumaine★.*
Office du tourisme Square Édouard Herriot ✆ 02 51 56 36 52, Fax 02 51 56 03 56, tourisme.tourisme-lucon@mageos.com.
Paris 438 – La Rochelle 43 – La Roche-sur-Yon 33 – Cholet 88 – Fontenay-le-Comte 32.

Mirabelle, 89 bis r. de Gaulle, rte des Sables d'Olonne ✆ 02 51 56 93 02, *Fax 02 51 56 35 92*, ☂ – ▤. GB
fermé 24 au 31 oct., vacances de fév., dim. soir et lundi soir en hiver, sam. midi sauf juil.-août et mardi – **Repas** (15) - 21/45 et carte 35 à 50, enf. 8,50

Boeuf Couronné avec ch, rte de la Roche-sur-Yon : 2 km ✆ 02 51 56 11 32, *boeufcouronne@wanadoo.fr, Fax 02 51 56 98 25*, ☂ – TV ♿ P. AE ⓓ GB
fermé mi-sept. à début oct., dim. soir et lundi – **Repas** 11,43/26,37 ♀ – ☕ 5,03 – **4 ch** 39,64/47,26

-SUR-MER *14530 Calvados* **54** ⑯ *G. Normandie Cotentin – 3 036 h – Casino.*
Voir *Parc municipal★.*
Office du tourisme Rue du Docteur Charcot ✆ 02 31 97 33 25, Fax 02 31 96 65 09, luc.sur.mer@wanadoo.fr.
Paris 250 – Caen 18 – Arromanches-les-Bains 23 – Bayeux 29 – Cabourg 28.

Des Thermes et du Casino, ✆ 02 31 97 32 37, *hotelresto@hotelresto.lesthermes.com, Fax 02 31 96 72 57*, ≤, ☂, ⛹, ⛱, – ‖ TV ✆ ♿ P. AE ⓓ GB
1er avril-6 oct. – **Repas** 20/55 ♀, enf. 10 – ☕ 8 – **48 ch** 92/99 – ½ P 68,50/72,50

UDE *72800 Sarthe* **64** ③ *G. Châteaux de la Loire – 4 201 h alt. 48.*
Voir *Château★★.*
Office du tourisme Place François de Nicolay ✆ 02 43 94 62 20, Fax 02 43 94 48 46.
Paris 247 – Le Mans 45 – Angers 65 – Chinon 63 – La Flèche 20 – Saumur 52 – Tours 50.

Renaissance avec ch, 2 av. Libération ✆ 02 43 94 63 10, *Fax 02 43 94 21 05* – AE ⓓ GB JCB
fermé vacances de Toussaint, dim. soir et lundi – **Repas** (10) - 12,50/34 ♀, enf. 9 – ☕ 6 – **8 ch** 45/53 – ½ P 55/61

LUGON ET L'ILE-DU-CARNEY 33 Gironde **71** ⑧ – 1 000 h alt. 36 – ⊠ 33240 St-André-de-Cubzac.

Paris 567 – Bordeaux 32 – Libourne 11 – St-André-de-Cubzac 10.

XX **Auberge de la Vieille Chapelle**, Sud-Ouest : 3 km par D 670 et rte seco ℘ 05 57 84 48 65, Fax 05 57 84 40 28, ≤, 佘 – ■ ℙ. ⏏

fermé 16 sept. au 3 oct., 13 janv. au 6 fév., merc. d'oct. à avril, dim. soir et mardi – **Re** (déj.), 27/50 ⅃, enf. 12

LUGOS 33830 Gironde **78** ③ – 558 h alt. 40.

Paris 644 – Bordeaux 60 – Arcachon 44 – Bayonne 139.

X **Bonne Auberge** ⧏ avec ch, ℘ 05 57 71 95 28, Fax 05 57 71 94 32, 佘, ज़ – ▥ ⧉ fermé nov., dim. soir et lundi – **Repas** 9,15/36,59 – ⯐ 4,57 – **13 ch** 35,06/39,64 – ½ P

LUMBRES 62380 P.-de-C. **51** ③ – 3 873 h alt. 45.

🛈 Office du tourisme Rue François Cousin ℘ 03 21 93 45 46, Fax 03 21 12 15 87.

Paris 259 – Calais 45 – Arras 78 – Boulogne-sur-Mer 42 – Dunkerque 52 – St-Omer 11

🏨 **Moulin de Mombreux** M ⧏, Ouest : 2 km par rte Boulogne, D 225 et rte seco ℘ 03 21 39 13 13, Fax 03 21 93 61 34, « Parc sur les rives du Bléquin », ⧫ – ▥ ⧉ ⚌ 25. ⏏ ⓞ ⏏

fermé 20 déc. au 20 janv. – **Repas** 36,58 bc/57,93 bc – ⯐ 9,15 – **24 ch** 76,23/10◀ ½ P 87,66

LUNEL 34400 Hérault **83** ⑧ – 22 352 h alt. 6.

🛈 Office du tourisme ℘ 04 67 87 83 97, Fax 04 67 71 26 67, otlunel@capline.fr.

Paris 739 – Montpellier 31 – Aigues-Mortes 16 – Alès 57 – Arles 57 – Nîmes 31.

XX **Chodoreille**, 140 r. Lakanal ℘ 04 67 71 55 77, chodoreille@wanad Fax 04 67 83 19 97, 佘 – ■. ⏏ ⓞ ⏏

fermé 11 au 31 août et dim. sauf fériés – **Repas** 20/51

X **L'Authentic**, 9 av. Gén. de Gaulle (rte Nîmes) ℘ 04 67 83 91 12, Fax 04 67 91 07 93, 佘 fermé 28 juil. au 26 août, dim., lundi, et fériés – **Repas** 21/38 ⅄

LUNÉVILLE ⬗ 54300 M.-et-M. **62** ⑥ G. Alsace Lorraine – 20 200 h alt. 224.

Voir Château★ A – Parc des Bosquets★ AB – Boiseries★ de l'église St-Jacques A.

🛈 Office du tourisme Aile Sud du Château ℘ 03 83 74 06 55, Fax 03 83 73 57 95.

Paris 342 ⑤ – Nancy 37 ⑤ – Épinal 66 ④ – Metz 95 ① – St-Dié 55 ③ – Strasbourg 136

LUNÉVILLE

Banaudon (R.) .... **A** 2
Basset (R. R.) .... **B** 3
Bosquets (R. des) .... **B** 4
Brèche (R. de la) .... **A** 5
Carnot (R.) .... **B** 7
Castara (R.) .... **A** 9
Chanzy (R.) .... **A** 10
Charier (R. G.) .... **A** 13
Charité (R. de la) ...... **A** 15
Château (R. du) .... **A** 16
Erckmann (R.) .... **B** 18
Gaillardot (R.) .... **A** 20
Gambetta (R.) .... **B** 21
Haxo (R.) .... **B** 23
Lebrun (R.) .... **B** 25
Leclerc (R. Gén.) .... **A** 27
Léopold (Pl.) .... **AB** 28
République (R.) .... **A** 30
St-Jacques (Pl.) .... **A** 32
St-Rémy (Pl.) .... **A** 36
Ste-Marie (R.) .... **A** 37
Sarrebourg (R. de) ...... **A** 39
Templiers (R. des) ...... **A** 41
Thiers (R.) .... **A** 43
Viller (R. de) .... **A** 48
2ᵉ-Div.-de-Cavalerie
 (Pl. de la) .... **A** 50

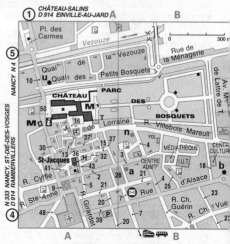

🏨 **des Pages**, 5 quai Petits Bosquets ℘ 03 83 74 11 42, Fax 03 83 73 46 63, 佘 – ▯ ⧉ ⧫ ℙ – ⚌ 40. ⏏ ⏏

Petit Comptoir ℘ 03 83 73 14 55 (fermé 28 oct. au 7 nov., 1ᵉʳ au 9 mars, sam. mid. soir et soirs fériés) **Repas** 16/27 ⅄, enf. 11 – ⯐ 6 – **30 ch** 45/50 – ½ P 45

726

🏠 **Oasis** Ⓜ sans rest, 3 av. Voltaire ℘ 03 83 73 52 85, Fax 03 83 73 02 28 – 📧 ⇄ 📺 🅿. 🄰🄴 🄶🄱   B b
　　☲ 6 – **34 ch** 45/50

XX **Floréal**, 1 pl. Léopold (1er étage) ℘ 03 83 73 39 80, Fax 03 83 73 29 89 – 🄰🄴 🄶🄱   B a
　　fermé lundi soir et lundi – **Repas** 12,96/32,01 ⅛, enf. 7,62

X **Les Bosquets**, 2 r. Bosquets ℘ 03 83 74 00 14, Fax 03 83 74 16 93 – 🄰🄴 🄶🄱   B n
　　fermé 1er au 16 août, 11 au 17 mars, dim. soir, merc. soir et jeudi – **Repas** 14/32 ⅞

oncel-lès-Lunéville rte de St-Dié par ③ : 3 km – 391 h. alt. 234 – ⌧ 54300 :

🏠 **Acacia**, sur N 59, proche échangeur Lunéville-Z.I. ℘ 03 83 73 49 00, ihacacia@aol.com,
　　Fax 03 83 73 46 51 – 📺 🅲 🅰 🅿. 🄰🄴 🄶🄱
　　Repas 12,20/21 ⅞, enf. 5,40 – ☲ 5,50 – **42 ch** 40,50/46,50 – ½ P 39/46

XX **Relais St-Jean**, sur N 59 ℘ 03 83 74 08 65, Fax 03 83 73 34 15 – 📧 🅿. 🄰🄴 🄶🄱
　　fermé 10 juil. au 10 août, 26 déc. au 4 janv. dim soir, merc. soir et lundi – **Repas** (14) - 21/46 ⅞,
　　enf. 12

Sud par ④ puis av. G. Pompidou et cités Ste-Anne : 5 km – ⌧ 54300 Lunéville :

🏡 **Château d'Adoménil** (Million) Ⓜ ⤢, ℘ 03 83 74 04 81, adomenil@relaischateaux.fr,
❄️ Fax 03 83 74 21 78, 🌳, « Belle demeure dans un parc », 🛋, 🅰 – 📧 📺 🅲 🅿 – 🅰 20. 🄰🄴 🄾
　　🄶🄱 🄹🄲🄱 rest
　　fermé 2 janv. au 10 fév., dim. et lundi du 1er nov. au 15 avril – **Repas** (fermé dim. soir du
　　1er nov. au 15 avril, mardi midi et lundi) (nombre de couverts limité, prévenir) 40/75 et carte
　　62 à 90 ⅞, enf. 16 – ☲ 14 – **9 ch** 130/155, 4 duplex – ½ P 135/165
　　Spéc. Salade de grenouilles à la menthe fraîche (mars à sept.). Pigeon en pot-au-feu.
　　Cornets craquants de pavot bleu aux mirabelles de Lorraine **Vins** Côtes de Toul blanc et
　　rouge.

RBE-ST-CHRISTAU 64660 Pyr.-Atl. 🎱🎱 ⑥ – 235 h alt. 260 – Stat. therm. en travaux : fermée
en 2002.
　　Paris 832 – Pau 45 – Laruns 32 – Lourdes 61 – Oloron-Ste-Marie 10 – Tardets-Sorholus 29.

🏨 **Au Bon Coin** Ⓜ, rte des Thermes ℘ 05 59 34 40 12, thierrylassala@wanadoo.fr,
　　Fax 05 59 34 46 40, 🛋, 🌊 – 📺 🅲 🅿 – 🅰 25. 🄰🄴 🄶🄱
　　fermé dim. soir et lundi du 10 oct. au 30 mars – **Repas** 13,72 (déj.), 22,11/50,31 – ☲ 7,62 –
　　18 ch 45,73/73,18 – ½ P 49,55/59,46

RE 70200 H.-Saône 🎱🎱 ⑥ G. Jura – 8 727 h alt. 290.
　　🄱 Office du tourisme 35 avenue Carnot ℘ 03 84 62 80 52, Fax 03 84 62 74 61, Office.Tou
　　risme.Lure@wanadoo.fr.
　　Paris 387 – Besançon 77 – Belfort 34 – Épinal 76 – Montbéliard 36 – Vesoul 30.

🏠 **Luron** Ⓜ, 92 av. République par rte Vesoul ℘ 03 84 30 03 03, leluron@leluron.com,
　　Fax 03 84 62 76 62, 🌳 – 📧 📺 🅲 🅰 🅿 – 🅰 40. 🄰🄴 🄾 🄶🄱
　　Repas (fermé vend. soir, dim. soir et sam. midi) 10/22 ⅛ – ☲ 5 – **40 ch** 35/39

oye Est : 2 km par rte de Belfort – 1 127 h. alt. 301 – ⌧ 70200 :

XX **Saisonnier**, La Verrerie (sur N 19) ℘ 03 84 30 46 00, Fax 03 84 30 46 00, 🌳 – 🅿. 🄶🄱
　　fermé 6 au 26 août, vacances de fév., dim. soir et merc. – **Repas** 16,77/42,69

oideterre Nord-Est : 3 km par D 486 et D 99 – 311 h. alt. 306 – ⌧ 70200 :

XX **Hostellerie des Sources** (Brocard), ℘ 03 84 30 34 72, Fax 03 84 30 29 87, 🌳 – 📧 🅿.
❄️ 🄰🄴 🄶🄱 🄹🄲🄱. ⊠
　　fermé 6 au 28 janv., dim. soir , lundi et mardi sauf fériés – **Repas** (nombre de couverts
　　limité, prévenir) 18/52 et carte 50 à 70 ⅞, enf. 10
　　Spéc. Paillasson d'escargots du Jura. Filet de bar au beurre de crustacés. Pomelos givré
　　''grand veneur''.

RI 2b H.-Corse 🎱🎱 ② – voir à Corse.

RS 04700 Alpes-de-H.P. 🎱🎱 ⑮ G. Alpes du Sud – 347 h alt. 600 – **Voir** Site★.
　　🄱 Syndicat d'initiative ℘ 04 92 79 10 20.
　　Paris 740 – Digne-les-Bains 39 – Forcalquier 12 – Manosque 23 – Sisteron 33.

🏠 **Séminaire** ⤢, ℘ 04 92 79 94 19, info@hotel-leseminaire.com, Fax 04 92 79 11 18, ≤,
　　🌳, 🅰 – ⇄ 📺 🅲 🅰 🅿 – 🅰 25. 🄶🄱
　　fermé 1er déc. au 31 janv. et lundi midi – **Repas** 14,50 (déj.), 22,15/55 ⅞, enf. 10 – ☲ 10 –
　　16 ch 63,30/99,50 – ½ P 68,60/78,60

X **Bello Visto**, ℘ 04 92 79 95 09, Fax 04 92 79 11 34, ≤ – 🄶🄱
　　fermé 1er oct. au 6 nov., mardi du 1er avril au 30 sept., le soir du 7 nov. au 30 mars et merc. –
　　Repas 14/35

LUSIGNAN *86600 Vienne* 68 ⑬ *G. Poitou Vendée Charentes – 2 677 h alt. 134.*

Office du tourisme Place du Bail ✆ 05 49 43 61 21, Fax 05 49 43 75 64.

Paris 361 – Poitiers 26 – Angoulême 95 – Confolens 74 – Niort 54.

Chapeau Rouge, 1r. Chypre ✆ 05 49 43 31 10, *Fax 05 49 43 31 20*, – TV P. GB
fermé 15 au 31 oct., vacances de fév., dim. soir et lundi – **Repas** 12,20/30,49 ♀ – ☕ 5,34
8 ch 38,11/42,69 – ½ P 35,06/39,64

LUSSAC-LES-CHÂTEAUX *86320 Vienne* 68 ⑮ *G. Poitou Vendée Charentes – 2 532 h alt. 104.*

Env. *Nécropole mérovingienne★ de Civaux NO : 6 km sur D 749.*

Office du tourisme Place du Champ de Foire ✆ 05 49 84 57 73, Fax 05 49 84 57 7 OTSILUSSAC@AOL.com.

Paris 357 – Poitiers 39 – Bellac 42 – Châtellerault 52 – Montmorillon 12 – Ruffec 52.

Les Orangeries sans rest, ✆ 05 49 84 07 07, *orangeries@wanadoo.*
Fax 05 49 84 98 82, « Décor rustique original, beau jardin », – TV P – 30. GB
fermé 15 déc. au 15 janv. – ☕ 10 – **7 ch** 80/95, 3 appart

Montespan sans rest, ✆ 05 49 48 41 42, *Fax 05 49 84 96 10* – TV P. GB
☕ 4,58 – **22 ch** 34,31/38,12

Roche de Fonsalive, Les Bordes, Sud-Ouest : 5 km par N 147 et D 25 ✉ 86320 Gou
✆ 05 49 84 50 26, *Fax 05 49 84 06 95*, – P. GB
fermé fév., mardi soir, merc. soir d'oct. à mars, dim. soir et lundi – **Repas** 14,48/37,35

LUTTER *68 H.-Rhin* 66 ⑩ ⑳ – *rattaché à Ferrette.*

LUTZELBOURG *57820 Moselle* 62 ⑧ *G. Alsace Lorraine – 695 h alt. 212.*

Voir *Plan-incliné★ de St-Louis-Arzviller SO : 3,5 km.*

Syndicat d'initiative - Mairie ✆ 03 87 25 30 19, Fax 03 87 25 33 76, lutzelbo @wanadoo.fr.

Paris 438 – Strasbourg 63 – Metz 110 – Obernai 50 – Sarrebourg 19 – Sarreguemines 53.

Des Vosges avec ch, ✆ 03 87 25 30 09, *info@hotelvosges.com, Fax 03 87 25 42 22,*
TV P. AE GB
fermé 1er au 7 juil., 18 nov. au 2 déc., 20 au 31 janv., dim. soir et merc. – **Repas** 16/29,50, enf. 8 – ☕ 6,50 – **12 ch** 45/50 – ½ P 37/45

LUX *71 S.-et-L.* 70 ① – *rattaché à Chalon-sur-Saône.*

LUXÉ *16 Charente* 72 ③ – *rattaché à Mansle.*

LUXEUIL-LES-BAINS *70300 H.-Saône* 66 ⑥ *G. Jura – 8 414 h alt. 305 – Stat. therm. (début avril-fin nov.) – Casino.*

Voir *Hôtel du Cardinal Jouffroy★* **B** *– Musée de la tour des Échevins : stèle★* **M¹** *– Anc. Abbaye St-Colomban★ – Maison François 1er★* **K.**

Office du tourisme 1 avenue des Thermes ✆ 03 84 40 06 41, Fax 03 84 93 74 47, office.tourisme.luxeuil@grand-est.org.

Paris 380 ④ – Épinal 57 ① – Vesoul 31 ③ – Vittel 72 ④.

Beau Site, 18 r. G. Moulimard **(u)**
✆ 03 84 40 14 67,
Fax 03 84 40 50 25, « Jardin fleuri », – TV P. GB.
rest
Repas *(fermé vend. soir, sam. midi et dim. soir du 1er nov. au 31 mars)* 13/28 ♀ – ☕ 6,80 – **33 ch** 38/43 – ½ P 40/44

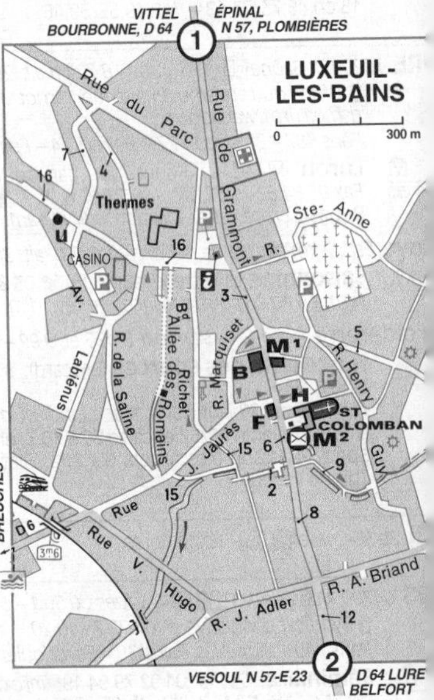

Cannes (R. des) 2
Carnot (R.) 3
Clemenceau (R. G.) . . . 4
Gambetta (R.) 5
Genoux (R. V.) 6
Hoche (R.) 7

Jeanneney (R. J.) . . . .
Lavoirs (R. des) . . . . .
Maroselli (Allées A.) . . . .
Morbief (R. du) . . . .
Thermes (Av. des) . . .

¥NES *37230 I.-et-L.* 🟦🟦 ⑭ *G. Châteaux de la Loire – 4 501 h alt. 60.*

Voir *Église★ au Vieux-Bourg de St-Etienne de Chigny O : 3 km.*

🅱 *Office du tourisme 9 rue Alfred Baugé* ℰ *02 47 55 77 14, Fax 02 47 55 52 56, OTSI-luynes@wanadoo.fr.*

Paris 249 – Tours 12 – Angers 117 – Chinon 41 – Langeais 16 – Saumur 57.

🏨 **Domaine de Beauvois** ॐ, Nord-Ouest : 4 km par D 49 ℰ *02 47 55 50 11, beauvois @wanadoo.fr, Fax 02 47 55 59 62*, ≼, 😤, 🏊, ✕, 🎾 – 🛗, 🍴 rest, 📺 📞 ⟵ 🅿 – 🏛 40. 🖭 ⓞ 🆖 🆍🆌🅱, ✵ rest

fermé 30 janv. au 15 mars – **Repas** *43/68 et carte 55 à 75 ℒ, enf. 21 –* ☷ *15 –* **36 ch** *170/260 – ½ P 160/205*

Spéc. *Tourteau en lasagne d'avocat (juin à sept.). Sandre doré sur peau au vin de Chinon. Pigeon rôti aux fines épices, sa cuisse confite* **Vins** *Montlouis, Bourgueil*

Z-ST-SAUVEUR *65120 H.-Pyr.* 🟦🟦 ⑱ *G. Midi-Pyrénées – 1 098 h alt. 710 – Stat. therm. (début mai-fin oct.) – Sports d'hiver : 710/2 450 m ✆ 18 ฿.*

Voir *Église fortifiée★.*

🅱 *Office du tourisme* ℰ *05 62 92 81 60, Fax 05 62 92 87 19, ot@luz.org.*

Paris 848 – Pau 77 – Argelès-Gazost 19 – Cauterets 24 – Lourdes 32 – Tarbes 50.

squièze-Sère : *au Nord – 464 h. alt. 710 – ⊠ 65120 :*

🏨 **Montaigu** ॐ, rte Vizos ℰ *05 62 92 81 71, hotelmontaigu@wanadoo.fr,* 🆎 *Fax 05 62 92 94 11*, ≼, 🌳 – 🛗 📺 🅿 – 🏛 25. 🖭 ⓞ 🆖, ✵ rest

fermé oct. et nov. – **Repas** *(dîner seul.) 12/28 ℒ –* ☷ *7 –* **35 ch** *54/76 – ½ P 49/55*

LYON

Ⓟ 69000 Rhône ⑦⑭ ⑪ ⑫ ⑩⑩ ⑭ *G. Vallée du Rhône - 445 452 h.*
Agglo. 1 348 832 h - alt. 175.
Paris 462 ⑩ – Genève 152 ② – Grenoble 107 ④ – Marseille 318 ⑥ – St-Étienne 61 ⑥

OFFICES DE TOURISME

Pl. Bellecour ℘ 04 72 77 69 69, Fax 04 78 42 04 32, lyoncvb@lyon-france.com
3 av. A.-Briand à Villeurbanne (lundi au sam.) ℘ 04 78 68 13 20, Fax 04 78 69 94 64

RENSEIGNEMENTS PRATIQUES

TRANSPORTS
Auto-train ℘ 08 36 35 35 35

AÉROPORT
Lyon-Saint-Exupéry : ℘ 04 72 22 72 21 par ④ : 27 km

DÉCOUVRIR

LE SITE
≼★★★ *de la basilique Notre-Dame de Fourvière* EX
Montée du Carillan★ EX
≼★ *sur la Saône et la presqu'île depuis la place Rouville* EV

LYON ROMAIN ET GALLO-ROMAIN
Théâtres romains et l'Odéon EY *- Aqueducs romains* EY *- Musée de la Civilisation gallo-romaine★★ : table claudienne★★★* EY M¹0

LE VIEUX LYON
Quartiers St-Jean, St-Paul et St-Georges★★★ EFXY *- Rue Saint-Jean :Cour★★ au n°28 et cour★ de l'hôtel du Gouvernement au n°2 - Couloir voûté★ au n°18 rue Lainerie - galerie★★ de l'hôtel Bullioud au n°8 rue Juiverie - Hôtel Gadagne★* FX M⁴ *: musée historique de Lyon★, musée lapidaire★, musée international de la Marionnette★ - Primitiale St-Jean★ (Choeur★★)* EFY *- Maison du Crible★ au n°16 rue du Boeuf - Théâtre "le Guignol de Lyon"* FX T

731

LA PRESQU'ILE

Place Bellecour FY - *Fontaine★ de la place des Terreaux* FX - *Palais St-Pierre★* FX M⁹

Musée des Beaux-Arts★★★ FX M⁹ - *Musée historique des tissus★★★* FY M¹7 - *Musée de l'Imprie★★* FX M¹6 - *Musées des Arts décoratifs★★* FY M⁷*

LA CROIX ROUSSE

Aux origines de la soierie lyonnaise

Mur des Canuts FV R - *Maison des Canuts* FV M⁵ - *Ateliers de Soierie vivante★* FV E

RIVE GAUCHE DU RHÔNE

Quartiers : les Brotteaux, la Guillotière, Gerland, la Part-Dieu

Parc de la Tête d'Or★ : Roseraie★ GHV - *Musée d'Histoire naturelle★★* GV M²0 - *Centre d'Histoire Résistance et de la Déportation★* FZ M¹*

Musée d'Art contemporain★ GU - *Musée urbain Tony-Garnier* CQ - *Halle Tony-Garnier* BQR - *Ch Lumière* CQ M²*

ENVIRONS

Musée de l'automobile Henri-Malartre★★ à Rochetaillée-sur-Saône 12 km par⑪

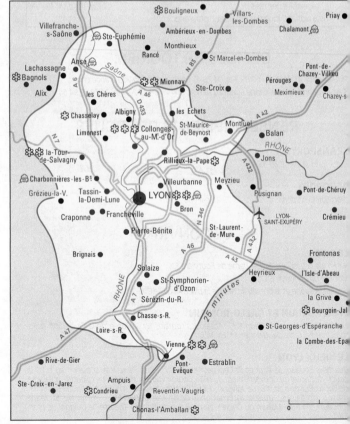

Hôtels

tre-ville (Bellecour-Terreaux) :

Sofitel M, 20 quai Gailleton ✉ 69002 ✆ 04 72 41 20 20, *h0553@accor-hotels.com, Fax 04 72 40 05 50,* ← – ♦ ⇔ ▤ TV ✆ ♿ 🚗 – 🏛 15 à 200. AE ◑ GB JCB p. 8 **FY p**
Les Trois Dômes (au 8e étage) ✆ 04 72 41 20 97 *(fermé août)* **Repas** 47(déj.), 63/114bc ♀ –
Sofishop (rez-de-chaussée) ✆ *04 72 41 20 80* **Repas** *(18)bc-22bc/24*♀, enf. 8 – ☕ 21 – **138 ch** 239/330, 29 appart

Grand Hôtel Concorde sans rest, 11 r. Grolée ✉ 69002 ✆ 04 72 40 45 45, *reservation @lyon.boscolo.com, Fax 04 78 37 52 55* – ♦ ⇔ ▤ TV ✆ – 🏛 15 à 60. AE ◑ GB JCB
☕ 12,96 – **137 ch** 131,11/195,13, 3 appart p. 8 **FX y**

Royal, 20 pl. Bellecour ✉ 69002 ✆ 04 78 37 57 31, *h2952@accor-hotels.com, Fax 04 78 37 01 36* – ♦ ⇔ ▤ TV ✆. AE ◑ GB JCB p. 8 **FY g**
Repas *(fermé août et sam.) (15)* - 23/26 ♀ – ☕ 15 – **80 ch** 158/218

Carlton sans rest, 4 r. Jussieu ✉ 69002 ✆ 04 78 42 56 51, *h2950@accor-hotels.com, Fax 04 78 42 10 71* – ♦ ⇔ ▤ TV ✆. AE ◑ GB JCB p. 8 **FX b**
☕ 10,50 – **83 ch** 144

Mercure Plaza République M sans rest, 5 r. Stella ✉ 69002 ✆ 04 78 37 50 50, *h2951-gm@accor-hotels.com, Fax 04 78 42 33 34* – ♦ ⇔ ▤ TV ✆ ♿ – 🏛 20 à 35. AE ◑ GB JCB
☕ 11 – **78 ch** 96/137 p. 8 **FY k**

Globe et Cécil sans rest, 21 r. Gasparin ✉ 69002 ✆ 04 78 42 58 95, *globe.et.cecil@wanadoo.fr, Fax 04 72 41 99 06* – ♦ ▤ TV ✆ – 🏛 25. AE ◑ GB JCB p. 8 **FY b**
60 ch ☕ 107/125

Beaux-Arts sans rest, 75 r. Prés. E. Herriot ✉ 69002 ✆ 04 78 38 09 50, *h2949@accor-hotels.com, Fax 04 78 42 19 19* – ♦ ⇔ ▤ TV ✆ – 🏛 15. AE ◑ GB JCB p. 8 **FX t**
☕ 10 – **75 ch** 76/136

Artistes sans rest, 8 r. G. André ✉ 69002 ✆ 04 78 42 04 88, *hartiste@club-internet.fr, Fax 04 78 42 93 76* – ♦ ▤ TV ✆. AE ◑ GB. ⚔ p. 8 **FY r**
☕ 8,39 – **45 ch** 65,56/99,10

Grand Hôtel des Terreaux sans rest, 16 r. Lanterne ✉ 69001 ✆ 04 78 27 04 10, *ght@hotel-lyon.fr, Fax 04 78 27 97 75,* 🏊 – ♦ TV ✆. AE ◑ GB p. 8 **FX l**
☕ 8,50 – **50 ch** 72,50/125

Résidence sans rest, 18 r. V. Hugo ✉ 69002 ✆ 04 78 42 63 28, *hotel-la-residence@wanadoo.fr, Fax 04 78 42 85 76* – ♦ ▤ TV ✆. AE ◑ GB JCB p. 8 **FY s**
☕ 6 – **67 ch** 57/62

Élysée Hôtel sans rest, 92 r. Prés. E. Herriot ✉ 69002 ✆ 04 78 42 03 15, *elyseehotel@lyon-france.com, Fax 04 78 37 76 49* – ♦ TV. AE ◑ GB JCB p. 8 **FY z**
☕ 7,16 – **29 ch** 44,21/64,02

Colbert sans rest, 4 r. Archers ✉ 69002 ✆ 04 72 56 08 98, *reception@hotel-le-colbert.com, Fax 04 72 56 08 65* – ♦ TV ✆. AE ◑ GB JCB. ⚔ p. 8 **FY a**
☕ 6,50 – **20 ch** 53/58

rrache :

Grand Hôtel Mercure Château Perrache, 12 cours Verdun ✉ 69002 ✆ 04 72 77 15 00, *h1292@accor-hotels.com, Fax 04 78 37 06 56,* « Décor Art Nouveau » – ♦ ⇔ ▤ TV ✆ 🚗 P – 🏛 20 à 200. AE ◑ GB JCB p. 8 **EY a**
Les Belles Saisons : **Repas** *(21)*-24/31,50 ♀, enf. 14,50 – ☕ 12,50 – **111 ch** 92/164

Charlemagne M, 23 cours Charlemagne ✉ 69002 ✆ 04 72 77 70 00, *charlemagne@hotel-lyon.fr, Fax 04 78 42 94 84,* 🏋 – ♦ ▤ TV ✆ 🚗 – 🏛 120. AE ◑ GB p. 8 **EZ t**
Repas *(fermé sam. soir et dim.)* 17,10/21,65 – ☕ 9 – **116 ch** 82/106

Axotel M, 12 r. Marc-Antoine Petit ✉ 69002 ✆ 04 72 77 70 70, *axotel.perrache@hotel-lyon.fr, Fax 04 72 40 00 65,* 🏋 – ♦, ▤ rest, TV ✆ – 🏛 25 à 100. AE ◑ GB. ⚔ rest
Chalut (fermé 5 au 25 août, vacances de Noël, vend. soir, sam. midi et dim.) **Repas** 23/46 ♀ – ☕ 8 – **128 ch** 65,50/88,60 p. 8 **EZ r**

Savoies sans rest, 80 r. Charité ✉ 69002 ✆ 04 78 37 66 94, *hotel.des.savoies@wanadoo.fr, Fax 04 72 40 27 84* – ♦ TV 🚗. AE ◑ GB JCB P. 8 **FY h**
☕ 4,80 – **46 ch** 62,50/66

aise :

Saphir M, 18 r. L. Loucheur ✉ 69009 ✆ 04 78 83 48 75, *com-hotel-saphir@wanadoo.fr, Fax 04 78 83 30 81* – ♦ ⇔ ▤ TV ✆ ♿ 🚗 – 🏛 50. AE ◑ GB p. 4 **BP r**
Repas 15,25/29,30 ♀ – ☕ 10 – **111 ch** 108/146

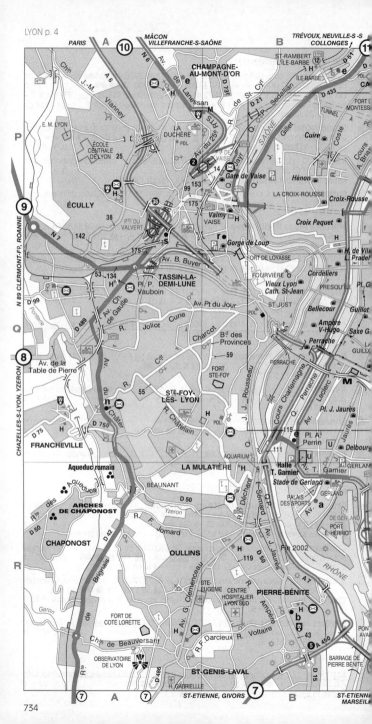

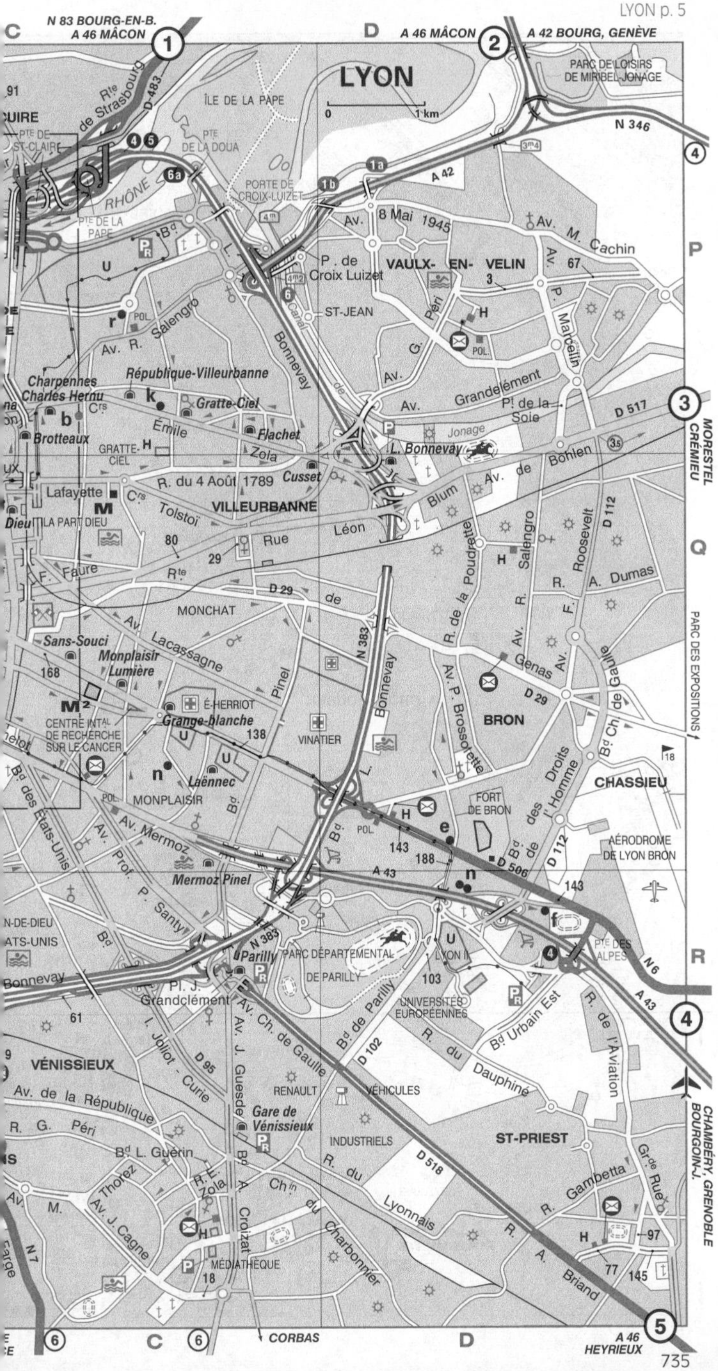
N 83 BOURG-EN-B.
A 46 MÂCON
A 46 MÂCON
A 42 BOURG, GENÈVE
LYON
0
1 km
PARC DE LOISIRS
DE MIRIBEL-JONAGE
ÎLE DE LA PAPE
Rte de Strasbourg
D 483
N 346
A 42
Pte DE ST-CLAIRE
Pte DE LA DOUA
RHÔNE
PORTE DE CROIX-LUIZET
Pte DE LA PAPE
Av. 8 Mai 1945
Av. M. Cachin
P. de Croix Luizet
VAULX-EN-VELIN
ST-JEAN
Canal
Av. G. Péri
Av. P. Marcellin
Av. R. Salengro
L. Bonnevay
République-Villeurbanne
Charpennes
Charles Hernu
Gratte-Ciel
Av. Grandclément
Pl. de la Soie
D 517
MORESTEL
CRÉMIEU
Jonage
L. Bonnevay
Brotteaux
Cours Émile Zola
GRATTE-CIEL
Flachet
Cusset
Av. de Böhlen
R. du 4 Août 1789
Lafayette
Cours Tolstoï
VILLEURBANNE
Rue Léon Blum
Dieu
LA PART DIEU
80
29
R. de la Poudrette
Av. R. Salengro
Av. F. Roosevelt
D 112
F. Faure
Rte de Genas
D 29
R. A. Dumas
MONCHAT
Av. Lacassagne
Sans-Souci
Monplaisir
Lumière
168
N 383
Pinel
Bonnevay
Av. P. Brossolette
PARC DES EXPOSITIONS
BRON
D 29
Bd Ch. de Gaulle
É-HERRIOT
Grange-blanche
138
CENTRE INTAL DE RECHERCHE SUR LE CANCER
VINATIER
Bd des Droits de l'Homme
CHASSIEU
18
Laënnec
MONPLAISIR
Bd des États-Unis
Av. Mermoz
Av. Prof. P. Santy
Mermoz Pinel
FORT DE BRON
143
188
D 506
A 43
D 112
AÉRODROME DE LYON BRON
143
N 383
Parilly
PARC DÉPARTEMENTAL DE PARILLY
LYON II
Pte DES ALPES
N 6
A 43
Bonnevay
Pl. J. Grandclément
61
Av. Ch. de Gaulle
Av. J. Guesde
Bd de Parilly
103
UNIVERSITÉS EUROPÉENNES
Bd Urbain Est
R. de l'Aviation
R. du Dauphiné
D 102
VÉNISSIEUX
Av. de la République
R. G. Péri
I. Joliot-Curie
D 95
RENAULT
VÉHICULES
Gare de Vénissieux
INDUSTRIELS
D 518
ST-PRIEST
CHAMBÉRY, GRENOBLE
BOURGOIN-J.
Bd L. Guérin
Thorez
R. E. Zola
Bd A. Croizat
Chin du Charbonnier
R. du Lyonnais
R. Gambetta
Gde Rue
Av. M.
Av. J. Cagne
N 7
MÉDIATHÈQUE
18
R. A. Briand
97
77
145
CORBAS
A 46
HEYRIEUX

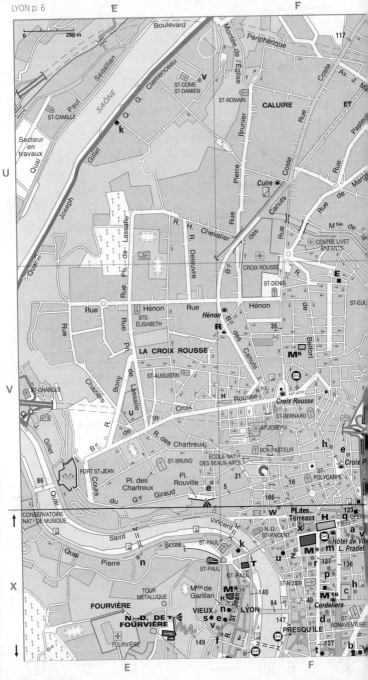

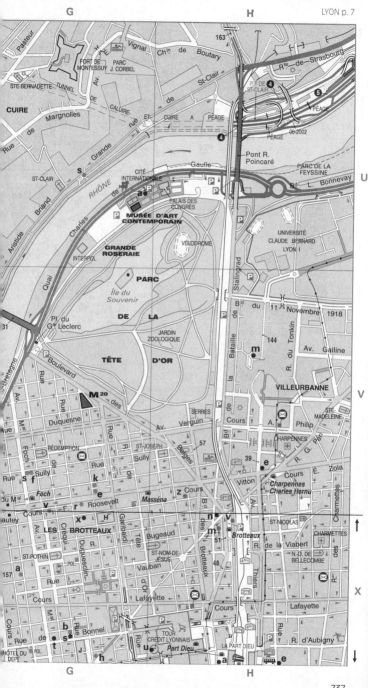

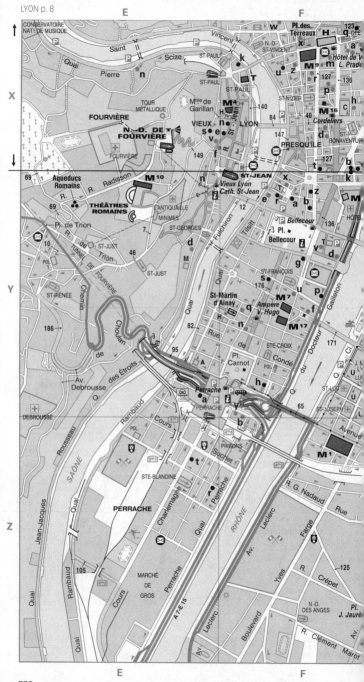

Liste alphabétique des hôtels et restaurants

eux-Lyon :

🏨 **Villa Florentine** Ⓜ ⬥, 25 montée St-Barthélémy ⊠ 69005 ℘ 04 72 56 56 56, *floren tine@relaischateaux.com*, Fax 04 72 40 90 56, ≤ Lyon, 🍴, 🏊, 🌳 – 🛗 🗄 📺 📶 ⊜ **P** – 🔼 15. 🆎 ⑩ 🅶🅱 🇯🇨🇧 *p. 6 EFX* **P**
Les Terrasses de Lyon (dîner seul. sauf dim.) **Repas** 55/120 et carte 75 à 90 – **16 ch** 335/460, 3 appart
Spéc. Moelleux d'anchois frais marinés aux épices (15 avril au 30 sept.). Courgette-fleur farcie aux saveurs du Midi (mai à sept.). Caneton de Challans aux herbes du jardin **Vins** Saint-Joseph blanc, Cornas

🏨 **Cour des Loges** Ⓜ ⬥, 6 r. Boeuf ⊠ 69005 ℘ 04 72 77 44 44, *contact@courdesloges. com*, Fax 04 72 40 93 61, 🍴, « Décoration originale dans des maisons du Vieux Lyon », 🛁 – 🛗 🗄 📺 📶 ⊜ – 🔼 15 à 50. 🆎 ⑩ 🅶🅱 🇯🇨🇧 *p. 6 FX* **n**
Les Loges ℘ 04 72 77 44 40 (fermé 5 au 25 août, 10 au 23 janv., dim. et lundi) **Repas** 42(déj.)65/90♀ – ⊆ 20 – **58 ch** 200/420, 4 appart

🏨 **Tour Rose** Ⓜ ⬥, 22 r. Boeuf ⊠ 69005 ℘ 04 78 92 69 10, *chavent@asi.fr*, Fax 04 78 42 26 02, « Maison du 17ᵉ siècle, élégante décoration sur le thème de la soie » – 🛗 🗄 📺 📶 ⊜ – 🔼 25. 🆎 ⑩ 🅶🅱 🇯🇨🇧 *p. 6 EFX* **e**
Repas (fermé le midi en août et dim.) 49/107 – ⊆ 18 – **8 ch** 239/315, 4 duplex

🏨 **Phénix Hôtel** sans rest, 7 quai Bondy ⊠ 69005 ℘ 04 78 28 24 24, *phenix-hotel@wana doo.fr*, Fax 04 78 28 62 86 – 🛗 🗄 📺 📶 📶 ⊜ – 🔼 30. 🆎 ⑩ 🅶🅱 🇯🇨🇧 *p. 6 FX* **k**
36 ch ⊆ 125/168

Croix-Rousse (bord de Saône) :

🏨 **Lyon Métropole** Ⓜ, 85 quai J. Gillet ⊠ 69004 ℘ 04 72 10 44 44, *metropole@wanadoo. fr*, Fax 04 72 10 44 42, 🍴, 🏊, ⚜ – 🛗 🗄 📺 📶 & ⊜ **P** – 🔼 15 à 300. 🆎 ⑩ 🅶🅱 🇯🇨🇧 *p. 6 EU* **k**
fermé 23 déc. au 2 janv. – *Brasserie Lyon Plage :* **Repas** 26(déj)/41, enf. 19 – ⊆ 15 – **118 ch** 153/211

s Brotteaux :

🏨 **Hilton** Ⓜ ⬥, 70 quai Ch. de Gaulle ⊠ 69006 ℘ 04 78 17 50 50, *rm-lyon@hilton.com*, Fax 04 78 17 52 52, 🍴 – 🛗 ⛄ 🗄 📺 📶 & ⊜ – 🔼 15 à 400. 🆎 ⑩ 🅶🅱 🇯🇨🇧 *p. 7 GU* **a**
Blue Elephant (fermé 15 juil. au 15 août, sam. midi et dim.) **Repas** 25,92(déj.),38,11/47,26 – *Brasserie Belge* ℘ 04 78 17 51 00 **Repas** (16)-22bc(déj.) et carte 23 à 30 ♀, enf. 8 – ⊆ 23 – **196 ch** 300/455, 5 appart

🏨 **Roosevelt** Ⓜ sans rest, 48 r. Sèze ⊠ 69006 ℘ 04 78 52 35 67, *hotel.roosevelt@wanadoo .fr*, Fax 04 78 52 39 82 – 🛗 ⛄ 🗄 📺 📶 ⊜ **P** – 🔼 15 à 40. 🆎 ⑩ 🅶🅱 *p. 7 GX* **x**
⊆ 9,50 – **48 ch** 92/122

🏨 **Holiday Inn Garden Court** Ⓜ sans rest, 114 bd Belges ⊠ 69006 ℘ 04 78 24 44 68, *holilyon@imaginet.fr*, Fax 04 78 24 82 36 – 🛗 ⛄ 🗄 📺 📶. 🆎 ⑩ 🅶🅱 *p. 7 HX* **n**
⊆ 9,50 – **55 ch** 92/102

Part-Dieu :

🏨 **Méridien Part-Dieu** Ⓜ ⬥, 129 r. Servient (32ᵉ étage) ⊠ 69003 ℘ 04 78 63 55 00, *info @lemeridien-lyon.com*, Fax 04 78 63 55 20, ≤ Lyon et vallée du Rhône – 🛗 ⛄ 🗄 📺 📶 ⊜ – 🔼 110. 🆎 ⑩ 🅶🅱 🇯🇨🇧 *p. 7 GX* **u**
L'Arc-en-Ciel (fermé 15 juil. au 25 août, sam. midi et dim.) **Repas** (27)-32/50 ♀, enf. 17 – *Bistrot de la Tour* (rez-de-chaussée) (fermé vend. soir, dim. midi et sam.) **Repas** (15) 18 ♀, enf. 11 – ⊆ 16 – **245 ch** 180/260

🏨 **Grand Hôtel Mercure Saxe-Lafayette**, 29 r. Bonnel ⊠ 69003 ℘ 04 72 61 90 90, *h2057@accor-hotels.com*, Fax 04 72 61 17 54, 🛁 – 🛗 ⛄ 🗄 📺 📶 & ⊜ – 🔼 20 à 120. 🆎 ⑩ 🅶🅱 🇯🇨🇧 *p. 7 GX* **t**
Repas (16,01) - 20,50/25,15 ♀ – ⊆ 12,20 – **156 ch** 136/166

🏨 **Novotel La Part-Dieu** Ⓜ, 47 bd Vivier-Merle ⊠ 69003 ℘ 04 72 13 51 51, *h0735@accor -hotels.com*, Fax 04 72 13 51 99 – 🛗 ⛄ 🗄 📺 📶 & ⊜ – 🔼 15 à 70. 🆎 ⑩ 🅶🅱 🇯🇨🇧 *p. 9 HX* **a**
Repas carte 19 à 31 ♀, enf. 8 – ⊆ 10,50 – **124 ch** 120/141

🏨 **de Créqui** sans rest, 158 r. Créqui ⊠ 69003 ℘ 04 78 60 20 47, Fax 04 78 62 21 12 – 🛗 ⛄ 📺 📶. 🆎 🅶🅱 *p. 7 GX* **s**
⊆ 7 – **28 ch** 79/199

🏨 **Ibis La Part-Dieu Gare**, pl. Renaudel ⊠ 69003 ℘ 04 78 95 42 11, Fax 04 78 60 42 85, 🍴 – 🛗 ⛄ 📺 📶 & ⊜ – 🔼 20. 🆎 ⑩ 🅶🅱 *p. 9 HY* **k**
Repas (9,91) - 12,96/16,01 ♀, enf. 6,02 – ⊆ 5,50 – **144 ch** 75

🏨 **Campanile Forum Part-Dieu**, 31 r. Maurice Flandin ⊠ 69003 ℘ 04 72 36 31 00, Fax 04 72 34 02 80, 🍴 – 🛗 📶 & ⊜ – 🔼 20 à 50. 🆎 ⑩ 🅶🅱 *p. 9 HX* **e**
Repas (12,50) - 15,10/19 ♀, enf. 5,94 – ⊆ 6,50 – **168 ch** 78

La Guillotière :

🏨 **Libertel Wilson** Ⓜ sans rest, 6 r. Mazenod, ✉ 69003, ✆ 04 78 60 94 94, h2780-gm@accor-hotels.com, Fax 04 78 62 72 01 – 📱 ⁑ ≣ 📺 ✆ ⟅⟆. 🆎 ⓪ 🅶🅱 🅹🅲🅱 P. 9 GY
  ⌧ 11 – **54 ch** 109/145

🏨 **Bleu Marine** Ⓜ sans rest, 4 r. Mortier, ✉ 69003, ✆ 04 78 60 03 09, hotelbleumarinelyon@wanadoo.fr, Fax 04 78 60 01 95, ⒶⒷ – 📱 ⁑ ≣ 📺 ✆ ⟅⟆ – ⚙ 15 à 40. 🆎 🅶🅱 p. 9 GY
  ⌧ 9,50 – **126 ch** 75/102

🏨 **Noailles** sans rest, 30 cours Gambetta, ✉ 69007, ✆ 04 78 72 40 72, accueil@hotel-noailles-lyon.com, Fax 04 72 71 09 10 – ≣ 📺 ✆ ⟅⟆. 🅶🅱 p. 9 GY
  fermé 4 au 27 août – ⌧ 9 – **24 ch** 65/80

Gerland :

🏨 **Mercure Gerland** Ⓜ, 70 av. Leclerc, ✉ 69007, ✆ 04 72 71 11 11, h0736@accor-hotels.com, Fax 04 72 71 11 00, 🌂, ⚊ – 📱 ⁑ ≣ 📺 ✆ ὲ ⟅⟆ – ⚙ 90 à 150. 🆎 ⓪ 🅶🅱 🅹🅲🅱
  Repas (16,01) - 20,58 ⅂, enf. 7,62 – ⌧ 10,50 – **187 ch** 104/149 p. 4 BQ

Montchat-Monplaisir :

🏨 **Mercure Lumière** Ⓜ, 69 cours A. Thomas, ✆ 04 78 53 76 76, Fax 04 72 36 97 65 – 📱 ≣ 📺 ✆ ὲ – ⚙ 25 à 50. 🆎 ⓪ 🅶🅱 p. 9 HZ
  Repas (fermé dim. midi et sam.) (14) - 18 ⅂ – ⌧ 11 – **78 ch** 113/116

🏨 **Laënnec** sans rest, 36 r. Seignemartin, ✉ 69008, ✆ 04 78 74 55 22, Fax 04 78 01 00 22 – 📺 ⟅⟆. 🆎 🅶🅱 🅹🅲🅱 p. 5 CQ
  fermé 10 au 18 août – ⌧ 6 – **14 ch** 60/66

à Villeurbanne – 124 215 h. alt. 168 – ✉ 69100 :

🏨 **Mercure Charpennes** Ⓜ, 7 pl. Ch. Hernu, ✆ 04 72 44 46 46, h1625@accor-hotels.com, Fax 04 78 89 10 14 – 📱 ⁑ ≣ 📺 ✆ ὲ ⟅⟆ – ⚙ 20 à 80. 🆎 ⓪ 🅶🅱 p. 7 HV
  Repas (fermé 3 au 18 août, dim. midi et sam.) 16 ⅃, enf. 8 – ⌧ 10 – **96 ch** 100/121

🏨 **Congrès**, pl. Cdt Rivière, ✆ 04 72 69 16 16, hotelcongres@wanadoo.fr, Fax 04 78 94 64 – ≣ 📺 ⟅⟆ – ⚙ 65. 🆎 ⓪ 🅶🅱. ⁕ rest p. 7 HV
  hôtel : fermé 29 juil. au 19 août, vend. et sam. – **Repas** (fermé 20 juil. au 19 août, vend. sam. et dim.) 31/54 ⅂ – ⌧ 11 – **134 ch** 72/95

🏨 **Holiday Inn Garden Court** Ⓜ, 130 bd 11 Nov. 1918, ✆ 04 78 89 95 95, higcvilleurbanne@alliance-hospitality.com, Fax 04 72 43 91 55 – 📱 ⁑ ≣ 📺 ✆ ὲ ⟅⟆ – ⚙ 25 à . 🆎 ⓪ 🅶🅱 🅹🅲🅱 p. 5 CP
  Repas (fermé sam. midi et dim. midi) 16,80/20 ⅂, enf. 8 – ⌧ 10 – **79 ch** 92/120

🏨 **Ariana** sans rest, 163 cours É. Zola, ✆ 04 78 85 32 33, ariana@ariana-hotel., Fax 04 72 65 78 55 – 📱 ≣ 📺 ✆ ⟅⟆. 🆎 🅶🅱 p. 5 CP
  ⌧ 8 – **102 ch** 48/68

à Bron – 37 369 h. alt. 204 – ✉ 69500 :

🏨 **Novotel Bron** Ⓜ, 260 av. J. Monnet, ✆ 04 72 15 65 65, h0436@accor-hotels.com, Fax 04 72 15 09 09, 🌂, ⚊, ⁕ – 📱 ⁑ ≣ 📺 ✆ ὲ 🅿 – ⚙ 15 à 500. 🆎 ⓪ 🅶🅱
  Repas (17,53) - 21,34 ⅂, enf. 7,62 – ⌧ 10,50 – **190 ch** 104/109 p. 5 DR

🏨 **Dau Ly** ⚘ sans rest, 28 r. Prévieux, ✆ 04 78 26 04 37, hotel@dauly-lyon.com, Fax 04 78 26 62 47 – 📺 ✆ ⟅⟆ 🅿. 🆎 ⓪ 🅶🅱 🅹🅲🅱 p. 5 DQ
  ⌧ 6,10 – **22 ch** 63,30/73,90

🏨 **Ibis Bron Eurexpo**, r. M. Bastié, ✆ 04 72 37 01 46, h0854-gm@accor-hotels.com, Fax 04 78 26 65 43, 🌂 – 📱 ⁑ ≣ 📺 ✆ ὲ 🅿 – ⚙ 80. 🆎 ⓪ 🅶🅱 p. 5 DR
  Repas (11,74) - 15,09 ⅃, enf. 5,95 – ⌧ 5,56 – **79 ch** 66,32/66,32

🏨 **Relais Porte des Alpes**, r. Col. Chambonnet, ✆ 04 72 37 00 14, relais.alpes@frgatenet, Fax 04 78 26 95 05, 🌂 – 📺 ὲ 🅿. 🆎 🅶🅱 p. 5 DR
  Repas (fermé sam. et dim.) 18,29/38,11 ⅂ – ⌧ 7,32 – **44 ch** 48,78/54,12

à Pierre-Bénite – 9 963 h. alt. 167 – ✉ 69310 :

🏨 **Europe** sans rest, 67 bd Europe, ✆ 04 78 50 55 55, Fax 04 78 50 16 01 – 📱 📺 🅿. 🆎 🅶🅱
  ⌧ 5,50 – **34 ch** 42/45 p. 4 BR

Restaurants

🍴🍴🍴🍴🍴 **Paul Bocuse**, au pont de Collonges Nord : 12 km par bords Saône (D 433, D 51), ✉ 69
❀❀❀ Collonges-au-Mont-d'Or, ✆ 04 72 42 90 90, paul.bocuse@bocuse.fr, Fax 04 72 27 8.
  « Fresque "Rue des Grands Chefs" » – ≣ 📺 🆎 ⓪ 🅶🅱 🅹🅲🅱 p. 4 BR
  Repas 100,62/135,68 et carte 90 à 140, enf. 18,29
  Spéc. Soupe aux truffes. Rouget en écailles de pommes de terre. Volaille de Bresse
  Saint-Véran, Brouilly.

XX ✿ **Léon de Lyon** (Lacombe), 1 r. Pleney ✉ 69001 ☎ 04 72 10 11 12, *leon@relaischateaux.fr, Fax 04 72 10 11 13* – ▤. AE GB JCB p. 8 **FX** r
fermé 4 au 26 août, dim. et lundi – **Repas** 52 (déj.), 95/130 et carte 85 à 105 ♀
Spéc. Cochon fermier du Cantal, foie gras et oignon confit. Quenelles de brochet à notre façon. Six petits desserts à la praline de Saint-Genix **Vins** Saint-Véran, Chiroubles.

XX ✿ **Pierre Orsi,** 3 pl. Kléber ✉ 69006 ☎ 04 78 89 57 68, *orsi@relaischateaux.fr, Fax 04 72 44 93 34,* 🏠, « Décor élégant » – ▤. AE GB JCB p. 7 **GV** e
fermé dim. et lundi sauf fériés – **Repas** 43 (déj.), 77/107 et carte 70 à 100 ♀
Spéc. Ravioles de foie gras au jus de porto et truffes. Homard en carapace. Pigeonneau en cocotte aux gousses d'ail confites. **Vins** Mâcon-Clessé, Saint-Joseph.

XX ✿ **Christian Têtedoie,** 54 quai Pierre Scize ✉ 69005 ☎ 04 78 29 40 10, *Fax 04 72 07 05 65* – ▤ 🚗. AE GB p. 6 **EX** n
fermé 6 au 12 mai, 29 juil. au 25 août, sam. midi et dim. – **Repas** 26,67/60,97 et carte 48 à 68 ♀
Spéc. Salade de homard rôti au beurre d'orange. Quenelle de brochet au coulis d'écrevisse. Râble de lièvre aux myrtilles (oct. à déc.) **Vins** Saint-Joseph blanc, Beaujolais-Villages

XX ✿ **L'Auberge de Fond Rose** (Vignat), 23 quai G. Clemenceau ✉ 69300 Caluire-et-Cuire ☎ 04 78 29 34 61, *contact@aubergedefondrose.com, Fax 04 72 00 28 67,* 🏠, « Jardin ombragé et fleuri, terrasse », 🚗 – ▤ P. AE ⓓ GB P. 6 **EU** v
fermé 28/10 au 6/11, 3 au 28/02, lundi soir et mardi midi du 01/06 au 31/08, dim. soir et lundi midi – **Repas** 33,54/59,45 et carte 55 à 75 ♀
Spéc. Ravioles de queue de boeuf aux dés de foie gras. Pigeon cuit à la rôtissoire, pommes de terre paillasson à la lyonnaise. Entremets tiède au choclat.

XX **Garioud,** 14 r. Palais Grillet ✉ 69002 ☎ 04 78 37 04 71, *palais.grillet@wanadoo.fr, Fax 04 72 40 98 07,* « Décor original » – ▤. AE GB p. 8 **FX** d
fermé 5 au 20 août, sam. midi et dim. – **Repas** 23/53,50 et carte 43 à 50 ♀

XX **Mère Brazier,** 12 r. Royale ✉ 69001 ☎ 04 78 28 15 49, *Fax 04 78 28 63 63,* « Ambiance lyonnaise » – AE ⓓ GB p. 6 **FV** e
fermé 14 au 21 avril, 26 juil. au 28 août, sam. midi, dim. et mardi – **Repas** 46/55 et carte 45 à 65 ♀

XX **St-Alban,** 2 quai J. Moulin ✉ 69001 ☎ 04 78 30 14 89, *Fax 04 72 00 88 82* – ▤. AE ⓓ GB JCB p. 6 **FX** v
fermé 20 juil. au 20 août, sam. midi, dim. et fériés – **Repas** 26,68/56,50 et carte 41 à 61 ♀

XX **Fernand Duthion,** 18 r. D. Vincent ✉ 69410 Champagne-au-Mont-d'Or ☎ 04 78 35 04 78, *Fax 04 78 35 59 58,* 🏠, 🚗 – P. GB p. 4 **AP** e
fermé 6 au 29 août, 23 déc. au 3 janv., dim. soir, lundi et merc. – **Repas** 25,15/48,78 et carte 39 à 55 ♀

XX ✿ **Auberge de l'Ile** (Ansanay-Alex), sur l'Ile Barbe ✉ 69009 ☎ 04 78 83 99 49, *info@aubergedelile.com, Fax 04 78 47 80 46,* « Maison du 17e siècle sur une île de la Saône » – P. AE GB JCB p. 4 **BP** e
fermé 3 au 10 mars, 5 au 26 août, le midi du mardi au vend., dim. soir et lundi – **Repas** 55/70
Spéc. Velouté de champignons comme un cappuccino (automne). Mousseline de brochet, nougatine de grenouilles à l'ail doux (printemps). Crème glacée à la réglisse. **Vins** Saint-Véran, Morgon.

XX **Soupière,** 14 r. Molière ✉ 69006 ☎ 04 78 52 75 34, *Fax 04 78 65 03 92* – ▤. AE GB P. 9 **GX** a
fermé 10 au 18 août, sam. midi et dim. – **Repas** 14,94/53,36

XX ✿ **L'Alexandrin** (Alexanian), 83 r. Moncey ✉ 69003 ☎ 04 72 61 15 69, *Fax 04 78 62 75 57,* 🏠 – ▤. AE GB p. 7 **GX** h
fermé 28/4 au 1/5, 24 au 28/5, 29/7 au 20/8, 1er au 5/11, 23/12 au 3/1, dim. – **Repas** 25 (déj.), 37/66 et carte 60 à 70
Spéc. Mousseline de brochet en quenelle et son crémeux d'écrevisses. Volaille de Bresse au vinaigre. Le "Tout chocolat" **Vins** Crozes-Hermitage, Saint-Joseph.

XX **Cazenove,** 75 r. Boileau ✉ 69006 ☎ 04 78 89 82 92, *orsi@relaischateaux.fr, Fax 04 72 44 93 34,* « Évocation Belle Époque » – ▤. AE GB JCB p. 7 **GV** k
fermé août, sam. et dim. – **Repas** 33/43 ♀

XX **Passage,** 8 r. Plâtre ✉ 69001 ☎ 04 78 28 11 16, *Fax 04 72 00 84 34* – ▤. AE ⓓ GB JCB p. 8 **FX** r
fermé 11 au 26 août, dim. et lundi – **Repas** (16) - 29/36 ♀

XX **Fleur de Sel,** 3 r. Remparts d'Ainay ✉ 69002 ☎ 04 78 37 40 37, *Fax 04 78 37 26 37* – GB p. 8 **FY** q
fermé 29 juil. au 22 août et dim. – **Repas** 23 (déj.), 38/61 ♀

XX ☺ **Chez Alex,** 40 r. Sergent Blandan ✉ 69001 ☎ 04 78 28 19 83, *Fax 04 78 29 42 32* – AE GB. ⚡ p. 6 **FX** w
fermé 20 juil. au 20 août, vacances de fév., sam. midi, dim. soir et lundi – **Repas** (15) - 20/30

XX **J.-C. Pequet,** 59 pl. Voltaire ✉ 69003 ☎ 04 78 95 49 70, *Fax 04 78 62 85 26* – ▤. AE ⓓ GB JCB p. 9 **GY** v
fermé 29 juil. au 25 août, sam. et dim. – **Repas** 26/42

XX **Mathieu Viannay,** 47 av. Foch ⊠ 69006 ℘ 04 78 89 55 19, *Fax 04 78 89 08 39* – ▦
GB
p. 7 G
fermé 5 au 25 août, 30 déc. au 5 janv., sam. et dim. – **Repas** *(19)* - 23/39 ♈

XX **Brunoise,** 4 r. A. Boutin ⊠ 69100 Villeurbanne ℘ 04 78 52 07 77, *Fax 04 72 83 54 96*
GB
p. 5 C
fermé 3 au 25 août, lundi soir, mardi soir, sam. et dim. – **Repas** 19,50/36 ♈

XX **Le Nord,** 18 r. Neuve ⊠ 69002 ℘ 04 72 10 69 69, *Fax 04 72 10 69 68,* 🍴 – ▤. AE ℂ
JCB
p. 8 F
Repas brasserie *(17,40)* - 19,60/24,80 ♈, enf. 9

XX **Gourmet de Sèze** (Mariller), 129 r. Sèze ⊠ 69006 ℘ 04 78 24 23 42, *Fax 04 78 24*
❀ – ▤. AE GB
p. 7 H
fermé 5 au 13 mai, 27 juil. au 21 août, dim. et lundi – **Repas** (nombre de couverts li
prévenir) *(22)* - 29,50/48 ♈, enf. 12
Spéc. Croustillants de pieds de cochon. Tendron de veau de lait rôti, jus crémé aux h
fraîches. Le "Grand dessert".

XX **Romanée,** 19 r. Rivet ⊠ 69001 ℘ 04 72 00 80 87, *Fax 04 72 07 88 44* – ▤. AE
JCB
p. 6 E
fermé août, 1ᵉʳ au 6 janv., sam. midi, dim. soir et lundi – **Repas** (prévenir) 18,29/34,30

XX **Chez Jean-François,** 2 pl. Célestins ⊠ 69002 ℘ 04 78 42 08 26, *Fax 04 72 40 04*
▤. AE GB JCB
p. 8 F
fermé 27 juil. au 27 août, dim. et fériés – **Repas** *(13)* - 16,75/30 ♈, enf. 10

XX **Tassée,** 20 r. Charité ⊠ 69002 ℘ 04 72 77 79 00, *jpborgaot@latass*
Fax 04 72 40 05 91 – ▤. AE GB
p. 8 F
fermé dim. – **Repas** 21,34/44,21 ♈

XX **Vivarais,** 1 pl. Gailleton ⊠ 69002 ℘ 04 78 37 85 15, *Fax 04 78 37 59 49* – ▤. AE ⓪
JCB
p. 8 F
fermé 27 juil. au 19 août, 25 déc. au 1ᵉʳ janv., sam. midi et dim. – **Repas** 18,29
23,17/30,18 ♈

XX **Mère Vittet,** 26 cours de Verdun ⊠ 69002 ℘ 04 78 37 20 17, *merevittet.lyon@fr*
Fax 04 78 42 40 70 – ▤. AE GB
P. 8 F
Repas *(14,48)* - 18,75/36,59 ♈, enf. 9,90

XX **Grenier des Lyres,** 21 r. Creuzet ⊠ 69007 ℘ 04 78 72 81 77, *Fax 04 78 72 01 75* – ▤
GB
p. 9 Gᵛ
fermé 11 au 27 août, lundi soir, sam. midi et dim. – **Repas** 13,72 (déj.), 25,15/37,81

XX **Brasserie Georges,** 30 cours Verdun ⊠ 69002 ℘ 04 72 56 54 54, *brasserie.geo*
@wanadoo.fr, Fax 04 78 42 51 65, « Brasserie 1925 » – AE ⓪ GB JCB
p. 8 F2
Repas 17/24 ♈, enf. 7,50

XX **Splendid,** pl. J. Ferry ⊠ 69006 ℘ 04 37 24 85 85, *lesplendid@georgesblanc.*
Fax 04 37 24 85 86 – AE ⓪ GB JCB
p. 7 HX
Repas 17,53 (déj.), 25,92/39,64 ♈

XX **Machonnerie,** 36 r. Tramassac ⊠ 69005 ℘ 04 78 42 24 62, *felix@lamachonnerie.*
Fax 04 72 40 23 32 – ▤. AE ⓪ GB
p. 8 Eᵛ
fermé le midi sauf sam. et dim. sauf midi de sept. à déc. – **Repas** (prévenir) 18,50/42 ♈

XX **Seven'th,** 40 allée P. de Coubertin à Gerland ⊠ 69007 ℘ 04 78 72 64 53, *seventh@*
doo.fr, Fax 04 78 61 78 02, 🍴 – 🅿. AE ⓪ GB JCB
p. 4 Bᵃ
fermé sam. midi et dim. – **Repas** carte 24 à 49 ♈

XX **La Voûte - Chez Léa,** 11 pl. A. Gourju ⊠ 69002 ℘ 04 78 42 01 33, *Fax 04 78 37 36*
▤. AE GB
p. 8 Fᵛ
fermé dim. – **Repas** 15,10 (déj.), 23/31 ♈

XX **Boeuf d'Argent,** 29 r. Boeuf ⊠ 69005 ℘ 04 78 42 21 12, *Fax 04 72 40 24 65* – A
GB
p. 8EFX
Repas 18/74 ♈

X **L'Est,** Gare des Brotteaux, 14 pl. J. Ferry ⊠ 69006 ℘ 04 37 24 25 26, *Fax 04 37 24 2*
🍴, « Dans une ancienne gare, brasserie sur le thème des voyages » – ▤. AE ⓪ GB J
p. 7 HX
Repas brasserie *(17,40)* - 19,60/24,80 ♈, enf. 9

X **Le Sud,** 11 pl. Antonin Poncet ⊠ 69002 ℘ 04 72 77 80 00, *Fax 04 72 77 80 01,* 🍴 – ▤
⓪ GB JCB
p. 8 Fᵛ
Repas (prévenir) *(17,40)* - 19,60/24,80 ♈, enf. 9

X **Francotte,** 8 pl. Célestins ⊠ 69002 ℘ 04 78 37 38 64, *Fax 04 78 38 20 35* – ▤. AE G⊢
fermé dim. et lundi – **Repas** 14,94 (déj.)et carte 24 à 38 ♈
p. 8 FV

X **Terrasse St-Clair,** 2 Grande r. St-Clair ⊠ 69300 Caluire-et-Cuire ℘ 04 72 27 3
Fax 04 72 27 37 38, 🍴 – AE GB
P. 7 GU
fermé 2 au 15 janv., lundi soir, mardi soir du 1ᵉʳ oct. au 30 mars et dim. – **Repas** 20 ♈, en

✗ **Théodore**, 34 cours Franklin Roosevelt ⊠ 69006 ✆ 04 78 24 08 52, Fax 04 72 74 41 21, 🍽 – ▤. 🆎 ⓞ ☒ ☒ p. 9 GVX **v**
fermé 11 au 18 août, 22 au 25 déc., 29 déc. au 1ᵉʳ janv., dim. et fériés – **Repas** 16 (déj.), 18/37,50, enf. 10

✗ **Les Adrets**, 30 r. Boeuf ⊠ 69005 ✆ 04 78 38 24 30, Fax 04 78 42 79 52 – ☒ p. 6 EX **v**
fermé août, 30 déc. au 4 janv., sam. et dim. – **Repas** 12,50 (déj.), 18,75/37,50, enf. 8,54

✗ **Assiette et Marée**, 49 r. Bourse ⊠ 69002 ✆ 04 78 37 36 58, Fax 04 78 37 99 58, 🍽 – ▤. 🆎 ☒ p. 6 FX **h**
fermé dim. – **Repas** - produits de la mer - carte 25 à 32 ♈, enf. 8,50

✗ **Grenadin**, 27 r. Franklin ⊠ 69002 ✆ 04 78 37 80 94, Fax 04 72 41 81 06 – ▤. 🆎 ⓞ ☒
fermé août, dim. et jours fériés – **Repas** 15,55/29,73 p. 8 FY **n**

✗ **Petit Léon**, 3 r. Pleney ⊠ 69001 ✆ 04 72 10 11 11, Fax 04 72 10 11 13 – 🆎 ☒ p. 8 FX **r**
fermé 4 au 26 août, dim. et lundi – **Repas** (déj. seul.) 16 ♈, enf. 10

✗ **Bernachon Passion**, 42 cours Franklin-Roosevelt ⊠ 69006 ✆ 04 78 52 23 65, Fax 04 78 52 67 77 – ▤. 🆎 ☒ p. 7 GV **r**
fermé 28 juil. au 27 août, dim., lundi et fériés – **Repas** (nombre de couverts limité, prévenir)(déj. seul.) 19,60 et carte 23 à 39

✗ **Les Oliviers**, 20 r. Sully ⊠ 69006 ✆ 04 78 89 07 09, Fax 04 78 89 89 94 – ▤. ☒ p. 7 GV **f**
fermé 5 au 25 août, 30 déc. au 5 janv., lundi midi, mardi midi, sam. et dim. – **Repas** (15) - 20

✗ **Les Muses de l'Opéra**, pl. Comédie, au 7ᵉ étage de l'Opéra ⊠ 69001 ✆ 04 72 00 45 58, Fax 04 78 29 34 01, ‹ Fourvière, 🍽, « Décor contemporain » – ▤. 🆎 ☒ p. 8 FX **q**
fermé dim. – **Repas** (16,01) - 21,19 (déj.)/25,76 ♈, enf. 9,91

✗ **Maison Villemanzy**, 25 montée St-Sébastien ⊠ 69001 ✆ 04 72 98 21 21, leon@relais chateaux.fr, Fax 04 72 98 21 22, ‹ Lyon, 🍽 – ☒ p. 6 FV **h**
fermé 2 au 15 janv., lundi midi et dim. – **Repas** (prévenir) 21 ♈, enf. 10

✗ **Bistrot du Palais**, 220 r. Duguesclin ⊠ 69003 ✆ 04 78 14 21 21, leon@relaischateaux.fr, Fax 04 78 14 21 22, 🍽 – 🆎 ☒ p. 9 GY **r**
fermé 4 au 18 août, lundi soir et dim. – **Repas** 20, enf. 10

✗ **L'Étage**, 4 pl. Terreaux (2ᵉ étage) ⊠ 69001 ✆ 04 78 28 19 59 – ▤. ☒. 🍴 p. 8 FX **x**
fermé 22 juil. au 21 août, 10 au 17 fév., dim. et lundi – **Repas** (prévenir) 17/49 ♈

✗ **Assiette et Marée**, 26 r. Servient ⊠ 69003 ✆ 04 78 62 89 94, Fax 04 78 60 39 27 – ▤. 🆎 ☒ p. 9 GY **n**
fermé lundi soir , sam. midi et dim. – **Repas** - produits de la mer - carte 25 à 32 ♈, enf. 8,50

✗ **Comptoir des Marronniers**, 8 r. Marronniers ⊠ 69002 ✆ 04 72 77 10 00, leon@relais chateaux.fr, Fax 04 72 77 10 01, 🍽 – ▤. 🆎 ☒ p. 8 FY **v**
fermé 4 au 18 août, lundi midi et dim. – **Repas** 20 ♈, enf. 10

✗ **Daniel et Denise**, 156 r. Créqui ⊠ 69003 ✆ 04 78 60 66 53, Fax 04 78 60 66 53, bistrot – ▤. ☒ p. 7 GX **b**
⊕ *fermé août, sam., dim. et fériés* – **Repas** carte 28 à 40

✗ **En mets fait ce qu'il te plaît**, 43 r. Chevreul ⊠ 69007 ✆ 04 78 72 46 58, Fax 04 78 71 06 08 – ☒. 🍴 p. 9 GY **e**
fermé août, sam. et dim. – **Repas** (prévenir) 19/24 (déj. seul.) 50 ♈

✗ **Tablier de Sapeur**, 16 r. Madeleine ⊠ 69007 ✆ 04 78 72 22 40, Fax 04 78 72 22 40 – ▤ p. 9 GY **k**
⊕ *fermé sam. de juin à sept., lundi d'oct. à mai et dim.* – **Repas** 17,50/33,56, enf. 10,70

✗ **Pavé St-Georges**, 86 r. St-Georges ⊠ 69005 ✆ 04 72 56 05 67, Fax 04 72 56 05 67 – ▤. 🆎 ☒. 🍴 p. 8 EY **d**
fermé vacances de printemps, 1ᵉʳ au 20 août, vacances de Noël, sam. midi, dim. et lundi – **Repas** (7,62) - 9,15 (déj.), 18,29/22,11 ♈

LES BOUCHONS : *dégustation de vins régionaux et cuisine locale dans une ambiance typiquement lyonnaise*

✗ **Garet**, 7 r. Garet ⊠ 69001 ✆ 04 78 28 16 94, Fax 04 72 00 06 84 – ▤. 🆎 ☒ p. 6 FX **a**
⊕ *fermé 20 juil. au 20 août, sam. et dim.* – **Repas** (prévenir) 15,24 (déj.)/19,82 ♈

✗ **Chez Hugon**, 12 rue Pizay ⊠ 69001 ✆ 04 78 28 10 94, Fax 04 78 28 10 94 – ☒ p. 6 FX **m**
fermé août, sam. et dim. – **Repas** (prévenir) carte 21 à 34

✗ **Café des Fédérations**, 8 r. Major Martin ⊠ 69001 ✆ 04 78 28 26 00, yr@lesfedeslyon. com, Fax 04 72 07 74 52 – ▤. ☒ ☒ p. 6 FX **z**
fermé 5 au 31 août, sam. et dim. – **Repas** (prévenir) 18,20 (déj.)/23

✗ **Au Petit Bouchon "Chez Georges"**, 8 r. Garet ✉ 69001 ☎ 04 78 28 30 4
GB   p. 6 F✗
fermé août, sam. et dim. – Repas 14,33/19,51 (midi seul.) carte le soir 28

✗ **Jura**, 25 r. Tupin ✉ 69002 ☎ 04 78 42 20 57 – GB   p. 8 F✗
fermé 28 juil. au 28 août, lundi de sept. à avril, sam. de mai à sept. et dim. – Re
(prévenir) 16,50 ♀

✗ **Meunière**, 11 r. Neuve ✉ 69001 ☎ 04 78 28 62 91 – ⒜ GB   p. 8 F✗
fermé 13 juil. au 17 août, dim. et lundi – Repas (prévenir) 15 (déj.), 18,50/25

Environs

à Francheville – *11 324 h. alt. 240* – ✉ *69340* :

✗✗ **Auberge de la Vallée** avec ch, 39 av. Chater ☎ 04 78 59 11 88, *Fax 04 78 59 47 16,*
📺 🅿. GB   p. 4 AQ
Repas *(fermé vacances de fév., dim. soir et lundi)* 12,20 (déj.), 21,34/59,45 ♀, enf. 10,6
⌂ 4,87 – **12 ch** 38,87/52,59 – ½ P 34,30/56,40

à Tassin-la-Demi-Lune : *5 km par D 407* – *15 977 h. alt. 220* – ✉ *69160* :

🏨 **Novotel Tassin** Ⓜ, 13 D av. V. Hugo ☎ 04 78 64 68 69, *h1201@accor-hotels.c*
Fax 04 78 64 61 11, �, ⌇, –🛗 ✎ 📺 📞 & ⇔ 🅿 – 🕮 25 à 80. ⒜ ⑩ GB J⒞B
Repas *(12)* - carte environ 25 ♀, enf. 8 – ⌂ 10,50 – **104 ch** 102/109   p. 4 AF

🏨 **Campanile Tassin**, 12 r. Montribloud ☎ 04 78 36 69 69, *Fax 04 78 36 02 68* – 🛗
🍴 rest, 📺 📞 – 🕮 15 à 35. ⒜ ⑩ GB. 🌫 ch   p. 4 AP
Repas *(12,50)* - 15,09 ♀, enf. 5,95 – ⌂ 6,40 – **100 ch** 61

à Collonges-au-Mont-d'Or *Nord : 12 km par bords de Saône (D 433, D 51)* – *3 420 h. alt. 1.*
✉ *69660* :

voir ✗✗✗✗✗ ❀❀❀ **Paul Bocuse** à Lyon

par la sortie ① :

à Rillieux-la-Pape : *7 km par N 83 et N 84* – *28 367 h. alt. 269* – ✉ *69140* :

✗✗✗ **Larivoire** (Constantin), chemin des Îles ☎ 04 78 88 50 92, *bernard.constantin@larive*
❀ *com, Fax 04 78 88 35 22,* 🌫 – 🅿. ⒜ GB J⒞B
fermé 16 au 28 août, dim. soir, lundi soir et mardi – Repas 30/71 et carte 54 à 70
Spéc. Huîtres gratinées au champagne (oct. à avril). Millefeuille de "pommes cristallines
de crabe dormeur. Carré d'agneau de Sisteron rôti en croûte de pain d'épice **Vins** Sa
Véran, Côteaux du Lyonnais

par la sortie ② :

à St-Maurice-de-Beynost *par A 42 sortie n° 5 : 16 km* – *4 020 h. alt. 200* – ✉ *01700* :

🏨 **Lyon Est**, ☎ 04 78 55 90 90, *hotel-lyon-est@wanadoo.fr, Fax 04 78 55 90 05* – 🛗 ✎
📺 📞 & ⇔ 🅿 – 🕮 260. ⒜ ⑩ GB J⒞B
Repas *(fermé sam. midi et dim. midi)* *(14,94)* - 19,51/32,01 ⅃, enf. 9,15 – ⌂ 9,45 – **82**
92,99/102,14

par la sortie ④ :

à l'aérogare de Lyon St-Exupéry : *27 km par A 43* – ✉ *69125 Lyon St-Exupéry-Aéroport* :

🏨 **Sofitel Lyon Aéroport** Ⓜ sans rest, 3° étage aérogare centrale ☎ 04 72 23 38
h913@accor-hotels.com, Fax 04 72 23 98 00 – 🛗 ✎ 📺 📞, ⒜ ⑩ GB J⒞B
⌂ 16,20 – **120 ch** 171/218

🏨 **Kyriad**, zone de frêt ☎ 04 72 23 90 90, *kyriad.lyon-saintexupery@wanadoo*
❋ *Fax 04 72 23 80 32* – 🛗, 🍴 rest, 📺 📞 & 🅿 – 🕮 30. ⒜ ⑩ GB
Repas *(fermé sam. midi , dim. midi et fériés le midi)* *(11)* - 14/15 ⅃, enf. 6 – ⌂ 6,50 – **84**
62/65

✗✗✗ **Les Canuts**, 1er étage de l'aérogare ☎ 04 72 22 71 76, *Fax 04 72 22 71 72* – 🍴. ⒜ ⑩
fermé 3 au 25 août, sam. et dim. – Repas *(24)* - 30 et carte environ 35 ♀

✗ **Bouchon**, 1er étage de l'aérogare ☎ 04 72 22 72 31, *Fax 04 72 22 71 72* – 🍴. ⒜ ⑩ G
Repas brasserie *(15)* - 23 bc, enf. 8,70

par la sortie ⑨ :

à Charbonnières-les-Bains : *8 km par N 7* – *4 377 h. alt. 233* – ✉ *69260* :
Voir *Parc Lacroix Laval : château de la Poupée*★.

🏨 **Mercure Charbonnières** Ⓜ, 78 bis rte Paris N 7 ☎ 04 78 34 72 79, *h0345@ac*
hotels.com, Fax 04 78 34 88 94, 🌫 – ✎ 📺 📞 🅿 – 🕮 25. ⒜ ⑩ GB J⒞B
Repas *(fermé sam. et dim.)* *(11)* - 20/25 ♀, enf. 9 – ⌂ 10 – **60 ch** 79/99

🏨 **Beaulieu** sans rest, 19 av. Gén. de Gaulle ☎ 04 78 87 12 04, *Fax 04 78 87 00 62* – 🛗 📺
🅿 – 🕮 20. ⒜ ⑩ GB J⒞B
⌂ 5,75 – **40 ch** 47/50

XX **L'Orée du Parc**, 8 av. Victoire, ℰ 04 78 87 14 51, Fax 04 78 87 63 62, 佘 – GB
fermé 1ᵉʳ au 20 août, vacances de fév., merc.soir, dim. soir et lundi – **Repas** 14,94/31,25 ♀

XX **L'Orangerie de Sébastien**, domaine de Lacroix Laval ⊠ 69280 Marcy-L'Étoile
ℰ 04 78 87 45 95, orangerie-de-sebastien@wanadoo.fr, Fax 04 71 87 45 96, 佘 – GB
⊛ *fermé vacances de fév., dim. soir, lundi et mardi –* **Repas** (14,03) - 19,06/34,30 ♀

a Tour-de-Salvagny : *11 km par N 7 – 3 402 h. alt. 356 – ⊠ 69890 :*

血血 **Golf** M, allée du Levant ℰ 04 78 87 29 87, hoteldugolf@wanadoo.fr, Fax 04 78 87 29 89,
佘, 16, 3, 年 – 園 ¥ 🗏 🔟 📞 & 🖪 – 🔏 15 à 180. 歴 ⑩ GB
Repas *(fermé sam. et dim.)* 26 ♀ – ⊊ 10 – **73 ch** 85/95

XXX **Rotonde**, au Casino Le Lyon Vert ℰ 04 78 87 00 97, rotonde@ifrance.com,
✿✿ Fax 04 78 87 81 39, « Cadre art-déco » – 🗏. 歴 ⑩ GB Jⷤ₿
fermé 21 juil. au 22 août, dim. soir, mardi midi et lundi – **Repas** 38 (déj.), 75/108 et carte 77 à
100, enf. 23
Spéc. Quatre foies pressés et salade de fonds d'artichauts. Tajine de homard entier aux
petits farcis. Cannelloni de chocolat amer à la glace de crème brûlée **Vins** Condrieu,
Côte-Rôtie

par la sortie ⑩ :

rte de Lyon - *Échangeur A6-N 6 : 10 km – ⊠ 69570 Dardilly :*

血血 **Novotel Lyon Nord** M, ℰ 04 72 17 29 29, h0437@accor-hotels.com,
Fax 04 78 35 08 45, 佘, 3, 年 – 園 ¥ 🗏 🔟 📞 🖪 – 🔏 100. 歴 ⑩ GB Jⷤ₿
Repas (14,48) - 19,67 ♀, enf. 7,62 – ⊊ 10,50 – **107 ch** 102/109

血 **Ibis Lyon Nord**, ℰ 04 78 66 02 20, ibis.lyon.nord@wanadoo.fr, Fax 04 78 47 47 93, 佘,
3, 年 – 園 ¥ 🗏 🔟 📞 & 🖪 – 🔏 20. 歴 ⑩ GB
Repas (12,50) - 19/22 ♀, enf. 6 – ⊊ 6 – **84 ch** 55/64

imonest : *13 km par A 6 et D 42 – 2 733 h. alt. 390 – ⊠ 69760 :*

XX **Gentil'Hordière**, rte Mont Verdun ℰ 04 78 35 94 97, Fax 04 78 43 85 48, 佘 – 歴 GB
fermé 4 au 25 août, dim. soir, sam. midi et lundi – **Repas** 22,90/36,60 ♀

XX **Puy d'Or**, carrefour N 6 et D 42 ℰ 04 78 35 12 20, Fax 04 78 64 55 15 – 🖪, 歴 GB
fermé 29 juil. au 28 août, dim. soir, mardi soir et lundi – **Repas** (14,50) - 18,15/58,15 ♀

ONS-LA-FORÊT 27480 Eure 55 ⑧ G. Normandie Vallée de la Seine – 795 h alt. 88.
Voir *Forêt★★* : hêtre de la Bunodière★ – N.-D.-de la Paix ⩽★ O : 1,5 km.
🖪 *Office du tourisme* 20 rue de l'Hôtel de Ville ℰ 02 32 49 31 65, Fax 02 32 48 10 60.
Paris 105 – Rouen 34 – Les Andelys 20 – Gisors 30 – Gournay-en-Bray 25.

血血 **Licorne** ⸘, ℰ 02 32 49 62 02, licorne-hotel-restaurant@wanadoo.fr, Fax 02 32 49 80 09,
佘, « Jardin fleuri », 年 – 🔟 🖪 – 🔏 25. 歴 ⑩ GB Jⷤ₿. ⸙ ch
hôtel : fermé 20 déc. au 25 janv., dim. et lundi d'oct. à mars – **Repas** (fermé 15 nov. au
25 janv., dim. soir, mardi midi et lundi sauf fériés) 29,73 – ⊊ 9,91 – **13 ch** 64,79/91,47,
6 appart – ½ P 67,84/80,04

S-LEZ-LANNOY 59 Nord 51 ⑯, 111 ⑮ – rattaché à Roubaix.

S-ST-GEORGES 36230 Indre 68 ⑲ – 213 h alt. 200.
Paris 288 – Argenton-sur-Creuse 29 – Bourges 79 – Châteauroux 29 – La Châtre 22.

X **Forge**, Le Bourg ℰ 02 54 30 81 68, Fax 02 54 30 94 96 – GB
fermé 25 sept. au 11 oct., 2 au 22 janv., dim. soir, lundi et mardi – **Repas** 15/37, enf. 8

ACÉ 61 Orne 60 ③ – rattaché à Sées.

ACHILLY 74140 H.-Savoie 70 ⑯ – 862 h alt. 525.
Paris 551 – Thonon-les-Bains 20 – Annemasse 12 – Genève 21.

XXX **Refuge des Gourmets**, ℰ 04 50 43 53 87, chanove@refugedesgourmets.com,
Fax 04 50 43 53 76, 佘, cadre d'inspiration Belle Époque – 🗏 🖪. 歴 ⑩ GB
fermé 2 au 12 avril, 15 juil. au 9 août, dim.soir et lundi – **Repas** (21,18) - 26/50,30 et carte 45 à
50 ♀, enf. 16

MACHINE (Col de) 26 Drôme 77 ⑬ – rattaché à St-Jean-en-Royans.

ACINAGGIO 2B H.-Corse 90 ① – voir à Corse.

MÂCON ℗ 71000 S.-et-L. 🆖 ⑲ G. Bourgogne – 34 469 h alt. 175.

Voir *Musée des Ursulines*★ BY M¹ – *Musée Lamartine* BZ M² – *Apothicairerie*★ de l'H
Dieu BY – ≤★ du *Pont St-Laurent*.

Env. *Roche de Solutré*★★ O : 9 km – *Clocher*★ de l'église de St-André de Bagé E : 8,5 kr
🅱 *Office du tourisme* 1 place Saint-Pierre 𝆕 03 85 21 07 07, Fax 03 85 40 96
MACON.TOURISME@wanadoo.fr.

Paris 393 ① – Bourg-en-Bresse 40 ② – Chalon-sur-Saône 59 ① – Lyon 74 ③ – Roanne 9

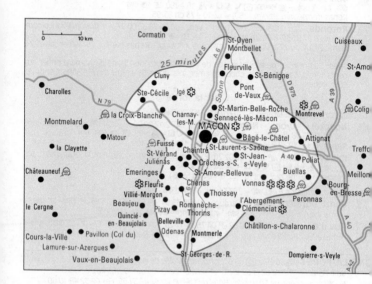

🏨 **Bellevue,** 416 quai Lamartine 𝆕 03 85 21 04 04, *Bellevue.Macon@wanadoo*
Fax 03 85 21 04 02 – |‡|, 🍴 rest, 📺 ✆ ⟚ **P** – 🔬 25. 🖭 ⑩ ☒ ⒿⒸⒷ BZ
fermé 24 nov. au 18 déc. et 27 janv. au 8 fév. – **Repas** *(fermé mardi sauf le soir de no*
mars et dim. sauf le soir d'avril à oct.) 23/48 ♀, enf. 12 – ☲ 10 – **25 ch** 74/132

🏨 **Mercure Bord de Saône** Ⓜ, 26 r. Coubertin par ① : 0,5 km 𝆕 03 85 21 93 93, *merc*
@clubinternet.fr, Fax 03 85 39 11 45, ≤, 🍽, 🏊, 🐎 – |‡| ⅍, 🍴 ch, 📺 ✆ **P** – 🔬 60. 🖭
☒ ⒿⒸⒷ
Repas *(17)* - 20/26 ♂, enf. 8 – ☲ 10,50 – **64 ch** 83/99

🏨 **Bourgogne,** 6 r. V. Hugo 𝆕 03 85 21 10 23, Fax 03 85 38 65 92 – |‡| 📺 ✆ **P** – 🔬 25.
⑩ ☒ ⒿⒸⒷ AZ
Repas *(fermé 1er au 24 janv., merc. midi, sam. midi et dim.)* 13/24 ♂, enf. 7 – ☲ 8 – **50**
51/76 – ½ P 51/56,50

🏠 **Concorde** sans rest, 73 r. Lacretelle 𝆕 03 85 34 21 47, *hotel.concorde.71@wanadoo*
Fax 03 85 29 21 79, 🐎 – 📺 ✆ ⟚, ☒ AY
fermé 20 déc. au 12 janv. et dim. du 15 oct. au 15 avril – ☲ 6 – **13 ch** 32/44

XX **Pierre** (Gaulin), 7 r. Dufour 𝆕 03 85 38 14 23, Fax 03 85 39 84 04 – 🍴, 🖭 ⑩ ☒ BZ
❀ fermé 1er au 22 juil., vacances de fév., dim. soir et lundi – **Repas** 19,51/56,41 et carte 4
60 ♀, enf. 11,43
Spéc. Quenelle de brochet et champignons noirs. Tournedos charolais. Volaille de Bre
Vins Mâcon-Uchizy, Mâcon-Prissé.

XX **Poisson d'Or,** allée Parc par ① et bords de Saône : 1 km 𝆕 03 85 38 00
Fax 03 85 38 82 55, ≤, 🍽, « Terrasse ombragée en bordure de Saône » – **P**, 🖭 ☒. ✆
fermé 20 au 31 oct., vacances de fév, mardi soir d'oct. à avril et merc. – **Repas** 17/40
enf. 10

XX **Rocher de Cancale,** 393 quai J. Jaurès 𝆕 03 85 38 07 50, Fax 03 85 38 70 47 – 🍴.
☒ BZ
ⓐ fermé dim. soir et lundi sauf fériés – **Repas** 16/38 ♀, enf. 9,90

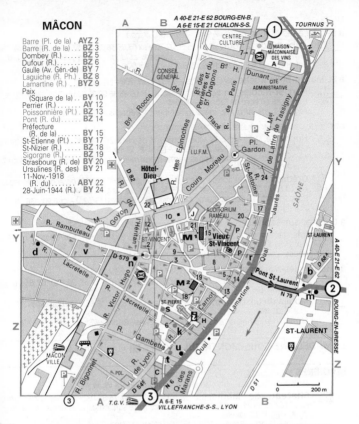

MÂCON

Barre (Pl. de la) . . **AYZ** 2
Barre (R. de la) . . . . **BZ** 3
Dombey (R.) . . . . . . **BZ** 5
Dufour (R.) . . . . **BZ** 6
Gaulle (Av. Gén.-de) . **BY** 7
Laguiche (R. Ph.) . . . **BZ** 8
Lamartine (R.) . . **BYZ** 9
Paix
  (Square de la) . . **BY** 10
Perrier (R.) . . . . **AY** 12
Poissonnière (Pl.) . . **BZ** 13
Pont (R. du) . . . . . . **BZ** 14
Préfecture
  (R. de la) . . . . . . **BY** 15
St-Étienne (Pl.) . . . . **BY** 17
St-Nizier (R.) . . . . . **BZ** 18
Sigorgne (R.) . . . . . **BZ** 19
Strasbourg (R. de) **BY** 20
Ursulines (R. des) . . **BY** 21
11-Nov.-1918
  (R. du) . . . . **ABY** 22
28-Juin-1944 (R.) . . **BY** 24

XX **Les Tuileries**, quai Marans BZ ℰ 03 85 38 43 30, Fax 03 85 39 35 10, 🈂 – 🅿. 🖭 ☉️
   fermé 15 au 31 août, dim. soir de sept. à juin, vend. soir et sam. – **Repas** 17/31

XX **L'Amandier**, 74 r. Dufour ℰ 03 85 39 82 00, Fax 03 85 38 92 21, 🈂 – 🖭 ⓪ ☉️   BZ **s**
   fermé dim. soir et lundi – **Repas** 19,06/45,73 ⅀, enf. 9,15

X **Charolais**, 71 r. Rambuteau ℰ 03 85 38 56 23 – ☉️   AY **v**
   fermé 8 au 23 août, dim. soir et lundi – **Repas** 12/30 ⅃

X **Au P'tit Pierre**, 10 r. Gambetta ℰ 03 85 39 48 84, Fax 03 85 39 48 84 – ☉️   BZ **t**
   fermé 15 juil. au 14 août, mardi soir, merc. de sept. à juin, lundi midi et dim. en juil.-août –
   Repas 14,94/26,65 ⅀, enf. 7,62

-Laurent-sur-Saône *(Ain) – 1 655 h. alt. 176 –* ☒ *01750 St-Laurent :*

🏠 **Beaujolais** sans rest, 88 pl. République ℰ 03 85 38 42 06, Fax 03 85 38 78 02 – 📺 📞. ⓪
   ☉️   BZ **m**
   fermé 6 au 20 oct., 5 au 19 janv. et dim. d'oct. à mars – ☖ 5,50 – **15 ch** 35/49

X **Saint-Laurent**, 1 quai Bouchacourt ℰ 03 85 39 29 19, *saintlaurent@georgesblanc.com*,
   Fax 03 85 38 29 77, ≤, 🈂, cadre bistrot – 🖭 ⓪ ☉️   BZ **b**
   Repas 17 (déj.), 19/40 ⅀, enf. 11

échangeur A6-N6 de Mâcon-Nord *par* ① *: 7 km –* ☒ *71000 Mâcon :*

🏨 **Novotel** Ⓜ, ℰ 03 85 20 40 00, *h0438@accor-hotels.com*, Fax 03 85 20 40 33, 🈂, 🏊, 🌳
   – ⚿ 🖭 📺 📞 ⅍ 🅿 – 🔏 25 à 100. 🖭 ⓪ ☉️
   Repas (15) - 20 ⅀, enf. 8 – ☖ 10,50 – **114 ch** 102

Nord *par* ① *: 3 km sur N 6 –* ☒ *71000 Mâcon :*

🏨 **Vieille Ferme**, ℰ 03 85 21 95 15, *vieil.ferme@wanadoo.fr*, Fax 03 85 21 95 16, ≤, 🈂,
   « Parc au bord de la Saône », 🏊, ♨ – cuisinette 📺 📞 ⅍ 🅿 – 🔏 40. ☉️
   fermé 25 nov. au 16 déc. – **Repas** 11/26 ⅀, enf. 7 – ☖ 5 – **24 ch** 43

à Sennecé-lès-Mâcon par ① : 7,5 km – ⊠ 71000 Mâcon :

🏠 **Auberge de la Tour,** ℰ 03 85 36 02 70, Fax 03 85 36 03 47, 😤 – ↳ ⊡ 🄿 – 🔬 25
fermé 10 fév. au 5 mars, mardi midi, dim. soir et lundi – **Repas** 14,94 (déj.), 18,29/38,
enf. 8,38 – ☲ 6,25 – **24 ch** 29,73/67,08 – ½ P 42/46,50

à St-Martin-Belle-Roche par ① : 10 km – 1 151 h. alt. 208 – ⊠ 71118 :

XX **Port St-Nicolas,** en bordure de Saône ℰ 03 85 36 00 86, Fax 03 85 37 53 20, ≤,
« Terrasse en bord de Saône » – 🄿. ⒼⒷ
fermé 15 janv. au 15 fév., mardi soir et merc. – **Repas** 12,96/38,11 ♀, enf. 7,62

par ② rte de Bourg-en-Bresse – ⊠ 01750 Replonges :

🏨 **Huchette,** à 4,5 km près accès sortie n°3 de l'A40 ℰ 03 85 31 03 55, lahuchette@
doo.fr, Fax 03 85 31 10 24, 😤, ⛲, ⚘ – ⊡ ⓥ 🄿. 🄰🄴 ⓞ ⒼⒷ
fermé 24 oct. au 29 nov. – **Repas** (fermé mardi midi et lundi) 25/39 ♀ – ☲ 10 – **13 ch** 7
– ½ P 80

🏠 **Oréon,** à 5 km près accès sortie n°3 de l'A40 ℰ 03 85 31 00 10, hotel.oreon@wanado
ⒼⒷ Fax 03 85 31 00 90, 😤, ⛲, ⚘ – 🗏 ⊡ ⓥ ⅙ 🄿 – 🔬 20 à 70. 🄰🄴 ⒼⒷ
Repas (fermé 16 déc. au 2 janv., sam. midi, dim. et fériés) 13/32 ♀ – ☲ 6,90 – **36 ch** 54/
½ P 49/54

à Crèches-sur-Saône au Sud, par ③ : 8 km par N 6 – 2 753 h. alt. 180 – ⊠ 71000 :

🏠 **Ibis,** espace commercial Les Bouchardes ℰ 03 85 37 42 40, h0670@accor-hotels.
Fax 03 85 37 42 40, 😤, ⛲ – 🗏 rest, ⊡ ⓥ ⅙ 🄿 – 🔬 80. 🄰🄴 ⓞ ⒼⒷ. ⅙ rest
Repas (12,04) - 15,09 ♀, enf. 5,95 – ☲ 5,95 – **62 ch** 55/60

à Charnay-lès-Mâcon Ouest : 2,5 km – 6 739 h. alt. 217 – ⊠ 71850 :

🇧 Syndicat d'initiative 2727 route de Davayé ℰ 03 85 20 53 90, Fax 03 85 20 53
SI-CHARNAY-LES-MACON@wanadoo.fr.

XXX **Moulin du Gastronome,** D 17, rte Cluny ℰ 03 85 34 16 68, Fax 03 85 34 37 25, 😤
– 🗏 🄿. 🄰🄴 ⒼⒷ
fermé 17 au 26 fév., dim. soir et lundi sauf fériés – **Repas** 19/51 et carte 27 à 52 ♀

La MADELAINE-SOUS-MONTREUIL 62 P.-de-C. 🗐 ⑫ – rattaché à Montreuil.

MADIÈRES 34 Hérault 🗐 ⑯ – ⊠ 34190 Ganges.
Paris 708 – Montpellier 63 – Lodève 31 – Nîmes 78 – Le Vigan 20.

🏨 **Château de Madières** Ⓜ ⑤, ℰ 04 67 73 84 03, madieres@wanado
Fax 04 67 73 55 71, ≤, 😤, « Ancienne place forte surplombant les gorges de la Vis »
⛲, ⚘ – ⊡ 🄿. 🄰🄴 ⓞ ⒼⒷ
23 mars-15 oct. – **Repas** 33/70 – ☲ 15 – **12 ch** 135/283

MAFFLIERS 95560 Val-d'Oise 🗐 ⑳, 🔟🔟 ⑦ – 1 370 h alt. 145.
Paris 29 – Compiègne 72 – Beaumont-sur-Oise 10 – Beauvais 53 – Senlis 43.

🏨 **Novotel** Ⓜ ⑤, ℰ 01 34 08 35 35, h0383@accor-hotels.com, Fax 01 34 69 97 49,
« Parc », ⛲, ⅙⅙, ⚘ – ↳ ⊡ ⓥ ⅙ 🄿 – 🔬 60. 🄰🄴 ⓞ ⒼⒷ
Repas 22,87/32 ♀, enf. 9,15 – ☲ 11,43 – **80 ch** 101,38/109

MAGAGNOSC 06 Alpes-Mar. 🗐 ⑧, 🔟🔟 ⑬ – rattaché à Grasse.

MAGESCQ 40140 Landes 🗐 ⑯ – 1 378 h alt. 28.
🇧 Office du tourisme 1 place de l'Église ℰ 05 58 47 76 24, Fax 05 58 47 75 81.
Paris 724 – Biarritz 53 – Mont-de-Marsan 68 – Bayonne 46 – Castets 15 – Dax 16.

🏨 **Relais de la Poste** (Coussau) Ⓜ ⑤, ℰ 05 58 47 70 25, Fax 05 58 47 76 17, 😤, ⛲
❀❀ ⚘ – 🗏 ⊡ ⓥ ⇆ 🄿 🄰🄴 ⓞ ⒼⒷ 🄹🄲🄱
fermé 12 nov. au 20 déc., lundi et mardi d'oct. à avril – **Repas** (fermé mardi midi, jeudi
et lundi en mai-juin et sept.) (week-ends, prévenir) 49/69 et carte 55 à 80 ♀ – ☲ 13 – 1
138/183 – ½ P 135/170
Spéc. Foie frais de canard chaud aux raisins. Poêlée de langoustines aux girolles. Gibier
à janv.) **Vins** Tursan, Vin de sable des Landes

XX **Cabanon et Grange au Canard,** Nord : 1 km sur ancienne N 10 ℰ 05 58 47 7
le.cabanon@mageos.com, Fax 05 58 47 75 19, 😤, « Demeure landaise rustique », ⚘
ⒼⒷ
fermé 23 sept. au 25 oct., dim. soir sauf du 14 juil. au 15 août et lundi sauf fériés – **Re**
22,87/53,36 ♀

.GNAC-BOURG 87380 H.-Vienne 🟦 ⑱ – 795 h alt. 444.

🏛 Office du tourisme Place de la Bascule 𝒫 05 55 00 89 91, Fax 05 55 00 78 38, OT.MAGNAC. BOURG@wanadoo.fr.

Paris 420 – Limoges 31 – St-Yrieix-la-Perche 27 – Uzerche 28.

🏠 **Midi,** 𝒫 05 55 00 80 13, Fax 05 55 48 70 96, 🏤 – 📺 📞 🚗. 🅰🅔 ⓞ 🆖 🅹🅲🅱
fermé 15 au 30 nov., 15 janv. au 15 fév., mardi midi et lundi hors saison sauf fêtes – **Repas** 13/38 ♀, enf. 8,50 – ⚌ 6,10 – **13 ch** 38,10/45,75

🏠 **Auberge de l'Étang,** 𝒫 05 55 00 81 37, Fax 05 55 48 70 74, 🏤, 🛴 – 📺 🅿. 🆖
fermé 12 nov. au 9 déc., 10 au 25 fév., dim. soir et lundi sauf du 15 juin au 15 sept. – **Repas** 12,50/38 ♭, enf. 9,90 – ⚌ 5,50 – **14 ch** 35/38 – ½ P 38

🍴🍴 **Voyageurs** avec ch, 𝒫 05 55 00 80 36, Fax 05 55 00 56 37 – 📺 📞 🚗. 🆖
fermé 8 au 24 juin, 10 au 26 sept., 2 au 24 janv., dim. soir et sam. de sept. à juin et mardi soir – **Repas** 15/35 ♀, enf. 9 – ⚌ 7 – **7 ch** 35/55 – ½ P 43/46

.GNY-COURS 58 Nièvre 🟦 ③ ④ – rattaché à Nevers.

.ÎCHE 25120 Doubs 🟦🟦 ⑱ G. Jura – 3 978 h alt. 777.

🏛 Office du tourisme Place de la Mairie 𝒫 03 81 64 11 88, Fax 03 81 64 02 30.

Paris 479 – Besançon 74 – Baume-les-Dames 56 – Morteau 30 – Pontarlier 60.

🏠 **Panorama,** 𝒫 03 81 64 04 78, panorama@wanadoo.fr, Fax 03 81 64 08 95, 🏤, 🍴 – cuisinette 📺 🅿. 🆖
fermé 15 oct. au 15 nov. et 15 fév. au 2 mars ; hôtel : fermé vend., sam. et dim. du 15 nov. au 30 mars – **Repas** (fermé lundi midi et vend. midi en été) 18/38 ♭ – ⚌ 7 – **32 ch** 44/53, 6 studios – ½ P 42/51

.ILLANE 13 B.-du-R. 🟦 ⑪ ⑫ – rattaché à St-Rémy-de-Provence.

.ILLEZAIS 85420 Vendée 🟦 ① G. Poitou Vendée Charentes – 934 h alt. 6.

Voir Abbaye★.

🏛 Office du tourisme Rue du Dr Daroux 𝒫 02 51 87 23 01, Fax 02 51 00 72 51.

Paris 438 – La Rochelle 48 – Fontenay-le-Comte 15 – Niort 27 – La Roche-sur-Yon 71.

🏠 **St-Nicolas** sans rest, 𝒫 02 51 00 74 45, Fax 02 51 87 29 10 – 🌿 📺 🚗. 🆖
15 fév.-15 nov. – ⚌ 6,86 – **16 ch** 36,59/52,59

.ILLY-LE-CHÂTEAU 89660 Yonne 🟦 ⑤ G. Bourgogne – 609 h alt. 180.

Voir ≤★ de la terrasse.

Paris 196 – Auxerre 29 – Avallon 32 – Clamecy 21 – Cosne-sur-Loire 65.

🍴🍴 **Castel** 🌿 avec ch, près église 𝒫 03 86 81 43 06, michelbreerette@waika9.com,
Fax 03 86 81 49 26, 🌷 – 🆖 🅹🅲🅱
15 mars-15 nov. et fermé merc. – **Repas** 11,90/27,45 ♀ – ⚌ 6,09 – **12 ch** 32/53,35 – ½ P 60,98

---

s MAILLYS 21 Côte-d'Or 🟦🟦 ⑬ – rattaché à Auxonne.

.ISON NEUVE 16 Charente 🟦 ⑭ – rattaché à Angoulême.

.ISONNEUVE 15 Cantal 🟦 ⑭ – rattaché à Chaudes-Aigues.

.ISONS-ALFORT 94 Val-de-Marne 🟦 ①, 🟥🟥 ㉗ – voir à Paris, Environs.

.ISONS-DU-BOIS 25 Doubs 🟦 ⑦ – rattaché à Montbenoit.

.ISONS-LAFFITTE 78 Yvelines 🟦 ⑳, 🟥🟥 ⑬ – voir à Paris, Environs.

.ISONS-LÈS-CHAOURCE 10 Aube 🟦 ⑰ – rattaché à Chaource.

MALAUCÈNE *84340 Vaucluse* 81 ③ *G. Provence – 2 538 h alt. 333.*
Office du tourisme Place de la Mairie ✆ 04 90 65 22 59, Fax 04 90 65 22 59.
Paris 678 – Avignon 43 – Carpentras 18 – Vaison-la-Romaine 9.

Domaine des Tilleuls M sans rest, rte Mont-Ventoux ✆ 04 90 65 22 3…
Fax 04 90 65 16 77, – P. GB
6 – **10 ch** 69/84

MALAY *71460 S.-et-L.* 70 ⑪ *G. Bourgogne – 214 h alt. 242.*
Voir *Château de Cormatin★★ : cabinet de Ste-Cécile★★★ S : 3 km.*
Paris 369 – Chalon-sur-Saône 33 – Mâcon 39 – Montceau-les-Mines 38 – Paray-le-Monial 5…

Place M, sur D 981 ✆ 03 85 50 15 08, *remy.litaudon@wanadoo.fr, Fax 03 85 50 13 2…*
– P – 30. GB
1er mars-30 nov. – **Repas** 13,50/33 ♀, enf. 8 – 7,50 – **30 ch** 42/46 – ½ P 43

MALAY-LE-PETIT *89 Yonne* 61 ⑭ *– rattaché à Sens.*

MALBUISSON *25160 Doubs* 70 ⑥ *G. Jura – 400 h alt. 900.*
Voir *Lac de St-Point★.*
Office du tourisme 69 Grande Rue ✆ 03 81 69 31 21, Fax 03 81 69 71 94, ot.malbuis…
@worldonline.fr.
Paris 457 – Besançon 75 – Champagnole 43 – Pontarlier 16 – St-Claude 72.

Lac, ✆ 03 81 69 34 80, *Fax 03 81 69 35 44,* – P. GB
fermé 15 nov. au 20 déc. sauf week-ends – **Repas** 16/39 ♀, enf. 8 - ***Rest. du Froma…***
(cuisine fromagère) **Repas** 18,29 ♀, enf. 7 – 9 – **49 ch** 37/107, 5 appart – ½ P 40/74

annexe Beau Site M sans rest, ✆ 03 81 69 70 70 – cuisinette P. GB
fermé 15 nov. au 20 déc. sauf week-ends – 8 – **14 ch** 26/31, 3 duplex

Poste, ✆ 03 81 69 79 34 – . GB
fermé 3 au 15 janv., dim. soir et lundi sauf juil.-août – **Repas** (7) - 9,15/18,29 , enf. 6,8…
4,57 – **10 ch** 27,44/42,68 – ½ P 34,30

Bon Accueil (Faivre) avec ch, ✆ 03 81 69 30 58, *lebonaccueilfaivre@wanadoo…*
Fax 03 81 69 37 60, – P. GB.
fermé 2 au 10 avril, 28 oct. au 5 nov., 16 déc. au 16 janv., dim. soir sauf juil.-août, mardi m…
et lundi – **Repas** (21) - 26/44 et carte 40 à 55 ♀, enf. 13 – 7,50 – **12 ch** 43/65 – ½ P 54/…
Spéc. Tarte fine à la saucisse de Morteau. Râble de lapin au savagnin et cuisse en dau…
(15 juin au 15 sept.). Sorbet à la gentiane, macaronade au pamplemousse. **Vins** Arbo…
Chardonnay, Côtes du Jura

Jean-Michel Tannières avec ch, ✆ 03 81 69 30 89, *Fax 03 81 69 39 16,* –
P. GB
fermé 2 au 17 avril, 7 janv. au 14 fév., lundi et mardi – **Repas** 23/65 et carte 42 à 54 ♀, enf.
– 7,63 – **4 ch** 73 – ½ P 76
Spéc. Gratin de féra aux herbes potagères (mai à sept). Poulet fermier au Vin Jaune…
morilles. Soufflé glacé au pontarlier. **Vins** Arbois-Chardonnay, Arbois rouge.

aux Granges-Ste-Marie *Sud-Ouest : 2 km – ✉ 25160 Labergement-Ste-Marie :*

Auberge du Coude, ✆ 03 81 69 31 57, *Fax 03 81 69 33 90,* – P. GB
fermé 20 oct. au 18 déc., dim. soir et merc. hors saison – **Repas** 14,62/33,85 ♀, enf. 6,8…
5,34 – **11 ch** 42,69/44,98 – ½ P 42,69

La MALÈNE *48210 Lozère* 80 ⑤ *G. Languedoc Roussillon – 171 h alt. 450.*
Voir *O : les Détroits★★ et cirque des Baumes★★ (en barque).*
Syndicat d'initiative ✆ 04 66 48 50 77.
Paris 613 – Mende 41 – Florac 41 – Millau 44 – Sévérac-le-Château 33 – Le Vigan 77.

Manoir de Montesquiou, ✆ 04 66 48 51 12, *montesquiou@domaine-de-lozere.c…*
Fax 04 66 48 50 47, , « Belle demeure du 15e siècle », – P. GB
fin mars-fin oct. – **Repas** 20,59/39,64 ♀, enf. 10,68 – 10,67 – **12 ch** 67,07/129,5…
½ P 67,08/129,58

au Nord-Est *5,5 km sur D 907bis – ✉ 48210 Ste-Énimie :*

Château de la Caze , ✆ 04 66 48 51 01, *chateau.de.la.caze@wanado…*
Fax 04 66 48 55 75, , « Château du 15e siècle au bord du Tarn, parc », –
P. AE GB. rest
15 mars-11 nov. et fermé merc. du 15/3 au 15/5 et du 11/9 au 11/11 sauf fériés et j…
midi – **Repas** 27/65 ♀, enf. 13 – 12 – **13 ch** 108/200, 6 appart – ½ P 91/117

ALESHERBES 45330 Loiret 📵 ⑪ G. Châteaux de la Loire – 5 989 h alt. 108.

🖪 Office du tourisme 2 rue de la Pilonne ☎ 02 38 34 81 94, Fax 02 38 34 81 94.

Paris 75 – Fontainebleau 27 – Étampes 27 – Montargis 64 – Orléans 62 – Pithiviers 19.

🏠 **Écu de France**, 10 pl. Martroi ☎ 02 38 34 87 25, ecudefrance@wanadoo.fr, Fax 02 38 34 68 99, 🏤 – 📺 🕻 🖭 🖭 🖼
Repas (fermé 9 au 22 août, jeudi soir et dim. soir) 16/26,50 ♀, enf. 6,50 - **Brasserie de l'Écu** (fermé 9 au 22 août, jeudi soir et dim. soir) **Repas** carte 17 à 38 ♀, enf. 6,50 – ☞ 6 – **16 ch** 44/55 – ½ P 38,50/42

ALICORNE-SUR-SARTHE 72270 Sarthe 📵 ② G. Châteaux de la Loire – 1 686 h alt. 39.

🖪 Office du tourisme 3 place Duguesclin ☎ 02 43 94 74 45, Fax 02 43 94 74 45.

Paris 238 – Le Mans 33 – Château-Gontier 52 – La Flèche 16.

🗶🗶 **Petite Auberge**, au pont ☎ 02 43 94 80 52, Fax 02 43 94 31 37, 🏤 – 🖼
fermé 16 déc. au 7 janv., 19 fév. au 15 mars, le soir de sept. à juin sauf sam. et lundi – **Repas** 15/44

ALO-LES-BAINS 59 Nord 📵 ④ – rattaché à Dunkerque.

ALROY 57 Moselle 📵 ⑭ – rattaché à Metz.

MALZIEU-VILLE 48140 Lozère 📵 ⑮ – 970 h alt. 860.

🖪 Office du tourisme ☎ 04 66 31 82 73, office.tourisme@freesbee.fr.

Paris 546 – Le Puy-en-Velay 75 – Mende 51 – Millau 107 – Rodez 124 – St-Flour 37.

🏠 **Voyageurs**, rte Saugues ☎ 04 66 31 70 08, pagesc@wanadoo.fr, Fax 04 66 31 80 36 – 📳 🕻 🗗 🖭 🖼 🛠
fermé 15 déc. au 28 fév. et dim. soir sauf juil.-août – **Repas** 12,50/30 ♂, enf. 7,50 – ☞ 7 – **19 ch** 38/48 – ½ P 49

AMERS 👁 72600 Sarthe 📵 ⑭ G. Normandie Vallée de la Seine – 6 084 h alt. 128.

🖪 Office du tourisme 29 place Carnot ☎ 02 43 97 60 63, Fax 02 43 97 42 87, tourisme-mamers-saosnois@wanadoo.fr.

Paris 185 – Alençon 25 – Le Mans 52 – Mortagne-au-Perche 25 – Nogent-le-Rotrou 39.

🏠 **Dauphin**, 54 r. Fort ☎ 02 43 34 24 24, Fax 02 43 34 44 05 – 📺 🕻 🖭 – 🛦 30. 🖭 ⓪ 🖼
fermé vend. soir et dim. soir – **Repas** 10/18 ♀ – ☞ 5,50 – **14 ch** 27/40 – ½ P 26/33

Pérou (61 Orne) Est : 7 km par rte de Bellême – ⊠ 61360 Chemilly :

🗶 **Petite Auberge**, ☎ 02 33 73 11 34, lapetiteauberge@free.fr, Fax 02 33 25 59 50, 🏤, 🛲 – 🖭 🖼
fermé lundi soir et mardi – **Repas** 11,59/42,69, enf. 8,54

ANCIET 32 Gers 📵 ③ – rattaché à Nogaro.

ANDELIEU-LA-NAPOULE 06210 Alpes-Mar. 📵 ⑧, 📵 ㉖, 📵 ㉞ G. Côte d'Azur – 17 870 h alt. 4 – Casino.

Voir ≼★ de la colline de San Peyré – Site★ du château-musée.

🖪 Office du tourisme 340 avenue Jean Monnet ☎ 04 93 93 64 65, Fax 04 93 93 64 66, ota@ot-mandelieu.fr.

Paris 898 ⑥ – Cannes 10 ③ – Fréjus 31 ⑤ – Brignoles 88 ⑥ – Draguignan 54 ⑥ – Nice 37 ③.

Plan page suivante

🏩 **Domaine d'Olival** ⊗ sans rest, 778 av. Mer ☎ 04 93 49 31 00, Fax 04 92 97 69 28, 🏊, 🛲, 🛠 – cuisinette 🗔 🕻 🖭 🖼
21 janv.-30 sept. – ☞ 10 – **7 ch** 152, 11 appart 152/285   Y b

🏠 **Les Bruyères** 🅼 sans rest, 1400 av. Fréjus ☎ 04 93 49 92 01, Fax 04 93 49 21 55, 🏊 – cuisinette 🗏 📺 🕻 🖭 🖼
☞ 8 – **14 ch** 75   Y h

🏠 **Hostellerie du Golf** ⊗, 780 av. Mer ☎ 04 93 49 11 66, Fax 04 92 97 04 01, 🏤, 🏊, 🛲, 🛠 – 📳 📺 🕻 🖭 – 🛦 30. 🖭 ⓪ 🖼
Repas (17) - 23 ♀ – ☞ 7,39 – **45 ch** 102/114, 10 appart – ½ P 76,89   Y n

🏠 **Acadia**, 681 av. Mer ☎ 04 93 49 28 23, acadia.revotel@wanadoo.fr, Fax 04 92 97 55 54, 🏊, 🛲, 🛠 – 📳 📺 🕻 🖭 🖭 ⓪ 🖼
fermé 16 nov. au 27 déc. – ☞ 7 – **29 ch** 69/81, 6 appart   Y v

MANDELIEU-
LA NAPOULE

LA NAPOULE

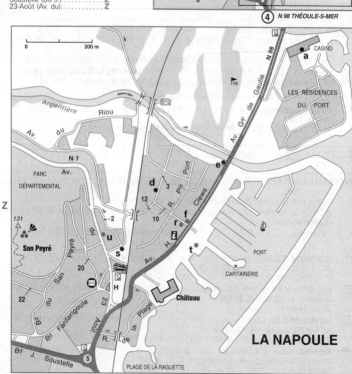

Napoule – ✉ *06210 :*

Voir *Site*★ *du château-musée.*

Paris 901 – Cannes 9 – Mandelieu-la-Napoule 4 – Nice 40 – St-Raphaël 35.

Sofitel Royal Hôtel Casino M, 605 av. Gén. de Gaulle (N 98) ☎ 04 92 97 70 00, *h-1168@accor-hotels.com, Fax 04 93 49 51 50,* ≤, casino, ... – 500. AE ① GB JCB — Z a

- *Le Féréol* ☎ 04 92 97 70 20 **Repas** 31(déj.)/35,06 ♀(dîner) – ***Terrasse du Casino*** ☎ 04 92 97 70 21 **Repas** *(18bc)*-carte environ 27, ♀, enf. 8 – ☕ 18 – **200 ch** 289/379, 13 appart – ½ P 311/374

Ermitage du Riou, av. H.-Clews ☎ 04 93 49 95 56, *hotel@ermitage-du-riou.fr, Fax 04 92 97 69 05,* ≤, ... – 60. AE ① GB JCB. ✗ ch — Z e

Repas 39 bc/85, enf. 19 – ☕ 15 – **41 ch** 183/287 – ½ P 155,50/178,50

Villa Parisiana sans rest, r. Argentière ☎ 04 93 49 93 02, *villa.parisiana@wanadoo.fr, Fax 04 93 49 62 32* – TV. AE ① GB — Z d

fermé 15 nov. au 15 déc. – ☕ 6 – **13 ch** 45/63

Corniche d'Or sans rest, pl. Fontaine ☎ 04 93 49 92 51 – ✗ — Z s

25 avril-25 oct. – ☕ 5,30 – **12 ch** 30/48

L'Oasis (Raimbault), r. J. H. Carle ☎ 04 93 49 95 52, *message@oasis-raimbault.com, Fax 04 93 49 64 13,* « Patio ombragé et fleuri » – ▤. AE ① GB JCB — Z r

fermé dim. soir et lundi du 15 oct. au 28 fév. – **Repas** 43 (déj.), 58/115 et carte 90 à 115

Spéc. "Soleil levant" de rouget de roche en salade aux saveurs d'Orient. Chapon de pêche locale au four rôti en tian aux senteurs de Provence. Filet mignon de veau et foie gras au gingembre, mangue rôtie **Vins** Côteaux d'Aix-en-Provence.

L'Armorial, bd H. Clews ☎ 04 93 49 91 80, *Fax 04 93 93 28 50,* ≤ – ▤. GB — Z f

Repas 21,34/28,20 et carte 55 à 67 ♀

Pomme d'Amour, 209 av. 23-Août ☎ 04 93 49 95 19, *jacques.arwacher@wanadoo.fr, Fax 04 93 49 95 24,* – ▤. GB — Z u

fermé 15 nov. au 15 déc., sam. midi de juil. à sept., mardi sauf le soir de juil. à sept. et merc. midi – **Repas** 21/32, enf. 10

Bistrot du Port, au port ☎ 04 93 49 80 60, *Fax 04 93 93 28 50,* – ▤. GB — Z t

fermé mi-nov. à mi-déc. et merc. de sept. à juin – **Repas** 19,82/25,61

NDEREN *57 Moselle* 57 ④ *– rattaché à Sierck-les-Bains.*

NERBE *14 Calvados* 55 ⑬ *– rattaché à Lisieux.*

NIGOD *74230 H.-Savoie* 74 ⑦ *– 789 h alt. 950.*

Voir *Vallée de Manigod*★★, **G. Alpes du Nord.**

ℹ *Office du tourisme* ☎ *04 50 44 92 44, Fax 04 50 44 94 68, manigod@club-internet.fr.*

Paris 561 – Annecy 27 – Chamonix-Mont-Blanc 66 – Albertville 38 – Thônes 6.

du col de la Croix-Fry *: 5,5 km :*

Chalet Hôtel Croix-Fry ✈, ☎ 04 50 44 90 16, *hotelchaletcroixfry@wanadoo.fr, Fax 04 50 44 94 87,* ≤ montagnes, ... – TV P. AE GB

mi-juin-mi-sept. et mi-déc.-mi-avril – **Repas** *(fermé mardi midi et lundi hors saison)* 23 (déj.), 36/70 ♀ – ☕ 16 – **6 ch** 145/305, 4 duplex – ½ P 120/185

col de la Croix-Fry *Nord-Est : 7 km* – ✉ *74230 Thônes :*

Les Sapins avec ch, ☎ 04 50 44 90 29, *les-sapins@wanadoo.fr, Fax 04 50 44 94 96,* ≤, – TV P. AE GB

fermé 25 avril au 6 mai, nov., dim. soir et lundi hors saison – **Repas** 19/33 ♀, enf. 8 – ☕ 6,50 – **10 ch** 54 – ½ P 49

NOSQUE *04100 Alpes-de-H.-P.* 81 ⑮, 114 ⑤ *G. Alpes du Sud – 19 603 h alt. 387.*

Voir *Le vieux Manosque*★ *: Porte Saunerie*★*, façade*★ *de l'hôtel de ville – Sarcophage*★ *et Vierge noire*★ *dans l'église N.-D. de Romigier – Fondation Carzou*★ **M** *–* ≤★ *du Mont d'Or NE : 1,5 km.*

ℹ *Office du tourisme Place du Docteur Joubert* ☎ *04 92 72 16 00, Fax 04 92 72 58 98, otsi@ville-manosque.fr.*

Paris 760 ③ – Digne-les-Bains 61 ① – Aix-en-Provence 56 ② – Avignon 92 ③.

MANOSQUE

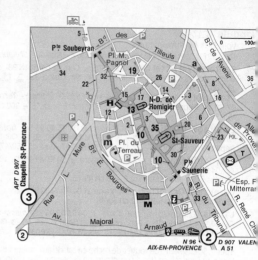

🏨 **Pré St-Michel** ⑤ sans rest, Nord : 1,5 km par bd M. Bret et rte Dau
  ℘ 04 92 72 14 27, pre.st.michel@wanadoo.fr, Fax 04 92 72 53 04, ⌁, ℛ – 📺 ⚓ Ꮺ
  🏛 25. 🆎 🇬🇧
  ⊡ 7 – **24 ch** 74/84

🏨 **Relais Mercure,** av. Gén. de Gaulle ℘ 04 92 87 78 58, relais.manosque@wanadc
  Fax 04 92 72 66 60 – ⚡ 📺 ⚓ 🅿, 🆎 ⓪ 🇬🇧
  Repas 16,77/27,44 ⅃, enf. 7,47 – ⊡ 7 – **36 ch** 66/73 – ½ P 56/60

🏨 **Campanile,** par ① ℘ 04 92 71 73 50, Fax 04 92 71 73 89, ℛ – 📺 ⚓ 🅿 – 🏛 15
  🇬🇧
  Repas 15,50/17 ⅃, enf. 5,95 – ⊡ 6 – **31 ch** 56

XX **Source,** Nord : 1,5 km par bd M. Bret et rte Dauphin ℘ 04 92 72 12 79, Fax 04 92 72 12
  ℛ – 🅿. 🆎 🇬🇧
  fermé vacances de Noël, dim. soir, sam. midi et lundi – **Repas** 17,99/29,73, enf. 9,45

XX **Dominique Bucaille,** 43 bd Tilleuls (a) ℘ 04 92 72 32 28, Fax 04 92 72 32 28 – 🆎 ⓪
  🇯🇨🇧
  fermé mi-juil. à mi-août, vacances de fév., merc. soir et dim. sauf fériés – **Repas** (16
  (déj.), 40/61, enf. 10

X **Luberon,** pl. Terreau (m) ℘ 04 92 72 03 09, Fax 04 92 72 03 09, ℛ – 🇬🇧. ⚡
  fermé 1ᵉʳ au 17 sept., dim. soir et lundi sauf du 14 juil. au 31 août – **Repas** 17,53/39,6
  enf. 7,62

à La Fuste Sud-Est : 6,5 km par rte de Valensole – ✉ 04210 Valensole :

🏨🏨 **Hostellerie de la Fuste** (Jourdan) ⑤, ℘ 04 92 72 05 95, lafuste@aol.c
  ✿ Fax 04 92 72 92 93, ≤, ℛ, « Parc fleuri », ⌁, ₰ – 📺 Ꮺ 🅿 – 🏛 70. 🆎 ⓪ 🇬🇧 🇯🇨🇧
  fermé 4 au 18 mars, 12 nov. au 2 déc., 6 janv. au 10 fév., dim. soir et lundi d'oct. à juin
  fériés – **Repas** (nombre de couverts limité, prévenir) 45,73/76,22 et carte 60 à 90, enf. 1
  – ⊡ 15,24 – **14 ch** 117,39/182,94 – ½ P 120,43/152,45
  Spéc. Aïgo boulido de homard et poulet. Agneau des Alpes de Haute Provence. Tru
  et gibier (nov. à mars) **Vins** Palette, Côtes du Lubéron.

Le MANS 🅿 72000 Sarthe 🖽 ⑬, 🖽 ③ G. Châteaux de la Loire – 146 105 h Agglo. 194 82
  alt. 80.

Voir Cathédrale St-Julien★★ : chevet★★★ – Le Vieux Mans★★ : maison de la Reine Bé
  gère★, enceinte gallo-romaine★ DV M² – Église de la Couture★ : Vierge★★ – Église
  Jeanne-d'Arc★ – Musée de Tessé★ – Abbaye de l'Épau★ BZ , 4 km par D 152 – Musée
  l'Automobile★★ : 5 km par ④.

Circuit des 24 heures et circuit Bugatti : 5 km par ④.

🅱 Office du tourisme Rue de l'étoile ℘ 02 43 28 17 22, Fax 02 43 23 37 19, officedu
  risme@ville-lemans.fr.

Paris 207 ② – Angers 97 ④ – Le Havre 206 ⑥ – Nantes 186 ④ – Rennes 154 ⑤ – Tours 82

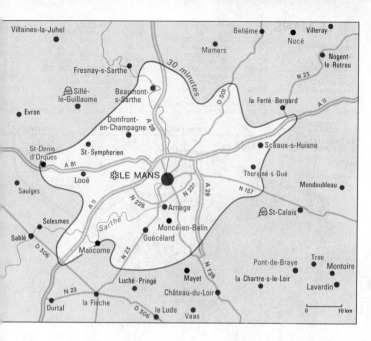

Concorde, 16 av. Gén. Leclerc ℘ 02 43 24 12 30, *lemans@concorde-hotels.com,*
Fax 02 43 24 85 74, 🎇 – 🛗 📺 ⌕ ⌂ 🄿 – 🔬 50. 🄰🄴 ⓞ 🄶🄱 🄹🄲🄱
CX b
L'Amphitryon *(fermé dim.soir)* **Repas** *(16)*-22/35 ⵛ, enf.10 – 😅 10 – **56 ch** 81/132

Novotel 🅼, bd R. Schuman (Z.A.C. Sablons) ⊠ 72100 ℘ 02 43 85 26 80, *h0440@accor-
hotels.com, Fax 02 43 75 31 76,* 🎇, 📤, 🌳 – 🛗 ⌦ 🍽 📺 ⌕ ⌂ 🄿 – 🔬 15 à 120. 🄰🄴 ⓞ
🄶🄱
BZ a
Repas *(18)*- carte environ 25 ⵛ, enf. 8 – 😅 10 – **94 ch** 79/89

Chantecler sans rest, 50 r. Pelouse ℘ 02 43 14 40 00, *hotel.chantecler@wanadoo.fr,*
Fax 02 43 77 16 28 – 🛗 📺 ⌕ 🄿. 🄰🄴 ⓞ 🄶🄱
CY f
😅 8 – **32 ch** 61/109, 3 appart

Relais Mercure, 17 r. Pointe ⊠ 72100 ℘ 02 43 72 27 20, *h0344@accor-hotels.com,*
Fax 02 43 85 96 06, 🎇, 🌳 – 🛗 ⌦ 📺 ⌕ ⌂ 🄿 – 🔬 25. 🄰🄴 ⓞ 🄶🄱 🄹🄲🄱
AZ b
Repas *(fermé sam. et dim. d'oct. à mai)* 15,09/20,58 ⵛ, enf. 6,40 – 😅 7 – **41 ch** 60/65 –
½ P 109,18

Emeraude sans rest, 18 r. Gastelier ℘ 02 43 24 87 46, *Fax 02 43 24 60 64* – 🛗 📺 ⌕ ⌂.
🄶🄱. ✀
CY z
fermé 4 au 26 août et 24 déc. au 2 janv. – 😅 7,62 – **33 ch** 53,35/62,50

Commerce sans rest, 41 bd Gare ℘ 02 43 83 20 20, *commerce.hotel@wanadoo.fr,*
Fax 02 43 83 20 21 – 🛗 ⌕. 🄰🄴 🄶🄱. ✀
CY d
😅 6 – **31 ch** 41/50

L'Escale sans rest, 72 r. Chanzy ℘ 02 43 50 40 00, *Fax 02 43 84 76 82* – 🛗 📺 ⌕ 🄿. 🄰🄴 ⓞ
🄶🄱 🄹🄲🄱
DY u
fermé 20 déc. au 7 janv. et dim. – 😅 6 – **46 ch** 44/48

XXX **Beaulieu** (Boussard), 24 r. Ponts Neufs ℘ 02 43 87 78 37, *Fax 02 43 87 78 27,* 🎇 – 🗐. 🄰🄴
🕸 🄶🄱. ✀
DX h
fermé 2 août au 2 sept., 1ᵉʳ au 10 mars, sam. et dim. – **Repas** 23 *(déj.)*, 38/78 et carte 43 à
66, enf. 15
Spéc. Saint-Jacques rôties en coquille (saison). Filet de volaille de Loué au Vin Jaune. Tarte
tiède au chocolat noir.

XX **Fontainebleau,** 12 pl. St-Pierre ℘ 02 43 14 25 74, *Fax 02 43 14 25 74,* 🎇 –
🄶🄱
CV a
fermé 20 sept. au 8 oct., 25 fév. au 5 mars et mardi – **Repas** 14,48/35,06 ⵛ, enf. 8,38

LE MANS

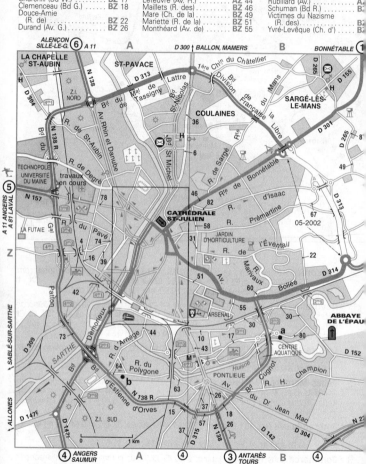

㍃ **St-Lô**, 97 av. Gén. Leclerc 📞 02 43 24 71 85, Fax 02 43 23 32 52 – ▤. **GB**   CY
  fermé 28 juil. au 18 août, 27 janv. au 2 fév., dim. soir et sam. – **Repas** 12,81/25,15,
  enf. 9,15

㍃ **Rascasse**, 6 r. Mission 📞 02 43 84 45 91, Fax 02 43 85 01 89 – ▤. **AE GB**   DY
  fermé 1ᵉʳ au 26 août, jeudi soir, dim. soir et lundi – **Repas** 14,34/53,37 ♧, enf. 10,69

㍂ **Ciboulette**, 14 r. Vieille Porte 📞 02 43 24 65 67, Fax 02 43 87 51 18 – ▤. **GB**   CX
  fermé 28 avril au 10 mai, 1ᵉʳ au 7 janv., lundi midi, sam. midi et dim. – **Repas** 27,14 ♧

par ③ sur N 138 : 4 km – ⊠ 72100 Le Mans :

🏨 **Green 7** Ⓜ, 447 av. G. Durand (rte de Tours) 📞 02 43 40 30 30, le-green-7@wanadoo
  Fax 02 43 40 30 00, ☆, ☞ – ▤ rest, ▥ ✆ ⅗ ℙ – ▨ 15 à 35. ▥ **GB**. ✵ rest
  Repas (fermé 12 au 18 août, vend. soir et dim. soir) 13/30 ♧, enf. 8 – ☲ 8 – **70 ch** 46/5
  ½ P 37/43

760

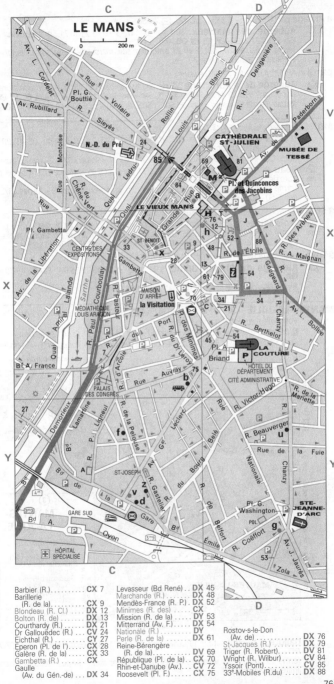

LE MANS

0   200 m

CATHÉDRALE ST-JULIEN

MUSÉE DE TESSÉ

N.-D. du Pré

Pl. et Quinconces des Jacobins

LE VIEUX MANS

CENTRE DES EXPOSITIONS

ST-BENOIT

MAISON D'ARRET
la Visitation

MÉDIATHÈQUE LOUIS ARAGON

R. de l'Étoile

LA COUTURE

HÔTEL DU DÉPARTEMENT
CITÉ ADMINISTRATIVE

Pl. A. Briand

PALAIS DES CONGRÈS

ST-JOSEPH

GARE SUD

HÔPITAL SPÉCIALISÉ

Pl. G. Washington

STE-JEANNE-D'ARC

POL.

761

Le MANS

à Arnage *par* ④ : 10 km – 5 565 h. alt. 42 – ⊠ 72230 :

XXX **Auberge des Matfeux,** Sud sur D 147 ℰ 02 43 21 10 71, *matfeux@wanado*
Fax 02 43 21 25 23 – 🅿. 🖭 ⑩ 🆖 🎴
fermé 23 juil. au 20 août, 2 au 21 janv., dim. soir, mardi soir, merc. soir et lundi – Re
29/56 et carte 38 à 89, enf. 20

par ⑤ *et* N 157 : 4 km – ⊠ 72000 Le Mans :

🏨 **Auberge de la Foresterie** Ⓜ, rte de Laval ℰ 02 43 51 25 12, *aubergedelaforester*
wanadoo.fr, Fax 02 43 28 54 58, 佘, ⿱, 瘀 – ⿳, ▤ rest, 🖭 ⿻ & 🅿. – 🏋 60. 🖭 ⑩ ⿴
Repas (fermé dim. soir) (15,50) - 23,50/31,50 ⿷, enf. 10 – ⿸ 8,40 – **40 ch** 89,90/236,30

MANSLE 16230 Charente 🎵 ③ ④ – 1 597 h alt. 65.
🅱 *Office du tourisme Place du Gardoire* ℰ 05 45 20 39 91, Fax 05 45 20 39
ot.pays.manslois@wanadoo.fr
Paris 422 – Angoulême 26 – Cognac 52 – Limoges 92 – Poitiers 87 – St-Jean-d'Angély 62

🏨 **Beau Rivage,** pl. Gardoire ℰ 05 45 20 31 26, Fax 05 45 22 24 24, 佘, « Jardin en b
⿴ *dure de Charente* », 瘀 – 🖭 ⿻ 🅿. 🆖
fermé 1er au 15 mars, 15 nov. au 5 déc. et dim. soir de nov. à mars – Repas 11/27,40
enf. 5,50 – ⿸ 5,50 – **32 ch** 25/42 – ½ P 28/38

à St-Groux *Nord-Ouest* : 3 km par D 361 – 122 h. alt. 57 – ⊠ 16230 :

🏨 **Trois Saules** ⿺, ℰ 05 45 20 31 40, Fax 05 45 22 73 81, 瘀 – 🖭 🅿. 🆖
⿴ *fermé 1er au 15 nov., 15 au 23 fév., dim. soir et lundi midi de fin sept. à mai – Re*
9,45/25,92 ⿹, enf. 5,34 – ⿸ 5,34 – **10 ch** 30,49/39,64 – ½ P 35,06/38,11

à Luxé *Ouest* : 6 km par D 739 – 756 h. alt. 70 – ⊠ 16230 :

XX **Auberge du Cheval Blanc,** à la gare ℰ 05 45 22 23 62, Fax 05 45 39 94 7
🆖
⿸ *fermé fév., dim. soir et lundi – Repas* 12 (déj.), 18/30 ⿷

MANTES-LA-JOLIE ⿻ 78200 Yvelines 🎵 ⑱, 🎵 ⑮ G. Ile de France – 43 672 h alt. 34.
Voir *Collégiale Notre-Dame*★★ BB.
🅱 *Office du tourisme 4 place Saint-Maclou* ℰ 01 34 77 10 30, Fax 01 30 98 61 49.
Paris 55 ③ – Beauvais 69 ① – Chartres 80 ④ – Évreux 47 ④ – Rouen 81 ④ – Versailles 46

MANTES-LA-JOLIE

Calmette (Bd)	B 7
Chanzy (R.)	B 8
Division-Leclerc (Av.)	A 18
Duhamel (Bd V.)	B 19
Gambetta (R.)	B 23
Gassicourt (R. de)	A 24
Goust (R. A.)	B 25
Nationale (R.)	B 30
Porte-aux-Saints (R.)	B 33
République (Av. de la)	A 34
St-Maclou (Pl.)	B 35
Somme (R. de la)	A 40
Thiers (R.)	B 41

XX **Galiote,** 1 r. Fort (hauteur 18 quai Cordeliers) ℰ 01 34 77 03 02, Fax 01 34 77 07 90 –
🆖
B
fermé 15 au 30 août, vacances de fév., lundi soir et dim. – Repas (nombre de couve
limité, prévenir) 28/49

antes-la-Ville par ③ : 2 km – 19 231 h. alt. 36 – ⊠ 78200 :

XX **Moulin de la Reillère,** 171 rte Houdan ℘ 01 30 92 22 00, Fax 01 30 92 22 00, 斎, « Jardin fleuri », 屏 – 🅿. 🖭 🕮
fermé dim. soir et lundi – Repas 29,73/40,40 et carte 38 à 60

ennemont par ⑥ : 3 km – ⊠ 78520 :

XX **Port Maria,** 35 r. J. Jaurès ℘ 01 34 77 18 22, restaurant.port.maria@wanadoo.fr, Fax 01 34 97 57 58, 斎, « Terrasse au bord de la Seine » – 🅿. 🖭 ⓪ 🕮
fermé lundi – Repas 25,92

-Martin-la-Garenne par ⑥ et D 147 : 7 km – 740 h. alt. 125 – ⊠ 78520 Limay :

XX **Auberge St-Martin,** ℘ 01 34 77 58 45 – 🅿. 🕮
fermé 28 juil. au 30 août, lundi, mardi, merc. et jeudi – Repas 22,11/25,15

NTES-LA-VILLE 78 Yvelines 🗓🗓 ⑱ – rattaché à Mantes-la-Jolie.

NZAC-SUR-VERN 24110 Dordogne 🗓🗓 ⑤ – 505 h alt. 80.
Paris 500 – Périgueux 19 – Bergerac 34 – Bordeaux 113.

XX **Lion d'Or** avec ch, ℘ 05 53 54 28 09, Fax 05 53 54 25 50, 斎, 屏 – 🖭 📞 – 🔏 25. 🖭 ⓪ 🕮
fermé fév., dim. soir sauf juil.-août et lundi – Repas 12,95 (déj.), 17,50/39 ⍩, enf. 8,50 – ⊆ 6 – **7 ch** 37 – ½ P 44

RANS 17230 Char.-Mar. 🗓🗓 ⑫ G. Poitou Vendée Charentes – 4 375 h alt. 1.
🖪 Office du tourisme 62 rue d'Aligre ℘ 05 46 01 12 87, Fax 05 46 35 97 36.
Paris 462 – La Rochelle 24 – La Roche-sur-Yon 59 – Fontenay-le-Comte 27 – Niort 56.

X **Porte Verte,** 20 quai Foch ℘ 05 46 01 09 45, 斎 – 🕮
fermé vacances de Toussaint, 23 au 26/12, vacances de fév., dim. soir, lundi soir, mardi soir hors saison et merc. – Repas (nombre de couverts limité, prévenir) 14,50/25,15

RAUSSAN 34 Hérault 🗓🗓 ⑭ – rattaché à Béziers.

RBOUÉ 28 E.-et-L. 🗓🗓 ⑰ – rattaché à Châteaudun.

RÇAY 37 I.-et-L. 🗓🗓 ⑨ – rattaché à Chinon.

RCENAY 21330 Côte-d'Or 🗓🗓 ⑧ – 116 h alt. 220.
Paris 232 – Auxerre 71 – Chaumont 73 – Dijon 89 – Montbard 35 – Troyes 67.

🏨 **Santenoy** ⌂, au Lac : 1 km ℘ 03 80 81 40 08, Fax 03 80 81 43 05, ≤, 斎, 屏 – 🖭 📞 🅿 – 🔏 30. 🕮
fermé 4 au 17 nov. et 2 au 16 janv. – Repas 12/32 ⍩, enf. 8,80 – ⊆ 5 – **18 ch** 24,50/41,50 – ½ P 29/37

---

s MARCHES 73800 Savoie 🗓🗓 ⑯ – 2 135 h alt. 328.
Paris 574 – Grenoble 46 – Albertville 44 – Allevard 23 – Chambéry 12.

X **Ferme de Champlong,** N 90, dir. Grenoble ℘ 04 79 28 11 57, Fax 04 79 71 56 30 – 🅿. 🕮
fermé 15 juil. au 5 août, 25 déc. au 2 janv., dim. soir et lundi – Repas - cuisine savoyarde - 11,45/24,40 ⍩, enf. 8,38

RCILLAC-LA-CROISILLE 19320 Corrèze 🗓🗓 ⑩ G. Berry Limousin – 778 h alt. 550.
Paris 507 – Aurillac 80 – Argentat 26 – Égletons 17 – Mauriac 41 – Tulle 27.

Pont du Chambon Sud-Est : 15 km, dir. Mauriac par D 60 et D 13 – ⊠ 19320 St-Merd-de-Lapleau :

XX **Fabry** (Au Rendez-vous des Pêcheurs) ⌂ avec ch, ℘ 05 55 27 88 39, fabry@medianet.fr, Fax 05 55 27 83 19, ≤, 屏 – 🖭 📞 🅿. ⓪ 🕮
14 fév.-11 nov. et fermé vend. soir et sam. midi d'oct. à mars – Repas 12,50/33 🦪, enf. 7,62 – ⊆ 5,80 – **8 ch** 37/43 – ½ P 40/41,20

MARCILLY-EN-VILLETTE 45240 Loiret **64** ⑨ – 1 900 h alt. 124.

Paris 154 – Orléans 23 – Blois 82 – Romorantin-Lanthenay 55 – Salbris 45.

X **Auberge de la Croix Blanche** avec ch, 118 pl. Église ✆ 02 38 76 1
Fax 02 38 76 10 67 – 📺 ✆, GB
fermé 17 au 31 août, 8 fév. au 1ᵉʳ mars et vend. – **Repas** 19,80/30,50 ♨, enf. 10 – ☲ 5
7 ch 26/44,20 – ½ P 38/45,80

MARCKOLSHEIM 67390 B.-Rhin **87** ⑦ – 3 614 h alt. 178.

🛈 *Office du tourisme 13 rue du Marechal Foch ✆ 03 88 92 56 98, Fax 03 88 92 5*
Grandried.otMarcko@wanadoo.fr
Paris 452 – Colmar 21 – Gérardmer 81 – St-Dié 60 – Sélestat 16 – Strasbourg 70.

XX **Restaurant** avec ch, 28 r. Mar. Foch ✆ 03 88 92 56 56, info@le-restaurant.co
Fax 03 88 92 77 99, 🏡 – 📺 ✆, ⒶⒺ GB
fermé 24 déc. au 6 janv., vacances de fév., mardi soir, sam. midi et merc. – **Repas** 14 (
34/55 ♈ – ☲ 7 – **14 ch** 31/46 – ½ P 45

MARCOUSSIS 91 Essonne **60** ⑩, **101** ㉞ – voir à Paris, Environs.

MARCQ-EN-BAROEUL 59 Nord **51** ⑯, **111** ⑬ – rattaché à Lille.

MAREUIL-CAUBERT 80 Somme **52** ⑦ – rattaché à Abbeville.

MAREUIL-SUR-OURCQ 60890 Oise **56** ⑬ – 1 439 h alt. 69.

Paris 79 – Compiègne 41 – Beauvais 98 – Meaux 26 – Senlis 42 – Soissons 36.

XX **Auberge de l'Ourcq**, r. Thury ✆ 03 44 87 24 14, Fax 03 44 87 44 20 – GB
🐟 *fermé 15 juil. au 1ᵉʳ août et 10 fév. au 5 mars –* **Repas** 12,50/33, enf. 9,20

MARGAUX 33460 Gironde **71** ⑧ – 1 338 h alt. 16.

Paris 603 – Bordeaux 29 – Lesparre-Médoc 42.

🏨 **Relais de Margaux** ⬗, chemin de l'Ile Vincent - au Nord-Est : 2,5 km ✆ 05 57 88 3
relais-margaux@relais-margaux.fr, Fax 05 57 88 31 73, ≤, 🏡, 🏊, ⚒, 🏌, – 🛗 📺 ✆ &
🏋 100. ⒶⒺ ⓪ GB ⻌⻌
Repas 33/70 (menu unique dim. soir et lun.), enf. 15,25 – ☲ 15,25 – **61 ch** 146/
3 appart

🏨 **Pavillon de Margaux**, 3 r. G. Mandel ✆ 05 57 88 77 54, le-pavillon-margaux@wana
fr, Fax 05 57 88 77 73, 🏡 – 📺 ✆ & 🅿, ⒶⒺ ⓪ GB
Repas (fermé 15 nov. au 15 mars et mardi hors saison) 15 (déj.), 23/49 ♈, enf. 10 – ☲
14 ch 75/103 – ½ P 68/90

XX **Savoie**, ✆ 05 57 88 31 76, Fax 05 57 88 31 76, 🏡
🐟 *fermé vacances de fév., lundi hors saison, dim. et fériés –* **Repas** 14/37

à Arcins Nord-Ouest : 6 km sur D 2 – 304 h. alt. 10 – ⊠ 33460 :

X **Lion d'Or**, ✆ 05 56 58 96 79, 🏡 – ▤, ⒶⒺ GB
🐟 *fermé juil., 24 déc. au 1ᵉʳ janv., dim. et lundi –* **Repas** (nombre de couverts limité, prév
10,40 ♈, enf. 6,85

MARGÈS 26260 Drôme **77** ② – 723 h alt. 282.

Paris 559 – Valence 37 – Grenoble 91 – Hauterives 14 – Romans-sur-Isère 13.

🏠 **Auberge Le Pont du Chalon**, 3 km par rte Romans ✆ 04 75 45 62
Fax 04 75 45 60 19, 🏡 – 📺 🅿, GB
fermé 23 avril au 2 mai, 17 au 30 sept., 2 au 17 janv. et hôtel : dim. hors saison et lun
Repas (fermé le soir d'oct. à mars sauf week-end, dim. soir hors saison et lundi) 15/2
enf. 7,62 – ☲ 5 – **9 ch** 31/46 – ½ P 32

MARGON 34320 Hérault **83** ⑮ – 244 h alt. 90.

Paris 742 – Montpellier 65 – Agde 32 – Béziers 20 – Lodève 43 – Sète 48.

🏠 **Auberge du Château** ⬗, chemin des Serres ✆ 04 67 24 85 65, charleskress@sou
nfrance.com, Fax 04 67 24 75 99, 🏡, 🏊, – 📺 rest, & 🅿, ⓪ GB
fermé 4 au 12 mars et 4 au 26 nov. – **Repas** (fermé mardi midi et lundi sauf juil.-août)
15/38 ♨, enf. 7 – ☲ 6 – **13 ch** 43/59 – ½ P 39

MARGUERITTES 30 Gard **80** ⑲ – rattaché à Nîmes.

RIENTHAL 67500 B.-Rhin 57 ⑲.

Paris 481 – Strasbourg 33 – Haguenau 5 – Saverne 42.

XX **Relais Princesse Maria Leczinska**, 1 r. Rothbach ℰ 03 88 93 43 48, Fax 03 88 93 40 35, 斎 – ᴁᴇ ᴳᴮ
fermé 19 août au 2 sept., 4 au 25 mars, dim soir, sam midi et lundi – **Repas** 18,29 (déj.), 27,44/50 et carte 44 à 53 ♀, enf. 13,72

RIGNANE 13700 B.-du-R. 84 ⑫, 114 ㉗ *G. Provence – 34 006 h alt. 10.*

Voir Canal souterrain du Rove★ SE : 3 km.

⤭ de Marseille-Provence : ℰ 04 42 14 14 14.

🛈 Office du tourisme 4 boulevard Frédéric Mistral ℰ 04 42 77 04 90, Fax 04 42 77 04 99, otmarignane@visitprovence.com.

Paris 760 – Marseille 26 – Aix-en-Provence 25 – Martigues 17 – Salon-de-Provence 33.

aéroport *au Nord –* ⊠ *13700 :*

🏨 **Sofitel** M, ℰ 04 42 78 42 78, h0541@accor-hotels.com, Fax 04 42 78 42 70, 斎, ⯒, 🏊, 🖉 – 🛎 ⯒ ≡ 🆃🆅 ℭ & 🄿 – 🚗 200. ᴁᴇ ⓞ ᴳᴮ ᴶᴄᴮ
Cenadou (fermé sam., dim. et fériés) **Repas** 41,16 ♀, enf. 7,62 – **Café de Provence :** **Repas** 21,34/27,34 ♀, enf. 7,62 – ⯒ 16 – **176 ch** 210/225, 3 appart – ½ P 212/272

🏨 **Best Western**, ℰ 04 42 15 54 00, marseilleaeroport@primotel.com, Fax 04 42 89 69 18, 斎, 🏊, 🖉 – 🛎 ≡ 🆃🆅 & 🄿 – 🚗 100. ᴁᴇ ⓞ ᴳᴮ
Repas (16) - 21/23 ♂, enf. 9 – ⯒ 9 – **120 ch** 75/90 – ½ P 81

🏨 **Ibis** M, ℰ 04 42 79 61 61, H1093@accor-hotels.com, Fax 04 42 89 93 13, 斎, 🏊 – 🛎 ⯒ ≡ 🆃🆅 ℭ & 🄿. ᴁᴇ ⓞ ᴳᴮ
Repas grill 12,96/16,01 ♀, enf. 6,02 – ⯒ 5,50 – **85 ch** 67

Les Estroublans *Nord-Est : 4 km par D 9 (rte Vitrolles) –* ⊠ *13127 Vitrolles :*

🏨 **Novotel** M, 24 rue de Madrid ℰ 04 42 89 90 44, h0442@accor-hotels.com, Fax 04 42 79 07 04, 斎, 🏊, 🖉 – 🛎 ⯒ ≡ 🆃🆅 ℭ 🄿 – 🚗 200. ᴁᴇ ⓞ ᴳᴮ ᴶᴄᴮ
Repas (16) - carte environ 28 ♀, enf. 8 – ⯒ 10 – **128 ch** 97/106

Les noms des localités citées dans ce guide

sont soulignés de rouge

sur les **cartes Michelin** à 1/200 000.

RIGNY-ST-MARCEL 74150 H.-Savoie 74 ⑤ – *629 h alt. 404.*

Paris 539 – Annecy 19 – Aix-les-Bains 22 – Bellegarde-sur-Valserine 43 – Rumilly 6.

XX **Blanc** avec ch, ℰ 04 50 01 09 50, hotel-blanc@wanadoo.fr, Fax 04 50 64 58 05, 斎, 🖉 – 🆃🆅 ℭ & 🄿. ᴁᴇ ⓞ ᴳᴮ
Repas 18/61 – ⯒ 8 – **8 ch** 58/63 – ½ P 49/57

RINGUES 63350 P.-de-D. 73 ⑤ *G. Auvergne – 2 504 h alt. 315.*

Paris 411 – Clermont-Ferrand 31 – Lezoux 16 – Riom 21 – Thiers 23 – Vichy 28.

XX **Clos Fleuri** avec ch, rte Clermont ℰ 04 73 68 70 46, Fax 04 73 68 75 58, 斎, « Jardin ombragé », 🖉 – 🆃🆅 ℭ & 🄿. ᴳᴮ. ⅋ ch
fermé fév., dim. soir et lundi du 15 sept. au 15 juin – **Repas** 15/34 ♂, enf. 8 – ⯒ 6 – **14 ch** 36/48 – ½ P 38/40

RLENHEIM 67520 B.-Rhin 62 ⑨ – *3 365 h alt. 195.*

🛈 Office du tourisme Place du Kaufhus ℰ 03 88 87 75 80, Fax 03 88 59 29 50.

Paris 467 – Strasbourg 21 – Haguenau 50 – Molsheim 12 – Saverne 18.

🏨 **Cerf** (Husser), ℰ 03 88 87 73 73, info@lecerf.com, Fax 03 88 87 68 08, 斎, « Hostellerie ✤✤ fleurie » – ≡ 🆃🆅 ℭ & 🄿. ᴁᴇ ⓞ ᴳᴮ ᴶᴄᴮ
fermé mardi et merc. – **Repas** 50 bc (déj.), 60/110 et carte 72 à 95 ♀, enf. 17 – ⯒ 15 – **14 ch** 90/200
Spéc. Grands ravioli de foie de canard fumé en pot-au-feu. Goujonnettes d'anguille poê- lées aux escargots du Kochersberg. Chausson à la truffe noire du Périgord (janv. à mars)
Vins Sylvaner, Pinot noir.

🏨 **Hostellerie Reeb**, ℰ 03 88 87 52 70, hostellerie-reeb@wanadoo.fr, Fax 03 88 87 69 73, 斎 – ≡ rest, 🆃🆅 ℭ 🄿 – 🚗 25. ᴁᴇ ⓞ ᴳᴮ ᴶᴄᴮ
fermé dim. soir et lundi – **Repas** 28/45,73 ♀, enf. 12 - **Crémaillère :** **Repas** 10(déj.),17,55/ 45,73 ♀, enf.10 – ⯒ 9,15 – **29 ch** 50 – ½ P 50

MARMANDE ⟨SP⟩ 47200 L.-et-G. **79** ③ G. Aquitaine – 17 199 h alt. 30.

🏛 *Office du tourisme boulevard Gambetta ℘ 05 53 64 44 44, Fax 05 53 20 17 19.*
Paris 669 – Agen 67 – Bergerac 57 – Bordeaux 91 – Libourne 66.

🏨 **Capricorne**, rte Agen (N 113) : 2 km ℘ 05 53 64 16 14, Fax 05 53 20 80 18, 🏡, 🏊,
🔲 📺 ✆ 🅿 – 🛎 40. 🆎 ⓞ 🆖 🄹🄲🄱
fermé 20 déc. au 5 janv. – **Trianon** ℘ 05 53 20 80 94 *(fermé 20/12 au 5/01, 18/08 au*
lundi midi, sam. midi et dim.) **Repas** 20/45 🍷, enf. 9 – ⌖ 7 – **34 ch** 45/49 – ½ P 42

à l'Est, rte de Périgueux *par D 933, puis D 267 (rte de Birac-sur-Trec) : 7 km –* ⊠ 47200 Vira

XX **Auberge du Moulin d'Ané**, ℘ 05 53 20 18 25, Fax 05 53 89 67 99, 🏡 – 🅿. 🆎 ⓞ
fermé 18 au 26 juin, merc. sauf juil.-août et mardi sauf fériés – **Repas** (prévenir) 19 (
23/34, enf. 8

à l'échangeur A 62 *Sud : 9 km par D 933 –* ⊠ 47430 Sainte-Marthe :

🏨 **Les Rives de l'Avance** M ⌖ sans rest, ℘ 05 53 20 60 22, Fax 05 53 20 98 76, 🕭 – [
🅿. 🆖
⌖ 5,34 – **16 ch** 33,53/47,25

MARNE-LA-VALLÉE 77 S.-et-M. **56** ⑫, **101** ⑲ – *voir à Paris, Environs.*

MARQUAY 24620 Dordogne **75** ⑰ – 477 h alt. 175.
Paris 507 – Brive-la-Gaillarde 50 – Périgueux 60 – Sarlat-la-Canéda 12.

🏨 **Bories** ⌖ sans rest, ℘ 05 53 29 67 02, Fax 05 53 29 64 15, 🏊, 🌳 – 📺 🅿. 🆖
1ᵉʳ avril-2 nov. – ⌖ 6 – **30 ch** 31/61

🏨 **Condamine** ⌖, rte Meyrals : 1 km ℘ 05 53 29 64 08, hotel.lacondamine@wanado
🍴 Fax 05 53 28 81 59, ≤, 🏡, 🏊, 🌳 – 📺 🕭 🅿. 🆖
28 mars-1ᵉʳ nov. – **Repas** (dîner seul.) 14/28 🍷, enf. 8 – ⌖ 6,20 – **22 ch** 40/46 – ½ P 44/

XX **L'Esterel**, ℘ 05 53 29 67 10, restesterel@aol.fr, Fax 05 53 30 43 46 – 🔲. 🆎 ⓞ 🆖 🄹🄲
🍴 *1ᵉʳ avril-30 oct. et fermé le midi en semaine sauf de mi-juin à mi-sept.* – **Repas** 13/3
enf. 8

MARSANNAY-LA-CÔTE 21 Côte-d'Or **66** ⑫ – *rattaché à Dijon.*

MARSEILLAN 34340 Hérault **83** ⑯ G. Languedoc Roussillon – 6 199 h alt. 3.
Paris 757 – Montpellier 49 – Agde 7 – Béziers 31 – Pézenas 21 – Sète 24.

XX **Table d'Emilie**, 8 pl. Couverte ℘ 04 67 77 63 59, Fax 04 67 01 72 02, 🏡 – 🆖
fermé 12 nov. au 6 déc., 16 fév. au 8 mars, jeudi midi en saison, dim. soir et merc. ‹
saison et lundi midi – **Repas** 15,24 (déj.), 22,87/45,73 🍷

X **Chez Philippe**, 20 r. Suffren ℘ 04 67 01 70 62, Fax 04 67 01 70 62, 🏡 – 🔲. 🆖
🍴 *fermé 23 déc. au 20 fév., dim. soir, lundi et mardi* – **Repas** (prévenir) 22, enf. 14

Ne confondez pas :

Confort des hôtels	:	🏨🏨🏨 ... 🏠, 🏡
Confort des restaurants	:	XXXXX ... X
Qualité de la table	:	❀❀❀, ❀❀, ❀, 🍴

MARSEILLE

Ⓟ 13000 B.-du-R. 🄷🄸 ⑬ 🄸🄸🄸 ㉘ G. Provence - 798 430 h. - Agglo. 1 349 772 h.
Paris 776 ④ – Lyon 316 ④ – Nice 198 ② – Torino 374 ② – Toulon 64 ② – Toulouse 405 ④

OFFICES DE TOURISME

La Canebière (1er) ☎ 04 91 13 89 00, Fax 04 91 13 89 20, destination-marseille@wanadoo.fr.,
Gare St-Charles (1er) ☎ 04 91 50 59 18, Annexe (été) : Le Panier 20 r. des Pistoles

RENSEIGNEMENTS PRATIQUES

TRANSPORTS

Auto-train ☎ 08 36 35 35 35.
Tunnel Prado-Carénage : Péage 2001, tarif normal : 2,21

TRANSPORTS MARITIMES

Pour la Corse : SNCM 61 bd des Dames (2e) ☎ 08 36 67 95 00, Fax 04 91 56 95 86 -
Réservations : ☎ 04 91 56 30 30, Fax 04 91 56 35 86 - CMN 4 quai d'Arenc (2e) ☎ 04 91 99
45 00, Fax 04 91 99 45 99 - Pour le Château d'If : G.A.C.M 1 quai des Belges
☎ 04 91 55 50 09, Fax 04 91 55 60 23

AÉROPORT

Marseille-Provence ☎ 04 42 14 14 14 par ① : 28 km.

DÉCOUVRIR

AUTOUR DU VIEUX PORT

Le vieux port★★ - Quai des Belges (marché aux poissons) **ET 5** *- Musée d'Histoire de Marseille★* **ET M³** *- Musée du Vieux Marseille* **DET M⁷** *- Musée des Docks romains ★* **DT M⁶** *- ≼★ depuis le belvédère St-Laurent* **DT D** *- Musée Cantini★* **FU M²**

QUARTIER DU PANIER

Centre de la Vieille Charité★★ : Musée d'archéologie méditerranéenne, Musée d'Arts africains, océaniens, amérindiens MAAOA★★ **DS E** *- Ancienne cathédrale de la Major★* **DS B**

NOTRE-DAME-DE-LA-GARDE

≼★★★ du parvis de la basilique de N.-D.-de-la-Garde **EV** *- Basilique St-Victor★ (crypte★★)* **DU**

LA CANEBIÈRE

De la rue Longue-des-Capucins au cours Julien : place du Marché-des-Capucins, rue du Musée, rue Rodolphe-Pollack, rue d'Aubagne, rue St-Ferréol.

QUARTIER LONGCHAMP

Musée Grobet-Labadié★★ **GS M⁸** *- Palais Longchamp★* **GS** *: musée des Beaux-Arts★ et musée d'Histoire naturelle★*

QUARTIERS SUD

Corniche Président-J.-F.-Kennedy★★ **AYZ** *- Parc du Pharo* **DU**

AUTOUR DE MARSEILLE

Visite du port★ - Château d'If★★ : ☀★★★ sur le site de Marseille - Massif des Calanques★★ - Musée de la faïence★

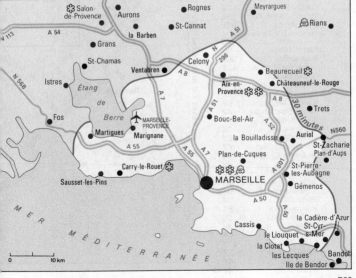

MARSEILLE

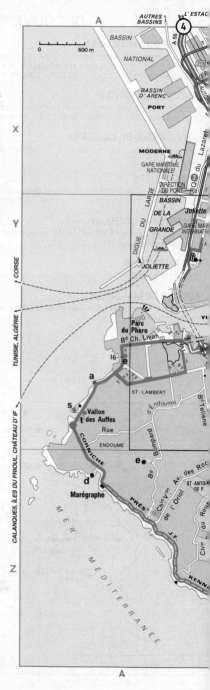

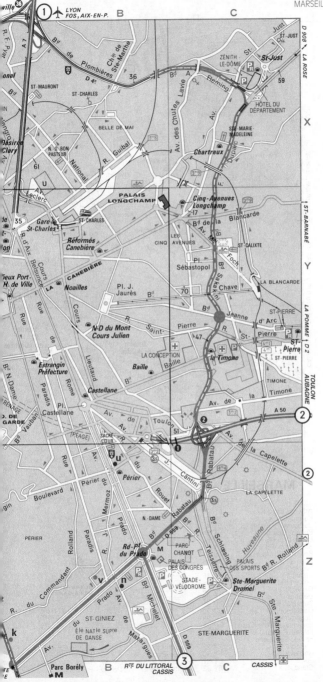

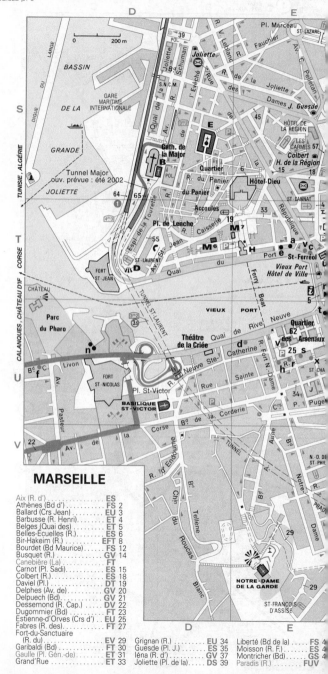

MARSEILLE

772

Sofitel Vieux Port M, 36 bd Ch. Livon ⊠ 13007 ℰ 04 91 15 59 00, *h0542@accor-* .com, Fax 04 91 15 59 50, ≤ vieux port, « Restaurant panoramique », ⅃ - 🛗 ⇆ 🗏 ♣ ⇆ - 🛦 130. ㏂ ⓪ ㎇ 🎽 ⋦ rest
p. 6 DU
Les Trois Forts ℰ 04 91 15 59 56 **Repas** 45/58 ♀, enf. 21 - ☲ 19 - **127 ch** 220 3 appart

Petit Nice (Passédat) M ⅏, anse de Maldormé (hauteur 160 corniche Kennedy) ⊠ ℰ 04 91 59 25 92, *hotel@petitnice-passedat.com*, Fax 04 91 59 28 08, ≤ mer, 龠, « perchées sur les rochers, beaux aménagements intérieurs », ⅃ - 🛗 🗏 🗏 🆀 ㏂ ⓪ 🎽
p. 4 A
fermé 27 oct. au 20 nov. - **Repas** *(fermé dim. et lundi sauf le soir de mi-avril à sept.)* (déj.), 121/151 et carte 120 à 185, enf. 40 - ☲ 20 - **16 ch** 244/465
Spéc. Onctueux à la cryste marine et médaillons de langouste (juin à sept.) Tronço loup "Lucie Passédat". Déclinaison de chocolats en chaud et froid. **Vins** Coteaux ‹ Bandol.

Holiday Inn M, 103 av. Prado ⊠ 13008 ℰ 04 91 83 10 10, *himarseille@alliance-* *tality.com*, Fax 04 91 79 84 12, 🛵 - 🛗 ⇆ 🗏 🔟 ♣ ♣ ⇆ - 🛦 150. ㏂ ⓪ 🎽
p. 5 B.
Repas *(fermé week-ends et fériés)* 14/24 ♀, enf. 10 - ☲ 11 - **115 ch** 119/134, 4 appar

Mercure Beauvau Vieux Port sans rest, 4 r. Beauvau ⊠ 13001 ℰ 04 91 54 9 *H1293@accor-hotels.com*, Fax 04 91 54 15 76, « Mobilier ancien » - 🛗 ⇆ 🗏 🔟 ♣ ⅅ 🎽 🎽
P. 6 E'
☲ 10,50 - **71 ch** 90/120

Mercure Prado M sans rest, 11 av. Mazargues ⊠ 13008 ℰ 04 96 20 37 37, *H3(accor-hotels.com*, Fax 04 96 20 37 99, 🛵 - 🛗 ⇆ 🗏 🔟 ♣ ⇆ - 🛦 20. ㏂ 🎽
p. 5 B2
☲ 10 - **100 ch** 100/140

Mercure Euro-Centre M, r. Neuve St-Martin ⊠ 13001 ℰ 04 91 17 22 22, *h1148@a* *-hotels.com*, Fax 04 91 17 22 33 - 🛗 ⇆ 🗏 🔟 ♣ ♣ ⇆ - 🛦 200. ㏂ ⓪ 🎽 p. 6 EST
Repas *(fermé dim. midi)* (12) - 14 ♀, enf. 8 - ☲ 11 - **199 ch** 96/114

Novotel Vieux Port M, 36 bd ch. Livon ⊠ 13007 ℰ 04 96 11 42 11, *h0911@a(hotels.com*, Fax 04 96 11 42 20, 龠, ⅃ - 🛗 ⇆ 🗏 🔟 ♣ ♣ ⇆ - 🛦 250. ㏂ ⓪ 🎽
p. 6 DL
Repas carte environ 28 ♀, enf. 8 - ☲ 9,90 - **90 ch** 120/150

New Hôtel Bompard ⅏ sans rest, 2 r. Flots Bleus ⊠ 13007 ℰ 04 91 99 22 *marseillebompard@new-hotel.com*, Fax 04 91 31 02 14, ⅃, 龠 - 🛗 cuisinette 🗏 🔟 ♣ 🛦 25. ㏂ ⓪ 🎽 🎽
p. 4 A2
☲ 10 - **50 ch** 87/183

Résidence du Vieux Port sans rest, 18 quai du Port ⊠ 13002 ℰ 04 91 91 91 22, *residence@wanadoo.fr*, Fax 04 91 56 60 88, ≤ vieux port - 🛗 ⇆ 🗏 🔟 ♣ ♣ - 🛦 30. ㏂
P. 6 ET
☲ 10,50 - **42 ch** 85/190

St-Ferréol's sans rest, 19 r. Pisançon ⊠ 13001 ℰ 04 91 33 12 21, *hotelstferreol@ho .com*, Fax 04 91 54 29 97 - 🛗 🗏 🔟. ㏂ ⓪ 🎽 🎽
p. 7 FU
☲ 6,55 - **19 ch** 61/94,50

Mascotte sans rest, 5 La Canebière ⊠ 13001 ℰ 04 91 90 61 61, *mascotte-marse. hotel-sofibra.com*, Fax 04 91 90 95 61 - 🛗 ⇆ 🗏 🔟 - 🛦 30. ㏂ ⓪ 🎽
p. 6 ET
☲ 8 - **45 ch** 71/92

Tonic Hôtel sans rest, 43 quai des Belges ⊠ 13001 ℰ 04 91 55 67 46, *tonic.marseille nadoo.fr*, Fax 04 91 55 67 56, ≤ - 🛗 🗏 🔟 ♣ ♣. ㏂ ⓪ 🎽
P. 6 EU
☲ 10 - **59 ch** 92/110

New Hôtel Vieux Port sans rest, 3 bis r. Reine Élisabeth ⊠ 13001 ℰ 04 91 99 23 *marseillevieux-port@new-hotel.com*, Fax 04 91 90 76 24 - 🛗 🗏 🔟 - 🛦 25. ㏂ ⓪
p. 6 ET
☲ 10 - **47 ch** 75/81

Rome et St-Pierre sans rest, 7 cours St-Louis ⊠ 13001 ℰ 04 91 54 19 52, *hotelder @wanadoo.fr*, Fax 04 91 54 34 56 - 🛗 ⇆ 🗏 🔟 ♣ - 🛦 30. ㏂ ⓪ 🎽 🎽 p. 7 FT
☲ 8,50 - **48 ch** 69/84

Alizé sans rest, 35 quai Belges ⊠ 13001 ℰ 04 91 33 66 97, *alize-hotel@wanado(Fax 04 91 54 80 06, ≤ - 🛗 🗏 🔟 ♣. ㏂ ⓪ 🎽 🎽
p. 6 ETU
☲ 6,50 - **39 ch** 53/71

Ibis Gare St-Charles M, esplanade Gare St-Charles ⊠ 13001 ℰ 04 91 95 62 09, h1390@ accor-hotels.com, Fax 04 91 50 68 42, 涼 – 🛊 ⇔, ≡ ch, 📺 ❤ ᵭ – 🔬 40. 🖭 ⓪ GB
Repas 14,79 ᵭ, enf. 5,95 – ⊇ 5,34 – **172 ch** 72   p. 7 FS k

Kyriad Vieux Port sans rest, 6 r. Beauvau ⊠ 13001 ℰ 04 91 33 02 33, kyriad.vieux-port @wanadoo.fr, Fax 04 91 33 21 34 – 🛊 ≡ 📺 ❤ – 🔬 30. 🖭 ⓪ GB ᴊᴄʙ   p. 6 ET r
⊇ 7 – **49 ch** 58/64

Edmond Rostand, 31 r. Dragon ⊠ 13006 ℰ 04 91 37 74 95, Fax 04 91 57 19 04 – 🛊 ≡ 📺 ❤. 🖭 ⓪ GB ᴊᴄʙ   p. 7 FV b
fermé 21 déc. au 5 janv. – Repas snack (dîner seul.)(résidents seul.) – ⊇ 5,50 – **16 ch** 49/54 – ½ P 42/45,50

Kyriad sans rest, 31 r. Rouet ⊠ 13006 ℰ 04 91 79 56 66, kyriad.marseille@wanadoo.fr, Fax 04 91 78 33 85 – 🛊 ⇔ ≡ 📺 ❤. 🖭 ⓪ GB   P. 7 GV X
⊇ 6 – **53 ch** 50/58

Hermès M sans rest, 2 r. Bonneterie ⊠ 13002 ℰ 04 96 11 63 63, hotel.hermes@wana doo.fr, Fax 04 96 11 63 64 – 🛊 ⇔ ≡ 📺 ❤. 🖭 ⓪ GB ᴊᴄʙ   p. 6 ET e
⊇ 7 – **28 ch** 43/66

Miramar (Minguella), 12 quai Port ⊠ 13002 ℰ 04 91 91 10 40, contact@bouillabaisse. com, Fax 04 91 56 64 31, 涼 – ≡. 🖭 ⓪ GB ᴊᴄʙ   p. 6 ET v
ᠻᠻᡯ fermé 4 au 26 août, 5 au 20 janv., dim. et lundi – Repas - produits de la mer - carte 54 à 80 ℤ
Spéc. Bouillabaisse. Poissons du golfe au beurre de pisala. Sar ''à la Raimu''. Vins Coteaux Varois, Côtes du Luberon.

Ferme, 23 r. Sainte ⊠ 13001 ℰ 04 91 33 21 12, Fax 04 91 33 81 21 – ≡. 🖭 ⓪ GB ᴊᴄʙ   p. 6 EU m
fermé août, sam. midi et dim. – Repas 36,59 et carte environ 45

L'Épuisette, Vallon des Auffes ⊠ 13007 ℰ 04 91 52 17 82, l'-epuisette@wanadoo.fr, Fax 04 91 59 18 80, ≤ îles du Frioul et Château d'If – ≡. 🖭 GB   p. 4 AY s
ᠻᠻᡯ fermé 11 août au 2 sept., vacances de fév., sam. midi, dim. soir et lundi – Repas 29,73/ 57,93 et carte 55 à 85 ℤ
Spéc. Soupe de poissons. Filets de rouget poêlés et risotto aux pichoulines. Tarte tatin aux fruits de saison.

Péron, 56 corniche Kennedy ⊠ 13007 ℰ 04 91 52 15 22, Fax 04 91 52 17 29, ≤ archipel du Frioul et château d'If, 涼 – 🖭 ⓪ GB   p. 4 AY a
Repas 33,54/48,78

Une Table au Sud, 2 quai Port (1ᵉʳ étage) ⊠ 13002 ℰ 04 91 90 63 53, Fax 04 91 90 63 86, ≤ – ≡. GB   p. 6 ET c
fermé 28 juil.au 21 août, 1ᵉʳ au 7 janv., dim. et lundi – Repas 29,73/44,97

Au Pescadou, 19 pl. Castellane ⊠ 13006 ℰ 04 91 78 36 01, Fax 04 91 79 81 57 – ≡. 🖭 ⓪ GB ᴊᴄʙ   p. 7 FV v
fermé juil., août, dim. soir et lundi – Repas - produits de la mer - carte 28 à 36 ℤ

Chez Fonfon, 140 Vallon des Auffes ⊠ 13007 ℰ 04 91 52 14 38, Fax 04 91 52 14 16, ≤ – ≡. 🖭 ⓪ GB ᴊᴄʙ   p. 4 AY t
fermé 2 au 24 janv., lundi midi et dim. – Repas - produits de la mer - 29,73/48,02 ᵭ, enf. 10,67

Michel-Brasserie des Catalans, 6 r. Catalans ⊠ 13007 ℰ 04 91 52 30 63, Fax 04 91 59 23 05 – ≡. 🖭 GB   p. 4 AY e
Repas - produits de la mer - carte 45 à 75
Spéc. Bouillabaisse. Bourride. Poissons grillés et flambés au fenouil. Vins Cassis, Bandol.

Maris Caupona, 11 r. Gustave Ricard ℰ 04 91 33 58 07, Fax 04 91 54 70 85 – ≡. 🖭 GB   p. 7 FU n
fermé août, sam. midi et dim. – Repas 38,10 ℤ

Les Échevins, 44 r. Sainte ⊠ 13001 ℰ 04 96 11 03 11, echevins@wanadoo.fr, Fax 04 96 11 03 14 – ≡. 🖭 ⓪ GB ᴊᴄʙ   p. 6 EU x
fermé 14 juil. au 16 août, sam. midi et dim. – Repas (16) - 20,60/41,16 ℤ

L'Ambassade des Vignobles, 42 pl. aux Huiles ⊠ 13001 ℰ 04 91 33 00 25, Fax 04 91 54 25 60 – ≡. 🖭 GB ᴊᴄʙ   p. 6 EU h
fermé août, sam. midi et dim. – Repas (24,39) - 35,06/47,26 bc ℤ

Les Arcenaulx, 25 cours d'Estienne d'Orves ⊠ 13001 ℰ 04 91 59 80 30, restaurant@les-arcenaulx.com, Fax 04 91 54 76 33, 涼, « Restaurant-librairie aménagé dans les entrepôts des Galères du 17ᵉ siècle » – ≡. 🖭 ⓪ GB ᴊᴄʙ   p. 6 EU s
fermé 11 au 26 août, 1ᵉʳ au 7 janv. et dim. – Repas 23,63/45 ℤ, enf. 10

XX **Les Mets de Provence "Chez Maurice Brun"**, 18 quai de Rive Neuve (2ᵉ ét)
✉ 13007 ℘ 04 91 33 35 38, Fax 04 91 33 05 69, « Cadre rustique provençal » –
GB   p. 6 EU
fermé 1ᵉʳ au 20 août, lundi midi et dim. – **Repas** 33,54 (déj.)/48,78

XX **René Alloin**, 8 pl. Amiral Muselier (par prom. G. Pompidou) ✉ 13008 ℘ 04 91 77 88 2
lloinfilipe@aol.com, Fax 04 91 71 82 46, 🍽 – 🍴. GB   p. 5 B2
fermé sam. midi et dim. soir – **Repas** 21 (déj.), 31,25/44,21

XX **Cyprien**, 56 av. Toulon ✉ 13006 ℘ 04 91 25 50 00, Fax 04 91 25 50 00 –
GB   P. 7 GV
🍴 *fermé 28 juil. au 29 août, 24 déc. au 7 janv., sam. soir, dim. et fériés* – **Repas** (15,25) - 21,5(

X **Côte de Boeuf**, 35 cours d'Estienne d'Orves ✉ 13001 ℘ 04 91 54 85
Fax 04 91 54 25 60 – 🍴. AE 🕕 GB JCB   p. 6 EU
fermé 1ᵉʳ juil. au 1ᵉʳ août – **Repas** 27,44/30,49

X **César's Place**, 21 pl. aux Huiles ✉ 13001 ℘ 04 91 33 25 22, Fax 04 91 33 06 17, 🍽 –
AE 🕕 GB JCB   P. 6 EU
fermé 24 déc. au 3 janv., sam. midi et dim. – **Repas** 16,01/23,48

X **Cavalino**, 34 bd É. Sicard ✉ 13008 ℘ 04 91 32 60 14, Fax 04 91 32 60 14 – 🍴.
GB   p. 4 AZ
fermé 10 juil. au 30 août, sam. midi et dim. – **Repas** 21,50

X **Chez Vincent**, 23 r. Glandeves ✉ 13001 ℘ 04 91 33 96 78   p. 6 EU
fermé lundi – **Repas** carte environ 30

X **Charles Livon**, 89 bd Ch. Livon ✉ 13007 ℘ 04 91 52 22 41, Fax 04 91 31 41 63 –
GB
fermé août, sam. midi et dim. – **Repas** 20,47/25,76 ⏰

à Plan-de-Cuques Nord-Est : 10 km par La Rose et D 908 – 10 503 h. alt. 70 – ✉ 13380 :

🏨 **Caesar** M ⚄, av. G. Pompidou ℘ 04 91 07 25 25, Fax 04 91 05 37 16, 🍽, 🛁, 🥂, 🍴
🍴 📺 📞 & 🅿 – 🚗 60. AE 🕕 GB JCB
Repas (fermé dim. soir) 28,87 ⏰, enf. 9,15 – ⏰ 7,62 – **30 ch** 64,03/88,42 – ½ P 60,22

Dans ce guide

un même symbole, un même caractère,
imprimé en couleur ou en **noir**, *en maigre ou en* **gras**,
n'ont pas tout à fait la même signification.
Lisez attentivement les pages explicatives.

MARTEL 46600 Lot 🎯 ⑱ G. Périgord Quercy – 1 467 h alt. 225.
Voir *Place des Consuls*★ – *Façade*★ *de l'Hotel de la Raymondie*★.
🅱 *Office du tourisme Palais de la Raymondie ℘ 05 65 37 43 44, Fax 05 65 37 37*
martel2@wanadoo.fr.
Paris 517 – *Brive-la-Gaillarde* 34 – *Cahors* 78 – *Figeac* 60 – *St-Céré* 31.

🏨 **Relais Ste-Anne** M ⚄ sans rest, ✉ u ℘ 05 65 37 40 56, relais.sainteanne@wanadoo
Fax 05 65 37 42 82, « Jardin fleuri », 🍽 – 📞 &. AE 🕕 GB JCB
15 mars-17 nov. – ⏰ 11 – **11 ch** 49/135, 4 appart

MARTIGUES 13500 B.-du-R. 🎯 ⑫ G. Provence – 43 493 h alt. 1.
Voir *Miroir aux oiseaux*★ – *Étang de Berre*★ Z.
Env. ≤★ *de la chapelle N.D.-des-Marins, 3,5 km par* ④.
🅱 *Office du tourisme 2 quai Paul Doumer ℘ 04 42 42 31 10, Fax 04 42 42 31*
ot.martigues.tourisme@visitprovence.com.
Paris 764 ② – *Marseille* 42 ② – *Aix-en-Provence* 46 ② – *Arles* 53 ④.

Plan page ci-contre

🏨 **St-Roch**, av. G. Braque ℘ 04 42 42 36 36, hotel-st-roch@wanadoo.fr, Fax 04 42 80 01
🥂, 🍽 – 🍴 📺 & 🅿 – 🚗 40. AE 🕕 GB   Y
Repas 18,30/27,15 – ⏰ 8,35 – **63 ch** 68,40/86,90 – ½ P 50,30/60,20

XX **Bouchon à la Mer**, 19 quai L. Toulmond ℘ 04 42 49 41 41, Fax 04 42 80 80 10, 🍽 –
AE 🕕 GB   Y
fermé dim. soir hors saison, mardi midi en juil.-août, sam. midi et lundi – **Repas** 18,29 (d
20,58/28,20 🍴, enf. 9,15

MARTIGUES

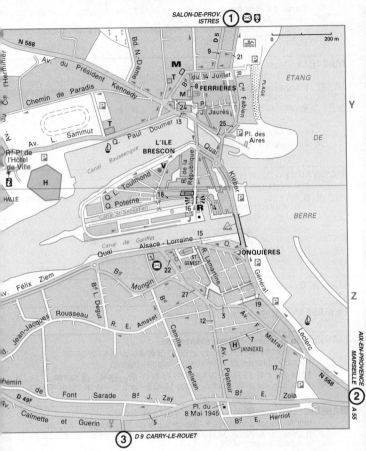

Repas soignés à prix modérés : ☺ Repas 16/23

ARTILLAC 33 Gironde **71** ⑩ – rattaché à Bordeaux.

ARTIN-ÉGLISE 76 S.-Mar. **52** ④ – rattaché à Dieppe.

MARTRE 83240 Var **81** ⑱ – 133 h alt. 984.

Paris 820 – Digne-les-Bains 73 – Castellane 19 – Draguignan 687 – Grasse 51.

Château de Taulane ⑤, au golf, Nord-Est : 4 km sur N 85 ℘ 04 93 40 60 80, *chateau-d e-taulane@wanadoo.fr*, Fax 04 93 60 37 48, ≤, 佘, ℔, ⊠, ℀, 巫 – 🛗 ⊡ ✆ 🔥 🅿 – 🛤 50. 🄰🄴 ⓞ ⅁⅂

1ᵉʳ avril-31 oct. – **Repas** 28/99, enf. 12 – ⊊ 16 – **42 ch** 205/280, 3 appart – ½ P 163/201

MARVEJOLS 48100 Lozère **80** ⑤ G. Languedoc Roussillon – 5 501 h alt. 650.

Voir *Porte de Soubeyran★*.

Env. *Parc à loups du Gévaudan★* : N.

🛱 *Office du tourisme Porte du Soubeyran ℰ 04 66 32 02 14, Fax 04 66 32 33 50.*

Paris 577 – Mende 23 – Espalion 63 – Florac 52 – Millau 69 – Rodez 86.

🛱 **Gare et Rochers**, pl. Gare ℰ 04 66 32 10 58, *hotel.rocher@wordonlir*
Fax 04 66 32 30 63, ←, – 🛊 📺 �))), **GB**
fermé 15 nov. au 1ᵉʳ fév. – **Repas** *(fermé sam. midi et dim. soir hors saison)* 12,50/30,5
☲ 5,50 – **30 ch** 40,50/48,80 – ½ P 40/45

MARVILLE 55600 Meuse **57** ① – 532 h alt. 216.

Paris 275 – Metz 94 – Bar-le-Duc 97 – Longuyon 13 – Verdun 41.

🛱 **L'Auberge de Marville**, près Église ℰ 03 29 88 10 10, *aubergemarville@aol.c*
Fax 03 29 88 12 12 – 📺 ✔ 🖭 **GB**
Repas 11,43/38,87 ♀ – ☲ 5,34 – **11 ch** 35,06/53,36 – ½ P 47,26

Dans la liste des rues des plans de villes,
les noms en rouge indiquent les principales voies commerçantes.

MASEVAUX 68290 H.-Rhin **66** ⑧ G. Alsace Lorraine – 3 329 h alt. 425.

Env. *Descente du col du Hundsrück* ←★★ NE : 13 km.

🛱 *Office du tourisme 36 Fossé des Flagellants ℰ 03 89 82 41 99, Fax 03 89 82 49*
ot.masevaux@wanadoo.fr.

Paris 440 – Mulhouse 30 – Altkirch 32 – Belfort 24 – Colmar 56 – Thann 15 – Le Thillot 3

✗ **Hostellerie Alsacienne** avec ch, r. Mar. Foch ℰ 03 89 82 45 25, *philippe.battmann*
nadoo.fr, Fax 03 89 82 45 25, 🌧, « Décor alsacien » – 📺. **GB**
fermé 21 oct. au 4 nov. – **Repas** *(fermé mardi midi et lundi)* 11 et carte le soir 26 à 3
enf. 9,50 – ☲ 6,10 – **9 ch** 40/49 – ½ P 37,50

MASLACQ 64 Pyr.-Atl. **78** ⑧ – rattaché à Orthez.

La MASSANA **86** ⑭ – voir à Andorre (Principauté d').

MASSERET 19510 Corrèze **72** ⑱ – 608 h alt. 380.

🛱 *Syndicat d'initiative Le Bourg ℰ 05 55 73 40 42, Fax 05 55 98 24 79.*

Paris 432 – Limoges 42 – Guéret 130 – Tulle 48 – Ussel 85.

🛱 **Tour** ⌛, ℰ 05 55 73 40 12, Fax 05 55 73 49 41, 🌧 – 📺 ✔ – 🏄 30. **GB**
fermé dim. soir d'oct. à mars – **Repas** 14/40 ♀ – ☲ 5,50 – **15 ch** 38,50 – ½ P 37

MASSIAC 15500 Cantal **76** ④ G. Auvergne – 1 857 h alt. 534.

Voir *N : Gorges de l'Alagnon★* – *Site de la chapelle Ste-Madeleine★* N : 2 km.

🛱 *Office du tourisme 24 rue du Dr Mallet ℰ 04 71 23 07 76, Fax 04 71 23 08*
ot.massiac@auvergne.net.

Paris 488 – Aurillac 85 – Brioude 24 – Issoire 38 – Murat 36 – St-Flour 30.

🛱 **Grand Hôtel de la Poste**, 26 av. Ch. de Gaulle ℰ 04 71 23 02 01, *hotel.massiac@w*
doo.fr, Fax 04 71 23 09 23, 🍴, 🏊, 🖵 – 🛊, 📖 rest, 📺 ✔ 🅿 – 🏄 20. 🖭 ⓞ **GB**
fermé 25 nov. au 8 déc. – **Repas** 12,20/30,50 ♀, enf. 6,80 – ☲ 6,40 – **32 ch** 40/5.
½ P 43/49

MASSIGNAC 16310 Charente **72** ⑮ – 401 h alt. 240.

🛱 *Office du tourisme Maison des Lacs ℰ 05 45 65 26 69, Fax 05 45 65 26*
lacshautecharente@wanadoo.fr.

Paris 445 – Angoulême 46 – Nontron 36 – Rochechouart 17 – La Rochefoucauld 24.

🏰 **Domaine des Étangs** ⌛, ℰ 05 45 61 85 00, Fax 05 45 61 85 01, 🌧, 🏊, ✹ – cuisine
📺 🅿 – 🏄 30 à 60. **GB**
fermé janv., fév., dim. soir *(sauf hôtel)* et lundi – **Repas** (19,50) - 26 ♀ – ☲ 9,15 – **25 ch** 61/

MASSY 91 Essonne **60** ⑩, **101** ㉕ – voir à Paris, Environs.

TOUR 71520 S.-et-L. 🔢 ⑱ *G. Bourgogne* – 998 h alt. 500.

🛈 *Office du tourisme Le Bourg ℰ 03 85 59 72 24, Fax 03 85 59 72 24, otmatour@club-internet.fr.*

Paris 407 – Mâcon 37 – Charolles 33 – Cluny 25 – Lapalisse 80 – Lyon 91 – Roanne 59.

XX **Christophe Clément,** pl. Église ℰ 03 85 59 74 80, Fax 03 85 59 75 77 – 🍽. 🇬🇧
fermé 27 sept. au 15 oct., 24 déc. au 7 janv., dim. soir et lundi – **Repas** 12 (déj.), 17/36, enf. 10

UBEUGE 59600 Nord 🔢 ⑥ *G. Picardie Flandres Artois* – 33 546 h Agglo. 117 470 h alt. 134.

🛈 *Office du tourisme Place Vauban ℰ 03 27 62 11 93, Fax 03 27 64 10 23, maubeuge@tourisme.norsys.fr.*

Paris 242 ⑤ – Mons 22 ① – St-Quentin 113 ④ – Valenciennes 38 ⑤.

MAUBEUGE

Albert-Iᵉʳ (R.) .... **B** 2	Intendance (R. de l') .... **B** 10	Pont-Rouge (Av. du)...... **A** 24
Concorde (Pl. de la).... **B** 4	Lurcat (Mail A.) .... **AB** 12	Porte-de-Bavay (Av.) .... **A** 25
Coutelle (R.) .... **A** 5	Mabuse (Av. J.) .... **B** 14	Provinces-Françaises (Av.) **B** 26
France (Av. de) .... **B**	Musée Henri Bœz (R. du) **B** 18	Roosevelt
Gare (Av. de la) .... **A**	Nations (Pl. des)....... **B** 19	(Av. Franklin)........ **AB** 28
	Paillot (R. G.) .... **B** 21	Vauban (Pl.)............ **B** 29
	Pasteur (Bd) .... **A** 23	145ᵉ-Régt-d'Inf. (R. du) .. **B** 31

🏨 **Campanile,** av. J. Jaurès ℰ 03 27 64 00 91, Fax 03 27 65 34 47, 😊, 🚗 – 🍽 🇹🇻 📞 ⅙ 🅿 –
🔔 25. 🆎 ① 🇬🇧 ⓙⒸⒷ
Repas *(12,04)* -15,09 ⅞, enf. 5,95 – ⒓ 5,95 – **39 ch** 48,02
B b

🏨 **Comfort Inn,** av. J. Jaurès par ⑤ ℰ 03 27 62 15 00, Fax 03 27 65 64 70 – 🍽 🇹🇻 📞 ⅙ 🅿 –
🔔 30. 🆎 ① 🇬🇧 ⓙⒸⒷ
Repas *(13,11)* -13,72/18,14 ⅝, enf. 7,47 – ⒓ 5,64 – **42 ch** 50,31

rte d'Avesnes-sur-Helpe par ④ – ⊠ 59330 Beaufort :

XX **Auberge de l'Hermitage**, à 6 km sur N 2 ℰ 03 27 67 89 59, Fax 03 27 67 89 59 – **P.** ⅁⅁
fermé 23 juil. au 14 août, 26 au 30 déc., 2 au 7 janv., mardi soir, dim. soir et lundi – **Rep** 15,50/50 ⵛ, enf. 12,50

XX **Relais de Beaufort**, à 8 km sur N 2 ℰ 03 27 63 50 36, relaisdebeaufort@worldonline Fax 03 27 67 85 11, 佘 – **P.** ⅁⅁
fermé 16 août au 3 sept., vacances de fév., sam. midi, dim. soir et lundi – **Repas** 19/35 enf. 10

MAULÉON 79700 Deux-Sèvres **67** ⑥ ⑱ G. Poitou Vendée Charentes – 7 327 h alt. 180.
🛈 Office du tourisme 27 Grand'Rue ℰ 05 49 81 95 22, Fax 05 49 81 17 09.
Paris 364 – Cholet 23 – Nantes 81 – Niort 86 – Parthenay 55 – La Roche-sur-Yon 66.

🏠 **Terrasse** ⌂, 7 pl. Terrasse ℰ 05 49 81 47 24, Fax 05 49 81 65 04, 佘, 🛋 – 📺 📞 **P.** ⅁⊞
fermé 27/04 au 12/05, 28/07 au 11/08, 21/12 au 5/01, le week-end de sept. à mai et dim. juin à août – **Repas** 12,50/27,50 ⵛ, enf. 9 – ⵌ 5,35 – **13 ch** 36/50 – ½ P 28,50/34

MAUREILLAS-LAS-ILLAS 66400 Pyr.-Or. **86** ⑲ G. Languedoc Roussillon – 2 281 h alt. 130.
🛈 Syndicat d'initiative ℰ 04 68 83 48 00, Fax 04 68 83 14 66.
Paris 878 – Perpignan 30 – Gerona 70 – Port-Vendres 31 – Prades 68.

à Las Illas Sud-Ouest : 11 km par D 13 – ⊠ 66480 :

X **Hostal dels Trabucayres** ⌂ avec ch, ℰ 04 68 83 07 56, ≤, 佘 – **P.** ⅁⅁. ⌀ ch ⅁⅁
fermé 1ᵉʳ janv. au 20 mars, 25 au 30 oct., mardi et merc. hors saison – **Repas** 11/38 bc ⌀ ⵌ 5 – **5 ch** 26/30 – ½ P 31

MAUREPAS 78 Yvelines **60** ⑨, **101** ㉑ – voir à Paris, Environs.

MAURIAC ◀▷ 15200 Cantal **76** ① G. Auvergne – 4 019 h alt. 722.
Voir Basilique Notre-Dame-des-Miracles★ – Le Vigean : châsse★ dans l'église NE : 2 km Commune de la "Méridienne verte".
Env. Barrage de l'Aigle★★ : 11 km par D 678 et D105, G. Berry Limousin.
🛈 Office du tourisme 1 rue Chappe d'Auteroche ℰ 04 71 67 30 26, Fax 04 71 68 25 ot.mauriac@auvergne.net.
Paris 492 – Aurillac 53 – Le Mont-Dore 78 – Clermont-Ferrand 114 – Tulle 71.

🏠 **Voyageurs**, ℰ 04 71 68 01 01, auberge.des.voyageurs@wanadoo.fr, Fax 04 71 68 0 – 📺. ᴀᴇ ⅁⅁
fermé 21 déc. au 5 janv., dim. soir et sam. du 2 nov. au 30 avril – **Bonne Auberge :** Rep 10/29 ⵛ, enf. 6 – ⵌ 5 – **19 ch** 23/45 – ½ P 23/32,50

🏠 **Serre** sans rest, r. du 11 Novembre ℰ 04 71 68 19 10, Fax 04 71 68 17 77 – 🛗 📺 📞 ⇔ ⅁⅁. ⌀
fermé 25 déc. au 15 janv. – ⵌ 5,03 – **12 ch** 40,50/50

MAUROUX 46 Lot **79** ⑥ – rattaché à Puy-l'Évêque.

MAURS 15600 Cantal **76** ⑪ G. Auvergne – 2 253 h alt. 290.
Voir Buste-reliquaire★ et statues★ dans l'église.
🛈 Office du tourisme Place de l'Europe ℰ 04 71 46 73 72, Fax 04 71 46 74 ot.maurs@auvergne.net.
Paris 574 – Aurillac 43 – Rodez 61 – Entraygues-sur-Truyère 47 – Figeac 22 – Tulle 93.

🏠🏠 **Châtelleraie** 🅼 ⌂, à St-Étienne, Nord-Est : 1,5 km par rte Aurillac ℰ 04 71 49 09 hotel@chatelleraie.com, Fax 04 71 49 07 07, 佘, « Demeure du 16ᵉ siècle dans un par 🛋, 🆘, 🅼 – 📺 & **P.** ⅁⅁. ⌀ rest
23 mars-11 nov. – **Repas** (dîner seul.)(résidents seul.) 20,50 ⵛ, enf. 10 – ⵌ 7 – **33 ch** 5 ½ P 64

MAUSSAC 19 Corrèze **73** ⑪ – rattaché à Meymac.

MAUSSANE-LES-ALPILLES 13520 B.-du-R. **84** ① – 1 968 h alt. 32.
🛈 Office du tourisme Place Laugier de Monblan ℰ 04 90 54 52 04, Fax 04 90 54 39 contact@maussane.com.
Paris 717 – Avignon 29 – Arles 19 – Marseille 84 – Martigues 44 – St-Rémy-de-Provence

🏨 **Val Baussenc** M ⚶, av. Vallée des Baux ℘ 04 90 54 38 90, Fax 04 90 54 33 36, 🍽, 🔟,
🌳 – 📺 & 🅿️, 🆎 ⓪ GB, ✂ rest
1ᵉʳ mars-31 oct. – **Repas** *(fermé merc.)* (dîner seul.) 30/34 ♈, enf. 11 – ☑ 11 – **21 ch** 89/106
– ½ P 74/81

🏨 **Pré des Baux** M ⚶ sans rest, r. Vieux Moulin ℘ 04 90 54 40 40, Fax 04 90 54 53 07, 🔟,
🌳 – 🍴 📺 🅿️, 🆎 GB
22 mars-28 oct. – ☑ 9,50 – **10 ch** 95/110

🏨 **Aurelia** M, 124 av. Vallée des Baux ℘ 04 90 54 22 54, hotel.restaurant.aurelia@wanadoo.
fr, Fax 04 90 54 20 75, 🍽, 🔟, – 📺 📞 & 🅿️, GB, ✂ rest. ✂ ch
avril-oct. et 15 au 31 déc. – **Repas** *(fermé merc.)* (dîner seul.) (résidents seul.) carte environ
30 – **11 ch** ☑ 84/106,50

✗ **Margaux,** 1 r. P. Revoil ℘ 04 90 54 35 04, Fax 04 90 54 35 04, 🍽 – GB
fermé 15 nov. au 15 déc., 22 janv. au 8 mars, merc. midi et mardi – **Repas** 26/34

Paradou Ouest : 2 km par D 17, rte d'Arles – ⊠ 13520 :

🏨 **Du Côté des Olivades** M ⚶, lieu dit de Bourgeac ℘ 04 90 54 56 78,
Fax 04 90 54 56 79, ≤, 🍽, « Bel aménagement intérieur », 🔟, 🌳 – 🍴 ch, 📺 & 🅿️, 🆎 ⓪
GB, ✂
fermé 15 au 25 janv. – **Repas** *(fermé lundi)* (résidents seul.) carte 35 à 54 ♈ – **10 ch**
☑ 105,19/242,39

✗✗ **Petite France** (Maffre-Bogé), av. Vallée des Baux ℘ 04 90 54 41 91, Fax 04 90 54 52 50 –
🍴 🅿️, GB
☸ *1ᵉʳ fév.-4 nov. et fermé jeudi sauf le soir d'avril à sept. et merc.* – **Repas** 30/60 et carte 45 à
60 ♈, enf. 15
Spéc. Ravioles d'olives vertes à la ricotte et à la sauge. Crépinette de pieds de cochon aux
morilles. Fondant chaud au chocolat, crème vanille. **Vins** Coteaux d'Aix-en-Provence-les
Baux.

✗ **Bistrot du Paradou,** ℘ 04 90 54 32 70, Fax 04 90 54 32 70 – 🍴 🅿️, GB
fermé 10 nov. au 2 déc., vacances de fév. et dim. – **Repas** *(dîner seul. de juil. à sept.)*
(prévenir)(menu unique) 32,01 (déj.)/36,59

MAUVEZIN 32120 Gers 82 ⑥ – 1 642 h alt. 153.
🟦 Office du tourisme Place de la Libération ℘ 05 62 06 79 47, Fax 05 62 06 90 74.
Paris 701 – Auch 30 – Agen 73 – Montauban 55 – Toulouse 62.

✗ **Rapière,** r. Justices (face à Marché U) ℘ 05 62 06 80 08, rapieremauvezin@aol.com,
Fax 05 62 06 76 90, 🍽, 🌳 – 🍴 🆎 ⓪ GB, ✂
fermé 1ᵉʳ au 15 oct., 1ᵉʳ au 15 janv., mardi et merc. – **Repas** (10,37) - 19,06 (déj.), 29,06/35,06,
enf. 9,15

MAUZÉ-SUR-LE-MIGNON 79210 Deux-Sèvres 71 ② – 2 385 h alt. 30.
🟦 Office du tourisme Place de la Mairie ℘ 05 49 26 78 33, Fax 05 49 26 71 13,
tourisme@ville-mauze-mignon.fr.
Paris 431 – La Rochelle 43 – Niort 23 – Rochefort 40.

✗ **France** avec ch, 54 Grande Rue (rte Niort) ℘ 05 49 26 30 15, Fax 05 49 26 72 80 – 📺 🅿️,
GB, ✂ ch
fermé 26 oct.au 3 nov., sam. et dim. de fin sept. à fin mai – **Repas** (9,45) - 10,67 (déj.),
14,03/29,27, enf. 7,62 – ☑ 5,34 – **7 ch** 36,59/39,64 – ½ P 31,25/40,40

MAYENNE ◈ 53100 Mayenne 59 ⑳ G. Normandie Cotentin – 13 724 h alt. 124.
Voir Ancien château ≤ ★.
🟦 Office du tourisme Quai de Waiblingen ℘ 02 43 04 19 37, Fax 02 43 00 01 99,
tourisme@mairie-mayenne.fr.
Paris 283 – Alencon 60 – Flers 56 – Fougères 47 – Laval 30 – Le Mans 89.

✗✗ **Croix Couverte** avec ch, rte Alençon : 2 km sur N 12 ℘ 02 43 04 32 48, gicouge@wana
doo.fr, Fax 02 43 04 43 69, 🌳 – 📺 🅿️, GB
fermé 1ᵉʳ au 7 janv., vend. soir et dim. – **Repas** 11,50/27 ♈, enf. 7,50 – ☑ 6 – **11 ch** 40/53 –
½ P 43/51

de Laval N 162 – ⊠ 53100 Mayenne :

✗✗✗ **Marjolaine** M ⚶ avec ch, à 6,5 km, au domaine du Bas-Mont ℘ 02 43 00 48 42,
Fax 02 43 08 10 58, 🍽, ♨, – 📺 📞 & 🅿️, – 🚗 60. GB
fermé 1ᵉʳ au 6 janv., vacances de fév., lundi midi et dim. soir – **Repas** 15/50 et carte 38 à 49 ♈
– ☑ 7,50 – **17 ch** 49/66 – ½ P 50/65

✗✗ **Beau Rivage** ⚶ avec ch à 4 km ℘ 02 43 00 49 13, Fax 02 43 04 43 69, ≤, 🍽, « Terrasse
au bord de l'eau » – 📺 📞 & 🅿️, – 🚗 30. GB
fermé vacances de fév. – **Repas** rôtisserie *(fermé dim. soir et lundi)* 11,50/27 ♈, enf. 7,50 –
☑ 6 – **9 ch** 40/53 – ½ P 43/51

MAYET 72360 Sarthe 🔢 ③ – 2 915 h alt. 74.

Env. Forêt de Bercé★ E : 6 km, G. Châteaux de la Loire.

🅱 Office du tourisme Place de l'Hôtel de Ville ℘ 02 43 46 33 72.

Paris 227 – Le Mans 31 – Château-la-Vallière 27 – La Flèche 32 – Tours 58 – Vendôme 69

✕ **Auberge des Tilleuls**, pl. H. de Ville ℘ 02 43 46 60 12, Fax 02 43 46 60 12 – ➄
fermé 1er au 15 fév., dim., lundi soir, mardi soir et merc. – **Repas** 8,38/23,17 ♈

Le MAYET-DE-MONTAGNE 03250 Allier 🔢 ⑥ G. Auvergne – 1 598 h alt. 535.

🅱 Office du tourisme Rue Roger Degoulange ℘ 04 70 59 38 40, Fax 04 70 59 78
le-mayet-de-montagne@fnotsi.net.

Paris 373 – Clermont-Ferrand 80 – Lapalisse 23 – Moulins 73 – Thiers 44 – Vichy 26.

✕ **Relais du Lac** avec ch., Sud : 0,5 km sur D 7 ℘ 04 70 59 70 23, Fax 04 70 59 79 00 – 🗉
➄, ⚙ ch
fermé oct. et mardi – **Repas** 12,50 (déj.), 20/34 ⚖ – ☲ 6 – **7 ch** 40/50 – ½ P 40/42

MAZAGRAN 57 Moselle 🔢 ⑭ – rattaché à Metz.

MAZAMET 81200 Tarn 🔢 ⑪ ⑫ G. Midi-Pyrénées – 10 544 h alt. 241.

Voir Commune de la "Méridienne verte".

Env. ⩹★ des gorges de l'Arnette S : 4 km.

✈ de Castres-Mazamet : ℘ 05 63 70 34 77, par ③ : 14 km.

🅱 Office du tourisme Rue des Casernes ℘ 05 63 61 27 07, Fax 05 63 61 31 35.

Paris 764 ④ – Toulouse 83 ③ – Albi 62 ④ – Carcassonne 49 ② – Castres 19 ④.

MAZAMET

Arnette (R. de l')	2
Barbey (R. Edouard)	
Brenac (R. Paul)	3
Caville (R. du Pont de)	4
Champ-de-la-Ville (R. du)	5
Chamson (Pl. A.)	6
Chevalière (Av. de la)	7
Galibert-Ferret (R.)	8
Gambetta (Pl.)	9
Guynemer (Av. G.)	10
Lattre-de-Tassigny (Bd de)	13
Nouvela (R. du)	14
Olombel (Pl. Ph.)	16
Reille (Cours R.)	17
St-Jacques (R.)	19
Tournier (Pl. G.)	20
Tournier (R. Alphonse)	22

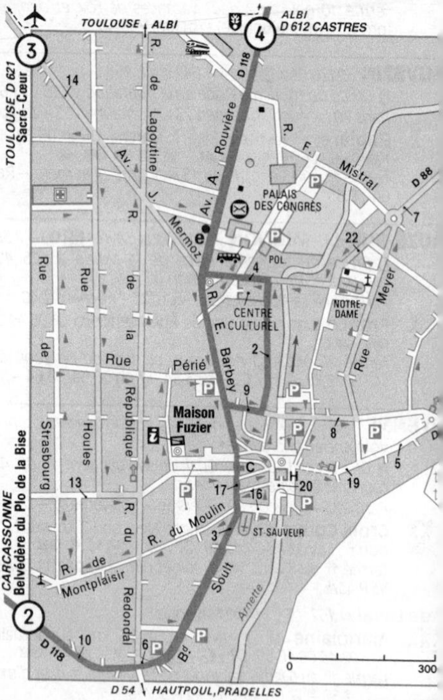

Les plans de villes sont orientés le Nord en haut.

Pour un bon usage des plans de villes, voir les signes conventionnels dans l'introduction.

🏠 **H. Jourdon**, 7 av. A. Rouvière (e) ℘ 05 63 61 56 93, Fax 05 63 61 83 38 – ▤ rest, 📺
➄ ➄, ⚙ ch. ⚙ rest
fermé dim. soir et lundi – **Repas** 13,72/38,11 ♈, enf. 7,62 – ☲ 6,10 – **11 ch** 35,06/45,73

out-du-Pont-de-Larn *par ① et D 54 : 2 km – 1 070 h. alt. 280 – ✉ 81660 :*

Métairie Neuve 🐌, ☎ 05 63 97 73 50, *metairieneuve@aol.com, Fax 05 63 61 94 75,* 🌳, 🏊, 🛋 – TV P – 🔑 25. 💳 GB
fermé 15 déc. au 20 janv. – **Repas** *(fermé dim. soir d'oct. à Pâques et sam. midi)* 15 (déj.), 19/25 🍷, enf. 8 – ☕ 9 – **14 ch** 57/75 – ½ P 53,50/61

ZAN *84 Vaucluse* 81 ⑬ *– rattaché à Carpentras.*

ZAYE *63230 P.-de-D.* 73 ⑬ *– 560 h alt. 760.*
Paris 442 – Clermont-Fd 23 – Le Mont-Dore 35 – Pontaumur 28 – Pontgibaud 7.

Auberge de Mazayes 🐌, à Mazayes-Basses ☎ 04 73 88 93 30, *Fax 04 73 88 93 80,* 🌳 – TV ☎ ♿ P. GB
fermé 15 déc. au 25 janv., mardi midi et lundi d'oct. à mai et vend. midi – **Repas** 13/32 🍷, enf. 11 – ☕ 6,50 – **15 ch** 38/50 – ½ P 43/46

ZET-ST-VOY *43520 H.-Loire* 76 ⑧ *– 1 028 h alt. 1060.*
ℹ *Syndicat d'initiative Route du Chambon* ☎ *04 71 65 07 32, Fax 04 71 65 07 38.*
Paris 584 – Le Puy-en-Velay 39 – Lamastre 36 – St-Étienne 66 – Yssingeaux 18.

L'Escuelle, ☎ 04 71 65 00 51, *Fax 04 71 65 09 29* – GB
fermé 2 janv. au 6 fév., dim. soir et lundi hors saison – **Repas** 13/22 🍷, enf. 8 – ☕ 6 – **12 ch** 28/37 – ½ P 28/39

AUDRE *38 Isère* 77 ④ *– rattaché à Autrans.*

AUX ⟨SP⟩ *77100 S.-et-M.* 56 ⑫ ⑬, 106 ㉒ *G. Ile de France – 49 421 h alt. 51.*
Voir *Centre épiscopal★* **ABY** *: cathédrale★* **B**, ≤★ *de la terrasse des remparts.*
ℹ *Office du tourisme 2 rue Saint-Rémy* ☎ *01 64 33 02 26, Fax 01 64 33 24 86, Ville.Meaux.fr.*
Paris 53 ③ – Compiègne 67 ⑤ – Melun 55 ③ – Reims 98 ②.

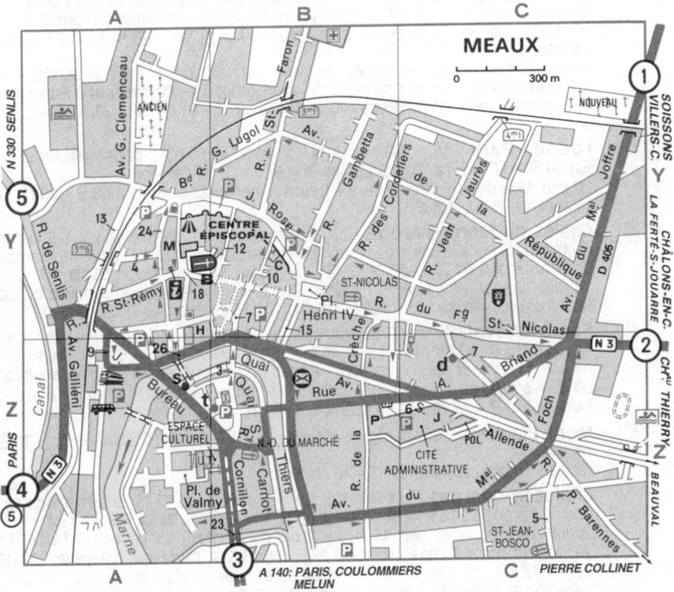

Berge (R. Cdt) . . . . **BZ** 3
Courteline (R. G.) . . . . . . **AY** 4
Dunant (Av. H.) . . . . **CZ** 5
Europe (Pl. de) . . . . . . **BCZ** 6
Fublaines (R. de) . . . . . . **CZ** 7
Grand-Cerf (R. du) . . . . . **BY** 7
Lafayette (Pl.) . . . . **AZ** 9
Leclerc-et-de la-2e-D.-B. (R. Gén.) . . **BY** 10
Notre-Dame (R.) . . . . . . **BY** 12
Pinteville (Cours) . . . . . . **AY** 13
Raoult (Cours) . . . . **BY** 15
St-Étienne (Pl.) . . . . . . **ABY** 18
St-Nicolas (R. du Fg) . . **CY**
St-Rémy (R.) . . . . **AY**
Tessan (R. F.-de) . . . . . . **BZ** 23
Ursulines (R. des) . . . . . **AY** 24
Victor-Hugo (Quai) . . . . . **AZ** 26

🏠 **Richemont** sans rest, quai Grande Ile 𝒫 01 60 25 12 10, Fax 01 60 25 18 27 – 📶 📺
🖅 🔘 🆖
A2
🖵 7 – **42 ch** 42/45

XX **Marinone**, 30 pl. Marché 𝒫 01 64 33 57 37, Fax 01 64 33 57 37 – 🖅 🆖 AB2
fermé 6 au 31 août, dim. soir et lundi – **Repas** 20,58/42,69 ♈

X **Grignotière**, 36 r. Sablonnière 𝒫 01 64 34 21 48, Fax 01 64 33 93 93 – 🍽. 🖅 🆖
fermé août, sam. midi, mardi soir et merc. – **Repas** 20 (déj.), 23/33
C2

à Varreddes par ① : 6 km – 1 810 h. alt. 53 – ⊠ 77910 :

XXX **Auberge du Cheval Blanc** avec ch, 55 rue V. Clairet 𝒫 01 64 33 18 03, auberge-ch
-blanc@libertysurf.fr, Fax 01 60 23 29 68, 😤, �₪ – 📺 ❦ 🅿. 🖅 🔘 🆖
fermé 1er au 24 août, mardi midi, dim. soir et lundi – **Repas** 34/49 et carte 44 à 63, enf.
🖵 9 – **8 ch** 76/95

XX **Auberge du Petit Nain**, 7 r. Orsoy 𝒫 01 64 33 18 12, Fax 01 64 34 39 60, 😤, 🌿
🆖
fermé 16 juil. au 7 août, 20 janv. au 12 fév., mardi et merc. – **Repas** 21/44 ♈

à Poincy par ② et D 17ᴬ : 5 km – 694 h. alt. 53 – ⊠ 77470 :

XXX **Moulin de Poincy**, 𝒫 01 60 23 06 80, Fax 01 60 23 12 56, 😤, « Jardin en bord
Marne », 🌿 – 🅿. 🖅 🆖
fermé 3 au 26 sept., 7 au 30 janv., lundi soir, mardi et merc. – **Repas** 27/54 et carte 46 à

MEGÈVE 74120 H.-Savoie 🎟 ⑦ ⑧ G. Alpes du Nord – 4 509 h alt. 1113 – Sports d'hiver : 1
2 350 m ⟨ 9 ⟨ 70 ⟨ – Casino AY.
Voir Mont d'Arbois★★.
Altiport de Megève-Mont-d'Arbois 𝒫 04 50 21 33 67, SE : 7 km BZ.
🖪 Office du tourisme 𝒫 04 50 21 27 28, Fax 04 50 93 03 09, megeve@megeve.com.
Paris 601 ① – Chamonix-Mont-Blanc 32 ① – Albertville 32 ② – Annecy 61 ②.

Plan page ci-contre

🏨 **Les Fermes de Marie** 📎, chemin de Riante Colline par ② 𝒫 04 50 93 03 10, cont₪
fermesdemarie.com, Fax 04 50 93 09 84, ≤, 😤, centre de remise en forme, « Ancien
fermes savoyardes reconstituées en hameau », 🗗, 🔟, 🌿 – 📺 ❦ ⟨ ⟨ ⟨ 🅿 – 🔬 100
🔘 🆖, 🌸 rest
hôtel : 15 juin-15 sept. et 15 déc.-15 avril ; rest. : 30 juin-1er sept. et 20 déc.-31 ma
Rôtisserie (dîner seul.) (fermé merc. en hiver) **Repas** 43 – **Restaurant à Fromages** (₪
seul) (fermé lundi en hiver) **Repas** 40, enf. 17 – 🖵 15 – **61 ch** 320/720, 5 appart, 3 dup
½ P 188/418

🏨 **Lodge Park** 🅼, 100 r. Arly 𝒫 04 50 93 05 03, contact@lodgepark.c
Fax 04 50 93 09 52, 🗗, ♨, 🟰 – 📶 📺 ⟨ 🅿 – 🔬 60. 🖅 🔘 🆖 ᴊᴄʙ AY
28 juin-15 sept. et 7 déc.-15 avril – **Repas** (dîner seul.) carte 41 à 68 ♈ – **28 ch** 205/
11 appart – ½ P 311/386

🏨 **Chalet du Mont d'Arbois** 📎 (annexe Chalet de Noémie 🅼📎 ≤ 5 appart.),
chemin de la Rocaille (par rte Edmond de Rothschild) 𝒫 04 50 21 25 03, montarbois@₪
chateaux.fr, Fax 04 50 21 24 79, ≤, 😤, 🗗, 🔟, 🌿, 🟰 – 📶 📺 ❦ 🅿. 🖅 🔘 🆖 BY
14 juin-29 sept. et mi-déc.-31 mars – **Repas** (fermé le midi en semaine et lundi
vacances scolaires) 54/126 – 🖵 23 – **23 ch** 310/833, 6 appart – ½ P 257/493,50

🏨 **Fer à Cheval**, 36 rte Crêt d'Arbois 𝒫 04 50 21 30 39, fer-a-cheval@wanad₪
Fax 04 50 93 07 60, 😤, 🗗, 🔟 – 📶, 🍽 rest, 📺 ❦ ⟨ 🅿 – 🔬 70. 🖅 🆖, 🌸 rest BY
mi-juin-mi-sept. et mi-déc.-mi-avril – **Repas** (fermé lundi et mardi) (dîner seul) carte
64 ♈ – **L'Alpage** (dîner seul.) (20-déc.-30 mars et fermé lundi et mardi) **Re**
carte 31 à 42 ♈ – 🖵 12 – **39 ch** 180/404, 8 appart – ½ P 147/189

🏨 **Mont-Blanc** sans rest, pl. Église 𝒫 04 50 21 20 02, Fax 04 50 21 45 28, 🔟 – 📶 📺 ❦
🔘 🆖
AY
fermé 1er mai au 10 juin – 🖵 15 – **40 ch** 196/566

🏨 **Chalet St-Georges** 🅼, 159 r. Mgr Conseil 𝒫 04 50 93 07 15, chalet-st-georges@₪
doo.fr, Fax 04 50 21 51 18, 😤, 🗗 – 📶 📺 ❦ ⟨ 🅿 – 🔬 25. 🖅 🔘 🆖, 🌸 rest AY
20 juin-20 sept. et 15 déc.-15 avril – **Table du Pêcheur** (dîner seul) (20 juin-20 sep
20 déc.-31 mars) **Repas** carte 30 à 38 ♈, enf. 13,5 – **Table du Trappeur** (20/06-2₪
26/10-15/04 et fermé lundi, mardi et merc. du 26/10 au 15/12) **Re**
carte 30 à 35 ♈, enf. 75 – 🖵 16 – **19 ch** 172/275, 5 appart – ½ P 142/189

🏨 **Au Coin du Feu**, 252 rte Rochebrune 𝒫 04 50 21 04 94, contact@coindufeu.c₪
Fax 04 50 21 20 15, ≤ – 📶 📺. 🖅 🔘 🆖
A2
21 juil.-2 sept. et 18 déc.-4 avril – **Saint Nicolas** 𝒫 04 50 21 41 75 (dîner s₪
(15 déc.-15 avril) **Repas** 32/42,70 ♈, enf. 13,70 – 🖵 8 – **23 ch** 172/255 – ½ P 130/160

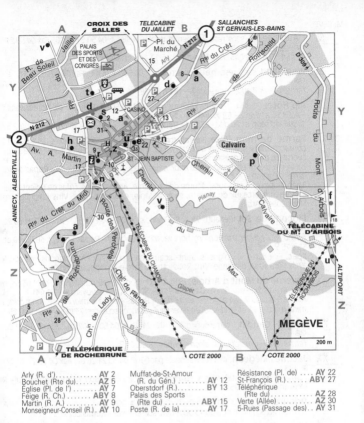

MEGÈVE

🏨 **Grange d'Arly** ⬥, 10 r. Allobroges ℰ 04 50 58 77 88, contact@grange-darly.com, Fax 04 50 93 07 13, ㎡ – 🛗 🆃🆅 🐾 ☕ 🅿 🅰🅴 ⓄⓄ 🅶🅱 🅹🅲🅱 ⚡ AY t
fin juin-fin sept. et mi-déc.-mi-avril – **Repas** *(fin juin-début sept. et mi-déc.-mi-avril)* (dîner seul.) 16/31 – ☲ 8 – **19 ch** 152/250, 3 appart – ½ P 109/156

🏨 **Chaumine** ⬥ sans rest, 36 chemin des Bouleaux par chemin du Maz ℰ 04 50 21 37 05, Fax 04 50 21 37 21, ≤, ㎡ – 🆃🆅 ☕. 🅶🅱. ⚡ BZ v
29 juin-1ᵉʳ sept. et 20 déc.-15 avril – ☲ 6,50 – **11 ch** 69/92

🏨 **Coeur de Megève**, 44 av. Ch. Feige ℰ 04 50 21 25 30, info@hotel-megeve.com, Fax 04 50 91 91 27, ㎡ – 🛗 🆃🆅 🐾. 🅰🅴 🅶🅱 AY u
Repas (15) - 19 (déj.)/26 ☲, enf. 10 – ☲ 11 – **33 ch** 132/254 – ½ P 102/112

🏨 **Au Vieux Moulin** ⬥, 188 r. A. Martin ℰ 04 50 21 22 29, vieuxmoulin@compuserve.com, Fax 04 50 93 07 91, ㎡, ☲, 🐾 – 🛗 🆃🆅 🅿. ☕ 🅰 20. 🅰🅴 🅶🅱. ⚡ AY h
1ᵉʳ juin-30 sept. et 15 déc.-15 avril – **Repas** 26 ☲ – ☲ 8 – **34 ch** 130/216 – ½ P 113/134

🏨 **Prairie** sans rest, r. Ch. Feige ℰ 04 50 21 48 55, contact@hotellaprairie.com, Fax 04 50 21 42 13, ㎡ – 🛗 🆃🆅 ☕ 🅿. 🅶🅱 ⚡ BY d
29 juin-15 sept. et 14 déc.-13 avril – ☲ 7,62 – **32 ch** 104/121

🏨 **Ferme Hôtel Duvillard**, 3048 rte Edmond de Rothschild ℰ 04 50 21 14 62, contact@ ferme-hotel.com, Fax 04 50 21 42 82, ≤, ㎡, ☲, 🐾 – 🆃🆅 🅿. 🅰🅴 ⓄⓄ 🅶🅱 BZ u
1ᵉʳ juil.-20 sept. et 1ᵉʳ déc.-1ᵉʳ mai – **Repas** *(1ᵉʳ juil.-10 sept. et 10 déc.-1ᵉʳ mai)* 21,04 (déj.)/28,36 ☲, enf. 11,43 – ☲ 9,91 – **19 ch** 108,97/190,31 – ½ P 108/132

🏨 **Alpina** sans rest, r. St-Jean ℰ 04 50 21 54 77, ygaiddon@club-internet.fr, Fax 04 50 21 53 79 – 🆃🆅. 🅰🅴 ⓄⓄ 🅶🅱 AY e
fermé juin et 15 sept. au 3 nov. – ☲ 6 – **14 ch** 94/200

🏨 **Gai Soleil**, rte Crêt du Midi ℰ 04 50 21 00 70, info@le-gai-soleil.fr, Fax 04 50 21 57 63, ≤, 🛠, ☲ – 🆃🆅 🅿. 🅰🅴 🅶🅱 AZ f
15 juin-8 sept. et 14 déc.-15 avril – **Repas** 15 (déj.), 18/21 ☲ – ☲ 8 – **21 ch** 84 – ½ P 75

L'Auguille ⌂ sans rest, 71,chemin de l'Auguille 🕿 04 50 21 40 00, Fax 04 50 21
🚗 – 📶 📺 ⟷ 🅿. 🖪 A
1er juin-30 sept. et 15 déc.-30 avril – ☎ 6,10 – **11 ch** 64,03

Week-End sans rest, rte Rochebrune 🕿 04 50 21 26 49, Fax 04 50 21 26 51, ≤
🖪 A
fermé mai et 4 au 25 nov. – ☎ 7 – **16 ch** 69/98

Alp'Hôtel, 434 rte Rochebrune 🕿 04 50 21 07 58, alp.hotel@wanad
Fax 04 50 21 13 82 – 📺 🅿. 🖪. 🛌 ch A
1er juil.-15 sept. et 20 déc.-15 avril – **Repas** 17,50/19 – ☎ 6,25 – **20 ch** 50/79 – ½ P 57

Ferme de mon Père (Veyrat) (chambres prévues), 367 rte Crêt 🕿 04 50 21
contact@marcveyrat.fr, Fax 04 50 21 43 43, « Reconstitution d'une vieille ferme savo
évocation de la vie paysanne d'antan » – 🅿. 🖭 ⓪ 🖪 B
mi-déc.-mi-avril et fermé mardi midi, merc. midi, jeudi midi et lundi – **Repas** 145/2
carte 190 à 240
Spéc. Potimaron en soupe, écume de lard fumé. Anchois rôtis, frites de polenta, gel
parmesan. Morceaux de canette, sève de sapin, calament épicé. **Vins** Chignin-Berg
Mondeuse d'Arbin.

Flocons de Sel (Renaut), 75 r. St-François 🕿 04 50 21 49 99, Fax 04 50 21 68 22
🖪 A
fermé juin, nov., mardi et merc. hors vacances scolaires – **Repas** 23 (déj.), 38,50/60 et
55 à 75 ☙, enf. 14
Spéc. Fine tarte aux oignons. Saint-Jacques en croûte aux champignons des bois (
avril). Féra au sel d'orange. **Vins** Roussette de Savoie, Mondeuse d'Arbin.

Taverne du Mont d'Arbois, 2811 rte Edmond de Rothschild 🕿 04 50 21 03 53, n
rbois@relaischateaux.fr, Fax 04 50 58 93 02, 🍽, « Chalet savoyard » – 🖭 🖪 B
fermé 5 mai au 7 juin et 4 nov. au 13 déc. – **Repas** (fermé le midi en été, lundi midi,
midi, merc. midi et jeudi midi en hiver sauf vacances scolaires) 23 (déj.)/41 ☙, enf. 23

Michel Gaudin, carrefour d'Arly (N 212) 🕿 04 50 21 02 18, Fax 04 50 21 02
🖪 A
fermé lundi et mardi hors saison – **Repas** 18,50/61 ☙

Jacques Mégean, 489 rte Nationale par ① 🕿 04 50 21 26 82, Fax 04 50 21 26 82,
🅿. 🖪
fermé 23 juin au 10 juil., 12 nov. au 4 déc., dim. soir hors saison, mardi midi et lundi – **R**
(prévenir) (23) - 43/125

Prieuré, pl. Église 🕿 04 50 21 01 79, 🍽 – 🖭 ⓪ 🖪 A
fermé 2 au 30 juin, 6 nov. au 19 déc., dim. soir et lundi – **Repas** 20/32 ☙

Vieux Megève, 58 pl. Résistance 🕿 04 50 21 16 44, vieux-megeve@py-internet
Fax 04 50 93 06 69 – 🖪 B
10 juil.-10 sept. et 15 déc.-10 avril – **Repas** carte 26 à 46 ☙, enf. 12,04

au sommet du Mont d'Arbois *par télécabine du Mt d'Arbois ou télécabine de la Prince*
⊠ 74170 St-Gervais :

Igloo ⌂, 🕿 04 50 93 05 84, igloo2@wanadoo.fr, Fax 04 50 21 02 74, 🌣 chaîne du
Blanc, 🍽, 🌊 – 📺 ⟲ – 🚡 25. 🖭 🖪 🖪
20 juin-10 sept. et 18 déc.-20 avril – **Repas** 31/43 ☙ – **12 ch** (½ pens. seul.) – ½ P 110/

Idéal, 🕿 04 50 21 31 26, Fax 04 50 93 02 63, 🌣 de la chaîne des Aravis au Mont-Blan
– 🖭 🖪
15 déc.-15 avril – **Repas** (déj. seul.) 30

à la Côte 2000 *Sud-Est : 8 km par rte Edmond de Rothschild - BZ – alt. 1450 –* ⊠ 74120 Mege

Côte 2000, 🕿 04 50 21 31 84, Fax 04 50 93 02 63, ≤, 🍽, « Authentique c
savoyard » – 🖪
29 juin-1er sept. et 14 déc.-1er mai – **Repas** 24,50/27,50 ☙

à Leutaz *Sud-Ouest : 4 km par rte du Bouchet AZ –* ⊠ 74120 Megève :

La Sauvageonne-Chez Nano, 🕿 04 50 91 90 81, Fax 04 50 58 75 44, ≤,
« Ancienne ferme aménagée » – 🖪
28 juin-16 sept. et 15 déc.-16 avril – **Repas** 26 (déj.) et carte 50 à 65

Refuge, 🕿 04 50 21 23 04, ≤, 🍽 – 🅿
juin-oct. et fermé dim. soir au merc. soir sauf juil.-août – **Repas** (16,77) - 21,19 (déj. seul
enf. 12,21

HUN-SUR-YÈVRE 18500 Cher 🖽 ⑳ G. Berry Limousin – 7 212 h alt. 130.

Voir Spectacle★ du Pôle de la porcelaine.

🖪 Office du tourisme Place du 14 Juillet ℰ 02 48 57 35 51, Fax 02 48 57 13 40.

Paris 223 – Bourges 18 – Cosne-sur-Loire 71 – Gien 77 – Issoudun 32 – Vierzon 16.

XX **Les Abiès**, rte Vierzon ℰ 02 48 57 39 31, Fax 02 48 57 00 70, 😤 , 😭 – 🖭 📧 ☺
fermé 29 juil. au 6 août, 28 oct. au 5 nov., 17 fév. au 12 mars, le soir (sauf vend. et sam.) et lundi – **Repas** 16,45/35

ILLARD 03500 Allier 🖽 ⑭ – 280 h alt. 340.

Paris 323 – Moulins 27 – Clermont-Fd 86 – Mâcon 149 – Montluçon 65 – Nevers 82.

X **Auberge Gourmande**, ℰ 04 70 42 06 09, 😤 – ☺
fermé vacances de Toussaint, de fév., mardi et merc. – **Repas** 19,82/36,59, enf. 7,63

ILLONNAS 01370 Ain 🖽 ③ – 1 204 h alt. 271.

Paris 435 – Mâcon 47 – Clermont-Ferrand 226 – Dijon 159 – Genève 00 – Lyon 89.

X **Auberge Au Vieux Meillonnas**, ℰ 04 74 51 34 46, Fax 04 74 51 34 46, 😤 , 😭 – 🖭 ☺
fermé vacances de Toussaint, mardi soir et merc. – **Repas** 15/33, enf. 7,65

ISENTHAL 57960 Moselle 🖽 ⑰ – 766 h alt. 380.

Paris 428 – Strasbourg 63 – Haguenau 44 – Sarreguemines 38 – Saverne 39.

🏠 **Auberge des Mésanges** ⏍, ℰ 03 87 96 92 28, hotel-restaurant.auberge-mesanges@wanadoo.fr, Fax 03 87 96 99 14, 😤 – 📺 🖭 – 🔬 15. ☺
fermé 23 au 27 déc. et 20 fév. au 11 mars – **Repas** (fermé dim. soir et lundi) 9 (déj.), 12,50/19,90 ⏚, enf. 6,10 – ☷ 6 – **20 ch** 38,50/45 – ½ P 43

JANNES-LÈS-ALÈS 30 Gard 🖽 ⑱ – rattaché à Alès.

LISEY 70270 H.-Saône 🖽 ⑦ G. Jura – 1 794 h alt. 330.

🖪 Office du tourisme Place de la Gare ℰ 03 84 63 22 80, Fax 03 84 63 97 19, office.tourisme.melisey@wanadoo.fr.

Paris 398 – Épinal 63 – Belfort 34 – Besançon 91 – Lure 13 – Luxeuil-les-Bains 22.

X **Bergeraine**, ℰ 03 84 20 82 52, Fax 03 84 20 04 47, 😤 – 🖭 📧 ⓪ ☺ 🎴
fermé 28 juin au 12 juil., 15 au 28 fév., dim. soir, mardi soir et merc. sauf fériés et juil.-août – **Repas** 9,91 (déj.), 13,42/48,70 ⏚, enf. 8,38

LLE 79500 Deux-Sèvres 🖽 ② – 3 851 h alt. 138.

🖪 Office du tourisme 3 rue Émilien Traver ℰ 05 49 29 15 10, Fax 05 49 29 19 83, tourisme.pays.mellois@wanadoo.fr.

Paris 396 – Poitiers 61 – Niort 29 – St-Jean-d'Angély 45.

🏠 **L'Argentière**, à St-Martin, sur rte Niort : 2 km ℰ 05 49 29 13 74, Fax 05 49 29 06 63, 😤 , 😭 – cuisinette 📺 😭 ఊ 🖭 ☺
fermé dim. soir – **Repas** 18,30/22,90 ⏚, enf. 10 – ☷ 6 – **18 ch** 35/40 – ½ P 37

XX **Les Glycines** avec ch, 5 pl. R. Groussard ℰ 05 49 27 01 11, eric.caillon@wanadoo.fr, Fax 05 49 27 93 45 – 📺 📧 ☺
fermé 25 nov. au 1ᵉʳ déc., 20 au 26 janv., lundi (sauf hôtel) et dim. soir sauf juil.-août – **Repas** 13/32 ⏚, enf. 9 – ☷ 6,90 – **7 ch** 35/47,50 – ½ P 36,50/39,50

LLES 31440 H.-Gar. 🖽 ① – 104 h alt. 726.

Paris 835 – Bagnères-de-Luchon 31 – St-Gaudens 43 – Tarbes 94 – Toulouse 137.

X **Auberge du Crabère** ⏍ avec ch, ℰ 05 61 79 21 99, patrick.beauchet@wanadoo.fr, Fax 05 61 79 04 71, 😤 – ☺
fermé 20 nov. au 10 déc., mardi soir et merc. sauf juil.-août – **Repas** (prévenir) 10,67 bc/25,92 – ☷ 5,34 – **6 ch** 27,44/35,06 – ½ P 28,97

In this Guide,

a symbol or a character,
printed in **black** or another colour, in light or **bold** type,
does not have the same meaning.

Please read the explanatory pages carefully.

MELUN

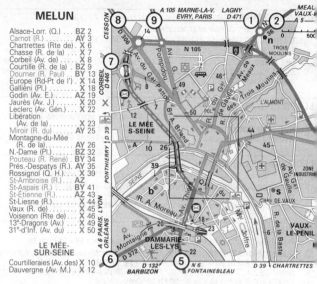

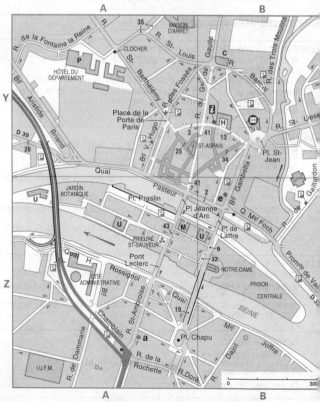

LUN 🄿 *77000 S.-et-M.* 🄕🄓 ②, 🄝🄞🄥 ㊺ *G. Ile de France – 35 695 h Agglo. 107 705 h alt. 43.*
Voir *Portail★ de l'église St-Aspais.*
Env. *Vaux-le-Vicomte : château★★ et jardins★★★ 6 km par* ②.
🄗 *Syndicat d'initiative 𝒫 01 64 10 03 25, Fax 01 64 10 03 25.*
Paris 48 ⑧ – *Fontainebleau 18* ⑤ – *Orléans 104* ⑥ – *Troyes 128* ③.

Plan page ci-contre

🏨 **Bleu Marine,** *par* ⑤ *: 2,5 km rte Fontainebleau 𝒫 01 64 39 04 40, bleumarine.melun@wanadoo.fr, Fax 01 64 39 94 10,* 🏤, 🛏, 🏊, 🎾, 🛝 – 📶 ↭ 📺 🄿 – 🏧 150. 🄰🄴 ⓪ 🄶🄱
Repas *(19)* - 24 ♀, enf. 8 – ☲ 10 – **49 ch** 70/93

🏨 **Kyriad** 🄼, *par* ① *: 2 km, Z.A. St-Nicolas 𝒫 01 64 52 41 41, kyriadmelun@wanadoo.fr, Fax 01 64 52 26 00,* 🏤 – 📶 ↭ 🖥 🄲 🛝 🄿 – 🏧 60. 🄰🄴 🄶🄱   X n
Repas *(fermé sam. et dim.)* *(10,50)* - 13,50/16,50 ♂, enf. 7 – ☲ 6 – **54 ch** 53/60

XX **Melunoise,** 5 r. Gâtinais 𝒫 01 64 39 68 27 – ⓪ 🄶🄱   X b
fermé août, dim. soir, lundi soir, mardi soir, merc. soir et sam. midi – **Repas** 23/38, enf. 12

XX **Mariette,** 31 r. St-Ambroise 𝒫 01 64 37 06 06, Fax 01 64 37 00 47 – 🖥. 🄶🄱   AZ a
fermé 1ᵉʳ au 29 août, 23 déc. au 1ᵉʳ janv., lundi soir, merc. soir, dim. et fériés – **Repas** *(15)* - 23/31

XX **Marotte,** 9 bd Gambetta 𝒫 01 64 52 79 79, Fax 01 64 52 63 37, « Ancien caveau médiéval » – 🄶🄱   BZ e
fermé dim. et lundi – **Repas** *(12)* - 22 ♀, enf. 9 - **Fablier** 𝒫 01 64 52 78 78 *(fermé dim. et lundi)* **Repas** 34,30, enf. 10

isenoy *par* ② *: 10 km – 604 h. alt. 89 –* ☒ *77390 :*

XX **Auberge de Crisenoy,** r. Grande 𝒫 01 64 38 83 06, Fax 01 64 38 83 06, 🏤 – 🄰🄴 🄶🄱
fermé 5 au 26 août, vacances de fév., dim. soir, merc. soir et lundi – **Repas** 19,06 (déj.), 26,37/42,69 et carte 39 à 52

ux-le-Pénil *Sud-Est : 3 km – 10 688 h. alt. 60 –* ☒ *77000 :*

XX **Table St-Just,** r. Libération (près Château) 𝒫 01 64 52 09 09, Fax 01 64 52 09 09 – 🄿. 🄰🄴 🄶🄱   X s
fermé 1ᵉʳ au 9 mai, août, 22 déc. au 5 janv., sam. midi, lundi soir et dim. – **Repas** 23/50 et carte 48 à 57, enf. 15

Plessis-Picard *par* ⑧ *: 8 km –* ☒ *77550 :*

XX **Mare au Diable,** 𝒫 01 64 10 20 90, mareaudiable@wanadoo.fr, Fax 01 64 10 20 91, 🏤, 🛒, 🎾 – 🄿. 🄰🄴 ⓪ 🄶🄱
fermé 1ᵉʳ au 14 août, mardi soir, dim. soir et lundi – **Repas** *(20)* - 25/54

ouilly-le-Fort *par* ⑨ *: 6 km –* ☒ *77240 :*

XX **Pouilly,** r. Fontaine 𝒫 01 64 09 56 64, Fax 01 64 09 56 64, 🏤, « Ancienne ferme briarde », 🛒 – 🄿. 🄰🄴 ⓪ 🄶🄱
fermé 15 août au 5 sept., 22 au 27 déc., merc. soir, dim. soir et lundi – **Repas** 28,50/53 et carte 60 à 72

Dans ce guide
un même symbole, un même caractère,
imprimé en couleur ou en **noir**, *en maigre ou en* **gras**,
n'ont pas tout à fait la même signification.
Lisez attentivement les pages explicatives.

NDE 🄿 *48000 Lozère* 🄑🄞 ⑤ ⑥ *G. Languedoc Roussillon – 11 804 h alt. 731.*
Voir *Cathédrale★ – Pont N.-Dame★.*
🄗 *Office du tourisme Place Général de Gaulle 𝒫 04 66 49 40 24, Fax 04 66 49 40 23, mende.officedetourism@free.fr.*
Paris 590 ① – *Alès 105* ③ – *Aurillac 153* ① – *Gap 307* ② – *Issoire 140* ① – *Millau 95* ③.

Plan page suivante

🏨 **Lion d'Or,** 12 bd Britexte par ② 𝒫 04 66 49 16 46, liondor.mende@wanadoo.fr, Fax 04 66 49 23 31, 🏤, 🛏, 🌳 – 📶 📺 🄲 🛝 🄿 – 🏧 40. 🄰🄴 ⓪ 🄶🄱 🄹🄲🄑
fermé 2 janv. au 15 fév., sam. midi et dim. hors saison – **Repas** 18,35/29 ♀, enf. 11,45 – ☲ 7,32 – **39 ch** 44,90/75 – ½ P 51,67/63,17

🏨 **Urbain V** sans rest, 9 bd Th. Roussel (s) 𝒫 04 66 49 14 49, urbain-5@urbain-5.com, Fax 04 66 49 20 42 – 🛝 📺 🛒 🄿 – 🏧 30. 🄶🄱, 🎾
fermé dim. hors saison – ☲ 8 – **60 ch** 38/50

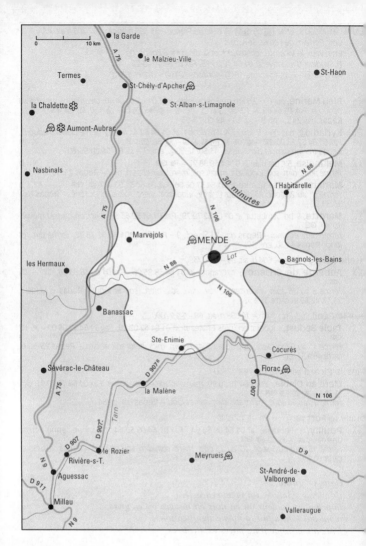

🏨 **Pont Roupt,** av. 11-Novembre par ③ ℘ 04 66 65 01 43, *hotel-pont-roupt@wanado*
Fax 04 66 65 22 96, 🛵, 🗙 – 🛗 📺 📞 🅿, 🆎 ⓪ 🇬🇧 🇯🇨🇧
fermé fév., sam. et dim. hors saison – **Repas** 21/45 bc 🍷, enf. 12 – 🍴 8 – **26 ch** 45/
½ P 59/67

🏨 **France,** 9 bd L. Arnault **(v)** ℘ 04 66 65 00 04, Fax 04 66 49 30 47, 🍴 – 📺 📞 🚗, 🇬🇪
fermé 31 déc. au 31 janv. – **Repas** *(fermé sam. midi, dim. soir et lundi)* 18,29/23 🍷 – 🍴
– **27 ch** 40/61 – ½ P 45

✕ **Mazel,** 25 r. Collège **(a)** ℘ 04 66 65 05 33, Fax 04 66 65 05 33 – 🇬🇧
🍴 *fermé 13 au 27 nov., 19 fév. au 12 mars, lundi soir et mardi –* **Repas** 12,60/24 🍷

à Chabrits *Nord-Ouest par* ③ *et D 42 : 5 km –* ⊠ *48000 Mende :*

✕✕ **Safranière,** ℘ 04 66 49 31 54, « Cadre moderne » – ⓪ 🇬🇧
🍴 *fermé 16 au 23 sept., 1ᵉʳ au 25 mars, dim. soir et lundi –* **Repas** *(prévenir)* 17 (déj.), 23/
enf. 11

MENDE

un bon usage
blans de villes,
les signes
entionnels
l'introduction.

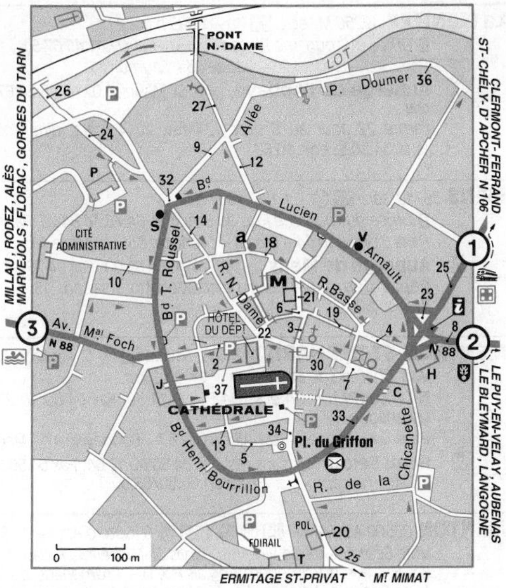

Les pages explicatives de l'introduction
*vous aideront à mieux profiter de votre **Guide Rouge Michelin***

ERBES *84560 Vaucluse* 81 ⑬ *G. Provence – 995 h alt. 224.*
   Voir ≤★ *de la terrasse de l'église.*
   Paris 719 – Avignon 40 – Aix-en-Provence 59 – Apt 24 – Carpentras 35 – Cavaillon 17.
   Hostellerie Le Roy Soleil 🏠, Nord : 2 km par D 103 ℘ 04 90 72 25 61,
   Fax 04 90 72 36 55, ≤, 🍽, 🏊, 🌳 – 📺 🄿 🆀 🖸 , 🛇 rest
   15 mars-30 nov. – **Repas** 37 (déj.), 54/72,50 ♀ – 🖵 14,50 – **19 ch** 135/243 – ½ P 135/197

ESQUEVILLE *27850 Eure* 55 ⑦ *G. Normandie Vallée de la Seine – 349 h alt. 65.*
   Paris 101 – Rouen 29 – Les Andelys 15 – Évreux 53 – Gournay-en-Bray 33 – Lyons-la-Forêt 8.
   Relais de la Lieure 🏠, ℘ 02 32 49 06 21, Fax 02 32 49 53 87, 🍽, 🌳 – 📺 🕹 🄿 🟠
   🖸
   fermé 20 déc. au 10 janv., dim. soir et lundi du 10 oct. au 30 avril – **Repas** 14/43 ♀, enf. 10 –
   🖵 7 – **16 ch** 47/56,50 – ½ P 48/55

ESTEROL *24 Dordogne* 75 ③ ⑬ – *rattaché à Montpon-Ménesterol.*

ESTREAU-EN-VILETTE *45240 Loiret* 64 ⑨ – *1 384 h alt. 122.*
   Paris 161 – Orléans 31 – La Ferté-St-Aubin 8 – Salbris 34 – Sully-sur-Loire 38.
   Relais de Sologne, ℘ 02 38 76 97 40, Fax 02 38 49 60 43 – 🄰🄴 🖸
   fermé Noël au Jour de l'An, 13 au 26 janv., dim. soir, mardi soir et merc. – **Repas** 15 (déj.),
   27/45, enf. 10

ETOU-SALON *18510 Cher* 65 ⑪ *G. Berry Limousin – 1 661 h alt. 256.*
   🅱 *Syndicat d'initiative 23 rue de la Mairie* ℘ 02 48 64 87 57, Fax 02 48 64 87 57.
   Paris 214 – Bourges 21 – Orléans 109 – Cosne-sur-Loire 47 – Gien 61 – Vierzon 37.
   Pré des Sèves, rte de Bourges : 2 km ℘ 02 48 64 82 98, Fax 02 48 64 18 78, 🍽, 🌳 – 🄿.
   🖸
   fermé 9 au 24 oct., 2 au 16 janv., lundi soir et mardi – **Repas** (12) - 14,50/30,50 ♀, enf. 7,60

ÉNIL *88 Vosges* 66 ⑧ – *rattaché au Thillot.*

La MÉNITRÉ 49250 M.-et-L. **64** ⑪ – 1 899 h alt. 21.

☑ Office du tourisme Place Léon Faye ℰ 02 41 45 67 51.

Paris 301 – Angers 26 – Baugé 23 – Saumur 26.

XX **Auberge de l'Abbaye,** port St-Maur ℰ 02 41 45 64 67, Fax 02 41 45 64 67 – **P.**
GB

fermé 22 août au 5 sept., 24 fév. au 4 mars, dim. soir, mardi soir et lundi – R
16,16/34,30 ℤ, enf. 10,68

MENS 38710 Isère **77** ⑮ – 1 175 h alt. 780.

☑ Office du tourisme Rue du Breuil ℰ 04 76 34 84 25, Fax 04 76 34 69 01.

Paris 619 – Gap 64 – Die 63 – Grenoble 55 – La Mure 16.

🏠 **Auberge de Mens** ⑤, ℰ 04 76 34 81 00, Fax 04 76 34 80 90, 斎 – **TV** ✆ 失. **AE** GB
Repas (fermé fév.) (sur réservation hors saison) 15 ℤ, enf. 7 – ☑ 5,50 – **10 ch**
½ P 39,50

MENTHON-ST-BERNARD 74290 H.-Savoie **74** ⑥ G. Alpes du Nord – 1 659 h alt. 482.

Voir Château de Menthon★ : ≼★ E : 2 km.

☑ Office du tourisme ℰ 04 50 60 14 30, Fax 04 50 60 22 19, menthonstbernardto
@wanadoo.fr.

Paris 548 – Annecy 10 – Albertville 37 – Bonneville 47 – Megève 53 – Talloires 4 – Thôn

🏠 **Beau Séjour** ⑤ sans rest, ℰ 04 50 60 12 04, Fax 04 50 60 05 56, 斎 – **P.**
15 avril-fin sept. – ☑ 7 – **18 ch** 65,55/68,60

MENTON 06500 Alpes-Mar. **84** ⑩ ⑳, **115** ㉘ G. Côte d'Azur – 28 812 h – Casino du Soleil AZ.

Voir Site★★ – Vieille ville★★ : Parvis St-Michel★★, Façade★ de la Chapelle de la Conce
BY **B** – ≼★ du cimetière Anglais BX **D** – Promenade du Soleil★★, ≼★ de la jetée Im
trice-Eugénie – Jardin de Menton★ : le Val Rameh★ BV **E** – Salle des mariage.
l'hôtel de Ville BY **H** – Musée des Beaux-Arts★ (palais Carnolès) AX **M¹**.

Env. Jardin Hanbury★★ à Vintimille, O : 2 km.

☑ Office du tourisme Palais de l'Europe ℰ 04 92 41 76 76, Fax 04 92 41 7
ot@villedementon.com.

Paris 963 ③ – Monaco 11 ③ – Cannes 62 ① – Cuneo 102 ① – Nice 30 ①.

Plan page ci-contre

🏛 **Ambassadeurs** 🅼, 3 rue Partouneaux ℰ 04 93 28 75 75, ambassadeurs-menton@
doo.fr, Fax 04 93 35 62 32, « Élégante installation » – ⧈ ⧈ ≡ **TV** ✆ 失 – 🏊 70. **AE** ⦿
JCB, ✺

Café Fiori (fermé 10 nov. au 17 déc., sam. midi, lundi midi et dim.) **Repas** 29,75/41 ℤ –
– **47 ch** 122/274

🏛 **Riva** 🅼 sans rest, 600 prom. du Soleil ℰ 04 92 10 92 10, hotelrivamenton@hotelriva
on.com, Fax 04 93 28 87 87, ≼ – ⧈ ⧈ ≡ **TV** 失. **AE** ⦿ GB, ✺
☑ 9,19 – **42 ch** 106,71

🏛 **Princess et Richmond** sans rest, 617 prom. du Soleil ℰ 04 93 35 80 20, princess
@wanadoo.fr, Fax 04 93 57 40 20, ≼, 🗗 – ⧈ ≡ **TV** ✆ **P. AE** ⦿ GB **JCB**
fermé 4 nov. au 18 déc. – ☑ 9 – **46 ch** 85/110

🏛 **Aiglon,** 7 av. Madone ℰ 04 93 57 55 55, aiglon.hotel@wanadoo.fr, Fax 04 93 35 92 3.
🏊, 斎 – ⧈, ≡ ch, **TV** ✆ **P. AE** ⦿ GB **JCB**
fermé 3 nov. au 15 déc. **Riaumont :** **Repas** (17)-29 ℤ, enf. 13 – ☑ 8,50 – **29 ch** 92/
½ P 94/103

🏠 **Prince de Galles,** 4 av. Gén. de Gaulle ℰ 04 93 28 21 21, hotelprincedegalles@n
com, Fax 04 93 35 92 91, ≼, 斎, 🗗 – ⧈ **TV** ✆ **P** – 🏊 25. **AE** ⦿ GB **JCB**, ✺ ch
Petit Prince ℰ 04 93 41 66 05 (fermé fin nov. à mi-déc.) **Repas** 16,80/25,⟋, enf.
☑ 7,50 – **65 ch** 77/98 – ½ P 62,80/73,30

🏠 **Chambord** sans rest, 6 av. Boyer ℰ 04 93 35 94 19, hotel-chambord@wanad
Fax 04 93 41 30 55 – ⧈ ≡ **TV** ✆ ⟋. **AE** ⦿ GB **JCB**
fermé début déc. à début janv. – ☑ 6 – **40 ch** 78/95

🏠 **Méditerranée,** 5 r. République ℰ 04 92 41 81 81, info@hotel-med-mentor.
Fax 04 92 41 81 82 – ⧈ ≡ **TV** ✆ 失. ⟋. **AE** ⦿ GB **JCB**, ✺ rest
fermé 7 nov. au 5 déc. – **Repas** (14)-20 ⟋, enf. 8 – ☑ 9 – **90 ch** 72/90 – ½ P 59/62

🏠 **Dauphin,** 28 av. Gén. de Gaulle ℰ 04 93 35 76 37, Fax 04 93 35 31 74, ≼, 斎 – ⧈,
TV ✆. **AE** ⦿ GB, ✺ rest
fermé 12 nov. au 21 déc. – **Repas** snack (11) - 13 ℤ, enf. 10 – ☑ 6 – **28 ch** 58
½ P 49/58,50

🏠 **Kyriad** 🅼, 57 av. Sospel ℰ 04 93 28 28 38, Fax 04 92 10 00 92 – ⧈ ≡ **TV** 失 **P. AE** ⦿
✺
Repas (fermé 6 au 31 janv. et dim.) (dîner seul.) 11/17 – ☑ 8,50 – **40 ch** 60/78 – ½ P

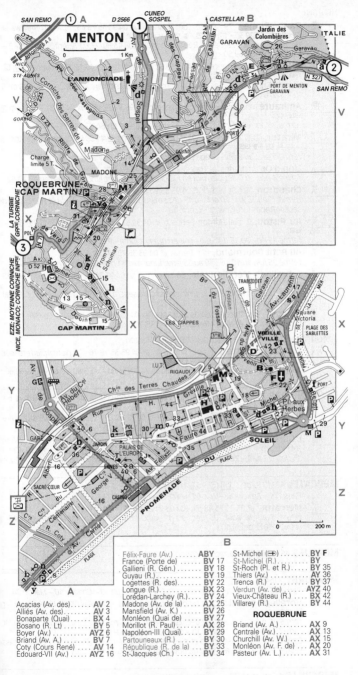

MENTON

Acacias (Av. des)...... **AV** 2	
Alliés (Av. des)........ **AV** 3	
Bonaparte (Quai).... **BX** 4	
Bosano (R. Lt)........ **BY** 5	
Boyer (Av.)........... **AYZ** 6	
Briand (Av. A.)........ **BV** 7	
Coty (Cours René)..... **AV** 14	
Edouard-VII (Av.)..... **AYZ** 16	

Félix-Faure (Av.)...... **ABY**	St-Michel (🚇)........ **BY** F
France (Porte de)..... **BV** 17	St-Michel (R.)........ **BY**
Gallieni (R. Gén.)..... **BY** 18	St-Roch (Pl. et R.)..... **BY** 35
Guyau (R.)........... **BY** 19	Thiers (Av.).......... **AY** 36
Logettes (R. des)..... **BY** 22	Trenca (R.).......... **BY** 37
Longue (R.).......... **BX** 23	Verdun (Av. de)...... **AYZ** 40
Lorédan-Larchey (R.)... **BY** 24	Vieux-Château (R.).... **BX** 42
Madone (Av. de la).... **AX** 25	Villarey (R.)......... **BY** 44
Mansfield (Av. K.)..... **BV** 26	
Monléon (Quai de).... **BY** 27	**ROQUEBRUNE**
Morillot (R. Paul).... **AX** 28	
Napoléon-III (Quai)... **BY** 29	Briand (Av. A.)....... **AX** 9
Partouneaux (R.)..... **BY** 30	Centrale (Av.)........ **AX** 13
République (R. de la)... **BY** 33	Churchill (Av. W.).... **AX** 15
St-Jacques (Ch.)...... **BV** 34	Monléon (Av. F. de)... **AX** 20
	Pasteur (Av. L.)...... **AX** 31

Les plans de villes sont orientés le Nord en haut.

793

🏛 **Paris Rome,** 79 Porte de France ℰ 04 93 35 73 45, paris-rome@wana
🕾 Fax 04 93 35 29 30 – 📺 📞 ⅍ ① 🅖🅑 ⅂ᴄ🅑, ⅍ ch
fermé 1ᵉʳ nov. au 28 déc. – **Repas** (fermé lundi) 13,80/27,50 ⅍, enf. 8,40 – ⚏ 9 –
61/78 – ½ P 62/69,50

🏛 **Orly,** 27 Porte de France ℰ 04 93 35 60 81, Fax 04 93 35 49 13, 🕿 – 🍽 rest, 📺 🅿.
🅖🅑
fermé 15 nov. au 27 déc. – **Repas** (fermé jeudi soir et merc.) 18/28 🏆 – ⚏ 6 – **29 ch** 5
½ P 52/70

🏛 **Amirauté** sans rest, 3 Porte de France ℰ 04 93 35 59 41, Fax 04 93 57 74 44 – ⅏ 📺
🅖🅑, ⅍
fermé 26 oct. au 16 nov. et 8 au 22 janv. – ⚏ 6 – **18 ch** 64/92

ХХХ **Mirazur,** 30 av. A. Briand ℰ 04 92 41 86 86, Fax 04 92 41 86 87, ≼ mer et Menton, 🕿
– 🍽 🅿. 🆀🅔 ① 🅖🅑
fermé 5 janv. au 6 fév. – **Repas** (prévenir) (22) - 28 (déj.)/37 et carte 53 à 115 🏆

Х **Lion d'Or,** 7 r. Marins (pl. Halles) ℰ 04 93 35 74 67, 🕿 – 🅖🅑
fermé 4 nov. au 6 déc., le midi en juil.-août, dim. soir et lundi – **Repas** carte 37 à 52

Х **Chaudron,** 28 r. St Michel ℰ 04 93 35 90 25, Fax 04 93 41 55 48, 🕿 – 🍽. 🅖🅑
fermé 1ᵉʳ au 15 juil., 20 oct. au 1ᵉʳ déc., mardi sauf le midi d'oct. à juin et merc. sauf d
sept. – **Repas** (prévenir) 21 🏆, enf. 10

Х **Au Pistou,** 9 quai Gordon Bennett ℰ 04 93 57 45 89, Fax 04 93 57 45 89, 🕿 –
🕾 🅖🅑
fermé 15 nov. au 15 déc.,dim. soir en hiver et lundi – **Repas** 13,42 ⅍

Х **Au Petit Gourmand,** 11 r. Trenca ℰ 04 93 35 79 27, 🕿 – 🆀🅔 🅖🅑
fermé 25 juin au 10 juil., 10 au 25 janv., lundi midi et merc. – **Repas** (12,96) - 23/30 🏆

Х **A Braijade Méridiounale,** 66 r. Longue ℰ 04 93 35 65 65, Fax 06 61 61 65 65
⅂ᴄ🅑
fermé 11 au 24 nov., 6 au 12 janv. et merc. de sept. à juin – **Repas** (dîner seul. en juil.
22 bc (déj.), 26 bc/41 ⅍, enf. 12

Х **Boudoir,** 9 av. Thiers ℰ 04 93 28 28 09, Fax 04 93 28 28 09, 🕿 – 🍽. 🆀🅔 🅖🅑
fermé jeudi soir et dim. – **Repas** (13,70) - 18,30/24,40 ⅍

à Monti Nord : 5 km par rte de Sospel – ⊠ 06500 Menton :

ХХ **Pierrot-Pierrette** avec ch, ℰ 04 93 35 79 76, pierrotpierrette@ac
Fax 04 93 35 79 76, ≼, ⅃, 🌿 – 🅖🅑
fermé 1ᵉʳ déc. au 15 janv. et lundi – **Repas** 24,40/33,60 – ⚏ 5,80 – **7 ch** 64,10/68,60

Les MENURES 73 Savoie 🗺 ⑦ ⑧ G. Alpes du Nord – Sports d'hiver : 1 400/3 200 m ⟍ 6 ⟍
– ⊠ 73440 St-Martin-de-Belleville.
🛈 Office de tourisme ℰ 04 79 00 73 00, Fax 04 79 00 75 06, lesmenuires@lesmenuire
Paris 664 – Albertville 52 – Chambéry 101 – Moûtiers 27.

🏨 **L'Ours Blanc** Ⓜ ⋟, à Reberty 2000, Sud-Est : 1,5 km ℰ 04 79 00 61 66, info@hote
-blanc.com, Fax 04 79 00 63 67, ≼ montagnes, 🕿, ⅙– ⅏ 📺 ⅌ 🅿. – 🛆 50. 🆀🅔 🅖🅑
1ᵉʳ déc.-23 avril – **Repas** 17 (déj.), 29/48 🏆, enf. 13,50 – ⚏ 11 – **49 ch** 115/116 – ½ P

MERCATEL 62210 P.-de-C. 🗹 ② – 572 h alt. 88.
Paris 171 – Amiens 66 – Lille 61 – Arras 8 – Cambrai 41.

Х **Mercator,** ℰ 03 21 73 48 33, Fax 03 21 22 09 39 – 🅖🅑
fermé 3 au 18 août, 25 déc. au 1ᵉʳ janv., le soir en semaine et sam. midi –
16,80/27,50 🏆, enf. 9,10

MERCUÈS 46 Lot 🗹 ⑧ – rattaché à Cahors.

MERCUREY 71640 S.-et-L. 🗹 ⑨ – 1 269 h alt. 269.
Paris 345 – Beaune 26 – Chalon-sur-Saône 13 – Autun 39 – Chagny 10 – Mâcon 74.

🏨 **Hôtellerie du Val d'Or,** Grande-Rue ℰ 03 85 45 13 70, Fax 03 85 45 18 45, 🌿 – 🅿
❀ 🅿. 🅖🅑, ⅍ ch
fermé 16 mars au 7 avril, 22 déc. au 17 janv., mardi midi et lundi – **Repas** 23 (déj.), 4C
carte 40 à 64 🏆, enf. 13 – ⚏ 10 – **12 ch** 75/110 – ½ P 85
Spéc. Millechou d'escargots et pied de porc au vin rouge. Pigeon rôti entier, ''cass
sauge. Soufflé glacé au marc de Bourgogne. **Vins** Rully, Mercurey.

MÉRÉVILLE 54 M.-et-M. 🗹 ⑤ – rattaché à Nancy.

IBEL 73550 Savoie **74** ⑱
G. Alpes du Nord – Sports
d'hiver : 1 450/2 950 m ⚡ 16
⚡ 37 ⚡.

Voir ⚡*** la Saulire, ⚡**
Mont du Vallon, ⚡** Roc
des Trois marches, ⚡**
Tougnète.

Altiport ⚡ 04 79 08 61 33,
NE.

⚑ Syndicat d'initiative ⚡ 04
79 08 60 01, Fax 04 79 00 59
61, info@meribel.net.

Paris 654 ① – Albertville 43 ①
– Annecy 88 ① – Chambé-
ry 92 ① – Moûtiers 17 ①.

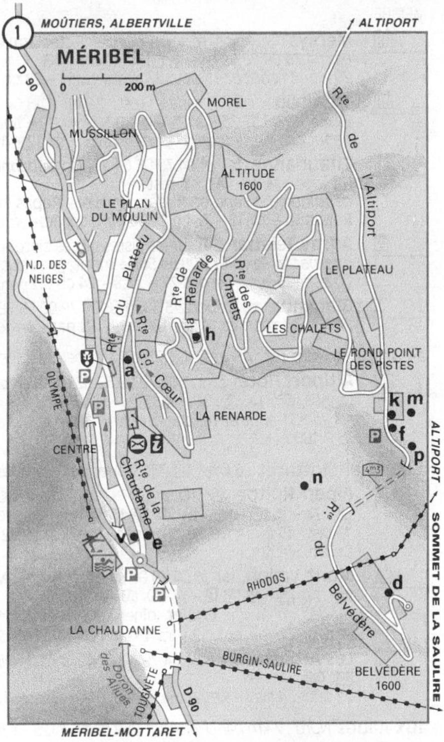

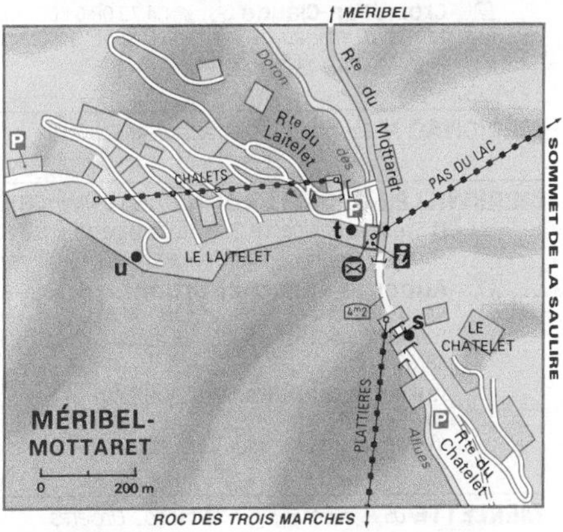

🏛 **Grand Coeur** ⚓, (a)
⚡ 04 79 08 60 03, grandcoe
ur@relaischateaux.com,
Fax 04 79 08 58 38, ≼, 🏤,
🍴 – 🛗 TV ⟵ 🅿. AE ⓞ GB
JCB
13 déc.-6 avril – Repas (dîner seul.) 52/64, enf. 17 –
⚌ 14 – **35 ch** 187/389, 5 appart – ½ P 168/259,50

🏛 **Allodis** M ⚓, au Belvédère (d) ⚡ 04 79 00 56 00,
allodis@wanadoo.fr,
Fax 04 79 00 59 28, ≼ montagnes, 🏤, 🍴, 🏊 – 🛗 TV ₺
⟵ 🅿 – 🛎 100. GB. ⚫
1er juil.-31 août et
20 déc.-20 avril – Repas 30
(déj.), 34/60 ⚍ – ⚌ 11 –
41 ch 258/470, 3 duplex –
½ P 212

🏛 **Yéti** M ⚓, rd-pt des Pistes
(p) ⚡ 04 79 00 51 15, le.yeti
@telepost.fr,
Fax 04 79 00 51 73, ≼, 🏤,
🏊 – 🛗 TV ₺ ⟵ – 🛎 25.
GB. ⚫
1er juil.-31 août et
15 déc.-25 avril – Repas 25
(déj.), 29/48 – ⚌ 12,20 –
28 ch 256/336, 9 appart,
3 duplex – ½ P 225

🏛 **Alba** M ⚓, rd-pt des
Pistes (f) ⚡ 04 79 08 55 55,
info@hotelalba.com,
Fax 04 79 00 55 63, ≼, 🏤 –
🛗 TV ₺ ⟵ – 🛎 30. GB.
⚫ rest
mi-déc.-mi-avril – Repas 23
(déj.), 28/48 ⚍, enf. 11 –
⚌ 11 – **20 ch**
(½ pens. seul.) – ½ P 129/160

🏛 **Marie-Blanche** M ⚓, rte Renarde (h) ⚡ 04 79 08 65 55, info@marie-blanche.com,
Fax 04 79 08 57 07, ≼, 🏤 – 🛗 TV ₺. GB. ⚫ rest
juil.-sept et 15 déc.-25 avril – Repas (dîner seul.) 27,50 – ⚌ 9,15 – **20 ch** 146,35/289,65 –
½ P 131/148

🏛 **L'Orée du Bois** ⚓, rd-pt des Pistes (k) ⚡ 04 79 00 50 30, contact@meribel-oree.com,
Fax 04 79 08 57 52, ≼, 🏤, 🏊 – 🛗 TV. AE ⓞ GB JCB. ⚫
juil.-août et Noël-Pâques – Repas 28/40 – ⚌ 13 – **35 ch** 142/154 – ½ P 112/130

MOÛTIERS, ALBERTVILLE — ALTIPORT
① **MÉRIBEL**
0   200 m

MÉRIBEL-MOTTARET — ROC DES TROIS MARCHES

MÉRIBEL-MOTTARET
0   200 m

MÉRIBEL

🏠 **Mérilys** ⟋ sans rest, rd-pt des Pistes (m) 𝒫 04 79 08 69 00, merilys@merily.
Fax 04 79 08 68 99, ← – 🛗 📺 ✆ 🚗 GB
29 juin-31 août et 15 déc.-27 avril – 🖵 11 – 28 ch 116/330

🏠 **Tremplin** 🅼 sans rest, (v) 𝒫 04 79 08 89 17, lachaudanne@teler
Fax 04 79 08 57 75, I⑤, ⤴ – 🛗 📺 🚗 – 🛎 30. GB. ✻
début juin-fin sept. et 1ᵉʳ déc.-fin avril – 🖵 12 – 41 ch 110/224

🏠 **Chaudanne**, (e) 𝒫 04 79 08 61 76, lachaudanne@telepost.fr, Fax 04 79 08 57 75,
📺 🚗 – 🛎 30. GB. ✻ rest
début juin-fin sept. et 1ᵉʳ déc.-fin avril – **Repas** (dîner seul.) 34 - **L'Épicuriade** (dîner
Repas 34 – 🖵 12 – 76 ch 110/280, 6 appart – ½ P 112/167

🏠 **Adray Télébar** ⟋, sur les pistes (accès piétonnier) 𝒫 04 79 08 60 26, adray73@
internet.fr, Fax 04 79 08 53 85, ← montagnes et pistes, 🌳 – 🖭 GB
20 déc.-20 avril – **Repas** 27 – 🖵 9 – 24 ch (½ pens. seul.) – ½ P 107/115

✕ **Blanchot**, rte Altiport : 3,5 km 𝒫 04 79 00 55 78, Fax 04 79 00 53 20, ←, 🌳 – 🄿. AE
28 juin-1ᵉʳ sept. et 14 déc.-20 avril – **Repas** (fermé lundi en été) 25 (déj.), 40/49

à l'altiport Nord-Est : 4,5 km – ⌧ 73550 Méribel-les-Allues :

🏠 **Altiport Hôtel** ⟋, 𝒫 04 79 00 52 32, hotelaltiport@aol.com, Fax 04 79 08 57 54, ←
tagnes, 🌳, I⑤, ⤴, ✻ – 🛗 📺 ✆ – 🛎 30. AE GB. ✻ rest
1ᵉʳ juil.-31 août et mi-déc.-mi-avril – **Repas** 26 (déj.), 40/50 🍷 – 🖵 15 – 41 ch 175/
½ P 180

à Méribel-Mottaret : 6 km – ⌧ 73550 Méribel-les-Allues :

🏠 **Alpen Ruitor** ⟋, (t) 𝒫 04 79 00 48 48, info@alpenruitor.com, Fax 04 79 00 48
🌳, I⑤ – 🛗 📺 🚗 – 🛎 20. AE ⑩ GB JCB. ✻ rest
15 déc.-15 avril – **Repas** 39 (dîner) carte le midi 22 à 37 🍷, enf. 13 – 🖵 12 – 44 ch 229/
½ P 195/420

🏠 **Mont Vallon**, (s) 𝒫 04 79 00 44 00, info@hotel-montvallon.com, Fax 04 79 00 46
🌳, I⑤, ▢ – 🛗 📺 🄿 – 🛎 80. AE ⑩ GB. ✻ rest
mi-déc.-mi-avril – **Chalet** (dîner seul.) **Repas** 31/45 🍷, enf. 13 – **Brasserie Le Sch**
Repas 23/40 🍷, enf. 12 – 🖵 13 – 86 ch 410/640, 3 appart – ½ P 267/321

🏠 **Les Arolles** ⟋, (u) 𝒫 04 79 00 40 40, info@arolles, Fax 04 79 00 45 50, ←, 🌳, I⑤,
📺. GB. ✻ rest
21 déc.-24 avril – **Repas** (16,50) - 20 (déj.)/43, enf. 10 – 🖵 12 – 60 ch 133/220 – ½ P 14

aux Allues Nord : 7 km par D 915ᴬ – 1 869 h. alt. 1125 – ⌧ 73550 :

🏠 **Croix Jean-Claude** ⟋, 𝒫 04 79 08 61 05, Fax 04 79 00 32 72, 🌳 – 📺. GB
fermé 10 mai au 25 juin et 20 sept. au 28 oct. – **Repas** 19,82/38 – 🖵 6,86 –
45,73/83,85 – ½ P 53,36/88,42

MÉRIGNAC 33 Gironde 🟥🟥 ⑨ – rattaché à Bordeaux.

MERKWILLER-PECHELBRONN 67250 B.-Rhin 🟥🟥 ⑲ G. Alsace Lorraine – 828 h alt. 160.
🚹 Syndicat d'initiative 2 route de Woerth 𝒫 03 88 80 72 36, Fax 03 88 80 75 22.
Paris 475 – Strasbourg 53 – Haguenau 17 – Wissembourg 18.

✕✕ **Auberge Baechel-Brunn**, 𝒫 03 88 80 78 61, baechel-brunn@wanad
Fax 03 88 80 75 20, 🌳 – 🄿. GB. ✻
fermé 12 août au 3 sept., 13 au 28 janv., dim. soir, lundi soir et mardi – **Repas** 26
38/59 🍷, enf. 9

✕ **Auberge du Puits VI**, rte Lobsann : 1,5 km 𝒫 03 88 80 76 58, Fax 03 88 80 75 9
🚗 – 🄿. GB
(fermé janv., merc. midi, lundi et mardi) – **Repas** 33,54/50,31 🍷, enf. 7,62

MERLETTE 05 H.-Alpes 🟥🟥 ⑰ – rattaché à Orcières.

MÉRU 60110 Oise 🟥🟥 ⑳ – 12 712 h alt. 110.
Paris 60 – Compiègne 74 – Beauvais 27 – Mantes-la-Jolie 64 – Pontoise 24.

✕ **Les Trois Toques**, 21 r. P. Curie (Méru-Nord) 𝒫 03 44 52 01 15, Fax 03 44 52 01 15
fermé 12 août au 5 sept., dim. soir, lundi soir, mardi soir et merc. soir – **Repas** 20/29

A good moderately priced meal : 🍴 Repas 16/23

Y-CORBON 14370 Calvados 🔟 ⑰ – 835 h alt. 10.
Paris 223 – Caen 26 – Falaise 39 – Lisieux 27.

🍴 **Relais du Lion d'Or**, au Lion d'Or Sud : 3 km sur N 13 ℘ 02 31 23 65 30,
Fax 02 31 23 65 30, 😤 – 🅿. ⓞ ⏣ 🇯🇨🇧
fermé 15 au 30 nov., dim. soir et lundi – **Repas** 18 (déj.), 25/38 ⌹

Y-SUR-OISE 95 Val-d'Oise 🔟 ⑳,, **106** ③ – *voir à Paris, Environs (Cergy-Pontoise Ville
Nouvelle).*

CHERS-SUR-GIRONDE 17132 Char.-Mar. 🔟 ⑮ G. Poitou Vendée Charentes – 2 234 h
alt. 5.
🇧 *Office du tourisme 4 place de Verdun ℘ 05 46 02 70 39, Fax 05 46 02 51 65.*
Paris 508 – Royan 11 – Blaye 74 – La Rochelle 87 – Saintes 41.

🍴 **Forêt**, 1 bd Marais ℘ 05 46 02 79 87, Fax 05 46 02 61 45 – 🅿. ⓞ ⏣
fermé 25 sept. au 11 oct., 2 janv. au 12 fév., lundi et mardi sauf juil.-août – **Repas** - produits
de la mer - 14,50/26 ⌹, enf. 6

NIÈRES-EN-BRAY 76 S.-Mar. 🔟 ⑮ – *rattaché à Neufchâtel-en-Bray.*

ESNIL-AMELOT 77 S.-et-M. 🔟 ⑪ – *voir à Paris, Environs.*

NIL-ST-PÈRE 10140 Aube 🔟 ⑰ G. Champagne Ardenne – 331 h alt. 131.
Voir *Parc naturel régional de la forêt d'Orient★★.*
🇧 *Syndicat d'initiative - Mairie ℘ 03 25 41 28 78, Fax 03 25 41 21 08.*
Paris 200 – Troyes 22 – Bar-sur-Aube 33 – Châtillon-sur-Seine 54 – St-Dizier 76.

🍴 **Auberge du Lac Au Vieux Pressoir** avec ch., ℘ 03 25 41 27 16, auberge.lac.p.gublin
@wanadoo.fr, Fax 03 25 41 57 59, 😤 – ▤ rest, 📺 📞 🕭 🅿 – 🏛 40. 🈀 ⏣
fermé 12 au 30 nov., dim. soir d'oct. au 15 mars et lundi midi – **Repas** 19,50 (déj.), 30/66 et
carte 50 à 65 – ☐ 9 – **21 ch** 61/151 – 1/2 P 68/88

ESNIL-SUR-OGER 51190 Marne 🔟 ⑯ G. Champagne Ardenne – 1 077 h alt. 119.
Voir *Musée de la vigne et du vin (maison Launois).*
Paris 158 – Reims 44 – Châlons-en-Champagne 31 – Épernay 16 – Vertus 6.

🍴 **Mesnil**, ℘ 03 26 57 95 57, mesnil@chez.com, Fax 03 26 57 78 57 – ▤ 🅿. ⏣
fermé 15 août au 6 sept., 23 janv. au 7 fév., lundi soir, mardi soir et merc. – **Repas** 18/63 et
carte 35 à 59 ⌹, enf. 11

NIL-VAL 76 S.-Mar. 🔟 ⑤ – ✉ 76910 Criel-sur-Mer.
Paris 185 – Amiens 94 – Dieppe 28 – Le Tréport 6.

🏨 **Royal Albion** 🐾 sans rest, ℘ 02 35 86 21 42, evergreen2@wanadoo.fr,
Fax 02 35 86 78 51, « Bel aménagement intérieur », 🔥 – ↔ 📺 📞 🕭 🅿 – 🏛 20. ⏣, 🛎
☐ 7 – **20 ch** 60,90/108

🏨 **Hostellerie de la Vieille Ferme** 🐾, ℘ 02 35 86 72 18, Fax 02 35 86 12 67, 😤, 🍃 –
📺 🅿 – 🏛 15. 🈀 ⓞ ⏣
fermé 9 déc. au 6 janv., dim. soir et lundi hors saison – **Repas** 17/35 ⌹ – ☐ 8 – **31 ch** 46/74 –
1/2 P 50,50/61

MESNULS 78490 Yvelines 🔟 ⑨, **106** ㉘ – 883 h alt. 120.
Paris 47 – Dreux 39 – Mantes-la-Jolie 35 – Rambouillet 16 – Versailles 28.

🍴 **Toque Blanche**, 12 Gde Rue ℘ 01 34 86 05 55, Fax 01 34 86 82 18, 😤 – 🅿. 🈀 ⏣
fermé 29 juil. au 27 août, 11 au 18 fév., merc. soir, dim. soir et lundi – **Repas** 57/68 et carte
47 à 72 ⌹

QUER 44420 Loire-Atl. 🔟 ⑭ – 1 467 h alt. 6.
🇧 *Office du tourisme Place du Marché ℘ 02 40 42 64 37, Fax 02 40 42 64 37.*
Paris 464 – Nantes 88 – La Baule 15 – St-Nazaire 29 – Vannes 56.

🍴 **Vieille Forge**, ℘ 02 40 42 62 68, keumsun@free.fr, Fax 02 51 73 91 52, 😤 – ▤. ⏣
fermé 2 au 25 janv., merc. de sept. à juin et mardi – **Repas** 22,10/32 ⌹

METZ 🅿 57000 Moselle 🗗🗗 ⑬ ⑭ G. Alsace Lorraine – 123 776 h Agglo. 322 526 h alt. 173.

Voir Cathédrale St-Étienne★★★ CDV – Porte des Allemands★ DV – Esplanade★ CV – St-Pierre-aux-Nonnains★ CX V – Place St-Louis★ DVX – Église St-Maximin★ DVX – thex★ de l'église St-Martin DX – ≤★ du Moyen Pont CV – Musée de la Cour d'Or★★ (S archéologique★★★) M¹ – Place du Général de Gaulle★.

🛫 de Metz-Nancy-Lorraine : ℰ 03 87 56 70 00, par ③ : 23 km.

🚗 ℰ 08 36 35 35 35.

🛈 Office du tourisme Place d'Armes ℰ 03 87 55 53 76, Fax 03 87 36 5
tourisme@ot.mairie-metz.fr.

Paris 335 ① – Luxembourg 64 ① – Nancy 57 ④ – Saarbrücken 69 ③ – Strasbourg 16

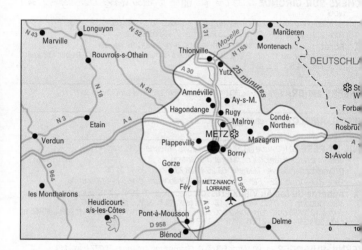

🏨 **Bleu Marine**, 23 av. Foch ℰ 03 87 66 81 11, bleumarine-metz@bplorra
Fax 03 87 56 13 16, 🗜 – 📶 📺 �である – 🏊 50. 🖭 ⓞ ☞
Repas (fermé sam. midi) 23,63/29,27 🎱 – 🖵 10 – **62 ch** 72/90

🏨 **Novotel Centre** Ⓜ, pl. Paraiges ℰ 03 87 37 38 39, h0589@accor-hotels
Fax 03 87 36 10 00, 🌲, 🏊 – 📶 🌗 🔟 📺 🌗 🖍 🍴 – 🏊 15 à 23 🍴, enf. 10 – 🖵 10 – **120 ch** 99/104

🏨 **Mercure Centre St-Thiébault** Ⓜ, 29 pl. St-Thiébault ℰ 03 87 38 50 50, h1233@
hotels.com, Fax 03 87 75 48 18 – 📶 🌗 🔟 📺 🌗 📞 📶 – 🏊 25 à 120. 🖭 ⓞ ☞ ☐
Repas 21,34/32,01 🍴, enf. 8,38 – 🖵 10,50 – **112 ch** 102/108

🏨 **Cathédrale** sans rest, 25 pl. Chambre ℰ 03 87 75 00 02, hotelcathedrale-metz@
doo.fr, Fax 03 87 75 40 75, ≤, « Maison du 17e siècle » – 📺 🌗. 🖭 ⓞ ☞ ☐
fermé 1er au 15 août – 🖵 10 – **20 ch** 61/80

🏨 **Cécil** sans rest, 14 r. Pasteur ℰ 03 87 66 66 13, cecil.hotel@wanadoo.fr, Fax 03 87 56
– 📶 🌗 🔟 🌗 📶. 🖭 ⓞ ☞ 🍴
fermé 26 déc. au 4 janv. – 🖵 6 – **39 ch** 49/55

🏨 **Grand Hôtel de Metz** sans rest, 3 r. Clercs ℰ 03 87 36 16 33, grandhoteldemetz@
doo.fr, Fax 03 87 74 17 04 – 📶 📺 🌗 – 🏊 25. 🖭 ⓞ ☞ ☐
🖵 6 – **62 ch** 52/76

🏨 **Métropole** sans rest, 5 pl. Gén. de Gaulle ℰ 03 87 66 26 22, hotelmetz@aoı
Fax 03 87 66 29 91 – 📶 📺 🌗. 🖭 ☞
🖵 5 – **80 ch** 34/48

🏨 **Ibis Cathédrale**, 47 r. Chambière, quartier Pontiffroy ℰ 03 87 31 01 73, h0621@
hotels.com, Fax 03 87 31 25 46, 🌲 – 📶 🌗 🔟 🌗 🖍 – 🏊 25. 🖭 ⓞ ☞ ☐
Repas (12) - 15 🍴, enf. 6 – 🖵 5,50 – **79 ch** 61

🏨 **Moderne** sans rest, 1 r. La Fayette ℰ 03 87 66 57 33, hotelmoderne@wanac
Fax 03 87 55 98 59 – 📶 📺. 🖭 ⓞ ☞
🖵 5 – **43 ch** 43/49

798

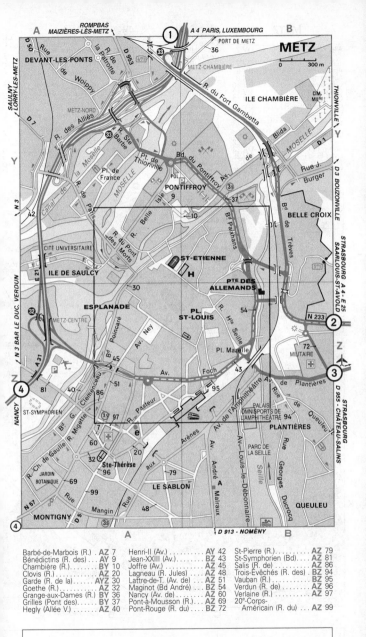

Pour vos voyages, en complément de ce guide, utilisez :

- Les **guides Verts Michelin** régionaux
  paysages, monuments et routes touristiques.
- Les **cartes Michelin** à 1/1 000 000 grands itinéraires
  1/200 000 cartes détaillées.

799

METZ

In this Guide,

a symbol or a character,
printed in **black** or another colour, in light or **bold** type,
does not have the same meaning.

Please read the explanatory pages carefully.

Au Pampre d'Or (Lamaze), 31 pl. Chambre *ℰ 03 87 74 12 46, Fax 03 87 36 96 92* – ■. ℻ ⓞ ☜
CV a
fermé 29 juil. au 7 août, dim. soir, lundi et mardi – **Repas** 32/71 et carte 53 à 75 ♈, enf. 16
Spéc. Grosses langoustines de Bretagne poêlées. Dos de sandre meunière au gris de Toul.
Selle d'agneau en croûte **Vins** Côtes de Toul, Vins de Moselle.

Maire, 1 r. Pont des Morts *ℰ 03 87 32 43 12, mairerestaurant@aol.com,*
Fax 03 87 31 16 75, ㋛, « Salle à manger surplombant la Moselle » – ■. ℻ ⓞ ☜
fermé merc. midi et mardi – **Repas** 22,87 (déj.), 42,69/57,93 et carte 46 à 63 ♈   CV f

Ville de Lyon, 7 r. Piques *ℰ 03 87 36 07 01, Fax 03 87 74 47 17* – ℙ. ℻ ⓞ ☜   DV a
fermé 22 juil. au 19 août, dim. soir et lundi – **Repas** 18,30 (dîner), 22,87/47,25 ♧, enf. 7,60

L'Écluse, 45 pl. Chambre *ℰ 03 87 75 42 38, Fax 03 87 37 30 11* – ℻ ☜   CV r
fermé 5 au 20 août, sam. midi et lundi – **Repas** (18,29) - 28,96/54,88 ♈, enf. 10,67

Roches, 29 r. Roches *ℰ 03 87 74 06 51, Fax 03 87 75 40 04,* ㋛, « Terrasse au bord de la
Moselle » – ℻ ⓞ ☜   CV n
fermé dim. soir et lundi soir – **Repas** 25,15/44,21

Goulue, 24 pl. St-Simplice *ℰ 03 87 75 10 69, Fax 03 87 36 94 05,* ㋛ – ■. ℻ ☜   DV s
fermé dim. et lundi – **Repas** 28,97/40 ♈

Flo, 2 bis r. Gambetta *ℰ 03 87 55 94 95, flometz@id-net.fr, Fax 03 87 38 09 26,* ㋛ – ℻ ⓞ
☜. ⌇   CX b
Repas brasserie (17,07) - 27,59 ♧, enf. 7,32

Chat Noir, 30 r. Pasteur *ℰ 03 87 56 99 19, Fax 03 87 66 67 64,* ㋛ – ℻ ☜   AZ e
fermé 29 juil. au 12 août, dim. et lundi – **Repas** 21,19 ♈

Bistrot des Sommeliers, 10 r. Pasteur *ℰ 03 87 63 40 20, Fax 03 87 63 54 46* – ■.
☜   CX a
fermé sam. midi et dim. – **Repas** 13 ♈, enf. 7,60

ⓘ *et A 31 sortie Maizières-lès-Metz : 10 km –* ⊠ *57280 Maizières-lès-Metz :*

Novotel-Hauconcourt Ⓜ, *ℰ 03 87 80 18 18, h0446@accor-hotels.com,*
Fax 03 87 80 36 00, ㋛, ⅃, ☞, – ♦ ⅍, ■ ch, ⓣ ⅋ & ℙ – ⅍ 25 à 120. ℻ ⓞ ☜
Repas (15) - 19,50 ♈, enf. 7,62 – ⊇ 10 – **132 ch** 89/102

alroy Nord : 8 km par D 1 – 339 h. alt. 180 – ⊠ 57640 :

Aux 3 Capitaines, *ℰ 03 87 77 77 07, Fax 03 87 77 89 78,* ㋛ – ℻ ☜
fermé lundi – **Repas** 18,29/28,20 ♈, enf. 9,15

gy Nord : 12 km par D 1 – ⊠ 57640 Argancy :

Bergerie ⌖, *ℰ 03 87 77 82 27, Fax 03 87 77 87 07,* ㋛, « Décor rustique », ☞ – ■ rest,
ⓣ ℙ – ⅍ 80 à 100. ☜
Repas (18,30) - 21,20/42,70 ♈, enf. 16,80 – ⊇ 9,15 – **48 ch** 59,50/69 – ½ P 59/62

azagran par ② et D 954 : 13 km – ⊠ 57530 Courcelles-Chaussy :

Auberge de Mazagran, *ℰ 03 87 76 62 47, Fax 03 87 76 79 50* – ℙ. ℻ ☜
fermé mardi soir, lundi soir et merc. – **Repas** 19,80 (déj.), 27,50/39 ♈

orny par ③ et rte Strasbourg : 3 km – ⊠ 57070 Metz :

Jardin de Bellevue, 58 r. Claude Bernard (près Technopole Metz 2000)
ℰ 03 87 37 10 27, Fax 03 87 37 15 45 – ℙ. ℻ ☜
fermé 22 juil. au 13 août, sam.midi, dim. soir et lundi – **Repas** (23,63) - 28,97/53,36 et carte 46
à 62 ♈

chnopole 2000 par ③ et rte de Strasbourg : 5 km – ⊠ 57070 Metz :

Holiday Inn Ⓜ ⌖, 1 r. F. Savart *ℰ 03 87 39 94 50, mail@holidayinn-metz.com,*
Fax 03 87 39 94 55, ㋛, ⅃, – ♦ ⅍ ■ ⓣ ℂ & ℙ – ⅍ 25 à 100. ℻ ⓞ ☜
Les Alizés : Repas 24,39, enf. 9,15 – **Cos'Club** *ℰ 03 87 20 33 15* (déj. seul.) (fermé 1ᵉʳ au
19 août,sam. et dim.) **Repas** 18,29 ♈ – ⊇ 10 – **90 ch** 93

ey par ④, A 31 sortie Fey : 11 km – 574 h. alt. 227 – ⊠ 57420 :

Tuileries Ⓜ ⌖, *ℰ 03 87 52 03 03, lestuileries@wanadoo.frr, Fax 03 87 52 84 24,* ㋛, ☞
– ⅍, ■ rest, ⓣ ℂ & ℙ – ⅍ 25 à 90. ℻ ⓞ ☜
Repas (fermé dim. soir) 20/50 ♧, enf. 11 – ⊇ 8 – **41 ch** 55/60 – ½ P 54

appeville par av. Henri II – AY : 7 km – 2 341 h. alt. 280 – ⊠ 57050 :

Grignotière, 50 r. Gén. de Gaulle *ℰ 03 87 30 36 68, la-grignotiere2@wanadoo.fr,*
Fax 03 87 30 79 01 – ℻ ☜
fermé sam. midi et merc. – **Repas** 34/50 ♈

METZERAL 68380 H.-Rhin 62 ⑱ – 1 065 h alt. 480.
Paris 463 – Colmar 26 – Gérardmer 39 – Guebwiller 41 – Thann 43.

🏠 **Pont**, 𝒫 03 89 77 60 84, Fax 03 89 77 63 88, 🏤 – 📺 🅿. 🖼
fermé 13 nov. au 20 déc. et lundi – **Repas** 15/46 🛈, enf. 8 – 🖙 6 – **8 ch** 38/50, 8 st▪
70/90 – ½ P 46

🏠 **Aux Deux Clefs** 🦢, 𝒫 03 89 77 61 48, Fax 03 89 77 63 88, ≼, 𝄬 – 📺 🅿. 🖼
fermé janv. et mardi de nov. à avril – **Repas** 14/46 🛈, enf. 8 – 🖙 6 – **15 ch** 31/▪
½ P 40/46

MEUDON 92 Hauts-de-Seine 60 ⑩, 101 ㉔ – voir à Paris, Environs.

MEULAN 78250 Yvelines 55 ⑲, 106 ④ ⑯ – 8 394 h alt. 25.
Paris 43 – Beauvais 64 – Mantes-la-Jolie 21 – Pontoise 21 – Rambouillet 60 – Versailles

🏨 **Mercure** Ⓜ 🦢, l'Ile Belle (dir. Mureaux) 𝒫 01 34 74 63 63, h0834@accor-hotels.
Fax 01 34 74 00 98, ≼, 🏤, 🏊 – 🛌 🕂 📺 🔥 🅿 – 🔬 20 à 70. 🖼 ⓪ 🖼
Repas (20) - 25/27 🛈, enf. 9 – 🖙 11 – **60 ch** 108/117, 9 appart

MEURSAULT 21 Côte-d'Or 69 ⑨ – rattaché à Beaune.

Le MEUX 60 Oise 56 ② – rattaché à Compiègne.

MEXIMIEUX 01800 Ain 74 ③, 110 ⑧ – 6 840 h alt. 245.
🚹 Office du tourisme 1 rue de Genève 𝒫 04 74 61 11 11, Fax 04 74 61 00 50.
Paris 460 – Lyon 38 – Bourg-en-Bresse 37 – Chambéry 91 – Genève 118 – Grenoble 12.
XXX **Claude Lutz** avec ch, 17 r. Lyon 𝒫 04 74 61 06 78, Fax 04 74 34 75 23 – 📺 🅿 – 🔬 8
🖼 🖼
fermé 15 au 22 juil., 21 oct. au 5 nov., 2 au 14 janv., dim. soir et lundi – **Repas** (prév
15/23 et carte 25 à 30 🛈 – 🖙 6,86 – **12 ch** 42/50,50

au Pont de Chazey-Villieu Est : 3 km sur N 84 – ✉ 01800 Meximieux :
XXX **Mère Jacquet** avec ch, 𝒫 04 74 61 94 80, Fax 04 74 61 92 07, 🏤, « Jardin fleuri »
𝄬 – 📺 🔥 🅿. 🖼
fermé 24 déc. au 16 janv. – **Repas** (fermé sam. midi, dim. soir et lundi) 21/42 et carte
69 🛈, enf. 12 – 🖙 8 – **19 ch** 46/68 – ½ P 65

MÉXY 54 M.-et-M. 57 ② – rattaché à Longwy.

MEYLAN 38 Isère 77 ⑤ – rattaché à Grenoble.

MEYMAC 19250 Corrèze 73 ⑪ G. Berry Limousin – 2 627 h alt. 702.
Voir Vierge noire★ dans l'église abbatiale.
🚹 Office du tourisme Place de la Fontaine 𝒫 05 55 95 18 43, Fax 05 55 95 66 22.
Paris 445 – Aubusson 57 – Limoges 97 – Neuvic 30 – Tulle 49 – Ussel 17.
X **Chez Françoise** avec ch, 24 r. Fontaine du Rat 𝒫 05 55 95 10 63, Fax 05 55 95 40 22
– 📺 ☎. 🖼 🖼
fermé 21 déc. au 10 janv. et lundi – **Repas** 12,95 (déj.), 30,49/57,93 🛈 – 🖙 7,62 –
53,36/68,60

à Maussac Sud : 9 km par D 36 et N 89 – 385 h. alt. 615 – ✉ 19250 :
🏠 **Europa**, sur N 89 𝒫 05 55 94 25 21, Fax 05 55 94 26 08, 🏤 – 🍽 rest, 📺 ☎ 🔥 🅿 – 🔬
🖼 ⓪ 🖼
fermé 20 déc. au 5 janv. – **Repas** (9) - 12/19 🛈, enf. 9 – 🖙 5 – **24 ch** 38,50/45,50 – ½ P

MEYRARGUES 13650 B.-du-R. 84 ③, 114 ⑯ G. Provence – 3 282 h alt. 247.
Paris 753 – Marseille 46 – Aix-en-Provence 17 – Avignon 77 – Manosque 45.
🏨 **Château de Meyrargues** 🦢, 𝒫 04 42 63 49 90, chateaumeyrargues@libertysu
Fax 04 42 63 49 92, ≼, 🏤, « Château fortifié dominant la vallée », 🏊, 🏊 – 🛌, 🍽 ch, 🅿
🖼 🖼 🖼, 🦢
fermé nov. – **Repas** (fermé 1er nov. au 15 déc., 15 janv. au 1er mars et le midi en sem
39/64 – 🖙 15,25 – **8 ch** 112/208, 3 appart – ½ P 96/144

MEYRONNE 46200 Lot 🔟🔟 ⑱ – 269 h alt. 130.

Paris 524 – Brive-la-Gaillarde 41 – Cahors 76 – Figeac 54 – Sarlat-la-Canéda 40.

🏨 **Terrasse** ❧, ℰ 05 65 32 21 60, terrasse.liebus@wanadoo.fr, Fax 05 65 32 26 93, ≤, 🏤,
🔼, 🐾 – 📺 🌜 – 🔬 15. 🖭 ⓪ ☷ 🇯🇨🇧
15 mars-1er nov. – **Repas** (fermé mardi midi) 17 (déj.), 24/46 ♈, enf. 8 – ☲ 9 – **15 ch** 55/90 –
½ P 54/76

MEYRUEIS 48150 Lozère 🔟🔟 ⑤ ⑮ G. Languedoc Roussillon – 851 h alt. 698.

Voir NO : Gorges de la Jonte★★.

Env. Aven Armand★★★ NO : 11 km – Grotte de Dargilan★★ NO : 8,5 km.

🖪 Office du tourisme Tour de l'Horloge ℰ 04 66 45 60 33, Fax 04 66 45 65 27, office.tou
risme.meyrueis@wanadoo.fr.

Paris 657 – Mende 57 – Florac 36 – Millau 43 – Rodez 94 – Le Vigan 55.

🏰 **Château d'Ayres** ❧, Est : 1,5 km par D 57 ℰ 04 66 45 60 10, chateau-d-ayres@wana
doo.fr, Fax 04 66 45 62 26, ≤, 🏤, « Demeure du 12e siècle, parc », 🔼, 🐾, 🔥 – 📺 🄿. 🖭
⓪ ☷, ⅍ rest
15 mars-15 déc. – **Repas** 17 (déj.), 25/41 ♈, enf. 14 – ☲ 11 – **20 ch** 106/136, 7 appart –
½ P 72,50/97,50

🏨 **Mont Aigoual,** r. Barrière ℰ 04 66 45 65 61, Fax 04 66 45 64 25, 🔼, 🐾 – 🛗 🌜 🄿. 🖭 ☷.
🐾 ⅍ rest
24 mars-2 nov. – **Repas** (fermé dim. soir et mardi en avril et oct.) 16,77/38,11 ♈, enf. 8,38 –
☲ 6,86 – **30 ch** 45,75/70,15 – ½ P 45,75/57,95

🏨 **Europe,** ℰ 04 66 45 60 05, Fax 04 66 45 65 31 – 🛗 📺 🄿. ☷
🐾 29 mars-5 nov. – **Repas** 13 🍷 – ☲ 5,35 – **29 ch** 37 – ½ P 39

🏨 **Family Hôtel,** ℰ 04 66 45 60 02, hotel.family@wanadoo.fr, Fax 04 66 45 66 54, 🔼, 🐾 –
🛗 📺 🄿 – 🔬 30. ☷
24 mars-Toussaint – **Repas** 11/24 ♈, enf. 7,50 – ☲ 6,50 – **48 ch** 33/41 – ½ P 41

🏨 **Grand Hôtel de France,** ℰ 04 66 45 60 07, Fax 04 66 45 67 62, 🔼, 🐾, ⅍ – 🛗 📺 🄿.
⓪ ☷
30 mars-30 sept. – **Repas** 15/20 – ☲ 6 – **45 ch** 46 – ½ P 41

🏨 **St-Sauveur,** ℰ 04 66 45 62 12, saint-sauveur@demeures.de.lozere.com,
Fax 04 66 45 65 94, 🏤 – 📺. 🖭 ⓪ ☷
15 mars-15 nov. – **Repas** 15/28 ♈ – ☲ 5 – **10 ch** 36/40 – ½ P 36/40

MEYZIEU 69330 Rhône 🔟🔟 ⑫, 🔟🔟⓪ ⑯ – 28 009 h alt. 201.

Paris 469 – Lyon 19 – Pont-de-Chéruy 15 – St-Priest 14 – Vienne 36.

🏨 **Mont Joyeux** ❧, r. V. Hugo (près lac du Gd Large) ℰ 04 78 04 21 32, monjoyeu@club.
internet.fr, Fax 04 72 02 85 72, 🏤, 🔼, 🐾 – 📺 🛂 🄿. 🖭 ⓪ ☷
Repas 20/43 ♈ – ☲ 9,20 – **20 ch** 70/87 – ½ P 69

✕ **Petite Auberge du Pont d'Herbens,** 32 r. V. Hugo ℰ 04 78 31 41 09,
Fax 04 78 04 34 93, 🏤 – 🄿. 🖭 ⓪ ☷ 🇯🇨🇧
fermé mars, dim.soir et lundi sauf fériés – **Repas** 12,96 (déj.), 16,80/38,12 ♈

MÈZE 34140 Hérault 🔟🔟 ⑯ G. Languedoc Roussillon – 7 630 h alt. 20.

Voir Villa gallo-romaine★ de Loupian N : 1,5 km.

🖪 Office de tourisme r. A.-Massaloup ℰ 04 67 43 93 08.

Paris 749 – Montpellier 36 – Agde 20 – Béziers 41 – Lodève 50 – Pézenas 19 – Sète 18.

à Bouzigues Nord-Est : 4 km par N 113 et rte secondaire – 1 208 h. alt. 3 – ⊠ 34140 :

🏰 **Côte Bleue** ❧, ℰ 04 67 78 31 42, Fax 04 67 78 35 49, ≤, 🏤, 🔼, 🐾 – 📺 🄿 – 🔬 40. 🖭
☷, ⅍ ch
fermé 21 janv. au 21 fév., dim. soir de nov. à mars, mardi soir et merc. de sept. à juin –
Repas -produits de la mer- ℰ 04 67 78 30 87 18 (déj.), 25,60/42,69 ♈, enf. 12,20 – ☲ 7 –
32 ch 54/79

MÉZIÈRE 35 I.-et-V. 🔟🔟 ⑯ – rattaché à Rennes.

MÉZIÈRES-EN-BRENNE 36290 Indre 🔟🔟 ⑥ G. Berry Limousin – 1 160 h alt. 88.

🖪 Office du tourisme 1 rue du Nord ℰ 02 54 38 12 24, Fax 02 54 38 13 76.

Paris 304 – Le Blanc 28 – Châteauroux 41 – Châtellerault 59 – Poitiers 96 – Tours 88.

✕ **Boeuf Couronné** avec ch, ℰ 02 54 38 04 39, Fax 02 54 38 02 84 – 🌜. 🖭 ☷. ⅍ ch
fermé 20 nov. au 31 janv., dim. soir et lundi sauf fériés – **Repas** 18/39 ♈ – ☲ 6 – **8 ch** 28/37
– ½ P 33,50

MIEUSSY 74440 H.-Savoie **74** ⑦ G. Alpes du Nord – 1 739 h alt. 636.
  🎔 Office du tourisme Le Pont du Diable 𝒫 04 50 43 02 72, Fax 04 50 43 01 87.
  Paris 567 – Chamonix-Mont-Blanc 60 – Thonon-les-Bains 49 – Annecy 60 – Bonneville 21.

🏠 **Accueil Savoyard**, 𝒫 04 50 43 01 90, Fax 04 50 43 09 59, 😤, 🔼 – 🕪 🅿. GB. 🛠
  fermé 22 au 29 avril, 21 oct. au 9 nov. et dim. soir hors saison – **Repas** 10,60 (déj.), 15/22,5
  enf. 6,50 – 🖵 5,50 – **19 ch** 27,50/47 – ½ P 48

MILLAU ◁📞▷ 12100 Aveyron **80** ⑭ G. Languedoc Roussillon – 21 339 h alt. 372.
  Voir Musée de Millau : poteries★, maison de la Peau et du Gant ★ (1ᵉʳ étage) M.
  Env. Canyon de la Dourbie★★ 8 km par ②.
  🎔 Office du tourisme Place du Beffroi 𝒫 05 65 60 02 42, Fax 05 65 60 95 08.
  Paris 640 ① – Mende 95 ① – Rodez 67 ⑤ – Albi 108 ④ – Montpellier 114 ③.

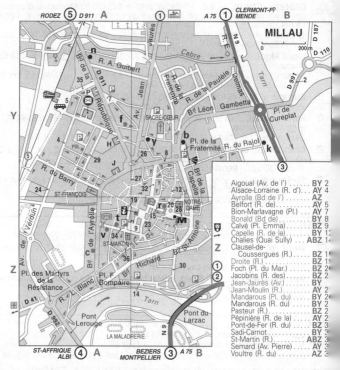

Aigoual (Av. de l')	BY 2
Alsace-Lorraine (R. d')	AY 4
Ayrolle (Bd de l')	AZ
Belfort (R. de)	AY 5
Bion-Marlavagne (Pl.)	AY 7
Bonald (Bd de l')	BY 8
Calvé (Pl. Emma)	BY 9
Capelle (R. de la)	BY 1
Chalies (Quai Sully)	ABZ 1
Clausel-de- Coussergues (R.)	BZ 1
Droite (R.)	BZ 1
Foch (Pl. du Mar.)	BZ 2
Jacobins (R. des)	BZ 2
Jean-Jaurès (Av.)	BY
Jean-Moulin (R.)	BY 2
Mandarous (Pl. du)	BY 2
Mandarous (R. du)	BY 2
Pasteur (R.)	BZ 2
Pépinière (R. de la)	AY 2
Pont-de-Fer (R. du)	BZ 3
Sadi-Carnot	BY 3
St-Martin (R.)	ABZ 3
Semard (Av. Pierre)	AY 3
Voultre (R. du)	AZ 3

🏛 **Musardière**, 34 av. République 𝒫 05 65 60 20 63, hotel-lamusardiere@wanado
  Fax 05 65 59 78 13, 🌳 – 🕪, 🗏 ch, 🕪 📞 🅿. 🖭 ⓞ GB   AY
  Repas (fermé dim. et lundi) 23/46 – 🖵 10 – **14 ch** 84/190 – ½ P 72/123

🏛 **International**, 1 pl. Tine 𝒫 05 65 59 29 00, mhclub@infosud.fr, Fax 05 65 59 29 01
  😤, salon panoramique au 8ᵉ étage, 🕪 – 🕪, 🗏 rest, 🕪 & 🅿 – 🕍 30 à 120. 🖭
  GB   BY
  Repas (fermé sam. midi, dim. soir et lundi midi) 24 ㉒, enf. 7,40 – 🖵 7,50 – **9**
  69,10/76,10 – ½ P 54,70/69,40

🏛 **Cévenol Hôtel**, 115 r. Rajol 𝒫 05 65 60 74 44, cenevol@wanadoo.fr, Fax 05 65 60 8
  🔼 – 🗐 🕪 📞 & 🅿. ⓞ GB   BY
  7 mars-21 nov. – **Pot d'Étain** (fermé mardi midi et lundi du 1ᵉʳ juil. au 15 sept., lundi
  merc. midi et dim. hors saison sauf fêtes) **Repas** 17,50/25 🗒, enf. 8 – 🖵 6,50 – **42 ch** ⓒ
  – ½ P 52,50/54

🏠 **Millau Hôtel Club** 🅼, par ④ et rte Montpellier 𝒫 05 65 59 71 33, millauhotelclub@
  doo.fr, Fax 05 65 59 71 67, 😤, 🔼 – 🗏 🕪 📞 & 🅿 ⓞ GB
  avril-oct. – **Repas** grill 10,50/18 ㉒ – 🖵 7 – **37 ch** 46 – ½ P 45

🏨 **Campanile**, par ⑤ : 1,5 km (au centre commercial) ℘ 05 65 59 17 60, Fax 05 65 59 17 66 – ⇔, 🍴 rest, 📺 ✆ & 🅿 – 🔏 25. 🖭 ⑨ 🖼
Repas (12,04/ - 17 ♈, enf. 5,95 – ⊑ 5,95 – **46 ch** 50,61

🏨 **Capelle** ⑱ sans rest, 7 pl. Fraternité ℘ 05 65 60 14 72 – ⑨ 🖼. ⨯   BY b
12 avril-1ᵉʳ oct. – ⊑ 5,35 – **46 ch** 24,10/40,50

🍽️ **Terrasse**, 15 r. St-Martin ℘ 05 65 60 74 89, 🍽️ – ⑨ 🖼   AZ v
fermé 1ᵉʳ au 15 oct., dim. soir et lundi – **Repas** 11,90 (déj.), 15,25/30,50 ♨

🍽️ **Braconne**, 7 pl. Mar. Foch ℘ 05 65 60 30 93, 🍽️ – 🖼   BZ r
fermé mardi soir en hiver, dim. soir et lundi – **Repas** 15/30

🍽️ **Square**, 10 r. St-Martin ℘ 05 65 61 26 00, 🍽️ – 🖭 ⑨ 🖼   AZ t
fermé 11 au 24 mars, 17 au 30 juin, mardi soir et merc. sauf juil.-août – **Repas** 14,79/28,66

🍽️ **Capion**, 3 r. J.-F. Alméras ℘ 05 65 60 00 91, Fax 05 65 60 42 13 – 🖼   AY f
fermé vacances de fév., mardi soir et merc. sauf juil.-août – **Repas** 10,70 bc (déj.), 15/30 ♨, enf. 6,10

④ rte St-Affrique : 2 km :

🏨 **Château de Creissels** ⑱, ℘ 05 65 60 16 59, Fax 05 65 61 24 63, ≤, 🍽️, 🌳 – 📺 ✆ &, 🅿, 🖭 ⑨ 🖼 🄹🄲🄱
fermé janv., fév., lundi midi d'oct. à avril et dim. soir – **Repas** 20,50/40 ♈, enf. 10 – ⊑ 7,50 – **30 ch** 46/71 – ½ P 46/60

Nord : 4 km par ⑤ – ⊠ 12100 Millau :

🍽️ **Auberge de la Borie Blanque**, ℘ 05 65 60 85 88, ≤, 🍽️ – 🅿. 🖼
fermé vacances de fév., le soir en semaine de nov. à mars et dim. soir sauf juil.-août – **Repas** 10,37/21,50 ♨, enf. 6

LY-LA-FORÊT 91490 Essonne 🖽 ⑪, 🔟🔟 ㊹ G. Île de France – 4 601 h alt. 68.
   Voir Parc★★ du château de Courances★★ N : 5 km.
   🖪 Office du tourisme 60 rue Jean Cocteau ℘ 01 64 98 83 17, Fax 01 64 98 94 80.
   Paris 59 – Fontainebleau 19 – Étampes 26 – Évry 30 – Melun 25 – Nemours 27.

uvers (S.-et-M.) Sud : 4 km par D 948 – ⊠ 77123 Noisy-sur-École :

🍽️ **Auberge d'Auvers Galant**, ℘ 01 64 24 51 02, Fax 01 64 24 56 40, 🍽️ – 🖭 🖼
fermé 26 août au 7 sept., 13 janv. au 4 fév., dim. soir, lundi et mardi – **Repas** 21,04/45,12 ♈

MIZAN 40200 Landes 🖭 ⑭ G. Aquitaine – 6 864 h alt. 13 – Casino.
   Paris 696 – Mont-de-Marsan 77 – Arcachon 66 – Bayonne 109 – Bordeaux 111 – Dax 72.

mizan-Bourg :

🍽️ **Au Bon Coin du Lac** (Caule) ⑱ avec ch., au lac : Nord 1,5 km ℘ 05 58 09 01 55, Fax 05 58 09 40 84, ≤, 🍽️, 🌳 – 🍴 rest, 📺 ✆. 🖭 ⑨ 🖼
fermé fév., dim. soir et lundi sauf juil.-août – **Repas** 24,39/53,36 et carte 55 à 75 ♈ – ⊑ 9,91 – **4 ch** 75,46/99,09, 4 appart – ½ P 89,94/99,09
Spéc. Sole soufflée aux langoustines. Barigoule d'artichaut au foie gras de canard. Dessert "Folie J.P.C." **Vins** Jurançon, Madiran.

🍽️ **Vauclin**, 2 av. Bayonne (angle r. Abbaye) ℘ 05 58 09 15 09, restaurant.le.vauclin@wanadoo.fr, Fax 05 58 09 15 09 – 🖭 🖼
fermé 1ᵉʳ au 31 oct., dim. soir et lundi de sept. à juin – **Repas** 12 (déj.), 14/22 ♈

ge Sud :

🏨 **Émeraude des Bois**, 68 av. Courant ℘ 05 58 09 05 28, emeraudedesbois@wanadoo.fr, Fax 05 58 09 35 73, 🍽️ – 📺 ✆ 🅿. 🖼. ⨯ rest
fin mai-mi-sept. – **Repas** (dîner seul.) 15,10/24,40 – ⊑ 5,80 – **15 ch** 50,30/58 – ½ P 45,75/50,30

🏨 **L'Airial** sans rest, 6 r. Papeterie ℘ 05 58 09 46 54, Fax 05 58 09 32 10, 🌳 – 🅿. 🖼
1ᵉʳ mai-31 oct. – ⊑ 5,50 – **16 ch** 43/46

NERVE 34210 Hérault 🖽 ⑬ G. Languedoc Roussillon – 111 h alt. 227.
   Voir Site★★.
   🖪 Syndicat d'initiative 9 rue des Martyrs ℘ 04 68 91 81 43.
   Paris 815 – Béziers 46 – Carcassonne 44 – Narbonne 32 – St-Pons 29.

🍽️ **Relais Chantovent** ⑱ avec ch., ℘ 04 68 91 14 18, Fax 04 68 91 81 99, ≤, 🍽️ – 🖼
fermé 18 déc. au 18 mars, dim. soir et lundi – **Repas** 14,94/35,06 – ⊑ 5,34 – **10 ch** 30,49/45,73 – ½ P 48,78

MIONNAY 01390 Ain 74 ②, 110 ⑤ – 2 109 h alt. 276.

Paris 458 – Lyon 23 – Bourg-en-Bresse 44 – Meximieux 26 – Villefranche-sur-Saône 32

XXXX **Alain Chapel** avec ch., ℰ 04 78 91 82 02, chapel@relaischateaux.fr, Fax 04 78 91 ❀❀❀ 余, « Jardin fleuri », 条 – 📺 🖚 🖪 Æ ① ⊙ℬ ⊙⊡
fermé janv., mardi midi, jeudi midi et lundi – **Repas** 60 (déj.), 96/130 et carte 85 à 11 🖵 15 – **12 ch** 103/130
Spéc. Petit ragoût d'encornets à l'encre en paupiette d'aile de raie (printemps Poulette de Bresse en vessie. Crème de Saint-Jacques aux châtaignes confites et oeu neige (automne) **Vins** Mâcon-Clessé, Saint-Joseph.

MIRABEL-AUX-BARONNIES 26 Drôme 81 ③ – *rattaché à Nyons.*

MIRAMAR 06 Alpes-Mar. 84 ⑧ – *rattaché à Théoule-sur-Mer.*

MIRANDE ⬡ 32300 Gers 82 ⑭ G. Midi-Pyrénées – 3 568 h alt. 173.

Voir *Musée des Beaux-Arts*★.

🖪 Office du tourisme 13 rue de l'Evêché ℰ 05 62 66 68 10, Fax 05 62 66 87 09, b nue@ot-mirande.com.

Paris 755 – Auch 25 – Mont-de-Marsan 99 – Tarbes 49 – Toulouse 102.

🏠 **Pyrénées**, av. d'Etigny ℰ 05 62 66 51 16, hotel-des-pyrenees@wanado Fax 05 62 66 79 96, ⊾, 条 – 📺 🖪 – 🛆 30. ℬ
fermé 14 mars au 1er avril ,15 au 30 nov. ,26 janv. au 3 fév. ,dim. soir hors saison et lu **Repas** 19/46 ⅊, enf. 9 – 🖵 7 – **25 ch** 46/92 – ½ P 48/70

MIRANDOL-BOURGNOUNAC 81190 Tarn 80 ⑪ – 1 081 h alt. 393.

🖪 Office du tourisme 2 place de la Liberté ℰ 05 63 76 97 65, Fax 05 63 76 90 11.

Paris 660 – Rodez 53 – Albi 30 – St-Affrique 78 – Villefranche-de-Rouergue 39.

X **Voyageurs** avec ch., ℰ 05 63 76 90 10, 余 – ℬ
fermé vacances de printemps, 21 août au 7 sept. et le soir du 1er oct. au 15 avril – R 10,67 bc/26 – 🖵 6 – **8 ch** 31/49 – ½ P 40

MIREBEAU-SUR-BÈZE 21310 Côte-d'Or 66 ⑬ – 1 573 h alt. 202.

🖪 Syndicat d'initiative Rue du Moulin ℰ 03 80 36 76 17, Fax 03 80 47 75 64.

Paris 337 – Dijon 26 – Châtillon-sur-Seine 94 – Dole 44 – Gray 25 – Langres 67.

XX **Auberge des Marronniers** avec ch., ℰ 03 80 36 71 05, Fax 03 80 36 75 92, 余 – ℬ
fermé 20 déc. au 6 janv., dim. soir et lundi – **Repas** 10 (déj.), 16,20/28 ⅊, enf. 7,32 – 🖵 4 15 ch 30,50/44,50 – ½ P 40/43

à Bèze *Nord : 9 km par D 959 G. Bourgogne* – 632 h. alt. 217 – ⊠ 21310 :

🖪 Syndicat d'initiative Place de Verdun ℰ 03 80 75 37 55, Fax 03 80 75 30 84, maison rismebezes@wanadoo.fr.

🏠 **Bourguignon**, ℰ 03 80 75 34 51, Fax 03 80 75 37 06, 余 – 📺 📞 ⅙ 🖚 🖪 Æ ① ⊙ **Repas** 14,48/32,01 ⅊, enf. 9,91 – 🖵 6,10 – **25 ch** 44,21 – ½ P 45,73

MIRECOURT 88500 Vosges 62 ⑮ G. Alsace Lorraine – 6 384 h alt. 285.

🖪 Office du tourisme 40 rue Général Leclerc ℰ 03 29 37 01 01, Fax 03 29 37 52 24.

Paris 364 – Épinal 35 – Luxeuil-les-Bains 74 – Nancy 48 – Neufchâteau 41 – Vittel 24.

🏠 **Luth** ⊗, rte Neufchâteau ℰ 03 29 37 12 12, hotelburnelle@caramail. Fax 03 29 37 23 44, 条 – 📺 📞 🖪 – 🛆 25. Æ ℬ
hôtel : fermé vend. et sam. hors saison – **Repas** *(fermé 27 avril au 6 mai, 22 juil. au 14 29 déc. au 6 janv., dim. soir de nov. à fév., vend. soir et sam.)* 13/28 ⅊, enf. 8 – 🖵 8 – 3 38/49

MIREPOIX 09500 Ariège 86 ⑤ G. Midi-Pyrénées – 3 061 h alt. 308.

Voir *Place principale*★★.

🖪 Office du tourisme - Hôtel de Ville Place Maréchal Leclerc ℰ 05 61 68 83 76, Fax 05 89 48.

Paris 779 – Foix 37 – Carcassonne 52 – Castelnaudary 34 – Limoux 33 – Pamiers 25.

🏠 **Maison des Consuls** sans rest, 6 pl. Mar. Leclerc ℰ 05 61 68 81 81, pyrene@afatvo .fr, Fax 05 61 68 81 15, « Maison du 14e siècle, bel aménagement intérieur » – 📺 🖚 ℬ
🖵 7,20 – **8 ch** 75/122

MANDE 26 Drôme **77** ⑫ – rattaché à Saulce-sur-Rhône.

SILLAC 44780 Loire-Atl. **63** ⑮ G. Bretagne – 3 813 h alt. 44.
Voir Retable★ dans l'église – Site★ du château de la Bretesche O : 1 km.
Paris 439 – Nantes 62 – Redon 23 – St-Nazaire 37 – Vannes 54.

🏦 **Bretesche** ⑤, rte La Baule : 1 km 𝒫 02 51 76 86 96, hotel@bretesche.com,
Fax 02 40 66 99 47, ≤, 🏤, « Demeure des 14ᵉ et 19ᵉ siècles bordée par un golf », ⤴, ※,
🏵 – 🖻 �📺 📞 🗗 🖭 – 🎿 25. 🖭 ⓞ 🖭 🖭 ※ rest
fermé 4 au 14 nov. et 18 janv. au 7 mars – **Repas** (fermé dim. soir du 15 oct. au 15 avril, lundi
sauf le soir du 15 juil. au 26 août et mardi midi) 27 (déj.), 50/70 ♀ – � 14 – **32 ch** 110/220 –
½ P 105/160

Y-SUR-YONNE 77130 S.-et-M. **61** ⑬, **106** ㊽ – 749 h alt. 72.
Paris 90 – Fontainebleau 34 – Auxerre 100 – Montereau-Fault-Yonne 14 – Sens 27.

🍴 **Gaule**, chemin de Halage 𝒫 01 64 31 31 11, Fax 01 64 31 31 11, 🏤 – 🖭
fermé 16 au 24 mai, 26 août au 4 sept., 24 déc. au 9 janv.,dim. soir, mardi soir et merc. –
Repas 16 (déj.), 24/39 ♀, enf. 13

TELBERGHEIM 67140 B.-Rhin **62** ⑨ G. Alsace Lorraine – 617 h alt. 220.
🖪 Syndicat d'initiative - Mairie 𝒫 03 88 08 92 29, Fax 03 88 08 59 94.
Paris 499 – Strasbourg 43 – Barr 2 – Erstein 23 – Molsheim 23 – Sélestat 20.

🍴 **Winstub Gilg** avec ch, 𝒫 03 88 08 91 37, gilg@reperes.com, Fax 03 88 08 45 17 – 📺 🖪.
🖭 ⓞ 🖭
fermé 24 juin au 10 juil., 6 au 29 janv., mardi et merc. – **Repas** 17,50 (déj.), 23,60/63 ♀,
enf. 12,50 – � 6,15 – **15 ch** 36,60/65,50

🍴 **Am Lindeplatzel**, 𝒫 03 88 08 10 69, Fax 03 88 08 45 08, 🏤 – 🖥. 🖭 ⓞ 🖭
fermé 20 au 31 août, vacances de fév., lundi midi, merc. soir et jeudi – **Repas** 23/29 ♀,
enf. 10

TELHAUSBERGEN 67 B.-Rhin **87** ④ – rattaché à Strasbourg.

TELHAUSEN 67170 B.-Rhin **62** ⑨, **87** ④ – 509 h alt. 185.
Paris 469 – Strasbourg 24 – Haguenau 22 – Saverne 22.

🏠 **A l'Étoile**, 12 r. La Hey 𝒫 03 88 51 28 44, hotelrestaurant.etoile@wanadoo.fr,
🕭 Fax 03 88 51 24 79, 🏋 – 🖻, 🖿 rest, 📺 📞 🖪. 🖭 🖭
Repas (fermé 29 mars au 2 avril, 7 au 31 juil., 1ᵉʳ au 12 janv., dim. soir et lundi) 9,50/36 ♀,
enf. 8 – � 6,10 – **24 ch** 38/48 – ½ P 42/45

TERSHEIM 57930 Moselle **57** ⑯ – 571 h alt. 230.
🖪 Syndicat d'initiative 𝒫 03 87 07 54 46, mutche@wanadoo.fr.
Paris 413 – Nancy 64 – Metz 85 – Sarrebourg 22 – Sarre-Union 17 – Saverne 40.

🍴 **L'Escale** avec ch, rte Dieuze 𝒫 03 87 07 67 01, Fax 03 87 07 54 57, 🏤, 🚗 – 📺 🖪. 🖭 🖭
🕭 fermé fév. – **Repas** 10/53,35 ♀, enf. 8,40 – � 6,10 – **13 ch** 30,50/42,60

OËN 38 Isère **77** ⑥ – rattaché au Freney-d'Oisans.

ÉLAN-SUR-MER 29350 Finistère **58** ⑪ ⑫ G. Bretagne – 6 592 h alt. 58.
🖪 Office du tourisme Rue des Moulins 𝒫 02 98 39 67 28, Fax 02 98 39 63 93,
OTSI.Moelan.Sur.Mer@wanadoo.fr.
Paris 524 – Quimper 48 – Carhaix-Plouguer 66 – Concarneau 27 – Lorient 24 – Quimperlé 10.

🏦 **Les Moulins du Duc** ⑤, Nord-Ouest : 2 km 𝒫 02 98 96 52 52, tqad29@aol.com,
Fax 02 98 96 52 53, ≤, 🏤, « Moulins dans un cadre de verdure, parc », 🖪, ⤴, 🏵 – 📺 🖪 –
🎿 25. 🖭 ⓞ 🖭
1ᵉʳ mars-31 oct. et 21 au 31 déc. – **Repas** (fermé lundi midi et mardi midi de mai au 15 sept.,
dim. soir et lundi hors saison) 22,10 (déj.), 32,01/64,02 – � 9,91 – **22 ch** 80,80/141,41 –
½ P 112,06/156,27

🏦 **Manoir de Kertalg** ⑤ sans rest, rte Riec-sur-Belon, Ouest : 3 km par D 24 et chemin
privé 𝒫 02 98 39 77 77, Fax 02 98 39 72 07, « Exposition de peintures, parc forestier » – 📺
📞 🖪. 🖭 ※
28 mars-12 nov. – � 10 – **9 ch** 80/180

ERNACH 68 H.-Rhin **66** ⑨ – rattaché à Ferrette.

807

MOISSAC 82200 T.-et-G. **79** ⑯ ⑰ G. Midi-Pyrénées – 12 321 h alt. 76.

Voir Église St-Pierre★ : portail méridional★★★, cloître★★, christ★.

Env. Boudou ※★ 7 km par ③.

🅱 OMT 6 place Durand de Bredon ℰ 05 63 04 01 85, Fax 05 63 04 27 10.

Paris 645 ① – Agen 58 ③ – Cahors 64 ① – Auch 85 ② – Montauban 31 ① – Toulouse

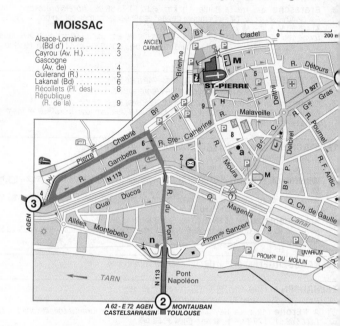

Alsace-Lorraine (Bd d')	2
Cayrou (Av. H.)	3
Gascogne (Av. de)	4
Guilerand (R.)	5
Lakanal (Bd)	6
Récollets (Pl. des)	8
République (R. de la)	9

🏨 **Chapon Fin,** pl. Récollets (a) ℰ 05 63 04 04 22, Fax 05 63 04 58 44 – 🍽 rest, 📺 – 🚪
GB

fermé 15 au 30 nov. et lundi de nov. à Pâques – **Repas** 16,77 (déj.), 22,87/33,54 �§, enf.
– ☑ 7,62 – **30 ch** 35,06/57,93 – ½ P 41,62/69,82

XXX **Pont Napoléon** avec ch, 2 allées Montebello (n) ℰ 05 63 04 01 55, Fax 05 63 04 34
🍽 📺 ℰ 🚅, AE ① GB, ✵ rest

fermé 3 au 20 janv., dim. soir, lundi midi et merc. – **Repas** 21/59 et carte 46 à 58 �§ – ☑
12 ch 29/52 – ½ P 46/56

MOISSAC-BELLEVUE 83630 Var **84** ⑥, **114** ⑧ – 151 h alt. 599.

Paris 818 – Digne-les-Bains 70 – Aix-en-Provence 84 – Draguignan 35 – Manosque 55.

🏨 **Bastide du Calalou** ⑤, rte d'Aups ℰ 04 94 70 17 91, bastide.du.calalou@wanad
Fax 04 94 70 50 11, ≤, 佘, ⊐, 氣, ✵ – 📺 🅿, AE GB JCB
25 mars-11 nov. et 28 déc.-3 janv. – **Repas** 23/54 �§, enf. 13 – ☑ 12,95 – **32 ch** 107/¹
½ P 94/140

MOLINES-EN-QUEYRAS 05350 H.-Alpes **77** ⑲ G. Alpes du Sud – 322 h alt. 1750 – S
d'hiver : 1 750/2 900 m ⬙ 15 ⏷.

Env. Château-Queyras : site★★, fort Queyras★, espace géologique★, NO : 8 km.

🅱 Office du tourisme ℰ 04 92 45 83 22, Fax 04 92 45 80 79.

Paris 726 – Briançon 44 – Gap 88 – Guillestre 27 – St-Véran 6.

🏠 **Cognarel** ⑤, au Coin, Est : 3 km par D 205 et rte secondaire ℰ 04 92 45 81 03, cog
@imaginet.fr, Fax 04 92 45 81 17, ≤, 佘, 氣 – GB JCB
1ᵉʳ juin-15 sept. et 21 déc.-14 avril – **Repas** (fermé lundi) (prévenir) 21 �§ – ☑ 7 – 2
51/65 – ½ P 61

L'Équipe ⛰, rte St-Véran ☎ 04 92 45 83 20, *lequipe@infonie.fr, Fax 04 92 45 81 85*, ←, 🌳, – 🅿. AE ① GB
19 mai-30 sept. et 22 déc.-31 mars – **Repas** *(fermé dim.soir et lundi sauf vacances scolaires)* 12,50/21,50 ♀, enf. 7 – ☕ 6,50 – **22 ch** 50/53,50 – ½ P 50,50

Chamois, ☎ 04 92 45 83 71, *hotel.lechamois@wanadoo.fr, Fax 04 92 45 80 58*, ←, 🌳 – 🅿. AE ① GB
7 mai-30 sept et 20 déc.-7 avril – **Repas** *(fermé dim soir et lundi)* 17/26, enf. 8,40 – ☕ 7 – **17 ch** 51,83 – ½ P 51,07

LINEUF *41 L.-et-Ch.* 64 ⑦ – *rattaché à Blois.*

LITG-LES-BAINS *66500 Pyr.-Or.* 86 ⑰ – *207 h alt. 607 – Stat. therm. (début avril-fin nov.).*
Syndicat d'initiative Route des Bains ☎ 04 68 05 03 28, Fax 04 68 05 04 50.
Paris 902 – Perpignan 49 – Prades 7 – Quillan 55.

Château de Riell ⛰, ☎ 04 68 05 04 40, *riell@relaischateaux.fr, Fax 04 68 05 04 37*, ←, 🌳, 🏊, 🎾, – 🛗 📺 📞 🚗 🅿 – 🎪 15 à 120. AE ① GB JCB. ✗ rest
1er avril-1er nov. – **Repas** 39 (déj.)/61 ♀ – ☕ 15 – **19 ch** 122/232 – P 171/251

Grand Hôtel Thermal ⛰, ☎ 04 68 05 00 50, *Fax 04 68 05 02 91*, ←, 🌳, « Parc », 🏋, 🏊, 🎾, – 🛗 📺 🚗 🅿 – 🎪 15 à 120. AE ① GB. ✗ rest
1er avril-14 déc. – **Repas** 21 bc/30, enf. 11 – ☕ 7,50 – **48 ch** 51/106, 8 appart – P 74/90

Les pages explicatives de l'introduction
vous aideront à mieux profiter de votre ***Guide Rouge Michelin***

LLANS-SUR-OUVÈZE *26170 Drôme* 81 ③ *G. Alpes du Sud – 840 h alt. 280.*
Paris 681 – Carpentras 30 – Nyons 20 – Vaison-la-Romaine 13.

St-Marc ⛰, av. de l'Ancienne Gare ☎ 04 75 28 70 01, *le-saint-marc@club-internet.fr, Fax 04 75 28 78 63*, 🌳, 🏊, 🎾 – GB. ✗ rest
25 mars-3 nov. – **Repas** *(fermé jeudi midi et mardi)* (19,05) - 20,60/31,10 ♀, enf. 9,60 – ☕ 7,20 – **32 ch** 50/58,50 – ½ P 54,25

LLKIRCH *67190 B.-Rhin* 62 ⑨ – *765 h alt. 320.*
Paris 484 – Strasbourg 41 – Molsheim 12 – Saverne 35.

Fischhutte ⛰, rte Grendelbruch : 3,5 km ☎ 03 88 97 42 03, *fischhutte@wanadoo.fr, Fax 03 88 97 51 85*, ←, 🌳, – 📺 📞 🅿 – 🎪 30. AE GB. ✗
fermé 15 fév. au 23 mars – **Repas** *(fermé lundi soir et mardi)* (12) - 36/47 ♀, enf. 9 – ☕ 7,30 – **16 ch** 50/74 – ½ P 56,50/70

LSHEIM ⟨SP⟩ *67120 B.-Rhin* 62 ⑨ *G. Alsace Lorraine – 9 335 h alt. 180.*
Voir *La Metzig★ – Église des Jésuites★.*
Env. *Fresques★ de la chapelle St-Ulrich N : 3,5 km.*
Office du tourisme 19 place de l'Hôtel Ville ☎ 03 88 38 11 61, Fax 03 88 49 80 40, infos@ot-molsheim-mutzig.com.
Paris 476 – Strasbourg 31 – Lunéville 94 – St-Dié 79 – Saverne 27 – Sélestat 37.

Diana M, pont de la Bruche ☎ 03 88 38 51 59, *hotel.diana@wanadoo.fr, Fax 03 88 38 87 11*, 🌳, 🏋, 🏊, – 🛗, ▤ ch, 📺 📞 ♿ 🅿 – 🎪 25 à 150. AE ① GB JCB
Repas *(fermé 21 au 31 déc. et dim. soir)* 33,54 bc/54,12 bc ♀, enf. 12,20 - ***Taverne*** *(fermé 24 juil. au 17 août, 22 déc. au 1er janv. et dim. soir)* **Repas** 7,17 (déj.)/12,20 🍺, enf. 9 – ☕ 9 – **60 ch** 75/81 – ½ P 63,50

Bugatti M sans rest, r. Commanderie ☎ 03 88 49 89 00, *hotel-bugatti@wanadoo.fr, Fax 03 88 38 36 00* – 🛗 📺 📞 ♿ 🅿 – 🎪 40. AE ① GB JCB
☕ 6 – **45 ch** 42/47

MOLUNES *39310 Jura* 70 ⑮ – *124 h alt. 1274.*
Paris 486 – Genève 48 – Gex 30 – Lons-le-Saunier 74 – St-Claude 16.

Pré Fillet ⛰, rte Moussières ☎ 03 84 41 62 89, *Fax 03 84 41 64 75*, ←, 🎾 – 🚗 🅿 – 🎪 30. GB
fermé 1er au 20 mai, 15 oct. au 2 déc. et dim. soir – **Repas** 10,67/26,60 ♀, enf. 4,88 – ☕ 4,88 – **16 ch** 41,16 – ½ P 34,33

MMENHEIM *67 B.-Rhin* 87 ④ – *rattaché à Brumath.*

810

MONACO (Principauté de)

84 ⑩ **115** **2728** *G. Côte d'Azur - 29 972 h. - alt. 65*

OFFICE DE TOURISME

2 bd des Moulins, Monte-Carlo 🖉 *(00-377) 92 16 61 16, Fax (00-377) 92 16 60 00 dtc@ monaco-congres.com*

RENSEIGNEMENTS PRATIQUES

État souverain, enclavé dans le département français des Alpes-Maritimes et bordant la Méditerranée. Il s'étend sur 1,5 km² et comprend : le Rocher de Monaco (la vieille ville) et Monte-Carlo (la ville neuve) réunis par la Condamine (le port), Fontvieille à l'Ouest (l'industrie) et le Larvotto à l'Est (la plage). Depuis 1993 la Principauté est membre de l'O.N.U.

Depuis l'héliport de Monaco-Fontvieille, liaisons quotidiennes avec l'aéroport de Nice-Côte d'Azur. Renseignements : Héli Air Monaco 🖉 *(00-377) 92 05 00 50*

MONACO (Principauté de).

Cap d'Ail 06320 Alpes-Mar. – 4 532 h alt. 51.
🛈 Office du tourisme 87 Bis avenue du 3 Septembre ℘ 04 93 78 02 33, Fax 04 92 10 7'
tourisme-capd'ail@monte-carlo.mc.

🏨 **Marriott** Ⓜ, au port ℘ 04 92 10 67 67, Fax 04 92 10 67 00, ≤, 🛱, ⅄, ⅃, – 🕴 ⟷ ≡ [
& ⟷ – 🔾 150. ᴁᴇ ⓪ ᴳᴮ ᴶᴄᴮ. ⅍
AV
Repas 27 (déj.)/39 ⅄, enf. 10 – ⌑ 23 – **174 ch** 210/320, 12 appart

Monaco Capitale de la Principauté – ⊠ 98000.
Voir Jardin exotique★★ CZ : ≤★ – Grotte de l'Observatoire★ CZ D – Jardins St-Martin★
– Ensemble de primitifs niçois★★ dans la cathédrale DZ – Christ gisant★ dans la chapel'
la Miséricorde D B – Place du Palais★ CZ – Palais du Prince★ : musée napoléonien et
Archives du palais★ CZ – Musées : océanographique★★ DZ (aquarium★★, ≤★★
la terrasse), d'anthropologie préhistorique★ CZ M³, – Collection des voitures ancienr
CZ M¹.
Circuit automobile urbain-A.C.M. 23 bd Albert-1ᵉʳ.
Paris 955 ⑤ – Menton 11 ② – Nice 21 ③ – San Remo 37 ①.

ⅩⅩⅩ **Rascasse-Café Grand Prix**, 1 quai Antoine 1ᵉʳ ℘ (00-377) 93 25 56 90, simon.g'
cafegrandprix.com, Fax (00-377) 97 70 33 83, ≤ – ≡. ᴁᴇ ᴳᴮ. ⅍
D²
fermé dim. – **Repas** 22,87 (déj.)et carte 35 à 69

ⅩⅩ **Castelroc**, pl. Palais ℘ (00-377) 93 30 36 68, Fax (00-377) 93 30 59 88, ≤, 🛱 – ᴁᴇ ⓪
ᴶᴄᴮ
C²
fermé déc., janv., le soir d'oct. à mai et sam. – **Repas** 20 (déj.)/38 ⅄

à Fontvieille :

🏨 **Colombus Hôtel** Ⓜ, 23 av. Papalins ℘ (00-377) 92 05 90 00, colombus-resa@mo'
carlo.mc, Fax (00-377) 92 05 91 67, ≤, 🛱, ⅄ – 🕴 ⟷ ≡ ᴛᴠ ❤ & ⟷ – 🔾 25. ᴁᴇ
ᴳᴮ
AV
Repas carte 36 à 58 – ⌑ 23 – **172 ch** 245/290, 9 appart

Ⅹ **Amici Miei**, 16 quai J.-C. Rey ℘ (00-377) 92 05 92 14, amici-miei@monte-carlo'
Fax (00-377) 92 05 31 74, ≤, 🛱 – ≡. ᴁᴇ ᴳᴮ ᴶᴄᴮ
AV
Repas 26 et carte 26,68 à 36,59 ♨

Monte-Carlo Centre mondain de la Principauté – Casinos : Grand Casino DY, Monte-C'
Sporting Club BU, Sun Casino DX – ⊠ 98000.
Voir Terrasse★★ du Grand casino DXY – Musée de poupées et automates★ DX M⁵ – Ja'
japonais★ U.
🛈 Office de Tourisme 2 bd des Moulins ℘ (00-377) 92 16 61 16, Fax (00-377) 92 16 6C
dtc@monaco-congres.com.
Paris 953 ⑤ – Monaco 2 ② – Menton 9 ② – Nice 20 ③ – San Remo 44 ①.

🏨 **Paris**, pl. Casino ℘ (00-377) 92 16 30 00, hp@sbm.mc, Fax (00-377) 92 16 38 50, ≤, '
centre de thalassothérapie, ⅃, ⅃ – 🕴 ⟷ ≡ ᴛᴠ ❤ ⟷ – 🔾 70. ᴁᴇ ⓪ ᴳᴮ ᴶᴄᴮ. ⅍
DY
voir rest. **Louis XV** et **Grill** ci-après - **Côté Jardin** ℘(00-377) 92 16 68 44 (fermé le soir
du 13 juil. au 18 août et 6 au 21 janv.) **Repas** 50(déj.) et carte le soir 61 à 116 ⅄ – **S**
Empire ℘(00-377) 92 16 29 52 (dîner seul.) (ouvert juil.-août) **Repas** carte 71 à 148
⌑ 30 – **117 ch** 570/685, 73 appart

🏨 **Hermitage**, square Beaumarchais ℘ (00-377) 92 16 40 00, hh@sbm.'
Fax (00-377) 92 16 38 52, ≤, 🛱, centre de thalassothérapie, ⅃, ⅃ – 🕴 ≡ ᴛᴠ ❤ ⟷
🔾 80. ᴁᴇ ⓪ ᴳᴮ ᴶᴄᴮ. ⅍ rest
DY
voir rest. **Vistamar** ci-après – ⌑ 25 – **211 ch** 460/590, 18 appart

🏨 **Métropole Palace** Ⓜ, 4 av. Madone ℘ (00-377) 93 15 15 15, metropole@metropole.'
Fax (00-377) 93 25 24 44, 🛱, ⅃, ≡ – 🕴 ≡ ᴛᴠ ❤ & ⟷ – 🔾 220. ᴁᴇ ⓪ ᴳᴮ '
⅍ rest
DX'
Jardin ℘(00-377)93 15 15 10 **Repas** 38(déj.),53/84 ⅄, enf. 24 – ⌑ 28 – **150 ch** 290/5'
10 appart

🏨 **Méridien Beach Plaza** Ⓜ, av. Princesse Grace, à la plage du Larvo'
℘ (00-377) 93 30 98 80, resa@le-meridien-montecarlo.com, Fax (00-377) 93 50 23 14,'
🛱, « Bel ensemble balnéaire et luxueux centre de conférences », ⅄, ⅃, ⅂, ⟷ –'
ᴛᴠ ❤ & ⟷ – 🔾 300. ᴁᴇ ⓪ ᴳᴮ ᴶᴄᴮ. ⅍ ch
BU
Les Pergolas : **Repas** carte 50 à 69 ⅄ – **Sea Club** - snack (déj. seul.) (1ᵉʳ mai-30 sept) **Re**'
carte environ 47 ⅄ – ⌑ 31 – **330 ch** 335/1100, 8 appart

🏨 **Monte-Carlo Grand Hôtel** Ⓜ, 12 av. Spélugues ℘ (00-377) 93 50 65 00, grandhon'
monaco.mc, Fax (00-377) 93 30 01 57, ≤, 🛱, casino et cabaret, ⅄, ⅃ – 🕴 ≡ ᴛᴠ ❤ &'
– 🔾 1 500. ᴁᴇ ⓪ ᴳᴮ ᴶᴄᴮ. ⅍ rest
DX'
L'Argentin (dîner seul.) (fermé nov.) **Repas** carte 30 à 79 – **Pistou** (fermé le soir de de'
mars et mardi soir d'avril au 23 juil. et du 16 sept. à oct.) **Repas** carte 39 à 81 – ⌑ 19,5'
599 ch 290/450, 20 appart

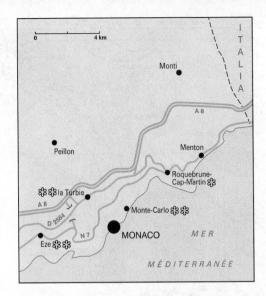

Mirabeau Ⓜ, 1 av. Princesse Grace ✆ (00-377) 92 16 65 65, *mi@sbm.mc*, Fax (00-377) 93 50 84 85, ≤, 斎, ⌿, – ⚌ ✨, ⊟ ch, 🅣 ☎ ⇔ – 🛎 40. 🅰🅴 ⓪ 🆖 🅹🅲🅱, ⌿ rest
voir rest. **La Coupole** ci-après - **Café Mirabeau** (déj. seul.) *(juin-sept.)* **Repas** *(32,01)*-carte 37 à 63 – ⌸ 25 – **83 ch** 360/530, 10 appart – ½ P 237,50/285   DX **n**

Balmoral, 12 av. Costa ✆ (00-377) 93 50 62 37, *resa@hotel-balmoral.mc*, Fax (00-377) 93 15 08 69, ≤ – ⚌, ⊟ ch, 🅣 ☎ – 🛎 20. 🅰🅴 ⓪ 🆖 🅹🅲🅱, ⌿   DY **b**
Repas snack *(fermé nov., dim. soir et lundi)* 21,34 – ⌸ 14 – **53 ch** 152,45/167,69, 7 appart

Alexandra sans rest, 35 bd Princesse Charlotte ✆ (00-377) 93 50 63 13, *hotelalexandra@imcn.com*, Fax (00-377) 92 16 06 48 – ⚌ ⊟ 🅣. 🅰🅴 ⓪ 🆖 🅹🅲🅱. ⌿   DX **r**
⌸ 13 – **56 ch** 89/140

Louis XV - Hôtel de Paris, pl. Casino ✆ (00-377) 92 16 29 76, *lelouisxv@alain-ducasse.com*, Fax (00-377) 92 16 69 21, 斎 – ⊟ 🅿. 🅰🅴 ⓪ 🆖 🅹🅲🅱. ⌿   DY **y**
fermé 28 nov. au 27 déc., 18 fév. au 5 mars, merc. sauf le soir du 19 juin au 21 août et mardi – **Repas** 90 bc *(déj.)*, 150/180 et carte 130 à 200
Spéc. Légumes des jardins de Provence mijotés à la truffe noire écrasée. Poitrine de pigeonneau, foie gras de canard et pommes de terre au jus d'abats. Le "Louis XV" au croustillant de pralin. **Vins** Côtes-de-Provence, Bandol.

Grill de l'Hôtel de Paris, pl. Casino ✆ (00-377) 92 16 29 66, *hp@sbm.mc*, Fax (00-377) 92 16 38 40, ≤ la Principauté, « Au 8ᵉ étage, toit ouvrant » – ⚌ ⊟ 🅿. 🅰🅴 ⓪ 🆖 🅹🅲🅱. ⌿
fermé 6 au 21 janv. et le midi du 8 juil. au 28 août – **Repas** carte 100 à 140 Ⓨ   DY **y**
Spéc. Poissons de Méditerranée grillés au feu de bois. Ravioli de langouste rose aux courgettes et asperges vertes. Soufflé "tradition du grill" **Vins** Côtes de Provence.

La Coupole - Hôtel Mirabeau, 1 av. Princesse Grace ✆ (00-377) 92 16 65 65, *mi@sbm.mc*, Fax (00-377) 93 50 84 85 – ⊟ ⇔. 🅰🅴 ⓪ 🆖 🅹🅲🅱. ⌿   DX **n**
Repas *(dîner seul en juil.-août)* 55/76 et carte 70 à 110
Spéc. Encornet, fines feuilles de lasagne et gousses d'ail confites. Rouget de pays cuit sur le grill. Veau taillé épais dans la côte, jus à la citronnelle **Vins** Côtes de Provence blanc et rouge.

Vistamar - Hôtel Hermitage, pl. Beaumarchais ✆ (00-377) 92 16 27 72, *hh@sbm.mc*, Fax (00-377) 92 16 38 52, ≤ port et Principauté, 斎 – ⊟. 🅰🅴 ⓪ 🆖 🅹🅲🅱   DY **r**
fermé 23 au 26 mai et 29 déc. au 2 janv. – **Repas** 55 et carte 75 à 100
Spéc. Saint-Pierre en cocotte aux morilles et lardons de canard (printemps). Cassolette de thon à la tomate (été). Daurade royale en aiguillettes, sauce vin rouge (hiver) **Vins** Bellet, Côtes de Provence.

Bar et Boeuf, av. Princesse Grace, au Sporting-Monte-Carlo ✆ (00-377) 92 16 60 60, *b.b @sbm.mc*, Fax (00-377) 92 16 60 61, ≤, 斎, « Décoration originale » – ⊟ 🅿. 🅰🅴 ⓪ 🆖 🅹🅲🅱
23 mai-29 sept. – **Repas** *(dîner seul.)* carte 65 à 95   BU **n**
Spéc. "Tomate et tomates", sorbet tomate et bloody Mary. Pavé de bar en feuille de figuier, fruits rôtis, tomates et artichauts. Glace au bubble-gum. **Vins** Côtes de Provence blanc et rosé

Larvotto (Bd du) ...... BU
Moulins (Bd des) ...... BU
Papalins (Av. des) ..... AV
Pasteur (Av.) .... AV
Prince Héréditaire
  Albert (Av.) .... AV
Princesse Grace (Av.). BU
Rainier III (Bd) .... AV
Turbie (Bd de la) ...... BU
Verdun (Bd de) ...... BU
Victor Hugo (R.) ...... AV
Villaine (Av. de) ...... AU

XXX **Maxim's,** 20 av. Costa ℰ (00-377) 97 97 84 60, *Fax (00-377) 97 97 84 61*, 佘 – ▤. 쪠
GB
  DY
fermé août ,15 fév. au 1er mars ,dim. et lundi – **Repas** 38,11 (déj.), 88,42/137,20 et carte
128

XXX **L'Hirondelle,** 2 av. Monte-Carlo (aux Thermes Marins) ℰ (00-377) 92 16 49
Fax (00-377)92 16 49 02, ≤ *le port et le Rocher*, 佘 – ▤. 쪠 ① GB JCB. ⊗ DY
fermé 9 au 16 déc. – **Repas** menu diététique (déj. seul.) 46 et carte 55 à 85 ☺

XXX **Saint Benoit,** 10 ter av. Costa ℰ (00-377) 93 25 02 34, *lesaintbenoit@montecarlo.*
Fax (00-377) 93 30 52 64, ≤ *le port et le Rocher*, 佘 – ▤. 쪠 ① GB JCB DY
fermé 23 déc. au 6 janv., dim. soir et lundi de nov. à mars, lundi midi et sam. mi
juil.-août – **Repas** 27/38 et carte 35 à 86 ☺

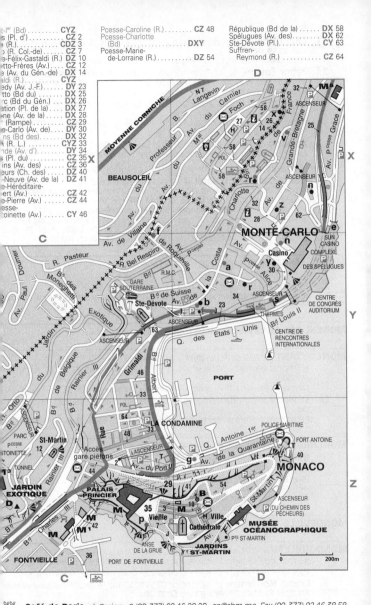

XX **Café de Paris**, pl. Casino ℘ (00-377) 92 16 20 20, cp@sbm.mc, Fax (00-377) 92 16 38 58, 🍽, « Evocation d'une brasserie 1900 » – 🗏. 🖭 ⓞ 🖸 🖸 🖸. 🛠
Repas carte 34 à 80,50 ♀
DY n

XX **Bruno Restaurant**, 31 av. Princesse Grace ℘ (00-377) 93 50 20 03, Fax (00-377) 97 70 87 75, 🍽 – 🗏. 🖭 ⓞ 🖸 🖸
Repas (27,50 bc) - carte 46,50 à 71,65
BU a

XX **Maison du Caviar**, 1 av. St-Charles ℘ (00-377) 93 30 80 06, Fax (00-377) 93 30 23 90, 🍽 – 🖸
fermé août, sam. midi et dim. – Repas 24 (déj.), 30/45 ♀
DX r

MONACO (Principauté de)

   XX **Chez Gianni,** 39 av. Princesse Grace ℘ (00-377) 93 30 46 33, Fax (00-377) 93 30 54 8
— ▤. ΑΕ ⓞ ㏇ B
fermé sam. midi et dim. midi – **Repas** - cuisine italienne - 48/60

   XX **Zébra Square,** 10 av. Princesse Grâce (Grimaldi Forum : 2ᵉ étage, par ascen
℘ (00-377) 99 99 25 50, Fax (00-377) 99 99 25 60, ≤, 斧 – ▤. ΑΕ ⓞ ㏇ ㏕. ℅ B
Repas carte 32 à 64 ☨

   X **Loga,** 25 bd des Moulins ℘ (00-377) 93 30 87 72, Fax (00-377) 93 25 06 41, 斧 – ▤. A
㏕ D
fermé 10 au 25 août, 26 oct. au 3 nov., 8 au 16 fév. et dim. – **Repas** 36,59 (dîner)et
32,02 à 66,31 ☨

   X **Polpetta,** 2 r. Paradis ℘ (00-377) 93 50 67 84 – ▤. ΑΕ ㏇ C
fermé 5 au 25 juin, sam. midi et mardi – **Repas** - cuisine italienne - 22,87

à Monte-Carlo-Beach (06 Alpes-Mar.) Nord-Est BU : 2,5 km – ⊠ 06190 Roquebrune-Cap-Ma

   ＡＡＡ **Monte-Carlo Beach Hôtel** Ⓜ ⌂, av. Princesse Grace ℘ 04 93 28 66 66, bh@sbn
Fax 04 93 78 14 18, ≤ mer et Monaco, 斧, « Beau complexe de loisirs balnéaires »
ＡＡ, ℅ – ⃗, ▤ ch, ⓣⓥ ℃ & 뫋 – 益 30. ΑΕ ⓞ ㏇ ㏕. ℅
1ᵉʳ mars-24 nov. – **Salle à Manger** *(fermé juil.-août)* **Repas** carte 50 à 93 ☨ – **Potir**
℘ 04 93 28 66 43 *(déj. seul.)* *(1ᵉʳ juin-5 sept.)* **Repas** carte 44 à 112 ☨ – **Rivage** ℘ 04 9
66 42 *(déj. seul.)* *(13 avril-13 oct.)* **Repas** carte 28 à 76 – **Vigie** ℘ 04 93 28 6
(28 juin-3 sept.) **Repas** 46 (buffet)(déj.)/55 (dîner) – ⌕ 25 – **46 ch** 460/540

MONCÉ-EN-BELIN 72230 Sarthe ⓬⓮ ③ – 2 463 h alt. 60.
Paris 215 – Le Mans 14 – La Flèche 33 – Le Grand-Lucé 23.

   XX **Belinois,** bd Avocats ℘ 02 43 42 01 18, Fax 02 43 42 22 16 – ℗. ㏇
fermé 15 juil. au 13 août, vacances de fév., lundi et le soir sauf vend. et sam. – **Repas**
(déj.), 22,56/33,54

MONCEL-LÈS-LUNÉVILLE 54 M.-et-M. ⓬⓶ ⑥ – rattaché à Lunéville.

MONCOUTANT 79320 Deux-Sèvres ⓬⓵ ⑯ – 2 985 h alt. 180.
🛈 Syndicat d'Initiative Mairie ℘ 05 49 72 78 83, Fax 05 49 72 84 76, sicm@terre
sevre.org.
Paris 400 – Bressuire 16 – Cholet 50 – Niort 55 – La Roche-sur-Yon 82.

   XX **St-Pierre** avec ch, rte Niort ℘ 05 49 72 88 88, Fax 05 49 72 88 89, 斧 – ▤ rest, ⓣⓥ ◗
㏇
Repas *(fermé dim. soir et lundi midi)* (11,89) - 22/42 ☨ – ⌕ 6,71 – **23 ch** 42,69/49,55 – ½

MONCRABEAU 47600 L.-et-G. ⓭⓽ ⑭ – 780 h alt. 150.
🛈 Syndicat d'initiative - Mairie ℘ 05 53 97 24 50, Fax 05 53 65 67 74.
Paris 719 – Agen 36 – Condom 11 – Mont-de-Marsan 86 – Nérac 13.

   XX **Phare** ⌂ avec ch, ℘ 05 53 65 42 08, le.phare@worldonline.fr, Fax 05 53 97 04 87,
斨 – ⓣⓥ ΑΕ ⓞ ㏇
fermé mars, oct., dim. soir et lundi – **Repas** (19) - 23/30, enf. 7,50 – ⌕ 6 – **8 ch** 36/64

MONDEVILLE 14 Calvados ⓹⓹ ⑫ – rattaché à Caen.

MONDOUBLEAU 41170 L.-et-Ch. ⓺⓪ ⑮ ⑯ G. Châteaux de la Loire – 1 608 h alt. 170.
🛈 Syndicat d'initiative la Maison du Perche ℘ 02 54 80 77 08, Fax 02 54 80 77 08.
Paris 168 – Le Mans 62 – Blois 63 – Chartres 82 – Châteaudun 40 – Orléans 91.

   🏠 **Grand Monarque,** pl. Marché ℘ 02 54 80 92 10, leGrandMonarque@wanado
Fax 02 54 80 77 40, 斧, 斨 – ⓣⓥ ⬡ ℗ ΑΕ ㏇
fermé vacances de Toussaint, de fév., dim. soir et lundi – **Repas** 14,48/32,01 ☨ – ⌕ 6,
13 ch 39,64 – ½ P 39,64

Les hôtels ou restaurants agréables
sont indiqués dans le guide par un symbole rouge.
Aidez-nous en nous signalant les maisons où,
par expérience, vous savez qu'il fait bon vivre.
Votre **Guide Rouge Michelin** sera encore meilleur.

ＡＡＡ ... 🏠

XXXXX ... X

NDRAGON 84430 Vaucluse **81** ① – 3 363 h alt. 40.
Paris 645 – Avignon 45 – Montélimar 40 – Nyons 41 – Orange 18.

XX **Beaugravière** avec ch, N 7 ℘ 04 90 40 82 54, Fax 04 90 40 91 01, 😭 – 🗐 📺 🅿. GB
fermé 16 au 30 sept., dim. soir et lundi – **Repas** 16 (déj.), 23/65 bc ☿, enf. 8 – ☷ 6 – **3 ch**
46/65

NESTIER 03140 Allier **73** ④ – 266 h alt. 323.
Paris 364 – Moulins 49 – Bourges 134 – Clermont-Fd 67 – Montluçon 56 – Vichy 34.

X **Prieuré de Monestier,** ℘ 04 70 56 32 96, Fax 04 70 56 69 75, 😭 – GB
fermé 12 nov. au 10 déc., sam. midi, mardi soir et merc. sauf juil.-août – **Repas** 14,50/52,60,
enf. 9,90

NESTIER-DE-CLERMONT 38650 Isère **77** ⑭ G. Alpes du Nord – 921 h alt. 825.
🖪 *Syndicat d'initiative Parc Municipal ℘ 04 76 34 15 99, Fax 04 76 34 06 20.*
Paris 601 – Grenoble 36 – La Mure 29 – Serres 73 – Sisteron 107.

🏠 **Au Sans Souci** ⍂, à St-Paul-lès-Monestier, Nord-Ouest : 2 km sur D 8 - alt. 800
℘ 04 76 34 03 60, Fax 04 76 34 17 38, 😭, ⍓, 🐾, ✗ – 📺 🅿. 🗛 GB 🎴
fermé 20 déc. à fin janv., dim. soir et lundi sauf juil.-août – **Repas** 15/36 ☿, enf. 10 – ☷ 6 –
16 ch 32/53 – ½ P 49

🏠 **Piot,** ℘ 04 76 34 07 35, hotepiot@club-internet.fr, Fax 04 76 34 12 74, 😭, 🔊 – 📺 ❤ 🅿.
GB
15 fév.-15 nov. et fermé dim. soir, mardi midi et lundi hors saison – **Repas** 14/32 ☿, enf. 9 –
☷ 6 – **16 ch** 30/46 – ½ P 33/44

MONETIER-LES-BAINS 05 H.-Alpes **77** ⑦ – rattaché à Serre-Chevalier.

MONGIE 65 H.-Pyr. **85** ⑱ ⑲ G. Midi-Pyrénées – Sports d'hiver : 1 800/2 500 m ⍽ 3 ⍚ 49 ⍚ –
✉ 65200 Bagnères-de-Bigorre.
Voir *Le Taoulet � N par téléphérique – Col du Tourmalet** O : 4 km.*
Env. *Pic du Midi de Bigorre★★★, accès par le col du Tourmalet puis par route à péage
ouverte en été NO : 10 km.*
🖪 *Office de tourisme ℘ 05 62 91 94 15, Fax 05 62 95 33 13.*
Paris 843 – Bagnères-de-Luchon 72 – Pau 90 – Bagnères-de-Bigorre 25 – Tarbes 46.

🏠 **Pourteilh,** ℘ 05 62 91 93 33, hotel.lepourteilh@wanadoo.fr, Fax 05 62 91 90 88, � – ⍫
📺 ⍑ – ⍨ 20. 🗛 GB ⍣ rest
15 juin-15 sept. et 15 déc.-15 avril – **Repas** (15 déc.-15 avril) 17/28, enf. 10 – ☷ 8 – **42 ch**
78/90 – ½ P 59/65

NNAIE 37380 I.-et-L. **64** ⑮ – 3 302 h alt. 113.
Paris 227 – Tours 17 – Château-Renault 15 – Vouvray 11.

XX **Soleil Levant,** 53 r.Nationale ℘ 02 47 56 10 34, Fax 02 47 56 45 22 – 🗐. GB
fermé 5 au 25 août, 6 au 19 janv., jeudi soir., dim. soir et lundi – **Repas** (12,20) - 16,01/32,78 ☿,
enf. 7,62

MONNERIE-LE-MONTEL 63 P.-de-D. **73** ⑥ – rattaché à Thiers.

NPAZIER 24540 Dordogne **75** ⑯ G. Périgord Quercy – 516 h alt. 180.
Voir *Place des Cornières★.*
🖪 *Office du tourisme Place des Cornières ℘ 05 53 22 68 59, Fax 05 53 74 30 08, ot.mon
pazier@perigord.tm.fr.*
Paris 559 – Périgueux 80 – Sarlat-la-Canéda 50 – Bergerac 46 – Villeneuve-sur-Lot 45.

🏠 **Edward 1er** ⍂ sans rest, ℘ 05 53 22 44 00, Fax 05 53 22 57 99, �, « Demeure du
19e siècle », ⍓ – 📺 ❤ ⍖ 🅿. 🗛 ① GB
1er avril-1er nov. – ☷ 9,91 – **13 ch** 56,41/121,96

NT *voir au nom propre du mont.*

NTAGNY 42840 Loire **73** ⑧, **110** ㉓ – 1 111 h alt. 530.
Paris 412 – Roanne 15 – Lyon 73 – Montbrison 78 – St-Étienne 96 – Thizy 8.

XX **Philippe Degoulange,** ℘ 04 77 66 11 31, Fax 04 77 66 15 63 – 🗐. GB
fermé 5 au 26 août, dim. soir, merc. soir, jeudi soir et lundi – **Repas** 14 (déj.), 20/44 ☿

NTAGNY-LÈS-BEAUNE 21 Côte-d'Or **69** ⑨ – rattaché à Beaune.

MONTAIGU 85600 Vendée **67** ④ – 4 708 h alt. 40.

Env. *Mémorial de vendée* ★★ : le logis de la Chabotterie★ (salles historiques★★) SO : 1◄
le chemin de la Mémoire des Lucs★ SO : 24 km G. Poitou Vendée Charentes.

🛈 *Office du tourisme 6 rue Georges Clemenceau* 𝄢 02 51 06 39 17, Fax 02 51 06 39 17

Paris 388 – Nantes 37 – La Roche-sur-Yon 39 – Cholet 36 – Fontenay-le-Comte 87.

au Pont de Sénard Nord : 7 km par N 137 et D 77 – ⊠ 85600 St-Hilaire-de-Loulay :

🏠 **Pont de Sénard** 📶 🕭, 𝄢 02 51 46 49 50, hotel.pont.senard@wanadoo
Fax 02 51 94 11 11, 🈺 – 📺 📞 🕭 🅿 – 🛆 30. 🆎 ⓪ 🇬🇧. 🛠 rest
fermé 29 juil. au10 août, 26 déc. au 10 janv. – **Repas** (fermé vend. soir en hiver et dim.
14,95/45 ♀, enf. 9,95 – 🖵 6,45 – **23 ch** 43/58 – ½ P 48,56

MONTARGIS ◁ⓈⓅ▷ 45200 Loiret **61** ⑫ G. Bourgogne – 15 030 h alt. 95.

Voir *Collection Girodet★ du musée* **M¹**.

🛈 *Office du tourisme Boulevard Paul Baudin* 𝄢 02 38 98 00 87, Fax 02 38 98 82
OFFTOURISME-DISTRICT.MONTARGIS@wanadoo.fr.

Paris 112 ① – Auxerre 82 ② – Bourges 118 ④ – Orléans 73 ⑤ – Sens 51 ②.

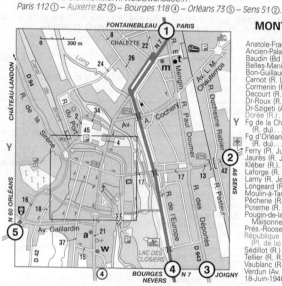

MONTARGIS

Anatole-France (Bd) . . . **Y**
Ancien-Palais (R.) . . . . **Z**
Baudin (Bd Paul) . . . **YZ**
Belles-Manières (Bd) . **Z**
Bon-Guillaume (R. du)**Z**
Carnot (R. Lazare) . . . **Y**
Cormenin (R.) . . . . **Z**
Decourt (R. E.) . . . . . . **Y**
Dr-Roux (R. du) . . . . . **Y**
Dr-Szigeti (Av. de) . . **Y**
Dorée (R.) . . . . **Z**
Fg de la Chaussée
  (R. du) . . . . **YZ**
Fg d'Orléans
  (R. du) . . . . **YZ**
Ferry (Pl. Jules) . . . . **Z**
Jaurès (R. Jean) . . . . **Y**
Kléber (R.) . . . . **Y**
Laforge (R. R.) . . . . . **Y**
Lamy (R. Jean) . . . . . **Y**
Longeard (R. du) . . . **Y**
Moulin-à-Tan (R. du) . **Z**
Pêcherie (R. de la) . . **Z**
Poterne (R. de la) . . **Z**
Pougin-de-la-
  Maisonneuve (R.) . **Z**
Prés.-Roosevelt (R.) . **Y**
République
  (Pl. de la) . . . . **Z**
Sédillot (R.) . . . . **Z**
Tellier (R. R.) . . . . . . **Z**
Vaublanc (R. de) . . . **Z**
Verdun (Av. de) . . . . **Y**
18-Juin-1940 (Pl. de). **Z**

Pour visiter
la Bourgogne
utilisez
le guide vert
Michelin

**Bourgogne
Morvan**

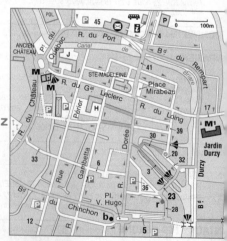

Dorèle M sans rest, 222 r. Émile Mengin ✆ 02 38 07 18 18, Fax 02 38 07 18 19 – 🛗 ⇔ ≣
📺 ✆ & 🅿 – 🏰 15. GB
⌷ 5,49 – **52 ch** 48,78
Y t

Ibis, 2 pl. V. Hugo ✆ 02 38 98 00 68, Fax 02 38 89 14 37, 🏠 – 🛗 ⇔, ≣ ch, 📺 & ⇌ –
🏰 25. AE ⓘ GB JCB
Z b
Brasserie de la Poste : Repas (10,60)-18/24 ⅀, enf.6,50 – ⌷ 5,50 – **59 ch** 53

Kyriad, 1250 av. Antibes (centre commercial), Sud : 3 km par r. J. Jaurès ✆ 02 38 98 20 21,
kyriad-montargis@wanadoo.fr, Fax 02 38 89 19 16, 🏠 – 📺 ✆ & 🅿. ⓘ GB
Repas (fermé dim. soir) (11) -15/20 ⅃, enf. 6 – ⌷ 6 – **40 ch** 50

XX **Gloire** avec ch, 74 av. Gén..de Gaulle ✆ 02 38 85 04 69, Fax 02 38 98 52 32 – ≣ rest, 📺
⇌. AE GB
Y m
❀ fermé 12 au 29 août, 29 janv. au 21 fév., mardi et merc. – Repas 29/43 et carte 48 à 60 ⅀ –
⌷ 7 – **12 ch** 50/57
Spéc. Salade de homard. Panaché de Saint-Pierre et langoustines. Blanc de turbot et
pomme charlotte aromatisée aux truffes **Vins** Sancerre, Menetou-Salon.

XX **Le Coche de Briare** avec ch, 72 pl. République ✆ 02 38 85 30 75, Fax 02 38 93 44 68 –
≣ rest, 📺 ✆. GB
Z r
fermé 29 juil. au 20 août, 17 fév. au 7 mars, jeudi soir, dim. soir et lundi sauf fériés – Repas
16/44 ⅀, enf. 11,50 – ⌷ 5,50 – **10 ch** 29/43

XX **L'Orangerie du Lac**, 57 r. J. Jaurès ✆ 02 38 93 33 83, Fax 02 38 93 33 83 – ≣.
GB
Y w
fermé 22 juin au 14 juil., 2 au 10 janv., mardi et merc. – Repas 15/35

X **Chez Pierre**, 22 r. J. Jaurès ✆ 02 38 85 22 65, Fax 02 38 85 30 78 – ≣ 🅿. GB
Y a
fermé 30 juil. au 21 août, 1ᵉʳ au 15 janv., dim. soir, merc. soir et lundi – Repas 14,94/36,59

de Ferrières par ①, N 7 et rte secondaire – ✉ 45210 Fontenay-sur-Loing :

🏠 **Domaine de Vaugouard** M ⌂, ✆ 02 38 89 79 00, domaine-golf-vaugouard@wana
doo.fr, Fax 02 38 89 79 01, « Au milieu d'un golf », ⌀, ☒, ✵, ⓧ – 📺 ✆ 🅿 – 🏰 15 à 70. AE
ⓘ GB JCB
fermé 22 au 30 déc. – Repas (fermé dim. soir et lundi de nov. à mars) 35/45 ⅀ – ⌷ 15 –
27 ch 115/325, 15 duplex

milly par ③ : 5 km – 11 497 h. alt. 110 – ✉ 45200 :

🏠 **Belvédère** ⌂ sans rest, 192 r. J. Ferry ✆ 02 38 85 41 09, Fax 02 38 98 75 63, ⇌ – ⇔ 📺
✆ 🅿. GB
fermé 17 au 29 août et 22 déc. au 12 janv. – ⌷ 8 – **24 ch** 42/54

XX **Auberge de l'Écluse**, r. Ponts (au bord du Canal) ✆ 02 38 85 44 24, Fax 02 38 85 75 89,
🏠 – 🅿. GB. ✵
fermé jeudi soir, dim. soir et lundi – Repas 22,10/35,90

Le Guide change, changez de guide tous les ans.

MONTAT 46 Lot 79 ⑱ – rattaché à Cahors.

ONTAUBAN 🅿 82000 T.-et-G. 79 ⑰ ⑱ G. Midi-Pyrénées – 51 855 h alt. 98.
Voir Le vieux Montauban★ : portail★ de l'hôtel Lefranc-de-Pompignan Z E – Musée Ingres★
– Place Nationale★ – Dernier Centaure mourant★ (bronze de Bourdelle) B.
Env. Pente d'eau de Montech★ : 15 km par ③ et D 928.
🛈 Office du tourisme Place Prax-Paris ✆ 05 63 63 60 60, Fax 05 63 63 65 12, officetourisme
@montauban.com.
Paris 642 ① – Toulouse 53 ③ – Agen 75 ④ – Albi 72 ② – Auch 85 ③ – Cahors 61 ①.
Plan page suivante

🏠 **Mercure** M, 12 r. Notre-Dame ✆ 05 63 63 17 23, mercure.montauban@wanadoo;fr,
Fax 05 63 66 43 66 – 🛗 ⇔ 📺 ✆ & – 🏰 15 à 50. AE ⓘ GB
Z s
Repas 13,50/33,70 ⅀, enf. 7 – ⌷ 9 – **44 ch** 75/85

XX **Les Saveurs d'Ingres**, 13 r. Hôtel de Ville ✆ 05 63 91 26 42, Fax 05 63 66 28 92 – ≣.
GB
Z u
fermé 12 août au 9 sept., sam. midi, dim. soir et lundi – Repas 16 (déj.), 25/47 ⅀

XX **Cuisine d'Alain et Hôtel Orsay** avec ch, face gare ✆ 05 63 66 06 66, cuisinedalain@
wanadoo.fr, Fax 05 63 66 19 39, 🏠 – 🛗 📺 ✆ ⇌ – 🏰 20. AE ⓘ GB
Y f
fermé 24 déc. au 7 janv., lundi midi, dim. et fériés – Repas 20 bc (déj.)/45 ⅀, enf. 11 – ⌷ 8 –
20 ch 44/56 – ½ P 52

MONTAUBAN

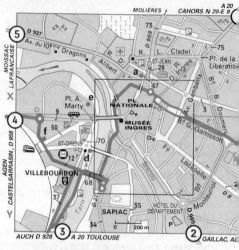

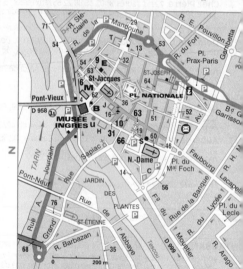

XX **Au Chapon Fin,** 1 pl. St-Orens ℘ 05 63 63 12 10, Fax 05 63 20 47 43 – 🖩. GB   Y
fermé 4 au 26 août, vend. soir et sam. – Repas 15/28 ⅀, enf. 10

XX **Au Fil de l'Eau,** 14 quai Dr Lafforgue ℘ 05 63 66 11 85, Fax 05 63 66 11 85 – 🖩. ①
JCB   X
fermé 8 au 22 avril, 5 au 19 août, merc. soir, dim. soir et lundi – Repas (15,20) - 22,50
enf. 8,40

X **Mille Saveurs,** 6 r. St-Jean ℘ 05 63 66 37 51 – 🖩. GB   X
fermé 12 au 30 août, 6 au 13 janv., dim. soir et lundi – Repas 12 (déj.), 17,50/32, enf. 8,5

MONTAUBAN-DE-LUCHON 31 H.-Garonne 📇 ㉑ – rattaché à Bagnères-de-Luchon.

Repas soignés à prix modérés : 🍴 Repas 16/23

NTAUROUX 83440 Var 84 ⑧, 114 ⑫ ㉕, 115 ㉓ G. Côte d'Azur – 4 017 h alt. 364.

🛈 Office du tourisme Place du Clos ℰ 04 94 47 75 90, Fax 04 94 47 61 97.

Paris 896 – Cannes 33 – Draguignan 37 – Fréjus 29 – Grasse 21.

de Grasse Sud-Est : 3 km – ⊠ 83340 Montauroux :

XX **Auberge des Fontaines d'Aragon**, D 37 ℰ 04 94 47 71 65, ericmaio@club-internet.
fr, Fax 04 94 47 71 65, 🏤, 🐎 – 🏴. GB
fermé 15 nov. au 1ᵉʳ déc., 15 janv. au 1ᵉʳ fév., merc. et jeudi – **Repas** 33,54/64,03

de Draguignan Sud : 3 km – ⊠ 83440 Montauroux :

X **Jardin de l'Espicier**, D 562 ℰ 04 94 47 75 41, Fax 04 94 47 75 41, 🏤 – 🗐 🏴. GB
fermé 15 nov. au 15 déc., mardi soir, merc. soir et jeudi soir du 15 déc. au 30 mars et lundi –
Repas 22,56/33,54

NTBARD ⬙ 21500 Côte-d'Or 65 ⑦ G. Bourgogne – 6 300 h alt. 221.

Voir Parc Buffon⋆.

Env. Abbaye de Fontenay⋆⋆⋆ E : 6 km par D 905.

🛈 Syndicat d'initiative Rue Carnot ℰ 03 80 92 03 75, Fax 03 80 92 03 75, ot.montbard
@wanadoo.fr.

Paris 237 – Dijon 81 – Autun 87 – Auxerre 78 – Troyes 100.

🏠 **L'Écu**, 7 r. A. Carré ℰ 03 80 92 11 66, snc.coupat@wanadoo.fr, Fax 03 80 92 14 13, 🏤 –
🍽 📺 🌂. AE ⓪ GB
Repas (fermé mardi midi du 5 au 26 mars et 12 nov. au 25 fév.) 16/49 ☿, enf. 10 – ⊑ 8 –
23 ch 57/78 – 1/2 P 64/67

🏠 **Gare** sans rest, 10 av. Mar. Foch ℰ 03 80 92 02 12, Fax 03 80 92 41 72, 🐾 – 🍽 📺 🌂 🏴. AE
GB
⊑ 6,86 – **34 ch** 27,44/57,93

ain-lès-Montbard Sud-Est : 6 km par N 905 – 299 h. alt. 220 – ⊠ 21500 :

🏰 **Château de Malaisy** ⌾, ℰ 03 80 89 46 54, ch-malaisy@ifrance.com,
Fax 03 80 92 30 16, 🎣, 🏊, 🐾 – 📺 🌂 🔥 🏴 – 🕍 25 à 150. GB. 🛇
Repas 24/54 bc ☿ – ⊑ 8 – **24 ch** 52/105 – 1/2 P 61/81

NTBAZON 37250 I.-et-L. 64 ⑮ G. Châteaux de la Loire – 3 434 h alt. 59.

🛈 Office du tourisme 11 avenue de la Gare ℰ 02 47 26 97 87, Fax 02 47 34 01 78,
office-tourisme-montbazon@wanadoo.fr.

Paris 249 – Tours 16 – Châtellerault 59 – Chinon 41 – Loches 33 – Saumur 67.

🏰 **Château d'Artigny** ⌾, Sud-Ouest : 2 km par D 17 ℰ 02 47 34 30 30, contact@artigny.
com, Fax 02 47 34 30 39, ≼ l'Indre, 🏤, « Parc », 🎣, 🏊, 🏌, 🐾 – 🖥 📺 🌂 🏴 – 🕍 20 à 40. AE
⓪ GB
fermé 1ᵉʳ déc. au 11 janv. – **Repas** 46/78 ☿, enf. 20 – ⊑ 16 – **52 ch** 145/375, 4 duplex –
1/2 P 147,50/262,50

Port Moulin au Fil de l'Eau, – 📺 🏴. AE ⓪ GB
fermé 1ᵉʳ déc. au 11 janv. – **Repas** voir **Château d'Artigny** – ⊑ 16 – **9 ch** 115/145

🏰 **Domaine de la Tortinière** ⌾, Nord : 2 km par N 10 et D 287 ℰ 02 47 34 35 00,
domaine.tortiniere@wanadoo.fr, Fax 02 47 65 95 70, ≼ vallée de l'Indre, 🏤, « Dans un
parc », 🏊, 🏌, 🐾 – 📺 🌂 🏴 – 🕍 20. GB. 🛇
fermé 20 déc. au 1ᵉʳ mars – **Repas** (fermé dim. soir de nov. à mars) (prévenir) 37 bc (déj.),
47/67 ☿, enf. 20 – ⊑ 14 – **22 ch** 120/260, 7 appart – 1/2 P 107/191

🏰 **Relais de Touraine**, Nord : 2 km rte Tours ℰ 02 47 26 06 57, Fax 02 47 26 18 40, 🏤, 🐎
– 📺 🏴 – 🕍 35. GB. 🛇 rest
fermé 2 au 28 janv. – **Repas** (fermé dim. soir et lundi) 22/32 ☿ – ⊑ 7 – **22 ch** 40/54 –
1/2 P 31/35

XX **Chancelière "Jeu de Cartes"**, 1 pl. Marronniers ℰ 02 47 26 00 67, Fax 02 47 73 14 82
❀ – 🗐. GB
fermé 25 août au 3 sept., 9 fév. au 3 mars, dim. et lundi sauf fériés – **Repas** 20/35
Spéc. Coquelets surprises aux morilles. Ravioles d'huîtres au champagne (sept à juin). Tatin
de tomates à la queue de boeuf (juin à sept.) **Vins** Vouvray, Chinon

XX **Auberge de la Courtille**, 13 av. Gare ℰ 02 47 26 28 26, Fax 02 47 26 14 34 – GB
fermé 15 juil. au 12 août, dim. soir et merc. – **Repas** 16,50/35 ☿

est : 5 km par N 10, D 287 et D 87 – ⊠ 37250 Montbazon :

XX **Moulin Fleuri** ⌾ avec ch, ℰ 02 47 26 01 12, Fax 02 47 34 04 71, ≼, « Ancien moulin au
bord de l'Indre », 🐎 – 📺 🌂 🏴. AE GB JCB
fermé 1ᵉʳ fév. au 9 mars, 18 au 25 déc., dim. soir du 12 nov. au 30 mars, lundi et jeudi midi –
Repas (18,30) - 27,40/48 ☿, enf. 11,50 – ⊑ 8,40 – **10 ch** 53,40/99,10 – 1/2 P 60,70

MONTBÉLIARD

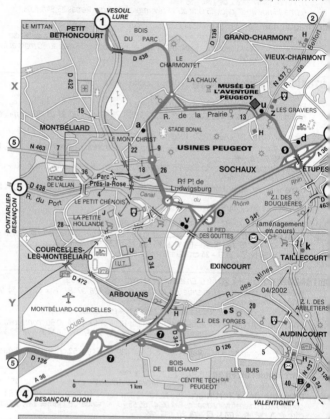

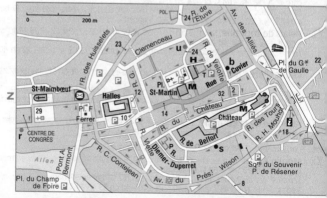

MONTBÉLIARD ⊛ 25200 Doubs **66** ⑧ *G. Jura* – 27 570 h Agglo. 113 059 h alt. 325.

Voir *Le Vieux Montbéliard★ : hôtel Beurnier-Rossel★* – Sochaux : *Musée de l'aventure Peugeot★*.

🅱 *Office du tourisme 1 rue Henri Mouhot ℰ 03 81 94 45 60, Fax 03 81 94 14 04, office.de.tourisme.montbeliard@wanadoo.fr.*

Paris 421 ④ – Besançon 77 ④ – Mulhouse 60 ② – Belfort 22 ② – Vesoul 62 ①.

Plan page ci-contre

🏨 **Bristol** sans rest, 2 r. Velotte ℰ 03 81 94 43 17, *hotel.bristol@wanadoo.fr,* Fax 03 81 94 15 29 – 🌂 📺 📞 **P** – 🕍 50. 🖭 ⓪ 🖼. 🛠   Z **b**
fermé 26 déc. au 3 janv. – 🖙 6 – **43 ch** 33/69,50

🏨 **Balance**, 40 r. Belfort ℰ 03 81 96 77 41, *hotelbalance@wanadoo.fr, Fax 03 81 91 47 16,* 🏠 – 🛗 🌂 📺 📞 ↓ **P** – 🕍 15. 🖭 ⓪ 🖼. 🛠   Z **s**
fermé 23 au 28 déc. – **Repas** *(fermé sam., dim. et le midi en août)* 11 *(déj.),* 18/25 ♀ – 🖙 7,50 – **44 ch** 58/80 – ½ P 54

🏨 **Kyriad**, 34 bis av. Mar. Joffre ℰ 03 81 94 44 64, *Fax 03 81 94 37 40* – 🛗 🌂 📺 📞 ↓ **P** – 🕍 20. 🖭 ⓪ 🖼   X **a**
Repas snack *(fermé août, 24 déc. au 1er janv., vend., sam. et dim.)* (dîner seul.) 14 ♀, enf. 6 – 🖙 7 – **62 ch** 49/55

🏨 **Les Relais Verts**, le Pied des Gouttes ℰ 03 81 90 10 69, *hotelrelaisvert@wanadoo.fr,* Fax 03 81 90 15 18, 🏠 – 🛗 🌂 ☰ rest, 📺 📞 ↓ **P** – 🕍 25. 🖭 ⓪ 🖼 🌏   X **v**
Tire-Bouchon (fermé sam. midi et dim.) **Repas** 15/60 ♀, enf. 7 – 🖙 6 – **42 ch** 54/66 – ½ P 47/54

🏨 **Ibis**, le Pied des Gouttes ℰ 03 81 90 21 58, *Fax 03 81 90 44 37,* 🏠 – 🌂 ☰ 📺 ↓ **P** – 🕍 30. 🖭 ⓪ 🖼 🌏   X **v**
Repas *(12,50)* 16,01 ⅄, enf. 5,95 – 🖙 5,56 – **62 ch** 57

XXX **Tour Henriette**, 59 fg Besançon ℰ 03 81 91 03 24, *Fax 03 81 96 71 43* – 🖭 ⓪ 🖼
fermé 14 juil. au 15 août, 7 au 14 janv., sam. midi, dim. soir et lundi – **Repas** 15,25 bc *(déj.),* 24,30 bc/39,85 bc et carte 45 à 55 ♀   Z **r**

XX **St-Martin**, 1 r. Gén. Leclerc ℰ 03 81 91 18 37, *Fax 03 81 91 18 37* – 🖭 ⓪ 🖼
fermé 5 au 25 août, 23 fév. au 3 mars, sam., dim. et fériés – **Repas** 29/49   Z **u**

MONTBENOIT 25650 Doubs **70** ⑦ *G. Jura* – 219 h alt. 804.

Voir *Ancienne abbaye★ : stalles★★, niche abbatiale★★.*

🅱 *Office du tourisme 8 rue du Val Saugeais ℰ 03 81 38 10 32, Fax 03 81 38 12 97.*

Paris 466 – Besançon 61 – Morteau 17 – Pontarlier 15.

Maisons-du-Bois Sud-Ouest : 4 km sur D 437 – 494 h. alt. 810 – ⊠ 25650 :

X **Saugeais** avec ch, ℰ 03 81 38 14 65, *Fax 03 81 38 11 27,* 🏠 – 📺 📞 **P**. 🖼. 🛠 ch
fermé janv., dim. soir et lundi – **Repas** 11,50/30,50 ⅃, enf. 7,10 – 🖙 6,20 – **7 ch** 38/53,50 – ½ P 40,50/45

MONT-BLANC (Tunnel du) 74 H.-Savoie **74** ⑧ ⑨ – voir à Chamonix-Mont-Blanc.

MONTBONNOT-ST-MARTIN 38 Isère **77** ⑤ – rattaché à Grenoble.

MONTBOUCHER-SUR-JABRON 26 Drôme **81** ① – rattaché à Montélimar.

MONTBRISON ⊛ 42600 Loire **73** ⑰ *G. Vallée du Rhône* – 14 589 h alt. 391.

Voir *Intérieur★ de la Collégiale N.-D.-d'Espérance.*

🅱 *Office du tourisme Généralerie du Cloître des Cordeliers ℰ 04 77 96 08 69, Fax 04 77 96 20 88, OFFICE-DU-TOURISME@wanadoo.fr.*

Paris 451 – St-Étienne 45 – Lyon 103 – Le Puy-en-Velay 101 – Roanne 68 – Thiers 68.

Savigneux Est : 2 km par D 496 – 2 565 h. alt. 382 – ⊠ 42600 :

🏨 **Marytel** sans rest, 95 rte Lyon ℰ 04 77 58 72 00, *Fax 04 77 58 42 81* – 📺 📞 **P**. 🖭 ⓪ 🖼
🖙 6 – **33 ch** 40/44

XX **Yves Thollot**, 93 rte Lyon ℰ 04 77 96 10 40, 🏠 – **P**. 🖭 🖼
fermé 29 juil. au 19 août, 24 fév. au 10 mars, dim. soir, mardi soir et lundi – **Repas** 19,06/48,78, enf. 9,15

MONTBRON 16220 Charente **72** ⑮ *G. Poitou Vendée Charentes* – 2 241 h alt. 141.

🅱 *Office du tourisme Place de l'Hôtel de Ville ℰ 05 45 23 60 09, Fax 05 45 23 64 40, otmontbron@wanadoo.fr.*

Paris 461 – Angoulême 29 – Nontron 24 – Rochechouart 37 – La Rochefoucauld 15.

Hostellerie Château Ste-Catherine 🐾, au Sud : 4,5 km par rte Marthc
℘ 05 45 23 60 03, Fax 05 45 70 72 00, ≤, ㋛, « Demeure du 18ᵉ siècle dans un parc »,
🐾 – 📺 📞 🅿. 🆎 ⓄⒹ ㏄
fermé fév. – **Repas** *(fermé dim. soir et lundi)* 21,34 (déj.)/25,92, enf. 9,15 – ☲ 7,47 – **14 ch**
– ½ P 53,36/68,60

MONTCEAU-LES-MINES 71300 S.-et-L. 🕃🕃 ⑰ ⑱ G. Bourgogne – 20 634 h alt. 285.

Env. *Mont-St-Vincent : tour ⁂ ★★ 12 km par* ②.

🖪 *Office du tourisme 1 place de l'Hôtel de Ville* ℘ 03 85 69 00 00, Fax 03 85 69 00 C
office.du.tourisme.montceau@wanadoo.fr.

Paris 331 ① – *Chalon-sur-Saône 45* ① – *Autun 46* ① – *Mâcon 69* ② – *Moulins 90* ③.

MONTCEAU-LES-MINES

André-Malraux (R.)	**AY** 3
Barbès (R.)	**ABZ**
Bel-Air (R. de)	**BY** 4
Carnot (R.)	**AZ** 6
Champ-du-Moulin (R. du)	**BYZ** 7

Chausson (R. Henri)	**BZ** 9
Émorine (R. Antoine)	**BZ** 10
Gauthey (Quai)	**AZ** 12
Génelard (R. de)	**BZ** 13
Guesde (Quai Jules)	**AY** 14
Hospice (R. de l')	**AZ** 15
Jean-Jacques-Rousseau (R.)	**BZ** 16
Jean-Jaurès (R.)	**AZ**
Lamartine (R.)	**AZ** 19
Merzet (R. Étienne)	**BY** 21

Palinges (R. de)	**BZ**
Paul-Bert (R.)	**AZ**
Pépinière (R. de la)	**AY**
République (R. de la)	**AY**
Sablière (R. de la)	**ABY**
St-Vallier (R. de)	**BZ**
Semard (R. de)	**BZ**
Strasbourg (R. de)	**BZ**
Tournus (R. de)	**BZ**
8-Mai-1945 (R. du)	**BY**
11-Nov.-1918 (R. du)	**AY**

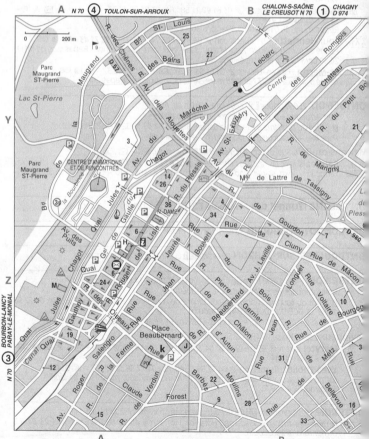

Grilhôtel, av. Mar. Leclerc (proche centre commercial) ℰ 03 85 57 49 49, Fax 03 85 57 72 23 – 📺 ❤ 🕁 🅿. 🆔 ☖
BY a
Repas *(fermé dim. soir)* 11,50/22,50 ♨, enf. 6 – ☲ 6 – **30 ch** 43 – ½ P 35

XX **France** avec ch, 7 pl. Beaubernard ℰ 03 85 67 95 30, *hotel.restaurant.lefrance@wanadoo .fr*, Fax 03 85 67 95 44 – 🔲 rest, 📺 ❤. ☖
AZ k
fermé 30 juil. au 26 août et 7 au 13 janv. – **Repas** *(fermé vend. soir, dim. soir et lundi)* 18,50 bc/61 ♨, enf. 8,50 – ☲ 6,10 – **10 ch** 36,60/64 – ½ P 60,20

ar ② *et D 980 : 4 km* – ⊠ *71300 Gourdon :*

X **Auberge Plain-Joly** avec ch, ℰ 03 85 57 24 74, Fax 03 85 57 24 74, 😤, 👫, ❄ – 📺 🅿. ☖
Repas 12,20/21,35 ♈, enf. 9,90 – ☲ 6,20 – **8 ch** 27,45/45,75 – ½ P 33,55

Galuzot *Sud-Ouest : 5 km par* ③ *et D 974* – ⊠ *71230 St-Vallier :*

X **Moulin de Galuzot**, ℰ 03 85 57 18 85 – 🅿. 🆔 ☖
fermé 22 juil. au 13 août, mardi soir, dim. soir et merc. – **Repas** 14,48/34,30 ♨

ONTCENIS 71 *S.-et-L.* ⓭⓿ ⑧ – *rattaché au Creusot.*

ONTCHAUVET 78790 *Yvelines* ⓭⓭ ⑱ – 254 h alt. 100.
Paris 65 – Dreux 33 – Évreux 47 – Mantes-la-Jolie 16 – Rambouillet 39 – Versailles 50.

X **Jument Verte**, pl.Église ℰ 01 30 93 43 60, Fax 01 30 93 49 20 – 🆔 ☖
fermé 2 au 16 sept. et 3 au 24 fév. – **Repas** 24/35

*Au moment de chercher un hôtel ou un restaurant, soyez efficace.
Sachez utiliser les noms soulignés en rouge sur les* **cartes Michelin**
*à 1/200 000.
Mais ayez une carte à jour!*

ONTCHAUVROT 39 *Jura* ⓰⓿ ④ – *rattaché à Poligny.*

ONTCHENOT 51 *Marne* ⓭⓰ ⑯ – *rattaché à Reims.*

ONTCLUS 30630 *Gard* ⓴⓿ ⑨ – 134 h alt. 94.
Paris 663 – Alès 46 – Avignon 58 – Bagnols-sur-Cèze 25 – Pont-St-Esprit 25.

🏠 **Magnanerie de Bernas** ⌂, à Bernas, Est : 2 km ℰ 04 66 82 37 36, *lamagnanerie@wa nadoo.fr*, Fax 04 66 82 37 41, ≤, 😤, 🌊, ❄ – 📺 🅿. ☖
14 mars-3 nov. – **Repas** *(fermé lundi midi du 22 avril au 20 sept., mardi et merc. d'oct. à Pâques)* 15/44 ♈, enf. 9 – ☲ 9 – **13 ch** 45/100 – ½ P 55/75

ONT-DAUPHIN GARE 05 *H.-Alpes* ⓱⓱ ⑱ – *rattaché à Guillestre.*

ONT-DE-MARSAN 🅿 40000 *Landes* ⓼⓶ ① *G. Aquitaine* – 29 489 h alt. 43.
Voir Musée Despiau-Wlérick★.
🛈 *Office du tourisme 6 place du Général Leclerc* ℰ 05 58 05 87 37, *Fax 05 58 05 87 36, tourisme@mont-de-marsan.org.*
Paris 710 ① – Agen 121 ① – Bayonne 106 ⑥ – Bordeaux 132 ① – Pau 85 ③ – Tarbes 103 ③.
Plan page suivante

🏨 **Renaissance** ⌂, rte Villeneuve par ② : 2 km ℰ 05 58 51 51 51, Fax 05 58 75 29 07, 😤, 🌊, ❄ – 📺 🕁 🅿. 🆔 ❶ ☖
Repas *(fermé vend. soir et dim. soir)* 20/30, enf. 6 – ☲ 7,50 – **29 ch** 48/70 – ½ P 52/60

🏠 **Abor** 🎓, rte Grenade par ④ : 3 km ⊠ 40280 St-Pierre-du-Mont ℰ 05 58 51 58 00, *abor@ free.fr*, Fax 05 58 75 78 78, 😤, 🌊 – 🛗 ❄ 🔲 📺 ❤ 🕁 🅿 – 🔏 15 à 50. 🆔 ☖
Repas *(fermé 20 déc. au 5 janv., dim. midi et sam. hors saison sauf fériés)* (11) - 16/24 ♨, enf. 9 – ☲ 9 – **68 ch** 48/62 – ½ P 44/49

X **Zanchettin** avec ch, rte Villeneuve par ② : 3 km ℰ 05 58 75 19 52, Fax 05 58 85 92 04, 😤, ❄ – 📺 🅿. ☖ ❄ ch
fermé 15 août au 10 sept., lundi (sauf hôtel) et dim. soir – **Repas** 10,40/24,50 ♈ – ☲ 4,50 – **9 ch** 27,50/44 – ½ P 28/32,25

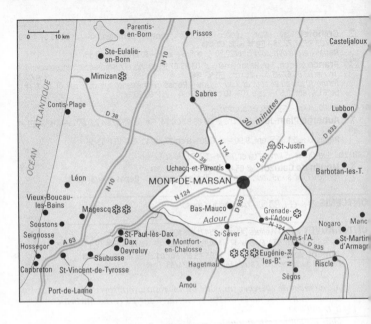

à **Uchacq-et-Parentis** par ⑦ : 7 km – 495 h. alt. 50 – ⊠ 40090 :

✗ **Didier Garbage,** N 134, ℘ 05 58 75 33 66, *didier.garbage@wanadoo*
Fax 05 58 75 22 77, 🏤 – 🖃 📮 ⓪ 📭
fermé 30 juin au 13 juil., 2 au 10 janv., dim. soir et lundi – **Repas** 23/58 bc, enf. 9 **- Bistr**
Repas 11,50 bc/15 bc, enf. 9

MONT-DE-MARSAN

*Dans la liste des rues
des plans de villes,
les noms en rouge
indiquent les principales
voies commerçantes.*

NTDIDIER ⏺ 80500 Somme 🖫 ⑲ *G. Picardie Flandres Artois – 6 328 h alt. 82.*

🛈 *Office du tourisme 5 place du Général de Gaulle 𝒞 03 22 78 92 00, Fax 03 22 78 00 88.*
Paris 108 – Amiens 41 – Compiègne 36 – Beauvais 49 – Péronne 48 – St-Quentin 65.

Dijon, 1 pl. 10-Août-1918 (rte de Rouen) 𝒞 03 22 78 01 35, *Fax 03 22 78 27 24* – 📺 📞 📶
fermé 4 au 25 août, sam. (sauf hôtel) et dim. soir – **Repas** 14/22,50 – 🍽 6,50 – **19 ch** 37/52
– ½ P 46

MONT-DORE 63240 P.-de-D. 🔢 ⑬ *G. Auvergne – 1 682 h alt. 1050 – Stat. therm. (début mai-
fin oct.) – Sports d'hiver : 1 050/1 850 m ⛄ 2 ⛷ 18 ⛷ – Casino* Z.

Voir *Établissement thermal : galerie César★, salle des pas perdus ★ – Puy de Sancy ※★★★
5 km par ② puis 1 h. AR de téléphérique et de marche – Funiculaire du capucin★ .*

Env. *Col de la Croix-St-Robert ※★★ 6,5 km par ②.*

🛈 *OMT Avenue de la Libération 𝒞 04 73 65 20 21, Fax 04 73 65 05 71, ot.info@mont-
dore.com.*

Paris 462 ① – Clermont-Ferrand 44 ① – Aubusson 87 ⑤ – Issoire 49 ① – Ussel 56 ④.

LE MONT-DORE

Apollinaire (R. S.) . . . . . Y 2
Artistes (Chemin des) . Z
Banc (R. Jean) . . . . Y 3
Belges (Av. des) . . . . . . Y
Bertrand (Av. M.) . . . . . Y
Chazotte
  (R. Capitaine) . . . . . Y 4
Clemenceau (Av.) . . . . . Y 5
Clermont (Av. de) . . . . Y 8
Crouzets (Av. des) . . . . Y
Dr-Claude (R.) . . . . . . Y
Duchâtel (R.) . . . . Z 9
Favart (R.) . . . . Y 12
Ferry (Av. J.) . . . . YZ
Gaulle (Pl. Ch.-de) . . . . Y 14
Guyot-Dessaigne
  (Av.) . . . . Y 15
Lavialle (R.) . . . . Y
Leclerc (Av. du Gén.) . Y
Libération
  (Av. de la) . . . . YZ
Melchi-Roze
  (Chemin) . . . . Y
Meynadier (R.) . . . . . . YZ
Mirabeau (Bd) . . . . . . Y
Montlosier (R.) . . . . . . Z 19
Moulin (R. Jean) . . . . . Z 20
Panthéon (Pl. du) . . . . Z 22
Pasteur (R.) . . . . Y
Ramond (R.) . . . . Z 24
République (Pl. de la) . Z 26
Rigny (R.) . . . . Z 28
Sand (Allée G.) . . . . . . YZ 29
Sanitas (R.) . . . . Y
Verrier (R. P.) . . . . Y
Wilson (Av.) . . . . Y
19-Mars-1962 (R. du) . Y 32

*Michelin
n'accroche pas
de panonceau
aux hôtels
et restaurants
qu'il signale.*

Panorama ♨, av. Libération 𝒞 04 73 65 11 12, panorama@nat.fr, *Fax 04 73 65 20 80*, ≤,
🛁, ☒, 🌸 – 📶 📺 🅿 🅿. 📶 ❀ rest   Z u
début mai-7 oct. et 25 déc.-15 mars – **Repas** 24/32 – 🍽 9,50 – **39 ch** 65,50/78 – ½ P 64,50/
69

Castelet, av. M. Bertrand 𝒞 04 73 65 05 29, castelet@compuserve.com,
Fax 04 73 65 27 95, 🌸, ☒, 🌸 – 📶 📺 📞 🅿 ⑩ 📶 ❀ rest   Y t
18 mai-30 sept., 20 déc.-6 janv. et 23 janv.-30 mars – **Repas** 16/28 – 🍽 6 – **34 ch** 44/62 –

Annexe Wilson 🅜 sans rest, 𝒞 04 73 65 00 06, *Fax 04 73 65 27 95*, 🌸 – 📶 cuisinette 📺
📞 🅰 🅿. 📶   Y r
18 mai-30 sept. et 20 déc.-30 mars – 🍽 6 – **4 ch** 60, 12 studios 60/78

Londres sans rest, r. Meynadier ℘ 04 73 65 01 12 – ⌷. GB
fermé 16 mars au 30 avril et 16 nov.au 24 déc. – ⌷ 4,60 – **20 ch** 28,20/36,60

Paix, r. Rigny ℘ 04 73 65 00 17, Fax 04 73 65 00 31 – ⌷ 🔲 ✆. GB
fermé 15 oct. au 22 déc. – **Repas** 13,75/25,95, enf. 7,65 – ⌷ 6,40 – **36 ch** 32/42
½ P 38,11

Paris, 11 pl. Panthéon ℘ 04 73 65 01 79, Fax 04 73 65 20 98, 🍽, ⛲ – ⌷ 🔲
🍽 rest
8 mai-15 oct. et 25 déc.-1er avril – **Repas** (11) · 13/18, enf. 7 – ⌷ 6 – **23 ch** 38/41 – ½ P

Parc, r. Meynadier ℘ 04 73 65 02 92, webmaster@hotelduparc-montdore.
Fax 04 73 65 28 36 – ⌷ 🔲 ✆. GB. 🍽 rest
30 avril-6 oct. et 26 déc.-20 mars – **Repas** 14,50/16 ⅊, enf. 6,10 – ⌷ 5,95 – 3
39,64/42,69 – ½ P 40,86

Mon Clocher, r. M. Sauvagnat ℘ 04 73 65 05 41, Fax 04 73 65 20 80 – 🔲. GB
15 mai-30 sept. et 2 fév.-10 mars – **Repas** 12,50/16 ⅊, enf. 5,50 – ⌷ 5,50 – **30 ch** 37.
½ P 34,75/40,50

Les Charmettes sans rest, 30 av. G. Clemenceau par ② ℘ 04 73 65 0
Fax 04 73 65 20 28 – ⒫. GB. 🍽
15 mai-6 oct., vacances de Toussaint, de Noël, de fév. et week-ends en hiver – ⌷ 5 – 2
41

Madalet sans rest, av. Libération ℘ 04 73 65 03 13, Fax 04 73 65 00 93 – ✆. GB
début mai-fin sept. et Noël-Pâques – ⌷ 3,96 – **18 ch** 24,39/35,83

au Lac de Guéry par ① : 8,5 km sur D 983 G. Auvergne – ⌧ 63240 Le Mont-Dore :
Voir Lac★.

Auberge du Lac de Guéry avec ch, ℘ 04 73 65 02 76, jean.leclerc2@wanadc
Fax 04 73 65 08 78, ≤, 🍽 – 🔲 ✆ ⒫. AE ① GB
15 janv-15 oct. – **Repas** 14,50/27,50 ⅊, enf. 6 – ⌷ 5,65 – **10 ch** 40,50/46,50 – ½ P 49

MONTE-CARLO Principauté de Monaco 84 ⑩, 115 ㉗ ㉘ – voir à Monaco.

MONTEILS 12200 Aveyron 79 ⑳ – 465 h alt. 240.
🛈 Syndicat d'initiative - Mairie ℘ 05 65 29 63 48.
Paris 632 – Rodez 68 – Albi 60 – Montauban 69 – Villefranche-de-Rouergue 11.

Clos Gourmand ⑤ avec ch, ℘ 05 65 29 63 15, Fax 05 65 29 64 98, 🍽, ⛲ – AE
🍽 rest
1er mars-31 oct. – **Repas** 10,70/27,50 ⅊, enf. 6,90 – ⌷ 5,33 – **4 ch** 42,70 – ½ P 38,11

MONTEILS 82 T.-et-G. 79 ⑱ – rattaché à Caussade.

MONTÉLIER 26120 Drôme 77 ⑫ – 3 120 h alt. 219.
Paris 571 – Valence 12 – Crest 26 – Romans-sur-Isère 13.

Martinière, rte Chabeuil ℘ 04 75 59 60 65, Fax 04 75 59 69 20, 🍽, 🏊 – 🔲 ✆ ⒫ – 🔼
AE GB
Repas 14/48 ⅊ – ⌷ 8 – **30 ch** 35/46 – ½ P 41

MONTÉLIMAR 26200 Drôme 81 ① G. Vallée du Rhône – 31 344 h alt. 90.
Voir Allées provençales★ – Musée de la Miniature★ M.
Env. Site★★ du Château de Rochemaure★, 7 km par ④.
🛈 Office du tourisme Allées Provençales ℘ 04 75 01 00 20, Fax 04 75 52 33 69, montel
tourisme@wanadoo.fr.
Paris 608 ① – Valence 47 ① – Avignon 83 ② – Nîmes 109 ② – Le Puy-en-Velay 131 ③.

Plan page ci-contre

Relais de l'Empereur, pl. Marx Dormoy ℘ 04 75 01 29 00, relais.empereur@wana
fr, Fax 04 75 01 32 21, 🍽 – 🔲 ⒫. AE ① GB JCB Z
fermé mi-nov. à mi-déc. – **Repas** 19,82/38,87 ⅊ – ⌷ 6,86 – **31 ch** 42,69/86,90 – ½ P 51
64,02

Sphinx sans rest, 19 bd Desmarais ℘ 04 75 01 86 64, reception@sphinx-hote
Fax 04 75 52 34 21 – 🔲 ✆ ⒫ GB Y
fermé 20 déc. au 6 janv. – ⌷ 5,60 – **24 ch** 40/54,50

Printemps ⑤, 8 chemin Manche par ① ℘ 04 75 92 06 80, hotelprintemps@ifra
com, Fax 04 75 46 03 14, 🍽, 🏊, ⛲ – 🔲 rest, 🔲 ⒫. GB. 🍽 rest
Repas (fermé 15 au 30 nov. et dim. en déc. et janv.) (dîner seul.) 19,06/27,44 ⅊ – ⌷ 8,
11 ch 59,46/67,08 – ½ P 56,41/59,46

MONTÉLIMAR

Adhémar (R.) . . . . Z 2
Aygu (Av.) . . . . Z 4
Baudina (R.) . . . . Y 5
Blanc (Pl. L.) . . . . Z 6
Bourgneuf (R.) . . . . Y 8
Carmes (Pl. des) . . . . . Y 9
Chemin-Neuf (R. du) . . Z 10
Clercs (Pl. des) . . . . . . Y 12
Corneroche (R.) . . . . . . Y 14
Cuiraterie (R.) . . . . Z 15
Desmarais (Bd Marre) . . . . Y 17
Dormoy (Pl. M.) . . . . . . Z 18
Espoulette (Av. d') . . . . Z 19
Europe (Pl. de l') . . . . . Z 21
Fust (Pl. du) . . . . Y 23
Gaulle (Bd Gén.-de) . . . . . . Z 25
Julien (R. Pierre) . . . . YZ
Juiverie (R.) . . . . Y 28
Loubet (Pl. Émile) . . . . Z 29
Loubet (R. Émile) . . . . . Z 30
Meyer (R. M.) . . . . Y 32
Monnaie-Vieille (R.) . . . . Y 34
Montant-au-Château (R.) . . . . Y 35
Planel (Pl. A.) . . . . Z 37
Poitiers (R. Diane de) . . . . . . Z 38
Porte-Neuve (R.) . . . . . Z 39
Prado (Pl. du) . . . . Y 41
Puits-Neuf (R. du) . . . . Y 42
Rochemaure (Av. de) . . . . Y 47
St-Martin (Montée) . . . . Y 50
St-Pierre (R.) . . . . Y 51
Villeneuve (Av. de) . . . . Y 54

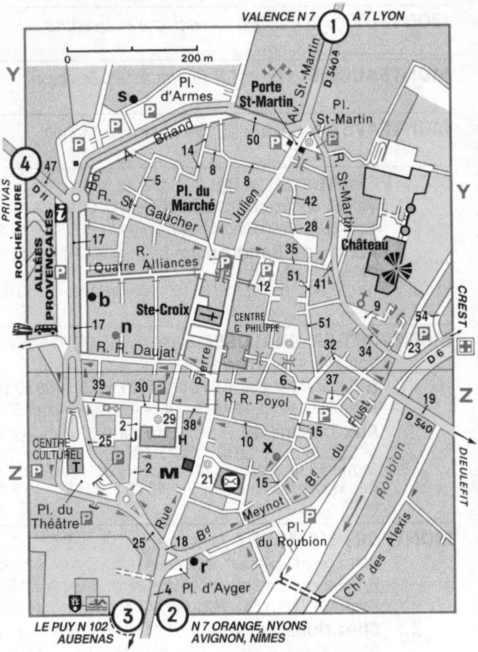

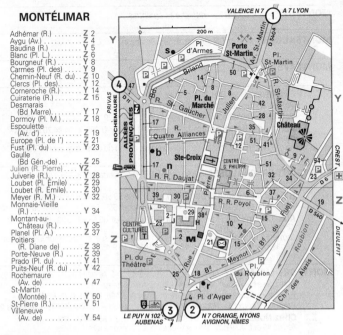

Provence sans rest, 118 av. J. Jaurès par ② ☎ 04 75 01 11 67 – 🚗 P. GB
fermé 15 janv. au 15 fév. et sam. de nov. à mars – ☕ 5,50 – **16 ch** 27/42

Beausoleil sans rest, 14 bd Pêcher ☎ 04 75 01 19 80, *Fax 04 75 01 08 17* – TV P. GB
☕ 5 – **16 ch** 37/43 — Y s

Francis "Les Senteurs de Provence", 202 rte Marseille (direction Orange par ②)
☎ 04 75 01 43 82, *Fax 04 75 51 08 47* – P. GB
fermé 25 juil. au 22 août, mardi soir, dim. soir et merc. sauf fériés – **Repas** 15/26 ♀, enf. 9,60

Petite France, 34 impasse Raymond Daujat ☎ 04 75 46 07 94 – GB — Y n
fermé 14 juil. au 19 août, 23 au 27 déc., lundi midi, sam. midi, dim. et fériés – **Repas** 13/26

Grillon, 40 r. Cuiraterie ☎ 04 75 01 79 02, *Fax 04 75 01 79 02,* – AE GB — Z x
fermé 5 au 22 juil., dim. soir et lundi – **Repas** 11,50 (déj.), 13,50/27,50 ♀

'Homme d'Armes *Nord : 4 km par N 7 – ✉ 26740 :*

Lou Mas, ☎ 04 75 01 90 83, *Fax 04 75 01 24 56* – AE GB
fermé 12 au 27 août et mardi – **Repas** 14,50/27, enf. 8,40

Montboucher-sur-Jabron *Sud-Est par D 940 : 4 km – 1 424 h. alt. 124 – ✉ 26740 :*

Château du Monard M, au golf de la Valdaine, sortie Montélimar-Sud
☎ 04 75 00 71 30, *hotel@domainedelavaldaine.com, Fax 04 75 00 71 31,* – TV P – 30. AE GB
Repas *(fermé dim. soir de fin oct. à début avril)* 23/40 - ***Brasserie*** *(fermé dim. soir de nov. à mars)* **Repas** (14)-20, – **34 ch** ☕ 124/185 – 1/2 P 100/152

r N 7 par ② *: 7,5 km – ✉ 26780 Chateauneuf-du-Rhône :*

Pavillon de l'Étang, ☎ 04 75 90 76 82, *Fax 04 75 90 72 39,* – P. AE GB
fermé 2 au 18 sept., 2 au 17 janv., merc. soir sauf juil.-août, dim. soir et lundi – **Repas** 23/45,50 ♀, enf. 10,67

r ② *: 9 km par N 7 et D 844, rte Donzère – ✉ 26780 Malataverne :*

Domaine du Colombier, ☎ 04 75 90 86 86, *domainecolombier@voila.fr, Fax 04 75 90 79 40,* « Jardin fleuri », – TV P – 25. AE GB
Repas 24 (déj.), 32/58 ♀, enf. 20 – ☕ 13 – **22 ch** 77/140, 3 appart – 1/2 P 78,50/110

ONTENACH *57 Moselle* 57 ④ *– rattaché à Sierck-les-Bains.*

MONTEUX *84 Vaucluse* 🔟 ⑫ – *rattaché à Carpentras.*

MONTFAUCON *25 Doubs* 🔟 ⑮ – *rattaché à Besançon.*

MONTFAVET *84 Vaucluse* 🔟 ⑫ – *rattaché à Avignon.*

MONTFERRAT *83131 Var* 🔟 ⑦ – *642 h alt. 466.*

   Voir *S : Gorges de Châteaudouble★, G. Côte d'Azur.*
   Paris 883 – Castellane 44 – Draguignan 15 – Toulon 99.

Ⓧ   **Ferme du Baudron,** rte Draguignan : 1 km par D 955 ℘ 04 94 70 91 03, 🏤, « Ca
   rustique », 🔟, ℁ – 🅿.
   fermé janv., fév. et merc. – Repas · grillades au feu de bois · *(déj. seul.)* 18,29/21,34

MONTFORT-EN-CHALOSSE *40380 Landes* 🔟 ⑦ *G. Aquitaine* – *1 210 h alt. 110.*

   Voir *Musée de la Chalosse★.*
   🅱 *Syndicat d'initiative 25 place Foch* ℘ 05 58 98 58 50, Fax 05 58 98 58 01.
   Paris 749 – Mont-de-Marsan 42 – Aire-sur-l'Adour 58 – Dax 19 – Hagetmau 27 – Orthez 2

🏠   **Aux Tauzins** ⌂, Est : 1,5 km par D 32 et D 2 ℘ 05 58 98 60 22, Fax 05 58 98 45 79
   🏤, 🔟, 🌳 – ⚡ 📺 🅿 – 🔏 25. ⑱
   fermé 30 sept. au 15 oct., 13 janv. au 11 fév., dim. soir et lundi sauf juil.-août et férié
   Repas 17,50/33,50 – ☲ 6,50 – **16 ch** 39,50/51 – ½ P 43,50/45

MONTFORT-L'AMAURY *78490 Yvelines* 🔟 ⑨, 🔟 ㉗ *G. Ile de France* – *3 137 h alt. 185.*

   Voir *Église★ – Ancien cimetière★ – Ruines du château ≤★.*
   🅱 *Office de tourisme 6 rue Amaury* ℘ 01 34 86 87 96, Fax 01 34 86 87 96.
   Paris 48 – Dreux 35 – Houdan 17 – Mantes-la-Jolie 31 – Rambouillet 19 – Versailles 29.

ⓍⓍ   **Chez Nous,** 22 r. Paris ℘ 01 34 86 01 62, Fax 01 34 86 84 87 – ⑱
   fermé 15 oct. au 9 nov., dim. soir et lundi sauf fériés – Repas 22/28

MONTGRÉSIN *60 Oise* 🔟 ⑪, 🔟 ⑧ – *rattaché à Chantilly.*

Les MONTHAIRONS *55 Meuse* 🔟 ⑪ – *rattaché à Verdun.*

MONTHERMÉ *08800 Ardennes* 🔟 ⑱ *G. Champagne Ardenne* – *2 791 h alt. 180.*

   Voir *Roche aux Sept Villages ≤★★ S : 3 km – Roc de la Tour ≤★★ E : 3,5 km puis 20 m*
   Longue Roche ≤★★ NO : 2,5 km puis 30 mn – Roche à Sept Heures ≤★ N : 2 km – Roche
   Roma ≤★ S : 4 km – Vallée de la Semoy★ : Croix d'enfer ≤★ E.
   Env. *Roches de Laifour★ NO : 6 km.*
   🅱 *Office du tourisme Place Jean-Baptiste Clément* ℘ 03 24 54 46 73, Fax 03 24 54 87 88
   Paris 251 – Charleville-Mézières 18 – Fumay 21.

🏠   **Franco-Belge,** 2 r. Pasteur ℘ 03 24 53 01 20, Fax 03 24 53 54 49 – ▤ rest, 📺. ⑱. ℁
   fermé 23 au 29 sept., 24 déc. au 2 janv. et dim. soir sauf juil.-août – Repas *(fermé sam. r*
   sauf juil.-août) (11) - 15,55/41,16, enf. 8,69 – ☲ 5,79 – **13 ch** 40,40/50,61 – ½ P 41,16/59

MONTHIEUX *01390 Ain* 🔟 ②, 🔟 ⑤ – *578 h alt. 295.*

   Paris 442 – Lyon 31 – Bourg-en-Bresse 38 – Meximieux 25 – Villefranche-sur-Saône 20.

🏰   **Gouverneur** Ⓜ ⌂, ℘ 04 72 26 42 00, info@golfgouverneur.fr, Fax 04 72 26 42
   « Sur le golf », 🔟, ℁, 🏊 – ⚡ ▤ 📺 ℃ & 🅿 – 🔏 70. ⑪ ⓪ ⑱
   fermé 23 déc. au 1er janv. – Repas 30/37 ♈ – ☲ 10 – **45 ch** 85/90, 8 appart – ½ P 75

MONTI *06 Alpes-Mar.* **84** ⑳ – *rattaché à Menton.*

MONTICELLO *2B H.-Corse* **90** ⑬ – *voir à Corse.*

MONTIGNAC *24290 Dordogne* **75** ⑦ *G. Périgord Quercy* – *3 023 h alt. 77.*
   Voir *Grottes de Lascaux*★★ *SE : 2 km.*
   Env. *Le Thot, espace cro-magnon*★ *S : 7 km – Église*★★ *de St-Amand de Coly E : 7 km.*
   🖪 *Office du tourisme Pl Bertrand de Born* ℘ *05 53 51 82 60, Fax 05 53 50 49 72, ot.montignac@perigord.tm.fr.*
   Paris 492 – Brive-la-Gaillarde 39 – Périgueux 48 – Sarlat-la-Canéda 25 – Limoges 102.

🏨 **Château de Puy Robert** ⤳, *Sud-Ouest : 1,5 km par D 65* ℘ *05 53 51 92 13, puyrobert*
✿ *@relaischateaux.com, Fax 05 53 51 80 11,* ≤, 🏛, ⊒, 🏊 – 🛎 ▤ ⚟ 🅿. 🕮 ⓪ ☞ ᴊᴄʙ
   début mai-mi-oct. – **Repas** *(fermé le midi sauf sam. et dim.)* *35/121 et carte 58 à 80* 𝚼*,*
   enf. 15 – � *15 –* **34 ch** *118/241, 4 duplex (en été: ½ pens. seul.)* – ½ P *131/192,50*
   Spéc. *Cappuccino d'écrevisses au piment d'Espelette. Pigeon farci de truffe et foie gras.*
   Pavé de turbot confit et marinière de légumes. **Vins** *Bergerac blanc et rouge.*

🏨 **Hostellerie la Roseraie** ⤳, *pl. d'Armes* ℘ *05 53 50 53 92, hotelroseraie@wanadoo.fr,*
   Fax 05 53 51 02 23, 🏛, « *Demeure du 19ᵉ siècle dans un jardin fleuri* », ⊒, 🐎 – 🖵.
   ☞
   hôtel : 15 mars-15 nov.; rest. : 30 mars-15 nov. – **Repas** *(fermé le midi en semaine sauf du*
   15 juin au 15 sept.) 19 *(déj.), 21/30* 𝚼*, enf. 13 –* ⊒ *10 –* **14 ch** *82/105 –* ½ P *75/90*

🏨 **Relais du Soleil d'Or** ⤳, *r. 4-Septembre* ℘ *05 53 51 80 22, lessoleildor@le-soleil-dor.*
   com, Fax 05 53 50 27 54, 🏛, ⊒, 🏊 – 🖵 ⚟ & 🅿. – 🏊 *60.* 🕮 ⓪ ☞ ᴊᴄʙ
   fermé 12 janv. au 12 fév. – **Repas** *(fermé dim. soir et lundi midi de nov. à mars)* *19,36/46* 𝚼*,*
   enf. 11 - **Bistrot** *(déj. seul.)* *(fermé dim. soir et lundi midi de nov. à mars)* **Repas** *11* 𝚼*, enf. 7*
   – ⊒ *8,50 –* **32 ch** *58/152 –* ½ P *63,50/76,50*

MONTIGNY *76 S.-Mar.* **55** ⑥ – *rattaché à Rouen.*

MONTIGNY-LA-RESLE *89230 Yonne* **65** ⑤ – *548 h alt. 155.*
   Paris 171 – Auxerre 14 – St-Florentin 17 – Tonnerre 32.
🏨 **Soleil d'Or** Ⓜ, ℘ *03 86 41 81 21, Fax 03 86 41 86 88* – 🖵 & 🅿 – 🏊 *20.* 🕮 ⓪ ☞
   ᴊᴄʙ
   Repas *12,04 (déj.), 14,94/50,30* 𝚼*, enf. 8,84 –* ⊒ *6,86 –* **16 ch** *48,78/51,83 –* ½ P *47,26*

MONTIGNY-LE-BRETONNEUX *78 Yvelines* **60** ⑨, **101** ㉒ – *voir à Paris, Environs (St-Quentin-en-Yvelines).*

MONTIGNY-LE-ROI *52140 H.-Marne* **62** ⑬ – *2 211 h alt. 404.*
   Paris 297 – Chaumont 35 – Bourbonne-les-Bains 22 – Langres 23 – Neufchâteau 59.
🏨 **Moderne**, *carrefour D74 et D417* ℘ *03 25 90 30 18, hotel.moderne52@wanadoo.fr,*
   Fax 03 25 90 71 80 – ▤ *rest.* 🖵 ⚟ & ⬅ 🅿 – 🏊 *25.* 🕮 ⓪ ☞
   Repas *14,50/38,50* 𝚼*, enf. 7 –* ⊒ *7,50 –* **26 ch** *46/62,50 –* ½ P *54*

MONTIGNY-SUR-AVRE *28270 E.-et-L.* **60** ⑥ – *275 h alt. 140.*
   Paris 113 – Alençon 86 – Argentan 86 – Chartres 50 – Dreux 35 – Verneuil-sur-Avre 8.
🏨 **Moulin des Planches** ⤳, *Nord-Est : 1,5 km par D 102* ℘ *02 37 48 25 97, moulin.des.*
   planches@wanadoo.fr, Fax 02 37 48 35 63, ≤, 🏛, « *Ancien moulin sur l'Avre* », 🏊 – 🖵 ⚟
   🅿 – 🏊 *15 à 80.* ☞. ⚞ *ch*
   fermé janv., dim. soir et lundi – **Repas** *(14,95) - 18,30/48,03* 𝚼*, enf. 11,44 –* ⊒ *7,63 –* **18 ch**
   39,64/77,75 – ½ P *53,06/77,83*

MONTIGNY-SUR-LOING *77690 S.-et-M.* **61** ⑫ – *2 796 h alt. 82.*
   🖪 *Syndicat d'initiative 45 place de la Mairie* ℘ *01 64 45 82 86.*
   Paris 76 – Fontainebleau 12 – Melun 29 – Montargis 419 – Orléans 91 – Troyes 115.
❌❌ **Vanne Rouge**, ℘ *01 64 78 52 30, Fax 01 64 78 52 49,* 🏛 – ☞
   fermé lundi – **Repas** *33,54, enf. 13,72*

MONTLIOT *21 Côte-d'Or* **65** ⑧ – *rattaché à Châtillon-sur-Seine.*

MONT-LOUIS *66210 Pyr.-Or.* **86** ⑯ *G. Languedoc Roussillon* – *270 h alt. 1565.*

Voir *Remparts★* – *Lac des Bouillaises★.*

🖪 *Office de tourisme r. du marché* ℘ *04 68 04 21 97.*

Paris 934 – *Font-Romeu-Odeillo-Via 10* – *Andorra-la-Vella 89* – *Perpignan 81.*

🍲 **Taverne-Bernagie**, 10 r. V. Hugo ℘ 04 68 04 23 67, *info@bernagie*
Fax 04 68 04 13 35 – ☲ ⅏
fermé 4 au 14 mars, 18 au 29 nov., 16 au 22 déc., dim. soir et lundi midi hors saison – **Re**
12,96 (déj.), 19,51/28,97, enf. 8,54 – ☑ 6 – **8 ch** 45/54 – ½ P 44/50

à la Llagonne *Nord : 3 km par D 118* – *263 h. alt. 1600* – ⊠ *66210 Mont-Louis :*

🏨 **Corrieu** ♨, ℘ 04 68 04 22 04, *hotel.corrieu@wanadoo.fr,* Fax 04 68 04 16 63, ≤ – **P.**
⓪ ⅏, ⅍ rest
8 juin-24 sept. et 21 déc.-24 mars – **Repas** 18/29 ☿, enf. 9 – ☑ 6,70 – **28 ch** 28/6⁴
½ P 37/55

MONTLOUIS-SUR-LOIRE *37210 I.-et-L.* **64** ⑮ *G. Châteaux de la Loire* – *9 657 h alt. 60.*

🖪 *Office du tourisme Place François Mitterrand* ℘ 02 47 45 00 16, Fax 02 47 45 10
tourisme-montlouis@wanadoo.fr.

Paris 236 – *Tours 11* – *Amboise 14* – *Blois 50* – *Château-Renault 32* – *Loches 38.*

🏨 **Ville**, pl. Mairie ℘ 02 47 50 84 84, Fax 02 47 45 08 43, 😭 – 🗹 **P** – 🏄 15. ⅏
Repas *(fermé dim. soir et lundi du 15 oct. au 15 avril)* 17/46 ☿, enf. 9 – ☑ 7 – **29 ch** 41/6
½ P 42/50

🍴🍴 **Tourangelle**, 47 quai Albert Baillet ℘ 02 47 50 97 35, Fax 02 47 50 88 57, 😭 – ⅏
fermé 30 juin au 7 juil., vacances de Toussaint, 3 au 16 fév., dim. soir, mardi soir et mer
Repas 20/42 ☿, enf. 11

MONTLUÇON ◁☞ *03100 Allier* **69** ⑪ ⑫ *G. Auvergne* – *41 362 h alt. 220.*

Voir *Intérieur★ de l'église St-Pierre (Sainte Madeleine★★)* CYZ - *Esplanade du château* ≤
Musée des musiques populaires★.

🖪 *Office du tourisme 5 place Piquand* ℘ 04 70 05 11 44, Fax 04 70 03 89 91 – *Automo*
Club 10 r. Michelet ℘ 04 70 64 70 38, Fax 04 70 03 71 04.

Paris 329 ① – *Moulins 82* ② – *Bourges 99* ① – *Clermont-Ferrand 112* ① – *Limoges 154* ⚈

Plan page ci-contre

🏰 **Château St-Jean** ♨, *près hippodrome par* ③ ℘ 04 70 02 71 71, *chateau.st.jean@w*
doo.fr, Fax 04 70 02 71 70, 😭, « *Demeure du 15ᵉ siècle près d'un parc* », 🔲, 🎾 – 🛗 🗹
🕭 **P**– 🏄 25 à 100. ☲ ⓪ ⅏
Repas 20 (déj.), 30/50 ☿, enf. 9 – ☑ 10 – **15 ch** 65/115, 5 appart – ½ P 77,50/82,50

🏨 **Bourbons**, 47 av. Marx Dormoy ℘ 04 70 05 28 93, Fax 04 70 05 16 92 – 🛗 ⅏, ▤ rest,
🕭 – 🏄 20. ☲ ⓪ ⅏   BZ
Repas *(fermé 29 juil. au 12 août, dim. soir et lundi)* 19/32 ☿ - **Brasserie Pub 47 :** **Rep**
13/15,50☿ – ☑ 5,40 – **43 ch** 40/48 – ½ P 37/42

🏨 **Ibis** 🅼, quai Favières ℘ 04 70 28 48 42, *h1112@accor-hotels.com,* Fax 04 70 28 58 62 –
🛗 ▤ 🗹 🕭 🕭 ⛔ – 🏄 30. ☲ ⓪ ⅏   BY
Repas 15,09 ⅃, enf. 5,95 – ☑ 5,79 – **63 ch** 54/59

🍴🍴🍴 **Grenier à Sel** *avec ch, pl. des Toiles* ℘ 04 70 05 53 79, *contact@le grenierase*
Fax 04 70 05 87 91, 😭, « *Hôtel particulier du vieux Montluçon* », 🎾 – 🗹 🕭. ⅏   CZ
fermé 28/10 au 1ᵉʳ/11, vacances de fév., sam. midi en hiver, lundi midi en 07/08, dim. soi
lundi sauf fériés – **Repas** 19,50/64 et carte 37 à 59 ☿ – ☑ 9,15 – **7 ch** 70/107

🍴 **Safran d'Or**, 12 pl. des Toiles ℘ 04 70 05 09 18, Fax 04 70 05 55 60, 😭 – ☲ ⅏   CZ
fermé 19 août au 13 sept., vacances de fév., mardi soir, dim. soir et lundi – **Repas** *(12,9*
17,53/22,56 ☿

🍴 **Plaisir des Marais**, 152 av. Albert Thomas, *par* ⑥ : *1,5 km* ℘ 04 70 03 49
⛔ Fax 04 70 03 49 74, 😭
fermé 1ᵉʳ au 21 août, 1ᵉʳ au 15 janv., sam. midi, mardi soir et lundi – **Repas** 14/20 ⅃

à St-Victor *par* ① : *5 km sur N 144* – *1 957 h. alt. 212* – ⊠ *03410 :*

🏨 **Comfort Inn Primevère**, ℘ 04 70 28 88 88, *comfort.hotel.montlucon@wanadoc*
⛔ Fax 04 70 28 87 73, 😭 – 🕭 🗹 🕭 🕭 **P** – 🏄 30. ☲ ⓪ ⅏ ⅉⅭⅫ
Repas 10,37/16,46 ⅃, enf. 6,40 – ☑ 6,10 – **40 ch** 47,26

832

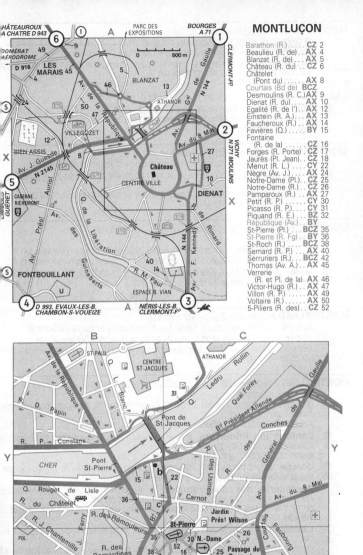

MONTLUÇON

MONTLUEL *01120 Ain* 🔢 ② – *6 454 h alt. 190.*

🛈 *Office du tourisme 150 cours de la Portelle* ℰ *04 72 25 78 54, Fax 04 72 25 78 54.*
Paris 468 – Lyon 26 – Bourg-en-Bresse 59 – Chalamont 21 – Villefranche-sur-Saône 43.

🏠 **Petit Casset** ⤳ *sans rest, à La Boisse Sud-Ouest : 2 km* ℰ *04 78 06 21 33, lepetitcass*
yahoo.fr, Fax 04 78 06 55 20 – 📺 **P.** 🖭 **GB**
 ⬚ 6,50 – **15 ch** 50/53

à Ste-Croix *Nord : 5 km par D 61 – 468 h. alt. 263 – ⊠ 01120 :*

🏠 **Chez Nous,** ℰ *04 78 06 61 20, Fax 04 78 06 63 26,* �, 🍴 – 📺 & **P.** – 🔏 25 à 40. 🖭
 fermé 15 au 31 mars et 20 au 30 nov. – **Repas** *(fermé jeudi soir, dim. soir et lundi)* 15/40,4
 – ⬚ 5,50 – **24 ch** 31/45 – ½ P 39

MONTMARAULT *03390 Allier* 🔢 ⑬ – *1 663 h alt. 480.*
Paris 348 – Moulins 46 – Gannat 41 – Montluçon 31 – St-Pourçain-sur-Sioule 28.

✕✕ **France** *avec ch, 1 r. Marx Dormoy* ℰ *04 70 07 60 26, Fax 04 70 07 68 45 –* 📺 ✆ **P.** – 🔏
 GB. ✻ *rest*
 fermé 11 au 19 mars, 10 nov. au 4 déc., dim. soir et lundi – **Repas** 14/39,64 ⚟ – ⬚ 6,8
 8 ch 36,64/44,21 – ½ P 39,94/42,23

MONTMÉDY *55600 Meuse* 🔢 ① *G. Alsace Lorraine* – *2 260 h alt. 193.*
Voir *Citadelle⋆.*
🛈 *Office du tourisme* ℰ *03 29 80 15 90, Fax 03 29 80 05 79, montmedy@wanadoo.fr.*
Paris 266 – Charleville-Mézières 68 – Longwy 37 – Metz 100 – Verdun 49 – Vouziers 60.

🏠 **Mâdy,** ℰ *03 29 80 10 87, noel.l@wanadoo.fr, Fax 03 29 80 02 40,* � – 📺. 🖭 ① **GB**
 fermé janv., dim. soir et lundi – **Repas** 12,20/36 ⚟, enf. 6 – ⬚ 6,10 – **11 ch** 38/4
 ½ P 37/44

MONTMÉLARD *71520 S.-et-L.* 🔢 ⑱ – *333 h alt. 522.*
Paris 385 – Mâcon 43 – Paray-le-Monial 34 – Montceau-les-Mines 56 – Roanne 52.

✕ **St-Cyr** *avec ch,* ℰ *03 85 50 20 76, Fax 03 85 50 20 76,* ≤, � – ▤ *rest,* **P.** **GB**
 fermé 2 au 10 juil., 5 au 27 fév., lundi soir et mardi – **Repas** 11 *(déj.),* 15/28 ⚟, enf. 8 – ⬚ 5
 – **7 ch** 38 – ½ P 47

MONTMÉLIAN *73800 Savoie* 🔢 ⑯ *G. Alpes du Nord* – *3 926 h alt. 307.*
Voir ⸭⋆⋆ *du rocher.*
🛈 *Syndicat d'initiative - Mairie* ℰ *04 79 84 07 31, Fax 04 79 84 08 20, mairie@m*
melian.com.
Paris 578 – Grenoble 51 – Albertville 40 – Allevard 23 – Chambéry 15.

🏠 **Comfort Inn Primevère,** N 6 ℰ *04 79 84 12 01, hotelcomfort73@wanadoo*
 Fax 04 79 84 23 01, � – 📺 & **P.** 🖭 ① **GB**
 Repas 13,57/17,84 ⚟, enf. 6,10 – ⬚ 5,64 – **42 ch** 41,70

🏠 **George,** N 6 ℰ *04 79 84 05 87, infos@hotelgeorge.fr, Fax 04 79 84 40 14 –* ⇶ **P.** **GB**
 Repas *(dîner seul.)(snack)* 9/12 ⚟ – ⬚ 5 – **11 ch** 27/32 – ½ P 29

✕✕✕ **Hostellerie des Cinq Voûtes,** N 6 ℰ *04 79 84 05 78, 5routes@nwc*
 Fax 04 79 84 28 85, �, « *Voûtes moyenâgeuses* » – **P.** 🖭 **GB** JCB
 fermé 8 au 15 avril, 19 au 30 août, le midi sauf lundi, vend. soir et sam. soir – **Repas** 2
 (déj.), 29,72/44,21 ⚟

✕✕ **L'Arlequin** *(Centre technique hôtelier),* N 6 ℰ *04 79 84 33 14, Fax 04 79 84 25 77 –* **P.**
 GB
 fermé 6 juil. au 22 août, 22 déc. au 2 janv. et sam. – **Repas** *(9,91)* - 12,96/24,40 ⚟, enf. 6,8

✕ **Viboud** *avec ch, Vieux Montmélian* ℰ *04 79 84 07 24, Fax 04 79 84 44 07 –* 📺 ⇶ **P.**
 GB
 fermé 23 juin au 17 juil., 30 déc. au 15 janv., dim. soir, lundi et mardi – **Repas** *(dîner*
 réservation) *(13)* - 18/24 ♨, enf. 8 – ⬚ 5,80 – **8 ch** 26/35 – ½ P 39

MONTMERLE-SUR-SAÔNE *01090 Ain* 🔢 ① – *2 830 h alt. 170.*
Paris 419 – Mâcon 33 – Bourg-en-Bresse 44 – Lyon 52 – Villefranche-sur-Saône 13.

🏠 **Emile Job,** *au pont* ℰ *04 74 69 33 92, hotel.du.rivage@wanadoo.fr, Fax 04 74 69 49*
 � – 📺. 🖭 ① **GB**
 fermé 1ᵉʳ au 15 mars, 22 oct au 14 nov., dim. soir d'oct. à mai, mardi midi de juin à sep
 lundi – **Repas** 18,60/47,60 ⚟, enf. 10,65 – ⬚ 6,85 – **22 ch** 47,30/62,50 – ½ P 49,50

MONTMIRAIL *84 Vaucluse* 🔢 ⑫ – *rattaché à Vacqueyras.*

834

NTMOREAU-ST-CYBARD 16190 *Charente* **75** ③ *G. Poitou Vendée Charentes* – 1 052 h alt. 90.

🛈 *Office du tourisme* 29 avenue de l'Aquitaine ℰ 05 45 24 04 07, Fax 05 45 24 04 07.
Paris 479 – Angoulême 31 – Bordeaux 101 – Chalais 16 – Périgueux 67.

XX **Plaisir d'Automne**, pl. Église ℰ 05 45 60 39 40, 🏤 – **GB**
fermé 25 nov. au 2 déc., 6 au 22 janv., dim. soir et lundi – **Repas** 13 (déj.), 19/38

NTMORENCY 95 *Val-d'Oise* **55** ⑪, **101** ⑤ – *voir Paris, Environs.*

NTMORILLON 86500 *Vienne* **68** ⑮ *G. Poitou Vendée Charentes* – 6 898 h alt. 100.

Voir *Église Notre-Dame : fresques★ dans la crypte Ste-Catherine.*
🛈 *Office du tourisme* 2 place du Maréchal Leclerc ℰ 05 49 91 11 96, Fax 05 49 91 11 96, office.de.tourisme@worldonline.fr.
Paris 353 – Poitiers 50 – Bellac 43 – Châtellerault 56 – Limoges 88 – Niort 123.

XX **Lucullus et Hôtel de France** avec ch, ℰ 05 49 84 09 09, Fax 05 49 84 58 68 – 📟 🗐 📺
& 🖱 🚗. **GB**
Repas (fermé dim. soir et lundi) 18/42,50 ♀, enf. 10,70 - **Bistrot de Lucullus** *(fermé dim. sauf le soir de mai à sept. et sam. soir)* **Repas** (13)bc-16,80 ♀, enf. 8,40 – ☑ 7,70 – **10 ch** 40/55

NTMORT 51270 *Marne* **56** ⑮ ⑯ *G. Champagne Ardenne* – 589 h alt. 210.

Env. *Frontmentières : retable★★ de l'église SO : 11 km.*
Paris 124 – Reims 47 – Châlons-en-Champagne 50 – Épernay 19 – Sézanne 26.

🏠 **Cheval Blanc**, ℰ 03 26 59 10 03, Fax 03 26 59 15 88 – 📺 **& P.** **AE** ⓪ **GB**
Repas 16/55 ♀ – ☑ 6,10 – **19 ch** 28/55 – ½ P 55/75

NTOIRE-SUR-LE-LOIR 41800 *L.-et-Ch.* **64** ⑤ *G. Châteaux de la Loire* – 4 275 h alt. 65.

Voir *Chapelle St-Gilles★ : fresques★★ – Pont ≤★.*
🛈 *Office du tourisme* 16 place Clemenceau ℰ 02 54 85 23 30, Fax 02 54 85 23 87.
Paris 189 – Le Mans 68 – Blois 44 – La Flèche 82 – Vendôme 19.

XX **Cheval Rouge** avec ch, pl. Foch ℰ 02 54 85 07 05, Fax 02 54 85 17 42, 🏤 – 📺 **&** 🚗.
AE **GB**
fermé 13 au 28 nov., 20 janv. au 6 fév., merc. sauf le soir en juil.-août et mardi soir de sept. à juin – **Repas** (dim. prévenir) (11,20) - 14,79 (déj.), 21,15/41,62 ♀, enf. 7,62 – ☑ 5,34 – **15 ch** 25,15/44,21 – ½ P 57,20/46,34

avardin *Sud-Est : 2 km par D 108 – 262 h. alt. 78 – ✉ 41800 :*

XX **Relais d'Antan**, ℰ 02 54 86 61 33, Fax 02 54 85 06 46, 🏤 – **GB**
fermé 14 oct. au 6 nov., 17 fév. au 5 mars, lundi soir et mardi – **Repas** 25/32

NTPELLIER **P** 34000 *Hérault* **83** ⑦ *G. Languedoc Roussillon* – 225 392 h Agglo. 287 981 h alt. 27.

Voir *Vieux Montpellier★★ : hôtel de Varennes★ FY M², hôtel des Trésoriers de la Bourse★ FY Q, rue de l'Ancien Courrier★ EFY 4 – Promenade du Peyrou★★ : ≤★ de la terrasse supérieure – Quartier Antigone★ – Musée Fabre★★ FY – Musée Atger★ (dans la faculté de médecine) EX – Musée languedocien★ (dans l'hôtel des trésoriers de France) FY M¹.*
Env. *Château de Flaugergues★ E : 3 km – Château de la Mogère★ E : 5 km par D 24 DU.*
🛫 *de Montpellier-Méditerranée* ℰ 04 67 20 85 00 SE par ③ : 7 km.
🛈 *Office du tourisme* 30 allée Jean de Lattre de Tassigny ℰ 04 67 60 60 60, Fax 04 67 60 60 61, contact@ot-montpellier.fr.
Paris 761 ② – Marseille 173 ② – Nice 328 ② – Nîmes 53 ② – Toulouse 239 ⑤.

Plans pages suivantes

🏨 **Holiday Inn Métropole**, 3 r. Clos René ℰ 04 67 12 32 32, himontpellier@alliance-hotelerie.fr, Fax 04 67 92 13 02, 🏤, 🌰 – 📟 ⇔ 🗐 📺 **&** 🖱 🚗 **P** – 🛎 100. **AE** ⓪ **GB**
JCB FZ a
Repas *(fermé sam. et dim.)* 22,50, enf. 7,70 – ☑ 13 – **76 ch** 140/170, 4 appart

🏨 **Sofitel Antigone** Ⓜ sans rest, 1 r. Pertuisanes ℰ 04 67 99 72 72, sofitel.montpellier@wanadoo.fr, Fax 04 67 65 17 50, « Piscine sur le toit », ⅃ – 📟 ⇔ 🗐 📺 **&** 🖱 – 🛎 100. **AE** ⓪
GB **JCB** CU v
☑ 16 – **89 ch** 175/195

🏨 **Astron Méditerranée** Ⓜ sans rest, 45 av. Pirée ℰ 04 67 20 57 57, Fax 04 67 20 58 58, 🍴 – 📟 cuisinette ⇔ 🗐 📺 **&** 🖱 🚗 **P** **AE** ⓪ **GB** **JCB** DU t
☑ 13 – **23 ch** 105, 115 appart 125/149

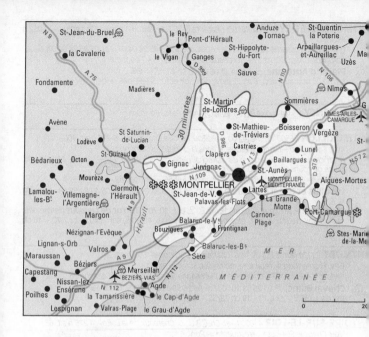

Mercure Antigone Ⓜ, 285 bd Aéroport International $\mathscr{C}$ 04 67 20 63 63, *mercu hotel-centre-ville.fr*, Fax 04 67 20 63 64 – 🛗 ⇔ 🚭 🔟 ⓥ 🕭 ⇔ – 🕍 25 à 100. 🕮 ⓞ ⱼ🕮, ※ rest
Repas 20/30 ⚲ – ⚌ 10 – **108 ch** 83/106, 6 appart

Maison Blanche, 1796 av. Pompignane $\mathscr{C}$ 04 99 58 20 70, *Fax 04 67 79 53 39*, « Maison de style Louisiane », 🛏, 🌳 – 🚭 ch, 🔟 ⓥ 🕭 🅿 – 🕍 30. 🕮 ⓞ 🕮 ※ rest
Repas *(fermé sam. midi et dim.)* 20,60/27,50 – ⚌ 7,70 – **37 ch** 56/87 – ½ P 64 DT

Guilhem ⑤ sans rest, 18 r. J.-J. Rousseau $\mathscr{C}$ 04 67 52 90 90, *hotel-le-guilhem@mne* Fax 04 67 60 67 67 – 🛗 🔟. 🕮 ⓞ 🕮 ⱼ🕮
⚌ 9 – **33 ch** 71/115 EY

Parc sans rest, 8 r. A. Bège $\mathscr{C}$ 04 67 41 16 49, *hotelduparc@ifrance.c* Fax 04 67 54 10 05 – 🚭 🔟 🅿. 🕮 🕮 ⱼ🕮
⚌ 7 – **19 ch** 34/59 BT

Palais sans rest, 3 r. Palais $\mathscr{C}$ 04 67 60 47 38, Fax 04 67 60 40 23 – 🛗 🚭 🔟 ⓥ. 🕮
⚌ 8 – **26 ch** 50/67 EY

Ulysse sans rest, 338 av. St-Maur $\mathscr{C}$ 04 67 02 02 30, *info@hotelulysse.c* Fax 04 67 02 16 50 – 🔟 ⓥ ⇔. 🕮 ⓞ 🕮 ⱼ🕮 *fermé 22 déc. au 2 janv.* – ⚌ 6,10 – **25 ch** 48/57,90 DT

Les Troënes sans rest, 17 av. Émile Bertin-Sans par av. Bouisson-Bertrand, dir. Hôpit Facu ✉ 34090 $\mathscr{C}$ 04 67 04 07 76, *hotel-les-troenes@wanadoo.fr*, Fax 04 67 61 04 43 – ⓥ. 🕮
⚌ 5,65 – **14 ch** 40,40/52,60

Jardin des Sens (Jacques et Laurent Pourcel) Ⓜ avec ch, 11 av. St-La $\mathscr{C}$ 04 99 58 38 38, *jds@mnet.fr*, Fax 04 99 58 38 39, « Élégant décor contemporain », 🌳 – 🛗 🚭 🔟 ⓥ 🕭 ⇔ 🅿 – 🕍 25. 🕮 ⓞ 🕮 ⱼ🕮 CT
Repas *(fermé 2 au 20 janv., lundi midi, merc. midi et dim.)* (nombre de couverts lin prévenir) 42,70 (déj.), 77,70/109,80 et carte 100 à 130 – ⚌ 15,24 – **14 ch** 150/215
Spéc. Encornets farcis aux langoustines. Filet de loup aux citrons confits. Pigeor pastilla, jus au cacao. **Vins** Coteaux du Languedoc, Faugères.

Chandelier, 39 pl. Zeus (6e étage) $\mathscr{C}$ 04 67 15 34 38, Fax 04 67 15 34 33, ≤, 🍽, « Res rant panoramique sous une coupole » – 🛗 🚭 🅿. 🕮 ⓞ 🕮 ⱼ🕮 CU *fermé lundi midi et dim.* – **Repas** 24/61 et carte 45 à 73

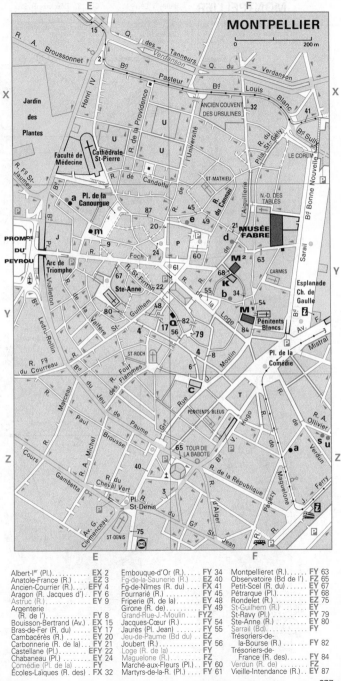

MONTPELLIER

0   200 m

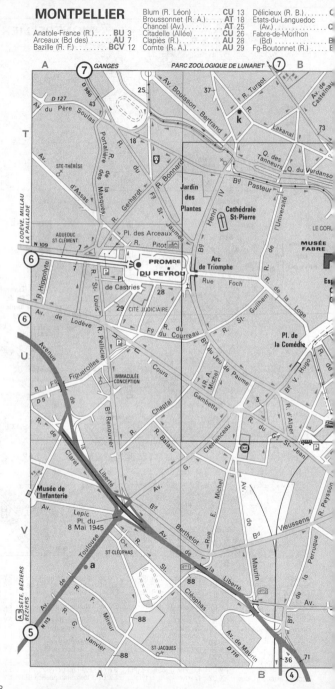

MONTPELLIER

838

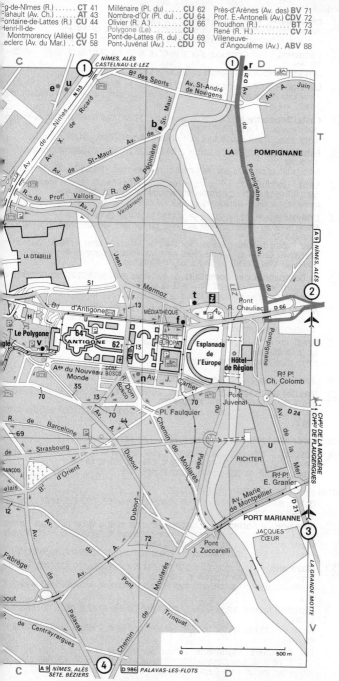

XX **Cellier Morel,** Maison de la Lozère 27 r. Aiguillerie ℰ 04 67 66 46 36, morel.pie@vc
Fax 04 67 66 23 61, 🛪, « Salle voûtée du 13ᵉ siècle » – 🔲. 🝙 ⓞ ⌸ ⌸ F⎵
fermé 13 au 18 août, 1ᵉʳ au 6 janv., lundi midi, merc. midi et dim. – **Repas** 23 (déj.), 40⎵

XX **L'Écusson,** 6 bis r. Embouque d'Or ℰ 04 67 66 35 13, Fax 04 67 66 35 27, 🛪 – 🔲. 🝙
⌸ ⌸ F⎵
fermé sam. midi et dim. – **Repas** 21,32 (déj.), 33,50/48,73, enf. 15,98

XX **Les Vignes,** 2 r. Bonnier d'Alco ℰ 04 67 60 48 42 – 🔲. 🝙 ⌸. 🕸 F⎵
fermé vacances de printemps, 3 au 25 août, merc. soir, sam. midi et dim. – **Repas** 20 (
29/46 ⵣ, enf. 11

XX **Castel Ronceray,** 130 r. Castel Ronceray par ⑤ ✉ 34070 ℰ 04 67 42 46 30, castel-r
ray@wanadoo.fr, Fax 04 67 27 41 96, 🛪 – 🅿. 🝙 ⓞ ⌸
fermé 14 au 23 avril, 3 au 27 août, dim. et lundi – **Repas** 21 (déj.), 31/40 ⵣ, enf. 12

XX **Fabrice Guilleux,** 36 av. J. Cartier ℰ 04 67 22 26 20, fabrice.guilleux@wanadoo.fr -
🝙 ⓞ ⌸ CD⎵
fermé août, 29 déc. au 5 janv., sam. midi, merc. soir et dim. – **Repas** 24 (déj.), 32/42, er

XX **Petit Jardin,** 20 r. J.-J. Rousseau ℰ 04 67 60 78 78, jle.soli@wanadc
Fax 04 67 66 16 79, 🛪, « Agréable terrasse ombragée » – 🝙 ⓞ ⌸ ⌸ E⎵
fermé janv. et lundi – **Repas** 13 (déj.), 19,80/27,45 ⵣ

XX **L'Olivier** (Breton), 12 r. A. Ollivier ℰ 04 67 92 86 28 – 🔲. 🝙 ⓞ ⌸. 🕸 F⎵
❀ fermé 29 juil. au 1ᵉʳ sept., 24 déc. au 2 janv., dim. et lundi – **Repas** (prévenir) 25 (déj.)/⎵
carte 45 à 60
Spéc. Risotto de homard aux morilles. Blanc de turbot aux asperges rôties, sauce tru
(printemps). Canard colvert aux cèpes, tarte renversée de pommes de terre au foie
(automne). **Vins** Coteaux du Languedoc, Pic Saint Loup.

XX **La Compagnie des Comptoirs,** 51 av. Nîmes ℰ 04 99 58 39 29, contact@jardi
sens.com, Fax 04 99 58 39 28, 🛪 – 🔲 🅿. 🝙 ⌸ C⎵
(fermé dim. midi en juil.-août) – **Repas** carte 38 à 59 ⵣ

X **Anis et Canisses,** 47 av. Toulouse ℰ 04 67 42 54 48, 🛪 – ⌸ A⎵
fermé 1ᵉʳ au 6 mai, août, 1ᵉʳ au 6 fév., sam. midi, mardi midi, dim. et lundi – **Repas** - cu
languedocienne, catalane - carte environ 27

X **Verdi,** 10 r. A. Ollivier ℰ 04 67 58 68 55, enoteca-leverdi@wanadoo.fr, Fax 04 67 58 28
🔲. 🝙 ⓞ ⌸ ⌸ F⎵
fermé 1ᵉʳ au 21 août et dim. – **Repas** - cuisine italienne - 12,96 (déj.), 19,82/24,01 ⵣ

par ② , A 9 sortie n° 29 et D 127ᴱ : 5 km – ✉ 34000 Montpellier :

XXX **Mas des Brousses,** 450 r. Mas des Brousses ℰ 04 67 64 18 91, mas-des-brousses@v
doo.fr, Fax 04 67 64 18 89, 🐾 – 🅿. 🝙 ⓞ ⌸
fermé 18 au 25 août, 23 fév. au 2 mars, dim. soir et lundi – **Repas** 23 (déj.), 30/70 et car⎵
à 84 ⵣ

à l'échangeur A9-Montpellier-Sud par④ : 2 km – ✉ 34000 Montpellier :

🏨 **Novotel,** 125 bis av. Palavas ℰ 04 99 52 34 34, h0450@accor-hotels.c
Fax 04 99 52 34 33, 🛪, ⌸, – 🕸 🔲 🔟 📺 📞 🐾 🅿 – 🔬 150. 🝙 ⓞ ⌸
Repas (13) - 15 ⵣ, enf. 13 – ⵧ 10 – **162 ch** 85/105

à Lattes par④ : 5 km – 13 768 h. alt. 3 – ✉ 34970 :

🛈 Office du tourisme 679 avenue de Montpellier ℰ 04 67 22 52 91, Fax 04 67 22 52
lattes@fnotsi.net.

XXX **Domaine de Soriech,** dans Z.A.C. Soriech, près rd-pt D 189 et D 21, face Castor
ℰ 04 67 15 19 15, michel.loustau@domaine-de-soriech.fr, Fax 04 67 15 58 21, 🛪, « ⎵
villa des années 1970, parc », 🐾 – 🔲 🅿. 🝙 ⓞ ⌸
fermé 1ᵉʳ au 6 janv., dim. soir et lundi – **Repas** 28,50 (déj.), 39/65,55 et carte 55 à 67 ⵣ

XXX **Mazerand,** rte Fréjorgues CD 172 ℰ 04 67 64 82 10, Fax 04 67 20 10 73, 🛪, « Terra
ombragées ouvrant sur le parc », 🐾 – 🔲 🅿. 🝙 ⓞ ⌸
fermé dim. soir hors saison, sam. midi et lundi – **Repas** (18,29) - 22,15/51,83 et carte
53 ⵣ

X **Bistrot d'Ariane,** à Port Ariane ℰ 04 67 20 01 27, Fax 04 67 15 03 25, 🛪, bistrot –
🝙 ⌸
fermé 6 au 12 mai, 22 déc. au 5 janv. et dim. sauf fériés – **Repas** (14,50) - 21,35/38,1⎵
enf. 7,63

X **Les Cuisiniers Vignerons,** Maison des Vins du Languedoc, mas de Sap⎵
ℰ 04 67 06 88 66, lemasdesaporta@genie.fr, Fax 04 67 06 88 65, 🛪 – 🅿. ⌸
fermé sam. midi et dim. – **Repas** 12,80 (déj.), 14,94/21,35 ⵣ, enf. 6,86

à St-Jean-de-Védas par ⑤ et N 112 : 6 km – 8 056 h. alt. 49 – ⊠ 34430 :

Yan's, 93 r. Renaudot, direction salle Victoire II ℘ 04 67 47 07 45, info@yans-hotel.com, Fax 04 67 47 16 90, 佘, ⊥ – ■ ⊙ ⓥ & P – 鉙 30. ⁂ ⓪ ⓖ ⑁
Repas (fermé 20 déc. au 2 janv., sam. sauf le soir en juil.-août et dim.) 14/21 ⅄ – ⊊ 8 – **40 ch** 62/70 – ½ P 50/55

te de Lodève par ⑥ : 5 km – ⊠ 34080 Montpellier :

Abélia sans rest, 70 rte Lodève ℘ 04 67 03 17 77, abeliahot@aol.com, Fax 04 67 03 28 19 – ⓣⓥ P. ⓖⓑ
⊊ 5,49 – **12 ch** 44,25/48,80

Juvignac par⑥, rte de Millau : 6 km – 5 592 h. alt. 32 – ⊠ 34990 :

Golf Hôtel de Fontcaude M, au golf international, Nord-Ouest : 3 km ℘ 04 67 45 90 00, Fax 04 67 45 90 20, 佘 – ⧉ ■ ⓣⓥ & P – 鉙 60. ⁂ ⓪ ⓖⓑ ⑁
Repas 15,22/33,23 ⅄ – ⊊ 9 – **46 ch** 70/92 – ½ P 73

Clapiers par ⑦ et D 65 : 8 km – 4 631 h. alt. 25 – ⊠ 34830 :

Les Pins M ⓢ, chemin Romarins ℘ 04 67 59 33 00, hotel.lespins@wanadoo.fr, Fax 04 67 59 33 99, ≤, 佘, « Dans une pinède », ⅙, ⊥, ⅍, ⅏ – ⧉, ■ rest, ⓣⓥ ⓥ P – 鉙 80. ⁂ ⓪ ⓖⓑ
1er mars-30 nov. – Repas 13,50 (déj.), 16/20 – ⊊ 7 – **69 ch** 60,50/90 – ½ P 71,65

MONTPON-MÉNESTEROL 24700 Dordogne 🔢 ③ ⑬ – 5 385 h alt. 93.
🄱 Office du tourisme Place Clemenceau ℘ 05 53 82 23 77, Fax 05 53 81 86 74, ot.montpon @perigord.tm.fr.
Paris 533 – Bergerac 40 – Libourne 43 – Périgueux 55 – Ste-Foy-la-Grande 24.

Ménesterol Nord : 1,5 km par D 708, D 730 et D 3E1 – ⊠ 24700 Montpon-Ménesterol :

Auberge de l'Éclade, ℘ 05 53 80 28 64, Fax 05 53 80 28 64, 佘 – ■. ⓖⓑ
fermé 1er au 20 mars, oct., mardi soir et merc. – Repas 12,96 (déj.), 20,58/39,64 ⅄

En juin et en septembre,
les hôtels sont moins chers qu'en pleine saison, le service est plus soigné.

ONT-PRÈS-CHAMBORD 41250 L.-et-Ch. 🔢 ⑰ – 3 025 h alt. 108.
Paris 184 – Orléans 63 – Blois 12 – Bracieux 8 – Romorantin-Lanthenay 34.

St-Florent, 14 r. Chabardière ℘ 02 54 70 81 00, Fax 02 54 70 78 53, 佘 – ■ rest, ⓣⓥ & ⇦ P. ⓖⓑ ⑁ ⅏ ch
fermé 1er janv. au 15 fév., dim. soir et lundi de mi-oct. à mi-avril – Repas (13) - 16/35 ⅄ – ⊊ 6,50 – **18 ch** 48/60 – ½ P 47/55

ONTRÉAL 32250 Gers 🔢 ⑬ G. Midi-Pyrénées – 1 238 h alt. 131.
Paris 731 – Agen 57 – Auch 60 – Condom 16 – Mont-de-Marsan 65 – Nérac 27.

Chez Simone, face église ℘ 05 62 29 44 40, Fax 05 62 29 49 94 – ⁂ ⓖⓑ
fermé vacances de fév., dim. soir, lundi et mardi – Repas 20/25 ⅄

ONTREDON 11 Aude 🔢 ⑪ – rattaché à Carcassonne.

ONTREUIL ⟨⟩ 62170 P.-de-C. 🔢 ⑫ G. Picardie Flandres Artois – 2 428 h alt. 54.
Voir Site★ – Citadelle★ : ≤★★ – Remparts★ – Église St-Saulve★.
🄱 Office du tourisme 21 rue Carnot ℘ 03 21 06 04 27, Fax 03 21 06 07 85, otmontreuil surmer@nordnet.fr.
Paris 233 – Calais 72 – Abbeville 49 – Arras 85 – Boulogne-sur-Mer 42 – Lille 116.

Château de Montreuil (Germain) ⓢ, chaussée Capucins ℘ 03 21 81 53 04, chateau.de .montreuil@wanadoo.fr, Fax 03 21 81 36 43, 佘, « Belle demeure dans un jardin fleuri », ⅂, ⅌ – ⓣⓥ ⓥ ⇦ P. ⁂ ⓪ ⓖⓑ ⑁
fermé 16 déc. au 6 fév., mardi midi d'oct. à avril, jeudi midi et lundi sauf fériés – Repas 31 (déj.), 54/69, enf. 23 – ⊊ 14 – **14 ch** 153/199 – ½ P 145/183
Spéc. Galette de blé noir, huîtres tièdes et filet de rouget barbet. Parmentier de canette de barbarie aux lingots du Nord. Pomme confite au cidre et gingembre.

Darnétal avec ch, pl. Poissonnerie ℘ 03 21 06 04 87, Fax 03 21 86 64 67 – ⁂ ⓪ ⓖⓑ. ⅏ ch
fermé 24 juin au 11 juil., 23 au 30 déc., lundi et mardi – Repas 16/30 – ⊊ 5 – **4 ch** 35/50

à La Madelaine-sous-Montreuil *Ouest : 3 km par D 139 et rte secondaire – 156 h. alt. 7 –*
✉ *62170 Madelaine-sous-Montreuil :*

XX **Auberge La Grenouillère** ⬗ *avec ch,* ✆ *03 21 06 07 22, auberge.de.la.grenouillere@
wanadoo.fr, Fax 03 21 86 36 36,* ᐸ, « *Cadre rustique agrémenté de peintures originale
des années 20 »,* ⇜ – **P.** ᴀᴇ ⓞ ᴄᴃ ᴊᴄᴃ
fermé 24 au 27 juin, 2 au 6 sept., 2 au 31 janv., merc. sauf juil.-août et mardi – **Repas** 26/64 –
⬚ 8 – **4 ch** 69/92

à Attin *Nord-Ouest : 4 km par N 39 – 682 h. alt. 11 –* ✉ *62170 :*

XX **Auberge du Bon Accueil,** ✆ *03 21 06 04 21, Fax 03 21 06 04 21 –* ▤. ᴄᴃ
fermé 19 août au 9 sept.,17 fév.au 3 mars, merc. soir hors saison, dim. soir et lundi – **Repa**
15,09 bc/28,05 ⵠ, enf. 8,54

au Moulinel *Ouest : 9 km par D 139 –* ✉ *62170 St-Josse :*

XX **Auberge du Moulinel,** ✆ *03 21 94 79 03, Fax 03 21 09 37 14 –* **P.** ᴄᴃ
fermé 24 juin au 3 juil., 6 au 31 janv., lundi sauf le soir en juil.-août et mardi – **Repa**
23,62/44,97 ⵠ

à Inxent *Nord : 9 km sur D 127 – 158 h. alt. 28 –* ✉ *62170 :*

X **Auberge d'Inxent** *avec ch,* ✆ *03 21 90 71 19, Fax 03 21 86 31 67,* ⇜ – **P.** ᴄᴃ
⬒ *fermé 23 déc. au 7 fév., lundi midi du 15 juil. au 25 août, mardi sauf le soir du 15 juil. a
25 août et merc. –* **Repas** 13/35 ⵠ, enf. 6,10 – ⬚ 6,50 – **6 ch** 39/57 – ½ P 44/48

Le Guide change, changez de guide tous les ans.

MONTREUIL *93 Seine-St-Denis* ⓹⓺ ⑪, ⓵⓿⓵ ⑰ *– voir à Paris, Environs.*

MONTREUIL-AUX-LIONS *02310 Aisne* ⓹⓺ ⑬ *– 1 197 h alt. 150.*
Paris 75 – Château-Thierry 17 – Laon 94 – Meaux 28 – Reims 75 – Soissons 57.

XX **Auberge des Templiers,** *82 av. de Paris* ✆ *03 23 70 40 65, a.templiers@quidinfo.*
⬒ *Fax 03 23 70 18 93,* ᐸ, ⇜ – ᴄᴃ
fermé 14 oct. au 8 nov., mardi soir et merc. – **Repas** *13,50/30,50* ⵙ

MONTREUIL-BELLAY *49260 M.-et-L.* ⓺⓻ ⑧ *G. Châteaux de la Loire – 4 112 h alt. 50.*
Voir *Château*★★ *– Site*★.
🅱 *Office du tourisme Place du Concorde* ✆ *02 41 52 32 39, Fax 02 41 52 32 35, sirm@clu
internet.fr.*
Paris 336 – Angers 54 – Châtellerault 70 – Chinon 39 – Cholet 61 – Poitiers 80 – Saumur 1

X **Hostellerie St-Jean,** *432 r. Nationale* ✆ *02 41 52 30 41 –* **P.** ᴄᴃ
⬒ *fermé vacances de fév., dim. soir et lundi –* **Repas** *12,96/33,54* ⵠ, enf. 8,38

MONTREUIL-L'ARGILLÉ *27390 Eure* ⓹⓹ ⑭ *– 740 h alt. 170.*
Paris 177 – L'Aigle 26 – Argentan 51 – Bernay 22 – Évreux 56 – Lisieux 33 – Vimoutiers 27

🏠 **Courteilles** Ⓜ ⬗ *sans rest, N 138, rte d'Orbec* ✆ *02 32 47 41 41, Fax 02 32 47 41 5
cuisinette* ᴛᴠ ⵆ ⴺ **P.** ᴀᴇ ᴄᴃ
⬚ 5,34 – **20 ch** 42,70

X **Auberge de la Truite,** ✆ *02 32 44 50 47, Fax 02 32 44 00 66,* « *Collection d'orgues
Barbarie »* – ᴄᴃ
fermé 25 juin au 5 juil., 15 janv. au 15 fév., lundi soir, mardi soir et merc. – **Rep**
14,94/30,18, enf. 8,23

MONTREVEL-EN-BRESSE *01340 Ain* ⓻⓿ ⑫ *– 1 994 h alt. 215.*
🅱 *Office du tourisme Place de la Grenette* ✆ *04 74 25 48 74, Fax 04 74 25 48 74.*
Paris 396 – Mâcon 26 – Bourg-en-Bresse 19 – Pont-de-Vaux 22 – St-Amour 24 – Tournus

XX **Léa** (Monnier), ✆ *04 74 30 80 84, lea.montrevel@free.fr, Fax 04 74 30 85 66 –* ▤. ᴀᴇ
✿ ᴄᴃ
fermé 20 juin au 5 juil., 19 déc. au 10 janv., dim. soir, lundi soir et merc. – **Repas** (nombre
couverts limité, prévenir) 23/50,31 et carte 43 à 64
Spéc. Gâteau de foies de volailles. Coquilles Saint-Jacques (15 oct. au 15 avril). Suprême
poulet de Bresse aux morilles. **Vins** Seyssel, Montagnieu.

X **Comptoir,** ✆ *04 74 25 45 53 –* ▤. ᴄᴃ
fermé 21 juin au 5 juil., 19 déc. au 10 janv., mardi soir et dim. soir de sept. à juin et mer
Repas 14,48/24,39 ⵠ

de Bourg-en-Bresse *Sud : 2 km sur D 975* – ⊠ *01340 Montrevel-en-Bresse :*

🏠 **Pillebois** Ⓜ, ℘ 04 74 25 48 44, Fax 04 74 25 48 79, 🏤, 🔲, 🐎 – 🔟 📞 ⅋ 🅿. – 🛥 30. ⅁ℬ
   fermé dim. d'oct. à avril – **L'Aventure** *(fermé sam. midi, dim. soir et lundi)* Repas 14,94/
   42,69 ♀ – ☖ 7,50 – **30 ch** 52/58 – ½ P 46/49

NTRICHARD *41400 L.-et-Ch.* ⑥⑷ ⑯ ⑰ *G. Châteaux de la Loire* – *3 624 h alt. 62.*

   Voir Donjon⋆ : ⋇⋆⋆.

   🛈 *Office du tourisme 1 rue du Pont* ℘ 02 54 32 05 10, Fax 02 54 32 28 80.

   Paris 220 – *Tours 43* – *Blois 38* – *Châteauroux 85* – *Châtellerault 95* – *Loches 33* – *Vierzon 74.*

🏦 **Château de la Menaudière** ⌂, *Nord Ouest : 2,5 km par rte Amboise D 115*
   ℘ 02 54 71 23 45, chat-menaudiere@wanadoo.fr, Fax 02 54 71 34 58, 🏤, 🔲, 🎾, 🔌 – 🔟
   📞 🅿. – 🛥 25. ⅍ℰ ⓞ ⅁ℬ ⅉ⅌ℬ. ⅗ rest
   1ᵉʳ mars-17 nov. et fermé dim. soir et lundi en mars-avril et oct.-nov. – **Repas** 22/50,50 ♀,
   enf. 12 – ☖ 10,50 – **27 ch** 99/115 – ½ P 94/122

🏠 **Bellevue**, *24 quai République* ℘ 02 54 32 06 17, Fax 02 54 32 48 06, ⇐ – ⅊, ▤ rest, 🔟 📞
   ⇦. ⅍ℰ ⓞ ⅁ℬ
   Repas *(fermé 25 nov. au 15 déc., dim. soir et lundi midi de nov. à mars)* 14,50/50 ♀, enf. 8 –
   ☖ 8,50 – **29 ch** 52/87 – ½ P 48/55

🏠 **Tête Noire**, *24 r. Tours* ℘ 02 54 32 05 55, Fax 02 54 32 78 37 – 🔟 📞 🅿. ⅁ℬ
   fermé 6 janv. au 3 fév. – **Repas** 16/36,60 ♀, enf. 9,20 – ☖ 6 – **35 ch** 38,10/56,40 –
   ½ P 45/56,40

hissay-en-Touraine *Ouest : 4 km par D 176* – *916 h. alt. 63* – ⊠ *41400 :*

🏦 **Château de Chissay** ⌂, ℘ 02 54 32 32 01, chateau.chissay@wanadoo.fr,
   Fax 02 54 32 43 80, ⇐, 🏤, « Château du 15ᵉ siècle, parc », 🔲, 🔌 – ⅊ 📞 🅿 – 🛥 30 à 100. ⅍ℰ
   ⓞ ⅁ℬ. ⅗ rest
   15 mars-15 nov. – **Repas** *(fermé lundi midi et mardi midi)* 25 (déj.), 31/48 ♀ – ☖ 10 – **18 ch**
   99/152, 14 appart – ½ P 90/116

NTRICOUX *82800 T.-et-G.* ⑺⑼ ⑱ ⑲ – *970 h alt. 113.*
   Paris 633 – *Cahors 52* – *Gaillac 38* – *Montauban 24* – *Villefranche-de-Rouergue 58.*

⅍⅍ **Les Gorges de l'Aveyron**, *Le Bugarel* ℘ 05 63 24 50 50, Fax 05 63 24 50 52, 🏤, « Parc
   surplombant l'Aveyron », 🎾, 🔌–🅿. ⓞ ⅁ℬ
   *fermé 4 au 29 mars, 4 au 29 nov., 6 au 31 janv., dim. soir, lundi et mardi sauf du 1ᵉʳ juin au
   15 sept.* – **Repas** 22,56/38,11 et carte 39 à 62 ♀

NTROC-LE-PLANET *74 H.-Savoie* ⑺⑷ ⑨ – *rattaché à Argentière.*

NTROND-LES-BAINS *42210 Loire* ⑺⑻ ⑱ *G. Vallée du Rhône* – *4 031 h alt. 356* – *Stat.
   therm. (fin mars-fin nov.)* – *Casino.*
   🛈 *Syndicat d'initiative Avenue Philibert Gary* ℘ 04 77 94 64 74, Fax 04 77 54 51 96.
   Paris 453 – *St-Étienne 31* – *Lyon 65* – *Montbrison 15* – *Roanne 49* – *Thiers 80.*

🏦 **Hostellerie La Poularde** *(Etéocle)*, ℘ 04 77 54 40 06, lapoularde@aol.com,
   Fax 04 77 54 53 14, 🔲 – ▤ 🔟 ⅋ ⇦ – 🛥 30. ⅍ℰ ⓞ ⅁ℬ ⅉ⅌ℬ
   fermé 4 au 20 août, 1ᵉʳ au 22 janv., dim. soir de nov. à avril, mardi midi et lundi – **Repas** *(dim.
   prévenir)* 42,69/103,67 et carte 85 à 115 – ☖ 15,24 – **8 ch** 60,98/106,41, 6 appart, 3 duplex
   Spéc. Lobe de foie gras de canard poché à la lie de sauvignon. Agneau de lait rôti et galette
   de maïs (janv. à sept). Pigeonneau du Forez en pastilla, sauce vigneronne. **Vins** Condrieu,
   Saint-Joseph rouge

🏠 **Motel du Forez**, *37 rte Roanne* ℘ 04 77 54 42 28, Fax 04 77 94 66 58 – 🔟 📞 ⅋ 🅿. ⅍ℰ ⓞ
   ⅁ℬ
   fermé 4 au 19 août et dim. d'oct. à mars – **Repas** *(dîner seul.)(résidents seul.)* 13,72/19,80 ⅊
   – ☖ 5,35 – **18 ch** 39,60/47,25

⅍⅍ **Vieux Logis**, *4 rte Lyon* ℘ 04 77 54 42 71, Fax 04 77 54 42 71, 🏤 – ⅁ℬ
   fermé 1ᵉʳ au 15 mars, 1ᵉʳ au 15 sept., dim. soir et lundi – **Repas** 19,05/37,35

de Feurs *Nord : 5 km par N 82 et rte secondaire* – ⊠ *42210 St-Laurent-la-Conche :*

⅍⅍ **Auberge Cheval Blanc**, ℘ 04 77 28 98 90, Fax 04 77 28 98 90, ⇐, 🏤, 🐎 – 🅿. ⅁ℬ
   fermé 2 au 9 janv., vacances de fév., dim. soir et mardi – **Repas** 18/25

NTROUGE *92 Hauts-de-Seine* ⑥⓪ ⑩, ⑩⑴ ㉕ – *voir à Paris, Environs.*

MONTS 37260 I.-et-L. 🔢 ⑮ – 6 514 h alt. 50.

Paris 254 – Tours 20 – Azay-le-Rideau 13 – Chenonceaux 42 – Chinon 33.

XX **Auberge du Moulin** avec ch, Le Vieux Bourg, rte Azay-le-Rideau ✆ 02 47 26 7
Fax 02 47 26 76 86 – 📺 🅿. ⅏. ⅏
fermé 22 juil. au 3 août, 2 au 16 fév., lundi et mardi – **Repas** 14,94/35,06 ♈ – ⇌ 4,51 – 33,54

Le MONT-ST-MICHEL 50116 Manche 🔢 ⑦ G. Normandie Cotentin, G. Bretagne – 46 h alt.

Voir Abbaye★★★ : La Merveille★★★, Cloître★★★ – Remparts★★ – Grande-Rue★ – Jardi
l'abbaye★ – Baie du Mont-St-Michel★★.

🛈 Office du tourisme ✆ 02 33 60 14 30, Fax 02 33 60 06 75, ot.mont.saint.m
@wanadoo.fr.

Paris 358 – St-Malo 53 – Alençon 134 – Avranches 24 – Dinan 55 – Fougères 44 – Renne

🏨 **Auberge St-Pierre** ♨, ✆ 02 33 60 14 03, auberge.saint-pierre@gofornet.(
Fax 02 33 48 59 82, 🎇 – 📺. 🆎 ⓪ ⅏ 🇯🇨🇧
fermé janv. – **Repas** 19/52 ♈, enf. 10 – ⇌ 10 – **21 ch** 77/103 – ½ P 79/84

🏨 **Croix Blanche** ♨, ✆ 02 33 60 14 04, hotel.croix-blanche@gofornet.(
Fax 02 33 48 59 82, 🎇 – ⅏. ⅏
fermé 15 nov. au 15 déc. – **Repas** 15/48,80 ♈, enf. 10 – ⇌ 10 – **9 ch** 78/88 – ½ P 74/8

à la Digue Sud : 2 km sur D 976 :

🏨 **Relais St-Michel** Ⓜ ♨, ✆ 02 33 89 32 00, mere.poulard.mtst.michel@wanado
Fax 02 33 89 32 01, < Mont-St-Michel, 🎇, 🎇 – 📺 ↔ 📺 ⅏ ⅏ ⅏ – ⅍ 30. 🆎 ⓪ ⅏ 🇯
Repas 14 (déj.), 22/45 ♈, enf. 9 – ⇌ 10 – **32 ch** 73/202, 3 appart, 4 duplex – ½ P 104/2

🏨 **Relais du Roy**, ✆ 02 33 60 14 25, le.relais.du.roy@wanadoo.fr, Fax 02 33 60 37 69
⅏. ⅏. 🆎 ⅏, ⅏ ch
23 mars-30 nov. – **Repas** 15/32, enf. 8 – ⇌ 8 – **27 ch** 71 – ½ P 61

🏨 **Mercure** Ⓜ, ✆ 02 33 60 14 18, contact@hotelmercure-montsaintmichel.(
Fax 02 33 60 39 28, 🎇 – ↔ 📺 ⅏. ⅏ – ⅍ 80. 🆎 ⅏
2 fév.-11 nov. – **Pré Salé :** Repas 14,94/36,59 ♈, enf. 9 – ⇌ 9,15 – **100 ch** 68/98

🏨 **Digue**, ✆ 02 33 60 14 02, hotel-de-la-digue@wanadoo.fr, Fax 02 33 60 37 59, < – ⅏
📺 ⅏ ⅏. 🆎 ⅏ ⅏, ⅏ ch
28 mars-4 nov. – **Repas** 15/33, enf. 9 – ⇌ 8,50 – **36 ch** 57/75 – ½ P 55/65

à Beauvoir Sud : 4 km par D 976 – 427 h. – ✉ 50170 Pontorson :

🏨 **Beauvoir**, ✆ 02 33 60 09 39, beauvoir.hotel@wanadoo.fr, Fax 02 33 48 59 65 – 📺 ⅏.
⅏
15 mars-15 nov. – **Repas** 12/45 ♈, enf. 8 – ⇌ 7 – **18 ch** 48/55 – ½ P 44

MONTSALVY 15120 Cantal 🔢 ⑫ G. Auvergne – 896 h alt. 800.

Voir Puy-de-l'Arbre ⅍★ NE : 1,5 km.

🛈 Office du tourisme Tour-de-Ville ✆ 04 71 49 21 43, Fax 04 71 49 21 43, ot.r
salvy@auvergne.net.

Paris 592 – Aurillac 31 – Rodez 54 – Entraygues-sur-Truyère 12 – Figeac 57.

🏨 **Nord**, ✆ 04 71 49 20 03, hotel@hotel-du-nord.com, Fax 04 71 49 29 00, 🎇 – 📺 ⅏ ⅏
⅏ ⓪ ⅏ 🇯🇨🇧
⅏
28 mars-31 déc. – **Repas** 15/40 ♈, enf. 8 – ⇌ 7 – **20 ch** 48/60 – ½ P 50/53,50

MONTSAUCHE-LES-SETTONS 58230 Nièvre 🔢 ⑯ G. Bourgogne – 610 h alt. 574.

Voir Lac des Settons★ SE : 5 km.

🛈 Office du tourisme Place de l'Ancienne Gare ✆ 03 86 84 55 90, Fax 03 86 84 55
ot.lac-des-settons@wanadoo.fr.

Paris 254 – Autun 43 – Avallon 41 – Clamecy 56 – Nevers 89 – Saulieu 25.

⅏ **Idéal**, ✆ 03 86 84 51 26, Fax 03 86 84 57 46, 🎇 – ⅏. ⅏
⅏
fermé janv., fév. et lundi de sept. à avril – **Repas** 10,52/21,34 ♈, enf. 7,62 – ⇌ 6 – 1
26/49 – ½ P 30/35

MONT-SAXONNEX 74130 H.-Savoie 🔢 ⑦ G. Alpes du Nord – 1 150 h alt. 1000 – Sports d'h
1 100/2 000 m ⅍ 7 ⅍.

Voir Église ⅍★★ 15 mn.

🛈 Office du tourisme Le Bourgeal ✆ 04 50 96 97 27, Fax 04 50 96 92 08.

Paris 567 – Chamonix-Mont-Blanc 51 – Thonon-les-Bains 54 – Annecy 48 – Bonneville 9

⅏ **Jalouvre** ♨, ✆ 04 50 96 90 67, <, 🎇 – ⅏. ⅏, ⅏ rest
fermé 1ᵉʳ au 31 mai, 15 sept. au 1ᵉʳ nov. et merc. hors saison – **Repas** (9,90) - 16,80/27,4
enf. 8 – ⇌ 8 – **14 ch** 25,60/40,80 – ½ P 43,40

844

Les **MONTS-DE-VAUX** 39 Jura **70** ④ – rattaché à Poligny.

MONTSÉGUR 09 Ariège **86** ⑤ – rattaché à Lavelanet.

MONTSOREAU 49730 M.-et-L. **64** ⑫ ⑬ G. Châteaux de la Loire – 544 h alt. 77.

Voir ⁂** du belvédère.

Env. Candes St-Martin★ : Collégiales★.

🛈 Office du tourisme Avenue de la Loire ℘ 02 41 51 70 22, Fax 02 41 51 75 66, mont soreau@libertysurf.fr.

Paris 295 – Angers 75 – Châtellerault 66 – Chinon 18 – Poitiers 82 – Saumur 11 – Tours 59.

🏠 **Bussy** sans rest, 4 r. Jehanne d'Arc ℘ 02 41 38 11 11, Fax 02 41 38 18 10, ≤ – TV 🕻 🅿. GB
fermé janv. et mardi sauf du 1ᵉʳ avril au 15 oct. – ⚏ 6,50 – **12 ch** 46/58

XX **Diane de Méridor**, 12 quai Ph. de Commines ℘ 02 41 51 71 76, Fax 02 41 51 17 17, ≤ – GB
fermé 2 janv. au 8 fév., mardi et merc. sauf juil.-août – **Repas** 11,50 (déj.), 15,10/35,10, enf. 8,38

MORANGIS 91 Essonne **61** ①, **101** ㉟ – voir à Paris, Environs.

MORESTEL 38510 Isère **74** ⑭ G. Vallée du Rhône – 3 034 h alt. 220.

🛈 Office du tourisme 100 place des Halles ℘ 04 74 80 19 59, Fax 04 74 80 56 71, infos@morestel.com.

Paris 498 – Bourg-en-Bresse 71 – Chambéry 49 – Grenoble 69 – Lyon 63 – La Tour-du-Pin 16.

XX **France** avec ch, 319 Gde rue ℘ 04 74 80 04 77, Fax 04 74 33 07 47 – TV 🛵 – 🔏 20. AE GB
Repas (fermé dim. soir et lundi) 21,40/27,50 ⏃, enf. 13,70 – ⚏ 6,40 – **11 ch** 44,20/70,90 – ½ P 56,40/61

MORET-SUR-LOING 77250 S.-et-M. **61** ⑫, **106** ㊻ G. Ile de France – 4 402 h alt. 50.

Voir Site★.

🛈 Office du tourisme 4 Bis place de Samois ℘ 01 60 70 41 66, Fax 01 60 70 82 52.

Paris 75 – Fontainebleau 12 – Melun 28 – Nemours 17 – Sens 44.

XX **Relais de Pont-Loup**, 14 r. Peintre Sisley ℘ 01 60 70 43 05, Fax 01 60 70 22 54, ☞, « Jardin au bord du Loing », ☞ – 🅿. GB
fermé 8 au 22 août, vacances de fév. et merc. – **Repas** (week-end, prévenir) carte 25 à 49

XX **Hostellerie du Cheval Noir** avec ch, 47 av. J. Jaurès ℘ 01 60 70 80 20, chevalnoir@ chateauxhotel.com, Fax 01 60 70 80 21, ☞ – TV. AE ① GB
Repas (fermé lundi et jeudi) 26/49 ⏃ – ⚏ 10 – **10 ch** 61/110 – ½ P 68/86

XX **Palette**, 10 av. J. Jaurès ℘ 01 60 70 50 72, Fax 01 64 31 17 99 – GB
fermé 2 au 12 avril, 20 août au 12 sept., 6 au 22 janv., lundi soir, mardi soir et merc. – **Repas** 18,30/44,98

Veneux-les-Sablons Ouest : 3,5 km – 4 617 h. alt. 76 – ⊠ 77250 :

XX **Rôtisserie du Bon Abri**, av. Fontainebleau ℘ 01 60 70 55 40, Fax 01 64 31 12 27, ☞ – AE ① GB
fermé 29 juil. au 13 août, vacances de fév., mardi soir, dim. soir et lundi – **Repas** 21,40/ 49,50 ⏃, enf. 12,20

MOREY-ST-DENIS 21220 C.-d'Or **65** ⑳ – 673 h alt. 275.

Paris 318 – Beaune 30 – Dijon 16.

XX **Castel de Très Girard** avec ch, 7 r. Très Girard ℘ 03 80 34 33 09, info@castel-tres-girard.com, Fax 03 80 51 81 92, ☞, ⒣, – ⊟ ch, TV 🕻 🅿. – 🔏 15. AE ① GB JCB
fermé 15 fév. au 1ᵉʳ mars – **Repas** (fermé sam. midi) 19 (déj.), 34/42 ⏃, enf. 12 – ⚏ 11 – **8 ch** 115/150

MORGAT 29 Finistère **58** ⑭ G. Bretagne – ⊠ 29160 Crozon.

Voir Grandes Grottes★.

🛈 Office de tourisme bd de la Plage ℘ 02 98 27 29 49.

Paris 591 – Quimper 52 – Brest 62 – Châteaulin 38 – Douarnenez 41 – Morlaix 84.

🏠 **Grand Hôtel de la Mer** M, ℘ 02 98 27 02 09, Fax 02 98 27 02 39, ≤, « Parc », ※, 🐦 – 📺 TV 🕻 ዾ 🅿 – 🔏 20 à 30. GB. ※
30 mars-19 oct. – **Repas** (fermé lundi midi et mardi midi) 17/31 ⏃, enf. 12 – ⚏ 10 – **78 ch** 82/102 – ½ P 52/80

Julia ॐ, ℰ 02 98 27 05 89, Fax 02 98 27 23 10, ♨ – ▥ ☎ 🄿, 🄰🄴 🄶🄱. ⅏ rest
1ᵉʳ mars-5 nov., 20 déc.-5 janv. et fermé mardi midi et lundi – **Repas** 13,72/45,73, enf.
– ☲ 6,40 – **20 ch** 35,06/54,88 – ½ P 44,97/54,88

Baie sans rest, 46 bd Plage ℰ 02 98 27 08 51, *hotel.de.la.baie@club-intern*
Fax 02 98 26 29 65 – ▥. 🄶🄱 🄹🄲🄱
☲ 5 – **26 ch** 25/42

MORILLON 74 H.-Savoie 🔢 ⑧ – *rattaché à Samoëns.*

MORLAAS 64160 Pyr.-Atl. 🔢 ⑦ *G. Aquitaine* – 3 658 h alt. 287.
Voir *Portail★ de l'église Sainte-Foy.*
🄸 *Office de tourisme Place Sainte-Foy* ℰ 05 59 33 62 25, Fax 05 59 33 62 25.
Paris 771 – Pau 13 – Tarbes 37.

Bourgneuf ॐ, ℰ 05 59 33 44 02, Fax 05 59 33 07 74 – ▤ rest, ▥ ☎ ら 🄿. 🄶🄱
fermé 14 oct. au 5 nov., sam. midi et dim. soir – **Repas** 10 (déj.), 19 bc/25 🖪 – ☲ 4 – **1**
36/42 – ½ P 34

MORLAIX ◈ 29600 Finistère 🔢 ⑥ *G. Bretagne* – 15 990 h alt. 7.
Voir *Vieux Morlaix★ : Viaduc★ – Grand'Rue★ – Intérieur★ de la maison de "la Reine An*
Vierge★ dans l'église St-Mathieu – Rosace★ dans le musée des Jacobins★.
Env. *Calvaire★★ de Plougonven★ 12 km par D 9.*
🄸 *Office du tourisme Place des Otages* ℰ 02 98 62 14 94, Fax 02 98 63 84 87.
Paris 538 ② – Brest 60 ② – Quimper 78 ② – St-Brieuc 86 ②.

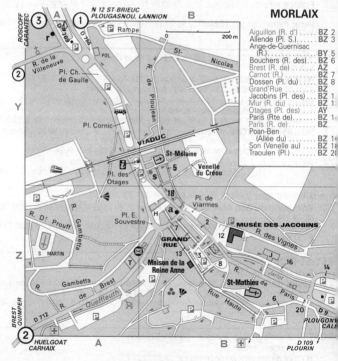

MORLAIX

Europe sans rest, 1 r. Aiguillon ℰ 02 98 62 11 99, *reservations@hotel-europe-cor*
Fax 02 98 88 83 38 – 🛗 ▥ ☎ ら – 🔏 25. 🄰🄴 ⓞ 🄶🄱
fermé vacances de Noël – ☲ 7 – **59 ch** 38/77   **BZ**

Port sans rest, 3 quai de Léon ℰ 02 98 88 07 54, Fax 02 98 88 43 80 – ▥ ☎. 🄰🄴 🄶🄱
☲ 5 – **25 ch** 35/45   **AY**

Fontaine, ZA la Boissière par ① et rte Lannion : 3 km ℘ 02 98 62 09 55, Fax 02 98 63 82 51 – 🖸 ✆ 🅿 – 🔬 20. 🖭 GB. ⚡ rest
fermé 14 déc. au 6 janv. – **Repas** (fermé sam. et dim.) 10,50/24 ⅄ – ☑ 5,80 – **37 ch** 43/58 – ½ P 34

Les Bruyères sans rest, par rte de Plouigneau Est sur D 712 : 3 km ⌂ 29610 Plouigneau ℘ 02 98 88 08 68, Fax 02 98 88 66 54, 🌫 – 🖸 ✆ 🅿 – 🔬 20. GB
fermé mi-déc. à mi-janv. – ☑ 4,09 – **32 ch** 40/53,36

Campanile, Z.A. du Launay par r. de la Villeneuve AY Ouest : 3 km ℘ 02 98 63 34 63, Fax 02 98 63 35 66, 🌫 – 🔆 🖸 ✆ ⅋ 🅿 – 🔬 20. 🖭 ⑩ GB
Repas 12,04/16,62 ⅀, enf. 5,95 – ☑ 5,49 – **50 ch** 50

Marée Bleue, 3 rampe St Mélaine ℘ 02 98 63 24 21 – GB   BY s
fermé 1er au 25 oct., dim. soir et lundi – **Repas** 13/35,50 ⅀, enf. 7,62

ORNAS 84550 Vaucluse 🗺 ① G. Provence – 2 209 h alt. 37.
Paris 652 – Avignon 40 – Bollène 12 – Montélimar 47 – Nyons 46 – Orange 13.

Manoir, N 7 ℘ 04 90 37 00 79, lemanoir@ifrance.com, Fax 04 90 37 10 34, 🌫 – ▤ rest, 🖸 🚗 🅿 – 🔬 15. 🖭 GB
fermé janv., fév., dim. soir et lundi de sept. à mai, lundi midi et mardi midi de juin à août – **Repas** 15,50 (déj.), 22/39, enf. 7 – ☑ 7 – **25 ch** 43/54 – ½ P 49/54,50

ORSBRONN-LES-BAINS 67360 B.-Rhin 🗺 ③ – 522 h alt. 200.
🖪 Syndicat d'Initiative Mairie ℘ 03 88 09 30 18, Fax 03 88 09 48 25.
Paris 493 – Strasbourg 46 – Haguenau 11 – Sarreguemines 70 – Wissembourg 28.

Marne, 19 rte Haguenau ℘ 03 88 09 30 53, info@hoteldelamarne.com, Fax 03 88 09 35 65, 🌫, 🌫 – cuisinette 🖸 ⅋ 🅿. 🖭 GB
fermé début janv. à mi-fév., dim soir et mardi – **Repas** (10) - 21/45 ⅀, enf. 10 – ☑ 7 – **40 ch** 37/53 – ½ P 37/44

ORTAGNE-AU-PERCHE ⬗ 61400 Orne 🗺 ④ G. Normandie Vallée de la Seine – 4 513 h alt. 260.
Voir Boiseries★ de l'église N.-Dame.
🖪 Office du tourisme Place Général de Gaulle ℘ 02 33 85 11 18, Fax 02 33 83 76 76, office-mortagne@wanadoo.fr.
Paris 156 – Alençon 40 – Chartres 81 – Lisieux 89 – Le Mans 73 – Verneuil-sur-Avre 41.

Tribunal, 4 pl. Palais ℘ 02 33 25 04 77, hotel.du.tribunal@wanadoo.fr, Fax 02 33 83 60 83, 🌫 – 🖸. 🖭 GB. ⚡ rest
Repas 14,50/30,50 ⅄ – ☑ 6,50 – **16 ch** 45,70/99,10 – ½ P 47,25/48,80

Pin-la-Garenne Sud : 9 km par rte Bellême sur D 938 – 639 h. alt. 158 – ⌂ 61400 Mortagne-au-Perche :

Croix d'Or, ℘ 02 33 83 80 33, Fax 02 33 83 06 03 – 🅿. GB
fermé vacances de fév., dim. soir et mardi soir de sept. à juin et merc. – **Repas** 11/40 ⅀, enf. 7

ORTAGNE-SUR-GIRONDE 17120 Char.-Mar. 🗺 ⑥ G. Poitou Vendée Charentes – 967 h alt. 51.
Voir Chapelle★ de l'Ermitage St-Martial S : 1,5 km.
🖪 Office du tourisme 1 place des Halles ℘ 05 46 90 52 90, Fax 05 46 90 52 90, mortagne.s.g.otsi@wanadoo.fr.
Paris 510 – Royan 33 – Blaye 55 – Jonzac 30 – Pons 25 – La Rochelle 115 – Saintes 36.

Auberge de la Garenne ⑤, ℘ 05 46 90 63 69, Fax 05 46 90 50 93, 🌫, ☒, 🌫 – 🖸 🅿. GB
fermé 24 déc. au 19 janv., 11 au 20 oct., dim. soir et lundi du 15 sept. au 15 mai – **Repas** 10,70/30,50 ⅀, enf. 6,40 – ☑ 5,50 – **11 ch** 38,10/47,25 – ½ P 38,12/40,42

ORTAGNE-SUR-SÈVRE 85290 Vendée 🗺 ⑤ G. Poitou Vendée Charentes – 5 938 h alt. 115.
🖪 Office du tourisme Avenue de la Gare ℘ 02 51 65 11 32, Fax 02 51 65 11 32.
Paris 360 – Angers 71 – La Roche-sur-Yon 57 – Bressuire 42 – Cholet 10 – Nantes 63.

France, pl. Dr Pichat ℘ 02 51 65 03 37, hmortagne@aol.com, Fax 02 51 65 27 83, 🌫, ☒, 🌫 – 📱, ▤ rest, 🖸 – 🔬 15 à 40. 🖭 GB. ⚡ rest
Taverne (fermé sam. midi et dim. du 15 oct. au 1er mai) **Repas** 26,68/49,70 ⅀, enf. 9,15 – **Petite Auberge** (déj. seul.) (fermé sam. et dim.) **Repas** 12,96/15,17 ⅀, enf. 9,15 – ☑ 7,47 – **23 ch** 53,36 – ½ P 48,78/67,69

MORTEAU *25500 Doubs* **70** ⑦ *G. Jura – 6 375 h alt. 780.*

Office du tourisme Place de la Halle ✆ 03 81 67 18 53, Fax 03 81 67 62 34, o.val.de. teau@freesbee.fr.

Paris 470 – Besançon 65 – Basel 119 – Belfort 89 – Neuchâtel 41 – Pontarlier 31.

XX ✿ **Auberge de la Roche** (Feuvrier), au Pont de la Roche Sud-Ouest : 3 km par D ✉ 25570 Gd Combe Chateleu ✆ 03 81 68 80 05, *pfeuvrier@wanadoo* *Fax 03 81 68 87 64*, – P. GB

fermé 1er au 15 juil., 17 au 24 sept., 14 janv. au 4 fév., dim. soir, mardi soir et lundi – **Re** 22/66 et carte 45 à 65 ♀, enf. 15

Spéc. Foie gras d'oie mariné au Vin Jaune. Aumonière de sandre blond, beurre mouss au savagnin. Jambonnettes et cuisses de grenouilles à la crème d'ail doux et jus de cres

Vins Arbois-Pupillin, Côtes du Jura.

à Grand'Combe-Châteleu *Sud-Ouest : 5 km par D 437 et D 47 – 1 266 h. alt. 760 –* ✉ *25570*

Voir *Fermes anciennes*★.

XX **Faivre,** ✆ 03 81 68 84 63, *Fax 03 81 68 87 80* – GB

fermé août, dim. soir et lundi – **Repas** 16,46 bc (déj.), 18,29/53,36 ♀

MORTEMART *87330 H.-Vienne* **72** ⑥ *G. Berry Limousin – 126 h alt. 300.*

Syndicat d'initiative Château des Ducs ✆ 05 55 68 98 98.

Paris 389 – Limoges 40 – Bellac 14 – Confolens 31 – St-Junien 20.

XX **Relais** avec ch, ✆ 05 55 68 12 09, – TV. GB

fermé fév., mardi sauf juil.-août et merc. – **Repas** 15,50/32,30 ♀, enf. 8,70 – ☕ 6,60 – 5 39/46 – 1/2 P 54,50

MORZINE *74110 H.-Savoie* **74** ⑧ *G. Alpes du Nord – 2 948 h alt. 960 – Sports d'hiver : 1 0 2 100 m 6 61.*

Voir *le Pléney*★ *par téléphérique, pointe du Nyon*★ *par téléphérique – Télésiège Chamossière*★★.

Office du tourisme Place de la Cruzaz ✆ 04 50 74 72 72, Fax 04 50 79 03 48, tou office@morzine-avoriaz.com.

Paris 589 ② – Thonon-les-Bains 33 ① – Annecy 79 ② – Cluses 26 ② – Genève 59 ②.

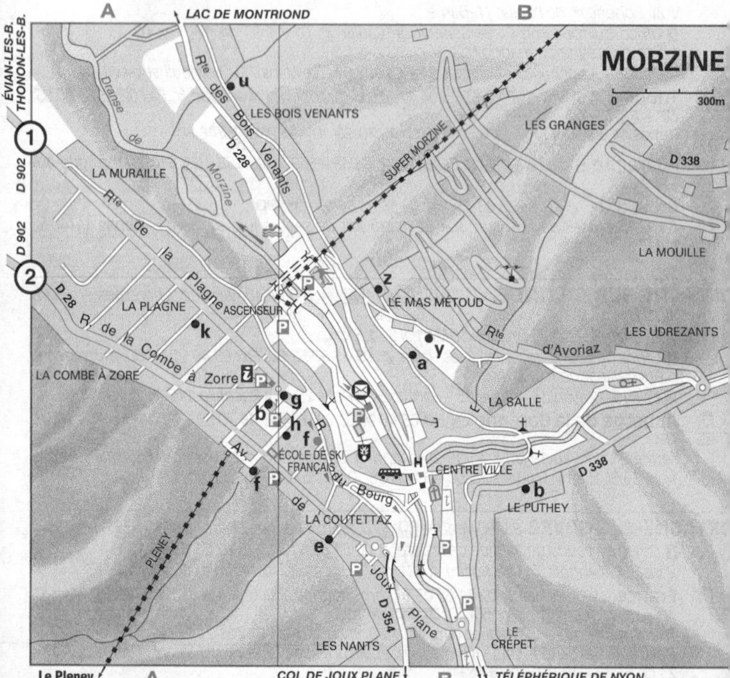

Dahu ⊗, ✆ 04 50 75 92 92, *info@dahu.com, Fax 04 50 75 92 50*, ←, ☂, Fö, ⛱, ☒, ⚘ – |‡| TV ✆ P. GB. ✂ rest — B z
20 juin-10 sept. et 20 déc.-10 avril – **Repas** *(fermé mardi en hiver)* (dîner seul. en hiver) 25/42 – ☕ 10 – **32 ch** 89/178, 4 appart, 4 duplex – ½ P 106/123

Samoyède M, ✆ 04 50 79 00 79, *info@hotel-lesamoyede.com, Fax 04 50 79 07 91*, ←, ☂, ⚘ – |‡| TV P. AE ◑ GB JCB. ✂ rest — B g
mi-juin-fin sept. et 15 déc.-fin avril – **Repas** 21/46, enf. 10 – ☕ 10 – **26 ch** 61/153 – ½ P 110/137

Champs Fleuris, ✆ 04 50 79 14 44, *info@hotel-champsfleuris.fr, Fax 04 50 79 27 75*, ←, ☂, Fö, ☒, ⚘, ✗ – |‡| TV ⛟ – ⛺ 30. AE GB. ✂ rest — A f
23 juin-7 sept. et 21 déc.-15 avril – **Repas** (résidents seul.) 28 ♀, enf. 16 – ☕ 10 – **48 ch** 99/218 – ½ P 120/138

Les Airelles, ✆ 04 50 74 71 21, *infos@les-airelles.com, Fax 04 50 79 17 49*, ←, ☂, Fö, ☒, ⚘ – |‡| cuisinette TV ✆ P – ⛺ 30. ◑ GB JCB. ✂ rest — A b
15 mai-30 sept. et 17 déc.-16 avril – ***Les Jardins d'Ulysse*** *15 mai-30 sept.et 1er déc.-25 avril* **Repas** *(11,45)*-14,50(déj.), 18,30/59,50 ♀, enf. 8,30 – ☕ 9,91 – **38 ch** 144,85/190,55, 9 studios – ½ P 129/135,68

Bergerie sans rest, ✆ 04 50 79 13 69, *info@hotel-bergerie.com, Fax 04 50 75 95 71*, ←, Fö, ⛱, ⚘ – |‡| cuisinette TV ⛟. GB — B h
28 juin-15 sept. et 18 déc.-25 avril – ☕ 10 – **5 ch** 79/84, 22 studios 132/183

Chalet Philibert M, ✆ 04 50 79 25 18, *info@chalet-philibert.com, Fax 04 50 79 25 81*, ←, ☂, Fö, ⛱ – TV ✆ ♿ P. AE GB. ✂ rest — B b
fermé 15 au 30 nov. – ***Restaurant du Chalet*** *(fermé 1er au 15 mai, 15 au 30 nov., lundi et mardi hors saison)* **Repas** 31,25/40,45♀, enf. 11,45 – ☕ 9,15 – **18 ch** 76,20/195,10 – ½ P 76,50/128,05

Clef des Champs, ✆ 04 50 79 10 13, *hotel@clefdeschamps.com, Fax 04 50 79 08 18*, ←, ☂, Fö, ⛱, ⚘ – |‡| TV P – ⛺ 20. GB. ✂ rest — B e
hôtel: 20 juin-10 sept. et 20 déc.-10 avril ; rest. : 1er juil.-10 sept. et 20 déc.-10 avril – **Repas** 20/23 – ☕ 8 – **32 ch** 50/81 – ½ P 64/70

Hermine Blanche ⊗, ✆ 04 50 75 76 55, *hotel.hermineblanche@portesdusoleil.com, Fax 04 50 74 72 47*, ←, ☂, Fö, ☒, ⚘ – |‡| TV P. GB. ✂ rest — B y
29 juin-30 août et 21 déc.-19 avril – **Repas** (dîner seul.)(½ pens. seul.) 16 – ☕ 6 – **25 ch** 51/74 – ½ P 54/60

Fleur des Neiges, ✆ 04 50 79 01 23, *fleurneige@aol.com, Fax 04 50 75 95 75*, ☂, Fö, ☒, ⚘, ✗ – |‡| TV P. GB. ✂ — A k
1er juil.-5 sept. et 15 déc.-30 avril – **Repas** (dîner seul. en hiver) 20 ♀, enf. 10 – ☕ 7,65 – **34 ch** 53,60/84,70 – ½ P 65/70

Les Côtes ⊗, ✆ 04 50 79 09 96, *hotel-lescotes@morzine-avoriaz.com, Fax 04 50 75 97 38*, ←, Fö, ☒, ⚘, ✗ – |‡| cuisinette TV ⛟ P. ✂ rest — B a
29 juil.-1er sept. et 21 déc.-16 avril – **Repas** (dîner seul.)(résidents seul.) 16/19 – ☕ 7,50 – **4 ch** 48/55, 19 studios 66/95 – ½ P 55/60

Ours Blanc ⊗, ✆ 04 50 79 04 02, *Fax 04 50 75 97 82*, ←, ⛱, ⚘ – TV P. GB. ✂ rest — A u
29 juin-8 sept. et Noël-Pâques – **Repas** (dîner seul.)(½ pens. seul.) 17/20 – ☕ 7 – **22 ch** 32/57 – ½ P 51,50/55

XX **Grange**, ✆ 04 50 75 96 40, *morzine.lagrange@libertysurf.fr, Fax 04 50 75 96 40* – GB — B f
fermé 1er au 31 mai et 1er oct. au 28 nov. – **Repas** (dîner seul.) 30/53 ♀

Ardent *Nord-Est : 8 km par rte du lac de Montriond* – ✉ *74110 Montriond :*

XX **Chalande**, ✆ 04 50 79 19 69 – GB. ✂
15 juin-15 sept., 15 déc.-20 avril et fermé lundi – **Repas** (nombre de couverts limité, prévenir) 16,77/33,54, enf. 12,20

MOTHERN *67470 B.-Rhin* 57 ⑳ – *1 933 h alt. 115.*

Office du tourisme 7 rue de Kabach ✆ 03 88 94 86 67, Fax 03 88 94 84 75, office.tourisme.mothern@wanadoo.fr.

Paris 524 – Strasbourg 52 – Haguenau 34 – Karlsruhe 28 – Wissembourg 23.

A L'Ancre, 2 rte Lauterbourg ✆ 03 88 94 81 99, *Fax 03 88 54 67 74*, ☂ – TV ✆ ♿ P. GB
fermé 1er au 15 mars et 1er au 15 nov. – **Repas** *(fermé vend.)* 16,77/25,92 ♀ – ☕ 6 – **16 ch** 36,60/44,20 – ½ P 36,60/42,70

La MOTTE-AU-BOIS *59 Nord* **51** ⑭ – *rattaché à Hazebrouck.*

MOTTEVILLE *76 S.-Mar.* **52** ⑬ – *rattaché à Yvetot.*

MOUANS-SARTOUX *06370 Alpes-Mar.* **84** ⑧, **114** ⑬, **115** ㉔ – *8 889 h alt. 120.*
🛈 *Office du tourisme 258 avenue de Cannes* 𝒫 04 93 75 75 16, Fax 04 92 92 09 09,
tourisme@mouans-sartoux.com.
Paris 912 – Cannes 10 – Antibes 15 – Grasse 8 – Mougins 4 – Nice 33.

🏨 **L'Albatros** Ⓜ ⦶, 1000 chemin Plaines (dir. Grasse) ⊠ 06370 𝒫 04 92 28 40 00, *alba*
@eurogroup-vacances.com, Fax 04 92 92 05 10, 🌤, 🏊 – 📱 🗏 📺 📻 & 🅿 – 🏛 80. ㏂
ⒼⒷ
Repas *(Pâques-mi-oct.)* (dîner seul.) 20 – **62 ch** 51,90/217,90 – ½ P 68,95/73,95

🍴🍴 **Gavroche**, 1 pl. Gén. de Gaulle 𝒫 04 93 75 69 72, 🌤 – ㏂ ⓞ ⒼⒷ
Repas 22,11/39,64

🍴 **Relais de la Pinède**, rte La Roquette-sur-Siagne 1,5 km par D 409 𝒫 04 93 75 28 29,
🍽 – 🅿. ⒼⒷ
fermé 15 nov. au 1ᵉʳ déc., 20 juin au 1ᵉʳ juil., 15 janv. au 1ᵉʳ fév., dim. soir et merc. – **Re**
(prévenir) 15,09/25,92

Restaurants serving a good but moderately priced meal
are distinguished in the Guide by the symbol 🍽

MOUCHARD *39330 Jura* **70** ④ ⑤ – *1 018 h alt. 285.*
Paris 395 – Besançon 38 – Arbois 10 – Dole 36 – Lons-le-Saunier 48 – Salins-les-Bains 9.

🍴🍴 **Chalet Bel'Air** avec ch, 𝒫 03 84 37 80 34, Fax 03 84 73 81 18, 🌤 – 🗏 rest, 📺 🅿. ㏂
ⒼⒷ
fermé 19 au 26 juin, 20 nov. au 18 déc., dim. soir, lundi midi et merc. – **Repas** 21,61/64,0
enf. 13,61 – ⊡ 7,20 – **9 ch** 42,82/67,23 – ½ P 45,22/58,42

🍴 **Rôtisserie**, 𝒫 03 84 37 80 34, 🌤 – 🅿. ㏂ ⓞ ⒼⒷ
fermé 19 au 26 juin, 20 nov. au 18 déc., dim. soir, lundi midi et merc. – **Repas** 21,61/60,9

MOUDEYRES *43150 H.-Loire* **76** ⑱ – *104 h alt. 1177.*
Paris 569 – Le Puy-en-Velay 26 – Aubenas 64 – Langogne 59.

🏨 **Pré Bossu** ⦶, 𝒫 04 71 05 10 70, Fax 04 71 05 10 21, salle à manger réservée aux n
fumeurs, « Authentique chaumière dans un village classé », 🌤 – 🅿. ㏂ ⒼⒷ. 🛇 rest
30 mars-31 oct. et fermé le midi sauf dim. en août et feriés – **Repas** 41/56, enf. 13,50 – **10**
(½ pens. seul.) – ½ P 88/96

MOUGINS *06250 Alpes-Mar.* **84** ⑨, **115** ㉔ ㊳ *G. Côte d'Azur* – *16 051 h alt. 260.*
Voir *Site* – *Ermitage N.-D. de Vie : site*, ⩽ ✶ *SE : 3,5 km – Musée de l'Automobiliste* ✶
5 km.
🛈 *Office du tourisme 15 avenue Charles Mallet* 𝒫 04 93 75 87 67, Fax 04 92 92 04
tourisme@mougins-coteazur.org.
Paris 910 – Cannes 7 – Antibes 13 – Grasse 12 – Nice 31 – Vallauris 8.

🏨🏨 **Mas Candille** Ⓜ ⦶, bld C. Rebuffel 𝒫 04 92 28 43 43, *info@lemascandille.co*
Fax 04 92 28 43 40, ⩽, 🌤, 🅵🅶, 🏊, 🎾, 🐾 – 🗏 📺 📻 & 🅿 – 🏛 40. ㏂ ⓞ ⒼⒷ 🅹🅲🅱. 🛇
Repas *(fermé dim. soir et lundi midi)* 41 (déj.), 56/76 ⊡ – ⊡ 23 – **40 ch** 320/455

🏨🏨 **Mougins** Ⓜ ⦶, 205 av. Golf (rte Antibes) 2,5 km 𝒫 04 92 92 17 07, *info@hotel-*
mougins.com, Fax 04 92 92 17 08, 🌤, « Jardin fleuri », 🏊, 🐾, 🎾 – 🍽 🗏 📺 📻 & 🔊
🏛 30. ㏂ ⓞ ⒼⒷ
Repas *(fermé 27 nov. au 27 déc. et dim. de nov. à mars)* (27) – 33 ⊡ – ⊡ 16 – **51 ch** 221/28
½ P 146

🏨 **Manoir de l'Étang** ⦶, Bois de Font-Merle (rte Antibes) - allée du Manoir : 2
𝒫 04 92 28 36 00, *manoir.etang@wanadoo.fr, Fax 04 92 28 36 10,* ⩽, 🌤, « Parc », 🏊, 🅰
📺 📻 🅿. ㏂ ⒼⒷ. 🛇
2 mars-1ᵉʳ nov. – **Repas** *(fermé lundi)* 23 (déj.), 29/43, enf. 16 – ⊡ 10 – **21 ch** 92/206

🏨 **Arc Hôtel**, rte Valbonne : 2 km 𝒫 04 93 75 77 33, *infos@arc-hotel.co*
Fax 04 92 92 20 57, 🌤, 🅵🅶, 🏊, 🐾, 🎾 – 📺 📻 & 🅿 – 🏛 40. ㏂ ⓞ ⒼⒷ. 🛇 rest
Repas 23/29 ⊡, enf. 11 – ⊡ 7 – **44 ch** 90/99

⁂⁂ **Moulin de Mougins** (Vergé) avec ch., à Notre-Dame-de-Vie, Sud-Est : 2,5 km par D 3
3 ⌂   *℘ 04 93 75 78 24, moulins@relaischateaux.fr, Fax 04 93 90 18 55,* 斎, « Ancien moulin à
huile du 16ᵉ siècle », 🌳 – 🗏 📺 🖭 🕮 ⓸ 🆖
fermé 1ᵉʳ déc. au 10 janv. – **Repas** *(fermé lundi)* 44 (déj.), 91/117 et carte 90 à 120 ♈ – ⊂⊐ 14
– **3 ch** 137/183, 4 appart
Spéc. Germiny d'asperges vertes aux grains de sévruga (juin à sept.). Salade de homard
breton au beurre de truffe. Râble de lapereau aux olives de Nice (mars à sept.). Vins Côtes
de Provence, Bandol.

⁂⁂ **Ferme de Mougins,** à St-Basile (rte de Valbonne) *℘ 04 93 90 03 74, fermedemougins@*
infonie.fr, Fax 04 92 92 21 48, 斎, 🌳 – 🖭. 🕮 🆖
fermé lundi – **Repas** 29,73 (déj.), 42,69/75,46, enf. 18,29

⁂⁂ **Terrasse et Hôtel du Village** ⌂ avec ch, 31 bd Courteline *℘ 04 92 28 36 20, laterrasse*
amougins@lemel.fr, Fax 04 92 28 36 21, ≼, 斎 – 🗏 rest, 📺. 🕮 🆖
fermé déc., lundi midi, merc. midi et jeudi – **Repas** 29 bc (déj.), 37/49 ♈, enf. 14 – ⊂⊐ 15,50
– **4 ch** 107/129

⁂⁂ **Broche de Fer,** à St-Basile (rte Valbonne) *℘ 04 92 92 08 08, Fax 04 92 92 88 54,* 斎 – 🖭.
🕮 🆖
fermé merc. – **Repas** 15,50 (déj.), 19/30 ♈, enf. 8,50

⁂⁂ **Feu Follet,** au village, pl. Mairie *℘ 04 93 90 15 78, battaglia@feu-follet.fr,*
Fax 04 92 92 92 62, 斎, « Terrasse » – 🗏. 🕮 ⓸ 🆖 🆍🆒
fermé 10 au 15 janv., dim. soir en hiver, mardi midi en été et lundi – **Repas** 23 (déj.),
30/53 ♈, enf. 9,15

⁂⁂ **Clos St-Basile,** à St-Basile (rte de Valbonne) *℘ 04 92 92 93 03, an.muscat@wanadoo.fr,*
Fax 04 92 92 19 34, 斎 – 🖭. 🕮 🆖 🆍🆒
fermé jeudi midi et merc. – **Repas** 18,29 (déj.), 29,73/50,31 ♈

⁂⁂ **L'Amandier de Mougins,** au village *℘ 04 93 90 00 91, Fax 04 92 92 89 95,* 斎,
« Ancien pressoir du 14ᵉ siècle » – 🕮 ⓸ 🆖
Repas 28/34 ♈, enf. 10

⁂ **Brasserie de la Méditerranée,** au village *℘ 04 93 90 03 47, brasseriem@provence-*
riviera.com, Fax 04 93 75 72 83, 斎, bistrot – 🗏. 🕮 🆖 🆍🆒
fermé 10 janv. au 10 fév. et mardi de nov. à fin mars – **Repas** (prévenir) 26,56/39,33

⁂ **Bistrot de Mougins,** au village *℘ 04 93 75 78 34, Fax 04 93 75 25 52* – 🗏. 🕮 🆖 🆍🆒
fermé 1ᵉʳ au 28 déc., sam. midi et merc. – **Repas** (prévenir)(dîner seul. en juil.-août) 19,80
(déj.), 28,50/39,50

●ULIN-DU-PONT 29 Finistère 🖽🖩 ⑮ – *rattaché à Quimper.*

●ULINS 🅿 03000 Allier 🖽🖩 ⑭ *G. Auvergne* – 21 892 h alt. 240.
Voir *Cathédrale Notre-Dame⋆ : triptyque⋆⋆⋆, vitraux⋆⋆ – Statue Jacquemart⋆ –*
Mausolée du duc de Montmorency⋆ B (chapelle de la visitation) – Musée d'Art et d'Archéo-
logie⋆⋆ : oeuvres médiévales⋆⋆ M¹.
🛈 *Office du tourisme 11 rue François Péron ℘ 04 70 44 14 14, Fax 04 70 34 00 21,*
O.T. MOULINS@wanadoo.fr.
Paris 297 ① – Bourges 101 ① – Clermont-Ferrand 105 ⑤ – Nevers 56 ① – Roanne 100 ④.
Plan page suivante

🏨 **Paris-Jacquemart,** 21 r. Paris *℘ 04 70 44 00 58, Fax 04 70 34 05 39,* 斎, 🏊, – 🛗,
🗏 rest, 📺 🕻 🖭. 🕮 ⓸   DY p
Repas *(fermé 3 au 23 août, 2 au 17 janv., sam. midi, dim. soir et lundi)* 24,39/50,31 ♈ –
⊂⊐ 9,15 – **27 ch** 36,61/121,96 – ½ P 62,50/95,28

🏨 **Kyriad** Ⓜ, 9 pl. J. Moulin *℘ 04 70 35 50 50, kyriad.moulins@free.fr, Fax 04 70 35 50 60,*
斎 – 🛗 🗏 📺 🕻 🖭 – 🕮 15 à 100. 🕮 ⓸ 🆖   CY a
Repas 13,67/22,11 ♈, enf. 5,95 – ⊂⊐ 6 – **42 ch** 46/54

🏨 **Ibis,** rte Lyon, par ④ : 2 km *℘ 04 70 46 71 12, Fax 04 70 44 53 34* – 🍴 🗏 📺 🕻 ⚒ 🖭 ⓸
🆖
Repas *(12,04)* - 15,09 ♈, enf. 5,95 – ⊂⊐ 5,64 – **43 ch** 59,46/62,50

🏨 **Parc,** 31 av. Gén. Leclerc *℘ 04 70 44 12 25, Fax 04 70 46 79 35* – 🗏 rest, 📺 🕻 🖭. 🆖
fermé 5 au 20 juil., 27 sept. au 5 oct. et 23 déc. au 4 janv. – **Repas** *(fermé sam.)* 15/35 ⚒ –
⊂⊐ 6 – **28 ch** 33/57 – ½ P 42/45   BX a

⁂⁂⁂ **Cours,** 36 cours J. Jaurès *℘ 04 70 44 25 66, patrick.bourhy@wanadoo.fr,*
Fax 04 70 20 58 45 – 🗏. 🕮 🆖   DY x
fermé 1ᵉʳ au 17 juil., 24 fév. au 5 mars, mardi soir en août et merc. – **Repas** 15/42 et carte 48
à 36 ♈, enf. 8,50

⁂ **Toquée,** 97 r. Allier *℘ 04 70 35 01 60* – 🗏. 🆖   DY a
fermé 15 au 28 juil., 24 déc. au 2 janv., sam. midi, dim. et lundi – **Repas** 21,50/24,50 ♈

MOULINS

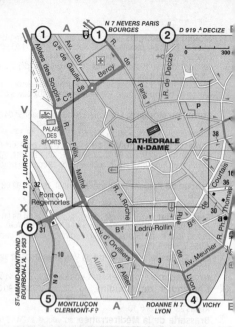

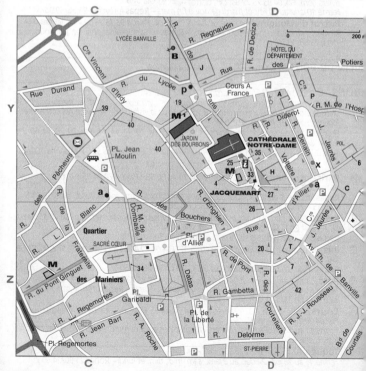

852

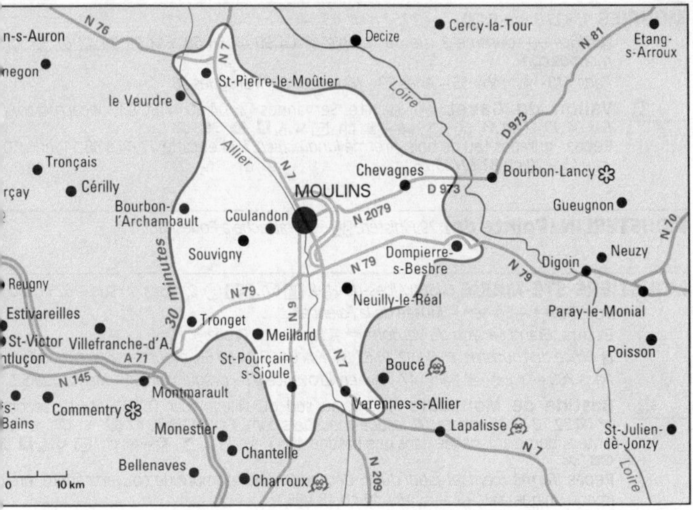

de Paris *par ① : 8 km – ✉ 03460 Trevol :*

Relais Mercure, ☎ 04 70 46 84 84, *h0827@accor-hotels.com, Fax 04 70 46 84 80,* ⛱, 🏊, ⚲ – |‡| ⇥ TV P – 25 à 200. AE ⓓ GB
Repas *(11,43)* - 15,25/20,58 ♀, enf. 7,93 – ☕ 8,08 – **41 ch** 60/70

oulandon *par ⑥, D 945 et rte secondaire : 7 km – 594 h. alt. 250 – ✉ 03000 :*

Chalet 🏞, ☎ 04 70 46 00 66, *hotel-chalet@cs3i.fr, Fax 04 70 44 07 09,* ←, ⛱, « Parc », 🏊, ⚲ – TV ☎ ♿ P. AE ⓓ GB
fermé 1er déc. au 1er fév. – ***Montégut :*** Repas 18/39 ♀, enf. 10 – ☕ 8 – **28 ch** 48/74 – ½ P 55/65

ULINS-ENGILBERT *58290 Nièvre* 69 ⑥ *G. Bourgogne – 1 571 h alt. 215.*
Paris 296 – Autun 50 – Château-Chinon 17 – Corbigny 40 – Moulins 73 – Nevers 57.

Bon Laboureur, ☎ 03 86 84 20 55, *Fax 03 86 84 35 52* – TV ☎. GB
fermé 1er au 15 janv. – **Repas** 11/37,50 ♀ – ☕ 5,50 – **23 ch** 33/53,50 – ½ P 31/45,50

ULINS-LA-MARCHE *61380 Orne* 60 ④ *– 774 h alt. 257.*
Syndicat d'initiative - Mairie ☎ 02 33 34 53 11, Fax 02 33 34 48 68.
Paris 157 – Alençon 43 – L'Aigle 19 – Argentan 45 – Mortagne-au-Perche 17.

Dauphin, ☎ 02 33 34 50 55, *Fax 02 33 34 25 35* – P. AE GB JCB
fermé 2 au 25 sept., 20 janv. au 5 fév., mardi soir, dim. soir et lundi – **Repas** 10 (déj.), 18/29 🍷, enf. 6,25

MOULLEAU *33 Gironde* 78 ② ⑫ *– rattaché à Arcachon.*

URÈZE *34800 Hérault* 83 ⑤ *G. Languedoc Roussillon – 128 h alt. 200.*
Voir *Cirque*★★.
Paris 725 – Montpellier 50 – Bédarieux 23 – Clermont-l'Hérault 8.

Navas "Les Hauts de Mourèze" 🏞 sans rest, ☎ 04 67 96 04 84, *Fax 04 67 96 25 85,* ←, 🏊, ⚲ – P. GB. ✗
25 mars-1er nov. – ☕ 4,57 – **16 ch** 39,64/54,88

In this Guide,
a symbol or a character,
printed in **black** or another colour, in light or **bold** type,
does not have the same meaning.
Please read the explanatory pages carefully.

MOURIÈS 13890 B.-du-R. 📖 ① – 2 752 h alt. 13.

🔁 Office du tourisme 2 rue du Temple ℘ 04 90 47 56 58, Fax 04 90 47 67 33, off mouries.com.

Paris 718 – Avignon 35 – Arles 29 – Marseille 78 – Martigues 38.

🏠 **Vallon du Gayet** M ⚶, rte Servannes ℘ 04 90 47 50 63, wcarre@aol.c Fax 04 90 47 64 31, 余, ⬛, 屛 – ☰ ch, ⅶ ℃ ᕔ 🅿 ⓞ ⊞ ⸸
Repas - grillades-feu de bois - (fermé lundi) 22,56/27,14 et carte 27,44 à 38,11, enf. 10 ⊆ 9,15 – **20 ch** 82,32/93,76

MOUSTERLIN (Pointe de) 29 Finistère 📖 ⑮ – rattaché à Fouesnant.

MOUSTIERS-STE-MARIE 04360 Alpes-de-H.-P. 📖 ⑰, 📖 ⑧ G. Alpes du Sud – 625 h alt. ⓵

Voir Site★★ – Église★ – Musée de la Faïence★.

Excurs. Grand Canyon du Verdon★★★ – Lac de Ste-Croix★★.

🔁 Office du tourisme ℘ 04 92 74 67 84, Fax 04 92 74 60 65, moustiers@wanadoo.fr.

Paris 780 – Digne-les-Bains 47 – Aix-en-Provence 91 – Draguignan 61 – Manosque 52.

🏠 **Bastide de Moustiers** M ⚶, au sud du village, par D 952 et rte second ℘ 04 92 70 47 47, contact@bastide-moustiers.com, Fax 04 92 70 47 48, ≤, 余, « Acc lante auberge aménagée dans une bastide du 17ᵉ siècle », ⬛, 🆊 – ☰ ch, ⅶ ᕔ ᕔ 🅿 Ⓐ ⊞ ⸸
Repas (fermé merc. et jeudi du 15 déc. au 28 fév.) (nombre de couverts limité, prév (menu unique) 37/49 ⓨ – ⊆ 13 – **12 ch** 180/260
Spéc. Petits farcis provençaux. Risotto onctueux aux courgettes et tomates-cer Arlette aux cerises, glace pistache.

🏠 **Colombier** ⚶ sans rest, rte Castellane : 0,5 km ℘ 04 92 74 66 02, infos@le-colom com, Fax 04 92 74 66 70, ≤, 余, ⚒ – ⅶ ᕔ ⸺ 🅿 ⊞ ⸸
fermé 4 nov. au 8 fév. – ⊆ 7,50 – **22 ch** 49/61

🏠 **Ferme Rose** sans rest, Sud du village, par rte Rioz ℘ 04 92 74 69 47, Fax 04 92 74 6⟨ ≤, 余 – ⅶ 🅿, Ⓐ ⊞
fermé 1ᵉʳ nov. au 20 déc. et 10 janv. au 15 mars – ⊆ 8 – **12 ch** 60/130

🏠 **Bonne Auberge** sans rest, ℘ 04 92 74 66 18, Fax 04 92 74 65 11, ⬛, – 🈁 ⅶ ⸺ ⊞
20 mars-15 oct. – ⊆ 7,32 – **19 ch** 59,46/74,70

🏨 **Relais,** ℘ 04 92 74 66 10, le.relais@wanadoo.fr, Fax 04 92 74 60 47 – 🈁, ☰ rest, ⅶ ℃ ⓞ ⊞
fermé 15 au 21 oct., 18 nov. au 22 déc., 30 déc. au 1ᵉʳ fév., jeudi et vend. – Repas 21/34 ⓨ, enf. 8 – ⊆ 8,70 – **20 ch** 43/74 – ½ P 54/61

✗✗ **Les Santons,** pl. Église ℘ 04 92 74 66 48, Fax 04 92 74 63 67, 余 – ⒶⒺ ⊞
fermé 2 déc. au 8 fév., lundi soir et mardi – Repas (nombre de couverts limité, prév 39,64/53,36

✗✗ **Ferme Ste-Cécile,** rte de Castellane : 1,5 km ℘ 04 92 74 64 18, restaurant@ferme cecile.com, Fax 04 92 74 63 51, 余 – 🅿 ⊞
fermé 18 nov. au 30 déc., vacances de fév., dim. soir hors saison et lundi – Repas 20 (⟨ 29/42 bc ⓨ, enf. 11

MOUTHIER-HAUTE-PIERRE 25920 Doubs 📖 ⑥ G. Jura – 343 h alt. 450.

Voir Belvédère de Mouthier ≤★★ SE : 2,5 km – Gorges de Nouailles★ SE : 3,5 km – Belvé du moine de la vallée★★.

Paris 444 – Besançon 39 – Baume-les-Dames 56 – Pontarlier 22 – Salins-les-Bains 42.

🏠 **Cascade** ⚶, ℘ 03 81 60 95 30, Fax 03 81 60 94 55, ≤ vallée, rest. non-fumeurs ex sivement – ⅶ ᕔ 🅿, ⒶⒺ ⊞, ⸸
3 mars-11 nov. – Repas 17,60/38,50 – ⊆ 7,20 – **19 ch** 45/59 – ½ P 49/56

MOÛTIERS 73600 Savoie 📖 ⑰ G. Alpes du Nord – 4 151 h alt. 480.

🔁 Office du tourisme Place Saint-Pierre ℘ 04 79 24 04 23, Fax 04 79 24 56 05, Ot.Mou @wanadoo.fr.

Paris 638 – Albertville 27 – Chambéry 76 – St-Jean-de-Maurienne 85.

🏠 **Ibis,** colline Champoulet ℘ 04 79 24 27 11, h0626-@accor-hotels.com, Fax 04 79 24 3⟨ ≤ – 🈁 ⬞ ⅶ 🅿, ⒶⒺ ⓞ ⊞
Repas (12) -15 ⓨ, enf. 6 – ⊆ 5,50 – **61 ch** 62

✗ **Voûte,** 172 Grande rue ℘ 04 79 24 23 23, Fax 04 79 24 23 23 – ⅁⅁
fermé 3 au 17 juin, 30 sept. au 7 oct., 23 déc. au 6 janv., dim. soir, mardi soir et lundi –
Repas 15,09/35,06 ⅂

✗ **Coq Rouge,** 115 pl. A. Briand ℘ 04 79 24 11 33 – ⅁⅁
fermé 20 juin au 12 juil., 26 nov. au 10 déc., dim. et lundi – **Repas** 23/34 ⅂

UX-EN-MORVAN 58230 Nièvre 🔠🔠 ⑰ – 675 h alt. 502.
Paris 263 – Autun 30 – Château-Chinon 29 – Clamecy 71 – Nevers 91 – Saulieu 16.

🏠 **Beau Site,** ℘ 03 86 76 11 75, Fax 03 86 76 15 84, 🏤, « Parc », 🏖 – 🅿. ⅁⅁. ✗ rest
hôtel : fermé 9 déc. au 21 fév., dim. et lundi du 12 nov. au 7 fév. – **Repas** *(fermé 20 déc. au 7 fév., dim. soir et lundi du 12 nov. au 7 fév.)* 10,98/29,73 ⅂, enf. 8,24 – ⱬ 5,34 – **20 ch** 23,02/44,98 – ½ P 30,65/38,27

UZON 08210 Ardennes 🔠🔠 ⑩ G. Champagne Ardenne – 2 616 h alt. 160.
Voir Église Notre-Dame★.
Paris 265 – Charleville-Mézières 40 – Carignan 8 – Longwy 63 – Sedan 17 – Verdun 65.

✗✗ **Les Échevins,** 33 r. Ch. de Gaulle ℘ 03 24 26 10 90, Fax 03 24 29 05 95 – ⅁⅁
fermé 30 juil. au 22 août, 7 au 30 janv., samedi midi, dim. soir et lundi – **Repas** 22,50/44,50

Au moment de chercher un hôtel ou un restaurant, soyez efficace.
*Sachez utiliser les noms soulignés en rouge sur les **cartes Michelin**
à 1/200 000.*
Mais ayez une carte à jour!

HLBACH-SUR-MUNSTER 68380 H.-Rhin 🔠🔢 ⑱ G. Alsace Lorraine – 725 h alt. 460.
Paris 462 – Colmar 24 – Gérardmer 37 – Guebwiller 45.

🏨 **Perle des Vosges** 🌏, ℘ 03 89 77 61 34, Fax 03 89 77 74 40, ≤, 🏤, 🎎 – 🛗 📺 🅿 –
🕭 100. ⓞ ⅁⅁. ✗ rest
fermé 3 janv. au 3 fév. – **Repas** 13/53,50 ⅂ – ⱬ 7 – **45 ch** 41/110 – ½ P 38/75

IDES-SUR-LOIRE 41500 L.-et-Ch. 🔠🔢 ⑧ – 1 157 h alt. 82.
🅱 *Syndicat d'initiative Place de la Libération ℘ 02 54 87 58 36, Fax 02 54 87 58 36.*
Paris 170 – Orléans 48 – Blois 20 – Châteauroux 108.

✗✗ **Chanterelle,** 21 av. Loire ℘ 02 54 87 50 19, Fax 02 54 87 50 19, 🏤 – ⅁⅁
fermé 30 sept. au 15 oct., dim. soir, mardi midi et lundi – **Repas** 12,97/29,97, enf. 8,39

✗✗ **Auberge du Bon Terroir,** 20 r. 8-Mai ℘ 02 54 87 59 24, Fax 02 54 87 59 19, 🏤 – 🅿. 🆎
ⓞ ⅁⅁
fermé 25 nov. au 10 déc., 2 au 18 janv., lundi et mardi sauf le soir en juil.-août – **Repas** 18 (déj.), 23,35/33,35 ⅂

LHOUSE 🔤 68100 H.-Rhin 🔠🔢 ⑨ ⑩ G. Alsace Lorraine – 110 359 h Agglo. 234 445 h alt. 240.
Voir *Parc zoologique et botanique★★ – Hôtel de Ville★★ FY H¹, musée historique★★ –
Vitraux★ du temple St-Étienne – Musée de l'automobile-collection Schlumpf★★★ BU –
Musée français du chemin de fer★★★ AV – Musée de l'Impression sur étoffes★ FZ M⁶ –
Electropolis : musée de l'énergie électrique★ AV M².*
Env. *Musée du Papier peint★ : collection★★ à Rixheim E : 6 km DV M⁷.*
✈ *de Bâle-Mulhouse (Euro-Airport) par ③ : 27 km, ℘ 03 89 90 31 11 à St-Louis et ☎ 061
℘ (00 41 61) 325 31 11 à Bâle (Suisse).*
🚂 ℘ 08 36 35 35 35.
🅱 *Office du tourisme 9 avenue du Maréchal Foch ℘ 03 89 35 48 48, Fax 03 89 45 66 16,
ot@ville-mulhouse.fr.*
Paris 466 ⑤ – Basel 40 ③ – Belfort 42 ⑤ – Freiburg-im-Breisgau 59 ② – Strasbourg 118 ①.

Plans pages suivantes

🏨 **Parc** Ⓜ, 26 r. Sinne ℘ 03 89 66 12 22, hotel.du.parc@gofornet.com, Fax 03 89 66 42 44 –
🛗 🍴 🟰 📺 🅰 🚗 – 🕭 80. 🆎 ⓞ ⅁⅁ FZ **a**
Repas *(fermé août, sam. midi et dim. soir)* 28 (déj.), 46/56 ⅂ – ⱬ 18 – **76 ch** 140/380

🏨 **Mercure Centre** Ⓜ, 4 pl. Gén. de Gaulle ℘ 03 89 36 29 39, h1264@accor-hotels.com,
Fax 03 89 36 29 49, 🏤 – 🛗 🍴 🟰 📺 📞 🚗 – 🕭 120. 🆎 ⓞ ⅁⅁ ⒿⒸⒷ FZ **b**
Repas 17,53 ⅃, enf. 8,38 – ⱬ 10,67 – **96 ch** 97/99

Bristol sans rest, 18 av. Colmar ✆ 03 89 42 12 31, *hbristol@club-intern*
Fax 03 89 42 50 57 – |⁜| ⇆ 📺 ✆ 🅿 – 🛆 30. 🆎 ⓞ ⑱ ᴶᶜᴮ
⚏ 7,50 – **70 ch** 55/130

Tulip Inn sans rest, 15 r. Lambert ✆ 03 89 66 44 77, *mc@hotel-mulhouse.*
Fax 03 89 46 30 66, 🕰 – |⁜| 📺 ✆ 🕭 🅿 – 🛆 40. 🆎 ⓞ ⑱ ᴶᶜᴮ
fermé 21 déc. au 2 janv. – ⚏ 8 – **60 ch** 60/75

Ibis Centre Filature Ⓜ, 34 allée Nathan Katz ✆ 03 89 56 09 56, *H1640@accor-ho
com, Fax 03 89 45 53 57* – |⁜| ⇆ 📺 ✆ 🕭 ⇌ – 🛆 25. 🆎 ⓞ ⑱
Repas (fermé sam. midi et dim. midi sauf juil.-août) (12,20) - 15,25 ⚈, enf. 5,95 – ⚏ 5,
70 ch 73,94

Ibis Centre Gare, 53 r. Bâle ✆ 03 89 46 41 41, *h1392@accor-hotels.*
Fax 03 89 56 24 26 – |⁜| ⇆ 🍴 📺 ✆ 🕭 🅿 – 🛆 30. 🆎 ⓞ ⑱ ᴶᶜᴮ
A l'Étoile ✆ 03 89 45 21 00 (fermé dim.) **Repas** 10,37(déj.)-12,20/21,34 ⚈, enf. 7,62 – ⚏
– **66 ch** 57

Bâle sans rest, 19 passage Central ✆ 03 89 46 19 87, Fax 03 89 66 07 06 – 📺
⑱
⚏ 6 – **32 ch** 29/51

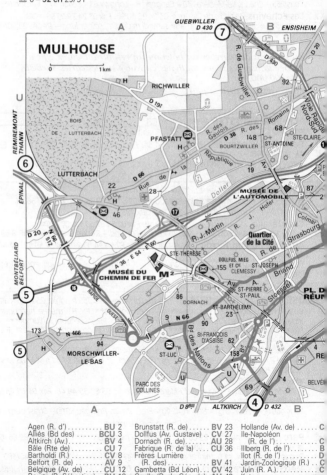

Poste (Kieny), 7 r. Gén. de Gaulle à Riedisheim ⊠ 68400 Riedisheim ℘ 03 89 44 07 71, *Fax 03 89 64 32 79 –* P. AE GB   CV **d**
fermé 1ᵉʳ au 22 août, vacances de fév., dim. soir, mardi midi et lundi – **Repas** 23,70 (déj.), 31,25/68,60 et carte 53 à 70 ♈
Spéc. Pavé de lentilles vertes du Puy au foie gras de canard. Côtelettes de cochon de lait, fin strudel à la choucroute. Déclinaison autour du chocolat. **Vins** Tokay-Pinot gris, Pinot noir.

Parc, 8 r. V. Hugo à Illzach-Modenheim ⊠ 68110 Illzach ℘ 03 89 56 61 67, *parc@sehh. com, Fax 03 89 56 13 85,* ⇑, ⇑ – P. GB   CU **k**
fermé sam. midi, dim. soir et lundi – **Repas** 37/70 et carte 51 à 74 ♈

Auberge de la Tonnelle, 61 r. Mar.-Joffre à Riedisheim ⊠ 68400 Riedisheim ℘ 03 89 54 25 77, *Fax 03 89 64 29 85 –* P. AE GB   CV **u**
fermé sam. midi, dim. soir et merc. – **Repas** 24,50 (déj.), 40/55 ♈

Bistrot, 11 r. Poincaré ℘ 03 89 46 00 24, *Fax 03 89 56 33 15 –* ▤. AE GB   FY **r**
fermé 27 juil. au 18 août, sam. et dim. – **Repas** 19,80 ♈

Aux Caves du Vieux Couvent, 23 r. Couvent ℘ 03 89 46 28 79, *Fax 03 89 66 47 87,* ⇑, Taverne – ▤.   EY **n**
fermé dim. soir et lundi – **Repas** 9,15/25 ♈, enf. 5,80

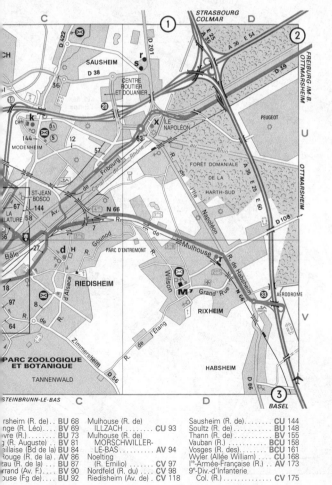

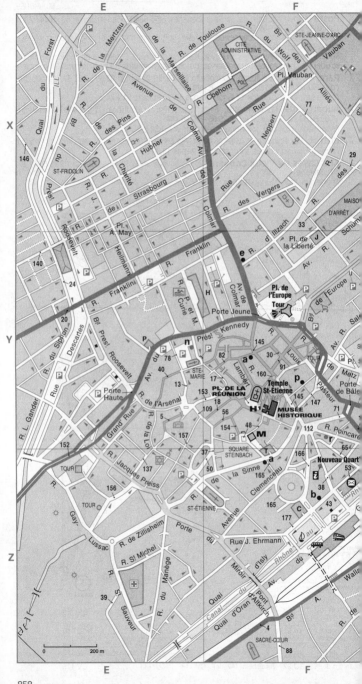

MULHOUSE

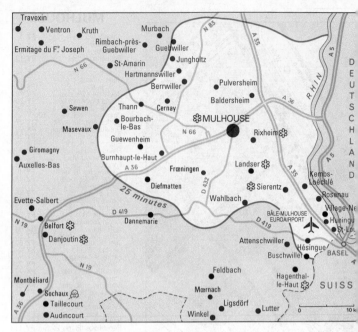

au Nord-Est : Ile Napoléon – ⊠ *68110 Illzach :*

XXXX **Closerie,** 6 r. H. de Crousaz *ℰ* 03 89 61 88 00, *hubert.beyrath@wanadoo*
Fax 03 89 61 95 49 – ☰ **P.** GB
DU
fermé 13 au 31 juil., 22 déc. au 5 janv., sam. midi, lundi soir et dim. – **Repas** 40/53,5
carte 46 à 67 ⚲

au Nord-Est par D 201 – ⊠ *68390 Sausheim :*

🏨 **Mercure** M, N 422 *ℰ* 03 89 61 87 87, *h0556@accor-hotels.com,* Fax 03 89 61 88 40,
⬛, ⌖, ⚒ – 🛗 ⥀ ☰ 📺 ⚓ & **P** – 🄰 60. AE ⓪ GB JCB
DU
Repas *(14)* · 26,22 ⚲, enf. 9,91 – ⚏ 10,50 – **100 ch** 93/107

🏨 **Novotel** M, r. Ile Napoléon *ℰ* 03 89 61 84 84, *h0452@accor-hotels.c*
Fax 03 89 61 77 99, 🍽, ⬛, ⌖ – ⥀ ☰ 📺 ⚓ **P** – 🄰 50. AE ⓪ GB
DU
Repas *(14)* · 19/30 ⚲, enf. 8 – ⚏ 10 – **77 ch** 88/98

à Baldersheim *par ① : 8 km – 2 206 h. alt. 226* – ⊠ *68390 :*

🏨 **Cheval Blanc,** *ℰ* 03 89 45 45 44, *cheval-blanc@wanadoo.fr,* Fax 03 89 56 28 93, ⬛
⥀, ☰ rest, 📺 ⚓ & **P** – 🄰 30. GB
fermé 22 déc. au 3 janv. – **Repas** *(fermé dim. soir)* *(9)* · 14,50/39 ⚲, enf. 8,50 – ⚏ 7,20 – **8**
42/61 – ½ P 45/47,50

Annexe Au Vieux Marronnier 🏠 sans rest, à 300 m. *ℰ* 03 89 36 87 60, *v*
marronnier@wanadoo.fr, Fax 03 89 56 28 93 – GB
⚏ 7,20, 6 appart, 8 studios 74/82

à Rixheim *Sud-Est par N 66 – 12 608 h. alt. 240* – ⊠ *68170 :*

XXXX **Manoir** (Runser), 65 av. Gén. de Gaulle *ℰ* 03 89 31 88 88, *info@runs*
☼ Fax 03 89 31 88 89, 🍽, ⌖ – ☰ **P.** AE ⓪ GB JCB
D
Repas 31 *(déj.),* 48/78 et carte 70 à 90 ⚲
Spéc. Dégustation des foies gras. Carré d'agneau au jambon de Parme et à la tape
(printemps-été). Sole soufflée à la julienne de truffe. **Vins** Pinot auxerrois, Sylvaner.

à Landser *Sud-Est : 11 km par rte parc zoologique, Bruebach, D 21 et D 6⁸ – 1 687 h. alt. 2*
⊠ *68440 :*

XXXX **Hostellerie Paulus,** 4 pl. Paix *ℰ* 03 89 81 33 30, Fax 03 89 26 81 85, 🍽 – **P.** AE GB
☼ *fermé 5 au 19 août, 23 déc. au 6 janv., sam. midi, dim. soir et lundi* – **Repas** *(nombr*
couverts limité, prévenir)* 21 *(déj.)/*66 et carte 57 à 77 ⚲, enf. 13
Spéc. Escalopes de foie d'oie grillées à l'unilatérale. Marmite de Saint-Pierre et moule
bouchot au céleri (été). Noisette de chevreuil au chou rouge et potimaron (automne).
Tokay-Pinot-gris, Pinot noir.

860

à Froeningen *Sud-Ouest : 9 km par D 8[BIII] - BV – 606 h. alt. 256 –* ⊠ *68720 :*

XX **Auberge de Froeningen** avec ch, ℘ 03 89 25 48 48, Fax 03 89 25 57 33, ⌂, « Maison fleurie », ☞ – ⍾ ⍨ **P**. **GB**. ⍾
fermé 19 août au 2 sept., 6 au 28 janv., mardi de nov. à avril, dim. soir et lundi – **Repas** 13 (déj.), 24/55 ⍨, enf. 10,50 – ⍩ 7,50 – **7 ch** 62 – ½ P 63/63

MUNSTER 68140 H.-Rhin[62] ⑱ G. Alsace Lorraine – 4 884 h alt. 400.
Env. Soultzbach-les-Bains : autels★★ dans l'église E : 7 km.
🛈 Office du tourisme 1 rue du Couvent ℘ 03 89 77 31 80, Fax 03 89 77 07 17, TOURISME. MUNSTER@wanadoo.fr.
Paris 458 – Colmar 20 – Guebwiller 40 – Mulhouse 61 – St-Dié 55 – Strasbourg 91.

🏯 **Verte Vallée** M ⍾, 10 r. A. Hartmann, parc de la Fecht ℘ 03 89 77 15 15, Fax 03 89 77 17 40, ⌂, ⌫, ⍾, ☞ – ⋈, ≣ rest, ⎗ ⍨ & **P** – ⍙ 25 à 100. ⌶ ⓞ **GB**. ⍾
fermé 5 au 30 janv. – **Repas** 16/44 ⍨ – ⍩ 11 – **107 ch** 80/102 – ½ P 69

🏠 **Deybach** sans rest, rte Colmar, D 417 : 1 km ℘ 03 89 77 32 71, Fax 03 89 77 52 41 – ⎗ & **P**. ⓞ **GB**
fermé 1er au 12 juin, 10 au 30 oct. et lundi – ⍩ 5,25 – **16 ch** 35/44,50

🏠 **Aux Deux Sapins**, 49 r. 9e Zouaves par rte Gérardmer ℘ 03 89 77 33 96, Fax 03 89 77 03 90 – ⋈ ⎗ **P**. ⌶ ⓞ **GB**
fermé janv., fév. et dim. – **Repas** (dîner seul.) 13/19 ⍨ – ⍩ 5,50 – **19 ch** 37/46 – ½ P 38/42

X **Nouvelle Auberge**, rte Colmar, sur D 417, Est : 6 km ℘ 03 89 71 07 70 – **P**. **GB**
fermé vacances de Toussaint, de fév., lundi et mardi – **Repas** 8,50 (déj.), 15/45 ⍨, enf. 6

MURAT 15300 Cantal[76] ③ G. Auvergne – 2 153 h alt. 930.
Voir Site★★ – Église★ d'Albepierre-Bredons S : 2 km.
🛈 Office du tourisme 2 rue du Fg Notre-Dame ℘ 04 71 20 09 47, Fax 04 71 20 21 94, ot.murat@auvergne.net.
Paris 524 – Aurillac 50 – Brioude 60 – Issoire 73 – Le Puy-en-Velay 121 – St-Flour 24.

🏠 **Hostellerie Les Breuils** sans rest, ℘ 04 71 20 01 25, Fax 04 71 20 33 20, ⌫, ☞ – ⎗ ⍨ **P**. **GB**. ⍾
1er mai-11 nov., vacances de Noël et de fév. – ⍩ 6,40 – **10 ch** 55/76

🏠 **Les Messageries**, ℘ 04 71 20 04 04, hugon.roger@wanadoo.fr, Fax 04 71 20 02 81, ⌘, ⌫ – ⎗ & **GB**
fermé 1er nov. au 25 déc. – **Repas** 11,89/19,82 ⍾, enf. 5,34 – ⍩ 6,10 – **36 ch** 35,06/41,16 – ½ P 38,11

'Est par N 122, rte de Clermont-Ferrand : 4 km – ⊠ 15300 Murat :

XXX **Jarrousset**, ℘ 04 71 20 10 69, Fax 04 71 20 15 26, ⌂, ☞ – **P**. ⓞ **GB**
⍟ *fermé janv., merc. sauf juil.-août et lundi –* **Repas** (14,48) - 22,11/59,46 ⍨
Spéc. Rouelles de filets de sole à l'émulsion de champignons. Boeuf de pays, pomme de terre farcie à la tomme fraîche, sauce périgourdine. Tarte moelleuse aux poires william (automne). **Vins** Boudes.

URBACH 68 H.-Rhin[62] ⑱ – rattaché à Guebwiller.

UR-DE-BARREZ 12600 Aveyron[76] ⑫ G. Midi-Pyrénées – 880 h alt. 790.
🛈 Office du tourisme 12 Grand'Rue ℘ 05 65 66 10 16, Fax 05 65 66 31 90, otmurdebarrez @wanadoo.fr.
Paris 572 – Aurillac 40 – Rodez 72 – St-Flour 56.

🏯 **Auberge du Barrez** M ⍾, ℘ 05 65 66 00 76, auberge.du.barrez@wanadoo.fr, Fax 05 65 66 07 98, ⌂, ☞ – ⎗ ⍨ & **P**. ⌶ ⓞ **GB**
fermé 6 janv. au 17 fév., dim. soir de nov. à Pâques et lundi de sept. à Pâques sauf fériés – **Repas** 11/31,50 ⍾, enf. 8 – ⍩ 6,50 – **18 ch** 31/76,50 – ½ P 43,50/55

MUR-DE-BRETAGNE 22530 C.-d'Armor 📗📗 ⑲ G. Bretagne – 2 090 h alt. 225.

    Voir Rond-Point du lac ≤★ – Lac de Guerlédan★★ O : 2 km.

    🖪 Office du tourisme Place de l'Église ℘ 02 96 28 51 41, Fax 02 96 26 09 12.

    Paris 458 – St-Brieuc 43 – Carhaix-Plouguer 50 – Guingamp 46 – Loudéac 20 – Pontivy 17.

XXX   **Auberge Grand'Maison** (Guillo) avec ch, ℘ 02 96 28 51 10, grandmaison@armornet
❀   tm.fr, Fax 02 96 28 52 30 – 📺, 🖭 ⅁⅁ 🅹🅲🅱
    fermé 2 au 13 mars, 1er au 25 oct., mardi sauf en juil-août, dim. soir et lundi – Repas
    (nombre de couverts limité, prévenir) 26 (déj.), 34/58 et carte 57 à 77 – ☲ 11 – **9 ch** 54/10█
    – ½ P 77/103
    Spéc. Profiteroles de foie gras au coulis de truffe. Tournedos de pied de porc. Menu "tou█
    homard" (mars à nov.).

Les MUREAUX 78130 Yvelines 📗📗 ⑲ – 31 739 h alt. 28.

    Paris 40 – Mantes-la-Jolie 19 – Pontoise 24 – Rambouillet 57 – Versailles 32.

🏠   **Comfort Hôtel La Chaumière**, quartier Grand Ouest (près échangeur A 13 par rt█
    Bouafle) ℘ 01 34 74 72 50, comfort.lesmureaux@libertysurf.fr, Fax 01 30 99 39 04, 🍽
    📺 ❤ ₵ 🅿 🖭 ⓪ ⅁⅁
    Repas (fermé 5 au 25 août et dim. soir) (11) · 16 ⅄, enf. 6 – ☲ 6,50 – **42 ch** 53 – ½ P 49,10█

MUSSIDAN 24400 Dordogne 📗📗 ④ G. Périgord Quercy – 2 843 h alt. 50.

    🖪 Syndicat d'initiative Place de la République ℘ 05 53 81 73 87, Fax 05 53 81 73 8█
    si.mussidan@perigord.tm.fr.

    Paris 525 – Périgueux 39 – Angoulême 85 – Bergerac 26 – Libourne 59.

🏠   **Midi** ⏳, à la gare ℘ 05 53 81 01 77, Fax 05 53 82 90 14, 🍽, 🛁, 🌳 – 📺 ❤ 🅿, ⅁⅁, ⏳ c
↩   fermé 20/4 au 6/5, 19/10 au 12/11, week-ends de nov. à avril, vend. soir, dim. midi et sa█
    sauf juil.-août – **Repas** (dîner seul.)(résidents seul.) 12/22 ⅄ – ☲ 6 – **9 ch** 45/48

XX   **Relais de Gabillou**, rte de Périgueux : 1,5 km ℘ 05 53 81 01 42, Fax 05 53 81 01 42, 🍽
↩   🛁 – 🅿. ⅁⅁
    fermé janv. et lundi – **Repas** 14/46 ⅄, enf. 8

à Sourzac Est : 4 km par N 89 – 1 032 h. alt. 50 – ✉ 24400 :

🏨   **Chaufourg en Périgord**, ℘ 05 53 81 01 56, chaufourg.hotel@wanadoo.
    Fax 05 53 82 94 87, 🍽, « Ambiance guesthouse », 🛁, 🌳 – 📺 ❤ 🅿, 🖭 ⓪ ⅁⅁, ⏳
    1er avril-15 nov. – **Repas** (dîner seul.) (résidents seul.) carte 40 à 65 ⅄ – ☲ 14,48 – **9 c**
    122,50/267

MUTZIG 67190 B.-Rhin 📗📗 ⑨ G. Alsace Lorraine – 5 584 h alt. 190.

    Paris 479 – Strasbourg 32 – Obernai 13 – Saverne 30 – Sélestat 38.

🏠   **Hostellerie de la Poste**, pl. Fontaine ℘ 03 88 38 38 38, hostellerie.pfeiffer@wanade█
    fr, Fax 03 88 49 82 05, 🍽 – ▤ rest, 📺 ❤ 🚗. ⅁⅁
    Repas (fermé lundi) 12,19 (déj.), 18,29/25,91 ⅄ – ☲ 6,40 – **19 ch** 32/54,90 – ½ P 42,23/53█

🏠   **L'Ours de Mutzig**, pl. Fontaine ℘ 03 88 47 85 55, hotel@loursdemutzig.cc█
    Fax 03 88 47 85 56, 🍽 – ▤ 📺 ❤ ₵ 🅿 – ⚑ 40. ⅁⅁
    Repas (9) · 20 ⅄, enf. 7,80 – ☲ 5,40 – **32 ch** 38,11 – ½ P 39

NAINTRÉ 86 Vienne 📗📗 ④ – rattaché à Châtellerault.

NAJAC 12270 Aveyron 📗📗 ⑳ G. Midi-Pyrénées – 744 h alt. 315.

    Voir La Forteresse★ ≤★.

    🖪 Office du tourisme Place du Faubourg ℘ 05 65 29 72 05, Fax 05 65 29 72 29, otsi.na█
    @wanadoo.fr.

    Paris 641 – Rodez 72 – Albi 51 – Cahors 85 – Gaillac 50 – Villefranche-de-Rouergue 20.

🏠   **Belle Rive** ⏳, Nord-Ouest : 3 km par D 39 ℘ 05 65 29 73 90, hotel.bellerive.najac@w█
↩   doo.fr, Fax 05 65 29 76 88, ≤, 🍽, « Dans les gorges de l'Aveyron », 🛁, 🌳, ⏳ – 📺 🅿.
    ⅁⅁
    31 mars-13 oct. et fermé sam. midi et lundi midi (sauf fériés) en avril et oct. – Re█
    14,50/35 ⅄, enf. 8,85 – ☲ 7,62 – **29 ch** 48/50 – ½ P 48/50

XXX   **Oustal del Barry** avec ch, ℘ 05 65 29 74 32, oustal@caramail.com, Fax 05 65 29 7█
↩   ≤, 🍽, 🌳 – ▤ 📺. 🖭 ⅁⅁
    1er avril-15 nov. – **Repas** (fermé mardi midi et lundi d'avril à juin et en oct.) 19/46 ⅄, enf.
    ☲ 8 – **20 ch** 42/64 – ½ P 60

NALZEN 09 Ariège 📗📗 ⑤ – rattaché à Lavelanet.

862

NCY P 54000 M.-et-M. 62 ⑤ G. Alsace Lorraine – 103 605 h Agglo. 331 363 h alt. 206.

Voir *Place Stanislas★★★, Arc de Triomphe★ BY B – Place de la Carrière★ et Palais du Gouverneur★ BX R – Palais ducal★★ : musée historique lorrain★★★ – Église et Couvent des Cordeliers★ : gisant de Philippe de Gueldre★★ – Porte de la Craffe★ – Église N.-D.-de-Bon-Secours★ EX – Façade★ de l'église St-Sébastien – Musées : Beaux-Arts★★ BY M³, Ecole de Nancy★★ DX M⁴, aquarium tropical★ du muséum-aquarium CY M⁸ – Jardin botanique du Montet★ DY – Env. Basilique★★ de St-Nicolas-de-Port par ② : 12 km.*

✈ de Metz-Nancy-Lorraine : ℰ 03 87 56 70 00, par ⑥ : 43 km – 🚗 ℰ 08 36 35 35 35.

🛈 *Office du tourisme Place Stanislas ℰ 03 83 35 22 41, Fax 03 83 35 90 10, tourisme@ot-nancy.fr – Automobile Club Lorrain bd. Barthou ℰ 03 83 50 12 12, Fax 03 83 50 12 19.*

Paris 309 ⑤ – Dijon 214 ⑤ – Metz 57 ⑥ – Reims 194 ⑤ – Strasbourg 167 ①.

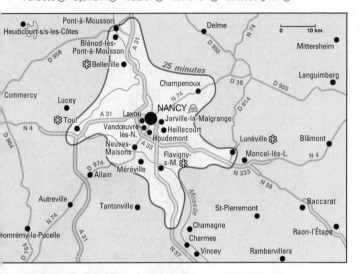

🏨 **Grand Hôtel de la Reine**, 2 pl. Stanislas ℰ 03 83 35 03 01, *nancy@concorde-hotels.com*, Fax 03 83 32 86 04, 🎄, « Palais du 18ᵉ siècle sur la place Stanislas » – 📶 🗏 📺 📞 ఉ – 🔏 40. 🕮 ⑩ ☒ ᴊᴄʙ
BY d
Stanislas *(fermé sam. midi et dim. de nov. à mars)* **Repas** 29/53, enf. 15 – ⓪ 13 – **42 ch** 130/145, 13 appart

🏨 **Mercure Centre Thiers**, 11 r. R. Poincaré ℰ 03 83 39 75 75, Fax 03 83 32 78 17 – 📶 ⇎ 🗏 📺 – 🔏 30 à 150. 🕮 ⑩ ☒ ᴊᴄʙ
AY r
Rendez-Vous *(fermé sam. midi, dim. midi et fériés le midi)* **Repas** 20 ♈, enf. 10 – ⓪ 10,50 – **192 ch** 93/143

🏨 **Mercure Centre Stanislas** sans rest, 5 r. Carmes ℰ 03 83 30 92 60, *H1068@accor-hotels.com*, Fax 03 83 30 92 92 – 📶 ⇎ 🗏 📺 📞 🚗 – 🔏 18. 🕮 ⑩ ☒
BY m
⓪ 10,50 – **80 ch** 90/100

🏨 **Crystal** sans rest, 5 r. Chanzy ℰ 03 83 17 54 00, *hotelcrystal.nancy@wanadoo.fr*, Fax 03 83 17 54 30 – 📶 🗏 📺. 🕮 ⑩ ☒ ᴊᴄʙ
AY a
fermé 28 déc. au 3 janv. – ⓪ 8 – **58 ch** 75/90

🏨 **Résidence** sans rest, 30 bd J. Jaurès ℰ 03 83 40 33 56, *hotel.la.residence.nancy@wanadoo.fr*, Fax 03 83 90 16 28 – 📶 ⇎ 📺 📞. 🕮 ⑩ ☒ ᴊᴄʙ
DEX h
fermé 30 déc. au 2 janv. – ⓪ 7 – **22 ch** 54/62

🏨 **Ibis Centre Ste-Catherine** M, 42 av. 20ᵉ Corps ℰ 03 83 37 10 10, Fax 03 83 37 66 33 – 📶 ⇎ 📺 📞 ఉ 🚗 – 🔏 30 à 80. 🕮 ⑩ ☒ ᴊᴄʙ
CY v
Repas (10,50) - 13,50/22,50 ♈, enf. 6,10 – ⓪ 6 – **66 ch** 57/60

🏨 **Albert 1ᵉʳ-Astoria** sans rest, 3 r. Armée Patton ℰ 03 83 40 31 24, Fax 03 83 28 47 78 – 📶 ⇎ 📺 P – 🔏 20. 🕮 ⑩ ☒ ᴊᴄʙ
AY e
⓪ 7 – **83 ch** 47/62,50

🏨 **Portes d'Or** sans rest, 21 r. Stanislas ℰ 03 83 35 42 34, Fax 03 83 32 51 41 – 📶 📺 📞. ☒
fermé 26 déc. au 3 janv. – ⓪ 7 – **20 ch** 40/50
BY b

🏨 **St-Georges** sans rest, 7 ter r. Tapis Vert ℰ 03 83 35 16 72, Fax 03 83 37 99 25 – cuisinette 📺 📞 P. 🕮 ☒
CY s
fermé 23 déc. au 2 janv. – ⓪ 5,80 – **27 ch** 39,90/48,50

NANCY

Adam (R. Sigisbert) . **BX** 2
Albert-1ᵉʳ (Bd). . . . . . **DV** 3
Anatole-France (Av.) . **DV** 6
Armée-Patton (R.) . . **DV** 7
Auxonne (R. d') . . . . **DV** 8
Barrès (R. Maurice) . **CY** 10
Bazin (R. H.) . . . . **CY** 13
Benit (R.) . . . . **BY** 14
Blandan
(R. du Sergent) . . **DX** 15
Braconnot (R.). . . . . . **BX** 19
Carmes (R. des) . . . . **BY** 20
Chanoine-Jacob (R.) . **AX** 23
Chanzy (R.). . . . . **AY** 24
Cheval-Blanc (R. du) . **BY** 25
Clemenceau (Bd G.) . **EX** 26
Craffe (R. de la) . . . . **AX** 27
Croix de Bourgogne
(Espl.) . . . . **AZ** 28
Dominicains (R. des) **BY** 29
Erignac (R. C.) . . . . . **BY** 31
Foch (Av.). . . . . **DV** 34
Gambetta (R.) . . . . . . **BY** 36
Gaulle (Pl. Gén.-de) . **BX** 37
Grande-Rue. . . . . **BXY**
Haussonville (Bd d') . **DX** 38
Haut-Bourgeois (R.) . **AX** 39
Héré (R.). . . . . **BY** 40
Ile de Corse
(R. de l') . . . . **CY** 41

Jaurès (Bd Jean). . . . **EX** 43
Jeanne-d'Arc (R.) . . **DEX** 44
Keller (R. Ch.) . . . . . . **AX** 46
La Fayette (Pl. de) . . **BY** 47
Linnois (R.). . . . . **EX** 49
Louis (R. Baron) . . . **AXY** 50
Loups (R. des) . . . . . **AX** 51
Majorelle (R. Louis) . **DX** 52
Maréchaux (R. des) . **BY** 53
Mazagran (R.) . . . . . . **AY** 54
Mengin (Pl. Henri) . . **BY** 55
Molitor (R.) . . . . **CZ** 60
Mon-Désert (R. de) **ABZ** 61
Monnaie (R. de la) . . **BY** 62
Mgr-Ruch (Pl.) . . . . . **CY** 63
Mouja (R. du Pont) . **BY** 64
Nabécor (R. de). . . . . **EX** 65
Oudinot
(R. Maréchal) . . . . **EX** 68
Poincaré (R. H.) . . . . **BY** 69
Poincaré (R. R.) . . . . **AY** 70
Point-Central . . . . . . **BY** 72
Ponts (R. des) . . . . . **BYZ** 73
Primatiale
(R. de la). . . . . **CY** 74
Raugraff (R.) . . . . . . **BY** 75
St-Dizier (R.) . . . . . . **BY**
St-Epvre (Pl.) . . . . . . **BY** 82
St-Georges (R.) . . . . **CY**
St-Jean (R.) . . . . **BY**
St-Lambert (R.) . . . . **DV** 84
St-Léon (R.) . . . . **AY** 85
Source (R. de la) . . . . **AY** 99

864

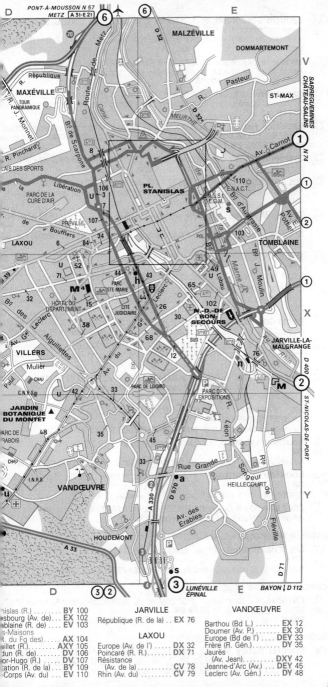

XXX **Capucin Gourmand,** 31 r. Gambetta ☎ 03 83 35 26 98, Fax 03 83 35 99 29, « É
décor contemporain » – ▣. ᴁᴇ ᴳᴮ
fermé vacances de fév., dim. sauf le midi de sept. à juin, sam. midi et lundi – **Repas** 32
carte 51 à 66 ♀, enf. 16,77

XXX **Mirabelle,** 24 r. Héré ☎ 03 83 30 49 69, Fax 03 83 32 78 93 – ᴁᴇ ᴳᴮ
fermé 29 juil. au 19 août, vacances de fév., sam. midi, dim. soir et lundi – **Repas** 17
23/61 et carte 40 à 50, enf. 13

XXX **Cap Marine,** 60 r. Stanislas ☎ 03 83 37 05 03, Fax 03 83 37 01 32 – ▣. ᴁᴇ ᴳᴮ
fermé 4 au 10 mars, sam. midi, dim. et fériés – **Repas** - produits de la mer - 18/35 et
40 à 60, enf. 9

XX **Excelsior Flo,** 50 r. H. Poincaré ☎ 03 83 35 24 57, direction@brasserie-excelsio
Fax 03 83 35 18 48, brasserie, « Décor "École de Nancy" » – ᴁᴇ Ⓞ ᴳᴮ
Repas 27,59 bc, enf. 7,62

XX **Grenier à Sel,** 28 r. Gustave Simon ☎ 03 83 32 31 98, Fax 03 83 35 32 88 – ᴳᴮ
fermé 23 juil. au 15 août, dim. et lundi – **Repas** 22 (déj.), 27/39 ♀

XX **Les Agaves,** 2 r. Carmes ☎ 03 83 32 14 14, Fax 03 83 37 13 31 – ᴳᴮ
fermé 28 juil. au 11 août, 23 fév. au 2 mars, lundi soir, merc. soir et dim. – **Repas** 18,30
enf. 9,50

XX **Toque Blanche,** 1 r. Mgr Trouillet ☎ 03 83 30 17 20, Fax 03 83 32 60 24
ᴳᴮ   AE
fermé 28 juil. au 13 août, 2 au 9 janv., sam. midi, dim. soir et lundi – **Repas** (16) - 20
enf. 9,90

XX **Mignardise,** 28 r. Stanislas ☎ 03 83 32 20 22, Fax 03 83 32 19 20, ☂ – ᴁᴇ Ⓞ
ᴶᴄᴮ
fermé 15 au 31 juil., 2 au 5 janv., dim. soir et lundi – **Repas** 22/48,02 bc ♀

XX **Chine,** 31 r. Ponts ☎ 03 83 30 13 89 – ▣. ᴁᴇ Ⓞ ᴳᴮ ᴶᴄᴮ
fermé 13 août au 2 sept., dim. soir, mardi midi et lundi – **Repas** - cuisine chin
22,56/28,66

X **Petits Gobelins,** 18 r. Primatiale ☎ 03 83 35 49 03, Fax 03 83 37 41 49 – ᴁᴇ ᴳᴮ
fermé 30 juil. au 19 août, 1er au 7 janv., dim. et lundi – **Repas** 17,99/53,35, enf. 10,67

X **V Four,** 10 r. St-Michel ☎ 03 83 32 49 48, Fax 03 83 32 49 48, ☂ – ᴳᴮ
fermé 16 au 24 sept., 27 janv. au 4 fév., sam. midi, dim. soir et lundi – **Repas**
19,06/36,28 ♀

X **Gastrolâtre,** 1 pl. Vaudémont ☎ 03 83 35 51 94, Fax 03 83 32 96 79, ☂ – ᴳᴮ
fermé 1er au 6 mai, 15 au 30 août, vacances de Noël, lundi midi, jeudi soir et dim. –
(17,53) - 28,20/38,11

X **Les Pissenlits,** 25 bis r. Ponts ☎ 03 83 37 43 97, pissenlits@wanad
Fax 03 83 35 72 49 – ▣. ᴳᴮ
fermé 1er au 16 août, dim. et lundi – **Repas** 15,70/30,34 bc ♀, enf. 12,20

X **Bouchon Lyonnais,** 15 r. Maréchaux ☎ 03 83 37 55 77, Fax 03 83 35 28 71 –
ᴳᴮ
fermé 22 déc. au 7 janv., sam. midi et dim. – **Repas** 11,43 (déj.), 13,45/16,10 ♀, enf. 8

X **Nouveaux Abattoirs,** 4 bd Austrasie ☎ 03 83 35 46 25, Fax 03 83 35 13
ᴳᴮ
fermé fin juil. à mi-août, sam., dim. et fériés – **Repas** 15,50/42 ♀

X **Chez Lize,** 52 r. H. Déglin ☎ 03 83 30 36 26, Fax 03 83 30 18 93 – ▣. ᴳᴮ. ☒
fermé 11 au 16 août et dim. soir – **Repas** 15,24/21,50 ♀

à Jarville-la-Malgrange – 9 746 h. alt. 210 – ⊠ 54140 :

XX **Les Chanterelles,** 27 av. Malgrange ☎ 03 83 51 43 17, Fax 03 83 51 43 17
ᴳᴮ
fermé 15 au 31 août, sam. midi et dim. – **Repas** 15/32 ♀, enf. 7,20

à Heillecourt – 6 185 h. alt. 265 – ⊠ 54180 :

🏠 **L'Éclipse,** 1 r. Vandoeuvre ☎ 03 83 56 63 63, mail@hotel-eclipse.fr, Fax 03 83 57
☂ – ☖ ᴛᴠ ♿ ▣ – ⚎ 20. ᴁᴇ Ⓞ ᴳᴮ
Repas (11,50) - 13,90/19,90 ♨, enf. 6,50 – ⊇ 5,90 – **58 ch** 41/50 – ½ P 35/40

à Houdemont – 2 375 h. alt. 270 – ⊠ 54180 :

🏨 **Novotel Nancy Sud** Ⓜ, près centre commercial ☎ 03 83 56 10 25, h0408@
hotels.com, Fax 03 83 57 62 20, ☂, ⌿, ⛲ – ☖ ᴛᴠ ☏ ♿ ▣ – ⚎ 25 à 80. ᴁᴇ Ⓞ
Repas 20,27 ♀, enf. 7,62 – ⊇ 10 – **86 ch** 87/95

866

vigny-sur-Moselle par ③ et A 330 : 16 km – 1 636 h. alt. 240 – ⊠ 54630 :

Ⅹ **Prieuré** (Roy) Ⓜ ॐ avec ch, ℘ 03 83 26 70 45, Fax 03 83 26 75 51, 佘, 鴌 – 回 ℃, ◭ ◉
ॐ ☺
fermé 18 août au 2 sept., 26 déc. au 2 janv., 6 fév. au 3 mars, dim. soir, merc. soir et lundi –
Repas 30,50 (déj.), 45,74/68,60 et carte 64 à 80 – ⊃ 10,68 – **4 ch** 106,72
Spéc. Carpaccio de foie gras à la vinaigrette truffée. Bar rôti, rattes aux filets de harengs et compote d'oignons. Tatin de mirabelles.

ndoeuvre-lès-Nancy – 32 048 h. alt. 300 – ⊠ 54500 :

🏠 **Ibis Brabois** Ⓜ, allée de Bourgogne ℘ 03 83 44 55 77, Fax 03 83 44 21 44, 佘 – 🛗 ⏣
回 ℃ & 🄿 – ▲ 25 à 40. ◭ ◉ ☺   DY u
Repas (9) - 15/17 Ⅾ, enf. 6 – ⊃ 5,50 – **68 ch** 56

réville par ③, A 330, D 570 et D 115 : 16 km – 1 349 h. alt. 250 – ⊠ 54850 :

🏠 **Maison Carrée** ॐ (rest. à 100 m.), ℘ 03 83 47 09 23 / rest. 03 83 47 08 02, hotel@
maisoncarree.com, Fax 03 83 47 50 75 / rest. 03 83 47 66 08, ≤, 佘, 🔟, 鴌 – 回 ℃ 🄿 –
▲ 25 à 80. ◭ ◉ ☺
fermé 20 déc. au 7 janv. et dim. soir de déc. à fév. – **Repas** (fermé dim. soir et lundi) 24 (déj.),
29/53, enf. 10,70 – ⊃ 7,32 – **23 ch** 53,40/79,30 – ½ P 54,90/57,90

uves-Maisons par ④ : 14 km – 6 849 h. alt. 230 – ⊠ 54230 :

Ⅹ **L'Union,** 1 impassse A. Briand ℘ 03 83 47 30 46, Fax 03 83 47 33 42 – ☺
ॐ *fermé 5 au 18 août, dim. soir, mardi soir et lundi* – **Repas** 14/31 Ⅾ, enf. 9,15

ou – 15 288 h. alt. 258 – ⊠ 54520 :

🏠 **Novotel Nancy Ouest** Ⓜ, ℘ 03 83 93 45 45, h0407@accor-hotels.com,
Fax 03 83 98 57 07, 佘, 🎣, 🔟, 鴌 – 🛗 ⏣ ▤ 回 ℃ & 🄿 – ▲ 25 à 200. ◭ ◉ ☺
ⒿⒸⒷ   CV a
Repas 18/38 Ⅾ, enf. 8,50 – ⊃ 10 – **119 ch** 90/105

S-LES-PINS 83860 Var 84 ⑭ – 3 159 h alt. 380.

🄳 Office du tourisme 2 cours Général de Gaulle ℘ 04 94 78 95 91, Fax 04 94 78 60 07,
nanslespins-tourisme@wanadoo.fr.
Paris 801 – Aix-en-Provence 45 – Brignoles 26 – Marseille 43 – Toulon 71.

🏠 **Domaine de Châteauneuf** ॐ, Nord : 3 km sur N 560 ℘ 04 94 78 90 06, chateauneuf
hotel@opengolfclub.com, Fax 04 94 78 63 30, ≤, 佘, 🔟, ℁, 🅜 – ▤ 回 ℃ & 🄿 –
▲ 20 à 30. ◭ ◉ ☺. ℀ rest
fermé 5 nov. au 20 déc. et 6 janv. au 1er mars – **Repas** (fermé le midi en semaine) 43/68 Ⅾ,
enf. 18 – ⊃ 15 – **27 ch** 111/274, 3 appart – ½ P 119/291

🏠 **Château de Nans,** sur N 560 à 3 km (rte d'Auriol) ℘ 04 94 78 92 06, Fax 04 94 78 60 46,
佘, 🔟, 鴌 – 回 ℃ 🄿. ◭ ☺
fermé 13 nov. au 9 déc., 22 janv. au 7 fév., mardi hors saison et lundi – **Repas** 25,92 (déj.),
35,06/48,78 (en semaine)et carte 36 à 50 Ⅾ, enf. 18,29 – ⊃ 12,96 – **8 ch** 182,64 –
½ P 96,04/126,53

TERRE 92 Hauts-de-Seine 55 ⑳, 101 ⑭ – voir Paris, Environs.

NANTES

P 44000 Loire-Atl. **57** ③ G. Bretagne - 270 251 h. - Agglo. 544 932 h - alt. 8.
Paris 384 ② – Angers 91 ② – Bordeaux 325 ④ – Quimper 232 ⑥ – Rennes 110 ⑦

OFFICES DE TOURISME

*Pl. du Commerce ℰ 02 40 20 60 00, Fax 02 40 89 11 99, office@nantes-tourisme.com et
Châteaux des ducs de Bretagnes (dim.)*

RENSEIGNEMENTS PRATIQUES

TRANSPORTS
Auto-train ℰ 08 36 35 35 35.

AÉROPORT
International Nantes-Atlantique ℰ 02 40 84 80 00 par D 85 : 8,5 km BX

DÉCOUVRIR

SOUVENIRS DES DUCS DE BRETAGNE
Château★★ : tour de la Couronne d'Or★★, puits★★ HY *- Intérieur★★ de la cathédrale
St-Pierre-et-St-Paul : tombeau de Francois II★★, cénotaphe de Lamoricière★* HY

NANTES DU 18ᵉ S.
Ancienne île Feydeau★ GZ

LA VILLE DU 19ᵉ S.
Passage Pommeraye★ GZ **150** *- Quartier Graslin★* FZ *-Cours Cambronne★* FZ *- Jardin des
Plantes★* HY

MUSÉES
Musée des Beaux-Arts★★ HY *- Muséum d'histoire naturelle★★* FZ **M⁴** *- Musée Dobrée★* FZ *-
Musée archéologique★* **M³** *- Musée Jules-Verne★* BX **M¹**

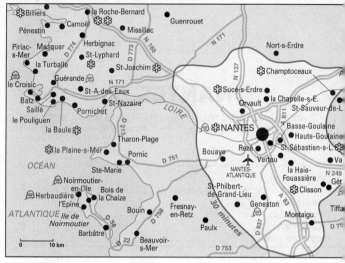

Grand Hôtel Mercure Ⓜ, 4 r. Couëdic ℰ 02 51 82 10 00, h1985@accor-hotel.
Fax 02 51 82 10 10 – 🛗 cuisinette 🌿 🗐 📺 ✆ 🔥 ⟷ – 🏥 100. 🖭 ⓪ ☻   p. 7 ⓒ
Repas 16,50/21 ♈, enf. 8 – ☑ 12 – **152 ch** 106/136, 10 appart

Holiday Inn Garden Court Ⓜ, 1 bd Martyrs Nantais ✉ 44200 ℰ 02 40 47
holiday.inn.nantes@wanadoo.fr, Fax 02 40 47 36 52, 🏵 – 🛗 🌿, 🗐 rest, 📺 ✆ 🔥
🏥 45. 🖭 ⓪ ☻   p. 7 ⓗ
Repas (fermé sam. midi et dim. midi) 16,62/21,95 ♈, enf. 7,62 – ☑ 11 – **108 ch** 92/12

La Pérouse Ⓜ sans rest, 3 allée Duquesne ℰ 02 40 89 75 00, Fax 02 40 89 76 00, «
tecture et décoration contemporaines » – 🛗 🌿 🗐 📺 ✆. 🖭 ⓪ ☻ 🝔   p. 7 ⓒ
☑ 7,62 – **47 ch** 70,13/91,47

Novotel Cité des Congrès Ⓜ, 3 r. Valmy ℰ 02 51 82 00 00, h1571@accor-hotel.
Fax 02 51 82 07 40, 🏵 – 🛗 🌿 🗐 📺 ✆ 🔥 – 🏥 18. 🖭 ⓪ ☻ 🝔   p. 7 ⓗ
Repas (14) · carte environ 23 ♈, enf. 8 – ☑ 10 – **105 ch** 89/95

Mercure Ile de Nantes Ⓜ, 15 bd A. Millerand ✉ 44200 ℰ 02 40 95 95 95, H.
accor-hotels.com, Fax 02 40 48 23 83, 🏵, 🏊 – 🛗 🌿 🗐 📺 ✆ 🔥 🅿 – 🏥 50. 🖭 ⓞ
🝔   p. 5 ⓒ
Repas (fermé sam., dim. et fériés) (14,50) · 19/22 bc ♈, enf. 7,50 – ☑ 10 – **100 ch** 90/1

Jules Verne Ⓜ sans rest, 3 r. Couëdic ℰ 02 40 35 74 50, Fax 02 40 20 09 35 – 🛗 🗐
🔥. 🖭 ⓪ ☻ 🝔   p. 7 ⓒ
☑ 7,62 – **65 ch** 68,60/86,90

France, 24 r. Crébillon ℰ 02 40 73 57 91, Fax 02 40 69 75 75 – 🛗 📺 ✆ 🅿 – 🏥 15.
☻ ⅏ rest   p. 6 ⓘ
Repas (fermé sam. et dim.) 14,94/22,86 ♈, enf. 8,68 – ☑ 7,92 – **74 ch** 55,64/9ʳ
½ P 50,68/77,06

Graslin sans rest, 1 r. Piron ℰ 02 40 69 72 91, resagraslin@ifrance.com, Fax 02 40 69
– 🛗 📺 ✆. 🖭 ⓪ ☻ 🝔   p. 6 ⓘ
☑ 6,10 – **47 ch** 53,36/60,98

L'Hôtel sans rest, 6 r. Henri IV ℰ 02 40 29 30 31, lhotel@mageos.com, Fax 02 40 29
– 🛗 🌿 📺 ✆ ⟷. 🖭 ☻ 🝔   p. 7 ⓗ
fermé 26 déc. au 5 janv. – ☑ 7,62 – **31 ch** 59,46/73,18

Grand Hôtel sans rest, 2 bis r. Santeuil ℰ 02 40 73 46 68, Fax 02 40 69 65 98 – 🛗
⓪ ☻ 🝔   p. 7 ⓒ
fermé 20 déc. au 6 janv. – ☑ 6 – **41 ch** 45/77,80

Vendée sans rest, 8 allée Cdt Charcot ℰ 02 40 74 14 54, Fax 02 40 74 77 68 – 🛗 🗐
🏥 15. 🖭 ⓪ ☻   p. 7 ⓗ
☑ 7 – **94 ch** 58/88

Ibis Gare Sud M, 3 allée Baco ℰ 02 40 20 21 20, h0892@accor-hotels.com, Fax 02 40 48 24 64, 🌣 – 🛗 ⇔ ⊟ ⊡ 🕭 ⇔ – 🏧 30. 🖭 ⓸ GB   p. 7 HZ q
Repas (12) - 15 ⅃, enf. 6 – ☷ 2,50 – **104 ch** 44/58

Amiral sans rest, 26 bis r. Scribe ℰ 02 40 69 20 21, amiral@hotel-nantes.fr, Fax 02 40 73 98 13 – 🛗 🕭 📞 ⅃, 🖭 ⓸ GB 🗾   p. 6 FZ a
☷ 6,40 – **49 ch** 51,68/54,73

Ibis Tour Bretagne M, 19 r. Jean Jaurès ℰ 02 40 35 39 00, Fax 02 40 89 07 74 – 🛗 ⇔ ⊟ ⊡ 🕭 ⅃ ⇔ – 🏧 40. 🖭 ⓸ GB   p. 7 GY e
Repas (13) - 16 ⅃, enf. 6 – ☷ 2,50 – **140 ch** 55

Cholet sans rest, 10 r. Gresset ℰ 02 40 73 31 04, hotelcholet@wanadoo.fr, Fax 02 40 73 78 82 – 🛗 ⊡. 🖭 ⓸ GB   p. 6 FZ n
☷ 5,95 – **38 ch** 38,11/49,55

Fourcroy sans rest, 11 r. Fourcroy ℰ 02 40 44 68 00 – ⊡. ⌇   p. 6 FZ k
fermé 20 déc. au 6 janv. – ☷ 4,27 – **19 ch** 29

L'Atlantide (Guého), quai E. Renaud (4ᵉ étage) ⊠ 44100 ℰ 02 40 73 23 23, jygueho@club-intrenet.fr, Fax 02 40 73 76 46, ≤, « Cadre contemporain » – 🛗 ⊟. 🖭 GB   p. 6 EZ a
fermé 8 au 12 mai, 7 juil. au 26 août, sam. midi, dim. et fériés – **Repas** 25 (déj.), 33/60 et carte 48 à 60 ⅊
Spéc. Grosses langoustines aux épices cantonnaises (mai à juil.). Dos de bar en demi-deuil (janv. à mars). Lièvre à la royale (nov.-déc.). **Vins** Muscadet, Anjou rouge.

San Francisco, 3 chemin Bateliers ⊠ 44300 ℰ 02 40 49 59 42, informations@sanfrancisco.fr, Fax 02 40 68 99 16, 🌣 – 🗭. 🖭 GB   p. 5 CX s
fermé 5 au 25 août, dim. soir et lundi – **Repas** 24/46 et carte 41 à 56 ⅊, enf. 13

Chiwawa, 17 r. Voltaire ℰ 02 40 69 01 65, Fax 02 40 69 54 24 – ⊟. 🖭 ⓸ GB   p. 6 FZ e
fermé vacances de printemps, sam. midi, lundi midi et dim. – **Repas** 14 (déj.), 22,50/41 et carte 38 à 45 ⅊, enf. 11,45

Gavroche, 139 r. Hauts Pavés ℰ 02 40 76 22 49, Fax 02 40 76 37 80 – 🗭. 🖭 GB
fermé 20 juil. au 20 août, dim. soir et lundi – **Repas** 22/39, enf. 9   p. 6 EY u

Poissonnerie, 8 r. Léon Maître ℰ 02 40 47 79 50, Fax 02 51 80 57 77 – ⊟. 🖭
GB   p. 7 GZ e
fermé vacances de printemps, août, vacances de Noël, sam. midi, lundi et dim. – **Repas** - produits de la mer - (13) - carte 30 à 45 ⅊

Auberge du Château, 5 pl. Duchesse Anne ℰ 02 40 74 31 85, Fax 02 40 37 97 57 – GB
fermé 3 au 26 août, 21 déc. au 2 janv., dim. et lundi – **Repas** (nombre de couverts limité, prévenir) 21,34/36,28 ⅊   p. 7 HY f

L'Océanide, 2 r. P. Bellamy ℰ 02 40 20 32 28, Fax 02 40 48 08 55 – 🖭 ⓸ GB
fermé 4 au 19 août et dim. – **Repas** - produits de la mer - 17,53/48,78 ⅊   p. 7 GY n

Cigale, 4 pl. Graslin ℰ 02 51 84 94 94, lacigale@lacigale.com, Fax 02 51 84 94 95, 🌣, « Brasserie 1900 » – GB   p. 6 FZ d
Repas (11,50) - 19,80 (déj.)/23,80 ⅊, enf. 7,50

L'Esquinade, 7 r. St-Denis ℰ 02 40 48 17 22, Fax 02 40 48 49 36 – 🖭 ⓸ GB 🗾   p. 7 GY t
fermé août, 24 déc. au 4 janv., dim. et lundi – **Repas** 15/33,50 ⅊

Lou Pescadou, 8 allée Baco ℰ 02 40 35 29 50, info@pescadou.fr, Fax 02 51 82 46 34 – 🖭 GB 🗾   p. 7 HZ d
fermé 9 août au 1ᵉʳ sept., lundi soir, sam. midi et dim. – **Repas** - produits de la mer - 19,06/48,78 ⅊, enf. 10,67

Paludier, 2 r. Santeuil ℰ 02 40 69 44 06, Fax 02 40 71 76 69 – 🖭 GB   p. 7 GZ u
fermé 29 juil. au 20 août, 1ᵉʳ au 7 janv., merc. soir, lundi midi et dim. – **Repas** (11,89) - 16,77/28,20 ⅊, enf. 8,38

Christophe Bonnet, 6 r. Mazagran ℰ 02 40 69 03 39, Fax 02 40 69 04 10 – GB   p. 6 FZ x
fermé août, 1ᵉʳ au 6 janv., dim. et lundi sauf fériés – **Repas** (14,94) - 25,92/36,59, enf. 7,62

Palombière, 13 bd Stalingrad ℰ 02 40 74 05 15, Fax 02 40 74 05 15 – 🖭 GB
fermé 1ᵉʳ au 25 août, dim. de mai à sept. et sam. midi – **Repas** 14,49/33,54 ⅊   p. 5 CX x

Coin du Champ de Mars, 11 r. Fouré ℰ 02 40 47 01 18 – GB   p. 7 HZ s
fermé 5 août au 2 sept., 24 déc. au 5 janv., sam. et dim. – **Repas** (déj. seul.) (19) - 23

Les Capucines, 11 bis r. Bastille ℰ 02 40 20 41 58, Fax 02 51 72 02 96 – 🖭 GB   p. 6 FY b
fermé 28 juil. au 26 août, 22 fév. au 3 mars, sam. midi, lundi soir et dim. – **Repas** 10,21 (déj.), 14/28,50 ⅊

Pressoir, 11 quai Turenne ℰ 02 40 35 31 10 – 🖭 GB   p. 7 GZ s
fermé 20 juil. au 31 août, lundi soir, sam. midi et dim. – **Repas** (nombre de couverts limité, prévenir) carte 25 à 38 ⅊

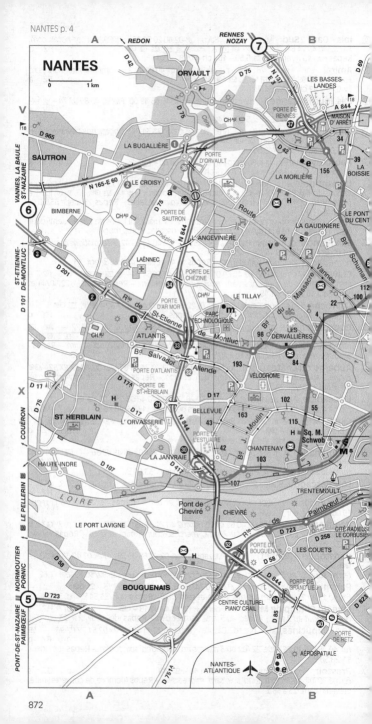

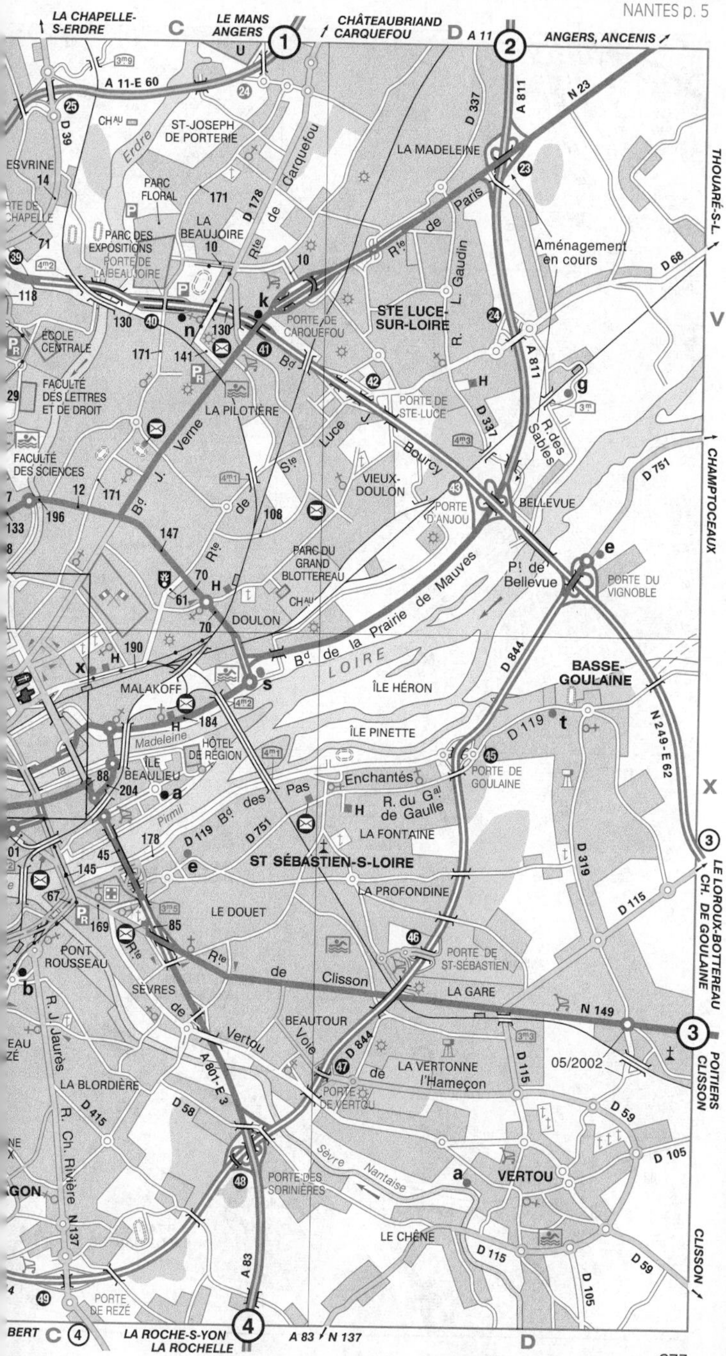

LA CHAPELLE-S-ERDRE
LE MANS ANGERS
C ① U
CHÂTEAUBRIAND / CARQUEFOU
D ② A 11
ANGERS, ANCENIS

A 11-E 60
㉕
CHÂU
Erdre
ESVRINE 14
RTE DE CHAPELLE
㊴ 71
-118
㉔
ST-JOSEPH DE PORTERIE
PARC FLORAL 171
D 178
Rte de Carquefou
LA BEAUJOIRE 10
PARC DES EXPOSITIONS PORTE DE LA BEAUJOIRE
130 ㊵
ÉCOLE CENTRALE
171 — 141
FACULTÉ DES LETTRES ET DE DROIT
29
FACULTÉ DES SCIENCES
7
12
133
196
171
8
190
X
MALAKOFF
88
184
204
ÎLE BEAULIEU
Madeleine
HÔTEL DE RÉGION
a
Pirmil
01
45
178
145
67
169
85
PONT ROUSSEAU
b
EAU ZÉ
LA BLORDIÈRE
D 415
NE X
GON
N 137
4
㊾
PORTE DE REZÉ
BERT C ④
LA ROCHE-S-YON LA ROCHELLE
A 83 / N 137 ④

LA MADELEINE
D 337
A 811
N 23
㉓
de Paris
Aménagement en cours
D 68
R. L. Gaudin
STE LUCE-SUR-LOIRE
㉔
A 811
n
130
㊶ Bd
㊷
PORTE DE CARQUEFOU
PORTE DE STE-LUCE
H
R. des Sables
g
LA PILOTIÈRE
J. Verne
Ste Luce
Bourcy
㊸
VIEUX-DOULON
PORTE D'ANJOU
BELLEVUE
108
PARC DU GRAND BLOTTEREAU
70
61
70
DOULON
Bd de la Prairie de Mauves
LOIRE
ÎLE HÉRON
s
ÎLE PINETTE
D 119
Enchantés
Pas
R. du Gal de Gaulle
LA FONTAINE
D 119 Bd des
D 751
e
ST SÉBASTIEN-S-LOIRE
LA PROFONDINE
LE DOUET
Rte de Clisson
LA GARE
㊻
PORTE DE ST-SÉBASTIEN
SÈVRES
R. J. Jaurès
de Vertou
Vertou
BEAUTOUR
Voie
㊼
PORTE DE VERTOU
LA VERTONNE l'Hameçon
R. Ch. Rivière
D 58
Sèvre Nantaise
㊽
PORTE DES SORINIÈRES
LE CHÊNE
a
VERTOU
D 115
D 59
D 105

BELLEVUE
e
PORTE DU VIGNOBLE
D 751
CHAMPTOCEAUX
D 844
BASSE-GOULAINE
t
D 119
N 249-E 62
PORTE DE GOULAINE
㊺
D 319
X
D 115
③
LE LOROUX-BOTTEREAU CH. DE GOULAINE
D 844
N 149
③
POITIERS CLISSON
05/2002
D 115
D 59
D 105
CLISSON

873

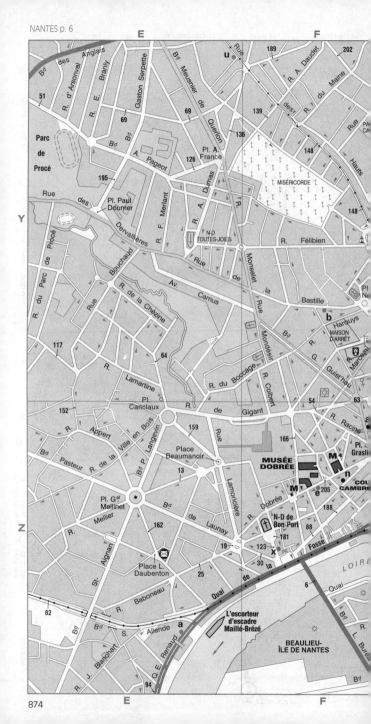

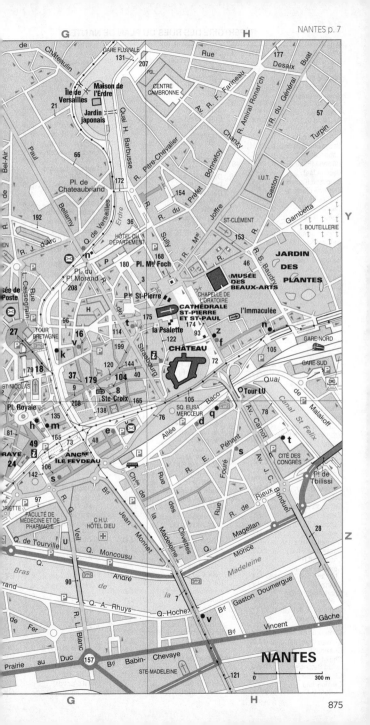

RÉPERTOIRE DES RUES DU PLAN DE NANTES

Aiguillon (Q. d')	p. 4	BX	2
Albert (R. du Roi)	p. 7	GY	3
Alexandre-Dumas (R.)	p. 6	EY	
Allende (Bd S.)	p. 6	EZ	
Anglais (Bd des)	p. 4	BV	4
Anne-de-Bretagne (Pont)	p. 6	FZ	6
Appert (R.)	p. 6	EZ	
Arsonval (R. d')	p. 6	EY	
Audibert (Pont Gén.)	p. 7	HZ	7
Babin-Chevaye (Bd)	p. 7	GHZ	
Baboneau (R.)	p. 6	EZ	
Bâclerie (R. de la)	p. 7	GY	8
Baco (Allée)	p. 7	HYZ	
Barbusse (Quai H.)	p. 7	GY	
Barillerie (R. de la)	p. 7	GY	9
Bastille (R. de la)	p. 6	EFY	
Baudry (R. S.)	p. 7	HY	
Beaujoire (Bd de la)	p. 5	CV	10
Beaujoire (Pont de la)	p. 5	CV	
Beaumanoir (Pl.)	p. 6	EZ	
Bel-Air (R. de)	p. 7	GY	
Belges (Bd des)	p. 5	CV	12
Bellamy (R. P.)	p. 7	GY	
Belleville (R. de)	p. 6	EZ	13
Blanchart (R. J.)	p. 6	EZ	
Boccage (R. du)	p. 6	EFY	
Bocquerel (Bd H.)	p. 5	CV	14
Boileau (R.)	p. 7	GZ	15
Bonduel (Av. J.C.)	p. 7	HZ	
Bossuet (R.)	p. 7	GY	16
Bouchaud (R.)	p. 6	EY	
Boucherie (R. de la)	p. 7	GY	18
Bouhier (Pl. R.)	p. 6	EZ	19
Bouille (R. de)	p. 7	GY	21
Boulay Paty (Bd)	p. 4	BV	22
Bourcy (Bd Joseph)	p. 5	CDV	
Bourse (Pl. de la)	p. 7	GZ	24
Branly (R. É.)	p. 6	EY	
Brasserie (R. de la)	p. 6	EZ	25
Bretagne (Pl. de)	p. 7	GY	27
Briand (Pl. A.)	p. 6	FY	
Briand (Pont A.)	p. 7	HZ	28
Brunellière (R. Ch.)	p. 6	FZ	30
Buat (R. du Gén.)	p. 7	HY	
Budapest (R. de)	p. 7	GY	31
Bureau (Bd L.)	p. 6	FZ	
Calvaire (R. du)	p. 6	FY	33
Cambronne (Cours)	p. 6	FZ	
Camus (Av.)	p. 6	EY	
Canclaux (Pl.)	p. 6	EZ	
Carnot (Av.)	p. 7	HYZ	
Carquefou (Rte de)	p. 5	CV	
Cassegrain (R. L.)	p. 7	GY	
Cassin (Bd R.)	p. 4	BV	34
Ceineray (Quai)	p. 7	GY	36
Change (Pl. du)	p. 7	GY	37
Chanzy (Av.)	p. 7	HY	
Chapelle-sur-Erdre (Rte)	p. 4	BV	39
Château (R. du)	p. 7	GY	40
Chateaubriand (Pl. de)	p. 7	GY	
Châteaulin (R. de)	p. 7	GY	
Cheviré (Pont de)	p. 4	ABX	
Chézine (R. de la)	p. 6	EY	
Cholet (Bd Bâtonnier)	p. 4	BX	42
Churchill (Bd W.)	p. 4	BX	43
Clemenceau (Pont G.)	p. 5	CX	45
Clemenceau (R. G.)	p. 7	HY	46
Clisson (Crs Olivier de)	p. 7	GZ	48
Colbert (R.)	p. 6	FYZ	
Commerce (Pl. du)	p. 7	GZ	49
Constant (Bd Clovis)	p. 6	EY	51
Contrescarpe (R. de la)	p. 7	GY	52
Copernic (R.)	p. 6	FZ	54
Coty (Bd R.)	p. 4	BX	55
Coulmiers (R. de)	p. 7	HY	57
Courbet (Bd Amiral)	p. 5	CV	58
Crébillon (R.)	p. 6, 7	FGZ	60
Dalby (Bd E.)	p. 5	CV	61
Daubenton (Pl. L.)	p. 6	EZ	
Daudet (R. A.)	p. 6	FY	
Delorme (Pl.)	p. 6	FY	63
Dervallières (R. des)	p. 6	EY	
Desaix (R.)	p. 7	HY	
Desgrées-du-Lou (R. du Col.)	p. 6	EY	64
Distillerie (R. de la)	p. 7	GY	66
Dobrée (R.)	p. 6	FZ	
Dos-d'Ane (R.)	p. 5	CX	67
Douet Garnier (R. du)	p. 6	EY	69
Doulon (Bd de)	p. 5	CV	70
Doumer (Pl. P.)	p. 6	EY	
Doumergue (Bd G.)	p. 7	HZ	
Dreyfus (R. Commandant A.)	p. 5	CV	71
Duchesse-Anne (Pl.)	p. 7	HY	72
Duguay-Trouin (Allée)	p. 7	GZ	73
Einstein (Bd A.)	p. 4	BV	75
Estienne-d'Orves (Crs d')	p. 7	HZ	76
Farineau (R. F.)	p. 7	HY	
Favre (Quai F.)	p. 7	HYZ	78
Félibien (R.)	p. 6	FY	
Feltre (R. de)	p. 7	GY	79
Foch (Pl. Mar.)	p. 7	HY	
Fosse (Quai de la)	p. 6	EFZ	
Fosse (R. de la)	p. 7	GZ	81
Fouré (R.)	p. 7	HZ	
Frachon (Bd B.)	p. 6	EZ	82
France (Pl. A.)	p. 6	EY	
Fraternité (Bd de la)	p. 4	BX	84
Gabory (Bd E.)	p. 5	CX	85
Gâche (Bd V.)	p. 7	HZ	
Gambetta (R.)	p. 7	HY	
Gaulle (Bd Gén.-de)	p. 5	CX	87
Gigant (R. de)	p. 6	EFZ	
Graslin (Pl.)	p. 6	FZ	
Guinaudeau (R.)	p. 6	FZ	88
Guist'hau (Bd G.)	p. 6	FY	
Hameçon (Voie de l')	p. 5	CDX	
Harouys (R.)	p. 6	FY	
Haudaudine (Pont)	p. 7	GZ	90
Hauts-Pavés (R. des)	p. 6	FY	
Hélie (R. F.)	p. 6	FY	91
Henri IV (R.)	p. 7	HY	93
Hermitage (R. de l')	p. 6	EZ	94
Herriot (R. E.)	p. 7	GY	95
Hoche (Q.)	p. 7	HZ	
Hôtel-de-Ville (R. de l')	p. 7	GY	96
Ile Gloriette (A^{ée} de l')	p. 7	GZ	97
Ingres (Bd J.)	p. 4	BX	98
J.-J.-Rousseau (R.)	p. 6, 7	FGZ	99
Jean-Jaurès (R.)	p. 6, 7	FGY	
Jean XXIII (Bd)	p. 4	BV	100
Jeanne-d'Arc (R.)	p. 7	GY	
Joffre (R. Mar.)	p. 7	HY	
Jouhaux (Bd L.)	p. 4	BX	102
Juin (Bd Mar.)	p. 4	BX	
Juiverie (R. de la)	p. 7	GY	
Jules-Verne (Bd)	p. 5	CV	
Kennedy (Cours J.-F.)	p. 7	HY	
Kervégan (R.)	p. 7	GZ	
Koenig (Bd Gén.)	p. 4	BX	
Lafayette (R.)	p. 6	FY	
Lamartine (R.)	p. 6	EY	
Lamoricière (R.)	p. 6	EZ	
Landreau (R. du)	p. 5	CV	
Langevin (Bd P.)	p. 6	EZ	
Lanoue Bras-de-Fer (R.)	p. 6, 7	FG	
Lattre-de-Tassigny (R. Mar.-de)	p. 6, 7	FG	
Launay (Bd de)	p. 6	EZ	
Lauriol (Bd G.)	p. 4	BV	
Le Lasseur (Bd)	p. 4	BV	
Leclerc (R. Mar.)	p. 7	GY	
Liberté (Bd de la)	p. 4	BX	
Littré (R.)	p. 6	EY	
Louis-Blanc (R.)	p. 7	GZ	
Luther-King (Bd M.)	p. 5	CV	
Madeleine (Chée de la)	p. 7	GH	
Magellan (Quai)	p. 7	HZ	
Maine (R. du)	p. 6	FY	
Malakoff (Quai de)	p. 7	HZ	
Marceau (R.)	p. 6	FY	
Marne (R. de la)	p. 7	GY	
Martyrs-Nantais-de-la-Résist. (Bd)	p. 7	HZ	
Mathelin-Rodier (R.)	p. 7	HY	
Mazagran (R.)	p. 6	FZ	
Mellier (R.)	p. 6	EZ	
Mellinet (Pl. Gén.)	p. 6	EZ	
Mercœur (R.)	p. 6, 7	FG	
Merlant (R. F.)	p. 6	EY	
Merson (Bd L.-O.)	p. 6	EY	
Meusnier-de-Querlon (Bd)	p. 6	EY	
Michelet (Bd)	p. 5	CV	
Mitterrand (Q. F.)	p. 6, 7	FG	
Mollet (Bd G.)	p. 5	CV	
Moncousu (Quai)	p. 7	GZ	
Mondésir (R.)	p. 6	FY	
Monnet (Bd Jean)	p. 7	GZ	
Monod (Bd du Prof.-J.)	p. 5	CV	
Monselet (R. Ch.)	p. 6	EF	
Motte Rouge (Q. de la)	p. 7	GY	
Moulin (Bd J.)	p. 4	BX	
Nations-Unies (Bd des)	p. 7	GZ	
Normand (Pl. E.)	p. 6	FY	
Olivettes (R. des)	p. 7	HZ	
Orieux (Bd E.)	p. 5	CV	
Orléans (R. d')	p. 7	GZ	
Pageot (Bd A.)	p. 6	EY	
Painlevé (R. Paul)	p. 6	EY	
Paix (R. de la)	p. 7	GZ	
Parc de Procé (R. du)	p. 6	EY	
Paris (Rte de)	p. 5	DV	
Pasteur (Bd)	p. 6	EZ	
Péhant (R. E.)	p. 7	HZ	
Pelleterie (R. de la)	p. 6	EF	
Petite Baratte (R.)	p. 5	CV	
Petite-Hollande (Pl.)	p. 7	GZ	
Pilori (Pl. du)	p. 7	GY	
Pirmil (Pont de)	p. 5	CX	
Pitre-Chevalier (R.)	p. 7	GH	

BOUGUENAIS

ORVAULT

REZE

ST-HERBLAIN

St-SÉBASTIEN-S-LOIRE

STE-LUCE-S-LOIRE

Environs

au Nord

Chapelle-sur-Erdre *9 km par D 39 - CV – 16 391 h. alt. 29 – ✉ 44240 :*

Westotel Ⓜ, ✆ 02 51 81 36 36, *westotel@wanadoo.fr, Fax 02 51 12 35 99*, – |‡| cuisinette ▤ TV ✆ ♿ 🅿 – 500. AE ⓓ GB JCB
Repas 25/35 ♀ – **233 ch** 84/110, 16 appart, 66 duplex

cé-sur-Erdre *: 16 km par D 69 - BV – 5 868 h. alt. 14 – ✉ 44240 :*

Office du tourisme Quai de Cricklade ✆ 02 40 77 70 66, Fax 02 40 77 70 66.

Châtaigneraie (Delphin), 156 rte Carquefou ✆ 02 40 77 90 95, *contact@delphin.fr, Fax 02 40 77 90 08*, ←, , « Manoir du 19e siècle dans un parc au bord de l'Erdre », – 🅿. AE ⓓ GB JCB
fermé 22 juil. au 7 août, 13 au 21 janv., mardi midi, dim. soir et lundi – **Repas** 28/69 et carte 52 à 72 ♀, enf. 16,50
Spéc. Sandre au beurre blanc nantais. Noisettes de biche sauce Grand Veneur (automne-hiver). Tartare de fraises à l'estragon (été). **Vins** Muscadet, Chinon.

au Nord-Est

Beaujoire – ✉ *44300 Nantes :*

Otelinn, 45 bd Batignolles ✆ 02 40 50 07 07, *otelinn@otelinn.com, Fax 02 40 49 41 40*, – |‡|, ▤ rest, TV ✆ ♿ 🅿 – 200. AE ⓓ GB JCB. ✗ rest p. 5 **CV** **n**
Repas 11,45/27,30 ♂, enf. 8,40 – ☕ 8,38 – **60 ch** 53,40

de Paris – ✉ *44300 Nantes :*

Ibis Beaujoire, allée Champ de Tir ✆ 02 40 93 22 22, *Fax 02 40 52 17 73* – |‡| ✗ TV ✆ ♿ 🅿 – 35. AE ⓓ GB p. 5 **CV** **k**
Repas *(12,04)* - 15,09 ♂, enf. 5,95 – ☕ 5,50 – **64 ch** 57

par D 178 *et rte de la Chantrerie : 11 km* - CV :

XXX **Manoir de la Régate**, 155 rte Gachet ⊠ 44300 Nantes ℰ 02 40 18 0
Fax 02 40 25 23 36, 命, ☞ – ℙ, ⅢE ⓪ GB
fermé vacances de fév., dim. soir et lundi – **Repas** 15,09 (déj.), 22,87/60,22 ♈, enf. 12,9

XX **Auberge du Vieux Gachet**, rte Gachet ⊠ 44470 Carquefou ℰ 02 40 25
Fax 02 40 18 03 92, ≤, 命, « Terrasse en bordure de l'Erdre » – ℙ, ⅢE GB
fermé merc. soir de sept. à mars, dim. soir et lundi – **Repas** 14,48 (déj.), 22,87/39,64 ♈

rte d'Angers *par N 23* - DV - ⊠ 44470 Carquefou :

🏨 **Novotel Carquefou** ♨, Z.I. Belle Étoile-Antarès : 12 km ℰ 02 28 09 44 44, HC
accor-hotels.com, Fax 02 28 09 44 54, 命, ⶡ, ☞ – ⶬ ≣ ⅏ ⅖ ⅙ ℙ – ⅍ 15. ⅢE ⓒ
JCB
Repas (16,01) - 20,58 ♈, enf. 7,62 – ⶄ 10 – **80 ch** 80/85

🏨 **Belle Étoile**, à la Belle Étoile : 11,5 km ℰ 02 40 68 01 69, hotel.belleetoile@fi
GB Fax 02 40 68 07 27, ☞ – ⅏ ⅙ ℙ – ⅍ 30. GB. ⶖ rest
*hôtel : fermé 1er au 18 août ; rest. : fermé 29 juil. au 25 août, 25 déc.au 1er janv., sam.
et fêtes* – **Repas** 13/25 ♈ – ⶄ 5 – **37 ch** 46/49 – ½ P 45

vers ② , *sortie Bellevue puis r. des Sables : 11 km* – ⊠ 44980 Ste-Luce-sur-Loire :

XX **Manoir du Petit Plessis**, ℰ 02 28 01 41 38, Fax 02 28 01 41 39, 命, « Manc
19e siècle dans un parc », ⶣ – ⅢE GB. ⶖ   D
fermé 5 au 19 août, dim. soir et lundi – **Repas** 15/32, enf. 10,50

à l'Est

rte de Champtoceaux *par D 751 (rte des Bords de Loire)* DV :

XX **Villa Mon Rêve**, à 10 km, près sortie Porte du Vignoble ⊠ 44115 Basse-Go
ℰ 02 40 03 55 50, contact@villa-mon-reve.com, Fax 02 40 06 05 41, 命, ☞ – ℙ, ⅢE ⓒ
JCB   D
fermé 18 au 30 nov. et vacances de fév. – **Repas** 25,61/39,33 ♈, enf. 10,37

XX **Divate**, à 11 km, à Boire-Courant ⊠ 44450 St-Julien-de-Concelles ℰ 02 40 54 ·
GB Fax 02 40 36 58 39, ≤, 命 – ⅢE GB
fermé 20 août au 12 sept., vacances de fév., dim. soir, mardi soir et merc. – **Repas** 12·
enf. 9

XX **Auberge Nantaise**, à 13 km, au Bout des Ponts ⊠ 44450 St-Julien-de-Con
ℰ 02 40 54 10 73, Fax 02 40 36 83 28, ≤ – ≣. ⅢE GB
fermé 1er au 15 sept., sam. midi, dim. soir et lundi – **Repas** 15/40, enf. 10

XX **Pierre Percée**, à 17 km, à la Pierre Percée ⊠ 44450 La Chapelle-Basse
ℰ 02 40 06 33 09, Fax 02 40 33 32 29, ≤, 命 – GB
fermé 2 au 21 janv., dim. soir et lundi – **Repas** 21/47, enf. 10,50

à Basse-Goulaine *: 10 km – 7 499 h. alt. 22* – ⊠ 44115 :

XX **Pont**, 147 r. Grignon (D 119) ℰ 02 40 03 58 62, Fax 02 40 06 20 80 – ℙ. ⅢE GB   D
fermé 1er au 26 août, vacances de fév., dim. soir, lundi et merc. – **Repas** 13,45
21,05/32

au Sud-Est

à St-Sébastien-sur-Loire *: 4 km – 25 223 h. alt. 24* – ⊠ 44230 :

XXXX **Manoir de la Comète** (Thomas-Trophime), 21 av. Libération ℰ 02 40 34 15 93, ma
❀ comete@wanadoo.fr, Fax 02 40 34 46 23, « Élégant cadre contemporain » – ≣ ⅉ
GB   p. 5 C
fermé 21 juil. au 20 août, 4 au 12 fév., sam. midi et dim. – **Repas** 29/61 et carte 50 à 7
Spéc. Crème mousseuse de cèpes et Saint-Jacques poêlées (oct. à mars). Civet de lam
à l'anjou rouge (janv. à mars). Bar de ligne à la fleur de sel de Guérande et asperges, sab
au poivre de Séchouan (mai à sept.). **Vins** Fiefs Vendéens blanc, Anjou rouge.

à Haute-Goulaine *par ③ et D 119 : 14 km – 4 925 h. alt. 41* – ⊠ 44115 :

XXX **Manoir de la Boulaie** (Saudeau), ℰ 02 40 06 15 91, Fax 02 40 54 56 83, « Den
❀ bourgeoise entourée d'un parc dans les vignes », ⶣ – ℙ, ⅢE GB
*fermé 29 juil. au 22 août, 23 au 31 déc., 24 fév. au 5 mars, dim. soir, merc. soir et lu
Repas 18,50 (déj.), 29/59 et carte 46 à 61, enf. 13
Spéc. Ravioles de tourteau et céleri. Pigeonneau fermier doré en cocotte. Crist
d'aubergines au marcarpone et framboises.

à La Haie-Fouassière *par ③, N 149 et D 74 : 15 km – 3 337 h. alt. 25* – ⊠ 44690 :

XX **Cep de Vigne**, à la Gare Nord : 1 km par D 74 ℰ 02 40 36 93 90, Fax 02 51 71 60 69,
GB
fermé 15 au 31 juil., vacances de fév., dim. soir, mardi soir et merc. – **Repas** 18,30 bc/

Vertou : 10 km par D 59 – 20 268 h. alt. 32 – ⊠ 44120 :

🛈 Office du tourisme Place Beauverger ℘ 02 40 34 12 22, Fax 02 40 34 06 86, otsivertou@oceanet.fr.

XX **Monte-Cristo**, Chaussée des Moines ℘ 02 40 34 40 36, restel3@wanadoo.fr, Fax 02 40 03 26 20, ≤, 😤 – 🖭 ⓪ 🖼   p. 5 DX a
fermé 3 au 13 août, 28 oct. au 10 nov., dim. soir et lundi – **Repas** 13,50 (déj.), 21/76,50 ♀

au Sud

e de La Roche-sur-Yon par ④ et D 178 : 12 km – ⊠ 44840 Les Sorinières :

🏨 **Abbaye de Villeneuve** ॐ, ℘ 02 40 04 40 25, abbayevilleneuve@aol.com, Fax 02 40 31 28 45, 😤, « Demeure du 18ᵉ siècle dans un parc », 🏊, 🎾 – ■ ch, 🖭 🅿 – 🏛 80. 🖭 ⓪ 🖼
Repas 21,34/68,60 ♀, enf. 12,96 – ☲ 11,50 – **17 ch** 75,46/144,83, 3 appart – ½ P 64/99

Rézé : 6 km – 35 478 h. alt. 8 – ⊠ 44400 :

🏨 **Cheval Blanc** sans rest, 50 r. Commune de 1871 ℘ 02 40 75 65 07, Fax 02 40 75 92 48 – ❄ 🖭 ৬ 🅿. 🖭 🖼   p. 5 CX b
fermé 27 juil. au 25 août, 28 déc. au 5 janv., sam. et dim. – ☲ 5,03 – **19 ch** 36,89/46,50

au Sud-Ouest

aéroport Nantes-Atlantique – ⊠ 44340 Bouguenais :

🏨 **Océania** 🅼, ℘ 02 40 05 05 66, oceania-nantes@hotel-sofibra.com, Fax 02 40 05 12 03, 😤, 🏊, 🎾 – 🗐 ❄ ■ 🖭 ৬ ৬ 🅿 – 🏛 100. 🖭 ⓪ 🖼 🖼   p. 4 BX e
Repas 18,89/28,97 ♀ – ☲ 10 – **87 ch** 85/109

🏨 **Mascotte** 🅼 sans rest, ℘ 02 40 32 14 14, mascotte-nantes@hotel-sofibra.com, Fax 02 40 32 14 13 – 🗐 ❄ ■ 🖭 ৬ ৬ 🅿 – 🏛 50. 🖭 ⓪ 🖼   p. 4 BX a
☲ 7 – **73 ch** 59,45/83,84

ouaye par D 751 : 13 km - AX – 5 251 h. alt. 16 – ⊠ 44830 :

🛈 Office du tourisme Maison du Pays d'Herbauges ℘ 02 40 65 53 55, Fax 02 51 70 59 84.

🏨 **Kyriad**, sur D 751ᴬ ℘ 02 40 65 43 50, informations@champs-d-avaux.com, Fax 02 40 32 64 83, 😤, 🏊, 🌳, 🎾 – ■ rest, 🖭 ৬ ৬ 🅿 – 🏛 80. 🖭 ⓪ 🖼
Les Champs d'Avaux (fermé vend. soir, sam. midi et dim. soir) **Repas** 16/40, enf. 11 – ☲ 7,60 – **44 ch** 50/71

au Nord-Ouest

de Vannes

🏨 **Phénicien** ॐ sans rest, à 4 km, av. R. Chasteland ⊠ 44700 Orvault ℘ 02 40 40 25 06, ph enicien@phenicien.com, Fax 02 51 83 80 67 – ❄ 🖭 ৬ 🅿. 🖼   p. 4 BV s
fermé dim. – ☲ 6 – **27 ch** 52/66

🏨 **Marine** ॐ, Porte de Chézine, esplanade de la Bégraisière à St-Herblain ⊠ 44800 ℘ 02 40 95 26 66, Fax 02 40 46 85 70, 😤, 🌳 – 🗐 🖭 ৬ 🅿 – 🏛 15. 🖼   p. 4 BV m
Repas (fermé sam.) (dîner pour résidents seul.) 9,90 bc/24,39 (déj.) 🥃 – ☲ 5,34 – **23 ch** 38,11/42,69 – ½ P 37,35

XX **Pavillon**, à 7 km sur N 165 ⊠ 44800 St-Herblain ℘ 02 40 94 99 99, Fax 02 40 94 96 07, 🌳 – 🅿. 🖼   p. 4 AV a
fermé 29 juil. au 19 août, vacances de fév., sam. midi, lundi soir et dim – **Repas** 22,87 bc/27,44 et carte 39 à 46, enf. 13,72

XX **Les Caudalies**, N 165 ⊠ 44800 St-Herblain ℘ 02 40 94 35 35, Fax 02 40 40 89 90 – 🖭 🖼   p. 4 BV v
fermé 27 juil. au 20 août, 21 fév. au 4 mars, merc. soir, dim. soir et lundi – Repas 14,94/30,49 ♀, enf. 6,86

de Vannes par ⑥ et N 165 : 17 km – ⊠ 44360 Vigneux-de-Bretagne :

🏨 **Brit Hôtel Atlantel** 🅼, ℘ 02 40 57 10 80, Fax 02 40 57 13 30, 😤, 🏊, 🌳, 🎾 – ❄, ■ rest, 🖭 ৬ ৬ 🅿 – 🏛 150. 🖭 ⓪ 🖼 🖼
Repas (fermé vend. soir, sam. et dim.) 15,09/24,24 ♀ – ☲ 7,32 – **86 ch** 53,36/73,17

vault – 23 554 h. alt. 45 – ⊠ 44700 :

🏨 **Domaine d'Orvault** ॐ, par N 137 et voie pavillonnaire : 6 km ℘ 02 40 76 84 02, contact@domaine-orvault.com, Fax 02 40 76 04 21, 😤, 🍴, 🎾, 🎾 – 🗐 ■ rest, 🖭 ৬ ৬ 🅿 – 🏛 30. 🖭 ⓪ 🖼 🖼   p. 4 BV e
Repas (fermé dim. soir de sept. à juin et sam. midi) 22/43,50 ♀, enf. 14,50 – ☲ 9,50 – **30 ch** 76,50/88,50 – ½ P 69/96

par ⑦, rte de Rennes sortie Ragon-Tourneuve – ⊠ 44119 Treillères :

🏨 **Relais Mercure,** Parc d'Activité Treillères ℘ 02 40 72 87 88, h1833-gm@accor-
com, Fax 02 40 72 85 07, 佘, 🔟, ❀ – ⅙ 📺 ❤ ⅙ 🖪 – 🔏 40. ⅅⅇ ① Ⅽⅇ ⅉⅭⅇ
Repas (fermé sam., dim. et fériés) (10) · 16/40 bc 立, enf. 9,90 – 🖵 7 – **48 ch** 55/62

NANTILLY 70 H.-Saône ⑥⑥ ⑬ – rattaché à Gray.

NANTUA ◈ 01130 Ain ⑦⑷ ④ G. Jura – 3 902 h alt. 479.

Voir Église St-Michel★ : Martyre de St-Sébastien★★ par E.Delacroix – Lac★.

Env. La cuivrerie★ de Cerdon.

🏛 Office du tourisme 13 place de la Déportation ℘ 04 74 75 00 05, Fax 04 74 75 (
NANTUA.tourisme@wanadoo.fr.

Paris 478 – Aix-les-Bains 79 – Annecy 67 – Bourg-en-Bresse 51 – Genève 66 – Lyon 92.

🏨🏨 **L'Embarcadère** ఏ, av. Lac ℘ 04 74 75 22 88, Fax 04 74 75 22 25, ⇐ – 📺 ❤ 🖪 –
Ⅽⅇ
fermé 20 déc. au 5 janv. – **Repas** 19/73 立, enf. 12,20 – 🖵 7,50 – **50 ch** 45,75/53
½ P 49,55/61,44

à Brion Nord-Ouest : 5 km par N 84 et D 979 – 559 h. alt. 475 – ⊠ 01460 :

❌❌ **Bernard Charpy,** 1 r. Croix-Chalon ℘ 04 74 76 24 15, Fax 04 74 76 22 36, 佘 – 🖪
fermé 6 au 13 mai, 4 au 26 août, 26 déc. au 6 janv., dim., lundi et soirs fériés – **Rep**
(déj.), 21,34/38,11 立

à La Cluse Nord-Ouest : 3,5 km par N 84 – ⊠ 01460 Montréal-la-Cluse :

🏨 **Lac Hôtel** sans rest, 22 av. Bresse ℘ 04 74 76 29 68, alblanc@club-interr
Fax 04 74 76 13 70 – 📺 ❤ ⅙ 🖪. Ⅽⅇ, ❀
🖵 5 – **28 ch** 29/34

La NAPOULE 06 Alpes-Mar. ⑧⑷ ⑧, ⑪⑷ ㉖ – voir à Mandelieu-La-Napoule.

NARBONNE ◈ 11100 Aude ⑧⑶ ⑭ G. Languedoc Roussillon – 46 510 h alt. 13.

Voir Cathédrale St-Just-et-St-Pasteur★★ (Trésor : tapisserie représentant la Création
Donjon Gilles Aycelin★ (❀★) H – Choeur★ de la basilique St-Paul – Palais des Archevêc
BY : musée d'Art et d'Histoire★ - Musée archéologique★ - Musée lapidaire★ BZ – Por
marchands★.

🚇 ℘ 08 36 35 35 35.

🏛 Office du tourisme Place Salengro ℘ 04 68 65 15 60, Fax 04 68 65 59 12, office.tour
narbonne@wanadoo.fr.

Paris 793 ② – Perpignan 65 ③ – Béziers 33 ① – Carcassonne 61 ③ – Montpellier 95 ②

Plan page ci-contre

🏨🏨🏨 **Novotel** Ⓜ, par ③, rte Perpignan : 3 km ℘ 04 68 42 72 00, h0412@accor-hotels
Fax 04 68 42 72 10, 佘, 🔟, ☞ – ⅌ ⅙ 📺 ❤ ⅙ 🖪 – 🔏 15 à 80. ⅅⅇ ① Ⅽⅇ ⅉⅭⅇ
Repas 17,53 立, enf. 7,62 – 🖵 10 – **96 ch** 85/99

🏨🏨 **Résidence** sans rest, 6 r. 1ᵉʳ-Mai ℘ 04 68 32 19 41, Fax 04 68 65 51 82 – ⅌ 📺 ⇔.
Ⅽⅇ
fermé 15 janv. au 15 fév. – 🖵 7 – **25 ch** 57/76

🏨🏨 **Motel d'Occitanie** Ⓜ, av. Mer par ② : 2 km ℘ 04 68 65 47 60, motel.occitanie@
doo.fr, Fax 04 68 65 09 17, 佘, 🔟, ☞, ❀ – ⅌ ⅇ 📺 ⅙ 🖪 – 🔏 20 à 100. ⅅⅇ ① Ⅽⅇ ⅉ
Silène : Repas 17,07/32,01 立, enf. 7,62 – 🖵 6,10 – **31 ch** 44,97/66,31

🏨 **France** sans rest, 6 r. Rossini ℘ 04 68 32 09 75, hotelfrance@worldonli
Fax 04 68 65 50 30 – 📺 ❤. Ⅽⅇ
🖵 5,50 – **15 ch** 25/48

❌❌❌ **Table St-Crescent** (Giraud), au Palais du Vin par ③ ℘ 04 68 41 37 37, saint-crescer
❀ nadoo.fr, Fax 04 68 41 01 22, 佘 – 🖪. ⅅⅇ ① Ⅽⅇ
fermé 2 au 17 sept., 24 fév. au 11 mars, sam. midi, dim. soir et lundi – **Repas** (16,80) - 25/
carte 48 à 75 立
Spéc. Escalopes de foie gras chaud de canard en ''bocal'' (janv. à mai). Daurade royale
de daube et oranges confites (mai à oct.). Filets de loup en mer ''à la plancha''.
Minervois, Corbières.

❌❌ **L'Alsace,** 2 av. P. Sémard ℘ 04 68 65 10 24, Fax 04 68 90 79 45 – ⴹ. ⅅⅇ Ⅽⅇ
fermé mardi – **Repas** - produits de la mer - 17/29 立, enf. 11

❌ **L'Estagnol,** 5 bis cours Mirabeau ℘ 04 68 65 09 27, lestagnol@net-up.
Fax 04 68 32 23 38, 佘, brasserie – ⴹ. Ⅽⅇ
fermé 13 au 20 janv., lundi soir et dim. – **Repas** (10) - 15/20 立, enf. 6,50

NARBONNE

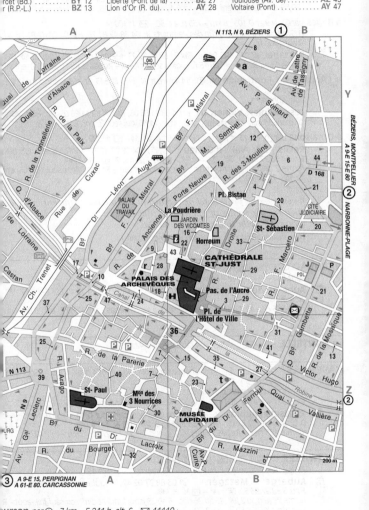

ursan par ① : 7 km – 5 241 h. alt. 6 – ⊠ 11110 :

🖪 *Office du tourisme* 10 Bis avenue Jean Jaurès ℘ 04 68 33 60 86, Fax 04 68 33 71 19, coursan@fnotsi.net.

XX **L'Os à Moelle,** rte Salles d'Aude ℘ 04 68 33 55 72, Fax 04 68 33 35 39, 斎, 帚 – 🗏 🗜. 歴
GB

fermé 9 au 23 sept., vacances de fév., dim. soir et lundi – Repas 20/39 🍷, enf. 8

881

sur aire A 9 de Narbonne-Vinassan Nord *Est : 6 km par D 68 – ✉ 11110 Salles d'Aude*

Aude Hôtel sans rest, ✆ 04 68 45 25 00, *aude-hotel@wanadoo.fr, Fax 04 68 45 25*
AE GB
☕ 7 – 59 ch 45/57

à l'Hospitalet *par ② et rte de Narbonne-Plage (D 168) : 10 km – ✉ 11100 Narbonne :*

Domaine de l'Hospitalet - Auberge des Vignes, ✆ 04 68 45 28 50, *cuis vignerons@wanadoo.fr, Fax 04 68 45 28 78*, « Dans un domaine vinicole », cuisinette, rest, – 25. GB. ch
1er avril-31 oct. et fermé lundi sauf le soir en juil.-août et dim. soir hors saison – **Repas** -20,58 bc/27,44 bc, enf. 6,86 – ☕ 9,15 – **15 ch** 67,84/115,86, 7 appart – 1/2 P 76,60

à Bages *par ③, N 9 et D 105 : 8 km – 755 h. alt. 30 – ✉ 11100 :*

Syndicat d'initiative 8 rue des Remparts ✆ 04 68 42 81 76, Fax 04 68 42 81 76, s.i @wanadoo.fr.

Portanel, ✆ 04 68 42 81 66, *Fax 04 68 41 75 93*, ← étang de Bages – . AE GB
fermé 15 au 30 oct., 1er au 15 fév., dim. soir et lundi – **Repas** 20 (déj.), 28/35, enf. 10

à l'Abbaye de Fontfroide *par ④, 14 km par N 113, D 613 et rte secondaire – ✉ Narbonne :*
Voir *Abbaye*★★.

Les Cuisiniers Vignerons, ✆ 04 68 41 86 06, *Fax 04 68 41 86 05*, – . GB
1er mars-31 oct. – **Repas** (déj. seul.) 12,80/21,35 (dej.seul), enf. 6,86

à Ornaisons *par ④, N 113 et D 24 : 14 km – 951 h. alt. 34 – ✉ 11200 :*

Relais du Val d'Orbieu, ✆ 04 68 27 10 27, *info@relaisvaldorbieu Fax 04 68 27 52 44*, – – 15. AE GB JCB
fermé 2 déc. au 27 janv. et dim. soir en nov. et fév. – **Repas** (dîner seul.) 35/65, enf
☕ 13 – **20 ch** 80/120 – 1/2 P 115/140

When looking for a hotel or restaurant use the most efficient method.
Look for the names of towns underlined in red
on the ***Michelin maps*** *scale: 1:200 000.*
But make sure you have an up-to-date map!

NARNHAC *15230 Cantal 76 ⑬ – 84 h alt. 1000.*
Paris 560 – Aurillac 42 – Espalion 74 – St-Flour 44.

Auberge de Pont La Vieille, par D 990 : 2 km ✆ 04 71 73 42 60, *Fax 04 71 73*
– . GB
fermé 15 oct. au 15 déc. et lundi de sept. à avril – **Repas** 9,60/21,80, enf. 6,86 – ☕
8 ch 38 – 1/2 P 34

La NARTELLE *83 Var 84 ⑰, 114 ㊲ – rattaché à Ste-Maxime.*

NASBINALS *48260 Lozère 76 ⑭ G. Languedoc Roussillon – 504 h alt. 1180 – Sports d' 1 240/1 320 m 1.*
Office du tourisme ✆ 04 66 32 55 73.
Paris 577 – Aurillac 104 – Mende 52 – Rodez 64 – Aumont-Aubrac 24 – St-Flour 55.

Relais de l'Aubrac, au Pont de Gournier (carrefour D 12 - D 112), Nord : 4 k D 12 ✆ 04 66 32 52 06, *Fax 04 66 32 56 58*, – . GB
1er mars-25 nov. – **Repas** 15 (déj.)/29, enf. 7 – ☕ 7 – **27 ch** 42/56 – 1/2 P 42/56

NATZWILLER *67130 B.-Rhin 62 ⑧ – 624 h alt. 500.*
Paris 418 – Strasbourg 60 – Barr 25 – Molsheim 32 – St-Dié 43.

Auberge Metzger, ✆ 03 88 97 02 42, *auberge.metzger@wanad Fax 03 88 97 93 59*, – . GB
fermé 24 juin au 2 juil., 16 au 26 déc., 6 au 28 janv., lundi et dim. soir sauf juil.-août – R 10,67 (déj.), 16/53,50 – ☕ 7,50 – **16 ch** 45/66 – 1/2 P 60/68

NAUZAN *17 Char.-Mar. 71 ⑮ – voir St-Palais-sur-Mer et Royan.*

NAVAROSSE *40 Landes 78 ⑬ – rattaché à Biscarrosse.*

64800 Pyr.-Atl. 🎑🎑 ⑦ – 3 204 h alt. 300.

🛈 Office du tourisme Place de la République ℘ 05 59 61 34 61, Fax 05 59 61 33 10.
Paris 799 – Pau 21 – Laruns 33 – Lourdes 24 – Oloron-Ste-Marie 41 – Tarbes 31.

Auberge Chez Lazare ⌂, Les Labassères Sud-Ouest : 3 km par D 36 et D 287
℘ 05 59 61 05 26, Fax 05 59 61 25 11, 🏠, 🎋 – 📺 🅿.
fermé lundi (sauf hôtel) et dim. soir – **Repas** 12,20 (déj.), 13/22 🍷 – 🚇 5,18 – **7 ch** 33,55/
36,60 – ½ P 34,30

...NT-SUR-YVEL 56430 Morbihan🎑🎑 ④ – 851 h alt. 54.
Paris 415 – Rennes 33 – Dinan 62 – Loudéac 45 – Ploërmel 11 – Vannes 58.

Auberge de la Table Ronde, ℘ 02 97 93 03 96, Fax 02 97 93 05 26 – 🇬🇧
fermé 16 au 25 sept., 6 janv. au 5 fév., dim. soir sauf juil.-août et lundi – **Repas** 7,62 (déj.),
9,15/24,39 🍷, enf. 6,10 – 🚇 5,35 – **9 ch** 22,85/33,55 – ½ P 25,90/28,95

...AUPHLE-LE-CHÂTEAU 78640 Yvelines🎑🎑 ⑨, 🔟🔟 ⑯ G. Ile de France – 2 771 h alt. 185.
🛈 Syndicat d'initiative 14 place du Marché ℘ 01 34 89 78 00, Fax 01 34 89 78 00.
Paris 39 – Dreux 42 – Mantes-la-Jolie 30 – Rambouillet 23 – Versailles 20.

Domaine du Verbois ⌂, 38 av. République ℘ 01 34 89 11 78, verbois@hotelverbois,
Fax 01 34 89 57 33, ≤, 🏠, « Demeure bourgeoise fin 19e siècle dans un parc », 🏊, 🎋 – 📺
📞 🅿 – 🔏 15 à 60. 🝙 ⓞ 🇬🇧 🇯🇨🇧
fermé 11 au 24 août et 21 au 28 déc. – **Repas** (fermé dim. soir) 30/45 – 🚇 11 – **20 ch**
90/151 – ½ P 86

Griotte, 58 av. République ℘ 01 34 89 19 98, Fax 01 34 89 68 86, 🏠, « Jardin fleuri », 🌳
– 🝙 🇬🇧
fermé dim. sauf le midi d'avril à août et lundi – **Repas** 26 🍷

---

*Towns underlined in red on the Michelin maps
at a scale of 1 : 200 000 are included in this Guide.*

Use the latest map to take full advantage of this information.

...MOURS 77140 S.-et-M. 🎑🎑 ⑫ G. Ile de France – 12 898 h alt. 60.
Voir Musée de Préhistoire de l'Ile de France★ à l'Est.
🛈 Office du tourisme 41 quai Victor Hugo ℘ 01 64 28 03 95, Fax 01 64 45 09 67,
officetourismenemours-stpierre@wanadoo.fr.
Paris 79 – Fontainebleau 17 – Melun 34 – Montargis 37 – Orléans 90 – Sens 48.

à **...oroute A 6** sur l'aire de service, Sud-Est 2 km accès par A 6 ou par ② D 225 – ✉ 77140
Nemours :

Relais Mercure sans rest, ℘ 01 64 78 40 40, H1267@accor-hotels.com,
Fax 01 64 78 40 30, 🌳 – cuisinette ⚶ 📺 🅿. 🝙 ⓞ 🇬🇧
🚇 8 – **102 ch** 56/63

à **...andelles** au Sud : 7 km par N 7 – ✉ 77167 Bagneaux-sur-Loing :

Glandelière, Sud : 1 km sur N 7 ℘ 01 64 28 10 20, Fax 01 64 28 10 20, 🏠 – 🅿. 🇬🇧
fermé 12 au 19 mars, 16 sept. au 10 oct., lundi soir, jeudi soir et mardi – **Repas** 19/34 🍷

Les Marronniers, N 7 ℘ 01 64 28 07 04, frederic.condomines@wrikas.com,
Fax 01 64 29 29 91, 🏠 – 🝙 🇬🇧
fermé 12 au 29 août, lundi soir, mardi soir et merc. – **Repas** (13,11) - 16,01/38,11 🍴, enf. 7,62

...RAC 🌐 47600 L.-et-G. 🎑🎑 ⑭ G. Aquitaine – 6 787 h alt. 65.
🛈 Office du tourisme 7 avenue Mondenard ℘ 05 53 65 27 75, Fax 05 53 65 97 48.
Paris 706 – Agen 28 – Bordeaux 128 – Condom 22 – Marmande 53.

Château, 7 av. Mondenard ℘ 05 53 65 09 05, Fax 05 53 65 89 78 – 📺. 🇬🇧, 🎋 rest
fermé 2 au 18 janv. – **Repas** (fermé vend. soir, sam. midi et dim. soir d'oct. à mai)
10,67/37,35 🍴 – 🚇 4,57 – **16 ch** 30,49/38,11 – ½ P 34,30

Aux Délices du Roy, 7 r. Château ℘ 05 53 65 81 12, Fax 05 53 65 81 12 – ⓞ 🇬🇧
fermé merc. – **Repas** - produits de la mer - 16,01/43,45 🍷, enf. 9,15

...RIS-LES-BAINS 03310 Allier🎑🎑 ② G. Auvergne – 2 708 h alt. 364 – Stat. therm. (avril-mi oct.)
– Casino.
🛈 Office du tourisme Carrefour des Arènes ℘ 04 70 03 11 03, Fax 04 70 03 11 03.
Paris 339 ③ – Moulins 72 ① – Clermont-Ferrand 83 ② – Montluçon 9 ③.

NÉRIS-LES-BAINS

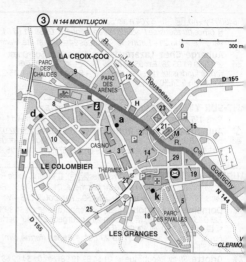

*Ne voyagez pas
aujourd'hui
avec une carte d'hier.*

Garden, 12 av. Marx Dormoy (d) ℰ 04 70 03 21 16, Fax 04 70 03 10 67, 佘, « Ja
fleuri », 龠 – 📺 ℰ 🅿 – 🔏 25. 🖭 ⓪ 🖼. 🕸 ch
fermé 27 janv. au 1ᵉʳ mars – **Repas** (fermé dim. soir et lundi de nov. à mars) 12,50/4
enf. 7,60 – 🖙 5 – **19 ch** 38/55 – ½ P 39/44

Parc des Rivalles ॐ, r. Parmentier (k) ℰ 04 70 03 10 50, rivalleshotel@wanado
Fax 04 70 03 11 05, 龠 – 📳 📺 ℰ 🅿. 🖼. 🕸 rest
15 avril-30 sept. – **Repas** 13,42/25,15 ᷣ – 🖙 5,34 – **22 ch** 33,54/45,74 – ½ P 44,21/45,

Terrasse, 52 r. Boisrot-Desserviers (a) ℰ 04 70 03 10 42, terrasse-neris@wanado
Fax 04 70 03 15 41 – 📳 📺. 🖼. 🕸 rest
7 avril-10 oct. – **Repas** 13,26/16,77 – 🖙 5,34 – **20 ch** 36,59/41,92 – P 42,69/47,26

NÉRONDES 18350 Cher 🔟 ② – 1 618 h alt. 200.
Paris 244 – Bourges 36 – Montluçon 84 – Nevers 34 – St-Amand-Montrond 44.

Lion d'Or avec ch, pl. Mairie ℰ 02 48 74 87 81, Fax 02 48 74 92 63 – ▤ rest, 📺 🅿. 🖼
fermé 17 au 29 oct., 3 fév. au 4 mars, dim. soir et soirs fériés de sept. à juin et me
Repas 14,50/38 ᷣ – 🖙 6,40 – **10 ch** 33,55/48,80 – ½ P 39,35/55,20

NESTIER 65150 H.-Pyr. 🔟 ⑳ – 165 h alt. 500.
Paris 815 – Bagnères-de-Luchon 44 – Auch 75 – Lannemezan 14 – St-Gaudens 24.

Relais du Castéra avec ch, ℰ 05 62 39 77 37, Fax 05 62 39 77 29, 佘 – 📺 – 🔏 2
⓪ 🖼. 🕸
fermé 1ᵉʳ au 8 juin, 4 au 26 janv., dim. soir, mardi soir et lundi hors saison – **Repas** 16,77 (
22,11/41,16, enf. 9,15 – 🖙 7,62 – **7 ch** 41,16/48,78 – ½ P 42,69/48

NEUF-BRISACH 68600 H.-Rhin 🔟 ⑲ G. Alsace Lorraine – 2 197 h alt. 197.
🚹 Office du tourisme Place d'Armes ℰ 03 89 72 56 66, Fax 03 89 72 91 73.
Paris 471 – Colmar 16 – Basel 63 – Belfort 79 – Freiburg-im-Breisgau 35 – Mulhouse 39

Petite Palette, ℰ 03 89 72 73 50, palette@caramail.com, Fax 03 89 72 61 93 – ▤
🖼
fermé 4 au 20 août, dim. soir, mardi soir et lundi – **Repas** 24/60 ᷣ

Les Remparts, 9 r. Hôtel de Ville ℰ 03 89 72 76 47 – 🖼
fermé lundi soir et mardi – **Repas** 22,15/44,21 ᷣ, enf. 10,67

à Biesheim Nord : 3 km par D 468 – 2 315 h. alt. 189 – ⊠ 68600 :

Aux Deux Clefs, ℰ 03 89 72 51 20, hostellerie-groff@calixo.net, Fax 03 89 72 92 94,
龠 – ▤ rest, 📺 ℰ 🅿 – 🔏 25. 🖭 ⓪ 🖼
fermé 29 juil. au 4 août – **Repas** (fermé dim. soir) (10) - 13,50/56 ᷣ, enf. 9 – 🖙 8 – **28 ch** 5
– ½ P 55/65

gelgrün *Est : 5 km par N 415 – 519 h. alt. 192 – ⌧ 68600*.
  Voir *Bief hydro-électrique★ – ≤★ du pont-frontière.*

🏨 **L'Européen** Ⓜ ⌂, à la frontière, sur l'île du Rhin ℰ 03 89 72 51 57, rene.daegele@wana
  doo.fr, Fax 03 89 72 74 54, 佘, ⌨, 丄, 辨 – 濫 ⓧ ⊡ ℙ – 鑫 20 à 60. 歴 ⑨ ⒼⒷ ⒿⒸⒷ
  fermé 15 janv. au 14 fév. – **Repas** 20/75 bc 🍷 – ⊏ 10,70 – **45 ch** 61/130 – ½ P 76/106

JFCHÂTEAU ⊚ *88300 Vosges* 🖸🖸 ⑬ *G. Alsace Lorraine – 7 533 h alt. 300.*
  Voir *Escalier★ de l'hôtel de ville* H – *Groupe en pierre★ dans l'église St-Nicolas* K.
  🔋 *Office du tourisme 3 Parking des Grandes Écuries* ℰ 03 29 94 10 95, Fax 03 29 94 10 89,
  OT.NEUFCHATEAU@wanadoo.fr.
  Paris 322 – Chaumont 58 – Belfort 154 – Épinal 75 – Langres 83 – Verdun 105.

🏨 **L'Eden** Ⓜ, r. 1ere Armée Française ℰ 03 29 95 61 30, eden2@wanadoo.fr,
  Fax 03 29 94 03 42 – 濫 ⊡ ℂ ⅙ ⇔ ℙ – 鑫 25. 歴 ⒼⒷ
  Repas *(fermé dim. soir et lundi midi d'oct. au 15 mars sauf fériés)* 19/39 ⅌, enf. 10 – ⊏ 6 –
  27 ch 49/87 – ½ P 44/58

🏨 **St-Christophe**, 1 av. Grande-Fontaine ℰ 03 29 94 38 71, saint.christophe@relais-sud-
  champagne.com, Fax 03 29 06 02 09 – 濫, 畐 rest, ⊡ ℙ – 鑫 25. ⒼⒷ
  Repas *(fermé dim. soir de déc. à fév.)* (12,96) – 16,96/30,49 ⅌, enf. 8,38 – ⊏ 6,56 – **34 ch**
  42,69/57,93 – ½ P 43,45/58,69

XX **Romain**, rte de Chaumont ℰ 03 29 06 18 80, Fax 03 29 06 18 80, 佘 – ℙ. 歴 ⒼⒷ
  fermé 26 août au 9 sept., 24 fév. au 10 mars, dim. soir et lundi – **Repas** 12 (déj.), 19,06/
  30,50 ⅌, enf. 7

ouvres-la-Chétive *Sud-Est : 10 km par D 166 – 391 h. alt. 390 – ⌧ 88170 :*

🏠 **Frezelle** ⌂, ℰ 03 29 94 51 51, Fax 03 29 94 69 10 – ⊡ ℂ ⇔. 歴 ⑨ ⒼⒷ. ⅍ ch
  fermé 22 déc. au 6 janv. – **Repas** *(fermé sam.)* 12 (déj.), 18,29/42 ⅌ – ⊏ 8,38 – **7 ch** 35/55 –
  ½ P 37,72/55

*Towns underlined in red on the **Michelin maps***
at a scale of 1 : 200 000 are included in this Guide.

Use the latest map to take full advantage of this information.

UFCHÂTEL-EN-BRAY *76270 S.-Mar.* 🖸🖸 ⑮ *G. Normandie Vallée de la Seine – 5 103 h alt. 99.*
  Env. *Forêt d'Eawy★★ 10 km au SO.*
  🔋 *Office du tourisme 6 place Notre-Dame* ℰ 02 35 93 22 96, Fax 02 35 97 00 62.
  Paris 137 – Amiens 71 – Rouen 50 – Abbeville 56 – Dieppe 40 – Gournay-en-Bray 38.

XX **Les Airelles** avec ch, 2 passage Michu ℰ 02 35 93 14 60, Fax 02 35 93 89 03, 佘 – ⊡ ℂ –
  鑫 20. 歴 ⒼⒷ
  fermé 20 déc. au 6 janv., lundi (sauf hôtel) et dim. soir – **Repas** 14,80/20,50 ⅌, enf. 10 – ⊏ 6
  – **14 ch** 35,50/58 – ½ P 44,25/55,50

esnières-en-Bray *Nord-Ouest : 5,5 km par D 1 – 706 h. alt. 65 – ⌧ 76270 :*
  Voir *Château★.*

XX **Auberge du Bec Fin**, ℰ 02 35 94 15 15, Fax 02 35 94 42 14, 佘 – ⒼⒷ
⊜ *fermé lundi* – **Repas** 12,20/28,66

UFCHATEL-SUR-AISNE *02190 Aisne* 🖸🖸 ⑥ – *492 h alt. 59.*
  Paris 164 – Reims 32 – Laon 46 – Rethel 32 – Soissons 60.

XX **Jardin**, 22 r. Principale ℰ 03 23 23 82 00, Fax 03 23 23 84 05, 佘, « Jardin fleuri », 辨 –
⊜ 畐. 歴 ⑨ ⒼⒷ
  fermé 2 au 10 sept., 20 janv. au 11 fév., dim. soir, lundi et mardi – **Repas** 14,94 (déj.),
  19,82/42,78 ⅌, enf. 9,90

UF-MARCHÉ *76220 S.-Mar.* 🖸🖸 ⑧ – *635 h alt. 86.*
  Paris 94 – Rouen 52 – Les Andelys 34 – Beauvais 32 – Gisors 18 – Gournay-en-Bray 7.

XX **Auberge du Puits de Corval**, ℰ 02 35 09 12 25, Fax 02 35 09 24 17 – ⒼⒷ
  fermé 26 août au 4 sept., 23 déc. au 2 janv., 22 fév. au 2 mars , merc. soir, jeudi soir et mardi
  – **Repas** 14,94/36,59 ⅌, enf. 9,15

X **André de Lyon**, D 915 ℰ 02 35 90 10 01, Fax 02 35 90 10 01 – 歴 ⑨ ⒼⒷ
  fermé 23 juil. au 12 août, 1er au 19 janv., merc. et le soir sauf vend. et sam. – **Repas** 16,46 et
  carte le week-end ⅌, enf. 6,86

NEUILLÉ-LE-LIERRE 37380 I.-et-L. **64** ⑮ ⑯ – 582 h alt. 92.

Paris 217 – Tours 26 – Amboise 16 – Château-Renault 10 – Montrichard 35 – Reugny 5

XX **Auberge de la Brenne** (chambres prévues), ℘ 02 47 52 95 05, admin@ivo.
Fax 02 47 52 29 43, 🏫 – **P.** AE GB JCB
fermé 29 janv. au 5 mars, dim. soir d'oct. à mai, mardi soir et merc. – **Repas** (dim. prév
15,09/38,11 ⌾, enf. 9,15

NEUILLY-LE-REAL 03340 Allier **69** ⑭ – 1 303 h alt. 260.

Paris 317 – Moulins 16 – Mâcon 128 – Roanne 83 – Vichy 47.

XX **Logis Henri IV,** ℘ 04 70 43 87 64, « Ancien relais de chasse du 16ᵉ siècle » – GB
fermé 2 au 6 sept., 11 au 22 fév., dim. soir et lundi – **Repas** 17 (déj.), 25/41

NEUILLY-SUR-SEINE 92 Hauts-de-Seine **55** ⑳, **101** ⑮ – voir à Paris, Environs.

NEUNG-SUR-BEUVRON 41210 L.-et-Ch. **64** ⑲ – 1 112 h alt. 102.

Paris 184 – Orléans 49 – Blois 40 – Bracieux 21 – Romorantin-Lanthenay 21 – Salbris 26

X **Les Tilleuls** avec ch, 5 pl. A. Prudhomme ℘ 02 54 83 63 30, Fax 02 54 83 74 91, 🏫
GB ⚡ ch
fermé 12 fév. au 12 mars, mardi soir et merc. – **Repas** 12/33 ⚂, enf. 10 – ⌾ 7 – **7 ch**
½ P 38

NEUVÉGLISE 15260 Cantal **76** ⑭ – 1 022 h alt. 938.

Env. Château d'Alleuze★★ : site★★ NE : 14 km, G. Auvergne.
🅱 Office du tourisme Le Bourg ℘ 04 71 23 85 43, Fax 04 71 23 86 40, neuveglise@
doo.fr.
Paris 533 – Aurillac 74 – Espalion 68 – St-Chély-d'Apcher – St-Flour 18.

à Cordesse Est : 1,5 km sur D 921 – ⌧ 15260 Neuvéglise :

🏠 **Relais de la Poste,** ℘ 04 71 23 82 32, relais.poste@wanadoo.fr, Fax 04 71 23 86 2:
GB – 📺 ⚡ 🚗 **P.** AE ⓞ GB
20 mars-15 nov. – **Repas** 11,50/32 ⌾, enf. 7 – ⌾ 6 – **9 ch** 42/70 – ½ P 40/48

NEUVES-MAISONS 54 M.-et-M. **62** ⑤ – rattaché à Nancy.

NEUVILLE-AUX-BOIS 45170 Loiret **60** ⑲ – 3 874 h alt. 127.

Paris 94 – Orléans 28 – Chartres 65 – Étampes 45 – Pithiviers 21.

🏨 **L'Hostellerie** ⚡, 50 pl. Gén. Leclerc ℘ 02 38 75 50 00, hotel-neuville@post.
GB internet.fr, Fax 02 38 91 86 81, 🏫 – 📶 📺 ⚡ ⚹ **P.** – 🅰️ 25 à 60. AE GB
Repas (fermé 24 déc. au 2 janv.) 13/21 ⌾ – ⌾ 7 – **32 ch** 52/59 – ½ P 38

NEUVILLE-DE-POITOU 86170 Vienne **68** ⑬ – 4 058 h alt. 116.

🅱 Office du tourisme 28 place Joffre ℘ 05 49 54 47 80, Fax 05 49 54 18 66, OT.Ne
@free.fr.
Paris 336 – Poitiers 16 – Châtellerault 36 – Parthenay 40 – Saumur 79 – Thouars 51.

XX **St-Fortunat,** 4 r. Bangoura-Moridé ℘ 05 49 54 56 74 – AE ⓞ GB
🍽 *fermé 19 août au 3 sept., 5 au 27 janv., dim. soir, mardi soir et lundi* – **Repas** 15/29

NEUVILLE-ST-AMAND 02 Aisne **53** ⑭ – rattaché à St-Quentin.

NEUVILLE-SUR-SAONE 69250 Rhône **74** ①, **110** ⑭ G. Vallée du Rhône – 7 062 h alt. 177.

Paris 446 – Lyon 16 – Bourg-en-Bresse 52 – Villefranche-sur-Saône 21.

à Albigny-sur-Saône par rive droite : 2,5 km – 2 673 h. alt. 170 – ⌧ 69250 :

XXX **Cellier,** quai de Saône-14 av. H. Barbusse ℘ 04 78 98 26 16, Fax 04 72 08 90 10, 🏫 – ❑
GB
fermé 16 au 22 août, 2 au 15 janv., dim. soir, mardi soir et lundi – **Repas** 23/47 et carte
60

NEUZY 71 S.-et-L. **69** ⑯ – rattaché à Digoin.

886

NEVERS

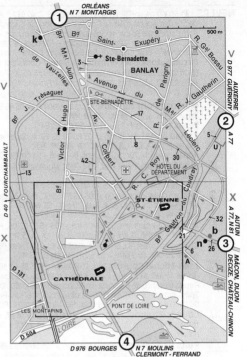

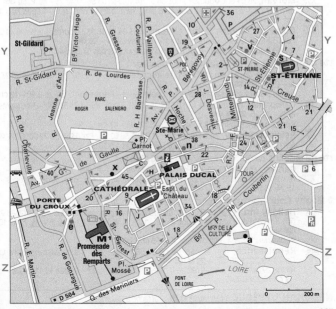

NEVERS 🅿 58000 Nièvre 🔟🔟 ③ ④ *G. Bourgogne* – 40 932 h Agglo. 100 556 h alt. 194 Pèlerina
de Ste Bernadette d'Avril à Octobre : couvent St-Gildard.

Voir *Cathédrale St-Cyr-et-Ste-Julitte*★★ – *Palais ducal*★ – *Église St-Étienne*★ - *Façade*★ de
Chapelle Ste-Marie – *Porte du Croux*★ – *Faïences de Nevers*★ *du musée municipal Frédér
Blandin* M¹ – **Env.** *Circuit de Nevers-Magny-Cours : musée Ligier F1*★.

Circuit Automobile permanent à Magny-Cours par ④ : *12 km.*

🛈 *Office du tourisme Rue Sabatier* ℰ 03 86 68 46 00, Fax 03 86 68 45 98.

Paris 239 ① – *Bourges 70* ④ – *Clermont-Ferrand 160* ① – *Orléans 167* ①.

Plan page précédente

🏛 **Mercure Pont de Loire** Ⓜ, quai Médine ℰ 03 86 93 93 86, Fax 03 86 59 43 29, ⇐ –
※ ▬ 🖵 📞 👌 🅿 – 🔏 80. 🖭 ⓞ 🖼
Repas 17/25 ♈, enf. 11 – ☷ 9 – **59 ch** 72/84   Z

🏠 **Kyriad** Ⓜ, 35 bd V. Hugo ℰ 03 86 71 95 95, kyriadnevers@wanadoo.fr, Fax 03 86 36 08
– 🛏 ▬ 🖵 📞 👌 🅿 – 🔏 15 à 40. 🖭 ⓞ 🖼 🖼
Repas *(10,90)* -14,70/15,20 ♈, enf. 6 – ☷ 6 – **54 ch** 49/52   V

🏠 **Clos Ste-Marie** sans rest, 25 r. Petit Mouësse ℰ 03 86 71 94 50, Fax 03 86 71 94 69 – [
📞 🅿. 🖭 🖼
fermé dim. soir – ☷ 6,50 – **13 ch** 57,95/65,55   X

🏠 **Ibis**, rte de Moulins par ④ ℰ 03 86 37 56 00, h0947@accor-hotels.com, Fax 03 86 37 64 ◄
🏚 – ※, ▬ ch, 🖵 📞 👌 🅿 – 🔏 20 à 40. 🖭 🖼
Repas *(9)* - 15 ♈, enf. 6 – ☷ 6 – **56 ch** 60/66

🏠 **Molière** sans rest, 25 r. Molière ℰ 03 86 57 29 96, Fax 03 86 36 00 13 – ※ 🖵 📞 🅿. ◄
🖼. ※ – *fermé 31 juil. au 19 août et 20 déc. au 5 janv.* – ☷ 5,50 – **18 ch** 38/45   V

🏠 **Clèves** sans rest, 8 r. St-Didier ℰ 03 86 61 15 87, Fax 03 86 57 13 80 – 🖵 📞. 🖭 ⓞ 🖼
fermé 26 déc. au 5 janv. – ☷ 5,20 – **15 ch** 30,35/46   Z

XX **Jean-Michel Couron**, 21 r. St-Étienne ℰ 03 86 61 19 28, Fax 03 86 36 02 96 – 🖼
❀   *fermé 15 juil. au 5 août, 2 au 17 janv., mardi sauf le soir de mars à oct., dim. soir et lun*
Repas (nombre de couverts limité, prévenir) 18,30/39,70 et carte 36 à 58 ♈   Y
Spéc. Tarte de tomates à l'huile d'olive et chèvre frais. Pièce de bœuf charolais rôtie. Sou
de chocolat amer aux épices chaudes. **Vins** Sancerre, Pouilly-Fumé.

XX **Cour St-Étienne**, 33 r. St-Étienne ℰ 03 86 36 74 57, Fax 03 86 61 14 95, 🏚 – 🖼
🅐   *fermé 3 au 27 août, 1er au 16 janv., dim. et lundi* – Repas (nombre de couverts lim
prévenir) 14,60/26 ♈   Y

XX **Puits de St-Pierre**, 21 r. Mirangron ℰ 03 86 59 28 88, Fax 03 86 61 29 81 – 🖭 🖼
fermé 16 juil. au 12 août, 17 fév. au 5 mars, mardi midi, dim. soir et lundi – Repas 15/27
enf. 9   Y

XX **Morvan**, 28 r. Petit Mouësse ℰ 03 86 61 14 16, Fax 03 86 21 47 75 – ▬ 🅿. 🖭 🖼
fermé 16 juil. au 5 août, 24 déc. au 8 janv., sam. midi et dim. soir – Repas *(12)* - 17/38
enf. 10   X

XX **Botte de Nevers**, r. Petit Château ℰ 03 86 61 16 93, labottedenevers@wanadoo
Fax 03 86 36 42 22, « Cadre d'inspiration médiévale » – 🖭 🖼   Y
fermé 5 au 28 août, sam. midi, dim. soir et lundi – Repas 17,54/34,30 ♈

rte d'Orléans par ① – ⊠ 58640 Varennes-Vauzelles :

🏛 **Rocherie** ⬧, à 5 km par N 7 et rte secondaire ℰ 03 86 38 07 21, Fax 03 86 38 23 01, ◄
🏖 – 🖵 🅿. 🖭 🖼
fermé 5 au 19 août, sam. midi et dim. sauf fériés – Repas 19/42 ♈ – ☷ 6,50 – **12 ch** 40/

🏠 **Campanile**, à 3 km par N 7 ℰ 03 86 93 02 58, Fax 03 86 57 73 33, 🏚 – ※, ▬ rest, 🖵
👌 🅿 – 🔏 25. 🖭 🖼
Repas *(12,04)* -15,09/16,62 ♈, enf. 5,95 – ☷ 5,95 – **47 ch** 53,36

XX **Relais du Bengy**, à 4,5 km sur N 7 ℰ 03 86 38 02 84, Fax 03 86 38 29 00, 🏚 – 🖼
🅐   *fermé 20 juil. au 10 août et 14 au 28 fév.* – Repas 13/38 ♈

rte de Moulins par ④ : *3 km sur N 7* – ⊠ 58000 Challuy :

XX **Gabare**, ℰ 03 86 37 54 23, Fax 03 86 37 64 49, 🏚 – 🅿. 🖭 🖼
fermé 26 juil. au 20 août, 27 oct. au 4 nov., 18 au 24 fév., dim., lundi et fériés – Re
15,24/35,06

à Magny-Cours par ④ rte Moulins : *12 km* – 1 486 h. alt. 205 – ⊠ 58470 :

🏛 **Holiday Inn** Ⓜ, ℰ 03 86 21 22 33, holiday-inn.magny@wanadoo.fr, Fax 03 86 21 22
🏚, « A côté du circuit et du golf », ♨, ☷, ※ – 🛏 ※ ▬ 🖵 📞 👌 🅿 – 🔏 20 à 110. 🖭
🖼 🖼
Repas *(14)* - 16/29 ♈, enf. 10 – ☷ 10 – **68 ch** 81/96

🏛 **Renaissance**, au village ℰ 03 86 58 10 40, hotel.la.renaissance@wanado◄
Fax 03 86 21 22 60, 🏚 – 🖵 📞. 🖭 🖼
fermé 29 juil. au 12 août, 9 fév. au 4 mars, dim. soir et lundi – Repas 38,11/67,08 – ☷ 1
– **9 ch** 76,22/152,45

NÉZIGNAN-L'ÉVÊQUE 34 Hérault 🔟🔟 ⑮ – rattaché à Pézenas.

NICE

Ⓟ 06000 Alpes-Mar. 🮮🮮 ⑨ ⑩ 🮕🮕🮕 **2627** *G. Côte d'Azur*
342 738 h. - Agglo. 888 784 h - alt. 6.
Paris 933 ⑥ – Cannes 32 ⑥ – Genova 198 ① – Lyon 473 ⑥ – Marseille 190 ⑥ – Torino 211 ①

OFFICES DE TOURISME

*5 prom. des Anglais 🕿 04 92 14 48 00, Fax 04 93 92 82 98, info@nicetourisme.com, Gare
SNCF 🕿 04 93 87 07 07, Aéroport de Nice (T.1) 🕿 04 93 21 44 11*
Nice Ferber (près aéroport) prom. des Anglais 🕿 04 93 83 32 64

RENSEIGNEMENTS PRATIQUES

TRANSPORTS

Auto-train 🕿 08 36 35 35 35.

TRANSPORTS MARITIMES

*Pour la Corse : SNCM - Ferryterranée quai du Commerce 🕿 04 93 13 66 99, Fax 04 93 13 66
81 JZ - CORSICA FERRIES 2 quai Papacino 🕿 04 93 55 55 55, Fax 04 92 00 52 52*

AÉROPORT

Nice-Côte-d'Azur 🕿 04 93 21 30 30, 7 km AU.

DÉCOUVRIR

LE FRONT DE MER ET LE VIEUX NICE

*Site★★ - Promenade des Anglais★★ - ≼★★ du château - Intérieur★ de l'église St-Martin-
St-Augustin HY - Église St Jacques★ HZ - Escalier monumental★ du palais Lascaris HZ V -
Intérieur★ de la cathédrale Ste-Réparate HZ - Décors★ de la chapelle de l'Annonciation
HZ B - Retables★ de la chapelle de la Miséricorde★ HZ D*

CIMIEZ

*Musée Marc-Chagall★★ GX - Musée Matisse★★ HV M⁴ - Monastère franciscain★ : primitifs
niçois★★ dans l'église HV K Site archéologique gallo-romain★*

LES QUARTIERS OUEST

*Musée des Beaux-Arts (Jules Chéret)★★ DZ - Musée d'Art naïf A. Jakovsky★ AU M¹⁰ - Serre
géante★ du Parc Phoenix★ AU - Musée des Arts asiatiques★★*

PROMENADE DU PAILLON

*Musée d'Art moderne et d'Art contemporain★★ HY M² - Palais des Arts, du Tourisme et des
Congrès (Acropolis)★ HJX.*

AUTRES CURIOSITÉS

*Cathédrale orthodoxe russe St-Nicolas★ EXY - Mosaïque★ de Chagall dans la faculté de
Droit DZ U - Musée Masséna★ FZ M³.*

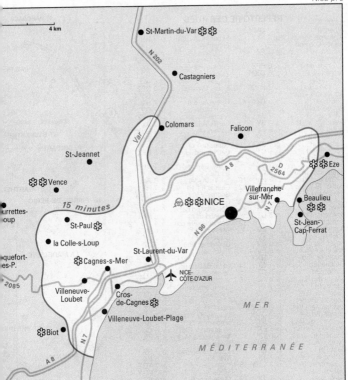

Négresco, 37 promenade des Anglais ℘ 04 93 16 64 00, *direction@hotel-negresco.com*, Fax 04 93 88 35 68, ≤, 숦, « Mobilier d'époque : 17ᵉ et 18ᵉ siècle, Empire, Napoléon III », ₣ᵴ – 🛗 🖵 📺 📞 ⇋ – 🅰️ 200. 🆎 ⓞ 🆖 🇯🇨🇧
p. 6 FZ **k**
voir rest. *Chantecler* ci-après - *Rotonde* : Repas *(22,50)*-29, carte le dim. 35 à 98 ♈ – ⇌ 25 – 119 ch 267/585, 22 appart

Palais Maeterlinck Ⓜ ⚶, 30 bd Maeterlinck (Basse Corniche) ⊠ 06300 ℘ 04 92 00 72 00, *info@palais-maeterlinck.com*, Fax 04 92 04 18 10, ≤ littoral, 숦, « Piscine, jardin et terrasses dominant la mer », ₣ᵴ, ⏦, ⛰, ☞ – 🛗 cuisinette 🖵 📺 📞 ⇋ 🅿️ – 🅰️ 80. 🆎 ⓞ 🆖 🇯🇨🇧. ⚘
p. 5 CU **t**
Mélisande : Repas 36/73 ♈ – ⇌ 25 – **16 ch** 280/520, 13 appart, 11 duplex

Méridien Ⓜ, 1 promenade des Anglais ℘ 04 97 03 44 44, *mail@lemeridien-nice.com*, Fax 04 97 03 44 45, « Piscine panoramique sur le toit », ₣ᵴ, ⏦ – 🛗 ⚒ 🖵 📺 📞 – 🅰️ 300. 🆎 ⓞ 🆖
p. 6 FZ **d**
Colonial Café : Repas *(20)* et carte 38 à 54 ♈ – *Terrasse du Colonial* (mars-nov.) **Repas** carte 40 à 54 ♈, enf. 14 – ⇌ 20 – **305 ch** 260/1220, 9 appart

Élysée Palace Ⓜ, 2, r. Sauvan ℘ 04 93 97 90 90, *reservations@elysee-palace.fr*, Fax 04 93 44 50 40, « Piscine panoramique sur le toit », ⏦ – 🛗 ⚒ 🖵 📺 📞 ⇋ – 🅰️ 70. 🆎 ⓞ 🆖 🇯🇨🇧. ⚘ rest
p. 6 EZ **d**
Repas *(fermé sam. et dim.)* *(23)* - 26 (déj.), 29/43 – ⇌ 19 – **143 ch** 185/595

Radisson SAS Ⓜ, 223 promenade des Anglais ⊠ 06200 ℘ 04 93 37 17 17, *res@ncezh.rd sas.com*, Fax 04 93 71 21 71, ≤, 숦, « Piscine panoramique sur le toit », ₣ᵴ, ⏦ – 🛗 ⚒ 🖵 📺 📞 ⇋ – 🅰️ 260. 🆎 ⓞ 🆖 🇯🇨🇧
p. 4 AU **n**
Bleu Citron : Repas 27(déj.)/30 🍴, enf. 12 – ⇌ 20 – **318 ch** 265/525, 11 appart

RÉPERTOIRE DES RUES

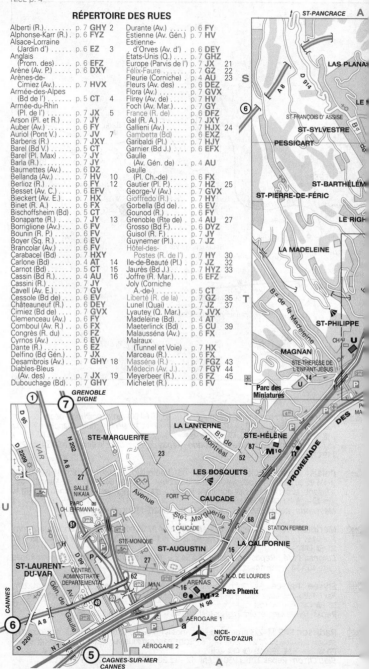

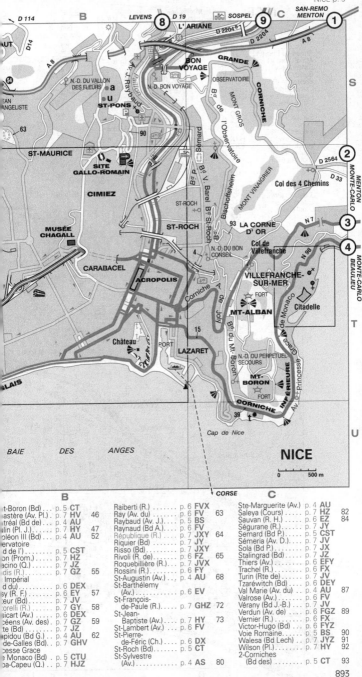

NICE

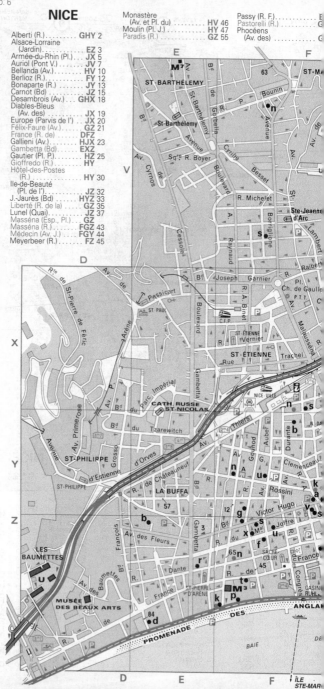

894

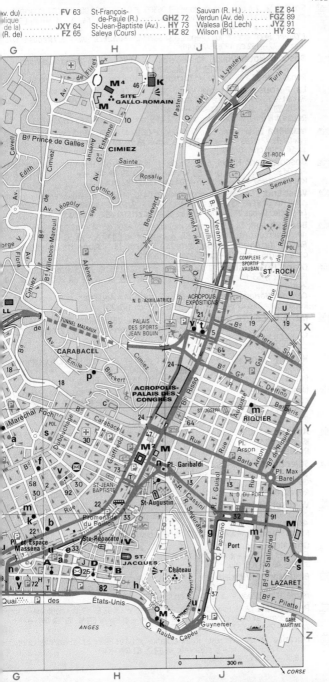

Sofitel M, 2-4 parvis de l'Europe ⊠ 06300 ℘ 04 92 00 80 00, h1119@accor-hotels
Fax 04 93 26 27 00, 佘, « Piscine panoramique sur le toit », 16, ⊒ – 🛎 🔆 ☰ 📺 📞 &
– 益 35. 🖭 ① 🖼 ⊂⪼. 🛠 rest   p. 7 J
L'Oliveraie (1ᵉʳ oct.-1ᵉʳ juil.) **Repas** 21,34/38,11 ⅀ – *Sundeck (juil.-sept.)* **Repas** 21,34/38
– � 16,77 – **152 ch** 190,56/259,16

Boscolo Hôtel Plaza, 12 av. Verdun ℘ 04 93 16 75 75, info@plaza-hotel-nice.
Fax 04 93 88 61 11 – 🛎 ☰ 📺 & ⊂⪼ – 益 250. 🖭 ① 🖼 ⊂⪼   p. 7 G
Repas carte 32 à 43 – ⊒ 15 – **172 ch** 183/290, 10 appart – ½ P 156/190,50

La Pérouse ⑤, 11 quai Rauba-Capéu ⊠ 06300 ℘ 04 93 62 34 63, lp@hroy
Fax 04 93 62 59 41, ≤ Nice et la Baie des Anges, 佘, « Terrasses fleuries », 16, ⊒, 佘
☰ ch, 📺 & – 益 30. 🖭 ① 🖼 ⊂⪼   p. 7 H
Repas grill *(mi-mai-mi-sept.)* carte 27 à 41 ⅀, enf. 14 – ⊒ 16 – **63 ch** 215/373

Masséna M sans rest, 58 r. Gioffredo ℘ 04 92 47 88 88, info@hotel-massena-nice.
Fax 04 92 47 88 89 – 🛎 🔆 ☰ 📺 📞 & ⊂⪼ – 益 20. 🖭 ① 🖼 ⊂⪼   p. 7 G
⊒ 14 – **106 ch** 100/180

Boscolo Park Hôtel, 6 av. Suède ℘ 04 97 03 19 00, reservation@park.boscolo.
Fax 04 93 82 29 27, ≤ – 🛎 ☰ 📺 📞 ⊂⪼ – 益 150. 🖭 ① 🖼 ⊂⪼   p. 6 F
Repas carte 37 à 61 – ⊒ 15,25 – **104 ch** 213,43/282,04

West End, 31 promenade des Anglais ℘ 04 92 14 44 00, hotel-westend@hotel-wes
com, Fax 04 93 88 85 07, ≤, 佘 – 🛎 ☰ 📺 📞 – 益 60. 🖭 ① 🖼 ⊂⪼   p. 6 F
Le Siècle : **Repas** 27 ⅀, enf. 13 – ⊒ 15 – **114 ch** 200/457, 10 appart

Beau Rivage, 24 r. St-François-de-Paule ⊠ 06300 ℘ 04 92 47 82 82, nicebeauriv
new-hotel.com, Fax 04 92 47 82 83, 丞 – 🛎 🔆 ☰ 📺 📞 ⊂⪼ 🖼 ⊂⪼
Bistrot du Rivage : **Repas** carte 25 à 35 ⅀, enf. 13 – *Plage (1ᵉʳ avril-15 oct.)* R
carte 27 à 45 ⅀, enf. 13 – ⊒ 15 – **118 ch** 190/220   p. 7 G

Grand Hôtel Aston, 12 av. F. Faure ℘ 04 92 17 53 00, hotel-aston@hotel-aston.
Fax 04 92 17 53 11, ≤, 佘, ⊒ – 🛎 🔆 ☰ 📺 📞 & – 益 20 à 160. 🖭 ①
⊂⪼   p. 7 H
Café de l'Horloge : **Repas** 18,29/36,58 ⅀, enf. 9,14 – *Aqua Bar* - grillades *(15 avril-15*
Repas carte 32 à 47 ⅀, enf. 9,14 – ⊒ 16 – **155 ch** 192/208

Mercure Centre Notre Dame M sans rest, 28 av. Notre-Dame ℘ 04 93 13 3
h1291@accor-hotels.com, Fax 04 93 62 61 69, « Jardin suspendu au 2ᵉ étage », ⊒, 佘
🔆 ☰ 📺 📞 – 益 90. 🖭 ① 🖼 ⊂⪼   p. 6 FX
⊒ 14 – **201 ch** 130/245

Holiday Inn M, 20 bd V. Hugo ℘ 04 97 03 22 22, reservations@holinice.
Fax 04 97 03 22 23, 16 – 🛎 🔆 ☰ 📺 📞 & – 益 90. 🖭 ① 🖼 ⊂⪼   p. 6 F
Repas (19) -24 (déj.), 28/35 ⅀, enf. 10 – ⊒ 18 – **131 ch** 205/260

Novotel M, 8-10 Parvis de l'Europe ⊠ 06300 ℘ 04 93 13 30 93, H1103@accor-ho
com, Fax 04 93 13 09 04, 佘, « Piscine panoramique sur le toit », ⊒ – 🛎 🔆 ☰ 📺
⊂⪼ – 益 100. 🖭 ① 🖼. 🛠 rest   p. 7 J
Repas 19,06 ⅀, enf. 7,62 – ⊒ 11 – **175 ch** 117/183

Atlantic, 12 bd V. Hugo ℘ 04 97 03 89 89, info@atlantic-hotel.com, Fax 04 93 88 68
🛎 🔆 ☰ 📺 📞 – 益 200. 🖭 ① 🖼 ⊂⪼   p. 6 F
Repas (15,72) -21,34 ⅀, enf. 10 – ⊒ 15,24 – **123 ch** 144,83/266,78 – ½ P 124,25/169,98

Splendid, 50 bd V. Hugo ℘ 04 93 16 41 00, info@splendid-nice.com, Fax 04 93 16 4
佘, « Piscine panoramique sur le toit », 16, ⊒ – 🛎 🔆 ☰ 📺 📞 ⊂⪼ – 益 15 à 60. 🖭
🖼 ⊂⪼. 🛠 rest   p. 6 FY
Repas 29,73 ⅀ – ⊒ 15,24 – **112 ch** 175/220, 15 appart – ½ P 117,50/140

Windsor, 11 r. Dalpozzo ℘ 04 93 88 59 35, windsor@webstore.fr, Fax 04 93 88 94 57,
« Chambres d'artistes, jardin exotique avec piscine », 16, ⊒, 佘 – 🛎 ☰ 📺. 🖭 ①
🛠 rest   p. 6 F
Repas snack *(fermé les midis et dim.)* carte environ 31 – ⊒ 8 – **57 ch** 120/135

Grimaldi sans rest, 15 r. Grimaldi ℘ 04 93 16 00 24, zedde@le-grimaldi.
Fax 04 93 87 00 24 – 🛎 ☰ 📺 📞. 🖭 ① 🖼   p. 6 F
⊒ 13 – **46 ch** 105/145

Bleu Marine Victoria sans rest, 33 bd V. Hugo ℘ 04 93 88 39 60, contact@hote
marine.com, Fax 04 93 88 07 98, 佘 – 🛎 🔆 ☰ 📺 📞. 🖭 ① 🖼 ⊂⪼   p. 6 F
fermé 21 au 28 déc. – ⊒ 9,50 – **38 ch** 130/160

Petit Palais ⑤ sans rest, 17 av. E. Bieckert ℘ 04 93 62 19 11, petitpalais@prove
riviera.com, Fax 04 93 62 53 60, ≤ Nice et la mer – 🛎 🔆 ☰ 📺 📞. 🖭 ① 🖼 ⊂⪼
⊒ 9,91 – **25 ch** 94,52/123,48   p. 7 H

Durante M ⑤ sans rest, 16 av. Durante ℘ 04 93 88 84 40, info@hotel-durante.
Fax 04 93 87 77 76, 佘 – 🛎 cuisinette ☰ 📺 🅿. 🖭 🖼 ⊂⪼   p. 6 F
⊒ 8,38 – **24 ch** 68,60/83,84

🏨 **Flore** M sans rest, 2 r. Maccarani 𝄞 04 92 14 40 20, *info@hoteldeflore-nice.com*, Fax 04 92 14 40 21 – |≡| 쓪⇔ ≡ 📺 ✆. AE ⓪ GB JCB. ⋘ p. 6 **FZ z**
⬜ 9,15 – **63 ch** 89,18/135,68

🏨 **Nautica** M, 38 r. Barbéris ⊠ 06300 𝄞 04 92 00 21 21, *Fax 04 92 00 21 22*, 🏤 – |≡| 쓪⇔ ≡ 📺 ✆ 🕭 ⇔ – 🛆 20. AE ⓪ GB. ⋘ rest p. 7 **JXY m**
Repas (dîner seul.) 14,94/19,10 ⬧, enf. 8,84 – ⬜ 9,15 – **87 ch** 90/105 – ½ P 65

🏨 **Busby** sans rest, 38 r. Mar. Joffre 𝄞 04 93 88 19 41, *busbyhotel@wanadoo.fr*, Fax 04 93 87 73 53 – |≡| ≡ 📺 ✆. AE ⓪ GB. ⋘ p. 6 **FZ u**
fermé 15 nov. au 20 déc. – ⬜ 8 – **76 ch** 76/121

🏨 **Brice,** 44 r. Mar. Joffre 𝄞 04 93 88 14 44, *info@nice-hotel-brice.com*, Fax 04 93 87 38 54, 👍, 🌴 – |≡|, ≡ ch, 📺 – 🛆 15. AE ⓪ GB JCB. ⋘ rest p. 6 **FZ x**
Repas *(fermé 1er nov. au 8 déc.)* (dîner seul.)(résidents seul.) 19 – ⬜ 8,50 – **58 ch** 110/120 – ½ P 79

🏨 **Vendôme** sans rest, 26 r. Pastorelli 𝄞 04 93 62 00 77, *contact@vendome-hotel-nice. com*, Fax 04 93 13 40 78 – |≡| ≡ 📺 P. AE ⓪ GB JCB p. 7 **GY f**
⬜ 9 – **51 ch** 89/128, 5 duplex

🏨 **Fontaine** M sans rest, 49 r. France 𝄞 04 93 88 30 38, *hotel-fontaine@webstore.fr*, Fax 04 93 88 98 11 – |≡| ≡ 📺 ✆. AE GB p. 6 **FZ t**
⬜ 8,50 – **28 ch** 100/110

🏨 **Nouvel Hôtel** sans rest, 19 bis bd V. Hugo 𝄞 04 93 87 15 00, *info@nouvel-hotel.com*, Fax 04 93 16 00 67 – |≡| ≡ 📺 ✆. AE ⓪ GB. ⋘ p. 6 **FY v**
fermé 5 au 31 janv. – ⬜ 5 – **56 ch** 81/95

🏨 **Kyriad Nice Centre Les Musiciens** sans rest, 36 r. Rossini 𝄞 04 93 88 85 94, *info@ nice-hotel-kyriad.com*, Fax 04 93 88 15 88 – |≡| ≡ 📺. AE ⓪ GB p. 6 **FY n**
fermé 19 au 26 déc. – ⬜ 6,50 – **35 ch** 61/99

🏨 **Gourmet Lorrain,** 7 av. Santa Fior ⊠ 06100 𝄞 04 93 84 90 78, *le.gourmet.lorrain@wana doo.fr*, Fax 04 92 09 11 25, 🏤 – ≡ 📺. AE GB JCB p. 6 **FV n**
fermé 16 juil. au 12 août et 1er au 8 janv. – **Repas** *(fermé sam. midi, dim. soir et lundi)* 15 (déj.), 23/39 ⬧ – ⬜ 7 – **11 ch** 47/55 – ½ P 55

🏨 **Buffa** sans rest, 56 r. Buffa 𝄞 04 93 88 77 35, *nice-hotel-buffa.com*, Fax 04 93 88 83 39 – ≡ 📺. AE ⓪ GB JCB p. 6 **EZ r**
⬜ 6 – **13 ch** 58/69

🏨 **Armenonville** 🏡 sans rest, 20 av. Fleurs 𝄞 04 93 96 86 00, Fax 04 93 96 86 00, 🌴 – 📺 ✆ P. ⋘ p. 6 **EZ b**
fermé nov. – ⬜ 6 – **13 ch** 42,50/92

🏨 **Agata** sans rest, 46 bd. Carnot ⊠ 06300 𝄞 04 93 55 97 13, *info@agatahotel.com*, Fax 04 93 55 67 38 – |≡| ≡ 📺 P. AE ⓪ GB JCB p. 7 **JZ s**
⬜ 8,50 – **45 ch** 69/90

🏨 **Villa St-Hubert** sans rest, 26 r. Michel-Ange 𝄞 04 93 84 66 51, *hotel-villa-st-hubert@ wanadoo.fr*, Fax 04 93 84 70 96 – cuisinette 📺 ✆. AE GB. ⋘ p. 6 **FV s**
⬜ 5 – **13 ch** 52/68

🏨 **Star Hôtel** sans rest, 14 r. Biscarra 𝄞 04 93 85 19 03, *star-hotel@wanadoo.fr*, Fax 04 93 13 04 23 – ≡ 📺 ✆. AE ⓪ GB p. 7 **GY k**
fermé nov. – ⬜ 5 – **19 ch** 43/60

🏨 **Trianon** sans rest, 15 av. Auber 𝄞 04 93 88 30 69, Fax 04 93 88 11 35 – |≡| 📺. AE ⓪ GB p. 6 **FY u**
⬜ 6 – **32 ch** 45/69

XXX **Chantecler** - Hôtel Négresco, 37 promenade des Anglais 𝄞 04 93 16 64 00, *direction@ hotel-negresco.com*, Fax 04 93 88 35 68, « Décor Régence » – ≡. AE ⓪ GB JCB p. 6 **FZ k**
fermé mi-nov. à mi-déc. – **Repas** 40 (déj.), 75/90 et carte 90 à 125
Spéc. Salade Riviera (été). Crépinette de rouget à la tapenade. Filet de boeuf, bolognese aux condiments et pommes de terre soufflées **Vins** Côtes-de-Provence.

XX **L'Ane Rouge** (Devillers), 7 quai Deux-Emmanuel ⊠ 06300 𝄞 04 93 89 49 63, *anerouge@ free.fr*, Fax 04 93 89 49 63, 🏤 – ≡. AE ⓪ GB p. 7 **JZ m**
fermé 8 au 21 juil., vacances de fév. et merc. – **Repas** 24,10 (déj.), 31,70/55 et carte 45 à 65 ⬧
Spéc. Soupe de tomate en chaud-froid. Poisson du pêcheur aux gnocchi et poivrons confits. Petit baba comme autrefois. **Vins** Bellet, Gassin.

XX **Don Camillo,** 5 r. Ponchettes ⊠ 06300 𝄞 04 93 85 67 95, *vianostephane@wanadoo.fr*, Fax 04 93 13 97 43 – ≡. AE GB p. 7 **HZ h**
fermé 23 au 27 déc., lundi midi et dim. – **Repas** - cuisine niçoise et italienne - *(19)* - 29 et carte 36 à 70 ⬧

XX **Les Viviers,** 22 r. A. Karr 𝄞 04 93 16 00 48, Fax 04 93 16 04 06 – ≡. AE GB p. 6 **FY k**
fermé 28 juil. au 28 août et dim. – **Repas** 29/68 et carte 30 à 50 ⬧

XX **L'Univers-Christian Plumail,** 54 bd J. Jaurès ⊠ 06300 ℰ 04 93 62 32 22, *pl*
❀ *univers@aol.com, Fax 04 93 62 55 69 –* ▤. **AE ⓞ GB** p. 7 H
fermé sam. midi, lundi midi et dim. – **Repas** (prévenir) (16,76) - 33,53/57,16 et carte 45 à
Spéc. "Pan bagna" de légumes nouveaux et raie farcie. Rougets de roches et bran
aux olives. Tarte sans fond aux fraises des bois, glace vanille **Vins** Bellet, Côtes de Prove

XX **L'Effeuillant,** 26 bd V. Hugo ℰ 04 93 82 48 63, *cjme@wanadoo.fr, Fax 04 93 88 3*
🌿 – ▤. **AE GB** P. 6 F
fermé 1ᵉʳ au 15 août, dim. soir et lundi sauf fériés – **Repas** 22,11/39 ♀

XX **Boccaccio,** 7 r. Masséna ℰ 04 93 87 71 76, *infos@boccaccio-nice.*
Fax 04 93 82 09 06, 🌿, « Décor de caravelle » – ▤. **AE ⓞ GB JCB** p. 7 G.
Repas - produits de la mer - 33,54 ♀

XX **Brasserie Flo,** 4 r. S. Guitry ℰ 04 93 13 38 38, *Fax 04 93 13 38 39,* brasserie, « Ar
théâtre » – ▤. **AE ⓞ GB** p. 7GY.
Repas 19,50 bc (déj.)/28 bc ♣, enf. 8

XX **L'Allegro,** 6 pl. Guynemer ⊠ 06300 ℰ 04 93 56 62 06, *Fax 04 93 56 38 28,* « Fres
représentant les personnages de la "Comedia Dell'Arte" » – ▤. **AE GB** p. 7 J2
fermé sam. midi et dim. – **Repas** - cuisine italienne - 18,30/30,50 bc et dîner à la carte
40

XX **Les Pêcheurs,** 18 quai des Docks ℰ 04 93 89 59 61, *Fax 04 93 55 47 50,* 🌿 – ▤
GB p. 7 J.
fermé nov. à mi-déc., merc. et jeudi midi de mai à oct., mardi soir et merc. de déc. à a
Repas - produits de la mer - 26

XX **Les Épicuriens,** 6 pl. Wilson ℰ 04 93 80 85 00, *Fax 04 93 85 65 00,* 🌿 – ▤. **AE GB**
fermé 6 août au 2 sept.,sam. midi et dim. – **Repas** carte 32 à 50 ♀ p. 7 H

XX **Auberge de Théo,** 52 av. Cap de Croix ℰ 04 93 81 26 19, *Fax 04 93 81 51 73 –*
fermé 19 août au 11 sept., 23 déc. au 6 janv., dim. soir de sept. à avril et lundi – **Repas** 1
(déj.), 25,92/32,01 p. 5 BS

X **Chez Rolando,** 3 r. Desboutins ⊠ 06300 ℰ 04 93 85 76 79 – ▤. **AE GB** p. 7 H
fermé août, le midi en juil., dim. et fériés – **Repas** - cuisine italienne - carte 25 à 32 ♣

X **Bông-Laï,** 14 r. Alsace-Lorraine ℰ 04 93 88 75 36 – ▤. **AE GB** p. 6 F2
Repas - cuisine vietnamienne - carte 30 à 45

X **Mireille,** 19 bd Raimbaldi ℰ 04 93 85 27 23 – ▤. **AE GB** p. 7 G2
fermé 10 juin au 4 juil., 1ᵉʳ au 9 oct., lundi et mardi – **Repas** - plat unique : paella - 25,
enf. 9,15

X **Casbah,** 3 r. Dr Balestre ℰ 04 93 85 58 81 – ▤. **GB** p. 7 G
fermé 30 juin au 1ᵉʳ sept., dim. soir et lundi – **Repas** - couscous - carte environ 24 ♣

X **Merenda,** 4 r. Terrasse ⊠ 06300 – ▤ p. 7 H2
fermé 8 au 14 avril, 27 juil. au 18 août, 1ᵉʳ au 10 déc., 23 fév. au 2 mars, sam. et dim. – **Re**
- cuisine niçoise - (nombre de couverts limité) carte 25,50 à 30,50 ♀

X **Lou Pistou,** 4 r. Terrasse ⊠ 06300 ℰ 04 93 62 21 82 – ▤. **GB** p. 7 H2
fermé sam. et dim. – **Repas** - cuisine niçoise - carte 26 à 37

X **L'Olivier,** 2 pl. Garibaldi ℰ 04 93 26 89 09, *Fax 04 93 26 89 09 –* **GB** p. 7 HY
fermé août, 1ᵉʳ au 7 janv., merc. soir, sam. midi, dim. et fériés – **Repas** carte 15 à 30 ♀

X **Gaité-Nallino,** 72 av. Cap de Croix à Cimiez ⊠ 06100 ℰ 04 93 81 91 86, 🌿 –
GB p. 5 BS
fermé août et dim. – **Repas** - cuisine niçoise - (déj. seul.) carte 23 à 38 ♀

X **Zucca Magica,** 4 bis quai Papacino ℰ 04 93 56 25 27 – ▤ p. 7 J2
fermé dim. et lundi – **Repas** (menu unique)(prévenir) 14 (déj.)/20 (dîner) ♣

à l'Aire St-Michel *Nord : 9 km par av. de Cimiez –* ⊠ 06100 Nice :

X **Au Rendez-vous des Amis,** 176 av. Rimiez ℰ 04 93 84 49 66, *Fax 04 93 52 62 09,*
🔄 *fermé 21 oct. au 8 nov.,vacances de fév., mardi hors saison et mercredi –* Repas 1
24,39 ♀

à l'aéroport : *7 km –* ⊠ 06200 Nice :

🏨 **Novotel Arenas** M, 455 promenade des Anglais ℰ 04 93 21 22 50, *h0478@accor-h*
.com, Fax 04 93 21 63 50 – 📶 ❄ ▤ **TV** ✆ ♣ ⇔ – 🔏 150. **AE ⓞ GB** p. 4 AV
Repas 15 – ⊃ 11 – **131 ch** 110

XXX **Ciel d'Azur,** aérogare 1, 2ᵉ étage ℰ 04 93 21 36 36, *pascal.bourdois@elior.c*
Fax 04 93 21 35 31 – ▤. **AE ⓞ GB** p. 4 AL
Repas (déj. seul.) (28,20) - 38,87 ♀

NIEDERBRONN-LES-BAINS 67110 B.-Rhin 🗟🗟 ⑱ ⑲ G. Alsace Lorraine – 4 319 h alt. 190 – Stat. therm. – Casino.

🖪 Office du tourisme 6 place de l'Hôtel de Ville 𝄞 03 88 80 89 70, Fax 03 88 80 37 01, office@niederbronn.com.

Paris 458 – Strasbourg 54 – Haguenau 23 – Sarreguemines 55 – Saverne 39.

🏨 **Muller** 🖲, av. Libération 𝄞 03 88 63 38 38, hotel-muller@wanadoo.fr, Fax 03 88 63 38 39, 🏤, 𝄕ₛ, 🏊, 🌲 – 🛗, 🍽 rest, 📺 ❅ 🕭 🕿 🖭 – 🕍 25 à 50. 🖭 ⓞ 🖭 🖭
fermé 16 au 31 janv. – **Repas** (fermé lundi) (dim. prévenir) 9,15 (déj.), 19,50/35,45 ♀, enf. 7,95 – 😑 – **43 ch** 44,20/65,55 – ½ P 41,20/48,05

🏨 **Grand Hôtel** 🦢 sans rest, av. Foch 𝄞 03 88 80 84 48, eb.moncy@alsace-casino.com, Fax 03 88 80 84 40, 🌲 – 🛗 🍽 📺 ❅ 🖭 🖭 ⓞ 🖭
😑 – **59 ch** 55/61

🏠 **Cully**, r. République 𝄞 03 88 09 01 42, hotel-cully@wanadoo.fr, Fax 03 88 09 05 80, 🏤 – 🛗 🍽 📺 🖭 🖭 ⓞ 🖭, ❅ ch
fermé 15 fév. au 10 mars et 21 déc. au 6 janv. – **Repas** (fermé dim. soir et lundi) (9,50) - 15/40 ♀, enf. 8 – 😑 8 – **40 ch** 39/54 – ½ P 39/46

🏠 **Bristol**, pl. H. de Ville 𝄞 03 88 09 61 44, hotel.lebristol@wanadoo.fr, Fax 03 88 09 01 20 – 🛗, 🍽 rest, 📺 🖭 🖭 ⓞ 🖭, ❅ ch
fermé 27 janv. au 12 fév. – **Repas** (fermé merc.) 20/26 ♀ – 😑 6,10 – **29 ch** 49/52 – ½ P 42

XXX **Parc**, pl. Thermes 𝄞 03 88 80 84 84, Fax 03 88 80 84 80, 🏤 – 🖭 ⓞ 🖭
fermé jeudi – **Repas** 24,39/50,31 et carte 40 à 50 - **Bierstubel : Repas** 24,39 ♀

XX **Les Acacias**, 35 r. Acacias 𝄞 03 88 09 00 47, acacias@free.fr, Fax 03 88 80 83 33, 🏤 – 🖭. 🖭 🖭
fermé 23 au 30 août, 27 déc. au 24 janv., dim. soir de sept. à avril, sam. midi et vend. – **Repas** 11,50 (déj.), 15,50/46 ♀, enf. 8,50

NIEDERHASLACH 67280 B.-Rhin 🗟🗟 ⑨ G. Alsace Lorraine – 1 182 h alt. 255.

Voir Église★.

Paris 482 – Strasbourg 44 – Molsheim 15 – St-Dié 57 – Saverne 33.

🏠 **Pomme d'Or**, face église 𝄞 03 88 50 90 21, Fax 03 88 50 95 17 – 📺. 🖭, ❅
fermé 2 au 9 juil., 4 fév. au 4 mars, dim. soir et lundi sauf juil.-août – **Repas** 16,77/25,15 ♀ – 😑 6,40 – **20 ch** 27,44/39,64 – ½ P 40,40

NIEDERSCHAEFFOLSHEIM 67500 B.-Rhin 🗟🗟 ⑲ – 1 268 h alt. 185.

Paris 474 – Strasbourg 27 – Haguenau 7 – Saverne 35.

XXX **Au Bœuf Rouge** avec ch, 𝄞 03 88 73 81 00, jgolla@club-internet.fr, Fax 03 88 73 89 71, 🌲 – 🍽 rest, 📺 ❅ 🖭 – 🕍 30. 🖭 ⓞ 🖭
fermé 16 juil. au 5 août et 18 fév. au 3 mars – **Repas** (fermé dim. soir et lundi) 21,40 (déj.), 38,11/58 et carte 42 à 56 ♀, enf. 9,91 – 😑 6,86 – **13 ch** 53,36/57,93 – ½ P 50,31

NIEDERSTEINBACH 67510 B.-Rhin 🗟🗟 ⑲ G. Alsace Lorraine – 155 h alt. 225.

Paris 461 – Strasbourg 67 – Bitche 24 – Haguenau 32 – Lembach 8 – Wissembourg 23.

🏨 **Cheval Blanc** 🦢, 𝄞 03 88 09 55 31, contact@hotel-cheval-blanc.fr, Fax 03 88 09 50 24, 🏤, 🏊, 🌲, ❅ – 📺 ❅ 🖭, ❅ rest
fermé 20 juin au 4 juil., 1er au 10 déc. et 28 janv. au 7 mars – **Repas** 16/50 ♀ – 😑 7,20 – **26 ch** 42,70/53 – ½ P 42,70/48,50

Wengelsbach Nord-Ouest : 5 km par D 190 – ✉ 67510 :

X **Au Wasigenstein**, 𝄞 03 88 09 50 54, Fax 03 88 09 50 54, 🏤 – 🖭
fermé mi-janv. à fin fév., lundi et mardi sauf fériés – **Repas** 11,43/28,20 ♀

NIEUIL 16270 Charente 🗟🗟 ⑤ – 907 h alt. 150.

Paris 435 – Angoulême 42 – Confolens 24 – Limoges 65 – Nontron 55 – Ruffec 36.

🏨 **Château de Nieuil** 🦢, à l'Est par D 739 et rte secondaire ; 2 km 𝄞 05 45 71 36 38, nieuil @relaischateaux.fr, Fax 05 45 71 46 45, ≤, 🏤, « Belle demeure Renaissance dans un parc », 🏊, ❅, ≋ – 🍽 📺 🖭 – 🕍 30. 🖭 ⓞ 🖭 🖭
27 avril-3 nov. – **Repas** (fermé dim. soir et lundi sauf juil.-août) 32 (déj.), 42/56 et carte 105 à 125 ♀ - **Grange aux Oies** (15 déc.-15 avril et fermé mardi soir, dim. soir lundi) **Repas** 30,50bc, enf. 15,25 – 😑 13 – **11 ch** 110/259, 3 appart – ½ P 131/180
Spéc. Sole de la Cotinière à la marinière de coquillages. Filet de veau en papillote d'herbes. Assiette de tous les légumes du jardin

NÎMES P 30000 Gard 80 ⑲ G. Provence – 133 424 h Agglo. 148 889 h alt. 39.

Voir Arènes★★★ – Maison Carrée★★★ – Jardin de la Fontaine★★ : Tour Magne★, Intérieur★ de la chapelle des Jésuites DU **B** – Carré d'Art★ – Musée d'Archéologie★ – Musée du Vieux Nîmes M³.

✈ de Nîmes-Arles-Camargue : ℘ 04 66 70 49 49, par ⑤ : 8 km.

🛈 Office du tourisme 6 rue Auguste ℘ 04 66 58 38 00, Fax 04 66 58 38 01, ot-nimes.fr.

Paris 713 ② – Montpellier 59 ⑤ – Lyon 253 ② – Marseille 126 ④.

NÎMES

Briçonnet (R.) .... **BY** 8	Fontaine (Q. de la) .... **AX** 20	Martyrs-de-la-R. (Pl.) ..... A
Cirque-Romain (R. du) .... **AY** 13	Gambetta (Bd) .... **ABX**	Mendès-France (Av. P.) ....
	Gamel (Av. P.) .... **BZ** 22	République (R. de la) ..... A
	Générac (R. de) .... **AYZ** 23	Ste-Anne (R.)............ A
	Mallarmé (R. Steph.)..... **AX** 34	Verdun (R. de)............

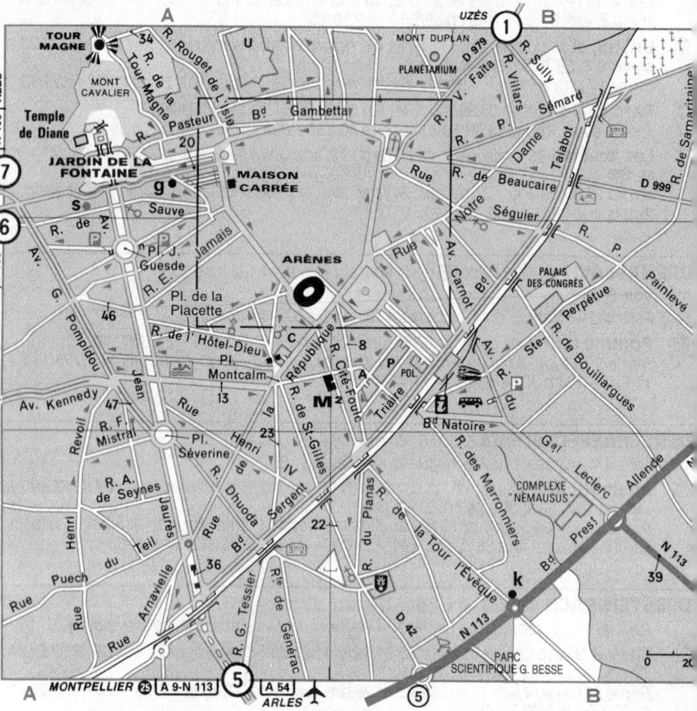

🏨 **Imperator Concorde,** quai de la Fontaine ⊠ 30900 ℘ 04 66 21 90 30, hotel.impe @wanadoo.fr, Fax 04 66 67 70 25, �, « Jardin fleuri », 🐾 – 🛗 🗏 📺 ✆ ⟵ – 🔬
AE ① GB JCB
A
Repas 42,69/57,93 – ☲ 15,25 – **63 ch** 99/183 – ½ P 127,20/211,20

🏨 **Novotel Atria Nîmes Centre** M, 5 bd Prague ℘ 04 66 76 56 56, H0985@accor-ho com, Fax 04 66 76 56 59 – 🛗 🗏 📺 ✆ ⟵ – 🔬 25 à 480. AE ① GB JCB
D
Repas (15) - carte environ 28 ☲, enf. 10 – ☲ 10 – **119 ch** 88/98

🏨 **Vatel** (École hôtelière), 140 r. Vatel par av. Kennedy AY ℘ 04 66 62 57
Fax 04 66 62 57 50, �, 🏋, 🔼 – 🛗 🗏 📺 ✆ ⟵ 🔬 160. AE ① GB, ⚒ rest
Les Palmiers (6ᵉ étage) (fermé 22 juil. au 2 sept., dim. soir et lundi) **Repas** 23(déj.)-27
44,50 ☲, enf. 13 – **Provençal :** Repas (16)-19/24,50 ☖, enf. 7,50 – ☲ 10 – **46 ch** 84/93

🏨 **New Hôtel la Baume** M sans rest, 21 r. Nationale ℘ 04 66 76 28 42, nimeslabaum new-hotel.com, Fax 04 66 76 28 45, « Hôtel particulier du Vieux Nîmes » – 🛗 🗏 📺 ✆
① GB JCB, ⚒
DU
☲ 10 – **34 ch** 95/135

NÎMES

🏨 **L'Orangerie** M, 755 r. Tour de l'Évêque ℘ 04 66 84 50 57, *hrorang@aol.com*, Fax 04 66 29 44 55, 佘, ⅃, ⌷ – ▤ ᴛᴠ ❺ 卫 – 🕭 30. 亜 ⑩ ●● JCB
BZ **k**
fermé 23 au 28 déc. – **Repas** 18 (déj.), 25/42, enf. 12 – ☑ 8,50 – **31 ch** 61/99 – ½ P 61

🏨 **Kyriad** sans rest, 10 r. Roussy ℘ 04 66 76 16 20, *viallet@aconet.fr*, Fax 04 66 67 65 99 – 📶
▤ ᴛᴠ ✔ ⇔. 亜 ⑩ ●● JCB
DU **n**
☑ 6,50 – **28 ch** 53/74

🏨 **Amphithéâtre** sans rest, 4 r. Arènes ℘ 04 66 67 28 51, *hotel-amphitheatre@wanadoo.fr*, Fax 04 66 67 07 79 – ᴛᴠ. 亜 ●●
CV **h**
fermé 2 au 25 janv. – ☑ 5,65 – **16 ch** 33,55/51,85

🍴🍴 **Aux Plaisirs des Halles**, 4 r. Littré ℘ 04 66 36 01 02, Fax 04 66 36 08 00, 佘 – ▤. 亜 ⑩
●●
CU **r**
🍴 fermé 11 au 19 août, fév., lundi sauf le soir en juil.-août et dim. soir – **Repas** 14,94 (déj.), 21,34/44,21 ⅋, enf. 10,67

🍴🍴 **Le Bouchon et L'Assiette**, 5 bis r. Sauve ℘ 04 66 62 02 93, Fax 04 66 62 03 57 – ▤. ⑩
●●
AX **s**
🍴 fermé 29 avril au 2 mai, 29 juil. au 23 août, 2 au 17 janv., mardi et merc. – **Repas** 14,48 (déj.), 23,63/36,58 ⅋, enf. 10,67

🍴🍴 **Magister**, 5 r. Nationale ℘ 04 66 76 11 00, *le.magister@wanadoo.fr*, Fax 04 66 67 21 05 –
▤. 亜 ⑩
DU **q**
fermé 21 juil. au 18 août, 16 au 21 fév., sam. midi, lundi midi et dim. – **Repas** 23 (déj.), 27,50/40 ⅋

XX **Lisita**, 2 bd Arènes ℘ 04 66 67 29 15, Fax 04 66 67 25 32, 佘 – ㏅ ⒼⒷ   CV
fermé dim. soir et lundi – **Repas** 22/47 ₔ, enf. 12

XX **Jardin d'Hadrien**, 11 r. Enclos Rey ℘ 04 66 21 86 65, Fax 04 66 21 54 42, 佘 -   DU
ⒼⒷ
fermé 21 août au 5 sept., vacances de Toussaint et de fév. – **Repas** *(fermé lundi midi, n*
midi et dim. en juil.-août, mardi soir, dim. soir et merc. de sept. à juin) 16,50/34 ₔ, enf.

à Marguerittes *par* ② *et N 86 : 8 km* – 8 181 h. alt. 60 – ⊠ 30320 :

🏠 **L'Hacienda** ⌂, Le Mas de Brignon, Sud-Est : 2 km par rte secondaire ℘ 04 66 75 02
hacienda@altavista.net, Fax 04 66 75 45 58, 佘, ☄, 🐾 – ⊟ ch, ⒯⒱ 🄿. ⒼⒷ. ⌘ rest
15 mars-25 oct. – **Repas** *(dîner seul.)* 30/55 – ⊡ 15 – **12 ch** 90/140 – ½ P 90/110

à Garons *par* ⑤, *D 42 et D 442 : 9 km* – 3 692 h. alt. 90 – ⊠ 30128 :

XXX **Alexandre** (Kayser),   ℘ 04 66 70 08 99,   *restaurant.alexandre@wanado*
❀   *Fax 04 66 70 01 75,* 佘, « Jardin arboré », 🐾 – ⊟ 🄿. ㏅ ⓞ ⒼⒷ ⒿⒸⒷ
fermé vacances de fév., merc. sauf en juil.-août, dim. sauf le midi de sept. à juin et l
– **Repas** 34 bc (déj.), 48/71 et carte 70 à 90 ₔ
Spéc. Iles flottantes aux truffes de Provence sur velouté de cèpes (sept. à mai). Rouge
barigoule de poivrade. "Calisson" d'agneau de Nîmes **Vins** Costières de Nîmes blan
rouge.

près échangeur A9 - A54 *parc hôtelier Ville Active par* ⑤ *: 3 km* – ⊠ 30900 Nîmes :

🏨 **Mercure   Nîmes-Ouest**,   ℘ 04 66 70 48 00,   *h0558@accor-hotels.c*
Fax 04 66 70 48 01, 佘, ☄, ⌘ – ⌷ ⌦ ⊟ ⒯⒱ ⒞ ⅙ 🄿 – 🄰 25 à 80. ㏅ ⓞ ⒼⒷ ⒿⒸⒷ
Repas *(17)* - 22 ⅛, enf. 7,70 – ⊡ 10 – **100 ch** 79/103

🏨 **Holiday Inn**, ℘ 04 66 29 86 87, *contact@holidayinn-nimes.com*, Fax 04 66 84 72 76,
– ⌷ ⌦ ⊟ ⒯⒱ ⒞ ⅙ 🄿 – 🄰 40. ㏅ ⓞ ⒼⒷ ⒿⒸⒷ
Repas 14,50/31, enf. 9,50 – **54 ch** 86/96 – ½ P 54

🏨 **Nimotel**, ℘ 04 66 38 13 84, *contact@nimotel.com*, Fax 04 66 38 14 06, 佘, ☄, – ⌷ ⊟
⒞ ⅙ 🄿 – 🄰 80. ㏅ ⓞ ⒼⒷ ⒿⒸⒷ
Repas 13,70/31, enf. 7,50 – ⊡ 7 – **180 ch** 84/120

Les principales voies commerçantes figurent en rouge
dans la liste des rues des plans de villes.

NIORT ⓟ 79000 *Deux-Sèvres* ⓐⓐ ② *G. Poitou Vendée Charentes* – 56 663 h Agglo. 125 59
alt. 24.
Voir *Donjon★ : salle de la chamoiserie et de la ganterie★ – Le Pilori★.*
Env. *Le Marais Poitevin★★.*
🄱 *Office du tourisme Place de la Poste ℘ 05 49 24 18 79, Fax 05 49 24 98 90, info@ot-ni*
paysniortaispoitevin.fr.
Paris 410 ② – *La Rochelle 66* ⑤ – *Bordeaux 184* ④ – *Nantes 142* ⑥ – *Poitiers 78* ②.
Plan page ci-contre

🏨 **Mercure** Ⓜ ⌂, 17 r. Bellune ℘ 05 49 24 29 29, *hotel.mercure-nior*
Fax 05 49 28 00 90, 佘, ☄, 🐾 – ⌷ ⌦ ⒯⒱ ⒞ ⅙ 🄿 – 🄰 60. ㏅ ⓞ ⒼⒷ   BY
Repas *(9,15)* - 21,50/24,60, enf. 9,15 – ⊡ 10 – **79 ch** 79/110

🏨 **Grand Hôtel** sans rest, 32 av. Paris ℘ 05 49 24 22 21, Fax 05 49 24 42 41, 🐾 – ⌷ ⌦
⒞ ⌫ – 🄰 25. ⒼⒷ   BY
⊡ 8 – **39 ch** 55/75

🏨 **Moulin** Ⓜ sans rest, 27 r. Espingole ℘ 05 49 09 07 07, Fax 05 49 09 19 40 – ⌷ ⒯⒱ ⒞ ⅙
ⒼⒷ. ⌘   AZ
⊡ 5 – **34 ch** 42/51

🏨 **Ambassadeur** sans rest, 82 r. Gare ℘ 05 49 24 00 38, *hotel-ambassadeur2@wanado*
Fax 05 44 24 94 38 – ⌷ ⌦ ⒯⒱ ⒞ – 🄰 60. ⒼⒷ   BZ
fermé 23 déc. au 2 janv. – ⊡ 6 – **32 ch** 37/55

🏨 **Paris** sans rest, 12 av. Paris ℘ 05 49 24 93 78, *info@hotelparis79.com*, Fax 05 49 28 27
cuisinette ⒯⒱ ⒞ ⌫. ⒼⒷ   BY
fermé 24 déc. au 2 janv. – ⊡ 5,40 – **44 ch** 45/58

🏠 **Avenue** sans rest, 43 av. St-Jean-d'Angély ℘ 05 49 79 28 42, Fax 05 49 73 10 85 – ⒯⒱
㏅ ⒼⒷ   AZ
⊡ 5,03 – **20 ch** 19,82/41,92

XXX **Belle Étoile**, 115 quai M. Métayer (près périph. ouest) - AY - *Ouest : 2,5*
℘ 05 49 73 31 29, Fax 05 49 09 09 59, 佘, 🐾 – 🄿. ㏅ ⒼⒷ
fermé 5 au 19 août, dim. soir et lundi – **Repas** *(19,67)* - 26,50/70,89 bc et carte 42 à 6
enf. 11,43

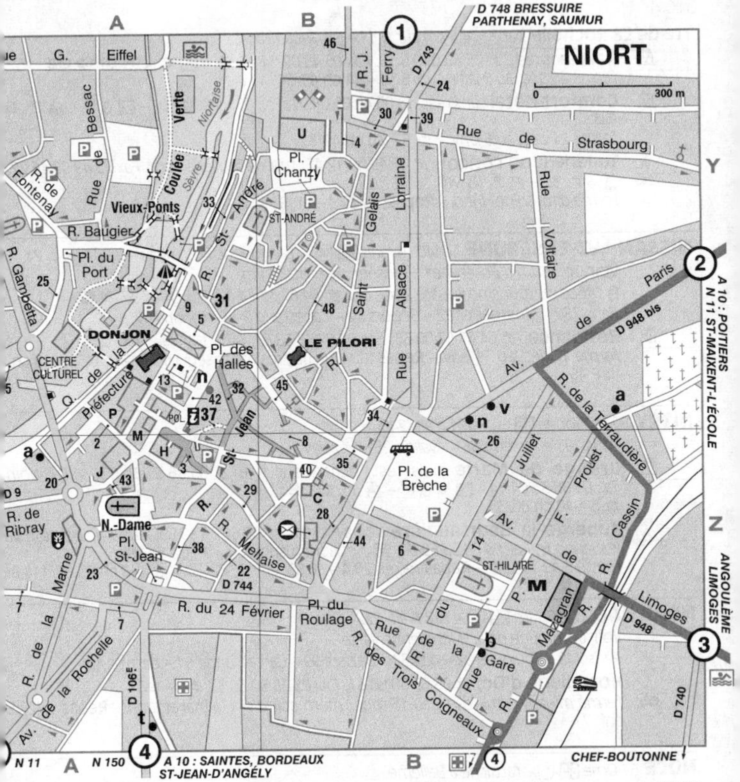

Table des Saveurs, 9 r. Thiers ✆ 05 49 77 44 35, *tablesaveurniort@wanadoo.fr,* AY n
Fax 05 49 77 44 36 – GB
fermé dim. sauf fêtes – **Repas** 12,19/35,83 ♀

r ② : *5 km sur N 11* – ✉ *79180 Chauray :*

Solana M sans rest, ✆ 05 49 33 33 33, *Fax 05 49 33 33 33* – TV ♿ P – 🏛 20. AE GB
fermé 24 déc. au 2 janv. – ☕ 6,40 – **50 ch** 50,31/54,88

r autoroute A 10 *aire Les Ruralies ou accès de Niort par* ③ *et rte secondaire : 9 km* – ✉ *79230 Prahecq :*

Les Ruralies M, ✆ 05 49 75 67 66, *ruralies@marcireau.fr, Fax 05 49 75 80 29* – |♦|, ▤ ch, TV ✆ ♿ P – 🏛 25. AE ⓓ GB
Mijotière (rest. d'autoroute) **Repas** 15/22 ♁, enf. 8,40 – ☕ 7 – **51 ch** 48/57

e de Saintes *par* ④ : *12 km* – ✉ *79360 Granzay-Gript :*

Domaine du Griffier ⛹, ✆ 05 49 32 62 62, *Fax 05 49 32 62 63,* ⛱, ⛆, ♣ – TV ♿ P – 🏛 15 à 100. AE ⓓ GB
fermé 24 déc. au 2 janv. – **Repas** 15,09 (déj.), 24,24/28,81, enf. 9,90 – ☕ 9,15 – **38 ch** 53,36/213,46 – ½ P 57,93

rte de La Rochelle *par ⑤ : 4,5 km sur N 11* – ⊠ *79000 Niort :*

🏠 **Reix** sans rest, ℰ 05 49 09 15 15, Fax 05 49 09 14 13, ⊥ – 📺 ✆ ὅ 🅿 ₳ℰ ⓪ ☞
fermé 25 déc. au 2 janv. – 🖙 5,50 – **34 ch** 49/54

🏠 **Comfort Hôtel** sans rest, ℰ 05 49 09 08 07, Fax 05 49 09 16 07 – 📺 ὅ 🅿 – ₳ 25. 🅰
☞
fermé 21 déc. au 6 janv. – 🖙 6 – **30 ch** 49/52

✗ **Tuilerie (Coq'corico)**, ℰ 05 49 09 12 45, *tuilerie@tuilerie.com*, Fax 05 49 09 16 22,
☞ ⊥, 斧, ℅ – 🔳 🅿 ₳ℰ ☞
fermé dim. soir et lundi – **Repas** 12/23 ₤, enf. 6

NISSAN-LEZ-ENSÉRUNE *34440 Hérault* 🟦🟦 ⑭ *G. Languedoc Roussillon* – *2 907 h alt. 21.*
Voir *Oppidum d'Ensérune*★ *: musée*★, *⩽*★ *NO : 5 km.*
🄱 *Office du tourisme Square René Dez* ℰ 04 67 37 14 12, Fax 04 67 37 14 12.
Paris 780 – *Montpellier 82* – *Béziers 12* – *Capestang 9* – *Narbonne 17.*

🏠 **Résidence**, ℰ 04 67 37 00 63, Fax 04 67 37 68 63, 斧 – 📺 ⌂, ☞, ℅
fermé 1er déc. au 31 janv. – **Repas** (dîner seul.) (résidents seul.) 16 ₺ – 🖙 6,50 – **18 ch**
½ P 46

NITRY *89310 Yonne* 🟦🟦 ⑥ – *371 h alt. 240.*
Paris 195 – *Auxerre 36* – *Avallon 23* – *Vézelay 31.*

🏠 **Grange de Marie** sans rest, échangeur A 6 ℰ 03 86 33 60 92, *axis@ipoin*
Fax 03 86 33 64 14 – 📺 ✆ ὅ 🅿 – ₳ 15. ₳ℰ ☞
🖙 5 – **40 ch** 30/35

✗ **Auberge la Beursaudière** ⌂ avec ch, ℰ 03 86 33 69 69, *auberge.beursaudie*
wanadoo.fr, Fax 03 86 33 69 60, 斧, « Cadre rustique » – 🅿 ₳ℰ ⓪ ☞
fermé 6 au 19 janv. – **Repas** *(15,09)* - 20,43/36,59, enf. 7,93 – 🖙 7,62 – **8 ch** 83,85/114,84

NOAILHAC *81490 Tarn* 🟦🟦 ① – *712 h alt. 222.*
Voir *Commune de la "Méridienne verte".*
Paris 748 – *Toulouse 82* – *Albi 54* – *Béziers 99* – *Carcassonne 61* – *Castres 12.*

✗ **Hostellerie d'Oc**, ℰ 05 63 50 50 37, Fax 05 63 50 50 37, 斧 – ☞
fermé mi-janv. à mi-fév., 9 au 15 sept., merc. soir d'oct. à mai et lundi – **Repas** 10/27,5
enf. 7

NOCÉ *61 Orne* 🟦🟦 ⑮ – *rattaché à Bellême.*

NOEUX-LES-MINES *62290 P.-de-C.* 🟦🟦 ⑭ *G. Picardie Flandres Artois* – *11 966 h alt. 29.*
Paris 208 – *Lille 39* – *Arras 28* – *Béthune 5* – *Bully-les-Mines 8* – *Doullens 49* – *Lens 17.*

✗✗ **Les Tourterelles** avec ch, 374 r. Nationale ℰ 03 21 61 65 65, Fax 03 21 61 65 75, 斧,
– 📺 🅿 ₳ℰ ☞, ℅ ch
Repas *(fermé sam. midi, dim. soir et soirs fériés)* 30/42 ₤ – 🖙 7 – **21 ch** 38/68 – ½ P 38

✗✗ **Carrefour des Saveurs**, 94 rte Nationale ℰ 03 21 26 74 74, Fax 03 21 27 12 14 – 🅿.
fermé 2 au 10 janv., 29 juil. au 20 août, merc. soir, dim. soir et lundi – **Repas** 15,09/38,10

NOGARO *32110 Gers* 🟦🟦 ② – *1 881 h alt. 98.*
🄱 *Office du tourisme 81 rue Nationale* ℰ 05 62 09 13 30, Fax 05 62 08 88 21, *mairie.nog*
@wanadoo.fr.
Paris 733 – *Mont-de-Marsan 45* – *Agen 88* – *Auch 63* – *Pau 74* – *Tarbes 69.*

🏠 **Solenca**, rte d'Auch : 1 km ℰ 05 62 09 09 08, *solenca@wanadoo.fr*, Fax 05 62 09 09
☞ 斧, 🖪, ⊥, 斧, ℅ – 📺 ✆ ὅ 🅿 – ₳ 50. ₳ℰ ⓪ ☞
Repas 11 (déj.), 14/31 ₺, enf. 7 – 🖙 6,50 – **48 ch** 45/53 – ½ P 50

à Manciet *Nord-Est : 9 km par N 124* – *764 h. alt. 131* – ⊠ *32370 :*

✗✗ **Bonne Auberge** avec ch, ℰ 05 62 08 50 04, Fax 05 62 08 58 84, 斧 – 📺 – ₳ 25.
☞ ℅
fermé dim. soir sauf fériés – **Repas** 14 bc/43 – 🖙 6 – **14 ch** 40/49 – ½ P 44

à St-Martin-d'Armagnac *Sud-Ouest : 8 km par D 25 et rte secondaire* – *205 h. alt. 11*
⊠ *32110 :*

🏠 **Auberge du Bergerayre** ⌂, ℰ 05 62 09 08 72, Fax 05 62 09 09 74, 斧, « Auberge
coeur de la campagne viticole », 斧 – 斧 🅿 ☞
fermé janv. et fév. – **Repas** *(fermé mardi et merc.)* (dîner seul.)(résidents seul.) – 🖙 1
13 ch 46/53,50 – ½ P 59,50/76,50

GENT 52800 H.-Marne 🖸🗖 ⑫ G. Champagne Ardenne – 4 343 h alt. 410.

Voir *Musée de la coutellerie de l'espace Pelletier – Musée du patrimoine coutelier.*

🖪 *Syndicat d'Initiative pl. du Général-de-Gaulle ℰ 03 25 03 69 18, Fax 03 25 31 44 70.*

Paris 289 – Chaumont 24 – Bourbonne-les-Bains 36 – Langres 25 – Neufchâteau 55.

🏠 **Commerce,** pl. Gén. de Gaulle (face Mairie) ℰ 03 25 31 81 14, relais.sud.terminus@wanad oo.fr, Fax 03 25 31 74 00 – 📺 🍽, GB JCB
fermé 24 déc. au 2 janv. et dim. de sept. à juin – **Repas** 15,70/39,05 ♀, enf. 9,15 – ♀ 5,95 – **19 ch** 43,45/46,50 – ½ P 40

GENT-LE-ROI 28210 E.-et-L. 🖸🖸 ⑧, 🗓🖸🖸 ㉖ G. Ile de France – 4 142 h alt. 93.

🖪 *Syndicat d'initiative - Mairie ℰ 02 37 51 23 20.*

Paris 79 – Chartres 27 – Ablis 34 – Dreux 20 – Maintenon 10 – Rambouillet 27.

XX **Relais des Remparts,** 2 pl. Marché aux Légumes ℰ 02 37 51 40 47, Fax 02 37 51 40 47, 😤 – 🖭 ⓞ GB
fermé 5 au 28 août, vacances de fév., dim. soir, mardi soir et merc. – Repas 14/29 ♀

X **Capucin Gourmand,** 1 r. Volaille ℰ 02 37 51 96 00, capucingourmand-nogent@wanad oo.fr, Fax 02 37 82 67 19 – ▤. 🖭 ⓞ GB
fermé 25 août au 10 sept., 6 au 13 janv., mardi midi en juil.-août, dim. soir de sept. à juin et lundi – **Repas** 14,95 (déj.), 23,60/38,85, enf. 13,10

GENT-LE-ROTROU ⬛ 28400 E.-et-L. 🖸🖸 ⑮ G. Normandie Vallée de la Seine – 11 524 h alt. 116.

🖪 *Office du tourisme 44 rue Villette-Gaté ℰ 02 37 29 68 86, Fax 02 37 29 68 69, nogent28tour@infonie.fr.*

Paris 147 ① – Alençon 65 ⑤ – Le Mans 75 ④ – Chartres 56 ① – Châteaudun 54 ③.

NOGENT-
LE-ROTROU

chers (R. des) .... Z 2
rg-le-Comte (R.) .... Z 3
tonnerie (R.) .... Z
teau-St-Jean (R.) .... Z
x-la-Comtesse (R.) .... Y
chanel (R.) .... YZ
Desplantes (R.) .... Z 8
n (Av. Mar.) .... YZ 9
e (R. de la) .... YZ 10
ust (R.) .... Y 12
verneur (R.) .... YZ 13
rches-St-Jean (R. des) ..... Z 14
y (R. du) .... Y 15
pardières (R. des) .... Z 16
s (Av. des) .... Z 17
ublique (Pl. de la) .... Z 18
ne (R. de) .... Y
dilaire (R.) .... Z
aurent (R.) .... Z 20
Martin (R.) .... Y
y (R. de) .... YZ 23
ette-Gaté (R.) .... Y 25

vous êtes retardé
r la route, dès 18 h,
nfirmez votre réservation
r téléphone,
st plus sûr...
c'est l'usage.

🏠 **Sully** Ⓜ sans rest, 51 rue Viennes ℰ 02 37 52 15 14, hotel.sully@wanadoo.fr, Fax 02 37 52 15 20 – 🛗 📺 🍽 ₺ 🅿 – 🔬 20 à 25. 🖭 GB. ❀ Y s
fermé 23 déc. au 2 janv. – ☲ 6 – **42 ch** 46/54

🏠 **Lion d'Or** sans rest, 28 pl. St-Pol ℰ 02 37 52 01 60, Fax 02 37 52 23 82 – 📺 🍽 🅿. GB. ❀
☲ 6,10 – **14 ch** 40/55 Y r

XX **Hostellerie de la Papotière,** 3 r. Bourg le Comte ℰ 02 37 52 18 41, Fax 02 37 52 94 71, « Maison du 15ᵉ siècle » – GB Z a
fermé 1ᵉʳ au 15 août, dim. soir et lundi – **Repas** 24,39/33,54 - ***Bistrot :*** **Repas** 12,20 ⃟

à Villeray *(61 Orne) par* ① *D 918 et D 10 : 11 km –* ⊠ *61110 Condeau :*

🏨 **Moulin et Château de Villeray** ⍋, ℰ 02 33 73 30 22, *moulin.de.villeray@wana fr*, Fax 02 33 73 38 28, ≤, 🏤, « *Ancien moulin au bord de l'Huisne, château, parc* », ⊾ 🐾 – 🔟 ⅃ **P** – 🔬 35 à 50. ᴀᴇ ⓪ ᴳᴮ ᴊᴄʙ
Repas 22/61 🍷 – 🖙 12,20 – **33 ch** 115/244, 5 appart – ½ P 80/220

NOGENT-SUR-AUBE *10240 Aube* 🔢 ⑦ *– 316 h alt. 99.*
Paris 175 – Troyes 34 – Châlons-en-Champagne 65 – Romilly-sur-Seine 47.

XX **Assiette Champenoise ''Vallée de l'Aube'',** *D 441* ℰ 03 25 37 66 Fax 03 25 37 51 08, « *Jardin fleuri ouvert sur la campagne* », 🐾 – **P**. ᴀᴇ ⓪ ᴳᴮ ᴊᴄʙ *fermé dim. soir, lundi soir, mardi soir, merc. soir et sam. midi –* **Repas** *(dîner sur réservat (15) - 19/53, enf. 15*

NOGENT-SUR-MARNE *94 Val-de-Marne* 🔢 ⑪, 🔢 ㉗ *– voir Paris, Environs.*

NOGENT-SUR-SEINE ◈ *10400 Aube* 🔢 ④ ⑤ *G. Champagne Ardenne – 5 963 h alt. 67.*
Paris 106 – Troyes 58 – Épernay 83 – Fontainebleau 65 – Provins 18 – Sens 43.

🏨 **Loisirotel,** *19 r. Fossés (pl. Église)* ℰ 03 25 39 71 45, Fax 03 25 39 67 00, 🏤, ⅃ – 🔟 ⊛ – 🔬 20 à 40. ᴀᴇ ᴳᴮ
Repas *(fermé vend. soir, dim. soir et sam.)* 11,50/20,58 ⅃ – 🖙 6 – **40 ch** 45/46,50 – ½

XX **Beau Rivage** ⍋ avec ch, *r. Villiers-aux-Choux, près piscine* ℰ 03 25 39 84 Fax 03 25 39 18 32, 🏤 – 🔟 ᴳᴮ. ⚹ ch *fermé 16 août au 2 sept., 15 fév. au 5 mars, dim. soir et lundi –* **Repas** 16/33 – 🖙 7 – 1 42/46 – ½ P 46

XX **Auberge du Cygne de la Croix,** *22 r. Ponts* ℰ 03 25 39 91 26, *cygnedelacroix@w doo.fr*, Fax 03 25 39 81 79, 🏤 – ᴳᴮ *fermé 29 avril au 9 mai, 23 au 30 déc., vacances de fév., mardi d'oct. à mars, dim. so lundi soir –* **Repas** 14 (déj.), 19/31 🍷, enf. 10

The Guide changes, so renew your Guide every year.

NOHANT-VIC *36 Indre* 🔢 ⑲ *– rattaché à La Châtre.*

NOIRÉTABLE *42440 Loire* 🔢 ⑯ *G. Auvergne – 1 637 h alt. 720.*
🇧 *Office du tourisme 8 rue des Tilleuls* ℰ 04 77 24 93 04, Fax 04 77 24 94 78.
Paris 426 – Roanne 44 – Ambert 46 – Lyon 116 – Montbrison 45 – St-Étienne 91 – Thiers

🏨 **Rendez-vous des Chasseurs,** *Ouest : 2 km par D 53* ℰ 04 77 24 72 Fax 04 77 24 93 40, ≤ – 🔟 **P**. ᴳᴮ *fermé 14 sept. au 8 oct., dim. soir et lundi sauf hôtel de juil. à sept. –* **Repas** 9,50/30,50 🖙 4,60 – **14 ch** 24,40/44,23 – ½ P 26/32

NOIRLAC (Abbaye de) *18 Cher* 🔢 ⑪ *– rattaché à St-Amand-Montrond.*

NOIRMOUTIER (Île de) ★ *85 Vendée* 🔢 ① *G. Poitou Vendée Charentes – alt. 8.*
Accès par le pont routier au départ de Fromentine : Passage gratuit.
- par le passage du Gois★★ : 4,5 km.
- pendant le premier ou le dernier quartier de la lune par beau temps (vents hauts) d'u heure et demie environ avant la basse mer, à une heure et demie environ après la ba mer.
- pendant la pleine lune ou la nouvelle lune par temps normal : deux heures avant la ba mer à deux heures après la basse mer.
- en toutes périodes par mauvais temps (vents bas) ne pas s'écarter de l'heure de la ba mer.

Barbâtre *85630 – 1 420 h alt. 5.*
Paris 465 – Nantes 70 – La Roche-sur-Yon 74 – Cholet 115.

XX **Bistrot des Îles,** *Pointe de la Fosse, au pied du pont de Noirmoutier* ℰ 02 51 39 68 Fax 02 51 35 80 64, ≤, 🏤 – ⬛ **P**. ᴀᴇ ᴳᴮ *mars-oct. et fermé lundi soir et mardi sauf juil.-août –* **Repas** 17,54 (déj.), 25,16/38,12 enf. 8

pine – *1 685 h alt. 2 – ✉ 85740.*
Paris 473 – Nantes 79 – La Roche-sur-Yon 84 – Cholet 124 – Noirmoutier-en-l'Ile 4.

🏨 **Punta Lara** 🔕, Sud : 2 km par D 95 et rte secondaire ✉ 85680 La Guérinière ☎ 02 51 39 11 58, *chateaudesable.hotelpuntalara@wanadoo.fr, Fax 02 51 39 69 12,* ⋖ l'Océan, 🌳, « Dans une pinède en bordure de mer », 🏊, 🎾 – ☎ 🅿 – 👥 100. AE ◑ GB JCB
30 mars-30 sept. – **Repas** 14,90 (déj.), 28,20/33,50 – ☕ 12,50 – **64 ch** 135/210 – ½ P 110/140

erbaudière – ✉ *85330 Noirmoutier-en-l'Île.*
Paris 486 – Nantes 85 – La Roche-sur-Yon 90 – Cholet 130.

✕✕ **Marine,** sur le port ☎ 02 51 39 23 09, *Fax 02 51 39 23 09,* 🌳, ☂ – GB
☺ *fermé 1er au 24 oct., mardi soir et merc. sauf juil.-août* – **Repas** 13/38 🍷, enf. 8

irmoutier-en-l'Ile – *5 001 h alt. 8 – ✉ 85330 .*
Voir *Collection de faïences anglaises★ au château.*
ℹ *Office du tourisme Route du Pont ☎ 02 51 39 80 71, Fax 02 51 39 53 16, info@ile-noirmoutier.com.*
Paris 475 – Nantes 80 – La Roche-sur-Yon 85 – Cholet 125.

🏨 **Fleur de Sel** Ⓜ 🔕, ☎ 02 51 39 09 07, *contact@fleurdesel.fr, Fax 02 51 39 09 76,* 🌳, « Jardin fleuri », 🏊, ☂, 🎾 – 📺 ♿ 🅿 – 👥 25. AE GB
16 mars-2 nov. – **Repas** *(fermé mardi midi sauf vacances scolaires et lundi midi)* (18) - 23 (déj.), 30/40 🍷, enf. 15 – ☕ 9,45 – **35 ch** 99/125 – ½ P 90/104

🏨 **Général d'Elbée** sans rest, pl. Château ☎ 02 51 39 10 29, *general-delbee@wanadoo.fr, Fax 02 51 39 08 23,* 🏊, ☂ – ♿. AE ◑ GB JCB
Pâques-fin sept. – ☕ 11,43 – **28 ch** 105,19/257,64

🏨 **Les Douves** sans rest, 11 r. Douves (face au Château) ☎ 02 51 39 02 72, *hotel-les-douves@wanadoo.fr, Fax 02 51 39 73 09,* 🏊 – 📺 ☎ – 👥 25. GB
fermé janv. – ☕ 7 – **22 ch** 75

✕✕ **Grand Four,** 1 r. Cure (derrière le château) ☎ 02 51 39 61 97, *Fax 02 51 39 61 97* – AE GB
☺ *fermé déc., janv., dim. soir et lundi hors saison* – **Repas** 16,50 bc/64 🍷, enf. 12,20

✕✕ **L'Étier,** rte L'Épine, Sud-Ouest : 1 km ☎ 02 51 39 10 28, *Fax 02 51 39 23 00* – 🅿. AE GB
⊛ *vacances de fév.-vacances de Toussaint et fermé lundi* – **Repas** 13/31 🍷, enf. 8,50

✕✕ **Côté Jardin,** 1 bis r. Grand Four (derrière le château) ☎ 02 51 39 03 02, *Fax 02 51 39 24 46* – AE GB
fermé 1er au 15 oct. et 15 nov. à fin janv. sauf week-ends et vacances scolaires – **Repas** (12) - 15/34 🍷, enf. 8

✕✕ **Manoir,** 11A r. Douves ☎ 02 51 35 77 73, *Fax 02 51 35 77 73*
fermé 4 au 24 mars, jeudi soir hors saison, dim. soir et lundi – **Repas** 17,55/32,10, enf. 9,15

Bois de la Chaize *Est : 2 km – ✉ 85330 Noirmoutier.*
Voir *Bois★.*

🏨 **Les Prateaux** 🔕, ☎ 02 51 39 12 52, *les-prateaux@wanadoo.fr, Fax 02 51 39 46 28,* « Jardin fleuri », ☂ – 📺 ☎ ♿ 🅿. AE ◑ GB. 🚭 ch
mi-fév.-mi-nov. – **Repas** 21/49, enf. 10 – ☕ 11 – **19 ch** 96/194 – ½ P 88/107

🏨 **St-Paul** 🔕, ☎ 02 51 39 05 63, *christian.buron@wanadoo.fr, Fax 02 51 39 73 98,* 🌳, « Jardin fleuri », 🏊, ☂, 🎾 – 📺 – 👥 20 à 25. AE GB. 🚭 rest
15 mars-2 nov. – **Repas** *(fermé dim. soir et lundi de mi-sept. à mai)* 21,50/60, enf. 13,50 – ☕ 8,50 – **37 ch** 75/121, (en été : ½ pens. seul.) – ½ P 112,50

🏠 **Les Capucines** (annexe 🏨 -11 ch), ☎ 02 51 39 06 82, *capucineshotel@aol.com, Fax 02 51 39 33 10,* 🏊 – 📺 ♿ 🅿. GB
10 fév.-11 nov. et fermé merc. et jeudi en fév.-mars et oct.-nov. – **Repas** 14 (déj.), 20/33, enf. 9 – ☕ 7 – **21 ch** 76/83 – ½ P 54/70

ISY-LE-GRAND *93 Seine-St-Denis* **56** ⑪, **101** ⑱ – *voir à Paris, Environs.*

IZAY *37210 I.-et-L.* **64** ⑮ – *1 155 h alt. 56.*
Paris 231 – Tours 20 – Amboise 11 – Blois 44 – Vendôme 50.

🏨 **Château de Noizay** 🔕, ☎ 02 47 52 11 01, *noizay@relaischateaux.com, Fax 02 47 52 04 64,* 🌳, « Château du 16e siècle », 🏊, 🎾, 🌲 – 📺 ☎ 🅿 – 👥 20. AE ◑ GB. 🚭 rest
fermé mi-janv. à mi-mars – **Repas** *(fermé le midi du lundi au jeudi)* 40/65 🍷 – ☕ 15 – **19 ch** 110/245 – ½ P 130/197,50

NOLAY 21340 Côte-d'Or 🔞 ⑨ G. Bourgogne – 1 547 h alt. 299.

Voir site★ du Château de la Rochepot E : 5 km – Site★ du Cirque du Bout-du-Monde 5 km.

🖪 Office du tourisme 24 rue de la République ℰ 03 80 21 80 73, Fax 03 80 21 8 ot@nolay.com.

Paris 316 – Beaune 20 – Chalon-sur-Saône 34 – Autun 29 – Dijon 65.

🏠 **Parc**, 3 pl. Hôtel-de-Ville ℰ 03 80 21 78 88, Fax 03 80 21 86 39, 斎 – 🔟 📞 🖪. ⚏ ❀ hôtel : 15 mars-30 nov., rest. : 1er avril-30 nov. – **Repas** 15/56 ⚏ – 😄 8,55 – **14 ch** 51 ½ P 49/64

🏛 **Halle** sans rest, ℰ 03 80 21 76 37, la-halle@terroirs-b.com, Fax 03 80 21 76 37 – ⚏ ⚌ 😄 5,50 – **14 ch** 30/42,70

🍴🍴 **Burgonde**, 35 r. République ℰ 03 80 21 71 25, burgonde.resto@wanado Fax 03 80 21 88 06 – ▤. ⚏ ⚏ fermé fév., mardi et merc. – **Repas** 18/44,90 ⚏, enf. 9,15

Les NONIÈRES 26410 Drôme 🔞 ⑭.

Paris 638 – Die 25 – Gap 83 – Grenoble 73 – Valence 92.

🏠 **Mont-Barral** ⚄, ℰ 04 75 21 12 21, mtbarral@aol.com, Fax 04 75 21 12 70, 斎, ⚏ ⚏ 🍴 – 🖪. ⚏ fermé 15 nov. au 1er fév., mardi soir et merc. sauf hôtel en saison – **Repas** 13/17 ⚏, enf. – 😄 7 – **20 ch** 38/45,50 – ½ P 46,50

NONTRON ◈ 24300 Dordogne 🔞 ⑮ G. Berry Limousin – 3 500 h alt. 260.

🖪 Office du tourisme 5 rue de Verdun ℰ 05 53 56 25 50, Fax 05 53 60 34 13.

Paris 455 – Angoulême 45 – Libourne 134 – Limoges 66 – Périgueux 50 – Rochechoua

🏛 **Grand Hôtel**, 3 pl. A. Agard ℰ 05 53 56 11 22, grand-hotel-pelisson@wanado Fax 05 53 56 59 94, ⚏, ⚏, 斎 – 🛏 📞 🖪. ⚏ fermé dim. soir d'oct. à mai – **Repas** 14/43 ⚏, enf. 8,50 – 😄 5,50 – **23 ch** 36,50/ ½ P 43/47

NORT-SUR-ERDRE 44390 Loire-Atl. 🔞 ⑰ – 5 885 h alt. 13.

🖪 Office du tourisme 12 place du Bassin ℰ 02 51 12 60 74, Fax 02 40 72 17 03.

Paris 369 – Nantes 31 – Ancenis 26 – Châteaubriant 36 – Rennes 82 – St-Nazaire 63.

🍴🍴 **Bretagne** avec ch, 41 r. A. Briand ℰ 02 40 72 21 95, hotel-de-bretagne@wanado Fax 02 40 72 02 62, 斎, ⚏ – 🔟 ⚏ fermé 1er au 22 mars, vend. soir de nov. à avril (sauf hôtel), dim. soir et lundi – **Repas** 15/ enf. 8 – 😄 6,30 – **7 ch** 31/49 – ½ P 47

NORVILLE 76330 S.-Mar. 🔞 ⑤ – 807 h alt. 50.

Voir Château d'Etelan★ S : 1 km, G. Normandie Vallée de la Seine.

Paris 173 – Le Havre 46 – Rouen 46 – Bolbec 19 – Honfleur 45 – Lisieux 72.

🍴 **Auberge de Norville** avec ch, ℰ 02 35 39 91 14, Fax 02 35 38 47 08 – 🔟 📞. ⚏ ⚏ **Repas** (fermé dim. soir et lundi) 11/29 ⚌, enf. 7,60 – 😄 4,30 – **10 ch** 30,50/36,60

NOTRE-DAME-DE-BELLECOMBE 73590 Savoie 🔞 ⑦ G. Alpes du Nord – 510 h alt. 11 Sports d'hiver : 1 150/2 070 ⚏ 19 ⚏.

🖪 Office du tourisme ℰ 04 79 31 61 40, Fax 04 79 31 67 09, info@notredamedel combe.com.

Paris 587 – Chamonix-Mont-Blanc 43 – Albertville 25 – Annecy 54 – Chambéry 76.

🍴 **Ferme de Victorine**, Le Planay, Est : 3 km par rte des Saisies ℰ 04 79 31 63 Fax 04 79 31 79 91, 斎, « Ancienne ferme aménagée » – 🖪. ⚏ ⚏. ❀ fermé 25 juin au 5 juil., 12 nov. au 15 déc., dim. soir et lundi d'avril à juin et de sept. à n Repas 19 (déj.), 23/37, enf. 10,50

NOTRE-DAME-DE-BONDEVILLE 76 S.-Mar. 🔞 ⑥ – rattaché à Rouen.

NOTRE-DAME-DE-GRAVENCHON 76330 S.-Mar. 🔞 ⑤ G. Normandie Vallée de la Sein 8 618 h alt. 35.

Paris 177 – Le Havre 41 – Rouen 51 – Bolbec 15 – Yvetot 25.

🏛 **Pascal Saunier**, 1 r. Amiral Grasset ℰ 02 35 38 60 67, saunierpascal@yahoc Fax 02 35 38 30 64, 斎 – 🛏 🔟 🖪 – ⚏ 20. ⚏ **Repas** (fermé 28 juil. au 11 août et 23 déc. au 2 janv.) 28,68/38,59 ⚌ – 😄 6,86 – 2 51,83/85,57 – ½ P 70,13

'RE-DAME-DE-MONTS 85690 Vendée 67 ⑪ – 1 528 h alt. 6.

Voir *La Barre-de-Monts : Centre de découverte du Marais breton-vendéen N : 6 km*
G. Poitou Vendée Charentes.

🛈 *Office du tourisme 6 rue de la Barre 𝒫 02 51 58 84 97, Fax 02 51 58 15 56.*
Paris 460 – La Roche-sur-Yon 63 – Challans 22 – Nantes 73 – Noirmoutier-en-l'Île 26.

🏛 **Plage,** 145 av. Mer 𝒫 02 51 58 83 09, hotelplage@eurospot.org, Fax 02 51 58 97 12, ≤,
🕾 – 📶 📺 🅿 🅰🅴 ⓪ ☁ ⌾ 🎽
1er avril-1er oct. – **Repas** 18,29/51,83 ⵛ, enf. 9,15 – ⵥ 7,62 – **49 ch** 48,02/79,27 – ½ P 63,72/
70,43

🏛 **Centre,** pl. Église 𝒫 02 51 58 83 05, Fax 02 51 59 16 62, 🎽 – 📺 ❤ ♿ 🅿 🅰🅴 ☁
fermé 1er au 15 janv.,dim. soir et lundi – **Repas** 11,43/25,91 ⵛ, enf. 7,62 – ⵥ 6,64 – **19 ch**
37,50/54 – ½ P 46/54

🏛 **L'Orée du Bois** ⚘, 14 r. Frisot 𝒫 02 51 58 84 04, Fax 02 51 58 81 78, ⛓ – 📺 ❤ ♿ 🅿 ☁
Pâques-fin sept. – **Repas** (dîner seul.)(résidents seul.) 11,50/21,10, enf. 7,20 – ⵥ 6,10 –
30 ch 50,30/55 – ½ P 45,80

'RE-DAME-DU-HAMEL 27390 Eure 55 ⑭ – 194 h alt. 200.

Paris 159 – L'Aigle 21 – Argentan 48 – Bernay 29 – Évreux 55 – Lisieux 40 – Vimoutiers 28.

XX **Moulin de la Marigotière,** ✉ 0 𝒫 02 32 44 58 11, Fax 02 32 44 40 12, 🎽, « Parc en
bordure de rivière », ⚘ – 🅿 ☁
*fermé 1er au 10 juil., 17 fév. au 27 mars, lundi soir sauf juil.-août, dim. soir, mardi soir et
merc.* – **Repas** 22,87 (déj.), 30,49/55,64

Dans ce guide
un même symbole, un même caractère,
*imprimé en couleur ou en **noir**, en maigre ou en **gras**,*
n'ont pas tout à fait la même signification.
Lisez attentivement les pages explicatives.

UAN-LE-FUZELIER 41600 L.-et-Ch. 64 ⑲ – 2 319 h alt. 113.

🛈 *Office du tourisme Place de la Gare 𝒫 02 54 88 76 75, Fax 02 54 88 19 91, nouan.
otsi@wanadoo.fr.*
Paris 178 – Orléans 45 – Blois 59 – Cosne-sur-Loire 74 – Gien 56 – Lamotte-Beuvron 8.

🏛 **Les Charmilles** ⚘ sans rest, D 122-rte Pierrefitte-sur-Sauldre 𝒫 02 54 88 73 55,
Fax 02 54 88 74 55, « Parc », ⚘ – 📺 🅿 ☁ 🎽
fermé fév. – ⵥ 7 – **13 ch** 38/62

XX **Dahu,** 14 r. H. Chapron 𝒫 02 54 88 72 88, Fax 02 54 88 21 28, 🎽, 🌳 – 🅿 ☁
fermé 2 au 12 avril, 2 janv. au 13 fév., mardi et merc. – **Repas** (16) - 20/42 ⵛ, enf. 11

XX **Raboliot,** av. Mairie 𝒫 02 54 94 40 00, Fax 02 54 94 40 04 – 🍽 🅰🅴 ☁
fermé 13 janv. au 22 fév., dim. soir et lundi sauf fériés – **Repas** 15/35 ⵛ **- Bistrot** (déj. seul.)
(fermé week-ends et lundi) **Repas** (10) ⵛ, enf. 8

NOUVION-EN-THIÉRACHE 02170 Aisne 53 ⑮ – 2 917 h alt. 185.

🛈 *Syndicat d'initiative - Hôtel de Ville 𝒫 03 23 97 53 00, Fax 03 23 97 53 01, mairie.nouvion
@wanadoo.fr.*
Paris 199 – St-Quentin 49 – Avesnes-sur-Helpe 20 – Guise 21 – Hirson 26 – Vervins 28.

🏛 **Paix,** r. J. Vimont-Vicary 𝒫 03 23 97 04 55, la.paix.pierrart@wanadoo.fr,
Fax 03 23 98 98 39, 🌳 – 📺 ❤ 🅿 ☁
fermé 1er au 26 août, vacances de fév., dim. soir et sam. midi – **Repas** 14,50/28,50 ⵛ, enf. 8,40
– ⵥ 6 – **15 ch** 43/54 – ½ P 38/58

UZONVILLE 08700 Ardennes 53 ⑱ G. Champagne Ardenne – 6 869 h alt. 120.

Paris 241 – Charleville-Mézières 8 – Givet 53 – Rocroi 26.

XX **Potinière,** Nord : 1 km rte Joigny-sur-Meuse 𝒫 03 24 53 13 88, Fax 03 24 53 36 19, 🎽,
« Jardin fleuri », 🌳 – 🅿 ☁
*fermé 16 août au 5 sept., vac. de fév., dim. soir et lundi d'avril à sept. et le soir de dim. à
merc. d'oct. à mars* – **Repas** 18 (déj.), 26/41, enf. 13

'VALAISE 73 Savoie 74 ⑮ – rattaché à Aiguebelette-le-Lac.

NOVES 13550 B.-du-R. 81 ⑫ G. Provence – 4 440 h alt. 97.

Paris 692 – Avignon 14 – Arles 37 – Carpentras 32 – Cavaillon 17 – Marseille 93 – Orang

🏨 **Auberge de Noves** ⟋, rte Châteaurenard, 2 km par D 28 ℰ 04 90 24 28 28, no
✿ relaischateaux.com, Fax 04 90 24 28 00, ≤, 🏤, « Belle demeure dans un parc », 🏊,
– 🛗 📺 ℰ 🖪 – 🔬 30. 🝝 ⓞ ⑱ 🍩
fermé mi-nov. à mi-déc. – **Repas** *(fermé mardi midi, lundi hors saison et sam. midi)* 37
70/84 et carte 65 à 90 ♈, enf. 21,35 – ➁ 16,75 – **19 ch** 191/343, 4 appart – ½ P 183/2
Spéc. "Portées" de moules. Lapereau en deux cuissons, ravioles à la moutarde. Gra
fraises des bois, sauce au Grand Marnier **Vins** Coteaux d'Aix-en-Provence, Costièr
Nîmes

NOYAL-MUZILLAC 56190 Morbihan 63 ⑭ – 1 920 h alt. 52.

Paris 455 – Vannes 30 – La Baule 45 – St-Nazaire 54.

🏨 **Manoir de Bodrevan** ⟋, au Nord-Est : 2 km par D 153 et rte secon
ℰ 02 97 45 62 26, Fax 02 97 45 61 40, 🌤 – 📺 ℰ 🖪, 🝝. 🛇 rest
fermé 7 janv. au 17 fév. et 5 nov. au 15 déc. – **Repas** *(dîner seul.)(résidents seul.)(r*
unique) 20,80 – ➁ 9,20 – **6 ch** 70/94 – ½ P 61/73,20

NOYAL-SUR-VILAINE 35 I.-et-V. 59 ⑰ – rattaché à Rennes.

NOYANT-DE-TOURAINE 37 I.-et-L. 68 ④ – rattaché à Ste-Maure-de-Touraine.

NOYON 60400 Oise 56 ③ G. Picardie Flandres Artois – 14 471 h alt. 52.

Voir Cathédrale Notre-Dame★★ – Abbaye d'Ourscamps★ 5 km par N 32.

🖪 *Office du tourisme Place de l'Hôtel de Ville* ℰ 03 44 44 21 88, Fax 03 44 93 3
tourisme@noyon.com.

Paris 108 – Compiègne 24 – St-Quentin 48 – Amiens 70 – Laon 53 – Soissons 40.

🏨 **Cèdre** sans rest, 8 r. Évêché ℰ 03 44 44 23 24, reservation@hotel-lecedre.
Fax 03 44 09 53 79 – ⇆ 📺 ℰ 🖪 – 🔬 40. 🝝 ⓞ ⑱ 🍩
➁ 6,50 – **35 ch** 57/66,50

XXX **Saint-Eloi** avec ch, 81 bd Carnot ℰ 03 44 44 01 49, Fax 03 44 09 20 90 – 📺 ℰ 🖪 – 🔬
🝝 ⓞ ⑱ 🍩
fermé 16 juil. au 11 août, 26 au 31 déc. et dim. soir – **Repas** 19,50/36,50 et carte 36 à 4
➁ 7 – **18 ch** 40/53 – ½ P 48/55

XX **Dame Journe**, 2 bd Mony ℰ 03 44 44 01 33, Fax 03 44 09 59 68 – 🗐. 🝝 ⑱
✿ *fermé 15 au 31 août, 1ᵉʳ au 7 janv., mardi soir, dim. soir et lundi* – **Repas** 18/38 ♈

à Pont l'Évêque Sud : 3 km par N 32 et D 165 – 803 h. alt. 35 – ✉ 60400 :

X **L'Auberge**, ℰ 03 44 44 05 17, auberge60@hotmail.com, Fax 03 44 44 39 50, 🏤 – 📺
🍩
fermé 16 au 30 août, dim. soir, mardi soir et merc. – **Repas** 15/31 ♈

NUAILLÉ 49 M.-et-L. 67 ⑥ – rattaché à Cholet.

NUITS-ST-GEORGES 21700 Côte-d'Or 66 ⑫ G. Bourgogne – 5 573 h alt. 243.

🖪 *Office du tourisme Rue Sonoys* ℰ 03 80 62 01 38, Fax 03 80 61 30 98, ot-Nuit
Georges@wanadoo.fr.

Paris 321 – Beaune 22 – Dijon 22 – Chalon-sur-Saône 46 – Dole 67.

🏨 **Gentilhommière** ⟋, rte Meuilley, Ouest : 1,5 km ℰ 03 80 61 12 06, contact@l
tilhommiere.fr, Fax 03 80 61 30 33, 🏤, « Parc avec rivière », 🏊, ℀, ℥ – 📺 ℰ 🖪 – 🔬
🝝 ⓞ ⑱ 🍩
fermé mi-déc. à mi-janv. – **Chef Coq** *(fermé merc. midi, sam. midi et mardi)* R
22,50(déj.),38,50/53,50 ♈, enf. 14 – ➁ 8 – **30 ch** 75/152,50

🏨 **Hostellerie St-Vincent** 🅼, r. Gén. de Gaulle ℰ 03 80 61 14 91, hostellerie.stvinc
wanadoo.fr, Fax 03 80 61 24 65 – 🛗 📺 ℰ 🖪 – 🔬 25 à 40. 🝝 ⓞ ⑱ 🍩
fermé 15 fév. au 1ᵉʳ mars – **L'Alambic** ℰ 03 80 61 35 00 *(fermé 15 fév. au 1ᵉʳ mars et*
midi sauf fériés) Repas (13)-16,50/39 ♈, enf. – ➁ 7,52 – **24 ch** 57,17/60,98 – ½ P 54,12

à l'échangeur Autoroute A 31 - carrefour de l'Europe – ✉ 21700 Nuits-St-Georges :

🏨 **St-Georges** (annexe 🏨 🅼 17 ch.), ℰ 03 80 62 00 62, hotel-saint-georges@wanadc
Fax 03 80 61 23 80, 🏤, 🏊, – 📺 ℰ 🖪, 🚓 🖪 – 🔬 30. 🝝 ⓞ ⑱
Repas 15 (déj.), 21/43 ♈ – ➁ 8 – **47 ch** 45/54 – ½ P 54/57

rtil-Vergy Nord-Ouest : 7 km par D 25, D 35 et rte secondaire – 85 h. alt. 350 – ⊠ 21220 :

🏠 **Manassès** Ⓜ ⚘ sans rest, ℘ 03 80 61 43 81, Fax 03 80 61 42 79, « Musée de la vigne et du vin », 🌺 – 📺 ☎ 🅿 🆎 ⓪ 🆚. ❄
mars- nov. – ⊇ 9,15 – **12 ch** 68,60/91,47

ONS ⟨🚲⟩ 26110 Drôme 🔠 ③ G. Provence – 6 723 h alt. 271.

Voir Vieux Nyons★ : Rue des Grands Forts★ – Pont Roman (vieux Pont)★.

🅱 Office du tourisme Place de la Libération ℘ 04 75 26 10 35, Fax 04 75 26 01 57, ot.nyons@wanadoo.fr.

Paris 659 ④ – Alès 108 ③ – Gap 104 ① – Orange 43 ③ – Sisteron 99 ① – Valence 98 ④.

NYONS

Autiero (Pl.) 2	Digue (Promenade de la) 4
Chapelle (R. de la) 3	Liberté (R. de la)........ 6
	Maupas (Rue) 8
Petits-Forts (R. des)..... 10	
Randonne (R.).......... 12	
Résistance (R. de la)........... 14	

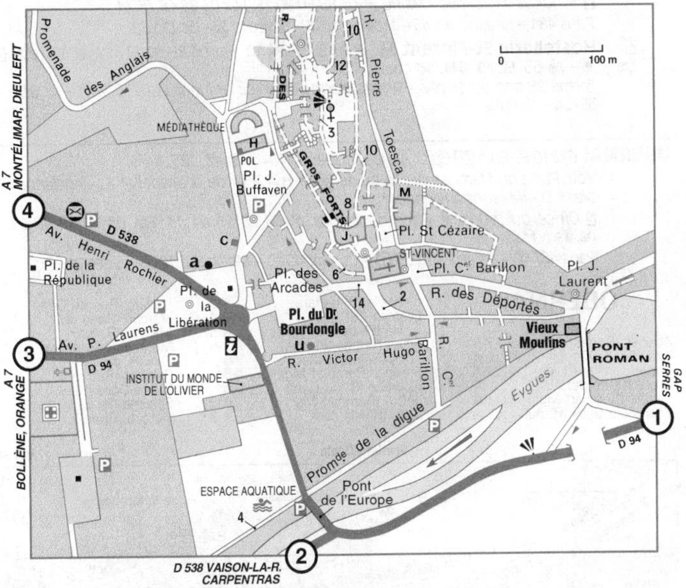

🏠 **Colombet,** pl. Libération **(a)** ℘ 04 75 26 03 66, thevenet@worldonline.fr, Fax 04 75 26 42 37, 🌺 – 🛗, 🍽 rest, 📺 ☎ 🖚. 🆚
fermé 15 nov. au 25 janv. – **Repas** 18 (déj.), 21/34,50 ♉, enf. 12,20 – ⊇ 7,70 – **25 ch** 67/110 – ½ P 55/143

🏠 **Caravelle** ⚘ sans rest, r. Antignans par prom. Digue ℘ 04 75 26 07 44, Fax 04 75 26 23 79, chambres exclusivement non-fumeurs, 🌺 – ✂ 📺 🅿. 🆚. ❄
fév.-oct. – ⊇ 8 – **11 ch** 66/80

🏠 **Picholine** ⚘, prom. Perrière par prom. des Anglais, Nord : 1 km ℘ 04 75 26 06 21, Fax 04 75 26 40 72, ≤, 🌺, ⧆, 🌺 – 🍽 rest, 📺 🅿 – 🅰 15. 🆚
fermé 13 oct. au 5 nov. et 2 au 25 fév. – **Repas** (fermé lundi d'oct. à avril et mardi) 21,50/37, enf. 10 – ⊇ 7 – **16 ch** 52/66 – ½ P 55/62

🍴 **Une Autre Maison** avec ch, pl. République, par ④ ℘ 04 75 26 43 09, nyons@uneautre maison.com, Fax 04 75 26 93 69, 🌺, 🌺 – 🍽 ch, 📺 ☎. 🆎 🆚
fermé 4 nov. au 15 déc. et 6 au 31 janv. – **Repas** (fermé dim. soir et lundi) (dîner seul. en semaine) 32/37, enf. 12 – ⊇ 12 – **6 ch** 125/140 – ½ P 100

🍴 **Petit Caveau,** 9 r. V. Hugo **(u)** ℘ 04 75 26 20 21, Fax 04 75 26 07 28 – 🍽. 🆚
fermé 15 nov. au 26 déc., jeudi soir hors saison, lundi sauf fériés et dim. soir – **Repas** 26/37

NYONS

rte de Gap par ① : 7 km sur D 94 – ⊠ 26110 Nyons :

　X **Charrette Bleue,** ℰ 04 75 27 72 33, Fax 04 75 27 76 14, 龠 – 𝐏. 𝐆𝐁
　⊛　fermé 28 oct. au 6 nov., 18 déc. au 31 janv., mardi soir de sept. à juin, dim. soir de mi-se
　　mars et merc. – Repas 15 (déj.), 20/30 ♀, enf. 8

à Mirabel-aux-Baronnies par ② et D 538 : 7 km – 1 335 h. alt. 263 – ⊠ 26110 :
　　Voir Office de Tourisme ℰ 04 75 27 13 93, Fax 04 75 27 13 93.
　🛈 Office de tourisme Place des Pas Perdus ℰ 04 75 27 13 93, Fax 04 75 27 13 93.

　X **Coloquinte,** av. Résistance ℰ 04 75 27 19 89, Fax 04 75 27 19 99, 龠 – 𝐆𝐁
　　fermé 15 fév. au 1ᵉʳ mars, merc. d'oct. à mars et sam. midi – Repas 19,80/32

rte d'Orange par ③ : 6 km sur D 94 – ⊠ 26110 Nyons :

　XX **Croisée des Chemins,** ℰ 04 75 27 61 19, Fax 04 75 27 68 55, 龠 – 𝐏. 𝐆𝐁
　　fermé vacances de fév.; dim. soir hors saison, mardi soir et merc. – Repas (13,72) - 19
　　36,58

OBERHASLACH 67280 B.-Rhin 𝟔𝟐 ⑨ G. Alsace Lorraine – 1 505 h alt. 270.
　🛈 Syndicat d'initiative - Mairie ℰ 03 88 50 90 15, Fax 03 88 48 75 24.
　Paris 481 – Strasbourg 45 – Molsheim 16 – Saverne 32 – St-Dié 58.

　🏠 **Hostellerie St-Florent** Ⓜ, ℰ 03 88 50 94 10, Fax 03 88 50 99 61 – ▯, ▤ rest, 📺 ▾
　⊛　𝐏 – 𝚊 35. 𝐀𝐄 ⓞ 𝐆𝐁 ⋘ ch
　　fermé 28 déc. au 1ᵉʳ fév. – Repas (fermé dim. soir et lundi) 13,72/36,59 ♀ – ⊆ 6,50 – 2◀
　　39/54 – ½ P 43

OBERNAI 67210 B.-Rhin 𝟔𝟐 ⑨ G. Alsace Lorraine – 10 471 h alt. 185.
　Voir Place du Marché★★ – Hôtel de ville★ H – Tour de la Chapelle★ L – Ancienne halle
　blés★ D – Maisons anciennes★.
　🛈 Office du tourisme Place du Beffroi ℰ 03 88 95 64 13, Fax 03 88 49 90 84, ote
　nai@sdv.fr.
　Paris 487 ① – Strasbourg 35 ① – Colmar 49 ② – Molsheim 12 ① – Sélestat 27 ②.

OBERNAI

Acacias (R. des) . . . . **AB**	Chapelle (R. de la) . . . . **A** 3	Leclerc (Rue du Gén.)	
Altav (R. de l') . . . . **A**	Dietrich (R.) . . . . **A** 4	Marché (Place du) . . . . **A**	
Bernardswiller (R. de) . . . . . . **A**	Étoile (Pl. de l') . . . . **A** 5	Marché (R. du)	
Bœrsch (Rte de) . . . . **A**	Fines Herbes (Pl. des) . . . . **AB** 6	Montagne (R. de la)	
Caspar (Rempart Mgr.) . . . . . **A**	Foch (Rempart Mar.) . . . . **B**	Paix (R. de la)	
Chamoine Gyss (R. du) . . . . **A** 2	Freppel (Rempart Mgr.) . . . . **AB**	Pèlerins (Rue des)	
	Gouraud (R. du Gén.) . . . . . **AB**	Sainte-Odile (Rue)	
	Joffre (Rempart Mar.) . . . . . . **A**	Sélestat (R. de)	
	Juifs (Ruelle des) . . . . **A** 8	Victoire (R. de la)	

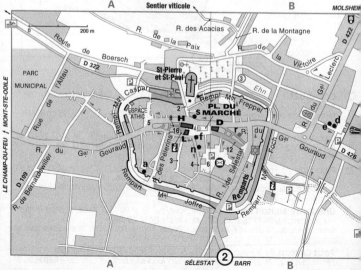

🏛 **Parc** Ⓜ ⊗, 169 r. Gén. Gouraud, à l'Ouest par D 426 ℰ 03 88 95 50 08, *leparc@imaginet.fr*, Fax 03 88 95 37 29, 👭, ⬛, ⬛, ☞ – 📳, 🍴 rest, 📺 ❤ ও 🅿 – 🔏 60 à 120. 🖭 ⅏
fermé 1er au 13 juil. et 2 déc. au 6 janv. – **Repas** *(fermé dim. soir, lundi et le midi sauf dim.)* 35/65 �, enf. 14 - *Stub* *(déj. seul.)* *(fermé dim. et lundi)* **Repas** carte 20 à 30 ♍ – ☞ 13 – **44 ch** 115/180, 6 appart, 3 studios – ½ P 115/143

🏛 **A la Cour d'Alsace** Ⓜ ⊗, 3 r. Gail ℰ 03 88 95 07 00, *info@cour-alsace.com*, Fax 03 88 95 19 21, 😃, ☞ – 📳 📺 🍴 🅿 – 🔏 60. 🖭 ⅏ ⅏. 🍴 A a *fermé 26 déc. au 24 janv.* – **Jardin des Remparts** *(fermé 1er au 22 août, lundi, mardi et merc.)* **Repas** 39 (déj.), 42/59 ♍, enf. 14 – *Caveau de Gail* *(fermé jeudi soir)* **Repas** 28,20/40,40 ♍, enf. 14 – ☞ 10 – **44 ch** 118/146 – ½ P 104/114,50

🏛 **Colombier** sans rest, 6 r. Dietrich ℰ 03 88 47 63 33, *hotel.colombier@wanadoo.fr*, Fax 03 88 47 63 39 – 📳 📺 ❤ ও 🚗. 🖭 ⅏ ⅏ A n ☞ 9 – **40 ch** 68/74, 4 appart

🏨 **Les Jardins d'Adalric** Ⓜ ⊗ sans rest, 19 r. Mar. Koenig par ① ℰ 03 88 47 64 47, *jardins .adalric@wanadoo.fr*, Fax 03 88 49 91 80, ⬛, ☞, 🍴 – 📳 🥢 📺 ❤ ও 🅿 – 🔏 25. 🖭 ⅏ ☞ 9 – **46 ch** 60,25/79,30

🏨 **Diligence** sans rest, 23 pl. Mairie ℰ 03 88 95 55 69, *hotel.la.diligence@wanadoo.fr*, Fax 03 88 95 42 46 – 📳 📺 ❤ 🅿. 🖭 ⅏ 🄹🄲🄱 A f ☞ 8,50 – **25 ch** 43/69

Annexe Résidence Bel Air 🏠 ⊗ sans rest, à 1 km, 2 r. Haute Corniche ℰ 03 88 95 60 05, Fax 03 88 95 42 46, ☞ – 📺 🚗 🅿. 🖭 ⅏ 🄹🄲🄱 ☞ 8,50 – **15 ch** 46/76

🏨 **Hostellerie Duc d'Alsace** sans rest, 6 r. Gare ℰ 03 88 95 55 34, *ducalsace@pande monium.fr*, Fax 03 88 95 00 92 – 📺 ❤ – 🔏 25. ⅏ B e ☞ 10 – **19 ch** 55/92

🏠 **Vosges**, 5 pl. Gare ℰ 03 88 95 53 78, Fax 03 88 49 92 65, 😃 – 📳 📺 ও. 🖭 ⅏ B d ⊗ **Repas** *(fermé 24 juin au 8 juil., 13 janv. au 3 fév., dim. soir hors saison et lundi)* 13,72/22,87 ♍ – ☞ 8,38 – **22 ch** 45,73/53,36 – ½ P 51,83

🏠 **Cloche**, 90 r. Gén. Gouraud ℰ 03 88 95 52 89, *hotel.lacloche@wanadoo.fr*, Fax 03 88 95 07 63 – 📳 rest, 📺 ❤. ⅏. 🍴 ch A s *fermé 4 au 19 janv.* – **Repas** ℰ03 88 49 90 43 *(fermé dim. soir de mi-nov. à mars)* (12) - 23/36 ♍, enf. 5 – ☞ 5,50 – **20 ch** 43/49 – ½ P 42/44,50

🍴🍴🍴 **Fourchette des Ducs** (Stamm), 6 r. Gare ℰ 03 88 48 33 38, Fax 03 88 95 44 39 – 🖭 ⅏ ❁ ⅏ B e *fermé 29 juil. au 22 août, le midi sauf dim et fériés, dim. soir et lundi* – **Repas** 30/60 et carte 50 à 65 ♍ **Spéc.** Trilogie de foies gras de canard et d'oie. Sandre piqué de lard fumé sur choucroute. Noisttes de chevreuil, pommes-fruits et champignons des bois.

🍴🍴 **Cour des Tanneurs**, ruelle du canal de l'Ehn ℰ 03 88 95 15 70, Fax 03 88 95 43 84 – 🍴. ⅏ B r *fermé 21 déc. au 3 janv., 1er au 14 juil., mardi soir et merc.* – **Repas** 20,10/29,10 ♍

Ottrott *Ouest : 4 km par D 426 – 1 513 h. alt. 268 – ⊠ 67530 :*
Voir *Couvent de Ste-Odile : ⛪⋆⋆ de la terrasse, chapelle de la Croix⋆ SO : 11 km - pèlerinage 13 décembre.*
🛈 *Syndicat d'initiative 46 rue Principale ℰ 03 88 95 83 84, Fax 03 88 95 90 59.*

🏛 **Hostellerie des Châteaux** Ⓜ ⊗, Ottrott-le-Haut ℰ 03 88 48 14 14, *hostellerie-chateaux@wanadoo.fr*, Fax 03 88 48 14 18, ≤, 😃, 👭, ⬛, ☞ – 📳 🍴 📺 ❤ ও 🅿 – 🔏 30 à 100. 🖭 ⅏ ⅏ *fermé fév.* – **Repas** *(fermé 25 juil. au 8 août, dim. soir et lundi hors saison)* 35,06/79,27 ও, enf. 15,24 – ☞ 12,96 – **60 ch** 106,71/396,37, 6 appart – ½ P 111,29/253,07

🏛 **Beau Site** Ⓜ, Ottrott-le-Haut ℰ 03 88 95 80 61, *hostellerie-chateaux@wanadoo.fr*, Fax 03 88 48 14 18, 😃 – 📳 📺 ❤ ও 🅿. 🖭 ⅏ ⅏ *fermé 25 juil. au 8 août et fév.* – **Repas** *(fermé lundi et mardi)* 13,72 (déj.), 26/33,54 ♍, enf. 10 – ☞ 9,91 – **18 ch** 79,27/152,45 – ½ P 76,22/119,81

🏨 **A l'Ami Fritz** Ⓜ, Ottrott-le-Haut ℰ 03 88 95 80 81, *ami-fritz@wanadoo.fr*, ⓐ Fax 03 88 95 84 85, 😃 – 📳 📺 ❤ ও 🅿 🖭 ⅏ *fermé 26 juin au 12 juil. (sauf hôtel) et 8 au 31 janv.* – Repas *(fermé merc.)* 19/60 ♍ – ☞ 10 – **22 ch** 63/89 – ½ P 62/76

🏨 **Clos des Délices**, rte Klingenthal, Nord-Ouest : 1 km par D 426 ℰ 03 88 95 81 00, Fax 03 88 95 97 71, 😃, « Parc », ⬛, 🏋 – 📳 📺 🅿 – 🔏 80. 🖭 ⅏ ⅏. 🍴 rest **Repas** *(fermé dim. soir sauf fériés et merc.)* (18,50) - 24,50 (déj.), 39/58 ♍, enf. 11 – ☞ 9,50 – **22 ch** 89/104 – ½ P 74/80

🏨 **Domaine Le Moulin**, rte Klingenthal, Nord-Ouest : 1 km par D 426 ☎ 03 88 95 87 33
domaine.le.moulin@wanadoo.fr, Fax 03 88 95 98 03, 🉐, « Parc », ✕, 🏊 – 🖢 📺 📞 🕭 🄿 –
🚗 25. ⊖⊟
fermé 20 déc. au 15 janv. – **Repas** (fermé sam. midi, dim. soir et lundi midi) 24,40 bc/50 ♀
enf. 12,20 – ☎ 8 – **17 ch** 49/73,20, 3 duplex – ½ P 58/65

🏨 **Aux Chants des Oiseaux**, ami-fritz@ ☎ 03 88 95 87 39, ami-fritz@
wanadoo.fr, Fax 03 88 95 84 85, ≤, sans rest, Ottrott-le-Haut – 📺 📞 🄿 – 🚗 25. ⚎ ⑪ ⊖⊟
fermé 27 juin au 12 juil. et 7 au 31 janv. – ☎ 10 – **17 ch** 50/63

à Boersch Ouest : 4 km par D 322 – 2 107 h. alt. 225 – ⊠ 67530 :

✕✕ **Chatelain**, ☎ 03 88 95 83 33, Fax 03 88 95 80 63, 🉐, « Décor rustique, petit musée de
tonnelier » – 🄿. ⚎ ⑪ ⊖⊟
fermé 15 janv. au 12 fév., jeudi midi, mardi midi et lundi – **Repas** 23 bc (déj.), 30/55 ♀
Winstub (fermé 3 fév.au 3 mars) **Repas** 18,30/23 bc et carte le dim. environ 20 ♀, enf. 9,1

OBERSTEIGEN 67 B.-Rhin 🗺 ⑧ G. Alsace Lorraine – ⊠ 67710 Wangenbourg.
Voir Vallée de la Mossig★ E : 2 km.
Paris 466 – Strasbourg 38 – Molsheim 27 – Sarrebourg 32 – Saverne 16 – Wasselonne 13.

🏨 **Hostellerie Belle Vue** ≫, ☎ 03 88 87 32 39, hostellerie.belle-vue@wanadoo.f
Fax 03 88 87 37 77, ≤, 🉐, 🕭, 🏊, 🌳 – 🖢, 🖴 rest, 📺 📞 🄿 – 🚗 40. ⚎ ⑪ ⊖⊟ ⬚⬚ ✕ re
28 mars-2 janv. et fermé dim. soir et lundi hors saison – **Repas** 15/43 ♀, enf. 9,50 – ☎ 8
32 ch 61/69, 6 appart – ½ P 61

OBERSTEINBACH 67510 B.-Rhin 🗺 ⑱ ⑲ G. Alsace Lorraine – 184 h alt. 239.
Paris 459 – Strasbourg 69 – Bitche 22 – Haguenau 34 – Wissembourg 25.

✕✕✕ **Anthon** ≫ avec ch, ☎ 03 88 09 55 01, anthon2@wanadoo.fr, Fax 03 88 09 50 52, 🉐, ⤜
– 🄿. ⊖⊟
fermé janv., mardi et merc. – **Repas** 24/61 et carte 40 à 65 ♀, enf. 11 – ☎ 9 – **9 ch** 56
½ P 72

OBJAT 19130 Corrèze 🗺 ⑧ – 3 372 h alt. 131.
🗓 Office du tourisme Place Jules Ferry ☎ 05 55 25 96 73, Fax 05 55 25 97 45, tourism
objat@cc-bassinobjat.com.
Paris 472 – Brive-la-Gaillarde 21 – Limoges 78 – Tulle 40 – Uzerche 30.

🏨 **France**, av. G. Clemenceau (vers la gare) ☎ 05 55 25 80 38, Fax 05 55 25 91 87 – 🖴 re
📺 📞 🄿. ⊖⊟
fermé 15 sept. au 2 oct., sam. soir sauf hôtel et dim. hors saison – **Repas** 11,43/32,01
enf. 7,62 – ☎ 5,34 – **27 ch** 22,87/33,54 – ½ P 30,49/33,54

à St-Aulaire par rte des 4 Chemins : 3 km – 744 h. alt. 251 – ⊠ 19130 :

✕ **Bellevue** ≫ avec ch, ☎ 05 55 25 81 39, contact@auberge.bellevue.co.
Fax 05 55 84 12 01, ≤, 🉐 – 🄿. ⚎ ⑪ ⊖⊟, ✕ ch
fermé 1er au 15 janv., vacances de fév., dim. soir et lundi hors saison – **Repas** (7,4
9,91/24,39 ♀, enf. 7 – ☎ 5,34 – **9 ch** 38,11/42,70 – ½ P 38,11

OCHIAZ 01 Ain 🗺 ⑤ – rattaché à Bellegarde-sur-Valserine.

OCTON 34800 Hérault 🗺 ⑤ – 397 h alt. 185.
Paris 713 – Montpellier 56 – Béziers 57 – Lodève 15.

🏨 **Mas de Clergues** ≫, ☎ 04 67 96 08 84, Fax 04 67 44 41 26, ≤, 🉐, 🏊 – 🄿. ⊖⊟
fermé janv. – **Repas** (fermé lundi hors saison) 16 bc (déj.), 20/28 ♀ – ☎ 5 – **13 ch** 45/5
½ P 46,50

ODENAS 69460 Rhône 🗺 ① – 735 h alt. 300.
Paris 427 – Mâcon 33 – Bourg-en-Bresse 53 – Lyon 50 – Villefranche-sur-Saône 14.

✕ **Christian Mabeau**, ☎ 04 74 03 41 79, christianmabeau@france-beaujolais.co
Fax 04 74 03 49 40, 🉐, « Terrasse en bordure des vignes » – ⊖⊟
fermé 1er au 20 sept., 2 au 20 janv., dim. soir et lundi – **Repas** 21/58, enf. 14

OEYRELUY 40 Landes 🗺 ⑦ – rattaché à Dax.

OGNES 02 Aisne 🗺 ③ – rattaché à Chauny.

E 85140 Vendée **67** ⑮ – 835 h alt. 102.
Paris 390 – La Roche-sur-Yon 30 – Cholet 40 – Nantes 62 – Niort 93.

🏠 **Grand Turc** Ⓜ, ℘ 02 51 66 08 74, Fax 02 51 66 14 13, ⌿ – 📶 📺 ♥ 🅿. 🖭 ⓪ 🇬🇧
fermé vacances de printemps, de Noël et dim. – **Repas** 15,50/29 ♖ – ☑ 6,10 – **19 ch**
43,90/55,20 – ½ P 51

GT 69620 Rhône **73** ⑨ – 523 h alt. 550.
Paris 447 – Roanne 62 – Lyon 38 – Tarare 21 – Villefranche-sur-Saône 16.

✗✗ **Donjon**, ℘ 04 74 71 20 24, Fax 04 74 71 10 91, ⌿, 🛋 – 🇬🇧
fermé vacances de printemps, 2 au 19 janv., mardi soir et merc. – **Repas** 19,06/42,69 ♓

ON 79100 Deux-Sèvres **68** ② G. Poitou Vendée Charentes – 945 h alt. 95.
Voir *Château*★★.
Paris 329 – Poitiers 56 – Loudun 15 – Parthenay 41 – Thouars 12.

✗✗ **Relais du Château** avec ch, ℘ 05 49 96 54 96, relaisduchateau@aol.fr,
🇬🇧 Fax 05 49 96 54 45, 🛋 – 📺 ♥ ♿. 🇬🇧
fermé vacances de fév., lundi (sauf hôtel), dim. soir et soirs fériés – **Repas** 12,20/35,06 ♓ –
☑ 4,57 – **14 ch** 25,92/35,06 – ½ P 29,73/32,01

LY 41700 L.-et-Ch. **64** ⑰ – 310 h alt. 120.
Paris 208 – Tours 61 – Blois 27 – Châteauroux 79 – Romorantin-Lanthenay 32.

✗✗ **St-Vincent**, ℘ 02 54 79 50 04, Fax 02 54 79 50 04, 🛋 – 🇬🇧
🐾 *fermé 20 déc. au 31 janv., lundi soir du 15 nov. à Pâques, mardi et merc. –* **Repas** 21/44 ♓,
enf. 13

En juin et en septembre,
les hôtels sont moins chers qu'en pleine saison, le service est plus soigné.

ON 18700 Cher **65** ⑪ – 752 h alt. 230.
Paris 181 – Bourges 55 – Orléans 72 – Cosne-sur-Loire 36 – Gien 29 – Salbris 38 – Vierzon 50.

✗ **Les Rives de l'Oizenotte**, à l'étang de Nohant, Est : 1 km ℘ 02 48 58 06 20,
Fax 02 48 58 28 97, ⌿, 🛋, « Au bord d'un étang » – 🅿. 🇬🇧
fermé vacances de fév., lundi soir, mardi et merc. – **Repas** (nombre de couverts limité,
prévenir) 9,90 (déj.), 16/22,10 ♖, enf. 7,35

ARGUES 34390 Hérault **83** ③ – 571 h alt. 183.
🅱 Office du tourisme Avenue de la Gare ℘ 04 67 97 71 26, Fax 04 67 97 78 93.
Paris 752 – Béziers 57 – Carcassonne 83 – Castres 73 – Lodève 54 – Narbonne 65.

🏨 **Domaine de Rieumégé** ⌚, rte St-Pons : 3 km ℘ 04 67 97 73 99, rieumege@wanadoo
.fr, Fax 04 67 97 78 52, 🛋, 🍲, ⚘, ✗ – 🅿. 🖭 ⓪ 🇬🇧
1er avril-31 oct. – **Repas** *(fermé sam. et dim. sauf juil.-août)* 20 (déj.), 33/40 ♓ – ☑ 11 – **12 ch**
80/122 – ½ P 74/99

EMPS 12 Aveyron **80** ② – rattaché à Rodez.

ÉRON (Ile d') ★ *17 Char.-Mar.* **71** ⑬ ⑭ *G. Poitou Vendée Charentes.*
Accès *par le pont viaduc :* Passage gratuit.

---

yardville – ⊠ 17190 St-Georges-d'Oléron.
Paris 522 – La Rochelle 82 – Marennes 24 – Rochefort 45 – Saintes 64.

✗✗ **Bains** avec ch, au port ℘ 05 46 47 01 02, Fax 05 46 47 16 90, 🛋 – 📺. 🖭 ⓪ 🇬🇧 🇯🇨🇧
18 mai-22 sept. – **Repas** *(fermé merc. du 18 mai au 3 juil.)* 15/55 ♓, enf. 9 – ☑ 5,50 – **11 ch**
29/45 – ½ P 43/49

Brée-les-Bains – 760 h alt. 5 – ⊠ 17840.
Paris 522 – La Rochelle 90 – Marennes 32 – Rochefort 53 – Royan 61.

🏠 **Chaudrée**, ℘ 05 46 47 81 85, alvalere@free.fr, Fax 05 46 75 73 99, 🛋, 🍲, ⚘ – 🖥 📺.
🇬🇧 *29 mars-4 oct. –* **Repas** *(fermé mardi sauf vacances scolaires)* 13/16 ♖, enf. 6,10 – ☑ 6,40 –
17 ch 66/75 – ½ P 53/57,50

OLÉRON (Ile d')

Château d'Oléron – *3 552 h alt. 9 – ⊠ 17480.*

🛈 *Office du tourisme Place de la République ℘ 05 46 47 60 51, Fax 05 46 47 7 chatolero@ot-chateau-oleron.*
Paris 508 – La Rochelle 70 – Royan 41 – Marennes 12 – Rochefort 33.

France, 11 av. Mar. Foch ℘ 05 46 47 60 07, Fax 05 46 75 21 55, 🏠 – 🔟, ⚙ ⓞ ⬛
fermé 20 déc. au 10 janv. – **Repas** *(fermé dim. soir et lundi sauf juil.-août)* (12) - 15/30 ₽
– **11 ch** *34/47*

La Cotinière – *⊠ 17310 St-Pierre-d'Oléron.*

Paris 513 – La Rochelle 81 – Royan 52 – Marennes 22 – Rochefort 44 – Saintes 63.

Motel Ile de Lumière ⚓ *sans rest, av. Pins ℘ 05 46 47 10 80, ile.de.lumiere@wan fr, Fax 05 46 47 30 87, ≤, « Dans les dunes », 🛁, 🏊, 🌳, ✗ – cuisinette 🔟 🅿. ⬛
29 mars-30 sept. –* **45 ch** 🖙 106

Face aux Flots, ℘ 05 46 47 10 05, face.aux.flots@wanadoo.fr, Fax 05 46 47 45 9
🏠, 🏊 – 🔟 🅰. ⚙ ⬛
fermé 12 nov. au 10 fév. sauf vacances de Noël – **Repas** 16/30 ₽ – 🖙 7 – **21 ch** 52
½ P 55/66

St-Georges-d'Oléron – *3 287 h alt. 10 – ⊠ 17190.*

🛈 *Office du tourisme 28 rue des Dames ℘ 05 46 76 63 75, Fax 05 46 76 86 49.*
Paris 517 – La Rochelle 85 – Marennes 27 – Rochefort 48 – Saintes 68.

aux Sables Vignier *Sud-Ouest : 6 km par rte de Chéray et rte secondaire – ⊠ 17190 St-Geo d'Oléron :*

Hermitage ⚓, ℘ 05 46 76 52 56, lhermitage@wanadoo.fr, Fax 05 46 76 67 76, 🏊, ≡ rest, 🔟 🅰. – 🏋 40. ⬛. ✗ rest
hôtel : 1ᵉʳ avril-10 oct. ; rest. : 1ᵉʳ avril-30 sept. – **Repas** 18/44 ₽ – 🖙 6,40 – **34 ch** 46
½ P 60

St-Pierre-d'Oléron – *5 944 h alt. 8 – ⊠ 17310.*

Voir Église ✳★.

🛈 *Office du tourisme Place Gambetta ℘ 05 46 47 11 39, Fax 05 46 47 10 41, o tourisme-saint-pierre-oleron@wanadoo.fr.*
Paris 520 – La Rochelle 81 – Royan 52 – Marennes 22 – Rochefort 44 – Saintes 63.

XXX **Auberge de la Campagne,** D 734 ℘ 05 46 47 25 42, Fax 05 46 75 16 04, 🏠, 🌳 ⚙ ⬛. ✗
15 avril-Toussaint et fermé dim. soir et lundi – **Repas** 25 (déj.), 30/45 et carte 48 à ⚫ enf. 15

XX **Moulin du Coivre,** D 734 ℘ 05 46 47 44 23, Fax 05 46 47 33 57, 🏠 – 🅿. ⬛
fermé dim. soir., lundi hors saison et mardi soir – **Repas** 21/26

X **Alizés,** 4 r. Dubois-Aubry ℘ 05 46 47 20 20 – ⬛
fermé mi-nov. à mi-déc., mi-janv. à début fév., mardi et merc. sauf juil.-août et fér **Repas** 12,96/28,20 ₽, enf. 7,32

St-Trojan-les-Bains – *1 624 h alt. 5 – ⊠ 17370.*

🛈 *Office du tourisme Carrefour du Port ℘ 05 46 76 00 86, Fax 05 46 76 17 64.*
Paris 514 – La Rochelle 74 – Royan 45 – Marennes 16 – Rochefort 37 – Saintes 57.

Novotel Ⓜ ⚓, plage de Gatseau, Sud : 2,5 km ℘ 05 46 76 02 46, h0417@accor-hc com, Fax 05 46 76 09 33, ≤, 🏠, centre de thalassothérapie, « En forêt près de la m 🛁, 🏊, 🌳, ✗ – 🛗 ✗, ≡ ch, 🔟 🕐 🅰. – 🏋 25. ⚙ ⓞ ⬛
fermé 1ᵉʳ au 21 déc. – **Repas** 24,50 ₽, enf. 11 – 🖙 11 – **80 ch** 130/150 – ½ P 98,50/10

Forêt Ⓜ ⚓, bd P. Wiehn ℘ 05 46 76 00 15, Fax 05 46 76 14 67, ≤, 🏊, 🌳 – 🛗, ≡ res 🕐 🅿. ⬛
29 mars-29 sept. – **Repas** 15/38 ₽, enf. 9 – 🖙 7 – **43 ch** 53/95 – ½ P 49/73

L'Albatros ⚓, 11 bd Dr Pineau ℘ 05 46 76 00 08, Fax 05 46 76 03 58, ≤, 🏠 – ≡ res 🕐 🅿. ⬛
7 fév-4 nov. – **Repas** 27,40 – 🖙 7 – **13 ch** 59/61 – ½ P 53/58

Homard Bleu, 10 bd Félix Faure ℘ 05 46 76 00 22, Fax 05 46 76 14 95, ≤, 🏠 – 🔟 🕐 ⓞ ⬛
fermé 1ᵉʳ nov. au 22 déc., 2 janv. au 15 fév., mardi et merc. du 25 sept. à Pâques – **Re** 16,01/40,40, enf. 9,91 – 🖙 6,86 – **20 ch** 60,98 – ½ P 61,74

X **Belle Cordière,** 76 r. République ℘ 05 46 76 12 87, Fax 05 46 75 24 74, 🏠 – ⓞ ⬛
fermé 14 au 31 oct., lundi et mardi sauf juil.-août – **Repas** 10,98/22,41 ₰

916

TTE 66360 Pyr.-Or. 86 ⑰ – 345 h alt. 616.

🖪 Syndicat d'initiative Rue Fusterie 𝒫 04 68 97 08 62, Fax 04 68 97 08 62.
Paris 914 – Font-Romeu-Odeillo-Via 29 – Perpignan 61 – Prades 16.

Fontaine, 𝒫 04 68 97 03 67, Fax 04 68 97 09 18, 🏛 – 📺, ₳ ⓪ 🅶🅱
fermé janv., mardi soir et merc. – **Repas** 11,13/30,49 ⅃, enf. 6,86 – 🖵 3,82 – **6 ch** 29,73

VET 45 Loiret 64 ⑨ – rattaché à Orléans.

OLLIÈRES-SUR-EYRIEUX 07360 Ardèche 76 ⑲ ⑳ – 797 h alt. 200.

🖪 Office du tourisme 𝒫 04 75 66 30 21, Fax 04 75 66 20 31.
Paris 598 – Valence 34 – Le Cheylard 28 – Lamastre 33 – Montélimar 54 – Privas 19.

Auberge de la Vallée avec ch, 𝒫 04 75 66 20 32, Fax 04 75 66 20 63 – ▤ rest, 📺 🅿.
🅶🅱, ⚡ ch
fermé 23 sept. au 2 oct., 2 au 10 déc., 3 fév. au 14 mars, dim. soir et lundi sauf fériés –
Repas (13) - 16/42,70 ⅄, enf. 9,91 – 🖵 6,86 – **7 ch** 42,69/54,88 – ½ P 42,69/48,78

IOULES 83190 Var 84 ⑭, 114 ㊹ G. Côte d'Azur – 12 198 h alt. 52 – **Voir** Gorges d'Ollioules★.

🖪 Office du tourisme Rue Philippe de Hauteclocque 𝒫 04 94 63 11 74, Fax 04 94 63 11 74.
Paris 835 – Toulon 9 – Aix-en-Provence 78 – Marseille 59.

L'Assiette Gourmande, pl. H. Duprat (parvis de l'église) 𝒫 04 94 63 04 61, 🏛 – 🅶🅱
fermé mardi et merc. de sept. à juin et le midi en juil.-août – **Repas** (nombre de couverts
limité, prévenir) 22/32 ⅄

METO 2A Corse-du-Sud 90 ⑱ – voir à Corse.

ONNE-SUR-MER 85340 Vendée 67 ⑫ – 10 060 h alt. 40.

🖪 Office du tourisme Place de la Mairie 𝒫 02 51 90 75 45, Fax 02 51 90 77 30, mairie
olonne@altern.org.
Paris 483 – La Roche-sur-Yon 34 – Les Sables-d'Olonne 6 – St-Gilles-Croix-de-Vie 26.

Nord-Ouest sur D 80 : 7 km – ✉ 85340 Olonne-sur-Mer :

Auberge de la Forêt, 𝒫 02 51 90 52 29, mguery@aol.com, Fax 02 51 20 11 89, 🏛 – 🅿.
₳ ⓪ 🅶🅱
fermé 14 janv. à mi-mars, lundi et mardi – **Repas** (13,70) - 19,82/48,78 bc ⅄, enf. 9,15

ORON-STE-MARIE ◉ 64400 Pyr.-Atl. 85 ⑤ ⑥ G. Aquitaine – 10 992 h alt. 224.

Voir Portail★★ de l'église Ste-Marie – 🖪 Office du tourisme Place de la Résistance 𝒫 05 59
39 98 00, Fax 05 59 39 43 97, oloron-ste-marie@fnotsi.net.
Paris 821 ⑤ – Pau 35 ② – Bayonne 97 ⑤ – Mont-de-Marsan 101 ①.

OLORON-STE-MARIE

hou (R. Louis) . . . . . . **B**
evue . . . .
romenade) . . . . **B** 2
ondau . . . . **B** 3
delongue (R. A.) . . . . . **B** 4
ou (R.) . . . . **B**
amayor-Dufaur (R.) . . **A** 5
édrale (R.) . . . . **A** 6
nais (R.) . . . . **B** 7
eme
v. Tristan) . . . . **A** 8
pourins (R.) . . . . **A** 9
e (Pl. Amédée) . . . . . **B** 10
abetta (R.) . . . . **B** 12
(Pl. de) . . . . **A** 13
otte (R.) . . . . **B** 14
ndiondou (Pl.) . . . . . . **B** 15
reu
v. Charles et Henri) . . **A** 16
talots (Pl. des) . . . . . **A** 18
nées (Bd. des) . . . . . **A** 19
stance
l. de la) . . . . **B** 20
rat (Rue) . . . . **A** 22
signy
v. de Lattre de) . . . . . **A** 23
et (R. Paul-Jean) . . . . **A** 24
y (Av. Alfred de) . . . . **A** 26
ptembre (Av. du) . . . . **A** 28
uillet (Av. du) . . . . . . **A** 30

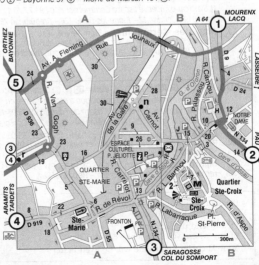

Alysson Ⓜ, bd Pyrénées ℰ 05 59 39 70 70, alysson.hotel@wanac
Fax 05 59 39 24 47, ≤, 佘, ⚏, ᾗ – 園 ⇔, ᇤ rest, ⊡ ℂ & ⋯. – 🅐 15 à 35. ᴸ
ᴳᴮ
fermé vacances de Noël – Repas 19,82/39,64 – ⊇ 9 – **34 ch** 67/86 – ½ P 66/73

⌂ **Paix** sans rest, 24 av. Sadi-Carnot ℰ 05 59 39 02 63, Fax 05 59 39 98 20 – ⊡ ℙ.
⊗
fermé 23 au 29 mars, nov. et dim. du 15 sept. au 1er juin – ⊇ 4,50 – **24 ch** 34/40

OMONVILLE-LA-PETITE 50440 Manche🖽 ① – 132 h alt. 33.
Paris 381 – Cherbourg 26 – Barneville-Carteret 45 – Nez de Jobourg 7 – St-Lô 102.

🏠 **Fossardière** ⊗ sans rest, au hameau de la Fosse ℰ 02 33 52 19 83, Fax 02 33 52 7⁛
ℙ. ᴳᴮ
15 mars-15 nov. – ⊇ 7 – **10 ch** 40/60

ONZAIN 41150 L.-et-Ch.🖽 ⑯ – 3 141 h alt. 69.
🄱 Syndicat d'initiative - Mairie ℰ 02 54 20 72 59, Fax 02 54 20 74 34.
Paris 201 – Tours 44 – Amboise 21 – Blois 20 – Château-Renault 24 – Montrichard 23.

Domaine des Hauts de Loire Ⓜ ⊗, Nord-Ouest : 3 km par D 1 et voie p
❀❀ ℰ 02 54 20 72 57, hauts.loire@relaischateaux.fr, Fax 02 54 20 77 32, 佘 , « Élégant rela
chasse dans un grand parc », ⚏, ℀, 🐾 – ᇤ ch, ⊡ ℂ & ℙ. – 🅐 70. ᴬᴱ ⓪ ᴳᴮ
⊗
fermé 1er déc. au 20 fév., lundi et mardi de nov. à mars – Repas (nombre de couverts li
prévenir) 54 (déj.), 75/116 et carte 70 à 100 ℤ – ⊇ 17 – **25 ch** 107/259, 10 app
½ P 229/259
Spéc. Filets de rouget barbet à la cardamome verte. Paupiette de lièvre à la royale (c
nov.). Noir et blanc de chocolat aux petits fruits rouges **Vins** Sauvignon de Tour
Touraine-Mesland.

🏠 **Château des Tertres** ⊗ sans rest, Ouest : 1,5 km par D 58 ℰ 02 54 20 83 88, cha
des.tertres@wanadoo.fr, Fax 02 54 20 89 21, « Gentilhommière dans un parc », 🐾 – ℂ
ℂ ℙ. ᴬᴱ ⓪ ᴳᴮ. ⊗
29 mars-15 oct. – ⊇ 8 – **18 ch** 70/105

🏠 **Hostellerie Les Couronnes** ⊗, au golf de la Carte, Sud-Est : 4,5 km sur N
ℰ 02 54 20 49 00, lacarte.lescouronnes@free.fr, Fax 02 54 20 43 78, 佘 , ⚏, ℀, 🐾 – █
& ℙ. – 🅐 40. ᴬᴱ ⓪ ᴳᴮ
fermé 8 au 20 nov., 23 déc. au 10 janv., dim. soir, lundi et mardi d'oct. à avril – Rep
(déj.), 24/40 ℤ, enf. 8 – ⊇ 8 – **10 ch** 73/105, 10 duplex – ½ P 60/75

OPIO 06650 Alpes-Mar.🖽 ⑳, 🖽 ㉔ – 1 922 h alt. 300.
🄱 Syndicat d'initiative Espace Commercial ℰ 04 93 77 70 11, Fax 04 93 77 70 11.
Paris 919 – Cannes 17 – Digne-les-Bains 126 – Draguignan 75 – Grasse 9 – Nice 31.

𝕏𝕏 **Mas des Géraniums** ⊗, à San Peyre, Est : 1 km sur D 7 ℰ 04 93 77 2⁛
Fax 04 93 77 76 05, 佘 , « Terrasse ombragée et fleurie », 🐾 – ℙ. ᴬᴱ ᴳᴮ
fermé 15 déc. au 8 janv., jeudi midi en juil.-août, mardi et merc. – Repas 25 (déj.), 30/⁄
enf. 12

ORADOUR-SUR-GLANE 87520 H.-Vienne🖽 ⑥ ⑦ G. Berry Limousin – 2 025 h alt. 275.
Voir "Village martyr" dont la population a été massacrée en juin 1944.
🄱 Office du tourisme Place du Champ de Foire ℰ 05 55 03 13 73, Fax 05 55 03 24 92.
Paris 405 – Limoges 23 – Angoulême 84 – Bellac 26 – Confolens 33 – Nontron 67.

🏠 **Glane**, 8 pl. Gén. de Gaulle ℰ 05 55 03 10 43, Fax 05 55 03 15 42 – ⊡ ℂ ℙ. ᴳᴮ
⊗ Repas (fermé 15 déc. au 31 janv. et lundi) (8,50) – 11/19,06 ᷈, enf. 6,42 – ⊇ 5,40 – 1⁄
35,06/44,21

𝕏 **Milord**, 10 av. du 10-Juin ℰ 05 55 03 10 35, Fax 05 55 03 21 76 – ᴳᴮ
⊗ fermé nov., dim. soir et merc. soir – Repas 10/32 ᷈

Pleasant hotels and restaurants
are shown in the Guide by a red sign.
Please send us the names
of any where you have enjoyed your stay.
Your **Michelin Red Guide** will be even better.

🖽🖽 ... ⌂

𝕏𝕏𝕏𝕏𝕏 ... 𝕏

ANGE *84100 Vaucluse* 81 ⑪ ⑫ *G. Provence – 27 989 h alt. 97.*

Voir *Théâtre antique*★★★ – *Arc de Triomphe*★★ – *Colline St-Eutrope* ≤★.

Office du tourisme 5 cours Aristide Briand ☎ *04 90 34 70 88, Fax 04 90 34 99 62, officetourisme@infonie.fr.*

Paris 660 ⑤ – Avignon 31 ⑤ – Alès 84 ⑤ – Carpentras 24 ③ – Nîmes 57 ⑤.

ORANGE

de-Triomphe
/. de l') .... AY
ud (Av. A.) .... ABY
c (R. A.) .... BZ
ad (Crs A.) .... AYZ
tie (R.) .... BY 2
eauneuf (R. de) .... BZ 3
enceau (Pl. G.) .... BY 4
corde (R. de la) .... BY
rescarpe
. de la) .... BY
dier (Bd E.) .... ABY
e (Av. H.) .... BY
es-Mounet
. des) .... BY 5
aume-le
citurne (Av.) .... BY
ur (R.) .... AY
erc (Av. Gén.) .... BZ
ade (R. de la) .... BY
ral (Av. F.) .... BY 6
e (R. du) .... ABY
toules (Cours) .... BZ
toules (R.) .... BZ 7
ces d'Orange-
ssau (Mtée des) .... AZ
blique (Pl. de la) ..... BY 8
blique (R. de la) ...... BY 9
n (R. Madeleine) .... BZ 10
lement (Rue) .... AZ
orent (R.) .... BY 12
ean (Rue) .... AY
artin (R.) .... AY 13
eurs (R. des) .... AY 16
mes (Av. des) .... AZ
re (R. de) .... AZ 20
or-Hugo (Rue) .... AY

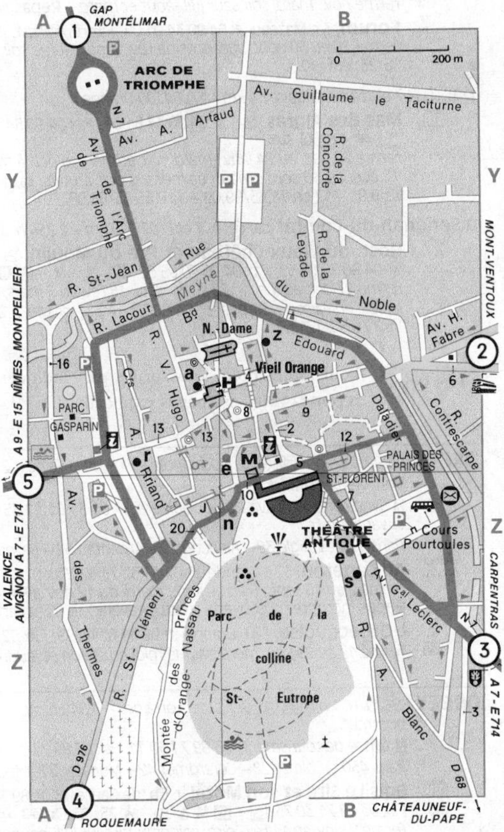

meneurs,
npeurs,
neurs,
ez prudents!
feu
le plus terrible ennemi
la forêt.

Mercure Ⓜ, rte Caderousse par ⑤ ☎ 04 90 34 24 10, *h1270-gm@accor-hotels.com*, *Fax 04 90 34 85 48*, ⛱, 🏊 – ▤ 📺 ♿ 🅿 – 🚣 100. AE ⓓ GB JCB
Repas *(fermé sam. et dim. de nov. à fév.)* 20/27, enf. 10 – ☕ 10 – **99 ch** 92/105

Arène sans rest, pl. Langes ☎ 04 90 11 40 40, *hotel-arene@avignon-et-provence.com*, *Fax 04 90 11 40 45* – ▤ 📺 📞 🚗. AE ⓓ GB JCB AY a
fermé 8 au 30 nov. – ☕ 8 – **30 ch** 67/91,50

Glacier sans rest, 46 cours A. Briand ☎ 04 90 34 02 01, *hotelgla@aol.com*, *Fax 04 90 51 13 80* – |‡| 📺. AE ⓓ GB AY r
fermé 20 déc. au 6 janv., dim. du 10 nov. au 10 mars et sam. en janv. et fév. – ☕ 6 – **28 ch** 44/61

Ibis, rte Caderousse par ⑤ ☎ 04 90 34 35 35, *h0925@accor-hotels.com*, *Fax 04 90 34 96 47*, 🏊 – ⇔, ▤ ch, 📺 ♿ 🅿 – 🚣 20. AE ⓓ GB
Repas *(12,04)* - 15,09 🍷, enf. 5,95 – ☕ 5,50 – **72 ch** 64

St-Jean sans rest, 7 cours Pourtoules ☎ 04 90 51 15 16, *hotel.saint-jean@wanadoo.fr*, *Fax 04 90 11 05 45* – 📺 🅿. GB BZ s
fermé 1er janv. au 15 fév. – ☕ 5,50 – **23 ch** 45,75/68,50

Clarine Cigaloun sans rest, 4 r. Caristie *&* 04 90 34 10 07, finnegan@wanado
Fax 04 90 34 89 76 – 🖸 & 🖪. 🖭 ⓪ ⌷B JCB
BV
🖙 7 – **27 ch** 61/69

XX **Parvis**, 3 cours Pourtoules *&* 04 90 34 82 00, Fax 04 90 51 18 19, 🍽 – 🗏. 🖭 ⌷B B2
fermé 10 nov. au 3 déc., 19 janv. au 4 fév., dim. soir et lundi – **Repas** 15/42 ⌷, enf. 10

X **Yaca**, 24 pl. Silvain *&* 04 90 34 70 03, 🍽 – ⌷B JCB
B2
fermé nov., mardi soir sauf juil.-août et merc. – **Repas** (9,15 bc) - 10,67/19,82 ⌷, enf. 6,86

X **Forum**, 3 r. Mazeau *&* 04 90 34 01 09, leforum@fr.st, Fax 04 90 34 01 09 – ⌷B BV
fermé 20 au 30 août, vacances de fév., lundi sauf le soir en juil.-août et sam. midi – Re
15/23, enf. 10

par ① N 7 et rte secondaire : 4 km – ⌷ 84100 Orange :

🏨 **Mas des Aigras** 🐾, *&* 04 90 34 81 01, Fax 04 90 34 05 66, 🍽, « Joli mas provenç
🛋, 🌳 – 🖸 🖪. ⌷B
fermé 24 déc. au 24 janv., mardi soir et merc. d'oct. à mars – **Repas** (fermé merc. mi
1er avril au 30 sept., mardi et merc. d'oct. à mars) 16,01 (déj.), 23,63/42,69 ⌷, enf. 15,
🖙 9,91 – **12 ch** 71,65/99,09 – ½ P 65,55/83,08

à Sérignan-du-Comtat par ①, N 7 et D 976 : 8 km – 2 254 h. alt. 80 – ⌷ 84830 :

XX **Host. du Vieux Château et Pré du Moulin** 🐾 avec ch, rte Ste-Cécile-les-Vig
& 04 90 70 05 58, Fax 04 90 70 05 62, 🍽, 🛋, 🌳 – 🖸 🖪. 🖭 ⌷B. 🍽 ch
fermé 27 oct. au 4 nov., 22 au 30 déc., 16 fév. au 3 mars, dim. soir d'oct. à avril et lundi
le soir en saison – **Repas** *&* 04 90 70 14 55 – 20 (déj.), 26/69 ⌷ – 🖙 9,50 – **8 ch** 80/2
½ P 76,50/121,50

Les prix   Pour toutes précisions sur les prix indiqués dans ce guide,
reportez-vous aux pages explicatives.

ORBEC 14290 Calvados 🖸🖸 ⑭ G. Normandie Vallée de la Seine – 2 564 h alt. 110.
Voir Vieux manoir★.
🖪 Syndicat d'initiative Rue Guillonière *&* 02 31 61 12 35, Fax 02 31 61 22 09, omact.or
@wanadoo.fr.
Paris 173 – L'Aigle 38 – Alençon 79 – Argentan 52 – Bernay 18 – Caen 83 – Lisieux 21.

XXX **Au Caneton**, 32 r. Grande *&* 02 31 32 73 32, Fax 02 31 62 48 91 – 🖭 ⌷B JCB
fermé 2 au 16 sept., 6 au 20 janv., mardi du 12 nov. à Pâques, dim. soir et lundi sauf fér
Repas (nombre de couverts limité, prévenir) 16/61 et carte 43 à 64

X **L'Orbecquoise**, 60 r. Grande *&* 02 31 62 44 99, Fax 02 31 62 44 99 – ⌷B. 🍽
fermé 17 au 29 juin, merc. sauf le midi en saison et jeudi – **Repas** 12,02/35,06 ⌷, enf. 7,6

ORBEY 68370 H.-Rhin 🖸🖸 ⑱ G. Alsace Lorraine – 3 548 h alt. 550 – Sports d'hiver Voir "Le B
homme".
🖪 Office de tourisme *&* 03 89 71 30 11, Fax 03 89 71 34 11.
Paris 430 – Colmar 22 – Gérardmer 42 – Munster 21 – St-Dié 37 – Sélestat 40.

🏨 **Bois Le Sire et son Motel**, r. Ch. de Gaulle *&* 03 89 71 25 25, boislesire@bois-le-sire
Fax 03 89 71 30 75, 🖳 – 🖸 🕰 & 🖪 – 🖄 25. 🖭 ⓪ ⌷B JCB
fermé 2 janv. au 11 fév., dim. soir et lundi sauf juil.-août – **Repas** 8,70 (déj.), 14/36 ⌷, enf.
🖙 8 – **35 ch** 40/61 – ½ P 49/55

🏨 **Aux Bruyères**, r. Ch. de Gaulle *&* 03 89 71 20 36, beaulieu@auxbruyeres.c
Fax 03 89 71 35 30, 🍽 – 🖸 🖪. 🖭 ⓪ ⌷B. 🍽
22 mars-27 oct., 20 au 31 déc. et vacances de fév. – **Repas** (fermé merc. midi sauf juil.-a
12/24 ⌷, enf. 8 – 🖙 6 – **29 ch** 44/55 – ½ P 40/50

à Basses-Huttes Sud : 4 km par D 48 – ⌷ 68370 Orbey :

🏨 **Wetterer** 🐾, *&* 03 89 71 20 28, info@hotel-wetterer.com, Fax 03 89 71 36 50 – 🖸
⌷B
fermé 4 nov. au 20 déc., lundi, mardi et merc. de janv. à mars – **Repas** (13) - 15/29 ⌷, enf. 7
– 🖙 6,50 – **16 ch** 32/46,50 – ½ P 39,50/42

à Pairis Sud-Ouest : 3 km sur D 48ll – ⌷ 68370 Orbey.
Voir Lac Noir★ : ←★ 30 mn O : 5 km.

🏨 **Bon Repos** 🐾, *&* 03 89 71 21 92, au-bon-repos@wanadoo.fr, Fax 03 89 71 24 51, 🌳
🖸 🖪. ⌷B
fermé 25 oct. au 20 déc., 6 au 31 mars sauf week-ends, vacances scolaires et merc. – **Re**
12,50/26 ⌷ – 🖙 6,50 – **18 ch** 41/43 – ½ P 41,50/45

ORCHAMPS-VENNES 25390 Doubs 🖩🖩 ⑰ G. Jura – 1 601 h alt. 795.

Voir *Grandfontaine-Fournets : tuyé★ de la ferme du Montagnon E : 4 km.*

Env. *La Roche du Prêtre ≤★★★ sur le Cirque de Consolation★★ NE : 13 km.*

Paris 454 – *Besançon* 48 – Baume-les-Dames 41 – Montbéliard 69 – Morteau 19.

🏠 **Barrey**, pl. Église, ℘ 03 81 43 50 97, philippe.bole@wanadoo.fr, Fax 03 81 43 62 68, 🏤 – 📺 ᘓ GB
fermé dim. soir et lundi – Repas 19/48, enf. 8 – 🖙 5 – **10 ch** 40 – ½ P 45

ORCHIES 59310 Nord 🖩🖩 ⑯ – 7 472 h alt. 40.

🗊 Syndicat d'initiative 42 rue Jules Roch ℘ 03 20 64 86 32, Fax 03 20 64 86 32.

Paris 218 – *Lille* 29 – Denain 29 – Douai 20 – Tournai 20 – Valenciennes 31.

🏨 **Manoir** Ⓜ, Ouest par rte Seclin ℘ 03 20 64 68 68, le.manoir@wanadoo.fr, Fax 03 20 64 68 69, 🏤 – 📓 ☞ 📺 ᘓ ὖ 🄿 – 🛔 15 à 30. ᴁ ⓞ GB
Repas *(fermé sam. midi, dim. soir et soirs fériés)* (15) – 22/49 ♀ – 🖙 6,50 – **34 ch** 61/99 – ½ P 53/64

XX **Chaumière**, Sud : 3 km D 957, rte Marchiennes ℘ 03 20 71 86 38, Fax 03 20 61 65 91, 🏤 – 🄿. ᴁ ⓞ GB
fermé fév., dim. soir et lundi – Repas 12,50 (déj.), 24,50/60 bc

ORCIÈRES 05170 H.-Alpes 🖩🖩 ⑰ G. Alpes du Sud – 810 h alt. 1446 – Sports d'hiver à Orcières-Merlette : 1 850/2 650 m ≰ 2 ⰽ 27 ⰲ.

Env. *Vallée du Drac Blanc★★ NO : 14 km.*

🗊 Office de tourisme Maison du tourisme ℘ 04 92 5589 89, Fax 04 92 55 89 75, orcieres@telepost.fr.

Paris 685 – *Briançon* 110 – Gap 32 – Grenoble 118 – La Mure 75.

🏠 **Poste**, ℘ 04 92 55 70 04, Fax 04 92 55 73 38, ≤ – ᴁ GB
fermé nov. et mai – Repas *(dim. soir et lundi)* (10) – 14/23 ♨ – 🖙 6 – **21 ch** 44/50 – ½ P 40/43

Merlette Nord : 5 km par D 76 – ⊠ 05170 Orcières :

🏠 **Les Gardettes** ⑳, ℘ 04 92 55 71 11, info@gardettes.com, Fax 04 92 55 77 26, ≤ – 📺 ☜ 🄿. ᴁ ⓞ GB
15 juin-15 sept. et 1er déc.-1er mai – Repas *(15 déc.-1er mai)* 18/30 ♨, enf. 8 – 🖙 6,50 – **15 ch** 65/84 – ½ P 55/62

ORCINES 63 P.-de-D. 🖩🖩 ⑭ – rattaché à Clermont-Ferrand.

ORCIVAL 63210 P.-de-D. 🖩🖩 ⑬ G. Auvergne – 244 h alt. 840.

Voir *Basilique Notre-Dame★★.*

🗊 Office du tourisme ℘ 04 73 65 89 77, Fax 04 73 65 89 78.

Paris 444 – *Clermont-Ferrand* 27 – Aubusson 83 – Le Mont-Dore 18 – Ussel 55.

🏠 **Roche** ⑳ sans rest, ℘ 04 73 65 82 31, 🌴 – GB. ⰲ
fermé 15 nov. au 20 déc. et vend. hors saison – 🖙 5 – **9 ch** 28/38

⚐ **Les Bourelles** ⑳ sans rest, ℘ 04 73 65 82 28, ≤, 🌴 –ⰲ
Pâques-1er oct. – 🖙 5 – **7 ch** 23/29

ORDINO 🖩🖩 ⑭ – voir à Andorre (Principauté d').

ORGEVAL 78 Yvelines 🖩🖩 ⑲, 🔟🔟 ⑪ – voir à Paris, Environs.

ORGNAC-L'AVEN 07150 Ardèche 🖩🖩 ⑨ – 341 h alt. 190.

Voir *Aven d'Orgnac★★★ NO : 2 km, G. Vallée du Rhône.*

Paris 661 – *Alès* 44 – Aubenas 51 – Pont-St-Esprit 23.

⚐ **Stalagmites**, ℘ 04 75 38 60 67, Fax 04 75 38 66 02, 🏤 – 🄿. GB
1er mars-15 nov. – Repas 11,50/23,50 ♀ – 🖙 5 – **24 ch** 28/39 – ½ P 31/36

When looking for a hotel or restaurant use the most efficient method.
Look for the names of towns underlined in red
on the Michelin maps scale: 1:200 000.
But make sure you have an up-to-date map!

ORLÉANS 🄿 *45000 Loiret* 🅖🅘 ⑨ *G. Châteaux de la Loire* – *113 126 h Agglo. 263 292 h alt. 10*

Voir *Cathédrale Ste-Croix*★ : *boiseries*★★ – *Maison de Jeanne d'Arc*★ V – *Quai Fort*
Tourelles ⩻★ EZ 60 – *Musée des Beaux-Arts*★★ *EY* M¹ – *Musée Historique et Arch.*
gique★ *EZ* M² – *Muséum*★.

Env. Olivet : *parc floral de la Source*★★ *SE* : 8 km *CZ*.

🄱 *Office du tourisme 6 rue Albert 1er 𝒫 02 38 24 05 05, Fax 02 38 54 49 84, office*
tourisme.orleans@wanadoo.fr.

Paris 132 ⑪ – Caen 311 ⑪ – Clermont-Ferrand 297 ⑥ – Le Mans 142 ⑩ – Tours 116 ⑨

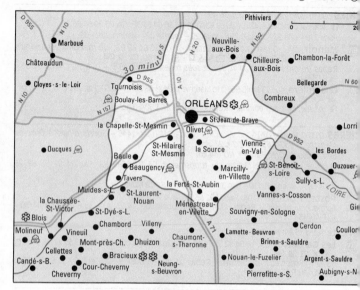

🏨	**Mercure** 🅼, 44 quai Barentin 𝒫 02 38 62 17 39, *h0581@accor-hotels.c* Fax 02 38 53 95 34, ⩻, 🍴, 🌊 – 📶 🌐 📺 & 🄿 – 🕿 25 à 75. 🄰🄴 ⓪ 🄶🄱	DZ

Repas *(fermé dim. midi et lundi de nov. à fév.)* (17) - 22/25 ♀, enf. 9,90 – ☕ 9,45 – **10**
94/113

🏨	**d'Arc** sans rest, 37 r. République 𝒫 02 38 53 10 94, *hotel.darc@wanado* Fax 02 38 81 77 47 – 📶 📺 ✇. 🄰🄴 ⓪ 🄶🄱	EY

☕ 6,86 – **35 ch** 54,12/64,50

🏨	**Terminus** sans rest, 40 r. République 𝒫 02 38 53 24 64, Fax 02 38 53 24 18 – 📶 📺 🕿 25. 🄰🄴 ⓪ 🄶🄱, ✳	EY

fermé 24 déc. au 1er janv. – ☕ 7 – **47 ch** 58/73

🏨	**Cèdres** sans rest, 17 r. Mar. Foch 𝒫 02 38 62 22 92, *contact@hoteldescedres.c* Fax 02 38 81 76 46, 🌿 – 📶 ✳ 📺 ✇. 🄰🄴 🄶🄱 🄹🄲🄱	DY

fermé 22 déc. au 2 janv. – ☕ 6 – **34 ch** 52/63

🏨	**d'Orléans** sans rest, 6 r. A. Crespin 𝒫 02 38 53 35 34, Fax 02 38 53 68 20 – 📶 ✳ 📺 ⟲. 🄰🄴 ⓪ 🄶🄱	EY

☕ 6,50 – **18 ch** 43/63

🏨	**Marguerite** sans rest, 14 pl. Vieux Marché 𝒫 02 38 53 74 32, *hotel.marguerite@wana* .fr, Fax 02 38 53 31 56 – 📶 📺 ✇. ✳	DZ

☕ 5 – **25 ch** 29/50

🅇🅇🅇 ❀	**Les Antiquaires** (Bardau), 2 r. au Lin 𝒫 02 38 53 52 35, Fax 02 38 62 06 95 – 🍴 🄶🄱	EZ

fermé dim. sauf le midi de sept. à juin et lundi – **Repas** 35/54 et carte 46 à 70
Spéc. Perdreau de Sologne et galette d'abattis (oct. à déc.). Poêlée d'asperges de Vine
la crème de morilles (avril à juin). Papillote, feuilleté et crème brûlée à la framboise (m
sept.) **Vins** Menetou Salon, Sancerre.

🅇🅇🅇	**Redina,** 1 av. Jean Zay 𝒫 02 38 77 72 51, Fax 02 38 01 01 14 – 🄰🄴 🄶🄱	FY

fermé 26 au 31 août, 1er au 6 janv., dim. soir et lundi – **Repas** 22/39 et carte 48 à 70

🅇🅇	**L'Épicurien,** 54 r. Turcies 𝒫 02 38 68 01 10, Fax 02 38 68 19 02 – 🍴. 🄰🄴 🄶🄱	DZ

fermé 1er au 21 août, dim. et lundi – **Repas** 21,34/30,48

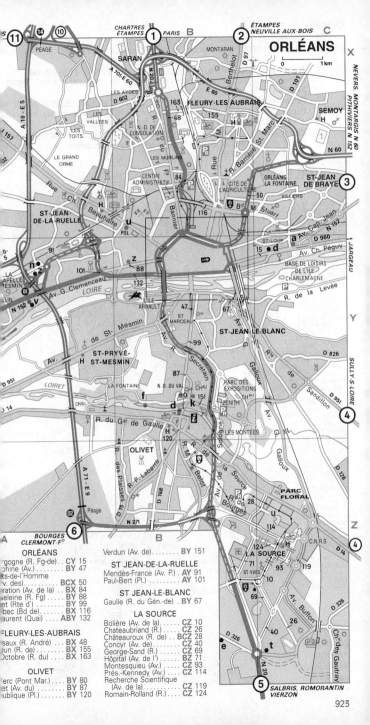

ORLÉANS

BOURGES
CLERMONT-F°

SALBRIS, ROMORANTIN
VIERZON

923

XX **Eugène**, 24 r. Ste-Anne ℘ 02 38 53 82 64, Fax 02 38 54 31 89 – 🔲. 🖭 ⓞ ℠ E
fermé 5 au 13 mai, 2 au 19 août, 26 déc. au 6 janv., sam. midi, lundi midi et dim. – R
21,04/38,11, enf. 12,96

XX **Auberge du Quai**, 6 r. au Lin ℘ 02 38 62 40 00, Fax 02 38 53 41 00 – 🖭 ℠ E
fermé 28 juil. au 20 août, vacances de fév., mardi soir, dim. soir et lundi – Repas
39,60 ⅀, enf. 10

XX **Promenade**, 1 r. A. Crespin (1ᵉʳ étage) ℘ 02 38 81 12 12, Fax 02 38 81 11 22 – 🖭 ℠
Repas *(fermé 9 au 22 août, dim. et lundi)* (15,24) - 18,29/27,44 bc ⅀ - **Martroi** brasse
℘ 02 38 42 15 00 *(fermé dim.)* **Repas** (14,48) et carte 19 à 29 ⅀, enf. 8,38 E

XX **Chancellerie**, pl. Martroi ℘ 02 38 53 57 54, Fax 02 38 77 09 92, 🍽 – 🖭 ℠ ℡ E
fermé dim. – **Repas** 22,87/28,20 ⅀, enf. 7,62 - **Brasserie** *(fermé dim.)* R◀
carte 14 à 30 ⅀, enf. 7,62

ORLEANS

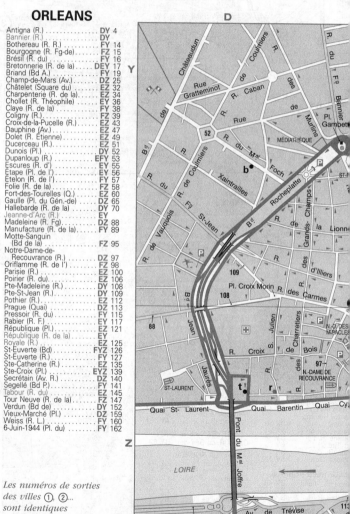

*Les numéros de sorties
des villes* ① ②...
*sont identiques
sur les* **plans**
et les **cartes Michelin**.

XX **L'Archange,** 66 r. Fg Madeleine ℰ 02 38 88 64 20, Fax 02 38 43 08 81, 龠 – ⒼⒷ BY z
fermé 1er au 14 avril, 28 juil. au 21 août, 21 au 31 déc., dim. en juil.-août et lundi – **Repas**
(déj. seul. sauf vend. et sam.) 14 (déj.), 21/45 ⚲

XX **Mosaïque,** 109 r. Fg St-Jean ℰ 02 38 72 11 10, *mosaifissa@wanadoo.fr*, Fax 02 38 43 47 75
– ⒼⒷ, ℅ – *fermé 21 juil. au 12 août, mardi midi, dim. soir et lundi* – **Repas** - cuisine marocaine -
14,18 (déj.), 19,51/30,18 ⚲, enf. 9,15   BX u

X **Dariole,** 25 r. Etienne Dolet ℰ 02 38 77 26 67, Fax 02 38 77 26 67, 龠 – ⒼⒷ   EZ v
fermé 1er au 7 avril, 4 au 26 août, 23 au 28 déc., merc. midi, sam. et dim. – **Repas** (nombre
de couverts limité, prévenir) 17,99/30,49 ⚲

X **Jardin de Neptune,** 6 r. Jean Hupeau ℰ 02 38 62 45 64, Fax 02 38 52 90 96 – ⒼⒷ
fermé 1er au 18 août, dim. et lundi – **Repas** - produits de la mer - (7,77) - 12,19/22,56 ⚲,
enf. 6,09   EZ e

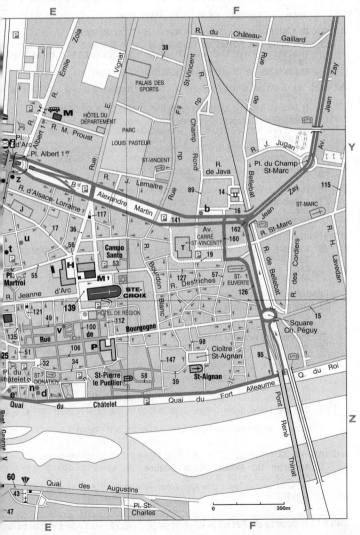

925

à St-Jean-de-Braye *Est : 4 km - CXY – 17 758 h. alt. 108 – ⊠ 45800 :*

Novotel Orléans Charbonnière Ⓜ, N 152 ℰ 02 38 84 65 65, h1075@accor-hc
com, Fax 02 38 84 66 61, 佘, ⊿, ✿ – ⋈ ⫞ 🖬 📺 ❤ ⅙ 🅿 – 🕍 20 à 100. 🖭 ⓪ ⅏ ⅉ
Repas 18 ♀, enf. 8 – ⊆ 9,50 – **107 ch** 84/109

Promotel sans rest, 117 fg Bourgogne ℰ 02 38 53 64 09, Fax 02 38 62 70 62, « J
ombragé », ⊿, ✿ – ⫞ ↳✕ 📺 ❤ 🅿, ⓪ ⅏ ⅉⅭⅢ, ⅏
fermé 4 au 22 août – ⊇ 7 – **83 ch** 47/66

Grange, 205 fg Bourgogne ℰ 02 38 86 43 36, Fax 02 38 61 52 15 – 🖭 ⓪ ⅏
fermé dim. soir et lundi – **Repas** (15) -21/40

à La Source *Sud-Est : 11 km carrefour N 20-D 326 – ⊠ 45100 Orléans :*

Novotel Orléans La Source Ⓜ, r. H. de Balzac ℰ 02 38 63 04 28, h0419@accor-hc
com, Fax 02 38 69 24 04, 佘, ⊿, ✿, ✕ – ↳✕ ⫞ 🖬 📺 ❤ ⅙ 🅿 – 🕍 20 à 100. 🖭 ⓪
✕ rest
Repas (16) - 23 bc/28 bc, enf. 8 – ⊆ 10 – **113 ch** 87/99

au parc de Limère *Sud-Est : 13 km par N 20 et D 326 – ⊠ 45160 Ardon :*

Domaine des Portes de Sologne Ⓜ, ⟋, ℰ 02 38 49 99 99, direction@portes
sologne.com, Fax 02 38 49 99 00, 佘, ✿, ✕ – ⫞ cuisinette 📺 ❤ ⅙ 🅿 – 🕍 20 à 22
⓪ ⅏
Repas 19,50 – ⊆ 10 – **117 ch** 84/115, 30 duplex – ½ P 77/87

à Olivet *Sud : 5 km par av. Loiret et bords du Loiret G. Châteaux de la Loire – 19 195 h. alt. 1
⊠ 45160 :*

🖪 *Office du tourisme 236 rue Paul Genain* ℰ 02 38 63 49 68, Fax 02 38 64 06 14.

Rivage Ⓜ ⟋ avec ch, 635 r. Reine Blanche ℰ 02 38 66 02 93, hotel-le-rivage.jpb@
doo.fr, Fax 02 38 56 31 11, ≼, 佘, « Terrasse au bord de l'eau », ✿, ✕ – ⫟ ch, 📺 ❤
🖭 ⓪ ⅏ ⅉⅭⅢ
fermé 26 déc. au 18 janv. – **Repas** (fermé dim. soir de nov. à mars et sam. midi) 25
53,50 et carte 45 à 64 – ⊆ 10,70 – **17 ch** 62,50/79,20 – ½ P 83,85/91,47

Laurendière, 68 av. Loiret ℰ 02 38 51 06 78, laurendiere@net-up.
Fax 02 38 56 36 20 – ▤. 🖭 ⓪ ⅏
fermé 1ᵉʳ au 24 juil., 17 fév. au 5 mars, mardi soir et merc. – **Repas** 19,50/42 ♀, enf. 10

L'Eldorado, 10 r. M. Belot ℰ 02 38 64 29 74, Fax 02 38 69 14 33, 佘, ✿ –
⅏
fermé 3 au 27 août, vacances de fév., lundi et mardi – **Repas** (déj. seul.) 18/38

à St-Hilaire-St-Mesmin *par⑦ : 7 km – 2 353 h. alt. 101 – ⊠ 45160 :*

L'Escale du Port-Arthur, 205 r. Église ℰ 02 38 76 30 36, Fax 02 38 76 37 67, ≼, 🖬
📺 🅿. 🖭 ⓪ ⅏ ⅉⅭⅢ
Repas (fermé dim. soir et lundi de nov. à mars) 20/46,20 ♀, enf. 12,20 – ⊆ 7,10 – 1
44,20/54,80 – ½ P 59,30/62,50

à la Chapelle-St-Mesmin *Ouest : 4 km - AY – 8 967 h. alt. 101 – ⊠ 45380 :*

Orléans Parc Hôtel ⟋ sans rest, 55 rte Orléans ℰ 02 38 43 26 26, lucmar@aol.
Fax 02 38 72 00 99, ≼, ⅋ – 📺 ❤ 🅿 – 🕍 40. 🖭 ⅏
fermé 20 déc. au 6 janv. et les week-ends de nov. à déc. – ⊆ 8 – **33 ch** 55/95

Express by Holiday Inn Ⓜ, Z.A.Les Portes de Micy ℰ 02 38 22 23 24, expressorlea
alliance-hospitality.com, Fax 02 38 22 39 51 – ⫞ ↳✕ 📺 ❤ ⅙ 🅿 – 🕍 20. 🖭 ⓪
ⅉⅭⅢ
Repas (fermé sam., dim. et fériés) (dîner seul.) (11) - carte 14 à 30 – **42 ch** ⊆ 70

Campanile, Z.A. Les Portes de Micy ℰ 02 38 72 23 23, Fax 02 38 88 21 81, 佘 – ↳✕ 🖪
🅿 – 🕍 25. 🖭 ⓪ ⅏
Repas (12,04) - 15,09/16,62 ♀, enf. 5,95 – ⊆ 5,95 – **48 ch** 55,64

Ciel de Loire, 5 rte Orléans ℰ 02 38 72 29 51, Fax 02 38 72 29 67, 佘, ⅋ – 🅿
⅏
fermé 1ᵉʳ au 22 août, 2 au 6 janv., sam. midi et dim. soir – **Repas** 21,34/39,33 et carte
53 ♀

à Boulay-les-Barres *par⑩ : 12 km – 551 h. alt. 126 – ⊠ 45140 St-Jean-de-la-Ruelle :*

Auberge du Relais de la Beauce, Les Barres (D 955) ℰ 02 38 75 3
Fax 02 38 75 33 39 – 🖭 ⓪ ⅏ ⅉⅭⅢ
fermé 24 juil. au 31 août, dim. soir et lundi – Repas (nombre de couverts limité, prév
16,77/45,73 ♀

ORLY (Aéroports de Paris) 94 Val-de-Marne 🗺 ①, 🗺 ㉖ – voir à Paris, Proche banlieu

MOY-LA-RIVIÈRE *91 Essonne* 60 ⑳, 106 ㊷ – *rattaché à Étampes.*

MAISONS *11 Aude* 83 ⑬ – *rattaché à Narbonne.*

MANS *25290 Doubs* 66 ⑯ *G. Jura* – 4 037 h alt. 355.
Voir Grand Pont ≤★ – O : Vallée de la Loue★★ – Le Château ≤★ N : 2,5 km – Dino-Zoo★ N : 12 km – 🗓 Office de tourisme 7 rue Pierre Vernier ℘ 03 81 62 21 50, Fax 03 81 62 02 63.
Paris 430 – Besançon 25 – Baume-les-Dames 42 – Morteau 48 – Pontarlier 35.

🏨 **France,** r. P. Vernier ℘ 03 81 62 24 44, hoteldefrance@europost.org, Fax 03 81 62 12 03, 🐎 – 📺 🅿 🆎 ⓸ 🆖. 🐾 ch
fermé 15 déc. au 13 fév., dim. soir et lundi sauf vacances scolaires – **Repas** 29/37 �🍷 – 😑 8 – **26 ch** 54/80 – ½ P 70

🍴 **Courbet,** 34 r. P. Vernier ℘ 03 81 62 10 15, Fax 03 81 62 13 34, 🏡 – 🆖
fermé 19 fév. au 12 mars, lundi soir sauf juil.-août et mardi – **Repas** 15,50/32 bc ⍷, enf. 8,50

OUET *85 Vendée* 67 ⑫ – *rattaché à St-Jean-de-Monts.*

PIERRE *05700 H.-Alpes* 81 ⑤ *G. Alpes du Sud* – 256 h alt. 682.
Paris 692 – Digne-les-Bains 71 – Gap 54 – Château-Arnoux 46 – Serres 20 – Sisteron 32.

Bégües *Sud-Ouest : 4,5 km –* ⊠ *05700 Orpierre :*
🏨 **Céans** ♨, ℘ 04 92 66 24 22, le.ceans@infonie.fr, Fax 04 92 66 28 29, ≤, 🏡, 🏊, ✇, ⚕ – 📺 🅿. 🆎 🆖
15 mars-1ᵉʳ nov. – **Repas** (fermé merc. midi d'oct. à mai) 13,72/30,49 ⍷, enf. 7,62 – 😑 5,79 – **26 ch** 41,16/54,12 – ½ P 40,40

SAN *18 Cher* 68 ⑳ – *rattaché au Châtelet.*

SCHWILLER *67600 B.-Rhin* 87 ⑲ – 535 h alt. 240.
🗓 Office de tourisme route de Sélestat ℘ 03 88 82 90 90, Fax 03 88 82 79 70.
Paris 436 – Colmar 21 – St-Dié 43 – Sélestat 7 – Strasbourg 57.

🏨 **Fief du Château,** ℘ 03 88 82 56 25, info@fief-chateau.com, Fax 03 88 82 26 24, 🍸 – 📺 ♿ 🅿 – 🍴 15. 🆖
fermé 25 au 30 juin, 12 au 20 nov., 7 au 21 janv. et merc. – **Repas** 16,77/32,01 ⍷, enf. 6,86 – 😑 6,86 – **8 ch** 35,83/44,21 – ½ P 42,69

THEZ *64300 Pyr.-Atl.* 78 ⑧ *G. Aquitaine* – 10 121 h alt. 55 – Voir **Pont Vieux★.**
🗓 Office de tourisme Rue Bourg-Vieux ℘ 05 59 69 02 75, Fax 05 59 69 12 00.
Paris 770 ⑤ – Pau 47 ② – Bayonne 76 ④ – Dax 39 ⑤ – Mont-de-Marsan 57 ①.

ORTHEZ

t (R. Jeanne-d') . . . . **BZ** 2
aine (Av. d') . . . . **AY** 3
s (R. Daniel) . . . . **AZ** 4
s (Pl. d') . . . . **BZ** 5
res (R. Paul) . . . . **AZ** 6
-Vieux (R.) . . . . **AZ** 7
d (R. Aristide) . . . . **BY** 8
ers (Pl.) . . . . **BZ** 9
s-Franc-Pommiès
du) . . . . **AY** 12
et (R. Xavier) . . . . **BZ** 13
R. du Gén.) . . . . **BY** 14
s-Reclus
des) . . . . **AZ** 16
ge (R. de l') . . . . **BY** 21
ins (R. des) . . . . **BZ** 22
nes
. Francis) . . . . **BZ** 23
rre (R. Pierre) . . . . **ABZ** 26
cade (R.) . . . . **BY** 28
n (R. du) . . . . **BZ** 29
Neuf (Av. du) . . . . **AZ** 30
ète (Pl. de la) . . . . **ABZ** 32
elle (Pl. de la) . . . . **BY** 33
les (R.) . . . . **BZ**
rre (Pl. et ⊟) . . . . **AY** 35
rre (R.) . . . . **AY** 36
s (Av. des) . . . . **BY** 38
c (R. du) . . . . **AY** 40

927

🏠 **Au Temps de la Reine Jeanne** ⑤, 44 r. Bourg-Vieux *ℰ* 05 59 67 00 76, reineje
orthez@wanadoo.fr, Fax 05 59 69 09 63 – 🔟 📞 ♿. **AE** **GB**
B
fermé 17 fév. au 2 mars – **Repas** 14,50/30, enf. 7 – ⌑ 5,50 – **20 ch** 38,50/49 – ½ P 41,2

🍴🍴 **Auberge St-Loup,** 20 r. Pont Vieux *ℰ* 05 59 69 15 40, brosse.p@wanad'
Fax 05 59 67 13 19, 🌣 – **GB**
A
fermé 22 au 29 avril, dim. soir et lundi – **Repas** 15/31 ⁊

à Maslacq *par* ② : 9 km – 727 h. alt. 74 – ⊠ 64300 Orthez :

🏠 **Maugouber** ⑤, *ℰ* 05 59 38 78 00, christine.maugouber@wana
⇔ Fax 05 59 38 78 29, 🛝, 🌿 – ⊟ rest, 📞 ♿. ✗ rest
fermé 23 déc. au 2 janv. – **Repas** *(fermé vend. soir, sam. et fériés d'oct. à avril)* 9,91/27
enf. 7,62 – ⌑ 5,34 – **22 ch** 39,64/56,41 – ½ P 36,59/39,64

North is at the top on all town plans.

ORVAULT 44 Loire-Atl. **67** ③ – rattaché à Nantes.

OSNY 95 Val-d'Oise **55** ⑲, **106** ⑤, **101** ② – voir à Paris, Environs (Cergy-Pontoise Ville Nouvell

---

OSTHOUSE 67150 B.-Rhin **87** ⑤ – 946 h alt. 155.
Paris 517 – Strasbourg 30 – Obernai 18 – Offenburg 42 – Sélestat 23.

🏠 **A La Ferme** sans rest, *ℰ* 03 90 29 92 50, hotelalaferme@wanadoo.fr, Fax 03 90 29
– 🔟 📞 ♿. **GB**
⌑ 13 – **7 ch** 84/126

🍴🍴 **Aigle d'Or,** *ℰ* 03 88 98 06 82, Fax 03 88 98 81 75 – ⊟ **P.** **AE** **GB**
Repas *(fermé lundi et mardi)* 25,92/63,27 ⅊, enf. 7,62 - **Winstub** *(fermé en août, vac
de Noël, de fév. lundi et mardi)* **Repas** *(7,77)*et carte 27 à 38

OSTWALD 67 B.-Rhin **62** ⑩ – rattaché à Strasbourg.

OTTROTT 67 B.-Rhin **62** ⑨ – rattaché à Obernai.

OUCHAMPS 41120 L.-et-Ch. **64** ⑰ – 803 h alt. 92.
Voir Château de Fougères-sur-Bièvre★ NO : 5 km, G. Châteaux de la Loire.
Paris 199 – Tours 57 – Blois 19 – Montrichard 19 – Romorantin-Lanthenay 40.

🏠 **Relais des Landes** ⑤, Nord : 1,5 km *ℰ* 02 54 44 40 40, info@relaisdeslandes
Fax 02 54 44 03 89, 🛝, 🌣, ♨, 🐾 – 🔟 📞 **P** – 🕍 25. **AE** **①** **GB**
23 mars-11 nov. – **Repas** 31/48 ⁊, enf. 11 – ⌑ 11 – **28 ch** 80/127 – ½ P 88/111,50

OUCQUES 41290 L.-et-Ch. **64** ⑦ – 1 313 h alt. 127.
🛈 Syndicat d'initiative *ℰ* 02 54 23 11 00, Fax 02 54 23 11 04.
Paris 161 – Orléans 61 – Beaugency 30 – Blois 28 – Châteaudun 30 – Vendôme 20.

🍴🍴 **Commerce** avec ch, *ℰ* 02 54 23 20 41, Fax 02 54 23 02 88 – ⊟ rest, 🔟 📞 ⇔. **AE** (
🐾 *fermé 20 déc. au 15 janv., vend. midi , dim. soir et lundi* – **Repas** (dim. prévenir) 15,27/4⁊
– ⌑ 6,87 – **11 ch** 47,30/53,40 – ½ P 53,50

OUESSANT (île d') 29242 Finistère **58** ② G. Bretagne – 932 h alt. 23.
⚓ Transports uniquement piétons – depuis **Brest -** Traversée 2 h 15 mn – Rense
ments et tarifs : Cie Maritime Penn Ar Bed (Brest) *ℰ* 02 98 80 80 80, Fax 02 98 44 75 43
depuis **Le Conquet -** Traversée 1 h - Renseignements et tarifs : voir ci-dessus – ⚓ depuis
Camaret (uniquement mi juillet-mi août)- Traversée 1 h 15 mn - Renseignements et t
voir ci-dessus.
🛈 Syndicat d'initiative Bourg de Lampaul *ℰ* 02 98 48 85 83, Fax 02 98 48 87 09, otoue
@aol.com.

🏠 **Roc'h-Ar-Mor** Ⓜ ⑤, au bourg de Lampaul *ℰ* 02 98 48 80 19, roch.armor@wanad'
Fax 02 98 48 87 51, ≼, 🌣 – 📶 📞 ♿. **GB**
fermé 5 janv. au 15 fév. – **Repas** *(fermé dim. soir et lundi)* 20,80/26 ⁊, enf. 5,80 – ⌑
15 ch 48,50/75 – ½ P 47/58,50

HANS 25520 Doubs ⁷⁰ ⑥ – 334 h alt. 600.

Voir *Source de la Loue*★★★ N : 2,5 km puis 30 mn – Belvédère du Moine de la Vallée ☀★★
NO : 5 km – Belvédère de Renédale ≤★ NO : 4 km puis 15 mn, G. Jura.
Paris 453 – Besançon 47 – Pontarlier 17 – Salins-les-Bains 40.

🏠 **Sources de la Loue,** au village ℰ 03 81 69 90 06, *hotel-des-sources-loue@wanadoo.fr,*
🍴 *Fax 03 81 69 93 17,* 🍽 – 📺 ℂ. *rest*
fermé 25 oct. au 8 nov., 22 déc. au 1er fév., vend. soir et sam. midi hors saison – **Repas** 11
(déj.), 13,70/38,15 ⑧, enf. 7 – � 7,60 – **15 ch** 30,50/43 – ½ P 43/54

LLY-DU-HOULEY 14 Calvados ⁵⁵ ⑭ – rattaché à Lisieux.

STREHAM 14150 Calvados ⁵⁵ ② G. Normandie Cotentin – 8 679 h – Casino (Riva Bella).

Voir *Église St-Samson*★.

🇧 *Office du tourisme - Pavillon du Tourisme Jardin du Casino* ℰ 02 31 97 18 63, Fax 02 31 96
87 33, office.ouistreham@wanadoo.fr.
Paris 235 – Caen 18 – Arromanches-les-Bains 33 – Bayeux 43 – Cabourg 20.

Port d'Ouistreham :

XX **Normandie** avec ch, 71 av. M. Cabieu ℰ 02 31 97 19 57, *hotel@lenormandie.com,*
Fax 02 31 97 20 07 – 📺 ℂ 📠. 🄰🄴 ⓞ 🄶🄱 🄹🄲🄱
fermé 20 déc. au 15 janv., dim. soir et lundi de nov. à mars – **Repas** 16/57 et carte 36,59 à
60,22 ⓨ – ⊟ 7 – **22 ch** 52/58 – ½ P 52/58

iva-Bella :

🏨 **Thermes Riva-Bella Normandie,** av. Cdt Kieffer ℰ 02 31 96 40 40, *ouistreham@*
thalassofrance.com, Fax 02 31 96 45 45, ≤, centre de thalassothérapie, 🛁, 🔲 – 🕴 🏊 📺
ℂ 🍴 📁 – 🄰 50. 🄰🄴 ⓞ 🄶🄱. 🍽 rest
fermé 1er au 15 déc. – **Repas** 17,60/26 ⓨ – ⊟ 9,50 – **46 ch** 78/138, 5 appart – ½ P 80,50

🏠 **Plage** sans rest, 39 av. Pasteur ℰ 02 31 96 85 16, *hoteldelaplage@aol.com,*
Fax 02 31 97 37 46, 🍽 – 📺 📁. 🄰🄴 🄶🄱
15 fév.-3 nov. – ⊟ 5,80 – **16 ch** 46/58

X **Métropolitain,** 1 rte Lion ℰ 02 31 97 18 61, Fax 02 31 97 18 61, « Évocation d'un wagon
🍴 de métropolitain 1900 » – 🄰🄴 🄶🄱
fermé 26 nov.au 9 déc., lundi soir et mardi d'oct. à mai – **Repas** 10,70/30,50

olleville-Montgomery bourg Ouest : 3,5 km par D 35ᴬ – 1 925 h. alt. 10 – ✉ 14880 :

🇧 *Office du tourisme Avenue de Bruxelles* ℰ 02 31 96 04 64, colleville-montgomery@
marianne-village.com.

XX **Ferme St-Hubert,** ℰ 02 31 96 35 41, Fax 02 31 97 45 79, 🍽, 🌲 – 📁. 🄰🄴 ⓞ 🄶🄱
🍴 *fermé 24 déc. au 15 janv., dim. soir et lundi sauf juil.-août et fériés –* **Repas** 15/40 ⓨ

OURSINIÈRES 83 Var ⁸⁴ ⑮, ¹¹⁴ ㊻ – rattaché au Pradet.

ST 09140 Ariège ⁸⁶ ③ – 515 h alt. 500.
Paris 818 – Foix 61 – Tarascon-sur-Ariège 50 – St-Girons 18.

🏠 **Hostellerie de la Poste,** ℰ 05 61 66 86 33, Fax 05 61 66 77 08, 🍽, 🔲, 🌲 – 📁. 🄶🄱
🍴 *29 mars-3 nov. –* Repas *(fermé lundi et mardi sauf du 1er juil. au 15 sept.)* (dîner seul. sauf
sam. et dim.) 19,06/38,11, enf. 9,15 – ⊟ 6,86 – **25 ch** 45,73/65,55 – ½ P 56,41/64,03

ZOUER-SUR-LOIRE 45570 Loiret ⁶⁵ ① – 2 524 h alt. 140.
Paris 154 – Orléans 53 – Gien 16 – Montargis 44 – Pithiviers 55 – Sully-sur-Loire 9.

XX **L'Abricotier,** 106 r. Gien ℰ 02 38 35 07 11, Fax 02 38 35 63 63, 🍽 – 🄶🄱
🍴 *fermé 2 au 8 avril, 17 août au 4 sept., 23 au 31 déc., dim. soir, merc. soir et lundi –* Repas
(nombre de couverts limité, prévenir) 21,50/49 bc, enf. 8,50

E-ET-PALLET 25160 Doubs ⁷⁰ ⑥ – 579 h alt. 853.
Paris 458 – Besançon 66 – Champagnole 44 – Morez 53 – Pontarlier 7.

🏨 **Parnet** sans rest, ℰ 03 81 89 42 03, Fax 03 81 89 41 47, ≤, 🔲, ⚡, ♨ – 📺 ⟳ 📁. 🄰🄴 🄶🄱.
🍽
fermé 20 déc. au 10 fév. – ⊟ 7 – **16 ch** 50/54

OYONNAX *01100 Ain* **70** ⑭ *G. Jura – 24 162 h alt. 540.*

Office du tourisme 1 rue Bichat ✆ 04 74 77 94 46, Fax 04 74 77 68 27.

Paris 487 ③ – Bellegarde-sur-Valserine 32 ② – Bourg-en-Bresse 60 ④ – Nantua 19 ③.

OYONNAX

Anatole-France (R.) .... **YZ**	Jean-Jaurès (Av.) .... **Z** 10	Sonthonnax (R. J.) ....
Bichat (R.) .... **YZ** 2	Michelet (R. Jules) .... **Y**	Vaillant-Couturier (Pl.) ......
Brunet (R.) .... **Y** 3	Muret (R. du) .... **Z** 12	Vandel (R.) ....
Château (R. du) .... **Z** 4	Paix (R. de la) .... **Z** 14	Victoire (R. de la) ....
	Renan (R.) .... **Z** 15	Voltaire (R.) ....
	Roosevelt (Av. Prés.) .... **Y** 16	Zola (Pl. Émile) ....
		8-Mai-1945 (R. du) ....

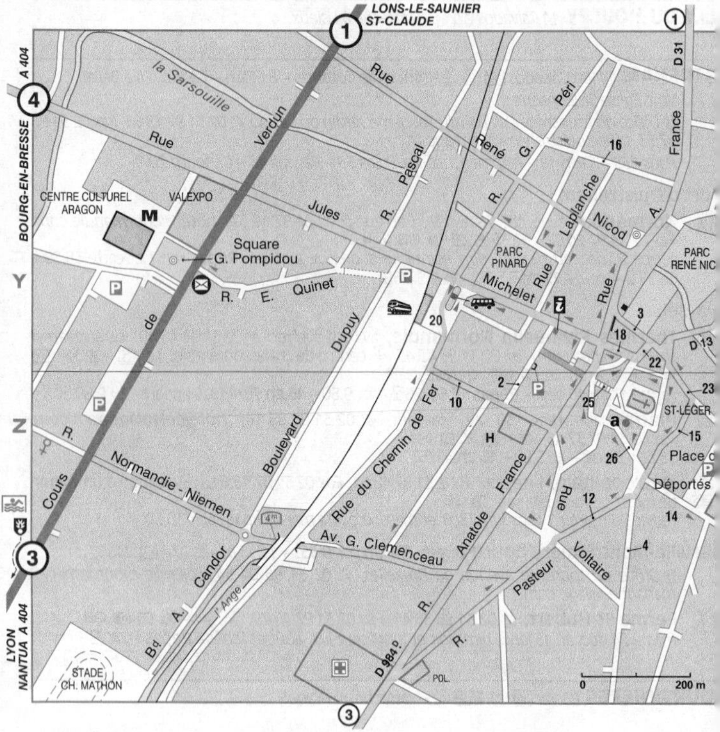

Grandes Roches, par ④, *sortie autoroute n° 11 : 1,5 km* ✆ 04 74 77 27 60, *gra*
roches-hotel@wanadoo.fr, Fax 04 74 73 89 87, ≤, – 60. AE GB
fermé 29 juil. au 18 août – ***Les Feuillantines*** ✆ 04 74 81 88 83 *(fermé sam. midi et*
soir) **Repas** 16/34, enf. 8 – 7,50 – **36 ch** 53/70 – ½ P 84

Toque Blanche, 11 pl. Église St-Léger ✆ 04 74 73 42 63, *Fax 04 74 73 76 48 –*
GB
fermé 27 juil. au 18 août, 2 au 10 janv., sam. midi, dim. soir et lundi – **Repas** 15,50/
enf. 11

au Lac Genin *par ② et D 13 : 10 km – ✉ 01130 Charix :*

Voir *Site★ du lac.*

Auberge du Lac Genin avec ch, ✆ 04 74 75 52 50, *denis.godet@wanad*
Fax 04 74 75 51 15, ≤, – AE GB
fermé 13 oct. au 28 nov., dim. soir et lundi – **Repas** 11/18, enf. 5,50 – 4,50 –
20/40

à Bellignat *par ③ : 2,5 km – 3 488 h. alt. 530 – ✉ 01100 :*

Mélodie, av. V. Hugo ✆ 04 74 73 45 26, *hotel-melodie@wanadoo.fr, Fax 04 74 73*
– 20. GB
Repas *(fermé 28 juil. au 20 août, sam. et dim.)* 13,50/20 – 5 – **35 ch** 38/42,50 – ½

CY-SUR-EURE 27120 Eure 👁️ ⑰, 👁️ ① G. Normandie Vallée de la Seine – 4 751 h alt. 40.
🛈 Office du tourisme Place Dufay ☎ 02 32 26 18 21, Fax 02 32 36 96 67.
Paris 80 – Rouen 62 – Dreux 38 – Évreux 19 – Louviers 33 – Mantes-la-Jolie 28 – Vernon 15.

🏠 **Altina** Ⓜ, rte Paris ☎ 02 32 36 13 18, altinasa@aol.com, Fax 02 32 26 05 11, 🌂 – 📺 ☎ 👫
🅿️ – 🔏 30. 🆎 🅶🅱
Repas (fermé 3 août au 1er sept., 25 au 31 déc. et dim. soir) 10,50/23 ♈, enf. 8,60 – 🖵 5,80 –
29 ch 47 – ½ P 39

illouet Ouest : 6 km par N 13 et rte secondaire – 367 h. alt. 122 – ⌧ 27120 :

✗ **Deux Tilleuls,** ☎ 02 32 36 90 48, Fax 02 32 36 90 48, 🌂, 🌱 – 🅿️. 🅶🅱
fermé 2 au 19 sept., 17 fév. au 6 mars, lundi et mardi – **Repas** 12,96/40,40, enf. 8,38

ocherel Nord-Ouest : 6,5 km par D 836 – ⌧ 27120 Pacy-sur-Eure :

✗✗ **Ferme de Cocherel** 🍃 avec ch, ☎ 02 32 36 68 27, Fax 02 32 26 28 18, 🌱 – 📺 🅿️. 🆎
🅶🅱
fermé 2 au 20 sept., 2 au 23 janv., mardi et merc. – **Repas** (nombre de couverts limité,
prévenir) 34 (sauf dim.)et carte 55 à 88 ♈ – 🖵 10 – **3 ch** 92/122 – ½ P 90/105

DIRAC 46500 Lot 👁️ ⑲ – 168 h alt. 360.
Voir Gouffre de Padirac★★ N : 2,5 km, G. Périgord Quercy.
🛈 Syndicat d'initiative Le Bourg ☎ 05 65 33 47 17, Fax 05 65 33 47 18.
Paris 537 – Brive-la-Gaillarde 50 – Cahors 68 – Figeac 40 – Gramat 10 – St-Céré 16.

🏠 **Padirac Hôtel,** au Gouffre : 2,5 km ☎ 05 65 33 64 23, padirac-hotel@wanadoo.fr,
Fax 05 65 33 72 03, 🌂 – 🅿️. 🅶🅱
30 mars-13 oct. – **Repas** 10,67/33,54 ♈, enf. 6,71 – 🖵 6,10 – **22 ch** 20,58/41,92 –
½ P 29,73/38,15

🏠 **Auberge de Mathieu,** rte gouffre : 2 km ☎ 05 65 33 64 68, Fax 05 65 33 69 29, 🌂, 🌱
– 📺 ☎ 🅿️. 🅶🅱
hôtel : 15 mars-15 nov. ; rest. : 1er mars-15 nov. et fermé sam. en mars et nov. – **Repas** 12,50
(déj.), 19,50/43 ♈, enf. 8 – 🖵 6 – **7 ch** 38/49 – ½ P 43/46

LHEROLS 15800 Cantal 👁️ ⑬ – 153 h alt. 1000.
Paris 560 – Aurillac 32 – Entraygues-sur-Truyère 45 – Murat 38 – Vic-sur-Cère 13.

🏠 **Auberge des Montagnes** 🍃, ☎ 04 71 47 57 01, aubdesmont@aol.com,
Fax 04 71 49 63 83, ⤢, 🔲, 🌱 – 📺 ☎ 👫 🍽️ 🅿️. 🅶🅱
fermé 10 oct. au 20 déc. – Repas (fermé mardi hors saison) 12,50/20,58 ♈, enf. 7,93 –
🖵 5,79 – **22 ch** 36,60/45,73 – ½ P 36,59/44,97

MPOL 22500 C.-d'Armor 👁️ ② G. Bretagne – 7 932 h alt. 15.
Voir Abbaye de Beauport★ 2 km par ② – Tour de Kerroc'h ⩻★ 3 km par ① puis 15 mn.
Env. Pointe de Minard★★ 11 km par ②.
🛈 Office de tourisme pl. de la République ☎ 02 96 20 83 16, Fax 02 96 55 11 12.
Paris 494 ② – St-Brieuc 46 ② – Guingamp 29 ④ – Lannion 33 ⑤.

Plan page suivante

🏠 **K'Loys** sans rest, 21 quai Morand (r) ☎ 02 96 20 40 01, Fax 02 96 20 72 68, ⩻, « Beau
mobilier » – 📱 📺 ☎. 🅶🅱
🖵 7,62 – **11 ch** 64,73/97,51

🏠 **Paimpol-Eurotel,** par ③ : 1 km ☎ 02 96 20 81 85, info@paimpol-eurotel.com,
Fax 02 96 20 48 24 – 📺 👫 🅿️ – 🔏 25. 🆎 🅶🅱. 🍽️ rest
22 mars-28 oct. – **Repas** (½ pens. seul.)(dîner seul.) 🖵 – 🖵 6,80 – **30 ch** 41,25/44,95 –
½ P 43,35

🏠 **Motel Nuit et Jour** sans rest, rte Ile-de-Bréhat par ① : 2 km ⌧ 22620 Ploubazlanec
☎ 02 96 20 97 97, 🌱 – cuisinette 📺 👫 🅿️. 🅶🅱
🖵 7 – **38 ch** 47/56

✗✗ **Marne** avec ch, 30 r. Marne (u) ☎ 02 96 20 82 16, Fax 02 96 20 92 07 – 🍽️ rest, 📺 🅿️. 🆎
① 🅶🅱 🅹🅲🅱. ✂
fermé 7 au 21 oct., 24 fév. au 10 mars, dim. soir sauf juil.-août et lundi – Repas 21/75 ♈ –
🖵 7 – **12 ch** 54/71 – ½ P 52

✗✗ **Vieille Tour,** 13 r. Église (e) ☎ 02 96 20 83 18, Fax 02 96 20 90 41 – 🅶🅱
fermé lundi midi en juil.-août, dim. soir et merc. hors saison – Repas 19,06/51,80 ♈

PAIMPOL

Circulation réglementée l'été

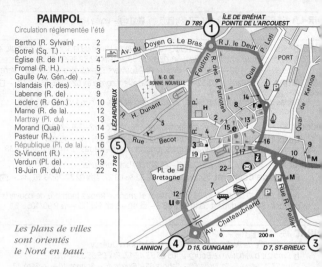

Les plans de villes sont orientés le Nord en haut.

à la Pointe de l'Arcouest par ① : 6 km – ⊠ 22620 Ploubazlanec :

Voir ⩽★★.

🏨 **Barbu** ⑤, ℘ 02 96 55 86 98, Fax 02 96 55 73 87, ⩽ Île de Bréhat, 🔟, ✿ – 🖵 & 🅿. 🖪 JCB
1ᵉʳ mars-15 nov. et fermé dim. soir et lundi d'oct. à mars – **Repas** 15,24 (déj.), 24,39/33 – 🖵 9,15 – **19 ch** 68,60/121,96 – ½ P 76,22/99,09

près du pont de Lézardrieux par ⑤ : 5 km – ⊠ 22500 Paimpol :

🏨 **Relais Brenner** ⑤ sans rest, r. St-Julien ℘ 02 96 22 29 95, Fax 02 96 22 22 72, ⩽, « fleuri sur le Trieux », 🏊 – 🛗 🖵 & 🅿. 🖪 ⓞ 🖪 JCB ⌀
1ᵉʳ avril-30 oct. – 🖵 7,62 – **16 ch** 57,93/105,19, 3 duplex

---

PAIRIS 68 H.-Rhin 🔢 ⑱ – rattaché à Orbey.

PAJAY (Roches de) 38 Isère 🔢 ② – rattaché à Beaurepaire.

PALAGACCIO 2B H.-Corse 🔢 ③ – voir à Corse (Bastia).

LE PALAIS 56 Morbihan 🔢 ⑪ – voir à Belle-Ile-en-Mer.

PALAISEAU 91 Essonne 🔢 ⑩, 🔢 ㉞ – voir à Paris, Environs.

PALAVAS-LES-FLOTS 34250 Hérault 🔢 ⑦ ⑰ G. Languedoc Roussillon – 5 421 h alt. 1 – Ca
Voir *Ancienne cathédrale★* de Maguelone SO : 4 km.
🛈 Office du tourisme - Hôtel de Ville Boulevard Joffre ℘ 04 67 07 73 34, Fax 04 67 07 7
Paris 769 – Montpellier 17 – Aigues-Mortes 26 – Nîmes 61 – Sète 32.

🏨 **Amérique Hôtel** sans rest, av. F. Fabrège ℘ 04 67 68 04 39, hotel.amerique@wana
fr, Fax 04 67 68 07 83, 🔟 – 🛗 🗏 🖵 ✆ &. 🖪 ⓞ 🖪
🖵 7 – **49 ch** 54/65

🏨 **Brasilia** sans rest, bd Joffre ℘ 04 67 68 00 68, hotel@brasilia-palavas.
Fax 04 67 68 40 41 – 🗏 ✆. 🖪 ⓞ 🖪 JCB
🖵 4,57 – **22 ch** 68,60/108,24

🍴🍴🍴 **L'Escale,** 5 bd Sarrail (rive gauche) ℘ 04 67 68 24 17, Fax 04 67 68 24 17 – 🖪 ⓞ 🖪
Repas 24,39/57,93 et carte 68 à 90, enf. 9,15

Pour les grands voyages d'affaires ou de tourisme,
Guide Rouge MICHELIN : EUROPE.

PALMYRE 17570 Char.-Mar. **71** ⑮.

🛈 Office de tourisme Av de Royan 🖉 les Mathes, 🖉 05 46 22 41 07, Fax 05 46 22 52 69.
Paris 518 – Royan 16 – La Rochelle 80.

🏨 **Palmyrotel**, 🖉 05 46 23 65 65, Fax 05 46 22 44 13, 🛎 – 🛗 📺 ✆ ᚛ 🅿. ⚍
hôtel : 28 mars-31 oct. ; rest. : 28 mars-15 oct. – **Flamant Rose** : Repas 18/34 ⚏, enf. 7 –
☲ 6 – **30 ch** 75/81, 16 duplex – ½ P 63

PALUD-SUR-VERDON 04120 Alpes-de-H.-P. **81** ⑰ G. Alpes du Sud – 297 h alt. 930.
Env. Belvédères : Trescaïre★★, 5 km, l'Escalès★★★, 7 km par D952 puis D 23 – Point
Sublime★★★, ≤ sur le Grand Canyon du Verdon NE : 7,5 km puis 15 mn.
🛈 Syndicat d'initiative Le Château 🖉 04 92 77 32 02, Fax 04 92 77 32 02.
Paris 797 – Digne-les-Bains 65 – Castellane 25 – Draguignan 60 – Manosque 69.

🏨 **Gorges du Verdon** ⚫, Sud : 1 km 🖉 04 92 77 38 26, Fax 04 92 77 35 00, ≤, 🛎, 🏊, 🐾,
🗇 – 📺 ᚛ 🅿 – 🔏 25. ⚍
1ᵉʳ avril-31 oct. – Repas (dîner seul.) 28 ⚏, enf. 18 – **28 ch** ☲ 76/145

🏨 **Auberge des Crêtes**, Est : 1 km sur D 952 🖉 04 92 77 38 47, aubergedescretes@wana
doo.fr, Fax 04 92 77 30 40, 🛎, 🗇 – 🅿. ⚍
30 mars-30 sept. – Repas (fermé jeudi sauf juil.-août, vacances scolaires et fériés) (13,50) -
17,50/23 ⚏, enf. 8 – ☲ 6,50 – **12 ch** 45/51,50 – ½ P 45,50/47

...MIERS ⚫ 09100 Ariège **86** ④ ⑤ G. Midi-Pyrénées – 13 417 h alt. 280.
🛈 Office du tourisme Boulevard Delcassé 🖉 05 61 67 52 52, Fax 05 61 67 22 40, officedetou
risme.pamiers@libertysurf.fr.
Paris 762 – Foix 21 – Auch 133 – Carcassonne 75 – Castres 98 – Toulouse 64.

🏨 **France**, 5 cours Rambaud 🖉 05 61 60 20 88, Fax 05 61 67 29 48 – ▤ rest, 📺 ✆ ᚛ 🅿 –
🔏 35. ⚌ ⓪ ⚍
fermé vacances de Noël – Repas (fermé vend. soir et dim. du 1ᵉʳ sept. au 30 avril) 12 (déj.),
17/38 ⚏ – ☲ 6 – **29 ch** 44/46 – ½ P 43

...NTIN 93 Seine-St-Denis **56** ⑪, **101** ⑯ – voir à Paris, Environs.

PARADOU 13 B.-du-R. **83** ⑩ – rattaché à Maussane-les-Alpilles.

...RAMÉ 35 I.-et-V. **59** ⑥ – voir à St-Malo.

...RAY-LE-MONIAL 71600 S.-et-L. **69** ⑰ G. Bourgogne – 9 191 h alt. 245.
Voir Basilique du Sacré-Cœur★★ – Hôtel de ville★ H.
🛈 Office du tourisme 25 avenue Jean-Paul II 🖉 03 85 81 10 92, Fax 03 85 81 36 61,
mi-rocher@wanadoo.fr.
Paris 351 ⑤ – Moulins 68 ⑤ – Mâcon 66 ② – Montceau-les-Mines 37 ① – Roanne 55 ④.

Plan page suivante

🏨 **Parada** Ⓜ sans rest, Z.A.C. Champ Bossu par ①, rte Montceau 🖉 03 85 81 91 71,
Fax 03 85 81 91 70 – ▤ 📺 ✆ ᚛ 🅿 – 🔏 30. ⚍
☲ 6,10 – **30 ch** 40/59,20

🏨 **Terminus**, 27 av. Gare (s) 🖉 03 85 81 59 31, Fax 03 85 81 38 31, 🛎, 🗇 – 📺 ✆ ᚛ 🅿.
⚫ ⚑ ch
fermé 1ᵉʳ au 15 nov., 25 déc. au 2 janv., vend. et sam. (sauf hôtel) et dim. hors saison –
Repas (dîner seul.) 14/20 – ☲ 6,50 – **16 ch** 42/61,50 – ½ P 49

🏨 **Trois Pigeons**, 2 r. Dargaud (v) 🖉 03 85 81 03 77, hotel3pigeons@wanadoo.fr,
Fax 03 85 81 83 59, 🛎 – 📺 📺 ᚛ ᚛. ⚌ ⓪ ⚍
1ᵉʳ mars-30 nov. – Repas (11,80) - 13,85/36,10 ᚛ – ☲ 6 – **44 ch** 35,50/56 – ½ P 38,45/43,75

🏨 **Grand Hôtel de la Basilique**, 18 r. Visitation (a) 🖉 03 85 81 11 13, resa@hotelbasilique
.com, Fax 03 85 88 83 70 – 🛗 ⚌ ⓪ ⚍. ⚑
17 mars-31 oct. – Repas 11,50/38,50 ⚏, enf. 6,90 – ☲ 5,50 – **58 ch** 31/49 – ½ P 35/42

🏨 **Vendanges de Bourgogne**, 5 r. D. Papin (e) 🖉 03 85 81 13 43, hotel.vendanges.de.
bourgogne@wanadoo.fr, Fax 03 85 88 87 59, 🛎 – 📺 ✆ ᚛ 🅿. ⚌ ⓪ ⚍
fermé 4 janv. au 3 fév., dim. soir et lundi sauf juil.août – Repas (10) - 12/27 ⚏, enf. 7,50 –
☲ 5,50 – **15 ch** 26/39 – ½ P 32/39

PARAY-LE-MONIAL

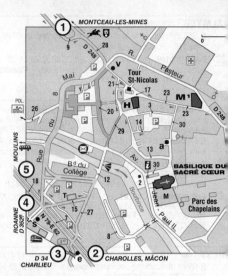

à Poisson par ③ : 8 km sur D 34 – 590 h. alt. 300 – ⊠ 71600 :

   XX   **Poste et Hôtel La Reconce** Ⓜ avec ch, ☎ 03 85 81 10 72, Fax 03 85 81 64 34, 🏤
– 🍽 rest, 📺 ⚿ ♿ 🄿 AE ⓪ ☜ JCB
fermé 30 sept. au 17 oct., fév., lundi et mardi sauf le soir en juil.-août – **Repas** 19,90/72
enf. 9,60 – ⊇ 10 – **7 ch** 52/70

par ⑤ : 4 km sur N 79 – ⊠ 71600 Paray-le-Monial :

   🏠   **Charollais** Ⓜ, ☎ 03 85 81 03 35, Fax 03 85 81 50 31, 🏤, ⤳, ⚕ – 📺 ⚿ 🄿 – 🕿 15. [
☜
Repas grill 15 ♨, enf. 5,80 – ⊇ 6,70 – **20 ch** 45/82 – ½ P 39/42

PARCEY 39 Jura 🔟 ③ – rattaché à Dole.

PARENTIS-EN-BORN 40160 Landes 🔟🔟 ③ G. Aquitaine – 4 429 h alt. 32.
🖪 Office du tourisme Place du Général-de-Gaulle ☎ 05 58 78 43 60, Fax 05 58 78 4◻
oft@parentis.com.
Paris 660 – Bordeaux 75 – Mont-de-Marsan 76 – Arcachon 42 – Mimizan 25.

   X   **Cousseau** avec ch, r. St-Barthélemy ☎ 05 58 78 42 46, Fax 05 58 78 42 46, 🏤 – [
  ☜
fermé 14 oct. au 3 nov., vend. soir et dim. soir – **Repas** 10/39 – ⊇ 5 – **9 ch** 29/44

   X   **Poste**, av. 8-Mai-1945 ☎ 05 58 78 40 23 – ☜
  ☜
fermé dim. soir et lundi – **Repas** 9/20

PARIGNÉ 35 I.-et-V. 🔢 ⑱ – rattaché à Fougères.

PARIS
et
ENVIRONS

Ⓟ 75 Plans : 10, 11, 12 et 14 G. Paris – 2 152 333 h.
Région d'Ile-de-France 10 651 000 h. – alt. Observatoire 60 m
Place de la Concorde 34 m.

ARRONDISSEMENT

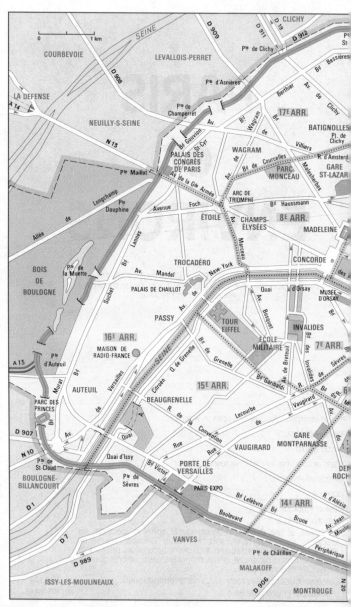

QUARTIERS

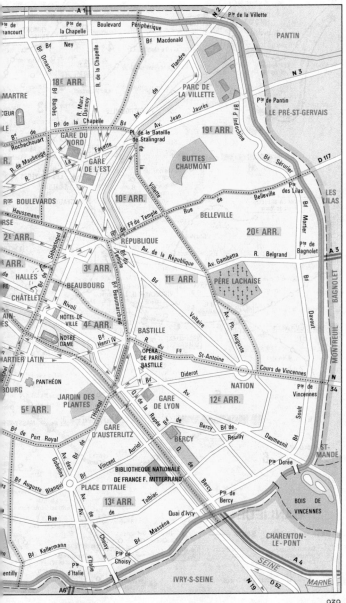

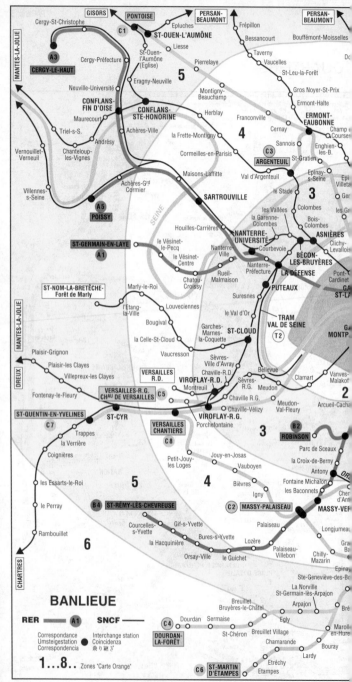

BANLIEUE

RER ——— A1   SNCF ———

Correspondance
Umsteigestation
Correspondencia

Interchange station
Coincidenza
乗り換え

1...8.. Zones 'Carte Orange'

940

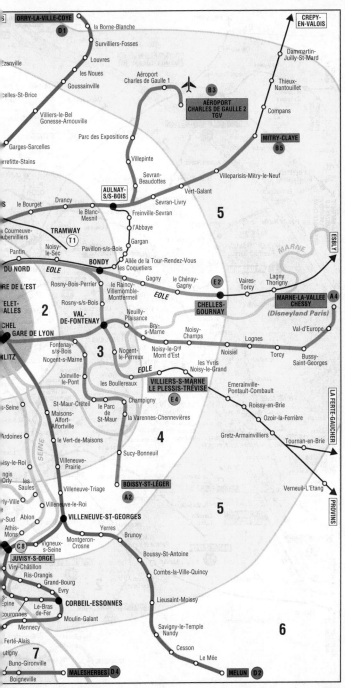

ORRY-LA-VILLE-COYE **D1**

la Borne-Blanche

Survilliers-Fosses

Louvres

les Noues

Goussainville

Villiers-le-Bel
Gonesse-Arnouville

Parc des Expositions

Garges-Sarcelles

rrefitte-Stains

Aéroport
Charles de Gaulle 1

AÉROPORT
CHARLES DE GAULLE 2
TGV **B3**

CREPY-
EN-VALOIS

Dammartin-
Juilly-St-Mard

Thieux-
Nantouillet

Compans

MITRY-CLAYE **B5**

Villeparisis-Mitry-le-Neuf

Villepinte

Sevran-
Beaudottes

AULNAY-
S/S-BOIS

Vert-Galant

5

le Bourget

Drancy

le Blanc-
Mesnil

Sevran-Livry

Freinville-Sevran

a Courneuve-
ubervilliers

TRAMWAY **T1**

Noisy-
le-Sec

Pavillon-s/s-Bois

l'Abbaye

Gargan

Pantin

DU NORD

RE DE L'EST

ELET-
ALLES

CHEL

GARE DE LYON

LITZ

EOLE

BONDY

Allée de la Tour-Rendez-Vous
les Coquetiers

Rosny-Bois-Perrier

Gagny

le Chénay-
Gagny **E2**

Vaires-
Torcy

MARNE

ESBLY

Lagny
Thorigny

le Raincy-
Villemomble-
Montfermeil

EOLE

CHELLES-
GOURNAY

MARNE-LA-VALLEE
CHESSY **A4**
(Disneyland Paris)

2

VAL-
DE-FONTENAY

Rosny-s/s-Bois

Neuilly-
Plaisance

Bry-
s-Marne

Noisy-
Champs

Lognes

Noisiel

Torcy

Val-d'Europe

Bussy-
Saint-Georges

Fontenay-
s/s-Bois

Nogent-s-Marne

3

Nogent-
le-Perreux

Noisy-le-Grd
Mont d'Est

Noisy-le-Grand

les Yvris
Noisy-le-Grand

s-Seine

Joinville-
le-Pont

les Boullereaux

EOLE

VILLIERS-S-MARNE
LE PLESSIS-TRÉVISE **E4**

Emerainville-
Pontault-Combault

LA FERTÉ-GAUCHER

Ardoines

St-Maur-Créteil

Maisons-
Alfort-
Alfortville

le Parc
de
St-Maur

Champigny

la Varennes-Chennevières

Roissy-en-Brie

Ozoir-la-Ferrière

SEINE

le Vert-de-Maisons

4

Gretz-Armainvilliers

Tournan-en-Brie

isy-le-Roi

Villeneuve-
Prairie

Sucy-Bonneuil

ngis
Orly

les
Saules

Villeneuve-Triage

BOISSY-ST-LÉGER **A2**

ry-Ville

Villeneuve-le-Roi

Verneuil-L'Etang

PROVINS

-Sud
Athis-
Mons

Ablon

VILLENEUVE-ST-GEORGES

Yerres

Brunoy

5

C8

Vigneux-
s-Seine

Montgeron-
Crosne

JUVISY-S-ORGE

Viry-Châtillon

Ris-Orangis

Grand-Bourg

Boussy-St-Antoine

Combs-la-Ville-Quincy

Evry

Viry-Châtillon

s-
epine

couronnes

Le-Bras
de-Fer

CORBEIL-ESSONNES

Moulin-Galant

Lieusaint-Moissy

Mennecy

Ferté-Alais

utigny

Buno-Gironville

MALESHERBES **D4**

Boigneville

Savigny-le-Temple
Nandy

Cesson

Le Mée

MELUN **D2**

6

7

941

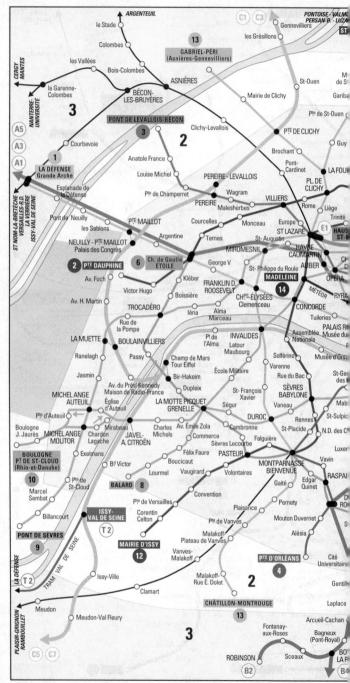

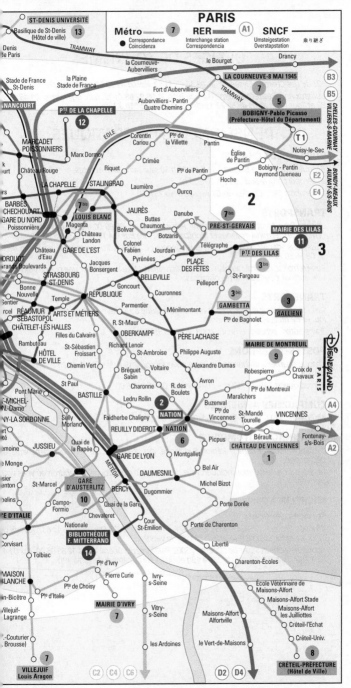

OFFICES DE TOURISME

127 av. des Champs-Élysées 8ᵉ ℰ 08 36 68 31 12, Fax 01 49 52 53 20 (7 jours/7)
Bureaux Annexes(fermés dim.) Gare de Lyon ℰ 08 92 68 31 12, Gare du Nord ℰ 01 45 26 9◄
82 et Tour Eiffel ℰ 01 45 51 22 15 (de mai à sept. de 11h à 18h)

RENSEIGNEMENTS PRATIQUES

BUREAUX DE CHANGE

Banques ouvertes (la plupart), de 9 h à 16 h 30 sauf sam., dim. et fêtes.
à l'aéroport d'Orly-Sud : de 6 h 30 à 23 h
à l'aéroport Paris-Charles-de-Gaulle : de 6 h à 23 h 30

TRANSPORTS

Liaisons Paris Aéroports : Info cars Air France ℰ 01 41 56 89 00 (Roissy-C-d-G1 et C-d-G2◄
Orly) départ Terminal Invalides et Montparnasse : Info Bus R.A.T.P ℰ 08 36 68 77 14.
Roissy-Bus, départ Opéra 9ᵉ Orly-Bus, départ pl. Denfert-Rochereau 14ᵉ : par rail (RER
ℰ 08 36 68 77 14
Bus-Métro : se reporter au plan de Paris Michelin n° 11. Le bus permet une bonne vision de la
ville, surtout pour de courtes distances.

TRANSPORTS

Taxi : faire signe aux véhicules libres (lumière jaune allumée) - Aires de stationnement - d◄
jour et de nuit : appels téléphonés
Trains-autos : renseignements ℰ 08 36 35 35 35

POSTES-TELEPHONE

Chaque quartier a un bureau de Poste ouvert jusqu'à 19 h, le samedi de 8h à 12h - fermé le
dimanche
Bureau ouvert 24h/24 : 52 rue du Louvre ℰ 01 40 28 76 00

COMPAGNIES AERIENNES

Air France : 119 Champs-Élysées ℰ 08 20 82 08 20

DEPANNAGE AUTOMOBILE

Il existe, à Paris et dans la Région Parisienne, des ateliers et des services permanents d◄
dépannage.
Les postes de Police vous indiqueront le dépanneur le plus proche de l'endroit où vous vou.
trouvez

MICHELIN à Paris

Services généraux

46 av. de Breteuil - 75324 PARIS CEDEX 07 - ℰ 01 45 66 12 34, Fax 01 45 66 11 63. Ouverts d◄
lundi au vendredi de 8 h 45 à 16 h 30 (16 h le vendredi)
Boutique Michelin 32 av. de l'Opéra - 75002 PARIS (métro Opéra) ℰ 01 42 68 05 20, Fax 01 4.
42 10 50. Ouverte le lundi de 12h à 19h et du mardi au samedi de 10h à 19h

PRACTICAL INFORMATION

TOURIST INFORMATION

Paris "Welcome" Office (Office de Tourisme de Paris) : 127 Champs-Élysées, 8th ✆ 08 36 68 31 12, Fax 01 49 52 53 20

American Express 9 rue Auber, 9 th ✆ 01 47 14 50 00, Fax 01 42 68 17 17

FOREIGN EXCHANGE OFFICES

Banks : close at 4.30 pm and at week-end

Orly Sud Airport : daily 6.30 am to 11 pm

Charles-de-Gaulle Airport : daily 6.am to 11.30 pm

TRANSPORT

Airports-Roissy-Charles-de-Gaulle ✆ 01 48 62 12 12 : Orly Aérogare ✆ 01 49 75 52 52

Bus-Métro (subway) : for full details see the Michelin Plan de Paris nº 11. The métro is quickest but the bus is good for sightseeing and practical for short distances

Taxis : may be hailed in the street when showing the illuminated sign-available, day and night al taxi ranks or called by telephone

POSTAL SERVICES

Local post offices : open Mondays to Fridays 8 am to 7 pm ; Saturdays 8 am to noon

General Post Office, 52 rue du Louvre, 1st : open 24 hours, ✆ 01 40 28 76 00

AIRLINES

AMERICAN AIRLINES : Roissy Airport Terminal /24 ✆ 08 01 87 28 72

DELTA AIRLINES : 119 av. des Champs-Élysées, ✆ 08 00 35 40 80

UNITED AIRLINES : 106 bd Haussmann ✆ 08 01 72 72 72

BRITISH AIRWAYS : 13-15 bd de la Madeleine, 1st, ✆ 08 25 82 54 00

AIR FRANCE : 119 Champes-Élysées, 8 th, ✆ 08 20 32 08 20

BREAKDOWN SERVICE

Some garages in central and outer Paris operate a 24-hour breakdown service. If you breakdown the police are usually able to help by indicating the nearest one.

TIPPING

In France, in addition to the usual people who are tipped (the barber or ladies'hairdresser, hat-check girl, taxi-driver, doorman, porter, et al.), the ushers in Paris theaters and cinemas,

as well as the custodians of the "men's" and "ladies" in all kinds of establishments, expect a small gratuity.

In restaurants, the tip ("service") is always included in the bill to the tune of 15 % However you may choose to leave in addition the small change in your plate, especially if it is

a place you would like to come back to, but there is no obligation to do so.

DÉCOUVRIR

PERSPECTIVES CÉLÈBRES ET PARIS VU D'EN HAUT

≼★★★ depuis l'Obélisque de la place de la Concorde : Champs-Elysées, Arc de Triomphe
Grande Arche de la Défense. - ≼★★ depuis l'Obélisque de la place de la Concorde
La Madeleine, Assemblée nationale. - ≼★★★ depuis la terrasse du Palais de Chaillot : Tour
Eiffel, Ecole Militaire, Trocadéro - ≼★★ depuis le pont Alexandre III : Invalides, Grand et Petit
Palais - Tour Eiffel★★★ - Tour Montparnasse★★★ - Tour Notre-Dame★★★ - Dôme du Sacré
Coeur★★★ - Plate-forme de l'Arc de Triomphe★★★

QUELQUES MONUMENTS HISTORIQUES

Le Louvre★★★ (cour carrée, colonnade de Perrault, la pyramide) - Tour Eiffel★★★ - Notre
Dame★★★ - Sainte-Chapelle★★★ - Arc de Triomphe★★★ - Invalides ★★★ (Tombeau de Napo-
léon) - Palais-Royal★★ - Opéra★★ - Conciergerie★★ - Panthéon★★ - Luxembourg ★★ (Palais et
Jardins)

Églises :

Notre-Dame★★★ - La Madeleine★★ - Sacré-Coeur★★ - St-Germain-des-Prés★★ - St-Étienne
du-Mont★★ - St-Germain-l'Auxerrois★★

Dans le Marais :

Place des Vosges★★★ - Hôtel Lamoignon★★ - Hôtel Guénégaud★★ - Palais Soubise★★

QUELQUES MUSÉES

Le Louvre★★★ - Orsay★★★ (milieu du 19ᵉ s. jusqu'au début du 20ᵉ s.) - Art moderne ★★★ (au
Centre Pompidou) - Armée★★★ (aux Invalides) - Arts décoratifs★★ (107, rue de Rivoli)
Musée National du Moyen Âge et Thermes de Cluny★★ - Rodin★★ (Hôtel de Biron) - Carnava-
let★★ (Histoire de Paris) - Picasso★★ - Cité des Sciences et de l'Industrie★★★ (La Villette)
Marmottan★★ (collection de peintres impressionnistes) - Orangerie★★ (des Impressionnistes
à 1930) - Jacquemart-André★★ - Musée national des Arts asiatiques - Guimet★★★

MONUMENTS CONTEMPORAINS

La Défense★★ (C.N.I.T., la Grande Arche) - Centre Georges-Pompidou★★★ - Forum des Halles
- Institut du Monde Arabe★ - Opéra-Bastille - Bercy★ (palais Omnisports, Ministère des
Finances) Bibliothèque Nationale de France - site François-Mitterrand★

QUARTIERS PITTORESQUES

Montmartre★★★ - Le marais★★★ - Île St-Louis★★ - les Quais★★ (entre le Pont des Arts et le
Pont de Sully) - St-Germain-des-Prés★★ - Quartier St-Séverin★★

LE SHOPPING

Grands magasins : Printemps, Galeries Lafayette (boulevard Haussmann), Samaritaine
B.H.V. (rue de Rivoli), Bon Marché (rue de Sèvres)

Commerce de luxe :

Au Faubourg St-Honoré (mode), Rue de la Paix et place Vendôme (joaillerie), rue Royale
(faïencerie et cristallerie), avenue Montaigne ((mode)

Occasions et antiquités :

Marché aux Puces★ (Porte de Clignancourt), Village Suisse (av. de la Motte-Picquet) - Louvre
des Antiquaires.

Liste alphabétique des hôtels et restaurants

Restaurants de Paris et environs

Les bonnes tables... à étoiles

✿✿✿

75	XXXXX	Ledoyen - 8e
76	XXXXX	Lucas Carton (Senderens) - 8e
76	XXXXX	Plaza Athénée - 8e
76	XXXXX	Taillevent (Vrinat) - 8e
58	XXXX	Ambroisie (L') (Pacaud) - 4e
69	XXXX	Arpège (Passard) - 7e
54	XXXX	Grand Vefour - 1er
101	XXXX	Guy Savoy - 17e
76	XXXX	Pierre Gagnaire - 8e

✿✿

75	XXXXX	Ambassadeurs (Les) - 8e	69	XXXX	Le Divellec - 7e
76	XXXXX	Bristol - 8e	101	XXXX	Michel Rostang - 17e
75	XXXXX	''Cinq'' (Le) - 8e	83	XXXX	Muses (Les) - 9e
76	XXXXX	Lasserre - 8e	98	XXXX	Pré Catelan - 16e
76	XXXXX	Laurent - 8e	101	XXX	Apicius - 17e
63	XXXXX	Tour d'Argent - 5e	95	XXX	Jamin - 16e
76	XXXX	Astor (L') - 8e	96	XXX	Relais d'Auteuil - 16e
54	XXXX	Carré des Feuillants - 1er	64	XXX	Relais Louis XIII - 6e
76	XXXX	Élysées (Les) - 8e	112	XXX	Relais Ste-Jeanne
95	XXXX	Faugeron - 16e			Cergy-Pontoise Ville Nouve
54	XXXX	Gérard Besson - 1er			

Le "Bib Gourmand"

Pour souper après le spectacle

(Nous indiquons entre parenthèses l'heure limite d'arrivée)

83	XXX	Charlot ''Roi des Coquillages'' - 9e (0 h)
90	XXX	Dôme (Le) - 14e (0 h 30)
96	XXX	Étoile (L') - 16e (0 h 30)
77	XXX	Fouquet's - 8e (0 h)
55	XXX	Pierre '' A la Fontaine Gaillon '' - 2e (0 h 30)
64	XXX	Procope - 6e (1 h)
77	XXX	Yvan - 8e (0 h)
64	XX	Alcazar - 6e (1 h)
102	XX	Ballon des Ternes - 17e (0 h 30)
58	XX	Blue Elephant - 11e (0 h)
58	XX	Bofinger - 4e (1 h)
83	XX	Brasserie Flo - 10e (0 h 30)
55	XX	Café Drouant - 2e (0 h)
101	XX	Coco et sa Maison - 17e (0 h)
91	XX	Coupole (La) - 14e (1 h)
70	XX	Esplanade (L') - 7e (1 h)
78	XX	Fermette Marbeuf 1900 - 8e (0 h)
70	XX	Françoise (Chez) - 7e (0 h)
55	XX	Gallopin - 2e (0 h)
102	XX	Georges (Chez) - 17e (0 h 30)
83	XX	Grand Café - 9e (jour et nuit)
55	XX	Grand Colbert - 2e (1 h)
87	XX	Grandes Marches (Les) - 12e (1 h)
119	XX	Ile (L') Issy-les-Moulineaux (0 h)
78	XX	Korova - 8e (0 h 30)

64	XX	Marty - 5e (0 h)
83	XX	Petit Riche (Au) - 9e (0 h 15)
55	XX	Pied de Cochon (Au) - 1er (jour et nuit)
83	XX	Terminus Nord - 10e (1 h)
56	XX	Vaudeville - 2e (1 h)
78	XX	Village d'Ung et Li Lam - 8e (0 h)
91	XX	Vin et Marée - 14e (0 h)
97	XX	Zébra Square - 16e (0 h)
79	X	Appart' (L') - 8e (0 h)
79	X	Atelier Renault (L') - 8e (0 h 30)
66	X	Balzar - 5e (0 h)
102	X	Bellagio - 17e (0 h)
84	X	Bistro des Deux Théâtres - 9e (0 h 30)
97	X	Bistrot de l'Étoile Lauriston - 16e (0 h)
56	X	Café Marly - 1er (1 h)
65	X	Dominique - 6e (1 h)
97	X	Gare - 16e (0 h)
84	X	I Golosi - 9e (0 h)
84	X	Michel (Chez) - 10e (0 h)
91	X	O à la Bouche (L') - 14e (0 h)
92	X	Petit Bofinger - 15e (0 h)
92	X	Régalade - 14e (0 h)
65	X	Rotonde - 6e (1 h)
70	X	Thoumieux - 7e (0 h)
56	X	Tour de Montlhéry, Chez Denise - 1er (jour et nuit)
79	X	Xu - 8e (0 h 30)
79	X	Zo - 8e (0 h)

Le plat que vous recherchez

Une andouillette

58	XX	Ambassade d'Auvergne - 3ᵉ
91	XX	Coupole (La) - 14ᵉ
87	XX	Petit Marguery - 13ᵉ
59	X	Anjou-Normandie - 11ᵉ
84	X	Catherine (Chez) - 9ᵉ
102	X	Caves Petrissans - 17ᵉ
92	X	Château Poivre - 14ᵉ
79	X	Ferme des Mathurins - 8ᵉ
70	X	Fontaine de Mars - 7ᵉ
56	X	Georges (Chez) - 2ᵉ
65	X	Moissonnier - 5ᵉ
128	X	Pouilly Reuilly (Au) à Le Pré St-Gervais
56	X	Relais Chablisien - 1ᵉʳ

Du boudin

58	XX	Ambassade d'Auvergne - 3ᵉ
70	XX	Chez Eux (D') - 7ᵉ
59	X	Anjou-Normandie - 11ᵉ
87	X	Auberge Aveyronnaise (L') - 12ᵉ
59	X	Bascou (Au) - 3ᵉ
70	X	Fontaine de Mars - 7ᵉ
65	X	Moissonnier - 5ᵉ
128	X	Pouilly Reuilly (Au) à Le Pré St-Gervais
92	X	St-Vincent - 15ᵉ

Une bouillabaisse

54	XXXX	Goumard - 1ᵉʳ
83	XXX	Charlot "Roi des Coquillages" - 9ᵉ
90	XXX	Dôme (Le) - 14ᵉ
87	XX	Frégate - 12ᵉ
97	XX	Marius - 16ᵉ
64	XX	Méditerranée - 6ᵉ
64	XX	Toutoune (Chez) - 5ᵉ

Un cassoulet

59	XX	Benoît - 4ᵉ
70	XX	Chez Eux (D') - 7ᵉ
83	XX	Julien - 10ᵉ
102	XX	Léon (Chez) - 17ᵉ
55	XX	Pays de Cocagne - 2ᵉ
83	XX	Quercy - 9ᵉ
78	XX	Sarladais - 8ᵉ

59	XX	Sousceyrac (A) - 11ᵉ
121	XX	St-Pierre à Longjumeau
133	XX	Table d'Antan à Ste-Geneviève-des-Bois
87	XX	Trou Gascon (Au) - 1
59	X	Auberge Pyrénées Cévennes - 11ᵉ
56	X	Dauphin - 1ᵉʳ
92	X	Gastroquet - 15ᵉ
92	X	Marché (du) - 15ᵉ
87	X	Quincy - 12ᵉ
70	X	Thoumieux - 7ᵉ

Une choucroute

58	XX	Bofinger - 4ᵉ
50	XX	Brasserie Le Louvre (H. Louvre) - 1ᵉʳ
91	XX	Coupole (La) - 14ᵉ
83	XX	Terminus Nord - 10ᵉ
84	X	Alsaco Winstub (L') -
66	X	Balzar - 5ᵉ
65	X	Brasserie Lipp - 6ᵉ
56	X	Café Runtz - 2ᵉ

Un confit

131	XXX	Cazaudehore à St-Germain-en-Laye
70	XX	Chez Eux (D') - 7ᵉ
96	XX	Paul Chêne - 16ᵉ
55	XX	Pays de Cocagne - 2
83	XX	Quercy - 9ᵉ
78	XX	Sarladais - 8ᵉ
87	XX	Trou Gascon (Au) - 12
59	X	Bascou (Au) - 3ᵉ
84	X	Deux Canards (Aux) -
92	X	Gastroquet - 15ᵉ
56	X	Lescure - 1ᵉʳ
66	X	Marcel (Chez) - 6ᵉ
92	X	Marché (du) - 15ᵉ
59	X	Monde des Chimères - 4ᵉ
70	X	Thoumieux - 7ᵉ

Un coq au vin

121	XX	Bourgogne à Maisons-A
132	XX	Coq de la Maison Blanche à St-Ouen
87	XX	Marronniers (Les) - 1
87	XX	Petit Marguery - 13ᵉ

87	✗	Biche au Bois - 12ᵉ
59	✗	Repaire de Cartouche - 11ᵉ
92	✗	St-Vincent - 15ᵉ

Des coquillages, crustacés, poissons

54	XXXX	Goumard - 1ᵉʳ
69	XXXX	Le Divellec - 7ᵉ
76	XXXX	Marée (La) - 8ᵉ
83	XXX	Charlot "Roi des Coquillages" - 9ᵉ
64	XXX	Closerie des Lilas - 6ᵉ
90	XXX	Dôme (Le) - 14ᵉ
90	XXX	Duc (Le) - 14ᵉ
101	XXX	Pétrus - 17ᵉ
96	XXX	Port Alma - 16ᵉ
102	XX	Ballon des Ternes - 17ᵉ
58	XX	Bofinger - 4ᵉ
83	XX	Brasserie Flo - 10ᵉ
91	XX	Coupole (La) - 14ᵉ
101	XX	Dessirier - 17ᵉ
87	XX	Frégate - 12ᵉ
55	XX	Gallopin - 2ᵉ
70	XX	Gaya Rive Gauche - 7ᵉ
70	XX	Glénan (Les) - 7ᵉ
83	XX	Grand Café - 9ᵉ
83	XX	Julien - 10ᵉ
77	XX	Luna - 8ᵉ
138	XX	Marée de Versailles à Versailles
78	XX	Marius et Janette - 8ᵉ
64	XX	Marty - 5ᵉ
55	XX	Pied de Cochon (Au) - 1ᵉʳ
78	XX	Stella Maris - 8ᵉ
102	XX	Taïra - 17ᵉ
83	XX	Terminus Nord - 10ᵉ
91	XX	Vin et Marée - 14ᵉ
59	XX	Vin et Marée - 11ᵉ
79	✗	Bistrot de Marius - 8ᵉ
59	✗	Bistrot du Dôme - 4ᵉ
79	✗	Cap Vernet - 8ᵉ
65	✗	Espadon Bleu (L') - 6ᵉ
102	✗	Huîtrier et Presqu'île - 17ᵉ
70	✗	Vin et Marée - 7ᵉ
97	✗	Vin et Marée - 16ᵉ

Des escargots

59	XX	Benoît - 4ᵉ
70	XX	Champ de Mars - 7ᵉ
108	XX	Escargot (A l') à Aulnay-sous-Bois
102	XX	Léon (Chez) - 17ᵉ
65	✗	Allard - 6ᵉ
84	✗	Alsaco Winstub (L') - 9ᵉ
56	✗	Bistrot St-Honoré - 1ᵉʳ
79	✗	Ferme des Mathurins - 8ᵉ
65	✗	Moissonnier - 5ᵉ
65	✗	Moulin à Vent (Au) - 5ᵉ
87	✗	Quincy - 12ᵉ

Une paëlla

97	✗	Rosimar - 16ᵉ

Une grillade

86	XXX	Train Bleu - 12ᵉ
83	XX	Brasserie Flo - 10ᵉ
132	XX	Coq de la Maison Blanche à St-Ouen
91	XX	Coupole (La) - 14ᵉ
78	XX	Fermette Marbeuf 1900 - 8ᵉ
83	XX	Julien - 10ᵉ
55	XX	Pied de Cochon (Au) - 1ᵉʳ
83	XX	Terminus Nord - 10ᵉ
56	XX	Vaudeville - 2ᵉ
102	✗	Rôtisserie d'Armaillé - 17ᵉ
66	✗	Rôtisserie d'en Face - 6ᵉ

De la tête de veau

101	XXX	Apicius - 17ᵉ
102	XX	Léon (Chez) - 17ᵉ
91	XX	les Frères Gaudet (Chez) - 15ᵉ
64	XX	Marty - 5ᵉ
108	XX	Petite Auberge à Asnières-sur-Seine
97	XX	Petite Tour - 16ᵉ
83	XX	Quercy - 9ᵉ
87	✗	Bistrot de la Porte Dorée - 12ᵉ
102	✗	Caves Petrissans - 17ᵉ
92	✗	Coteaux (Les) - 15ᵉ
84	✗	Pré Cadet - 9ᵉ

Cuisines d'Ailleurs

Antilles, Réunion, Seychelles
65	ℵ	Coco de Mer - 5ᵉ
92	ℵ	Flamboyant - 14ᵉ

Belge
101	ℵℵ	Graindorge - 17ᵉ
65	ℵ	Bouillon Racine - 6ᵉ

Chinoise, Thaïlandaise et Vietnamienne
90	ℵℵℵ	Chen-Soleil d'Est - 15ᵉ
96	ℵℵℵ	Tsé-Yang - 16ᵉ
58	ℵℵ	Blue Elephant - 11ᵉ
129	ℵℵ	Bonheur de Chine à Rueil-Malmaison
91	ℵℵ	Erawan - 15ᵉ
125	ℵℵ	Foc Ly à Neuilly-sur-Seine
70	ℵℵ	Tan Dinh - 7ᵉ
96	ℵℵ	Tang - 16ᵉ
70	ℵℵ	Thiou - 7ᵉ
78	ℵℵ	Village d'Ung et Li Lam - 8ᵉ
56	ℵ	Baan Boran - 1ᵉʳ
79	ℵ	Cô Ba Saigon - 8ᵉ
66	ℵ	Palanquin - 6ᵉ

Coréenne
79	ℵ	Shin Jung - 8ᵉ

Espagnole
65	ℵ	Bistrot de la Catalogne - 6ᵉ
97	ℵ	Rosimar - 16ᵉ

Grecque
64	ℵℵ	Mavrommatis - 5ᵉ
71	ℵ	Apollon - 7ᵉ
65	ℵ	Délices d'Aphrodite (Les) - 5ᵉ

Hongroise
84	ℵℵ	Paprika - 9ᵉ

Indienne
77	ℵℵℵ	Indra - 8ᵉ
64	ℵℵ	Yugaraj - 6ᵉ

Italienne
55	ℵℵℵ	Gualtiero Marchesi pour le Lotti - 1ᵉʳ
55	ℵℵℵ	Il Cortile - 1ᵉʳ
116	ℵℵℵ	Romantica à Clichy
101	ℵℵℵ	Sormani - 17ᵉ
69	ℵℵ	Beato - 7ᵉ
96	ℵℵ	Bellini - 16ᵉ
77	ℵℵ	Carpaccio - 8ᵉ
83	ℵℵ	Chateaubriant (Au) - 10ᵉ
97	ℵℵ	Conti - 16ᵉ
55	ℵℵ	Delizie d'Uggiano - 1ᵉʳ
91	ℵℵ	Fontanarosa - 15ᵉ
70	ℵℵ	Gildo - 7ᵉ
96	ℵℵ	Giulio Rebellato - 16ᵉ
78	ℵℵ	Il Sardo - 8ᵉ
102	ℵℵ	Paolo Petrini - 17ᵉ
121	ℵℵ	Ribot à Maisons-Laffitte
96	ℵℵ	San Francisco - 16ᵉ
78	ℵℵ	Stresa - 8ᵉ
97	ℵℵ	Vinci - 16ᵉ
66	ℵ	Cafetière - 6ᵉ
65	ℵ	Emporio Armani Caffé - 6ᵉ
84	ℵ	I Golosi - 9ᵉ
71	ℵ	Perron - 7ᵉ
104	ℵ	Vincent (Chez) - 19ᵉ

Japonaise
64	ℵℵ	Inagiku - 5ᵉ
55	ℵℵ	Kinugawa - 1ᵉʳ
78	ℵℵ	Kinugawa - 8ᵉ
78	ℵℵ	Nobu - 8ᵉ
78	ℵℵ	Shozan - 8ᵉ
64	ℵℵ	Yen - 6ᵉ
56	ℵ	Aki - 2ᵉ
71	ℵ	Miyako - 7ᵉ
102	ℵ	Nagoya - 17ᵉ

Libanaise
96	ℵℵℵ	Pavillon Noura - 16ᵉ
78	ℵℵ	Al Ajami - 8ᵉ
96	ℵℵ	Fakhr el Dine - 16ᵉ

Nord-Africaine

77	𝖃𝖃𝖃	El Mansour - 8ᵉ
101	𝖃𝖃𝖃	Timgad - 17ᵉ
97	𝖃𝖃	Essaouira - 16ᵉ
59	𝖃𝖃	Mansouria - 11ᵉ
125	𝖃𝖃	Riad à Neuilly-sur-Seine
84	𝖃𝖃	Wally Le Saharien - 9ᵉ
64	𝖃𝖃	Ziryab - 5ᵉ
104	𝖃	Oriental (L') - 18ᵉ
66	𝖃	Table de Fès - 6ᵉ
108	𝖃	Tour de Marrakech à Antony
104	𝖃	Village Kabyle - 18ᵉ

Portugaise

55	𝖃𝖃	Saudade - 1ᵉʳ

Russe

79	𝖃	Daru - 8ᵉ
65	𝖃	Dominique - 6ᵉ

Scandinave

77	𝖃𝖃𝖃	Copenhague - 8ᵉ
84	𝖃	Petite Sirène de Copenhague - 9ᵉ
92	𝖃	Soleil de Minuit (Au) -

Tibétaine

66	𝖃	Lhassa - 5ᵉ

Turque

87	𝖃𝖃	Janissaire - 12ᵉ

Dans la tradition : bistrots et brasseries

Les bistrots

1er arrondissement
56	⚘	Bistrot St-Honoré
56	⚘	Dauphin
56	⚘	Lescure
56	⚘	Souletin
56	⚘	Tour de Montlhéry, Chez Denise

2e arrondissement
56	⚘	Café Runtz
56	⚘	Georges (Chez)
56	⚘	Mellifère
56	⚘	Pierrot

3e arrondissement
59	⚘	Bascou (Au)

4e arrondissement
59	⚘⚘	Benoît
59	⚘	Grizzli Café

5e arrondissement
66	⚘	Buisson Ardent
65	⚘	Moissonnier
65	⚘	Moulin à Vent (Au)
66	⚘	Reminet

6e arrondissement
65	⚘	Allard
65	⚘	Joséphine "Chez Dumonet"
66	⚘	Marcel (Chez)

7e arrondissement
70	⚘	Bistrot de Paris
71	⚘	Bistrot du 7e
70	⚘	Fontaine de Mars
71	⚘	Léo Le Lion
70	⚘	P'tit Troquet

9e arrondissement
84	⚘	Catherine (Chez)
84	⚘	Relais Beaujolais

11e arrondissement
59	⚘	Astier
59	⚘	Fernandises Chez Fernand (Les)

12e arrondissement
87	⚘	Bistrot de la Porte Dorée
87	⚘	Potinière du Lac
87	⚘	Quincy

13e arrondissement
87	⚘⚘	Petit Marguery
87	⚘	Avant Goût (L')

14e arrondissement
92	⚘	Régalade

15e arrondissement
91	⚘⚘	Filoche
92	⚘	Coteaux (Les)
92	⚘	Marché (du)
92	⚘	Os à Moelle (L')
92	⚘	St-Vincent

16e arrondissement
97	⚘	Victor

17e arrondissement
102	⚘⚘	Georges (Chez)
102	⚘⚘	Léon (Chez)
102	⚘	Ampère (L')
102	⚘	Caves Petrissans
102	⚘	Clou (Le)

18e arrondissement
104	⚘	Bouclard

ENVIRONS

Bois-Colombes
109	⚘	Chefson

Neuilly-sur-Seine
125	⚘	Bistrot d'à Côté Neuilly

Pré St-Gervais (Le)
128	⚘	Pouilly Reuilly (Au)

St-Cloud
130	⚘	Garde-Manger

Les brasseries

Restaurants "Nouveaux Concepts"

Restaurants proposant
des menus de 15 € à 25 €

1er arrondissement

| 56 | X | Bistrot St-Honoré |
| 56 | X | Lescure |

2e arrondissement

55	XX	Grand Colbert
56	X	Café Runtz
56	X	Issé
56	X	Mellifère

3e arrondissement

| 59 | X | Clos du Vert Bois |

5e arrondissement

65	X	Coco de Mer
66	X	Lhassa
66	X	Ma Cuisine

6e arrondissement

66	X	Marmite et Cassolette
66	X	Palanquin
65	X	Rotonde

7e arrondissement

70	XX	New Jawad
71	X	Apollon
71	X	Bistrot du 7e
71	X	Calèche
70	X	Collinot (Chez)
71	X	Miyako

8e arrondissement

78	XX	Al Ajami
78	XX	Village d'Ung et Li Lam
79	X	Cô Ba Saigon
79	X	Shin Jung

9e arrondissement

83	XX	Brasserie Flo
84	XX	Paprika
83	XX	Quercy
84	X	Alsaco Winstub (L')
84	X	Excuse Mogador (L')
84	X	Petit Batailley
84	X	Pré Cadet

11e arrondissement

58	XX	Aiguière (L')
59	X	Anjou-Normandie
59	X	Astier
59	X	Auberge Pyrénées Cévennes
59	X	Fernandises Chez Fernand (Les)

12e arrondissement

87	XX	Frégate
87	XX	Janissaire
87	X	Auberge Aveyronnais (L')
87	X	Biche au Bois
87	X	Potinière du Lac
87	X	Temps des Cerises

13e arrondissement

87	XX	Marronniers (Les)
87	X	Auberge Etchegorry
87	X	Sukhothaï

14e arrondissement

92	X	Château Poivre
92	X	Gourmands (Les)
92	X	La Bonne Table (A)
92	X	Pascal Champ

15e arrondissement

91	XX	Caroubier
91	XX	Copreaux
91	XX	Erawan
91	XX	Étape (L')
91	XX	Filoche
92	X	Coteaux (Les)
92	X	Folletterie
92	X	Mûrier
92	X	Sept/Quinze
92	X	Soleil de Minuit (Au)

ENVIRONS

Plein air

Restaurants avec salons particuliers

1er arrondissement

54	XXXX	Carré des Feuillants
54	XXXX	Goumard
54	XXXX	Grand Vefour
55	XXX	Macéo
55	XX	Kinugawa
55	XX	Palais Royal
55	XX	Pauline (Chez)
55	XX	Pied de Cochon (Au)

2e arrondissement

54	XXXX	Drouant
55	XXX	Céladon
55	XXX	Pierre " A la Fontaine Gaillon "

3e arrondissement

58	XX	Ambassade d'Auvergne

4e arrondissement

58	XXXX	Ambroisie (L')
59	XX	Benoît
58	XX	Bofinger

5e arrondissement

63	XXXX	Tour d'Argent
64	XX	Marty
64	XX	Ziryab
65	X	Moissonnier

6e arrondissement

64	XXX	Lapérouse
64	XXX	Procope
64	XXX	Relais Louis XIII
64	XX	Alcazar
64	XX	Bastide Odéon
64	XX	Maître Paul (Chez)
64	XX	Maxence

7e arrondissement

69	XXXX	Arpège
69	XXX	Cantine des Gourmets
69	XXX	Maison des Polytechniciens
70	XX	Champ de Mars
70	XX	Françoise (Chez)
69	XX	Maison de l'Amérique Latine
69	XX	Récamier
69	XX	Tante Marguerite
70	X	Thoumieux

8e arrondissement

75	XXXXX	Ambassadeurs (Les)
75	XXXXX	"Cinq" (Le)
76	XXXXX	Lasserre
76	XXXXX	Laurent
75	XXXXX	Ledoyen
76	XXXXX	Lucas Carton
76	XXXXX	Taillevent
77	XXX	Fouquet's
78	XX	Bistrot du Sommelier
78	XX	Marius et Janette

9e arrondissement

83	XXX	Table d'Anvers
83	XX	Petit Riche (Au)

11e arrondissement

58	XX	Aiguière (L')

12e arrondissement

86	XXX	Pressoir (Au)

14e arrondissement

91	XX	Coupole (La)
92	X	Pascal Champ

15e arrondissement

90	XXX	Chen-Soleil d'Est
91	XX	Gauloise
92	X	Marché (du)

16e arrondissement

95	XXXX	Faugeron
98	XXXX	Grande Cascade
98	XXXX	Pré Catelan
95	XXX	Jamin
98	XXX	Terrasse du Lac
96	XXX	Tsé-Yang
97	X	Vin et Marée

Restaurants ouverts samedi et dimanche

1er arrondissement

54	XXXXX	Espadon (L')
54	XXXXX	Meurice (Le)
54	XXXX	Goumard
55	XX	Pied de Cochon (Au)
56	X	Café Marly
56	X	Dauphin

2e arrondissement

55	XXX	Grand Colbert
56	XXX	Vaudeville
56	X	Mellifère

3e arrondissement

58	XX	Ambassade d'Auvergne

4e arrondissement

59	XX	Benoît
58	XX	Bofinger

5e arrondissement

63	XXXXXX	Tour d'Argent
64	XXX	Marty
64	XXX	Mavrommatis
64	XXX	Toutoune (Chez)
66	X	Balzar
66	X	Lhassa

6e arrondissement

64	XXX	Closerie des Lilas
64	XXX	Procope
64	XX	Alcazar
64	XX	Méditerranée
64	XX	Yugaraj
65	X	Bouillon Racine
65	X	Rotonde

7e arrondissement

69	XXX	Jules Verne
69	XXX	Cantine des Gourmets
70	XX	Champ de Mars
70	XX	Esplanade (L')
70	XX	Françoise (Chez)
70	X	Fontaine de Mars
70	X	Thoumieux
70	X	Vin et Marée

8e arrondissement

75	XXXXX	Ambassadeurs (Les)
76	XXXXX	Bristol
75	XXXXX	Le "Cinq"
77	XXX	Fouquet's
77	XXX	Obélisque (L')
78	XX	Fermette Marbeuf 1
78	XX	Marius et Janette
79	X	Appart' (L')
79	X	Bistrot de Marius
79	X	Café Indigo
79	X	Cap Vernet

9e arrondissement

83	XXX	Charlot '' Roi des Coquillage
83	XX	Grand Café
84	X	Bistro des Deux Théâtres

10e arrondissement

83	XX	Brasserie Flo
83	XX	Julien
83	XX	Terminus Nord

11e arrondissement

59	XX	A Sousceyrac
59	XX	Vin et Marée

12e arrondissement

86	XXX	Train Bleu
87	XX	Les Grandes Marches
87	X	Temps des Cerises

14e arrondissement

90	XXX	Dôme
91	XX	Coupole (La)
91	XX	Monsieur Lapin
91	XX	Vin et Marée

15e arrondissement

90	XXX	Ciel de Paris
91	XX	Caroubier
91	XX	Gauloise
91	XX	Fontana Rosa
92	X	Petit Bofinger

Hôtels proposant des chambres doubles à moins de 75 €

PARIS
Hôtels - Restaurants
par arrondissements

(Liste alphabétique des Hôtels et Restaurants, voir p. 11 à 27)

2 : Ces lettres et chiffres correspondent au carroyage du **Plan de Paris** Michelin n° 10, ris **Atlas** n° 11, **Plan avec répertoire** n° 12 et **Plan de Paris** n° 15.

consultant ces quatre publications vous trouverez également les parkings les plus ches des établissements cités.

Opéra - Palais-Royal
Halles - Bourse

1er et 2e arrondissements

1er : ✉ 75001 - 2e : ✉ 75002

Ritz, 15 pl. Vendôme (1er) ℰ 01 43 16 30 30, *resa@ritzparis.com*, Fax 01 43 16 36 68, « Belle piscine et luxueux centre de remise en forme », ⅙, ☒ – 🛊 ▤ 🗺 ℰ – 🔏 30 à
⚌ ⑩ ☒ ☒. ⚘
voir rest. *L'Espadon* ci-après **- Ritz Club** (dîner seul.) *(fermé août, dim. et fériés)* Re
carte 65 à 80 – **- Bar Vendôme** (déj. seul.) **Repas** carte 65 à 75 ⚍ – ☲ 32,50 – **133**
630/730, 42 appart.

Meurice, 228 r. Rivoli (1er) ℰ 01 44 58 10 10, *reservations@meuricehotel.c*
Fax 01 44 58 10 15, ⅙ – 🛊 ⅸⅹ ▤ 🗺 ℰ ℰ – 🔏 40 à 70. ⚌ ⑩ ☒ ☒.
voir rest. *Le Meurice* ci-après **- Jardin d'Hiver** ℰ01 44 58 10 44 **Repas**
42bc (déj.) et carte 44 à 84 – ☲ 30 – **135 ch** 550/740, 25 appart.

Inter-Continental, 3 r. Castiglione (1er) ℰ 01 44 77 11 11, *paris@interconti.c*
Fax 01 44 77 14 60, �, ⅙ – 🛊 ⅸⅹ ▤ 🗺 ℰ ℰ – 🔏 15 à 350. ⚌ ⑩ ☒ ☒. ⚘ rest.
234 Rivoli ℰ 01 44 77 10 40 **Repas** carte 48 à 72 – **Terrasse Fleurie** (2 mai-15 sept.) Re
carte 45 à 62 – ☲ 30 – **410 ch** 600/970, 33 appart.

Costes Ⓜ, 239 r. St-Honoré (1er) ℰ 01 42 44 50 00, Fax 01 42 44 50 01, �, « Bel h
particulier décoré avec élégance », ⅙, ☒ – 🛊 ▤ 🗺 ℰ ℰ. ⚌ ⑩ ☒ ☒
Repas 70/90 ⚍ – ☲ 25 – **80 ch** 300/540, 3 duplex.

Vendôme Ⓜ, 1 pl. Vendôme (1er) ℰ 01 55 04 55 00, *reservations@hoteldevendome.c*
Fax 01 49 27 97 89, « Hôtel particulier du 18e siècle » – 🛊 ▤ 🗺 ℰ ℰ. ⚌ ⑩ ☒
⚘
Café de Vendôme ℰ 01 55 04 55 55 **Repas** 38 (déj.),46/50 ⚍ – **Les Perles de Vendô**
ℰ01 55 04 55 62 *(fermé sam. et dim.)* **Repas** (28)- 35 ⚍ – ☲ 28 – **24 ch** 488/840, 5 appar

Sofitel Castille Ⓜ, 37 r. Cambon (1er) ℰ 01 44 58 44 58, *reservations@castille.c*
Fax 01 44 58 44 00 – 🛊 ⅸⅹ ▤ 🗺 ℰ – 🔏 30. ⚌ ⑩ ☒ ☒
voir rest. *Il Cortile* ci-après – ☲ 25 – **86 ch** 455/940, 7 appart, 14 duplex.

Louvre, pl. A. Malraux (1er) ℰ 01 44 58 38 38, *hoteldulouvre@hoteldulouvre.c*
Fax 01 44 58 38 01, �, – 🛊 ⅸⅹ ▤ 🗺 ℰ ℰ – 🔏 20 à 80. ⚌ ⑩ ☒ ☒
Brasserie Le Louvre ℰ 01 42 96 27 98 **Repas** (25)-30 ⚍, enf. 12 – ☲ 21 – **195 ch** 420/5

Westminster, 13 r. Paix (2ᵉ) ℰ 01 42 61 57 46, *resa-westminster@warwickhotels.com,*
Fax 01 42 60 30 66, ₺ – ⫴ ⫻ ▭ ▦ ✆ ⟷ – ᴬ 15 à 40. ⚑ ⨀ ⒼⒷ ⌊ᴄᴇ
G 12
voir rest. *Céladon* ci-après **- Petit Céladon** (week-end seul.) *(fermé août)* **Repas** 41,16bc –
☲ 20 – **82 ch** 390/650, 20 appart.

Lotti, 7 r. Castiglione (1ᵉʳ) ℰ 01 42 60 37 34, *hotel.lotti@wanadoo.fr, Fax 01 40 15 93 56 –*
⫴ ⫻≡ ▭ ch, ▦ ✆ ⚑ ⨀ ⒼⒷ ⌊ᴄᴇ
G 12
voir rest. *Gualtiero Marchesi pour le Lotti* ci-après – ☲ 23 – **129 ch** 315/530.

Royal St-Honoré Ⓜ sans rest, 221 r. St-Honoré (1ᵉʳ) ℰ 01 42 60 32 79, *rsh@hotel-royal-*
st-honore.com, Fax 01 42 60 47 44 – ⫴ ≡ ▭ ✆ ᵶ – ᴬ 15. ⚑ ⨀ ⒼⒷ ⌊ᴄᴇ. ⅌
G 12
☲ 18 – **67 ch** 280/350, 5 appart.

Edouard VII sans rest, 39 av. Opéra (2ᵉ) ℰ 01 42 61 56 90, *info@edouard7hotel.com,*
Fax 01 42 61 47 73 – ⫴ ≡ ▭ ✆ – ᴬ 15 à 25. ⚑ ⨀ ⒼⒷ ⌊ᴄᴇ
G 13
☲ 18 – **65 ch** 315/380, 4 appart.

Normandy, 7 r. Échelle (1ᵉʳ) ℰ 01 42 60 30 21, *normandy@hotelsparis.fr,*
Fax 01 42 60 45 81 – ⫴ ⫻≡ ▭ ✆ – ᴬ 15 à 30. ⚑ ⨀ ⒼⒷ ⌊ᴄᴇ
H 13
Il Palazzo ℰ 01 42 60 91 20 - cuisine italienne - **Repas** carte 53 à 77 – ☲ 22,87 – **117 ch**
335/442, 4 appart.

Regina, 2 pl. Pyramides (1ᵉʳ) ℰ 01 42 60 31 10, *reservation@regina-hotel.com,*
Fax 01 40 15 95 16, ⌂, « Hall "Art Nouveau" » – ⫴ ≡ ▭ ✆ – ᴬ 20 à 60. ⚑ ⨀ ⒼⒷ
⌊ᴄᴇ
H 13
Repas *(fermé août, sam., dim. et fériés)* 29/49 ♉ – ☲ 16 – **116 ch** 305/415, 15 appart.

Washington Opéra Ⓜ sans rest, 50 r. Richelieu (1ᵉʳ) ℰ 01 42 96 68 06, *hotel@washing*
tonopera.com, Fax 01 40 15 01 12, « Hôtel particulier de la marquise de Pompadour,
terrasse ≼ Palais Royal » – ⫴ ≡ ▭ ✆ ᵶ. ⚑ ⨀ ⒼⒷ ⌊ᴄᴇ. ⅌
G 13
☲ 14 – **36 ch** 214/275.

Opéra Richepanse sans rest, 14 r. Richepanse (1ᵉʳ) ℰ 01 42 60 36 00, *richepanseotel@*
wanadoo.fr, Fax 01 42 60 13 03 – ⫴ ≡ ▭ ✆. ⚑ ⨀ ⒼⒷ ⌊ᴄᴇ
G 12
☲ 13 – **35 ch** 257/298, 3 appart.

Cambon Ⓜ sans rest, 3 r. Cambon (1ᵉʳ) ℰ 01 44 58 93 93, *cambon@cybercable.fr,*
Fax 01 42 60 30 59 – ⫴ ≡ ▭ ✆. ⚑ ⨀ ⒼⒷ ⌊ᴄᴇ. ⅌
G 12
☲ 13 – **40 ch** 241/287.

Stendhal sans rest, 22 r. D. Casanova (2ᵉ) ℰ 01 44 58 52 52, *h1610@accor-hotels.com,*
Fax 01 44 58 52 00 – ⫴ ≡ ▭ ✆. ⚑ ⨀ ⒼⒷ ⌊ᴄᴇ
G 12
☲ 16 – **20 ch** 260/328.

Mansart sans rest, 5 r. Capucines (1ᵉʳ) ℰ 01 42 61 50 28, *hotel.mansart@wanadoo.fr,*
Fax 01 49 27 97 44 – ⫴ ▭ ✆. ⚑ ⨀ ⒼⒷ ⌊ᴄᴇ. ⅌
G 12
☲ 9,15 – **57 ch** 119/275.

L'Horset Opéra Ⓜ sans rest, 18 r. d'Antin (2ᵉ) ℰ 01 44 71 87 00, *lopera@paris-hotels-*
charm.com, Fax 01 42 66 55 54 – ⫴ ⫻≡ ▭. ⚑ ⨀ ⒼⒷ ⌊ᴄᴇ
G 13
55 ch ☲ 222/252.

Novotel Les Halles Ⓜ, 8 pl. M.-de-Navarre (1ᵉʳ) ℰ 01 42 21 31 31, *H0785@accor-hotels.*
com, Fax 01 40 26 05 79 – ⫴ ⫻≡ ▭ ✆ ᵶ – ᴬ 15 à 20. ⚑ ⨀ ⒼⒷ ⌊ᴄᴇ
H 14
Repas 23 ♉, enf. 9 – ☲ 14 – **285 ch** 292/437.

États-Unis Opéra sans rest, 16 r. d'Antin (2ᵉ) ℰ 01 42 65 05 05, *us-opera@wanadoo.fr,*
Fax 01 42 65 93 70 – ⫴ ≡ ▭ ✆ – ᴬ 25. ⚑ ⨀ ⒼⒷ ⌊ᴄᴇ. ⅌
G 13
☲ 10 – **45 ch** 116/182.

Noailles Ⓜ sans rest, 9 r. Michodière (2ᵉ) ℰ 01 47 42 92 90, *goldentulip.denoailles@wana*
doo.fr, Fax 01 49 24 92 71, décor contemporain, ₺ – ⫴ ⫻≡ ✆ ᵶ – ᴬ 20. ⚑ ⨀ ⒼⒷ
⌊ᴄᴇ
G 13
☲ 14 – **55 ch** 210/240, 6 appart.

Britannique sans rest, 20 av. Victoria (1ᵉʳ) ℰ 01 42 33 74 59, *mailbox@hotel-britannique.*
fr, Fax 01 42 33 82 65 – ⫴ ▭. ⚑ ⨀ ⒼⒷ ⌊ᴄᴇ. ⅌
J 14
☲ 11 – **40 ch** 124/171.

Relais du Louvre sans rest, 19 r. Prêtres-St-Germain-L'Auxerrois (1ᵉʳ) ℰ 01 40 41 96 42,
au-relais-du-louvre@dial.oleane.com, Fax 01 40 41 96 44 – ⫴ ≡ ▭ ✆. ⚑ ⨀ ⒼⒷ ⌊ᴄᴇ H 14
☲ 10 – **21 ch** 99/244.

Place du Louvre sans rest, 21 r. Prêtres-St-Germain-L'Auxerrois (1ᵉʳ) ℰ 01 42 33 78 68,
hotel.place.louvre@wanadoo.fr, Fax 01 42 33 09 95 – ⫴ ▭. ⚑ ⨀ ⒼⒷ ⌊ᴄᴇ
H 14
☲ 9,15 – **20 ch** 87/141.

Victoires Opéra Ⓜ sans rest, 56 r. Montorgueil (2ᵉ) ℰ 01 42 36 41 08, *hotel@victoires*
opera.com, Fax 01 45 08 08 79 – ⫴ ≡ ▭ ✆ ᵶ. ⚑ ⨀ ⒼⒷ ⌊ᴄᴇ. ⅌
G 14
☲ 15 – **24 ch** 220/275.

Grand Hôtel de Champagne sans rest, 17 r. J.-Lantier (1ᵉʳ) ℰ 01 42 36 60 00, *champai*
gne.grandhotelchampaigneparis.com, Fax 01 45 08 43 33 – ⫴ ⫻≡ ▭ ✆. ⚑ ⨀ ⒼⒷ ⌊ᴄᴇ J 14
☲ 12 – **43 ch** 138/185.

🏠🏠 **Malte Opéra** sans rest, 63 r. Richelieu (2ᵉ)   ℘ 01 44 58 94 94, *hotel.malte@astotel.con*
Fax 01 42 86 88 19 – 🛗 🗏 📺 📶, 🗚 🗚 ① ⓖⓑ ⓙⓒⓑ, 🛠   G 1
☐ 14 – **54 ch** 182/212, 5 duplex.

🏠🏠 **Molière** sans rest, 21 r. Molière (1ᵉʳ)   ℘ 01 42 96 22 01, *moliere@worldnet.f*
Fax 01 42 60 48 68 – 🛗 📺 📶, 🗚 🗚 ① ⓖⓑ ⓙⓒⓑ   G 1
☐ 12 – **32 ch** 125/140.

🏠🏠 **Favart** sans rest, 5 r. Marivaux (2ᵉ)   ℘ 01 42 97 59 83, *favart.hotel@wanadoo.*
Fax 01 40 15 95 58 – 🛗 🗏 📺 📶, 🗚 ① ⓖⓑ ⓙⓒⓑ   F 1
☐ 3,05 – **37 ch** 83,85/105,95.

🏠 **Louvre Rivoli** sans rest, 20 r. Molière (1ᵉʳ)   ℘ 01 42 60 31 20, *louvre@hotelsparis.f*
Fax 01 42 60 32 06 – 🛗 🗏 📺 📶 ₺, 🗚 ① ⓖⓑ ⓙⓒⓑ, 🛠   G 1
☐ 15 – **29 ch** 181/212.

🏠 **Ducs de Bourgogne** sans rest, 19 r. Pont-Neuf (1ᵉʳ)   ℘ 01 42 33 95 64, *mail@hotel-par*
-bourgogne.com, Fax 01 40 39 01 25 – 🛗 🗏 📺 📶 – 🛁 15. 🗚 ① ⓖⓑ ⓙⓒⓑ, 🛠   H 1
☐ 11 – **50 ch** 98/168.

🏠 **Baudelaire Opéra** sans rest, 61 r. Ste Anne (2ᵉ)   ℘ 01 42 97 50 62, *hotel@cybercable.*
Fax 01 42 86 85 85 – 🛗 📺 📶, 🗚 ① ⓖⓑ ⓙⓒⓑ, 🛠   G 1
☐ 7,50 – **24 ch** 99/130, 5 duplex.

🏠 **Louvre Ste-Anne** sans rest, 32 r. Ste-Anne (1ᵉʳ)   ℘ 01 40 20 02 35, *ste-anne@worldonli*
.fr, Fax 01 40 15 91 13 – 🛗 🗏 📺 📶 ₺, 🗚 ① ⓖⓑ ⓙⓒⓑ, 🛠   G 1
☐ 9,15 – **20 ch** 121,35/181,40.

🏠 **Vivienne** sans rest, 40 r. Vivienne (2ᵉ)   ℘ 01 42 33 13 26, *paris@hotel-vivienne.con*
Fax 01 40 41 98 19 – 🛗 📺. ⓖⓑ   F 1
☐ 6 – **44 ch** 63/84.

XXXXX **L'Espadon** - Hôtel Ritz, 15 pl. Vendôme (1ᵉʳ)   ℘ 01 43 16 30 80, *food-bev@ritzparis.co*
⬡   Fax 01 43 16 33 75, 🍽️ – 🗏. 🗚 ① ⓖⓑ ⓙⓒⓑ, 🛠   G
Repas 56,50 (déj.)/141,80 et carte 115 à 160
Spéc. Homard bleu aux jeunes salades. Tronçon de turbot rôti au jus acidulé et poi
concassé. Rosettes d'agneau en écrin de champignons.

XXXXX **Le Meurice** - Hôtel Meurice, 228 r. Rivoli (1ᵉʳ)   ℘ 01 44 58 10 55, *restauration@meur*
⬡   hotel.com, Fax 01 44 58 10 15 – 🗏. 🗚 ① ⓖⓑ ⓙⓒⓑ, 🛠   G
fermé 29 juil. au 25 août – **Repas** 55 (déj.)/95 et carte 80 à 110
Spéc. Langoustines de Bretagne au caramel d'ail doux. Noisette de bar au sévruga, ch
lotte aux oursins (automne-hiver). Fine tarte moelleuse chocolat-café, glace vanille.

XXXX **Grand Vefour**, 17 r. Beaujolais (1ᵉʳ)   ℘ 01 42 96 56 27, *grand.vefour@wanadoo*
⬡⬡⬡   Fax 01 42 86 80 71, « Ancien café du Palais Royal fin 18ᵉ siècle » – 🗏. 🗚 ① ⓖⓑ ⓙ
🛠   G
fermé 1ᵉʳ au 7 avril, 2 août au 2 sept., 23 au 31 déc., vend. soir, sam. et dim. – **Repas** 73
(déj.)/221,05 et carte 145 à 190
Spéc. Cuisses de grenouilles blondes dorées, panais et moelle en pluches de persil. Filet
sole meunière, fenouil à l'essence d'agrumes et jus au tarama. Canard colvert cuit sur s
coffre, figues et feuille de laurier.

XXXX **Carré des Feuillants** (Dutournier), 14 r. Castiglione (1ᵉʳ)   ℘ 01 42 86 82
⬡⬡   Fax 01 42 86 07 71 – 🗏. 🗚 ① ⓖⓑ ⓙⓒⓑ – **Repas** 58 (déj.)/138 et carte 90 à 115
fermé août, sam. midi, dim. et lundi – **Repas** 58 (déj.)/138 et carte 90 à 115
Spéc. Cèpes marinés à l'huile de noisette, chapeau poêlé et pied en pâté chaud (é
automne). Canette fermière de Challans "sauvageonne" (avril à sept.). Pêche "dans t
ses états" (juin à sept.).

XXXX **Drouant** voir aussi rest. *Café Drouant*, pl. Gaillon (2ᵉ)   ℘ 01 42 65 15 16, *drouantrv@er*
⬡   com, Fax 01 42 24 02 15, « Siège de l'Académie Goncourt depuis 1914 » – 🗏. 🗚 ①
ⓙⓒⓑ   G
fermé août, sam. et dim. – **Repas** 53 (déj.)/104 (dîner)et carte 90 à 125 ☧
Spéc. Raviole d'œuf au coulis de truffe. Fricassée de homard au poivre et gingembre. F
de veau à la ficelle et chartreuse de légumes.

XXXX **Gérard Besson**, 5 r. Coq Héron (1ᵉʳ)   ℘ 01 42 33 14 74, *gerard.besson4@libertysur*
⬡⬡   Fax 01 42 33 85 71 – 🗏. 🗚 ① ⓖⓑ ⓙⓒⓑ   H
fermé lundi midi sauf juil-août, sam. sauf le soir de sept. à juin et dim. – **Repas** (40)
(déj.)/95 (dîner)et carte 90 à 120 ☧
Spéc. Homard de Bretagne. Gibier (1ᵉʳ oct. au 15 déc.). Truffes (15 déc. au 15 mars).

XXXX **Goumard**, 9 r. Duphot (1ᵉʳ)   ℘ 01 42 60 36 07, *goumard.philippe@wanadoo*
⬡   Fax 01 42 60 04 54 – 🛗 🗏. 🗚 ① ⓖⓑ ⓙⓒⓑ   G
fermé 3 au 20 août – **Repas** - produits de la mer - 40 (déj.)et carte 60 à 95 ☧
Spéc. Saint-Jacques à la plancha (oct. à avril). Turbot de ligne en cocotte au jus de vola
Biscuit au chocolat, glace pistache.

XX ✿ **Céladon** - Hôtel Westminster, 15 r. Daunou (2ᵉ) ℘ 01 47 03 40 42, *resa@westminster.*
hepta.fr, Fax 01 42 61 33 78 – ■. ᴁᴇ ⓞ ᴳᴮ ᴶᴄᴮ   **G 12**
fermé août, sam., dim. et fériés – **Repas** 44,21 (déj.)/57,93 (dîner)et carte 70 à 100
Spéc. Bouquet poêlé au beurre salé, bouillon mousseux au curry (sept. à déc.). Rouget farci
et rôti aux épices chermoula. Petites poires pochées et caramélisées, crème à la chicorée.

XX ✿ **Gualtiero Marchesi pour le Lotti** - Hôtel Lotti, 9 r. Castiglione (1ᵉʳ) ℘ 01 42 60 40 62,
Fax 01 42 60 55 03 – ■. ᴁᴇ ⓞ ᴳᴮ ᴶᴄᴮ. ℅   **G 11**
Repas - cuisine italienne - *(25,92)* - 35,06 (déj.), 85,37/112,81 et carte 57 à 100
Spéc. Risotto à l'encre de seiche et sardines. Strates de pâtes au ragoût de veau. Tiramisu.

XX **Macéo,** 15 r. Petits-Champs (1ᵉʳ) ℘ 01 42 97 53 85, *info@maceorestaurant.com,*
Fax 01 47 03 36 93 – ■. ᴳᴮ. ℅   **G 13**
fermé sam., dim. et dim. – **Repas** 28,97 (déj.), 35,06/38,11 et carte 45 à 64 ♈.

XX ✿ **Il Cortile** - Hôtel Sofitel Castille, 37 r. Cambon (1ᵉʳ) ℘ 01 44 58 45 67, *ilcortile@castille.com,*
Fax 01 44 58 45 69, 斎 – ■. ᴁᴇ ⓞ ᴳᴮ ᴶᴄᴮ   **G 12**
fermé sam., dim. et fériés – **Repas** - cuisine italienne - 42 (déj.)et carte 55 à 70
Spéc. Cannelloni à l'encre, chair de tourteau et homard. Piccata de veau au citron vert.
Palet or moelleux au chocolat, noisettes et amandes.

XX **Pierre " A la Fontaine Gaillon ",** pl. Gaillon (2ᵉ) ℘ 01 47 42 63 22, *Fax 01 47 42 82 84,*
斎 – ■. ᴁᴇ ⓞ ᴳᴮ ᴶᴄᴮ   **G 13**
fermé août, sam. midi et dim. – **Repas** 32 et carte 40 à 68 ♈.

XX **Pierre - Jean-Paul Arabian,** 10 r. Richelieu (1ᵉʳ) ℘ 01 42 96 09 17, *Fax 01 42 96 09 62* –
■. ᴁᴇ ⓞ ᴳᴮ ᴶᴄᴮ   **H 13**
fermé 24 déc. au 2 janv. – **Repas** carte 51 à 90 ♈.

XX **Palais Royal,** 110 Galerie de Valois - Jardin du Palais Royal (1ᵉʳ) ℘ 01 40 20 00 27, *palaisrest*
@aol.com, Fax 01 40 20 00 82, 斎, « Terrasse dans le jardin du Palais Royal » – ᴁᴇ ⓞ
ᴳᴮ   **G 13**
fermé 15 déc. au 30 janv., sam. d'oct. à mai et dim. – **Repas** carte 43 à 80 ♈.

XX **Chez Pauline,** 5 r. Villédo (1ᵉʳ) ℘ 01 42 96 20 70, *chezpauline@wanadoo.fr,*
Fax 01 49 27 99 89 – ■. ᴁᴇ ⓞ ᴳᴮ ᴶᴄᴮ   **G 13**
fermé en août, sam.sauf le soir en hiver et dim. – **Repas** *(25)* - 35 (déj.)/40 et carte 35 à 50 ♿,
enf. 15.

XX **Café Drouant,** pl. Gaillon (2ᵉ) ℘ 01 42 65 15 16, *Fax 01 49 24 02 15,* 斎 – ■. ᴁᴇ ⓞ ᴳᴮ
ᴶᴄᴮ   **G 13**
fermé août, sam. et dim. – **Repas** 38 et carte 39 à 81 ♈.

XX **Cabaret,** 2 pl. Palais Royal (1ᵉʳ) ℘ 01 58 62 56 25, *Fax 01 58 62 56 40* – ■. ᴁᴇ ᴳᴮ   **H 13**
fermé sam. midi et dim. – **Repas** carte 44 à 70 ♈.

XX **Au Pied de Cochon** (ouvert jour et nuit), 6 r. Coquillière (1ᵉʳ) ℘ 01 40 13 77 00,
Fax 01 40 13 77 09, 斎, brasserie – 🛗 ■. ᴁᴇ ⓞ ᴳᴮ   **H 14**
Repas carte 35 à 58 ♈.

XX **Aristippe,** 8 r. J. J. Rousseau (1ᵉʳ) ℘ 01 42 60 08 80, *aristippe@wanadoo.fr,*
Fax 01 42 60 11 13 – ᴁᴇ ᴳᴮ ᴶᴄᴮ   **H 14**
fermé 1ᵉʳ au 21 août, sam. midi et dim. – **Repas** - produits de la mer - 30 (déj.)/39 et carte 41
à 57 ♈.

XX **Pays de Cocagne,** -Espace Tarn- 111 r. Réaumur (2ᵉ) ℘ 01 40 13 81 81,
Fax 01 40 13 87 70 – ■. ᴁᴇ ⓞ ᴳᴮ ᴶᴄᴮ   **G 14**
fermé 12 au 25 août, sam. midi, dim. et fériés – **Repas** - cuisine du Sud-Ouest - *(14,95)* -
27,10/49 bc et carte 35 à 55 ♈.

XX **Kinugawa,** 9 r. Mont Thabor (1ᵉʳ) ℘ 01 42 60 65 07, *Fax 01 42 60 45 21* – ■. ᴁᴇ ⓞ ᴳᴮ
ᴶᴄᴮ. ℅   **G 12**
fermé 24 déc. au 7 janv. et dim. – **Repas** - cuisine japonaise - 26 (déj.), 86/107 et carte 80 à
110 ♈.

XX **Gallopin,** 40 r. N.-D.-des-Victoires (2ᵉ) ℘ 01 42 36 45 38, *Fax 01 42 36 10 32,* « Brasserie
fin 19ᵉ siècle » – ■. ᴁᴇ ⓞ ᴳᴮ   **G 14**
fermé dim. – **Repas** 25,50/30,50 bc et carte 28 à 58 ♈.

XX **Delizie d'Uggiano,** 18 r. Duphot (1ᵉʳ) ℘ 01 40 15 06 69, *losapiog@wanadoo.fr,*
Fax 01 40 15 03 90 – ᴁᴇ ⓞ ᴳᴮ ᴶᴄᴮ   **G 12**
fermé sam. midi et dim. – **Repas** - cuisine italienne - 36/49 et carte 34 à 46 ♈.

XX **Grand Colbert,** 2 r. Vivienne (2ᵉ) ℘ 01 42 86 87 88, *le.grand.colbert@wanadoo.fr,*
Fax 01 42 86 82 65, brasserie – ■. ᴁᴇ ⓞ ᴳᴮ ᴶᴄᴮ   **G 13**
Repas 24,40 et carte 31 à 53 ♈.

XX **Saudade,** 34 r. Bourdonnais (1ᵉʳ) ℘ 01 42 36 30 71, *Fax 01 42 36 27 77* – ■. ᴁᴇ ᴳᴮ ᴶᴄᴮ.
℅   **H 14**
fermé dim. – **Repas** - cuisine portugaise - 19,66 (déj.)et carte 24 à 54.

XX **Soufflé**, 36 r. Mont-Thabor (1er) ℰ 01 42 60 27 19, c_rigaud@club-interr
Fax 01 42 60 54 98 – ▤. 𝐀𝐄 ◑ 𝐆𝐁 𝐉𝐂𝐁
fermé dim. et fériés – **Repas** - soufflés - 28,20/35,83 et carte 40 à 50 ♀.

XX **Vaudeville**, 29 r. Vivienne (2e) ℰ 01 40 20 04 62, Fax 01 49 27 08 78, brasserie – 𝐀𝐄 ◑
𝐉𝐂𝐁
Repas 21,04 bc (déj.)/30,18 bc et carte 42 à 55 ♀, enf. 8,84.

X **Chez Georges**, 1 r. Mail (2e) ℰ 01 42 60 07 11, bistrot – 𝐀𝐄 𝐆𝐁
fermé 29 juil. au 19 août, dim. et fériés – **Repas** carte 45 à 65.

X **Willi's Wine Bar**, 13 r. Petits-Champs (1er) ℰ 01 42 61 05 09, info@williswinebar.
Fax 01 47 03 36 93 – 𝐆𝐁. ⚹
fermé dim. – **Repas** 25 (déj.)/38,11 ♀.

X **L'Atelier Berger**, 49 r. Berger (1er) ℰ 01 40 28 00 00, contact@atelierberger.
Fax 01 40 28 10 65 – 𝐀𝐄 𝐆𝐁
fermé 11 au 18 août et dim. – **Repas** 32.

X **Baan Boran**, 43 r. Montpensier (1er) ℰ 01 40 15 90 45, Fax 01 40 15 90 45 – ▤
𝐆𝐁
fermé sam midi et dim. – **Repas** - cuisine thaïlandaise - 11,50 (déj.)et carte 28 à 35.

X **Bistrot St-Honoré**, 10 r. Gomboust (1er) ℰ 01 42 61 77 78, Fax 01 42 61 77 78 – 𝐀𝐈
𝐉𝐂𝐁
fermé août, 24 déc. au 2 janv., sam. soir et dim. – **Repas** 23 et carte 35 à 52 ♀.

X **Café Marly**, 93 r. Rivoli - Cour Napoléon (1er) ℰ 01 49 26 06 60, Fax 01 49 26 07 06,
« Décor original dans le Grand Louvre » – ▤. 𝐀𝐄 ◑ 𝐆𝐁
Repas carte 31 à 57.

X **Aki**, 2 bis r. Daunou (2e) ℰ 01 42 61 48 38, Fax 01 47 03 37 52 – 𝐀𝐄 𝐆𝐁 𝐉𝐂𝐁. ⚹
fermé vacances de Pâques, août, sam. midi et dim. – **Repas** - cuisine japonaise - 24,50 (
30,50/58,50 et carte 40 à 55.

X **Café Runtz**, 16 r. Favart (2e) ℰ 01 42 96 69 86, Fax 01 40 20 92 95, bistrot – 𝐀𝐄
fermé 5 au 12 mai, 27 juil. au 25 août, sam. (sauf le soir d'oct. à juin), dim. et fériés – Re
cuisine alsacienne - 17,54 (déj.), 21,96/33,54 et carte 30 à 40.

X **Pierrot**, 18 r. Étienne Marcel (2e) ℰ 01 45 08 00 10 – ▤. 𝐀𝐄 𝐆𝐁
fermé août, 1er au 7 janv. et dim.
Repas carte 28 à 34 ♀.

X **Mellifère**, 8 r. Monsigny (2e) ℰ 01 42 61 21 71, Fax 01 42 61 31 71 – 𝐀𝐄 𝐆𝐁
Repas (19,67) - 22,71 et carte 29 à 37.

X **L'Ardoise**, 28 r. Mont-Thabor (1er) ℰ 01 42 96 28 18 – 𝐆𝐁
fermé août, 23 déc. au 3 janv., lundi et mardi – **Repas** 29 ♀.

X **Relais Chablisien**, 4 r. B. Poirée (1er) ℰ 01 45 08 53 73, Fax 01 45 08 53 73, « Maiso
17e siècle » – ▤. 𝐆𝐁. ⚹
fermé 1er au 21 août, sam. et dim. – **Repas** carte 28 à 39 ♀.

X **Tour de Montlhéry, Chez Denise** (ouvert jour et nuit), 5 r. Prouvaires
ℰ 01 42 36 21 82, Fax 01 45 08 81 99 – ▤. 𝐆𝐁
fermé 14 juil. au 19 août , sam. et dim. – **Repas** carte 35 à 53.

X **Chez La Vieille "Adrienne"**, 1 r. Bailleul (1er) ℰ 01 42 60 15 78, Fax 01 42 33 85 71
𝐆𝐁 𝐉𝐂𝐁
fermé 10 au 18 août sam., dim. et le soir sauf jeudi – **Repas** (prévenir) 26 et carte
à 45.

X **Souletin**, 6 r. Vrillière (1er) ℰ 01 42 61 43 78, Fax 01 42 61 43 78, bistrot – 𝐆𝐁
fermé sam. midi, dim. et fériés – **Repas** 30,49 ♀.

X **Lescure**, 7 r. Mondovi (1er) ℰ 01 42 60 18 91, bistrot – ▤. 𝐆𝐁
fermé 1er au 23 août, 24 déc. au 1er janv., sam. et dim. – **Repas** 19,82 et carte 25 à 35 ♀.

X **Dauphin**, 167 r. St-Honoré (1er) ℰ 01 42 60 40 11, Fax 01 42 60 01 18 – 𝐀𝐄 ◑
𝐉𝐂𝐁
Repas 22,10 (déj.)/30,94 et carte 31 à 44.

X **Issé**, 56 r. Ste-Anne (2e) ℰ 01 42 96 67 76, Fax 01 42 96 82 63 – ▤. 𝐆𝐁
fermé 5 au 19 août, 23 déc. au 6 janv., lundi midi, sam. midi et dim. – **Repas** 23/30,4
carte 48 à 80.

Bastille - République
Hôtel de Ville

3e, 4e et 11e arrondissements

3e : ✉ 75003 - 4e : ✉ 75004 - 11e : ✉ 75011

Pavillon de la Reine ⚜ sans rest, 28 pl. Vosges (3e) 𝄞 01 40 29 19 19, *pavillon@club-internet.fr, Fax 01 40 29 19 20* – 🛗 ≣ 📺 📞 🍽, 🆎 ⓪ 🆚 🃏 **J17**
☕ 20 – **31 ch** 330/385, 14 appart, 10 duplex.

Holiday Inn Ⓜ, 10 pl. République (11e) 𝄞 01 43 14 43 50, *holiday.inn.paris.republique@wanadoo.fr, Fax 01 47 00 32 34,* 🍴 – 🛗 🍽 ≣ 📺 📞 ♿ – 🕍 25 à 150. 🆎 ⓪ 🆚 🃏 **G 17**
Au 10 de la République : Repas 14,48/45, enf. 9,91 – ☕ 25,15 – **318 ch** 305/478.

Villa Beaumarchais Ⓜ ⚜, 5 r. Arquebusiers (3e) 𝄞 01 40 29 14 00, *beaumarchais@hotelsparis.fr, Fax 01 40 29 14 01* – 🛗 🍽 ≣ 📺 📞 ♿ – 🕍 15. 🆎 ⓪ 🆚 🃏 **H 17**
Repas *(fermé en août, sam. midi, dim. et lundi)* 25 (déj.), 30/53 ⓘ – ☕ 24 – **50 ch** 305/488.

Jeu de Paume ⚜ sans rest, 54 r. St-Louis-en-l'Île (4e) 𝄞 01 43 26 14 18, *info@jeudepaumehotel.com, Fax 01 40 46 02 76,* « Ancien jeu de paume du 17e siècle », 🍴 – 🛗 📺 📞 – 🕍 25. 🆎 ⓪ 🆚 🃏 **K 16**
☕ 14 – **30 ch** 151/263.

Bourg Tibourg sans rest, 19 r. Bourg Tibourg (4e) 𝄞 01 42 78 47 39, *hotel.du.bourg.tibourg@wanadoo.fr, Fax 01 40 29 07 00* – 🛗 ≣ 📺 📞 ♿. 🆎 ⓪ 🆚 🃏 ✄ **J 16**
☕ 12 – **30 ch** 170/270.

Bretonnerie sans rest, 22 r. Ste-Croix-de-la-Bretonnerie (4e) 𝄞 01 48 87 77 63, *hotel@bretonnerie.com, Fax 01 42 77 26 78* – 🛗 📺 📞. 🆚 ✄ **J 16**
fermé 29 juil. au 27 août – ☕ 9,50 – **22 ch** 108/140, 4 appart, 3 duplex.

Little Palace Ⓜ, 4 r. Salomon de Caus (3e) 𝄞 01 42 72 08 15, *littlepalacehotel@compuserve.com, Fax 01 42 72 45 81* – 🛗 🍽 ≣ 📺 📞. 🆎 ⓪ 🆚 🃏 ✄ **G 15**
Repas *(fermé 26 juil. au 19 août, vend. soir, sam. et dim.)* carte 30 à 42 ⓘ – ☕ 11 – **57 ch** 153/190.

Caron de Beaumarchais sans rest, 12 r. Vieille-du-Temple (4ᵉ) ℰ 01 42 72 3
Fax 01 42 72 34 63 – 🛗 ▤ 📺 📞 💳 🅰🅴 ⓪ 🅶🅱 ✖
♐ 9 – **19 ch** 128/142.

Méridional sans rest, 36 bd Richard Lenoir (11ᵉ) ℰ 01 48 05 75 00, hotel.meridic
wanadoo.fr, Fax 01 43 57 42 85 – 🛗 📺 📞 🅰🅴 ⓪ 🅶🅱
♐ 6,87 – **36 ch** 121,96/137,21.

Beaubourg sans rest, 11 r. S. Le Franc (4ᵉ) ℰ 01 42 74 34 24, hltbeaubourg@hote
net, Fax 01 78 68 11 – 🛗 ▤ 📺 📞 🅰🅴 ⓪ 🅶🅱 ♐ 6 – **28 ch** 101/113.

Axial Beaubourg sans rest, 11 r. Temple (4ᵉ) ℰ 01 42 72 72 22, axial@axialbeaub
com, Fax 01 42 72 03 53 – 🛗 ▤ 📺 📞 🅰🅴 ⓪ 🅶🅱 🅹🅲🅱 ✖ – ♐ 8 – **39 ch** 98/160.

Meslay République sans rest, 3 r. Meslay (3ᵉ) ℰ 01 42 72 79 79, hotel.meslay@war
.fr, Fax 01 42 72 76 94 – 🛗 📺 📞 🅰🅴 ⓪ 🅶🅱 ♐ 7,20 – **39 ch** 115/131.

Verlain sans rest, 97 r. St-Maur (11ᵉ) ℰ 01 43 57 44 88, verlain@3and1hotels.
Fax 01 43 57 32 06 – 🛗 ▤ 📺 📞 🅰🅴 ⓪ 🅶🅱 🅹🅲🅱 – ♐ 7,62 – **38 ch** 92,38/112,35.

Lutèce sans rest, 65 r. St-Louis-en-l'île (4ᵉ) ℰ 01 43 26 23 52, hotel.lutece@fr
Fax 01 43 29 60 25 – 🛗 ▤ 📺 📞 🅰🅴 ⓪ 🅶🅱 ✖ – ♐ 10 – **23 ch** 122/148.

Deux Iles sans rest, 59 r. St-Louis-en-l'île (4ᵉ) ℰ 01 43 26 13 35, Fax 01 43 29 60 25 –
📺 📞 🅰🅴 🅶🅱 ✖ – ♐ 10 – **17 ch** 127/149.

Croix de Malte sans rest, 5 r. Malte (11ᵉ) ℰ 01 48 05 09 36, H2752-gm@accor-h
com, Fax 01 43 57 02 54 – 🛗 ✖ 📺 🅰🅴 ⓪ 🅶🅱
♐ 8 – **29 ch** 95/105.

Grand Hôtel Français sans rest, 223 bd Voltaire (11ᵉ) ℰ 01 43 71 2
Fax 01 43 48 40 05 – 🛗 📺 📞 🅰🅴 ⓪ 🅶🅱 🅹🅲🅱
♐ 6,10 – **40 ch** 83,85/114,34.

Beaumarchais sans rest, 3 r. Oberkampf (11ᵉ) ℰ 01 53 36 86 86, hotel.beaumarch
libertysurf.fr, Fax 01 43 38 32 86 – 🛗 📺 🅰🅴 ⓪ 🅶🅱 🅹🅲🅱 – ♐ 9 – **31 ch** 69/99.

Prince Eugène sans rest, 247 bd Voltaire (11ᵉ) ℰ 01 43 71 22 81, hotelprinceeuge
wanadoo.fr, Fax 01 43 71 24 71 – 🛗 📺 🅰🅴 ⓪ 🅶🅱 🅹🅲🅱
♐ 6 – **35 ch** 63,48/68,48.

Nord et Est sans rest, 49 r. Malte (11ᵉ) ℰ 01 47 00 71 70, Fax 01 43 57 51 16 – 🛗 📺
⓪ 🅶🅱 🅹🅲🅱 ✖
fermé août et 24 déc. au 2 janv. – ♐ 5,34 – **45 ch** 53,36/59,46.

Grand Prieuré sans rest, 20 r. Grand Prieuré (11ᵉ) ℰ 01 47 00 74 14, Fax 01 49 23 06
🛗 📺 🅰🅴 ⓪ 🅶🅱 🅹🅲🅱 ✖ – ♐ 5 – **32 ch** 54,90/62,60.

Lyon-Mulhouse sans rest, 8 bd Beaumarchais (11ᵉ) ℰ 01 47 00 91 50, hote
mulhouse@wanadoo.fr, Fax 01 47 00 06 31 – 🛗 📺 📞 🅰🅴 ⓪ 🅶🅱 🅹🅲🅱
♐ 5 – **40 ch** 55/83.

Nice sans rest, 42 bis r. Rivoli (4ᵉ) ℰ 01 42 78 55 29, Fax 01 42 78 36 07 – 🛗 📺 📞 🅶🅱
♐ 6 – **23 ch** 60/95.

L'Ambroisie (Pacaud), 9 pl. des Vosges (4ᵉ) ℰ 01 42 78 51 45 – ▤. 🅰🅴 🅶🅱 ✖
fermé août, vacances de fév., dim. et lundi – **Repas** carte 155 à 200
Spéc. Feuillantine de langoustines aux graines de sésame, sauce au curry. Suprême
pigeon de Bresse au jus tranché, cuisses en pastilla. Tarte fine sablée au chocolat, glace
vanille.

Hiramatsu, 7 quai Bourbon (4ᵉ) ℰ 01 56 81 08 80, paris@hiramatsu.c
Fax 01 56 81 08 81 – ▤. 🅰🅴 ⓪ 🅶🅱
fermé 4 au 26 août, 22 déc. au 6 janv., dim. et lundi – **Repas** (nombre de couverts lir
prévenir) 45,70 (déj.)/92 et carte 85 à 105
Spéc. Aiguillettes de pigeonneau au foie gras. Noix de veau au sésame, sauce vin jaun
curry. Cassonade brûlée au café corsé.

Ambassade d'Auvergne, 22 r. Grenier St-Lazare (3ᵉ) ℰ 01 42 72 31 22, info@an
sade-auvergne.com, Fax 01 42 78 85 47 – ▤. 🅰🅴 🅶🅱 🅹🅲🅱
Repas 25,92 et carte 35 à 40.

Bofinger, 5 r. Bastille (4ᵉ) ℰ 01 42 72 87 82, Fax 01 42 72 97 68, brasserie, « Décor E
Époque » – ▤. 🅰🅴 ⓪ 🅶🅱
Repas (20) - 30,50 bc et carte 35 à 57.

Blue Elephant, 43 r. Roquette (11ᵉ) ℰ 01 47 00 42 00, Fax 01 47 00 45 44, « Dé
typique » – ▤. 🅰🅴 ⓪ 🅶🅱
fermé sam. midi – **Repas** - cuisine thaïlandaise - 18,29 (déj.), 25,15/48 et carte 34 à 53 🖧.

L'Aiguière, 37 bis r. Montreuil (11ᵉ) ℰ 01 43 72 42 32, patrick-masbatin1@libertysurf.c
Fax 01 43 72 96 36 – ▤. 🅰🅴 🅶🅱 🅹🅲🅱
fermé sam. midi et dim. – **Repas** 22,50 bc/45 bc et carte 41 à 58.

Benoît, 20 r. St-Martin (4ᵉ) ℰ 01 42 72 25 76, Fax 01 42 72 45 68, bistrot – ▣. 🅰🅴 **J 15**
fermé août – Repas 38 (déj.)et carte 60 à 90 ℤ.
Spéc. Tête de veau sauce ravigote. Cassoulet. Gibier (saison).

A Sousceyrac, 35 r. Faidherbe (11ᵉ) ℰ 01 43 71 65 30, Fax 01 40 09 79 75 – ▣. 🅰🅴 ⓞ
🇬🇧 **J 19**
fermé août – Repas 30 et carte 40 à 50 ℤ.

Dôme du Marais, 53 bis r. Francs-Bourgeois (4ᵉ) ℰ 01 42 74 54 17, Fax 01 42 77 78 17 –
🅰🅴 🇬🇧 **H16 - J16**
fermé 15 au 31 août, 1ᵉʳ au 8 janv., dim. et lundi – Repas (18,29) - 23 (déj.), 28/38 et carte 39 à
44 ℤ.

Vin et Marée, 276 bd Voltaire (11ᵉ) ℰ 01 43 72 31 23, *vin.maree@wanadoo.fr,*
Fax 01 40 24 00 23 – ▣. 🅰🅴 🇬🇧 **K 21**
Repas - produits de la mer - carte 30 à 37 ℤ.

Mansouria, 11 r. Faidherbe (11ᵉ) ℰ 01 43 71 00 16, Fax 01 40 24 21 97 – ▣. 🇬🇧. ✺ **K 19**
fermé 12 au 19 août, lundi midi, mardi midi et dim. – Repas - cuisine marocaine -
29/43,50 bc et carte 35 à 45.

Les Jumeaux, 73 r. Amelot (11ᵉ) ℰ 01 43 14 27 00 – 🇬🇧 **H 17**
fermé en août, sam. midi, dim. et lundi – Repas (23,50) - 29 ℤ.

Les Amognes, 243 r. Fg St-Antoine (11ᵉ) ℰ 01 43 72 73 05, Fax 01 43 28 77 23 – 🇬🇧 **K 20**
fermé 1ᵉʳ au 19 août, 24 déc. au 2 janv., lundi midi, sam. midi et dim. – Repas 30 ℤ.

Bistrot du Dôme, 2 r. Bastille (4ᵉ) ℰ 01 48 04 88 44, Fax 01 48 04 00 59 – ▣. 🅰🅴 🇬🇧 **J 17**
Repas - produits de la mer - carte 32 à 47.

Pamphlet, 38 r. Debelleyme (3ᵉ) ℰ 01 42 72 39 24, Fax 01 42 72 12 53 – ▣. 🇬🇧 **H 17**
fermé 8 au 27 août, 1ᵉʳ au 15 janv., sam. midi et dim. – Repas (20) - 27.

Repaire de Cartouche, 99 r. Amelot (11ᵉ) ℰ 01 47 00 25 86, Fax 01 43 38 85 91 –
🇬🇧 **H 17**
fermé 25 juil. au 25 août, dim. et lundi – Repas 21 (déj.) et carte 28 à 32.

Péché Mignon, 5 r. Guillaume Bertrand (11ᵉ) ℰ 01 43 57 68 68, Fax 01 49 83 91 62 – 🅰🅴
🇬🇧 **H 19**
fermé août, dim. soir et lundi – Repas (18,29) - 26 et carte 30 à 38, enf. 15,24.

Auberge Pyrénées Cévennes, 106 r. Folie-Méricourt (11ᵉ) ℰ 01 43 57 33 78 – ▣. 🅰🅴
🇬🇧 **G 17**
fermé 29 juil. au 22 août, 1ᵉʳ au 7 janv., sam. midi et dim. – Repas 25 et carte 33 à 40.

Astier, 44 r. J.-P. Timbaud (11ᵉ) ℰ 01 43 57 16 35, bistrot – 🇬🇧 **G 18**
fermé vacances de Pâques, août, Noël au Jour de l'An, sam. et dim. – Repas (prévenir)
19,50 (déj.)/23,50.

Au Bascou, 38 r. Réaumur (3ᵉ) ℰ 01 42 72 69 25, Fax 01 42 72 69 25, bistrot – 🅰🅴
🇬🇧 **G 16**
fermé 28 juil. au 27 août, 23 déc. au 1ᵉʳ janv., sam. midi, lundi midi et dim. – Repas carte 29
à 34 ℤ.

C'Amelot, 50 r. Amelot (11ᵉ) ℰ 01 43 55 54 04, Fax 01 43 14 77 05 – 🇬🇧 **H 17**
fermé août, sam. midi, dim. et lundi – Repas 30 ℤ.

Monde des Chimères, 69 r. St-Louis-en-l'Ile (4ᵉ) ℰ 01 43 54 45 27, Fax 01 43 29 84 88 –
🇬🇧 **K 16**
fermé dim. et lundi – Repas (9,90) - 13,60 (déj.)/25,15 et carte 39 à 63.

Grizzli Café, 7 r. St-Martin (4ᵉ) ℰ 01 48 87 77 56, ✿, bistrot – 🅰🅴 🇬🇧 **J 15**
Repas carte 29 à 41 ℤ.

Les Fernandises Chez Fernand, 19 r. Fontaine au Roi (11ᵉ) ℰ 01 48 06 16 96, bistrot
– 🇬🇧 **G 18**
fermé août, dim. et lundi – Repas 16,77 (déj.)/20,58 et carte 30 à 40.

Clos du Vert Bois, 13 r. Vert Bois (3ᵉ) ℰ 01 42 77 14 85 – 🅰🅴 🇬🇧 🇯🇵 **G 16**
fermé 1ᵉʳ au 25 août, sam. midi et lundi – Repas (16,62) - 20,59/44,98 et carte 43 à 56.

Anjou-Normandie, 13 r. Folie-Méricourt (11ᵉ) ℰ 01 47 00 30 59, Fax 01 47 00 30 59 –
🇬🇧. ✺ **H 18**
fermé août, sam. et dim. – Repas (déj. seul.) (12,80) - 17,50/20 et carte 27 à 38 ℤ.

Piton des Iles, 174 r. Roquette (11ᵉ) ℰ 01 43 48 61 89 – 🅰🅴 🇬🇧 **H 20**
fermé lundi midi et dim. – Repas - cuisine réunionnaise - 11 (déj.)et carte 16 à 20 ℤ.

Balibar, 9 r. St-Sabin (11ᵉ) ℰ 01 47 00 25 47, Fax 01 43 14 98 32 – 🅰🅴 ⓞ 🇬🇧 🇯🇵 **J 18**
fermé août et dim. – Repas (diner seul.) carte 33 à 42.

Quartier Latin - Luxembourg St-Germain-des-Prés

5ᵉ et 6ᵉ arrondissements

5ᵉ : ⊠ 75005 - 6ᵉ : ⊠ 75006

Lutétia, 45 bd Raspail (6ᵉ) ℰ 01 49 54 46 46, *lutetia-paris@lutetia-paris.c* Fax 01 49 54 46 00, 🛌 – 🛗 ✳ 🖃 📺 📞 – 🔏 300. 🖭 ① ⅏ 🕮 voir rest. **Paris** ci-après **- Brasserie Lutétia** ℰ 01 49 54 46 76 **Repas** 29/35 ⅌, enf. ⌸ 21 **– 240 ch** 380/600, 10 appart.

Victoria Palace sans rest, 6 r. Blaise-Desgoffe (6ᵉ) ℰ 01 45 49 70 00, *victoria@club-net.fr*, Fax 01 45 49 23 75 – 🛗 ✳ 🖃 📺 📞 ⅙ 🚗 – 🔏 20. 🖭 ① ⅏ 🕮 ⌸ 16 **– 62 ch** 280/345.

Aubusson sans rest, 33 r. Dauphine (6ᵉ) ℰ 01 43 29 43 43, *reservationherve@h daubusson.com*, Fax 01 43 29 12 62, « Hôtel particulier à l'élégant décor intérieur » – 🛗 🖃 📺 📞 ⅙ 🚗. 🖭 ① ⅏ 🕮 ⌸ 20 **– 47 ch** 250/390, 3 studios.

Relais Christine 🅼 ⅏ sans rest, 3 r. Christine (6ᵉ) ℰ 01 40 51 60 80, *contact@re christine.com*, Fax 01 40 51 60 81, « Élégante décoration intérieure » – 🛗 ✳ 🖃 📺 📞 – 🔏 20. 🖭 ① ⅏ 🕮 ⌸ 20 **– 35 ch** 315/410, 16 duplex.

Littré sans rest, 9 r. Littré (6ᵉ) ℰ 01 53 63 07 07, *hotellittre@hotellitreparis.c* Fax 01 45 44 88 13 – 🛗 ✳ 🖃 📺 📞 – 🔏 25. 🖭 ① ⅏ 🕮. ✄ ⌸ 13 **– 79 ch** 222/321, 11 appart.

Bel Ami St-Germain-des-Prés 🅼 sans rest, 7 r. St-Benoit (6ᵉ) ℰ 01 42 61 53 *contact@hotel-bel-ami.com*, Fax 01 49 27 09 33, « Bel aménagement contemporain » 🖃 📺 📞 ⅙. 🖭 ① ⅏ 🕮 ⌸ 16 **– 115 ch** 270/420.

Buci M sans rest, 22 r. Buci (6ᵉ) ℰ 01 55 42 74 74, *hotelbuci@wanadoo.fr*, Fax 01 55 42 74 44 – 🛗 🖭 📺 📞 🕭. 🖭 ① GB JCB. ✂   **J 13**
⌷ 14 – **24 ch** 240/315.

L'Abbaye M sans rest, 10 r. Cassette (6ᵉ) ℰ 01 45 44 38 11, *hotel.abbaye@wanadoo.fr*, Fax 01 45 48 07 86 – 🛗 🖭 📺 📞. 🖭 GB. ✂   **K 12**
42 ch ⌷ 253,07, 4 duplex.

L'Hôtel, 13 r. Beaux Arts (6ᵉ) ℰ 01 44 41 99 00, *reservation@l-hotel.com*, Fax 01 43 25 64 31, ↳ – 🛗 🖭 📺 📞. 🖭 ① GB JCB. ✂   **J 13**
Repas *(fermé août, dim. et lundi)* (20,58) - carte 30 à 54 ♀ – ⌷ 16,77 – **16 ch** 259,16/594,60, 4 appart.

Relais St-Germain M sans rest, 9 carrefour de l'Odéon (6ᵉ) ℰ 01 44 27 07 97, Fax 01 46 33 45 30, « Bel aménagement intérieur » – 🛗 cuisinette 🗐 📺 📞. 🖭 ① GB JCB   **K 13**
18 ch ⌷ 196,66/266,79, 4 studios.

Madison M sans rest, 143 bd St-Germain (6ᵉ) ℰ 01 40 51 60 00, *resa@hotel-madison.com*, Fax 01 40 51 60 01, « Beau mobilier » – 🛗 🗐 📺. 🖭 ① GB JCB   **J 13**
54 ch ⌷ 150/305.

Relais Médicis M sans rest, 23 r. Racine (6ᵉ) ℰ 01 43 26 00 60, *relais medicis@wanadoo.fr*, Fax 01 40 46 83 39 – 🛗 🗐 📺 📞. 🖭 ① GB JCB. ✂   **K 13**
16 ch ⌷ 188/258.

Villa Panthéon M sans rest, 41 r. Écoles (5ᵉ) ℰ 01 53 10 95 95, *pantheon@hotelsparis.fr*, Fax 01 53 10 95 96 – 🛗✂ 🗐 📺 📞 🕭. 🖭 ① GB JCB   **K 14**
⌷ 26 – **59 ch** 252/426.

Left Bank St-Germain sans rest, 9 r. Ancienne Comédie (6ᵉ) ℰ 01 43 54 01 70, *lb@paris -hotels-charm.com*, Fax 01 43 26 17 14 – 🛗 🗐 📺. 🖭 ① GB JCB. ✂   **K 13**
31 ch ⌷ 206/251.

Holiday Inn St-Germain-des-Prés M sans rest, 92 r. Vaugirard (6ᵉ) ℰ 01 49 54 87 00, *holiday-inn.psg@wanadoo.fr*, Fax 01 49 54 87 01 – 🛗 ✂ 🗐 📺 🕭 ⇔ – ⚑ 60. 🖭 ① GB JCB   **L 12**
⌷ 14 – **134 ch** 215/260.

Angleterre sans rest, 44 r. Jacob (6ᵉ) ℰ 01 42 60 34 72, *anglotel@wanadoo.fr*, Fax 01 42 60 16 93 – 🛗 📺 📞. 🖭 ① GB JCB. ✂   **J 13**
⌷ 9,15 – **23 ch** 125/210, 4 appart.

Villa M sans rest, 29 r. Jacob (6ᵉ) ℰ 01 43 26 60 00, *hotel@villa-saintgermain.com*, Fax 01 46 34 63 63, « Original décor contemporain » – 🛗 ✂ 🗐 📺 📞. 🖭 ① GB JCB **J 13**
⌷ 13 – **31 ch** 225/400.

St-Grégoire M sans rest, 43 r. Abbé Grégoire (6ᵉ) ℰ 01 45 48 23 23, *hotel@saintgregoire.com*, Fax 01 45 48 33 95 – 🛗 🗐 📺 📞. 🖭 ① GB JCB. ✂   **L 12**
⌷ 12 – **20 ch** 145/236.

Millésime Hôtel ⌂ sans rest, 15 r. Jacob (6ᵉ) ℰ 01 44 07 97 97, *reservation@millesime hotel.com*, Fax 01 46 34 55 97 – 🛗 🗐 📺 📞. 🖭 ① GB JCB   **J 13**
⌷ 12 – **22 ch** 150/210.

Résidence Henri IV M sans rest, 50 r. Bernardins (5ᵉ) ℰ 01 44 41 31 81, *hotel.residence.henri4@wanadoo.fr*, Fax 01 46 33 93 22 – 🛗 cuisinette 📺 📞. 🖭 ① GB JCB. ✂   **K 15**
⌷ 8 – **8 ch** 145, 5 appart.

Rives de Notre-Dame M sans rest, 15 quai St-Michel (5ᵉ) ℰ 01 43 54 81 16, *hotel@rivesdenotredame.com*, Fax 01 43 26 27 09, ≼, « Maison du 16ᵉ siècle, décor provençal » – 🛗 🗐 📺 📞 – ⚑ 15. 🖭 ① GB JCB   **J 14**
⌷ 10,70 – **10 ch** 213/381.

Au Manoir St-Germain-des-Prés sans rest, 153 bd St-Germain (6ᵉ) ℰ 01 42 22 21 65, *msg@paris-hotels-charm.com*, Fax 01 45 48 22 25 – 🛗 🗐 📺 📞. 🖭 ① GB JCB. ✂   **J 12**
33 ch ⌷ 168/222.

Ste-Beuve M sans rest, 9 r. Ste-Beuve (6ᵉ) ℰ 01 45 48 20 07, *saintebeuve@wanadoo.fr*, Fax 01 45 48 67 52 – 🛗 🗐 📺 📞. 🖭 ① GB JCB. ✂   **L 12**
⌷ 12,96 – **22 ch** 122/222.

Panthéon sans rest, 19 pl. Panthéon (5ᵉ) ℰ 01 43 54 32 95, *hotel.pantheon@wanadoo.fr*, Fax 01 43 26 64 65, ≼ – 🛗 🗐 📺. 🖭 ① GB JCB. ✂   **L 14**
⌷ 12 – **36 ch** 183.

Jardins du Luxembourg M ⌂ sans rest, 5 imp. Royer-Collard (5ᵉ) ℰ 01 40 46 08 88, *jardinslux@wanadoo.fr*, Fax 01 40 46 02 28 – 🛗 🗐 📺. 🖭 ① GB JCB. ✂   **L 14**
⌷ 9 – **26 ch** 130/140.

Tour Notre-Dame sans rest, 20 r. Sommerard (5ᵉ) ℰ 01 43 54 47 60, *tour-notre-dame@magic.fr*, Fax 01 43 26 42 34 – 🛗 🗐 📺 📞. 🖭 ① GB JCB   **K 14**
⌷ 10 – **48 ch** 152/243.

🏠 **Villa des Artistes** M ❧ sans rest, 9 r. Grande Chaumière (6ᵉ) ℘ 01 43 26 60 86, h▮ villa-artistes.com, Fax 01 43 54 73 70 – 📱 📺 📞, AE ① GB JCB. ❄
🖵 8,50 – **59 ch** 120/205.

🏠 **Relais St-Sulpice** M ❧ sans rest, 3 r. Garancière (6ᵉ) ℘ 01 46 33 99 00, relaisstsul▮ wanadoo.fr, Fax 01 46 33 00 10 – 📱 ❄ 🟰 📺 📞, AE ① GB JCB. ❄
🖵 10 – **26 ch** 155/190.

🏠 **Grand Hôtel St-Michel** sans rest, 19 r. Cujas (5ᵉ) ℘ 01 46 33 33 02, grand.hote▮ michel.com, Fax 01 40 46 96 33 – 📱 🟰 📺 🐾, AE ① GB JCB
🖵 10 – **45 ch** 160, 7 appart.

🏠 **Fleurie** sans rest, 32 r. Grégoire de Tours (6ᵉ) ℘ 01 53 73 70 00, bonjour@hotel-de-fle▮ tm.fr, Fax 01 53 73 70 20 – 📱 🟰 📺 📞, AE ① GB. ❄
🖵 9 – **29 ch** 145/274.

🏠 **St-Germain-des-Prés** sans rest, 36 r. Bonaparte (6ᵉ) ℘ 01 43 26 00 19, hotel-sain▮ main-des-pres@wanadoo.fr, Fax 01 40 46 83 63 – 📱 ❄ 🟰 📺 📞, AE GB
🖵 8 – **30 ch** 150/245.

🏠 **Saints-Pères** sans rest, 65 r. des Sts-Pères (6ᵉ) ℘ 01 45 44 50 00, hotelsts.peres@▮ doo.fr, Fax 01 45 44 90 83 – 📱 🟰 📺. AE GB. ❄
🖵 11 – **36 ch** 120/195, 3 appart.

🏠 **Royal St-Michel** M sans rest, 3 bd St-Michel (5ᵉ) ℘ 01 44 07 06 06, hotel.royal.st.m▮ @wanadoo.fr, Fax 01 44 07 36 25 – 📱 ❄ 🟰 📺 📞, AE ① GB JCB
🖵 10 – **39 ch** 175/200.

🏠 **Notre Dame** sans rest, 1 quai St-Michel (5ᵉ) ℘ 01 43 54 20 43, hotel.lenotredame@li▮ surf.fr, Fax 01 43 26 61 75, ← – 📱 ❄ 🟰 📺. AE ① GB. ❄
🖵 6 – **23 ch** 150/199, 3 duplex.

🏠 **Relais St-Jacques** sans rest, 3 r. Abbé de l'Épée (5ᵉ) ℘ 01 53 73 26 00, sanevers@▮ doo.fr, Fax 01 43 26 17 81 – 📱 🟰 📺 🐾 – 🔼 20. AE ① GB JCB. ❄
🖵 11 – **23 ch** 186/224.

🏠 **St-Christophe** sans rest, 17 r. Lacépède (5ᵉ) ℘ 01 43 31 81 54, saintchristophe@▮ doo.fr, Fax 01 43 31 12 54 – 📱 📺. AE ① GB
🖵 8 – **31 ch** 102/114.

🏠 **Sully St-Germain** M sans rest, 31 r. Écoles (5ᵉ) ℘ 01 43 26 56 02, sully@sequanaho▮ com, Fax 01 43 29 74 42, 🏋 – 📱 🟰 📺. AE ① GB JCB. ❄
🖵 12 – **58 ch** 145/200.

🏠 **Parc St-Séverin** sans rest, 22 r. Parcheminerie (5ᵉ) ℘ 01 43 54 32 17, hotel.parc.se▮ @wanadoo.fr, Fax 01 43 54 70 71 – 📱 📺. AE ① GB JCB. ❄
🖵 9,15 – **27 ch** 91,50/175,30.

🏠 **Jardin de Cluny** sans rest, 9 r. Sommerard (5ᵉ) ℘ 01 43 54 22 66, hotel.decluny@▮ doo.fr, Fax 01 40 51 03 36 – 📱 🟰 📺 📞, AE ① GB JCB. ❄
🖵 10 – **40 ch** 125/185.

🏠 **Libertel Quartier Latin** M sans rest, 9 r. Écoles (5ᵉ) ℘ 01 44 27 06 45, H2782@ac▮ hotels.com, Fax 01 43 25 36 70 – 📱 🟰 📺 🐾. AE ① GB JCB
🖵 13 – **29 ch** 210/242.

🏠 **Jardin de l'Odéon** M sans rest, 7 r. Casimir Delavigne (6ᵉ) ℘ 01 53 10 28 50, hc▮ jardindelodeon.com, Fax 01 43 25 28 12 – 📱 🟰 🐾. AE GB
🖵 9 – **41 ch** 113/181.

🏠 **Prince de Conti** sans rest, 8 r. Guénégaud (6ᵉ) ℘ 01 44 07 30 40, Fax 01 44 07 36 34▮ ❄ 🟰 📺 🐾, AE ① GB JCB
🖵 12,96 – **26 ch** 210/310.

🏠 **Clos Médicis** M sans rest, 56 r. Monsieur Le Prince (6ᵉ) ℘ 01 43 29 10 80, message@▮ medicis.com, Fax 01 43 54 26 90 – 📱 🟰 📺 📞 🐾. AE ① GB JCB
🖵 10 – **38 ch** 125/220.

🏠 **Odéon Hôtel** M sans rest, 3 r. Odéon (6ᵉ) ℘ 01 43 25 90 67, odeon@odeonhot▮ Fax 01 43 25 55 98, « Maison du 17ᵉ siècle » – 📱 ❄ 🟰 📺 📞, AE ① GB JCB. ❄
🖵 10 – **33 ch** 120/240.

🏠 **Grands Hommes** sans rest, 17 pl. Panthéon (5ᵉ) ℘ 01 46 34 19 60, hotel-gra▮ hommes@wanadoo.fr, Fax 01 43 26 67 32, ← – 📱 🟰 📺 – 🔼 20. AE ① GB JCB. ❄
🖵 9 – **32 ch** 198/381.

🏠 **de l'Odéon** sans rest, 13 r. St-Sulpice (6ᵉ) ℘ 01 43 25 70 11, hotelodeon@wanado▮ Fax 01 43 29 97 34, « Maison du 16ᵉ siècle » – 📱 🟰 📺 📞, AE ① GB JCB
🖵 11 – **29 ch** 145/237.

🏠 **Prince de Condé** sans rest, 39 r. Seine (6ᵉ) ℘ 01 43 26 71 56, Fax 01 46 34 27 95 – 📱 🟰 📺. AE ① GB JCB
🖵 12,96 – **12 ch** 210/310.

🏨 **Régent** sans rest, 61 r. Dauphine (6ᵉ) ℘ 01 46 34 59 80, *hotel.leregent@wanadoo.fr*, Fax 01 40 51 05 07 – 🛗 🖿 📺 🔃 Ⅲ ⑩ ☉ ⅉⅽ Ⅰ. ⅋
J 13
⊑ 10,67 – **25 ch** 121,96/182,94.

🏨 **Select** 🕅 sans rest, 1 pl. Sorbonne (5ᵉ) ℘ 01 46 34 14 80, *select.hotel@wanadoo.fr*, Fax 01 46 34 51 79 – 🛗 🖿 📺 🔃 Ⅲ ⑩ ☉ ⅉⅽ Ⅰ.
K 14
⊑ 6 – **68 ch** 137.

🏨 **Albe** sans rest, 1 r. Harpe (5ᵉ) ℘ 01 46 34 09 70, *albehotel@wanadoo.fr*, Fax 01 40 46 85 70 – 🛗 🖿 📺 🔃 Ⅲ ⑩ ☉ ⅉⅽ Ⅰ. ⅋
K 14
⊑ 10 – **45 ch** 103/148.

🏨 **Agora St-Germain** sans rest, 42 r. Bernardins (5ᵉ) ℘ 01 46 34 13 00, *agorastg@club-internet.fr*, Fax 01 46 34 75 05 – 🛗 🖿 📺 🔃 Ⅲ ⑩ ☉ ⅉⅽ Ⅰ. ⅋
K 15
⊑ 8 – **39 ch** 107/142.

🏨 **Bréa** sans rest, 14 r. Bréa (6ᵉ) ℘ 01 43 25 44 41, *brea.hotel@wanadoo.fr*, Fax 01 44 07 19 25 – 🛗 🖿 📺 🔃 Ⅲ ⑩ ☉. ⅋
L 12
fermé 21 au 25 déc. – ⊑ 10 – **23 ch** 146/168.

🏨 **Ferrandi** sans rest, 92 r. Cherche-Midi (6ᵉ) ℘ 01 42 22 97 40, *hotel.ferrandi@wanadoo.fr*, Fax 01 45 44 89 97 – 🛗 🖿 📺 🔃 Ⅲ ⑩ ☉ ⅉⅽ
L 11
⊑ 10 – **42 ch** 105/220.

🏨 **Dacia-Luxembourg** sans rest, 41 bd St-Michel (5ᵉ) ℘ 01 53 10 27 77, *info@hoteldacia.com*, Fax 01 44 07 10 33 – 🛗 🖿 📺 🔃 Ⅲ ⑩ ☉ ⅉⅽ Ⅰ. ⅋
K 14
⊑ 8 – **38 ch** 100/130.

🏠 **Marronniers** ⌂ sans rest, 21 r. Jacob (6ᵉ) ℘ 01 43 25 30 60, Fax 01 40 46 83 56 – 🛗 🖿 📺 🔃 ☉. ⅋
J 13
⊑ 12 – **37 ch** 180/200.

🏠 **Pierre Nicole** ⌂ sans rest, 39 r. Pierre Nicole (5ᵉ) ℘ 01 43 54 76 86, Fax 01 43 54 22 45 – 🛗 📺 🔃 Ⅲ ⑩ ☉. ⅋
M 13
⊑ 6 – **33 ch** 60/70.

🏠 **St-Jacques** sans rest, 35 r. Écoles (5ᵉ) ℘ 01 44 07 45 45, *hotelsaintjacques@wanadoo.fr*, Fax 01 43 25 65 50 – 🛗 🖿 🔃 Ⅲ ⑩ ☉ ⅉⅽ Ⅰ. ⅋
K 15
⊑ 6,10 – **35 ch** 67,84/102,14.

🏠 **Maxim** sans rest, 28 r. Censier (5ᵉ) ℘ 01 43 31 16 15, Fax 01 43 91 93 87 – 🛗 ⁴⁺⁼ 📺 Ⅲ ⑩ ☉ ⅉⅽ
M 15
⊑ 8 – **36 ch** 105/115.

🏠 **Familia** sans rest, 11 r. Écoles (5ᵉ) ℘ 01 43 54 55 27, *familia.hotel@libertysurf.fr*, Fax 01 43 29 61 77 – 🛗 📺 Ⅲ ⑩ ☉ ⅉⅽ Ⅰ. ⅋
L-K 15
⊑ 6,10 – **30 ch** 68,60/106.

🏠 **Dauphine St-Germain** sans rest, 36 r. Dauphine (6ᵉ) ℘ 01 43 26 74 34, Fax 01 43 26 49 09 – 🛗 ⁴⁺⁼ 📺 📺 🔃 Ⅲ ⑩ ☉ ⅉⅽ
J 13
⊑ 14 – **30 ch** 170/210.

🏠 **Sèvres Azur** sans rest, 22 r. Abbé-Grégoire (6ᵉ) ℘ 01 45 48 84 07, *sevres.azur@wanadoo.fr*, Fax 01 42 84 01 55 – 🛗 📺 Ⅲ ⑩ ☉ ⅉⅽ
K 11-12
⊑ 7 – **31 ch** 74/89.

🏠 **California** sans rest, 32 r. Écoles (5ᵉ) ℘ 01 46 34 12 90, *california@sequanahotels.com*, Fax 01 46 34 75 52 – 🛗 ⁴⁺⁼ 📺 Ⅲ ⑩ ☉. ⅋
K 14-15
⊑ 10 – **44 ch** 120/200.

ⵝⵝⵝ **Tour d'Argent** (Terrail), 15 quai Tournelle (5ᵉ) ℘ 01 43 54 23 31, Fax 01 44 07 12 04,
3 ✿ ≤ Notre-Dame, « Petit musée de la table. Dans les caves, spectacle historique sur le vin » – 🖿 Ⅲ ⑩ ☉ ⅉⅽ
K 16
fermé lundi – **Repas** 59,46 (déj.)/182,94 et carte 130 à 190
Spéc. Quenelles de brochet ''André Terrail''. Caneton ''Tour d'Argent''. Flambée de pêche.

ⵝⵝ **Jacques Cagna**, 14 r. Grands Augustins (6ᵉ) ℘ 01 43 26 49 39, Fax 01 43 54 54 48,
✿ « Maison du Vieux Paris » – 🖿 Ⅲ ⑩ ☉ ⅉⅽ
J 14
fermé 3 au 27 août, sam. midi, lundi midi et dim. – **Repas** 41 (déj.)/80 et carte 85 à 125
Spéc. Foie gras de canard poêlé aux fruits confits caramélisés. Pigeon de Vendée à la chartreuse verte. Gibier (saison).

ⵝⵝ **Paris** - Hôtel Lutétia, 45 bd Raspail (6ᵉ) ℘ 01 49 54 46 90, *lutetia-paris@lutetia-paris.com*,
✿ Fax 01 49 54 46 00, « Décor inspiration ''Art-Déco'' » – 🖿 Ⅲ ⑩ ☉ ⅉⅽ
K 12
fermé août, sam., dim. et fériés – **Repas** 45 (déj.), 60/121 et carte 70 à 100
Spéc. Cannelloni de foie gras de canard à la truffe noire. Turbot cuit sur le sel de Guérande et aux algues bretonnes. Jarret de veau en cocotte aux pommes fondantes et champignons des bois.

XXX **Relais Louis XIII** (Martinez), 8 r. Grands Augustins (6e) ✆ 01 43 26 75 96, *rl13@fr*
Fax 01 44 07 07 80, « Maison historique, caveau du 16e siècle » – ▤. AE GB JCB. ✀
✿✿ *fermé 5 au 27 août, dim. et lundi* – **Repas** 41 (déj.)/89 et carte 100 à 120
Spéc. Ravioli de homard, foie gras, estragon et crème de cèpes. Pavé de gros t sauvage en cocotte, petits oignons, champignons et oeuf meurette. Assiette chocolat".

XXX **Closerie des Lilas,** 171 bd Montparnasse (6e) ✆ 01 40 51 34 50, *closerie@club-inte fr, Fax 01 43 29 99 94*, 🏠, « Ancien café littéraire » – AE ⓓ GB JCB
Repas 42,70 bc (déj.)et carte 50 à 67 - ***Brasserie :*** Repas carte 30 à 50 ♀.

XXX **Hélène Darroze,** 4 r. d'Assas (6e) ✆ 01 42 22 00 11, *helene.darroze@wanad*
Fax 01 42 22 25 40 – ▤. AE GB
✿ *fermé dim. et lundi* – **Repas** 59,50/109,75 et carte 65 à 100 ***Salon :*** Repas 28,20bc et carte 30 à 45 ♀
Spéc. Soupe de lièvre, quenelles, râble rôti et crème glacée au foie gras (saison). Foie de canard des Landes grillé au feu de bois. Baba au vieil armagnac.

XXX **Procope,** 13 r. Ancienne Comédie (6e) ✆ 01 40 46 79 00, *de.procope@blan*
Fax 01 40 46 79 09, « Ancien café littéraire du 18e siècle » – ▤. AE ⓓ GB. ✀
Repas 22 (déj.)/27,90 et carte 36 à 55.

XXX **Lapérouse,** 51 quai Grands Augustins (6e) ✆ 01 43 26 68 04, *Fax 01 43 26 99 39* – ▤
ⓓ GB
fermé 25 juil. au 20 août, sam. midi et dim. – **Repas** 29,72 (déj.)/83,85 et carte 65 à 98.

XX **Mavrommatis,** 42 r. Daubenton (5e) ✆ 01 43 31 17 17, *Fax 01 43 36 13 08* – ▤. A
JCB. ✀
fermé lundi – **Repas** - cuisine grecque - 27,45 et carte 34 à 49 ♀.

XX **Marty,** 20 av. Gobelins (5e) ✆ 01 43 31 39 51, *restaurant.marty@wanad*
Fax 01 43 37 63 70, brasserie, « Cadre des années 30 » – ▤. AE ⓓ GB JCB
Repas 33 et carte 37 à 58 ♀.

XX **Maxence** (Van Laer), 9 bis bd Montparnasse (6e) ✆ 01 45 67 24 88, *Fax 01 45 67 10*
▤. AE GB JCB
✿ *fermé 1er au 15 août* – **Repas** *(22,86)* - 28,96 (déj.)/57,93 et carte 60 à 80 ♀
Spéc. Tempura de langoustines. Pigeon rôti, sauce bécasse, cromesquis de foie Grande assiette de chocolat corsé.

XX **Atelier Maître Albert,** 1 r. Maître Albert (5e) ✆ 01 46 33 13 78, *Fax 01 44 07 01 86*
AE GB
fermé 5 au 20 août, dim. et fêtes – **Repas** *(24 bc)* - 34.

XX **Ziryab,** à l'Institut du Monde Arabe, 1 r. Fossés-St-Bernard (5e) ✆ 01 53 10 1
Fax 01 44 07 30 98, ≤ Paris, 🏠, « Terrasse panoramique » – ▤. AE ⓓ GB
✀
fermé dim. soir et lundi – **Repas** - cuisine orientale - carte 44 à 49.

XX **Méditerranée,** 2 pl. Odéon (6e) ✆ 01 43 26 02 30, *Fax 01 43 26 18 44* – ▤
GB
Repas *(25)* - 29 et carte 38 à 67 ♀.

XX **Bastide Odéon,** 7 r. Corneille (6e) ✆ 01 43 26 03 65, *bastide.odeon@wanad*
Fax 01 44 07 28 93 – ▤. AE GB
fermé 5 au 30 août, 30 déc. au 7 janv., dim. et lundi – **Repas** *(26)* - 32.

XX **Yugaraj,** 14 r. Dauphine (6e) ✆ 01 43 26 44 91, *Fax 01 46 33 50 77* – ▤. AE ⓓ
JCB
fermé août, jeudi midi et lundi – **Repas** - cuisine indienne - 15,09 (déj.), 27,44/44,21 et 32 à 54.

XX **Alcazar,** 62 r. Mazarine (6e) ✆ 01 53 10 19 99, *atlanticblue@wanad*
Fax 01 53 10 23 23, « Original cadre contemporain » – ▤. AE ⓓ GB JCB. ✀
Repas *(22)* - 25 bc (déj.)et carte 39 à 60.

XX **Chez Maître Paul,** 12 r. Monsieur-le-Prince (6e) ✆ 01 43 54 74 59, *chezmaitrepaul com, Fax 01 43 54 43 74* – ▤. AE ⓓ GB. ✀
fermé 20 au 27 déc., dim. et lundi en juil.-août – Repas 26/31 bc et carte 32 à 51.

XX **Chez Toutoune,** 5 r. Pontoise (5e) ✆ 01 43 26 56 81, *cheztoutoune@wanad*
Fax 01 40 46 80 34 – AE GB JCB
fermé lundi – **Repas** 22,56 (déj.)/33,23 ♀.

XX **Inagiku,** 14 r. Pontoise (5e) ✆ 01 43 54 70 07, *Fax 01 40 51 74 44* – ▤. AE GB
fermé 6 au 19 août et dim. – **Repas** - cuisine japonaise - 14,99 (déj.), 27,22/65,33 et car à 47.

XX **Yen,** 22 r. St-Benoît (6e) ✆ 01 45 44 11 18, *OKFIH@wanadoo.fr, Fax 01 45 44 19 48* – ▤
GB JCB
fermé lundi midi et dim. – **Repas** - cuisine japonaise - carte 15 à 40.

✗ **Rotonde,** 105 bd Montparnasse (6ᵉ) ℰ 01 43 26 68 84, *Fax 01 46 34 52 40*, brasserie – ▤, **AE GB JCB** L 12
Repas 22/30 et carte 35 à 45.

✗ **Café des Délices,** 87 r. Assas (6ᵉ) ℰ 01 43 54 70 00, *Fax 01 43 26 42 05* – ▤. **AE GB** LM 13
fermé 29 juil. au 20 août, sam. midi et dim. – **Repas** *(14)* - carte environ 33

✗ **Quai V,** 25 quai Tournelle (5ᵉ) ℰ 01 43 54 05 17, *Fax 01 43 29 74 93* – ▤. **GB** K 15
fermé 5 au 26 août, sam. midi, lundi midi et dim. – **Repas** 22 bc (déj.)/37,50 et carte 50 à 55.

✗ **Marlotte,** 55 r. Cherche-Midi (6ᵉ) ℰ 01 45 48 86 79, *infos@lamarlotte,* *Fax 01 45 44 34 80* – ▤. **AE ◑ GB JCB** K 12
fermé 5 au 20 août et dim. – **Repas** carte 35 à 40.

✗ **L'Épi Dupin,** 11 r. Dupin (6ᵉ) ℰ 01 42 22 64 56, *lepidupin@wanadoo.fr,* *Fax 01 42 22 30 42,* 🌤 – **AE GB.** ✻ K 12
fermé 27 juil. au 20 août, lundi midi, sam. et dim. – **Repas** (nombre de couverts limité, prévenir) *(17,50)* - 28,20.

✗ **Dominique,** 19 r. Bréa (6ᵉ) ℰ 01 43 27 08 80, *restaurant.dominique@mageos.com,* *Fax 01 43 27 03 76* – ▤. **AE ◑ GB JCB** L 12
fermé 22 juil. au 20 août, dim. et lundi – **Repas** - cuisine russe - (dîner seul.) 40/55 et carte 30 à 49.

✗ **Brasserie Lipp,** 151 bd St-Germain (6ᵉ) ℰ 01 45 48 53 91, *lipp@magic.fr,* *Fax 01 45 44 33 20* – ▤. **AE ◑ GB** J 13
Repas carte 32 à 52.

✗ **Les Bookinistes,** 53 quai Grands Augustins (6ᵉ) ℰ 01 43 25 45 94, *bookinistes@guysavoy* *.com, Fax 01 43 25 23 07* – ▤. **AE ◑ GB JCB** J 14
fermé sam. midi et dim. – **Repas** 24,39 (déj.).

✗ **Bouillon Racine,** 3 r. Racine (6ᵉ) ℰ 01 44 32 15 60, *bouillon.racine@wanadoo.fr,* *Fax 01 44 32 15 61,* « Cadre "Art Nouveau" » – **AE GB** K 14
Repas - cuisine flamande - 20 (déj.)/27,29 et carte 27 à 43 ⵛ, enf. 8 - *L'Arrière Cuisine* *(fermé lundi)* **Repas** carte 16 à 28 ⵛ.

✗ **L'Espadon Bleu,** 25 r. Grands Augustins (6ᵉ) ℰ 01 46 33 00 85 – ▤. **AE ◑ GB JCB** J 14
fermé 2 au 27 août, dim. et lundi – **Repas** - produits de la mer - *(22)* - 26 (déj.)/36.

✗ **Emporio Armani Caffé,** 149 bd St-Germain (6ᵉ) ℰ 01 45 48 62 15, *maximori@aol.com,* *Fax 01 45 48 53 17* – ▤. **AE ◑ GB** J 13
fermé dim. – **Repas** - cuisine italienne - carte 35 à 50.

✗ **Les Délices d'Aphrodite,** 4 r. Candolle (5ᵉ) ℰ 01 43 31 40 39, *Fax 01 43 36 13 08,* bistrot – ▤. **AE GB JCB.** ✻ M 15
fermé dim. – **Repas** - cuisine grecque - 14,65 (déj.)et carte 26 à 39 ⵛ.

✗ **Joséphine "Chez Dumonet",** 117 r. Cherche-Midi (6ᵉ) ℰ 01 45 48 52 40, *Fax 01 42 84 06 83,* bistrot – **AE GB** L 11
fermé en août, sam. et dim. – **Repas** carte 39 à 46.

✗ **Allard,** 41 r. St-André-des-Arts (6ᵉ) ℰ 01 43 26 48 23, *Fax 01 46 33 04 02,* bistrot – ▤. **AE ◑ GB JCB.** ✻ K 14
fermé 5 au 26 août et dim. – **Repas** *(22,87)* - 30,49 et carte 46 à 73.

✗ **Moissonnier,** 28 r. Fossés-St-Bernard (5ᵉ) ℰ 01 43 29 87 65, *Fax 01 43 29 87 65,* bistrot – **GB** K 15
fermé 1ᵉʳ août au 1ᵉʳ sept., dim. et lundi – **Repas** 22,90 (déj.)et carte 31 à 47.

✗ **Bistrot de la Catalogne,** 4 cour du Commerce St-André (6ᵉ) ℰ 01 55 42 16 19, *office.* *tourisme.catalogne@infotourisme.com, Fax 01 55 42 16 33* K 13
fermé dim. et lundi – **Repas** - cuisine catalane - *(14,03)* - carte environ 27,44.

✗ **Bauta,** 129 bd Montparnasse (6ᵉ) ℰ 01 43 22 52 35, *Fax 01 43 22 10 99* – **AE ◑ GB JCB** M 12
fermé sam. midi et dim. – **Repas** - cuisine vénitienne - 38 bc (déj. seul.)et carte 47 à 61.

✗ **Coco de Mer,** 34 bd St-Marcel (5ᵉ) ℰ 01 47 07 06 64, *frichot@seychelles-saveurs.com,* *Fax 01 47 07 41 88* – **AE GB** M 16
fermé en août, lundi midi et dim. – **Repas** - cuisine des Seychelles - 20/26 ⵛ.

✗ **Casa Corsa,** 25 r. Mazarine (6ᵉ) ℰ 01 44 07 38 98, *Fax 01 43 54 14 79* – ▤. **AE ◑ GB.** ✻ J 13
fermé août, lundi midi et dim. – **Repas** - cuisine corse - *(20)* - carte 30 à 50.

✗ **Au Moulin à Vent,** 20 r. Fossés-St-Bernard (5ᵉ) ℰ 01 43 54 99 37, *Fax 01 40 46 92 23,* bistrot – **GB.** ✻ K 15
fermé 2 au 31 août, 23 déc.au 2 janv., sam. midi, dim. et lundi – **Repas** carte 38 à 52.

✗ **Rôtisserie d'en Face,** 2 r. Christine (6ᵉ) ✆ 01 43 26 40 98, *rotisface@* *Fax 01 43 54 22 71* – 🖩. ᴁᴇ ◉ ᴳᴮ ᴊᴄᴮ
fermé sam. midi et dim. – **Repas** *(22,70)* - 25,70 (déj.)/39.

✗ **Les Bouchons de François Clerc,** 12 r. Hôtel Colbert (5ᵉ) ✆ 01 43 54 ´ *Fax 01 46 34 68 07,* « Maison du vieux Paris » – ᴁᴇ ᴳᴮ ᴊᴄᴮ
fermé sam. midi et dim. – **Repas** *(25,61)* - 40,86.

✗ **Rôtisserie du Beaujolais,** 19 quai Tournelle (5ᵉ) ✆ 01 43 54 17 47, *Fax 01 56 24 43* 🖩. ᴳᴮ
fermé lundi – **Repas** carte 31 à 48.

✗ **Buisson Ardent,** 25 r. Jussieu (5ᵉ) ✆ 01 43 54 93 02, *Fax 01 46 33 34 77,* 斎
fermé 1ᵉʳ août au 2 sept., sam. et dim. – **Repas** 14,50 (déj.)/27 et carte 26 à 35 ♀.

✗ **Balzar,** 49 r. Écoles (5ᵉ) ✆ 01 43 54 13 67, *Fax 01 44 07 14 91,* brasserie – 🖩. ᴁᴇ ᴳᴮ
Repas carte 24 à 46.

✗ **Cafetière,** 21 r. Mazarine (6ᵉ) ✆ 01 46 33 76 90, *Fax 01 43 25 76 90* – 🖩. ᴳᴮ
fermé août, 25 déc. au 2 janv., dim. et lundi – **Repas** - cuisine italienne - 24 (déj.)et carte 48.

✗ **Ma Cuisine,** 26 bd St-Germain (5ᵉ) ✆ 01 40 51 08 27, *Fax 01 40 51 08 52* – ᴳᴮ
fermé dim. – **Repas** 24,39 et carte 31 à 39 ♀.

✗ **Marmite et Cassolette,** 157 bd Montparnasse (6ᵉ) ✆ 01 43 26 2 *Fax 01 43 26 43 40* – ᴳᴮ
fermé sam. midi et dim. – **Repas** *(15)* - 19 et carte 25 à 30 ♀.

✗ **Reminet,** 3 r. Grands Degrés (5ᵉ) ✆ 01 44 07 04 24 – ᴳᴮ
fermé 12 août au 1ᵉʳ sept., 18 fév. au 3 mars, mardi et merc. – **Repas** 13 (déj.)/17 week-end) et carte 32 à 48.

✗ **Chez Marcel,** 7 r. Stanislas (6ᵉ) ✆ 01 45 48 29 94 – ᴳᴮ
fermé août, sam. et dim. – **Repas** *(13)* - carte 27 à 43 ♀.

✗ **Ze Kitchen,** 4 r. Grands Augustins (6th) ✆ 01 44 32 00 32, *Fax 01 44 32 00 33* – 🖩. ᴸ ᴳᴮ ᴊᴄᴮ
fermé sam. midi et dim. – **Repas** carte 31 à 36.

✗ **Palanquin,** 12 r. Princesse (6ᵉ) ✆ 01 43 29 77 66, *info@lepalanquin.com* – 🖩. ᴳᴮ
fermé 5 au 18 août, lundi midi et dim. – **Repas** - cuisine vietnamienne - 11,89 19,66/25,61 et carte 32 à 39.

✗ **Table de Fès,** 5 r. Ste-Beuve (6ᵉ) ✆ 01 45 48 07 22 – ᴳᴮ
fermé 27 juil. au 31 août et dim. – **Repas** - cuisine marocaine - (dîner seul.) carte 37 à 5

✗ **Petit Pontoise,** 9 r. Pontoise (5ᵉ) ✆ 01 43 29 25 20, *Fax 01 43 25 35 93* – 🖩 ᴳᴮ
fermé dim. soir et lundi – **Repas** carte 25 à 36 ♀.

✗ 🍴 **Lhassa,** 13 r. Montagne Ste-Geneviève (5ᵉ) ✆ 01 43 26 22 19, *Fax 01 42 17 00 *
fermé lundi – **Repas** - cuisine tibétaine - *(9,90)* - 10,67 (déj.), 12,95/20,73 et carte 25 à 38

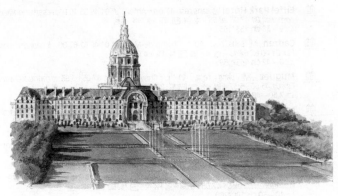

Faubourg St-Germain
Invalides - École Militaire

7ᵉ arrondissement

7ᵉ : ⊠ 75007

Pont Royal M, 7 r. Montalembert ℰ 01 42 84 70 00, hpr@hotel-pont-royal.com, Fax 01 42 84 71 00, ₤ᵦ – ≣ ⊟ 🖿 ⊙ ✓ ₺ – ᴁ 40. ᴁ ⓪ ⒢⒝ 𝙅𝘾𝘽. ⅏ rest   **J 12**
Repas *(fermé août, sam. et dim.)* carte 30 à 67 ♈ – ⏢ 26 – **75 ch** 350/400.

Montalembert M, 3 r. Montalembert ℰ 01 45 49 68 68, welcome@hotel-montalembert.fr, Fax 01 45 49 69 49, 🌴, « Décoration originale » – ≣ ⊟ 🖿 ✓ – ᴁ 25. ᴁ ⓪ ⒢⒝ 𝙅𝘾𝘽   **J 12**
Repas carte 45 à 75 – ⏢ 20 – **48 ch** 350/440, 8 appart.

Duc de Saint-Simon ⦜ sans rest, 14 r. St-Simon ℰ 01 44 39 20 20, duc.de.saint.simon@wanadoo.fr, Fax 01 45 48 68 25 – ≣ 🖿 ✓. ᴁ ⒢⒝. ⅏   **J 11**
⏢ 14 – **29 ch** 220/255, 5 appart.

Cayré M sans rest, 4 bd Raspail ℰ 01 45 44 38 88, reservations@kkhotels.fr, Fax 01 45 44 98 13 – ≣ ↳↲ ≣ 🖿 ✓. ᴁ ⓪ ⒢⒝ 𝙅𝘾𝘽   **J 12**
⏢ 17 – **120 ch** 314/337.

Bourgogne et Montana sans rest, 3 r. Bourgogne ℰ 01 45 51 20 22, bmontana@bourgogne-montana.com, Fax 01 45 56 11 98 – ≣ ≣ 🖿 ✓. ᴁ ⓪ ⒢⒝ 𝙅𝘾𝘽   **H 11**
28 ch ⏢ 155/350, 4 appart.

Tourville M sans rest, 16 av. Tourville ℰ 01 47 05 62 62, hotel@tourville.com, Fax 01 47 05 43 90 – ≣ 🖿 ✓. ᴁ ⓪ ⒢⒝ 𝙅𝘾𝘽   **J 9**
⏢ 12 – **30 ch** 175/310.

Verneuil sans rest, 8 r. Verneuil ℰ 01 42 60 82 14, verneuil@noos.fr, Fax 01 42 61 40 38, « Belle décoration intérieure » – ≣ 🖿. ᴁ ⓪ ⒢⒝. ⅏   **J 12**
⏢ 10 – **26 ch** 115/175.

Lenox Saint-Germain sans rest, 9 r. Université ℰ 01 42 96 10 95, hotel@lenoxsaintgermain.com, Fax 01 42 61 52 83 – ≣ ≣ 🖿 ✓. ᴁ ⓪ ⒢⒝ 𝙅𝘾𝘽. ⅏   **J 12**
⏢ 9 – **34 ch** 117/196.

Bellechasse M sans rest, 8 r. Bellechasse ℰ 01 45 50 22 31, Fax 01 45 51 52 36 – ≣ ↳↲ 🖿 ✓ ₺. ᴁ ⓪ ⒢⒝ 𝙅𝘾𝘽   **H 11**
⏢ 13 – **41 ch** 189/252.

Eiffel Park Hôtel M sans rest, 17 bis r. Amélie *01 45 55 10 01, reservation@eiffe.
com, Fax 01 47 05 28 68 – 🛗 🔳 TV. AE ① GB JCB. ⚠
⏢ 9 – **36 ch** 153/183.

Cadran M sans rest, 10 r. Champ-de-Mars *01 40 62 67 00, lecadran@worldn
Fax 01 40 62 67 13 – 🛗 ⇔ 🔳 TV. 📞 AE ① GB. ⚠
⏢ 9 – **42 ch** 145/159.

Muguet M sans rest, 11 r. Chevert *01 47 05 05 93, muguet@wanad
Fax 01 45 50 25 37 – 🛗 ⇔ 🔳 TV. 📞 AE GB
⏢ 7,50 – **48 ch** 83/100.

Les Jardins d'Eiffel M sans rest, 8 r. Amélie *01 47 05 46 21, paris@hoteljardinse
com, Fax 01 45 55 28 08 – 🛗 ⇔ 🔳 TV. 📞 🚗 AE ① GB JCB
⏢ 11 – **80 ch** 110/150.

Relais Bosquet M sans rest, 19 r. Champ-de-Mars *01 47 05 25 45, hotel@
bosquet.com, Fax 01 45 55 08 24 – 🛗 🔳 TV. 📞 AE ① GB JCB
⏢ 9,50 – **40 ch** 144,80/160.

Timhôtel Invalides M sans rest, 35 bd La Tour Maubourg *01 45 56 10 78, inva
@timhotel.fr, Fax 01 47 05 65 08 – 🛗 ⇔ 🔳 TV. AE ① GB JCB
⏢ 10 – **30 ch** 180/260.

Londres Eiffel sans rest, 1 r. Augereau *01 45 51 63 02, info@londres-eiffel.
Fax 01 47 05 28 96 – 🛗 TV. 📞 AE ① GB JCB. ⚠
⏢ 6,86 – **30 ch** 93/115.

St-Germain sans rest, 88 r. Bac *01 49 54 70 00, info@hotel-saint-germa
Fax 01 45 48 26 89 – 🛗 TV. 📞 AE GB. ⚠
⏢ 11 – **29 ch** 150/170.

Splendid M sans rest, 29 av. Tourville *01 45 51 29 29, splendid@club-intern
Fax 01 44 18 94 60 – 🛗 TV. 📞 ♿ AE ① GB
⏢ 8,50 – **48 ch** 106/197.

Sèvres Vaneau sans rest, 86 r. Vaneau *01 45 48 73 11, Fax 01 45 49 27 74 – 🛗 ⇔
AE ① GB JCB
⏢ 13 – **39 ch** 169/184.

La Bourdonnais sans rest, 111 av. La Bourdonnais *01 47 05 45 42, otlbourd@
internet.fr, Fax 01 45 55 75 54 – 🛗 🔳 TV. 📞 AE ① GB JCB
⏢ 8 – **57 ch** 110/140, 3 appart.

Derby Eiffel Hôtel sans rest, 5 av. Duquesne *01 47 05 12 05, info@derbyeiffelh
com, Fax 01 47 05 43 43 – 🛗 🔳 TV. AE ① GB. ⚠
⏢ 10,67 – **43 ch** 114/145.

Varenne 🦢 sans rest, 44 r. Bourgogne *01 45 51 45 55, info@hotelvarenne.
Fax 01 45 51 86 63 – 🛗 🔳 TV. AE GB
⏢ 9 – **24 ch** 105/124.

Beaugency sans rest, 21 r. Duvivier *01 47 05 01 63, infos@hotel-beaugency.
Fax 01 45 51 04 96 – 🛗 🔳 TV. 📞 AE ① GB. ⚠
⏢ 7,50 – **30 ch** 84/112.

Champ-de-Mars sans rest, 7 r. Champ-de-Mars *01 45 51 52 30, stg@club-intern
Fax 01 45 51 64 36 – 🛗 TV. 📞 GB. ⚠
⏢ 6,50 – **25 ch** 66/76.

Bersoly's sans rest, 28 r. Lille *01 42 60 73 79, bersolys@wanadoo.fr, Fax 01 49 27
– 🛗 🔳 TV. 📞 AE ① GB
fermé août – ⏢ 10 – **16 ch** 97/122.

France sans rest, 102 bd La Tour Maubourg *01 47 05 40 49, hoteldefrance@wanad
Fax 01 45 56 96 78 – 🛗 🔳 TV. 📞 AE ① GB JCB. ⚠
⏢ 7 – **60 ch** 64/81.

L'Empereur sans rest, 2 r. Chevert *01 45 55 88 02, contact@hotelempereur.
Fax 01 45 51 88 54, ≤ – 🛗 TV. AE ① GB JCB. ⚠
⏢ 7 – **38 ch** 75/85.

Lévêque sans rest, 29 r. Clerc *01 47 05 49 15, info@hotel-leveque.
Fax 01 45 50 49 36 – 🛗 🔳 TV. 📞 AE GB. ⚠
⏢ 7 – **50 ch** 53/91.

Chomel sans rest, 15 r. Chomel *01 45 48 55 52, chomel@cybercab
Fax 01 45 48 89 76 – 🛗 🔳 TV. 📞 AE ① GB JCB. ⚠
⏢ 10 – **23 ch** 140/220.

Arpège (Passard), 84 r. Varenne ☎ 01 45 51 47 33, *arpege.passard@wanadoo.fr*, Fax 01 44 18 98 39 – ☰. 🅰🅴 ⓞ 🅶🅱 🅹🅲🅱
J 10
fermé sam. et dim. – **Repas** 214 et carte 140 à 225
Spéc. Homard de l'archipel de Chausey. Légumes de pleine terre du Val d'Anjou. Cuisine des fruits.

Le Divellec, 107 r. Université ☎ 01 45 51 91 96, *ledivellec@noos.fr*, Fax 01 45 51 31 75 – ☰. 🅰🅴 ⓞ 🅶🅱 🅹🅲🅱. ✺
H 10
fermé 20 juil. au 20 août, sam. et dim. – **Repas** - produits de la mer - 53/69 (déj.)et carte 80 à 140
Spéc. Homard à la presse avec son corail. Brouillade de pibales aux piments d'Espelette et brunoise de chorizo (janv. à mars). Turbot braisé aux truffes.

Jules Verne, 2ᵉ étage Tour Eiffel, ascenseur privé pilier sud ☎ 01 45 55 61 44, Fax 01 47 05 29 41, ⩽ Paris – ☰. 🅰🅴 ⓞ 🅶🅱 🅹🅲🅱. ✺
J 7
fermé 18 mars au 22 avril – **Repas** 49 (déj.)/110 et carte 95 à 120
Spéc. Ravioli de Saint-Jacques à la vapeur. Rouget barbet farci de légumes au jus de truffes. Tarte soufflée au citron vert.

Violon d'Ingres (Constant), 135 r. St-Dominique ☎ 01 45 55 15 05, *violondingres@wanadoo.fr*, Fax 01 45 55 48 42 – ☰. 🅰🅴 🅶🅱
J 8
fermé sam. et dim. – **Repas** 60,97 (déj.)/89,94 (dîner)et carte 75 à 90
Spéc. Oeufs mollets roulés à la mie de pain, toasts de beurre truffés. Suprême de bar croustillant aux amandes. Pommes soufflées, mousseline légère à la réglisse.

Cantine des Gourmets, 113 av. La Bourdonnais ☎ 01 47 05 47 96, *la.cantine@le-bourdonnais.com*, Fax 01 45 51 09 29 – ☰. 🅰🅴 🅶🅱
J 9
Repas 42 (déj.)/80 et carte 75 à 100 ♋
Spéc. Foie gras de canard chaud. Saint-Pierre et coquillages au jus de cidre (oct. à mars). Carré et épaule d'agneau des Alpilles, cébettes aux épices et citron confit.

Pétrossian, 144 r. Université ☎ 01 44 11 32 32, *Fax 01 44 11 32 35* – 🅰🅴 ⓞ 🅶🅱 🅹🅲🅱
H 10
fermé 12 août au 3 sept., dim. et lundi – **Repas** 44 (déj.)/136 et carte 70 à 110
Spéc. Les ''Coupes du Tsar''. Rouget poivré et blin soufflé. ''Teaser'' de goûts et saveurs (dessert).

Maison des Polytechniciens, 12 r. Poitiers ☎ 01 49 54 74 54, *info@maison-des-x.com*, Fax 01 49 54 74 84, « Hôtel particulier du 18ᵉ siècle » – 🅰🅴 ⓞ 🅶🅱
H 12
fermé 29 juil. au 28 août, 23 déc. au 7 janv., sam., dim. et fériés – **Repas** 33,54/59,46 et carte 63 à 92.

Petit Laurent, 38 r. Varenne ☎ 01 45 48 79 64, *Fax 01 45 44 15 95* – 🅰🅴 ⓞ 🅶🅱
J 11
fermé août, lundi midi, sam. midi et dim. – **Repas** 29/43 et carte 45 à 70 ♋.

Bellecour (Goutagny), 22 r. Surcouf ☎ 01 45 51 46 93, *Fax 01 45 50 30 11* – ☰. 🅰🅴 ⓞ 🅶🅱
H 9
fermé août, sam. et dim. – **Repas** 40
Spéc. Quenelle de brochet. Lasagne champêtre de gibier (15 oct. au 15 janv.). Lièvre à la cuillère (15 oct. au 15 janv.).

Récamier, 4 r. Récamier ☎ 01 45 48 86 58, *Fax 01 42 22 84 76*, 🍽 – ☰. 🅰🅴 ⓞ 🅶🅱 🅹🅲🅱
K 12
fermé dim. – **Repas** carte 55 à 80
Spéc. Oeufs en meurette. Mousse de brochet sauce Nantua. Gigue de chevreuil sauce Grand Veneur (saison).

Maison de l'Amérique Latine, 217 bd St-Germain ☎ 01 49 54 75 10, *commercial@mal217.org*, Fax 01 40 49 03 94, 🍽, « Dans un hôtel particulier du 18ᵉ siècle, terrasse ouverte sur le jardin », 🈂 – 🅰🅴 🅶🅱
J 11
fermé août, 20 déc. au 1ᵉʳ janv., sam., dim. et le soir d'oct. à avril – **Repas** 37 et carte 39 à 49.

Beato, 8 r. Malar ☎ 01 47 05 94 27, *beato.rest@wanadoo.fr*, Fax 01 45 55 64 41 – ☰. 🅰🅴 🅶🅱 🅹🅲🅱
H 9
fermé 28 juil. au 18 août, 22 déc. au 1ᵉʳ janv. et dim. – **Repas** - cuisine italienne - (21) - 23 (déj.)et carte 35 à 54 ♋.

Tante Marguerite, 5 r. Bourgogne ☎ 01 45 51 79 42, *tante.marguerite@wanadoo.fr*, Fax 01 47 53 79 56 – ☰. 🅰🅴 ⓞ 🅶🅱. ✺
H 11
fermé août, sam. et dim. – **Repas** 32 (déj.)/36,60 et carte 46 à 76 ♋.

Ferme St-Simon, 6 r. St-Simon ☎ 01 45 48 35 74, *fermestsimon@wanadoo.fr*, Fax 01 40 49 07 31 – ☰. 🅰🅴 ⓞ 🅶🅱
J 11
fermé 3 au 18 août, sam. midi et dim. – **Repas** 27,75 (déj.)/30,18 et carte 42 à 61.

Vin sur Vin, 20 r. Monttessuy ☎ 01 47 05 14 20 – ☰. 🅶🅱
H 8
fermé 1ᵉʳ au 21 août, 23 déc. au 3 janv., sam. midi, lundi midi et dim. – **Repas** carte 46 à 64.

Bamboche, 15 r. Babylone ☎ 01 45 49 14 40, *ccolliot@club-internet.fr*, Fax 01 45 49 14 44 – ☰. 🅶🅱
K 11
fermé sam. midi et dim. – **Repas** 29 (déj.)/50 et carte 54 à 71 ♋.

XX **Les Glénan,** 54 r. Bourgogne ☎ 01 45 51 61 09, *les-glenan@voila.fr, Fax 01 45 51 27*
▤. AE GB
fermé août,23 au 28 déc., sam.et dim. – **Repas** - produits de la mer - *(22,10)* - 27,44 et
45 à 58 ♀, enf. 15.

XX **Gildo,** 153 r. Grenelle ☎ 01 45 51 54 12, *Fax 01 45 51 54 12* – ▤. AE GB JCB
fermé 25 juil. au 25 août, vacances de Noël, lundi midi et dim. – **Repas** - cuisine italie
25,76 (déj.)et carte 43 à 53.

XX **Thiou,** 3 r. Surcouf ☎ 01 40 62 96 50, *Fax 01 40 62 96 70* – AE GB
fermé août, sam. midi et dim. – **Repas** - cuisine thaïlandaise - *(25,92)* - carte 39 à 51 ♀.

XX **Télégraphe,** 41 r. de Lille ☎ 01 42 92 03 04, *leblancala@aol.com, Fax 01 42 92 02 77,*
▤. AE ⓓ GB
fermé 1er au 23 août, sam. midi et dim. – **Repas** 23 (déj.)/30 et carte 51 à 69 ♀.

XX **Gaya Rive Gauche,** 44 r. Bac ☎ 01 45 44 73 73, *Fax 01 45 44 73 73* – AE GB
fermé 27 juil. au 26 août, dim. et lundi – **Repas** - produits de la mer - 30,50 bc (déj.) et
69 à 77 ♀.

XX **New Jawad,** 12 av. Rapp ☎ 01 47 05 91 37, *Fax 01 45 50 31 27* – ▤. AE ⓓ GB
Repas - cuisine indienne et pakistanaise - 16/24 et carte 20 à 45.

XX **L'Esplanade,** 52 r. Fabert ☎ 01 47 05 38 80, *Fax 01 47 05 23 75* – AE GB
Repas carte 41 à 67 ♀.

XX **D'Chez Eux,** 2 av. Lowendal ☎ 01 47 05 52 55, *Fax 01 45 55 60 74* – ▤. AE ⓓ GB
fermé 28 juil. au 22 août et dim. – **Repas** *(28)* - 34 (déj.)et carte 39 à 50.

XX **Tan Dinh,** 60 r. Verneuil ☎ 01 45 44 04 84, *Fax 01 45 44 36 93*
fermé 1er août au 1er sept. et dim. – **Repas** - cuisine vietnamienne - carte 40 à 45.

XX **Chez Françoise,** Aérogare des Invalides ☎ 01 47 05 49 03, *pm@chezfrançoise.*
Fax 01 45 51 96 20, ☂ – AE ⓓ GB JCB
Repas *(24,09)* - 28,97 et carte 36 à 62 ♀, enf. 10,52.

XX **Champ de Mars,** 17 av. La Motte-Picquet ☎ 01 47 05 57 99, *Fax 01 44 18 94 69* – A
GB JCB
fermé 15 juil. au 22 août, mardi midi et lundi – **Repas** 25,16 bc/30,19 bc et carte 28 à 4

X **Cigale,** 11 bis r. Chomel ☎ 01 45 48 87 87, *Fax 01 45 48 87 87* – GB. ✻
fermé sam. midi et dim. – **Repas** carte environ 47 ♀.

X **Les Olivades,** 41 av. Ségur ☎ 01 47 83 70 09, *Fax 01 42 73 04 75* – AE GB
fermé 13 au 16 août, sam. midi, lundi midi et dim.
Repas 28 et carte 40 à 50.

X **Bistrot de Paris,** 33 r. Lille ☎ 01 42 61 15 84, *ecorail@noos.fr, Fax 01 49 27 0*
évocation bistrot 1900 – AE GB
Repas *(22,40)* - 29,70 et carte 40 à 50 ♀, enf. 9,10.

X **Nabuchodonosor,** 6 av. Bosquet ☎ 01 45 56 97 26, *Fax 01 45 56 98 44* – ▤
GB
fermé 3 au 25 août, sam. midi, dim. et fériés – **Repas** *(18,29)* - carte 32 à 56 ♀.

X **P'tit Troquet,** 28 r. Exposition ☎ 01 47 05 80 39, *Fax 01 47 05 80 39,* bistrot –
✻
fermé 1er au 23 août, 23 déc. au 2 fév., sam. midi, lundi midi et dim. – **Repas** (nombr
couverts limité, prévenir) 26,50 ♀.

X **Vin et Marée,** 71 av. Suffren ☎ 01 47 83 27 12, *vin.maree@wanad*
Fax 01 43 06 62 35 – AE GB
Repas - produits de la mer - carte 29 à 43.

X **Thoumieux** avec ch, 79 r. St-Dominique ☎ 01 47 05 49 75, *Fax 01 47 05 36 96,* bras
– ▤ rest, TV. AE GB
Repas 30,49 bc et carte 33 à 46 – ☕ 7,62 – **10 ch** 129,57/144,82.

X **Clos des Gourmets,** 16 av. Rapp ☎ 01 45 51 75 61, *Fax 01 47 05 74 20* – GB
fermé 1er au 20 août, dim. et lundi
Repas 27 (déj.)/30.

X **Maupertu,** 94 bd La Tour Maubourg ☎ 01 45 51 37 96, *Fax 01 53 59 94 83* –
✻
fermé 10 au 25 août, vacances de fév., sam. et dim. – **Repas** *(21)* - 27,50.

X **Fontaine de Mars,** 129 r. St-Dominique ☎ 01 47 05 46 44, *Fax 01 47 05 11 13,*
bistrot – AE GB
Repas carte 30 à 36 ♀.

X **Chez Collinot,** 1 r. P. Leroux ☎ 01 45 67 66 42 – GB
fermé août, sam. et dim. – **Repas** *(18,29)* - 22,87.

X ⟂ **Au Bon Accueil,** 14 r. Monttessuy 🕾 01 47 05 46 11 – ▤. **GB**   H 8
fermé 10 au 25 août, sam. et dim.
Repas 25,20 (déj.)/28,20 (dîner)et carte 40 à 50.

X ⟂ **Florimond,** 19 av. La Motte-Picquet 🕾 01 45 55 40 38, Fax 01 45 55 40 38 – **GB**   J 9
fermé 2 au 27 août, 23 déc. au 2 janv., sam. midi et dim. – Repas 17,10 (déj.)/27,40 et carte
30 à 45.

X **Perron,** 6 r. Perronet 🕾 01 45 44 71 51, Fax 01 45 44 71 51 – ▥ **GB**   J 12
fermé 6 au 23 août et dim. – **Repas** - cuisine italienne - carte 26 à 45.

X ⟆ **Miyako,** 121 r. Université 🕾 01 47 05 41 83, Fax 01 45 55 13 18 – ▤. ▣ **GB**   H 9
fermé 4 au 26 août et dim. – **Repas** - cuisine japonaise - 10 (déj.), 13,80/25 et carte 21
à 40.

X **Calèche,** 8 r. Lille 🕾 01 42 60 24 76, *lacaleche@yahoo.fr,* Fax 01 47 03 31 10 – ▤. ▣ ⓪
GB **JCB**   J 12
fermé 5 au 28 août, 26 déc. au 1ᵉʳ janv., sam et dim. – Repas 15,50/27,50 et carte 33
à 45 ♈.

X **Léo Le Lion,** 23 r. Duvivier 🕾 01 45 51 41 77 – **GB**   J 9
fermé août, 25 déc. au 1ᵉʳ janv., dim. et lundi – **Repas** carte 28 à 45.

X **Apollon,** 24 r. J. Nicot 🕾 01 45 55 68 47, Fax 01 47 05 13 60   H 9
fermé dim. – **Repas** - cuisine grecque - *(13,47 bc)* - 21,04 et carte 27 à 39 ♈.

X **Bistrot du 7ᵉ,** 56 bd La Tour-Maubourg 🕾 01 45 51 93 08, Fax 01 45 50 33 24 – ▣
GB   J 10
fermé sam. midi et dim. midi – **Repas** 12 (déj.)/16 ♈.

Champs-Élysées
St-Lazare - Madeleine

8ᵉ arrondissement

8ᵉ : ✉ 75008

🏨🏨🏨🏨 **Plaza Athénée,** 25 av. Montaigne ☎ 01 53 67 66 65, *reservation@plaza-athenee.com*, Fax 01 53 67 66 66, 😤, 🍸 – 📶 ✳ 🔟 ✆ – 🛗 20 à 60. 🖭 ⑩ 🆖 🆓
voir rest. **Plaza Athénée** ci-après - **Relais-Plaza** ☎ 01 53 67 64 00 *(fermé août)* Repa
– **La Cour Jardin** (terrasse) ☎ 01 53 67 66 02 *(mai-sept.)* **Repas** carte 62 à 88 – ☐
121 ch 508/808, 66 appart.

🏨🏨🏨🏨 **Bristol,** 112 r. Fg St-Honoré ☎ 01 53 43 43 00, *resa@hotel-bristo*
Fax 01 53 43 43 01, « Belle cour intérieure avec jardin à la française », 🍸, 🔲, 🌳 – 📶,
🔟 ✆ 🚗 – 🛗 30 à 60. 🖭 ⑩ 🆖 🆓 ⚡
voir rest. **Bristol** ci-après – ☐ 30 – **152 ch** 540/710, 26 appart.

🏨🏨🏨🏨 **Four Seasons George V,** 31 av. George V ☎ 01 49 52 70 00, *par.reservations*
seasons.com, Fax 01 49 52 70 20, 🍸, 🔲 – 📶 ✳ 🔟 ✆ ⅙ – 🛗 30 à 400. 🖭 ⑩ 🆖
voir rest. **Le Cinq** ci-après – ☐ 38 – **184 ch** 570/870, 61 appart.

🏨🏨🏨🏨 **Crillon,** 10 pl. Concorde ☎ 01 44 71 15 00, *crillon@crillon.com*, Fax 01 44 71 15 02,
✳ ☰ 🔟 ✆ – 🛗 30 à 60. 🖭 ⑩ 🆖 🆓
voir rest. **Les Ambassadeurs** et **L'Obélisque** ci-après – ☐ 30 – **114 ch** 550/725, 43 a

🏨🏨🏨🏨 **Prince de Galles,** 33 av. George-V ☎ 01 53 23 77 77, *hotel_prince_de_galles@she*
com, Fax 01 53 23 78 78, 😤 – 📶 ✳ ☰ 🔟 ✆ – 🛗 25 à 100. 🖭 ⑩ 🆖 🆓 ⚡ rest
Jardin des Cygnes ☎ 01 53 23 78 50 **Repas** 44(déj.), 47/49,50 ⅋ – ☐ 24,50 – **1**
570/700, 30 appart.

🏨🏨🏨🏨 **Royal Monceau,** 37 av. Hoche ☎ 01 42 99 88 00, *royalmonceau@jetmultime*
Fax 01 42 99 89 90, « Piscine et centre de remise en forme », 🍸, 🔲 – 📶 ✳ ☰ 🔟
🛗 25 à 100. 🖭 ⑩ 🆖 🆓 ⚡
voir rest. **Le Jardin** et **Carpaccio** ci-après – ☐ 26 – **156 ch** 442/488, 47 appart.

Lancaster, 7 r. Berri ℰ 01 40 76 40 76, *reservations@hotel-lancaster.fr,*
Fax 01 40 76 40 00, 斧, « Décor élégant », ↳ – 劇 ⇔ 🔟 ℰ, 🖭 ⓪ GB, ⅏
F 9
Repas *(résidents seul.)* carte 50 à 75 – ♀ **49 ch** 400/545, 11 appart.

Vernet, 25 r. Vernet ℰ 01 44 31 98 00, *hotelvernet@jetmultimedia.com,* Fax 01 44 31 85 69
– 劇 🔟 ℰ, 🖭 ⓪ GB JCB
F 8
voir rest. *Les Élysées* ci-après – ♀ 32 – **42 ch** 340/535, 9 appart.

Sofitel Astor 🖬, 11 r. d'Astorg ℰ 01 53 05 05 05, *hotelastor@aol.com,*
Fax 01 53 05 30 30, ↳ – 劇 ⇔, ☰ ch, 🔟 ℰ & 🖭 ⓪ GB JCB, ⅏ rest
voir rest. *L'Astor* ci-après – 25 – **129 ch** 298/590, 5 appart.

San Régis, 12 r. J. Goujon ℰ 01 44 95 16 16, *message@hotel-sanregis.fr,*
Fax 01 45 61 05 48, « Bel aménagement intérieur » – 劇 ☰ 🔟 ℰ, 🖭 ⓪ GB JCB, ⅏ **G 9**
Repas *(fermé août)* carte 48 à 69 ♀ – ♀ 20 – **33 ch** 290/518, 11 appart.

Sofitel Le Faubourg 🖬, 15 r. Boissy d'Anglas ℰ 01 44 94 14 14, *h1295@accor-hotels.*
com, Fax 01 44 94 14 28, ↳ – 劇 ⇔ ☰ 🔟 ℰ ⇌, 🖭 ⓪ GB JCB, ⅏ **G 11**
Café Faubourg ℰ 01 44 94 14 24 **Repas** carte 40 à 64 ♀ – ♀ 23 – **154 ch** 425/670, 7 appart,
3 duplex.

Sofitel Arc de Triomphe, 14 r. Beaujon ℰ 01 53 89 50 50, *h1296@accor-hotels.com,*
Fax 01 53 89 50 51 – 劇 ⇔ ☰ 🔟 ℰ & – 🏛 40. 🖭 ⓪ GB
F 8
voir rest. *Clovis* ci-après – ♀ 25,91 – **135 ch** 445/750.

Hyatt Regency 🖬, 24 bd Malhesherbes ℰ 01 55 27 12 34, *madeleine.concierge@paris.*
hyatt.com, Fax 01 55 27 12 35, ↳ – 劇 ⇔ ☰ 🔟 ℰ & – 🏛 20. 🖭 ⓪ GB JCB, ⅏ rest**F 11**
Café M : **Repas** carte 41 à 46 ♀ – ♀ 25 – **81 ch** 530/620, 5 appart.

de Vigny, 9 r. Balzac ℰ 01 42 99 80 80, *de-vigny@wanadoo.fr,* Fax 01 42 99 80 40,
« Élégante installation » – 劇 ⇔, ☰ ch, 🔟 ℰ ⇌, 🖭 ⓪ GB JCB
F 8
Repas carte 50 à 80 ♀ – ♀ 21 – **26 ch** 395/610, 8 appart.

Concorde St-Lazare, 108 r. St-Lazare ℰ 01 40 08 44 44, *stlazare@concordestlazare-*
paris.com, Fax 01 42 93 01 20, « Hall fin 19e siècle » – 劇 ⇔ ☰ 🔟 ℰ – 🏛 25 à 150. 🖭 ⓪
GB JCB
E 12
Café Terminus : **Repas** 30/42bc ♀, enf. 12,50 – ♀ 22 – **251 ch** 300/430, 11 appart.

Marriott 🖬, 70 av. Champs-Élysées ℰ 01 53 93 55 00, Fax 01 53 93 55 01, 斧, ↳ – 劇 ⇔
☰ 🔟 ℰ & ⇌ – 🏛 15 à 165. 🖭 ⓪ GB JCB, ⅏ rest
F 9
Pavillon ℰ 01 53 93 55 44 *(fermé dim. soir et sam.)* **Repas**
52bc *(déj.)* et carte 60 à 70 ♀, enf. 20 – ♀ 22 – **174 ch** 670/760, 18 appart.

Balzac 🖬, 6 r. Balzac ℰ 01 44 35 18 00, *hbalzac@cybercable.fr,* Fax 01 44 35 18 05 – 劇,
☰ ch, 🔟 ℰ, 🖭 ⓪ GB JCB
F 8
voir rest. *Pierre Gagnaire* ci-après – ♀ 21 – **56 ch** 395/545, 14 appart.

Warwick 🖬, 5 r. Berri ℰ 01 45 63 14 11, *cesa.whparis@warwickhotels.com,*
Fax 01 45 63 75 81 – 劇 ⇔ ☰ 🔟 ℰ – 🏛 30 à 110. 🖭 ⓪ GB JCB, ⅏ rest
F 9
voir rest. *Le W* ci-après – ♀ 28 – **147 ch** 420/570.

Napoléon, 40 av. Friedland ℰ 01 56 68 43 21, *napoleon@hotelnapoleonparis.com,*
Fax 01 47 66 82 33 – 劇, ☰ ch, 🔟 ℰ, – 🏛 15 à 80. 🖭 ⓪ GB JCB
F 8
Repas *(déj. seul.)* carte 30 à 48 ♀ – ♀ 18,30 – **102 ch** 320/550.

California, 16 r. Berri ℰ 01 43 59 93 00, *eg@hroy.com,* Fax 01 45 61 03 62, 斧, « Importante collection de tableaux » – 劇 ⇔ ☰ 🔟 ℰ – 🏛 20 à 100. 🖭 ⓪ GB JCB, ⅏ ch **F 9**
Repas *(fermé août, sam. et dim.)* *(déj. seul.)* (27) - 31/43 ♀ – ♀ 21 – **161 ch** 430/470, 13
duplex.

Château Frontenac sans rest, 54 r. P. Charron ℰ 01 53 23 13 13, *hotel@hfrontenac.*
com, Fax 01 53 23 13 01 – 劇 ☰ 🔟 ℰ – 🏛 25. 🖭 ⓪ GB
G 9
♀ 15 – **104 ch** 205/295, 6 appart.

Bedford, 17 r. de l'Arcade ℰ 01 44 94 77 77, *contact@hotel-bedford.com,*
Fax 01 44 94 77 97 – 劇 ☰ 🔟 ℰ – 🏛 15 à 50. 🖭 GB JCB, ⅏ rest
F 11
Repas *(fermé sam. et dim.)* *(déj. seul.)* 26 – ♀ 22 – **134 ch** 162/180, 11 appart.

Queen Elizabeth, 41 av. Pierre-1er-de-Serbie ℰ 01 53 57 25 25, *reservation@hotel-*
queen.com, Fax 01 53 57 25 26 – 劇 ☰ 🔟 ℰ – 🏛 30. 🖭 ⓪ GB JCB
G 8
Repas *(fermé août, sam. et dim.)* *(déj. seul.)* 27 – ♀ 19 – **48 ch** 290/455, 12 appart.

Montaigne 🖬 sans rest, 6 av. Montaigne ℰ 01 47 20 30 50, *contact@hotel-montaigne.*
com, Fax 01 47 20 94 12 – 劇 ☰ 🔟 ℰ &, 🖭 ⓪ GB JCB
G 9
♀ 17 – **29 ch** 245/385.

Élysées Star 🖬 sans rest, 19 r. Vernet ℰ 01 47 20 41 73, *star@easynet.fr,*
Fax 01 47 23 32 15 – 劇 ⇔ ☰ 🔟 ℰ – 🏛 30. 🖭 ⓪ GB JCB
F 8
♀ 20 – **38 ch** 280/650, 4 appart.

François 1er 🖬 sans rest, 7 r. Magellan ℰ 01 47 23 44 04, *hotel@francois1er.fr,*
Fax 01 47 23 93 43 – 劇 ⇔ ☰ 🔟 ℰ – 🏛 15. 🖭 ⓪ GB JCB
F 8
♀ 21 – **40 ch** 300/457.

Bradford Élysées sans rest, 10 r. St-Philippe-du-Roule ℰ 01 45 63 20 20, *hotel ford@astotel.com*, Fax 01 45 63 20 07 – 📶 ⤢ 🗐 TV. AE ⓪ GB JCB
⊇ 21 – **50 ch** 258/304.

Royal M sans rest, 33 av. Friedland ℰ 01 43 59 08 14, *rh@royal-hotel* Fax 01 45 63 69 92 – 📶 🗐 ℀. AE ⓪ GB JCB
⊇ 20 – **58 ch** 260/400.

Sofitel Champs-Élysées M, 8 r. J. Goujon ℰ 01 40 74 64 64, *H1184-RE@a hotels.com*, Fax 01 40 74 79 66, 🌇 – 📶 ⤢ 🗐 TV ℀ 🚗 – 🔬 15 à 150. AE ⓪ JCB
Les Signatures ℰ 01 40 74 64 94 (déj. seul.)(fermé 1er au 18 août, 25 déc. au 1er janv. et dim.) **Repas** (30)-et carte 40 à 51 ⊇ – **23 – 40 ch** 435/560.

Élysées-Ponthieu et Résidence sans rest, 24 r. Ponthieu ℰ 01 53 89 5 Fax 01 53 89 59 59 – 📶 cuisinette ⤢ 🕭. AE ⓪ GB JCB
⊇ 13 – **91 ch** 185/305, 6 appart.

Powers sans rest, 52 r. François 1er ℰ 01 47 23 91 05, *contact@hotel-powers* Fax 01 42 52 04 63 – 📶 🗐 TV ℀. AE ⓪ GB JCB
⊇ 13 – **55 ch** 100/300.

Résidence du Roy M sans rest, 8 r. François 1er ℰ 01 42 89 59 59, *rdr@resid du-roy.com*, Fax 01 40 74 07 92 – 📶 cuisinette 🗐 TV ℀ 🕭 🚗 – 🔬 25. AE ⓪ JCB
⊇ 18, 28 appart 405, 4 studios, 3 duplex.

Chateaubriand sans rest, 6 r. Chateaubriand ℰ 01 40 76 00 50, *chateaubriand@cc com*, Fax 01 40 76 09 22 – 📶 🗐 TV ℀. AE ⓪ GB JCB
⊇ 16 – **28 ch** 306/336.

Résidence Monceau sans rest, 85 r. Rocher ℰ 01 45 22 75 11, *residencemoncea nadoo.fr*, Fax 01 45 22 30 88 – 📶 TV 🕭. AE ⓪ GB JCB. ℀
⊇ 9 – **51 ch** 122.

Pershing Hall M, 49 r. P. Charon ℰ 01 58 36 58 00, *info@pershinghall* Fax 01 58 36 58 01 – 📶 🗐 TV ℀ 🕭 – 🔬 60. AE ⓪ GB JCB
Repas (fermé dim.) 39 et carte 40 à 60 – ⊇ 26 – **26 ch** 380/720, 6 appart.

L'Arcade M sans rest, 7 r. de l'Arcade ℰ 01 53 30 60 00, *contact@hotel-arca* Fax 01 40 07 03 07 – 📶 🗐 TV ℀ – 🔬 25. AE GB JCB
⊇ 9 – **37 ch** 132/169, 4 duplex.

Monna Lisa M, 97 r. La Boétie ℰ 01 56 43 38 38, *contact@hotelmonnalisa* Fax 01 45 62 39 90 – 📶 🗐 TV ℀. AE ⓪ GB JCB. ℀
Caffe Ristretto - cuisine italienne (fermé 3 au 25 août, sam. et dim.) **Repas** 30,4 ⊇ 16,77 – **22 ch** 221,05/237,82.

Lavoisier M sans rest, 21 r. Lavoisier ℰ 01 53 30 06 06, *info@hotellavoisier* Fax 01 53 30 23 00 – 📶 🗐 TV ℀ 🕭. AE ⓪ GB JCB. ℀
⊇ 12 – **30 ch** 199/305.

Sofitel Marignan Élysées sans rest, 12 r. Marignan ℰ 01 40 76 34 56, *H2801@a hotels.com*, Fax 01 40 76 34 34 – 📶 ⤢ 🗐 TV ℀ – 🔬 15 à 50. AE ⓪ GB JCB
⊇ 25 – **57 ch** 450/600, 16 duplex.

Élysées Mermoz M sans rest, 30 r. J. Mermoz ℰ 01 42 25 75 30, *elymermoz@wor fr*, Fax 01 45 62 87 10 – 📶 🗐 TV ℀ 🕭 – 🔬 15. AE ⓪ GB JCB
⊇ 7,70 – **27 ch** 126/156, 5 appart.

Franklin Roosevelt sans rest, 18 r. Clément-Marot ℰ 01 53 57 49 50, *franklin@iv* Fax 01 47 20 44 30 – 📶 🗐 TV 🕭. AE GB. ℀
⊇ 15 – **48 ch** 180/285.

Queen Mary M sans rest, 9 r. Greffulhe ℰ 01 42 66 40 50, *hotelqueenmary@wanac* Fax 01 42 66 94 92 – 📶 🗐 TV ℀. AE ⓪ GB JCB. ℀
⊇ 14 – **36 ch** 125/165.

Vignon M sans rest, 23 r. Vignon ℰ 01 47 42 93 00, *h-vignon@club-inter* Fax 01 47 42 04 60 – 📶 🗐 TV ℀ 🕭. AE ⓪ GB
⊇ 12 – **30 ch** 185/305.

Relais Mercure Opéra Garnier M sans rest, 4 r. de l'Isly ℰ 01 43 87 35 50, *H'accor-hotels.com*, Fax 01 43 87 03 29 – 📶 ⤢ 🗐 TV ℀. AE ⓪ GB JCB
⊇ 13 – **140 ch** 190/230.

Étoile Friedland sans rest, 177 r. Fg St-Honoré ℰ 01 45 63 64 65, *friedlan@paris tel.com*, Fax 01 45 63 88 96 – 📶 🗐 TV ℀ 🕭. AE ⓪ GB JCB. ℀
⊇ 16,72 – **40 ch** 244/275.

Élysées Céramic sans rest, 34 av. Wagram ℰ 01 42 27 20 30, *cerotel@ao Fax 01 46 22 95 83*, « Façade ''Art Nouveau'' » – 📶 🗐 TV ℀. AE ⓪ GB JCB
⊇ 10 – **57 ch** 160/207.

Atlantic sans rest, 44 r. Londres ℰ 01 43 87 45 40, *reserv@atlantic-hotel.fr*, *Fax 01 42 93 06 26* – 🛗 ☰ 📺 ✔. 🆎 ⓪ 🆖 🇯🇨🇧. ⚡ E 12
🖵 9 – **86 ch** 95/150.

L'Élysée sans rest, 12 r. Saussaies ℰ 01 42 65 29 25, *hotel-de-l-elysee@wanadoo.fr*, *Fax 01 42 65 64 28* – 🛗 ☰ 📺 ✔. 🆎 ⓪ 🆖 🇯🇨🇧. ⚡ F 11
🖵 10 – **32 ch** 105/220.

Astoria sans rest, 42 r. Moscou ℰ 01 42 93 63 53, *hotel.astoria@astotel.com*, *Fax 01 42 93 30 30* – 🛗 ✥ ☰ 📺. 🆎 ⓪ 🆖 🇯🇨🇧. ⚡ D 11
🖵 14 – **86 ch** 154/181.

Flèche d'or sans rest, 29 rue d'Amsterdam ℰ 01 48 74 06 86, *hotel-de-la-fleche-dor@ wanadoo.fr*, *Fax 01 48 74 06 04* – 🛗 ☰ 📺 ✔. 🆎 ⓪ 🆖 E 12
🖵 6,90 – **61 ch** 129,60/144,85.

Mayflower sans rest, 3 r. Chateaubriand ℰ 01 45 62 57 46, *Fax 01 42 56 32 38* – 🛗 📺. 🆎 🆖 F 9
🖵 10 – **24 ch** 135/166.

West-End sans rest, 7 r. Clément-Marot ℰ 01 47 20 30 78, *contact@hotel-west-end.com*, *Fax 01 47 20 34 42* – 🛗 ☰ 📺 ✔. 🆎 ⓪ 🆖 G 9
🖵 16 – **50 ch** 165/260.

Cordélia sans rest, 11 r. Greffulhe ℰ 01 42 65 42 40, *hotelcordelia@wanadoo.fr*, *Fax 01 42 65 11 81* – 🛗 ☰ ✔. 🆎 ⓪ 🆖. ⚡ F 12
🖵 12 – **30 ch** 168.

Comfort St-Augustin sans rest, 9 r. Roy ℰ 01 42 93 32 17, *hotelsa@gofornet.com*, *Fax 01 42 93 19 34* – 🛗 ☰ 📺 ✔. 🆎 ⓪ 🆖 🇯🇨🇧. ⚡ F 11
🖵 10 – **62 ch** 120/214.

Fortuny sans rest, 35 r. de l'Arcade ℰ 01 42 66 42 08, *info@hotel-fortuny.com*, *Fax 01 42 66 00 32* – 🛗 ☰ 📺. 🆎 ⓪ 🆖 🇯🇨🇧. ⚡ F 11
🖵 9 – **30 ch** 145/150.

Pavillon Montaigne M sans rest, 34 r. J. Mermoz ℰ 01 53 89 95 00, *Fax 01 42 89 33 00* – 🛗 ☰ 📺 ✔. 🆎 ⓪ 🆖 🇯🇨🇧. ⚡ F 10
🖵 8 – **18 ch** 130/165.

New Orient sans rest, 16 r. Constantinople ℰ 01 45 22 21 64, *new.orient.hotel@wana doo.fr*, *Fax 01 42 93 83 23* – 🛗 📺. 🆎 ⓪ 🆖. ⚡ E 11
🖵 7 – **30 ch** 69/102.

Alison sans rest, 21 r. de Surène ℰ 01 42 65 54 00, *hotel.alison@wanadoo.fr*, *Fax 01 42 65 08 17* – 🛗 ☰ 📺. 🆎 ⓪ 🆖 🇯🇨🇧. ⚡ F 11
🖵 7 – **35 ch** 75/135.

Newton Opéra sans rest, 11 bis r. de l'Arcade ℰ 01 42 65 32 13, *newtonopera@easynet. fr*, *Fax 01 42 65 30 90* – 🛗 ☰ 📺 ✔. 🆎 ⓪ 🆖. ⚡ F 11
🖵 12 – **31 ch** 150/183.

Madeleine Haussmann sans rest, 10 r. Pasquier ℰ 01 42 65 90 11, *3hotels@hotels. com*, *Fax 01 42 68 07 93* – 🛗 ☰ 📺 ✔. 🆎 ⓪ 🆖 🇯🇨🇧 F 11
🖵 7 – **36 ch** 114/125.

Comfort Malesherbes sans rest, 11 pl. St-Augustin ℰ 01 42 93 27 66, *hotelmales herbes@gofornet.com*, *Fax 01 42 93 27 51* – 🛗 ☰ 📺 ✔. 🆎 ⓪ 🆖 🇯🇨🇧. ⚡ F 11
🖵 11 – **24 ch** 117/168.

Le "Cinq" - Hôtel Four Seasons George V, 31 av. George V ℰ 01 49 52 71 54, *Fax 01 49 52 71 81*, � – ☰. 🆎 ⓪ 🆖 🇯🇨🇧. ⚡ F 8
Repas 60 (déj.)/200 et carte 100 à 150
Spéc. Blanc-manger au caviar d'Aquitaine (printemps). Fricassée de langoustines à la coriandre, lasagne au vieux parmesan. Lièvre à la royale (saison).

Les Ambassadeurs - Hôtel Crillon, 10 pl. Concorde ℰ 01 44 71 16 16, *restaurants@ crillon.com*, *Fax 01 44 71 15 02*, « Cadre 18ᵉ siècle » – ☰. 🆎 ⓪ 🆖 🇯🇨🇧. ⚡ G 11
Repas 62 (déj.)/135 et carte 120 à 175
Spéc. Turbot rôti aux agrumes, jus de poulet et vinaigre balsamique. Aiguillette de canette au pain d'épice. Vacherin "comme en Alsace".

Ledoyen, carré Champs-Élysées (1ᵉʳ étage) ℰ 01 53 05 10 01, *Fax 01 47 42 55 01* – ☰ 🅿. 🆎 🆖. ⚡ G 10
fermé 29 juil. au 26 août, sam., dim. et fériés – **Repas** 58 (déj.), 119/192 bc et carte 120 à 160 🝳
Spéc. Grosses langoustines bretonnes croustillantes. Blanc de turbot braisé, pommes rattes au beurre de truffe. Millefeuille de fines "krampouz" craquantes au citron.

XXXXX
జజజ **Plaza Athénée** - Hôtel Plaza Athénée, 25 av. Montaigne ℘ 01 53 67 65 00, adpa@
ducasse.com, Fax 01 53 67 65 12 – ▤, 𝔸𝔼 ⓞ 𝖦𝖡 𝖩𝖢𝖡, ⌘
fermé 12 juil. au 19 août, 20 au 30 déc., lundi midi, mardi midi, merc. midi, sam., o
fériés – **Repas** 190/250 et carte 165 à 225
Spéc. Langoustines rafraîchies, nage réduite, caviar osciètre. Volaille de Bresse, chap
d'herbes et jus perlé. Coupe glacée de saison.

XXXXX
జజ **Bristol** - Hôtel Bristol, 112 r. Fg St-Honoré ℘ 01 53 43 43 40, resa@hotel-bristo
Fax 01 53 43 43 01, 🏠 – ▤, 𝔸𝔼 ⓞ 𝖦𝖡 𝖩𝖢𝖡, ⌘
Repas 60/120 et carte 100 à 145
Spéc. Macaroni farcis d'artichaut, truffe et foie gras de canard, gratinés au vieux parm
Poularde de Bresse en vessie parfumée au Vin Jaune. Biscuit mi-cuit au chocolat.

XXXXX
జజజ **Taillevent** (Vrinat), 15 r. Lamennais ℘ 01 44 95 15 01, mail@taillevent
Fax 01 42 25 95 18 – ▤, 𝔸𝔼 ⓞ 𝖦𝖡 𝖩𝖢𝖡, ⌘
fermé 27 juil. au 26 août, sam., dim. et fériés – **Repas** (nombre de couverts limité, pré
130 et carte 105 à 130 ♀
Spéc. Quenelles de volaille aux écrevisses. Foie de canard poêlé au banyuls. Beigr
chocolat.

XXXXX
జజజ **Lucas Carton** (Senderens), 9 pl. Madeleine ℘ 01 42 65 22 90, lucas.carton@lucasc
com, Fax 01 42 65 06 23, « Authentique décor 1900 » – ▤, 𝔸𝔼 ⓞ 𝖦𝖡 𝖩𝖢𝖡, ⌘
fermé août, Noël au Jour de l'An, lundi midi, sam. midi et dim. – **Repas** 64 (déj.)/1
carte 140 à 250
Spéc. Homard à la vanille ''Bourbon de Madagascar''. Foie gras de canard des Land
chou, à la vapeur. Canard Apicius rôti au miel et aux épices.

XXXXX
జజ **Lasserre**, 17 av. F.-D.-Roosevelt ℘ 01 43 59 53 43, Fax 01 45 63 72 23, « Toit ouvra
▤, 𝔸𝔼 ⓞ 𝖦𝖡 𝖩𝖢𝖡, ⌘
fermé 4 août au 2 sept., dim. et lundi – **Repas** 55 (déj.)/130 et carte 110 à 160 ♀
Spéc. Galette de truffe noire au céleri (mi-déc. à fin mars). Bar de ligne en croûte b
aux citrons confits. Tarte soufflée pralinée au gingembre et cacao amer.

XXXXX
జజ **Laurent**, 41 av. Gabriel ℘ 01 42 25 00 39, info@le-laurent.com, Fax 01 45 62 45 2
« Agréable terrasse d'été » – 𝔸𝔼 ⓞ ⌘
fermé sam. midi, dim. et fériés – **Repas** 65/130 et carte 100 à 180
Spéc. Araignée de mer dans ses sucs en gelée, crème de fenouil. Foie gras de canar
haricots noirs pimentés. Variation sur le chocolat.

XXXX
జజ **Les Élysées** - Hôtel Vernet, 25 r. Vernet ℘ 01 44 31 98 98, hotelvernet@jetmultime
Fax 01 44 31 85 69, « Belle verrière » – ▤, 𝔸𝔼 ⓞ 𝖦𝖡, ⌘
fermé 22 juil. au 25 août, lundi midi, sam., dim. et fériés – **Repas** 52 (déj.)/150 et carte
160
Spéc. Epeautre ''comme un risotto'' et râpée de truffe noire (déc. à fév.). Bar de li
l'étouffé, cèpes, cébettes et artichauts violets. Gnocchi d'herbes fraîches, pain gril
noix et sorbet à l'huile d'olive.

XXXX
జజజ **Pierre Gagnaire** - Hôtel Balzac, 6 r. Balzac ℘ 01 58 36 12 50, p.gagnaire@wanac
Fax 01 58 36 12 51 – ▤, 𝔸𝔼 ⓞ 𝖦𝖡
fermé 15 au 31 juil., vacances de Toussaint, de fév., dim. midi, sam. et fériés – **Repas**
(déj.)/182,94 et carte 155 à 215
Spéc. Langoustines bretonnes : grillées, en tartare et mousseline, sabayon au m
Coffre de canard rôti entier, crumble de mangue, peau laquée et cuisse en terrine. E
soufflé au chocolat pur Caraïbes.

XXXX
జజ **L'Astor** - Hôtel Sofitel Astor, 11 rue d'Astorg ℘ 01 53 05 05 20, hotelastor@ao
Fax 01 53 05 05 30 – ▤, 𝔸𝔼 ⓞ 𝖦𝖡 𝖩𝖢𝖡
fermé 5 août au 2 sept., sam. et dim. – **Repas** 49,55 bc (déj.)/99,09 bc et carte 85 à 1
Spéc. Araignée de mer à la crème de chou fleur et caviar. Lièvre à la royale (
déc.).Pomme verte en cristalline, crème croustillante au thé.

XXXX
జ **La Marée,** 1 r. Daru ℘ 01 43 80 20 00, Fax 01 48 88 04 04 – ▤, 𝔸𝔼 ⓞ 𝖦𝖡
fermé 26 juil. au 28 août, sam. midi et dim. – **Repas** - produits de la mer - carte 80 à 1
Spéc. Croustillant de langoustines à la sauce aigre douce.Petite marmite tropéz
Millefeuille chaud caramélisé aux amandes.

XXXX
జ **Chiberta,** 3 r. Arsène-Houssaye ℘ 01 53 53 42 00, info@lechiberta
Fax 01 45 62 85 08 – ▤, 𝔸𝔼 ⓞ 𝖦𝖡
fermé août, sam. midi et dim. – **Repas** 44,21 (déj.)/89,94 et carte 70 à 110 ♀
Spéc. Cuisses de grenouilles poêlées à l'ail doux. Saint-Pierre serti à la feuille de l
Truffe noire de Provence cuite au champagne, à la croque au sel (mi-nov. à fin fév.).

XXXX
జ **Clovis** - Hôtel Sofitel Arc de Triomphe, 14 r. Beaujon ℘ 01 53 89 50 53, h1296@
hotels.com, Fax 01 53 89 50 51 – ▤, 𝔸𝔼 ⓞ 𝖦𝖡
fermé 24 juil. au 24 août, 24 déc. au 2 janv., sam., dim. et fériés – **Repas** 45,42/88
carte 62 à 76 ♀
Spéc. Duo de foie gras de canard, figues vigneronnes. Tournedos de lotte grillé, tra
de lomo, blettes braisées. Coeur de filet de boeuf normand aux câpres.

Maison Blanche, 15 av. Montaigne (6ᵉ étage) ☎ 01 47 23 55 99, *Fax 01 47 20 09 56*, ≤,
🍴 – 📶 🗐. ⒜ⓔ ⓞ ⓖⓑ   G 9
fermé sam. midi et dim. midi – **Repas** carte 78 à 83.

Jardin - Hôtel Royal Monceau, 37 av. Hoche ☎ 01 42 99 98 70, *Fax 01 42 99 89 94*, 🍴
– 🗐. ⒜ⓔ ⓞ ⓙⓒⓑ. ❀   E 8
fermé sam. et dim. – **Repas** 61 (déj.)/99,13 et carte 90 à 110
Spéc. ''Fougassette'' de jeunes légumes à la purée d'écrevisses (été). Bar de ligne braisé en
feuille de figue (automne). Filet de veau de lait rôti, chicons au jus de truffe et vieux jambon
(printemps et hiver).

Fouquet's, 99 av. Champs Élysées ☎ 01 47 23 50 00, *fouquets@lucienbarriere.com,*
Fax 01 47 23 50 55, 🍴 – 🗐. ⒜ⓔ ⓞ ⓖⓑ ⓙⓒⓑ   F 8
Repas 50 et carte 65 à 78.

Le W - Hôtel Warwick, 5 r. Berri ☎ 01 45 61 82 08, *lerestaurantw@warwickhotels.com,*
Fax 01 45 63 75 81 – 🗐. ⒜ⓔ ⓞ ⓖⓑ ⓙⓒⓑ. ❀   G 9
fermé 28 juil. au 2 sept., 20 déc. au 6 janv., sam. et dim. – **Repas** 40 (déj.)/55 et carte 60
à 85
Spéc. Champignons sauvages et foie gras de canard poêlé. Saint-Jacques aux topinam-
bours et patate douce. Côte épaisse de cochon en croûte de sel.

L'Obélisque - Hôtel Crillon, 6 r. Boissy d'Anglas ☎ 01 44 71 15 15, *restaurants@crillon.*
com, Fax 01 44 71 15 02 – 🗐. ⒜ⓔ ⓞ ⓖⓑ ⓙⓒⓑ   G 11
fermé 27 juil. au 26 août – **Repas** 48.

Marcande, 52 r. Miromesnil ☎ 01 42 65 19 14, *info@marcande.com, Fax 01 42 65 76 85,*
🍴 – ⓖⓑ   F 10
fermé 5 au 19 août, 25 déc. au 2 janv., sam. et dim. – **Repas** 38,11 et carte 49 à 78 ♓.

Copenhague, 142 av. Champs-Élysées (1ᵉʳ étage) ☎ 01 44 13 86 26, *floricadanica@*
wanadoo.fr, Fax 01 44 13 89 44, 🍴 – 🗐. ⒜ⓔ ⓖⓑ   F 8
fermé 29 juil. au 25 août, sam. midi, dim. et fêtes – **Repas** - cuisine danoise - 49/73 et carte
60 à 95 - **Flora Danica : Repas** 30 et carte 43 à 69 ♓
Spéc. Assiette gourmande ''Copenhague''. Noisettes de renne frottées de poivre noir,
rôties au sautoir. Rhubarbe confite et sorbet, gâteau aux amandes (avril à sept.).

El Mansour, 7 r. Trémoille ☎ 01 47 23 88 18, *Fax 01 40 70 13 53* – 🗐. ⒜ⓔ ⓞ ⓖⓑ   G 9
fermé 11 au 19 août, lundi midi et dim. – **Repas** - cuisine marocaine - 42,69 bc (déj.), 53,36
bc/68,60 bc.

Yvan, 1bis r. J. Mermoz ☎ 01 43 59 18 40, *Fax 01 42 89 30 95* – 🗐. ⒜ⓔ ⓞ ⓖⓑ
ⓙⓒⓑ   F 10-G 10
fermé sam. midi et dim. – **Repas** 29,73 (déj.)/43,45 et carte 50 à 80.

Bath's, 9 r. La Trémoille ☎ 01 40 70 01 09, *restaurantbath@wanadoo.fr,*
Fax 01 40 70 01 22 – 🗐. ⒜ⓔ ⓖⓑ   G 9
fermé 2 août au 2 sept., 23 au 26 déc., sam., dim. et fériés – **Repas** 30 (déj.)/70 (dîner)et
carte 65 à 90 ♓
Spéc. Crème de lentilles, bonbons de foie gras et truffes. Cassoulet de homard. Côte de
veau du Limousin, macaroni rôtis aux morilles hachées.

Indra, 10 r. Cdt-Rivière ☎ 01 43 59 46 40, *Fax 01 42 25 00 32* – 🗐. ⒜ⓔ ⓖⓑ   F 9
fermé sam. midi et dim. – **Repas** - cuisine indienne - 34 (déj.), 38/58 et carte 41 à 51.

Spoon, 14 r. Marignan ☎ 01 40 76 34 44, *spoonfood@aol.com, Fax 01 40 76 34 37,*
« Décor contemporain » – 🗐. ⒜ⓔ ⓞ ⓖⓑ ⓙⓒⓑ. ❀   G 9
fermé 22 juil. au 19 août, 23 déc. au 1ᵉʳ janv., sam. et dim. – **Repas** - cuisine et vins du
monde - carte 54 à 89.

Rue Balzac, 3 r. Balzac ☎ 01 53 89 90 91, *rostang@relaischateaux.fr, Fax 01 53 89 90 94* –
🗐. ⒜ⓔ ⓖⓑ   F 8
fermé 13 au 19 août, sam. midi et dim. midi – **Repas** carte 43 à 51 ♓.

Carpaccio - Hôtel Royal Monceau, 37 av. Hoche ☎ 01 42 99 98 90 – ⒜ⓔ ⓞ ⓖⓑ ⓙⓒⓑ   E 8
fermé 20 juil. au 26 août – **Repas** - cuisine italienne - carte 55 à 91
Spéc. Gnocchi verts au parmesan. Tagliatelle au ragoût de veau. Pigeon rôti sur polenta et
truffes noires.

Luna, 69 r. Rocher ☎ 01 42 93 77 61, *Fax 01 40 08 02 44* – 🗐. ⒜ⓔ ⓖⓑ   E 11
fermé 6 au 27 août et dim. – **Repas** - produits de la mer - carte 53 à 73 ♓
Spéc. Grosses gambas rôties à l'huile de vanille. Cassolette de homard au lard fumé.
''Vrai baba'' de Zanzibar.

Tante Louise, 41 r. Boissy-d'Anglas ☎ 01 42 65 06 85, *tante.louise@wanadoo.fr,*
Fax 01 42 65 28 19 – 🗐. ⒜ⓔ ⓞ ⓖⓑ ⓙⓒⓑ   F 11
fermé août, sam. et dim. – **Repas** carte 44 à 68 ♓.

XX **Shozan,** 11 r. de la Trémoille ℰ 01 47 23 37 32, Fax 01 47 23 67 30 – ☰. ꭺꭼ ⓞ JCB
fermé 1er au 29 août, sam. et dim. – **Repas** - cuisine franco-japonaise - (25,50) - 30
60,75/75,50 et carte 59 à 65 ♀.

XXX **Korova,** 33 r. Marbeuf ℰ 01 53 89 93 93, info@korova.fr, Fax 01 53 89 93 94, « Inté
design » – ☰. ꭺꭼ ⓞ GB JCB
fermé 1er au 15 août, sam. midi et dim. midi – **Repas** (30,33) - carte 41 à 69 ♀.

XX **Grenadin,** 46 r. Naples ℰ 01 45 63 28 92, Fax 01 45 61 24 76 – ☰. ꭺꭼ GB
fermé sam. midi, lundi soir et dim. – **Repas** 33,54/40,86 et carte environ 60.

XX **Hédiard,** 21 pl. Madeleine ℰ 01 43 12 88 99, restaurant@hediard.fr, Fax 01 43 12 88
☰. ꭺꭼ ⓞ GB. ⅍
fermé 25 déc. au 1er janv. et dim. – **Repas** carte 41 à 58 ♀.

XX **Sarladais,** 2 r. Vienne ℰ 01 45 22 23 62, Fax 01 45 22 23 62 – ☰. ꭺꭼ GB JCB
fermé 4 au 13 mai, 3 août au 3 sept., sam. sauf le soir d'oct. à avril, dim. et fériés – R
33 ♀.

XX **Fermette Marbeuf 1900,** 5 r. Marbeuf ℰ 01 53 23 08 00, Fax 01 53 23 08 09, «
1900, céramiques et vitraux d'époque » – ☰. ꭺꭼ ⓞ GB
Repas (23,20 bc) - 27,90 et carte 36 à 54 ♀.

XX **Marius et Janette,** 4 av. George-V ℰ 01 47 23 41 88, Fax 01 47 23 07 19, 綜 – ☰.
☺ GB JCB
Repas - produits de la mer - 51,84 bc et carte 60 à 90
Spéc. Poissons crus. Merlan frit sauce tartare (mai à mi-oct.). Saint-Jacques poêlée
cèpes (oct.à fév.).

XX **Stella Maris,** 4 r. Arsène Houssaye ℰ 01 42 89 16 22, stella.maris.paris@wanad
Fax 01 42 89 16 01 – ☰. ꭺꭼ ⓞ GB JCB. ⅍
fermé 10 au 22 août, sam. midi, lundi midi et dim. – **Repas** 42,70 (déj.)/103,68 et carte
85.

XX **Il Sardo,** 11 rTreilhard ℰ 01 45 61 09 46 – ☰. ꭺꭼ GB
fermé août, sam. midi, dim. et fériés – **Repas** - cuisine italienne - carte 25 à 49 ♀.

XX **Les Bouchons de François Clerc "Étoile",** 6 r. Arsène Houssaye ℰ 01 42 89
siegebouchons@wanadoo.fr, Fax 01 42 89 28 67 – ☰. ꭺꭼ GB JCB. ⅍
fermé sam. et dim. – **Repas** - produits de la mer - 40,86 ♀.

XX **Stresa,** 7 r. Chambiges ℰ 01 47 23 51 62 – ☰. ꭺꭼ ⓞ GB. ⅍
fermé août, 20 déc. au 3 janv., sam. et dim. – **Repas** - cuisine italienne - (prévenir) carte
79.

XX **Berkeley,** 7 av. Matignon ℰ 01 42 25 72 25, Fax 01 45 63 30 06, 綜 – ☰. ꭺꭼ ⓞ
JCB
Repas carte 38 à 45 ♀.

XX **Bistrot du Sommelier,** 97 bd Haussmann ℰ 01 42 65 24 85, bistrot-du-somme
noos.fr, Fax 01 53 75 23 23 – ☰. ꭺꭼ GB
fermé 27 juil. au 25 août, 21 déc. au 1er janv., sam. et dim. – **Repas** 38,11 (déj.),
bc/99,09 bc.

XX **Nobu,** 15 r. Marbeuf ℰ 01 56 89 53 53, Fax 01 56 89 53 54 – ☰. ꭺꭼ ⓞ GB JCB
fermé dim. midi et sam. – **Repas** - cuisine japonaise - carte environ 90 ♀.

XX **Kinugawa,** 4 r. St-Philippe du Roule ℰ 01 45 63 08 07, Fax 01 42 60 45 21 – ☰. ꭺꭼ ⓞ
JCB. ⅍
fermé 24 déc. au 7 janv. et dim. – **Repas** - cuisine japonaise - 26 (déj.), 86/107 et carte
110 ♀.

XX **L'Angle du Faubourg,** 195 r. Fg St-Honoré ℰ 01 40 74 20 20, Fax 01 40 74 20 21
ꭺꭼ ⓞ GB JCB
fermé 27 juil. au 20 août, sam. et dim. – **Repas** 35/73 et carte 50 à 60 ♀
Spéc. Lomo de thon rôti aux épices. Joues de veau braisées, gratin de macaron
artichauts. Entremets au chocolat, glace à l'amande amère.

XX **Les Bouchons de François Clerc,** 7 r. Boccador ℰ 01 47 23 57 80, Fax 01 47 23
– ꭺꭼ GB JCB
fermé sam. midi et dim. – **Repas** (25,75) - 40,86 ♀.

XX **Al Ajami,** 58 r. François 1er ℰ 01 42 25 38 44, Fax 01 42 25 38 39 – ☰. ꭺꭼ ⓞ
⅍
Repas - cuisine libanaise - (16,62) - 19,67/28,81 et carte 30 à 52 ♀.

XX **Village d'Ung et Li Lam,** 10 r. J. Mermoz ℰ 01 42 25 99 79, Fax 01 42 25 12 06 –
ⓞ GB JCB
fermé sam. midi et dim. midi – **Repas** - cuisine chinoise et thaïlandaise - 18 (déj.), 22
carte environ 35 ♀, enf. 12.

XX **Pichet de Paris,** 68 r. P. Charron ℰ 01 43 59 50 34, *Fax 01 42 89 68 91* – ▤. 🆎 ⓞ
GB G 9-F 9
fermé sam. sauf le soir de sept. à avril et dim. – **Repas** carte 50 à 90.

XX **Bistro de l'Olivier,** 13 r. Quentin Bauchart ℰ 01 47 20 78 63, *Fax 01 47 20 74 58* – ▤. 🆎
G 8
Repas (nombre de couverts limité, prévenir) 32,01 et carte 61 à 66 ♈.

XX **Market,,** 15 r. Matignon ℰ 01 56 43 40 90, *Fax 01 43 59 10 87* – ▤. 🆎 GB F 10
Repas 39 (déj.)et carte 45 à 65 ♈.

X **Cap Vernet,** 82 av. Marceau ℰ 01 47 20 20 40, *capvernet@guysavoy.com,*
Fax 01 47 20 95 36, 🏤 – ▤. 🆎 ⓞ GB 🇯🇨🇧 F 8
Repas - produits de la mer - carte 42 à 58.

X **L'Appart',** 9 r. Colisée ℰ 01 53 75 16 34, *restapart@aol.com, Fax 01 53 76 15 39* – ▤. 🆎
GB 🇯🇨🇧 F 9
Repas 29/39,60 ♈.

X **Saveurs et Salon,** 3 r. Castellane ℰ 01 40 06 97 97, *Fax 01 40 06 98 06* – ▤. 🆎 GB F 12
fermé sam. midi et dim. – **Repas** 30 ♨.

X **L'Atelier Renault,** 53 av. Champs Élysées ℰ 01 49 53 70 70, *Fax 01 49 53 70 71* – ▤ F 9
Repas 28 et carte 35 à 42, enf. 8.

X **Cô Ba Saigon,** 181 r. Fg St-Honoré ℰ 01 45 63 70 37, *Fax 01 42 25 18 31* – ▤. 🆎
GB F 9
fermé 27 juil. au 18 août, sam. midi en juil.-août et dim. – **Repas** - cuisine vietnamienne -
14,94 (déj.)/22,87 et carte 23 à 30.

X **Zo,** 13 r. Montalivet ℰ 01 42 65 18 18, *restzo@club-internet.fr, Fax 01 42 65 10 91* – ▤. 🆎
GB 🇯🇨🇧 F 11
fermé 9 au 19 août, sam. midi et dim. midi – **Repas** (15) - carte 35 à 40.

X **Xu,** 19 r. Bayard ℰ 01 47 20 82 24, *Fax 01 47 20 20 21* – ▤. 🆎 ⓞ GB G 9
fermé 20 août et dim. soir – **Repas** carte 34 à 56.

X **Bistrot de Marius,** 6 av. George V ℰ 01 40 70 11 76, 🏤 – 🆎 ⓞ GB. ✹ G 8
Repas carte 33 à 54.

X **Rocher Gourmand,** 89 r. Rocher ℰ 01 40 08 00 36, *Fax 01 40 08 05 29* – GB E 10
fermé 27 juil. au 27 août, sam. midi et dim. – **Repas** (25) - 30/45.

X **Daru,** 19 r. Daru ℰ 01 42 27 23 60, *Fax 01 47 54 08 14* – ▤. 🆎 GB E 9
fermé août, dim. et fériés – **Repas** - cuisine russe - carte 45 à 80.

X **Ferme des Mathurins,** 17 r. Vignon ℰ 01 42 66 46 39, *Fax 01 42 66 00 27* – ⓞ GB
🇯🇨🇧 F 12
fermé août, dim. et fériés – **Repas** 27,45/36,60 et carte 45 à 50.

X **Maline,** 40 r. Ponthieu ℰ 01 45 63 14 14, *Fax 01 48 78 35 30* – GB F 9
fermé 1er au 8 mai, sam. et dim. – **Repas** 28,20 et carte 21 à 37 ♈.

X **Version Sud,** 3 r. Berryer ℰ 01 40 76 01 40, *Fax 01 40 76 03 96* – ▤. 🆎 ⓞ GB 🇯🇨🇧.
✹ F 9
fermé 5 au 19 août, sam. midi et dim. – **Repas** (prévenir) carte 36 à 47 ♈.

X **Café Indigo,** 12 av. George V ℰ 01 47 20 89 56, *Fax 01 47 20 76 16* – ▤. 🆎 ⓞ GB
🇯🇨🇧 G 8
Repas carte 34 à 56.

X **Boucoléon,** 10 r. Constantinople ℰ 01 42 93 73 33, *claval.jeremy@fnac.net,*
Fax 01 42 93 17 44 – GB. ✹ E 11
fermé 1er au 18 août, sam. et dim. – **Repas** (nombre de couverts limité, prévenir) carte 24 à
35.

X **Shin Jung,** 7 r. Clapeyron ℰ 01 45 22 21 06 D 11
fermé sam. midi, dim. midi et fériés – **Repas** - cuisine coréenne - (11,30) - 13,50/29 et carte
28 à 45 ♨.

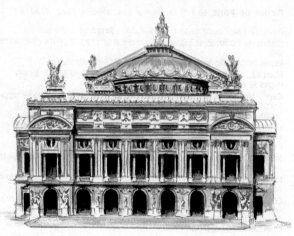

Opéra - Gare du Nord
Gare de l'Est - Grands Boulevards

9e et 10e arrondissements

9e : ⊠ 75009 - 10e : ⊠ 75010

Scribe M, 1 r. Scribe (9e) ℰ 01 44 71 24 24, *scribe.reservation@wanad* Fax 01 42 65 39 97 – 🛄 ⤢ 🗐 📺 ⚓ ₺ – 🔏 50. 🅰🄴 ⑩ 🕮 🍣 voir rest. **Les Muses** ci-après - *Jardin des Muses :* Repas 29 (déj.) et carte 29 à 50 ⊇ 24 – **206 ch** 419/705, 11 appart.

Millennium Opéra M, 12 bd Haussmann (9e) ℰ 01 49 49 16 00, *opera@mill-cop.* Fax 01 49 49 17 00, 🍴 – 🛄 ⤢ 🗐 ch, 📺 ⚓ ₺ – 🔏 80. 🅰🄴 ⑩ 🕮 🍣 **Brasserie Haussmann** ℰ 01 49 49 16 64 Repas (26)-36 🍷 – ⊇ 25 – **150 ch** 400 13 appart.

Ambassador, 16 bd Haussmann (9e) ℰ 01 44 83 40 40, *ambass@concorde-hotels.* Fax 01 42 46 19 84 – 🛄 ⤢ 🗐 📺 ⚓ – 🔏 110. 🅰🄴 ⑩ 🕮 🍣 voir rest. **16 Haussmann** ci-après – ⊇ 23 – **292 ch** 360/450, 4 appart.

Villa Opéra Drouot M sans rest, 2 r. Geoffroy Marie (9e) ℰ 01 48 00 08 08, *dro hotelsparis.fr,* Fax 01 48 00 80 60, « Décor baroque » – 🛄 🗐 📺 ⚓ ₺. 🅰🄴 ⑩ 🕮 🍣 ⊇ 18 – **27 ch** 390/442, 3 duplex.

Terminus Nord M sans rest, 12 bd Denain (10e) ℰ 01 42 80 20 00, Fax 01 42 80 63 🛄 ⤢ 📺 ⚓ ₺ – 🔏 70. 🅰🄴 ⑩ 🕮 🍣 ⊇ 13 – **236 ch** 216/229.

Holiday Inn Paris Opéra, 38 r. Échiquier (10e) ℰ 01 42 46 92 75, *information@hi- opera.com,* Fax 01 42 47 03 97 – 🛄 ⤢ 🗐 📺 ⚓ ₺ – 🔏 60. 🅰🄴 ⑩ 🕮 🍣 Repas (16,76) - 32 bc/35 bc, enf. 10 – ⊇ 20 – **92 ch** 228/273.

Pavillon de Paris M sans rest, 7 r. Parme (9th) ℰ 01 55 31 60 00, *mail@pavillonde com,* Fax 01 55 31 60 01 – 🛄 🗐 📺 ⚓ ₺. 🅰🄴 ⑩ 🕮 ⊇ 13,75 – **30 ch** 229/275.

🏨 **Lafayette** Ⓜ sans rest, 49 r. Lafayette (9ᵉ) ℰ 01 42 85 05 44, *h2802-gm@accor-hotels.com*, Fax 01 49 95 06 60 – 📶 cuisinette ✳ 📺 ✆ ৬. 🖭 ⓞ ⓖⓑ ⓙⓒⓑ   **F 14**
🔲 13 – **96 ch** 174/305, 7 appart.

🏨 **St-Pétersbourg,** 33 r. Caumartin (9ᵉ) ℰ 01 42 66 60 38, *hotel.st-petersbourg@wanadoo.fr*, Fax 01 42 66 53 54 – 📶 🔲 📺 ✆ – 🏛 25. 🖭 ⓞ ⓖⓑ ⓙⓒⓑ, ✳ rest   **F 12**
Relais ℰ 01 42 66 85 90 *(fermé août, sam. et dim.)* **Repas** (16)-23 ♈ – **100 ch** 🔲 158/199.

🏨 **Astra** sans rest, 29 r. Caumartin (9ᵉ) ℰ 01 42 66 15 15, *hotel.astra@astotel.com*, Fax 01 42 66 98 05 – 📶 ✳ 🔲 📺 ✆. 🖭 ⓞ ⓖⓑ ⓙⓒⓑ, ✳   **F 12**
🔲 21 – **82 ch** 258/304.

🏨 **Richmond Opéra** sans rest, 11 r. Helder (9ᵉ) ℰ 01 47 70 53 20, *paris@richmond-hotel.com*, Fax 01 48 00 02 10 – 📶 🔲 📺 ✆. 🖭 ⓞ ⓖⓑ ⓙⓒⓑ, ✳   **F 13**
🔲 10 – **59 ch** 122/143.

🏨 **Carlton's Hôtel** sans rest, 55 bd Rochechouart (9ᵉ) ℰ 01 42 81 91 00, *carltons@club-internet.fr*, Fax 01 42 81 97 04, « Sur le toit, terrasse panoramique » – 📶 📺 ✆. 🖭 ⓞ ⓖⓑ ⓙⓒⓑ   **D 14**
🔲 8,40 – **108 ch** 122/167,70.

🏨 **Albert 1er** Ⓜ sans rest, 162 r. Lafayette (10ᵉ) ℰ 01 40 36 82 40, *resa@hotel-albert1er-paris.com*, Fax 01 40 35 72 52 – 📶 🔲 📺 ✆. 🖭 ⓞ ⓖⓑ ⓙⓒⓑ   **E 16**
🔲 – **55 ch** 85/101.

🏨 **Opéra Cadet** Ⓜ sans rest, 24 r. Cadet (9ᵉ) ℰ 01 53 34 50 50, *infos@hotel-opera-cadet.fr*, Fax 01 53 34 50 60 – 📶 🔲 📺 ✆ ⬌ – 🏛 50. 🖭 ⓞ ⓖⓑ ⓙⓒⓑ   **F 14**
🔲 12 – **85 ch** 150/170, 3 appart.

🏨 **Bergère Opéra** sans rest, 34 r. Bergère (9ᵉ) ℰ 01 47 70 34 34, *hotel.bergere@astotel.com*, Fax 01 47 70 36 36 – 📶 🔲 📺 – 🏛 40. 🖭 ⓞ ⓖⓑ ⓙⓒⓑ   **F 14**
🔲 14 – **134 ch** 167/182.

🏨 **Franklin** sans rest, 19 r. Buffault (9ᵉ) ℰ 01 42 80 27 27, *H2779@accor-hotels.com*, Fax 01 48 78 13 04 – 📶 ✳ 🔲 📺 ✆. 🖭 ⓞ ⓖⓑ ⓙⓒⓑ   **E 14**
🔲 13 – **68 ch** 151/207.

🏨 **Caumartin** sans rest, 27 r. Caumartin (9ᵉ) ℰ 01 47 42 95 95, *h2811@accor-hotels.com*, Fax 01 47 42 88 19 – 📶 ✳ 🔲 📺 ✆. 🖭 ⓞ ⓖⓑ ⓙⓒⓑ   **F 12**
🔲 12 – **40 ch** 177.

🏨 **Grand Hôtel Haussmann** sans rest, 6 r. Helder (9ᵉ) ℰ 01 48 24 76 10, *ghh@club-internet.fr*, Fax 01 48 00 97 18 – 📶 🔲 📺 ✆. 🖭 ⓞ ⓖⓑ ⓙⓒⓑ, ✳   **F 13**
🔲 10 – **59 ch** 110/148.

🏨 **Blanche Fontaine** ⌺ sans rest, 34 r. Fontaine (9ᵉ) ℰ 01 44 63 54 95, Fax 01 42 81 05 52 – 📶 ✳ 📺 ✆ ⬌. 🖭 ⓞ ⓖⓑ ⓙⓒⓑ   **D 13**
🔲 14,48 – **62 ch** 168/206, 4 appart.

🏨 **Anjou-Lafayette** sans rest, 4 r. Riboutté (9ᵉ) ℰ 01 42 46 83 44, *hotel.anjou.lafayette@wanadoo.fr*, Fax 01 48 00 08 97 – 📶 🔲 ✆. 🖭 ⓞ ⓖⓑ ⓙⓒⓑ   **E 14**
🔲 10 – **39 ch** 130/145.

🏨 **Touraine Opéra** sans rest, 73 r. Taitbout (9ᵉ) ℰ 01 48 74 50 49, *H2803@accor-hotels.com*, Fax 01 42 81 26 09 – 📶 ✳ 📺 ✆. 🖭 ⓞ ⓖⓑ ⓙⓒⓑ   **E 13**
🔲 13 – **39 ch** 151/207.

🏨 **Paris-Est** sans rest, 4 r. 8 Mai 1945 (cour d'Honneur gare de l'Est)(10ᵉ) ℰ 01 44 89 27 00, *hotelparisest-bestwestern@autogrill.fr*, Fax 01 44 89 27 49 – 📶 🔲 📺. 🖭 ⓞ ⓖⓑ   **E 16**
🔲 9 – **45 ch** 95/182.

🏨 **Français** sans rest, 13 r. 8-Mai 1945 (10ᵉ) ℰ 01 40 35 94 14, *hotelfrancais@wanadoo.fr*, Fax 01 40 35 55 40 – 📶 📺 ✆ – 🏛 20. 🖭 ⓞ ⓖⓑ ⓙⓒⓑ   **E 16**
🔲 7,50 – **71 ch** 73/81.

🏨 **Moulin** Ⓜ sans rest, 39 r. Fontaine (9ᵉ) ℰ 01 42 81 93 25, *h2765-gm@accor-hotels.com*, Fax 01 40 16 09 90 – 📶 ✳ 📺 ✆. 🖭 ⓞ ⓖⓑ ⓙⓒⓑ   **D 13**
🔲 13 – **50 ch** 161/173.

🏨 **Trois Poussins** Ⓜ sans rest, 15 r. Clauzel (9ᵉ) ℰ 01 53 32 81 81, *h3p@les3poussins.com*, Fax 01 53 32 81 82 – 📶 cuisinette ✳ 📺 ৬. 🖭 ⓞ ⓖⓑ ⓙⓒⓑ, ✳   **E 13**
🔲 10 – **40 ch** 130/185.

🏨 **Celte La Fayette** sans rest, 25 r. Buffault (9ᵉ) ℰ 01 49 95 09 49, *inforesa@hotel-celte-lafayette.com*, Fax 01 49 95 01 88 – 📶 📺. 🖭 ⓞ ⓖⓑ ⓙⓒⓑ   **E 14**
🔲 10 – **50 ch** 114/174.

🏨 **Printania** sans rest, 19 r. Château d'Eau (10ᵉ) ℰ 01 42 01 84 20, *printania@hotelprintania.fr*, Fax 01 42 39 55 12 – 📶 📺 ✆. 🖭 ⓞ ⓖⓑ ⓙⓒⓑ, ✳   **F 16**
🔲 8 – **51 ch** 95/125.

🏨 **Pavillon République Les Halles** sans rest, 9 r. Pierre Chausson (10ᵉ) ℰ 01 40 18 11 00, *republique@hotelsparis.fr*, Fax 01 40 18 11 06 – ✳ 📺 ✆ ৬. 🖭 ⓞ ⓖⓑ ⓙⓒⓑ   **F 16**
🔲 11 – **58 ch** 153/200.

Monterosa Ⓜ sans rest, 30 r. La Bruyère (9ᵉ) ℘ 01 48 74 87 90, Fax 01 42 81 01 12
📺 🕭 GB
⇆ 8 – 36 ch 80/116,50.

Mercure Monty sans rest, 5 r. Montyon (9ᵉ) ℘ 01 47 70 26 10, Fax 01 42 46 55 10
🕭 📺 ℃ – 🏛 50. 🕭 ⓪ GB JCB
⇆ 11 – 70 ch 152/160.

Pré sans rest, 10 r. P. Sémard (9ᵉ) ℘ 01 42 81 37 11, Fax 01 40 23 98 28 – 🛗 📺 ℃. 🕭
GB
⇆ 9 – 40 ch 85/115.

Résidence du Pré sans rest, 15 r. P. Sémard (9ᵉ) ℘ 01 48 78 26 72, reservation
hotelsdupre.com, Fax 01 42 80 64 83 – 🛗 🕭 📺 ℃. 🕭 ⓪ GB JCB. ⅍
⇆ 9 – 40 ch 75/90.

Sudotel Grands Boulevards sans rest, 42 r. Petites-Écuries (10ᵉ) ℘ 01 42 46 90
info@sudotel.com, Fax 01 40 22 90 85 – 🛗 🕭 📺 ⅙. 🕭 ⓪ GB JCB
⇆ 10 – 49 ch 114/174.

Gotty sans rest, 11 r. Trévise (9ᵉ) ℘ 01 47 70 12 90, hotelgotty@hotelgottyope
Fax 01 47 70 21 26 – 🛗 📺 ℃. 🕭 ⓪ GB JCB
⇆ 8,39 – 44 ch 115,86/135,68.

Acadia Ⓜ sans rest, 4 r. Geoffroy Marie (9ᵉ) ℘ 01 40 22 99 99, astotel@astotel.
Fax 01 40 22 01 82 – 🛗 🕭 📺 ℃ ⅙. 🕭 ⓪ GB JCB. ⅍
⇆ 14 – 36 ch 167/182.

Axel sans rest, 15 r. Montyon (9ᵉ) ℘ 01 47 70 92 70, h2954-gm@accor-hotels.
Fax 01 47 70 43 37 – 🛗 🕭 📺 🕭 ⓪ GB JCB
⇆ 9,91 – 38 ch 125/145.

Paix République sans rest, 2 bis bd St-Martin (10ᵉ) ℘ 01 42 08 96 95, hotelpaix@
doo.fr, Fax 01 42 06 36 30 – 🛗 📺 ⓪ GB JCB. ⅍
⇆ 7 – 45 ch 106/197.

Trinité Plaza sans rest, 41 r. Pigalle (9ᵉ) ℘ 01 42 85 57 00, trinite.plaza@wanado
Fax 01 45 26 41 20 – 🛗 📺 ℃. 🕭 ⓪ GB JCB
⇆ 6 – 42 ch 104/118.

Corona ⏅ sans rest, 8 cité Bergère (9ᵉ) ℘ 01 47 70 52 96, hotelcoronaopera@reg
com, Fax 01 42 46 83 49 – 🛗 📺 ℃ ⅙. 🕭 ⓪ GB JCB
⇆ 12 – 56 ch 151/191, 4 appart.

Montréal sans rest, 23 r. Godot-de-Mauroy (9ᵉ) ℘ 01 42 65 99 54, hmontreal@mag
Fax 01 49 24 07 33 – 🛗 🕭 📺 ℃. 🕭 ⓪ GB JCB. ⅍
⇆ 6 – 12 ch 113/120, 6 appart.

Alba ⏅ sans rest, 34 ter r. La Tour d'Auvergne (9ᵉ) ℘ 01 48 78 80 22, Fax 01 42 85 23
🛗 cuisinette 📺 ℃. 🕭 ⓪ GB JCB. ⅍
⇆ 7 – 24 ch 90/121.

Peyris, 10 r. Conservatoire (9ᵉ) ℘ 01 47 70 50 83, peyris@club-intern
Fax 01 40 22 95 91 – 🛗, 🕭 ch, 📺. 🕭 ⓪ GB JCB. ⅍ rest
Repas (fermé sam. midi et dim.) 15/24 – ⇆ 10 – 50 ch 84/122.

Comfort Gare du Nord sans rest, 33 r. St-Quentin (10ᵉ) ℘ 01 48 78 02 92, hgn-nor
@wanadoo.fr, Fax 01 45 26 88 31 – 🛗 📺 ℃. 🕭 ⓪ GB. ⅍
⇆ 10 – 47 ch 75/120.

Amiral Duperré Ⓜ sans rest, 32 r. Duperré (9ᵉ) ℘ 01 42 81 55 33, h2756@accor-ho
com, Fax 01 44 63 04 73 – 🛗 🕭 📺 ℃. 🕭 ⓪ GB JCB
⇆ 8 – 52 ch 101,62/131,11.

Riboutté-Lafayette sans rest, 5 r. Riboutté (9ᵉ) ℘ 01 47 70 62 36, Fax 01 48 00 91
🛗 📺 ℃. 🕭 ⓪ GB JCB
⇆ 6 – 24 ch 77.

Relais du Pré sans rest, 16 r. P. Sémard (9ᵉ) ℘ 01 42 85 19 59, Fax 01 42 85 70 59 –
℃. 🕭 ⓪ GB
⇆ 9 – 34 ch 78/95.

Ibis Gare de l'Est Ⓜ, 197 r. Lafayette (10ᵉ) ℘ 01 44 65 70 00, Fax 01 44 65 70 07 – 🛗
🕭 ch, 📺 ℃ ⇖. 🕭 ⓪ GB. ⅍ rest
Repas (dîner seul.) 14,78 ♀ – ⇆ 6 – 165 ch 69.

Aulivia Opéra sans rest, 4 r. Petites Écuries (10ᵉ) ℘ 01 45 23 88 88, hotel.aulivia@as
com, Fax 01 45 23 88 89 – 🛗 🕭 📺 ℃. 🕭 ⓪ GB JCB. ⅍
⇆ 10 – 31 ch 106/151.

Strasbourg-Mulhouse sans rest, 87 bd Strasbourg (10ᵉ) ℘ 01 42 09 12 28, h275.
@accor-hotels.com, Fax 01 42 09 48 12 – 🛗 🕭 📺 🕭 ⓪ GB JCB. ⅍
⇆ 8 – 31 ch 115.

Ibis Lafayette sans rest, 122 r. Lafayette (10e) ✆ 01 45 23 27 27, *Fax 01 42 46 73 79* – |‡| ⅍ ▤ 📺 📞 ♿. AE ⦿ GB E 16
☕ 6,02 – **70 ch** 89.

Campanile Gare du Nord sans rest, 232 r. Fg St-Martin (10e) ✆ 01 40 34 38 38, *Fax 01 40 34 38 50* – |‡| ⅍ 📺 📞. AE ⦿ GB DE 17
☕ 6,50 – **91 ch** 72/81.

Suède sans rest, 106 bd Magenta (10e) ✆ 01 40 36 10 12, *h2743-gm@accor-hotels.com, Fax 01 40 36 11 98* – |‡| ⅍ 📺 📞. AE ⦿ GB JCB. ✗ E 15-16
☕ 8 – **52 ch** 99/115.

Capucines sans rest, 6 r. Godot de Mauroy (9e) ✆ 01 47 42 25 05, *capucines@pariscityhotel.com, Fax 01 42 68 05 05* – |‡| 📺. AE ⦿ GB. ✗ F 12
☕ 6,86 – **45 ch** 99,09/129,58.

Gilden Magenta sans rest, 35 r. Yves Toudic (10e) ✆ 01 42 40 17 72, *hotel.gilden.magenta@multi-micro.com, Fax 01 42 02 59 66* – |‡| 📺. AE ⦿ GB F 17
☕ 6 – **32 ch** 55/71.

Les Muses - Hôtel Scribe, 1 r. Scribe (9e) ✆ 01 44 71 24 26, *Fax 01 44 71 24 64* – ▤. AE ⦿ GB JCB F 12
✿ *fermé août, sam. et dim.* – **Repas** 44 (déj.), 60/95 et carte 55 à 65 ♀
Spéc. Pinces de tourteau décortiquées, bavaroise d'avocat au caviar d'Aquitaine. Gibier (oct. à déc.). Feuilleté aux amandes à la crème praliné.

Table d'Anvers, 2 pl. d'Anvers (9e) ✆ 01 48 78 35 21, *conticini@latabledanvers.fr, Fax 01 45 26 66 67* – ▤. AE GB JCB D 14
fermé sam. midi et dim. – **Repas** 41 (déj.)/53 (dîner sauf vend. et sam.)et carte 90 à 110 ♀.

Charlot "Roi des Coquillages", 12 pl. Clichy (9e) ✆ 01 53 20 48 00, *de.charlot@blanc.net, Fax 01 53 20 48 09* – ▤. AE ⦿ GB D 12
Repas - produits de la mer - *(23,17)* - 27,90 (déj.)et carte 37 à 63 ♀.

Au Chateaubriant, 23 r. Chabrol (10e) ✆ 01 48 24 58 94, *Fax 01 42 47 09 75*, collection de tableaux – ▤. AE GB JCB E 15
fermé août, dim. et lundi – **Repas** - cuisine italienne - 26,03 ♀.

16 Haussmann - Hôtel Ambassador, 16 bd Haussmann (9e) ✆ 01 44 83 40 40, *Fax 01 42 46 19 84* – ▤. AE ⦿ GB F 13
fermé sam. midi et dim. – **Repas** 36,59 ♀.

Au Petit Riche, 25 r. Le Peletier (9e) ✆ 01 47 70 68 68, *Fax 01 48 24 10 79*, bistrot, « Cadre fin 19e siècle » – ▤. AE ⦿ GB JCB F 13
fermé dim. – **Repas** *(22,10)* - 25,15 (déj.)/27,45 et carte 30 à 48 ♀, enf. 11,50.

Bistrot Papillon, 6 r. Papillon (9e) ✆ 01 47 70 90 03, *Fax 01 48 24 05 59* – ▤. AE ⦿ GB JCB E 15
fermé 3 au 25 août, 4 au 13 mai, sam. sauf le soir d'oct. à avril et dim. de mai à sept. – **Repas** 27 et carte 35 à 47 ♀.

Julien, 16 r. Fg St-Denis (10e) ✆ 01 47 70 12 06, *Fax 01 42 47 00 65*, « Brasserie "Belle Époque" » – ▤. AE ⦿ GB F 15
Repas 21,50 bc (déj.)/30,50 bc et carte 28 à 43 ♀, enf. 9,50.

Grand Café (ouvert jour et nuit), 4 bd Capucines (9e) ✆ 01 43 12 19 00, *Fax 01 43 12 19 09*, brasserie, « Décor "Belle Époque" » – ▤. AE ⦿ GB F 13
Repas 27,90 et carte 40 à 55 ♀.

Quercy, 36 r. Condorcet (9e) ✆ 01 48 78 30 61, *Fax 01 48 78 16 29* – AE ⦿ GB JCB E 14
fermé août, dim. et fériés – **Repas** *(19,50)* - 23,20 et carte 30 à 44.

Grange Batelière, 16 r. Grange Batelière (9e) ✆ 01 47 70 85 15, *Fax 01 47 70 85 15* – ▤. AE GB F 14
fermé 5 au 19 août, sam. midi et dim. – **Repas** 26,53/30,34 ♀.

Bubbles, 6 r. Édouard VII (9e) ✆ 01 47 42 77 95, *Fax 01 47 42 31 32*, 🏠 – ▤. AE ⦿ GB. ✗ F 12
fermé sam. midi, lundi soir et dim. – **Repas** 25,14 (déj.)/38,11 et carte 43 à 50 ♀.

Brasserie Flo, 7 cour Petites-Écuries (10e) ✆ 01 47 70 13 59, *Fax 01 42 47 00 80*, « Cadre 1900 » – ▤. AE ⦿ GB JCB F 15
Repas *(21,50)* - 29 bc (déj.)/30,50 bc ♀.

Terminus Nord, 23 r. Dunkerque (10e) ✆ 01 42 85 05 15, *Fax 01 40 16 13 98*, brasserie – ▤. AE ⦿ GB E 16
Repas *(21,50 bc)* - 30,50 bc et carte 28 à 50.

Brasserie Flo, Magasin du Printemps (6e étage), 64 bd Haussmann (9e) ✆ 01 42 82 58 81, *Fax 01 42 82 51 88* – ▤. AE ⦿ GB F 12
fermé dim. et fériés – **Repas** (déj. seul.) 21,65 bc/36,13 bc et carte 28 à 43.

XXX **Paprika**, 28 av. Trudaine (9ᵉ) ℰ 01 44 63 02 91, Fax 01 44 63 09 62 – AE GB JCB
fermé 1ᵉʳ au 20 août – **Repas** · cuisine hongroise · 13 (déj.), 19,80/38 ♀.

XXX **Wally Le Saharien**, 36 r. Rodier (9ᵉ) ℰ 01 42 85 51 90, Fax 01 45 86 08 35 – ▤
♒
fermé lundi midi et dim. – **Repas** · cuisine nord-africaine · 40,39 et carte 35 à 51.

XX **Cotriade**, 62 r. Fg Montmartre (9ᵉ) ℰ 01 42 80 39 92, Fax 01 42 80 53 38 – AE ⓒ
JCB
fermé 1ᵉʳ au 18 août, sam. midi et dim. – **Repas** 20 (déj.)/26 ♀.

XX **Petite Sirène de Copenhague**, 47 r. N.-D. de Lorette (9ᵉ) ℰ 01 45 26 66 66 –
♒
fermé 29 juil. au 20 août, 3 au 10 fév., dim. et lundi – Repas · cuisine danoise · (préve
(déj.)/27 et carte 37 à 57.

XX **L'Oenothèque**, 20 r. St-Lazare (9ᵉ) ℰ 01 48 78 08 76, loenotheque@f.
Fax 01 40 16 10 27 – ▤. AE ⓞ GB JCB
fermé 10 août au 1ᵉʳ sept., sam. et dim. – **Repas** 27,50 et carte 32 à 57.

XX **I Golosi**, 6 r. Grange Batelière (9ᵉ) ℰ 01 48 24 18 63, i.golosi@wanac
Fax 01 45 23 18 96, « Décor de style vénitien » – ▤. GB
fermé août, sam. soir et dim. – **Repas** · cuisine italienne · carte 28 à 42 ♀.

XX **Pré Cadet**, 10 r. Saulnier (9ᵉ) ℰ 01 48 24 99 64, Fax 01 47 70 55 96 – ▤. AE ⓒ
JCB
fermé 1ᵉʳ au 8 mai, 4 au 24 août, Noël au Jour de l'An, sam. midi et dim. – Repas (nc
de couverts limité, prévenir) 25.

XX **Bistro de Gala**, 45 r. Fg Montmartre (9ᵉ) ℰ 01 40 22 90 50, Fax 01 40 22 98 30 – ▤
ⓞ GB
fermé sam. midi et dim. midi – **Repas** (26) · 29/34.

XX **Bistro des Deux Théâtres**, 18 r. Blanche (9ᵉ) ℰ 01 45 26 41 43, Fax 01 48 74 0
▤. AE GB
Repas 28,81.

XX **Aux Deux Canards**, 8 r. Fg Poissonnière (10ᵉ) ℰ 01 47 70 03 23, Fax 01 47 70 18 8.
AE ⓞ GB
fermé 29 juil. au 25 août, 1ᵉʳ au 6 janv., sam. midi, lundi midi et dim. – **Repas** ca
à 30.

XX **Chez Catherine**, 65 r. Provence (9ᵉ) ℰ 01 45 26 72 88, Fax 01 45 80 96 88, bistrot
GB
fermé août, 1ᵉʳ au 5 janv., lundi soir, sam. et dim. – **Repas** carte 44 à 61.

XX **Petit Batailley**, 26 r. Bergère (9ᵉ) ℰ 01 47 70 85 81, fantaisie@net.up.com
GB
fermé 15 août au 1ᵉʳ sept., 20 au 27 déc., sam. midi et dim. – **Repas** 24,39 et car
à 47.

XX **Relais Beaujolais**, 3 r. Milton (9ᵉ) ℰ 01 48 78 77 91, bistrot – GB
fermé août, sam., dim. et fériés – **Repas** carte 25 à 35 ♨.

XX **Chez Michel**, 10 r. Belzunce (10ᵉ) ℰ 01 44 53 06 20, Fax 01 44 53 61 31 – GB
fermé août, dim. et lundi – **Repas** 18,29 (déj.)/29,73 ♀.

XX **L'Alsaco Winstub**, 10 r. Condorcet (9ᵉ) ℰ 01 45 26 44 31, Fax 01 42 85 11 05
GB
fermé 14 juil. à début sept., sam. midi, lundi midi et dim. – **Repas** 20/30 bc et cart
45 ♀.

XX **L'Excuse Mogador**, 21 r. Joubert (9ᵉ) ℰ 01 42 81 98 19 – GB
♒ *fermé août, sam. et dim.* – **Repas** (déj. seul.) 14/18 et carte 19 à 32 ♀.

Bastille - Gare de Lyon
Place d'Italie - Bois de Vincennes

12ᵉ et 13ᵉ arrondissements

12ᵉ : ⊠ 75012 - 13ᵉ : ⊠ 75013

Sofitel Paris Bercy M, 1 r. Libourne (12ᵉ) 𝒫 01 44 67 34 00, *h2192@accor-hotels.com*, Fax 01 44 67 34 01, 徐, ᵢ₆ – 勖 ⅍⏣ ▤ 🆃🆅 ✆ ⅃ – 🔏 250. 🆎 ⓞ ⒼⒷ ⒿⒸⒷ **NP 20**
Café Ké 𝒫 01 44 67 34 71 **Repas** *(20)* 28 ⅌, enf. 12,50 – ⊑ 21 – **376 ch** 345/500, 10 appart, 10 studios.

Novotel Gare de Lyon M, 2 r. Hector Malot (12ᵉ) 𝒫 01 44 67 60 00, *h1735@accor-hotels.com*, Fax 01 44 67 60 60, 徐, ◩ – 勖 ⅍⏣ ▤ 🆃🆅 ✆ ⅃ – 🔏 75. 🆎 ⓞ ⒼⒷ ⒿⒸⒷ
Repas 15,50 ⅌, enf. 9,15 – ⊑ 12,96 – **253 ch** 175/230. **L 18**

Holiday Inn Bastille M sans rest, 11 r. Lyon (12ᵉ) 𝒫 01 53 02 20 00, *resa.hinn@guichard.fr*, Fax 01 53 02 20 01 – 勖 ⅍⏣ ▤ 🆃🆅 ✆ ⅃ – 🔏 75. 🆎 ⓞ ⒼⒷ ⒿⒸⒷ **L 18**
⊑ 14 – **125 ch** 152.

Novotel Bercy M, 85 r. Bercy (12ᵉ) 𝒫 01 43 42 30 00, *h0935@accor-hotels.com*, Fax 01 43 45 30 60, 徐 – 勖 ⅍⏣ ▤ 🆃🆅 ✆ ⅃ – 🔏 80. 🆎 ⓞ ⒼⒷ **M 19**
Repas carte environ 27 ⅌, enf. 9,15 – ⊑ 12,96 – **129 ch** 146/222.

Holiday Inn Bibliothèque de France M, 21 r. Tolbiac (13ᵉ) 𝒫 01 45 84 61 61, *tolbiac@club-internet.com*, Fax 01 45 84 43 38 – 勖 ⅍⏣ ▤ ch, 🆃🆅 ✆ ⅃ – 🔏 25. 🆎 ⓞ ⒼⒷ ⒿⒸⒷ, ⅍ rest – **Repas** (dîner seul.) carte 32 à 44, enf. 13 – ⊑ 12 – **69 ch** 185/212. **P 18**

Mercure Pont de Bercy M sans rest, 6 bd Vincent Auriol (13ᵉ) 𝒫 01 45 82 48 00, *h0934@accor-hotels.com*, Fax 01 45 82 19 16 – 勖 ▤ 🆃🆅 ✆ – 🔏 35. 🆎 ⓞ ⒼⒷ ⒿⒸⒷ **M 18**
⊑ 13 – **50 ch** 183/201.

Mercure Place d'Italie M sans rest, 25 bd Blanqui (13ᵉ) 𝒫 01 45 80 82 23, *H1191@accor-hotels.com*, Fax 01 45 81 45 84 – 勖 ⅍⏣ ▤ 🆃🆅 ✆ ⅃ – 🔏 20. 🆎 ⓞ ⒼⒷ ⒿⒸⒷ **P 15**
⊑ 12 – **50 ch** 146/222.

Mercure Gare de Lyon M sans rest, 2 pl. Louis Armand (12ᵉ) 𝒫 01 43 44 84 84, *H2217@accor-hotels.com*, Fax 01 43 47 41 94 – 勖 ⅍⏣ ▤ 🆃🆅 ✆ ⅃ – 🔏 15 à 90. 🆎 ⓞ ⒼⒷ ⒿⒸⒷ **L 18**
⊑ 13 – **315 ch** 146/154.

🏨 **Pavillon Bastille** sans rest, 65 r. Lyon (12ᵉ) ℰ 01 43 43 65 65, *hotel-pavillon@ak com*, Fax 01 43 43 96 52, « Élégant décor contemporain » – ⧉ ✳ 📺 ✆. 🆎 ⓪ JCB
⌑ 12 – **25 ch** 130.

🏨 **Paris Bastille** Ⓜ sans rest, 67 r. Lyon (12ᵉ) ℰ 01 40 01 07 17, *infos@hotelparisb com*, Fax 01 40 01 07 27 – ⧉ ▤ 📺 ✆ – 🔬 25. 🆎 ⓪ 🆕
⌑ 12 – **37 ch** 134/199.

🏨 **Relais Mercure Bercy** Ⓜ, 77 r. Bercy (12ᵉ) ℰ 01 53 46 50 50, *h0941@accor-hotels* Fax 01 53 46 50 99, 😤 – ⧉ ✳ ▤ 📺 ✆ 🕭 – 🔬 40. 🆎 ⓪ 🆕 JCB
Repas (16) - 21 🍷, enf. 8 – ⌑ 10 – **364 ch** 126/132.

🏨 **Résidence Vert Galant** ⤳ sans rest, 43 r. Croulebarbe (13ᵉ) ℰ 01 44 08 ■ Fax 01 44 08 83 69 – 📺 ✆. 🆎 ⓪ 🆕 JCB. ✳
⌑ 7 – **15 ch** 80/90.

🏨 **Terminus-Lyon** sans rest, 19 bd Diderot (12ᵉ) ℰ 01 56 95 00 00, *terminuslyon@f* Fax 01 43 44 09 00 – ⧉ 📺 ✆. 🆎 ⓪ 🆕 JCB. ✳
⌑ 7,50 – **60 ch** 89/95.

🏨 **Slavia** sans rest, 51 bd St-Marcel (13ᵉ) ℰ 01 43 37 81 25, Fax 01 45 87 05 03 – ⧉ 📺 ⓪ 🆕 JCB. ✳
⌑ 6,10 – **37 ch** 60,50/84, 6 appart.

🏠 **Manufacture** Ⓜ sans rest, 8 r. Philippe de Champagne (13ᵉ) ℰ 01 45 35 45 25, *la facturehot@aol.com*, Fax 01 45 35 45 40 – ⧉ ▤ 📺 ✆. 🆎 ⓪ 🆕 JCB
⌑ 7 – **57 ch** 119/128.

🏠 **Ibis Gare de Lyon Diderot** Ⓜ sans rest, 31 bis bd Diderot (12ᵉ) ℰ 01 43 46 ■ *h32110@accor-hotels.com*, Fax 01 43 41 68 01 – ⧉ ✳ 📺 ✆ 🕭 – 🔬 25. 🆎 ⓪ 🆕
⌑ 6 – **89 ch** 87.

🏠 **Bercy Gare de Lyon** Ⓜ sans rest, 209 r. Charenton (12ᵉ) ℰ 01 43 40 80 30, *b hotelsparis.fr*, Fax 01 43 40 81 30 – ⧉ 📺 ✆ 🕭 – 🔬 20. 🆎 ⓪ 🆕 JCB. ✳
⌑ 10 – **48 ch** 137/168.

🏠 **Lux Hôtel Picpus** sans rest, 74 bd Picpus (12ᵉ) ℰ 01 43 43 08 46, *lux-hotel@wanao* Fax 01 43 43 05 22 – ⧉ 📺. 🆕
⌑ 5,50 – **38 ch** 43/60.

🏠 **Ibis Gare de Lyon** Ⓜ sans rest, 43 av. Ledru-Rollin (12ᵉ) ℰ 01 53 02 30 30, *H1937@a hotels.com*, Fax 01 53 02 30 31 – ⧉ ✳ ▤ 📺 ✆ 🕭 🚗 – 🔬 25
⌑ 6 – **119 ch** 84.

🏠 **Ibis Place d'Italie** Ⓜ sans rest, 25 av. Stephen Pichon (13ᵉ) ℰ 01 44 24 9 ■ Fax 01 44 24 20 70 – ⧉ ✳ 📺 ✆ 🕭 🚗. 🆎 ⓪ 🆕
⌑ 6 – **58 ch** 75.

🏠 **Agate** sans rest, 8 cours Vincennes (12ᵉ) ℰ 01 43 45 13 53, *agate-hotel@wanad* Fax 01 43 42 09 39 – ⧉ 📺. 🆎 🆕. ✳
⌑ 5,35 – **43 ch** 52/69.

🏠 **Ibis Italie Tolbiac** Ⓜ sans rest, 177 r. Tolbiac (13ᵉ) ℰ 01 45 80 16 60, *h0923@accor-h .com*, Fax 01 45 80 95 80 – ⧉ ✳ 📺 ✆ 🕭. 🆎 ⓪ 🆕
⌑ 6 – **60 ch** 75.

🏠 **Touring Hôtel Magendie** Ⓜ sans rest, 6 r. Corvisart (13ᵉ) ℰ 01 43 36 13 61, *mag @wvf-vacances.fr*, Fax 01 43 36 47 48 – ⧉ 📺 🕭 – 🔬 30. 🆕
⌑ 5,34 – **112 ch** 56/65.

🏠 **Nouvel H.** sans rest, 24 av. Bel Air (12ᵉ) ℰ 01 43 43 01 81, *nouvelhotel@wanad* Fax 01 43 44 64 13 – 📺 ✆. 🆎 ⓪ 🆕
⌑ 7 – **28 ch** 58/91.

🏠 **Arts** sans rest, 8 r. Coypel (13ᵉ) ℰ 01 47 07 76 32, *arts@escapade-paris* Fax 01 43 31 18 09 – ⧉ 📺. 🆎 🆕. ✳
⌑ 5 – **37 ch** 47/61.

XXX **Au Pressoir** (Seguin), 257 av. Daumesnil (12ᵉ) ℰ 01 43 44 38 21, Fax 01 43 43 81 77
❀ 🆎 🆕 JCB
fermé août, sam. et dim. – **Repas** 65,55 et carte 66 à 96 ♀
Spéc. Millefeuille de champignons aux truffes (hiver). Fricassée de homard aux gir Lièvre à la royale (oct.-nov.).

XXX **Train Bleu**, Gare de Lyon (12ᵉ) ℰ 01 43 43 09 06, *isabell.car@compass-gro* Fax 01 43 43 97 96, brasserie, « Cadre 1900 - fresques évoquant le voyage de Paris Méditerranée » – 🆎 ⓪ 🆕 JCB
Repas (1ᵉʳ étage) 40 et carte 45 à 60 ♀.

XXX **L'Oulette**, 15 pl. Lachambeaudie (12ᵉ) ℰ 01 40 02 02 12, *info@l-oulette.* Fax 01 40 02 04 77, 😤 – 🆎 ⓪ 🆕 JCB
fermé sam. et dim. – **Repas** - cuisine du Sud-Ouest - 27 (déj.)/44 bc et carte 45 à 54 ♀.

✕ **Au Trou Gascon**, 40 r. Taine (12ᵉ) ℰ 01 43 44 34 26, *Fax 01 43 07 80 55* – 🍽. 🝢 ⓞ 🆖
JCB
M 21
fermé août, 29 déc. au 6 janv., sam. midi et dim. – **Repas** 36 (déj.)et carte 50 à 65.

✕ **Les Grandes Marches**, 6 pl. Bastille (12ᵉ) ℰ 01 43 42 90 32, *Fax 01 43 44 80 02* – 🍽. 🝢
ⓞ 🆖
K 18
Repas 30,50 et carte 46 à 60 ℒ.

✕ **Gourmandise**, 271 av. Daumesnil (12ᵉ) ℰ 01 43 43 94 41, *Fax 01 43 45 59 78* – 🍽. 🝢 🆖
JCB
M 22
fermé août, dim. soir et lundi – **Repas** *(23)* - 28 et carte 39 à 61.

✕ **Petit Marguery**, 9 bd. Port-Royal (13ᵉ) ℰ 01 43 31 58 59, bistrot – 🝢 ⓞ 🆖 JCB.
⚘
M 15
fermé août, 23 déc. au 3 janv., dim. et lundi – **Repas** 25,15 (déj.)/33,54.

✕ **Traversière**, 40 r. Traversière (12ᵉ) ℰ 01 43 44 02 10, *Fax 01 43 44 64 20* – 🝢 ⓞ 🆖
JCB
K 18
fermé 29 juil. au 25 août, 25 déc. au 1ᵉʳ janv., dim. soir et lundi – **Repas** 20 (déj.), 27/37,50 et carte 40 à 45, enf. 12.

✕ **Les Marronniers**, 53 bis bd Arago (13ᵉ) ℰ 01 47 07 58 57, *Fax 01 47 07 46 09* – 🍽. 🝢
🆖
N 14
fermé août, sam. midi et dim. soir – **Repas** 22,87/28,20 et carte 30 à 38 ℒ.

✕ **Sologne**, 164 av. Daumesnil (12ᵉ) ℰ 01 43 07 68 97, *Fax 01 43 44 66 23* – 🍽. 🝢 🆖 M 21
fermé sam. midi et dim. – **Repas** 28,75 ℒ.

✕ **Janissaire**, 22 allée Vivaldi (12ᵉ) ℰ 01 43 40 37 37, *Fax 01 43 40 38 39*, 😀 – 🝢 ⓞ 🆖
⚘
M 20
fermé sam. midi et dim. – **Repas** - cuisine turque - 10,52 (déj.)/22,10 et carte 25 à 34 ♨.

✕ **Frégate**, 30 av. Ledru-Rollin (12ᵉ) ℰ 01 43 43 90 32 – 🍽. 🝢 🆖
L 18
fermé 3 au 26 août, sam. midi et dim. – **Repas** - produits de la mer - 25/30 ℒ.

✕ **L'Avant Goût**, 26 r. Bobillot (13ᵉ) ℰ 01 53 80 24 00, *Fax 01 53 80 00 77*, bistrot – 🍽. 🆖
⚘
P 15
fermé 1ᵉʳ au 7 mai, 7 au 27 août, 1ᵉʳ au 7 janv., dim. et lundi – **Repas** (nombre de couverts limité, prévenir) 26/40,40 ℒ.

✕ **Jean-Pierre Frelet**, 25 r. Montgallet (12ᵉ) ℰ 01 43 43 76 65, frelet@infonie.fr – 🍽.
🆖
L 20
fermé août, vacances de fév., sam. midi et dim. – **Repas** *(17)* - 24 (dîner)et carte 26 à 40 ℒ.

✕ **Bistrot de la Porte Dorée**, 5 bd Soult (12ᵉ) ℰ 01 43 43 80 07, *Fax 01 43 43 80 07* – 🍽.
🆖
N 22
Repas 31 bc.

✕ **Quincy**, 28 av. Ledru-Rollin (12ᵉ) ℰ 01 46 28 46 76, *Fax 01 46 28 46 76*, bistrot – 🍽 L 17
fermé 10 août au 10 sept., sam., dim. et lundi – **Repas** carte 40 à 69.

✕ **Anacréon**, 53 bd St-Marcel (13ᵉ) ℰ 01 43 31 71 18, *Fax 01 43 31 94 94* – 🍽. 🝢 ⓞ 🆖
JCB
M 16
fermé 4 au 13 mai, août, merc. midi, dim. et lundi – **Repas** 19 (déj.)/30.

✕ **Chez Jacky**, 109 r. du Dessous-des-Berges (13ᵉ) ℰ 01 45 83 71 55, *Fax 01 45 86 57 73* –
🍽. 🆖
P 18
fermé 27 juil. au 26 août, 21 au 28 déc., sam. et dim. – **Repas** 30 et carte 43 à 69.

✕ **Potinière du Lac**, 4 pl. E. Renard (12ᵉ) ℰ 01 43 43 39 98, *Fax 01 43 43 32 43* – 🆖 N 23
fermé dim. soir, mardi soir et lundi – **Repas** - produits de la mer - *(18)* - 22/33 ℒ.

✕ **Biche au Bois**, 45 av. Ledru-Rollin (12ᵉ) ℰ 01 43 43 34 38 – 🝢 ⓞ 🆖
K 18
fermé 20 juil. au 20 août, sam. et dim. – **Repas** carte 25 à 30 ℒ, enf. 14.

✕ **Sukhothaï**, 12 r. Père Guérin (13ᵉ) ℰ 01 45 81 55 88 – 🆖
P 15
fermé 1ᵉʳ au 15 août et dim. – **Repas** - cuisine thaïlandaise et chinoise - 8,84 (déj.), 14,48/17,53 et carte 18 à 27 ♨.

✕ **Temps des Cerises**, 216 r. Fg St-Antoine (12ᵉ) ℰ 01 43 67 52 08, resto.tdc@free.fr,
Fax 01 43 67 60 91 – 🍽. 🝢 ⓞ 🆖 JCB
K 20
fermé 5 au 25 août, 22 au 31 déc. et lundi – **Repas** 16,77/38,11 ℒ.

✕ **L'Auberge Aveyronnaise**, 40 r. Lamé (12ᵉ) ℰ 01 43 40 12 24, *Fax 01 43 40 12 15* – 🍽.
🝢 🆖
N 20
fermé 14 juil. au 15 août, dim. soir et lundi – **Repas** *(14,79)* - 19,82/21,34 ℒ.

✕ **Pataquès**, 40 bd Bercy (12ᵉ) ℰ 01 43 07 37 75, *Fax 01 43 07 36 64* – 🝢 ⓞ 🆖 M 19
fermé dim. – **Repas** 26 ℒ.

✕ **Auberge Etchegorry**, 41 r. Croulebarbe (13ᵉ) ℰ 01 44 08 83 51 – 🝢 ⓞ 🆖 JCB N 15
fermé 8 au 24 août, dim. et lundi – **Repas** - cuisine basque - 24/35 et carte 31 à 46 ℒ.

Vaugirard - Gare Montparnasse
Grenelle - Denfert-Rochereau

14ᵉ et 15ᵉ arrondissements

14ᵉ : ⊠ 75014 - 15ᵉ : ⊠ 75015

Méridien Montparnasse Ⓜ, 19 r. Cdt Mouchotte (14ᵉ) ℘ 01 44 36 44 36, *mer.montparnasse@lemeridien-hotels.com*, Fax 01 44 36 49 00, ≤, 斎 – 劇 ⇅ ≡ 🖵 ℅ 益 25 à 500. 匨 ⑩ ☒ ᴊᴄᴮ. ✦ rest
voir rest. **Montparnasse 25** ci-après - **Justine** ℘ 01 44 36 44 00 **Repas** 32,50/39
☲ 24,50 – **916 ch** 335/380, 37 appart.

Sofitel Porte de Sèvres Ⓜ, 8 r. L. Armand (15ᵉ) ℘ 01 40 60 30 30, *h0572@accor-h.com*, Fax 01 45 57 04 22, ≤, ♨, ▣ – 劇 ⇅ ≡ 🖵 ℅ 齿 ⇔ – 益 450. 匨 ⑩ ☒ ᴊᴄᴮ
voir rest. **Relais de Sèvres** ci-après - **Brasserie** ℘01 40 60 33 77 **Repas** (18)-22,50
☲ 20 – **579 ch** 230/380, 15 appart.

Novotel Porte d'Orléans Ⓜ, 15-19 bd R. Rolland (14ᵉ) ℘ 01 41 17 26 00, *H1834@accor-hotels.com*, Fax 01 41 17 26 26 – 劇 ⇅ ≡ 🖵 ℅ 齿 ⇔ – 益 100. 匨 ⑩ ☒ ᴊᴄᴮ
Repas 21,50 ☲, enf. 9,15 – ☲ 13 – **150 ch** 190/320.

Novotel Vaugirard Ⓜ, 257 r. Vaugirard (15ᵉ) ℘ 01 40 45 10 00, *h1978@accor-h.com*, Fax 01 40 45 10 10, 斎, ♨ – 劇 ⇅ ≡ 🖵 ℅ 齿 ⇔ – 益 25 à 300. 匨 ⑩ ☒
- **Transatlantique :** Repas carte environ 26 ☲, enf. 9,15 – ☲ 12,96 – **189 ch** 180/228.

Mercure Montparnasse Ⓜ, 20 r. Gaîté (14ᵉ) ℘ 01 43 35 28 28, *h0905@accor-h.com*, Fax 01 43 35 78 00 – 劇 ⇅ ≡ 🖵 ℅ 齿 ⇔ – 益 50 à 250. 匨 ⑩ ☒ ᴊᴄᴮ
Bistrot de la Gaîté ℘01 43 22 86 46 *(fermé dim. midi)* **Repas** (17)-23 ☲, enf. 8,38 – ☲
– **180 ch** 225, 5 appart.

L'Aiglon sans rest, 232 bd Raspail (14ᵉ) ℘ 01 43 20 82 42, *hotelaiglon@wanad.*
Fax 01 43 20 98 72 – 劇 ≡ 🖵 ℅ 匨 ⑩ ☒ ᴊᴄᴮ
☲ 6,50 – **34 ch** 104/138, 4 appart.

🖭 **Mercure Porte de Versailles** 🖻 sans rest, 69 bd Victor (15ᵉ) ℰ 01 44 19 03 03, *h1131 @accor-hotels.com*, Fax 01 48 28 22 11 – 🛗 ⚞ 🗏 📺 ℰ ♿ ☞ – 🔏 50 à 250. 🖭 ⓞ 🖭 🖾
  ➖ 14 – **91 ch** 145/259.
  N 7

🖭 **Mercure Tour Eiffel** 🖻 sans rest, 64 bd Grenelle (15ᵉ) ℰ 01 45 78 90 90, *hotel@ mercuretoureiffel.com*, Fax 01 45 78 95 55, 𝕝₆ – 🛗 ⚞ 🗏 📺 ℰ ♿ ☞ – 🔏 25 à 40. 🖭 ⓞ
  🖭 🖾
  K 7
  ➖ 15 – **76 ch** 230/250.

🏨 **Holiday Inn Paris Montparnasse** sans rest, 10 r. Gager Gabillot (15ᵉ)
  ℰ 01 44 19 29 29, *reservations@holidayinn-paris.com*, Fax 01 44 19 29 39 – 🛗 🗏 📺 ℰ ♿
  ☞ – 🔏 30. 🖭 ⓞ 🖭 🖾
  M 9
  ➖ 13 – **60 ch** 215/245.

🏨 **Raspail Montparnasse** sans rest, 203 bd Raspail (14ᵉ) ℰ 01 43 20 62 86, *raspailm@aol. com*, Fax 01 43 20 50 79 – 🛗 🗏 📺 ℰ. 🖭 ⓞ 🖭 🖾. 🛠
  M 12
  ➖ 9 – **38 ch** 96/199.

🏨 **Lenox Montparnasse** sans rest, 15 r. Delambre (14ᵉ) ℰ 01 43 35 34 50,
  Fax 01 43 20 46 64 – 🛗 📺 ℰ. 🖭 🖭 🖾. 🛠
  M 12
  ➖ 9 – **52 ch** 102/122.

🏨 **Delambre** 🖻 sans rest, 35 r. Delambre (14ᵉ) ℰ 01 43 20 66 31, Fax 01 45 38 91 76 – 🛗 📺
  ℰ ♿. 🖭 🖭. 🛠
  M 12
  ➖ 8 – **30 ch** 80/90.

🏨 **Alizé Grenelle** sans rest, 87 av. É. Zola (15ᵉ) ℰ 01 45 78 08 22, *alizegre@micronet.fr*,
  Fax 01 40 59 03 06 – 🛗 🗏 📺 ℰ. 🖭 ⓞ 🖭 🖾
  L 7
  ➖ 9 – **50 ch** 87/93.

🏨 **Mercure Paris XV** 🖻 sans rest, 6 r. St-Lambert (15ᵉ) ℰ 01 45 58 61 00, *h0903@accor- hotels.com*, Fax 01 45 54 10 43 – 🛗 ⚞ 🗏 📺 ℰ ♿ ☞ – 🔏 30. 🖭 ⓞ 🖭
  M 7
  ➖ 11 – **56 ch** 131/137.

🏨 **Apollinaire** sans rest, 39 r. Delambre (14ᵉ) ℰ 01 43 35 18 40, *infos@hotel.apollinaire.com*,
  Fax 01 43 35 30 71 – 🛗 🗏 📺 ℰ. 🖭 ⓞ 🖭
  M 12
  ➖ 7 – **36 ch** 100/122.

🏨 **Relais Mercure Raspail Montparnasse** sans rest, 207 bd Raspail (14ᵉ)
  ℰ 01 43 20 62 94, *h0351@accor-hotels.com*, Fax 01 43 27 39 69 – 🛗 ⚞ 🗏 📺 ℰ ♿. 🖭 ⓞ
  🖭
  M 12
  ➖ 12 – **63 ch** 126/153.

🏨 **Park Plaza Orléans Palace** sans rest, 185 bd Brune (14ᵉ) ℰ 01 45 39 68 50, *orléans. palace@wanadoo.fr*, Fax 01 45 43 65 64 – 🛗 ⚞ 🗏 📺 ℰ – 🔏 30. 🖭 ⓞ 🖭
  R 11
  ➖ 10 – **92 ch** 106/130.

🏨 **Alésia Montparnasse** sans rest, 84 r. R. Losserand (14ᵉ) ℰ 01 45 42 16 03, *alesia-m@ 3and1hotels.com*, Fax 01 45 42 11 60 – 🛗 ⚞ 📺 ℰ. 🖭 ⓞ 🖭 🖾
  N 10
  ➖ 8 – **45 ch** 93/104.

🏨 **Beaugrenelle St-Charles** sans rest, 82 r. St-Charles (15ᵉ) ℰ 01 45 78 61 63, *beaugre@ francenet.fr*, Fax 01 45 79 04 38 – 🛗 📺 ℰ. 🖭 ⓞ 🖭 🖾
  K 7
  ➖ 9 – **51 ch** 81/92.

🏨 **Arès** sans rest, 7 r. Gén. de Larminat (15ᵉ) ℰ 01 47 34 74 04, *aresotel@easynet.fr*,
  Fax 01 47 34 48 56 – 🛗 📺 ℰ. 🖭 ⓞ 🖭 🖾
  K 8
  ➖ 7,16 – **42 ch** 97,56/190,55.

🏨 **Terminus Vaugirard** sans rest, 403 r. Vaugirard (15ᵉ) ℰ 01 48 28 18 72, *terminus- vaugirard@wanadoo.fr*, Fax 01 48 28 56 34 – 🛗 📺 ℰ – 🔏 25. 🖭 🖭. 🛠
  N 7
  fermé 15 au 27 déc. – ➖ 8 – **89 ch** 100/110.

🏨 **Nouvel Orléans** 🖻 sans rest, 25 av. Gén. Leclerc (14ᵉ) ℰ 01 43 27 80 20, *nouvelorleans@ aol.com*, Fax 01 43 35 36 57 – 🛗 🗏 📺 ⓞ 🖭 🖾. 🛠
  P 12
  ➖ 7 – **46 ch** 107/144.

🏨 **Abaca Messidor** sans rest, 330 r. Vaugirard (15ᵉ) ℰ 01 48 28 03 74, *info@abacahotel. com*, Fax 01 48 28 75 17, � – 🛗 ⚞ 🗏 📺 ℰ – 🔏 20. 🖭 ⓞ 🖭
  M 8
  ➖ 12 – **72 ch** 127/176.

🏨 **Daguerre** 🖻 sans rest, 94 r. Daguerre (14ᵉ) ℰ 01 43 22 43 54, *hotel.daguerre.paris14@ gofornet.com*, Fax 01 43 20 66 84 – 🛗 📺 ℰ ♿. 🖭 ⓞ 🖭 🖾. 🛠
  N 11
  ➖ 8 – **30 ch** 69/104.

🏨 **Lilas Blanc** sans rest, 5 r. Avre (15ᵉ) ℰ 01 45 75 30 07, *hotellilasblanc@minitel.net*,
  Fax 01 45 78 66 65 – 🛗 📺. 🖭 ⓞ 🖭
  K 8
  ➖ 6 – **32 ch** 61/73.

🏨 **Sèvres-Montparnasse** sans rest, 153 r. Vaugirard (15ᵉ) ℰ 01 47 34 56 75,
  Fax 01 40 65 01 86 – 🛗 📺 ℰ. 🖭 ⓞ 🖭. 🛠
  L 10
  ➖ 6,70 – **35 ch** 70/95.

🏨 **Istria** sans rest, 29 r. Campagne Première (14ᵉ) ℰ 01 43 20 91 82, *hotelistria@wanadoo.fr*,
  Fax 01 43 22 48 45 – 🛗 📺 ℰ. 🖭 ⓞ 🖭 🖾. 🛠
  M 12
  ➖ 8 – **26 ch** 90/100.

🏠 **Lion** sans rest, 1 av. Gén. Leclerc (14e) ℘ 01 40 47 04 00, *hotel.du.lion@wanad*
Fax 01 43 20 38 18 – 📶 📺 ✆, 🆑 ⓪ ⚈ 🇯🇨🇧
⛱ 8 – **33 ch** 65/85.

🏠 **Apollon Montparnasse** sans rest, 91 r. Ouest (14e) ℘ 01 43 95 62 00, *apollonm@*
internet.fr, Fax 01 43 95 62 10 – 📶 📺 ✆, 🆑 ⓪ ⚈ 🇯🇨🇧   N
⛱ 6 – **33 ch** 65/78.

🏠 **Ibis Convention** sans rest, 5 r. E. Gibez (15e) ℘ 01 48 28 63 14, *h3267@accor-h*
com, Fax 01 45 33 45 50 – 📶 🍽 ✆, 🆑 ⓪ ⚈ 🇯🇨🇧
⛱ 6 – **48 ch** 87.

🏠 **Ibis Brancion** Ⓜ sans rest, 105 r. Brancion (15e) ℘ 01 56 56 62 30, *Fax 01 56 56 62 3*
🍴 🍽 ✆ ⅋, 🆑 ⓪ ⚈, ⚙
⛱ 6 – **71 ch** 79.

🏠 **Carladez Cambronne** sans rest, 3 pl. Gén. Beuret (15e) ℘ 01 47 34 07 12, *carla*
club-internet.fr, Fax 01 40 65 95 68 – 📶 📺 ✆, 🆑 ⓪ ⚈ 🇯🇨🇧
⛱ 7 – **28 ch** 71/76.

🏠 **Parc** sans rest, 60 r. Beaunier (14e) ℘ 01 45 40 77 02, *Fax 01 45 40 81 99* – 📶 📺. 🆑
🇯🇨🇧
⛱ 6 – **24 ch** 61/74.

🏠 **Val Girard** sans rest, 14 r. Pétel (15e) ℘ 01 48 28 53 96, *valgirar@club-inter*
Fax 01 48 28 69 94 – 📶 📺. 🆑 ⚈ 🇯🇨🇧
⛱ 8 – **39 ch** 83/120.

🏠 **Châtillon Hôtel.** sans rest, 11 square Châtillon (14e) ℘ 01 45 42 31 17, *chatillon.h*
wanadoo.fr, Fax 01 45 42 72 09 – 📶 📺. ⚈, ⚙
⛱ 7,01 – **31 ch** 56,41/64,03.

🏠 **Aberotel** sans rest, 24 r. Blomet (15e) ℘ 01 40 61 70 50, *aberotel@wanao*
Fax 01 40 61 08 31 – 📶 🍴 📺 ✆ ⅋. 🆑 ⓪ ⚈ 🇯🇨🇧
⛱ 8 – **28 ch** 94/119.

🏠 **Paix** sans rest, 225 bd Raspail (14e) ℘ 01 43 20 35 82, *resa@hoteldelapaix*
Fax 01 43 35 32 63 – 📶 📺 ✆, 🆑 ⚈, ⚙
⛱ 5,80 – **39 ch** 66/92.

🏠 **Pasteur** sans rest, 33 r. Dr Roux (15e) ℘ 01 47 83 53 17, *Fax 01 45 66 62 39* – 📶 🛗
⚈
fermé août – ⛱ 6 – **19 ch** 58/85.

XXXX **Montparnasse 25** - Hôtel Méridien Montparnasse, 19 r. Cdt Mouchotte
✿   ℘ 01 44 36 44 25, *meridien.montparnasse@lemeridien.com, Fax 01 44 36 49 03* – 🍽
⓪ ⚈ 🇯🇨🇧. ⚙
fermé août, sam., dim. et fériés – **Repas** 42 (déj.), 60,50/85 et carte 60 à 75 ♀
Spéc. Saint-Jacques poêlées aux lanières d'endives et pommes granny (oct. à mai). T
cuit sur l'arête, caramélisé au citron. Poitrine de canard sauvage au pilé de noix et nois
(oct. à janv.).

XXXX **Relais de Sèvres** - Hôtel Sofitel Porte de Sèvres, 8 r. L. Armand (15e) ℘ 01 40 60 3
✿   *h0572@accor-hotels.com, Fax 01 45 57 04 22* – 🍽 🅿. 🆑 ⓪ ⚈ 🇯🇨🇧
fermé 30 juil. au 26 août, sam., dim. et fériés – **Repas** 61 bc/68 et carte 55 à 75 ♀
Spéc. Emietté de tourteau et crème de petits oignons nouveaux. Carré d'agnea
Quercy et millefeuille de légumes confits. Petit sablé et marmelade de poire à la fève t

XXX **Ciel de Paris,** Tour Maine Montparnasse, au 56e étage (15e) ℘ 01 40 64 77 64, *ci*
paris.rv@elior.com, Fax 01 40 64 59 71, ≤ Paris – 📶 🍽. 🆑 ⓪ ⚈ 🇯🇨🇧, ⚙
Repas 30,18 (déj.)/48,78 et carte 58 à 75.

XXX **Le Duc,** 243 bd Raspail (14e) ℘ 01 43 20 96 30, *Fax 01 43 20 46 73* – 🍽. 🆑 ⓪
✿   🇯🇨🇧
fermé 27 juil. au 19 août, 21 déc. au 2 janv., sam. midi, dim. et lundi – **Repas** - produits
mer - 44 (déj.)et carte 55 à 85
Spéc. Poissons crus. Escalopes de Saint-Pierre, beurre vodka. Sole meunière.

XXX **Le Dôme,** 108 bd Montparnasse (14e) ℘ 01 43 35 25 81, *Fax 01 42 79 01 19*, brass
🍽. 🆑 ⓪ ⚈ 🇯🇨🇧   L
Repas - produits de la mer - carte 52 à 82 ♀.

XXX **Chen-Soleil d'Est,** 15 r. Théâtre (15e) ℘ 01 45 79 34 34, *Fax 01 45 79 07 53* – 🍽. 🆑
✿   🇯🇨🇧
fermé août et dim. – **Repas** - cuisine chinoise - 40/75 et carte 55 à 75
Spéc. ''Promenade de caviar à Shanghai''. Mijoté de chevreau au ginseng. Fondant de
au vin de litchis.

%%% **Maison Courtine** (Charles), 157 av. Maine (14ᵉ) ℘ 01 45 43 08 04, *Fax 01 45 45 91 35* – ▣. **GB**. ⅏
N 11

fermé 4 au 25 août, sam. midi, lundi midi et dim. – **Repas** 29 ♈.
Spéc. Andouille de Guéméné à la crème. Canette des Dombes en deux services. Tourtière aux pommes.

%% **La Coupole**, 102 bd Montparnasse (14ᵉ) ℘ 01 43 20 14 20, *Fax 01 43 35 46 14*, « Brasserie parisienne des années 20 » – ▣. **AE ① GB JCB**
L 12
Repas *(16,50)* - 29 (déj.)/31 et carte 35 à 40 ♈, enf. 11.

%% **La Dînée**, 85 r. Leblanc (15ᵉ) ℘ 01 45 54 20 49, *Fax 01 40 60 73 76* – **AE GB JCB**
M 5
fermé sam. et dim. – **Repas** *(25,50)* - 30 ♈.

%% **Gauloise**, 59 av. La Motte-Picquet (15ᵉ) ℘ 01 47 34 11 64, *Fax 01 40 61 09 70*, 済 – **AE GB JCB**
K 8
Repas *(21)* - 26 et carte 37 à 54 ⅍, enf. 11,50.

%% **Philippe Detourbe**, 8 r. Nicolas Charlet (15ᵉ) ℘ 01 42 19 08 59, *Fax 01 45 67 09 13* – ▣. **AE GB JCB**
L 10
fermé lundi midi, sam. midi et dim. – **Repas** 30 (déj.)/37.

%% **Vin et Marée**, 108 av. Maine (14ᵉ) ℘ 01 43 20 29 50, *vin.maree@wanadoo.fr*, *Fax 01 43 27 84 11* – ▣. **AE GB JCB**
N 11
Repas - produits de la mer - carte 29 à 43 ♈.

%% **Monsieur Lapin**, 11 r. R. Losserand (14ᵉ) ℘ 01 43 20 21 39, *Fax 01 43 21 84 86* – ▣. **GB**
N 11
fermé août, mardi midi et lundi – Repas (nombre de couverts limité, prévenir) 28,20/45,73 et carte 46 à 69 ♈.

%% **Caroubier**, 82 bd Lefebvre (15ᵉ) ℘ 01 40 43 16 12 – ▣. **GB**
P 8
fermé 15 juil. au 15 août et lundi – Repas - cuisine marocaine - *(10)* - 22,87 et carte 30 à 37 ♈.

%% **Les Vendanges**, 40 r. Friant (14ᵉ) ℘ 01 45 39 59 98, *Fax 01 45 39 74 13* – **AE ① GB JCB**
R 11
fermé août, 21 au 29 déc., sam. et dim. – **Repas** *(25)* - 35 ♈.

%% **Clos Morillons**, 50 r. Morillons (15ᵉ) ℘ 01 48 28 04 37, *Fax 01 48 28 70 77* – **AE GB**
N 8
fermé en août, vacances de fév., sam. midi, lundi midi et dim. – **Repas** *(21,34)* - 27,44/34,30 ♈.

%% **Fontanarosa**, 28 bd Garibaldi (15ᵉ) ℘ 01 45 66 97 84, *Fax 01 47 83 96 30*, 済 – ▣. **AE GB JCB**
L 9
Repas - cuisine italienne - *(13,57)* - 18,29 (déj.) et carte 33 à 53 ♈.

%% **Erawan**, 76 r. Fédération (15ᵉ) ℘ 01 47 83 55 67, *Fax 01 47 34 85 98* – ▣. **AE GB**. ⅏ K 8
fermé en août et dim. – **Repas** - cuisine thaïlandaise - *(12,04)* - 22,87/38,11 et carte 26 à 36.

%% **L'Épopée**, 89 av. É. Zola (15ᵉ) ℘ 01 45 77 71 37, *Fax 01 45 77 71 37* – **AE GB JCB**
L 7
fermé 28 juil. au 28 août, 24 déc. au 2 janv., sam. midi et dim. – **Repas** *(25)* - 30 ♈.

%% **L'Étape**, 89 r. Convention (15ᵉ) ℘ 01 45 54 73 49, *Fax 01 45 58 20 91* – ▣. **GB**
M 6
fermé 3 au 26 août, sam. midi et dim. – **Repas** 20/26.

%% **Filoche**, 34 r. Laos (15ᵉ) ℘ 01 45 66 44 60 – ▣. **GB**. ⅏
K 8
fermé 21 juil. au 4 sept., 24 déc. au 6 janv., sam. et dim. – **Repas** 25/29.

%% **Chez les Frères Gaudet**, 19 r. Duranton (15ᵉ) ℘ 01 45 58 43 17, *ff-gaudet@club-internet.fr, Fax 01 45 58 42 65* – **AE ① GB**
M 6
fermé 1ᵉʳ au 15 sept., sam. midi, lundi midi et dim. – **Repas** *(19)* - 26,70/30,50 ♈, enf. 12,20.

%% **Copreaux**, 15 r. Copreaux (15ᵉ) ℘ 01 43 06 83 35 – ▣. **GB**
M 9
fermé août, dim. et lundi – **Repas** 21,19 bc et carte 25 à 38.

% **Troquet**, 21 r. F. Bonvin (15ᵉ) ℘ 01 45 66 89 00, *Fax 01 45 66 89 83* – **GB**. ⅏
L 9
fermé août, 24 déc. au 2 janv., dim. et lundi
Repas 22 (déj.), 28/30 ♈.

% **L'O à la Bouche**, 124 bd Montparnasse (14ᵉ) ℘ 01 56 54 01 55, *Fax 01 43 21 07 87* – ▣. **AE GB JCB**
M 12
fermé 15 au 23 avril, 5 au 26 août, 1ᵉʳ au 7 janv., dim. et lundi – **Repas** 19 (déj.)/29,90 et carte 40 à 45 ♈.

% **Bistro d'Hubert**, 41 bd Pasteur (15ᵉ) ℘ 01 47 34 15 50, *message@bistrodhubert.com, Fax 01 45 67 03 09* – **AE ① GB JCB**
L 10
fermé août – **Repas** *(20)* - 37.

% **Stéphane Martin**, 67 r. Entrepreneurs (15ᵉ) ℘ 01 45 79 03 31, *resto.stephanemartin@free.fr, Fax 01 45 79 44 69* – ▣. **AE GB**. ⅏
L 7
fermé 4 au 26 août, dim. et lundi – **Repas** 22,87 bc (déj.), 28,20/35,82.

% **Contre-Allée**, 83 av. Denfert-Rochereau (14ᵉ) ℘ 01 43 54 99 86, *Fax 01 43 25 08 11* – **AE GB**. ⅏
N 13
fermé sam. midi – **Repas** 28,96/34,30.

X **Gastroquet**, 10 r. Desnouettes (15ᵉ) ℘ 01 48 28 60 91, *Fax 01 45 33 23 70* – ﷼ GB
fermé août, lundi midi, sam. et dim.
Repas *(21)* - 27 et carte 41 à 50.

X **Pascal Champ**, 5 r. Mouton-Duvernet (14ᵉ) ℘ 01 45 39 39 61, *Fax 01 45 39 39 61*
GB
fermé août, dim. et lundi – **Repas** *(16)* - 19 (déj.), 22/28 et carte 30 à 45 ♀.

X **St-Vincent**, 26 r. Croix-Nivert (15ᵉ) ℘ 01 47 34 14 94, *Fax 01 45 66 46 58*, bistrot – ▣
GB
fermé en août, sam. midi et dim. – **Repas** carte 30 à 42.

X **Les P'tits Bouchons de François Clerc**, 32 bd Montparnasse
℘ 01 45 48 52 03, *Fax 01 45 48 52 17* – ﷼ GB JCB
fermé sam. midi et dim. – **Repas** *(21,19)* - 31,25 ♀.

X **Régalade**, 49 av. J. Moulin (14ᵉ) ℘ 01 45 45 68 58, *Fax 01 45 40 96 74*, bistrot -
GB
fermé août, sam. midi, dim. et lundi – **Repas** (prévenir) 30.

X **L'Os à Moelle**, 3 r. Vasco de Gama (15ᵉ) ℘ 01 45 57 27 27, *Fax 01 45 57 27 27*, bist
GB
fermé août, dim. et lundi – **Repas** 27 (déj.), 32/38 ♀.

X **Bistrot du Dôme**, 1 r. Delambre (14ᵉ) ℘ 01 43 35 32 00 – ▤, ﷼ GB, ⚹
fermé dim. et lundi en août – **Repas** - produits de la mer - carte 30 à 44.

X **Les Gourmands**, 101 r. Ouest (14ᵉ) ℘ 01 45 41 40 70, *Fax 01 45 41 17 66* – ﷼ GB
fermé mi-juil. à mi-août, dim. et lundi – **Repas** *(18)* - 24/30.

X **A La Bonne Table**, 42 r. Friant (14ᵉ) ℘ 01 45 39 74 91, *Fax 01 45 43 66 92* – ▣
GB
fermé 14 au 28 juil., 23 fév. au 2 mars, sam. midi et dim. – **Repas** 22,70 et cart
à 45.

X **Petit Bofinger**, 46 bd Montparnasse (15ᵉ) ℘ 01 45 48 49 16, *Fax 01 45 44 92 05* – ▤
GB
Repas *(16,50)* - 27 bc (dîner) et carte environ 30.

X **Sept/Quinze**, 29 av. Lowendal (15ᵉ) ℘ 01 43 06 23 06, *Fax 01 45 67 14 11* – GB
fermé 3 au 26 août et dim. – **Repas** 21 (déj.), 23,30/29,40 et carte 25 à 35 ♀.

X **Beurre Noisette**, 68 r. Vasco de Gama (15ᵉ) ℘ 01 48 56 82 49, *Fax 01 48 56 82 49*
GB, ⚹
fermé 1ᵉʳ au 25 août, dim. et lundi – Repas 27 ♀.

X **Château Poivre**, 145 r. Château (14ᵉ) ℘ 01 43 22 03 68, *chateaupoivre@noos.fr* – ▣
GB JCB
fermé 10 au 25 août, 22 déc. au 3 janv., dim. et fériés – **Repas** 15 et carte 26 à 37 ♀.

X **Les Petites Sorcières**, 12 r. Liancourt (14ᵉ) ℘ 01 43 21 95 68, *Fax 01 43 21 95*
GB
fermé lundi midi, sam. midi et dim. – **Repas** *(18)* - carte 29 à 38.

X **du Marché**, 59 r. Dantzig (15ᵉ) ℘ 01 48 28 31 55, *restaurant.du.marche@wanado*
Fax 01 48 28 18 31 – ﷼ GB JCB
fermé 1ᵉʳ au 15 août, sam. midi, lundi midi et dim. – Repas *(19)* - 26 et carte 43 à 82.

X **Au Soleil de Minuit**, 15 r. Desnouettes (15ᵉ) ℘ 01 48 28 15 15, *Fax 01 48 28 17 17*
GB
fermé 28 juil. au 19 août, 23 au 26 déc., dim. soir et lundi – **Repas** - cuisine finlandaise -
20/42 et carte 31 à 46 ♀.

X **Mûrier**, 42 r. Olivier de Serres (15ᵉ) ℘ 01 45 32 81 88 – GB, ⚹
fermé 5 au 25 août, sam. midi, lundi midi et dim. – **Repas** *(13,57)* - 16,61 (déj.), 1♀
22,71 ♀.

X **Folletterie**, 34 r. Letellier (15ᵉ) ℘ 01 45 75 55 95 – GB JCB
fermé 28 juil. au 19 août, dim. et lundi – **Repas** *(16)* - 20 (déj.)/23 et carte 26 à 30 ♀.

X **Autour du Mont**, 58 r. Vasco de Gama (15ᵉ) ℘ 01 42 50 55 63, *Fax 01 42 50 55 63*
GB JCB
fermé août, dim. et lundi – **Repas** *(16)* - carte 25 à 40 ♀.

X **Flamboyant**, 11 r. Boyer-Barret (14ᵉ) ℘ 01 45 41 00 22 – ﷼ GB
fermé août, dim. soir, mardi midi et lundi – **Repas** - cuisine antillaise - 12 (déj.), 28 bc/42
carte 25 à 34 ♣.

X **Les Coteaux**, 26 bd Garibaldi (15ᵉ) ℘ 01 47 34 83 48, bistrot – GB
fermé août, sam., dim. et lundi – **Repas** 23.

X **Severo**, 8 r. Plantes (14ᵉ) ℘ 01 45 40 40 91 – GB
fermé 10 au 31 juil., vacances de Noël, sam. soir, dim. et fériés – Repas carte 25 à 35.

Passy - Auteuil - Chaillot
Bois de Boulogne

16ᵉ arrondissement

16ᵉ : ✉ 75016 ou 75116

Raphaël, 17 av. Kléber ✉ 75116 ℰ 01 53 64 32 00, *management@raphael-hotel.com,* Fax 01 53 64 32 01, ⌂, « Élégant cachet ancien et terrasse panoramique avec ≤ Paris » – ▯ ✕ ▤ ▥ ✆ – 🛗 50. 🆎 ⓪ 🅖🅑 🅙🅒🅑   F 7
Jardins Plein Ciel ℰ 01 53 64 32 30(7ᵉ étage)-buffet *(mai-oct.)* **Repas** 60(déj.)/76 ♀ – *Salle à Manger* ℰ 01 53 64 32 11 *(fermé août, sam. et dim.)* **Repas** 48bc(déj)/58 ♀ – ☲ 25 – 62 ch 420/505, 25 appart.

Sofitel Le Parc 🦕, 55 av. R. Poincaré ✉ 75116 ℰ 01 44 05 66 66, *le-parc@compuserve. com,* Fax 01 44 05 66 00, ⌂, « Atmosphère de belle demeure anglaise » – ▯ ✕ ▤ ▥ ✆ & – 🛗 30 à 250. 🆎 ⓪ 🅖🅑 🅙🅒🅑   G 6
voir *59 Poincaré* ci-après - **Les Jardins du 59** *(mai-sept.)* **Repas** *(38,11)*- 44,21 ♀ – ☲ 26 – 113 ch 340/754, 3 duplex.

St-James Paris 🦕, 43 av. Bugeaud ✉ 75116 ℰ 01 44 05 81 81, *contact@saint-james-paris.com,* Fax 01 44 05 81 82, ⌂, « Bel hôtel particulier du 19ᵉ siècle », Ⅰ₅, ☞ – ▯ ▤ ▥ ✆ ▯ – 🛗 25. 🆎 ⓪ 🅖🅑 🅙🅒🅑   F 5
Repas *(fermé week-ends et fériés)* (résidents seul.) 46 – ☲ 20 – **12 ch** 420/465, 28 appart 580/730, 8 duplex.

Costes K. Ⓜ sans rest, 81 av. Kléber ✉ 75116 ℰ 01 44 05 75 75, *costes.k@wanadoo.fr,* Fax 01 44 05 74 74, « Architecture et décoration contemporaines », Ⅰ₅ – ▯ ✕ ▤ ▥ ✆ &, ⌘, 🆎 ⓪ 🅖🅑. ✖   G 7
☲ 19 – **83 ch** 300/540.

Sofitel Baltimore, 88 bis av. Kléber ✉ 75116 ℰ 01 44 34 54 54, *welcome@hotelblati more.com,* Fax 01 44 34 54 44, Ⅰ₅ – ▯ ✕ ▤ ▥ ✆ – 🛗 50. 🆎 ⓪ 🅖🅑 🅙🅒🅑   G 7
Table du Baltimore *(fermé 27 juil. au 26 août , sam., dim. et fériés)* **Repas** carte 36 à 57 – ☲ 23 – **105 ch** 425/690.

Square M, 3 r. Boulainvilliers ⊠ 75016 ℰ 01 44 14 91 90, hotel.square@wanado
Fax 01 44 14 91 99, « Architecture et décoration contemporaines » – 🛗 ▤ 📺 ✆ &
ᴀᴇ ⓪ ᴳᴮ ᴊᴄᴮ. ⅏
Repas voir rest **Zebra Square** ci-après – ☲ 17 – **22 ch** 230/370.

Trocadero Dokhan's sans rest, 117 r. Lauriston ⊠ 75116 ℰ 01 53 65 66 99, hotel.
dero.dokhans@wanadoo.fr, Fax 01 53 65 66 88, « Élégante décoration et beau mobilie
🛗 ⅍ ▤ 📺 ✆. ᴀᴇ ⓪ ᴳᴮ ᴊᴄᴮ. ⅏
☲ 23 – **41 ch** 480/991, 4 appart.

Villa Maillot M sans rest, 143 av. Malakoff ⊠ 75116 ℰ 01 53 64 52 52, resa@lavillam
.fr, Fax 01 45 00 60 61, « Élégant décor contemporain » – 🛗 ⅍ ▤ 📺 & – ஃ 25. ▨
ᴳᴮ ᴊᴄᴮ. ⅏
☲ 21 – **39 ch** 300/335, 3 appart.

Élysées Régencia M sans rest, 41 av. Marceau ⊠ 75116 ℰ 01 47 20 42 65, i
regencia.com, Fax 01 49 52 03 42, « Belle décoration » – 🛗 ⅍ ▤ 📺 ✆ – ஃ 20. ᴀᴇ ⓪
ᴊᴄᴮ. ⅏
☲ 18 – **43 ch** 275/335.

Libertel Auteuil M sans rest, 8 r. F. David ⊠ 75016 ℰ 01 40 50 57 57, H2777@a
hotels.com, Fax 01 40 50 57 50 – 🛗 ⅍ ▤ 📺 ✆ & ⇔ – ஃ 35. ᴀᴇ ⓪ ᴳᴮ
☲ 13 – **94 ch** 200/240.

Pergolèse M sans rest, 3 r. Pergolèse ⊠ 75116 ℰ 01 53 64 04 04, hotel@pergolese.
Fax 01 53 64 04 40, « Décor contemporain » – 🛗 ⅍ ▤ 📺 ✆. ᴀᴇ ⓪ ᴳᴮ ᴊᴄᴮ
☲ 12 – **40 ch** 195/320.

Argentine M sans rest, 1 r. Argentine ⊠ 75116 ℰ 01 45 02 76 76, H2757@accor-hc
com, Fax 01 45 02 76 00 – 🛗 ⅍ 📺 ✆ &. ᴀᴇ ⓪ ᴳᴮ ᴊᴄᴮ
☲ 13 – **40 ch** 228/250.

Majestic sans rest, 29 r. Dumont d'Urville ⊠ 75116 ℰ 01 45 00 83 70, manageme
majestic-hotel.com, Fax 01 45 00 29 48 – 🛗 ⅍ ▤ 📺 ✆. ᴀᴇ ⓪ ᴳᴮ ᴊᴄᴮ
☲ 13,75 – **27 ch** 192/409, 3 appart.

Régina de Passy sans rest, 6 r. Tour ⊠ 75116 ℰ 01 55 74 75 75, regina@gofornet.
Fax 01 45 25 23 78 – 🛗 📺 ✆. ᴀᴇ ⓪ ᴳᴮ ᴊᴄᴮ   H
☲ 10 – **63 ch** 140/275.

Garden Élysée M ⅍ sans rest, 12 r. St-Didier ⊠ 75116 ℰ 01 47 55 01 11, garden.e
@wanadoo.fr, Fax 01 47 27 79 24 – 🛗 ⅍ ▤ 📺 ✆ &. ᴀᴇ ⓪ ᴳᴮ ᴊᴄᴮ. ⅏
☲ 18,50 – **48 ch** 214/335.

Élysées Union sans rest, 44 r. Hamelin, ⊠ 75116 ℰ 01 45 53 14 95, unionetoil@aol.
Fax 01 47 55 94 79 – 🛗 cuisinette 📺 ✆ &. ᴀᴇ ⓪ ᴳᴮ. ⅏
☲ 10 – **47 ch** 154/202, 12 appart.

Élysées Bassano sans rest, 24 r. Bassano ⊠ 75116 ℰ 01 47 20 49 03, h2815-gm@a
-hotels.com, Fax 01 47 23 06 72 – 🛗 ⅍ ▤ 📺 ✆. ᴀᴇ ⓪ ᴳᴮ ᴊᴄᴮ
☲ 13 – **40 ch** 180/240.

Alexander sans rest, 102 av. V. Hugo ⊠ 75116 ℰ 01 56 90 61 00, melia.alexanc
solmelia.com, Fax 01 56 90 61 01 – 🛗 ▤ 📺. ᴀᴇ ⓪ ᴳᴮ ᴊᴄᴮ. ⅏
☲ 21,50 – **61 ch** 320/442.

Frémiet sans rest, 6 av. Frémiet ⊠ 75016 ℰ 01 45 24 52 06, hotel.fremiet@wanado
Fax 01 53 92 06 46 – 📺 ✆. ᴀᴇ ⓪ ᴳᴮ ᴊᴄᴮ
☲ 11,50 – **36 ch** 160/206.

Résidence Bassano M sans rest, 15 r. Bassano ⊠ 75116 ℰ 01 47 23 78 23, info@h
bassano.com, Fax 01 47 20 41 22 – 🛗 ⅍ ▤ 📺 ✆. ᴀᴇ ⓪ ᴳᴮ. ⅏
☲ 18 – **28 ch** 275/335, 3 appart.

Résidence Impériale sans rest, 155 av. Malakoff ⊠ 75116 ℰ 01 45 00 23 45, res.i
riale@wanadoo.fr, Fax 01 45 01 88 82 – 🛗 ⅍ ▤ 📺 ✆ &. ᴀᴇ ⓪ ᴳᴮ
☲ 11 – **37 ch** 130/195.

Passy Eiffel sans rest, 10 r. Passy ⊠ 75016 ℰ 01 45 25 55 66, Fax 01 42 88 89 88 – 🛗
✆. ᴀᴇ ⓪ ᴳᴮ ᴊᴄᴮ
☲ 10 – **48 ch** 122/128.

Élysées Sablons M sans rest, 32 r. Greuze ⊠ 75116 ℰ 01 47 27 10 00, h2778-g
accor-hotels.com, Fax 01 47 27 47 10 – 🛗 ⅍ 📺 ✆ &. ᴀᴇ ⓪ ᴳᴮ ᴊᴄᴮ
☲ 13 – **41 ch** 170/180.

Chambellan Morgane sans rest, 6 r. Keppler ⊠ 75116 ℰ 01 47 20 3
Fax 01 47 20 95 69 – 🛗 ▤ 📺 ✆ – ஃ 20. ᴀᴇ ⓪ ᴳᴮ ᴊᴄᴮ. ⅏
☲ 10 – **20 ch** 156/157.

Floride Étoile sans rest, 14 r. St-Didier ⊠ 75116 ℰ 01 47 27 23 36, floridetoi@aol.
Fax 01 47 27 82 87 – 🛗 ▤ 📺 ✆ – ஃ 30. ᴀᴇ ⓪ ᴳᴮ ᴊᴄᴮ. ⅏
☲ 11 – **63 ch** 122/192.

Résidence Marceau sans rest, 37 av. Marceau ⌧ 75016 ✆ 01 47 20 43 37, Fax 01 47 20 14 76 – 📳 🗐 📺 📞. 🌆 ⓪ ⒼⒷ ᴶᶜᴮ. ✳️ **G 8**
⌷ 11 – **30 ch** 160/190.

Victor Hugo sans rest, 19 r. Copernic ⌧ 75116 ✆ 01 45 53 76 01, *resa@hotel-victor-hugo.com*, Fax 01 45 53 69 93 – 📳 🗐 📺 📞. 🌆 ⓪ ⒼⒷ ᴶᶜᴮ. ✳️ **G 7**
⌷ 11 – **75 ch** 131/206.

Kléber sans rest, 7 r. Belloy ⌧ 75116 ✆ 01 47 23 80 22, *kleberhotel@aol.com*, Fax 01 49 52 07 20 – 📳 🗐 📺 📞 – 🛗 20. 🌆 ⓪ ⒼⒷ ᴶᶜᴮ **G 7**
⌷ 13 – **22 ch** 182/243.

Jardins du Trocadéro Ⓜ sans rest, 35 r. Franklin ⌧ 75116 ✆ 01 53 70 17 70, *jardintroc@aol.com*, Fax 01 53 70 17 80 – 📳 🗐 📺 📞. 🌆 ⓪ ⒼⒷ ᴶᶜᴮ. ✳️ **H 6**
⌷ 14,50 – **17 ch** 245/520.

Sévigné sans rest, 6 r. Belloy ⌧ 75116 ✆ 01 47 20 88 90, *hotel.de.sevigne@wanadoo.fr*, Fax 01 40 70 98 73 – 📳 📺. 🌆 ⓪ ⒼⒷ **G 7**
⌷ 8 – **30 ch** 111/150.

Résidence Foch sans rest, 10 r. Marbeau ⌧ 75116 ✆ 01 45 00 46 50, *reservation@residence-foch.com*, Fax 01 45 01 98 68 – 📳 📺 📞. 🌆 ⓪ ⒼⒷ ᴶᶜᴮ. ✳️ **F 6**
⌷ 8,50 – **25 ch** 107/143.

Hameau de Passy Ⓜ ⬗ sans rest, 48 r. Passy ⌧ 75016 ✆ 01 42 88 47 55, *hameau.passy@wanadoo.fr*, Fax 01 42 30 83 72 – 📳 📺. 🌆 ⓪ ⒼⒷ ᴶᶜᴮ **J 5-6**
⌷ 4,57 – **32 ch** 89,20/101,40.

Boileau sans rest, 81 r. Boileau ⌧ 75016 ✆ 01 42 88 83 74, *boileau@cybercable.fr*, Fax 01 45 27 62 98 – 📺 📞 – 🛗 15. 🌆 ⓪ ⒼⒷ **M 3**
⌷ 6,10 – **30 ch** 67,84/85,37.

Bois sans rest, 11 r. Dôme ⌧ 75116 ✆ 01 45 00 31 96, *hoteldubois@wanadoo.fr*, Fax 01 45 00 90 05 – 📺. 🌆 ⓪ ⒼⒷ ᴶᶜᴮ **F 7**
⌷ 10 – **41 ch** 95/125.

Queen's Hôtel sans rest, 4 r. Bastien Lepage ⌧ 75016 ✆ 01 42 88 89 85, *contact@queens-hotel.fr*, Fax 01 40 50 67 52 – 📳 ⤢ 📺 📞. 🌆 ⓪ ⒼⒷ ᴶᶜᴮ **K 4**
⌷ 6,10 – **22 ch** 68/120.

Nicolo ⬗ sans rest, 3 r. Nicolo ⌧ 75116 ✆ 01 42 88 83 40, *hotel.nicolo@wanadoo.fr*, Fax 01 42 24 45 41 – 📳 📺. 🌆 ⓪ ⒼⒷ ᴶᶜᴮ **J 6**
⌷ 6 – **28 ch** 71/112.

Palais de Chaillot sans rest, 35 av. R. Poincaré ⌧ 75116 ✆ 01 53 70 09 09, *hapc@wanadoo.fr*, Fax 01 53 70 09 08 – 📳 📺 📞. 🌆 ⓪ ⒼⒷ ᴶᶜᴮ. ✳️ **G 6**
⌷ 8 – **28 ch** 95/130.

Gavarni sans rest, 5 r. Gavarni ⌧ 75116 ✆ 01 45 24 52 82, *reservation@gavarni.com*, Fax 01 40 50 16 95 – 📳 📺 📞. 🌆 ⓪ ⒼⒷ ᴶᶜᴮ. ✳️ **J 6**
⌷ 8,50 – **25 ch** 92/145.

Longchamp sans rest, 68 r. Longchamp ⌧ 75116 ✆ 01 44 34 24 14, *info@hotel-paris-hotels.com*, Fax 01 44 34 24 24 – 📳 📺 📞. 🌆 ⓪ ⒼⒷ **G 6**
⌷ 10 – **23 ch** 100/139.

XX **Faugeron**, 52 r. Longchamp ⌧ 75116 ✆ 01 47 04 24 53, *faugeron@wanadoo.fr*, Fax 01 47 55 62 90, « Décor élégant » – 🗐. 🌆 ⓪ ⒼⒷ ᴶᶜᴮ. ✳️ **G 7**
fermé août, 23 déc. au 3 janv., sam. et dim. – **Repas** (47) - 54 (déj.)/114 bc (dîner)et carte 95 à 130
Spéc. Oeufs coque à la purée de truffes. Truffes (janv. à mars). Gibier (15 oct. au 10 janv.).

XX **Ghislaine Arabian**, 16 av. Bugeaud ⌧ 75116 ✆ 01 56 28 16 16, Fax 01 56 28 16 71 – 🗐. 🌆 ⓪ ⒼⒷ ᴶᶜᴮ **F 6**
fermé sam. et dim. – **Repas** 45 (déj.)et carte 56 à 91
Spéc. Croquettes de crevettes grises. Filet de boeuf à la Gueuze. Parfait glacé à la chicorée.

XX **59 Poincaré**, 59 av. R. Poincaré ⌧ 75116 ✆ 01 47 27 59 59, *59poincare@leparc-paris.com*, Fax 01 47 27 59 00 – 🗐. 🌆 ⓪ ⒼⒷ ᴶᶜᴮ. ✳️ **G 6**
fermé dim. et lundi – **Repas** carte 54 à 69

XX **Jamin** (Guichard), 32 r. Longchamp ⌧ 75116 ✆ 01 45 53 00 07, Fax 01 45 53 00 15 – 🗐. 🌆 ⓪ ⒼⒷ **G 7**
fermé 26 juil. au 26 août, vacances de fév., sam. et dim. – **Repas** 48 (déj.)/80 et carte 90 à 130
Spéc. Poêlée de langoustines de petite pêche (été). Blanc de bar en peau croustillante. Carré d'agneau rôti au thym.

XXXX ۞۞ **Relais d'Auteuil** (Pignol), 31 bd. Murat ⊠ 75016 ℰ 01 46 51 09 54, Fax 01 40 71 0⬛
≣. AE ⓪ GB JCB
fermé août, lundi midi, sam. midi et dim. – **Repas** 44,25 (déj.), 89,95/120,45 et carte 110
Spéc. Amandine de foie gras de canard et lobe poêlé. Dos de bar à la croûte po⬛
Madeleines au miel de bruyère, glace miel et noix.

XXX ۞ **Pergolèse** (Corre), 40 r. Pergolèse ⊠ 75116 ℰ 01 45 00 21 40, le-pergolese@wanad⬛
Fax 01 45 00 81 31 – ≣. AE GB JCB
fermé 2 août au 2 sept., sam. et dim. – **Repas** 35,83/64,03 et carte 55 à 75
Spéc. Ravioli de langoustines au beurre de foie gras. Saint-Jacques rôties en rob⬛
champs (nov. à mars). Moelleux au chocolat, glace vanille.

XXX **Tsé-Yang,** 25 av. Pierre 1er de Serbie ⊠ 75116 ℰ 01 47 20 70 22, Fax 01 49 52 ⬛
« Cadre élégant » – ≣. AE ⓪ GB JCB. ℅
Repas - cuisine chinoise - 40,40/43,45 et carte 42 à 59.

XXX **Pavillon Noura,** 21 av. Marceau ⊠ 75116 ℰ 01 47 20 33 33, Fax 01 47 20 60 31 – ≣
⓪ GB. ℅
Repas - cuisine libanaise - 27,14 (déj.), 43,91/51,33 et carte 35 à 60 ⵛ.

XXX **Les Arts,** 9 bis av. Iéna ⊠ 75116 ℰ 01 40 69 27 53, maison.des.am@sodexho.presti⬛
Fax 01 40 69 27 08, ╦ – ≣. AE ⓪ GB
fermé août, sam. et dim. – **Repas** 36 et carte 50 à 62.

XXX ۞ **Passiflore** (Durand), 33 r. Longchamp ⊠ 75016 ℰ 01 47 04 96 81, Fax 01 47 04 32⬛
≣. AE GB JCB. ℅
fermé 4 au 26 août, sam. midi et dim. – **Repas** 30/38 et carte 45 à 67 ⵛ
Spéc. Foie gras de canard. Côte de boeuf de Bavière en sautoir. Tarte fine au chocolat

XXXX **L'Étoile,** 12 r. Presbourg ⊠ 75116 ℰ 01 45 00 78 70, Fax 01 45 00 78 71 – ≣
GB
fermé août, 23 déc. au 2 janv., sam. midi et dim. midi – **Repas** (38,11 bc) - 44,21 bc (de⬛
carte 52 à 68.

XXX ۞ **Port Alma** (Canal), 10 av. New York ⊠ 75116 ℰ 01 47 23 75 11, Fax 01 47 20 42 92
AE ⓪ GB JCB
fermé août, 24 déc. au 2 janv., dim. et lundi – **Repas** - produits de la mer - cart⬛
à 70
Spéc. Salade de homard. Pétales de Saint-Jacques marinées à l'huile d'argan (oct. à⬛
Fricassée de sole poêlée au foie gras.

XX ۞ **Astrance** (Barbot), 4 r. Beethoven ⊠ 75016 ℰ 01 40 50 84 40, Fax 01 40 50 11 45 – ⬛
GB
fermé 1er au 21 août, vacances de fév., mardi midi et lundi – **Repas** (nombre de cou⬛
limité, prévenir) 30 (déj.), 58/76 bc et carte 55 à 75 ⵛ
Spéc. Crabe en fines ravioles d'avocat, huile d'amande douce. Noix de Saint-Jac⬛
velouté au curry et coco (saison). Le lait ''dans tous ses états''.

XX **Giulio Rebellato,** 136 r. Pompe ⊠ 75116 ℰ 01 47 27 50 26 – ≣. AE GB. ℅
fermé août – **Repas** - cuisine italienne - carte 50 à 70.

XX **Fakhr el Dine,** 30 r. Longchamp ⊠ 75016 ℰ 01 47 27 90 00, resa@fakhreldine.⬛
Fax 01 53 70 01 81 – ≣. AE ⓪ GB
Repas - cuisine libanaise - 23/26 et carte 25 à 40.

XX **San Francisco,** 1 r. Mirabeau ⊠ 75016 ℰ 01 46 47 84 89, Fax 01 46 47 75 45, ╦
⓪ GB JCB
fermé dim. – **Repas** - cuisine italienne - carte 40 à 55 ⵛ.

XX **Bellini,** 28 r. Lesueur ⊠ 75116 ℰ 01 45 00 54 20, Fax 01 45 00 11 74 – ≣. AE GB
fermé août, sam. et dim. – **Repas** - cuisine italienne - 27,44 (déj.)et carte 45 à 50.

XX **Paul Chêne,** 123 r. Lauriston ⊠ 75116 ℰ 01 47 27 63 17, Fax 01 47 27 53 18 – ≣. ⬛
GB. ℅
fermé août, 23 déc. au 1er janv., sam. midi et dim. – **Repas** 33,54/41,16 et cart⬛
à 56.

XX ۞ **Tang,** 125 r. de la Tour ⊠ 75116 ℰ 01 45 04 35 35, Fax 01 45 04 58 19 – ≣. AE
℅
fermé 1er au 26 août, 23 déc. au 1er janv., dim. et lundi – **Repas** - cuisine chinois⬛
thaïlandaise - 39 (déj.)/65 et carte 50 à 100
Spéc. Ravioli thai au gingembre et coriandre. Croustillants de langoustines en s⬛
caramélisée. Pigeonneau laqué aux cinq parfums.

Zébra Square, 3 pl. Clément Ader ⊠ 75016 ℘ 01 44 14 91 91, Fax 01 45 20 46 41, « Décor moderne original » – ≡. ᴁ ⓞ ᏳᏴ ᒍᑕᏰ
K 5
Repas *(23)* - carte 38 à 45 ♈.

Conti, 72 r. Lauriston ⊠ 75116 ℘ 01 47 27 74 67, Fax 01 47 27 37 66 – ≡. ᴁ ⓞ ᏳᏴ
G 7
fermé 3 au 25 août, 25 déc. au 1ᵉʳ janv., sam., dim. et fériés – **Repas** - cuisine italienne - carte 50 à 65 ♈.

Vinci, 23 r. P. Valéry ⊠ 75116 ℘ 01 45 01 68 18, Fax 01 45 01 60 37 – ≡. ᏳᏴ
F 7
fermé 1ᵉʳ au 19 août, sam. et dim. – **Repas** - cuisine italienne - 29 et carte 40 à 52 ♈.

Marius, 82 bd Murat ⊠ 75016 ℘ 01 46 51 67 80, Fax 01 47 43 10 24, 佘 – ᴁ ᏳᏴ
M 2
fermé 1ᵉʳ au 19 août, sam. midi et dim. – **Repas** carte 32 à 45 ♈.

Essaouira, 135 r. Ranelagh ℘ 01 45 27 99 93, Fax 01 45 27 56 36 – ᏳᏴ
J 4
fermé 23 juil. au 31 août, mardi midi et lundi – **Repas** - cuisine nord-africaine - carte 33 à 44.

Chez Géraud, 31 r. Vital ⊠ 75016 ℘ 01 45 20 33 00, Fax 01 45 20 46 60, « Fresque en faïence de Longwy » – ᏳᏴ
H 5
fermé 26 juil. au 26 août, sam. et dim. – **Repas** 28 et carte 50 à 82.

Fontaine d'Auteuil, 35bis r. La Fontaine ⊠ 75016 ℘ 01 42 88 04 47, Fax 01 42 88 95 12 – ≡. ᴁ ⓞ ᏳᏴ
K 5
fermé 4 au 28 août, sam. midi et dim. – **Repas** *(22,85)* - 28,20 ♈.

Petite Tour, 11 r. de la Tour ⊠ 75116 ℘ 01 45 20 09 31, Fax 01 45 20 09 31 – ᴁ ⓞ ᏳᏴ ᒍᑕᏰ
H 6
fermé août et dim. – **Repas** carte 48 à 78 ♈.

Butte Chaillot, 110 bis av. Kléber ⊠ 75116 ℘ 01 47 27 88 88, Fax 01 47 04 85 70 – ≡. ᴁ ⓞ ᏳᏴ ᒍᑕᏰ
G 7
fermé 12 au 27 août et sam. midi – **Repas** 29,73 et carte 40 à 55 ♈, enf. 10,98.

Murat, 1 bd Murat ⊠ 75016 ℘ 01 46 51 33 17, Fax 01 46 51 88 54 – ≡. ᴁ ᏳᏴ
K 3
Repas carte 38 à 55 ♈.

Natachef, 9 r. Duban ⊠ 75016 ℘ 01 42 88 10 15, natachef@noos.fr, Fax 01 45 25 74 71 – ᴁ ᏳᏴ
J 5
fermé août, sam. et dim. – **Repas** *(23)* - carte environ 35.

A et M Le Bistrot, 136 bd Murat ⊠ 75016 ℘ 01 45 27 39 60, am-bistrot-16@wanadoo.fr, Fax 01 45 27 69 71, 佘 – ᴁ ⓞ ᏳᏴ ᒍᑕᏰ. ⌗
M 3
fermé 1ᵉʳ au 20 août, sam. midi et dim. – **Repas** *(22,11)* - 27,44.

Les Ormes (Molé), 8 r. Chapu ⊠ 75016 ℘ 01 46 47 83 98, Fax 01 46 47 83 98 – ≡. ᴁ ᏳᏴ
M 4
fermé 4 août au 3 sept., 5 au 14 janv., dim. et lundi – **Repas** (nombre de couverts limité, prévenir) *(21,34)* - 25,92 (déj.)/32 et carte 32 à 44
Spéc. Quenelle de volaille gratinée. Jarret de veau braisé et gnocchi de pommes de terre. Tarte aux figues et amandes.

Vin et Marée, 183 bd Murat ⊠ 75016 ℘ 01 46 47 91 39, vin.maree@wanadoo.fr, Fax 01 46 47 69 07 – ᴁ ᏳᏴ
M 3
Repas - produits de la mer - carte 29 à 43.

Les Bouchons de François Clerc, 79 av. Kléber ⊠ 75016 ℘ 01 47 27 87 58, Fax 01 47 04 60 97 – ᴁ ᏳᏴ ᒍᑕᏰ
G 7
fermé sam. midi et dim. – **Repas** 29,73 (déj.)/40,86 ♈.

Bistrot de l'Étoile Lauriston, 19 r. Lauriston ⊠ 75116 ℘ 01 40 67 11 16, Fax 01 45 00 99 87 – ≡. ᴁ ⓞ ᏳᏴ ᒍᑕᏰ. ⌗
F 7
Repas *(20,58)* - 25,15 (déj.) et carte 34 à 48 ♈.

Rosimar, 26 r. Poussin ⊠ 75016 ℘ 01 45 27 74 91, Fax 01 45 20 75 05 – ≡. ᴁ ᏳᏴ
K 3
fermé 3 août au 2 sept., 24 déc. au 1ᵉʳ janv., sam., dim. et fériés – **Repas** - cuisine espagnole - 28,20/29,73 bc et carte 34 à 47.

Victor, 101 bis r. Lauriston ⊠ 75116 ℘ 01 47 27 72 21, Fax 01 47 27 72 22, bistrot – ≡. ᴁ ᏳᏴ. ⌗
G 7
fermé 5 au 25 août, sam. midi et dim. – **Repas** *(18)* - carte 34 à 45 ♈.

Gare, 19 chaussée de la Muette ⊠ 75016 ℘ 01 42 15 15 31, Fax 01 42 15 15 23, 佘, « Décor original dans une gare de 1854 » – ᴁ ᏳᏴ. ⌗
J 5
Repas carte 29 à 47 ♈.

au Bois de Boulogne :

%%%% **Pré Catelan,** rte Suresnes ⊠ 75016 ℘ 01 44 14 41 14, Fax 01 45 24 43 25, 斧, « Pa
€€ Napoléon III », ⚏ – ▤ 🅿. 🅐🅔 ⓞ 🇬🇧 🄵🄲🄱
       fermé 27 oct. au 5 nov., 1ᵉʳ au 24 fév., dim. sauf le midi du 6 mai au 26 oct. et lundi – **R**
       55 (déj.), 87/115 et carte 75 à 120
       Spéc. Étrille en coque, gelée au caviar et crème fondante d'asperges vertes. 1
       en fins copeaux à la croque au sel (oct. à mars). Pigeonneau poché dans un bouillo
       épices.

%%%% **Grande Cascade,** allée de Longchamp (face hippodrome) ⊠ 75016 ℘ 01 45 27 3
€ grandecascade@wanadoo.fr, Fax 01 42 88 99 06, 斧, « Pavillon Napoléon III » – 🅿. 🅓
       🇬🇧 🄵🄲🄱
       fermé 18 fév. au 16 mars – **Repas** 55/130 et carte 100 à 135
       Spéc. Macaroni aux truffes noires, foie gras et céleri. Porcelet et lard paysan à la broch
       corsé aux châtaignes et sarriette. Grande assiette aux quatre chocolats.

%%%% **Terrasse du Lac,** Pavillon Royal · rte Suresnes ⊠ 75116 ℘ 01 40 67 1
       Fax 01 45 00 31 24, ≤, 斧 – 🅿. 🅐🅔 🇬🇧 🄵🄲🄱
       fermé 23 déc. au 2 janv., dim. soir et lundi de mai à oct. – **Repas** 35/58 et carte 43 à
       enf. 25.

Batignolles - Ternes
Wagram

17ᵉ arrondissement

17ᵉ : ⊠ 75017

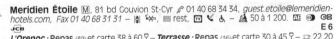

🏨🏨 **Meridien Étoile** Ⓜ, 81 bd Gouvion St-Cyr ℰ 01 40 68 34 34, *guest.etoile@lemeridien-hotels.com*, Fax 01 40 68 31 31 – 🛗 ⁴⁄₄×, 🍴 rest, 📺 💗 ♿ – 🏛 50 à 1 200. 🖭 ⓪ 🆖 🕼
E 6
L'Orenoc : Repas *(30)*-et carte 38 à 60 ♀ – **Terrasse :** Repas *(16)*-et carte 30 à 45 ♀ – ♋ 22,20 – **1 008 ch** 365/450, 17 appart.

🏨🏨 **Concorde La Fayette** Ⓜ, 3 pl. Gén. Koenig ℰ 01 40 68 50 68, *info@concorde-lafayette.com*, Fax 01 40 68 50 43, ≤ – 🛗 ⁴⁄₄× 🍴 📺 ♿ – 🏛 40 à 2 000. 🖭 ⓪ 🆖 🕼
E 6
La Fayette ℰ 01 40 68 51 19 **Repas** *(21)*-27 ♀, enf.11,50 – ♋ 20,50 – **917 ch** 285/440, 33 appart.

🏨 **Splendid Étoile** sans rest, 1 bis av. Carnot ℰ 01 45 72 72 00, *hotel@splendid.com*, Fax 01 45 72 72 01 – 🛗 📺 💗. 🖭 ⓪ 🆖
F 7
♋ 15 – **52 ch** 205/295, 5 appart.

🏨 **Regent's Garden** sans rest, 6 r. P. Demours ℰ 01 45 74 07 30, *hotel.regents.garden@wanadoo.fr*, Fax 01 40 55 01 42, 🌲 – 🛗 🍴 📺. 🖭 ⓪ 🆖 🕼. ⁕
E 7
♋ 10 – **39 ch** 124,40/230,50.

🏨 **Balmoral** sans rest, 6 r. Gén. Lanrezac ℰ 01 43 80 30 50, Fax 01 43 80 51 56 – 🛗 🍴 📺 💗. 🖭 ⓪ 🆖
E 7
♋ 9,15 – **57 ch** 110/150.

🏨 **Banville** sans rest, 166 bd Berthier ℰ 01 42 67 70 16, *hotelbanville@wanadoo.fr*, Fax 01 44 40 42 77, « Atmosphère élégante » – 🛗 🍴 📺 💗. 🖭 ⓪ 🆖 🕼
D 8
♋ 11 – **38 ch** 127/183.

🏨 **Quality Inn Pierre** Ⓜ sans rest, 25 r. Th.-de-Banville ℰ 01 47 63 76 69, *hotel@quality pierre.com*, Fax 01 43 80 63 96 – 🛗 ⁴⁄₄× 🍴 📺 💗 ♿ – 🏛 30. 🖭 ⓪ 🆖 🕼
D 8
♋ 15 – **50 ch** 260/290.

🏨 **Ampère** Ⓜ, 102 av. Villiers ℰ 01 44 29 17 17, *resa@hotelampere.com*, Fax 01 44 29 16 50, 🌲 – 🛗 🍴 📺 💗 ♿ ➡ – 🏛 40 à 100. 🖭 ⓪ 🆖
D 8
Jardin d'Ampère ℰ 01 44 29 16 54 (*fermé 5 au 26 août et dim. soir*) **Repas** *(26)*-28 ♀ – ♋ 12 – **100 ch** 165/320.

🏨 **Villa Alessandra** Ⓜ ⑤ sans rest, 9 pl. Boulnois ℘ 01 56 33 24 24, *alessandra@h paris.fr, Fax 01 56 33 24 30* – 🛗 🔲 📺 📞 🚗, 🌆 ⑩ ⏵ 🅹🅲🅱
☐ 18,29 – **49 ch** 223/380.

🏨 **Villa Eugénie** sans rest, 167 r. Rome ℘ 04 44 29 06 06, *eugenie@hotelspa Fax 01 44 29 06 07* – 🛗 🔲 📺 📞 🌆 ⑩ ⏵ 🅹🅲🅱
☐ 18 – **36 ch** 196/272.

🏨 **Champerret Élysées** sans rest, 129 av. Villiers ℘ 01 47 64 44 00, *champerret-el @cybercable.fr, Fax 01 47 63 10 58* – 🛗 ⑯ 🔲 📺 📞 🌆 ⑩ ⏵ 🅹🅲🅱 ⑯
☐ 11 – **45 ch** 107/123.

🏨 **Mercure Wagram Arc de Triomphe** Ⓜ sans rest, 3 r. Brey ℘ 01 56 68 00 01, *h @accor-hotels.com, Fax 01 56 68 00 02* – 🛗 ⑯ 🔲 📺 📞 🌆 ⑩ ⏵ 🅹🅲🅱 ⑯
☐ 13 – **43 ch** 183/200.

🏨 **Ternes Arc de Triomphe** Ⓜ sans rest, 97 av. Ternes ℘ 01 53 81 94 94, *hotel@ ternes.com, Fax 01 53 81 94 95* – 🛗 ⑯ 🔲 📺 📞 ♿ 🌆 ⑩ ⏵ 🅹🅲🅱
☐ 12 – **39 ch** 150/240.

🏨 **Magellan** ⑤ sans rest, 17 r. J.B.-Dumas ℘ 01 45 72 44 51, *hotel.magellan@wanado Fax 01 40 68 90 36*, 🌳 – 🛗 📞 🌆 ⑩ ⏵ ⑯
☐ 7,50 – **75 ch** 103/110.

🏨 **Tilsitt Étoile** sans rest, 23 r. Brey ℘ 01 43 80 39 71, *info@tilsitt.com, Fax 01 47 66 37* 🛗 🔲 📺 📞 – ⚕ 20. 🌆 ⑩ ⏵ 🅹🅲🅱 ⑯
☐ 11 – **38 ch** 105/154.

🏨 **Mercure Étoile** Ⓜ sans rest, 27 av. Ternes ℘ 01 47 66 49 18, *h0372@accor-hotels. Fax 01 47 63 77 91* – 🛗 ⑯ 🔲 📺 📞 🌆 ⑩ ⏵ 🅹🅲🅱
☐ 12,96 – **56 ch** 183/200.

🏨 **Étoile St-Ferdinand** sans rest, 36 r. St-Ferdinand ℘ 01 45 72 66 66, *ferdinand@p honotel.com, Fax 01 45 74 12 92* – 🛗 🔲 📺 📞 🌆 ⑩ ⏵ 🅹🅲🅱
☐ 12 – **42 ch** 136/206.

🏨 **Jardin de Villiers** sans rest, 18 r. C. Pouillet ℘ 01 42 67 15 60, *jardindevillier@wana fr, Fax 01 42 67 32 11* – 🛗 📺 📞 🌆 ⑩ ⏵ 🅹🅲🅱 ⑯
☐ 6,10 – **26 ch** 83,85/144,83.

🏨 **Étoile Park Hôtel** sans rest, 10 av. Mac Mahon ℘ 01 42 67 69 63, *ephot@easyn Fax 01 43 80 18 99* – 🛗 🔲 📺 📞 🌆 ⑩ ⏵ 🅹🅲🅱
☐ 9 – **28 ch** 84/136.

🏨 **Harvey** sans rest, 7 bis r. Débarcadère ℘ 01 55 37 20 00, *info@hotel-harvey. Fax 01 40 68 03 56* – 🛗 🔲 📺 📞 🌆 ⑩ ⏵
☐ 6,86 – **32 ch** 100/122.

🏠 **Étoile Péreire** ⑤ sans rest, 146 bd Péreire ℘ 01 42 67 60 00, *Fax 01 42 67 02 90* – 🛗 📺 📞 🌆 ⑩ ⏵ ⑯
☐ 10 – **22 ch** 109/134, 4 duplex.

🏠 **Star Hôtel Étoile** sans rest, 18 r. Arc de Triomphe ℘ 01 43 80 27 69, *star.etoile.hc wanadoo.fr, Fax 01 40 54 94 84* – 🛗 🔲 📺 📞 🌆 ⑩ ⏵ ⑯
☐ 10 – **62 ch** 130/165.

🏠 **Monceau Élysées** sans rest, 108 r. Courcelles ℘ 01 47 63 33 08, *monceau.elys wanadoo.fr, Fax 01 46 22 87 39* – 🛗 📺 ♿ 🌆 ⑩ ⏵
☐ 9,15 – **29 ch** 115/138.

🏠 **Astrid** sans rest, 27 av. Carnot ℘ 01 44 09 26 00, *paris@hotel-astrid. Fax 01 44 09 26 01* – 🛗 📺 📞 🌆 ⑩ ⏵ 🅹🅲🅱
☐ 8 – **41 ch** 92,50/129.

🏠 **Flaubert** sans rest, 19 r. Rennequin ℘ 01 46 22 44 35, *Fax 01 43 80 32 34* – 🛗 📺 📞 ⑩ ⏵
☐ 7,50 – **40 ch** 86/99.

🏠 **Monceau Étoile** sans rest, 64 r. de Levis ℘ 01 42 27 33 10, *hotelmonceauetoile@a fr, Fax 01 42 27 59 58* – 🛗 📺 🌆 ⑩ ⏵
☐ 6,10 – **26 ch** 91,47/99,09.

🏠 **Campanile,** 4 bd Berthier ℘ 01 46 27 10 00, *resa@campanile-berthier. Fax 01 46 27 00 57*, 🌳 – 🛗 ⑯ 🔲 📺 📞 ♿ 🚗 – ⚕ 15 à 40. 🌆 ⑩ ⏵
Repas buffet 14/18,50 ☯, enf. 5,95 – ☐ 6,50 – **246 ch** 79.

XX **Guy Savoy**, 18 r. Troyon ℰ 01 43 80 40 61, *reserv@guysavoy.com*, Fax 01 46 22 43 09 –
3 ⊛ ▤. 〽 ⓪ ⅭⒷ ⌡ⒸⒷ   E 8
fermé août, midi, dim. et lundi – **Repas** 170/200 et carte 135 à 175
Spéc. Petits médaillons de foie gras de canard au sel gris. Soupe d'artichaut à la truffe noire
et brioche feuilletée aux champignons. Côte de veau rôtie et purée de pommes de terre à
la truffe.

XX **Michel Rostang**, 20 r. Rennequin ℰ 01 47 63 40 77, *rostang@relaischateaux.fr*,
3 ⊛ Fax 01 47 63 82 75, « Cadre élégant » – ▤. 〽 ⓪ ⅭⒷ ⌡ⒸⒷ   D 8
fermé 1er au 15 août, lundi midi, sam. midi et dim. – **Repas** 59 (déj.)/150 et carte 110 à 160
Spéc. Carte des truffes noires (déc. à mars). Grosse sole de ligne "cuisson meunière".
Soufflé au fenouil et safran.

XX **Apicius** (Vigato), 122 av. Villiers ℰ 01 43 80 19 66, Fax 01 44 40 09 57 – ▤. 〽 ⓪ ⅭⒷ
3 ⊛ ⌡ⒸⒷ   D 8
fermé août, sam. et dim. – **Repas** 103,67 et carte 75 à 105
Spéc. Foie gras de canard poêlé en aigre-doux. Rouget en "sandwich" de cresson, huîtres
et échalotes au curry. Soufflé au chocolat.

XX **Faucher**, 123 av. Wagram ℰ 01 42 27 61 50, Fax 01 46 22 25 72, 斎 – ▤. 〽 ⅭⒷ   D 8
⊛ *fermé sam. et dim.* – **Repas** 46 (déj.)/92 et carte 65 à 90
Spéc. Oeuf au plat, foie gras chaud et coppa grillée. Montgolfière de Saint-Jacques (oct. à
mars). Canette rôtie et ses filets laqués.

XX **Sormani** (Fayet), 4 r. Gén. Lanrezac ℰ 01 43 80 13 91, Fax 01 40 55 07 37 – ▤. ⅭⒷ   E 7
⊛ *fermé 1er au 26 août, 20 déc. au 3 janv., sam., dim. et fériés* – **Repas** - cuisine italienne -
44 (déj.)et carte 55 à 80 ⓨ
Spéc. Tagliatelle à la truffe blanche (oct. à déc.). Veau farci à la truffe noire (déc. à mars).
Risotto paysan à la saucisse de Naples.

XX **Pétrus**, 12 pl. Mar. Juin ℰ 01 43 80 15 95, Fax 01 47 66 49 86 – ▤. 〽 ⓪ ⅭⒷ ⌡ⒸⒷ   D 8
fermé 10 au 25 août – **Repas** - produits de la mer - 38,11 (déj.)/85,37 et carte 49 à 93 ⓨ.

XX **Amphyclès**, 78 av. Ternes ℰ 01 40 68 01 01, *amphycles@aol.com*, Fax 01 40 68 91 88 –
▤. 〽 ⓪ ⅭⒷ ⌡ⒸⒷ
fermé 8 au 31 juil., 24 au 28 fév., sam. midi et dim. – **Repas** 44,97 (déj.)/103,67 et carte 70 à
120.

XX **Timgad**, 21 r. Brunel ℰ 01 45 74 23 70, Fax 01 40 68 76 46, « Décor mauresque » – ▤. 〽
⊛ ⓪ ⅭⒷ. ⅏   E 7
Repas - cuisine marocaine - carte 40 à 60
Spéc. Couscous méchoui. Pastilla. Tagine d'agneau.

XX **Petit Colombier**, 42 r. Acacias ℰ 01 43 80 28 54, Fax 01 44 40 04 29 – ▤. 〽 ⅭⒷ   E 7
fermé 1er au 27 août, sam. (sauf le soir de sept. à mars) et dim. – **Repas** 34/60 et carte 55 à
75 ⓨ.

XX **Dessirier**, 9 pl. Mar. Juin ℰ 01 42 27 82 14, *restaurantdessirier@wanadoo.fr*,
Fax 01 47 66 82 07 – ▤. 〽 ⓪ ⅭⒷ ⌡ⒸⒷ   D 8
fermé 12 au 18 août – **Repas** - produits de la mer - 35/80 bc et carte 49 à 82.

XX **Les Béatilles** (Bochaton), 11 bis r. Villebois-Mareuil ℰ 01 45 74 43 80, Fax 01 45 74 43 81
⊛ – ▤. 〽 ⅭⒷ   E 7
fermé 30 juil. au 26 août, 24 au 30 déc., sam. et dim. – **Repas** 38,20 (déj.), 44,20/65,60 et
carte 65 à 90
Spéc. Nems d'escargots et champignons des bois. Pastilla de pigeon et foie gras aux
épices. La "Saint-Cochon" (nov. à mars).

XX **Graindorge**, 15 r. Arc de Triomphe ℰ 01 47 54 00 28, Fax 01 47 54 00 28 – 〽 ⅭⒷ   E 7
⊛ *fermé sam. midi et dim.*
Repas - cuisine flamande - (23) - 27 (déj.)/32 et carte 38 à 53.

XX **L'Atelier Gourmand**, 20 r. Tocqueville ℰ 01 42 27 03 71, Fax 01 42 27 03 71 – 〽
ⅭⒷ   D 10
fermé 5 au 26 août, sam. sauf le soir du 15 sept. au 15 juin et dim. – **Repas** 25,50 (déj.)/30 et
carte 36 à 40 ⓨ.

XX **Beudant**, 97 r. des Dames ℰ 01 43 87 11 20, Fax 01 43 87 27 35 – ▤. 〽 ⓪ ⅭⒷ
⌡ⒸⒷ   D 11
fermé 6 au 26 août, sam. midi et dim. – **Repas** 26,75/48,85 et carte 37 à 46 ⓨ.

XX **Coco et sa Maison**, 18 r. Bayen ℰ 01 45 74 73 73, Fax 01 45 74 73 52 – 〽 ⓪ ⅭⒷ
⌡ⒸⒷ   E 7
fermé 1er au 20 août, 24 déc. au 2 janv., sam. midi, lundi midi et dim. – **Repas** carte 32
à 48.

XX **Truite Vagabonde**, 17 r. Batignolles ℰ 01 43 87 77 80, Fax 01 43 87 31 50, 斎 – 〽
ⅭⒷ   D 11
Repas 32 et carte 48 à 52 ⓨ.

XX **Ballon des Ternes,** 103 av. Ternes ℰ 01 45 74 17 98, *leballondesternes@wanado*
Fax 01 45 72 18 84, brasserie – ☒ ☒ ☒
fermé 28 juil. au 20 août – Repas carte 33 à 47 ℤ.

XX **Paolo Petrini,** 6 r. Débarcadère ℰ 01 45 74 25 95, *paolo.petrini@wanado*
Fax 01 45 74 12 95 – ☒, ☒ ☒ ☒ ☒
fermé 1er au 21 août, sam. midi et dim. – Repas - cuisine italienne - 20 (déj.)/29 et carte
44.

XX **Tante Jeanne,** 116 bd Péreire ℰ 01 43 80 88 68, *tantejeanne@bernard.loiseau.*
Fax 01 47 66 53 02 – ☒, ☒ ☒ ☒
fermé août, sam. et dim. – Repas 30 (déj.)/37 et carte 40 à 63 ℤ.

XX **Taïra,** 10 r. Acacias ℰ 01 47 66 74 14, *tairacuisinedelamer@hotmail.*
Fax 01 47 66 74 14 – ☒ ☒ ☒. ☒
fermé 15 au 31 août, sam. midi et dim. – Repas - produits de la mer - 32/61 et carte
67 ℤ.

XX **Chez Georges,** 273 bd Péreire ℰ 01 45 74 31 00, *Fax 01 45 74 02 56*, bistrot – ☒
☒
Repas carte 37 à 54 ℤ, enf. 20.

XX **Chez Léon,** 32 r. Legendre ℰ 01 42 27 06 82, *Fax 01 46 22 63 67*, bistrot – ☒ ☒
☒
fermé 30 juil. au 19 août, vacances de Noël, sam. et dim. – Repas (nombre de cou
limité, prévenir) 30 bc et carte 38 à 60.

X **Rôtisserie d'Armaillé,** 6 r. Armaillé ℰ 01 42 27 19 20, *Fax 01 40 55 00 93* – ☒. ☒
☒ ☒
fermé 6 au 19 août, sam. midi et dim. – Repas (28) - 38.

X **Soupière,** 154 av. Wagram ℰ 01 42 27 00 73, *Fax 01 46 22 27 09* – ☒. ☒ ☒
☒
fermé 5 au 25 août, sam. midi et dim.
Repas 24 (déj.), 27/48 et carte 33 à 60.

X **Table des Oliviers,** 38 r. Laugier ℰ 01 47 63 85 51, *Fax 01 47 63 85 81* – ☒,
☒ D
fermé 12 au 26 août, sam. midi et dim. – Repas (nombre de couverts limité, prévenir) (
- 25,15 (dîner).

X **A et M le Bistrot,** 105 r. Prony ℰ 01 44 40 05 88, *AM.Bistrot.17eme@wanado*
Fax 01 44 40 05 89, ☒ – ☒. ☒ ☒ ☒. ☒
fermé août, sam. midi et dim. – Repas (22,10) - 27,44.

X **Troyon,** 4 r. Troyon ℰ 01 40 68 99 40, *Fax 01 40 68 99 57* – ☒ ☒. ☒
fermé 1er au 20 août, 23 déc. au 4 janv., sam. et dim. – Repas (prévenir) 30,18.

X **Les Dolomites,** 38 r. Poncelet ℰ 01 47 66 38 54, *Fax 01 42 27 39 57* – ☒ ☒ ☒
fermé 12 au 18 août et dim. – Repas 21/30 ℤ.

X **Café d'Angel,** 16 r. Brey ℰ 01 47 54 03 33, *Fax 01 47 54 03 33* – ☒
fermé août, Noël au Jour de l'An, sam. et dim. – Repas (16,77) - 19,06/30,49 et carte
35 ℤ.

X **L'Impatient,** 14 passage Geffroy Didelot ℰ 01 43 87 28 10, *Fax 01 43 87 28 1*
☒ D 1
fermé sam. midi, dim. et lundi – Repas 17 (déj.), 21,50/51 et carte 36 à 50.

X **Caves Petrissans,** 30 bis av. Niel ℰ 01 42 27 52 03, *cavespetrissans@noc*
Fax 01 40 54 87 56, ☒, bistrot – ☒ ☒
fermé 27 juil. au 25 août, 28 déc. au 5 janv., sam. et dim. – Repas 29 et carte 35 à 59.

X **Petit Gervex,** 2 r. Gervex ℰ 01 43 80 53 63, ☒ – ☒ ☒ ☒
fermé 26 juil. au 22 août, dim. soir et sam. – Repas (18) - 23 et carte 29 à 46 ℤ.

X **Le Clou,** 132 r. Cardinet ℰ 01 42 27 36 78, *le.clou@wanadoo.fr, Fax 01 42 27 89 96*, bis
– ☒ ☒ ☒
fermé 6 au 19 août, sam. midi et dim. – Repas 18 (déj. seul.)et carte 29 à 41.

X **Huîtrier et Presqu'île,** 16 r. Saussier-Leroy ℰ 01 40 54 83 44, *Fax 01 40 54 83 86* –
☒ ☒
fermé août, dim. de mai à août et lundi – Repas - produits de la mer - carte 41 à 63.

X **L'Ampère,** 1 r. Ampère ℰ 01 47 63 72 05, *Fax 01 47 63 37 33*, bistrot – ☒. ☒ ☒
fermé sam. et dim. – Repas (15) - 32/43 bc et carte 28 à 41.

X **Bellagio,** 101 av. Ternes ℰ 01 40 55 55 20, *Fax 01 45 74 96 16* – ☒. ☒ ☒
Repas (18,35) -carte 40 à 45 ℤ.

X **Bistrot de Théo,** 90 r. Dames ℰ 01 43 87 08 08, *Fax 01 43 87 06 15* – ☒ ☒. ☒
fermé 12 au 26 août et dim. – Repas (13) - 22,50/27 bc et carte 28 à 44 ℤ.

X **Nagoya,** 16 r. Brey ℰ 01 45 72 61 68, *Fax 01 48 98 38 72* – ☒
fermé 15 au 31 août et dim. – Repas - cuisine japonaise - (7,50) - 12/29 ℤ.

Montmartre
La Villette - Belleville

18ᵉ, 19ᵉ et 20ᵉ arrondissements

18ᵉ : ⊠ 75018 - 19ᵉ : ⊠ 75019 - 20ᵉ : ⊠ 75020

Terrass'Hôtel M, 12 r. J. de Maistre (18ᵉ) ℰ 01 46 06 72 85, *reservation@terrass-hotel.com*, Fax 01 42 52 29 11, 佘, « Terrasse panoramique sur le toit » – 劇 ※ ≡ 匝 ℃ – 鉖 25 à 100. 歴 ① ⌷ ⌷ⅽⅇ
Terrasse : Repas (21)-28 ⅃ – ⌷ 12 – **78 ch** 188/302, 13 appart. C 13

Holiday Inn M, 216 av. J. Jaurès (19ᵉ) ℰ 01 44 84 18 18, *hilavillette@alliance-hospitality.com*, Fax 01 44 84 18 20, 佘, ﬔ – 劇 ※ ≡ 匝 ℃ ﬖ ⬜ – 鉖 15 à 140. 歴 ① ⌷ ⌷ⅽⅇ 除 rest C 21
Repas (15) - 30 ⌾, enf. 6,90 – ⌷ 15 – **174 ch** 220/240, 8 appart.

Mercure Montmartre sans rest, 3 r. Caulaincourt (18ᵉ) ℰ 01 44 69 70 70, *h0373@accor-hotels.com*, Fax 01 44 69 70 71 – 劇 ※ ≡ 匝 ℃ ﬖ – 鉖 20 à 70. 歴 ① ⌷ ⌷ⅽⅇ D 12
⌷ 12,96 – **305 ch** 161/171.

Holiday Inn Garden Court M sans rest, 23 r. Damrémont (18ᵉ) ℰ 01 44 92 33 40, *hiparmm@aol.com*, Fax 01 44 92 09 30 – 劇 ※ ≡ 匝 ℃ ﬖ – 鉖 20. 歴 ① ⌷ ⌷ⅽⅇ C 13
⌷ 13 – **54 ch** 145/221.

Parc des Buttes Chaumont sans rest, 1 pl. Armand Carrel (19ᵉ) ℰ 01 42 08 08 37, *HPBC@wanadoo.fr*, Fax 01 42 45 66 91 – 劇 ≡ 匝 ℃. 歴 ① ⌷ D 19
⌷ 8 – **45 ch** 84/124.

Kyriad M, 147 av. Flandre (19ᵉ) ℰ 01 44 72 46 46, *kyriad-paris-villette@wanadoo.fr*, Fax 01 44 72 46 47 – 劇 ※, ≡ rest, 匝 ℃ ﬖ ⬅ – 鉖 70. 歴 ① ⌷ ⌷ⅽⅇ B 19
Repas grill 11,50 ⌾, enf. 5,50 – ⌷ 6 – **207 ch** 65/90.

🏠 **Roma Sacré Coeur** sans rest, 101 r. Caulaincourt (18ᵉ) ℰ 01 42 62 02 *Fax 01 42 54 34 92* – |‡| 📺, 🖭 ⓪ ⊞ 🗫 – ☲ 6 – **57 ch** 75/86.

🏠 **Palma** sans rest, 77 av. Gambetta (20ᵉ) ℰ 01 46 36 13 65, *hotel.palma@wanad* *Fax 01 46 36 03 27* – |‡| 📺, 🖭 ⓪ ⊞ 🗫 – ☲ 5,65 – **32 ch** 58/73.

🏠 **Crimée** sans rest, 188 r. Crimée (19ᵉ) ℰ 01 40 36 75 29, *hotel.crimee@fr* *Fax 01 40 36 29 57* – |‡| 📺 📞, 🖭 ⊞ 🗫 – ☲ 5,50 – **31 ch** 50/56,50.

🏠 **Laumière** sans rest, 4 r. Petit (19ᵉ) ℰ 01 42 06 10 77, *le-laumiere@wanad* *Fax 01 42 06 72 50* – |‡| 📺, ⊞ – ☲ 6,40 – **54 ch** 46/63.

🏠 **Abricôtel** sans rest, 15 r. Lally Tollendal (19ᵉ) ℰ 01 42 08 34 49, *abricotel@wanad* *Fax 01 42 40 83 95* – |‡| 📺 📞 ♿. 🖭 ⓪ ⊞. ✇ – ☲ 5,50 – **39 ch** 59/65.

🏠 **Damrémont** sans rest, 110 r. Damrémont (18ᵉ) ℰ 01 42 64 25 75, *hotel-damrem* *easynet.fr, Fax 01 46 06 74 64* – |‡| ⁴⁺ 📺 📞, 🖭 ⓪ ⊞ 🗫, ✇ ☲ 6,10 – **35 ch** 82,32.

XXX **Beauvilliers**, 52 r. Lamarck (18ᵉ) ℰ 01 42 54 54 42, *beauvilliers@club-interr* *Fax 01 42 62 70 30*, 🍴, « Décor original, terrasse » – 🗄, 🖭 ⊞ 🗫 *fermé lundi midi et dim. sauf en été* – **Repas** 30 (déj.)/61 bc et carte 70 à 95.

XXX **Pavillon Puebla**, Parc Buttes-Chaumont, entrée : av Bolivar, r. Botzaris ℰ 01 42 08 92 62, *Fax 01 42 39 83 16*, 🍴, « Agréable situation dans le parc » – 🗗 ⊞ *fermé dim. et lundi* – **Repas** 29/40 et carte 56 à 85.

XX **Cottage Marcadet**, 151 bis r. Marcadet (18ᵉ) ℰ 01 42 57 71 22 – 🗄. ⊞. ✇ *fermé avril, 27 juil. au 27 août et dim.* – **Repas** 26,50 (déj.)/36,50 bc et carte 40 à 66.

XX **Les Allobroges**, 71 r. Grands-Champs (20ᵉ) ℰ 01 43 73 40 00 – 🖭 ⊞ *fermé au 28 août, dim. et lundi* – **Repas** 15,24/28,97.

XX **Relais des Buttes**, 86 r. Compans (19ᵉ) ℰ 01 42 08 24 70, *Fax 01 42 03 20 44*, ⊞ *fermé août, sam. midi et dim.* – **Repas** 29 et carte 38 à 57 ☲.

XX **Wepler**, 14 pl. Clichy (18ᵉ) ℰ 01 45 22 53 24, *wepler@club-internet.fr, Fax 01 44 70 0* brasserie – 🖭 ⓪ ⊞ 🗫 – **Repas** (17) - 24,10 et carte 30 à 49 ☲.

XX **Chaumière**, 46 av. Secrétan (19ᵉ) ℰ 01 42 06 54 69, *Fax 01 42 06 28 12* – 🗄. 🖭 ⊞ *fermé 5 au 21 août, sam. midi, dim. soir et lundi* – **Repas** 21,80/28,97 et carte 43 à 59.

XX **Au Clair de la Lune**, 9 r. Poulbot (18ᵉ) ℰ 01 42 58 97 03, *Fax 01 42 55 64 74* – 🖭 🗫 *fermé 20 août au 15 sept., lundi midi et dim.* – **Repas** 26 et carte 30 à 47.

X **Poulbot Gourmet**, 39 r. Lamarck (18ᵉ) ℰ 01 46 06 86 00, *Fax 01 46 06 86 00* – ✇ *fermé 12 au 19 août et dim. sauf le midi d'oct. à mai* – **Repas** (17,99) - 31,25 et carte 34

X **L'Oriental**, 76 r. Martyrs (18ᵉ) ℰ 01 42 64 39 80, *Fax 01 42 64 39 80* – 🖭 ⊞, ✇ **D 1** *fermé 22 juil. au 28 août, dim. et lundi* – **Repas** - cuisine nord-africaine - 35,58 bc et car à 35.

X **Basilic**, 33 r. Lepic (18ᵉ) ℰ 01 46 06 78 43, *Fax 01 46 09 39 26* – 🖭 ⊞ *fermé août, mardi midi et lundi* – **Repas** (12,20) - 19,82 (déj.)/22,87 et carte 31 à 4 enf. 10,67.

X **Cave Gourmande**, 10 r. Gén. Brunet (19ᵉ) ℰ 01 40 40 03 30, *Fax 01 40 40 03 30* – 🗄 ⊞ – *fermé août et vacances de fév.* – **Repas** 28,97 et carte 29 à 35.

X **Bouclard**, 1 r. Cavallotti (18ᵉ) ℰ 01 45 22 60 01, *michel.bonnemort@wanad* bistrot – 🗄. 🖭 ⊞ *fermé sam. midi et dim.* – **Repas** 21 bc et carte 39 à 55.

X **Village Kabyle**, 4 r. Aimé Lavy (18ᵉ) ℰ 01 42 55 03 34, *Fax 01 45 86 08 35* – ⊞, ✇ *fermé lundi midi et dim.* – **Repas** - cuisine nord-africaine - 25,92 et carte 27 à 35.

X **Histoire de ...**, 14 r. Ferdinand Flocon (18ᵉ) ℰ 01 42 52 24 60 – ⊞ *fermé 23 au 27 avril, 30 juil. au 21 août, dim. et lundi* – **Repas** (24) - 30.

X **Perroquet Vert**, 7 r. Cavalotti (18ᵉ) ℰ 01 45 22 49 16, *perroquetvert@mo* *Fax 01 42 93 70 29* – 🖭 ⊞ 🗫 *fermé 1ᵉʳ au 19 août, sam. midi, lundi midi et dim.* – **Repas** 27/38,73.

X **Bistrot des Soupirs "Chez Raymonde"**, 49 r. Chine (20ᵉ) ℰ 01 44 62 9 *Fax 01 44 62 77 83* – ⊞ *fermé 15 au 30 août, dim. et lundi* – **Repas** (12,04) - 13,57 et carte 31 à 47, enf. 6,86.

X **Chez Vincent**, 5 r. Tunnel (19ᵉ) ℰ 01 42 02 22 45 – 🗄. 🖭 ⓪ ⊞ *fermé sam. midi et dim.* – **Repas** - cuisine italienne - (prévenir) 34,30 et carte 40 à 53 ♿

ENVIRONS
Hôtels - Restaurants

40 km environ autour de Paris

F 15 : Ces lettres et ces chiffres correspondent au carroyage des **plans Michelin Banlieue de Paris** n° 18, n° 20, n° 22, n° 24 et 25.

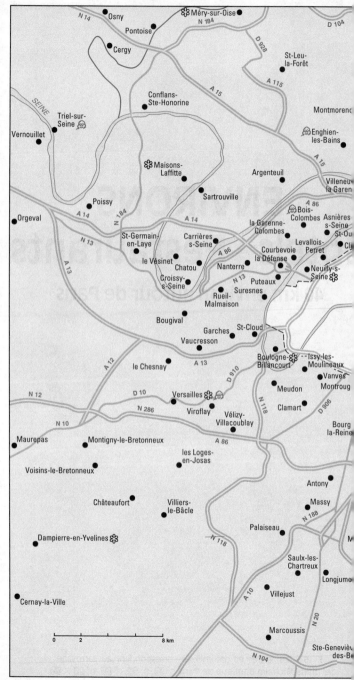

N 14
Osny
Pontoise
Cergy
Méry-sur-Oise
N 184
D 104
St-Leu-la-Forêt
A 115
D 928
A 15
Conflans-Ste-Honorine
Montmorenc
SEINE
Triel-sur-Seine
Vernouillet
Enghien-les-Bains
A 15
Maisons-Laffitte
Argenteuil
Villeneuv
la Garen
Poissy
A 14
Sartrouville
A 86
Bois-Colombes
Asnières
s-Seine
Orgeval
A 14
N 184
St-Germain-en-Laye
Carrières-s-Seine
la Garenne-Colombes
St-Ou
N 13
le Vésinet
A 86
Courbevoie
la Défense
Levallois-Perret
Cli
Chatou
Nanterre
Neuilly-s-Seine
Croissy-s-Seine
Puteaux
Rueil-Malmaison
Suresnes
Bougival
Garches
St-Cloud
Vaucresson
Boulogne-Billancourt
Issy-les-Moulineaux
le Chesnay
A 13
A 12
D 910
Vanves
Montroug
Meudon
Versailles
Clamart
Bourg
la-Reine
D 10
N 286
Viroflay
Vélizy-Villacoublay
N 118
D 906
N 12
N 10
Maurepas
Montigny-le-Bretonneux
A 86
les Loges-en-Josas
Voisins-le-Bretonneux
Antony
Châteaufort
Villiers-le-Bâcle
Massy
N 188
Palaiseau
M
Dampierre-en-Yvelines
N 118
Saulx-les-Chartreux
Longjume
A 10
Cernay-la-Ville
Villejust
N 20
Marcoussis
Ste-Geneviè
des-B
N 104

0   2   8 km

1042

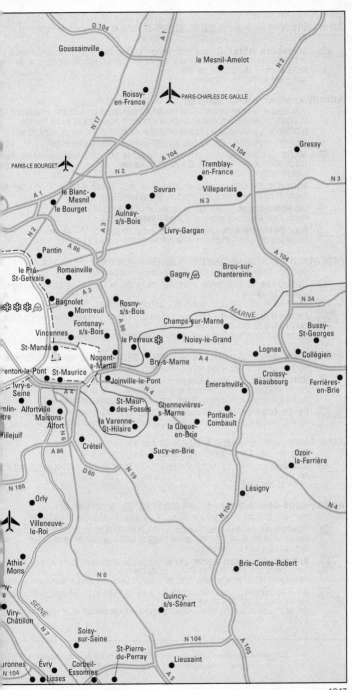

Alfortville 94140 Val-de-Marne **101** ㉗, **24** , **25** – 36 232 h alt. 32.
Paris 9 – Créteil 6 – Maisons-Alfort 2 – Melun 41.

🏛️ **Chinagora Hôtel** Ⓜ sans rest, centre Chinagora, 1 pl. Confluent France-C
℘ 01 43 53 58 88, *hotel@chinagora.fr*, Fax 01 49 77 57 17, « Jardin exotique », 🍃 – 🛗
📺 🕭 🖂 – 🏛️ 15 à 200. ① **GB**   B
☻ 9 – **183 ch** 84/165, 4 appart.

Antony 92160 Hauts-de-Seine **101** ㉕, **22** , **25** – 59 855 h alt. 80.
Voir *Sceaux : parc★★ et musée de l'Île-de-France★* N : 4 km – *Châtenay-Malabry : é
St-Germain-l'Auxerrois★, Maison de Chateaubriand★* NO : 4 km, G. Île de France.
🏢 *Office du tourisme Place Auguste Mounié* ℘ 01 42 37 57 77, Fax 01 46 66 30 80.
Paris 13 – Bagneux 6 – Corbeil-Essonnes 26 – Nanterre 23 – Versailles 16.

🏨 **Alixia** Ⓜ sans rest, 1 r. Providence ℘ 01 46 74 92 92, *hotel.alixia@wanado*
Fax 01 46 74 50 55 – 🛗 📺 🕻 🕭 ᴘ – 🏛️ 20. 🄰🄴 ① **GB**   B
☻ 8,50 – **40 ch** 82/90.

✗✗ **Boucalot**, 157 av. Division Leclerc ℘ 01 46 66 19 32, Fax 01 46 66 79 74, 🍴 – **GB** B
fermé 1er au 15 août, dim. soir et lundi – **Repas** (23) · 29 ♈.

✗ **Les Philosophes**, 53 av. Division Leclerc ℘ 01 42 37 23 22 – 🍴. **GB**   B
fermé août, sam. midi, dim. soir et lundi – **Repas** (15) · 21 ♣.

✗ **Tour de Marrakech**, 72 av. Division Leclerc ℘ 01 46 66 00 54 – 🍴. **GB**. 🎉   B
fermé août et lundi – **Repas** · cuisine nord-africaine · carte 29 à 40, enf. 10,50.

Argenteuil 🔄 95100 Val-d'Oise **101** ⑭, **18** , **25** G. Île de France– 93 961 h alt. 33.
Paris 20 – Chantilly 41 – Pontoise 20 – St-Germain-en-Laye 18.

🏢 **Campanile**, 1 r. Ary Scheffer ℘ 01 39 61 34 34, Fax 01 39 61 44 20, 🍴 – 🛗 ᎒ 📺 🕻
– 🏛️ 20. 🄰🄴 ① **GB**   A
Repas (12,50) · 15,50/18,50 ♈, enf. 5,95 – ☻ 6,50 – **100 ch** 65.

✗✗✗ **Ferme d'Argenteuil**, 2 bis r. Verte ℘ 01 39 61 00 62, *lafermedargenteuil@wanado*
Fax 01 30 76 32 31 – 🄰🄴 **GB** 🄹🄲🄱   A
fermé août, lundi soir, mardi soir et dim. – **Repas** 29 et carte 37 à 64 ♈.

Asnières-sur-Seine 92600 Hauts-de-Seine **101** ⑮, **18** , **25** G. Île de France– 75 837 h alt.
Paris 10 – Argenteuil 6 – Nanterre 7 – Pontoise 26 – St-Denis 8 – St-Germain-en-Laye 2

✗✗✗ **Van Gogh**, 2 quai Aulagnier ℘ 01 47 91 05 10, *accueil@levangogh.c*
Fax 01 47 93 00 93, 🍴, « Terrasse en bord de Seine » – ᴘ. 🄰🄴 ① **GB**. 🎉   A
fermé 3 au 27 août, 22 déc. au 2 janv., sam. et dim. – **Repas** carte 48 à 65 ♈.

✗✗ **Petite Auberge**, 118 r. Colombes ℘ 01 47 93 33 94, Fax 01 47 93 33 94 – **GB**   A
fermé 29 juil. au 26 août, merc. soir, dim. soir et lundi – **Repas** 25,15.

Athis-Mons 91200 Essonne **101** ㊱, **25** – 29 427 h alt. 85.
Paris 18 – Créteil 14 – Évry 12 – Fontainebleau 48.

🏢 **Rotonde** sans rest, 25 bis r. H. Pinson ℘ 01 69 38 97 78, Fax 01 69 38 48 02 – 📺 ᴘ.
🎉   B
☻ 5 – **22 ch** 49/55.

Aulnay-sous-Bois 93600 Seine-St-Denis **101** ⑱, **20** , **25** – 80 021 h alt. 46.
Paris 19 – Bobigny 9 – Lagny-sur-Marne 23 – Meaux 31 – St-Denis 17 – Senlis 39.

🏛️ **Novotel** Ⓜ, carrefour de l'Europe N 370 ℘ 01 58 03 90 90, *h0387@accor-hotels.*
Fax 01 58 03 90 99, 🍴, ⛲, 🍃 – 🛗 ᎒ 📺 🕻 🕭 ᴘ – 🏛️ 200. 🄰🄴 ① **GB** 🄹🄲🄱   A
Repas 21 ♈ – ☻ 11 – **139 ch** 95/110.

✗✗✗ **Auberge des Saints Pères**, 212 av. Nonneville ℘ 01 48 66 62 11, *info@auberge-*
saints-peres.com, Fax 01 48 66 67 44 – 🍴. 🄰🄴 **GB**   A
fermé août, 1er au 10 janv., sam. midi, dim. soir et lundi – **Repas** 30/55 et carte 51 à 66

✗✗ **A l'Escargot**, 40 rte Bondy ℘ 01 48 66 88 88, *alescargot@wanado*
Fax 01 48 68 26 91, 🍴 – 🄰🄴 ① **GB**   A
fermé 1er août au 3 sept., 1er au 9 janv., dim. et lundi – **Repas** (dîner, prévenir) 28 et cart
à 58 ♈.

Donnez-nous votre avis sur les tables que nous recommandons,
sur leurs spécialités et leurs vins de pays.

vers-sur-Oise 95430 Val-d'Oise **101** ③, **106** ⑥ G. Ile de France– 6 820 h alt. 30.

Voir Maison de Van Gogh★ – Parcours-spectacle "voyage au temps des Impressionnistes"★ au château de Léry.

🖪 Office du tourisme Rue de la Sansonne ℰ 01 30 36 10 06, Fax 01 34 48 08 47.

Paris 35 – Compiègne 83 – Beauvais 52 – Chantilly 35 – L'Isle-Adam 7 – Pontoise 7.

XX **Hostellerie du Nord** avec ch, r. Gén. de Gaulle ℰ 01 30 36 70 74, contact@hostelleriedu
nord.fr, Fax 01 30 36 72 75, 🏠 – ☰ ch, 🆁 🥂 🅿 – 🔬 25. 🎦 ⑩ 🎦 🎦
hôtel : fermé dim. – **Repas** (fermé 12 août au 2 sept., 23 fév. au 3 mars, sam. midi, dim. soir
et lundi) 40 (déj.), 45/58 ♀ – ⚌ 11 – **8 ch** 92/183.

X **Auberge Ravoux,** face Mairie ℰ 01 30 36 60 60, aubergeravoux@maison-de-van-gogh.
com, Fax 01 30 36 60 61, « Ancien café d'artistes dit "Maison de Van Gogh" » – 🎦 ⑩ 🎦
🎦
fermé 10 nov. au 10 mars, dim. soir et lundi – **Repas** (nombre de couverts limité, prévenir)
(24) - 30.

gnolet 93170 Seine-St-Denis **101** ⑰, **20** , **25** – 32 511 h alt. 96.

Paris 8 – Bobigny 7 – Lagny-sur-Marne 32 – Meaux 38.

🏨 **Novotel Porte de Bagnolet** M, av. République, échangeur porte de Bagnolet
ℰ 01 49 93 63 00, h0380-sb@accor-hotels.com, Fax 01 43 60 83 95, 🔬, – 🕃 🥂 ☰ 🆁 🥂 ㅊ
🖚 – 🔬 500. 🎦 ⑩ 🎦   AZ 56
Repas (16,77) - 20,43/23,17 ♀, enf. 7,62 – ⚌ 12,20 – **611 ch** 155/167, 3 appart.

🏨 **Campanile,** 30 av. Gén. de Gaulle, échangeur Porte de Bagnolet ℰ 01 48 97 36 00,
Fax 01 48 97 95 60 – 🕃 🥂 ☰ 🆁 🥂 ㅊ 🅿 – 🔬 15 à 200. 🎦 ⑩ 🎦   AZ 56
Repas 15,09/18,14 ♀, enf. 5,95 – ⚌ 6,50 – **274 ch** 73.

Blanc-Mesnil 93150 Seine-St-Denis **101** ⑰, **20** , **25** – 46 936 h alt. 48.

Paris 19 – Bobigny 6 – Lagny-sur-Marne 29 – St-Denis 11 – Senlis 38.

🏨 **Bleu Marine** M, 219 av. Descartes ℰ 01 48 65 52 18, bleumarineblancmesnil@wanadoo.
fr, Fax 01 45 91 07 75, 🏠 – 🕃 🥂 ☰ 🆁 ㅊ 🖚 🅿 – 🔬 45. 🎦 ⑩ 🎦   AN 60
Repas (19,50) - 25,50 ♀, enf. 7,50 – ⚌ 10 – **118 ch** 110.

aussi Le Bourget

s-Colombes 92270 Hauts-de-Seine **101** ⑮, **18** , **25** – 23 885 h alt. 37.

Paris 13 – Nanterre 6 – Pontoise 25 – St-Denis 11 – St-Germain-en-Laye 18.

XX **Bouquet Garni,** 7 r. Ch. Chefson ℰ 01 47 80 55 51, Fax 01 47 60 15 55 – 🎦   AT 44
fermé août, sam. et dim. – **Repas** 28/32 et carte 26 à 44 ♀.

X **Chefson,** 17 r. Ch. Chefson ℰ 01 42 42 12 05, Fax 01 47 80 51 68, bistrot – 🎦   AT 44
fermé août, vacances de fév., sam. et dim. – **Repas** (nombre de couverts limité, prévenir)
11,43 (déj.), 19,06/25,92 et carte 27 à 40 ♀, enf. 8,50.

ugival 78380 Yvelines **101** ⑬, **18** , **25** G. Ile de France– 8 432 h alt. 40.

🖪 Syndicat d'initiative 7 rue du Général Leclerc ℰ 01 39 69 21 23.

Paris 20 – Rueil-Malmaison 5 – St-Germain-en-Laye 6 – Versailles 8 – Le Vésinet 5.

XX **Camélia,** 7 quai G. Clemenceau ℰ 01 39 18 36 06, Fax 01 39 18 00 25 – ☰. 🎦 ⑩
🎦   AZ 31
fermé août, dim. soir et lundi – **Repas** 33 et carte 59 à 73.

ulogne-Billancourt ⟨SP⟩ 92100 Hauts-de-Seine **101** ㉔, **22** , **25** G. Île de France –
106 367 h alt. 35.

Voir Musée départemental Albert-Kahn★ : jardins★ – Musée Paul Landowski★ .

Paris 10 – Nanterre 9 – Versailles 11.

🏨 **Golden Tulip** M, 37 pl. René Clair ℰ 01 49 10 49 10, info@goldentulip-parispscld.com,
Fax 01 46 08 27 09, 🏠 – 🕃 🥂 ☰ 🆁 🥂 ㅊ 🅿 – 🔬 150. 🎦 ⑩ 🎦 🎦   BC 42
L'Entracte ℰ 01 49 10 49 50 (fermé vend. soir, sam., dim. et fériés) **Repas**
(19,85)- 27,45(déj.) et carte 30 à 53 ♀ – ⚌ 14,48 – **176 ch** 242,50/276,90, 4 appart.

🏨 **Acanthe** M sans rest, 9 rd-pt Rhin et Danube ℰ 01 46 99 10 40, hotel-acanthe@akamail.
com, Fax 01 46 99 00 05 – 🕃 🥂 ☰ 🆁 🥂 🖚 – 🔬 15 à 30. 🎦 ⑩ 🎦 🎦   BB 39
⚌ 12 – **69 ch** 137/214.

🏨 **Tryp** M, 20 r. Abondances ℰ 01 48 25 80 80, hotel.meliaconfort.paris.boulogne@wana
doo.fr, Fax 01 48 25 33 13, 🏠 – 🕃 🥂, ☰ rest, 🆁 ㅊ 🖚 – 🔬 20 à 80. 🎦 ⑩ 🎦
🎦   BB 40
Repas (fermé 5 au 25 août, sam. et dim.) (19,10) - 25,15 ♀ – ⚌ 13 – **75 ch** 151/168.

🏨 **Sélect Hôtel** sans rest, 66 av. Gén.-Leclerc ℰ 01 46 04 70 47, select-hotel@wanadoo.fr,
Fax 01 46 04 07 77 – 🕃 ☰ 🆁 🥂 🅿. 🎦 ⑩ 🎦 🎦   BC 40
⚌ 8 – **62 ch** 85/105.

Paris sans rest, 104 bis r. Paris ℘ 01 46 05 13 82, *contact@hotel-paris-boulogne*
Fax 01 48 25 10 43 – 📶 🗔 📺 📞, 🖭 ⓞ ᴳᴮ   BB
☲ 6,40 – **31 ch** 55/66,40.

Bijou Hôtel sans rest, 15 r. V. Griffuelhes, pl. Marché ℘ 01 46 21 24 98, *Fax 01 46 21*
– 📶 📺 🖭 ⓞ ᴳᴮ ᴶᶜᴮ   E
☲ 5,50 – **50 ch** 55/60.

Olympic Hôtel sans rest, 69 av. V. Hugo ℘ 01 46 05 20 69, Fax 01 46 04 04 07 – 📶 🗔
ᴳᴮ   E
fermé 3 au 18 août – ☲ 6 – **36 ch** 55/70.

XXX **Au Comte de Gascogne** (Charvet), 89 av. J.-B. Clément ℘ 01 46 03 4
🕸   Fax 01 46 04 55 70, « Jardin d'hiver » – 🗏. 🖭 ⓞ ᴳᴮ
       fermé 11 au 21 août, lundi soir, sam. midi et dim. – **Repas** 45 (déj.)/80 et carte 80 à 11
       Spéc. Les foies gras de canard. Ragoût de homard et sa pince rôtie. Pigeon farci et c
       aux lentilles du Puy (nov. à mars)..

XX   **Ferme de Boulogne**, 1 r. Billancourt ℘ 01 46 03 61 69, Fax 01 46 04 55 70
     ᴳᴮ   E
     fermé 4 au 27 août, sam. midi, lundi soir et dim. – **Repas** 29 (dîner seul.)et carte 34 à 4

X   **Grange**, 34 quai Le Gallo ℘ 01 46 05 22 38, Fax 01 48 25 19 66 – 🗏. 🖭 ᴳᴮ   B
     fermé 5 au 30 août, sam. et dim. – **Repas** (23) - 26 ♈.

X   **Petit Bofinger**, 61 ter av. J.-B. Clément ℘ 01 46 03 01 63, Fax 01 46 03 31 12, 🈂
     ᴳᴮ   B
     Repas 18 (déj.)/27 et carte 23 à 28 ♈.

Le Bourget 93350 Seine-St-Denis 𝟙𝟘𝟙 ⑰, ⑳ , ㉕ G. Île de France – 12 110 h alt. 47.

Voir *Musée de l'Air et de l'Espace*★★.
Paris 13 – Bobigny 5 – Chantilly 38 – Meaux 41 – St-Denis 7 – Senlis 37.

🏨🏨 **Novotel** 🅜, 2 r. Perrin, ZA pont Yblon au Blanc-Mesnil ⊠ 93150 ℘ 01 48 67 48 88, *h*
      @accor-hotels.com, Fax 01 45 91 08 27, 🈂, 🏊 – 📶 🗓 🗔 📺 📞 🕭 🅿 – 🔬 200. 🖭 ⓞ
      ᴶᶜᴮ   A
      Repas carte environ 25 ♈ – ☲ 11 – **143 ch** 105/112.

🏨🏨 **Bleu Marine** 🅜, aéroport du Bourget - Zone aviation d'affaires ℘ 01 49 34 1
      Fax 01 49 34 10 35 – 📶 🕭 🗔 📺 📞 🅿 – 🔬 15 à 60. 🖭 ⓞ ᴳᴮ   A
      Repas (16,01) - 25,15 ♈ – ☲ 9,91 – **86 ch** 122.

Bourg-la-Reine 92340 Hauts-de-Seine 𝟙𝟘𝟙 ㉕, ㉒ , ㉖ – 18 251 h alt. 56.

Voir *L'Hay-les-Roses : roseraie*★★ E : 1,5 km, G. Île de France.
🅘 *Office du tourisme* 1 boulevard Carnot ℘ 01 46 61 36 41, Fax 01 46 61 61 08.
Paris 10 – Boulogne-Billancourt 18 – Évry 23 – Versailles 18.

🏨🏨 **Alixia** 🅜 sans rest, 82 av. Gén. Leclerc ℘ 01 46 60 56 56, *alixia-bourglareine@wanadc*
      Fax 01 46 60 57 34 – 📶 cuisinette 🕭 📺 📞 ⇋ – 🔬 15. 🖭 ⓞ ᴳᴮ   B
      ☲ 8 – **41 ch** 81/88.

Brie-Comte-Robert 77170 S.-et-M. 𝟙𝟘𝟙 ㊴ G. Île de France – 13 397 h alt. 90.

Voir *Verrière*★ du chevet de l'église.
🅘 *Syndicat d'initiative* Place Jeanne d'Evreux ℘ 01 64 05 30 09, Fax 01 64 05 68 18.
Paris 31 – Brunoy 10 – Évry 22 – Melun 19 – Provins 56.

🏨🏨 **A la Grâce de Dieu** 🅜, 79 r. Gén. Leclerc (N 19) ℘ 01 64 05 00 76, *gracedie@alcyria.c*
      Fax 01 64 05 60 57 – 📺 🅿. ⓞ ᴳᴮ
      fermé 5 au 20 août – **Repas** (fermé dim. soir) (16,62) - 18,14/33,54 et carte 32 à 47 ♈ – ☲
      – **17 ch** 33,54/41,16.

Brou-sur-Chantereine 77177 S.-et-M. 𝟙𝟘𝟙 ⑲, ㉖ – 4 280 h alt. 120.

Paris 28 – Coulommiers 45 – Meaux 26 – Melun 49.

XX   **Lotus de Brou**, 2 ter r. Carnot ℘ 01 64 21 01 44 – ᴳᴮ, 🈺   A
     fermé 15 juil. au 15 août et lundi – **Repas** - cuisine chinoise et thaï - carte 34 à 50.

Participez à notre effort permanent
de mise à jour

Adressez-nous vos remarques
et vos suggestions.

Cartes et Guides Michelin

46 avenue de Breteuil - 75324 Paris Cedex 07

y-sur-Marne 94360 Val-de-Marne 🔟🔟 ⑱, 🔀 – 15 000 h alt. 40.

🅱 Office du tourisme 2 Grande Rue ℰ 01 48 82 30 30, Fax 01 45 16 90 02.
Paris 16 – Créteil 12 – Joinville-le-Pont 5 – Nogent-sur-Marne 3 – Vincennes 9.

XX **Auberge du Pont de Bry**, 3 av. Gén. Leclerc ℰ 01 48 82 27 70 – 🆎 🖵 BC 65
fermé août, 2 au 15 janv., merc. soir, dim. soir et lundi – **Repas** 27 et carte 31 à 51.

rrières-sur-Seine 78420 Yvelines 🔟🔟 ⑭, 🔞, 🔀 – 12 050 h alt. 52.
Paris 19 – Argenteuil 8 – Nanterre 7 – Pontoise 29 – St-Germain-en-Laye 7.

XX **Panoramic de Chine**, 1 r. Fermettes ℰ 01 39 57 64 58, Fax 01 39 15 17 68, 🌤 – 🅿. 🆎
🔟 🖵 AT 36
fermé 16 au 31 août – **Repas** · cuisine chinoise et thaï - 14 (déj.)/18 et carte 28 à 37 🍷.

rgy-Pontoise Ville Nouvelle 🅿 95 Val-d'Oise 🔠🔠 ⑳, 🔟🔟🔟 ⑤, 🔟🔟 ② G. Ile de France.
Paris 36 ② – Mantes-la-Jolie 41 ④ – Pontoise 3 – Rambouillet 60 ④ – Versailles 32 ③.

'gy – 54 781 h. alt. 30 – ⌧ 95000 :

🏨 **Mercure** 🅼 sans rest, 3 r. Chênes Émeraude par bd Oise ℰ 01 34 24 94 94, H3452@accor-
hotels.com, Fax 01 34 24 95 15 – 🛗 ⁂ 🗏 🔟 📞 🕹 🚗 – 🔬 40. 🆎 🔟 🖵 🥢 Y a
⌤ 11 – **55 ch** 96/137.

🏨 **Novotel** 🅼, 3 av. Parc, près préfecture ℰ 01 30 30 39 47, h0381@accor-hotels.com,
Fax 01 30 30 90 46, 🌤, 🏊, 🎾 – 🛗 ⁂ 🔟 📞 🕹 🅿 – 🔬 100. 🆎 🔟 🖵 Z g
Repas 25,15 et carte 25 à 32 – ⌤ 10,67 – **191 ch** 110/120.

XX **Les Coupoles**, 1 r. Chênes Emeraude par bd Oise ℰ 01 30 73 13 30, Fax 01 30 73 46 90,
🌤 – 🆎 🔟 🖵 🥢 Y n
fermé 12 au 25 août, sam. et dim. – **Repas** 27,30 bc/42,70 bc et carte 40 à 66.

CERGY-PONTOISE	Delarue (Av. du Gén.-G.) . . **BX** 16	Moulin-à-Vent
	Genottes (Av. des). . . . . . . **AV** 28	(Bd du) . . . . **AV** 47
gara (Av. Redouane) . . . **BV** 4	Lavoye (R. Pierre) . . . . **BV** 40	Petit-Albi (R. du) . . . . **AV** 55
ticourt (R. Ch.) . . . . **BV** 6	Mendès-France (Mail) . . . . **AX** 44	Verdun (Av. de) . . . . **BX** 76
stellation (Av. de la) . . . **AV** 15	Mitterrand (Av. Fr.) . . . . . . **BVX** 45	Viosne (Bd de la) . . . . . . **BVX** 83

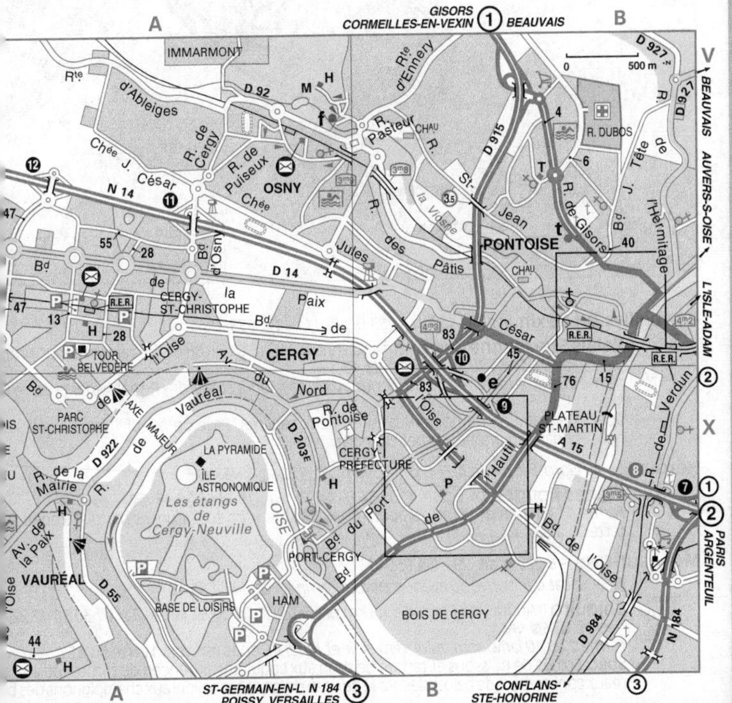

CERGY-PRÉFECTURE

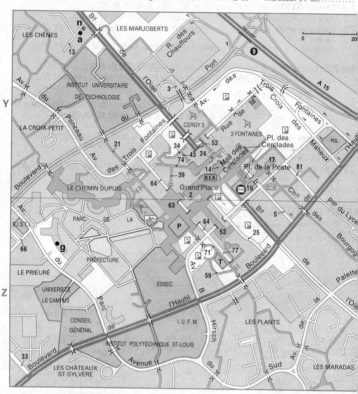

Cormeilles-en-Vexin *par* ① : *10 km* – *863 h. alt. 111* – ⊠ *95830* :

XXX ❀❀ **Relais Ste-Jeanne** (Cagna), sur ancienne D 915 ℘ 01 34 66 61 56, *saintejeanne@hot...
.com*, Fax 01 34 66 40 31, ☞ – 🅿. AE ⓪ GB
fermé 28 juil. au 28 août, 22 au 27 déc., dim. soir, lundi et mardi – **Repas** 45/85 et carte 8...
105
Spéc. Dégustation de homard bleu en deux services. Pavé de boeuf ''Waguy'' au po... noir. Fondant au praliné, sorbet chocolat.

Hérouville *au Nord-Est par D 927 : 8 km* – *598 h. alt. 120* – ⊠ *95300* :

XX **Vignes Rouges**, pl. Église ℘ 01 34 66 54 73, Fax 01 34 66 20 88, ☞ – 🖃. GB
fermé 1ᵉʳ au 10 mai, 1ᵉʳ au 28 août, 1ᵉʳ au 15 janv., dim soir, lundi et mardi – **Repas** 38...
carte 50 à 68.

Méry-sur-Oise – *8 929 h. alt. 29* – ⊠ *95540* :

🛈 *Syndicat d'initiative 30 avenue Marcel Perrin* ℘ 01 34 64 85 15.

XXX ❀ **Chiquito** (Mihura), rte Pontoise 1,5 km par D922 ℘ 01 30 36 40 23, Fax 01 30 36 42 22, ☞ – 🖃 🅿. AE ⓪ GB
fermé 2 au 10 janv., sam. midi, dim. soir et lundi – **Repas** (prévenir) carte 50 à 57
Spéc. Spirale de poissons et tartare de thon aux coquillages. Tronçon de turbot rôti aux p... reaux confits et jus de palourdes. Pavé de veau de lait et cannelloni aux champignons des b...

PONTOISE

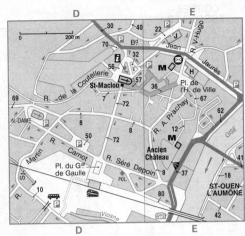

...y – 14 309 h. alt. 37 – ⊠ 95520 :

XX **Moulin de la Renardière**, r. Gd Moulin ✆ 01 30 30 21 13, Fax 01 34 25 04 98, 🏤,
« Ancien moulin dans un parc », 🔥 – 🅿. 🆎 ⑩ ☺ 🇯🇨🇧   AV f
fermé dim. soir, mardi soir et lundi – **Repas** 28,20.

...toise 🅿 – 27 494 h. alt. 48 – ⊠ 95300 :

🔳 *Office du tourisme place du Petit Martroy* ✆ 01 30 38 24 45, Fax 01 30 73 54 84,
otpontoise@freesurf.fr.

🏠 **Campanile**, r. P. de Coubertin ✆ 01 30 38 55 44, Fax 01 30 30 48 87, 🏤 – ❄ ❤ 👍 🅿 –
☺ 🍴 25. 🆎 ⑩ ☺   BVX e
Repas 13,57/16,62 🍷 – ☑ 5,95 – **81 ch** 54,90.

XX **Cheval Blanc**, 47 r. Gisors ✆ 01 30 32 25 05, Fax 01 34 24 12 34 – 🆎 ☺. ✄
fermé 1ᵉʳ au 18 août, mardi soir, sam. midi et dim. – **Repas** 24/32 et carte 41 à 61 🍷.

...nay-la-Ville 78720 Yvelines 101 ③, 106 ㉙ – 1 727 h alt. 170.
Voir *Abbaye★ des Vaux-de-Cernay O : 2 km*, G.Île de France.
Paris 47 – Chartres 52 – Longjumeau 32 – Rambouillet 12 – Versailles 25.

🏰 **Abbaye des Vaux de Cernay** ⑤, Ouest : 2,5 km par D 24 ✆ 01 34 85 23 00,
Fax 01 34 85 11 60, ≤, 🏤, « Ancienne abbaye cistercienne du 12ᵉ siècle dans un parc », 🛏,
✄ – 🛗 📺 👍 🅿 – ☺ 25 à 500. 🆎 ⑩ ☺ 🇯🇨🇧
Repas 41/65 – ☑ 12 – **59 ch** 75/90, 3 appart.

...arenton-le-Pont 94220 Val-de-Marne 101 ㉗, 24, 25 – 26 582 h alt. 45.
Paris 7 – Alfortville 3 – Ivry-sur-Seine 4.

🏰 **Novotel Atria** 🅼, 5 pl. Marseillais (r. Paris) ✆ 01 46 76 60 60, h1549@accor-hotels.com,
Fax 01 49 77 68 00, 🏤 – 🛗 ❄ 📺 👍 ⚡ 🚗 – ☺ 15 à 180. 🆎 ⑩ ☺   BD 55
Repas 20 🍷 – ☑ 11 – **133 ch** 138/146.

...âteaufort 78117 Yvelines 101 ㉒ – 1 453 h alt. 153.
Paris 28 – Arpajon 30 – Chartres 76 – Versailles 15.

XX **Belle Époque**, 10 pl. Mairie ✆ 01 39 56 95 48, Fax 01 39 56 99 93, 🏤 – 🆎 ☺
🇯🇨🇧   BP 27
fermé 13 août au 3 sept., dim. et lundi – **Repas** 29/45 et carte 44 à 58 🍷.

...atou 78400 Yvelines 101 ⑬, 18, 25 G. Île de France – 28 588 h alt. 30.
🔳 *Office du tourisme Place de la Gare* ✆ 01 30 71 30 89.
Paris 17 – Maisons-Laffitte 8 – Pontoise 31 – St-Germain-en-Laye 5 – Versailles 13.

XX **Les Canotiers**, 16 av. Mar. Foch ✆ 01 30 71 58 69, Fax 01 30 71 13 09 – ▤. 🆎 ☺
🇯🇨🇧   AW 33
fermé 1ᵉʳ au 28 août, sam. midi, dim. soir et lundi – **Repas** 22 🍷.

CORBEIL-ESSONNES

Dans ce guide

un même symbole, un même caractère,
imprimé en couleur ou en **noir**, en maigre ou en **gras**
n'ont pas tout à fait la même signification.

Lisez attentivement les pages explicatives.

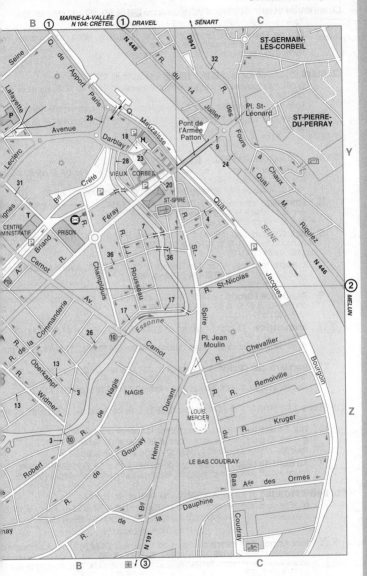

Chennevières-sur-Marne 94430 Val-de-Marne **101** ㉘, **24** , **25** – 17 837 h alt. 108.
Paris 18 – Coulommiers 50 – Créteil 9 – Lagny-sur-Marne 21.

XXX **Écu de France,** 31 r. Champigny ℘ 01 45 76 00 03, ≤, 龠, « Cadre rustique, te
fleurie en bordure de rivière », 燕 – **P**, **GB**, ⋘
fermé 2 au 9 sept., dim. soir et lundi – **Repas** carte 38 à 50.

Clamart 92140 Hauts-de-Seine **101** ㉕, **22** , **25** – 48 572 h alt. 102.
🖪 *Office de tourisme 22 rue Paul Vaillant-Couturier ℘ 01 46 42 17 95, Fax 01 46 42 4*
otsi.clamart@free.fr.
Paris 10 – Boulogne-Billancourt 7 – Issy-les-Moulineaux 4 – Nanterre 15 – Versailles 13

🏠 **Trosy** sans rest, 41 r. P. Vaillant-Couturier ℘ 01 47 36 37 37, Fax 01 47 36 88 38 – ⎵
ДЕ **GB**
☑ 7 – **40 ch** 51/56.

Clichy 92110 Hauts-de-Seine **101** ⑮, **18** , **25** – 50 179 h alt. 30.
🖪 *Office du tourisme 61 rue Martre ℘ 01 47 15 31 61, Fax 01 47 15 30 45, c*
tourisme.clichy@libertysurf.fr.
Paris 9 – Argenteuil 8 – Nanterre 8 – Pontoise 26 – St-Germain-en-Laye 20.

🏠🏠 **Sovereign** sans rest, 14 r. Dagobert ℘ 01 47 37 54 24, sovereign.clichy@wanad
Fax 01 47 30 05 80 – ⎵ ⎵ 📺 ℅ ⇦, ДЕ ⓪ **GB**
☑ 6,86 – **42 ch** 67,07/75,46.

🏠 **des Chasses** sans rest, 49 r. Pierre Bérégovoy ℘ 01 47 37 01 73, hotel-des-chas
wanadoo.fr, Fax 01 47 31 40 98 – ⎵ 📺 ℅, ДЕ ⓪ **GB**
☑ 6,50 – **35 ch** 61/75.

🏠 **Europe** sans rest, 52 bd Gén. Leclerc ℘ 01 47 37 13 10, europe-hotel@wanad
Fax 01 40 87 11 06 – ⎵ 📺 **P** – ⚿ 25. ДЕ ⓪ **GB**
☑ 7 – **43 ch** 69/77.

🏠 **Résidence Europe** sans rest, 15 r. P. Curie ℘ 01 47 37 12 13, europe-residence@
doo.fr, Fax 01 47 37 15 43 – ⎵ 📺. ДЕ ⓪ **GB**
☑ 7 – **28 ch** 77.

XXX **Romantica,** 73 bd J. Jaurès ℘ 01 47 37 29 71, Fax 01 47 37 76 32, 龠 -
GB
fermé sam. midi et dim. – **Repas** - cuisine italienne - 34,30 (déj.), 39,64/74,46 et carte
72.

XX **Barrière de Clichy,** 1 r. Paris ℘ 01 47 37 05 18, Fax 01 47 37 77 05 – ▤. ДЕ
GB
fermé 3 août au 1ᵉʳ sept., sam. et dim. – **Repas** 27,44/36,58 et carte 35 à 55 ⒴.

Conflans-Ste-Honorine 78700 Yvelines **101** ③ *G. Île de France* – 33 327 h alt. 25 *Pa*
national de la Batellerie (fin juin).
Voir ≤★ *de la terrasse du parc du château* – *Musée de la Batellerie.*
🖪 *Office du tourisme 1 rue René Albert ℘ 01 34 90 99 09, Fax 01 39 19 80 77.*
Paris 38 – Mantes-la-Jolie 40 – Poissy 10 – Pontoise 8 – Versailles 27.

X **Au Bord de l'Eau,** 15 quai Martyrs-de-la-Résistance ℘ 01 39 72 86 51 – ▤. **GB**
fermé 5 au 23 août, 23 déc. au 2 janv., le soir (sauf sam.) et lundi – **Repas** 25,80/45.

Corbeil-Essonnes 91100 Essonne **101** ㊲ – 39 378 h alt. 37.
🖪 *Office du tourisme 4 place Paul Vaillant-Couturier ℘ 01 64 96 23 97, Fax 01 60 88 05*
Paris 534 ④ – Fontainebleau 33 ④ – Créteil 28 ① – Évry 5 ④ – Melun 25 ②.
Plans pages précédentes

XXX **Aux Armes de France** avec ch, 1 bd J. Jaurès ℘ 01 64 96 24 04, auxarmesdefr
@wanadoo.fr, Fax 01 60 88 04 00 – ▤ rest, 📺 **P**. ДЕ ⓪ **GB**   AZ
fermé 5 août au 1ᵉʳ sept. – **Repas** *(fermé sam. midi et dim.)* 34/75,50 bc et carte 49 à 7
☑ 7 – **6 ch** 30/35.

au Coudray-Montceaux Sud-Est par ⑤ : 5 km – 2 800 h. alt. 81 – ⊠ 91850 :

🏠🏠🏠 **Mercure** Ⓜ ♨, rte Milly-la-Forêt sur D 948 : 1 km ℘ 01 64 99 00 00, h0977@accor-h
.com, Fax 01 64 93 95 55, 龠, « Parc avec aménagements sportifs », ⚑, ⚒, ⚐ – ⎵
▤ ch, 📺 ℅ & **P** – ⚿ 15 à 200. ДЕ ⓪ **GB** ЈСв
Repas *(fermé vend. midi, dim. midi et sam. d'oct. à fév.)* 23,30 ⒴ – ☑ 11,50 – **125 ch** 1

XX **Auberge du Barrage,** par bord de Seine, 40 ch. de Halage ℘ 01 64 93 81
Fax 01 69 90 41 32, ≤, 龠 – ДЕ ⓪ **GB** ЈСв
fermé 15 oct. au 6 nov., dim. soir et lundi – **Repas** 24,39/41,92 et carte 45 à 61 ⒴.

rbevoie *92400 Hauts-de-Seine* **101** ⑮, **18** , **25** *G. Île de France – 69 694 h alt. 28.*
Paris 10 – Asnières-sur-Seine 4 – Levallois-Perret 4 – Nanterre 5 – St-Germain-en-Laye 17.

George Sand sans rest, 18 av. Marceau ℰ 01 43 33 57 04, george-sand@wanadoo.fr,
Fax 01 47 88 59 38, « Décor évoquant l'époque de George Sand » – 🛗 📺 📞, 🕮 ⓪ 🈸
JCB, 🛇
☑ 7,62 – **31 ch** 99,09.   AV 41

Central sans rest, 99 r. Cap. Guynemer ℰ 01 47 89 25 25, Fax 01 46 67 02 21 – 🛗 📺 🅿. 🕮
⓪ 🈸   AV 41
☑ 5 – **55 ch** 52/65.

rtier Charras :

Mercure La Défense 5 🅼, 18 r. Baudin ℰ 01 49 04 75 00, h1546@accor-hotels.com,
Fax 01 47 68 83 32 – 🛗 🍴 📺 📞 ♿ ⬌ – 🏛 150. 🕮 ⓪ 🈸 JCB, 🛇   AV 41
Charleston Brasserie ℰ 01 49 04 75 85 **Repas** (19) 27/38 ♚, enf. 7,62 – ☑ 12,96 – **509 ch**
206/221, 6 appart.

arc de Bécon :

Trois Marmites, 215 bd St-Denis ℰ 01 43 33 25 35, Fax 01 43 33 25 35 – ▤. 🕮 ⓪
🈸   AV 43
fermé 12 au 18 août, sam. et dim. – Repas (déj. seul.) (26) -31.

teil 🅿 *94000 Val-de-Marne* **101** ㉗, **24** , **25** *G. Île de France – 82 154 h alt. 48.*
Voir *Hôtel de ville★ : parvis★.*
🛈 *Office de tourisme 1 r. François-Mauriac ℰ 01 48 98 58 18, Fax 01 42 07 09 65.*
Paris 14 – Bobigny 23 – Évry 31 – Lagny-sur-Marne 30 – Melun 36.

Novotel 🅼 ⑳, au lac ℰ 01 56 72 56 72, h0382@accor-hotels.com, Fax 01 56 72 56 73,
🏊, 🍴, ⬌ 🛗 ▤ 📺 📞 🅿 – 🏛 80. 🕮 ⓪ 🈸   BJ 58
Repas carte environ 25 ♚, enf. 8,38 – ☑ 11,70 – **110 ch** 104/115, 5 appart.

issy-sur-Seine *78290 Yvelines* **101** ⑬, **18** , **25** *– 9 835 h alt. 24.*
Paris 18 – Maisons-Laffitte 11 – Pontoise 33 – St-Germain-en-Laye 5 – Versailles 10.

Buissonnière, 9 av. Mar. Foch (près église) ℰ 01 39 76 73 55 – 🈸   AX 32
fermé août, dim. soir et lundi – Repas (19,80) -24,40/26,70.

mpierre-en-Yvelines *78720 Yvelines* **101** ㉛ *– 1 051 h alt. 100.*
Voir *Château de Dampierre★★, G. Île de France.*
🛈 *Office du tourisme 9 Grande Rue ℰ 01 30 52 57 30, Fax 01 30 52 52 43.*
Paris 39 – Chartres 57 – Longjumeau 33 – Rambouillet 16 – Versailles 21.

Auberge du Château "Table des Blot" avec ch, 1 Grande rue ℰ 01 30 47 56 56,
Fax 01 30 47 51 75 – 📺. 🈸, 🛇 ch
fermé 19 août au 3 sept., 23 au 30 déc., 17 fév. au 4 mars, dim. soir, lundi et mardi – Repas
30/45 et carte 45 à 60 – ☑ 8 – **12 ch** 65/105
Spéc. Tête de veau pressée au gingembre, sauce ravigote. Escalopines de rognons de veau,
pommes chatouillard. Savarin tiède au chocolat.

Écuries du Château, au château ℰ 01 30 52 52 99, Fax 01 30 52 59 90 – 🅿. 🕮 ⓪
🈸
fermé 29 juil. au 21 août, 10 au 26 fév., le soir en semaine, mardi et merc. – Repas 35/
50.

Auberge St-Pierre, 1 r. Chevreuse ℰ 01 30 52 53 53, Fax 01 30 52 58 57 – 🈸
fermé août, dim. soir, mardi soir et lundi – Repas 29.

Défense *92 Hauts-de-Seine* **101** ⑭, **18** , **25** *G. Paris – ☒ 92400 Courbevoie.*
Voir *Quartier★★ : perspective★ du parvis.*
Paris 9 – Courbevoie 2 – Nanterre 4 – Puteaux 2.

Sofitel Grande Arche 🅼, 11 av. Arche, sortie Défense 6 ℰ 01 71 00 50 00, h3013@
accor-hotels.com, Fax 01 71 00 50 78, 🛋 – 🛗 🍴 ▤ 📺 📞 ♿ ⬌ – 🏛 100. 🕮 ⓪ 🈸 JCB,
🛇   AW 40
Avant Seine ℰ 01 71 00 59 99 *(fermé sam. et dim.)* **Repas** (26)- et carte 40/48 ♚ – ☑ 21 –
368 ch 490/685, 16 appart.

Renaissance 🅼, 60 Jardin de Valmy, par bd circulaire, sortie La Défense 7 ☒ 92918
Puteaux ℰ 01 41 97 50 50, rhi.parld.sales.mgr@renaissancehotels.com, Fax 01 41 97 51 51,
🛋 – 🛗 🍴 ▤ 📺 📞 ♿ ⬌ – 🏛 160. 🕮 ⓪ 🈸 JCB
          AW 40
Repas 30 ♚ – ☑ 20,50 – **331 ch** 350/395, 20 appart.

Sofitel CNIT Ⓜ, 2 pl. Défense ✉ 92053 ✆ 01 46 92 10 10, *h1089@accor-hotels*
Fax 01 46 92 10 50 – |‡| ⇹ ▤ TV ✆ ♿ – 🏛 20 à 60. AE ◑ GB JCB AV-
Les Communautés *(fermé vend. soir, sam., dim. et fériés)* **Repas** 54,88 et carte 61 à
☕ 22,86 – **141 ch** 285/430, 6 appart.

Sofitel Centre Ⓜ, 34 cours Michelet, par bd circulaire sortie La Défense 4 ✉
Puteaux ✆ 01 47 76 44 43, *h0912@accor-hotels.com, Fax 01 47 76 72 10,* – |‡| ⇹
✆ ♿ 🚗 – 🏛 100. AE ◑ GB,
Les 2 Arcs ✆ 01 47 76 72 30 *(fermé vend. soir, sam. et dim.)* **Repas** *(46,50)*- 54 🍷 – **Bo**
✆ 01 47 76 72 40 **Repas** carte environ 39 🍷, enf. 17 – ☕ 21 – **151 ch** 430/485.

Novotel La Défense Ⓜ, 2 bd Neuilly ✆ 01 41 45 23 23, *H0747@accor-hotels*
Fax 01 41 45 23 24, ⋞ – |‡| ⇹ ▤ TV ✆ ♿ – 🏛 130. AE ◑ GB JCB A
Repas *(17)* - carte environ 27 🍷, enf. 7,62 – ☕ 12,96 – **280 ch** 230/275.

Ibis La Défense Ⓜ, 4 bd Neuilly ✆ 01 41 97 40 40, *h0771@accor-hotels.*
Fax 01 41 97 40 50, – |‡| ⇹ ▤ TV ✆ ♿ – 🏛 40. AE ◑ GB A
Repas *(12)* - carte environ 22, enf. 6 – ☕ 6 – **286 ch** 103.

Enghien-les-Bains *95880 Val-d'Oise* **101** ⑤, **18**, **25** *G. Île de France – 10 368 h alt. 45 –*
therm. (mi mars-fin oct.) – Casino.
Voir *Lac★ – Deuil-la-Barre : chapiteaux historiés★ de l'église Notre-Dame NE : 2 km.*
Office du tourisme Place du Maréchal Foch ✆ *01 34 12 41 15, Fax 01 39 34 05 76.*
Paris 17 – Argenteuil 7 – Chantilly 31 – Pontoise 22 – St-Denis 7 – St-Germain-en-Laye

Grand Hôtel, 85 r. Gén. de Gaulle ✆ 01 39 34 10 00, *grandhotelenghien@l*
barriere.com, Fax 01 39 34 10 01, ⋞, – |‡| ⇹, ▤ ch, TV ✆ P. AE ◑ GB JCB A
Repas *(fermé dim. soir)* 30/43 🍷, enf. 12 – ☕ 15 – **44 ch** 175/208, 3 appart.

Lac Ⓜ, 89 r. Gén. de Gaulle ✆ 01 39 34 11 00, *hoteldulac@lucienbarriere.*
Fax 01 39 34 11 01, ⋞, – |‡| ⇹ ▤ TV ✆ ♿ 🚗 – 🏛 120. AE ◑ GB JCB A
Repas *(fermé sam. midi)* 25 🍷 – ☕ 13 – **106 ch** 145/185, 3 appart.

Auberge d'Enghien, 32 bd d'Ormesson ✆ 01 34 12 78 36, *Fax 01 34 12 78 36* – ▤
GB A
fermé août, dim. soir et lundi – **Repas** *(21)* - 26 et carte environ 33.

Évry (Agglomération d') *91 Essonne* **101** ㊲.
Voir *5 mai-janv. Epiphanies (Exposition).*
Paris 32 – Fontainebleau 36 – Chartres 80 – Créteil 30 – Étampes 36 – Melun 23.

Évry P *G. Ile de France – 49 437 h. alt. 54 –* ✉ *91000 :*
Voir *Cathédrale de la Résurrection★.*
Office de tourisme 23 crs Bl.-Pascal ✆ *01 60 78 79 99, Fax 01 60 78 03 01, tourevry*
.com.

Mercure Ⓜ, 52 bd Coquibus (face cathédrale) ✆ 01 69 47 30 00, *h1986@accor-h*
com, Fax 01 69 47 30 10, – |‡| ⇹ ▤ TV ✆ ♿ 🚗 – 🏛 15 à 100. AE ◑ GB C
Repas *(fermé fériés le midi, sam. et dim.)* *(18)* - 22 🌡, enf. 9 – ☕ 11,50 – **114 ch** 95/100

Novotel Ⓜ, Z.I. Évry, quartier Bois Briard, 3 r. Mare Neuve ✆ 01 69 36 8
Fax 01 69 36 85 10, – |‡| ⇹ ▤ TV ✆ ♿ P – 🏛 250. AE ◑ GB C
Repas 17,53 🍷, enf. 7,62 – ☕ 11,43 – **174 ch** 95/100.

Ibis Ⓜ, Z.I. Évry, quartier Bois Briard, 1 av. Lac ✆ 01 60 77 74 75, *Fax 01 60 78 06 03,*
|‡| ⇹ TV ✆ ♿ P – 🏛 60. AE ◑ GB C
Repas *(8,69)* - 15,19/19,82 bc 🍷, enf. 5,95 – ☕ 6 – **90 ch** 62.

à Courcouronnes *– 13 954 h. alt. 80 –* ✉ *91080 Évry-Courcouronnes :*

Canal, 31 r. Pont Amar (près hôpital) ✆ 01 60 78 34 72, *Fax 01 60 79 22 70* – AE GB C
fermé août, sam. et dim. – **Repas** 13,60 (déj.)/23,70 🍷.

à Lisses *– 7 206 h. alt. 86 –* ✉ *91090 :*

Espace Léonard de Vinci Ⓜ, av. Parcs ✆ 01 64 97 66 77, *contact@leonard-de-*
com, Fax 01 64 97 59 21, , centre de balnéothérapie, – |‡|, ▤ rest,
♿ P – 🏛 15 à 100. AE ◑ GB C
Repas 25/41 🌡 – ☕ 8 – **73 ch** 90/100.

> ***In this Guide,***
> a symbol or a character,
> printed in **black** or another colour, in light or **bold** type,
> does not have the same meaning.
> Please read the explanatory pages carefully.

tenay-sous-Bois *94120 Val-de-Marne* 101 ⑰, 20, 24 *– 50 921 h alt. 70.*

Office du tourisme 4 Bis avenue Charles Garcia ✆ 01 43 94 33 48, Fax 01 43 94 02 93, otsi.fontenay@free.fr.

Paris 17 – Créteil 13 – Lagny-sur-Marne 25 – Villemomble 6 – Vincennes 4.

Mercure Ⓜ, av. Olympiades ✆ 01 49 74 88 88, *h1037@accor-hotels.com, Fax 01 49 74 88 90* – ▣ – 15 à 70. AE GB JCB. rest **BA 62**
Repas *(fermé les week-ends)* 20/33 ♀ – ☕ 11 – **133 ch** 108/116.

Musardière, 61 av. Mar. Joffre ✆ 01 48 73 96 13, *Fax 01 48 73 96 13* – ▣. AE GB **BA 62**
fermé 3 au 18 août, lundi soir, mardi soir et dim. – **Repas** *(17)* - 26.

gny *93220 Seine-St-Denis* 101 ⑱, 20 *– 36 715 h alt. 70.*

Paris 17 – Bobigny 12 – Raincy 3 – St-Denis 18.

Vilgacy, 45 av. H. Barbusse ✆ 01 43 81 23 33, *Fax 01 43 81 23 33,* – GB **AW 65**
fermé 29 juil. au 26 août, dim. soir, mardi soir et lundi – **Repas** *(18,29)* - 22,56/28,36 et carte 31 à 47.

ches *92380 Hauts-de-Seine* 101 ⑭, 22, 25 *– 18 036 h alt. 114.*

Paris 16 – Courbevoie 9 – Nanterre 8 – St-Germain-en-Laye 11 – Versailles 9.

Tardoire, 136 Grande Rue ✆ 01 47 41 41 59 – GB **BB 36**
fermé vacances de printemps, 7 au 31 août, dim. soir et lundi – **Repas** 17 (déj.), 28/31 et carte environ 35 ♀.

Garenne-Colombes *92250 Hauts-de-Seine* 101 ⑭, 18, 25 *– 24 067 h alt. 40.*

Office du tourisme 24 rue d'Estienne d'Orves ✆ 01 47 85 09 90, Fax 01 42 42 07 17.

Paris 12 – Argenteuil 6 – Asnières-sur-Seine 5 – Courbevoie 2 – Nanterre 4 – Pontoise 27.

Auberge du 14 Juillet, 9 bd République ✆ 01 42 42 21 79, *Fax 01 42 42 24 56* – AE GB **AU 42**
fermé 12 au 18 août, sam. midi, lundi soir et dim. – **Repas** *(23,63)* - 27,44/37,35.

ntilly *94250 Val-de-Marne* 101 ㉖, 24, 25 *G. Île de France – 16 118 h alt. 46.*

Voir *Commune de la "Méridienne verte".*

Paris 6 – Créteil 14.

Mercure Ⓜ, 51 av. Raspail ✆ 01 47 40 87 87, *h1651@accor-hotels.com, Fax 01 47 40 15 88,* – ▣ – 40. AE GB **BE 50**
Repas *(fermé vend. soir, sam., dim. et fériés)* *(16)* - 21/22,50 ♀, enf. 9,15 – ☕ 11,43 – **88 ch** 110/116.

ussainville *95190 Val-d'Oise* 101 ⑦ *– 27 356 h alt. 95.*

Paris 29 – Chantilly 24 – Pontoise 33 – Senlis 32.

Médian Ⓜ, 2 av. F. de Lesseps (par D 47) ✆ 01 39 88 93 93, *Fax 01 39 88 75 65,* – ▣ P – 30. AE GB JCB
Repas *(fermé sam. et dim.)* *(18)* - 22 ♀ – ☕ 8 – **49 ch** 95/105, 6 appart.

essy *77410 S.-et-M.* 101 ⑩ *– 813 h alt. 98.*

Paris 31 – Meaux 20 – Melun 57 – Senlis 35.

Manoir de Gressy Ⓜ, ✆ 01 60 26 68 00, *gressy77@aol.com, Fax 01 60 26 45 46,* – ▣ rest, P – 100. AE GB JCB
Repas 30/45 ♀ – ☕ 14,50 – **85 ch** 191/252.

y-les-Moulineaux *92130 Hauts-de-Seine* 101 ㉕, 22, 25 *G. Île de France – 52 647 h alt. 37.*

Voir *Musée de la Carte à jouer*★.

Office du tourisme Esplanade de l'Hôtel de Ville ✆ 01 40 95 65 43, Fax 01 40 95 67 33, touristoffice@ville-issy.fr.

Paris 8 – Boulogne-Billancourt 3 – Clamart 4 – Nanterre 11 – Versailles 12.

Campanile, 213 r. J.-J. Rousseau ✆ 01 47 36 42 00, *Fax 01 47 36 88 93* – ▣ rest, P – 15 à 40. AE GB. rest **BD 42**
Repas *(12,50)* - 15,25 ♀, enf. 6,10 – ☕ 6,50 – **164 ch** 69.

River Café, Pont d'Issy, 146 quai Stalingrad ✆ 01 40 93 50 20, *Fax 01 41 46 19 45,* – AE GB **P 3**
fermé sam. midi – **Repas** *(25)* - 30 ♀, enf. 15,50.

L'Ile, Parc Ile St-Germain, 170 quai Stalingrad ✆ 01 41 09 99 99, *n.senecal@restaurant-lile.com, Fax 01 41 09 99 19,* – ▣ P. AE GB JCB **BD 42**
Repas *(17)* - 33 bc/61 bc.

XXX **Manufacture,** 20 espl. Manufacture (face au 30 r. E. Renan) ℰ 01 40 93 C
Fax 01 40 93 57 22, 會 – ⬛. 죠 ᴳᴮ
B
fermé 6 au 19 août, sam. midi et dim. – **Repas** *(26)* - 30 ♈.

X **Coquibus,** 16 av. République ℰ 01 46 38 75 80, Fax 01 41 08 95 80, brasserie -
ᴳᴮ
B
fermé 2 au 27 août, sam. et dim. – **Repas** *(20,50)* - 27/43 ♈.

Ivry-sur-Seine 94200 Val-de-Marne 𝟭𝟬𝟭 ㉖, 𝟮𝟰, 𝟮𝟱 – 50 972 h alt. 60.

Paris 6 – Créteil 10 – Lagny-sur-Marne 30.

X **L'Oustalou,** 9 bd Brandebourg ℰ 01 46 72 24 71, Fax 01 46 70 36 86 – 죠 ᴳᴮ B
fermé 27 juil. au 19 août, lundi soir, mardi soir, merc. soir, sam. et dim. – **Repas**
24,25.

Joinville-le-Pont 94340 Val-de-Marne 𝟭𝟬𝟭 ㉗, 𝟮𝟰, 𝟮𝟱 – 17 117 h alt. 49.

🛈 *Syndicat d'initiative 23 rue de Paris ℰ 01 42 83 41 16, Fax 01 49 76 92 98.*
Paris 12 – Créteil 7 – Lagny-sur-Marne 23 – Maisons-Alfort 5 – Vincennes 6.

🏠 **Bleu Marine** Ⓜ, 16 av. Gén. Galliéni ℰ 01 48 83 11 99, bleu.joinville@wanadc
Fax 01 48 89 51 58, 🐾 – 🛗 ✯❤ ⬛ 📺 ❤ ⚞ ⚮ – 🕮 80. 죠 ⓞ ᴳᴮ
B
Repas *(16)* - 25,50 ♈, enf. 7,50 – 立 10 – **91 ch** 100.

🏠 **Cinépole** ⑤ sans rest, 8 av. Platanes ℰ 01 48 89 99 77, Fax 01 48 89 43 92 – 🛗 📺 ⚭
죠 ᴳᴮ
B
立 5,50 – **34 ch** 49.

Le Kremlin-Bicêtre 94270 Val-de-Marne 𝟭𝟬𝟭 ㉘, 𝟮𝟰, 𝟮𝟱 – 23 724 h alt. 60.

Paris 5 – Boulogne-Billancourt 11 – Évry 28 – Versailles 23.

🏠 **Campanile,** bd Gén. de Gaulle (pte d'Italie) ℰ 01 46 70 11 86, campa.kremlin@wanadε
ᴳᴮ , Fax 01 46 70 64 47, 會 – 🛗 ✯❤ 📺 ⚭ ⚞ – 🕮 100. 죠 ⓞ ᴳᴮ
B
Repas *13/19* ◊ – 立 6,50 – **150 ch** 70.

Lésigny 77150 S.-et-M. 𝟭𝟬𝟭 ㉙, 𝟮𝟱 – 7 647 h alt. 95.

Paris 34 – Brie-Comte-Robert 8 – Évry 30 – Melun 27 – Provins 63.

au golf *par rte secondaire, Sud : 2 km ou par Francilienne : sortie n° 19 –* ⊠ *77150 Lésigny :*

🏠 **Réveillon,** ferme des Hyverneaux ℰ 01 60 02 25 26, Fax 01 60 02 03 84, golf – 🛗 📺
– 🕮 80. 죠 ⓞ ᴳᴮ
B
Repas *22,71/28,97* ♈ – 立 8,50 – **48 ch** 65/71.

Levallois-Perret 92300 Hauts-de-Seine 𝟭𝟬𝟭 ⑮, 𝟭𝟴, 𝟮𝟱 – 54 700 h alt. 30.

Paris 9 – Argenteuil 10 – Nanterre 8 – Pontoise 28 – St-Germain-en-Laye 20.

🏛 **Evergreen Laurel** Ⓜ, 8 pl. G. Pompidou ℰ 01 47 58 88 99, elhpar@evergreen.com
Fax 01 47 58 88 88, 🐾 – 🛗 ⬛ 📺 ❤ ⚭ ⚞ – 🕮 150. 죠 ⓞ ᴳᴮ
A
🐾
Canton Palace : **Repas** 32(déj.)/39,64 ♈ – *Café Laurel :* **Repas** 28,97 ♈ – 立 20 – 33!
320/473.

🏠 **Espace Champerret** sans rest, 26 r. Louise Michel ℰ 01 47 57 20 71, Fax 01 47 57 3
– 🛗 📺 ⚭. 죠 ⓞ ᴳᴮ ᴶᶜᴮ
AW
立 6,65 – **39 ch** 64/70, 3 duplex.

🏠 **Champagne Hôtel** sans rest, 20 r. Baudin ℰ 01 47 48 96 00, Fax 01 47 58 13 29 – 🛗
죠 ᴳᴮ
A
立 6,10 – **30 ch** 51,85/68,60.

🏠 **Splendid'Hôtel** sans rest, 73 r. Louise Michel ℰ 01 47 37 47 03, splendid.hotel
fornet.com, Fax 01 47 37 50 01 – 🛗 ✯❤ ⬛ 📺. 죠 ⓞ ᴳᴮ ᴶᶜᴮ
AW
立 6,50 – **47 ch** 56/67.

🏠 **Parc** sans rest, 18 r. Baudin ℰ 01 47 58 61 60, Fax 01 47 48 07 92 – 🛗 📺. 죠 ᴳᴮ
A
立 8 – **52 ch** 76/114.

🏠 **ABC Champerret** sans rest, 63 r. Danton ℰ 01 47 57 01 55, Fax 01 47 57 54 23 – 🛗
❤. 죠 ⓞ ᴳᴮ
AW
立 6 – **39 ch** 54/63.

XXX **Petit Jardin,** 58 r. Kléber ℰ 01 47 48 10 91, Fax 01 47 48 11 28 – 죠 ᴳᴮ
AW
fermé août, vacances de fév., sam. et dim. – **Repas** *(16 bc)* - 20 bc et carte 32 à 42.

usaint 77127 S.-et-M. 101 ㊳ – 6 365 h alt. 89.
Paris 45 – Brie-Comte-Robert 11 – Évry 14 – Melun 15.

🏨 **Flamboyant** M, 98 r. Paris (près N 6) ℰ 01 60 60 05 60, Fax 01 60 60 05 32, 佘, ⌁, ℀ –
🛗 🛏 rest, 🆅 📞 ⅙ 🅿 – ⚐ 45. 🆎 ⑩ 🆚
Repas *(fermé dim. soir)* 15,24/28,97 ⅛, enf. 6,86 – ☑ 5,79 – **72 ch** 47,26/57,93.

ry-Gargan 93190 Seine-St-Denis 101 ⑱, 20 , 25 – 37 288 h alt. 60.
🚹 *Office du tourisme 5 place François Mitterrand* ℰ 01 43 30 61 60, Fax 01 43 30 48 41,
otsi-livrygargan@mangoosta.fr.
Paris 19 – Aubervilliers 14 – Aulnay-sous-Bois 4 – Bobigny 9 – Meaux 27 – Senlis 43.

XX **Petite Marmite**, 8 bd République ℰ 01 43 81 29 15, Fax 01 43 02 69 59, 佘 – ⚏.
🆚   AU 65
fermé 13 au 30 août, dim. soir et merc. – **Repas** 29 et carte 40 à 54.

Loges-en-Josas 78350 Yvelines 101 ㉓, 22 , 25 – 1 451 h alt. 160.
Paris 22 – Bièvres 7 – Chevreuse 13 – Palaiseau 12 – Versailles 6.

🏨 **Relais de Courlande** M ⑤, 23 av. Div. Leclerc ℰ 01 30 83 84 00, Fax 01 39 56 06 72,
佘, ₤₆, ☞ – 🛗 ℀ 🆅 ⅙ 🅿 – ⚐ 100. 🆎 ⑩ 🆚 🆓   BL 31
Repas 27,50/58 ₤ – ☑ 10 – **53 ch** 96/138 – ½ P 96.

ngjumeau 91160 Essonne 101 ㉟, 25 – 19 957 h alt. 78.
Paris 21 – Chartres 70 – Dreux 84 – Évry 14 – Melun 41 – Orléans 112 – Versailles 27.

XX **St-Pierre**, 42 Grande Rue (F. Mitterrand) ℰ 01 64 48 81 99, *saint-pierre@wanadoo.fr,*
Fax 01 69 34 25 53 – ⚏. 🆎 ⑩ 🆚 🆓   BV 45
fermé 22 au 28 avril, 29 juil. au 19 août, lundi soir, merc. soir, sam. midi et dim. – **Repas** 21
(déj.), 27,50/34 et carte 45 à 60 ₤, enf. 15.

aulx-les-Chartreux Sud-Ouest par D 118 – 4 952 h. alt. 75 – ✉ 91160 :

🏨 **St-Georges** ⑤, rte de Montlhéry : 1 km ℰ 01 64 48 36 40, Fax 01 64 48 89 48, ≼, 佘,
℀, 魚 – 🛗 🆅 🅿 – ⚐ 150. 🆎 🆚   BX42-43
fermé mi-juil. à mi-août – **Repas** 26/42, enf. 13,72 – ☑ 6,50 – **40 ch** 58/66.

isons-Alfort 94700 Val-de-Marne 101 ㉗, 24 , 25 G. Île de France – 51 103 h alt. 37.
Paris 10 – Créteil 4 – Évry 33 – Melun 40.

XX **Bourgogne**, 164 r. J. Jaurès ℰ 01 43 75 12 75, Fax 01 43 68 05 86 – ⚏. 🆎 🆚   BG 57
fermé 6 au 26 août, sam. et dim. – **Repas** 27,50 et carte 34 à 61.

isons-Laffitte 78600 Yvelines 101 ⑬, 18 , 25 G. Île de France – 21 856 h alt. 38.
Voir *Château*★.
🚹 *Office du tourisme 41 avenue de Longueil* ℰ 01 39 62 63 64, Fax 01 39 12 02 89.
Paris 22 – Mantes-la-Jolie 38 – Poissy 9 – Pontoise 17 – St-Germain-en-Laye 8 – Versailles 19.

🏨 **Ibis**, 2 r. Paris (accès par av. Verdun) ℰ 01 39 12 20 20, Fax 01 39 62 45 54, 佘, ☞ – 🆅 ⅙
🅿 – ⚐ 25. 🆎 ⑩ 🆚   AN 33
Repas 13,87/23,87 ₤, enf. 5,95 – ☑ 5,04 – **68 ch** 57,90.

XXX **Tastevin** (Blanchet), 9 av. Églé ℰ 01 39 62 11 67, Fax 01 39 62 73 09, 佘, ☞ – 🅿. 🆎 ⑩
❀ 🆚 🆓   AN 32
fermé 31 juil. au 21 août, lundi et mardi – **Repas** 38,11 (déj.)/64,03 et carte 58 à 78
Spéc. Foie gras chaud de canard au vinaigre de cidre. Gibier (saison). Sanciaux aux pommes
(oct. à mars).

XX **Rôtisserie Vieille Fontaine**, 8 av. Grétry ℰ 01 39 62 01 78, Fax 01 39 62 13 43, 佘,
« Demeure bourgeoise dans un parc », 魚 – 🆎 🆚   AM 33
fermé 12 au 19 août, dim. soir et lundi – **Repas** 33.

XX **Ribot**, 5 av. St-Germain ℰ 01 39 62 01 53, Fax 01 39 62 01 53 – 🆎 🆚   AN 32
fermé août, 2 au 9 janv., dim. soir et lundi – **Repas** - cuisine italienne - 16 (déj.)/28 et carte
29 à 36.

rcoussis 91460 Essonne 101 ㉞ G. Île de France – 7 226 h alt. 79.
🚹 *Syndicat d'initiative 13 rue Alfred Dubois* ℰ 01 69 01 76 50, Fax 01 69 01 18 54.
Paris 29 – Arpajon 10 – Évry 18.

X **Les Colombes de Bellejame**, 97 r. A. Dubois ℰ 01 69 80 66 47, Fax 01 69 80 66 47 –
🆚
fermé 10 au 30 juil., dim. soir, mardi soir et merc. – **Repas** 20,60/28,50 et carte 25 à 46.

Marne-la-Vallée 77206 S.-et-M. 101 ⑲ ⑳, 24 G. Ile de France.

🛈 Office de tourisme Disneyland-Paris ℘ 01 60 43 33 33, Fax 01 60 43 74 95.

Paris 27 – Meaux 28 – Melun 41.

Plan ci-dessous

à Bussy-St-Georges – 9 194 h. alt. 105 – ⊠ 77600 :

🏨 **Holiday Inn** M, 39 bd Lagny (f) ℘ 01 64 66 35 65, hibussy@compuserve.c
Fax 01 64 66 03 10, 佘, ユ – 🛗 🛠 ☰ 🆃🆅 📞 ⬥ ⬤ – 🔬 80. 🆎 ⓪ 🆖
Repas (dîner seul.) 27,29 – ☷ 12,20 – **120 ch** 167,69/192,09.

🏨 **Golf Hôtel** M ⟲, 15 av. Golf (m) ℘ 01 64 66 30 30, golf.hotel@wanado
Fax 01 64 66 04 36, 佘, 🐎, ✗ – 🛠 🛠 🆃🆅 ⬥ 🅿 – 🔬 120. 🆎 ⓪ 🆖
Repas (fermé dim. midi et sam. de nov. à mars) (11) - 17,50/25,90 ☷, enf. 9,15 – ☷ 9,
94 ch 91/105.

🏨 **Tulip Inn Paris Bussy** M, 44 bd A. Giroust (x) ℘ 01 64 66 11 11, solinn@wanado
Fax 01 64 66 29 05, 佘 – 🛗 🆃🆅 📞 ⬥ – 🔬 90. 🆎 ⓪ 🆖
Repas (fermé sam. midi et dim.) carte environ 25 ⅃, enf. 11 – ☷ 9 – **87 ch** 89/96.

à Champs-sur-Marne – 24 553 h. alt. 80 – ⊠ 77420 :

Voir Château★ (salon chinois★★) et parc★★.

🏛 **Ibis**, cité Descartes, bd Newton (h) ℘ 01 64 68 00 83, Fax 01 64 68 02 60, 佘 – 🛗 🛠 🆃
⬥ ⬤ 🅿 – 🔬 45. 🆎 ⓪ 🆖
fermé 10 juil. au 25 août – **Repas** (fermé week-ends et fériés le midi) (12,04) - 15,0
enf. 5,95 – ☷ 6 – **110 ch** 52.

à Collégien – 2 983 h. alt. 105 – ⊠ 77615 :

🏨 **Novotel** M, (c) ℘ 01 64 80 53 53, Fax 01 64 80 48 37, 佘, ユ, 🐎 – 🛗 🛠 ☰ 🆃🆅 📞 ⬥
🔬 250. 🆎 ⓪ 🆖
Repas 16/19 ☷, enf. 9,20 – ☷ 11 – **197 ch** 90/105.

à Croissy-Beaubourg – 2 236 h. alt. 102 – ⊠ 77183 :

🍴🍴🍴 **L'Aigle d'Or**, 8 r. Paris (q) ℘ 01 60 05 31 33, Fax 01 64 62 09 39, 佘, 🐎 – 🅿. 🆎 ⓪
❀
fermé dim. soir – **Repas** 29/75 et carte 60 à 75 ☷.

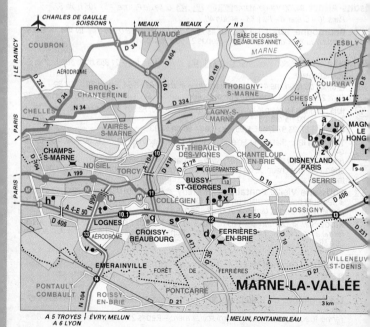

sneyland Paris *accès par autoroute A 4 et bretelle Disneyland.*
Voir *Disneyland Paris*** (voir Guide Vert Disneyland Paris).*

🏨 **Disneyland Hôtel** M, (b) ℰ 01 60 45 65 00, *Fax 01 60 45 65 33*, ≤, « Bel ensemble de style victorien à l'entrée du parc d'attractions », 𝕝ₐ, ⬛, ☞ – 🛗 ⇆ ≡ 📺 ⅋ 🅿 – 🕍 25 à 50. 🅰🅴 Ⓞ 🅶🅱 🅹🅲🅱. ⋙
California Grill (dîner seul.) Repas 44/65 ♀, enf.23 – *Inventions* (buffet) Repas 28 (déj.)/39 ♀, enf. 22 – **478 ch** ⊇ 492, 18 appart.

🏨 **New-York** M, (e) ℰ 01 60 45 73 00, *Fax 01 60 45 73 33*, ≤, ⇙, « Ambiance du Manhattan des années 30 », 𝕝ₐ, ⬛, ⬛, ⋙ – 🛗 ⇆ ≡ 📺 ⅋ 🅿 – 🕍 2 200. 🅰🅴 ⓄⓄ 🅶🅱 🅹🅲🅱. ⋙
Manhattan Restaurant (dîner seul.) Repas 32 ♀, enf. 10 – *Parkside Diner :* Repas 20 ♀, enf. 10 – **536 ch** ⊇ 300, 27 appart.

🏨 **Newport Bay Club** M, (z) ℰ 01 60 45 55 00, *Fax 01 60 45 55 33*, ≤, ⇙, centre de conférences, « Évocation du bord de mer de la Nouvelle Angleterre », 𝕝ₐ, ⬛, ⬛ – 🛗 ⇆, ≡ rest, 📺 ⅋ 🅿 – 🕍 1 500. 🅰🅴 ⓄⓄ 🅶🅱 🅹🅲🅱. ⋙
Cape Cod : Repas 25(déj.)/20(dîner), enf. 10 – *Yacht Club* (dîner seul.) Repas 30/38 ♀ enf. 10 – **1 082 ch** ⊇ 260, 13 appart.

🏨 **Séquoia Lodge** M, (k) ℰ 01 60 45 51 00, *Fax 01 60 45 51 33*, ≤, ⇙, « Atmosphère d'un hôtel des Montagnes Rocheuses », 𝕝ₐ, ⬛, ⬛, ☞ – 🛗 ⇆, ≡ rest, 📺 ⅋ 🅿 – 🕍 75. 🅰🅴 Ⓞ 🅶🅱 🅹🅲🅱. ⋙
Hunter's Grill (dîner seul.) Repas 26 enf. 10 – *Beaver Creek Tavern* (dîner seul.) Repas 20 enf. 10 – **1 001 ch** ⊇ 243, 10 appart.

🏨 **Cheyenne**, (a) ℰ 01 60 45 62 00, *Fax 01 60 45 62 33*, ⇙, « Reconstitution d'une petite ville du Far-West », ☞ – ⇆, ≡ rest, 📺 ⅋ 🅿. 🅰🅴 Ⓞ 🅶🅱 🅹🅲🅱. ⋙
Chuck Wagon Café (self) Repas carte environ 20 ♣, enf. 10 – **1 000 ch** ⊇ 198.

🏨 **Santa Fé**, (u) ℰ 01 60 45 78 00, *Fax 01 60 45 78 55*, « Construction évoquant les pueblos du Nouveau Mexique » – ⇆ 📺 ⅋ 🅿. 🅰🅴 Ⓞ 🅶🅱 🅹🅲🅱. ⋙
La Cantina (self) Repas carte environ 20 ♣ enf. 10 – **1 000 ch** ⊇ 174.

merainville – *7 027 h. alt. 109 –* ⊠ *77184 :*

🏨 **Ibis**, ZI Pariest bd Beaubourg (v) ℰ 01 60 17 88 39, *Fax 01 64 62 12 34* – 🛗 ⇆ 📺 ⅋ 🅿 – 🕍 150. 🅰🅴 Ⓞ 🅶🅱
Repas *(fermé week-ends) (13,60)* · 16,70 ♣, enf. 5,49 – ⊇ 6 – **80 ch** 56/60.

erières-en-Brie – *1 655 h. alt. 108 –* ⊠ *77164 :*

🏨 **St-Rémy** M, 24 r. J. Jaurès (d) ℰ 01 64 76 74 00, *K.lehater@compuserve.com*, *Fax 01 64 76 74 01*, ⇙ – 📺 ⅋ ⅋. 🅰🅴 Ⓞ 🅶🅱. ⋙
Repas *(22,12)* · 33,56 ♀, enf. 8,39 – ⊇ 7,63 – **25 ch** 91,52/105,25.

gnes – *14 215 h. alt. 97 –* ⊠ *77185 :*

🏨 **Relais Mercure**, 55 bd Mandinet (t) ℰ 01 64 80 02 50, *h2210@accor-hotels.com*, *Fax 01 64 80 02 70*, ⇙, 𝕝ₐ – 🛗 ⇆ 📺 ⅋ ⅋ 🅿 – 🕍 60. 🅰🅴 Ⓞ 🅶🅱 🅹🅲🅱
Repas carte environ 26 ♣, enf. 9 – ⊇ 10 – **57 ch** 81/95, 28 duplex.

Au moment de chercher un hôtel ou un restaurant, soyez efficace.
Sachez utiliser les noms soulignés en rouge sur les cartes Michelin
à 1/200 000.
Mais ayez une carte à jour !

ssy 91300 Essonne 🔟🔟 ㉕, ㉒ , ㉕ – *37 712 h alt. 78.*
Paris 20 – Arpajon 19 – Évry 19 – Palaiseau 3 – Rambouillet 45.

🏨 **Mercure** M, 21 av. Carnot (gare T.G.V.) ℰ 01 69 32 80 20, *h1176@accor-hotels.com*, *Fax 01 69 32 80 25*, ⇙ – 🛗 ⇆ 📺 ⅋ ⅋ 🅿 – 🕍 100. 🅰🅴 Ⓞ 🅶🅱   **BS 43**
Repas *(fermé dim. midi, vend. soir et sam.) (20)* · 23 ♀, enf. 9,50 – ⊇ 11 – **116 ch** 110/117.

❌❌ **Pavillon Européen**, 5 av. Gén. de Gaulle ℰ 01 60 11 17 17, *Fax 01 69 20 05 60* – ≡. 🅰🅴 🅶🅱   **BR 43**
fermé août et dim. soir – Repas 27,44/47,26.

urepas 78310 Yvelines 🔟🔟 ㉑ – *19 586 h alt. 165.*
Voir *France Miniature* NE : 3km, G. Île de France.
Paris 40 – Houdan 28 – Palaiseau 35 – Rambouillet 17 – Versailles 21.

🏨 **Mercure** M, N 10 ℰ 01 30 51 57 27, *h0378@accor-hotels.com*, *Fax 01 30 66 70 14*, ⇙ – 🛗 ⇆ 📺 ⅋ 🅿 – 🕍 25 à 80. 🅰🅴 Ⓞ 🅶🅱 🅹🅲🅱. ⋙   **BM 15**
Repas *(fermé août, vend. soir, dim. midi et sam.)* 21 ♀ – ⊇ 12 – **91 ch** 92/102.

Le Mesnil-Amelot 77990 S.-et-M. 101 ⑩ – 565 h alt. 80.
Paris 34 – Bobigny 24 – Goussainville 14 – Meaux 28 – Melun 67.

🏨🏨 **Radisson** M, ℰ 01 60 03 63 00, radisson-sas.cdg@wanadoo.fr, Fax 01 60 03 74 40,
ᒪᵴ, ☒, ☞ – 🛗 ⅍ ≣ ⅏ ℭ ₺ ⇔ 🅿 – 🔬 300
Repas (18) - carte environ 40 ♈, enf. 13 – ⌸ 16 – **240 ch** 180/260.

Meudon 92190 Hauts-de-Seine 101 ㉔, 22 , 25 G. Île de France – 43 663 h alt. 100.
Voir Terrasse★ : ⁂★ – Forêt de Meudon★.
Paris 11 – Boulogne-Billancourt 4 – Clamart 4 – Nanterre 12 – Versailles 14.

au sud à Meudon-la-Forêt – ✉ 92360 :

🏨🏨 **Mercure Ermitage de Villebon** M, rte Col. Moraine ℰ 01 46 01 46 86, mercure
don@wanadoo.fr, Fax 01 46 01 46 99, ℘ – 🛗, ≣ ch, ⅏ ℭ ₺ 🅿 – 🔬 15 à 90. ◪
☒☒
Repas (fermé 12 au 18 août) 35 ₺ – ⌸ 10,50 – **63 ch** 112/134.

Montmorency 95160 Val-d'Oise 101 ⑤, 25 G. Île de France – 20 599 h alt. 82.
Voir Collégiale St-Martin★ – Commune de la "Méridienne verte".
Env. Château d'Écouen★★ : musée de la Renaissance★★ (tenture de David e
Bethsabée★★★).
🛈 Office du tourisme 1 avenue Foch ℰ 01 39 64 42 94, Fax 01 34 12 18 65, otsimcy@
internet.fr.
Paris 19 – Enghien-les-Bains 4 – Pontoise 25 – St-Denis 9.

🍴🍴 **Au Coeur de la Forêt,** av. Repos de Diane et accès par chemin fore
ℰ 01 39 64 99 19, Fax 01 34 28 17 52, ℘, ☞ – 🅿. ◪ ☒☒
A
fermé 5 au 29 août, jeudi soir, dim. soir et lundi – **Repas** 24,60/30,16 et carte 42 à 55.

🍴 **Maison Jaune,** 7 av. Émile ℰ 01 39 64 69 38, ℘ – ☒☒
A
fermé sam. midi, dim. soir, mardi midi et lundi – **Repas** (11) - 20,50 (déj.)/25 ♈.

Montreuil 93100 Seine-St-Denis 101 ⑰, 20 , 25 G. Île de France – 90 674 h alt. 70.
🛈 Office de tourisme 1 r. Kléber ℰ 01 42 87 38 09, Fax 01 42 27 27 13.
Paris 8 – Bobigny 6 – Lagny-sur-Marne 31 – Meaux 37 – Senlis 47.

🍴🍴🍴 **Gaillard,** 71 r. Hoche ℰ 01 48 58 17 37, gaillard@free.fr, Fax 01 48 70 09 74, ℘, ☞
☒☒
A
fermé 4 au 27 août, dim. soir et lundi – **Repas** 26,70/35,80 et carte 39 à 61 ♈.

Montrouge 92120 Hauts-de-Seine 101 ㉕, 22 , 25 – 37 733 h alt. 75.
Paris 5 – Boulogne-Billancourt 8 – Longjumeau 19 – Nanterre 16 – Versailles 16.

🏨🏨 **Mercure** M, 13 r. F.-Ory ℰ 01 58 07 11 11, h0374@accor-hotels.com, Fax 01 58 07 1
– 🛗 ⅍ ≣ rest, ⅏ ℭ ₺ 🅿 – 🔬 15 à 100. ◪ ◑ ☒☒
B
Repas (fermé dim. midi et sam.) (19,51) - 26,53 ♈, enf. 8,38 – ⌸ 12,96 – **180 ch** 170/
7 appart.

Morangis 91420 Essonne 101 ㉟, 25 – 10 611 h alt. 85.
Voir Commune de la "Méridienne verte".
Paris 21 – Évry 13 – Longjumeau 4 – Versailles 24.

🍴🍴🍴 **Sabayon,** 15 r. Lavoisier ℰ 01 69 09 43 80, Fax 01 64 48 27 28 – ≣. ◪ ☒☒
B
fermé 31 août au 30 sept. , sam. midi, lundi soir, mardi soir et dim. – **Repas** 29,72/52,5
carte 35 à 55 ♈, enf. 17,53.

Nanterre 🅿 92000 Hauts-de-Seine 101 ⑭, 18 , 25 – 84 281 h alt. 35.
🛈 Syndicat d'initiative 4 rue du Marché ℰ 01 47 21 58 02, Fax 01 47 25 99 02, office
tourisme.nanterre@libertysurf.fr.
Paris 12 – Beauvais 80 – Rouen 125 – Versailles 15.

🏨🏨 **Mercure La Défense Parc** M, r. des 3 Fontanot ℰ 01 46 69 68 00, H1982@ac
hotels.com, Fax 01 47 25 46 24 – 🛗 ⅍ ≣ ⅏ ⇔ – 🔬 130. ◪ ◑ ☒☒ ☒☒☒
A
Repas (fermé le soir du 12 juil. au 18 août et du 21 au 31 déc., dim. midi, vend. soir, sar
fériés) (20) - 23/30 – ⌸ 13,50 – **135 ch** 200/220, 25 appart.

🏨🏨 **Quality Inn** M, 2 av. B. Frachon ℰ 01 46 95 08 08, quality.nanterre@wanado
Fax 01 46 95 01 24 – 🛗 ⅍ ≣ ℭ ₺ ⇔ – 🔬 30. ◪ ◑ ☒☒ ☒☒☒ ⁂
A
Repas (fermé août, vend. soir, sam. et dim.) (18,30) - 21,34 ♈ – ⌸ 10,67 – **85 ch** 138/199

🍴🍴 **Rôtisserie,** 180 av. G. Clemenceau ℰ 01 46 97 12 11, ℘ – ◪ ☒☒
AV
fermé dim. – **Repas** 26.

illy-sur-Seine 92200 Hauts-de-Seine **101** ⑮, **18** , **25** G. Île de France – 59 848 h alt. 34.

Paris 8 – Argenteuil 10 – Nanterre 6 – Pontoise 29 – St-Germain-en-Laye 18 – Versailles 17.

🏨 **Courtyard** Ⓜ, 58 bd V. Hugo ℘ 01 55 63 64 65, cy.parcy.sales@marriott.com, Fax 01 55 63 64 66, 斧 – 📲 ⚬ ☰ 🅣🆅 📞 & ⇔ – 🏤 220. ⚎ ⓞ ⅁ℬ 🄹🄲🄱, ℀ ch   **AW 44**
Repas 28 et carte 32 à 45 ♀, enf. 6,80 – ☷ 16 – **173 ch** 160/255, 69 appart.

🏨 **Paris Neuilly** sans rest, 1 av. Madrid ℘ 01 47 47 14 67, H0883@accor-hotels.com, Fax 01 47 47 97 42 – 📲 ⚬ 🅣🆅 📞 & . ⚎ ⓞ ⅁ℬ   **AX 42**
☷ 13 – **74 ch** 200/210, 6 appart.

🏨 **Jardin de Neuilly** ⟡ sans rest, 5 r. P. Déroulède ℘ 01 46 24 51 62, hotel.jardin.de.neuilly@ wanadoo.fr, Fax 01 46 37 14 60 – 📲 ☰ 🅣🆅 📞. ⚎ ⓞ ⅁ℬ. ℀   **AX 44**
☷ 18 – **30 ch** 136/229.

🏨 **Jatte** sans rest, 4 bd Parc ℘ 01 46 24 32 62, paris@hoteldelajatte.com, Fax 01 46 40 77 31 – 🅣🆅 & . ⚎ ⓞ ⅁ℬ 🄹🄲🄱   **AV 43**
☷ 10 – **68 ch** 136/186, 3 appart.

🏠 **Neuilly Park Hôtel** sans rest, 23 r. M. Michelis ℘ 01 46 40 11 15, Fax 01 46 40 14 78 – 📲 ⚬ 🅣🆅 📞. ⚎ ⓞ ⅁ℬ 🄹🄲🄱   **AX 44**
☷ 10,70 – **30 ch** 100/133.

XX **Riad,** 42 av. Ch. de Gaulle ℘ 01 46 24 42 61, Fax 01 46 40 19 91 – ☰. ⚎ ⓞ ⅁ℬ. ℀   **AX 44**
fermé 3 au 19 août, sam. midi et dim. – **Repas** - cuisine marocaine - carte 46 à 58 ♀.

XX **Truffe Noire** (Jacquet), 2 pl. Parmentier ℘ 01 46 24 94 14, Fax 01 46 24 94 60 – ⚎ ⅁ℬ 🄹🄲🄱   **AX 44**
③ fermé 6 au 12 mai, 5 août au 3 sept., sam. et dim. – **Repas** 30 et carte 50 à 65 ♀
Spéc. Mousseline de brochet au beurre blanc. Truffes d'été et d'hiver (saisons). Gibier (fin sept. à fin déc.).

XX **Foc Ly,** 79 av. Ch. de Gaulle ℘ 01 46 24 43 36, Fax 01 46 24 48 46 – ☰. ⚎ ⅁ℬ   **AW 42**
fermé 10 au 26 août – **Repas** - cuisine chinoise - (16,01) - 18,75 et carte 44 à 67 ♀, enf. 12,20.

X **Les Feuilles Libres,** 34 r. Perronet ℘ 01 46 24 41 41, feuillibre@wanadoo.fr, Fax 01 46 40 77 61, ☰ – ☰. ⚎ ⅁ℬ   **AX 44**
fermé en août, 21 au 31 déc., sam. et dim. – **Repas** 39/48 et carte 40 à 55.

X **Bistrot d'à Côté Neuilly,** 4 r. Boutard ℘ 01 47 45 34 55, bistrotrostang@wanadoo.fr, Fax 01 47 45 15 08, bistrot – ⚎ ⓞ ⅁ℬ   **AX 42**
fermé sam. midi et dim. – **Repas** 21/31 ♀.

X **Les Pieds dans l'Eau,** 39 bd Parc ℘ 01 47 47 64 07, Fax 01 47 22 09 55, 斧, « Terrasse en bord de Seine » – ⚎ ⓞ ⅁ℬ   **AW 43**
fermé sam. midi et dim. d'oct. à avril – **Repas** (22) - 28 et carte 31 à 52.

X **Catounière,** 4 r. Poissonniers ℘ 01 47 47 14 33, Fax 01 47 47 13 85 – ☰. ⚎ ⅁ℬ   **AX 43**
fermé août, sam. midi et dim. – **Repas** 29,72 bc.

gent-sur-Marne ⬮ 94130 Val-de-Marne **101** ㉗, **24** , **25** G. Île de France – 28 191 h alt. 59.

🅑 Office du tourisme 5 avenue de Joinville ℘ 01 48 73 73 97, Fax 01 48 73 75 90.
Paris 14 – Créteil 10 – Montreuil 6 – Vincennes 6.

🏨 **Mercure Nogentel** Ⓜ, 8 r. Port ℘ 01 48 72 70 00, h1710@accor.hotels.com, Fax 01 48 72 86 19, 斧 – 📲 ⚬, ☰ ch, 🅣🆅 ⇔ – 🏤 15 à 200. ⚎ ⓞ ⅁ℬ 🄹🄲🄱   **BC 62**
Le Canotier : Repas (28,20)-29,73(déj)34,30♀ – ☷ 10,68 – **60 ch** 93/104.

🏠 **Campanile,** quai du port (Pt de Nogent) ℘ 01 48 72 51 98, Fax 01 48 72 05 09, 斧 – 📲 ⚬, ☰ ch, 🅣🆅 📞 & ⇔ – 🏤 40. ⚎ ⓞ ⅁ℬ   **BC62-63**
Repas (12,50) - 18,50 ♀, enf. 5,95 – ☷ 7 – **86 ch** 66.

isy-le-Grand 93160 Seine-St-Denis **101** ⑱, **24** , **25** G. Île de France – 58 217 h alt. 82.

🅑 Office du tourisme 167 rue Pierre Brossolette ℘ 01 43 04 51 55, Fax 01 43 03 79 48, office.tourisme.nlg@wanadoo.fr.
Paris 19 – Bobigny 20 – Lagny-sur-Marne 14 – Meaux 37.

🏨 **Mercure** Ⓜ, 2 bd Levant ℘ 01 45 92 47 47, Fax 01 45 92 47 10, 🛌 – 📲 ⚬ ☰ 🅣🆅 📞 & ⇔ – 🏤 150. ⚎ ⓞ ⅁ℬ   **BB 67**
Les Météores (fermé sam. midi et dim. midi) **Repas** 14,48/19,06 ♀, enf. 9,15 – ☷ 11,43 – **192 ch** 87,66/105,19.

🏨🏨 **Novotel Atria** M, 2 allée Bienvenüe-quartier Horizon ℘ 01 48 15 60 60, *h1536@.hotels.com*, Fax 01 43 04 78 83, 🏤, 🔲, – 🛗 🌐 ≡ 🔲 📞 🕭 ⟷ 🅿 – 🔏 250. 🖭 ⓐ JCB

Repas carte environ 25 ℙ, enf. 7,62 – ⚏ 10,67 – **144 ch** 99,09/108,21.

✗✗ **Amphitryon**, 56 av. A. Briand ℘ 01 43 04 68 00, Fax 01 43 04 68 10, 🏤 – ≡ ⏿ – *fermé 10 au 23 août, sam. midi et dim. soir* – **Repas** 22/37.

Orgeval 78630 Yvelines 🔟🔟 ⑪ – 4 801 h alt. 100.
Paris 31 – Mantes-la-Jolie 23 – Pontoise 22 – St-Germain-en-Laye 11 – Versailles 22.

🏨 **Moulin d'Orgeval** ⛵, r. Abbaye, Sud : 1,5 km ℘ 01 39 75 85 74, *moulin-orgeval@doo.fr*, Fax 01 39 75 48 52, 🏤, « Parc ombragé avec étang », 🔲, 🐕 – 🔲 📞 🅿 – 🔏 15 🖭 ⓐ ⏿

Repas *(fermé dim. soir)* (27,44) - 35,83/59,46 ℙ – ⚏ 13 – **12 ch** 114/135.

Orly (Aéroports de Paris) 94310 Val-de-Marne 🔟🔟 ㉖, 🏯 , 🏯 .
✈ ℘ 01 49 75 15 15.
Paris 15 – Corbeil-Essonnes 17 – Créteil 12 – Longjumeau 14 – Villeneuve-St-Georges

🏨🏨🏨 **Hilton Orly** M, près aérogare, Orly Sud ⊠ 94544 ℘ 01 45 12 45 12, *fb-orly@hilton.* Fax 01 45 12 45 00, 🕭 – 🛗 ¥🌐 ≡ 🔲 🅿 – 🔏 280. 🖭 ⓐ ⏿ JCB
Repas (buffet au déj.) 25,15 (déj.)/31,71 (dîner)et carte 30 à 52 ℙ – ⚏ 15,24 – 35 105/190.

🏨🏨 **Mercure** M, N 7, Z.I. Nord, Orlytech ⊠ 94547 ℘ 01 46 87 23 37, *h1246@accor-h* com, Fax 01 46 87 71 92 – 🛗 ¥🌐 ≡ 🔲 📞 🕭 🅿 – 🔏 40. 🖭 ⓐ ⏿ JCB
Repas *(fermé dim. midi et sam.)* (17,53) - 22,10 ℙ, enf. 8,38 – ⚏ 11 – **190 ch** 126/149.

à Orly ville : 20 470 h. alt. 71.
🏨 **Kyriad - Air Plus** M, 58 voie Nouvelle (près Parc G. Méliès) ℘ 01 41 80 75 75, *airp club-internet.fr*, Fax 01 41 80 12 12, 🏤 – 🛗 ¥🌐 ≡ 🔲 🕭 🅿. 🖭 ⓐ ⏿ JCB
Repas *(fermé sam. et dim.)* (10) - 10,55/21,20 🍷, enf. 8,40 – ⚏ 7,60 – **72 ch** 65/80,25.

Voir aussi à Rungis

Ozoir-la-Ferrière 77330 S.-et-M. 🔟🔟 ㉚, 🔟🔟 ㉝ – 20 707 h alt. 110.
🛈 Syndicat d'initiative 43 avenue du Général de Gaulle ℘ 01 64 40 10 20, Fax 01 64 40 0
Paris 35 – Coulommiers 41 – Lagny-sur-Marne 23 – Melun 31 – Sézanne 84.

✗✗✗ **Gueulardière**, 66 av. Gén. de Gaulle ℘ 01 60 02 94 56, Fax 01 60 02 98 51, 🏤 – 🖭 ⓐ *fermé 5 au 25 août, vacances de fév., sam. midi, dim. soir et lundi soir* – **Repas** (26) - 32/ carte 55 à 70, enf. 16.

Palaiseau ✈ 91120 Essonne 🔟🔟 ㉞, 🏯 , 🏯 – 28 965 h alt. 101.
🛈 Syndicat d'initiative 5 place de la Victoire ℘ 01 69 31 02 67.
Paris 23 – Arpajon 20 – Chartres 70 – Évry 20 – Rambouillet 45.

🏨🏨 **Novotel** M, 18 r. E. Baudot (Z.I. Massy) ℘ 01 64 53 90 00, Fax 01 64 47 17 80, 🏤, 🔲, 🛗 ¥🌐, ≡ rest, 🔲 📞 🕭 🅿 – 🔏 15 à 180. 🖭 ⓐ ⏿ JCB
Repas carte environ 28 ℙ, enf. 7,60 – ⚏ 10,60 – **147 ch** 104/112.

Pantin 93500 Seine-St-Denis 🔟🔟 ⑯, 🏯 , 🏯 – 49 919 h alt. 26.
Voir Centre international de l'Automobile★, G. Île de France.
🛈 Office du tourisme 81 avenue Jean Lolive ℘ 01 48 44 93 72, Fax 01 48 44 18 51.
Paris 9 – Bobigny 5 – Montreuil 7 – St-Denis 6.

🏨🏨 **Mercure Porte de Pantin** M, 25 r. Scandicci ℘ 01 49 42 85 85, *h0680@accor-ho* com, Fax 01 48 46 07 90 – 🛗 ≡ 🔲 📞 🕭 ⟷ – 🔏 25 à 100. 🖭 ⓐ ⏿ JCB   AV-A
Repas *(fermé dim. midi, sam. et fériés)* carte environ 32, enf. 8,40 – ⚏ 13 – 12 150/160, 9 appart.

Le Perreux-sur-Marne 94170 Val-de-Marne 🔟🔟 ⑱, 🏯 , 🏯 – 30 080 h alt. 50.
🛈 Office du tourisme Galerie du Parc ℘ 01 43 24 26 58, Fax 01 43 24 02 10.
Paris 16 – Créteil 12 – Lagny-sur-Marne 23 – Villemomble 6 – Vincennes 7.

✗✗✗ **Les Magnolias** (Chauvel), 48 av. Bry ℘ 01 48 72 47 43, Fax 01 48 72 22 28 – ≡. 🖭
❀ ⏿   B
fermé août, lundi midi, sam. midi et dim. – **Repas** 39
Spéc. Saladine de seiche aux crêtes de coq. Koulibiac d'agneau aux arômes de mimol Fraîcheur excentrique de betterave et melon.

✗✗ **Les Lauriers**, 5 av. Neuilly-Plaisance ℘ 01 48 72 45 75, 🏤 – 🖭 ⏿   B
fermé 10 au 20 août, sam. midi, dim. soir et lundi – **Repas** (18,30) - 28,97 et carte 45 à enf. 12,20.

sy 78300 Yvelines **101** ⑫ G. Île de France – 35 841 h alt. 27.

Voir Collégiale Notre-Dame★ – Villa Savoye★.

🛈 Office du tourisme 132 rue du Général de Gaulle ℘ 01 30 74 60 65, Fax 01 39 65 07 00, ville-poissy@dial.deane.com.

Paris 31 ③ – Mantes-la-Jolie 30 ④ – Pontoise 16 ② – St-Germain-en-Laye 6 ③.

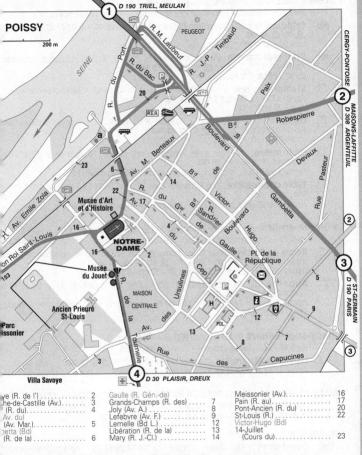

ye (R. de l')	2	Gaulle (R. Gén.-de)		Meissonier (Av.)	16
he-de-Castille (Av.)	3	Grands-Champs (R. des)	7	Pain (R. au)	17
(R. du)	4	Joly (Av. A.)	8	Pont-Ancien (R. du)	20
Av. du)		Lefebvre (Av. F.)	9	St-Louis (R.)	22
(Av. Mar.)	5	Lemelle (Bd L.)	12	Victor-Hugo (Bd)	
etta (Bd)		Libération (R. de la)	13	14-Juillet	
(R. de la)	6	Mary (R. J.-Cl.)	14	(Cours du)	23

XX **Bon Vivant**, 30 av. É. Zola (e) ℘ 01 39 65 02 14, Fax 01 39 65 28 05, ≤, 🏠 – 🍴
fermé août, vacances de fév., dim. soir et lundi – **Repas** 35,06.

XX **L'Esturgeon**, 6 cours 14-Juillet (a) ℘ 01 39 65 00 04, olivier.gremillet@wanadoo.fr, Fax 01 39 79 19 94, ≤ – 🍴
fermé août, 16 au 23 fév., dim. soir et jeudi – **Repas** 31/46 et carte 42 à 66 ♀, enf. 12,20.

ntault-Combault 77340 S.-et-M. **101** ㉙, **24**, **25** – 32 886 h alt. 94.

🛈 Office du tourisme 16 rue de Bellevue ℘ 01 70 05 49 71, Fax 01 70 05 49 48, tourisme@mairie-pontault.clt.fr.

Paris 28 – Créteil 15 – Lagny-sur-Marne 16 – Melun 34.

🏨 **Saphir Hôtel** 🅼, aire des Berchères sur N 104 ℘ 01 64 43 45 47, saphirhotel@wanadoo.fr, Fax 01 64 40 52 43, 🏠, 🎰, 🖾, 🍴 – 🛗 🖾 🆃🆅 📞 & 🚗 🅿 – 🕍 150. 🖭 ⓞ
🇬🇧 **BH 74**

Repas (15,80) - 20,50 ♂, enf. 8,20 – ⊇ 10 – **158 ch** 81/90, 21 appart.

Le Pré St-Gervais 93310 Seine-St-Denis **101** ⑯, **20** , **25** – 16 377 h alt. 82.
Paris 8 – Bobigny 6 – Lagny-sur-Marne 33 – Meaux 38 – Senlis 47.

✗ **Au Pouilly Reuilly**, 68 r. A. Joineau ℘ 01 48 45 14 59, bistrot – AE GB   A
fermé dim. – **Repas** carte 38 à 55.

Puteaux 92800 Hauts-de-Seine **101** ⑭, **18** , **25** – 40 780 h alt. 36.
Paris 10 – Nanterre 4 – Pontoise 29 – St-Germain-en-Laye 17 – Versailles 15.

🏨 **Syjac** sans rest, 20 quai de Dion-Bouton ℘ 01 42 04 03 04, Fax 01 45 06 78 69 – 🛗 TV
🚗 30. AE ① GB   A
⏣ 9,50 – **32 ch** 90/150, 3 duplex.

🏨 **Princesse Isabelle** sans rest, 72 r. J. Jaurès ℘ 01 47 78 80 06, *princesse.isa@wanado*
Fax 01 47 75 25 20 – 🛗 ▤ TV ✆ 🚗. AE ① GB   A
⏣ 10 – **29 ch** 121/240.

🏨 **Vivaldi** sans rest, 5 r. Roque de Fillol ℘ 01 47 76 36 01, *vivaldi@hotelvivaldi.*
Fax 01 47 76 11 45 – 🛗 TV ✆. AE ① GB   A
⏣ 8 – **27 ch** 93/99.

🏨 **Dauphin** sans rest, 45 r. J. Jaurès ℘ 01 47 73 71 63, *ledauphin2@wanado*
Fax 01 46 98 08 82, 🛗 – 🛗 TV ✆. AE ① GB   A
⏣ 8 – **37 ch** 98.

✗✗ **Chaumière**, 127 av. Prés. Wilson - rd-pt des Bergères ℘ 01 47 75 0
Fax 01 47 75 05 46 – ▤. AE GB   A
fermé 3 au 24 août, dim. soir, lundi soir et sam. – **Repas** (24,40) - 29 ♈.

✗✗ **Table d'Alexandre**, 7 bd Richard Wallace ℘ 01 45 06 33 63, Fax 01 41 38 27 42 – ▤
GB   A
fermé 3 au 25 août, sam. et dim. – **Repas** 19,37 et carte 35 à 50 ♈.

La Queue-en-Brie 94510 Val-de-Marne **101** ㉙, **24** , **25** – 10 852 h alt. 95.
Paris 22 – Coulommiers 52 – Créteil 12 – Lagny-sur-Marne 23 – Melun 33 – Provins 67.

🏨 **Relais de Pincevent**, av. Hippodrome ℘ 01 45 94 61 61, *osiris.management@wana*
.fr, Fax 01 45 93 32 69, 🍽 – TV ⅋ P. 🚗 60. AE ① GB JCB   B
Repas 20/38,11 ⅊, enf. 10,67 – ⏣ 6,20 – **57 ch** 48/62.

✗✗✗ **Auberge du Petit Caporal**, 42 r. Gén. de Gaulle (N 4) ℘ 01 45 76 30
Fax 01 45 76 30 06 – ▤. AE GB   B
fermé 28 juil. au 24 août, vacances de fév., mardi soir, merc. soir et dim. – **Repas**
38,10/45,70 ♈, enf. 12.

Quincy-sous-Sénart 91480 Essonne **101** ㊳ – 7 426 h alt. 76.
Paris 30 – Brie-Comte-Robert 7 – Évry 13 – Melun 23.

✗ **Lisière de Sénart**, 33 r. Libération ℘ 01 69 00 87 15, 🍽 – AE GB
fermé 15 au 30 août et vacances de fév. – **Repas** 26/45.

Roissy-en-France (Aéroports de Paris) 95700 Val-d'Oise **101** ⑧ – 2 367 h alt. 85.
✈ Charles-de-Gaulle ℘ 01 48 62 22 80.
Paris 27 – Chantilly 28 – Meaux 39 – Pontoise 39 – Senlis 27.

à Roissy-ville :

🏨 **Copthorne** M, allée Verger ℘ 01 34 29 33 33, *resa.cdg@mill-cop.c*
Fax 01 34 29 03 05, 🍽, 🛗, 🔲 – 🛗 ✳ ▤ TV ✆ ⅋ 🚗 – 🚗 150. AE ① GB JCB. ✳
Repas 25,92 bc/28 bc – ⏣ 17,53 – **239 ch** 250/380.

🏨 **Mercure** M, allée Verger ℘ 01 34 29 40 00, *h1245@accor-hotels.c*
Fax 01 34 29 00 18, 🍽 – 🛗 ✳ ▤ TV ✆ ⅋ P – 🚗 90. AE ① GB
Repas (16) - 34/37 ⅊, enf. 9 – ⏣ 12 – **203 ch** 180/187.

🏨 **Bleu Marine** M, Z.A. parc de Roissy ℘ 01 34 29 00 00, *bleu.roissy@wanado*
Fax 01 34 29 00 11, 🍽 – 🛗 ✳ ▤ TV ✆ ⅋ 🚗 P – 🚗 80. AE ① GB JCB
Repas (19,50) - 25,50 et carte le dim. ♈ – ⏣ 9,90 – **153 ch** 135.

🏨 **Campanile**, Z.A. parc de Roissy ℘ 01 34 29 80 40, *campanile-roissy@wanado*
Fax 01 34 29 80 39, 🍽 – 🛗 ✳ TV ✆ ⅋ 🚗 P – 🚗 100. AE ① GB
Repas (12,50) - 15,50/18,50 ♈, enf. 5,95 – ⏣ 7 – **264 ch** 86/130.

🏨 **Ibis** M, av. Raperie ℘ 01 34 29 34 34, Fax 01 34 29 34 19 – 🛗 ✳ ▤ TV ✆ ⅋ 🚗
🚗 70. AE ① GB JCB
Repas 16 ⅊ – ⏣ 7 – **300 ch** 75.

Aérogare n° 2 :

🏰 **Sheraton** Ⓜ 🦢, 𝒫 01 49 19 70 70, Fax 01 49 19 70 71, ≼, « Architecture contemporaine originale », ℔ – 🛗 ⇜ ☰ 🖵 📞 🅿 – 🔏 110. 🆎 ⓪ 🆖 🃏
Les Étoiles (fermé 29 juil. au 28 août, 23 déc. au 5 janv., sam., dim. et fériés) **Repas** 47,50(déj.)/53,50 ♀ – *Les Saisons* : **Repas** (28)-39 ♀ – ☲ 22 – **244 ch** 535/670, 12 appart.

Roissypole :

🏰 **Hilton** Ⓜ 🦢, 𝒫 01 49 19 77 77, CDGHIWTWSAL@hilton.com, Fax 01 49 19 77 78, ℔, 🔲 – 🛗 ⇜ ☰ 🖵 📞 ♿ ⟷ – 🔏 500. 🆎 ⓪ 🆖 🃏. 🛇 rest
Gourmet (fermé 1er juil. au 31 août, sam. et dim.) **Repas** (35,06)-38,11♀ – *Aviateurs* - brasserie **Repas** 33,54♀ – *Oyster bar* - produits de la mer (fermé juil.-août, sam. et dim.) **Repas** carte 38 à 45 ♀ – ☲ 22,11 – **383 ch** 500/560, 4 appart.

🏰 **Sofitel** Ⓜ, Zone centrale Ouest 𝒫 01 49 19 29 29, Fax 01 49 19 29 00, 🛇 – 🛗 ⇜ ☰ 🖵 📞 ♿ 🅿 – 🔏 60. 🆎 ⓪ 🆖 🃏. 🛇
Repas (18,29) - 24,39 ♀ *L'Escale* -produits de la mer **Repas** (18,29)-24,39(déj.) et carte environ 36 ♀ – ☲ 12,20 – **336 ch** 335,39/411,61, 6 appart.

🏰 **Novotel** Ⓜ, 𝒫 01 49 19 27 27, h1014@accor-hotels.com, Fax 01 49 19 27 99 – 🛗 ⇜ ☰ 🖵 📞 ♿ 🅿 – 🔏 60. 🆎 ⓪ 🆖 🃏
Repas carte environ 28 ♀, enf. 9 – ☲ 11 – **201 ch** 135.

🏨 **Ibis** Ⓜ, 𝒫 01 49 19 19 19, Fax 01 49 19 19 21, 🏤 – 🛗 ⇜ 🖵 📞 ♿ ⟷ 🅿 – 🔏 80. 🆎 ⓪ 🆖
Repas (12,73) - 14,78 ♀, enf. 5,95 – ☲ 6 – **556 ch** 85.

Paris Nord II – ⌧ 95912 :

🏰 **Hyatt Regency** Ⓜ 🦢, 351 av. Bois de la Pie 𝒫 01 48 17 12 34, sales@paris.hyatt.com, Fax 01 48 17 17 17, « Original décor contemporain », ℔, 🔲, 🛇 – 🛗 ⇜ ☰ 🖵 📞 ♿ 🅿 – 🔏 300. 🆎 ⓪ 🆖 🃏
Repas 35/45 ♀ – ☲ 21 – **383 ch** 295/475, 5 appart.

Romainville 93230 Seine-St-Denis 🗺 ⑰, ⑳ , ㉕ – 23 779 h alt. 110.
Paris 11 – Bobigny 4 – St-Denis 13 – Vincennes 6.

🍴 **Chez Henri**, 72 rte Noisy 𝒫 01 48 45 26 65, Fax 01 48 91 16 74 – ☰ 🅿. 🆎 🆖   AV 57
fermé août, dim., lundi et fériés – **Repas** (20) - 28/40 et carte 44 à 56 ♀.

Rosny-sous-Bois 93110 Seine-St-Denis 🗺 ⑰, ⑳ , ㉕ – 39 105 h alt. 80.
Paris 18 – Bobigny 8 – Le Perreux-sur-Marne 5 – St-Denis 16.

🏰 **Quality Hôtel** Ⓜ, 4 r. Rome 𝒫 01 48 94 33 08, qualityhotel.rosny@wanadoo.fr, Fax 01 48 94 30 05, 🏤 – 🛗 ⇜ ☰ 🖵 📞 ♿ ⟷ 🅿 – 🔏 15 à 100. 🆎 ⓪ 🆖   AY 61
Vieux Carré (fermé 26 juil. au 26 août, 21 déc. au 6 janv., vend. soir, sam. et dim.) **Repas** (17,53)-23,63/25 ♀ – ☲ 11,50 – **97 ch** 137,20.

🏨 **Comfort Inn**, 1 r. Lisbonne 𝒫 01 48 12 30 30, confort.rosny@wanadoo.fr, Fax 01 45 28 83 69 – 🛗 ⇜ rest, 🖵 📞 ♿ ⟷ 🅿 – 🔏 30 à 70. 🆎 ⓪ 🆖. 🛇   AX 61
Repas (fermé 26 juil. au 26 août, 21 déc. au 6 janv., vend. soir, sam. et dim.) (14,50) - 19,40 ♀, enf. 10,70 – ☲ 8,40 – **100 ch** 91,50/99,10.

Rueil-Malmaison 92500 Hauts-de-Seine 🗺 ⑭, ⑱ , ㉕ G. Ile de France – 73 469 h alt. 40.
Voir Château de Bois-Préau★ – Buffet d'orgues★ de l'église – Malmaison : musée★★ du château.
🛈 Office du tourisme 160 avenue Paul Doumer 𝒫 01 47 32 35 75, Fax 01 47 14 04 48, rueil-tourisme@easynet.fr.
Paris 15 – Argenteuil 12 – Nanterre 3 – St-Germain-en-Laye 9 – Versailles 12.

🏰 **Novotel Atria** Ⓜ, 21 av. Ed. Belin 𝒫 01 47 16 60 60, H1609@accor-hotels.com, Fax 01 47 51 09 29 – 🛗 ⇜, ☰ rest, 🖵 ♿ ⟷ – 🔏 20 à 180. 🆎 ⓪ 🆖 🃏   AW 34
Repas (fermé dim. et soir) 16,77-20,58 ♀, enf. 7,62 – ☲ 12,20 – **118 ch** 155/165.

🏰 **Cardinal** sans rest, 1 pl. Richelieu 𝒫 01 47 08 20 20, hotelcardinal@wanadoo.fr, Fax 01 47 08 35 84 – 🛗 ⇜ ☰ 🖵 📞 ♿ 🅿 – 🔏 15. 🆎 ⓪ 🆖   AY 35
☲ 11 – **63 ch** 130/145.

🍴 **Rastignac**, 1 pl. Europe 𝒫 01 47 32 92 29, Fax 01 47 32 93 35 – ☰. 🆎 🆖   AW 34
fermé 30 juil. au 30 août, sam. et dim. – **Repas** 30,18 (déj.)/60,67 et carte 44 à 65 ♀.

🍴 **Bonheur de Chine**, 6 allée A. Maillol (face 35 av. J. Jaurès) 𝒫 01 47 49 88 88, Fax 01 47 49 48 68 – ☰. 🆎 ⓪ 🆖   AZ 37
fermé lundi – **Repas** - cuisine chinoise - 15 (déj.), 30/43 ♣.

Rungis 94150 Val-de-Marne **101** ㉖, **24**, **25** – 5 424 h alt. 80 Marché d'Intérêt National.
Voir *Commune de la "Méridienne verte"*.
Paris 14 – Antony 5 – Corbeil-Essonnes 26 – Créteil 10 – Longjumeau 10.

à Pondorly : accès : de Paris, A6 et bretelle d'Orly ; de province, A6 et sortie Rungis

🏨 **Holiday Inn** M, 4 av. Ch. Lindbergh ✆ 01 49 78 42 00, hiorly.manager@alliance-ho
lity.com, Fax 01 45 60 91 25 – 🛗 ⇔ 🔟 & P – 🔬 15 à 150. AE ⦿ GB
🕸 rest
B
Repas (18,50) - 24,50 ♀ – 🖵 15 – **171 ch** 130/191.

🏨 **Grand Hôtel Mercure Orly** M, 20 av. Ch. Lindbergh ✆ 01 56 70 56 70, h1298@a
hotels.com, Fax 01 56 70 56 56, 🌊 – 🛗 ⇔ 🔟 & ⇦ P – 🔬 15 à 140. AE ⦿
🕸 rest
B
Repas (fermé sam. midi et dim. midi) (22,86) - 32,77 ♀, enf. 9,90 – 🖵 11,43 – **190 ch** 152.

🏨 **Novotel** M, Zone du Delta, 1 r. Pont des Halles ✆ 01 45 12 44 12, h1628@accor-ho
com, Fax 01 45 12 44 13, 🌊 – 🛗 ⇔ 🔟 & P – 🔬 15 à 150. AE ⦿ GB
B
Repas (16) - carte 22 à 28 ♀ – 🖵 11,28 – **187 ch** 136/142.

St-Cloud 92210 Hauts-de-Seine **101** ⑭, **22**, **25** G. Ile de France – 28 157 h alt. 63.
Voir *Parc*★★ (Grandes Eaux★★) – *Église Stella Matutina*★.
Paris 13 – Nanterre 7 – Rueil-Malmaison 6 – St-Germain 16 – Versailles 10.

🏨 **Villa Henri IV**, 43 bd République ✆ 01 46 02 59 30, villa-henri-4@wanado
Fax 01 49 11 11 02 – 🛗 🔟 P – 🔬 25. AE ⦿ GB
B
Bourbon (fermé 25 juil. au 25 août, 25 au 31 déc. et dim. soir) **Repas** (13,72) -
28,97 ♀, enf. 12,96 – 🖵 7,62 – **36 ch** 76,22/94,52.

🏨 **Quorum**, 2 bd République ✆ 01 47 71 22 33, quorum@multi-micro.c
Fax 01 46 02 75 64 – 🛗, ⬛ rest, 🔟 & ⇦ P, AE ⦿ GB
Repas (fermé août, sam. et dim.) (15,09) - 21,04 ♧ – 🖵 6,86 – **58 ch** 74/86.

🍴 **Garde-Manger**, 21 r. Orléans ✆ 01 46 02 03 66, Fax 01 46 02 11 55, bistrot –
GB
B
fermé dim. et fériés – **Repas** (12) - carte 24 à 35.

St-Denis 🔄 93200 Seine-St-Denis **101** ⑯, **20**, **25** G. Ile de France – 85 832 h alt. 33.
Voir *Basilique*★★★ – *Stade de France*★ – *Commune de la "Méridienne Verte"*.
🅱 Office du tourisme 1 rue de la République ✆ 01 55 87 08 70, Fax 01 48 20 24
accueil@stdenis-tourisme.com.
Paris 11 – Argenteuil 12 – Beauvais 70 – Bobigny 10 – Chantilly 31 – Pontoise 2
Senlis 43.

🏨 **Suite Hôtel** M sans rest, 31 av. Jules Rimet ✆ 01 49 46 54 54, H3325@accor-hotels.c
Fax 01 49 46 54 55 – 🛗 ⇔ 🔟 & ⇦. AE ⦿ GB
AS
101 ch 🖵 85.

🏨 **Ibis Stade de France Sud** M sans rest, r. Coquerie ✆ 01 55 93 36
Fax 01 55 93 36 36 – 🛗 ⇔ 🔟 & P. AE ⦿ GB
AS
🖵 6 – **95 ch** 59/70.

🏨 **Campanile**, 14 r. J. Jaurès ✆ 01 48 20 74 31, Fax 01 48 20 74 26 – 🛗 ⇔ 🔟 & ⇦
🔬 25. AE ⦿ GB
AP
Repas (12,50) - 15,10/18,15 ♀, enf. 5,94 – 🖵 6,40 – **99 ch** 70.

🍴 **Les Verdiots**, 26 bd M. Sembat ✆ 01 42 43 24 33, verdiotsperney@wanado
Fax 01 42 43 43 44 – ⬛. AE GB
AP
fermé août – **Repas** 11 (déj.)/17 et carte environ 35 ♀.

St-Germain-en-Laye 🔄 78100 Yvelines **101** ⑬, **18**, **25** G. Ile de France – 38 42
alt. 78.
Voir *Terrasse*★★ – *Jardin anglais*★ – *Château*★ : musée des Antiquités nationales★
Musée du Prieuré★.
🅱 Office du tourisme 38 rue Au Pain ✆ 01 34 51 05 12, Fax 01 34 51 36 01, sa
.germain.en.laye.tourisme@wanadoo.fr.
Paris 24 ③ – Beauvais 81 ① – Dreux 66 ④ – Mantes-la-Jolie 36 ④ – Versailles 13 ③.

Plan page ci-contre

🏨 **Ermitage des Loges** M, 11 av. Loges ✆ 01 39 21 50 90, ermitage@easyne
Fax 01 39 21 50 91, 🍴, 🌳 – 🛗 🔟 & P – 🔬 30 à 150. AE ⦿ GB. 🕸 rest
AY
Repas 17/27 – 🖵 10 – **56 ch** 112/128.

🍴 **Top Model**, 24 r. St-Pierre ✆ 01 34 51 77 78, Fax 01 39 73 87 32 – AE GB JCB
AZ
fermé 15 au 30 nov., dim. soir en hiver et lundi – **Repas** 12,20 (déj.)/25,15 et carte 43 à 7.

🍴 **Feuillantine**, 10 r. Louviers ✆ 01 34 51 04 24, Fax 01 34 51 49 03 – ⬛. GB
AZ
Repas 25,61.

ST-GERMAIN-EN-LAYE

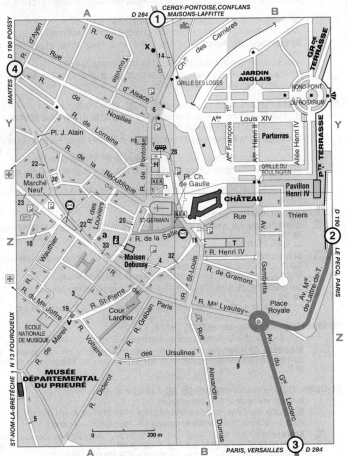

r ① et D 284 : 2,5 km – ⊠ 78100 St-Germain-en-Laye :

🏨 **Forestière** Ⓜ ⤸, 1 av. Prés. Kennedy ✆ 01 39 10 38 38, *hotel@cazaudechore.fr*, Fax 01 39 73 73 88, « En lisière de forêt », � – 🛗 📺 ✆ 🅿 – 🔏 30. 🆎 ⓞ 🅶🅱 🅹🅲🅱 voir rest. *Cazaudehore* ci-après – ⯑ 13 – **25 ch** 150/190, 5 appart.

🍴 **Cazaudehore**, 1 av. Prés. Kennedy ✆ 01 30 61 64 64, *hotel@cazaudechore.fr*, Fax 01 39 73 73 88, 🌂, « Jardin fleuri », � – 🅿. 🆎 ⓞ 🅶🅱 🅹🅲🅱 fermé lundi sauf fériés – **Repas** 47,50 bc (déj.)/61,50 et carte 46 à 65.

Au moment de chercher un hôtel ou un restaurant, soyez efficace.
*Sachez utiliser les noms soulignés en rouge sur les **cartes Michelin***
à 1/200 000.
Mais ayez une carte à jour !

St-Leu-la-Forêt 95320 Val d'Oise **101** ④ – 15 127 h alt. 120.

Paris 26 – Nanterre 19 – Beauvais 60 – Chantilly 32 – L'Isle-Adam 15 – Pontoise 15.

XX **Au Lévrier**, 19 r. Gâteau ✆ 01 39 60 00 38, Fax 01 39 60 00 38 – ■. AE GB. ✥
fermé 11 au 27 août, sam. midi, sam. soir et lundi – **Repas** *(19)* - 26/44 ♀, enf. 10.

X **Petit Castor**, 68 r. Paris ✆ 01 39 32 94 13, Fax 01 30 40 85 52 – ■. GB
fermé août, dim. soir, lundi soir et merc. – **Repas** 15,24 (déj.), 25,15/38,11 et carte 39 à 54.

St-Mandé 94160 Val-de-Marne **101** ㉗, **24**, **25** – 19 697 h alt. 50.

Paris 7 – Créteil 10 – Lagny-sur-Marne 30 – Maisons-Alfort 6 – Vincennes 2.

XX **Ambassade de Pékin**, 6 av. Joffre ✆ 01 43 98 13 82, Fax 01 43 28 31 93 – ■.
GB
BA
Repas - cuisine chinoise et thaïlandaise 11,60 (déj.) et carte 22 à 35 ♨.

XX **Rhétais**, 34 av. Gén. de Gaulle ✆ 01 43 28 10 28, Fax 01 41 93 73 15 – ■. AE GB BB
fermé août, dim. soir et lundi – **Repas** *(27)* - 33 ♀.

St-Maur-des-Fossés 94100 Val-de-Marne **101** ㉗, **24**, **25** – 73 069 h alt. 38.

🛈 Office de tourisme 70 av. de la République ✆ 01 42 83 84 74, Fax 01 42 83 84 74.
Paris 12 – Créteil 6 – Nogent-sur-Marne 6.

XX **Auberge de la Passerelle**, 37 quai de la Pie ✆ 01 48 83 59 65, Fax 01 48 89 91 24 – ■.
AE GB
BH
fermé août, mardi soir, dim. soir et merc. – **Repas** 28,97/39,64 et carte 39 à 58.

XX **Gourmet**, 150 bd Gén. Giraud (quartier de la Pie) ✆ 01 48 86 86 96, Fax 01 48 86 86 9
😷 – GB
BH
fermé 28 août au 10 sept., 3 au 10 janv., dim. soir et lundi – **Repas** 25 (déj.), 30/50 et carte
à 40 ♨.

à La Varenne-St-Hilaire – ⊠ 94210 :

🏠 **Winston** sans rest, 119 quai W. Churchill ✆ 01 48 85 00 46, Fax 01 48 89 98 89 – TV P.
① GB JCB
BG
♀ 6,50 – **23 ch** 60/90.

XXX **Bretèche**, 171 quai Bonneuil ✆ 01 48 83 38 73, labreteche@cyber-club.o
Fax 01 42 83 63 19, 😷 – ■. AE GB
BJ
fermé vacances de fév., dim. soir et lundi – **Repas** 27 et carte 38 à 65.

X **Gargamelle**, 23 av. Ch. Péguy ✆ 01 48 86 04 40, sarl.la.deviniere@wanadoo.fr, 😷 –
① GB
BG
fermé 16 août au 1ᵉʳ sept., dim. soir et lundi – **Repas** 23,63/29,75 et carte 36 à 42 ♀.

St-Maurice 94410 Val-de-Marne **101** ㉗ – 12 748 h alt. 50.

Paris 8 – Évry 33 – Fontainebleau 66 – Chartres 91 – Étampes 52 – Melun 43.

XXX **Michel B.**, 6 r. P. Verlaine ✆ 01 48 89 40 90, Fax 01 48 89 48 23, 😷 – ■. AE GB BE
fermé août, vacances de fév., sam. midi, dim. soir et lundi soir – **Repas** *(25)* - 31 et carte 4
67 ♀.

St-Ouen 93400 Seine-St-Denis **101** ⑯, **18**, **25** – 39 722 h alt. 36.

Voir *Commune de la "Méridienne verte".*

🛈 Office de tourisme Place de la République ✆ 01 40 11 77 36, Fax 01 40 11 01 70.
Paris 9 – Bobigny 11 – Chantilly 35 – Meaux 49 – Pontoise 27 – St-Denis 5.

🏠 **Sovereign**, 54 quai Seine ✆ 01 40 12 91 29, sovereign.st.ouen@wanadoo
Fax 01 40 10 89 49 – 🛗 TV ✆ ♿ P. – 🔏 30. AE ① GB
AS
Repas (fermé sam. et dim.) (12,34) - 18,29 – ♀ 6,10 – **104 ch** 52,59/57,93.

XX **Coq de la Maison Blanche**, 37 bd J. Jaurès ✆ 01 40 11 01 23, Fax 01 40 11 67 68,
– ■. AE GB JCB
AT
fermé dim. – **Repas** 29 et carte 42 à 60 ♀.

St-Pierre-du-Perray 91280 Essonne **101** ㊳ – 5 801 h alt. 88.

Paris 39 – Brie-Comte-Robert 18 – Évry 8 – Melun 21.

🏨 **Novotel** M, golf de Greenparc ✆ 01 69 89 75 75, h1783@accor-hotels.co
Fax 01 69 89 75 50, 😷, 🎦, 🔳 – 🛗 ✆ ✥ ■ TV ✆ ♿ P – 🔏 120. AE ① GB JCB
Repas (17) - 21 ♀, enf. 9,14 – ♀ 11,50 – **78 ch** 95/115.

Si vous cherchez un hôtel tranquille,
consultez d'abord les cartes de l'introduction
ou repérez dans le texte les établissements indiqués avec le signe ❧.

...uentin-en-Yvelines 78 Yvelines **101** ㉑, **25** G. Île de France.
Paris 33 – Houdan 32 – Palaiseau 28 – Rambouillet 21 – Versailles 14.

...tigny-le-Bretonneux – 35 216 h. alt. 162 – ⊠ 78180 :

🏨 **Mercure** M, 9 pl. Choiseul *&* 01 39 30 18 00, *h1983@accor-hotels.com*,
Fax 01 30 57 15 22, 😤 – ⓘ ⅶ 🔲 📺 📞 🕭 ⊂➔ – 🛆 20 à 70. 🖭 ⑩ ᴳᴮ. ❀ **BJ 23**
Repas *(fermé dim. midi et sam.)* (14,94) -19,82/26,70 �🍷 – ⏌ 11 – **74 ch** 110/117.

🏨 **Auberge du Manet** ॐ, 61 av. Manet *&* 01 30 64 89 00, *mail@aubergedumanet*,
Fax 01 30 64 55 10, 😤 – ⅶ 📺 🕭 �P. 🖭 ⑩ ᴳᴮ ᴶᶜᴮ **BL 21**
Repas 21,34 *(dîner)*, 29,39/35,82 ⍙ – ⏌ 9,15 – **35 ch** 79,27/96,04.

🏨 **Holiday Inn Garden Court** M, r. J.-P. Timbaud (rte Bois d'Arcy sur D 127)
& 01 30 14 42 00, *higcsaintquentin@alliance-hospitality.com*, Fax 01 30 14 42 42, 😤 – ⓘ
ⅶ 📺 🕭 🕭 �P. – 🛆 20 à 60. 🖭 ⑩ ᴳᴮ ᴶᶜᴮ **BH 22**
Repas *(fermé vend. soir, dim. midi et sam.)* (13) -15/22 🍷, enf. 8 – ⏌ 10 – **81 ch** 130.

...ins-le-Bretonneux – 12 153 h. alt. 163 – ⊠ 78960 .
Voir *Vestiges de l'abbaye Port-Royal des Champs★ SO : 4 km.*

🏨 **Novotel St-Quentin Golf National** M ॐ, au Golf National, Est : 2 km par D 36
⊠ 78114 Magny-lès-Hameaux *&* 01 30 57 65 65, *h1139@accor-hotels.com*,
Fax 01 30 57 65 00, ≤, 😤, 🗚, 🏊, 🎾, ❀ – ⓘ ⅶ 🔲 📺 📞 🕭 �P – 🛆 15 à 180. 🖭 ⑩
ᴳᴮ **BN 25**
Repas carte 26 à 32 ⍙, enf. 9,15 – ⏌ 11,43 – **130 ch** 104/112.

🏨 **Relais de Voisins** ॐ, av. Grand-Pré *&* 01 30 44 11 55, Fax 01 30 44 02 04, 😤 – ⅶ 🕭 🕭
�P – 🛆 40. ᴳᴮ **BM 23**
fermé 20 juil. au 19 août et 21 déc. au 1er janv. – **Repas** *(fermé dim. soir)* 13/25 🍷 – ⏌ 6 –
54 ch 56.

🏨 **Port Royal** ॐ sans rest, 20 r. H. Boucher *&* 01 30 44 16 27, Fax 01 30 57 52 11, ❀ – 📺
🕭 🕭 �P. ᴳᴮ **BM 24**
⏌ 5,49 – **40 ch** 50,31/54,88.

...Geneviève-des-Bois 91700 Essonne **101** ㉟ ㊱ G. Île de France – 32 125 h alt. 78.
Voir *Commune de la "Méridienne verte".*
🟦 *Office de tourisme* 8 av. du Château *&* 01 60 16 29 33, Fax 01 60 15 56 78.
Paris 27 – Arpajon 12 – Corbeil-Essonnes 16 – Étampes 30 – Évry 11 – Longjumeau 9.

✗✗ **Table d'Antan,** 38 av. Gde Charmille du Parc, près H. de Ville *&* 01 60 15 71 53,
Fax 01 60 15 71 53 – 🔲. 🖭 ᴳᴮ **CC 48**
fermé 6 août au 3 sept., mardi soir, merc. soir, dim. soir et lundi – **Repas** 25/45 et carte 37 à
54.

...trouville 78500 Yvelines **101** ⑬, **18** , **25** – 50 219 h alt. 46.
Paris 21 – Maisons-Laffitte 2 – Pontoise 19 – St-Germain-en-Laye 8 – Versailles 19.

✗✗ **Jardin Gourmand,** 109 rte Pontoise (N 192) *&* 01 39 13 18 88, Fax 01 61 04 03 07 – 🔲.
🖭 ᴳᴮ **AN 37**
fermé 13 au 26 août et dim. soir – **Repas** 22/43 et carte 43 à 55.

...igny-sur-Orge 91600 Essonne **101** ㊱ – 36 258 h alt. 81.
Voir *Commune de la "Méridienne verte".*
Paris 23 – Arpajon 20 – Corbeil-Essonnes 16 – Évry 10 – Longjumeau 6.

✗✗ **Au Ménil,** 24 bd A. Briand *&* 01 69 05 47 48, Fax 01 69 44 09 44 – 🔲. 🖭 ᴳᴮ **BX 50**
fermé 15 juil. au 15 août, 27 au 31 janv., lundi et mardi – **Repas** 26/43 ⍙.

...ran 93270 Seine-St-Denis **101** ⑱, **20** , **25** – 47 063 h alt. 50.
Paris 22 – Bobigny 11 – Meaux 28 – Villepinte 4.

🏨 **Campanile,** 5 r. A. Léonov *&* 01 43 84 67 77, Fax 01 43 83 27 40 – ⓘ ⅶ 📺 📞 🕭 �P –
🛆 25. 🖭 ⑩ ᴳᴮ **AN 65**
Repas 15/18 ⍙, enf. 5,95 – ⏌ 6,50 – **55 ch** 60.

...sy-sur-Seine 91450 Essonne **101** ㊲ – 7 072 h alt. 39.
Paris 34 – Évry 5 – Fontainebleau 39 – Chartres 85 – Étampes 41 – Melun 26.

✗✗ **Terrasse des Donjons,** 74 av. République *&* 01 60 75 66 06, Fax 01 60 75 66 44, 😤 –
ᴳᴮ **CB 59**
fermé sam. midi, dim. soir et lundi – **Repas** 20,58/26,68.

Sucy-en-Brie 94370 Val-de-Marne 101 ㉘, 24, 25 – 24 812 h alt. 96.

Voir *Château de Gros Bois★ : mobilier★★ S : 5 km*, G. Ile de France.

Paris 22 – Créteil 6 – Chennevières-sur-Marne 4.

quartier les Bruyères Sud-Est : 3 km :

🏨 **Tartarin** ⟫, carrefour de la Patte d'Oie ℰ 01 45 90 42 61, *tartarin@9onlin* Fax 01 45 90 52 55, 㩮 – 📺 ℃ – 🔬 30. 🆖 B

fermé août – **Repas** *(fermé mardi soir, merc. soir, jeudi soir et lundi)* 19,06/41,92 ⌷ 5,64 – **12 ch** 44,97/49,55.

✕✕ **Terrasse Fleurie**, 1 r. Marolles ℰ 01 45 90 40 07, Fax 01 45 90 40 07, 㩮 – B GB

fermé 29 juil. au 29 août, 15 au 22 fév., le soir (sauf vend. et sam.) et merc. – **Repas** 1 enf. 10.

Suresnes 92150 Hauts-de-Seine 101 ⑭, 18, 25 G. Ile de France – 39 706 h alt. 42.

Voir *Fort du Mont Valérien (Mémorial National de la France combattante).*

🛈 *Office du tourisme 50 boulevard Henri Sellier ℰ 01 41 18 18 76, Fax 01 41 18 18 78.*

Paris 12 – Nanterre 4 – Pontoise 33 – St-Germain-en-Laye 13 – Versailles 14.

🏨 **Novotel** Ⓜ, 7 r. Port aux Vins ℰ 01 40 99 00 00, *h1143@accor-hotels.c* Fax 01 45 06 60 06 – ⧈ ⇱ ≡ 📺 ℃ ⅙ ⇔ – 🔬 25 à 100. 🆎 ⓞ 🆖 A

Repas 25,15 ⌷ – ⌷ 11,43 – **107 ch** 148/157, 3 appart.

🏨 **Atrium** Ⓜ sans rest, 68 bd H. Sellier ℰ 01 42 04 60 76, *atrium@worldonlin* Fax 01 46 97 71 61, 𝄽 – ⧈ 📺 ℃ ⅙ ⇔ – 🔬 25. 🆎 ⓞ 🆖. ⅏ A ⌷ 10 – **42 ch** 114.

🏨 **Astor** sans rest, 19 bis r. Mt Valérien ℰ 01 45 06 15 52, Fax 01 42 04 65 29 – ⧈ 📺. A GB A ⌷ 5 – **50 ch** 61.

✕✕ **Les Jardins de Camille**, 70 av. Franklin Roosevelt ℰ 01 45 06 22 66, *les-jardins-de-lle@wanadoo.fr*, Fax 01 47 72 42 25, ≤, 㩮 – 🆎 🆖 🅙🅲🅱 A

fermé dim. soir – **Repas** 29,72 et carte 40 à 56.

Tremblay-en-France 93290 Seine-St-Denis 101 ⑱, 20, 25 – 33 885 h alt. 60.

Paris 24 – Aulnay-sous-Bois 7 – Bobigny 14 – Villepinte 4.

✕✕✕ **Relais Gourmand**, 2 rte Petits Ponts ℰ 01 48 60 87 34, Fax 01 49 63 85 47 – ≡ GB A

fermé 28 avril au 6 mai, 15 juil. au 20 août, sam. midi, dim. soir et lundi – **Repas** 52/5 carte 50 à 66 ⌷.

au Tremblay-Vieux-Pays :

✕✕ **Cénacle**, 1 r. Mairie ⊠ 93290 ℰ 01 48 61 32 91, Fax 01 48 60 43 89 – 🆎 🆖 A

fermé août, sam et dim. – **Repas** 36/52 et carte 50 à 75 ⌷, enf. 16.

Triel-sur-Seine 78510 Yvelines 101 ① ② G. Île de France – 11 097 h alt. 20.

Voir *Église St-Martin★.*

Paris 37 – Mantes-la-Jolie 27 – Pontoise 17 – Rambouillet 55 – St-Germain-en-Laye 12.

✕ **St-Martin**, 2 r. Galande (face Poste) ℰ 01 39 70 32 00 – ⅏ ☺ *fermé 5 au 29 août, sam. midi, merc. et dim.* – **Repas** *(nombre de couverts limité, prév* 16,76/27,44.

Vanves 92170 Hauts-de-Seine 101 ㉕, 22, 25 – 25 414 h alt. 61.

Paris 7 – Boulogne-Billancourt 5 – Nanterre 13.

🏨 **Mercure Porte de la Plaine** Ⓜ, 36 r. Moulin ℰ 01 46 48 55 55, *h0375@accor-hc com*, Fax 01 46 48 56 66 – ⧈ ⇱ ≡ 📺 ℃ ⅙ ⇔ – 🔬 20 à 180. 🆎 ⓞ 🆖 🅙🅲🅱 B

Repas 21,80 ⌷ – ⌷ 13 – **384 ch** 190/200, 4 appart.

🏨 **Parc des Expositions** Ⓜ sans rest, 18 r. E. Baudouin ℰ 01 41 46 06 46, *resa@ group-vacances.com*, Fax 01 41 46 06 47 – ⧈ 📺 ℃ ⅙ ⇔ – 🔬 15 à 30. 🆎 🆖 B ⌷ 7,45 – **55 ch** 99/114.

🏨 **Ibis** Ⓜ sans rest, 43 r. J. Bleuzen ℰ 01 40 95 80 00, Fax 01 40 95 96 99 – ⧈ ⇱ 📺 ⇔. 🆎 ⓞ 🆖 B ⌷ 6 – **71 ch** 79.

✕✕✕ **Pavillon de la Tourelle**, 10 r. Larmeroux ℰ 01 46 42 15 59, *pavillontourelle@wana fr*, Fax 01 46 42 06 27, 㩮, 𝄽 – ⅏. 🆎 ⓞ 🆖 🅙🅲🅱 B

fermé 29 juil. au 26 août, vacances de fév., dim. soir et lundi – **Repas** (25) - 32/76 bc et c 52 à 89, enf. 23.

cresson 92420 Hauts-de-Seine **101** ㉓, **22** , **25** – 8 141 h alt. 160.

Voir Etang de St-Cucufa★ NE : 2,5 km – Institut Pasteur - Musée des Applications de la Recherche★ à Marnes-la-Coquette SO : 4 km, G. Ile de France.

Paris 18 – Mantes-la-Jolie 44 – Nanterre 10 – St-Germain-en-Laye 11 – Versailles 5.

Plans : voir plan de Versailles

%% **Auberge de la Poularde,** 36 bd Jardy (près autoroute) D 182 ℰ 01 47 41 13 47, Fax 01 47 41 13 47, 😭 – 🖭. 🖭 🖭 🐺 – U a
fermé août, vacances de fév., dim. soir, mardi soir et merc. – **Repas** 27,44 et carte 43 à 61.

zy-Villacoublay 78140 Yvelines **101** ㉔, **22** , **25** – 20 342 h alt. 164.

Paris 19 – Antony 12 – Chartres 82 – Meudon 8 – Versailles 6.

🏨 **Holiday Inn** M, av. Europe, près centre commercial Vélizy II ℰ 01 39 46 96 98, hivelizy @alliance-hospitality.com, Fax 01 34 65 95 21, 🔲 – 📳 ⅷ ☰ 🖭 ₺ 🖪 – 🔬 170. 🖭 ⓪ 🖼.
⅜ rest BJ 39
Repas (30) - 33/38 ₰, enf. 10 – ⌸ 14 – **182 ch** 230/270.

nouillet 78540 Yvelines **101** ① G. Ile de France – 9 471 h alt. 24.

Voir Clocher★ de l'église.

Paris 36 – Mantes-la-Jolie 25 – Pontoise 19 – Rambouillet 53 – Versailles 28.

%% **Les Charmilles** 🕭 avec ch, 38 av. P. Doumer ℰ 01 39 71 64 02, Fax 01 39 65 98 62, 😭 , 🞓 – 🖭 ₡ 🖪 – 🔬 30. 🖭 🖼
fermé 6 au 29 août – **Repas** (fermé dim. soir et lundi) (18,50) - 26 ♀ – ⌸ 6 – **9 ch** 37/55.

Pour être inscrit au Guide Rouge Michelin
- pas de piston,
- pas de pot de vin!

sailles 🅿 78000 Yvelines **101** ㉓, **22** , **25** G. Ile de France – 85 726 h alt. 130.

Voir Château★★★ – Jardins★★★ (Grandes Eaux★★★ et fêtes de nuit★★★ en été) – Ecuries Royales★ – Trianon★★ – Musée Lambinet★ Y M.

Env. Jouy-en-Josas : la "Diège"★ (statue) dans l'église, 7 km par ③.

🖪 Office du tourisme 2 Bis avenue de Paris ℰ 01 39 24 88 88, Fax 01 39 24 88 89, tourisme@ot-versailles.fr.

Paris 21 ① – Beauvais 93 ⑨ – Dreux 59 ⑥ – Évreux 90 ⑧ – Melun 65 ④ – Orléans 129 ④.

Plans pages suivantes

🏨 **Trianon Palace** M 🕭, 1 bd Reine ℰ 01 30 84 50 00, trian@westin.com, Fax 01 30 84 50 01, ≼, « Élégant décor début de siècle », 🕭, 🔲, ⅜, ♨ – 📳 ☰ ch, 🖭 ₡ 🚗 🖪 – 🔬 15 à 200. 🖭 🖼 ⅜ X r
voir rest. **Les Trois Marches** ci-après - **Café Trianon** : **Repas** carte 44 à 70 ♀, enf. 13 – ⌸ 25 – **166 ch** 280/540, 26 appart.

🏨 **Sofitel Château de Versailles** M, 2 bis av. Paris ℰ 01 39 07 46 46, h1300@accor-hotels.com, Fax 01 39 07 46 47, 🕭 – 📳 ⅷ ☰ 🖭 ₡ ₺ 🚗 – 🔬 90. 🖭 ⓪ 🖼 🖼.
⅜ rest Y a
Repas (fermé 27 juil. au 25 août, 21 au 26 déc. et sam. midi) 27 – ⌸ 19,50 – **146 ch** 228, 6 appart.

🏨 **Versailles** M 🕭 sans rest, 7 r. Ste-Anne ℰ 01 39 50 64 65, info@hotel-le-versailles.fr, Fax 01 39 02 37 85 – 📳 ⅷ 🖭 ₡ ₺ 🖪 – 🔬 25. 🖭 ⓪ 🖼 🖼 Y p
⌸ 10 – **46 ch** 84/105.

🏨 **Résidence du Berry** M sans rest, 14 r. Anjou ℰ 01 39 49 07 07, resa@hotel-berry.com, Fax 01 39 50 59 40 – 📳 ⅷ 🖭 ₡, 🖭 ⓪ 🖼 🖼 Z s
⌸ 10 – **38 ch** 100/120.

🏨 **Relais Mercure** M sans rest, 19 r. Ph. de Dangeau ℰ 01 39 50 44 10, hotel@mercure-versaille.com, Fax 01 39 50 65 11 – 📳 🖭 ₡ ₺ 🚗 – 🔬 35. 🖭 ⓪ 🖼 🖼 Y n
⌸ 7,50 – **60 ch** 79/86.

🏨 **Ibis** sans rest, 4 av. Gén. de Gaulle ℰ 01 39 53 03 30, Fax 01 39 50 06 31 – 📳 ⅷ 🖭 ₺ 🚗.
🖭 ⓪ 🖼 Y u
⌸ 5,95 – **85 ch** 69,36.

🏨 **Home St-Louis** sans rest, 28 r. St-Louis ℰ 01 39 50 23 55, Fax 01 30 21 62 45 – 🖭. 🖭 🖼 🖼 Z d
⌸ 6 – **25 ch** 53,50/58,70.

VERSAILLES

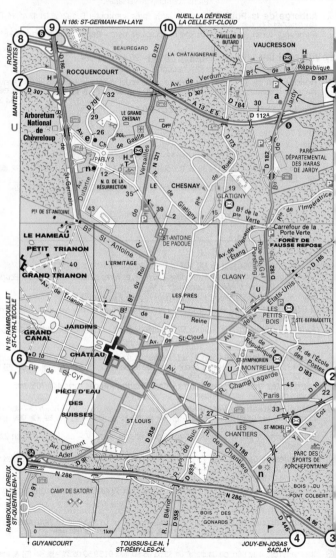

Les **Guides Rouges**, les **Guides Verts** et les **cartes Michelin**
sont complémentaires.
Utilisez-les ensemble.

VERSAILLES

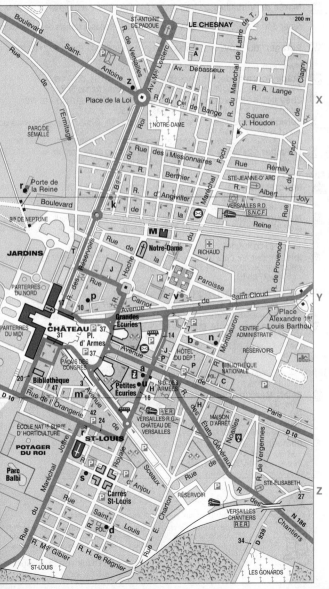

XXXX **Les Trois Marches** - Hôtel Trianon Palace, 1 bd Reine ℘ 01 39 50 13 21, gerar
☼ westin.com, Fax 01 30 21 01 25, ≤, 斎 – ▤ **P**, ⴭ ◍ ⃟ ⃟
fermé août, dim. et lundi – **Repas** 58 (déj.)/130 ♀
Spéc. Penne ''al dente'' au balsamic et à la mirepoix de homard. Parmentier de lan
tines et huîtres en tartare. Semoule de rave aux truffes (mi-janv. à fin mars).

XX **Valmont**, 20 r. au Pain ℘ 01 39 51 39 00, levalmont@wanadoo.fr, Fax 01 34 60 21 4
– ▤, ⴭ ◍ ⃟ ⃟
fermé dim. soir et lundi – **Repas** (19) · 27 et carte 38 à 60.

XX **Marée de Versailles**, 22 r. au Pain ℘ 01 30 21 73 73, Fax 01 39 49 98 29, 斎 – ⃟
⃟
fermé 3 au 18 août, vacances de fév., dim. et lundi – **Repas** · produits de la mer · cart
51 ♀.

XX **Potager du Roy**, 1 r. Mar.-Joffre ℘ 01 39 50 35 34, Fax 01 30 21 69 30 – ▤
⊛ ⃟
fermé sam. midi, dim. soir et lundi – Repas (23) · 30/45 ♀.

XX **Étape Gourmande**, 125 r. Yves Le Coz ℘ 01 30 21 01 63, 斎 – ⃟
fermé 28 juil. au 22 août, dim. soir, mardi soir et merc. – **Repas** 37 ♀.

X **Chevalet**, 6 r. Ph. de Dangeau ℘ 01 39 02 03 13, Fax 01 39 50 81 41 – ⴭ ⃟
fermé 6 au 21 août, dim. soir – Repas (15) · 26 ♀.

X **Cuisine Bourgeoise**, 10 bd Roi ℘ 01 39 53 11 38, la.cuisine.bougeoise@wanac
Fax 01 39 53 25 26 – ⴭ ⃟
fermé 3 au 26 août, sam. midi, dim. et lundi – **Repas** (21,50) · 29,50 (déj.), 39/57 bc.

X **Le Falher**, 22 r. Satory ℘ 01 39 50 57 43, Fax 01 39 49 04 66 – ⴭ ⃟. ⌘
fermé sam. midi, dim. et lundi – **Repas** (19) · 23 (déj.), 26/32.

au Chesnay – 28 530 h. alt. 120 – ⌧ 78150 :

🏨 **Novotel** ▥, 4 bd St-Antoine ℘ 01 39 54 96 96, h1022@accor-hotels
Fax 01 39 54 94 40 – 🛗 🌡 ▥ ✆ & 🚗 – 🔬 90. ⴭ ◍ ⃟
Repas (16) · 21 ♀, enf. 7,62 – ⌧ 11 – **105 ch** 107/115.

🏨 **Mercure** ▥ sans rest, r. Marly-le-Roi, face centre commercial Parly II ℘ 01 39 55
h0379@accor-hotels.com, Fax 01 39 55 06 22 – 🛗 🌡 ▥ ✆ & **P** – 🔬 15. ⴭ ◍
⃟
⌧ 11 – **89 ch** 107/145.

🏠 **Ibis** sans rest, av. Dutartre, centre commercial Parly II ℘ 01 39 63 37 93, H0939-AC
@accor-hotels.com, Fax 01 39 55 18 66 – 🛗 🌡 ▤ ▥ & ⴭ ◍ ⃟
⌧ 6,02 – **72 ch** 69.

Le Vésinet 78110 Yvelines 🔟🔟 ⑬, 🔟🔟, 🔟🔟 – 15 921 h alt. 44.
🅱 Office du tourisme 3 avenue des Pages ℘ 01 30 15 47 80, Fax 01 30 15 47 77.
Paris 19 – Maisons-Laffitte 9 – Pontoise 23 – St-Germain-en-Laye 4 – Versailles 12.

🏠 **Auberge des Trois Marches**, 15 r. J. Laurent (pl. Église) ℘ 01 39 76
Fax 01 39 76 62 58 – 🛗, ▤ rest, ▥ ✆ ◍ ⃟
fermé 11 au 25 août – **Repas** (fermé dim. soir) (21,34) · 26,68 ♀ – ⌧ 7,32 – **15 ch**
94,06.

Villejuif 94800 Val-de-Marne 🔟🔟 ㉖, 🔟🔟, 🔟🔟 – 47 384 h alt. 100.
Paris 8 – Créteil 11 – Orly 8 – Vitry-sur-Seine 3.

🏨 **Relais Mercure Timing** ▥, 116 r. Éd. Vaillant ℘ 01 53 14 50 50, h1879@accor-h
com, Fax 01 53 14 50 60, 🏋, 🏊 – 🛗 🌡, ▤ ch, ▥ ✆ **P** – 🔬 15 à 300. ⴭ
⃟
Repas (fermé 12 juil. au 22 août, sam. midi, dim. midi et fériés le midi) 24,24, enf.
⌧ 10,50 – **148 ch** 115/121.

🏠 **Campanile**, 20 r. Dr Pinel ℘ 01 46 78 10 11, Fax 01 46 77 88 94, 斎 – 🛗 🌡 ▤ ▥ ✆
– 🔬 50. ⴭ ◍ ⃟
Repas (12,50) · 14,03/18,14 ♀, enf. 5,95 – ⌧ 6,40 – **72 ch** 64,79.

Write us...

If you have any comments on the contents of this Guide.

Your praise as well as your criticisms will receive careful
consideration and, with your assistance, we will be able to add
to our stock of information and, where necessary, amend
our judgments.

Thank you in advance!

ejust 91140 Essonne **101** ㉞ – 1 655 h alt. 162.
Paris 25 – Chartres 66 – Étampes 31 – Évry 19 – Melun 46 – Versailles 24.

urtaboeuf 7 sur D 118 : 2 km – ⊠ 91971 :

🏨 **Campanile**, av. des Deux Lacs ℘ 01 69 31 16 17, Fax 01 69 31 07 18, 命 – 🍴 📺 ⌕ 🔥 🅿.
⚫ 📀 🆖 **BX 38**
Repas 15,09/16,62 ⌾, enf. 5,95 – ⌚ 5,94 – **76 ch** 51,83.

neuve-la-Garenne 92390 Hauts-de-Seine **101** ⑮, **20** , **25** – 22 349 h alt. 30.
Voir *Commune de la "Méridienne verte".*
Paris 13 – Nanterre 13 – Pontoise 24 – St-Denis 3 – St-Germain-en-Laye 23.

🍴 **Les Chanteraines**, av. 8 Mai 1945 ℘ 01 47 99 31 31, Fax 01 41 21 31 17, ≤, 命 – 🅿. ⚫
🆖 **AP 48**
fermé 6 au 27 août, sam. et dim. – **Repas** 29 et carte 44 à 61.

neuve-le-Roi 94290 Val-de-Marne **101** ㉖ – 18 292 h alt. 100.
Paris 20 – Créteil 9 – Arpajon 29 – Corbeil-Essonnes 21 – Évry 16.

🍴 **Beau Rivage**, 17 quai de Halage ℘ 01 45 97 16 17, Fax 01 49 61 02 60, ≤ – ⚫ 📀
🆖 **BS 58**
fermé 13 au 20 août , merc. soir de sept. à fin mai, mardi soir, dim. soir et lundi – **Repas** 29.

When looking for a hotel or restaurant use the most efficient method.
Look for the names of towns underlined in red
*on the **Michelin maps** scale: 1:200 000.*
But make sure you have an up-to-date map!

eparisis 77270 S.-et-M. **101** ⑲, **25** – 21 296 h alt. 72.
Paris 25 – Bobigny 15 – Chelles 10 – Tremblay-en-France 5.

🍴 **Bastide**, 15 av. J. Jaurès ℘ 01 60 21 08 99, Fax 01 60 21 08 99 – 🆖 **AP 73**
fermé 4 au 26 août, sam. midi, dim. soir et lundi soir – **Repas** 20,58/33,54 et carte 36 à 50,
enf. 11,43.

ers-le-Bâcle 91190 Essonne **101** ㉓, **22** , **25** – 1 093 h alt. 153.
Paris 25 – Arpajon 26 – Rambouillet 28 – Versailles 11.

🍴 **Petite Forge**, ℘ 01 60 19 03 88, Fax 01 60 19 03 88, 命 – ⚫ 🆖 **BS 30**
fermé sam. et dim. – **Repas** 40 ⌾.

cennes 94300 Val-de-Marne **101** ⑰, **24** , **25** – 43 595 h alt. 51.
Voir *Château** – Bois de Vincennes** : Zoo**, Parc floral de Paris**, Musée des Arts
d'Afrique et d'Océanie** , G. Paris.*
🄱 *Office du tourisme 11 avenue de Nogent ℘ 01 48 08 13 00, Fax 01 43 74 81 01,
otsi.vincennes@liberty.fr.*
Paris 8 – Créteil 11 – Lagny-sur-Marne 27 – Meaux 46 – Melun 52 – Senlis 49.

🏨 **St-Louis** Ⓜ sans rest, 2 bis r. R. Giraudineau ℘ 01 43 74 16 78, mail@hotel-paris-saintlouis
.com, Fax 01 43 74 16 49 – |☰| 📺 ⌕ 🔥 – 🛡 25. ⚫ 📀 🆖 ᴶᶜᴮ **BB 57**
⌚ 12 – **25 ch** 95/168.

🏨 **Daumesnil Vincennes** sans rest, 50 av. Paris ℘ 01 48 08 44 10, info@hotel-daumesnil.
com, Fax 01 43 65 10 94 – |☰| ▤ ⌕. ⚫ 📀 🆖 ᴶᶜᴮ **BB 57**
⌚ 7,50 – **50 ch** 78/112.

🏨 **Donjon** sans rest, 22 r. Donjon ℘ 01 43 28 19 17, Fax 01 49 57 02 04 – |☰| 📺. 🆖 **BB 57**
fermé 26 juil. au 27 août – ⌚ 6 – **25 ch** 47/65.

🍴 **Rigadelle**, 26 r. Montreuil ℘ 01 43 28 04 23, Fax 01 43 28 04 23 – ⚫ 📀 🆖 **BB 57**
fermé août, vacances de fév., dim. soir et lundi – **Repas** (nombre de couverts limité,
prévenir) (19,06) - 25,92 et carte 41 à 55.

flay 78220 Yvelines **101** ㉔, **22** – 15 211 h alt. 115.
Paris 17 – Antony 16 – Boulogne-Billancourt 8 – Versailles 4.

🍴 **Chaumière**, 3 av. Versailles ℘ 01 30 24 48 76, bermabe.patrice@wanadoo.fr,
Fax 01 30 24 59 69, 命 – 🆖 **BG 34**
fermé 5 au 27 août, 23 au 30 déc., merc. soir et lundi – **Repas** (22) - 28/37.

Viry-Châtillon *91170 Essonne* **101** ㊱ *– 30 257 h alt. 34.*
Paris 27 – Corbeil-Essonnes 14 – Évry 8 – Longjumeau 9 – Versailles 33.

XXX **Dariole de Viry,** 21 r. Pasteur ℰ 01 69 44 22 40, *Fax 01 69 96 88 87* – ▤. ㏂ ㏄ E
fermé 22 déc. au 5 janv., sam. midi et dim. – **Repas** 39.

X **Marcigny,** 27 r. D. Casanova ℰ 01 69 44 04 09 – ▤. ㏄
fermé 1er au 18 août, dim. soir et lundi – **Repas** 25,92/31.

PARTHENAY 79200 Deux-Sèvres **67** ⑱ G. Poitou Vendée Charentes – 10 466 h alt. 175.

Voir ≼★ du Pont-Neuf - ≼★ de la terrasse de l'hôtel de ville – Pont et porte St-Jacques★ Y B – Rue de la Vau-St-Jacques★ Y – Église St-Pierre★ de Parthenay-le-Vieux par ④ : 1,5 km.

🛈 Office du tourisme 8 rue de la Vau St Jacques ℘ 05 49 24 24, Fax 05 49 64 52 29, office-tourisme@district-parthenay.fr.

Paris 377 ② – Poitiers 49 ② – Bressuire 32 ① – Niort 42 ④ – Thouars 41 ①.

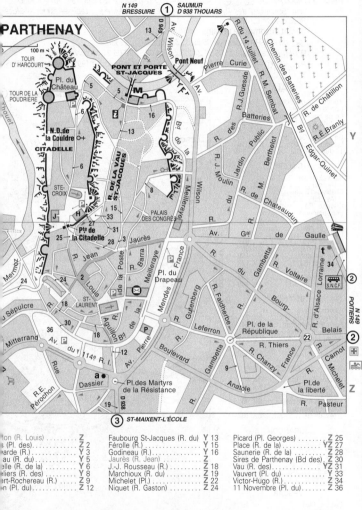

🏨 **St-Jacques** sans rest, 13 av. 114ᵉ R.I. ℘ 05 49 64 33 33, hotel-st-jacques@district parthenay.fr, Fax 05 49 94 00 69 – 🛗 📺 🛜 🕭 🅿 🖭 🖼 🏧   **Z a**
fermé vend. soir du 15 nov. au 15 mars – ☲ 7 – **46 ch** 34/58

🍴 **Nord** avec ch, 86 av. Gén. de Gaulle ℘ 05 49 94 29 11, hotel-du-nord@district-parthenay.fr, Fax 05 49 64 11 72 – 🗃 rest, 📺 🖭 ⓘ 🖼   **Z t**
fermé 21 déc. au 6 janv., sam. midi et dim. soir – **Repas** 14/40 🐑, enf. 8 – ☲ 6 – **10 ch** 44,50/50 – ½ P 43

PARVILLE 27 Eure 55 ⑯ – rattaché à Évreux.

PASSENANS 39 Jura 70 ④ – rattaché à Poligny.

PATRIMONIO 2B H.-Corse 90 ③ – voir à Corse.

PAU ℗ 64000 Pyr.-Atl. 85 ⑥ ⑦ G. Aquitaine – 78 732 h Agglo. 181 413 h alt. 207 – Casino.
Voir Boulevard des Pyrénées ☀★★★ DEZ – Château★★ : tapisseries★★★ – Musée
Beaux-Arts★ EZ M.
Circuit automobile urbain.
✈ de Pau-Pyrénées : ℘ 05 59 33 33 00, par ① : 12 km.
🛈 OMT Place Royale ℘ 05 59 27 27 08, Fax 05 59 27 03 21, smt@ville-pau.fr.
Paris 780 ① – Bayonne 113 ⑥ – Bordeaux 202 ① – Toulouse 199 ② – Zaragoza 236 ⑤

PAU

Bérard (Cours Léon) ..... BV 12
Condorcet (Allée)........ BV 31
Corps Franc Pommiès
et du 49ᵉ R.I. (Bd).... CX 37
Dufau (Av.)............ BVX 50
Gaulle (Av. Gén. de) .... BV 75
Lyautey (Cours)........ BVX 101
14 Juillet (R. du) .... BX 170

BILLERE

Baron Séguier
(Av. du) .... AX 7
Château d'Este
(Av. du) .... AX 23
Claverie (R.) .... AX 24
Entrepreneurs
(R. des) .... AX 57
Galas (R. de) .... BV 70
Golf (R. du)........... AX 81
Lalanne (Av.) .... AVX 91
Lavoir (R. du) .... AX 95
Lons (Av. de)........ ABV 100
Piedmont (R.)........ BV 129
Pilar (R.)............ BV 130
Plaine (R. de la) ...... AX 132
Rousseau (R. J.J.) ..... AX 145

BIZANOS

Albert 1ᵉʳ (Av.) ...... BCX 2
Clemenceau (R. G.) .... BX 27
Foch (R. Maréchal) .... BX 64
Larribau (Chemin) .... CX 93
Pic du Midi (R. du) .... CX 127
République
(Av. de la) .... CX 138

GELOS

Barthou (R. L.)........ BX 9
Gélos (Av. de) .... BX 80
Leclerc
(Av. du Maréchal) ... BX 96
Vallée Heureuse
(Av. de la) .... BX 162

JURANÇON

Cambot (Av. G.) ...... AX 17
Corps Franc Pommiès
(Av. du) .... AX 36
Espagne (Pont d')..... AX 58
Gaulle (R. Ch. de)..... AX 77
Ollé-Laprune .... AX 115

LESCAR

Carrérot (Av.) .... AV 19
Coustettes
(Chemin des) ...... AV 42
Lacau (R.)........... AV 89
Santos-Dumont
(Av.)............... AV 147
Vigné (Côte du)....... AV 168

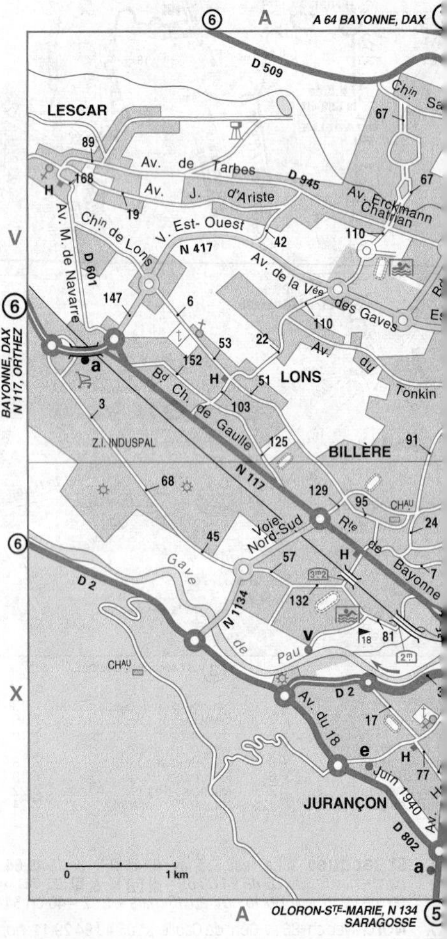

LONS

Ampère
(Av. André-Marie) ..... AV 3

Ariste (R.) .... AV 6
Château
(R. du)............... AV 22
Dassault
(Av. Marcel) .... A
Ecoles (R. des) .... A

1078

Kyriad Centre ⏵ sans rest, 80 r. E. Garet ☎ 05 59 82 58 00, *kyriad.paucentre@wanadoo
.fr*, Fax 05 59 27 30 20 – 🛗 🗐 📺 📞 🅿 – 🔬 30. 🆎 ⑩ 🅶🅱 🇯🇨🇧   **EY n**
⇄ 6,50 – **40 ch** 69

Mercure Palais des Sports 🅼, av. Europe ☎ 05 59 84 29 70, *h0952@accor-hotels.
com*, Fax 05 59 84 56 11, ⇲ – 🛗 ✳ 🗐 📺 📞 & 🅿 – 🔬 80. 🆎 ⑩ 🅶🅱   **BV m**
Repas *(16)* - 21 ♨, enf. 9,15 – ⇄ 10 – **92 ch** 119/125

de Gramont sans rest, 3 pl. Gramont ☎ 05 59 27 84 04, *gramont@club-internet.fr*,
Fax 05 59 27 62 23 – 🛗 ✳ 📺 📞 &. 🆎 ⑩ 🅶🅱 🇯🇨🇧   **DZ t**
⇄ 7 – **36 ch** 31/76

Roncevaux sans rest, 25 r. L. Barthou ☎ 05 59 27 08 44, *contact@hotel-roncevaux.com*,
Fax 05 59 27 08 01 – 🛗 📺 📞 🅿. 🆎 ⑩ 🅶🅱 🇯🇨🇧   **EZ f**
⇄ 8 – **39 ch** 59/72,58

Commerce, 9 r. Mar. Joffre ☎ 05 59 27 24 40, *hotel.commerce.pau@wanadoo.fr*,
Fax 05 59 83 81 74, ⇲ – 🛗 📺 📞 – 🔬 60. 🆎 ⑩ 🅶🅱   **EZ q**
Repas *(fermé dim.)* 13,80/29,50 ♀ – ⇄ 5,50 – **51 ch** 35,50/51 – ½ P 40/41,90

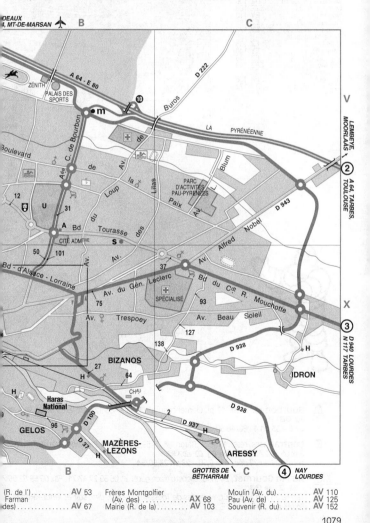

PAU

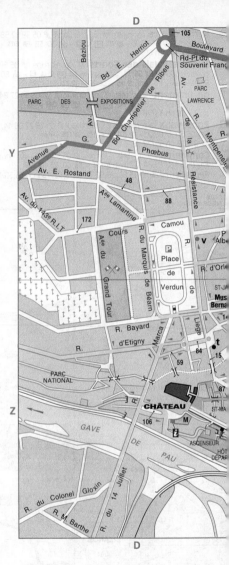

🏠 **Bourbon** sans rest, 12 pl. Clemenceau 𝓟 05 59 27 53 12, *Fax 05 59 82 90 99 –* 📳 **[**
ⓞ **GB**
⌕ 6 – **33 ch** 44,80/46,50

🏠 **Central** sans rest, 15 r. L. Daran 𝓟 05 59 27 72 75, *hotelcentralpau@dial-oleane*
Fax 05 59 27 33 28 – ⇆ 📺 **AE** ⓞ **GB**
fermé 21 au 29 déc. – ⌕ 5,50 – **28 ch** 29,50/54

XXX **Au Fin Gourmet,** 24 av. G. Lacoste (face gare) 𝓟 05 59 27 47 71, *Fax 05 59 82 96 7*
– 🍽 **AE** ⓞ **GB**
fermé 23 juil. au 5 août, vacances de Toussaint, de fév., dim. soir et lundi – **Repas** 16
31/43 et carte 43 à 51 ⅔

Chez Pierre, 16 r. L. Barthou *℘* 05 59 27 76 86, *Fax 05 59 27 08 14* – 🗏. 🖭 ⓞ ⒼⒷ JCB
EZ x
fermé 15 au 21 avril, 4 au 18 août, 2 au 18 janv., sam. midi, lundi midi et dim. – **Repas** 30,50 et carte 43 à 50 ♈

Michodière, 34 r. Pasteur *℘* 05 59 27 53 85, *Fax 05 59 27 53 85* – ⒼⒷ
DY b
fermé 27 juil. au 26 août, dim. et fériés – **Repas** 13/22 ♈

Viking, 33 bd Tourasse *℘* 05 59 84 02 91, *Fax 05 59 80 21 05*, 霂 – 🗏 🅿. 🖭 ⓞ ⒼⒷ
BV s
fermé 1er au 15 août, dim. sauf le midi de sept. à juin, lundi soir sauf en juil.-août et sam. midi – **Repas** (15,25) -19,82/36,59

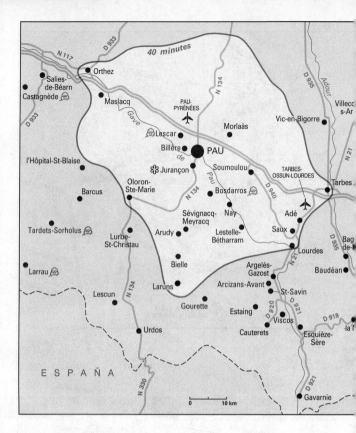

XX **Fer à Cheval** avec ch, 1 av. Martyrs du Pont Long ⊠ 64140 Lons ℰ 05 59 32
Fax 05 59 72 97 53, 😤, 🚗 – 📺 🅿. ⃝GB
Repas *(fermé merc. midi et mardi)* 19,82 (déj.), 22,11/36,59 ♀ – 🖙 5,34 – **6 ch** 38,11/4
½ P 38,87/41,92

X **La Concha,** 36 r. Liège ℰ 05 59 27 55 09, Fax 05 59 27 11 76, 😤 – ▤. ⃝GB
Repas - produits de la mer - carte 27 à 33

X **Planche de Boeuf,** 30 r. Pasteur ℰ 05 59 27 62 60, Fax 05 59 27 62 60 – ⃝GB
fermé août, dim. soir, merc. soir et lundi – **Repas** 10,67 bc (déj.), 18,29/28,20 🐌

X **Table d'Hôte,** 1 r. Hédas ℰ 05 59 27 56 06, Fax 05 59 27 56 06, 😤 – ⃝GB
fermé vacances de Pâques, de Toussaint, lundi sauf le soir en août et dim. hors s.
Repas 18/23,65

X **Brasserie Le Berry,** 4 r. Gachet ℰ 05 59 27 42 95, 😤 – ▤. ⃝GB
fermé 30 avril au 13 mai – **Repas** carte environ 25 🐌

à Jurançon : 2 km – 7 378 h. alt. 177 – ⊠ 64110 :

XXX **Chez Ruffet** (Carrade), 3 av. Ch. Touzet ℰ 05 59 06 25 13, chez.ruffet@wana
🕄 Fax 05 59 06 52 18, 😤, cadre rustique – ⓞ ⃝GB
fermé dim. soir et lundi – **Repas** (prévenir) 20 bc/43 et carte 54 à 68 ♀, enf. 12
Spéc. Saint-Jacques en coquilles au beurre de jurançon (hiver). Bar de ligne cuit s
pierre du gave, jus de rôti et sauce pistou (été). Palombes rôties, cuisses en sal
"pommes allumettes" à la graisse d'oie (automne)

XX **Castel du Pont d'Oly** avec ch, 2 av. Rausky ℰ 05 59 06 13 40, castel.oly@wana
Fax 05 59 06 10 53, 😤, 🏊, 🚗 – ▤ ch, 📺 📞 🅿 – 🏛 20. ⃝GB
Repas *(fermé dim. soir)* 19,82 (déj.), 25,15/56,10 ♀ – 🖙 9,15 – **6 ch** 76,22/91,47 – ½ P
79,27

ère par ⑥, rte de Bayonne (N 117) puis dir. Golf : 3,5 km – 13 398 h. alt. 170 – ⊠ 64140 :

Au Bord de l'Eau, r. Gravière ℘ 05 59 62 15 62, Fax 05 59 62 50 02, ≤, 佘, ✿ – ▤ **P**. GB
AX v
fermé janv. et dim. – Repas carte 30,50 à 45,50

e Bayonne par ⑥ et N 117 : 6 km – ⊠ 64230 Lescar :

Novotel M, centre commercial ℘ 05 59 13 04 04, h0421@accor-hotels.com, Fax 05 59 13 04 13, 佘, ⊐, ✿ – ⇄ ▤ 🆃🆅 ℃ 🖫 **P** – 益 40. 歴 ⑩ GB JCB
Repas carte environ 25 ⅜, enf. 7,62 – ⇌ 9,50 – **89 ch** 81/92

car par ⑥ : 7,5 km – 8 191 h. alt. 179 – ⊠ 64230 :
ᵈ Office du tourisme Place Royale ℘ 05 59 81 15 98, Fax 05 59 81 12 54.

Terrasse, 1 r. Maubec ℘ 05 59 81 02 34, Fax 05 59 81 08 77, 佘 – 🆃🆅 ℃ 🖫 – 益 20. 歴 ⑩ GB
fermé 1ᵉʳ au 21 août et 23 déc. au 6 janv. – Repas (fermé sam. midi et dim.) 15 (déj.)/21,34 ⅞, enf. 8 – ⇌ 6 – **22 ch** 40/44 – ½ P 38

LLAC 33250 Gironde **71** ⑦ G. Aquitaine – 5 175 h alt. 20.
Voir château Mouton Rothschild⋆ : musée⋆⋆ NO : 2 km.
ᵈ Office du tourisme la Verrerie ℘ 05 56 59 03 08, Fax 05 56 59 23 38, Tourismeet vindepauillac@wanadoo.fr.
Paris 629 – Bordeaux 55 – Arcachon 117 – Blaye 16 – Lesparre-Médoc 23.

Château Cordeillan Bages M ⑤, Sud : 1 km par D 2 ℘ 05 56 59 24 24, cordeillan@ relaischateaux.fr, Fax 05 56 59 01 89, 佘 – 🛗 🆃🆅 ℃ & 🖫. 歴 ⑩ GB JCB. 彩 rest
fermé 13 déc. au 31 janv. – Repas (fermé sam. midi, mardi midi et lundi) 45 (déj.)/75 et carte 63 à 83 – ⇌ 15,24 – **25 ch** 157,02/223,34 – ½ P 145,59/175,32
Spéc. Pressé d'anguilles fumées ''terre et estuaire''. Pigeon en coque de pois chiches. Aubergine cristallisée au sucre. Vins Entre-deux-Mers, Pauillac

France et Angleterre, 3 quai A. Pichon ℘ 05 56 59 01 20, hotel-de-france-et-angleterre@wanadoo.fr, Fax 05 56 59 02 31, 佘 – 🛗 🆃🆅 – 益 25. 歴 ⑩ GB. 彩 rest
fermé 20 déc. au 15 janv. – Repas (fermé sam. et dim. du 15 oct. au 15 avril) 20/57 ⅞, enf. 8,38 – ⇌ 7,62 – **29 ch** 53,36/73,18 – ½ P 54,88

X 44270 Loire-Atl. **67** ② – 1 354 h alt. 15.
Paris 423 – Nantes 40 – La Roche-sur-Yon 47 – Challans 18 – St-Nazaire 63.

Les Voyageurs, pl. Église ℘ 02 40 26 02 76, rest.les-voyageurs@wanadoo.fr, Fax 02 40 26 02 77 – ▤. 歴 ⑩ GB JCB
fermé 1ᵉʳ au 22 sept., 23 fév. au 9 mars, dim. soir, lundi et mardi – Repas 24/46 ⅞, enf. 14

LLON (col du) 69 Rhône **73** ⑧ – rattaché à Cours-la-Ville.

RAC 46350 Lot **75** ⑱ – 564 h alt. 320.
ᵈ Syndicat d'initiative Maison des Associations ℘ 05 65 37 94 27, Fax 05 65 37 94 27, payrac@wanadoo.fr.
Paris 537 – Cahors 48 – Sarlat-la-Canéda 29 – Brive-la-Gaillarde 54 – Figeac 61.

Hostellerie de la Paix, ℘ 05 65 37 95 15, host.la.paix@escalotel.com, Fax 05 65 37 90 37, ⊐ – 🆃🆅 ℃ & 🖫 – 益 20. 歴 ⑩ GB
fermé 2 janv. au 15 fév. – Repas 13/26 ⅞, enf. 7 – ⇌ 6 – **51 ch** 49/55 – ½ P 51

JLE 56130 Morbihan **63** ⑭ – 2 206 h alt. 82.
Paris 437 – Vannes 40 – Ploërmel 44 – Redon 25 – La Roche-Bernard 11.

Auberge Armor Vilaine, pl. Ste-Anne (près église) ℘ 02 97 42 91 03, Fax 02 97 42 82 27 – 🆃🆅 ℃. GB
fermé 20 au 28 oct., vacances de Noël, 21 au 28 fév., dim. soir et lundi sauf juil.-août – Repas (8,54) -10,98/38,11 ⅞, enf. 8,38 – ⇌ 6,10 – **15 ch** 35,06/38,11 – ½ P 38,11

---

easant hotels and restaurants
re shown in the Guide by a red sign.
ease send us the names
f any where you have enjoyed your stay.
ur **Michelin Red Guide** will be even better.

PÉCY 77970 S.-et-M. 🔟 ③ – 677 h alt. 132.

Paris 69 – Coulommiers 23 – Meaux 45 – Melun 39 – Provins 24 – Sézanne 51.

⚒ **Auberge Paysanne** ⊗ avec ch, à Cornefève, Sud : 3 km par rte secc
𝒫 01 64 60 25 70, olivier.chevreux@free.fr, Fax 01 64 60 60 95, ≤, 🏠, 🏍 – 🅿. 🖭 🖼
fermé 5 au 27 fév., mardi sauf le midi de mars à oct. et mercr. – **Repas** 23,90/29,50 –
– **10 ch** 25,15/31,49

PÉGOMAS 06580 Alpes-Mar. 🔟 ⑧, 🔟 ㉖, 🔟 ㉞ – 5 794 h alt. 18.
🅱 Office du tourisme 287 avenue de Grasse 𝒫 04 93 42 85 17, Fax 04 93 42
officedetourisme@pegomas.com.
Paris 904 – Cannes 11 – Draguignan 60 – Grasse 9 – Nice 39 – St-Raphaël 38.

🏠 **Bosquet** ⊗ sans rest, chemin des Périssols - rte Mouans-Sartoux 𝒫 04 92 6C
Fax 04 92 60 21 49, 🏊, 🏍, 🏍 – cuisinette 🖭 📶 🅿. 🖭 🖼
fermé 1ᵉʳ fév. au 1ᵉʳ mars – 🖵 6 – **16 ch** 45/55, 7 studios

⚒ **L'Écluse**, au bord de la Siagne - Ouest : 1,5 km par rte secondaire 𝒫 04 93 42
Fax 04 93 40 72 65, 🏠, « Terrasse au bord de l'eau » – 🅿. 🖭 🖼
fermé nov., en semaine du 30 sept. au 15 avril et lundi du 16 avril au 30 sept. – **Re**
(déj.), 21/28, enf. 8

à St-Jean Sud-Est : 2 km par D 9 – ⊠ 06550 La Roquette-sur-Siagne :

🏠 **Chasseurs** sans rest, 𝒫 04 92 19 18 00, Fax 04 92 19 19 61 – cuisinette 🖭 📶 ⟵
🖼. ⚞
fermé 20 oct. au 17 nov. – 🖵 6 – **17 ch** 31/40, 3 studios

PEILLON 06440 Alpes-Mar. 🔟 ⑩, 🔟 ㉗ G. Côte d'Azur – 1 227 h alt. 200.
Voir Village★ – Fresques★ dans la chapelle des Pénitents Blancs.
🅱 Syndicat d'initiative - Mairie 𝒫 04 93 79 91 04, Fax 04 93 79 87 65.
Paris 953 – Monaco 28 – Contes 15 – L'Escarène 14 – Menton 38 – Nice 19 – Sospel 3

🏨 **Auberge de la Madone** ⊗, 𝒫 04 93 79 91 17, madone@chateauxhotel
Fax 04 93 79 99 36, ≤, 🏠, « Au pied d'un village pittoresque, terrasse fleurie et ja
🌳, ⚞ – ⚞ 🅿 🖼. ⚞ ch
fermé 20 oct. au 20 déc., 7 au 31 janv. et mercr. – **Repas** 39/50 ⚞, enf. 18 – 🖵 11 –
92/145

Annexe Lou Pourtail 🏠 ⊗ sans rest,, ≤ –⚞
🖵 11 – **6 ch** 38/66

PEISEY-NANCROIX 73210 Savoie 🔟 ⑱ G. Alpes du Nord – 614 h alt. 1320.
🅱 Office de tourisme 𝒫 04 79 07 94 28, Fax 04 79 07 95 34.
Paris 668 – Albertville 56 – Bourg-St-Maurice 13.

🏠 **Vanoise** ⊗, à Plan Peisey : 4 km 𝒫 04 79 07 92 19, Fax 04 79 07 97 48, ≤, 🏠, 🏊 -
🖼. ⚞
28 juin-1ᵉʳ sept. et 20 déc.-22 avril – **Repas** 15 ⚞, enf. 8,50 – 🖵 8,50 – **34 ch** 4
½ P 57/64

⚒ **L'Armoise**, à Plan-Peisey, Ouest : 4,5 km 𝒫 04 79 07 94 24, Fax 04 79 07 94 24, 🏠
fermé dim. soir et le soir hors saison – **Repas** 14,94/23,63 ⚞, enf. 6,10

PÉLUSSIN 42410 Loire 🔟 ⑩ G. Vallée du Rhône – 3 356 h alt. 420.
🅱 Office du tourisme Moulin de Virieu 𝒫 04 74 87 52 00, Fax 04 74 87 52 02, pa
@wanadoo.fr.
Paris 514 – St-Étienne 40 – Annonay 30 – Tournon-sur-Rhône 60 – Vienne 24.

⚒⚒ **Guy Chenavier** avec ch, 𝒫 04 74 87 61 51, restaurant-chenavier
Fax 04 74 87 63 96, 🏠 – 🍽 rest, 🖭 📶 🅿. 🖼. ⚞ rest
fermé 11 au 18 juil. et dim. soir hors saison – **Repas** 19/44 – 🖵 6 – **4 ch** 39/56 – ½ P

PELVOUX (Commune de) 05340 H.-Alpes 🔟 ⑰ G. Alpes du Sud – 404 h alt. 1260 –
d'hiver : 1 250/2 300 m ⚞ 6 ⚟.
Voir Route des Choulières : ≤★★ E.
Paris 703 – Briançon 22 – L'Argentière-la-Bessée 11 – Gap 86 – Guillestre 32.

🏠 **Belvédère**, 𝒫 04 92 23 56 63, belvedere.f@wanadoo.fr, Fax 04 92 23 21 00 – 🖭
⚞ 🖼
fermé 6 nov. au 15 déc. – **Repas** 12 (déj.), 14/23 ⚞ – 🖵 7 – **27 ch** 44 – ½ P 46

rret :

Condamine ⑤, 𝒫 04 92 23 35 48, Fax 04 92 23 49 71, ≤, 𝒜 – 📺 🅿. 🆎 🆇🅱. 🛇 rest
1er juin-15 sept. et 20 déc.-31 mars – **Repas** 13 (déj.), 16/20 ⅀, enf. 10 – 🖵 7 – **19 ch** 30/52 –
½ P 46/48

oide.

Voir *Pré de Madame Carle : paysage*★★ *NO : 6 km.*

Chalet Hôtel Rolland ⑤, 𝒫 04 92 23 32 01, Fax 04 92 23 49 97, ≤, 𝒜, 𝒜 – 🅿. 🆇🅱
15 juin-15 sept. – **Repas** 17/22 ⅀, enf. 8,40 – 🖵 6,50 – **24 ch** 51 – ½ P 42,70

ESTIN *56760 Morbihan* 🔢 ⑭ *– 1 527 h alt. 20.*
Voir *Pointe du Bile* ≤★ *S : 5 km,* **G. Bretagne.**
🖪 *Office du tourisme Allée du Grand Pré 𝒫 02 99 90 37 74, Fax 02 99 90 47 08, information-@penestin.com.*
Paris 461 – Nantes 85 – Vannes 46 – La Baule 29 – La Roche-Bernard 18 – St-Nazaire 42.

Loscolo ⑤, Pointe de Loscolo Sud-Ouest : 4 km 𝒫 02 99 90 31 90, Fax 02 99 90 32 14, ≤,
𝒜, 𝒜 – 📺 🅿. 🆇🅱
hôtel : 30 mars-3 nov., rest.: 13 avril-2 nov. – **Repas** *(fermé merc.)* (dîner seul.) 28/39 ⅀,
enf. 19 – 🖵 12 – **15 ch** 55/100 – ½ P 70,50/90

HORS *29 Finistère* 🔢 ⑭ *– rattaché à Pouldreuzic.*

NE-D'AGENAIS *47140 L.-et-G.* 🔢 ⑥ *– 2 330 h alt. 207.*
🖪 *Office du tourisme Rue du 14 Juillet 𝒫 05 53 41 37 80, Fax 05 53 41 40 86, mgarrouste @AOL.COM.*
Paris 599 – Agen 33 – Cahors 60 – Villeneuve-sur-Lot 11.

Compostelle ⑤, r. J. Moulin 𝒫 05 53 41 12 41, *contact@lecompostelle.fr,*
Fax 05 53 49 35 03, ≤, 𝒜, 𝒜 – 📺 📶 🅿. 🆇🅱
fermé janv. et fév. – **Repas** *(fermé sam. midi et mardi)* 15/20 – 🖵 6 – **26 ch** 54 – ½ P 48

NEDEPIE *14 Calvados* 🔢 ③ *– rattaché à Honfleur.*

VÉNAN *22710 C.-d'Armor* 🔢 ① *– 2 434 h alt. 70.*
🖪 *Syndicat d'initiative Place de l'Église 𝒫 02 96 92 81 09.*
Paris 516 – St-Brieuc 65 – Guingamp 34 – Lannion 16 – Tréguier 8.

Crustacé, 𝒫 02 96 92 67 46, Fax 02 96 92 85 02 – 🆇🅱
fermé 1er au 20 oct., 1er au 20 janv., dim. soir, mardi soir et merc. sauf juil.-août – **Repas**
14,33/47,26, enf. 9,15

VINS *56 Morbihan* 🔢 ⑬ *– rattaché à Sarzeau.*

2A Corse-du-Sud 🔢 ⑯ *– voir à Corse.*

GNAC *17 Char.-Mar.* 🔢 ⑤ *– rattaché à Pons.*

GNAT-LÈS-SARLIÈVE *63 P.-de-D.* 🔢 ⑭ *– rattaché à Clermont-Ferrand.*

GNY *86 Vienne* 🔢 ⑬ *– rattaché à Poitiers.*

GUEUX 🅿 *24000 Dordogne* 🔢 ⑤ **G. Périgord Quercy** *– 30 193 h alt. 86.*
Voir *Cathédrale St-Front*★★, *église Saint-Étienne de la Cité*★ *– Quartier St-Front*★★ *: rue Limogeanne*★ *BY , escalier*★ *Renaissance de l'hôtel de Lestrade (rue de la sagesse BY – Galerie Daumesnil*★ *face au n° 3 de la rue Limogeanne – Musée du Périgord*★ *CY M².*
de Périgueux-Bassillac 𝒫 05 53 02 79 795 par ② *: 8 km.*
🖪 *Office du tourisme 26 place Francheville 𝒫 05 53 53 10 63, Fax 05 53 09 02 50, tourisme.perigueux@perigord.tm.fr.*
Paris 482 ① *– Agen 139* ③ *– Bordeaux 130* ④ *– Limoges 94* ① *– Poitiers 198* ⑤.

PÉRIGUEUX

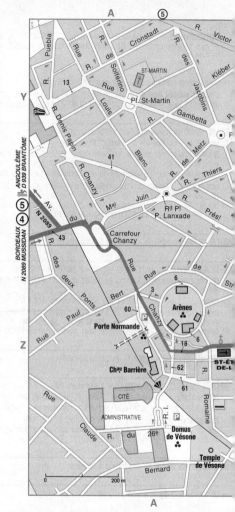

Bristol sans rest, 37 r. A. Gadaud ℘ 05 53 08 75 90, *bristol.hotel@wana*
Fax 05 53 07 00 49 – 🛗 ⇆ ▤ 📺 ✆ 🅿. 🖭 ☎
fermé vacances de Noël – 🖵 6,50 – **29 ch** 48/64

Ibis, 8 bd G. Saumande ℘ 05 53 53 64 58, *Fax 05 53 07 51 79*, 😤 – 🛗 ⇆ 📺 ✆ – 🛳
⓪ ☎
Repas 11,74/14,79 ⅃, enf. 5,95 – 🖵 5,34 – **89 ch** 53,36

XX **Hercule Poireau**, 2 r. Nation ℘ 05 53 08 90 76 – ▤. 🖭 ⓪ ☎. 🛇
fermé 23 au 26 déc. et 31 déc. au 3 janv. – **Repas** 26,70/39,50 ⅃

XX **Roi Bleu**, 2 r. Montaigne ℘ 05 53 09 43 77, *Fax 05 53 09 43 77* – 🖭 ⓪ ☎ 🎴
fermé 23 au 30 déc., sam. midi et dim. – **Repas** 25,92/68,60 bc ⅃, enf. 10,67

XX **Rocher de l'Arsault**, 15 r. L'Arsault ℘ 05 53 53 54 06, *Fax 05 53 08 32 32* – ▤ 🅿.
☎ 🎴
fermé 15 au 28 juil. – **Repas** (19) - 24,50/69 ⅃, enf. 9,50

XX **Clos St-Front**, r. St-Front ℘ 05 53 46 78 58, *Fax 05 53 46 78 20*, 😤 – 🖭 ☎
fermé 2 au 12 juin, 29 sept. au 8 oct., 19 janv. au 4 fév., dim. et lundi – **Repas** 16/26 ⅃

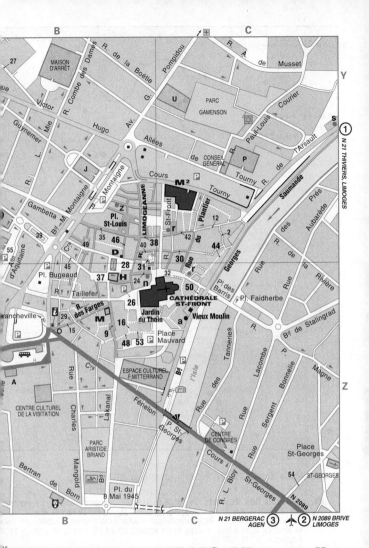

Le 8, 8 r. Clarté, ℘ 05 53 35 15 15, Fax 05 53 35 15 15, 🍽 – 🆎 �🅶🅱   BZ **n**
fermé 23 juin au 8 juil., 27 oct. au 4 nov., dim. et lundi – **Repas** (nombre de couverts limité, prévenir) 25,20/61

Issac *par* ① : *4 km – 6 422 h. alt. 92* – ⊠ *24750* :

🏨 **Kyriad,** ℘ 05 53 03 39 70, *kyriad.perigueux@wanadoo.fr, Fax 05 53 03 39 71*, 🍽 – 📺 � ₺ 🅿 – 🅰 20 à 50. 🆎 ⓞ �🅶🅱 🅹🅲🅱
Repas *(11,50)* - 14,50/19 ₺, enf. 6 – 🖙 6 – **68 ch** 36,50/54 – ½ P 44

Sonne-et-Trigonant *par* ① : *11 km – 1 079 h. alt. 106* – ⊠ *24420* :
Voir *Architecture intérieure*★ *du château des Bories NE : 2 km.*

🏨 **L'Écluse** ⌕, ℘ 05 53 06 00 04, *contact@ecluse-perigord.com, Fax 05 53 06 06 39*, 🍽, « *Dans un parc au bord de l'Isle* », 🏊 – 📲 📺 ℰ ₺ 🅿 – 🅰 15 à 120. 🆎 ⓞ �🅶🅱
Repas 16,80/29 ₺ – 🖙 7,60 – **47 ch** 38,10/54,90 – ½ P 47,25/53,35

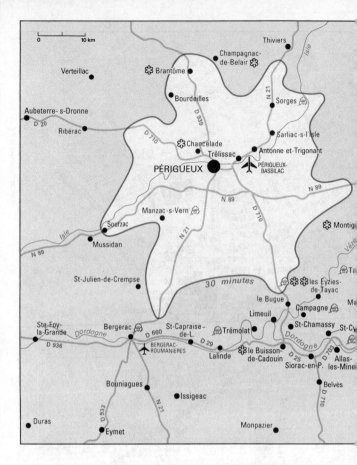

à **Chancelade** par ⑤, D 710 et D 1 : 5,5 km – 3 865 h. alt. 88 – ⊠ 24650 .

Voir *Abbaye★*.

🏛️ **Château des Reynats** ⤴️, ☎ 05 53 03 53 59, reynats@chateau.hotel-perigor

❀ Fax 05 53 03 44 84, �ます, ☒, ❀, 🚲 – 📶 📺 🔥 🅿️ – 🔬 15 à 60. 🆎 ⓞ ㏿ ㎉
fermé 2 janv. au 5 fév. – **Repas** (fermé dim. midi et lundi midi en jui.-août, sam. mi
et lundi de sept. à juin) 27 (déj.), 41/51 et carte 55 à 75 ♀ – ➁ 12,50 – **33 ch** 71,5
4 appart – ½ P 88/102,50

Spéc. Lasagne de foie gras pôêlé aux champignons des bois. Suprême de pigeonn
croûte et cuisses sautées aux épices douces. Moelleux au chocolat et glace vervein
Bergerac.

Write us...

If you have any comments on the contents of this Guide.

Your praise as well as your criticisms will receive careful
consideration and, with your assistance, we will be able to add
to our stock of information and, where necessary, amend
our judgments.

Thank you in advance!

ERNES-LES-FONTAINES 84210 Vaucluse **81** ⑫ G. Provence – 10 170 h alt. 75.

Voir Porte Notre-Dame★.

🛈 Office du tourisme Place Gabriel Moutte ℰ 04 90 61 31 04, Fax 04 90 61 33 23.

Paris 690 – Avignon 23 – Apt 43 – Carpentras 6 – Cavaillon 20.

🏨 **L'Hermitage** ⌂ sans rest, rte Carpentras : 2 km ℰ 04 90 66 51 41, hotel-lhermitage@libertysurf.fr, Fax 04 90 61 36 41, « Parc », 🛋, 🦯 – 📺 ✆ 🅿 – 🔬 25. 🖭 ⓪ ◑ ⅁⅊

mars-nov. – ⌂ 9 – **20 ch** 72/80

🍴 **Au Fil du Temps** (Robert), pl. L. Giraud (face centre culturel) ℰ 04 90 66 48 61, fildu
❀ temps@wanadoo.fr, Fax 04 90 66 48 61 – 🍴. ⅁⅊. ❀

fermé 29 oct. au 7 nov., 17 déc. au 2 janv., vacances de fév., mardi sauf juil.-août et merc. –
Repas (nombre de couverts limité, prévenir) 26 (déj.), 37/55

Spéc. Tarte tiède à la tomate et chèvre frais (été). Canette rôtie au coulis d'olives noires
(printemps). Rougets barbet aux artichauts barigoule **Vins** Côtes du Ventoux, Cairanne

Nord-Est : 4 km par D 1 et rte secondaire – ⌧ 84210 Pernes-les-Fontaines :

🏨 **Mas La Bonoty** ⌂, ℰ 04 90 61 61 09, bonoty@aol.com, Fax 04 90 61 35 14, 🍴,
« Ancienne ferme du 17ᵉ siècle », 🛋, 🦯 – 🅿. 🖭 ⅁⅊

fermé nov.et janv. – **Repas** (fermé lundi et mardi d'oct.à mars) 28/38 ⅂, enf. 16 – **8 ch**
⌂ 69/77 – ½ P 59/62

RONNAS 01 Ain **74** ② – rattaché à Bourg-en-Bresse.

En juin et en septembre,
les hôtels sont moins chers qu'en pleine saison, le service est plus soigné.

RONNE ◁◗▷ 80200 Somme **53** ⑬ G. Picardie Flandres Artois – 8 380 h alt. 52.

Voir Historial de la Grande Guerre★.

🛈 Office du tourisme 1 rue Louis XI ℰ 03 22 84 42 38, Fax 03 22 84 51 25, office.tou
risme.peronne@wanadoo.fr.

Paris 141 ② – St-Quentin 31 ① – Amiens 58 ② – Arras 48 ① – Doullens 54 ③.

PÉRONNE

ues
sélectionnées
nction
ur importance
la circulation
repérage
tablissements cités.
ues secondaires
nt qu'amorcées.

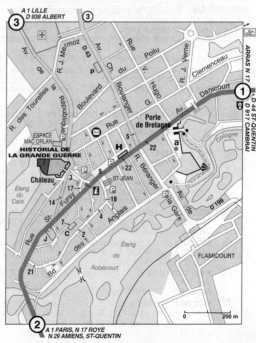

XX **Quenouille**, 4 av. Australiens, N 17 par ① ℰ 03 22 84 00 62, Fax 03 22 84 67 50, 🏡 ,
🅿. 🖭 ⒼⒷ
fermé 19 août au 2 sept., 4 au 11 fév., dim. soir et lundi – **Repas** 15/29 ℤ, enf. 10

XX **Hostellerie des Remparts** avec ch, 23 r. Beaubois (a) ℰ 03 22 84 01 ⁞
Fax 03 22 84 31 96 – 🖭 🚗, 🖭 ⓞ ⒿⒸⒷ
Repas *(14)* - 16/40 ℤ – 🖵 6,50 – **16 ch** 40/80 – ½ P 45/60

à Rancourt *par* ① *et N 17 : 10 km* – 144 h. alt. 143 – ⊠ 80360 :

🏠🏠 **Prieuré**, ℰ 03 22 85 04 43, Fax 03 22 85 06 69, ℀ – 🖭 ℰ 🅿 – 🏛 50. 🖭 ⒼⒷ
🚗 **Repas** 12,96/40,40 ℤ – 🖵 6,86 – **27 ch** 61,75/63,27 – ½ P 68,60

rte de Paris *par* ② *: 3 km* – ⊠ 80200 Péronne :

🏠 **Campanile**, ℰ 03 22 84 22 22, Fax 03 22 84 16 86, 🏡 – ⅍ 🖭 ℰ ⅋ 🅿 – 🏛 25. 🖭
ⒼⒷ
Repas *(12,04)* - 15,09 ℤ, enf. 5,95 – 🖵 5,95 – **42 ch** 48,02

Aire d'Assevillers *sur A 1 par* ②, *rte d'Amiens (N 29) et rte secondaire : 15 km* – ⊠ 80⌁
Péronne :

🏠🏠🏠 **Mercure**, ℰ 03 22 85 78 30, mercureperonne@wanadoo.fr, Fax 03 22 85 78 31 – 🛗
≡ 🖭 ℰ 🅿 – 🏛 60. 🖭 ⓞ ⒼⒷ
Repas grill carte 25 à 35, enf. 6,40 – 🖵 9 – **84 ch** 78/90

PÉROUGES 01800 Ain 🗺 ② ③, 🗺 ⑧ *G. Vallée du Rhône* – 1 103 h alt. 290.
Voir Cité★★ : place de la Halle★★★.
🎫 *Syndicat d'initiative Entrée de la Cité* ℰ 04 74 61 01 14, Fax 04 72 61 84 60, ir.
perouges.org.
Paris 462 – Lyon 37 – Bourg-en-Bresse 39 – Villefranche-sur-Saône 58.

🏠🏠🏠 **Ostellerie du Vieux Pérouges** ⌑, ℰ 04 74 61 00 88, thibaut@ostellerie.c⌁
Fax 04 74 34 77 90, « Intérieur vieux bressan », ℀ – 🖭 ℰ 🚗 🅿 – 🏛 30. 🖭 ⒼⒷ
Repas 28/66 ℤ, enf. 15,24 – 🖵 11,50 – **15 ch** 114,40/222

Pavillon 🏠🏠 ⌑ – 🖭 ℰ. 🖭 ⒼⒷ
voir rest. ci-dessus – 🖵 11,50 – **13 ch** 69/116

PERPIGNAN 🅿 66000 Pyr.-Or. 🗺 ⑲ *G. Languedoc Roussillon* – 105 115 h Agglo. 162 6⌁
alt. 60.
Voir Le Castillet★ – Loge de mer★ BY K – Hôtel de ville★ BY H – Cathédrale St-Jea⌁
Palais des rois de Majorque★ – Musée numismatique Joseph-Puig★ – Place Arago : ma⌁
Julia★.
✈ de Perpignan-Rivesaltes : ℰ 04 68 52 60 70, par ① : 6 km.
🎫 *Office du tourisme Place Armand Lanoux* ℰ 04 68 66 30 30, Fax 04 68 66 30⌁
office-contact@smi-telecom.fr.
Paris 853 ① – Andorra-la-Vella 169 ⑥ – Béziers 94 ① – Montpellier 155 ① – Toulouse 2C⌁

Plans pages suivantes

🏠🏠🏠🏠 **Villa Duflot** 🅼, rd-pt Albert Donnezan, par ④, dir.autoroute : 3 km ℰ 04 68 56 6⌁
villa.duflot@little-france.com, Fax 04 68 56 54 05, 🏡 , « Patio », ⌇, ⚿ – ≡ 🖭 ℰ &⌁
🏛 15 à 80. 🖭 ⓞ ⒼⒷ ⒿⒸⒷ
Repas 31 bc/39 bc, enf. 18 – 🖵 10 – **25 ch** 105/135 – ½ P 93,50/108,50

🏠🏠🏠 **Park Hôtel**, 18 bd J. Bourrat ℰ 04 68 35 14 14, accueil@parkhotel-fr.
🏵 Fax 04 68 35 48 18 – 🛗 ≡ 🖭 ℰ & 🚗 – 🏛 50. 🖭 ⓞ ⒼⒷ ⒿⒸⒷ   C
Chapon Fin *(fermé 12 août au 2 sept., 1ᵉʳ au 21 janv. et dim.)* **Repas** 22,87
38,11bc/99 et carte 48 à 68 ℤ, enf. 10,67 – 🖵 8,50 – **67 ch** 53/91,50
Spéc. Civet de homard au vieux grenache. Poularde en vessie, sauce velours. Pain d'⌁
aux pommes caramélisées **Vins** Collioure, Côtes du Roussillon

🏠🏠🏠 **Mas des Arcades**, par ④ : 2 km sur N 9 ⊠ 66100 ℰ 04 68 85 11 11, contact@hote⌁
-des-arcades.fr, Fax 04 68 85 21 41, 🏡 , ⌇, ℀ – 🛗 ≡ 🖭 ℰ 🚗 🅿 – 🏛 100. ⒼⒷ.
Repas *(18)* - 25/45 🍷, enf. 12 – 🖵 8 – **137 ch** 64/84, 3 appart – ½ P 48/58

🏠🏠🏠 **Mercure** 🅼 sans rest, 5 cours Palmarole ℰ 04 68 35 67 66, Fax 04 68 35 58 13, 🛋 –
≡ 🖭 ℰ & – 🏛 40 à 80. 🖭 ⓞ ⒼⒷ ⒿⒸⒷ   E
🖵 9,20 – **55 ch** 69/79, 5 duplex

🏠🏠 **New Christina** 🅼, 51 cours Lassus ℰ 04 68 35 12 21, Fax 04 68 35 67 01 – 🛗 ≡
🚗. ⒼⒷ   C
Repas 18 – 🖵 7,50 – **25 ch** 59/73 – ½ P 52,50/57,50

🏠🏠 **Windsor**, 8 bd Wilson ℰ 04 68 51 18 65, hotel-windsor@wanadoo.fr, Fax 04 68 51 C⌁
🚗 🛗 cuisinette ⅍, ≡ ch, 🖭 ℰ 🅿 – 🏛 20. 🖭 ⓞ ⒼⒷ. ⚿ rest
fermé 23 déc. au 3 janv. – **Repas** *(fermé dim.)* 10,37/38,11 ℤ – 🖵 7 – **43 ch** 66/100, 3 a⌁
– ½ P 52

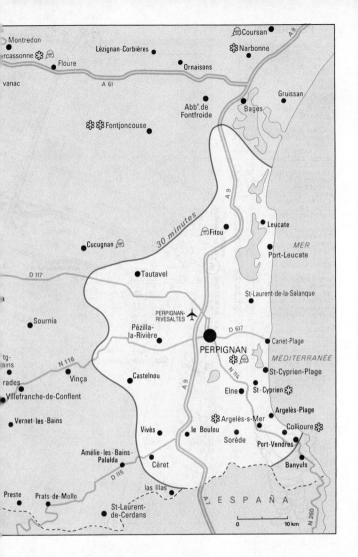

Ibis, 16 cours Lazare Escarguel ℰ 04 68 35 62 62, *Fax 04 68 35 13 38* – 🛗 🔲 📺 📞 ₺ 🅿 – 🛆 100. 🆎 ⓪ ☙   AY   a
Repas *(11,74)* - 14,79 ₺, enf. 5,95 – 🖵 5,50 – **100 ch** 58/76

Clarine, 170 av. Guynemer par ③ ℰ 04 68 66 00 00, *Fax 04 68 66 02 02* – 🛗 ↩⟲, 🍴 rest, 📺 📞 ₺ ⟵ 🅿 – 🛆 20 à 50. 🆎 ⓪ ☙
Repas *(11)* - 14/19 ⅋, enf. 6 – 🖵 6,10 – **89 ch** 49 – ½ P 61

Côté Théâtre (Portos), 7 r. Théâtre ℰ 04 68 34 60 00, *Fax 04 68 34 60 00* – 🍴. 🆎 ⓪ ☙   BZ   d
fermé 7 au 15 avril, 28 juil. au 12 août, 22 déc. au 2 janv., le midi en juil.-août, dim. et lundi –
Repas 26 (déj.)/48 bc et carte 40 à 57 ⅋
Spéc. Salade tiède d'encornets, jambon cru et barigoule d'artichaut (été). Petits gris sautés
aux échalotes (hiver). Homard à la réduction de chocolat-Banyuls (automne) **Vins** Côtes du
Roussillon blanc et rouge

PERPIGNAN

Alsace-Lorraine (R. d') . . BY 2
Anciens-Combattants-d'Indochine (Pl. des) . . BY 3
Ange (R. de l') . . . . BZ 4
Arago (Pl.) . . . . BZ 5
Argenterie (R. de l') . . . . BY 6
Barre (R. de la) . . . . BY 7
Bartissol (R. E.) . . . . BY 8
Batllo (Quai F.) . . . . BY 9
Carnot (Quai Sadi) . . . . . . BY 20
Castillet (R. du) . . . . BY 21
Clemenceau (Bd G.) . . . . . BY
Cloche-d'Or (R. de la) . BYZ 22
Côte-des-Carmes (R.) . . . CZ 23
Fabriques d'En Nabot (R. des) . . BY 24
Fabrique d'en Nadal (R. des) . . . . BY 25
Fontaine-Neuve (R.) . . . . . CZ 26
Fontfroide (R.) . . . . BY 27
Gambetta (Pl.) . . . . BY 28
Grande-la-Monnaie (R.) . . BZ 31
Lattre-de-Tassigny (Quai de) . . . . BZ 32
Loge (R. et pl. de la) . . . . BY 33
Louis-Blanc (R.) . . . . BY 34
Marchands (R. des) . . . . . BY 35
Mermoz (Av. J.) . . . . CZ 36
Mirabeau (R.) . . . . BY 37
Payra (R. J.) . . . . BY 38
Péri (Pl. Gabriel) . . . . BZ 39
Petite-la-Monnaie (R.) . . . . BZ 40
Porte-d'Assaut (R.) . . . . . BZ 41
Porte-de-Canet (R.) . . . . . CZ 42
Remparts-la-Réal (R. des) BZ 43
République (R. de la) . . . BZ 44
Résistance (Pl. de la) . . . BY 45
Révolution-Française (R. de la) . . . . CY 46
Rigaud (Pl.) . . . . BZ 47
St-Jean (R.) . . . . BY 48
Théâtre (R. du) . . . . BZ 49
Trois-Journées (R. des) . . BY 50
Vauban (Quai) . . . . BY 51
Verdun (Pl. de) . . . . BY 52
Victoire (Pl. de la) . . . . . . BY 53
Vielledent (R. J.) . . . . CZ 54
Waldeck-Rousseau (R.) . . . . CZ 55

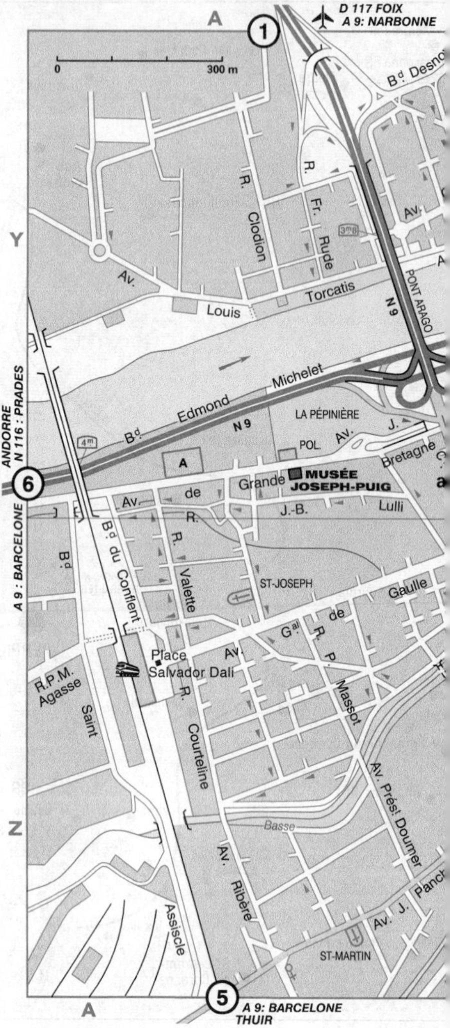

XX **Clos des Lys,** chemin de la Fauceille par ④ *et N 114, dir. Argelès : 4 km* ✉ ℘ 04 68 56 75 00, *vila.jean-claude@wanadoo.fr, Fax 04 68 54 60 60,* – GB
fermé merc. soir d'oct. à mai, dim. soir et lundi – **Repas** (12,04) - 15,09/32 ♀, enf. 9,15

XX **Passerelle,** 1 cours Palmarole ℘ 04 68 51 30 65, *Fax 04 68 51 90 58* – GB
fermé 20 déc. au 4 janv., lundi midi et dim. – **Repas** - produits de la mer - 27,50 ♀

XX **Les Antiquaires,** pl. Desprès ℘ 04 68 34 06 58, *Fax 04 68 35 04 47* – AE
fermé 1er au 23 juil., dim. soir et lundi – **Repas** 19,82/36,60 ♀

XX **Voilier des Saveurs,** 1 bd Kennedy (accès par 1 r. Viète) ℘ 04 68 50 25 25, *vsave .com, Fax 04 68 50 38 73* – AE GB
fermé 15 juil. au 13 août, sam. midi, dim. soir et lundi – **Repas** 16 (déj.), 20/42 ♀

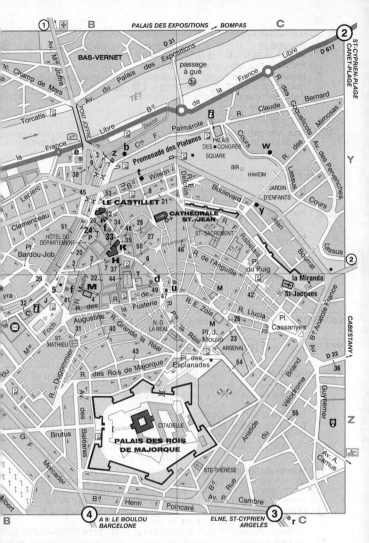

✗✗	**Les Casseroles en Folies,** 72 av. L. Torcatis ✆ 04 68 52 48 03 – 🖵 *fermé 2 juin au 29 sept. et 15 déc. au 6 janv.* – **Repas** (prévenir) 12/23 ☟, enf. 8	AY n
✗✗	**Carlit,** 63 av. Gén. Leclerc ✆ 04 68 51 17 86, *Fax 04 68 51 17 86* – 🖵. 🖭 ⓞ ☎ *fermé 5 au 26 août, dim. sauf le midi de sept. à juin, sam. en juil.-août et lundi soir sauf juil.-août* – **Repas** 12,20 (déj.), 21,35/38,11 ☟	AY u
✗	**Galinette,** 23 r. Jean Payra ✆ 04 68 35 00 90, *Fax 04 68 35 15 20* – 🖵. ☎ *fermé dim. et lundi* – **Repas** 11,43 (déj.), 23,63/32,01	BY e
✗	**Café Vienne,** 3 pl. Arago ✆ 04 68 34 80 00, *Fax 04 68 66 13 34,* 斧, brasserie – ☎ **Repas** *(11,89)* - 17,53 ☟, enf. 5,34	BZ f
✗	**Casa Sansa,** 4 r. Fabrique Couverte ✆ 04 68 34 21 84, *Fax 04 68 51 20 79,* bistrot – 🖭 ⓞ ☎ **Repas** - spécialités catalanes - carte 20 à 31 ஃ, enf. 10	BY f

par ① près échangeur Perpignan-Nord : 10 km – ⊠ 66600 Rivesaltes :

🏨 **Novotel** M, ℘ 04 68 64 02 22, h0424-gm@accor-hotels.com, Fax 04 68 64 24 27, ⚘
🌿 – ⊁⊁ ≡ ⊡ ⊭ & ⬛ – ⊿ 15 à 100. ⒶⒺ ⓪ ⒼⒷ ⒿⒸⒷ
Repas (13) - 16 ⅔, enf. 8 – � 10 – **86 ch** 82/115

🏨 **Relais Mercure** M., ℘ 04 68 38 55 38, mercurerelais@groupe-hotelier
Fax 04 68 38 55 66, 🍽, ☶, – ⧖ ⊁⊁ ≡ ⊡ ⊭ & ⬛ – ⊿ 15 à 60. ⒶⒺ ⓪ ⒼⒷ
Repas (fermé sam. midi et dim. soir sauf juil.-août) (12) - 15/34 ⅔, enf. 7 – � 8 – **64 ch**
– ½ P 56/57,50

par ②, D 617 et rte secondaire : 5 km – ⊠ 66000 Perpignan :

XXX **Mas Vermeil**, traverse de Cabestany ℘ 04 68 66 95 96, contact@masvermeil
Fax 04 68 66 89 13, 🍽, « Ancienne exploitation vinicole, patio », ⅋ – ⬛. ⒶⒺ ⒼⒷ
fermé janv. – **Repas** 35,83/49,55 bc et carte 42 à 59 ⅔, enf. 15,24

Le PERRAY-EN-YVELINES 78610 Yvelines ⑥⓪ ⑨, ⑩⑥ ㉘ – 5 828 h alt. 180.
🛈 Syndicat d'initiative 2 rue de l'Église ℘ 01 34 84 99 05.
Paris 47 – Chartres 48 – Arpajon 37 – Mantes-la-Jolie 44 – Rambouillet 6 – Versailles 28

XXX **Auberge des Bréviaires,** aux Bréviaires Ouest : 3,5 km par D 61 ℘ 01 34 84 ⑨
Fax 01 34 84 65 88, 🍽 – ⒶⒺ ⒼⒷ
fermé 29 juil. au 20 août, 23 au 26 déc., 17 fév. au 5 mars, dim. soir, lundi et mardi – **R**
29/41 et carte 34 à 59

*Towns underlined in red on the **Michelin maps**
at a scale of 1 : 200 000 are included in this Guide.*

Use the latest map to take full advantage of this information.

Le PERREUX-SUR-MARNE 94 Val-de-Marne ⑤⑥ ⑪, ⑩⑥ ⑰ ⑱, ⑩① ⑱ – voir à Paris, Envi.

PERRIER 63 P.-de-D. ⑦③ ⑭ – rattaché à Issoire.

PERROS-GUIREC 22700 C.-d'Armor ⑤⑨ ① G. Bretagne – 7 614 h alt. 60 – Casino A.
Voir Nef romane★ de l'église B – Pointe du château ≼★ – Table d'orientation ≼★
Sentier des douaniers★★ – Chapelle N.-D. de la Clarté★ 3 km par ② – Sémaphore ≼★ 3
par ②.
Env. Ploumanach★★ : parc municipal★★, rochers★★ – Sentier des Douaniers★★.
🛈 Office de tourisme 21 place de l'Hôtel de Ville ℘ 02 96 23 21 15, Fax 02 96 23 ⓪
infos@perros-guirec.com.
Paris 526 ① – St-Brieuc 75 ① – Lannion 12 ① – Tréguier 19 ①.

Plan page ci-contre

🏨 **Manoir du Sphinx** ⬫, 67 chemin de la Messe ℘ 02 96 23 25 42, lemanoirdusphin.
nado.fr, Fax 02 96 91 26 13, ≼ mer et les îles, 🌿 – ⧖ ⊡ ⊭ & ⬛. ⒶⒺ ⒼⒷ ⒿⒸⒷ ⅋
fermé 3 janv. au 20 fév. – **Repas** (fermé dim. soir d'oct. à mars, lundi midi et vend. mi
fériés) 21 (déj.), 29/46 ⅔, enf. 12,50 – � 8,40 – **20 ch** 99/108 – ½ P 98/107

🏨 **Printania** M ⬫, 12 r. Bons Enfants ℘ 02 96 49 01 10, Fax 02 96 91 11 36, ≼ la mer
îles, 🌿, ⅋ – ⧖ ⊭ ⬛. ⒶⒺ ⓪ ⒼⒷ. ⅋ ch
mars-oct. – **Repas** (dîner seul.) 30 ⅔, enf. 15 – � 11,50 – **33 ch** 90/125 – ½ P 87/100

🏨 **Au Bon Accueil,** 11 r. Landerval ℘ 02 96 23 25 77, Fax 02 96 23 12 66, 🌿 – ⊡ ⊭
ⒼⒷ
fermé 23 déc. au 6 janv. – **Repas** (fermé dim. soir sauf juil.-août) 15/39 ⅔ – � 6,40 –
49/64 – ½ P 55

🏨 **Les Feux des Iles** ⬫, 53 bd Clemenceau ℘ 02 96 23 22 94, Fax 02 96 91 07 30, ≼
⅋ – ⧖ & ⬛. ⒶⒺ ⓪ ⒼⒷ ⒿⒸⒷ. ⅋
fermé 1er au 9 mars, 1er au 22 oct., 10 au 14 déc. et dim. d'oct. à avril – **Repas** (fermé
midi en saison, le midi en semaine, dim. soir et lundi sauf fériés d'oct. à avril) 23/58 ⅔ –
– **18 ch** 58/114 – ½ P 79/99

🏨 **Relais Mercure** M sans rest, 100 av. Casino ℘ 02 96 91 22 11, relaismercurer
guirrec@wanadoo.fr, Fax 02 96 91 24 78 – ⧖ ⊡ &. ⒶⒺ ⓪ ⒼⒷ ⒿⒸⒷ
� 7,32 – **49 ch** 74/84

🏨 **France** ⬫, 14 r. Rouzic ℘ 02 96 23 20 27, Fax 02 96 91 19 57, ≼, 🌿 – ⊡ ⬛.
⅋
30 mars -début oct. – **Repas** 15,90/28 ⅔, enf. 9,95 – � 6,50 – **30 ch** 44,50/65 – ½ P 5

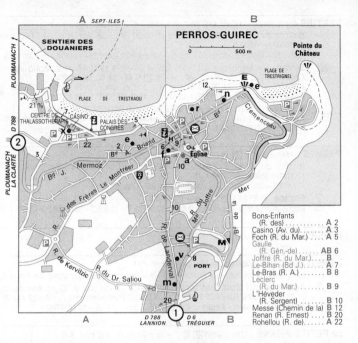

PERROS-GUIREC

Pointe du Château

SENTIER DES DOUANIERS

PLAGE DE TRESTRIGNEL

PLAGE DE TRESTRAOU

CENTRE DE THALASSOTHÉRAPIE

CASINO

PALAIS DES CONGRÈS

Mermoz

Église

PORT

Bons-Enfants (R. des)	A 2
Casino (Av. du)	A 3
Foch (R. du Mar.)	A 5
Gaulle (R. Gén.-de)	AB 6
Joffre (R. du Mar.)	B
Le-Bihan (Bd J.)	A 7
Le-Bras (R. A.)	B 8
Leclerc (R. du Mar.)	B 9
L'Hévéder (R. Sergent)	B 10
Messe (Chemin de la)	B 12
Renan (R. Ernest)	B 20
Rohellou (R. de)	A 22

Sternes sans rest, rd-pt Perros-Guirec par ① ✆ 02 96 91 03 38, Fax 02 96 23 13 01, ᒼ₅ –
📺 📶 ᗑ 🅿 GB
fermé 21 déc. au 2 janv. – ⊡ 6 – **20 ch** 45/53

Hermitage ♤, 20 r. Frères Le Montréer ✆ 02 96 23 21 22, Fax 02 96 91 16 56, ᖵ – 📺
🅿 GB ❀ rest   **B f**
hôtel : 1ᵉʳ mai-21sept. ; rest. : 18mai-21 sept. – **Repas** (dîner seul.)(résidents seul.) 15/19 ⊻ –
⊡ 5,20 – **23 ch** 39/50,50 – ½ P 43/48

Levant, 91 r. E. Renan (sur le Port) ✆ 02 96 23 20 15, Fax 02 96 23 36 31, ⇐ – ⍾ 📺 📶 ᴀᴇ
GB   **B m**
Repas (fermé 21 déc. au 14 janv., sam. midi, dim. soir et vend. sauf juil.-août) 12,80/46 ⊻,
enf. 7,70 – ⊡ 6,10 – **22 ch** 44,20/53,35 – ½ P 40,80/50,70

Crémaillère, pl. Église ✆ 02 96 23 22 08, Fax 02 96 23 22 08 – GB   **B a**
fermé 11 nov. au 1ᵉʳ déc., mardi d'oct. à mars et lundi du 1ᵉʳ sept. au 15 juil. – **Repas**
14,94/33,54, enf. 7,62

..oumanach par ② : 6 km – ⊠ 22700 Perros-Guirec.
Voir Rochers★★ – Parc municipal★★.

Europe M sans rest, ✆ 02 96 91 40 76, societe-leurope-perros@wanadoo.fr,
Fax 02 96 91 49 74 – 📺 ᗑ 🅿 GB
fermé 2 au 20 janv. – ⊡ 7 – **23 ch** 43/59

Parc, ✆ 02 96 91 40 80, hotel.duparc@libertysurf.fr, Fax 02 96 91 60 48, ㋡ , ᖵ – 📺 🅿
ᴀᴇ GB
30 mars-11 nov. et fermé dim. soir et lundi en oct.-nov. – **Repas** 12,05/24,40 ⊻, enf. 7,02 –
⊡ 4,88 – **10 ch** 38,88/41,17 – ½ P 45,74

Besonders angenehme Hotels oder Restaurants
sind im Führer rot gekennzeichnet.
Sie können uns helfen,
wenn Sie uns die Häuser angeben,
in denen Sie sich besonders wohl gefühlt haben.
Jährlich erscheint eine komplett überarbeitete Ausgabe
aller Roten **Michelin-Führer**.

PERTUIS 84120 Vaucluse 🗺 ③, 🗺 ③ G. Provence – 17 833 h alt. 246.

🛈 Office du tourisme Place Mirabeau ℘ 04 90 79 15 56, Fax 04 90 09 59 06, tou-
pertuis@wanadoo.fr.

Paris 752 – Digne-les-Bains 96 – Aix-en-Provence 22 – Apt 35 – Avignon 76 – Manosqu

🏨 **Sevan**, rte Manosque Est : 1,5 km ℘ 04 90 79 19 30, h-sevan@club-intern
Fax 04 90 79 35 77, ≤, 舍, 🛴, 🎾, 🗏 – 🛗 🏧 🗐 – 🔏 80. 🖭 ⑩ 🖼
L'Olivier ℘ 04 90 79 08 19 *(fermé dim. soir et lundi du 15 sept. au 15 juin)* R
(18,30)-22,60/54,90 ☷, enf. 15,50 – ☷ 10,50 – **46 ch** 83,50/111 – 1/2 P 80/85

✕ **Boulevard**, 50 bd Pecout ℘ 04 90 09 69 31, Fax 04 90 09 09 48 – ▤. 🖼
fermé 1ᵉʳ au 11 juil., 26 août au 5 sept., vacances de fév., dim. soir, mardi soir et m
Repas *(nombre de couverts limité, prévenir)* 16/55, enf. 9,15

PESMES 70140 H.-Saône 🗺 ⑭ G. Jura – 1 057 h alt. 205.

🛈 Office du tourisme Chemin des Tuileries ℘ 03 84 31 23 37, Fax 03 84 31 2
tourisme-pesmes@wanadoo.fr.

Paris 363 – Besançon 45 – Dijon 51 – Dole 26 – Gray 19.

🏠 **France**, ℘ 03 84 31 20 05, 舜 – 🏧 🅿. 🖼
🍴 **Repas** *(fermé dim. soir de nov. à mars)* 12,50/25 ☷ – ☷ 6,50 – **10 ch** 30,50/42 – 1/2 P ⩾

PESSAC 33 Gironde 🗺 ⑨ – rattaché à Bordeaux.

La PETITE-FOSSE 88490 Vosges 🗺 ⑱ – 59 h alt. 490.

Paris 399 – Strasbourg 86 – Épinal 65 – St-Dié-des-Vosges 13 – Ste-Marie-aux-Mines 1

🏠 **Auberge du Spitzemberg** ⧖, Ouest : 4 km par D 45 et voie fores
℘ 03 29 51 20 46, Fax 03 29 51 10 12, ≤, « Dans la forêt vosgienne », 舜 – 🏧 ⬅ 🅿
fermé janv. et mardi – **Repas** 14,50/23 ☷, enf. 7,50 – ☷ 6,50 – **10 ch** 43/46

La PETITE-PIERRE 67290 B.-Rhin 🗺 ⑰ G. Alsace Lorraine – 612 h alt. 340.

🛈 Office du tourisme Maison du Frasey ℘ 03 88 70 42 30, Fax 03 88 70 4
tourisme.pays-lapetitepierre@wanadoo.fr.

Paris 434 – Strasbourg 55 – Haguenau 41 – Sarreguemines 48 – Sarre-Union 24.

🏨 **Clairière** Ⓜ ⧖, rte d'Ingwiller (D 7) : 1,5 km ℘ 03 88 71 75 00, info@la-clairiere
Fax 03 88 70 41 05, 舍, 🛴, 🗐 – 🛗, ▤ rest, 🏧 🖳 🅿 – 🔏 100. 🖭 🖼
Repas 22/51 🛴, enf. 10 – **51 ch** 80/119 – 1/2 P 70/88

🏨 **Aux Trois Roses** ⧖, ℘ 03 88 89 89 00, hotel.3roses@wanadoo.fr, Fax 03 88 70 4
≤, 舍, 🗐, 舜, 🎾 – 🛗 🏧 – 🔏 30. 🖭 🖼
fermé 6 au 17 janv. – **Repas** *(fermé dim. soir et lundi soir)* 15/44 ☷, enf. 7,50 – ☷ 8
42 ch 46/99 – 1/2 P 51/79

🏨 **Vosges**, ℘ 03 88 70 45 05, Fax 03 88 70 41 13, ≤, 🛴, 舜 – 🛗, ▤ rest, 🏧 🖳 🅿 – 🔏 ⩾
🖼 🃏
fermé 22 juil. au 3 août et 17 fév. au 13 mars – **Repas** *(fermé mardi)* 18 (déj.), 25/48 ☷, e
– ☷ 9 – **33 ch** 45/75 – 1/2 P 50/73

🏨 **Lion d'Or**, ℘ 03 88 01 47 57, phil.lion@liondor.com, Fax 03 88 01 47 50, ≤, 舍, 🗐
🎾 – 🛗 🏧 🅿. 🖭 🖼
fermé 1ᵉʳ au 10 juil. et 3 janv. au 3 fév. – **Repas** (9) - 18,29 (déj.), 27,44/68,60 ☷, enf. 9
☷ 8,38 – **40 ch** 53,36/76,22

à l'Étang d'Imsthal Sud-Est : 3,5 km par D 178 – ✉ 67290 La Petite-Pierre :

🏠 **Auberge d'Imsthal** ⧖, ℘ 03 88 01 49 00, auberge.imsthal@wanado
Fax 03 88 70 40 26, ≤, 舍, 🛴, 舜 – 🛗 🏧 🖳 🅿 – 🔏 25. 🖭 ⑩ 🖼 🃏. 🎾 rest
fermé 2 au 12 sept. et 12 nov. au 13 déc. – **Repas** *(fermé mardi)* 17 (déj.), 21/39 ☷ – ⩾
23 ch 37/99 – 1/2 P 51/79

à Graufthal Sud-Ouest : 11 km par D 178 et D 122 – ✉ 67320 :

🏠 **Au Vieux Moulin** ⧖, ℘ 03 88 70 17 28, Fax 03 88 70 11 25, ≤, 舍, 舜 – 🏧 🖳 🅿.
fermé 25 juin au 6 juil. et 18 fév. au 4 mars – **Repas** *(fermé mardi soir)* 8 (déj.), 16,50
enf. 6,10 – ☷ 5,90 – **14 ch** 37/63,20 – 1/2 P 41,80/52,90

✕ **Cheval Blanc**, 19 r. Principale ℘ 03 88 70 17 11, gilles.stutzmann@worldonl
Fax 03 88 70 12 37, 舍 – 🅿. 🖼. 🎾
fermé 4 au 19 sept., 3 au 25 janv., lundi soir et mardi – **Repas** 9 (déj.), 18,03/36 ☷

PETIT-PALAIS 84 Vaucluse 🗺 ⑫ ⑬ – rattaché à L'Isle-sur-la-Sorgue.

PETIT-PRESSIGNY 37350 I.-et-L. 🔢 ⑤ – 366 h alt. 80.

Paris 290 – Poitiers 73 – Le Blanc 38 – Châtellerault 36 – Châteauroux 73 – Tours 62.

Promenade (Dallais), 🅿 02 47 94 93 52, Fax 02 47 91 06 03 – 🗐. **GB**
fermé 24 sept. au 9 oct., 2 au 26 janv., dim. soir, mardi midi et lundi sauf fériés. – **Repas**
22/68 et carte 50 à 65
Spéc. Géline de Touraine rôtie au citron. Lièvre à la royale (oct. à déc.). Canette persillée
rôtie. **Vins** Touraine, Touraine-Mesland.

PETIT QUEVILLY 76 S.-Mar. 🔢 ⑥ – rattaché à Rouen.

RETO-BICCHISANO 2A Corse-du-Sud 🔢 ⑰ – voir à Corse.

RAT-LE-CHÂTEAU 87470 H.-Vienne 🔢 ⑲ G. Berry Limousin – 1 081 h alt. 426.

🔢 Office du tourisme 1 rue du Lac 🅿 05 55 69 48 75, Fax 05 55 69 47 82, OTSI.Peyrat.Le.
Chateau@wanadoo.fr.
Paris 403 – Limoges 54 – Aubusson 45 – Guéret 52 – Tulle 77 – Ussel 79 – Uzerche 58.

Auberge du Bois de l'Étang, 🅿 05 55 69 40 19, serge.merle@wanadoo.fr,
Fax 05 55 69 42 93, 🌳 – 🗐 rest, 🅿 – 🅰 30. **AE ⓪ GB**
fermé 15 déc. au 20 janv., dim. soir et lundi du 15 oct. au 15 avril – **Repas** 12/31 🍷, enf. 7 –
🍽 5,50 – **27 ch** 27/46 – ½ P 28/39

Voyageurs, 🅿 05 55 69 40 02, Fax 05 55 69 49 69 – 🖳 🅿. **GB.** 🍽
1ᵉʳ mars-30 sept. – **Repas** 12,20/24,39 🍷, enf. 10,67 – **14 ch** 30,49/45,73

ac de Vassivière – ✉ 87470 Peyrat-le-Château.

Voir Centre d'art contemporain de l'île de Vassivière★★ – Centre d'art contemporain de l'île
de Vassivière★★.

Golf du Limousin ☞, 🅿 05 55 69 41 34, Fax 05 55 69 49 16, ≤, 🌳, 🌳 – 📺 🅿. **GB.**
🍽 rest
24 mars-30 oct. – **Repas** 13,40/25,60 🍷 – 🍽 6 – **18 ch** 41/47,25 – ½ P 41/45,45

ENAS 34120 Hérault 🔢 ⑮ G. Languedoc Roussillon – 7 443 h alt. 15.

Voir Vieux Pézenas★★ : Hôtels de Lacoste★, d'Alfonce★, de Malibran★.
🔢 Office du tourisme Place Gambetta 🅿 04 67 98 35 45, Fax 04 67 98 96 80, ot.pezenas
@wanadoo.fr.
Paris 738 – Montpellier 54 – Agde 22 – Béziers 25 – Lodève 40 – Sète 37.

ezignan-l'Évêque Sud : 5 km par N 9 et D 13 – 960 h. alt. 40 – ✉ 34120 Pézenas :

Hostellerie de St-Alban ☞, 31 rte Agde 🅿 04 67 98 11 38, info@saintalban.com,
Fax 04 67 98 91 63, 🏊, 🌳, 🍽 – 📺 🖳 🅿. **AE ⓪ GB.** 🍽 rest
fermé 1ᵉʳ déc. au 15 fév. – **Repas** (fermé merc.et le midi du 15 juin au 15 sept.) 20,58 🍷 –
🍽 9,15 – **14 ch** 54,88/105,19 – ½ P 67,84/82,32

ILLA-LA-RIVIÈRE 66370 Pyr.-Or. 🔢 ⑲ – 2 754 h alt. 75.

Paris 862 – Perpignan 13 – Argelès-sur-Mer 34 – Le Boulou 31 – Prades 35.

L'Aramon, rte Baho, D 614 🅿 04 68 92 43 59, Fax 04 68 92 39 88, 🌳 – 🗐. **GB**
fermé 28 août au 11 sept., 2 au 16 janv., mardi soir et merc. – **Repas** 15 (déj.), 22/34

OU 41100 L.-et-Ch. 🔢 ⑥ – 938 h alt. 84.

Paris 160 – Blois 44 – Chartres 74 – Le Mans 76 – Orléans 67 – Tours 69.

ntaine Nord-Est : 4 km par N 10 – ✉ 41100 Pezou :

Auberge de la Sellerie, 🅿 02 54 23 41 43, Fax 02 54 23 48 00, 🌳, 🌳 – **GB**
fermé 5 au 26 janv., merc. soir , dim. soir et lundi – **Repas** (14) - 15,50/43

AFFENHOFFEN 67350 B.-Rhin 🔢 ⑱ G. Alsace Lorraine – 2 468 h alt. 170.

Voir Musée de l'Imagerie populaire et populaire alsacienne★.
Paris 458 – Strasbourg 37 – Haguenau 17 – Sarrebourg 52 – Sarre-Union 48 – Saverne 28.

De l'Agneau avec ch, 🅿 03 88 07 72 38, gisele.ernwein@wanadoo.fr, Fax 03 88 72 20 24,
🌳, 🌳 – 📺 🚗. **GB.** 🍽 ch
fermé 20 août au 8 sept., lundi et sam. midi – **Repas** (11,50) - 23/54, enf. 8 – 🍽 6 – **14 ch**
39/69 – ½ P 43/62

ILGRIESHEIM 67 B.-Rhin 🔢 ⑱ – rattaché à Strasbourg.

PHALSBOURG 57370 Moselle 57 ⑰ G. Alsace Lorraine – 4 499 h alt. 365.

🛈 Office du tourisme 4 rue Lobais ℰ 03 87 24 42 42, Fax 03 87 24 42 87, tourisme bourg@libertysurf.fr.

Paris 435 – Strasbourg 60 – Metz 107 – Sarrebourg 16 – Sarreguemines 50.

🏨 **Erckmann-Chatrian**, pl. d'Armes ℰ 03 87 24 31 33, Fax 03 87 24 27 81, 🚗 – 🛗 ⬚ 🛗 25. GB

Repas (fermé mardi midi et lundi) 20,60/41,90 ♀, enf. 7,60 – 🖙 6,90 – **16 ch** 44,20/5▮ ½ P 53,40/64

XXX **Au Soldat de l'An II** (Schmitt), 1 rte Saverne ℰ 03 87 24 16 16, info@an2▮
🕄 Fax 03 87 24 18 18, 🚗, « Ancienne grange au décor rustique » – GB
fermé 28 oct. au 11 nov., 6 au 27 janv., mardi midi, dim. soir et lundi – Repas 33,54 bc ▮ 57,17/79,27 et carte 66 à 88 ♀, enf. 18,29
Spéc. Petits poissons et croque en bouche aux parfums d'été (mai à sept.). Moelle▮ veau de lait aux truffes et asperges vertes (fév. à fin juin). Assiette de la Saint-Hube▮ gibiers de pays (sept. à fév.). Vins Vins de Moselle, Riesling.

à Bonne-Fontaine Est : 4 km par N 4 et rte secondaire – ⊠ 57370 Phalsbourg :

🏨 **Notre-Dame de Bonne Fontaine** 🐾, ℰ 03 87 24 34 33, ndbonnefontaine▮ com, Fax 03 87 24 24 64, 🗔 – 🛗 📺 ✆ & 🅿 – 🛗 40. ⁙ ⓸ GB 🇯🇨🇧
fermé 6 au 25 janv. et 16 au 23 fév. – Repas (9,50) -14,50/42 bc ♀, enf. 9,50 – 🖙 7,20 – ▮ 42/69 – ½ P 48/56,50

PHILIPPSBOURG 57230 Moselle 57 ⑱ – 531 h alt. 215.

Paris 451 – Strasbourg 60 – Haguenau 29 – Wissembourg 42.

XX **Tilleul**, ℰ 03 87 06 50 10, Fax 03 87 06 58 89, 🚗 – 🅿. GB
fermé 1er au 15 oct., janv., lundi soir, mardi soir et merc. – Repas 11,43 (déj.), 16/45,73

à l'étang de Hanau Nord-Ouest : 5 km par N 62 et rte secondaire – ⊠ 57230 Philippsbourg
Voir Étang★, G. Alsace Lorraine.

🏨 **Beau Rivage** 🐾 sans rest, ℰ 03 87 06 50 32, Fax 03 87 06 57 46, ≼, 🗔 – 📺 🅿 – ▮ GB
fermé fév. – 🖙 7 – **23 ch** 40/60

PIANA 2A Corse-du-Sud 90 ⑮ – voir à Corse.

PICHERANDE 63113 P.-de-D. 73 ⑬ – 422 h alt. 1116.

🛈 Syndicat d'initiative ℰ 04 73 22 30 83, Fax 04 73 22 33 31.

Paris 481 – Clermont-Ferrand 63 – Issoire 47 – Le Mont-Dore 31.

♨ **Central Hôtel**, ℰ 04 73 22 30 79, Fax 04 73 22 37 02, ≼ – GB
fermé 30 sept. au 1er déc. – Repas (dîner seul.)(résidents seul.) 10,70/18,30 ♀ – 🖙 4▮ **16 ch** 13,80/27,40 – ½ P 28,95

PIEDICROCE 2B H.-Corse 90 ④ – voir à Corse.

PIERRE-BÉNITE 69 Rhône 74 ⑪, 110 ㉔ – rattaché à Lyon.

PIERRE-DE-BRESSE 71270 S.-et-L. 70 ③ G. Bourgogne – 1 991 h alt. 202.

Voir Ecomusée de la Bresse bourguignonne★.

🛈 Office de tourisme pl. du Château ℰ 03 85 76 24 95.

Paris 354 – Beaune 46 – Chalon-sur-Saône 42 – Dole 35 – Lons-le-Saunier 37.

à Charette-Varennes Nord-Ouest : 6,5 km par D 73 – 354 h. alt. 182 – ⊠ 71270 :

🏨 **Doubs Rivage** 🐾, ℰ 03 85 76 23 45, Fax 03 85 72 89 18, 🚗, 🚗 – 📺 🅿 GB. 🚗
fermé 20 au 26 juin, 7 au 17 oct., 21 déc. au 3 janv., 3 au 14 fév., dim. soir sauf juil.-a▮ lundi – Repas 13/39 ♀, enf. 8,50 – 🖙 6,50 – **10 ch** 31/41 – ½ P 40

PIERREFITTE-EN-AUGE 14130 Calvados 55 ③ – 114 h alt. 59.

Paris 196 – Caen 53 – Deauville 20 – Le Havre 47 – Lisieux 14.

X **Auberge des Deux Tonneaux**, ℰ 02 31 64 09 31, Fax 02 31 64 69 69, 🚗 – GB
début mars-mi-nov. et fermé dim. soir et lundi sauf vacances scolaires – Repas 24,39▮ enf. 9

PRREFITTE-SUR-SAULDRE 41300 L.-et-Ch. 🖻🖪 ⑳ – 851 h alt. 125.

🖪 Syndicat d'initiative Place de l'Église ☎ 02 54 88 62 15, Fax 02 54 88 67 15.

Paris 186 – Bourges 55 – Orléans 53 – Aubigny-sur-Nère 23 – Blois 74 – Salbris 13.

🏿🏿 **Lion d'Or**, ☎ 02 54 88 62 14, Fax 02 54 88 62 14, 🏤, « Cadre rustique », 🐾 – ⚙
fermé 5 au 13 mars, 2 au 18 sept., 6 au 16 janv., merc. soir en hiver, lundi et mardi sauf
fériés – **Repas** 27/35

PRREFONDS 60350 Oise 🖪🖫 ③ G. Picardie Flandres Artois – 1 945 h alt. 81.

Voir Château★★ – St-Jean-aux-Bois : église★ O : 6 km.

🖪 Office du tourisme Place de l'Hôtel de Ville ☎ 03 44 42 81 44, Fax 03 44 42 37 73,
ot.pierrefonds@wanadoo.fr.

Paris 90 – Compiègne 15 – Beauvais 76 – Soissons 32 – Villers-Cotterêts 18.

🏿 **Blés d'Or** avec ch, 8 r. J. Michelet ☎ 03 44 42 85 91, Fax 03 44 42 98 94, 🏤 – 📺 📞. 🕮 ⚙
fermé 15 déc. au 15 janv., mardi soir (sauf hôtel) et merc. – **Repas** 15,30/34,30 – 🖙 7,60 –
6 ch 42,70/53,40 – ½ P 45,75

elles Est : 4,5 km par D 85 – 384 h. alt. 75 – ⬚ 60350 :

🏿🏿 **Relais Brunehaut** 🦢 avec ch, ☎ 03 44 42 85 05, Fax 03 44 42 83 30, 🏤, « Auberge
rustique », 🐾 – cuisinette 📺 📞 ⅙ rest
fermé 15 janv. au 15 fév. et lundi – **Repas** (fermé merc. et jeudi du 15 nov. au 30 avril, lundi
et mardi) 26/44,20 bc 🏛 – 🖙 7,30 – **7 ch** 41,50/56,40 – ½ P 58/60

-Jean-aux-Bois : 6 km par D 85 – 349 h. alt. 71 – ⬚ 60350 :

🏿🏿 **Auberge A la Bonne Idée** 🦢 avec ch, 3 r. Meuniers ☎ 03 44 42 84 09, a-la-bonne-
idee-auberge@wanadoo.fr, Fax 03 44 42 80 45, 🏤 – ⬛ rest, 📺 📞 ⅙ 🅿 – 🔏 20. 🕮 ⚙
fermé 29 juil. au 9 août et mi-janv. à mi-fév. – **Repas** (fermé lundi et mardi) 29/60, enf. 16 –
🖙 9 – **24 ch** 58/69 – ½ P 84

PRREFORT 15230 Cantal 🖪🖪 ⑬ – 1 002 h alt. 950.

🖪 Office du tourisme 29 avenue Georges Pompidou ☎ 04 71 23 38 61, Fax 04 71 23 94 55,
ot.pierrefort@auvergne.net.

Paris 545 – Aurillac 58 – Entraygues-sur-Truyère 54 – Espalion 61 – St-Flour 30.

🏠
🍴 **Midi** 🅼, ☎ 04 71 23 30 20, Fax 04 71 23 39 34 – 📺 📞 🚗. ⚙
fermé 23 déc. au 6 janv. – **Repas** 12/30 🏛, enf. 7,50 – 🖙 6 – **13 ch** 42/46 – ½ P 42

PRRELATTE 26700 Drôme 🖪🖪 ① G. Vallée du Rhône – 11 943 h alt. 50.

Voir Ferme aux crocodiles★, S : 4 km par N 7 jusqu'à l'échangeur avec la D 59.

🖪 Office du tourisme Place du Champ de Mars ☎ 04 75 04 07 98, Fax 04 75 98 40 65,
ot.pierrelatte@wanadoo.fr.

Paris 629 – Bollène 17 – Montélimar 23 – Nyons 45 – Orange 35 – Pont-St-Esprit 17.

🏠 **Tricastin** sans rest, r. Caprais-Favier ☎ 04 75 04 05 82, Fax 04 75 04 19 36 – 📺 🚗 🅿. ⚙
🖙 6,10 – **13 ch** 34,76/41,16

🏠 **Centre** sans rest, 6 pl. Église ☎ 04 75 04 28 59, info@hotelducentre26.com,
Fax 04 75 96 97 97 – 📳 📺 🅿. ⚙
fermé 28 déc. au 2 janv. – 🖙 6,50 – **27 ch** 33,50/46

🏿🏿 **Gourmand-Gourmet**, 6 pl. Église ☎ 04 75 96 83 10, Fax 04 75 96 46 18 – ⬛ 🅿. 🕮 ⚙
fermé 16 au 31 août, vend. soir et sam. – **Repas** 20 (déj.), 27/52

TRANERA 2B H.-Corse 🖪🖪 ② ③ – voir à Corse (Bastia).

NA 2b H.-Corse 🖪🖪 ⑬ – voir à Corse (Ile-Rousse).

AT-PLAGE 33 Gironde 🖪🖪 ⑫ – voir à Pyla-sur-Mer.

PIN-LA-GARENNE 61 Orne 🖪🖪 ④ – rattaché à Mortagne-au-Perche.

SOT 38 Isère 🖪🖪 ⑥ – rattaché à Allevard.

GGIOLA 2B H.-Corse 🖪🖪 ⑬ – voir à Corse.

PIRIAC-SUR-MER 44420 Loire-Atl. 🔠 ⑬ G. Bretagne – 1 898 h alt. 7.

Voir *Pointe du Castelli* ⩽⋆ SO : 1 km.

🖼 *Office du tourisme 7 rue des Cap-Horniers ℘ 02 40 23 51 42, Fax 02 40 23 5*
piriac.otsi@wanadoo.fr.

Paris 466 – Nantes 90 – La Baule 17 – La Roche-Bernard 33 – St-Nazaire 31.

🏠 **Poste**, 26 r. Plage ℘ 02 40 23 50 90, Fax 02 40 23 68 96 – 📺. ⅏
hôtel : 1ᵉʳ avril-11 nov. ; rest. : Pâques-1ᵉʳ nov. et fermé lundi midi et vend. midi – **R**
15,40/20,80, enf. 7,32 – ⇌ 5,80 – **15 ch** 36,60/54,90 – ½ P 41,20/50,50

PISCIATELLO 2A Corse-du-Sud 🔟 ⑰ – voir à Corse (Ajaccio).

PISSOS 40410 Landes 🔠 ④ G. Aquitaine – 1 097 h alt. 46.

Paris 661 – Mont-de-Marsan 55 – Biscarrosse 34 – Bordeaux 76 – Castets 62 – Mimizan

🍴 **Café de Pissos** avec ch, ℘ 05 58 08 90 16, Fax 05 58 08 96 89, 🏠, 🌳 – 🖭 📶. ⅏
fermé 12 nov. au 5 déc., 20 au 27 janv., mardi soir et merc. sauf juil.-août – **Repas** 12 ●
16/36 ⅃, enf. 8 – ⇌ 5 – **5 ch** 42/49 – ½ P 32/40

PITHIVIERS 🔣 45300 Loiret 🔠 ⑳ G. Châteaux de la Loire – 9 242 h alt. 115.

🖼 *Office du tourisme Mail-Ouest ℘ 02 38 30 50 02, Fax 02 38 30 55 00, Pithi*
Tourisme@wanadoo.fr.

Paris 83 ① – Fontainebleau 46 ② – Orléans 44 ⑤ – Chartres 74 ⑥ – Montargis 45 ④.

Couronne (R. de la).... 3
Croissant (Fg du) 6
Église (R. de l') 8
Gambetta (Av.) 9
Gare de Marchandises
(R. de la) 12
Maison-Rouge (R. de) ... 13
Marsainvilliers (R. de) ... 14
Martroi (Pl. du) 15
Pithiviers-le-V. (R. de) .. 16
Poisson (Pl. D.) 17
Sanitas (R. du) 20
Tonnelat (R. G.) 22
11-Novembre
(Av. du) 23

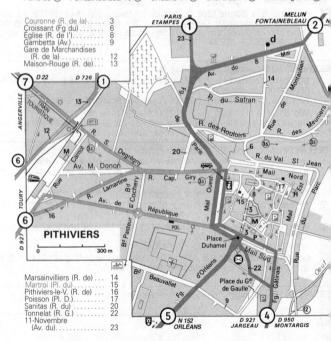

PITHIVIERS
0   300 m

🏠 **Relais St-Georges**, av. du 8 Mai (d) ℘ 02 38 30 40 25, relais.saint-georges@wanad
⅏ *Fax 02 38 30 09 05*, 🐾 – ✂ 📺 ✆ ₺ 🄿 – 🔏 20. 🄰🄴 ⓪ ⅏
Repas (fermé dim. et soirs fériés) 14/33 ℥, enf. 8 – ⇌ 42 – **42 ch** 47/59 – ½ P 43,50/4

PIZAY 69 Rhône 🔠 ①, 🔢 ⑦ – rattaché à Belleville.

A good moderately priced meal : 🍽 Repas 16/23

PLAILLY 60128 Oise 🗺 ⑪ – 1 580 h alt. 100.

Paris 39 – Compiègne 49 – Beauvais 70 – Chantilly 16 – Meaux 36 – Pontoise 46 – Senlis 16.

XX **Gentilhommière**, 25 r. G. Bouchard (derrière église) ℰ 03 44 54 30 20, Fax 03 44 54 31 27, 🏤 – **GB**
fermé 5 août au 2 sept., 17 fév. au 3 mars, sam. midi, dim. soir et lundi – **Repas** 18 (déj.), 26/36,50 ♀

la PLAINE-SUR-MER 44770 Loire-Atl. 🗺 ① – 2 517 h alt. 26.

Voir Pointe de St-Gildas★ O : 5 km, G. Poitou Vendée Charentes.
🛈 Office du tourisme Place du Fort Gentil ℰ 02 40 21 52 52, Fax 02 40 21 05 15.
Paris 446 – Nantes 58 – Pornic 9 – St-Michel-Chef-Chef 7 – St-Nazaire 28.

🏨 **Anne de Bretagne** (Vételé) Ⓜ ⌂, au Port de Gravette Nord-Ouest : 3 km ❄ ℰ 02 40 21 54 72, bienvenue@annedebretagne.com, Fax 02 40 21 02 33, ≤, 🏤, 🌊, 🌿, ✵ – 📺 ⓦ ⅙ 🅿 – 🔏 15 à 30. 🕮 ⓞ **GB** 🕞
fermé janv. à mi-fév. – **Repas** (fermé dim. soir de mi-sept. à mai, mardi midi et lundi) 21/76 ⅙, enf. 13 – 🖵 11 – **22 ch** 67/118 – ½ P 90/117
Spéc. Crabe décortiqué et tomates confites. Lotte rôtie au bouillon de crustacés. Coffre de pigeonneau du pays de Retz et pastilla d'abats.

Les localités dont les noms sont soulignés de rouge
*sur les **cartes Michelin** à 1/200 000 sont citées dans ce guide.*
Utilisez une carte récente pour profiter de ce renseignement.

PLAISIANS 26170 Drôme 🗺 ③ – 175 h alt. 612.

Paris 695 – Carpentras 44 – Nyons 34 – Vaison-la-Romaine 27.

X **Auberge de la Clue**, pl. Église ℰ 04 75 28 01 17, Fax 04 75 28 29 17, ≤, 🏤 – 🔲 🅿
avril-sept., week-ends de nov. à mars et fermé lundi – **Repas** 21,50/26, enf. 9,50

PLANCOËT 22130 C.-d'Armor 🗺 ⑤ – 2 589 h alt. 41.

🛈 Syndicat d'initiative 1 rue des Venelles ℰ 02 96 84 00 57, Fax 02 96 84 19 49, si-plancoet@libertysurf.fr.
Paris 418 – St-Malo 28 – Dinan 17 – Dinard 20 – St-Brieuc 45.

XXX **Jean-Pierre Crouzil** Ⓜ avec ch, ℰ 02 96 84 10 24, Fax 02 96 84 01 93, 🏤, « Belle décoration intérieure » – 🔲 rest, 📺 ⓦ 🅿. 🕮 **GB**, ✵ ch
fermé 1er au 15 oct., 8 au 30 janv., dim. soir et lundi d'oct. à avril – **Repas** (fermé dim. soir, mardi midi sauf juil.-août et lundi) (week-ends prévenir) 45 bc (déj.), 60/99 et carte 65 à 85 ♀, enf. 19 – 🖵 14 – **7 ch** 105/160 – ½ P 85/145
Spéc. Saint-Jacques dorées au sautoir, verjus de tokay (saison). Homard breton brûlé au lambic. Blanc de turbot fourré à l'araignée de mer.

PLAN-D'AUPS 83640 Var 🗺 ⑭, 🗺 ㉚ G. Provence – 764 h alt. 670.

🛈 Office de tourisme pl. de la Mairie ℰ 04 42 62 57 57, Fax 04 42 62 57 57.
Paris 803 – Marseille 44 – Aix-en-Provence 46 – Brignoles 38 – Toulon 72.

XX **Lou Pebre d'Aï** ⌂ avec ch, ℰ 04 42 04 50 42, lou.pebre.dai@wanadoo.fr, Fax 04 42 04 50 71, 🏤, 🌊, 🌿 – 📺 ⓦ ⅙ 🅿. 🕮 ⓞ **GB**
fermé 2 janv. au 13 fév., mardi soir et merc. sauf du 15 avril au 15 sept. – **Repas** 17,53 (déj.), 24,39/42,69 ⅙, enf. 9,90 – 🖵 5,80 – **12 ch** 42,69/59,46 – ½ P 46/54,12

PLAN-DE-CUQUES 13 B.-du-R. 🗺 ⑬, 🗺 ㉘ – rattaché à Marseille.

PLAN-DE-LA-TOUR 83120 Var 🗺 ⑰, 🗺 ㊱ – 2 380 h alt. 69.

Paris 864 – Fréjus 28 – Cannes 66 – Draguignan 36 – St-Tropez 24 – Ste-Maxime 10.

🏨 **Mas des Brugassières** ⌂ sans rest, Sud : 1,5 km par rte Grimaud ℰ 04 94 55 50 55, mas.brugassieres@free.fr, Fax 04 94 55 50 51, 🌊, 🌿, ✵ – ✵ 🅿. **GB**
20 mars-10 oct. – 🖵 7 – **11 ch** 87

X **Au Vieux Moulin**, ℰ 04 94 43 02 07, 🏤 – 🔲. **GB**
fin mars-1er nov. et fermé merc. sauf en juil.-août – **Repas** 25,92

à **Purruero** Sud : 3,5 km par rte Grimaud – ✉ 83120 Plan de la Tour :

🏨 **Parasolis** ⌂ sans rest, ℰ 04 94 43 76 05, Fax 04 94 43 77 09, ≤, 🌊, 🌿 – cuisinette 🅿. ✵
25 mars-30 sept. – 🖵 7,70 – **9 ch** 80/85, 3 studios

PLAN-DU-VAR 06 Alpes-Mar. 84 ⑲, 115 ⑯ – ⊠ 06670 Levens.

Voir *Gorges de la Vésubie*★★★ NE – *Défilé du Chaudan*★★ N : 2 km.

Env. *Bonson : site*★, ≼★★ de la terrasse de l'église, G Côte d'Azur.

Paris 870 – Antibes 39 – Cannes 48 – Nice 32 – Puget-Théniers 36 – Vence 27.

XX **Cassini** avec ch, N 202 ℘ 04 93 08 91 03, mmuriel@club-internet.fr, Fax 04 93 08 45 4
– 🔟 🚗 🖭 🖭 GB

fermé nov., mardi soir et dim. soir sauf juil.-août et lundi – **Repas** (13) - 22,20/27 ♀, enf. 9,9
– ☲ 5,35 – **10 ch** 40/45 – ½ P 42

PLANPRAZ 74 H.-Savoie 74 ⑧ ⑨ – rattaché à Chamonix-Mont-Blanc.

PLAPPEVILLE 57 Moselle 57 ⑬ – rattaché à Metz.

PLASCASSIER 06 Alpes-Mar. 84 ⑧ – rattaché à Valbonne.

PLATEAU D'ASSY 74480 H.-Savoie 74 ⑧ G. Alpes du Nord.

Voir ☀★★★ – *Église*★ : décoration★★ – *Pavillon de Charousse* ☀★★ O : 2,5 km puis 30 mn
Lac Vert★ NE : 5 km – *Plaine-Joux* ≼★★ NE : 5,5 km.

🖪 Office de tourisme r. Jean-Arnaud ℘ 04 50 58 80 52, Fax 04 50 93 83 74, OTPassy@wa
doo.fr.

Paris 599 – Chamonix-Mont-Blanc 22 – Annecy 80 – Bonneville 42 – Megève 20.

⌂ **Tourisme** sans rest, ℘ 04 50 58 80 54, hotel.le.tourisme@wanadoo.
Fax 04 50 93 82 11, ≼, 🦮 – 🅿. GB

fermé 10 au 28 juin, 13 au 31 oct. et lundi – ☲ 5,34 – **15 ch** 19,82/38,11

PLÉNEUF-VAL-ANDRÉ 22370 C.-d'Armor 59 ④ – 3 680 h alt. 52 – Casino au Val-André.

🖪 Office du tourisme 1 cours Winston Churchill ℘ 02 96 72 20 55, Fax 02 96 63 00 34.

Paris 447 – St-Brieuc 28 – Dinan 43 – Erquy 9 – Lamballe 16 – St-Cast 30 – St-Malo 54.

au Val-André *Ouest : 2 km, G. Bretagne* – ⊠ 22370 Pléneuf-Val-André.

Voir *Pointe de Pléneuf*★ N 15 mn – *Le tour de la Pointe de Pléneuf* ≼★★ N 30 mn.

🏥 **Georges** 🖬 sans rest, 131 r. Clemenceau ℘ 02 96 72 23 70, hotel-georges@casino-
andre.com, Fax 02 96 72 23 72 – 🛗 🔟 🖭 🖭 GB
☲ 9,15 – **24 ch** 65,55/99,09

🏥 **Grand Hôtel du Val André** ⌂, 80 r. Amiral Charner ℘ 02 96 72 20 56, accueil@gra
hotel-val-andre.fr, Fax 02 96 63 00 24, ≼, 🏤 – 🛗 🔟 🖭 🖭 – 🏛 30. 🖭 GB. ❄ rest
fermé 3 janv. au 3 fév. – **Repas** (fermé dim. soir et lundi sauf juil.-août) 19,20 (déj.), 30
enf. 11 – ☲ 7,70 – **39 ch** 72,10/81,50 – ½ P 66,50/75,85

XX **Au Biniou**, 121 r. Clemenceau ℘ 02 96 72 24 35, Fax 02 96 63 03 23 – GB. ❄
🍴 *fermé fév., merc. sauf le soir en août, et mardi soir sauf juil-août* – **Repas** 14,95 (d
21,35/36,60 ♀

XX **Mer** avec ch, r. Amiral Charner ℘ 02 96 72 20 44, Fax 02 96 72 85 72 – 🔟 🖭 GB
fermé 15 oct. au 15 déc., 7 janv. au 7 fév., mardi midi et lundi – **Repas** 14,49/38,88
☲ 5,95 – **14 ch** 35,07/62,50 – ½ P 45,73/61,75

Annexe Nuit et Jour 🏠 sans rest, – cuisinette 🔟
☲ 5,95 – **8 ch** 46,50

PLESSIS-PICARD 77 S.-et-M. 61 ① ②, 106 ㉝ – rattaché à Melun.

PLESTIN-LES-GRÈVES 22310 C.-d'Armor 58 ⑦ G. Bretagne – 3 415 h alt. 45.

Voir *Lieue de Grève*★ – *Corniche de l'Armorique*★ N : 2 km.

🖪 Office du tourisme Place de la Mairie ℘ 02 96 35 61 93, Fax 02 96 54 12 54.

Paris 528 – Brest 78 – Guingamp 45 – Lannion 18 – Morlaix 24 – St-Brieuc 77.

🏠 **Les Panoramas** sans rest, rte Corniche Nord : 5,5 km par D 42 ℘ 02 96 35 6
lespanoramas@free.fr, Fax 02 96 35 09 10, ≼ – 🔟 📞 🖭. GB
Pâques-Toussaint et fermé lundi en oct.-nov. – ☲ 6,40 – **13 ch** 38,11/57,93

PLEURS 51230 Marne 61 ⑥ – 714 h alt. 90.

Paris 125 – Troyes 54 – Châlons-en-Champagne 51 – Épernay 51 – Sézanne 14.

XX **Paix** avec ch, ℘ 03 26 80 10 14, Fax 03 26 80 12 69 – ▤ rest, 🔟 📞 🖭. GB
🍴 *fermé 16 juil. au 7 août, 26 déc. au 9 janv., vend. soir, dim. soir et lundi* – **Repas**
41,16 ♟, enf. 7,62 – ☲ 4,73 – **7 ch** 33,54 – ½ P 36,59

VEN 22130 C.-d'Armor 🔢🔢 ⑤ – 565 h alt. 80.

Voir *Ruines du château de la Hunaudaie★ SO : 4 km*, G. Bretagne.
Paris 429 – St-Malo 37 – Dinan 24 – Dinard 28 – St-Brieuc 38.

🏨 **Manoir de Vaumadeuc** ⌂, ℘ 02 96 84 46 17, *manoir@vaumadeuc.com*, Fax 02 96 84 40 16, « Manoir du 15ᵉ siècle dans un parc », 🏊 – 🄿. 🄰🄴 ➊ 🇬🇧. ℀ rest
hôtel : 30 mars-4 nov. ; rest. : 30 juin-30 sept. – **Repas** (dîner seul.)(résidents seul.) 30/45 ♀ – 🖵 9 – **13 ch** 90/185 – ½ P 75/120

YBER-CHRIST 29410 Finistère 🔢🔢 ⑥ G. Bretagne – 2 790 h alt. 131.

Paris 548 – Brest 55 – Châteaulin 47 – Morlaix 12 – Quimper 67 – St-Pol-de-Léon 27.

🏨 **Gare**, ℘ 02 98 78 43 76, *hotelgare@wanadoo.fr*, Fax 02 98 78 49 78, 🌺 – 📺 🍴 🄰🄴 🇬🇧. ℀
fermé 20 déc. au 15 janv., dim. soir sauf juil-août et sam. midi – **Repas** 10,50 (déj.), 15/27,50 ♀, enf. 8,50 – 🖵 5,50 – **8 ch** 40/43 – ½ P 40

EMEUR 56270 Morbihan 🔢🔢 ⑫ – 18 304 h alt. 45.

Paris 507 – Vannes 63 – Concarneau 50 – Lorient 6 – Quimper 68.

mener Sud : 4 km par D 163 – ✉ 56270 Ploemeur :

🏨 **Vivier** Ⓜ ⌂, ℘ 02 97 82 99 60, *levivier.lomener@wanadoo.fr*, Fax 02 97 82 88 89, ≤ île de Croix – 📺 🍴 🚬 🄿. 🄰🄴 ➊ 🇬🇧
fermé 26 déc. au 10 janv. – **Repas** (fermé dim. soir sauf juil.-août) 18/40 ♀, enf. 13 – 🖵 7 – **14 ch** 60/84 – ½ P 72/80

ERMEL 56800 Morbihan 🔢🔢 ④ – 7 525 h alt. 93.

🛈 Office du tourisme 5 rue du Val ℘ 02 97 74 02 70, Fax 02 97 73 31 82, *ot.ploermel @wanadoo.fr*.
Paris 416 – Vannes 47 – Lorient 88 – Loudéac 49 – Rennes 67.

🏨 **Roi Arthur** Ⓜ ⌂, au lac au Duc : 1,5 km par D 8 ℘ 02 97 73 64 64, *info@hotelroiarthur. com*, Fax 02 97 73 64 50, ≤, « Au bord d'un lac et d'un golf », 🏋, 🏊, 🏊 – 🖹 cuisinette, 🍴 rest, 📺 🍴 🖔 🄿 – 🏛 20 à 100. 🄰🄴 ➊ 🇬🇧 🇯🇨🇧
fermé 22 fév. au 9 mars – **Repas** 21,65/38,87 – 🖵 9,91 – **46 ch** 60,98/97,57, 12 duplex – ½ P 64,79/73,94

🏨 **Lancelot** Ⓜ ⌂ sans rest, au lac au Duc : 1,5 km par D 8 ℘ 02 97 73 58 58, Fax 02 97 73 58 59 – 🖹 📺 🍴 🖔 🄿 – 🏛 70 à 150. 🄰🄴 🇬🇧 🇯🇨🇧
fermé 15 au 31 déc. – 🖵 8,38 – **28 ch** 57,93/73,18

🏠 **Thy** sans rest, 19 r. Gare ℘ 02 97 74 05 21, *hotel@le-thy.com*, Fax 02 97 74 02 97 – 📺 🍴. 🇬🇧. ℀
🖵 5 – **7 ch** 45/55

EUC-SUR-LIÉ 22150 C.-d'Armor 🔢🔢 ⑩ – 2 937 h alt. 207.

Paris 456 – St-Brieuc 22 – Lamballe 27 – Loudéac 23.

🏠 **Commerce**, ℘ 02 96 42 10 36, Fax 02 96 42 85 77, 🌸, 🌺 – 🇬🇧
fermé 21 au 28 oct., 6 janv. au 3 fév. et lundi – **Repas** 10,37/22,56 ♀ – 🖵 4,57 – **31 ch** 22,87/33,54 – ½ P 33,54

GOFF 29770 Finistère 🔢🔢 ⑬ – 1 563 h alt. 70.

Paris 611 – Quimper 47 – Audierne 11 – Douarnenez 31 – Pont-l'Abbé 42.

🏠 **Ker-Moor**, rte Audierne : 2,5 km ℘ 02 98 70 62 06, *kermoor@ornykard.com*, Fax 02 98 70 32 69, ≤ – 📺 🍴 🄿. 🄰🄴 🇬🇧
Repas (fermé 3 au 31 janv., dim. et lundi du 15 sept. au 15 mars) 12,96/54,88 ♀, enf. 7,62 – 🖵 – **16 ch** 27,44/73,18 – ½ P 51,07/59,46

MBIÈRES-LES-BAINS 88370 Vosges 🔢🔢 ⑯ G. Alsace Lorraine – 1 906 h alt. 429 – Stat. therm. (début avril-fin déc.).

Voir *La Feuillée Nouvelle* ≤★ 5 km par ② – *Vallée de la Semousse★*.
🛈 Office du tourisme Place Maurice Janot ℘ 03 29 66 01 30, Fax 03 29 66 01 94.
Paris 380 ④ – Épinal 38 ④ – Belfort 76 ② – Gérardmer 43 ① – Vesoul 54 ④ – Vittel 61 ④.

PLOMBIÈRES-LES-BAINS

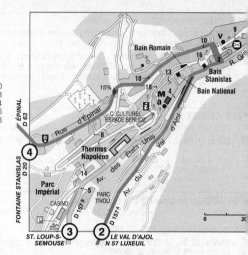

*Pour un bon usage
des plans de villes
voir les signes
conventionnels
dans l'introduction.*

🏠🏠 **Beauséjour,** 26 av. L. Français (a) ℘ 03 29 66 01 50, Fax 03 29 66 09 45, 🚗 – 📳, 🗐
🕸 📺. 🌐 🇬🇧
Repas 12,20/25,92 ♀ – ☲ 6,86 – **23 ch** 52,59/54,12 – ½ P 49,24

🏠 **Commerce,** r. Hôtel de Ville (v) ℘ 03 29 66 00 47, hotel-du-commerce@wanac🔲
Fax 03 29 30 01 18, 🔁 – 📺. 🌐 🇬🇧. 🌂
fermé 25 déc. au 15 fév. et jeudi hors saison – **Repas** (11,50) - 18,50/38 ♀ – ☲ 5,50 –
35/41,50 – ½ P 50,25/52,50

près de la Fontaine Stanislas par ④ et D 20 : 4 km – alt. 600 – ☒ 88370 Plombières-les-🔲

🏠 **Fontaine Stanislas** 🔈, ℘ 03 29 66 01 53, Fax 03 29 30 04 31, ≤, « En forêt », 🚗
📺 🕿 🚗 🅿. 🇦🇪 🇬🇧. 🌂 rest
1er avril-15 oct. – **Repas** 15/35 ⅋, enf. 9 – ☲ 6,50 – **16 ch** 29/45 – ½ P 38/45

PLOMEUR 29120 Finistère 🟝🟝 ⑭ G. Bretagne – 3 203 h alt. 33.
Paris 581 – Quimper 26 – Douarnenez 40 – Pont-l'Abbé 6.

🏠🏠 **Ferme du Relais Bigouden** 🔈 sans rest, à Pendreff, rte Guilvinec : 2,
℘ 02 98 58 01 32, Fax 02 98 82 09 62, 🚗 – 📺 🅿. 🇬🇧
fermé en janv. et les week-ends de nov. à mars – ☲ 5,50 – **16 ch** 50

PLOMODIERN 29550 Finistère 🟝🟝 ⑮ – 2 076 h alt. 60.
Voir Retables★ de la chapelle Ste-Marie-du-Ménez-Hom N : 3,5 km – Charpente★
chapelle St-Côme NO : 4,5 km.
Env. Ménez-Hom 🌿★★★ N : 7 km par D 47, G. Bretagne.
🄵 Office du tourisme Place de l'Église ℘ 02 98 81 27 37, siplomodiern@wanadoo.fr.
Paris 588 – Quimper 28 – Brest 60 – Châteaulin 12 – Crozon 25 – Douarnenez 18.

🏠 **Porz-Morvan** 🔈 sans rest, Est : 3 km par rte secondaire ℘ 02 98 81 5
Fax 02 98 81 28 61, 🚗, 🎾 – 📺 🅿. 🇬🇧
1er avril-30 sept., week-ends (sauf en janv.-fév.) et vacances scolaires – ☲ 5,34 –
38,11/48,78

🍴🍴 **Auberge des Glazicks,** ℘ 02 98 81 52 32, Fax 02 98 81 57 18 – 🇬🇧. 🌂
fermé oct., en mars, lundi et mardi – **Repas** 23 (déj.), 35/69

PLONÉOUR-LANVERN 29720 Finistère 🟝🟝 ⑭ – 4 800 h alt. 71.
🄵 Syndicat d'initiative Place Charles de Gaulle ℘ 02 98 82 70 10, Fax 02 98 82 🔲
office.tourisme.ploneour@wanadoo.fr.
Paris 580 – Quimper 19 – Douarnenez 25 – Guilvinec 14 – Plouhinec 21 – Pont-l'Abbé

🏠 **Voyageurs,** derrière l'église ℘ 02 98 87 61 35, Fax 02 98 82 62 82 – 🗐 rest, 📺 🕿
🌐 🇬🇧
fermé 25 oct. au 3 nov., 20 déc. au 5 janv., vend. soir, dim. soir et sam. hors saison – 🔲
11 (déj.), 14,95/29,75 ♀, enf. 8,85 – ☲ 5,65 – **12 ch** 32/46,50 – ½ P 43/46,50

Ty Didrouz 🦢, r. Croas ar Bléon 🖉 02 98 87 62 30, Fax 02 98 82 62 43 – 📺 ✆ ♿ 🅿. 🇬🇧. 🍴
fermé 23 déc. au 20 janv. – Repas *(fermé sam. soir et vend. hors saison)* 8,70 bc (déj.)/20 🍴, enf. 5 – 🖵 – **15 ch** 37 – ½ P 40

UBALAY 22650 C.-d'Armor 🔢 ⑤ *G. Bretagne* – 2 385 h alt. 32.
Voir *Château d'eau* ☀️★★ : 1 km NE.
Paris 418 – St-Malo 16 – Dinan 18 – Dol-de-Bretagne 34 – Lamballe 36 – St-Brieuc 56.

✗ **Gare**, 4 r. Ormelets 🖉 02 96 27 25 16, xavier.termet@wanadoo.fr, Fax 02 96 82 63 22, 🏤
– 🕮 🇬🇧. 🍴
fermé 15 au 30 juin, 1er au 15 oct., lundi soir, mardi soir et merc. de sept. à juin – Repas 18,30 (déj.), 25/37 ✷

UDALMÉZEAU 29830 Finistère 🔢 ③ *G. Bretagne* – 4 994 h alt. 57.
🚹 Syndicat d'initiative Place Chanoine Grall 🖉 02 98 48 12 88, Fax 02 98 48 11 88, oct.pouldalmezeau@wanadoo.fr.
Paris 612 – Brest 26 – Landerneau 43 – Morlaix 75 – Quimper 95.

✗ **Voyageurs** avec ch, pl. Église 🖉 02 98 48 10 13, Fax 02 98 48 19 92 – 📺. 🇬🇧
Repas *(fermé oct., dim. soir et lundi)* 15,09/25 ✷ – 🖵 6,86 – **9 ch** 30,49/44,21 – ½ P 39,65/ 48,80

UER-SUR-RANCE 22490 C.-d'Armor 🔢 ⑥ *G. Bretagne* – 2 723 h alt. 62.
Paris 409 – St-Malo 21 – Dinan 13 – Dol-de-Bretagne 20 – Lamballe 55 – St-Brieuc 72.

🏨 **Manoir de Rigourdaine** 🦢 sans rest, rte de Langrolay puis rte secondaire : 3 km 🖉 02 96 86 89 96, hotel.rigourdaine@wanadoo.fr, Fax 02 96 86 92 46, ≤, « Ancienne ferme dominant l'estuaire de la Rance », ♨ – 📺 ✆ ♿ 🅿. 🕮 🇬🇧
29 mars-11 nov. – 🖵 6,50 – **14 ch** 54/72, 5 duplex

UESCAT 29430 Finistère 🔢 ⑤ *G. Bretagne* – 3 660 h alt. 30 – Casino.
🚹 Office du tourisme 8 rue de la Mairie 🖉 02 98 69 62 18, Fax 02 98 61 98 92, office.de. tourisme.plouescar@wanadoo.fr.
Paris 570 – Brest 49 – Brignogan-Plages 16 – Morlaix 34 – Quimper 93 – St-Pol-de-Léon 16.

✗ **L'Azou**, r. Gén. Leclerc 🖉 02 98 69 60 16, hotel.restau.lazou.@wanadoo.fr, 🍴 Fax 02 98 61 91 26 – 🕮 ⓞ 🇬🇧
fermé 30 sept. au 24 oct. et 25 fév. au 3 mars – Repas *(fermé mardi sauf le soir en juil.-août, lundi midi en juil.-août, merc. midi et sam. de sept. à juin)* (10,50) - 13/45 ✷, enf. 8

UFRAGAN 22 C.-d'Armor 🔢 ③ – rattaché à St-Brieuc.

UGASTEL-DAOULAS 29470 Finistère 🔢 ④ *G. Bretagne* – 12 248 h alt. 113.
Voir *Calvaire*★★ – *Site*★ de la chapelle St-Jean NE : 5 km – Kernisi ☀️★ SO : 4,5 km.
Env. *Pointe de Kerdéniel* ☀️★★ SO : 8,5 km puis 15 mn.
🚹 Office du tourisme 4 Bis place du Calvaire 🖉 02 98 40 34 98, Fax 02.
Paris 596 – Brest 11 – Morlaix 60 – Quimper 63.

🏨 **Kastel Roc'h**, à l'échangeur de la D 33^A 🖉 02 98 40 32 00, kastel-roch@wanadoo.fr, 🍴 Fax 02 98 04 25 40, 🏤 – 🛗 📺 🅿. – 🔼 20 à 80. 🕮 🇬🇧
fermé 1er au 16 janv. et dim. soir d'oct. à mai sauf vacances scolaires – Repas (10) - 12/26 🍴, enf. 8 – 🖵 6,50 – **45 ch** 41/47 – ½ P 39

🍽 **Chevalier de l'Auberlac'h**, 5 r. Mathurin Thomas 🖉 02 98 40 54 56, Fax 02 98 40 65 16, 🏤 – 🕮 🇬🇧
fermé 1er au 14 janv., lundi soir sauf juil.-août et dim. soir – Repas 12,50 (déj.), 21,50/28,20, enf. 6,86

UGUERNEAU 29880 Finistère 🔢 ④ *G. Bretagne* – 5 628 h alt. 60.
Env. *Les Abers*★★.
🚹 Office du tourisme Place de l'Europe 🖉 02 98 04 70 93, Fax 02 98 04 58 75, ot.plouguerneau@wanadoo.fr.
Paris 604 – Brest 27 – Landerneau 35 – Morlaix 68 – Quimper 92.

Plage de Lilia Nord-Ouest : 5 km par D 71 :

🏨 **Castel Ac'h**, 🖉 02 98 04 70 11, la.grand.voile@wanadoo.fr, Fax 02 98 04 58 43, ≤ – 📺 🅿. 🇬🇧, 🍴 rest
fermé 15 nov. au 5 déc. – Repas 14,03/39,64, enf. 8,38 – 🖵 7,93 – **18 ch** 62,50 – ½ P 54,88

PLOUHINEC 29780 Finistère 58 ⑭ – 4 106 h alt. 101.

🛈 Office de tourisme Mairie ℘ 02 98 70 87 33, Fax 02 98 74 93 31, plouhinec29@ doo.fr.

Paris 594 – Quimper 33 – Audierne 5 – Douarnenez 18 – Pont-l'Abbé 28.

🏠 **Ty Frapp,** r. de Rozavot ℘ 02 98 70 89 90, Fax 02 98 70 81 04 – 📺 ☎ ℙ, GB, 🚿 ch
🍴 fermé 1ᵉʳ au 15 oct., 16 déc. au 14 janv., dim. soir et lundi sauf juil.-août – **Rep**a 11,50/33,60 ⅊, enf. 6 – � 5,80 – **16 ch** 44,50 – ½ P 48,80

PLOUHINEC 56680 Morbihan 63 ① – 4 143 h alt. 10.

Paris 503 – Vannes 41 – Lorient 18 – Pontivy 58 – Quiberon 30.

🏠 **Kerlon** ⌂, Nord-Est : 1,5 km par D 158 et rte secondaire ℘ 02 97 36 77 03, hotel-c
🍴 on@wanadoo.fr, Fax 02 97 85 81 14, 🍴 – 📺 ☎ ℙ, GB
15 mars-4 nov. – **Repas** (dîner seul.) 12,96/24,39, enf. 8,38 – **16 ch** 39,64/53
½ P 46,50/51,83

PLOUMANACH 22 C.-d'Armor 59 ① – *rattaché à Perros-Guirec.*

PLUGUFFAN 29 Finistère 58 ⑮ – *rattaché à Quimper.*

POCÉ-SUR-CISSE 37 I.-et-L. 64 ⑯ – *rattaché à Amboise.*

Le POËT-LAVAL 26 Drôme 81 ② – *rattaché à Dieulefit.*

POILHES 34 Hérault 83 ⑭ – *rattaché à Capestang.*

POINCY 77 S.-et-M. 56 ⑬ – *rattaché à Meaux.*

POINTE *voir au nom propre de la pointe.*

POINT-SUBLIME 04 Alpes-de-H.-P. 84 ⑥, 114 ⑨ G. Alpes du Sud – ⊠ 04120 Castellane.
Voir ≤★★★ sur Grand Canyon du Verdon 15 mn – Couloir Samson★★ S : 1,5 km – Rc
≤★ N : 2,5 km – Clue de Carejuan★ E : 4 km.
Env. Belvédères SO : de l'Escalès★★★ 9 km, de Trescaïre★★ 8 km, du Tilleul★★ 10 kr
Glacières★★ 11 km, de l'Imbut★★ 13 km.
Paris 805 – Digne-les-Bains 72 – Castellane 18 – Draguignan 52 – Manosque 77.

🍴 **Auberge du Point Sublime** avec ch, ℘ 04 92 83 60 35, point.sublime@wanac
Fax 04 92 83 74 31, ≤, 🍴 – 📺 ☎ ℙ, GB
1ᵉʳ avril-15 oct. et fermé merc. sauf juil.-août – **Repas** (12,50) - 19,10/35,10, enf. 8
� 6,60 – **14 ch** 42/51,10 – ½ P 45/48

Le POIRÉ-SUR-VIE 85170 Vendée 67 ⑬ – 5 786 h alt. 42.

🛈 Office du tourisme - Mairie ℘ 02 51 31 89 15, Fax 02 51 31 89 14.

Paris 443 – La Roche-sur-Yon 16 – Cholet 67 – Nantes 61 – Les Sables-d'Olonne 46.

🏠 **Centre,** ℘ 02 51 31 81 20, Fax 02 51 31 88 21, 🏊, 🍴 – 📺 – 🅰 15. 🖭 GB
fermé dim. soir – **Repas** (11) - 15/33 ⅊ – � 6,50 – **27 ch** 35,83/64,03 – ½ P 31,86/45,0

POISSON 71 S.-et-L. 69 ⑰ – *rattaché à Paray-le-Monial.*

POISSY 78 Yvelines 55 ⑲, 106 ⑰, 101 ⑫ – *voir à Paris, Environs.*

POITIERS ℙ 86000 Vienne 68 ⑬ ⑭ G. Poitou Vendée Charentes – 83 448 h Agglo. 119
alt. 116.
Voir Église N.-D.-la-Grande★★ : façade★★★ – Église St-Hilaire-le-Grand★★ – Cath
St-Pierre★ – Église Ste-Radegonde★ D – Baptistère St-Jean★ – Grande salle★ du Pal
Justice J – Boulevard Coligny ≤★ – Musée Ste-Croix★★ – Statue N-D-des-Dunes : ≤★.
Env. Le Futuroscope★★★ : 12 km par ①.
🛫 de Poitiers-Biard-Futuroscope ℘ 05 49 30 04 40 AV.
🛈 Office du tourisme 45 place Charles de Gaulle ℘ 05 49 41 21 24, Fax 05 49 88 6
accueil-tourisme@interpc.fr.
Paris 336 ① – Angers 134 ⑥ – Limoges 126 ③ – Nantes 216 ⑥ – Niort 76 ⑤ – Tours 1

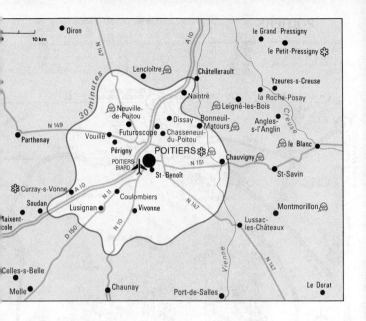

Europe sans rest, 39 r. Carnot ℰ 05 49 88 12 00, *Fax 05 49 88 97 30*, 🏋 – 🛗 📺 📞 🔥 🚗
📭 – 🕍 20. 🖭 ⓪ 🖼 🇯🇨🇧   CZ n
⌂ 6,50 – **88 ch** 47/75

Grand Hôtel 🅼 sans rest, 28 r. Carnot ℰ 05 49 60 90 60, *grandhotelpoitiers@wanadoo.fr*,
Fax 05 49 62 81 89 – 🛗 ⇔ 📺 📞 🔥 🚗. 🖭 ⓪ 🖼 🇯🇨🇧   CZ k
⌂ 8 – **41 ch** 63/105, 6 appart

Mascotte 🅼, Z.I. République 2 ℰ 05 49 88 42 42, *Fax 05 49 88 42 44*, 🎣 – ⇔ 📺 🔥 🔥 📭
– 🕍 15 à 25. 🖭 ⓪ 🖼   AV d
Repas *(fermé sam. et dim.)* 12,50 🏆, enf. 7,93 – ⌂ 6,10 – **46 ch** 42,69/48,78

Ibis Beaulieu, quartier Beaulieu ℰ 05 49 61 11 02, *ibis.beaulieu@wanadoo.fr*,
Fax 05 49 01 72 76 – ⇔ 🗏 📺 📞 🔥 📭 – 🕍 15 à 30. 🖭 ⓪ 🖼   BX t
Repas *(fermé sam. midi et dim. sauf le soir d'avril à sept.)* *(11,73)* -13,57 🍴, enf. 6 – ⌂ 5,50 –
47 ch 51

Ibis Sud, 175 av. 8-Mai-1945 ℰ 05 49 53 13 13, *Fax 05 49 53 03 73* – 🛗 ⇔, 🗏 ch, 📺 📞 🔥
📭 – 🕍 15 à 50. 🖭 ⓪ 🖼   AX u
Repas 10/17 🍴, enf. 6,50 – ⌂ 5,50 – **82 ch** 35/47

Gibautel sans rest, rte Nouaillé ℰ 05 49 46 16 16, *hotel.gibautel@wanadoo.fr*,
Fax 05 49 46 85 97 – 📺 📞 🔥 📭 – 🕍 25. 🖭 ⓪ 🖼 🇯🇨🇧   BX b
⌂ 5,50 – **36 ch** 40/50

Maxime, 4 r. St-Nicolas ℰ 05 49 41 09 55, *Fax 05 49 41 09 55* – 🗏. 🖭 ⓪ 🖼
🇯🇨🇧   DZ u
fermé 13 juil. au 18 août, sam. sauf le soir de nov. à fév. et dim. – **Repas** 18/66 et carte 55 à
65 🏆

des 3 Piliers (Massonnet), 37 r. Carnot ℰ 05 49 55 07 03, *restaurantdes3piliers@wanadoo*
.fr, Fax 05 49 50 16 03, 🎉 – 🗏. 🖭 🖼 🇯🇨🇧   CZ n
fermé 6 au 21 janv., lundi et mardi sauf fériés – **Repas** 22 (déj.), 29/44 et carte 60
à 75 🏆
Spéc. Ballotine de pigeonneau du Poitou au foie gras. Crépinette de turbot farcie aux
langoustines. Soufflé à l'angélique de Niort. **Vins** Haut-Poitou blanc et rouge.

St-Hilaire, 65 r. T. Renaudot ℰ 05 49 41 15 45, *Fax 05 49 60 20 32*, « Salle voûtée du
12ᵉ siècle, ambiance médiévale » – 🗏. 🖭 ⓪ 🖼 🇯🇨🇧   CZ b
fermé 11 au 25 août, 1ᵉʳ au 15 janv., lundi midi et dim. – **Repas** *(22,41)* -19,82/22,41 🏆

Poitevin, 76 r. Carnot ℰ 05 49 88 35 04, *Fax 05 49 52 88 05* – 🗏. 🖭 ⓪ 🖼   CZ r
fermé du 1ᵉʳ au 14 avril, 14 juil. au 4 août, 22 déc. au 5 janv. et dim. – **Repas** 18/35 🏆

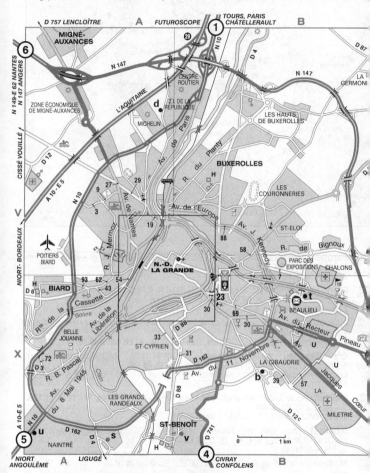

✕ **L'Aquarium,** 12 r. Croix-Blanche ℘ 05 49 88 92 33, *Fax 05 49 88 92 33,* 斎 – 🖼 D
 fermé sam. midi et dim. – **Repas** - produits de la mer - 17,54/32,78 ⓨ

à Chasseneuil-du-Poitou par ① : 9 km – 3 845 h. alt. 75 – ⊠ 86360.
 🛈 Office du tourisme Place du Centre ℘ 05 49 52 83 64, Fax 05 49 52 59 31, ot@
 chasseneuil.com.

🏛 **Château Clos de la Ribaudière** ⑤, au village ℘ 05 49 52 86 66, *ribaudiere@*
 diere.com, Fax 05 49 52 86 32, 斎, ⚓, 🐜 – ⫘, 🍽 rest, 🖼 📞 ⅙ 🅿 – 🏛 80. 🖭 ⓞ
 🌐
 Repas 21,50 (déj.), 27,50/48 ⓨ – 🖂 11,50 – **41 ch** 70/145 – ½ P 80/90

🏛 **Mercure** 🖼 ⑤, N 10 ℘ 05 49 52 90 41, *mercure@cyberscope.fr, Fax 05 49 52 51 72*
 ⚓, 斎 – ⫘🍴 📺 📞 ⅙ – 🏛 100. 🖭 ⓞ 🌐 🌐
 Repas (fermé dim. de nov. à mars) 13,72/19,82 ⓨ, enf. 9,91 – 🖂 8,38 – **89 ch** 73,18/89

POITIERS

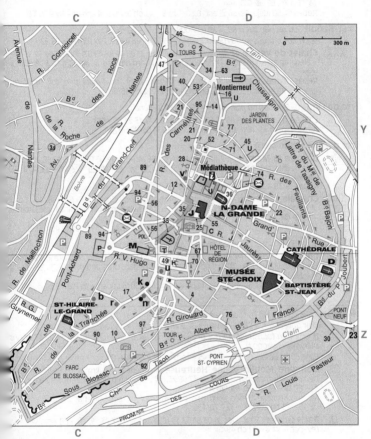

Futuroscope *par* ① : 12 km – ✉ 86360 *Chasseneuil-du-Poitou* :

🏨 **Park Plaza** Ⓜ ⚐, Téléport 1 ℰ 05 49 49 07 07, *reservation@parkplaza-futuroscope.com*, Fax 05 49 49 55 49, 🌐, 🕴, 🔲 – 🛗 ✝ 🛏 📺 ♥ 🕭 ₱ – 🔏 160. 🖭 ⓪ ☒ 🃏
   Repas *(12,21)* - 15,26/24,24 ₰ – ☑ 17 – **279 ch** 133/148, 4 appart

🏨 **Novotel Futuroscope** Ⓜ, Téléport 4 ℰ 05 49 49 91 91, *novotel@cyberscope.fr*, Fax 05 49 49 91 90, 🌐, 🔲 – 🛗 ✝ 🛏 📺 ♥ 🕭 ₱ – 🔏 30 à 200. 🖭 ⓪ ☒ 🃏
   Repas 14/19,50 ☑ – ☑ 9,50 – **128 ch** 92/111

🏨 **Aquatis** Ⓜ, Téléport 3 ℰ 05 49 49 55 00, Fax 05 49 49 55 01 – 🛗 ✝ 🛏 📺 ♥ 🕭 ₱ – 🔏 250. 🖭 ⓪ ☒
   Repas *(10,40)* - 13,60/22,75 ₰, enf. 7,47 – ☑ 7,35 – **140 ch** 53/85

Météor, Téléport 1 ℰ 05 49 49 09 10, Fax 05 49 49 09 11, 🏠, 🏊 – 📶 📺 📺 ㅤ 🅿️
🅰️ 20 à 80. 🅰🅴 🅾 ⊖🅱 🅹🅲🅱 ❨ rest
Repas (15) - 18/20 ♈, enf. 9 – 🖃 10 – **300 ch** 58/87

Ibis Futuroscope 🅼, Téléport 4 ℰ 05 49 49 90 00, h1193@accor-hotels.com
Fax 05 49 49 90 09, 🏠, 🏊 – 📶 🆇 📺 ❨ ㅤ 🅿️ – 🅰️ 50. 🅰🅴 🅾 ⊖🅱
Repas (12) - 15, enf. 6,10 – 🖃 5,50 – **140 ch** 59

rte de Limoges par ③, N 147 et rte secondaire : 10 km – ⊠ 86550 Mignaloux :

Manoir de Beauvoir 🅼 🦢, ℰ 05 49 55 47 47, beauvoir-infos@golfhoteldebeauvoir.
com, Fax 05 49 55 31 95, ≤, 🏠, « Parc et golf », 🏊, 🐾 – 📶 cuisinette, 🖳 ch, 📺 ㅤ 🅿️
🅰️ 15 à 75. 🅰🅴 🅾 ⊖🅱 🅹🅲🅱
Repas 14,50 (déj.), 19/36 ♈, enf. 8,30 – 🖃 9 – **41 ch** 65/125, 4 appart – ½ P 65/89

à St-Benoît Sud du plan par D 88 : 4 km – 7 008 h. alt. 77 – ⊠ 86280 .
🛈 Office du tourisme 18 rue Paul Gauvin ℰ 05 49 88 42 12, Fax 05 49 56 08 82.

XXX **Chalet de Venise** 🅼 🦢, au village ℰ 05 49 88 45 07, Fax 05 49 52 95 44, ≤,
« Élégante salle à manger, jardin et terrasse au bord de l'eau », 🐾 – 📺 ❨ ㅤ 🅿️. 🅰🅴 🅾 ⊖
🅹🅲🅱   BX
Repas (fermé 26 août au 5 sept., 6 au 12 janv., 15 fév. au 4 mars, dim. soir, mardi midi et
lundi) 22/49 et carte 52 à 66 ♈, enf. 13 – 🖃 7 – **12 ch** 46/54

rte de Ligugé (D 4), Sud du plan : 4 km – ⊠ 86280 St-Benoît :

XX **L'Orée des Bois**, ℰ 05 49 57 11 44, Fax 05 49 43 21 40 – ⊖🅱   AX
fermé sam. midi, dim. soir et lundi – **Repas** 14,03/42,69 ♨

rte d'Angoulême par ⑤ :

Bois de la Marche, à 7 km par N 11 ⊠ 86240 Liguyé ℰ 05 49 53 10 10, bw.bois-
marche@wanadoo.fr, Fax 05 49 55 32 25, 🏠, 🏊, 🎾, 🐾 – 📶 📺 ❨ ㅤ 🅿️ – 🅰️ 40 à 100.
🅾 ⊖🅱
Repas 18/39 – 🖃 9 – **53 ch** 52/85 – ½ P 55/68

XXX **Chênaie**, à 6 km par N 10 (sortie Hauts-de-Croutelle) ⊠ 86240 Crout-
ℰ 05 49 57 11 52, Fax 05 49 52 68 66, 🏠, « Jolie salle à manger ouvrant sur le jardin »,
– 🅿️. 🅰🅴 ⊖🅱
fermé 25 au 31 janv., dim. soir et lundi sauf fériés – **Repas** 20/39 et carte 40 à 55 ♈

à Périgny par ⑥, N 149 et rte secondaire : 17 km – ⊠ 86190 Vouillé :

Château de Périgny 🦢, ℰ 05 49 51 80 43, info@chateau-perigny.com
Fax 05 49 51 90 09, ≤, 🏠, « Anciennes demeures dans un grand parc », 🏊, 🎾, 🐾 – 📶
🅿️ – 🅰️ 15 à 80. 🅾 ⊖🅱 🅹🅲🅱
Repas 22 (déj.), 27,50/48 ♈ – 🖃 11,50 – **41 ch** 65/130, 3 appart – ½ P 80/95

POLIGNY 39800 Jura 🔟 ④ G. Jura – 4 511 h alt. 373.
Voir Collégiale★ – Culée de Vaux★ S : 2 km – Cirque de Ladoye ≤★★ S : 2 km.
🛈 Office du tourisme Cour des Ursulines ℰ 03 84 37 24 21, Fax 03 84 37 22 37, tourisme.
poligny@wanadoo.fr.
Paris 398 – Besançon 57 – Dole 45 – Lons-le-Saunier 30 – Pontarlier 65.

Domaine Moulin Vallée Heureuse, rte Genève : 1 km ℰ 03 84 37 12 13, vallee.
heureuse@wanadoo.fr, Fax 03 84 37 08 75, 🏠, « Jardin traversé par une rivière », 🏊,
🐾 – 📺 🅿️ – 🅰️ 20. 🅰🅴 🅾 ⊖🅱 🅹🅲🅱
fermé 12 nov. au 15 déc., jeudi midi et merc. sauf juil.-août – **Repas** 21/58 ♈, enf. 12,5
🖃 10 – **13 ch** 70/213 – ½ P 70/130

Paris sans rest, 7 r. Travot ℰ 03 84 37 13 87, Fax 03 84 37 23 39, 🔲 – 📺 🚗. ⊖🅱
fév.-oct. – 🖃 6 – **22 ch** 49/54

aux Monts de Vaux Sud-Est : 4,5 km par rte de Genève – ⊠ 39800 Poligny.
Voir ≤★.

Hostellerie des Monts de Vaux 🦢, ℰ 03 84 37 12 50, Fax 03 84 37 09 07, ≤,
🎾, 🐾 – 📺 ❨ 🚗 🅿️ – 🅰️ 15. 🅰🅴 🅾 ⊖🅱
fermé fin oct. à fin déc., mardi soir sauf juil.-août et merc. midi – **Repas** 28 (déj.)/62
🖃 13 – **10 ch** 100/182 – ½ P 126/153

à Passenans Sud-Ouest : 11 km par N 83 et D 57 – 296 h. alt. 320 – ⊠ 39230 :

Revermont 🦢, ℰ 03 84 44 61 02, schmit-revermont@wanadoo.fr, Fax 03 84 44 6
≤, 🏠, 🏊, 🌳, 🎾, 🐾 – 📶 📺 ❨ 🚗 🅿️ – 🅰️ 25. 🅰🅴 🅾 ⊖🅱
fermé 1er janv. au 1er mars – **Repas** 16/43 ♈, enf. 7,62 – 🖃 8,40 – **28 ch** 54/73 – ½ P
59,50

ntchauvrot *Sud-Ouest : 13 km par N 83 –* ✉ *39230 Sellières :*

🏠 **Fontaine**, ℘ 03 84 85 50 02, lafontaine3@wanadoo.fr, Fax 03 84 85 56 18, 🕭 – 📺 🅿 –
🏊 🏛 40. **GB**
fermé dim. soir et lundi du 1ᵉʳ déc. au 31 mars sauf fériés – **Repas** *(10,67)* - 13,72/31,10 ⅃ –
☖ 5,79 – **20 ch** 44,97/48,02 – ½ P 44,21

LIAT *01310 Ain* 🔢 ② *– 2 019 h alt. 260.*
Paris 415 – Mâcon 26 – Bourg-en-Bresse 13 – Lyon 75 – Villefranche-sur-Saône 52.

✗ **Place** avec ch, ℘ 04 74 30 40 19, Fax 04 74 30 42 34 – 📺. **GB**
🏖 *fermé 1ᵉʳ au 12 juil., 30 sept. au 14 oct., dim. soir et lundi –* **Repas** 14,64/45,73 🗜, enf. 9,15 –
☖ 5,79 – **8 ch** 27,44/47,26 – ½ P 35,83/42,69

✗ **Coq Bressan**, ℘ 04 74 30 40 16, Fax 04 74 25 75 91 – **GB**
🏖 *fermé 12 au 28 juin, 16 au 31 oct., 7 au 11 janv., merc. soir et jeudi –* **Repas** 12,81/30,41 ⅃,
enf. 8,80

MINHAC *15800 Cantal* 🔢 ⑫ *– 1 156 h alt. 650.*
🔋 *Syndicat d'initiative Rue de la Gare* ℘ 04 71 47 48 36, Fax 04 71 47 45 52.
Paris 558 – Aurillac 15 – Murat 36 – Vic-sur-Cère 5.

🏠 **Bon Accueil**, près gare ℘ 04 71 47 40 21, Fax 04 71 47 40 13, ≤, ⅃, 🌲 – ▤ rest, 📶 🅿.
🏖 **GB**. ⅙
fermé 15 oct. au 1ᵉʳ déc., dim. soir et lundi midi sauf vacances scolaires – **Repas** 9,90/
22,20 ⅃, enf. 6,10 – ☖ 5,80 – **23 ch** 42/48,80 – ½ P 38,95/42,75

OMARÈDE *11400 Aude* 🔢 ⑳ *– 158 h alt. 304.*
Paris 750 – Toulouse 54 – Auterive 50 – Carcassonne 48 – Castres 38 – Gaillac 72.

✗✗ **Hostellerie du Château de la Pomarède** (Garcia) 🍴 avec ch, ℘ 04 68 60 49 69,
🏵 Fax 04 68 60 49 71, 🌲 – 📺 📶 🅿 – 🏛 15. 🖭 ⓪ **GB**
*fermé 12 au 25 mars, 5 au 26 nov., mardi sauf le soir de mai à oct., dim. soir hors saison et
lundi –* **Repas** 14,50 (déj.), 20/48,50 et carte 48 à 62, enf. 10 – ☖ 8,50 – **7 ch** 63,50/78,50 –
½ P 68,60/99,10
Spéc. Terrine de foie gras mi-cuit. Rouelle d'agneau au jambon de pays, polenta à la
noisette. Nougat glacé aux cinq épices.

NS *17800 Char.-Mar.* 🔢 ⑤ *G. Poitou Vendée Charentes – 4 427 h alt. 39.*
*Voir Donjon★ de l'ancien château – Hospice des Pèlerins★ SO par D 732 – Boiseries★ du
château d'Usson 1 km par D 249.*
🔋 *Syndicat d'initiative Le Donjon* ℘ 05 46 96 13 31, Fax 05 46 96 34 52, SYNDICAT-
INITIATIVE.Pons@wanadoo.fr.
Paris 494 – Royan 43 – Blaye 61 – Bordeaux 98 – Cognac 24 – La Rochelle 100 – Saintes 23.

🏠 **Auberge Pontoise**, 23 av. Gambetta ℘ 05 46 94 00 99, auberge.pontoise@wanadoo.fr,
🏖 Fax 05 46 91 33 40, 🌲 – ▤ rest, 📺 🚗. **GB**
fermé dim. soir et lundi d'oct. à Pâques – Repas 15/33 🗜 – ☖ 6 – **21 ch** 39/61 – ½ P 54

🏠 **Bordeaux**, 1 av. Gambetta ℘ 05 46 91 31 12, hotel-de-bx@hotel-de-bordeaux.com,
🏖 Fax 05 46 91 22 25, 🌲 – 📺 📶 🚗. 🖭 **GB**
fermé dim. soir d'oct. à Pâques – Repas *(fermé sam. midi, dim. soir et lundi d'oct. à
Pâques)* 15/20 ⅃, enf. 9 – ☖ 6,50 – **15 ch** 31/40 – ½ P 37

rignac *Nord-Est : 8 km par rte de Cognac – 966 h. alt. 41 –* ✉ *17800 :*
✗✗ **Gourmandière**, ℘ 05 46 96 36 01, Fax 05 46 95 50 71, 🌲, 🌲 – ⓪ **GB**
🏖 *fermé 10 au 20 mars, 6 au 23 oct., merc. soir et lundi du 15 sept. à juin et dim. soir –* Repas
17/30

NTAILLAC *17 Char.-mar.* 🔢 ⑮ *– rattaché à Royan.*

NT-A-MOUSSON *54700 M.-et-M.* 🔢 ⑬ *G. Alsace Lorraine – 14 592 h alt. 180.*
Voir Place Duroc★ – Anc. abbaye des Prémontrés★.
🔋 *Office du tourisme 52 place Duroc* ℘ 03 83 81 06 90, Fax 03 83 82 45 84.
Paris 328 – Metz 31 – Nancy 30 – Toul 48 – Verdun 66.

🏠 **Bagatelle** sans rest, 47 r. Gambetta ℘ 03 83 81 03 64, Fax 03 83 81 12 63 – 📺 🅿. **GB** 🄹🄲🄱
fermé 24 déc. au 2 janv. – ☖ 7 – **18 ch** 42/55

✗ **Fourneau d'Alain**, 64 pl. Duroc (1ᵉʳ étage) ℘ 03 83 82 95 09 – ⓪ **GB**
fermé 29 juil. au 14 août, 5 au 18 janv., dim. soir, merc. soir et lundi – **Repas** *(10)* - 13 (déj.),
22/40 🗜, enf. 7

à Blénod-lès-Pont-à-Mousson *Sud : 2 km par N 57 – 4 899 h. alt. 189 – ⊠ 54700 :*

⚒ **Auberge des Thomas,** 100 av. V. Claude (N 57) ℘ 03 83 81 07 72, Fax 03 83 82 34 9
🍴 – ஊ ᴳᴮ
fermé 1ᵉʳ au 26 août, vacances de fév., merc. soir, dim. soir et lundi – **Repas** (nombre c
couverts limité, prévenir) 17/40 ℥, enf. 9

PONTARLIER ◁◎▷ 25300 Doubs **70** ⑥ *G. Jura* – 18 360 h alt. 838.
Voir *Portail★ de l'ancienne chapelle des Annonciades.*
Env. *Grand Taureau ☀★★ par* ② *: 11 km.*
🛈 *Office du tourisme 14 Bis rue de la Gare ℘ 03 81 46 48 33, Fax 03 81 46 83 3*
office.de.pontarlier@wanadoo.fr.
Paris 463 ③ – *Besançon 58* ④ – *Dole 111* ③ – *Lausanne 68* ② – *Lons-le-Saunier 83* ③.

PONTARLIER

Arçon (Pl. d')	A	2
Augustins (R. des)	B	3
Bernardines (Pl. des)	AB	4
Capucins (R. des)	A	7
Crétin (Pl.)	B	8
Ecorces (R. des)	A	12
Gambetta (R.)	B	13
Halle (R. de la)	A	15
Industrie (R. de l')	B	16
Lattre-de-Tassigny (Pl. Mar.-de)	B	19
Mathez (R. Jules)	B	26
Mirabeau (R.)	B	27
Moulin Parnet (R. du)	A	29
Pagnier (Pl. J.)	B	30
République (R. de la)	AB	
St-Etienne (R. du Fg)	B	
St-Pierre (Pl.)	A	
Ste-Anne (R.)	AB	35
Salengro (Pl. R.)	A	36
Tissot (R.)	AB	37
Vannolles (R. de)	B	38
Vieux-Château (R. du)	A	39
Villingen-Schwenningen (Pl. de)	A	40

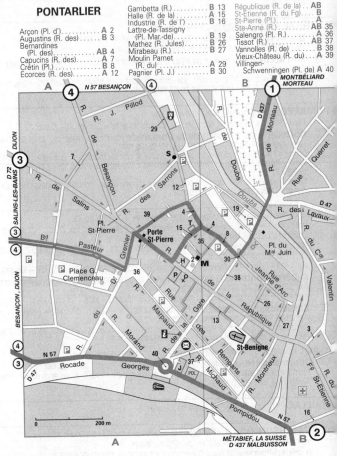

🏠 **Villages Hôtel** Ⓜ, 68 r. Salins par ③ : 1 km ℘ 03 81 46 71 78, Fax 03 81 46 67 37 – 🅻
⊗ 🕭 🅿 – 🔬 40. ஊ ᴳᴮ
Repas *(11,43)* - 13,42/22,82 ⅊, enf. 7,01 – ⊇ 6,86 – **53 ch** 45,73 – ½ P 44,21/48,78

🏠 **Parc** sans rest, 1 r. Moulin Parnet ℘ 03 81 46 85 92, Fax 03 81 46 36 15 – 🕸 📺 📻 ⇐
ஊ ◍ ᴳᴮ
fermé 31 déc. au 15 janv. et dim. d'oct. à mars – ⊇ 5,50 – **19 ch** 37/54

🏠 **Campanile**, par ③ : 1 km ℰ 03 81 46 66 66, Fax 03 81 39 51 56, 🍴 – 🔄 📺 ✆ ♿ 🅿 – 🏛 20. AE ⓘ GB
Repas 15,50/17 ♈, enf. 5,95 – 🍴 6 – **46 ch** 51

🍴 **Gourmandine**, 1 av. Armée de l'Est ℰ 03 81 46 65 89, Fax 03 81 39 08 75 – GB   B   e
fermé 1er au 9 mai, 1er au 18 juil., 30 janv. au 6 fév., mardi soir et merc. – **Repas** 19,50/37 ♈, enf. 13

ubs par ④ : 2 km – 2 266 h. alt. 813 – ⊠ 25300 :
🍴 **Doubs Passage**, 11 Gde Rue, D 130 ℰ 03 81 39 72 71 – GB
fermé 19 août au 2 sept., dim. soir et lundi – **Repas** 15/28 ♈, enf. 8

TAUBAULT 50220 Manche 59 ⑧ – 445 h alt. 25.
Paris 344 – St-Malo 58 – Avranches 10 – Dol-de-Bretagne 35 – Fougères 39 – Rennes 75.

🏠 **Treize Assiettes**, Nord : 1 km sur D 43E (ancienne rte d'Avranches) ℰ 02 33 89 03 03, contact@hotel-mont-saint-michel, Fax 02 33 89 03 06, 🍴, 🏊, 🌳 – 📺 ✆ 🅿 AE ⓘ GB
Repas 14 (déj.), 20/59 ♈, enf. 9 – 🍴 7 – **38 ch** 60 – ½ P 45/53

ud-Ouest : 2,5 km sur D 43 – ⊠ 50220 Céaux :
🏠 **Relais du Mont**, ℰ 02 33 70 92 55, contact@hotel-mont-saint-michel.com, Fax 02 33 70 94 57, 🍴, 🌳 – 📺 ♿ 🅿 – 🏛 50. AE ⓘ GB
Repas 14,50/35 ♈ – **30 ch** 84 – ½ P 70,50

aux Ouest : 4 km sur D 43 – 379 h. alt. 20 – ⊠ 50220 :
🍴 **Au P'tit Quinquin** avec ch, ℰ 02 33 70 97 20, Fax 02 33 70 97 42 – 📺 🅿. GB
fermé 5 janv. au 15 fév., dim. soir et lundi sauf vacances scolaires et fériés – **Repas** 12/34 ♈, enf. 7 – 🍴 5,50 – **18 ch** 24/40 – ½ P 31/40,50

TAUBERT 89 Yonne 65 ⑯ – rattaché à Avallon.

T-AUDEMER 27500 Eure 55 ④ G. Normandie Vallée de la Seine – 8 981 h alt. 15.
Voir Vitraux★ de l'église St-Ouen.
🅱 Office du tourisme Place Maubert ℰ 02 32 41 08 21, Fax 02 32 07 11 12, tourisme@ville. pont.audemer.fr.
Paris 164 ① – Le Havre 42 ① – Rouen 52 ① – Caen 74 ⑤ – Évreux 67 ② – Lisieux 36 ④.

PONT-AUDEMER

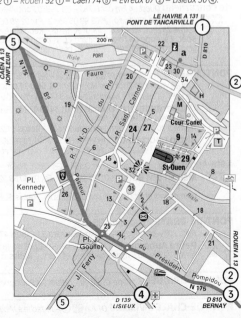

(R. Alfred)	2
élites (R. des)	3
encin (R. Paul)	5
liers (R. des)	6
uaize (R. S.)	7
tés (R. des)	8
(R. de l')	9
Faure (Quai)	
(R. Jules)	
etta (R.)	13
e (Pl. Général de)	14
n (Pl. Louis)	16
ey (Pl. J.)	
s (R. Jean)	18
e (R. Mar.)	19
edy (Pl.)	
nc (Quai R.)	20
uis-Surcouf (R.)	21
ert (Pl.)	22
rrand (Quai François)	23
-du-Pré (R.)	
ur (Bd)	
-de-la-Ville (R.)	24
'Étain (Pl. du)	25
dent-Coty (R. du)	26
dent-Pompidou (Av. du)	
blique (R. de la)	27
Carnot (R.)	
uen (Impasse)	29
e (Rue de la)	30
s (R.)	32
un (Pl. de)	34
r-Hugo (Pl.)	35

*plans de villes
orientés
ord en haut.*

1113

XX **Erawan**, 4 r. Seüle (a) ℰ 02 32 41 12 03, 🏤 – ⓞ 🅶🅱. ✕
fermé août et merc. – **Repas** - cuisine thaïlandaise - 19,75

à Campigny par ③ et D 29 : 6 km – 803 h. alt. 121 – ✉ 27500 :

XXX **Le Petit Coq aux Champs** ⓢ avec ch, ℰ 02 32 41 04 19, *le.petit.coq.aux.champ.*
nadoo.fr, Fax 02 32 56 06 25, 🏤, « Chaumière dans un parc fleuri », 🔟, 🏊, – 📺 🅿.
🅶🅱 🅹🅲🅱
fermé 2 au 23 janv. – **L'Andrien** : **Repas** (20)-37bc/60 et carte 56 à 57 🍷, enf. 13 – ☑
12 ch 95/141 – ½ P 113/122

PONTAULT-COMBAULT 77 S.-et-M. 🖽 ② ⑩., 🔟🔟 ㉙ – *voir à Paris, Environs.*

PONTAUMUR 63380 P.-de-D. 🗡 ⑬ – 769 h alt. 535.

🅱 *Office du tourisme Avenue du Marronnier ℰ 04 73 79 73 42, Fax 04 73 73 73 36.*
Paris 395 – Clermont-Ferrand 42 – Aubusson 50 – Le Mont-Dore 51 – Montluçon 68.

🏠 **Poste**, ℰ 04 73 79 90 15, *hotelposte2@wanadoo.fr*, Fax 04 73 79 73 17 – 🍴 rest, 📺
⊸ – 🛁 25. 🅶🅱
fermé 20 déc. au 1ᵉʳ fév., dim. soir et lundi sauf juil.-août – **Repas** 13,50/38,50 🍷, en
☑ 5,50 – **15 ch** 35,50/43 – ½ P 37

PONT-AVEN 29930 Finistère 🖽 ⑪ ⑯ G. Bretagne – 2 960 h alt. 18.

Voir Promenade au Bois d'Amour★.

🅱 *Office du tourisme 5 place de l'Hôtel de Ville ℰ 02 98 06 04 70, Fax 02 98 06 *
ot.pont-aven@wanadoo.fr.
Paris 536 – Quimper 35 – Carhaix-Plouguer 63 – Concarneau 16 – Quimperlé 20.

XXX **Moulin de Rosmadec** (Sébilleau) Ⓜ ⓢ avec ch, près pont centre
🟰 ℰ 02 98 06 00 22, Fax 02 98 06 18 00, ≤, « Ancien moulin sur l'Aven, décor et m
bretons » – 📺 ✕. 🅶🅱
fermé 14 au 30 oct. et vacances de fév. – **Repas** *(fermé dim. soir hors saison et r*
(nombre de couverts limité, prévenir) 26,68/47,26 et carte 55 à 75 🍷 – ☑ 7,62 –
73,18/76,22
Spéc. Homard grillé et ses deux beurres. Bar de ligne aux palourdes. Crêpes soufflé
citron.

rte Concarneau Ouest : 4 km par D 783 – ✉ 29930 Pont-Aven :

XXX **Taupinière** (Guilloux), ℰ 02 98 06 03 12, Fax 02 98 06 16 46, 🍴 – 🍴 🅿. 🅰🅴 🅶🅱
🟰 *fermé 23 sept. au 16 oct., lundi et mardi* – **Repas** (prévenir) 42/73 et carte 55 à 75
Spéc. Escalope de foie de canard et ris d'agneau (déc. à juin). Pain perdu aux queu
langoustines (avril à oct.). Lotte au beure de cidre et confit de tomates (juil. à oct.)

PONTCHARTRAIN 78 Yvelines 🖽 ⑨, 🔟🔟 ⑯ – ✉ 78760 Jouars-Pontchartrain.

Env. Domaine de Thoiry★★ NO : 12 km, G. Ile de France.
Paris 38 – Dreux 42 – Mantes-la-Jolie 31 – Montfort-l'Amaury 9 – Versailles 20.

XX **L'Aubergade**, rte Nationale ℰ 01 34 89 02 63, Fax 01 34 89 85 72, 🏤, « Beau
fleuri, volière », 🍴 – 🅿. 🅶🅱
fermé 5 au 23 août, dim. soir et lundi soir – **Repas** 31,25/40,40 🍷

XX **Bistro Gourmand**, 7 rte Pontel N 12 ℰ 01 34 89 25 36, Fax 01 34 89 48 31 – 🅶🅱
fermé 30 juil. au 20 août, 25 fév. au 3 mars, dim. soir et lundi – **Repas** 24,09/28,20 🍷

à Ste-Apolline Est : 3 km par N 12 et D 134 – ✉ 78370 Plaisir :

XXX **Maison des Bois**, ℰ 01 30 54 23 17, Fax 01 30 68 92 26, 🏤, « Demeure rustique
– 🅿. 🅰🅴 🅶🅱
fermé lundi en août, jeudi soir et dim. soir – **Repas** 32 (sauf dim.)et carte 42 à 58

PONT-DE-BRAYE 72310 Sarthe 🖽 ⑤.

Paris 207 – Le Mans 58 – La Ferté-Bernard 52 – Tours 47 – Vendôme 32.

XX **Petite Auberge**, ℰ 02 43 44 45 08, Fax 02 43 44 18 57 – 🅶🅱
⊸ *fermé 22 fév. au 9 mars, mardi soir et merc.* – **Repas** 11,45/29,72 ♨

PONT-DE-BRIQUES 62 P.-de-C. 🖽 ⑪ – *rattaché à Boulogne-sur-Mer.*

PONT-DE-CHAZEY-VILLIEU 01 Ain 🗡 ③ – *rattaché à Meximieux.*

NT-DE-CHERUY 38230 Isère **74** ⑬, **110** ⑱ – 4 540 h alt. 220.
Paris 486 – Lyon 36 – Belley 56 – Bourgoin-Jallieu 22 – Grenoble 89 – Meximieux 23.

🏠 **Bergeron** sans rest, près Église ℘ 04 78 32 10 08, Fax 04 78 32 11 70 – 🖵. **GB**
⌾ 5,35 – **17 ch** 20,60/60

NT-DE-CLAIX 38 Isère **77** ⑤ – rattaché à Grenoble.

NT-DE-DORE 63 P.-de-D. **73** ⑮ – rattaché à Thiers.

NT-DE-FILLINGES 74 H.-Savoie **74** ⑦ – rattaché à Bonne.

NT-DE-LA-CHAUX 39150 Jura **70** ⑮.
Paris 432 – Champagnole 12 – Lons-le-Saunier 49 – Morez 22 – St-Claude 41.

🏠 **Lacs,** ℘ 03 84 51 50 42, hotel.des.lacs@free.fr, Fax 03 84 51 54 23, 🖡₅, 🎱, 🐎 – 🛗 🖵 **P.**
GB. 🞕 ch
1ᵉʳ avril-15 nov. – Repas (fermé merc. sauf le soir en saison) 18/37 ♈, enf. 9 – ⌾ 7,20 –
30 ch 40/54 – ½ P 52

NT-DE-L'ARCHE 27340 Eure **55** ⑥ G. Normandie Vallée de la Seine – 3 499 h alt. 20.
Paris 114 – Rouen 19 – Les Andelys 30 – Elbeuf 14 – Évreux 35 – Louviers 12.

🏨 **Tour** Ⓜ sans rest, 41 quai Foch ℘ 02 35 23 00 99, Fax 02 35 23 46 22, 🐎 – 🖵 📞. **AE** ⓸
GB. 🞕
⌾ 6 – **18 ch** 52

✗✗ **Pomme,** aux Damps 1,5 km au bord de l'Eure ℘ 02 35 23 00 46, Fax 02 35 23 52 09, 🍴,
🐎 – **P.** **GB**
fermé 1ᵉʳ au 21 août, 23 déc. au 2 janv., dim. soir, mardi soir et merc. – Repas 21,34/45,73 ♈,
enf. 11,43

NT-DE-L'ISÈRE 26 Drôme **77** ② – rattaché à Valence.

PONT-DE-PACÉ 35 I.-et-V. **59** ⑯ – rattaché à Rennes.

NT-DE-PANY 21410 Côte d'Or **66** ⑪.
Paris 292 – Dijon 23 – Avallon 86 – Beaune 42 – Saulieu 54.

🏨 **Château La Chassagne** 🦢, au Nord par D 33 et rte secondaire : 2 km
℘ 03 80 49 76 00, info@chateau-chassagne.com, Fax 03 80 49 76 19, 🍴, « Château du
19ᵉ siècle dans un parc », 🖡₅, 🎱, 🎾, 🏊 – 🛗 🖵 📞 & **P** – 🕿 25. **AE** ⓸ **GB** **JCB**. 🞕 rest
2 mai-27 oct. – Repas (fermé lundi et mardi) 32,50 ♈ – ⌾ 12,50 – **8 ch** 150/215, 4 appart –
½ P 127,50/207,50

NT-DE-POITTE 39130 Jura **70** ⑭ G. Jura – 582 h alt. 450.
Paris 423 – Champagnole 34 – Genève 93 – Lons-le-Saunier 17.

✗✗ **Ain** avec ch, ℘ 03 84 48 30 16, Fax 03 84 48 36 95, 🍴 – ≡ rest, 🖵. **GB**
⊜ *fermé 7 janv. au 5 fév., vend. soir, dim. soir et lundi midi hors saison – Repas* 13/39 ♈, enf. 8
– ⌾ 6 – **9 ch** 32/42 – ½ P 40

NT-DE-ROIDE 25150 Doubs **66** ⑱ G. Jura – 4 781 h alt. 351.
Paris 475 – Besançon 73 – Belfort 37 – La Chaux-de-Fonds 54 – Porrentruy 29.

🏠 **Voyageurs** sans rest, 15 pl. Gén. de Gaulle ℘ 03 81 96 92 07, Fax 03 81 92 27 80 – 🖵 📞
P. ⓸ **GB**
*fermé dim. – ⌾ 5 – **16 ch** 24/38*

✗ **Tannerie,** 1 pl. Gén. de Gaulle ℘ 03 81 92 48 21, Fax 03 81 92 47 79, 🍴 – ⓸ **GB**
fermé 19 déc. au 9 janv., dim. soir et merc. – Repas 14,48/22,87 ♈

NT-DE-SALARS 12290 Aveyron **80** ③ – 1 414 h alt. 700.
🖪 *Office du tourisme 34 place de la Mairie ℘ 05 65 46 89 90, Fax 05 65 46 81 16,
tourisme-levezou@wanadoo.fr.*
Paris 653 – Rodez 24 – Albi 87 – Millau 47 – St-Affrique 56 – Villefranche-de-Rouergue 70.

🏠 **Voyageurs**, ℰ 05 65 46 82 08, hotel-des-voyageurs@wanadoo.fr, Fax 05 65 46 89
🍽 ▤ rest, 📺 📞 🅿 🆎 ⓞ ⒼⒷ
*fermé 27 oct. au 11 nov., 25 janv. au 1ᵉʳ mars, le soir de nov. à fév., dim. soir et lundi d'
juin* – **Repas** *(10,60)* - 12,50 bc (déj.), 14/34,50 ♀, enf. 8,50 – ⊆ 5,95 – **27 ch** 36,60/47
½ P 36,60/42

PONT-DE-VAUX 01190 Ain 🔟 ⑫ – 2 004 h alt. 177.

🄱 *Office du tourisme 2 rue Maréchal de Lattre de Tassigny ℰ 03 85 30 30 02, Fax 03 85
69, pont.de.vaux.tourisme@wanadoo.fr.*
Paris 382 – Mâcon 24 – Bourg-en-Bresse 40 – Lons-le-Saunier 68.

XXX **Raisin** avec ch, ℰ 03 85 30 30 97, hotel.leraisin@wanadoo.fr, Fax 03 85 30 67 89 – 📺
🍽 🅿 🆎 ⓞ ⒼⒷ
fermé 6 janv. au 6 fév., dim. soir sauf en été et lundi sauf fériés – **Repas** 20/55 et carte
55 ♀, enf. 12 – ⊆ 7 – **18 ch** 50/55

XX **Commerce** avec ch, ℰ 03 85 30 30 56, Fax 03 85 30 65 04 – 📺 ⇦, ⒼⒷ
fermé 26 oct. au 4 nov., 22 fév. au 3 mars, mardi et merc. – **Repas** 15/34 ♀, enf. 10 – s
10 ch 34/39 – ½ P 42

X **Les Platanes** avec ch, ℰ 03 85 30 32 84, hotel-des-platanes@wanado
🍽 Fax 03 85 30 32 15, �, 🍃 – 📺 🅿 ⒼⒷ
*fermé 26 nov. au 14 déc., 25 fév. au 15 mars, merc. soir du 1ᵉʳ oct. au 15 mai et je
Repas 12/38 ⓙ, enf. 9 – ⊆ 5,80 – **7 ch** 36/43 – ½ P 38

à St-Bénigne *Nord-Est : 2 km sur D 2 – 817 h. alt. 208 – ⊠ 01190 Pont-de-Vaux :*

X **St-Bénigne**, ℰ 03 85 30 96 48, Fax 03 85 30 96 48, 🌬 – 🅿 ⒼⒷ
fermé 16 déc. au 7 janv., le soir sauf sam. et lundi – **Repas** 10,67 (déj.), 22,87/28,9
enf. 8,38

PONT-D'HÉRAULT 30 Gard 🟨 ⑯ – rattaché au Vigan.

PONT-D'OUILLY 14690 Calvados 🟥🟥 ⑪ G. Normandie Cotentin – 1 050 h alt. 65.

Voir Roche d'Oëtre★★ *S : 6,5 km.*
🄱 *Syndicat d'initiative Rue de la 5ème République ℰ 02 31 69 39 54.*
Paris 274 – Caen 46 – Briouze 24 – Falaise 20 – Flers 21 – Villers-Bocage 36 – Vire 40.

🏠 **Commerce**, ℰ 02 31 69 80 16, Fax 02 31 69 78 08, 🌬, 📺 📞 🆎 ⒼⒷ
🍽 *fermé mi-janv. à mi-fév. et 1ᵉʳ au 7 oct.* – **Repas** *(fermé dim. soir et lundi)* 13/30 ♀, en
⊆ 4,50 – **16 ch** 23/38 – ½ P 34/37

à St-Christophe *Nord : 2 km par D 23 – ⊠ 14690 Pont d'Ouilly :*

XX **Auberge St-Christophe** ⋙ avec ch, ℰ 02 31 69 81 23, Fax 02 31 69 26 58, 🌬,
📺 🅿 🆎 ⒼⒷ
fermé 19 août au 3 sept., vacances de Toussaint, de fév., dim. soir et lundi – **Repas** 18/
enf. 10 – ⊆ 6,50 – **7 ch** 43 – ½ P 46

PONT-DU-BOUCHET 63 P.-de-D. 🔟 ③ – ⊠ 63380 Pontaumur.

Env. Méandre de Queuille★★ *NE : 11,5 km puis 15 mn, G. Auvergne.*
Paris 387 – Clermont-Ferrand 39 – Pontaumur 14 – Riom 36 – St-Gervais-d'Auvergne 1

🏠 **Crémaillère** ⋙, ℰ 04 73 86 80 07, Fax 04 73 86 93 17, ≤, 🌬, 🍃 – 📺 📞 🅿 ⒼⒷ, 🔧
🍽 *fermé 17 déc. au 20 janv., vend. soir et sam. hors saison* – **Repas** 11,80/33,60 ♀ – ⊆ 5
16 ch 41,20/55 – ½ P 37,40/40,40

PONT-DU-CHAMBON 19 Corrèze 🟥🟥 ⑩ – rattaché à Marcillac-la-Croisille.

PONT-DU-CHÂTEAU 63430 P.-de-D. 🔟 ⑮ G. Auvergne – 8 874 h alt. 365.

🄱 *Syndicat d'initiative ℰ 04 73 83 73 70, Fax 04 73 83 73 75.*
Paris 422 – Clermont-Ferrand 16 – Billom 13 – Riom 20 – Thiers 37.

🏠 **L'Estredelle**, 24 r. Pont ℰ 04 73 83 28 18, estredelle@worldonline.fr, Fax 04 73 83 5
🌬 📺 📞 🅿 – 🚗 30 à 50. ⒼⒷ
fermé dim. soir – **Repas** *(10,50)* - 14,50/25,50 ♀, enf. 7 – ⊆ 5,50 – **44 ch** 34/37 – ½ P 36

X **Pierre Villeneuve**, r. Poste ℰ 04 73 83 50 03, Fax 04 73 83 59 36, collection d'anc
moulins à café – ▤
fermé 1ᵉʳ au 21 août, 1ᵉʳ au 16 janv., dim. et lundi – **Repas** 16/36 ♀, enf. 9,15

NT-DU-DOGNON 87 H.-Vienne **72** ⑧ G. Berry Limousin – ✉ 87400 Le Châtenet-en-Dognon.
Paris 387 – Limoges 32 – Bellac 58 – Bourganeuf 28 – La Souterraine 52.

🏨 **Chalet du Lac** ⍃, ℘ 05 55 57 10 53, Fax 05 55 57 11 46, ≤, 🐾, 🎄 – 🗮 ℙ – 🚲 40. 🖭 **GB**
fermé 15 janv. au 15 fév., dim. soir et merc. – **Repas** 14,48/35,06 – ☲ 5,34 – **16 ch**
42,69/57,93 – ½ P 49,73

NT-DU-GARD 30 Gard **80** ⑲ G. Provence – ✉ 30210 Remoulins.
Voir Pont-aqueduc romain★★★.
Paris 694 – Avignon 27 – Alès 49 – Nîmes 26 – Orange 38 – Pont-St-Esprit 41.

🏨 **Colombier** ⍃, Est : 1 km par D 981 (rive droite) ℘ 04 66 37 05 28, hotelresto.colombier
@free.fr, Fax 04 66 37 35 75, 🎄, 🎄 – 🗺 ⚆ ℙ. 🖭 ⓞ **GB**
Repas 11 bc (déj.), 16/26 ☲ – ☲ 6,50 – **18 ch** 38/46 – ½ P 42

Nord-Ouest : 4 km sur D 981 – ✉ 30210 Vers-Pont-du-Gard :

🏨 **Bégude St-Pierre** M, ℘ 04 66 63 63 63, begudesaintpierre@wanadoo.fr,
Fax 04 66 22 73 73, 🎄, 🐾, 🎄 – 🗮 🗺 ⚆ ℙ – 🚲 30. 🖭 ⓞ **GB** 🎄
fermé dim. soir et lundi de nov. à mars – **Repas** 29/49 – ☲ 11,50 – **30 ch** 61/114,50 –
½ P 67/97,50

astillon-du-Gard Nord-Est : 4 km par D 19 et D 228 – 943 h. alt. 90 – ✉ 30210 :

🏨 **Vieux Castillon** ⍃, ℘ 04 66 37 61 61, vieux.castillon@wanadoo.fr, Fax 04 66 37 28 17,
🎄, patio, « Au coeur d'un village médiéval », 🎄 – 🗮 🗺 ⚆ ℙ – 🚲 30 à 60. 🖭 ⓞ **GB**
🎄
fermé 2 janv. à fin fév. – **Repas** (fermé lundi midi et mardi midi) 45 (déj.), 72/96 et carte 73 à
93 – ☲ 15 – **35 ch** 155/275 – ½ P 173,50/246
Spéc. Rouget barbet rôti sur peau, compotée d'artichaut. Langoustines en croûte de
pomme de terre. Carré d'agneau ''comme on l'aime en Provence''. **Vins** Lirac, Châteauneuf-du-Pape.

🍴🍴 **L'Amphitryon**, pl. 8 Mai 1945 ℘ 04 66 37 05 04, 🎄 – **GB**
fermé 15 au 30 nov., 15 au 28 fév., merc. sauf juil.-août et mardi – **Repas** 26,58/58 ☲

ollias Ouest : 7 km par D 981, D 112 et D 3 – 829 h. alt. 45 – ✉ 30210 Remoulins :

🏨 **Hostellerie Le Castellas** ⍃, Grand'rue ℘ 04 66 22 88 88, lecastellas@wanadoo.fr,
Fax 04 66 22 84 28, 🎄, « Décor original dans une ancienne demeure gardoise », 🎄, 🎄 –
🗮 ch, 🗺 ⚆ ℙ. 🖭 ⓞ **GB** 🎄
fermé début janv. à début mars – **Repas** (fermé merc. sauf le soir de juin à sept., lundi midi
et vend. midi) 33/76 ☲, enf. 14 – ☲ 14 – **17 ch** 93/188 – ½ P 110/137

NTEMPEYRAT 43 H.-Loire **76** ⑦ – ✉ 43500 Craponne-sur-Arzon.
Paris 485 – Le Puy-en-Velay 45 – Ambert 41 – Montbrison 49 – St-Étienne 54.

🏨 **Mistou** M ⍃, ℘ 04 77 50 62 46, moulin.de.mistou@wanadoo.fr, Fax 04 77 50 66 70,
« Parc au bord de l'Ance », 🐾, 🎄, 🎄 – 🗺 ⚆ 🎄 ℙ – 🚲 20. 🖭 **GB** 🎄 🎄 rest
fin avril-fin oct. – **Repas** (fermé le midi sauf week-ends et fériés) 28/53, enf. 12 – ☲ 11 –
14 ch 78/105 – ½ P 80/95

PONTET 84 Vaucluse **81** ⑫ – rattaché à Avignon.

NT-ÉVÊQUE 38 Isère **74** ⑫., **110** ㉟ – rattaché à Vienne.

NTGIBAUD 63230 P.-de-D. **73** ⑬ G. Auvergne – 776 h alt. 735.
🅱 Office du tourisme Rue du Commerce ℘ 04 73 88 90 99, Fax 04 73 88 91 30.
Paris 435 – Clermont-Ferrand 23 – Aubusson 69 – Le Mont-Dore 38 – Ussel 68.

🍴🍴 **Poste** avec ch, ℘ 04 73 88 70 02, Fax 04 73 88 79 74 – 🗮 rest, ⚆ 🎄. 🖭 **GB**
fermé 1ᵉʳ au 15 oct., janv., dim. soir et lundi sauf juil.-août – **Repas** 13/45 🎄, enf. 7 – ☲ 6 –
10 ch 30/36,50 – ½ P 36/40

a Courteix Est : 4 km sur D 941ᴮ – ✉ 63230 St-Ours :
🍴🍴 **L'Ours des Roches**, ℘ 04 73 88 92 80, Fax 04 73 88 75 07, « Décor original » – ℙ. 🖭 ⓞ
GB 🎄
fermé 2 au 24 janv., mardi (sauf fériés) d'oct. à mars, dim. soir et lundi sauf fériés – **Repas**
22/56 et carte environ 52 ☲

---

*Un automobiliste averti utilise le **Guide Rouge Michelin** de l'année.*

PONTHIERRY *77 S.-et-M.* 61 ①, 106 ④ – ✉ *77310 St-Fargeau-Ponthierry.*
Paris 45 – Fontainebleau 20 – Corbeil-Essonnes 13 – Étampes 35 – Melun 14.

XX **Auberge du Bas Pringy,** à Pringy - N 7 ☎ 01 60 65 57 75, *Fax 01 60 65 48 57,* AE ⓓ GB
fermé août, vacances de fév., lundi soir et mardi sauf fériés – **Repas** 20 (déj.), 31/4
enf. 10

PONTIVY ⟨SP⟩ *56300 Morbihan* 58 ⑲ *G. Bretagne – 13 508 h alt. 99.*
Voir *Maisons anciennes★.*
Office de tourisme 61 r. du Général-de-Gaulle ☎ 02 97 25 04 10, Fax 02 97 27 87 09.
Paris 463 ① – Vannes 54 ② – Lorient 59 ② – Rennes 110 ① – St-Brieuc 57 ①.

PONTIVY

Anne-de-Bretagne (Pl.) . . . . . Y 2
Caïnain (R.) . . . . . Z 3
Couvent (Q. du) . . . . . Y 4
Dr-Guépin (R. du) . . . . . Y 5
Fil (R. du) . . . . . Y 6
Friedland (R. de) . . . . . Y 8
Gaulle (R. du Gén.-de) . . . . . Y 9
Jaurès (R. Jean) . . . . . Z 10
Lamennais (R. J.-M.-de) . . . . . Z 13
Le Goff (R.) . . . . . Z 16
Lorois (R.) . . . . . Y 17
Marengo (R.) . . . . . Z 19
Martray (Pl. du) . . . . . Y 20
Mitterrand (R. François) . . . . . Z 24
Nationale (R.) . . . . . YZ
Niémen (Q.) . . . . . Y 27
Plessis (Q. du) . . . . . YZ 29
Pont (R. du) . . . . . Y 28
Presbourg (Q.) . . . . . Y 32
Récollets (Q. des) . . . . . Y 33
Viollard (Bd) . . . . . Z 38

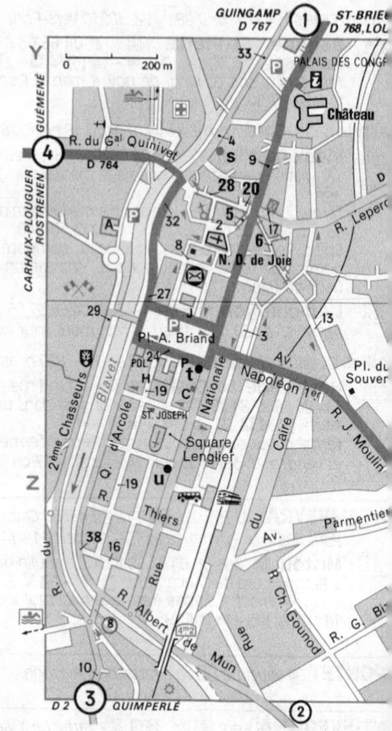

Ne voyagez pas
aujourd'hui
avec une carte d'hier.

Don't use
yesterday's maps
for today's journey.

L'Europe, 12 r. F. Mitterand ☎ 02 97 25 11 14, *Fax 02 97 25 48 04,* – GB
fermé 24 déc. au 1er janv. – **Repas** *(fermé sam. hors saison et dim.)* 14/23, enf. 8 –
20 ch 40/55 – ½ P 43,50/47,50

Rohan Wesseling sans rest, 90 r. Nationale ☎ 02 97 25 02 01, *Fax 02 97 25 02 85* – 60. AE GB
6,86 – **16 ch** 48,79/62,51, 9 studios

XX **Pommeraie,** 17 quai Couvent ☎ 02 97 25 60 09, *Fax 02 97 25 75 93* – GB
fermé 3 au 17 sept., 14 au 28 janv., dim. et lundi – **Repas** 14,48 (déj.), 21,34/45,7
enf. 9,91

à Quelven *par ③, D 2 et rte de Guern (D 2B) : 10 km – ✉ 56310 Guern :*

Auberge de Quelven, à la Chapelle ☎ 02 97 27 77 50, *Fax 02 97 27 77 50* – GB
fermé merc. – **Repas** - crêperie - carte environ 15, enf. 4,50 – 5,34 – **7 ch** 42,69/47,

NT-L'ABBÉ 29120 Finistère 🞄🞄 ⑭ ⑮ G. Bretagne – 7 849 h alt. 5.

Env. Manoir de Kerazan★ 3 km par ② – Calvaire★★ de la chapelle N.-D.-de-Tronoën O : 8 km.

🚩 Office du tourisme 10 place de la République ℰ 02 98 82 37 99, Fax 02 98 66 10 82, otsi.pontlabbe@altica.com.

Paris 574 ① – Quimper 19 ① – Douarnenez 33 ④.

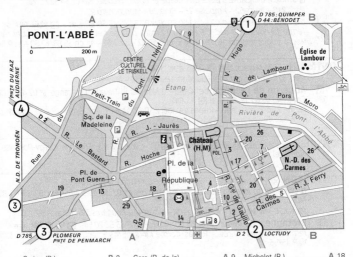

Cariou (R.)	B 2	Gare (R. de la)	A 9	Michelet (R.)	A 18
Château (R. du)	B 3	Gaulle (R. Gén.-de)	B	Moulin (R. J.)	A 19
Danton (R.)	B 4	J.-J.-Rousseau (R.)	B 10	Pasteur (R.)	B 20
Delessert (Pl. B.)	B 5	Kerentrée (R. de)	A 13	St-Laurent (Q.)	B 26
Église (R. de l')	B 7	Lamartine (R.)	A 14	Simon (R. Jules)	A 29
Gambetta (Pl.)	B 8	Marceau (R.)	B 17	Victor-Hugo (R.)	B

🏠 **Bretagne**, 24 pl. République ℰ 02 98 87 17 22, Fax 02 98 82 39 31, 🍽 – 📺. 🖭 🇬🇧. ✾ ch
fermé 15 janv. au 5 fév., lundi (sauf hôtel) et dim. soir hors saison – **Repas** 15 (déj.),
21,35/47 ♈, enf. 10 – 🖵 7 – **18 ch** 45/70 – ½ P 58/65

🍴 **Relais de Ty-Boutic**, par ③ : 3 km ℰ 02 98 87 03 90, info@restaurant-ty-boutic.com,
Fax 02 98 87 30 63, 🍽, 🐕 – 🅿. 🇬🇧
fermé 10 au 17 sept., 15 fév. au 23 mars, dim. soir et lundi – **Repas** (9,15) - 12 (déj.),
18/45,75 ♒

NT (Lac de) 21 Côte-d'Or 🞄🞄 ⑰ ⑱ – rattaché à Semur-en-Auxois.

NT-LES-MOULINS 25 Doubs 🞄🞄 ⑯ – rattaché à Baume-les-Dames.

NT-L'ÉVÊQUE 14130 Calvados 🞄🞄 ③ G. Normandie Vallée de la Seine – 4 133 h alt. 12.

Voir La belle époque de l'automobile★ au Sud par D 48.

🚩 Office du tourisme 16 Bis rue Saint-Michel ℰ 02 31 64 12 77, Fax 02 31 64 76 96, pont-leveque@fnotsi.net.

Paris 191 – Caen 48 – Le Havre 40 – Rouen 79 – Trouville-sur-Mer 12.

🍴🍴 **Auberge de l'Aigle d'Or**, 68 r. Vaucelles ℰ 02 31 65 05 25, thierryduhamel@wanadoo.
fr, Fax 02 31 65 12 03, 🍽, « Ancien relais de poste du 16e siècle » – 🅿. 🇬🇧
fermé 29 juin au 5 juil. vacances de fév., dim. soir de nov. à Pâques, mardi soir et merc. –
Repas 24,50 (déj.), 33,50/43

🍴🍴 **Auberge de la Touques**, pl. Église ℰ 02 31 64 01 69, Fax 02 31 64 89 40, 🍽 – 🖭 🇬🇧
fermé 2 au 27 déc., 6 au 31 janv., dim. soir d'oct. à avril, lundi soir et mardi – **Repas**
19,50/30, enf. 8,50

a base de loisirs Sud-Est : 2 km par D 48 – ✉ 14130 Pont-l'Évêque :

🏠 **Eden Park**, ℰ 02 31 64 64 00, hotel.eden-park@wanadoo.fr, Fax 02 31 64 12 28, ≤, 🍽,
🐕 – 📺 ✆ ᕋ 🅿 – 🕰 20 à 45. 🖭 ⓞ 🇬🇧 🇯🇨🇧
Repas 14/22 ♒, enf. 9 – 🖵 6 – **50 ch** 60 – ½ P 48

PONT-L'ÉVÊQUE 60 Oise **56** ③ – *rattaché à Noyon.*

PONTLEVOY 41400 L.-et-Ch. **64** ⑰ G. Châteaux de la Loire – 1 460 h alt. 99.
 Voir *Ancienne abbaye★.*
 🛈 Syndicat d'initiative 5 place du Collège ℘ 02 54 80 60 80, Fax 02 54 32 60 29.
 Paris 210 – Tours 52 – Amboise 25 – Blois 28 – Montrichard 9.

 ✕✕ **de l'École** avec ch, ℘ 02 54 32 50 30, Fax 02 54 32 33 58, 🏤, 🛋 – 📺 📞 🅿 . 🖭 . 🛠
 fermé 19 nov. au 12 déc., 16 fév. au 14 mars, dim. soir et lundi sauf juil.-août et fér
 Repas (dim. prévenir) 16,01/42,38 ♀, enf. 10,82 – ☲ 7,32 – **11 ch** 35,83/62,50 – ½ P 5

PONTMAIN 53220 Mayenne **59** ⑲ – 893 h alt. 164.
 Paris 325 – Domfront 41 – Fougères 18 – Laval 53 – Mayenne 46.

 🏠 **Auberge de l'Espérance** (Centre d'Aide par le Travail), 9 r. Grange ℘ 02 43 05 0
 Fax 02 43 05 03 19, 🏤 – 📲 📺 🛣. 🖭
 fermé 21 déc. au 2 janv. – **Repas** 8,84 (déj.), 10,67/14,64 ♀, enf. 6,10 – ☲ 4,57 – **11 ch** 3
 – ½ P 25,69

PONTOISE 95 Val-d'Oise **55** ⑳, **106** ⑤ ⑥, **101** ③ – voir à Paris, Environs (Cergy-Pontoise
 Nouvelle).

PONTORSON 50170 Manche **59** ⑦ G. Normandie Cotentin – 4 107 h alt. 15.
 🛈 Office du tourisme Place de l'Hôtel de Ville ℘ 02 33 60 20 65, Fax 02 33 60 85
 MONT.ST.MICHEL.PONTORSON@wanadoo.fr.
 Paris 358 – St-Malo 44 – Avranches 24 – Dinan 47 – Fougères 39 – Rennes 59.

 🏨 **Bretagne**, r. Couesnon ℘ 02 33 60 10 55, Fax 02 33 58 20 54 – 📺 📞. 🖭 🖭 🍃
 fermé 5 janv. au 10 fév. – **Repas** (fermé lundi) 15/43 ♀, enf. 8 – ☲ 6 – **12 ch** 38/6
 ½ P 45/53

PONT-RÉAN 35170 I.-et-V. **63** ⑥.
 Paris 361 – Rennes 16 – Châteaubriant 56 – Fougères 67 – Nozay 60 – Vitré 56.

 ✕✕ **Auberge de Réan** avec ch, ℘ 02 99 42 24 80, Fax 02 99 42 28 66, 🏤 – 📺 📞. 🖭
 fermé vacances de Toussaint, de fév., dim. soir et lundi – **Repas** 14,50/40, enf. 8,50 – ☲
 9 ch 34/44 – ½ P 50

PONT-ST-PIERRE 27360 Eure **55** ⑦ G. Normandie Vallée de la Seine – 935 h alt. 15.
 Voir *Boiseries★* de l'église – Côte des Deux-Amants ≤★★ SO : 4,5 km puis 15 mn – Ruine
 l'abbaye de Fontaine-Guérard★ NE : 3 km.
 Paris 126 – Rouen 22 – Les Andelys 19 – Évreux 47 – Louviers 23 – Pont-de-l'Arche 13.

 ✕✕✕ **Bonne Marmite** 🐟 avec ch, ℘ 02 32 49 70 24, la.bonne.marmite@wanadoo
 Fax 02 32 48 12 41 – 📺 📞 – 🔏 15 à 25. 🖭 🖭 🖭. 🛠 ch
 fermé 23 juil. au 9 août, 24 fév. au 18 mars, dim. soir et lundi sauf fériés – **Repas** 15,20 (CI
 22,50/75 bc et carte 39 à 59 ♀ – ☲ 7,30 – **9 ch** 53/85 – ½ P 58/68,50

 ✕✕ **Auberge de l'Andelle,** ℘ 02 32 49 70 18, Fax 02 32 49 59 43 – 🖭 🖭
 fermé 23 déc. au 4 janv. – **Repas** (13,72) - 19/48, enf. 12,20

PONT-STE-MARIE 10 Aube **61** ⑰ – rattaché à Troyes.

Les PONTS-NEUFS 22 C.-d'Armor **59** ③ – ✉ 22120 Hillion.
 Paris 442 – St-Brieuc 15 – Dinan 53 – Dinard 52 – Lamballe 10 – St-Malo 61.

 ✕ **Cascade,** sur D 786 ℘ 02 96 32 82 20, la.cascade.jamme@wanadoo.fr, Fax 02 96 32 82
 ≤ – 🅿. 🖭 🖭
 fermé dim. soir et lundi – **Repas** (12) - 19,50/30

Le PORGE 33680 Gironde **78** ① – 1 507 h alt. 8.
 🛈 Office du tourisme 3 place Saint-Seurin ℘ 05 56 26 54 34, Fax 05 56 26 59 48, lepo
 @wanadoo.fr.
 Paris 627 – Bordeaux 47 – Andernos-les-Bains 18 – Lacanau-Océan 21 – Lesparre-Médoc

 ✕✕ **Vieille Auberge,** ℘ 05 56 26 50 40, Fax 05 56 26 50 40, 🏤, 🛋 – 🅿. 🖭
 1ᵉʳ avril-5 nov. et fermé mardi de sept. à juin et merc.
 Repas 19,82

44210 Loire-Atl. **67** ① G. Poitou Vendée Charentes – 11 903 h alt. 20 – Casino le Môle.

🛈 OMT la Gare ℰ 02 40 82 04 40, Fax 02 40 82 90 12.

Paris 437 – Nantes 50 – La Roche-s-Yon 84 – Les Sables d'Olonne 89 – St-Nazaire 30.

🏥🏥🏥 **Alliance** M ⚘, plage de la Source, Sud : 1 km ℰ 02 40 82 21 21, *info.resa@thalasso pornic.com*, Fax 02 40 82 80 89, ≤, centre de thalassothérapie, 🏋, ℀ – 🛎 ⤢, 🍴 rest, 📺 🖪 🖿 – 🏛 70. 🆎 ⓪ ᴳᴮ ᴶᶜᴮ. ℀ rest

Repas 26 ♈ – ⚌ 12 – **90 ch** 100/163 – ½ P 100/120

🏛🏛 **Auberge La Fontaine aux Bretons** M ⚘, Sud-Est : 2,5 km par rte La Bernerie-en-Retz ℰ 02 51 74 07 07, *infos@auberge-la-fontaine.com*, Fax 02 51 74 15 15, ≤, 🍴, « Ancienne ferme entourée d'un jardin potager », ⊿, ℀, 🐾 – cuisinette 📺 ✂ 🖪 – 🏛 25 à 90

fermé 6 au 25 janv. – **Repas** *(fermé lundi soir et dim. du 12 nov. au 29 mars sauf vacances scolaires)* (17) · 22/30 ♈, enf. 11 – ⚌ 9, 12 appart, 14 studios, 77/122

🏛 **Relais St-Gilles** ⚘ sans rest, 7 r. F. de Mun ℰ 02 40 82 02 25 – 📺. ᴳᴮ

29 mars-29 sept. – ⚌ 6,20 – **25 ch** 54,70/61

🏛 **Beau Soleil** sans rest, 70 quai Leray ℰ 02 40 82 34 58, Fax 02 40 82 43 00, ≤ – 📺 ✂. ᴳᴮ

⚌ 6,50 – **18 ch** 55/76

🏛 **Alizés** sans rest, 44 r. Gén. de Gaulle ℰ 02 40 82 00 51, Fax 02 40 82 87 32 – 📺 🖪 🖿 🆎 ⓪ ᴳᴮ. ℀

⚌ 5,79 – **29 ch** 54,88

℀℀ **Beau Rivage**, plage Birochère, Sud-Est : 2,5 km ℰ 02 40 82 03 08, *info@restaurant-beau rivage.com*, Fax 02 51 74 04 24, ≤ – 🖿. 🆎 ᴳᴮ

fermé 10 au 26 déc., janv., merc. soir en hiver, dim. soir et lundi – **Repas** 19,10/61 ♈, enf. 9,60

te-Marie Ouest : 3 km – ⊠ 44210 Pornic :

🏛 **Les Sablons** ⚘, ℰ 02 40 82 09 14, Fax 02 40 82 04 26, 🍴, 🐾, ℀ – 📺 🖪. ᴳᴮ. ℀

Repas *(fermé dim. soir, mardi midi et lundi du 1ᵉʳ oct. au 15 juin)* 16/38, enf. 8 – ⚌ 7 – **26 ch** 66/70 – ½ P 55/60

'rices For notes on the prices quoted in this Guide,

see the explanatory pages.

44380 Loire-Atl. **63** ⑭ G. Bretagne – 9 668 h alt. 12 – Casino.

🛈 Office du tourisme 3 boulevard de la République ℰ 02 40 61 33 33, Fax 02 40 11 60 88, *officedutourisme@pornichet.org*.

Paris 449 – Nantes 72 – La Baule 6 – St-Nazaire 11.

🏥🏥🏥 **Sud Bretagne**, 42 bd République ℰ 02 40 11 65 00, Fax 02 40 61 73 70, 🍴, « Décoration originale », ⊿, 🏊, 🐾 – 🛎 📺 ✂ 🖪 – 🏛 20 à 40. 🆎 ⓪ ᴳᴮ

Repas 35 – ⚌ 11,50 – **27 ch** 91,50/183, 3 appart – ½ P 100/160

🏥🏥🏥 **Villa Flornoy** ⚘, 7 av. Flornoy (près Hôtel de Ville) ℰ 02 40 11 60 00, *hotflornoy@aol. com*, Fax 02 40 61 86 47, « Décoration intérieure soignée », 🐾 – 🛎 📺 ✂ 🖪 – 🏛 20. ᴳᴮ. ℀ rest

hôtel : vacances de fév.-vacances de Toussaint ; rest. : Pâques-fin sept. et fermé lundi hors saison – **Repas** (dîner seul.)(résidents seul.) 20 ♈, enf. 15 – ⚌ 7 – **30 ch** 69/86 – ½ P 59/66

🏛 **Ibis** M, 66 bd Océanides ℰ 02 51 73 13 13, *H1171@accor-hotels.com*, Fax 02 40 61 74 74, 🍴, centre de thalassothérapie – 🛎 ⤢, 🍴 rest, 📺 ✂ 🖪 ⚌ – 🏛 35. 🆎 ⓪ ᴳᴮ

Repas (13) · 16/20 ♈, enf. 7,50 – ⚌ 7 – **88 ch** 92/122 – ½ P 68/83

🏛 **Régent**, 150 bd Océanides ℰ 02 40 61 05 68, *hotel@le-regent.fr*, Fax 02 40 61 25 53, ≤, 🍴 – 🖿 rest, 📺. 🆎 ⓪ ᴳᴮ

fermé 15 nov. au 1ᵉʳ fév. – **Repas** *(fermé dim. soir et lundi sauf juil.-août)* 25/32 ♈ – ⚌ 6,50 – **14 ch** 57,17/76,22 – ½ P 52,90/57,47

★★★ 83400 Var **84** ⑯, **114** ㊼ G. Côte d'Azur.

Accès par transports maritimes.

🛥 depuis **La Tour Fondue** (presqu'île de Giens) - Traversée 40 mn - Renseignements et tarifs : Transport et Vision Sous-Marine ℰ 04 94 58 95 14, Fax 04 94 58 91 73 (La Tour Fondue) - Transports Maritimes et Terrestres du Littora l Varois (TVL) ℰ 04 94 58 21 81 (La Tour Fondue), Fax 04 94 58 91 78 – 🛥 depuis **Cavalaire** - service saisonnier - Traversée 1h 40 mn ou **Le Lavandou** service saisonnier - Traversée 50mn ou **La Croix Valmer** service saisonnier - Traversée 1h 40 mn - Renseignements et tarifs : Vedettes Iles d'Or 15 q. Gabriel-Péri ℰ 04 94 71 02 (Le Lavandou), Fax 04 94 71 78 95 – 🛥 depuis **Toulon** - service saisonnier - Traversée 1h - Renseignements et tarifs : Transmed 2000 quai Kronstad ℰ 04 94 92 96 82 (Toulon), Fax 04 94 91 98 57.

ᨆᨆᨆ   **Mas du Langoustier** ⬥, Ouest : 3,5 km du port ℰ 04 94 58 30 09, Fax 04 94 58 3
❄   ≤, 佘, « Dans un site sauvage dominant le littoral », ⬥, ℅, ♨ – ⬛ 📺 ℃ 🔒 – 🚗 20
   ⒶⒺ ⓪ ☖
fin avril-début oct. – **Repas** 52 bc/78 et carte 50 à 80 ⬥ – ⬜ 18,50 – **44 ch** (½ pens. s
5 appart – ½ P 175/265
Spéc. Foie gras chaud, confiture de tomate verte et sorbet tomate rouge. Turbot rô
émincé de pieds et paquets. Pigeon rôti au miel d'eucalyptus et réglisse **Vins** Porquer
Côtes de Provence.

PORT-BRILLET 53410 Mayenne 🗟🗟 ⑲ – 1 814 h alt. 122.
Paris 297 – Fougères 37 – Laval 19 – Mayenne 48 – Rennes 61.

✗   **Brillet-Pontin** avec ch, r. Forges ℰ 02 43 01 28 00, Fax 02 43 01 28 01, 佘, 🚗 – ⬛
   ⒶⒺ ☖ ℅ ch
fermé 24 déc. au 5 janv., dim. soir et lundi – **Repas** 10 (déj.), 15/23 ⬥ – ⬜ 5 – **4 ch** 35

PORT-CAMARGUE 30 Gard 🗟🗟 ⑱ – rattaché au Grau-du-Roi.

PORT-CROS (Île de) ⋆⋆ 83400 Var 🗟🗟 ⑯ ⑰, 🗟🗟🗟 ㊽ ㊾ G. Côte d'Azur.
Accès *par transports maritimes.*

   ⬅ *depuis* **Le Lavandou** - *Traversée 35 mn - Renseignements et tarifs : Vedettes Îles*
15 quai Gabriel-Péri ℰ 04 94 71 01 02 (Le Lavandou), Fax 04 94 71 78 95 – ⬅ d
Cavalaire - *Traversée 45 mn - Renseignements et tarifs : voir ci-dessus –* ⬅ *dep*
Port de la Plage d'Yères - *Traversée 1 h - Renseignements et tarifs : Transports et V*
Sous-Marine ℰ 04 94 58 95 14, Fax 04 94 58 91 73.

ᨆᨆ   **Manoir** ⬥, ℰ 04 94 05 90 52, Fax 04 94 05 90 89, ≤, 佘, ⊒, ♨ – ℃ – 🚗 15. ☖, ℅
   hôtel : 13 avril-6 oct. ; rest : 27 avril-6 oct. – **Repas** 41/48 – **19 ch** (½ pens. seul.), 4 dup
½ P 146/175

PORT-DE-CARHAIX 29 Finistère 🗟🗟 ⑰ – rattaché à Carhaix.

PORT-DE-GAGNAC 46 Lot 🗟🗟 ⑲ – rattaché à Bretenoux.

PORT-DE-LA-MEULE 85 Vendée 🗟🗟 ⑪ – voir à Yeu (Île d').

PORT-DE-LANNE 40300 Landes 🗟🗟 ⑰ – 700 h alt. 28.
Paris 750 – Biarritz 37 – Mont-de-Marsan 77 – Bayonne 29 – Dax 23 – Peyrehorade 7.

✗✗   **Vieille Auberge** ⬥ avec ch, ℰ 05 58 89 16 29, Fax 05 58 89 12 89, 佘, « Auberge
tique avec jardin fleuri et petit musée des traditions locales », ⊒, 🚗 – 📺 🅿
juin-sept. – **Repas** *(fermé lundi midi et mardi midi)* 18,50/28,50 – ⬜ 7 – **10 ch** 69/
½ P 69

PORT-DE-SALLES 86 Vienne 🗟🗟 ⑤ – rattaché à l'Isle-Jourdain.

PORT-DES-BARQUES 17750 Char.-Mar. 🗟🗟 ⑬ – 1 534 h alt. 3.
🄱 *Syndicat d'initiative Avenue de l'Île Madame* ℰ 05 46 84 87 47, Fax 05 46 83 47 01.
Paris 484 – La Rochelle 52 – Royan 47 – Rochefort 15 – Saintes 45.

🏠   **Auberge du Labrador**, 49 av. l'Île Madame ℰ 05 46 83 92 60, auberge-du-labrad
wanadoo.fr, Fax 05 46 84 43 18, ≤, 🚗 – 📺 ℃ ☖
1ᵉʳ avril-1ᵉʳ oct. – **Repas** *(fermé mardi midi et lundi sauf le soir en juil.-août)* 15/19 ⬥, enf
⬜ 5 – **10 ch** 50/72 – ½ P 44/55

PORT-EN-BESSIN 14 Calvados 🗟🗟 ⑭ G. Normandie Cotentin – 2 139 h alt. 10 – ⊠ 14520
en-Bessin-Huppain.
🄱 *Office du tourisme 2 rue du Croiseur-Montcalm* ℰ 02 31 21 92 33, Fax 02 31 22 08 4
Paris 273 – Caen 39 – St-Lô 43 – Bayeux 10 – Cherbourg 92.

ᨆᨆ   **Chenevière** ⬥, Sud : 1,5 km par D 6 ℰ 02 31 51 25 25, la.cheneviere@wanado
   Fax 02 31 51 25 20, 佘, « Demeure du 19ᵉ siècle », ♨ – ⬛ 📺 ℃ 🅿 – 🚗 40. ⒶⒺ ⓪ ☖
fermé 3 janv. au 12 fév. – **Repas** *(fermé mardi midi et lundi)* 26 (déj.), 40/65, enf. 13 – ⬜
21 ch 165/270, 3 appart – ½ P 166,50/176,50

🏠   **Mercure** Ⓜ ⬥, sur le Golf, Ouest : 2 km par D 514 ℰ 02 31 22 44 44, mercure.om
beach@wanadoo.fr, Fax 02 31 22 36 77, ≤, 佘, ⊒, 🚗, ℅ – ⬛ 🔄 📺 ℃ 🔒 🅿 – 🚗 40
☖
fermé 15 au 31 janv. – **Repas** 20/29 ⬥, enf. 8,50 – ⬜ 10 – **63 ch** 80/125, 7 duplex

PORTES-EN-RÉ *17 Char.-Mar.* 71 ⑫ *– voir à Ré (Ile de).*

RTET-SUR-GARONNE *31 H.-Gar.* 82 ⑱ *– rattaché à Toulouse.*

RT-GOULPHAR *56 Morbihan* 63 ⑪ *– voir à Belle-Ile-en-Mer.*

RT-GRIMAUD *83 Var* 84 ⑰, 114 ㊲ *G. Côte d'Azur – ✉ 83310 Cogolin.*

Voir ≤★ de la tour de l'Église oecuménique.

Paris 871 – Fréjus 28 – Brignoles 61 – Hyères 47 – St-Tropez 9 – Ste-Maxime 8 – Toulon 66.

Giraglia 🐎, sur la plage ☎ 04 94 56 31 33, *message@hotelgiraglia.com, Fax 04 94 56 33 77,* ≤ golfe, 🍽, « Au bord de la mer », 🏊, 🏖 – 🛗 ▤ 📺 🅿 – 🏛 25. AE ⓞ GB

30 mai-début oct. – **Repas** 20 (déj.), 25/46, enf. 14 – ☕ 17 – **49 ch** 250/350 – ½ P 185/260

a Foux *Sud : 2 km sur N 98 – ✉ 83310 Cogolin :*

XX **Port Diffa,** ☎ 04 94 56 29 07, *Fax 04 94 56 29 07* – ▤ 🅿. AE ⓞ GB. ✂

fermé 4 nov. au 24 déc. et lundi du 7 janv. au 30 juin et du 1er au 27 oct. – **Repas** - cuisine marocaine - 27

RTICCIO *2A Corse-du-Sud* 90 ⑰ *– voir à Corse.*

RTIGLIOLO *2A Corse-du-Sud* 90 ⑰ *– voir à Corse (Coti-Chiavari).*

RTIVY *56 Morbihan* 63 ⑫ *– rattaché à Quiberon.*

RT-JOINVILLE *85 Vendée* 67 ⑪ *– voir à Yeu (Ile d').*

RT-LESNEY *39600 Jura* 70 ⑤ *G. Jura – 414 h alt. 251.*

Syndicat d'initiative 59 Grande Rue Chamblay ☎ 03 84 37 74 70, Fax 03 84 37 74 79, tourisme@valdamour.com.

Paris 402 – Besançon 36 – Arbois 13 – Dole 34 – Lons-le-Saunier 51 – Salins-les-Bains 10.

Château de Germigney Ⓜ 🐎, ☎ 03 84 73 85 85, *chateaudegermigney@wanadoo.fr, Fax 03 84 73 88 88,* 🍽, « Ancienne demeure dans un parc », 🌳 – 🛗 📺 📞 ♿ 🅿 – 🏛 25. AE ⓞ GB

fermé 2 au 31 janv. et 16 au 28 fév. – **Repas** *(fermé mardi)* (13,72) - 22 (déj.)/30 et carte 45 à 70 – ☕ 16 – **15 ch** 183/214 – ½ P 115/191

Spéc. Grenouilles en jambonnettes et risotto au citron. Volaille cuite en cocotte lutée. Moelleux au chocolat praliné. **Vins** Côtes du Jura, Arbois-Savagnin.

RT-LEUCATE *11 Aude* 86 ⑩ *– rattaché à Leucate.*

RT-MANECH *29 Finistère* 58 ⑪ *G. Bretagne – ✉ 29920 Névez.*

Paris 546 – Quimper 43 – Carhaix-Plouguer 74 – Concarneau 18 – Quimperlé 30.

Port, ☎ 02 98 06 82 17, *Fax 02 98 06 62 70,* 🍽, 🌳 – GB

Pâques-fin sept. – **Repas** *(fermé le midi sauf juil.-août et lundi)* 19/46,50 ♀ – ☕ 6 – **30 ch** 34/59,50 – ½ P 36/51

RT-MORT *27940 Eure* 55 ⑰, 106 ① *– 820 h alt. 19.*

Paris 88 – Rouen 56 – Les Andelys 11 – Évreux 33 – Vernon-sur-Eure 12.

XX **Auberge des Pêcheurs,** ☎ 02 32 52 60 43, *Fax 02 32 52 07 62,* 🍽, 🌳 – 🅿. GB JCB

fermé 1er au 22 août, 15 au 30 janv., dim. soir, lundi soir et mardi – **Repas** 18,29/26,22 ♀

RT NAVALO *56 Morbihan* 63 ⑫ *– rattaché à Arzon.*

RTO *2A Corse-du-Sud* 90 ⑮ *– voir à Corse.*

RTO-POLLO *2A Corse-du-Sud* 90 ⑱ *– voir à Corse.*

RTO-VECCHIO *2A Corse-du-Sud* 90 ⑧ *– voir à Corse.*

PORTS 37800 I.-et-L. **[BB]** ④ – 347 h alt. 42.

Paris 284 – Tours 50 – Châtellerault 26 – Chinon 33 – Loches 45.

※ **Grillon,** Le Bec des Deux Eaux, Sud-Est : 2 km ℰ 02 47 65 02 74 – **GB**
fermé 28 juin au 8 juil., 20 sept. au 1ᵉʳ oct., jeudi soir et vend. – **Repas** *(13,15)* - 16,80/33
enf. 6,50

PORT-SUR-SAÔNE 70170 H.-Saône **[BB]** ⑤ – 2 773 h alt. 228.

🛈 *Syndicat d'initiative Kiosque du Moulin ℰ 03 84 78 10 66, Fax 03 84 78 18 09.*
Paris 347 – Besançon 63 – Bourbonne-les-Bains 46 – Épinal 76 – Gray 53 – Vesoul 13.

à Vauchoux Sud : 3 km par D 6 – 115 h. alt. 210 – ⊠ 70170 :

XXX **Château de Vauchoux** (Turin), ℰ 03 84 91 53 55, jmturin@mail.fc-ne
⍟ Fax 03 84 91 65 38, 佘 , « Pavillon de chasse du 18ᵉ siècle, parc », ⅃ , ※ , 坐 – **P**. **GB**
fermé 15 au 28 fév. et lundi midi – **Repas** *(prévenir)* 42/70 et carte 46 à 80
Spéc. Escalope de foie gras chaud au vieux porto. Rosace gourmande de pigeon.
Marquise au chocolat amer.

PORT-VENDRES 66660 Pyr.-Or. **[BB]** ⑳ G. Languedoc Roussillon – 5 881 h alt. 3.

Env. Tour Madeloc ✷✷ SO : 8 km puis 15 mn.
🛈 *Office du tourisme 3 quai Pierre Forgas ℰ 04 68 82 07 54, Fax 04 68 82 5.*
tourisme@port-vendres.net.
Paris 887 – Perpignan 32.

XX **Côte Vermeille,** quai Fanal, direction la criée ℰ 04 68 82 05 71, Fax 04 68 82 05 71,
▤ , **AE GB**
fermé 5 janv. au 5 fév., dim. et lundi sauf juil.-août – **Repas** 25/42 ♈

La POSTE-DE-BOISSEAUX 28 E.-et-L. **[B0]** ⑲ – rattaché à Angerville (91 Essonne).

POUILLY-EN-AUXOIS 21320 Côte-d'Or **[B5]** ⑱ G. Bourgogne – 1 502 h alt. 390.

🛈 *Office du tourisme Le Colombier ℰ 03 80 90 74 24, Fax 03 80 90 74 24, ot.po
en.auxois@wanadoo.fr.*
Paris 272 – Dijon 45 – Avallon 66 – Beaune 47 – Montbard 60.

à Chailly-sur-Armançon Ouest : 6,5 km par D 977ᵇⁱˢ – 201 h. alt. 387 – ⊠ 21320 Pouilly
Auxois :

🏛 **Château de Chailly** 🅜 ⅀, ℰ 03 80 90 30 30, reservation@chailly.c
Fax 03 80 90 30 00, ⅃ , 佘 , ※ – ⅃ 粢 ▥ ℰ 坐 **P** – 益 80. **AE ⓞ GB JCB**
fermé 15 déc. au 24 janv. et en semaine de nov. à mars – **Armançon** *(fermé le midi et le
Repas* 55/95 ♈ , enf. 15 – **Rubillon** buffet *(fermé le soir sauf lundi)* **Repas** 25/45 ♈ , enf.
☲ 20 – **37 ch** 255/330, 8 appart

à Vandenesse-en-Auxois Sud-Est : 7 km par N 81 et D 977 bis – 216 h. alt. 360 – ⊠ 21320 :

X **L'Auxois,** ℰ 03 80 49 22 36, Fax 03 80 49 22 36, 佘 , 庵 – **GB**
⊜ *fermé 1ᵉʳ au 7 oct., 20 déc. au 27 janv., dim. soir d'oct. à juil. et lundi* – **Repas** 12,16/2
enf. 6,86

à Ste-Sabine Sud-Est : 8 km par N 81, D 977bis et D 970 – 172 h. alt. 365 – ⊠ 21320 Pouilly
Auxois :

🏛 **Hostellerie du Château Ste-Sabine** ⅀, ℰ 03 80 49 22 01, chateau-ste-sabine
nadoo.fr, Fax 03 80 49 20 01, ≤ , « Parc agrémenté d'animaux », ⅃ , 坐 – ⅃ ▥ ℰ
益 25. **GB**. ※
fermé 3 janv. au 25 fév. – **Repas** 22,87/53,37 bc, enf. 12,97 – ☲ 9,16 – **30 ch** 60,99/179,
½ P 58,25/117,85

POUILLY-LE-FORT 77 S.-et-M. **[B1]** ② – rattaché à Melun.

POUILLY-SOUS-CHARLIEU 42720 Loire **[73]** ⑧ – 2 720 h alt. 264.

Paris 381 – Roanne 15 – Charlieu 6 – Digoin 42 – Vichy 74.

XXX **Loire,** ℰ 04 77 60 81 36, resto.loire@wanadoo.fr, Fax 04 77 60 76 06, 佘 , 庵 – **P**. **AE**
*fermé 26 août au 7 sept., vacances de Toussaint, 17 fév. au 8 mars, mardi midi
juil.-août, dim. soir et lundi* – **Repas** 18/55 et carte 31 à 56 ♈ , enf. 11

POUILLY-SUR-LOIRE 58150 Nièvre **[B5]** ⑬ G. Bourgogne – 1 718 h alt. 168.

🛈 *Office du tourisme 61 rue Waldeck-Rousseau ℰ 03 86 39 03 75, Fax 03 86 39 18
pouillysurloire.officedutourisme@worldonline.fr.*
Paris 202 – Bourges 58 – Clamecy 54 – Cosne-sur-Loire 17 – Nevers 38 – Vierzon 80.

🏨 **Relais de Pouilly** Ⓜ, rte Mesves-sur-Loire, Sud : 3 km par D 28ᴬ 🕿 03 86 39 03 00, sarl.re
lais-de-pouilly@wanadoo.fr, Fax 03 86 39 07 47, 🛱, 🐴 – 📺 📞 🕹 🅿. 🖭 ⓪ 🅖🅑
Repas (11,50) - 14,50/29 🍷, enf. 7,50 – 🖙 6,95 – **24 ch** 40/65 – ½ P 52/55

🅇🅇🅇 **Coq Hardi-Relais Fleuri** avec ch, 42 av. Tuilerie 🕿 03 86 39 12 99, le-relais-fleuri-sarl@w
anadoo.fr, Fax 03 86 39 14 15, ≤, 🛱, « Jardin au bord de la Loire », 🐴 – 📺 📞 🕹 🖙 🅿.
🖭 ⓪ 🅖🅑
fermé mi-déc. à mi-janv., mardi et merc. d'oct. à avril – **Repas** 18/56,40 et carte 43 à 70 🍷,
enf. 12 – 🖙 8,60 – **11 ch** 45,75/71 – ½ P 52,53/62,10

🅇🅇 **L'Espérance** avec ch, 17 r. R. Couard 🕿 03 86 39 07 69, hotel.restaurant.lesperance@wa
nadoo.fr, Fax 03 86 39 09 78, 🛱 – 📺 🅿. 🅖🅑
fermé 5 au 31 janv., dim. soir et lundi d'oct. à mars – **Repas** 12,50/37 🍷, enf. 9,50 – 🖙 6 –
3 ch 45/58 – ½ P 46

OULDREUZIC 29710 Finistère 🔢 ⑭ – 1 814 h alt. 51.
🗂 Office du tourisme - Salle Per Jakez Hélias 🕿 02 98 54 49 90, Fax 02 98 54 36 81,
otsi.pouldreuzic@wanadoo.fr.
Paris 587 – Quimper 25 – Audierne 17 – Douarnenez 17 – Pont-l'Abbé 16.

🏠 **Ker Ansquer** ⌂, à Lababan, Nord-Ouest : 2 km par D 2 🕿 02 98 54 41 83, françoise.
ansquer@wanadoo.fr, Fax 02 98 54 32 24, sculptures régionales, 🐴 – cuisinette 📺 🅿. 🅖🅑
1ᵉʳ avril-30 sept. – **Repas** (sur réservation seul.) 19,51/51,83 🍷 – 🖙 6,40 – **11 ch** 61, 4 appart
– ½ P 57

Penhors Ouest : 4 km par D 40 – ⊠ 29710 Plogastel-St-Germain :

🏨 **Breiz Armor** Ⓜ ⌂, à la plage 🕿 02 98 51 52 53, breiz-armor@wanadoo.fr,
Fax 02 98 51 52 30, ≤, 🛱, 🏋, 🐴 – 📺 🕹 🅿. – 🔏 20 à 50. 🅖🅑
hôtel : ouvert 30 mars-6 oct. et vacances de Noël ; rest. : fermé vacances de Toussaint et 1ᵉʳ
janv. au 15 mars – **Repas** (fermé lundi sauf du 9 juil. au 25 août) 12,65 (déj.), 17,10/44 🍷, enf. 7
– 🖙 7 – **26 ch** 69,50, 6 studios – ½ P 64/67,50

---

e **POULDU** 29 Finistère 🔢 ⑫ G. Bretagne – ⊠ 29360 Clohars-Carnoët.
Env. St-Maurice : site✶ et ≤✶ du pont NE : 7 km.
Paris 522 – Quimper 58 – Concarneau 37 – Lorient 22 – Moëlan-sur-Mer 10 – Quimperlé 14.

🏠 **Panoramique** sans rest, au Kérou-plage 🕿 02 98 39 93 49, Fax 02 98 96 90 16 – 🕹 🅿.
🅖🅑
29 mars-3 nov. – 🖙 5,50 – **25 ch** 45/54

OULIGNY-NOTRE-DAME 36 Indre 🔢 ⑲ – rattaché à La Châtre.

POULIGUEN 44510 Loire-Atl. 🔢 ⑭ G. Bretagne – 5 266 h alt. 4.
🗂 Office du tourisme Port Sterwitz 🕿 02 40 42 31 05, Fax 02 40 62 22 27.
Paris 458 – Nantes 81 – La Baule 4 – Guérande 8 – St-Nazaire 23.
Voir plan de La Baule.

🅇🅇🅇 **Voile d'Or**, 14 av. Plage 🕿 02 40 42 31 68, Fax 02 40 42 31 68, ≤, 🛱 – 🖭 🅖🅑
fermé 5 au 20 nov., mardi sauf le soir en juil.-août, dim. soir de sept. à juin et lundi – **Repas**
28,20/35,06 🍷, enf. 10,67   AZ **x**

URVILLE-SUR-MER 76 S.-Mar. 🔢 ④ – rattaché à Dieppe.

UZAUGES 85700 Vendée 🔢 ⑯ G. Poitou Vendée Charentes – 5 385 h alt. 225.
Voir Puy Crapaud ✳✳ SE : 2,5 km – Moulins du Terrier-Marteau✶ : ≤✶ sur le bocage
O : 1 km par D 752 – Bois de la Folie ≤✶ NO : 1 km.
Env. St-Michel-Mont-Mercure ✳✳ du clocher de l'église NO : 7 km par D 752.
🗂 Office du tourisme 28 place de l'Église 🕿 02 51 91 82 46, Fax 02 51 57 01 69.
Paris 386 – La Roche-sur-Yon 56 – Bressuire 30 – Chantonnay 21 – Cholet 42 – Nantes 88.

🏨 **Auberge de la Bruyère** ⌂, 12 r. Dr Barbanneau 🕿 02 51 91 93 46, auberge.labruyere
@wanadoo.fr, Fax 02 51 57 08 18, ≤, 🛱, 🐴 – 📱 📺 🅿. – 🔏 20 à 50. 🖭 ⓪ 🅖🅑
Repas (fermé vend. soir d'oct. à avril, sam. sauf le soir de mai à sept. et dim. soir) (9,50) -
13,25/34,50, enf. 8 – 🖙 6,20 – **28 ch** 40/55 – ½ P 39/50

UZAY 37 I.-et-L. 🔢 ④ – rattaché à Ste-Maure-de-Touraine.

Le POUZIN 07250 Ardèche 🔟 ⑳ G. Vallée du Rhône – 2 704 h alt. 90.

Paris 588 – Valence 28 – Avignon 107 – Die 60 – Montélimar 29 – Privas 16.

🏠 **Avenue**, ℘ 04 75 63 80 43, bernard.malosse@wanadoo.fr, Fax 04 75 85 93 27 – 📺
🕻 ⓪ ⚅ 🔟
fermé 10 au 30 sept., 20 au 31 déc., sam. sauf juil.-août et dim. – **Repas** snack (dîner
12,96/21,34 ♀ – ☎ 5,34 – **14 ch** 29,73/38,11 – ½ P 30,49/33,54

PRADES 🔊 66500 Pyr.-Or. 🔟 ⑰ G. Languedoc Roussillon – 5 800 h alt. 360.

Voir Abbaye St-Michel-de-Cuxa★★ S : 3 km – Village d'Eus★ NE : 7 km.
🚺 Office du tourisme 4 rue Victor Hugo ℘ 04 68 05 41 02, Fax 04 68 05 21 79, pl
tourisme@prades.com.
Paris 898 – Perpignan 46 – Mont-Louis 36 – Olette 16 – Vernet-les-Bains 11.

🏠 **Pradotel** Ⓜ sans rest, av. Festival, sur la rocade ℘ 04 68 05 22 66, Fax 04 68 05 23 22
🎏 – 📺 ⚄ ⚅ – 🏊 25. ⚅
☎ 5,50 – **39 ch** 46,50/54,20

🏠 **Hexagone** Ⓜ sans rest, rd-pt de Molitg, sur la rocade ℘ 04 68 05 31 31, reservat
inter-hotel.com, Fax 04 68 05 24 89 – 📺 🕻 ⚄ 🄿 🖭 ⓪ ⚅ 🔟
☎ 6,20 – **30 ch** 60/65

🏠 **Les Glycines**, 129 av. Gén. de Gaulle ℘ 04 68 96 51 65, Fax 04 68 96 45 57 – 📺 ⇔
⚅
fermé 3 au 20 janv. – **Repas** (fermé mardi soir et merc. sauf juil.-août) 11,43/24,3
enf. 6,10 – ☎ 5,34 – **19 ch** 39,64/51,83 – ½ P 68,60

✕ **Jardin d'Aymeric**, 3 av. Gén. de Gaulle ℘ 04 68 96 53 38 – ▤. ⓪ ⚅
fermé 25 juin au 8 juil., vacances de fév., merc. soir du 15 oct. au 15 avril, dim. soir et lu
Repas 16,01/21,50, enf. 7,62

Le PRADET 83220 Var 🔟 ⑮, 🔟 ㊻ G. Côte d'Azur – 10 975 h alt. 1.

Voir Musée de la mine de Cap Garonne : grande salle★, 3 km au Sud par D 86.
🚺 Office du tourisme Place Général de Gaulle ℘ 04 94 21 71 69, Fax 04 94 08 56
offtourismelepradet@yahoo.fr.
Paris 848 – Toulon 10 – Draguignan 75 – Hyères 12.

🏠 **Azur** 🔊, 163 av. Raimu ℘ 04 94 21 68 50, azur-hotel@wanadoo.fr, Fax 04 94 08 2.
🎏, 🏊, 🎏 – ▤ 📺 🕻 🄿 – 🏊 30. 🖭 ⚅
Repas 25,92/44,97 ♀, enf. 8,38 – ☎ 10,37 – **20 ch** 65,55/94,52 – ½ P 60,22/76,22

aux Oursinières Sud : 3 km par D 86 – ✉ 83220 Le Pradet :

🏠 **L'Escapade** 🔊 sans rest, ℘ 04 94 08 39 39, Fax 04 94 08 31 30, « Jardin fleuri », 🏊
– 📺 ⇔. 🖭 ⚅ 🔟. ⚿
22 mars-13 oct. – ☎ 12 – **15 ch** 115/200

✕✕ **Chanterelle**, ℘ 04 94 08 52 60, 🎏, 🎏 – ⚅
fermé 4 au 28 nov., janv., fév. et merc. de sept. à mai – **Repas** 30/39, enf. 15

PRALOGNAN-LA-VANOISE 73710 Savoie 🔟 ⑱ G. Alpes du Nord – 756 h alt. 1425 – Sp
d'hiver : 1 410/2 360 m ✂ 1 ⚡ 13 🎿.

Voir Site★ – Parc national de la Vanoise★★ – La Chollière★ SO : 1,5 km puis 30 mn – N
Bochor ≤★ par téléphérique.
🚺 Office du tourisme ℘ 04 79 08 79 08, Fax 04 79 08 76 74, info@pralognan.com.
Paris 667 – Albertville 55 – Chambéry 105 – Moûtiers 30.

🏠 **Les Airelles** 🔊, les Darbelays, Nord : 1 km ℘ 04 79 08 70 32, Fax 04 79 08 73 51, ≤,
🏊 – 📺 ⇔ 🄿 ⓪ ⚅. ⚿ rest
1er juin-21 sept. et 20 déc.-19 avril – **Repas** 16/22 – ☎ 8 – **22 ch** 56/74 – ½ P 51/64

🏠 **Grand Bec**, ℘ 04 79 08 71 10, grand_bec@wanadoo.fr, Fax 04 79 08 72 22, ≤, 🎏,
🏊, 🎏, ✕ – 🕯 📺 ⇔. ⚅ ⚿ rest
1er juin-15 sept. et 20 déc.-20 avril – **Repas** 20/33,50 ♀, enf. 8,40 – ☎ 8,50 – **39 ch** 9
½ P 64

🏠 **Parisien** 🔊, ℘ 04 79 08 72 31, Fax 04 79 08 76 26, ≤, 🎏, 🎏 – 📺 🄿. ⚅. ⚿ rest
1er juin-18 sept. et 18 déc.-20 avril – **Repas** 12,60/28,50 ♀, enf. 7,90 – ☎ 5,60 – **24 ch** 26/
½ P 40/52

PRA-LOUP 04 Alpes-de-H.-P. 🔟 ⑧ – rattaché à Barcelonnette.

Le PRARION 74 H.-Savoie 🔟 ⑧ – rattaché aux Houches.

1126

ATS-DE-MOLLO-LA-PRESTE 66230 Pyr.-Or. 🎱🎱 ⑱ *G. Languedoc Roussillon* – *1 080 h* alt. 740.

Voir *Ville haute*★.

🛈 Office du tourisme *ℰ* 04 68 39 70 83, Fax 04 68 39 74 51, ot.pratsdemollolapreste@wanadoo.fr.

Paris 911 – Perpignan 63 – Céret 32.

🏠 **Bellevue,** *ℰ* 04 68 39 72 48, hotel.lebellevue@wanadoo.fr, Fax 04 68 39 78 04, 🐀 –
≡ rest, 📺 🅿. ᴳᴮ
fermé 30 nov. au 15 fév., merc. du 30 oct. au 30 mars et mardi – **Repas** 15/38, enf. 9 – ⌸ 6
– **18 ch** 35/45 – ½ P 30,50/40

🏠 **Touristes,** *ℰ* 04 68 39 72 12, hotel.lestouristes@free.fr, Fax 04 68 39 79 22, 🐀 – 🅿. ⓞ
ᴳᴮ
1er avril-31 oct. – **Repas** *(14,50)* – 16,50/22 ⅃, enf. 8 – ⌸ 6,86 – **27 ch** 25,92/47,26 – ½ P 41,16/
45,73

⌂ **Ausseil,** *ℰ* 04 68 39 70 36, hotel.ausseil@online.fr, Fax 04 68 39 70 36, 🏕 – ᴳᴮ
⎯ *fév.-oct.* – **Repas** 13,50/22,50 ⅃, enf. 9 – ⌸ 6 – **12 ch** 24/36 – ½ P 40/43

à **Preste** : *8 km – Stat. therm. (début avril-début nov.)* – ⊠ 66230 Prats-de-Mollo-La-Preste :

🏠 **Val du Tech,** *ℰ* 04 68 39 71 12, hotel-levaldutech@wanadoo.fr, Fax 04 68 39 78 07 – 📳
⎯ 📺 ᴝ. ⓞ ᴳᴮ
1er avril-31 oct. – **Repas** 13 ⅄, enf. 8 – ⌸ 5,60 – **32 ch** 27/41

⌂ **Ribes** ⌔, *ℰ* 04 68 39 71 04, hotel.ribes@free.fr, Fax 04 68 39 78 02, ≤ vallée du Tech – 🅿.
⎯ ⓞ ᴳᴮ, 🞈 rest
1er avril-20 oct. – **Repas** *(9,20)* – 13/23,50 ⅃, enf. 6,90 – ⌸ 5,80 – **24 ch** 26/53 – ½ P 29/38,50

En juin et en septembre,
les hôtels sont moins chers qu'en pleine saison, le service est plus soigné.

PRAZ 73 Savoie 🎴🎴 ⑱ – *rattaché à Courchevel.*

---

s **PRAZ-DE-CHAMONIX** 74 H.-Savoie 🎴🎴 ⑧ ⑨ – *rattaché à Chamonix.*

AZ-**SUR-ARLY** 74120 H.-Savoie 🎴🎴 ⑦ – *1 081 h* alt. 1036 – *Sports d'hiver : 1 036/2 070 m ≰ 12*
≰.

🛈 Office du tourisme *ℰ* 04 50 21 90 57, Fax 04 50 21 98 08, prazsurarly@infonie.fr.
Paris 605 – Chamonix-Mont-Blanc 37 – Albertville 27 – Chambéry 79 – Megève 5.

🏨 **Griyotire** Ⓜ ⌔, rte La Tonnaz *ℰ* 04 50 21 86 36, hotel@griyotire.com,
Fax 04 50 21 86 34, ≤, « Élégant chalet savoyard », ⌸ – 📺 ᴝ. ⓞ ᴳᴮ
22 juin-14 sept. et 20 déc.-8 avril – **Repas** (dîner seul.) 25 ⅄, enf. 10 – ⌸ 7 – **19 ch** 76/94 –
½ P 68/77

ÉCY-**SOUS-THIL** 21390 Côte-d'Or 🎯🎯 ⑰ *G. Bourgogne* – *708 h* alt. 323.
🛈 Syndicat d'initiative *ℰ* 03 80 64 40 97, Fax 03 80 64 43 37.
Paris 246 – Dijon 65 – Auxerre 86 – Avallon 41 – Beaune 81 – Montbard 33 – Saulieu 16.

🏠 **Loriot,** *ℰ* 03 80 64 56 33, Fax 03 80 64 47 50, 🏕, 🐀 – 📺 ᴝ 🅿. ᴳᴮ
⎯ *fermé 13 au 21 nov., 5 au 27 janv., dim. soir et lundi midi hors saison sauf fériés* – **Repas**
14/34 ⅄, enf. 9 – ⌸ 6 – **11 ch** 46/49 – ½ P 39

ÉCY-**SUR-OISE** 60460 Oise 🎯🎯 ⑪, 🎱🎱🎱 ⑦ – *3 120 h* alt. 33.
Voir *Église*★ de St-Leu-d'Esserent NE : *3,5 km – Commune de la " Méridienne Verte", G. Île*
de France.
Paris 47 – Compiègne 47 – Beauvais 35 – Chantilly 9 – Creil 12 – Pontoise 37 – Senlis 17.

✕✕ **Condor,** 14 r. Wateau (D 92) *ℰ* 03 44 27 60 77, Fax 03 44 27 62 18 – ≡. ᴬᴱ ᴳᴮ
fermé 22 juil. au 11 août, 17 fév. au 2 mars ,mardi soir et merc. – **Repas** 16/31 ⅄, enf. 10

RÉ-**EN-PAIL** 53140 Mayenne 🎱🎱 ② – *2 138 h* alt. 230.
🛈 Office du tourisme Place du Marché *ℰ* 02 43 03 89 38, Fax 02 43 03 89 38.
Paris 215 – Alençon 24 – Argentan 39 – Domfront 38 – Laval 67 – Mayenne 37.

🏠 **Bretagne,** r. A. Briand (N 12) *ℰ* 02 43 03 13 00, Fax 02 43 03 16 71 – 📺 🅿. ᴳᴮ
fermé 7 janv. au 7 fév. – **Repas** 14,94 (déj.), 19,82/41,92 ⅄ – ⌸ 5,34 – **18 ch** 28,97/38,11 –
½ P 22,49/47,26

PREIGNAC 33210 Gironde **71** ⑩ – 2 026 h alt. 8.

Paris 622 – Bordeaux 44 – Langon 5 – Libourne 47.

✗ **Le Cap**, ℘ 05 56 63 27 38, lecaphorn@wanadoo.fr, Fax 05 56 76 22 14, 斎, « Au bor
la Garonne », ☞ – **P**. **GB**

fermé 2 au 16 avril, 7 au 29 oct., dim. soir et lundi – **Repas** 18,29/29,73

La PRENESSAYE 22 C.-d'Armor **58** ⑳ – rattaché à Loudéac.

PRENOIS 21 Côte-d'Or **65** ⑲ – rattaché à Dijon.

Le PRÉ-ST-GERVAIS 93 Seine-St-Denis **56** ⑪, **101** ⑯ – voir à Paris, Environs.

La PRESTE 66 Pyr.-Or. **86** ⑰ – rattaché à Prats-de-Mollo.

PRIAY 01160 Ain **74** ③, **110** ⑨ – 1 152 h alt. 300.

Paris 456 – Lyon 57 – Bourg-en-Bresse 27 – Nantua 41.

✗✗ **Mère Bourgeois**, ℘ 04 74 35 61 81, Fax 04 74 35 43 49, 斎 – ⇦. **GB**
fermé 19 août au 6 sept., vacances de fév., merc. et jeudi – **Repas** 19/52 ♀, enf. 9,90

PRIVAS **P** 07000 Ardèche **76** ⑲ G. Vallée du Rhône– 9 170 h alt. 300.

Voir Site★.

B Office du tourisme Place du Général de Gaulle ℘ 04 75 64 33 35, Fax 04 75 64 73
ot.privas.ardeche@en-france.com.

Paris 603 ② – Valence 42 ② – Montélimar 34 ③ – Le Puy-en-Velay 91 ④.

PRIVAS

Bacconnier (R. L.)	**B** 2	Esplanade (Cours de l')	**B** 9
Bœufs (Pl. aux)	**A** 3	Faugier (Av. C.)	**A** 12
Champ-de-Mars (Pl. du)	**B** 5	Filliat (R. P.)	**B** 14
Coux (Av. de)	**B** 7	Foiral (Pl. du)	**A** 16
Durand (R. H.)	**B** 10	Gaulle (Pl. Ch.-de)	**B** 17
		Hôtel-de-Ville (Pl. de l')	**B** 18
Mobiles (Bd des)	**B** ⸱		
Ouvèze (Chemin de la)	**B** ⸱		
Petit-Tournon (Av. du)	**B** ⸱		
République (R. de la)	**B** ⸱		
St-Louis (Cours)	**A** ⸱		
Vanel (Av. du)	**B** ⸱		

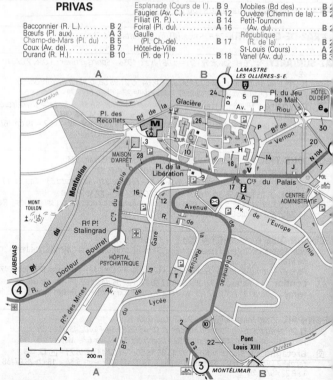

1128

Chaumette, av. Vanel ✆ 04 75 64 30 66, *hotelchaumette@wanadoo.fr, Fax 04 75 64 88 25,* ☂, ♒ – |♦| ▤ TV ✆ P – ♿ 45. AE ⓓ GB JCB B e
Repas *(fermé sam. midi)* 20/33,60 ♀, enf. 12,20 – ☕ 7,50 – **36 ch** 55,70/70,20 – ½ P 52,60/ 54,20

Gourmandin, angle r. P. Filliat ✆ 04 75 64 51 52, *Fax 04 75 64 77 83,* ☂ – ▤. AE GB
fermé 16 août au 2 sept., dim. soir, lundi soir et merc. soir – **Repas** *(11,50)* - 15/36,50 ♁, enf. 6,40 B v

---

PRIANO *2A Corse-du-Sud* 90 ⑱ – *voir à Corse.*

VINS ⟨SP⟩ *77160 S.-et-M.* 61 ④ *G. Champagne Ardenne – 11 667 h alt. 91.*

Voir *Ville Haute★★* **AV** *: remparts★★* **AY**, *Tour César★★ : ≤★ , Grange aux Dîmes★* **AV E** *- Place du Chatel★ – Portail central★ et groupe de statues★★ dans l'église St-Ayoul* **BV** *– Choeur★ de la collégiale St-Quiriace* **AV** *– Musée de Povins et du Provinois : collections de sculptures et de céramiques★* **M.**

Env. *St-Loup-de-Naud : portail★★ de l'église★ 7 km par ④.*

Office du tourisme Chemin de Villecran ✆ 01 64 60 26 26, Fax 01 64 60 11 97, info@provins.net.

Paris 89 ⑤ – Fontainebleau 55 ④ – Châlons-en-Champagne 99 ② – Sens 46 ④.

PROVINS

(R. Guy) .... AX
ole-France (Av.) .... AV 2
ul (R. Victor) .... BX 3
ac (Pl. Honoré de) .... BVX 4
vue (Rampe de) .... BX
es (R. des) .... BX 7
quelot (R. Félix) .... BV 8
(Route de) .... AX
d (R. Aristide) .... BX
l (R. du) .... AX
ot (Bd) .... BX
npbenoist (Rte de) .... BX 13
gis (R. de) .... BX 14
el (Pl. du) .... AV 18
nton (Bd Gilbert) .... AX 19
ge (R. du) .... ABV 23
Cordonnerie (R. de la) .... BV 24
Courloison (R.) .... BV 27
Couverte (R.) .... AV 28
Desmarets (R. Jean) .... AV 29
Dromigny (R. Georges) .... AX
Esternay (R. d') .... BX
Ferté (Av. de la) .... BV 33
Fourtier-Masson (R.) .... BX 35
Friperie (R. de la) .... BV 37
Garnier (R. Victor) .... BX 39
Gd-Quartier-Gén. (Bd du) .... BX 42
Hugues le Grand (R.) .... BX 43
Jacobins (R. des) .... BV 44
Jean-Jaurès (Av.) .... BX
Leclerc (Pl. du Mar.) .... BV 47
Malraux (Av André) .... AVX
Michelin (R. Maximilien) .... AX
Nanteuil (Route de) .... BV
Nocard (R. Edmond) .... BVX 54
Opoix (R. Christophe) .... BV 57
Palais (R. du) .... AV 59
Pasteur (Bd) .... BV
Plessier (Bd du Gén.) .... BVX 64
Pompidou (Av. G.) .... BVX 67
Pont-Pigy (R. du) .... BV 68
Prés (R. des) .... BV 69
Rebais (R.) .... BV
Remparts (Allée des) .... AV 72
St-Ayoul (Pl.) .... BV 73
St-Jean (R.) .... AV 74
St-Quiriace (Pl.) .... AV 77
St-Syllas (Rampe) .... BV
Ste-Croix (R.) .... BV
Souvenir (Av. du) .... BV 78
Val (R. du) .... BV 79
Verdun (Av. de) .... BV 82
29e-Dragons (Pl. du) .... BV 84

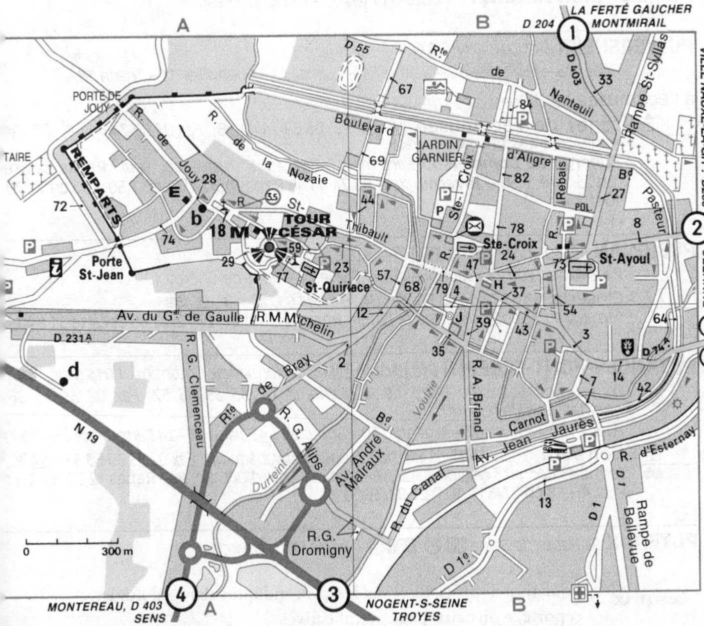

🏨 **Aux Vieux Remparts** Ⓜ ⑤, 3 r. Couverte - Ville Haute, ℘ 01 64 08 9
Fax 01 60 67 77 22, 📶 – 📱 📺 ⅋ ⅋ 🅿 – 🅰 25. 🆀 ⓞ ⅁ᴮ
A
Repas 24/60 – ☲ 9 – **25 ch** 55/130 – ½ P 87/103

🏨 **Ibis**, rte de Paris ℘ 01 60 67 66 67, Fax 01 60 67 86 67, 🍴, 📶 – 📶 📺 ⅋ ⅋ 🅿 – 🅰 2
ⓞ ⅁ᴮ
A
Repas 15 ⅋, enf. 5,95 – ☲ 6 – **51 ch** 48

PUGET-THÉNIERS 06260 Alpes-Mar. 🖪🖩 ⑲, 🖪🖪🖫 ⑬ ⑭ G. Alpes du Sud – 1 533 h alt. 405.
Voir *Vieille ville*★ – *Retable*★ *de N.-D-de-Secours dans l'église* – *Statue*★ *de Ma*
Entrevaux : Site★★ – *Ville forte*★ – *Intérieur*★ *de la cathédrale* – ≤★ *de la Citadelle* O : ⅃
🖪 *Office du tourisme* - Maison de Pays RN 202 ℘ 04 93 05 05 05, Fax 04 93 05 0
otpva@club-internet.fr.
Paris 836 – Digne-les-Bains 89 – Draguignan 139 – Manosque 129 – Nice 66.

🏨 **Alizé** sans rest, N 202 (face gare) ℘ 04 93 05 06 20, *hotel-alize@wanado*
Fax 04 93 05 06 20, ☲, – 📺 ⅋ 🅿. ⅁ᴮ
☲ 6 – **15 ch** 40/45

✕ **L'Amandier**, N 202 (face gare) ℘ 04 93 05 05 13, Fax 04 93 05 05 13, 🍴 – 🅿. ⅁ᴮ
fermé 9 déc. au 6 janv., dim. soir et lundi – **Repas** 14,50/23 ⅀, enf. 10

PUGIEU 01 Ain 🖫🖩 ⑭ – rattaché à Belley.

PUILLY-ET-CHARBEAUX 08370 Ardennes 🖫🖪 ⑩ – 244 h alt. 274.
Paris 279 – Charleville-Mézières 54 – Carignan 9 – Sedan 31 – Verdun 70.

✕ **Auberge de Puilly,** à Puilly ℘ 03 24 22 09 58, Fax 03 24 22 09 58
⅁ᴮ *fermé 13 au 20 mars, 21 au 31 août, dim. soir et merc.* – **Repas** 13,50/34

PUJAUDRAN 32 Gers 🖪🖫 ⑦ – rattaché à L'Isle-Jourdain.

PUJOLS 47 L.-et-G. 🖪🖪 ⑤ – rattaché à Villeneuve-sur-Lot.

PULIGNY-MONTRACHET 21 Côte-d'Or 🖪🖪 ⑨ – rattaché à Beaune.

PULVERSHEIM 68840 H.-Rhin 🖪🖫 ⑱ – 2 266 h alt. 235.
Paris 475 – Mulhouse 12 – Belfort 51 – Colmar 33 – Guebwiller 13 – Thann 18.

à l'Écomusée *Nord-Ouest : 2,5 km* – ✉ 68190 Ungersheim :

🏨 **Loges de l'Écomusée** Ⓜ ⑤, ℘ 03 89 74 44 95, Fax 03 89 74 44 68, 🍴, 📶
cuisinette 📺 ⅋ 🅿 – 🅰 250. ⅁ᴮ
Auberge de Gommersdorf *(fermé 12 nov. au 1ᵉʳ mars)(déj. seul.)* **Repas** carte e
ron 23 , enf. 7,50 – **Taverne** ℘ 03 89 74 44 49 **Repas** 15/29 ⅀, enf. 7,50 – **30 ch** ☲ 78
10 studios

PUSIGNAN 69330 Rhône 🖪🖪 ⑫, 🖪🖪🖩 ⑰ – 3 098 h alt. 221.
Paris 477 – Lyon 27 – Montluel 17 – Meyzieu 6 – Pont-de-Chéruy 10.

✕✕✕ **Closerie,** ℘ 04 78 04 40 50, Fax 04 78 04 44 05, 🍴 – 🅿. 🆀 ⅁ᴮ
fermé 4 au 21 août, dim. soir et lundi – **Repas** 20,58 (déj.), 29,72/42,68 et carte 31 à 44

PUTANGES-PONT-ECREPIN 61210 Orne 🖪🖩 ② G. Normandie Cotentin – 1 013 h alt. 230.
🖪 *Office du tourisme Place de la Mairie* ℘ 02 33 35 86 57, Fax 02 33 35 86
ot.putanges@libertysurf.fr.
Paris 211 – Alençon 57 – Argentan 20 – Briouze 15 – Falaise 17 – La Ferté-Macé 25 – Flers

🏨 **Lion Verd,** ℘ 02 33 35 01 86, *hotel.lionverd@wanadoo.fr*, Fax 02 33 39 53 32 – 📺 🅿.
⅁ᴮ *fermé 13 déc. au 3 fév., dim. soir, vend. soir et lundi d'oct. à mars* – **Repas** 12,50/35 ⅋, er
– ☲ 4 – **18 ch** 27/51 – ½ P 25,92/36,59

PUTEAUX 92 Hauts-de-Seine 🖫🖫 ⑳, 🖪🖪🖩 ⑭ – voir à Paris, Environs.

Les prix	Pour toutes précisions sur les prix indiqués dans ce guide, reportez-vous aux pages explicatives.

BRUN 46130 Lot 75 ⑲ – 733 h alt. 146.

Paris 527 – Brive-la-Gaillarde 40 – Aurillac 66 – Cahors 88.

Arts, ℰ 05 65 10 16 60, Fax 05 65 10 16 61, ☜ – 𝖳𝖵 ✆, ⓘ 𝖦𝖡
Repas *(fermé dim. soir hors saison)* (11,45) - 10,37 (déj.), 16/22,11 ♀, enf. 6,10 – ☲ 5,34 –
12 ch 42,70/51,83 – ½ P 42,69

CELCI 81140 Tarn 79 ⑲ – 495 h alt. 258.
🛈 *Office du tourisme Grand'Rue* ℰ 05 63 33 19 25, Fax 05 63 33 19 25.
Paris 650 – Toulouse 62 – Albi 44 – Gaillac 25 – Montauban 40 – Rodez 116.

L'Ancienne Auberge Ⓜ ⤴, ℰ 05 63 33 65 90, caddack@aol.com, Fax 05 63 33 21 12 –
▤ ch, 𝖳𝖵 ✆ – 🛁 25. ⓘ 𝖦𝖡
fermé 5 janv. au 6 fév. – **Repas** *(fermé dim.soir et lundi)* 18,29/37 ♀, enf. 9,14 – ☲ 7,62 –
8 ch 61/114

⦁UY-DE-DÔME 63 P-de-D 73 ⑭ – *voir à Clermont-Ferrand.*

Le Guide change, changez de guide tous les ans.

⦁UY-EN-VELAY ℗ 43000 H.-Loire 76 ⑦ *G. Vallée du Rhône* – 20 490 h alt. 629 *Pèlerinage*
(15 août).
Voir *Site*★★★ – *L'île au trésors*★★★ BY : *cathédrale Notre-Dame*★★★, *cloître*★★ - *Trésor d'Art
religieux*★★ *dans la salle des États du Velay – St-Michel d'Aiguilhe*★★ AY - *Peinture des arts
libéraux*★ *de la chapelle des Reliques – Ancienne cité*★ – *Rocher Corneille* ≼★ – *Musée
Crozatier : collection lapidaire*★, *dentelles*★.
Env. *Polignac*★ : ⁂★ 5 km par ③.
🛈 *Office du tourisme Place du Breuil* ℰ 04 71 09 38 41, Fax 04 71 05 22 62, info@ot-
Lepuyenvelay.fr.
Paris 544 ③ – Clermont-Ferrand 131 ③ – Mende 89 ② – St-Étienne 77 ①.

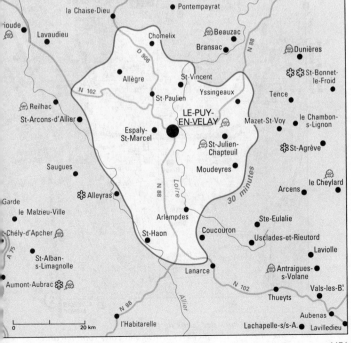

LE PUY-EN-VELAY

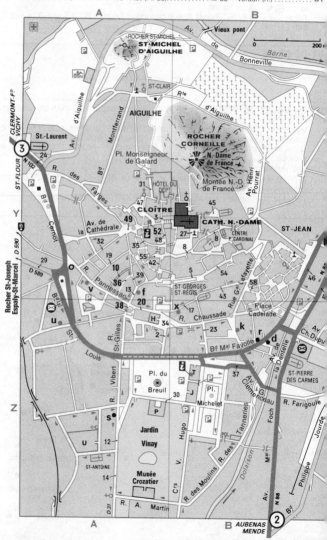

Dans la liste des rues des plans de villes,
les noms en rouge indiquent les principales voies commerçantes.

Regina, 34 bd Mar. Fayolle ℰ 04 71 09 14 71, Fax 04 71 09 18 57 – 🛗 ⇔, 🗏 rest, 📺 📞 ঙ্ক, ⟿ – 🔏 15 à 60. 🖭 ᴳᴮ
BZ d
Repas *(12,96)* - 19,82/29,73 ℤ, enf. 9,91 – ☲ 8,38 – **24 ch** 44,21/57,93, 3 appart

Parc, 4 av. C. Charbonnier ℰ 04 71 02 40 40, Fax 04 71 02 18 72 – 🛗 📺 📞 ⟿ – 🔏 15. 🖭
ᴳᴮ
AZ s
fermé 2 au 20 janv. – Repas *(fermé dim. et lundi)* 23/60 ℤ – ☲ 6,30 – **22 ch** 54/69

Chris'tel, 15 bd A.-Clair par D 31 AZ ℰ 04 71 09 95 95, *info@hotelchristel.com*, Fax 04 71 02 71 31 – 🛗 ⇔ 📺 📞 🅿. 🖭 ᴳᴮ. ⅏ rest
fermé 15 déc. au 15 janv., vend. soir, sam. et dim. – Repas *(9,14)* - 14,50 ℤ, enf. 6,45 – ☲ 6,90
– **30 ch** 38,15/75,45 – ½ P 48,80/52,60

Brivas ⓜ, à Vals-près-du-Puy par D31 ⊠ 43750 ℰ 04 71 05 68 66, *brivas@wanadoo.fr*, Fax 04 71 05 65 88, 斧, 🖛 – 🛗 ⇔ 📺 📞 ঙ্ক, 🅿. – 🔏 30. ᴳᴮ
fermé 26 déc. au 14 janv. – Repas *(fermé vend. soir et sam. midi du 15 oct. au 15 avril)*
17/30 ℤ, enf. 11 – ☲ 7 – **47 ch** 48/70 – ½ P 52/62

Val Vert, rte Mende par ② : 1,5 km sur N 88 ℰ 04 71 09 09 30, *info@hotelvalvert.com*, Fax 04 71 09 36 49 – ⇔ 📺 📞 ঙ্ক, 🅿. 🖭 ᴳᴮ ᴶᴄᴮ
fermé 21 au 29 déc. – Repas *(fermé vend. midi et sam. midi d'oct. à mai)* (10) - 15/41 ℤ, enf. 9
– ☲ 7 – **23 ch** 42/52 – ½ P 46

Dyke Hôtel sans rest, 37 bd Mar. Fayolle ℰ 04 71 09 05 30, Fax 04 71 02 58 66 – 📺 📞
⟿. ᴳᴮ
BZ r
fermé Noël au Jour de l'An – ☲ 5,30 – **15 ch** 30,50/43

Tournayre, 12 r. Chênebouterie ℰ 04 71 09 58 94, « Salle voûtée du 16ᵉ siècle » – 🖭 ᴳᴮ
AY f
fermé janv., dim. soir, merc. soir et lundi – Repas 19/55 et carte 40 à 59 ℤ

L'Olympe, 8 r. Collège ℰ 04 71 05 90 59, Fax 04 71 05 90 59 –
BZ x
fermé 2 au 8 avril, 3 au 10 juin, 18 nov. au 2 déc., sam. sauf juil.-août, dim. soir et lundi
– Repas 15,09/49,39 ℤ, enf. 10,37

Bateau Ivre, 5 r. Portail d'Avignon ℰ 04 71 09 67 20, Fax 04 71 09 67 20 – ᴳᴮ
BZ k
fermé 18 au 22 juin, 5 au 16 nov., dim. et lundi – Repas 17,53/28,97 ℤ, enf. 9,15

Lapierre, 6 r. Capucins ℰ 04 71 09 08 44 – ᴳᴮ. ⅏
AZ u
fermé juin, 15 déc. au 15 janv., sam., dim. et fériés
Repas 20/35

Poivrier, 69 r. Pannessac ℰ 04 71 02 41 30, Fax 04 71 02 59 25 – 🗏. ᴳᴮ
AY v
fermé vacances de fév., dim. et lundi sauf juil.-août – Repas 13/25, enf. 11

aly-St-Marcel par ③ : 3 km – 3 552 h. alt. 650 – ⊠ 43000 Le Puy-en-Velay :

L'Ermitage, rte Clermont-Ferrand ℰ 04 71 07 05 05, *hotel.ermitage@free.fr*, Fax 04 71 07 05 00, 斧 – 📺 📞 ঙ্ক, 🅿. – 🔏 25. ᴳᴮ
fermé janv. et fév. – Repas *(fermé sam. midi, dim. soir et lundi)* 14,50/31 – ☲ 7 – **21 ch** 40/64

Y-GUILLAUME 63290 P.-de-D. 👊 ⑤ – 2 624 h alt. 285.
Paris 378 – Clermont-Ferrand 51 – Lezoux 28 – Riom 34 – Thiers 15 – Vichy 22.

Relais Hôtel de Marie, av. E. Vaillant ℰ 04 73 94 18 88, Fax 04 73 94 73 98, 斧 – 🛗 📺
📞 ঙ্ক 🅿. ᴳᴮ
fermé 14 fév. au 26 mars, dim. soir et lundi – Repas (8) - 13/31 ℤ, enf. 6 – ☲ 6,10 – **16 ch**
39/43 – ½ P 43

Y-L'ÉVÊQUE 46700 Lot 👊 ⑦ G. Périgord Quercy – 2 159 h alt. 130.
🛈 Office du tourisme Place de la Truffière ℰ 05 65 21 37 63, Fax 05 65 21 37 63, *office.de.tourisme.puy.l.eveque@wanadoo.fr*.
Paris 601 – Agen 71 – Cahors 31 – Gourdon 41 – Sarlat-la-Canéda 53 – Villeneuve-sur-Lot 44.

Bellevue ⓜ, ℰ 05 65 36 06 60, Fax 05 65 36 06 61, ≤ – 🛗 🗏 📺 📞 ঙ্ক. ᴳᴮ. ⅏ rest
fermé 15 au 30 nov. et 1ᵉʳ au 28 fév. – **Côté Lot** *(fermé dim. soir en saison, mardi hors saison et lundi)* Repas 29,80/48,80 ℤ, enf. 8,40 – **L'Aganit** - brasserie *(fermé dim. soir en saison, mardi hors saison et lundi)* Repas 12,20(déj.) et carte environ 23 ℤ, enf. 8,40 –
☲ 7,50 – **11 ch** 65/80 – ½ P 58/63

uzac Ouest : 8 km par D 8 – 341 h. alt. 75 – ⊠ 46700 :
Env. Château de Bonaguil★★ N : 10,5 km.

Source Bleue ⑤, ℰ 05 65 36 52 01, *sourcebleue@wanadoo.fr*, Fax 05 65 24 65 69, 斧, « Anciens moulins dans un joli parc au bord du Lot », 🖛, 🗏, 🜋 – 📺 📞 ঙ্ক 🅿. – 🔏 25. 🖭 ⓪
ᴳᴮ ᴶᴄᴮ
26 mars-8 déc. – **Source Enchantée** ℰ 05 65 30 63 18 *(fermé janv., fév., lundi midi et merc.)* Repas 16/37 ℤ, enf. 8,50 – ☲ 6 – **17 ch** 60/90

à Mauroux Sud-Ouest : 12 km par D 8 et D 5 – 417 h. alt. 213 – ⊠ 46700 :

🖪 Syndicat d'initiative Le Bourg ℘ 05 65 30 66 70, Fax 05 65 36 49 64, o.t.de.ma @wanadoo.fr.

XX **Hostellerie le Vert** ﹩ avec ch., ℘ 05 65 36 51 36, hotellevert@ao Fax 05 65 36 56 84, ≼, 佘, ⌁, 釆 – ⅶ ℙ. ﷼ ⓞ ﻮﺑ
14 fév.-11 nov. – **Repas** *(fermé jeudi soir)* (dîner seul.) 28/38 ♀, enf. 10 – ☲ 7 – **7 ch** 6 ½ P 62,50/72,50

PUYMIROL 47270 L.-et-G. 🔢 ⑮ G. Aquitaine – 864 h alt. 153.

🖪 Syndicat d'initiative 7 place Maréchal Leclerc ℘ 05 53 67 80 40, Fax 05 53 95 32 38.
Paris 656 – Agen 16 – Moissac 34 – Villeneuve-sur-Lot 30.

🏛 **Les Loges de l'Aubergade** (Trama) Ⓜ ﹩, 52 r. Royale ℘ 05 53 95 31 46, trama@ ❀❀ gade.com, Fax 05 53 95 33 80, 佘, « Maison des 13ᵉ et 17ᵉ siècles » – ▤ ⅶ ⬛ – ﻮﺑﺪﺑ ﷼ ⓞ ﻮﺑ ﻮﺑﻮ
fermé vacances de fév., lundi sauf le soir en saison, dim. soir et mardi midi hors sa **Repas** 36 (déj.), 51/104 et carte 80 à 115 – ☲ 19 – **11 ch** 168/267 – ½ P 199
Spéc. Papillote de pomme de terre à la truffe. Pot-au-feu de canard au foie gras et de truffe. Assiette des cinq sens. **Vins** Côtes de Duras, Buzet.

PUY-ST-VINCENT 05290 H.-Alpes 🔢 ⑰ G. Alpes du Sud – 267 h alt. 1325 – Sports d' 1 400/2 700 m ⸖ 1 ⸖ 15 ⸖.
Voir Les Prés ≼★ SE : 2 km – Église★ de Vallouise N : 4 km.
🖪 Office du tourisme Chapelle St Jacques, les Alberts ℘ 04 92 23 35 80, Fax 04 92 23 courrier@puysaintvincent.com.
Paris 702 – Briançon 21 – Gap 84 – L'Argentière-la-Bessée 10 – Guillestre 31.

🏠 **Saint-Roch** ﹩, aux Prés, Est : 1 km par D 404 ℘ 04 92 23 32 79, hotelst.roch@wan fr, Fax 04 92 23 45 11, ≼ vallée et montagnes, 佘, ⌁ – ﹟ ⅶ. ﻮﺑ. ﷼
15 juin-3 sept. et 15 déc.-7 avril – **Repas** (self le midi en hiver) (17) -21/43, enf. 12 – ☲ 8 **15 ch** 69/74 – ½ P 70

🏠 **Pendine** ﹩, aux Prés, Est : 1 km par D 404 ℘ 04 92 23 32 62, Fax 04 92 23 46 63, ≼ 釆 – ⅶ ℙ. ﻮﺑ. ﹩
20 juin-8 sept. et 15 déc.-10 avril – **Repas** 13 (déj.), 18/27,50 ♨, enf. 9,20 – ☲ 7 – 3 32,65/56 – ½ P 43,70/52,60

PYLA-SUR-MER 33115 Gironde 🔢 ⑫ G. Aquitaine.
Voir Dune du Pilat★★.
🖪 Syndicat d'initiative Rond-Point du Figuier ℘ 05 56 54 02 22, Fax 05 56 22 5 pyla002@ibm.net.
Paris 651 – Bordeaux 66 – Arcachon 8 – Biscarrosse 34.

Voir plan d'Arcachon agglomération.

🏠 **Maminotte** ﹩ sans rest, allée Acacias ℘ 05 57 72 05 05, Fax 05 57 72 06 06 – ﻮﺑ ☲ 7,10 – **12 ch** 68,70/79,30
A

XX **Gérard Tissier**, bd Océan ℘ 05 56 54 07 94, Fax 05 56 83 20 98, 佘 – ▤. ﷼ ﻮﺑ
A
fermé 15 au 30 nov., 15 janv. au 7 fév., lundi soir et mardi – **Repas** 18,29 (déj.), 28,05/4 enf. 8,38

XX **Côte du Sud** Ⓜ avec ch., 4 av. Figuier ℘ 05 56 83 25 00, cote.du.sud@wanad(Fax 05 56 83 24 13, 佘 – ▤ ch, ⅶ ﻮﺑ. ﷼ ⓞ ﻮﺑ
A
1ᵉʳ fév.-11 nov. – **Repas** - produits de la mer - 18,29/25,15 ♀, enf. 10,67 – ☲ 7,62 – 83,85/106,71

à Pilat-Plage Sud : 3 km par D 218 – ⊠ 33115 Pyla-sur-Mer.
Voir Dune★★ : ⸖★★.

🏛 **Haïtza** ﹩ sans rest, pl. L. Gaume ℘ 05 57 52 79 27, haïtza@wanado Fax 05 56 22 10 23, 釆 – ﹟ ⅶ ﻮﺑ ℙ. ﷼ ⓞ ﻮﺑ
15 avril-30 sept. – ☲ 6,86 – **46 ch** 91,47

QUARRÉ-LES-TOMBES 89630 Yonne 🔢 ⑯ G. Bourgogne – 723 h alt. 457.
🖪 Syndicat d'initiative - Mairie Place de l'Église ℘ 03 86 32 23 38, Fax 03 86 32 23 43.
Paris 232 – Auxerre 73 – Avallon 19 – Château-Chinon 49 – Clamecy 59 – Dijon 117.

XX **Morvan** Ⓜ avec ch., ℘ 03 86 32 29 29, Fax 03 86 32 29 28 – ⅶ ﻮﺑ ﷼ ﻮﺑ ⓞ ﻮﺑ
﹩ fermé 7 au 15 oct., 23 déc. au 28 fév., lundi et mardi sauf juil.-août – **Repas** 17/40, enf. – ☲ 7,70 – **8 ch** 40/67 – ½ P 47/55

ıx Lavaults Sud-Est 5 km par D 10 – ⊠ 89630 Quarré-les-Tombes :

XXX **Auberge de l'Âtre** (Salamolard) ⅏ avec ch, ℘ 03 86 32 20 79, Fax 03 86 32 28 25, 龠,
« Jardin fleuri », 룾 – ⊞ ⅃ & 🄿 – 🏄 30. 🆎 ⊙ 🆒 🄹🅲🄱
fermé 20 juin au 7 juil., 1er fév. au 3 mars, mardi et merc. – **Repas** (prévenir) 23,50 (déj.),
37,50/45,50 et carte 40 à 60 ♀, enf. 11 – ☑ 8,40 – **7 ch** 58/91,50
Spéc. Cocktail de champignons des bois. Pigeonneau rôti au miel et à l'hydromel du
Morvan. Soufflé chaud au marc de Bourgogne. **Vins** Bourgogne-Aligoté, Coulanges-la-
Vineuse.

ıx Brizards Sud-Est : 8 km par D 55 et D 355 – ⊠ 89630 :

🏠 **Auberge des Brizards** M ⅏, ℘ 03 86 32 20 12, Fax 03 86 32 27 40, 龠, « Dans la
campagne, parc avec étangs, jardin fleuri », 룾, ℀, 🛁 – ⊞ ⅃ 🄿 – 🏄 50. 🆎 ⊙ 🆒
fermé 6 janv. au 15 fév., lundi et mardi – **Repas** 23 bc/45, enf. 10 – ☑ 9 – **16 ch** 39/84,
4 duplex – ½ P 52/79

JATRE-ROUTES-D'ALBUSSAC 19 Corrèze 🟨🟨 ⑨ – ⊠ 19380 Albussac.
Voir Roche de Vic ✳✳ ★ S : 2 km puis 15 mn, G. Berry Limousin.
Paris 498 – Brive-la-Gaillarde 26 – Aurillac 72 – Mauriac 68 – St-Céré 40 – Tulle 18.

🏠 **Roche de Vic**, ℘ 05 55 28 15 87, rochevic@wanadoo.fr, Fax 05 55 28 01 09, 龠, 🔳,
– ⊞ ⅃ 🄿. 🆒
fermé 1er au 7 oct., 2 janv. au 15 mars, dim. soir d'oct. à déc. et lundi sauf juil.-août et fériés
– **Repas** (10,67) - 13,42/28,20 ♀, enf. 7,62 – ☑ 6,10 – **11 ch** 33,54/38,11 – ½ P 41,16

JÉDILLAC 35290 I.-et-V. 🟨🟨 ⑮ – 966 h alt. 85.
Paris 390 – Rennes 39 – Dinan 30 – Lamballe 45 – Loudéac 57 – Ploërmel 45.

XXX **Relais de la Rance** avec ch, ℘ 02 99 06 20 20, Fax 02 99 06 24 01 – ⊞ ⅃ 🄿. 🆎 ⊙ 🆒
fermé 24 déc. au 15 janv. et dim. soir – **Repas** (13) - 16,77/53,36 et carte 36 à 44 ♀, enf. 9,15 –
☑ 6,10 – **13 ch** 41,20/56,42

s QUELLES 67 B.-Rhin 🟨🟨 ⑧ – rattaché à Schirmeck.

ELVEN 56 Morbihan 🟨🟨 ⑫ – rattaché à Pontivy.

ENZA 2A Corse-du-Sud 🟨🟨 ⑦ – voir à Corse.

ESTEMBERT 56230 Morbihan 🟨🟨 ④ G. Bretagne – 5 727 h alt. 100.
🚹 Office du tourisme Hôtel Belmont ℘ 02 97 26 56 00, Fax 02 97 26 54 55.
Paris 445 – Vannes 27 – Ploërmel 32 – Redon 34 – Rennes 97 – La Roche-Bernard 26.

XXX **Bretagne** (Paineau) M avec ch, r. St-Michel ℘ 02 97 26 11 12, lebretagne@wanadoo.fr,
Fax 02 97 26 12 37, 龠, 룾 – ⊞ ⅃ & 🄿. 🆎 🆒
fermé 8 au 31 janv., lundi (sauf le soir en août), mardi midi et merc. midi – **Repas** (prévenir)
32,05/89 et carte 70 à 100 ♀, enf. 18,30 – ☑ 15 – **9 ch** 150/214 – ½ P 183
Spéc. Huîtres en paquets, beurre mousseux à l'estragon. Langoustines royales poêlées aux
épices. Ragoût de homard aux truffes. **Vins** Muscadet.

ETTEHOU 50630 Manche 🟨🟨 ③ G. Normandie Cotentin – 1 475 h alt. 14.
🚹 Office du tourisme Place de la Mairie ℘ 02 33 43 63 21.
Paris 345 – Cherbourg 29 – Barfleur 10 – St-Lô 66 – Valognes 16.

🏠 **Demeure du Perron** ⅏, ℘ 02 33 54 56 09, Fax 02 33 43 69 28, 龠, 룾 – ⊞ & 🄿. 🆒
fermé 10 fév. au 10 mars, dim. du 15 nov. au 31 mars – **Repas** (fermé dim. soir du 15 sept.
au 30 juin et lundi midi) 13/20 ♀, enf. 7 – ☑ 7 – **15 ch** 39/46 – ½ P 38

X **Chaumière** avec ch, ℘ 02 33 54 14 94, Fax 02 33 44 09 87 – ⊞. 🆒
fermé vacances de Toussaint, de fév., dim. soir et merc. – **Repas** 9/20 ♀ – ☑ 4,30 – **5 ch**
22/32 – ½ P 23/33

ETTEVILLE 14130 Calvados 🟨🟨 ⑱ – 295 h alt. 85.
Paris 183 – Le Havre 33 – Deauville 23 – Évreux 80.

🏰 **Hostellerie de la Hauquerie-Chevotel** M ⅏, ℘ 02 31 65 62 40, info@chevotel.
com, Fax 02 31 64 24 52, ≤, 龠 – 🛏 cuisinette, 🛏 rest, ⊞ ⅃ & 🄿 – 🏄 20. 🆎 🆒
fermé janv. – **Repas** (fermé lundi et mardi de nov. à avril) 28,20/57,93 – ☑ 11,43 – **17 ch**
130/200 – ½ P 101,38/147,11

La QUEUE-EN-BRIE 94 Val-de-Marne **61** ① ②, **101** ㉙ – voir à Paris, Environs.

QUEYRAC 33 Gironde **71** ⑯ – rattaché à Lesparre-Médoc.

QUIBERON 56170 Morbihan **63** ⑫ *G. Bretagne* – 5 073 h alt. 10 – Casino.
Voir *Côte sauvage*★★ NO : 2,5 km.
🛈 OMT 14 rue de Verdun ✆ 02 97 50 07 84, Fax 02 97 30 58 22, quiberon@quiberon.com
Paris 505 ① – Vannes 47 ① – Auray 28 ① – Concarneau 97 ① – Lorient 47 ①.

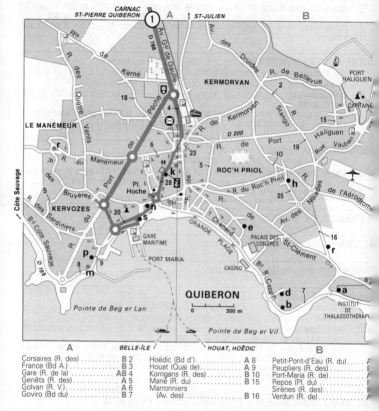

🏨🏨🏨🏨 **Sofitel Thalassa** ⑤, pointe de Goulvars ✆ 02 97 50 20 00, h0557@accor-hotels.c
Fax 02 97 50 46 32, ≤, 🏛, institut de thalassothérapie, 🗲ₒ, 🏊, 🐎, ✗ – 🛗 ⇆ 📺 📵 &
🏛 25. 🅰🅴 ⓞ 🅶🅱. 🦽 ch
fermé 2 janv. au 2 fév. – **Repas** 44,20 ♀ – ☲ 16,80 – **133 ch** 144/528

🏨🏨🏨🏨 **Sofitel Diététique** ⑤, pointe de Goulvars ✆ 02 97 50 20 00, h0562@accor-hotels.c
Fax 02 97 30 47 63, ≤, 🏛, institut de thalassothérapie, 🗲ₒ, 🏊, 🐎, ✗ – 🛗 ⇆ 📺 📵
🅰🅴 ⓞ 🅶🅱. 🦽 rest
Repas - menu diététique seul. - (résidents seul.) 44,20 bc – ☲ 16,80 – **78 ch** 196/244

🏨🏨🏨 **Europa** 🅼 ⑤, à Port-Haliguen, Est : 2 km par D 200 ✆ 02 97 50 25 00, europa.ho
wanadoo.fr, Fax 02 97 50 39 30, ≤, 🗲ₒ, 🏊, 🐎 – 🛗 📺 📵. 🏛 20. 🅶🅱. 🦽 rest
25 mars-3 nov. – **Repas** 19,50/61 ♀, enf. 10,50 – ☲ 10,50 – **53 ch** 83/120 – ½ P 76/91

🏨🏨 **Bellevue** ⑤, r. Tiviec ✆ 02 97 50 16 28, Fax 02 97 30 44 34, 🏊 – 📺 📵. 🅰🅴
🦽 rest
avril-sept. – **Repas** (dîner seul.) 15,50/25,50 ♀, enf. 9,92 – ☲ 8,40 – **36 ch** 67,10/1
½ P 63,30/84,60

🏠 **Roch Priol** ⟡, r. Sirènes ℰ 02 97 50 04 86, hotelrochpriol@aol.com, Fax 02 97 30 50 09 –
🛉 🖵 🕻 **P**. GB   B h
15 fév.-15 nov. – Repas 11/29,50 ⚏, enf. 7 – ⚌ 7,50 – **45 ch** 53,36/66,55 – ½ P 55,64/59,91

🏠 **Ker Noyal II** ⟡ sans rest, 43 ch. des Dunes ℰ 02 97 50 55 75, Fax 02 97 50 55 93 – 🖵 **P**.
AE GB   B e
15 fév.-15 nov. – ⚌ 9,15 – **14 ch** 107

🏠 **Petite Sirène** sans rest, 15 bd R. Cassin ℰ 02 97 50 17 34, Fax 02 97 50 03 73, ≼ –
cuisinette 🖵 **P**. GB. ⚘   B b
1ᵉʳ avril-15 oct. – ⚌ 7 – **18 ch** 54/69, 15 studios

🏠 **Ibis** 🏢, av. Marronniers, pointe de Goulvars ℰ 02 97 30 47 72, h0909@accor-hotels.com,
Fax 02 97 30 55 78, ⚘, ♨, ⟂ – 🖵 🕻 ♿ **P** – 🔒 25. AE ① GB   B r
Repas (14) - 17 ⚏, enf. 8 – ⚌ 7 – **75 ch** 93/97, 20 duplex – ½ P 69/75

🏠 **Albatros**, 19 r. Port-Maria ℰ 02 97 50 15 05, Fax 02 97 50 27 61, ≼, ⚘ – 🛉 🖵 **P**. GB
Repas 12,50/20 ⚏, enf. 6,50 – ⚌ 7 – **35 ch** 59/76 – ½ P 53/63   A s

🏠 **Neptune**, 4 quai de Houat à Port Maria ℰ 02 97 50 09 62, Fax 02 97 50 41 44, ≼, ⚘ – 🛉
🖵 🕻 **P**. GB   A p
fermé 10 janv. au 10 fév. et mardi hors saison – Repas 16/27 ⚏, enf. 7,50 – ⚌ 6,50 – **21 ch**
49/66 – ½ P 53,50/60

🏠 **Druides**, 6 r. Port Maria ℰ 02 97 50 14 74, contact@hotel-des-druides.com,
Fax 02 97 50 35 72 – 🛉 🖵 🕻. AE GB   A n
hôtel : mars-oct. ; rest. : avril-sept. – Repas 12,50/27,50 ⚏, enf. 7,50 – ⚌ 7,50 – **31 ch**
61/102 – ½ P 61,50/71,50

🛋 **Baie** ⟡ sans rest, à St-Julien, Nord : 2 km ℰ 02 97 50 08 20, Fax 02 97 50 41 51 – **P**. AE
GB
1ᵉʳ avril-15 nov. – ⚌ 5,79 – **19 ch** 35,06/55,64

✗✗ **Jules Verne**, 1 bd d'Hoëdic à Port-Maria ℰ 02 97 30 55 55, Fax 02 97 30 55 55, ≼, ⚘ –
GB   A m
fermé 9 au 19 déc., 20 janv. au 3 fév., mardi et merc. – Repas - produits de la mer - 14/23

✗✗ **Verger de la Mer**, bd Goulvars ℰ 02 97 50 29 12 – AE GB   B x
fermé 4 janv. au 28 fév., mardi soir et merc. – Repas 16/30 ⚏

✗ **Ancienne Forge**, 20 r. Verdun ℰ 02 97 50 18 64 – AE GB   A k
fermé janv., merc. de sept. à juin et mardi – Repas 18/44 ⚏, enf. 10

✗ **Chaumine**, à Manémeur ℰ 02 97 50 17 67, Fax 02 97 50 17 67 – GB   A r
fermé 4 au 25 mars, 4 nov. au 16 déc., dim. soir et lundi
Repas 13 (déj.), 22,15/45 ⚏, enf. 9

-**Pierre-Quiberon** Nord : 5 km par D 768 – 2 165 h. alt. 12 – ✉ 56510 :
Voir Pointe du Percho ≼ ★ au NO : 2,5 km.

🏠 **Plage.** ℰ 02 97 30 92 10, hotel.plage@wanadoo.fr, Fax 02 97 30 99 61, ≼, ⚘ – 🛉
cuisinette ⚘ 🖵 **P** – 🔒 25. AE ① GB. ⚘ rest
début avril-fin sept. – Repas 20/26 ⚏, enf. 8 – ⚌ – **42 ch** 66/96 – ½ P 59/74

-**ortivy** Nord : 6 km par D 768 et rte secondaire – ✉ 56170 :

✗ **Taverne** avec ch, ℰ 02 97 30 91 61, Fax 02 97 30 72 52, ≼ – GB
fév.-vacances de Toussaint et fermé mardi sauf juil.-août et lundi soir en mars et oct. –
Repas 14 (déj.), 19/54 ⚏, enf. 7,65 – ⚌ 5,50 – **8 ch** 42 – ½ P 42

ÉVRECHAIN 59 Nord 🟥🟥 ⑤ – rattaché à Valenciennes.

LINEN 29 Finistère 🟥🟥 ⑮ – rattaché à Quimper.

LLAN 11500 Aude 🟥🟥 ⑦ G. Languedoc Roussillon – 3 542 h alt. 291.
Voir Défilé de Pierre Lys★ S : 5 km.
🅸 Office de tourisme sq. André Tricoire ℰ 04 68 20 07 78, Fax 04 68 20 04 91, tourisme-
quillan@wanadoo.fr.
Paris 835 – Foix 64 – Andorra la Vella 115 – Carcassonne 52 – Limoux 28 – Perpignan 76.

🏠 **Chaumière**, 25 bd Ch. de Gaulle ℰ 04 68 20 17 90, Fax 04 68 20 13 55, ⚘ – 🖵 🕻 ⟂.
GB
15 mars-15 nov. et fermé lundi du 15 mars au 15 mai – Repas 13,64/30,30 ⚖ – ⚌ 6,06 –
18 ch 45,45/51,52 – ½ P 48,48

🏠 **Cartier**, 31 bd Ch. de Gaulle ℰ 04 68 20 05 14, hot.cart@wanadoo.fr, Fax 04 68 20 22 57 –
🛉 🖵 🕻. AE GB
15 mars-15 déc. – Repas (fermé sam. en mars et déc.) 13/23,50 ⚖, enf. 7 – ⚌ 6 – **28 ch**
29/53 – ½ P 40/48

Canal, 36 bd Ch. de Gaulle ℰ 04 68 20 08 62, Fax 04 68 20 27 96 – 📺 ⇔, **GB**, ⚉
fermé 1ᵉʳ au 15 nov., 2 au 15 janv., dim. soir et lundi hors saison – **Repas** 11,50/26 ⓑ, en
– ⚏ 5,50 – **14 ch** 33,50/40 – ½ P 40

Pierre Lys, av. Carcassonne ℰ 04 68 20 08 65, 🚗 – 📺 🅿. **GB**
fermé mi-nov. à mi-déc. – **Repas** 11,43/38,87 ⓑ, enf. 8,38 – ⚏ 5,79 – **16 ch** 29,73/4
½ P 34,30/35,83

QUIMPER 🅿 29000 Finistère 🔢 ⑮ G. Bretagne – 63 238 h Agglo. 120 441 h alt. 41.
Voir Cathédrale St-Corentin★★ – Le vieux Quimper★ : Rue Kéréon★ ABY – Jard
l'Évêché ⩽★ BZ K – Mont-Frugy ⩽★ ABZ – Musée des Beaux-Arts★★ BY M¹ – ⱀ
départemental breton★ BZ M² – Musée de la faïence★ AX M³ – Descente de l'Odet
bateau 1 h 30 – Festival de Cornouaille★ (fin juillet).
✈ de Quimper-Cornouaille ℰ 02 98 94 30 30, par D 40 : 8 km AX.
🄑 Office du tourisme 7 rue de la Déesse ℰ 02 98 53 04 05, Fax 02 98 53 31 33, offic
risme.quimper@wanadoo.fr.
Paris 565 ③ – Brest 72 ① – Lorient 68 ③ – Rennes 216 ③ – St-Brieuc 130 ①.

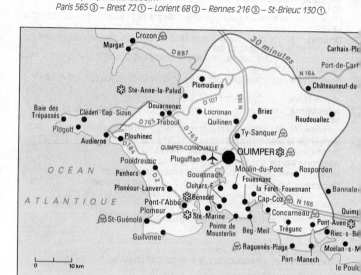

Novotel, par bd Le Guennec, près centre commercial de Kerdrezec ℰ 02 98 90 4
novotel-quimper@hotel-sofibra.com, Fax 02 98 53 01 96, 🍴, 🏊, 🚗 – 📳 ⇔, 🍽 res
📺 ⓑ 🅿 – 🛎 80. **AE** ⓞ **GB**
AⱵ
Repas 18,50 ⓑ, enf. 10,65 – ⚏ 10,06 – **92 ch** 82/94

Mascotte M, 6 r. Th. Le Hars ℰ 02 98 53 37 37, Fax 02 98 90 31 51 – 📳 ⇔ 📺 ⓥ
🛎 25. **AE** ⓞ **GB**
BⱵ
Repas *(fermé sam. et dim. de sept. à juin)* (dîner seul.) 24,40 ⚏ – ⚏ 7 – **63 ch** 59/73,
½ P 56,40

Gradlon sans rest, 30 r. Brest ℰ 02 98 95 04 39, hotelgradlon@minitel
Fax 02 98 95 61 25 – 📺 ⓥ. **AE GB**. ⚉
BⱵ
fermé 20 déc. au 20 janv. – ⚏ 9,50 – **23 ch** 93/142

Tour d'Auvergne, 13 r. Réguaires ℰ 02 98 95 08 70, bonjour@hotel-tourdauver
com, Fax 02 98 95 17 31 – 📳 📺 ⓥ 🅿. **AE** ⓞ **GB** **JCB**
BⱵ
fermé 29 déc. au 3 janv. – **Repas** *(fermé 27 déc. au 14 janv., dim. d'oct. à avril et sam.*
21/45 ⚏, enf. 12 – ⚏ 9,45 – **38 ch** 79/97,50 – ½ P 73,20/79,20

Ibis M, r. G. Eiffel ℰ 02 98 90 53 80, h0637@accor-hotels.com, Fax 02 98 52 18 41 – ⇔
ⓥ 🅿 – 🛎 15 à 30. **AE** ⓞ **GB**
BⱵ
Repas *(12)* - 15 ⓑ, enf. 6 – ⚏ 5,70 – **72 ch** 64

Relais Mercure sans rest, 21 bis av. Gare ℰ 02 98 90 31 71, Fax 02 98 53 09 81 – 📳
⚏ 8 – **63 ch** 62/81
BⱵ

QUIMPER

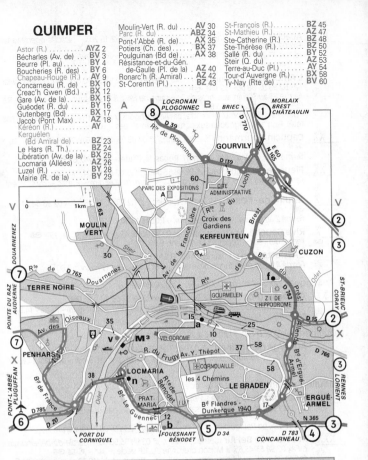

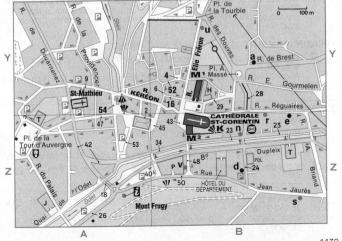

1139

XXX **Acacias,** bd Creac'h Gwen ℰ 02 98 52 15 20, acacias-qper@wanad
Fax 02 98 10 11 48, ☎ – ℙ. GB
fermé 1er au 15 mai, 1er au 15 août, sam. midi, dim. soir et lundi soir – **Repas** 17/40 et
31 à 44

XX **L'Ambroisie** (Guyon), 49 r. Elie Fréron ℰ 02 98 95 00 02, ambroisie@wanad
✿ Fax 02 98 95 88 06 – AE GB JCB. ✳
fermé 23 au 30 juin, vacances de Toussaint, de fév., dim. soir sauf en été et lundi – **Re**
(déj.)/65,50 et carte 52 à 64
Spéc. Ravioli de comté et ricotta, basilic et langoustines. Homard cuit minute en gas
(été). Pain doux bigouden aux pommes caramélisées

XX **Capucin Gourmand,** 29 r. Réguaires ℰ 02 98 95 43 12, Fax 02 98 95 13 34 – AE
JCB
fermé 2 au 15 janv., dim. et lundi – **Repas** 14,18 (déj.), 22,87/42,69 ⱡ

XX **Fleur de Sel,** 1 quai Neuf ℰ 02 98 55 04 71, Fax 02 98 55 04 71 – GB. ✳
fermé 29 avril au 13 mai, 23 déc. au 6 janv., sam. midi et dim. – **Repas** 18,50/33 ⱡ, enf.

X **Jardin de l'Odet,** 39 bd Kerguelen ℰ 02 98 95 76 76, Fax 02 98 64 21 35,
GB
fermé 2 au 20 janv., sam.midi et dim. – **Repas** 14,94/45,73

X **Rive Gauche,** 9 r. Ste-Catherine ℰ 02 98 90 06 15, Fax 02 98 90 06 15 – GB
fermé dim. soir – **Repas** 13,56/25, enf. 9,90

X **L'Assiette,** 5 bis r. J. Jaurès ℰ 02 98 53 03 65 – GB
fermé 4 au 25 août, lundi soir, merc. soir et dim. – **Repas** (10,60) - 12,80 ⱡ

à Ty-Sanquer Nord : 7 km par D 770 – ⊠ 29000 Quimper :

XX **Auberge Ti-Coz,** ℰ 02 98 94 50 02, Fax 02 98 94 56 37 – ℙ. GB
fermé 29 avril au 21 mai, mardi soir de sept. à juin, dim. soir et lundi – Repas 14,94/31,
enf. 9,15

à Quilinen par ① et D 770: 11 km – ⊠ 29510 Landrevarzec :

X **Auberge de Quilinen,** ℰ 02 98 57 93 63, Fax 02 98 57 54 99 – GB
fermé 6 au 26 août, dim. soir, mardi soir, merc. soir et lundi – **Repas** 14,65/30,
enf. 7,65

à Moulin-du-Pont par ⑤, rte de Bénodet : 9 km – ⊠ 29000 Quimper :

XX **Pins d'Argent,** ℰ 02 98 54 74 24, Fax 02 98 51 71 47 – ℙ. GB
fermé 1er au 15 mai, dim. soir, sam. midi et lundi – **Repas** 14,94/36,60 ⱡ

au Sud-Ouest par bd Poulguinan - AX - et D 20 : 5 km – ⊠ 29700 Pluguffan :

XXX **Roseraie de Bel Air** (Cornec-Henaff), ℰ 02 98 53 50 80, roseraie-de-bel-air@wana
✿ r, Fax 02 98 53 43 65, « Maison bretonne du 19e siècle », ☎ – ℙ, AE GB
fermé 23 sept. au 14 oct., dim. soir et lundi – **Repas** 21,65/49,78 et carte 45 à 70 ⱡ
Spéc. Bar de ligne aux gnocchi de blé noir et jus d'oignons (nov. à mars). Agnea
pré-salé de Pont-l'Abbé (avril à sept.). Pain perdu brioché aux fraises mara des bois (
août).

à Pluguffan par ⑥ et D 40 : 7 km – 3 155 h. alt. 90 – ⊠ 29700 :

🏠 **Coudraie** ❧ sans rest, impasse du Stade ℰ 02 98 94 03 69, Fax 02 98 94 03 69, ☎
✆ ℙ. GB
fermé 23 sept. au 7 oct., vacances de fév. et dim. en hiver – ☲ 5,34 – **11 ch** 39,64/45,

---

QUIMPERLÉ 29300 Finistère 58 ⑫ ⑰ G. Bretagne – 10 850 h alt. 30.

Voir Église Ste-Croix★★ – Rue Dom-Morice★.

🛈 Office du tourisme Le Bourgneuf ℰ 02 98 96 04 32, Fax 02 98 96 16 12, ot.quim
@wanadoo.fr.

🏨 **Vintage,** 20 r. Bremond d'Ars ℰ 02 98 35 09 10, Fax 02 98 35 09 29 – ✳ TV ✆ &
GB
voir rest. **Bistrot de la Tour** ci-après – ☲ 8,50 – **10 ch** 76,50/107

🏠 **Novalis** M, rte Concarneau : 2,5 km ℰ 02 98 39 24 00, Fax 02 98 39 12 10 – TV ✆ &
🅿️ 25 à 50. AE GB
Repas (fermé sam. midi et dim.) (10,60) - 13,60/22,89 ⱡ, enf. 7,50 – ☲ 6,10 – 2
51,10/55,65 – ½ P 44,83

Kervidanou M, zone commerciale de Kervidanou par rte Concarneau : 4 km
℘ 02 98 39 18 00, Fax 02 98 96 35 11 – |劇| TV ✆ 氐 P – 益 15 à 20. AE ① GB
fermé 20 déc. au 4 janv. – **Repas** *(fermé vend., sam. et dim.)* (dîner seul.) 14,50/21 ♀, enf. 9
– ☑ 6,10 – **44 ch** 51/60 – ½ P 43,90/48,90

Bistro de la Tour, 2 r. Dom Morice ℘ 02 98 39 29 58, *bistrodelatour@wanadoo.fr,*
Fax 02 98 39 21 77 – GB
fermé dim. soir de sept. à juin et sam. midi – **Repas** 16/49 bc ♀

NCIÉ-EN-BEAUJOLAIS 69430 Rhône 73 ⑨ – 1 121 h alt. 325.
Paris 427 – Mâcon 33 – Roanne 66 – Beaujeu 5 – Bourg-en-Bresse 53 – Lyon 60.

Mont-Brouilly, Le Pont des Samsons, Est : 2,5 km par D 37 ℘ 04 74 04 33 73, *contact@
hotelbrouilly.com,* Fax 04 74 04 30 10, 佘 , ☑ , ☞ – ≡ rest, TV 氐 P – 益 25. AE GB
*fermé 22 au 30 déc., 28 janv. au 24 fév., lundi sauf le soir d'avril à sept. et dim. soir d'oct. à
mars* – **Repas** 14,50/40 ♀, enf. 9 – ☑ 6 – **29 ch** 55 – ½ P 48

NCY-SOUS-SÉNART 91 Essonne 61 ①, 101 ㊳ – voir Paris, Environs.

NÉVILLE 50310 Manche 54 ③ G. Normandie Cotentin – 292 h alt. 29.
🛈 Office du tourisme Avenue de la Plage ℘ 02 33 21 36 92.
Paris 338 – Cherbourg 36 – Barfleur 21 – Carentan 31 – St-Lô 59.

Château de Quinéville ⓢ, ℘ 02 33 21 42 67, Fax 02 33 21 05 79, « Château du
18ᵉ siècle », ☑, ♨ – TV ✆ 氐 P AE GB
fermé 6 janv. au 15 mars, merc. midi et lundi – **Repas** 22/41 ♀ – ☑ 8 – **24 ch** 83/98 –
½ P 71/74

---

*Les pages explicatives de l'introduction
vous aideront à mieux profiter de votre* **Guide Rouge Michelin**

NGEY 25440 Doubs 66 ⑮ – 1 049 h alt. 275.
Paris 398 – Besançon 23 – Dijon 85 – Dole 37 – Gray 54.

Truite de la Loue avec ch, ℘ 03 81 63 60 14, Fax 03 81 63 84 77 – TV ⇆. GB
fermé 2 au 22 janv., dim. soir et lundi d'oct. à mars – **Repas** *(12,21)* - 13,57/33,54 ჰ, enf. 6,86
– ☑ 5,79 – **10 ch** 30,18/38,11 – ½ P 36,59

NSON 04500 Alpes-de-H.-P. 84 ⑤, 114 ⑦ – 350 h alt. 370.
🛈 Syndicat d'initiative Place de la Mairie ℘ 04 92 74 01 12, Fax 04 92 74 00 03.
Paris 789 – Digne-les-Bains 62 – Aix-en-Provence 75 – Brignoles 46 – Castellane 72.

Relais Notre-Dame, ℘ 04 92 74 40 01, Fax 04 92 74 02 10, 佘 , ☑, ☞ – P. AE GB.
✻ ch
15 mars-15 déc. et fermé mardi sauf juil.-août – **Repas** *(fermé lundi soir sauf juil.-août)* 13,50
(déj.), 14,80/32 ♀ – ☑ 6,10 – **15 ch** 30,50/49 – ½ P 39,60/47,50

NTIN 22800 C.-d'Armor 59 ⑬ G. Bretagne – 2 611 h alt. 180.
🛈 Office du tourisme Place 1830 ℘ 02 96 74 01 51, Fax 02 96 74 06 82, otsi.pays-de-
quintin@wanadoo.fr.
Paris 464 – St-Brieuc 18 – Lamballe 34 – Loudéac 31.

Commerce, 2 r. Rochonen ℘ 02 96 74 94 67, Fax 02 96 74 00 94 – TV
fermé 24 août au 1ᵉʳ sept., 23 déc. au 5 janv., dim. soir et lundi – **Repas** 12,04/33,54 ჰ –
☑ 5,79 – **11 ch** 41,16/54,88 – ½ P 44,97/48,02

GUENÈS-PLACE 29 Finistère 58 ⑪ G. Bretagne – ⊠ 29920 Névez.
Paris 546 – Quimper 38 – Carhaix-Plouguer 74 – Concarneau 17 – Pont-Aven 12.

Chez Pierre ⓢ, ℘ 02 98 06 81 06, Fax 02 98 06 62 09, 佘 , ☞ – TV ✆ 氐 P. GB. ✻ rest
18 avril-23 sept. et fermé mardi midi et merc. – **Repas** *(14,50)* - 17,50/45,50 ♀, enf. 12 –
☑ 6,25 – **30 ch** 55,75/71,50 – ½ P 51,80/61,20

Ar Men Du ⓢ, ℘ 02 98 06 84 22, *ar.men.du@wanadoo.fr,* Fax 02 98 06 76 69, ≤, ☞ – P.
AE GB. ✻ ch
23 mars-30 sept. et vacances scolaires – **Repas** 20/30 ჰ – ☑ 6,50 – **14 ch** 65/105

SMES 59 Nord 53 ④ – rattaché à Valenciennes.

RAMATUELLE 83350 Var **84** ⑰, **114** ㊲, G. Côte d'Azur – 2 131 h alt. 136.

Voir Col de Collebasse ≼★ S : 4 km – ⓑ Office du tourisme Place de l'Ormeau ℘ 0 12 64 00, Fax 04 94 79 12 66, ramatuelle@franceplus.com.

Paris 877 – Fréjus 35 – Le Lavandou 34 – St-Tropez 10 – Ste-Maxime 16 – Toulon 71.

🏨 **Baou** ⤴, ℘ 04 98 12 94 20, hostellerie.lebaou@wanadoo.fr, Fax 04 98 12 94 21, ≼ vi et campagne, 佘, ⊿, 濡 – ⴾ, ≡ ch, ⊡ ❤ ℗, ⚐ ⓪ ⴾ
23 mars-31 oct. – **Terrasse** : Repas 37/60 ♀, enf.18 – ☲ – **41 ch** 180/340, 8 dupl ½ P 140/220

🏨 **Ferme d'Hermès** ⤴ sans rest, Sud-Est : 2,5 km par rte l'Escalet et chemin :
℘ 04 94 79 27 80, Fax 04 94 79 26 86, « Demeure provençale dans le vignoble », ⊿, cuisinette ⊡ ❤ ℗. ⴾ
1er avril-1er nov. et 27 déc.-10 janv. – ☲ 12 – **8 ch** 120/138

🏨 **Vigne de Ramatuelle** ⤴ sans rest, rte La Croix-Valmer : 3 km ℘ 04 94 79 12 50, v ramatuelle@aol.com, Fax 04 94 79 13 20, ⊿, 濡 – ≡ ⊡ ❤ ℗. ⚐ ⓪ ⴾ ⴼⴲ
24 mars-20 oct. – ☲ 12,20 – **14 ch** 225/240

🍴🍴 **Forge**, r. Victor Léon ℘ 04 94 79 25 56, Fax 04 94 79 25 56 – ≡. ⚐ ⓪ ⴾ
15 mars-15 nov. et fermé le midi en juil.-août et merc. – **Repas** 28,20

à la Bonne Terrasse Est : 5 km par D 93 et rte de Camarat – ✉ 83350 Ramatuelle :

🍴 **Chez Camille**, ℘ 04 94 79 80 38, ≼, 佘, « Agréablement situé en bordure de mer »
ⴾ
1er avril-10 oct. et fermé lundi midi en juil.-août, lundi soir hors saison et mardi – **Rep** bouillabaisse et poissons grillés - (week-end et saison, prévenir) 36/54

RAMBERVILLERS 88700 Vosges **62** ⑥ – 5 999 h alt. 287.

ⓑ Syndicat d'initiative 2 place du 30 Septembre ℘ 03 29 65 49 10, Fax 03 29 65 25 20.

Paris 408 – Épinal 27 – Nancy 69 – Lunéville 37 – St-Dié-des-Vosges 29.

🍴🍴 **Mirabelle**, 6 r. Église ℘ 03 29 65 37 37 – ⴾ
fermé 16 août au 10 sept., 20 janv. au 10 fév., dim. soir et merc. – **Repas** (11,50) - 17 enf. 8,50

RAMBOUILLET ⬀ 78120 Yvelines **60** ⑧ ⑨, **106** ㉗ ㉘, G. Ile de France – 24 758 h alt. 160.

Voir Boiseries★ du château – Parc★ : laiterie de la Reine★ Z B – Bergerie nationale★ Forêt de Rambouillet★ – ⓑ Office du tourisme Place de la Libération ℘ 01 34 83 2 Fax 01 34 83 21 31, rambouillet.tourisme@wanadoo.fr.

Paris 53 ① – Chartres 42 ③ – Mantes-la-Jolie 50 ① – Orléans 92 ③ – Versailles 35 ①.

RAMBOUILLET

Chasles (R.) . . . . **Z** 2
Commune (R. de la) . . . . **Y** 3
Félix-Faure (Pl.) . . . . **Z** 5
Gaulle
  (R. du Gén.-de) . . . . . . **Z** 6
Humbert (R. Gén.) . . . . . . **Z** 7
Libération (Pl. de la) . . . . **Z** 8
Louvière (R. de la) . . . . . . **Z** 9
Motte (R. de la) . . . . **Y** 10
Poincaré (R. Raymond) . . **Y** 12
Providence (R. de la) . . . . **Y** 13

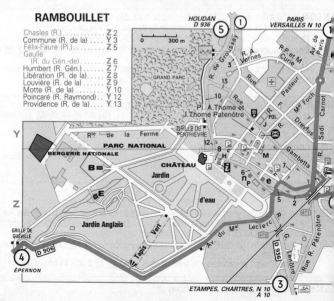

XX **Cheval Rouge,** 78 r. Gén. de Gaulle ℰ 01 30 88 80 61, cpommier@aol.com, Fax 01 34 83 91 60 – ▤. ◮ ◱▤

z n

fermé mardi soir et merc. – **Repas** 20,58/28,20 ⵛ

X **Poste,** 101 r. Gén. de Gaulle ℰ 01 34 83 03 01 – ◮ ◱▤

z e

fermé 1er au 7 janv., jeudi soir, dim. soir et lundi – **Repas** 19,90/30,95 ⵛ

▶ ar ② rte de Chevreuse (D 906) : 2 km – ⊠ 78120 Rambouillet :

XX **Louvetier,** 19 r. Étang de la Tour ℰ 01 34 85 61 00, Fax 01 34 84 01 18, 🏠 – 🅿. ◱▤ fermé sam. midi, dim. soir et lundi – **Repas** - produits de la mer - (25,15) - 31,25 ⵛ

ANCÉ 01390 Ain 🟨🟨 ⑩, 🟨🟨🟨 ④ – 498 h alt. 282.

Paris 436 – Lyon 32 – Bourg-en-Bresse 44 – Villefranche-sur-Saône 14.

X **Rancé,** ℰ 04 74 00 81 83, Fax 04 74 00 87 08 – ▤. ◮ ◱▤ fermé 8 au 21 janv., dim. soir, mardi soir et lundi – **Repas** 10,37 (déj.), 12,20/46,50 ⵛ, enf. 9,91

ANCOURT 80 Somme 🟨🟨 ⑬ – rattaché à Péronne.

ANDAN 63310 P.-de-D. 🟨🟨 ⑤ G. Auvergne – 1 360 h alt. 407.

Voir Villeneuve-les-Cerfs : pigeonnier★ O : 2 km.

🅱 Syndicat d'initiative 11 place de la Mairie ℰ 04 70 41 50 02, Fax 04 70 56 14 79.

Paris 370 – Clermont-Ferrand 41 – Gannat 21 – Riom 25 – Thiers 32 – Vichy 15.

XX **Centre** avec ch, ℰ 04 70 41 50 23, Fax 04 70 56 14 78 – 📺 ◱▤ fermé 20 oct. à début déc., mardi soir et merc. sauf juil.-août – **Repas** 9,50/34 🍴, enf. 7 – ⵥ 5,50 – **8 ch** 25/40 – ½ P 29/34,50

ANES 61150 Orne 🟨🟨 ② G. Normandie Cotentin – 964 h alt. 237.

🅱 Syndicat d'Initiative Mairie ℰ 02 33 39 73 87, Fax 02 33 39 79 77.

Paris 213 – Alençon 40 – Argentan 20 – Bagnoles-de-l'Orne 19 – Falaise 35.

▥ **St-Pierre,** ℰ 02 33 39 75 14, Fax 02 33 55 49 23, 🏠 – 📺 ◟. ◮ ◐ ◱▤ **Repas** (fermé vend. soir) 11,90/30,20 ⵛ, enf. 7,50 – ⵥ – **12 ch** 38,90/52,60 – ½ P 45

ON-L'ÉTAPE 88110 Vosges 🟨🟨 ⑦ – 6 749 h alt. 284.

🅱 Office du tourisme Rue Jules Ferry ℰ 03 29 41 83 25, office.de.tourisme.raon.l.etape @wanadoo.fr.

Paris 375 – Épinal 45 – Nancy 70 – Neufchâteau 115 – St-Dié 18 – Sarrebourg 55.

XX **Relais Lorraine Alsace** Ⓜ avec ch, 31 r. J. Ferry ℰ 03 29 41 61 93, contact@relais-lorraine-alsace.com, Fax 03 29 41 93 09, 🏠 – 📺 ◟. ◮ ◐ ◱▤ **Repas** (fermé nov. et lundi) 13/29 ⵛ – ⵥ 5,50 – **10 ch** 46/53 – ½ P 43

STEAU 84 Vaucluse 🟨🟨 ② – rattaché à Vaison-la-Romaine.

Z (Pointe du) ★★★ 29 Finistère 🟨🟨 ⑬ G. Bretagne.

Voir ☀★★.

Paris 616 – Quimper 52 – Douarnenez 36 – Pont-l'Abbé 47.

▶ à Baie des Trépassés par D 784 et rte secondaire : 3,5 km :

🏨 **Baie des Trépassés** ⚓, ⊠ 29770 Plogoff ℰ 02 98 70 61 34, hoteldelabaie@aol.com, Fax 02 98 70 35 20, ⇐ – ▤ rest, 📺 🅿. ◱▤ 9 fév.-14 nov. – **Repas** 17,53/47,26 ⵛ, enf. 7,32 – ⵥ 6,86 – **27 ch** 29,58/59,46 – ½ P 44,59/59,46

🏨 **Relais de la Pointe du Van** ⚓, ⊠ 29770 Cléden-Cap-Sizun ℰ 02 98 70 62 79, pointe duvan@free.fr, Fax 02 98 70 35 20, ⇐, 🏠 – 🕻 ◟ ◵ 🅿. ◱▤ 10 avril-30 sept. – **Repas** 17,53/35,06 ⵛ, enf. 7,32 – ⵥ 6,86 – **25 ch** 42,68/59,45 – ½ P 51,07/59,45

pas 11/28

Repas à prix fixes :

des menus à prix intermédiaires à ceux indiqués sont généralement proposés.

RÉ (Ile de)★ *17 Char.-Mar.* **71** ⑫ *G. Poitou Vendée Charentes.*
Accès : par le pont routier (voir à La Rochelle).

Ars-en-Ré – *1 294 h alt. 4 –* ⊠ *17590.*
> ▯ *Office du tourisme 26 place Carnot* ℘ 05 46 29 46 09, Fax 05 46 29 68 30, ot-arse
> wanadoo.fr.
> *Paris 507 – La Rochelle 34 – Fontenay-le-Comte 84 – Luçon 74.*

▯ **Martray,** Le Martray, Est : 3 km par D 735 ℘ 05 46 29 40 04, hotellemartray@aol.
> Fax 05 46 29 41 19, 斎 – ≡ rest, ⊡, ஊ ⊕ ☒ ⅉℂᗷ
> *30 mars-3 nov.* – **Repas** carte 30 à 42 ♀, enf. 10 – ⊆ 7 – **14 ch** 59/75 – ½ P 65/68

▯ **Sénéchal** sans rest, 6 r. Gambetta ℘ 05 46 29 40 42, Fax 05 46 29 21 25 – ஊ
> *15 fév.-12 nov. et 20 déc.- 2 janv.* – ⊆ 6,86 – **15 ch** 45,73/121,95

XX **Bistrot de Bernard,** 1 quai Criée ℘ 05 46 29 40 26, Fax 05 46 29 28 99, 斎 – ஊ
> *fermé 11 nov. au 20 déc., 6 janv. au 15 fév., lundi et mardi d'oct. à mars* – **Rep**
> (déj.)/30 ♀

X **Cabane du Fier,** Le Martray, Est : 3 km par D 735 ℘ 05 46 29 64 84, Fax 05 46 29 6
> ≤, 斎 – P. ஊ
> *15 mars-début nov. et fermé mardi soir et merc. hors saison* – **Repas** carte 23 à 31 ♀

Le Bois-Plage-en-Ré – *2 235 h alt. 5 –* ⊠ *17580.*
> ▯ *Office du tourisme 87 rue des Barjottes* ℘ 05 46 09 23 26, Fax 05 46 09 1.
> office-de.TOURISME.LE.BOIS.PLAGE@w.w.a.
> *Paris 494 – La Rochelle 22 – Fontenay-le-Comte 72 – Luçon 62.*

▯▯ **L'Océan** ⑳, 172 r. St-Martin ℘ 05 46 09 23 07, ocean@ilidere.com, Fax 05 46 09 05 40,
> 斎 – ⊡ ⅋ P. ஊ ஊ, ⅏ ch
> *fermé 5 janv. au 5 fév.* – **Repas** (*fermé merc. sauf vacances scolaires*) 22/31 ♀, enf. 9 – ⅉ
> – **24 ch** 61/92 – ½ P 58/75

▯ **Gollandières** ⑳, av. Plage ℘ 05 46 09 23 99, Fax 05 46 09 09 84, 斎, ⅃, 䍿 – ⊡
> ⅄ 15 à 60. ஊ ⊕ ஊ
> *27 mars -3 nov.* – **Repas** 19,82/25,61 ♀, enf. 9,91 – ⊆ 6,86 – **35 ch** 65,55/76,
> ½ P 67,08/73,18

La Couarde-sur-Mer – *1 179 h alt. 1 –* ⊠ *17670.*
> ▯ *Office du tourisme Rue Pasteur* ℘ 05 46 29 82 93, Fax 05 46 29 63 02, OFFICI
> TOURISME-LA-COUARDE@wanadoo.fr.
> *Paris 497 – La Rochelle 25 – Fontenay-le-Comte 75 – Luçon 65.*

▯▯ **Vieux Gréement** sans rest, 13 pl. Carnot ℘ 05 46 29 82 18, Fax 05 46 29 50 79 – ▯
> ஊ
> *fermé 1er au 21 mars, 12 nov. au 27 déc. et 6 janv. au 7 fév.* – ⊆ 8 – **16 ch** 61/96

La Flotte – *2 737 h alt. 4 –* ⊠ *17630.*
> ▯ *Office du tourisme Quai de Sénac* ℘ 05 46 09 60 38, Fax 05 46 09 64 88, OF
> TOURISME-LA-FLOTTE@wanadoo.fr.
> *Paris 488 – La Rochelle 16 – Fontenay-le-Comte 66 – Luçon 56.*

▯▯▯ **Richelieu** Ⓜ ⑳, av. Plage ℘ 05 46 09 60 70, info@hotel-le-richelieu.c
❀ Fax 05 46 09 50 59, ≤, 斎, centre de thalassothérapie, ⅙, ⅃, 䍿, ⅏ – ≡ rest, ⊡ ⅋
> – ⅄ 60. ஊ ஊ
> *fermé 5 janv. au 5 fév.* – **Repas** 50/65 et carte 63 à 85 ♀ – ⊆ 20 – **36 ch** 300/3
> ½ P 180/350
> **Spéc.** Homard grillé au beurre de corail. Rosace de Saint-Jacques aux truffes. Cassolet
> langoustines à la vapeur de citronnelle **Vins** Blanc et rouge de l'Ile de Ré.

▯ **Français** sans rest, cours F. Faure ℘ 05 46 09 60 06, hotellefrancais@club-intern
> Fax 05 46 09 58 77 – ⊡. ஊ ⊕ ஊ
> *1er avril-15 nov.et 22 déc.-4 janv.* – ⊆ 5,50 – **29 ch** 45/74

⅌ **Hippocampe** sans rest, r. Château des Mauléons ℘ 05 46 09 60 68 – ஊ
> ⊆ 5 – **14 ch** 28/43

XX **L'Écailler,** 3 quai Sénac ℘ 05 46 09 56 40, « Maison du 17e siècle sur le port » – ஊ
> *Pâques-Toussaint et fermé lundi* – **Repas** · produits de la mer seul. · carte environ 39 ♀

Les Portes-en-Ré – *661 h alt. 4 –* ⊠ *17880.*
> ▯ *Office du tourisme 52 rue de Trousse-Chemise* ℘ 05 46 29 52 71, Fax 05 46 29 5
> office-tourisme-lesportesenre@wanadoo.fr.
> *Paris 515 – La Rochelle 43 – Fontenay-le-Comte 92 – Luçon 82.*

XX **Auberge de la Rivière,** Ouest : 1 km sur D 101 ℘ 05 46 29 54 55, Fax 05 46 29 4
⅊ 斎, 䍿 – P. ஊ ஊ
> *fermé 15 nov. au 15 déc., janv., mardi et merc. hors saison* – **Repas** 20/69 ♀, enf. 10

ivedoux-Plage – *1 754 h alt. 2 –* ⊠ *17940.*

🖪 *Office du tourisme Place de la République* ℘ *05 46 09 80 62, Fax 05 46 09 80 62, OFFICE-DE-TOURISME-RIVEDOUX@wanadoo.fr.*

Paris 484 – La Rochelle 12 – Fontenay-le-Comte 61 – Luçon 51.

🏨 **Auberge de la Marée** sans rest, rte St-Martin ℘ *05 46 09 80 02, Fax 05 46 09 88 25,* « Jardin fleuri », ⨼, ⛭ – 📺 & ⇔ **P**. GB
23 mars-11 nov. – � 9 – **30 ch** 61/153

t-Clément-des-Baleines – *728 h alt. 2 –* ⊠ *17590.*

Voir *L'Arche de Noé (parc d'attractions) : Naturama★ (collection d'animaux naturalisés) – Phare des Baleines ✳★ N : 2,5 km.*

🖪 *Office du tourisme 200 rue du Centre* ℘ *05 46 29 24 19, Fax 05 46 29 08 14, offdetourisme.saintclementdesbaleines@wanadoo.fr.*

Paris 510 – La Rochelle 38 – Fontenay-le-Comte 88 – Luçon 78.

🏨 **Chat Botté** sans rest, 2 pl. Église ℘ *05 46 29 21 93, Fax 05 46 29 29 97,* ⛭ – 📺 **P**. ⓞ GB
fermé 2 au 15 déc. et 5 janv. au 10 fév. – ⊃ 7,70 – **19 ch** 99

XXX **Chat Botté**, r. Mairie ℘ *05 46 29 42 09, Fax 05 46 29 29 77,* ⛴, ⛭ – ₳Ⓔ ⓞ GB
fermé 20 nov. au 20 déc., 8 janv. au 11 fév. et lundi du 15 sept. au 1er avril – **Repas** 20,60/58,70 et carte 32 à 62 ⓨ

-Martin-de-Ré – *2 637 h alt. 14 –* ⊠ *17410.*

Voir *Fortifications★.*

🖪 *Office du tourisme Quai Nicolas Baudin* ℘ *05 46 09 20 06, Fax 05 46 09 06 18, ot.st.martin@wanadoo.fr.*

Paris 494 – La Rochelle 22 – Fontenay-le-Comte 72 – Luçon 62.

🏨 **Jetée** M sans rest, quai G. Clemenceau ℘ *05 46 09 36 36, Fax 05 46 09 36 06* – ᳵᷢ 📺 & ⇔ – ᴬ 25. ₳Ⓔ GB
⊃ 7,32 – **31 ch** 78,45/99,25

🏨 **Galion** M sans rest, allée Guyane ℘ *05 46 09 03 19, hotel.le.galion@wanadoo.fr, Fax 05 46 09 13 26,* ⩤ – 📺 ⛴ & ⇔. ₳Ⓔ ⓞ GB
⊃ 8 – **31 ch** 72/95

🏨 **Maison Douce** ⣺ sans rest, 25 r. Mérindot ℘ *05 46 09 20 20, lamaisondouce@wanadoo .fr, Fax 05 46 09 90 90,* ⇔. GB
fermé 12 nov. au 20 déc. et 6 janv. au 7 fév. – ⊃ 12 – **11 ch** 120/130

🏨 **Port** sans rest, 29 quai Poithevinière ℘ *05 46 09 21 21, annic.pla@wanadoo.fr, Fax 05 46 09 06 85* – 📺. GB
⊃ 6 – **35 ch** 60/73,18

🏨 **Colonnes**, 19 quai Job-Foran ℘ *05 46 09 21 58, Fax 05 46 09 21 49,* ⩤, ⛴ – ᳵᷢ 📺 **P**. ₳Ⓔ GB
fermé 15 déc. au 1er fév. – **Repas** *(fermé merc.)* 23/35, enf. 7 – ⊃ 7 – **30 ch** 80 – ½ P 68

e-Marie-de-Ré – *2 655 h alt. 9 –* ⊠ *17740.*

🖪 *Office du tourisme Place d'Antioche* ℘ *05 46 30 22 92, Fax 05 46 30 01 68, TOURISME-SAINTE-MAIRIE.DE.RE@wanadoo.fr.*

Paris 487 – La Rochelle 15 – Fontenay-le-Comte 64 – Luçon 54.

🏨 **Atalante** ⣺, ℘ *05 46 30 22 44, neptune@thalasso.net, Fax 05 46 30 13 49,* ⩤, centre de thalassothérapie, ₤ᴕ, ⬛, ⹌, ᴥ – 📺 & **P** – ᴬ 80. ₳Ⓔ ⓞ GB
fermé 2 au 22 déc. – **Repas** 19,06/28,97 ⓨ – ⊃ 7,62 – **65 ch** 73/174 – ½ P 72,50/110

LMONT 81120 Tarn ⓑⓖ ① – *2 850 h alt. 212.*

🖪 *Syndicat d'initiative Rue Cabrouly* ℘ *05 63 45 52 05.*

Paris 723 – Toulouse 79 – Albi 20 – Castres 25 – Graulhet 18 – Lacaune 57 – St-Affrique 85.

XX **Les Secrets Gourmands**, 72 av. Gén. de Gaulle (N 112) ℘ *05 63 79 07 67, les-secrets-gourmands@wanadoo.fr, Fax 05 63 79 07 69,* ⛴ – **P**. ₳Ⓔ ⓞ GB
fermé 13 au 27 janv., dim. soir et mardi – **Repas** 16/44 ⓨ

XX **Noël** avec ch, r. H. de Ville ℘ *05 63 55 52 80, Fax 05 63 55 69 91,* ⛴ – 📺 – ᴬ 25. GB. ⛱
fermé 15 fév. au 15 mars, dim. soir et lundi – **Repas** 15/46 ⓨ, enf. 10 – ⊃ 4 – **8 ch** 34/48 – ½ P 24

REDON 🔟 *35600 I.-et-V.* **63** ⑤ *G. Bretagne* – *9 499 h alt. 10.*

Voir *Tour★ de l'église St-Sauveur.*

🛈 *Office du tourisme Place de la République* ℘ *02 99 71 06 04, Fax 02 99 71 01 59.*

Paris 412 ① – *Nantes 78* ② – *Rennes 66* ① – *St-Nazaire 54* ② – *Vannes 57* ③.

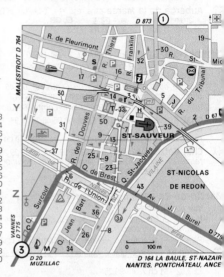

REDON

Bonne-Nouvelle (Bd) . . **Y** 2	
Bretagne (Pl. de) . . . . **Y** 3	
Desmars (R. Joseph) . . **Y** 5	
Douves (Pont des) . . . . **Z** 6	
Douves (R. des) . . . **YZ**	
Duchesse-Anne (Pl.) . . **Y** 7	
Duguay-Trouin	
(Quai) . . . . **Z** 8	
Duguesclin (R.) . . . . **Z** 9	
Enfer (R. d') . . . . **Z** 13	
États (R. des) . . . . **Z** 14	
Foch (R. du Mar.) . . . **Y** 16	
Gare (Av. de la) . . . . . **Y** 17	
Gascon (Av. E.) . . . . . **Y** 19	
Grande-Rue . . . . **Z** 23	
Jeanne-d'Arc (R.) . . . . **Z** 25	
Jeu-de-Paume (R. du) **Z** 26	
Liberté (Bd de la) . . . **Y** 30	
Martin (R. du Capit.) . . **Y** 31	
Notre-Dame (R.) . . . . **Y** 32	
Parlement (Pl. du) . . . **Y** 33	
Plessis (R. du) . . . . . . **Z** 34	
Port (R. du) . . . . **Z** 36	
Poulard (R. Lucien) . . **Z** 37	
Richelieu (R.) . . . . **Y** 39	
St-Nicolas (Pont) . . . . **Z** 43	
Victor-Hugo (R.) . . . . . **Y** 50	

🏨 **Bel Hôtel** sans rest, 42 av. J. Burel à St-Nicolas-de-Redon par ② 🖂 44460 St-Nicolas-Redon ℘ 02 99 71 10 10, belhotel@wanadoo.fr, Fax 02 99 72 33 03 – 📺 ☎ ₺ 🅿. ⌾
⊇ 6 – **33 ch** 37,50/48,80

XXX **Jean-Marc Chandouineau** avec ch, 10 av. Gare ℘ 02 99 71 02 04, Fax 02 99 71 08
📺 🅿. ☒ ⓪ ⌾
fermé 30 avril au 5 mai, 19 au 25 août, 2 au 5 janv., dim. soir et sam. – **Repas** 19,82/54,
carte 42 à 62 ♀ – ⊇ 9,15 – **7 ch** 54,88/62,50

XX **Bogue,** 3 r. des Etats ℘ 02 99 71 12 95, Fax 02 99 71 12 95 – ☒ ⌾
fermé 26 août au 4 sept., 22 fév. au 3 mars, jeudi de nov. à mars et dim. soir – **R**
16/46 ♀

rte de La Gacilly par ① et D 873 : 3 km – 🖂 35600 Redon :

XXX **Moulin de Via,** ℘ 02 99 71 05 16, Fax 02 99 71 08 36, ☆, 🐎 – 🅿. ⌾
fermé 4 au 14 mars, 1er au 11 sept., 2 au 21 janv., mardi soir, dim. soir et lundi – **R**
19,82/54,96 ♀

REICHSTETT *67 B.-Rhin* **62** ⑩ – rattaché à Strasbourg.

REILHAC *43 H.-Loire* **76** ⑤ – rattaché à Langeac.

REIMS 🔟 *51100 Marne* **56** ⑥ ⑯ *G. Champagne* – *187 206 h Agglo. 215 581 h alt. 85.*

Voir *Cathédrale Notre-Dame★★★ – Basilique St-Remi★★ : intérieur★★★ – Palais du T.*
BY **V** – *Caves de Champagne★★ BCX, CZ – Place Royale★ – Porte Mars★ – Hôtel*
Salle★ BY **R** – *Chapelle Foujita★ – Bibliothèque★ de l'ancien Collège des Jésuites B.*
Musée St-Rémi★★ CZ **M⁴** – *Musée-hôtel Le Vergeur★ BX* **M³** – *Musée des Beaux-*
BY **M².**

Env. *Fort de la Pompelle (casques allemands★) 9 km par* ③.

✈ *Reims-Champagne* ℘ 03 26 07 15 15, *par* ⑩ : 6 km.

🛈 *Office du tourisme 2 rue Guillaume de Machault* ℘ 03 26 77 45 25, Fax 03 26 77 4
VisitReims@netvia.com.

Paris 145 ⑦ – *Bruxelles 216* ⑩ – *Châlons-en-Champagne 49* ④ – *Lille 209* ⑨.

1146

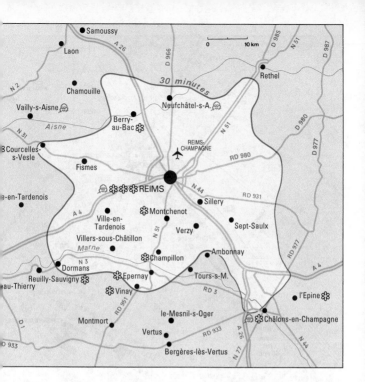

Boyer "Les Crayères" (Boyer) Ⓜ ⌖, 64 bd Vasnier, ℰ 03 26 82 80 80, *crayeres@relais chateaux.com*, Fax 03 26 82 65 52, ≤, 🍴, « Élégante demeure dans un parc », ✵, ⚘ – 🛗 ▦ 📺 ☎ 🅿 ⒜ ⓞ 🅶🅱 🃏 **CZ a**
fermé 23 déc. au 13 janv. – **Repas** *(fermé mardi midi et lundi)* (nombre de couverts limité, prévenir) 165 bc/189 bc et carte 85 à 115 – ⌷ 22,90 – **16 ch** 242,50/350,70, 3 appart
Spéc. Langoustines poêlées sur un tiramisu de volaille. Filet de bar rôti sous un manteau croustillant au gingembre et citron. Petits grenadins de veau de lait enrobés de girolles façon crépinette **Vins** Champagne.

Grand Hôtel des Templiers sans rest, 22 r. Templiers ℰ 03 26 88 55 08, *hotel.tem pliers@wanadoo.fr*, Fax 03 26 47 80 60, ◪ – 🛗 ▦ 📺 ♿ 🅿 ⒜ ⓞ 🅶🅱 **BX a**
⌷ 20 – **18 ch** 160/280

Assiette Champenoise (Lallement) Ⓜ ⌖, à Tinqueux, 40 av. Paul Vaillant-Couturier ✉ 51430 ℰ 03 26 84 64 64, *assiette.champenoise@wanadoo.fr*, Fax 03 26 04 15 69, 🍴, « Parc », ◪, ⚘ – 🛗 ▦ rest, 📺 ☎ 🅿 – ⚒ 50. ⒜ ⓞ 🅶🅱 🃏 **V e**
Repas *(fermé merc. midi et mardi de nov. à mars)* 46/78 et carte 65 à 82 ⌷ – ⌷ 13 – **55 ch** 95/237 – ½ P 160/190
Spéc. Langoustines rôties à l'huile de Toscane. Grenouilles décortiquées, laitue au jus de veau, tomate et croquant. Côte de veau fermier **Vins** Champagne, Bouzy rouge

Mercure-Cathédrale Ⓜ, 31 bd P. Doumer ℰ 03 26 84 49 49, *h1248@accor-hotels.com*, Fax 03 26 84 49 84 – 🛗 ❄ ▦ 📺 ☎ ⌁ – ⚒ 20 à 150. ⒜ ⓞ 🅶🅱 🃏 **AY v**
Repas *(fermé sam. midi, dim. midi et les midis du 15 juil. au 25 août)* carte environ 26 ⚘, enf. 8 – ⌷ 9,50 – **126 ch** 88/125

Paix Ⓜ, 9 r. Buirette ℰ 03 26 40 04 08, *info@bw-hotel-lapaix.com*, Fax 03 26 47 75 04, 🍴, ⛲, ⚘ – 🛗 ❄ ▦ 📺 ☎ ⌁ – ⚒ 60. ⒜ ⓞ 🅶🅱 🃏 **AY q**
Repas brasserie carte 19 à 41 ⚘, enf. 9 – ⌷ 9,15 – **106 ch** 70/107

Quality Hôtel Ⓜ, 37 bd P. Doumer ℰ 03 26 40 01 08, *quality.reims@wanadoo.fr*, Fax 03 26 40 34 13 – 🛗 ❄ ▦ 📺 ☎ ♿ 🅿 – ⚒ 50. ⒜ ⓞ 🅶🅱. ✵ rest **AY t**
Millésime *(fermé lundi midi, sam. midi et dim.)* **Repas** *(13,72)*-et carte 30 à 48 – ⌷ 9 – **79 ch** 84

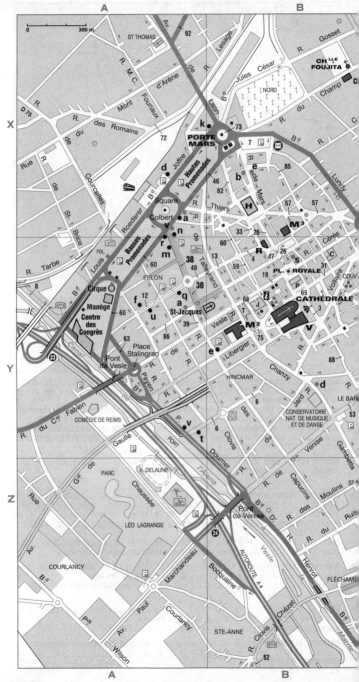

REIMS

REIMS

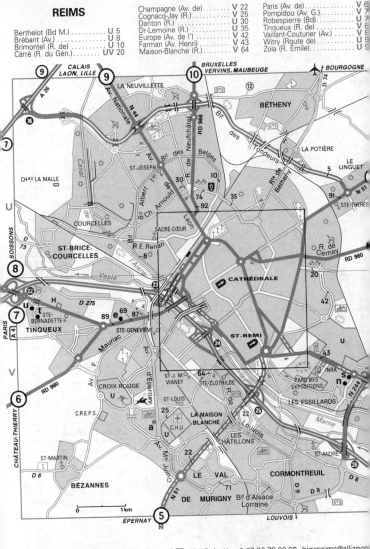

<hr>

🏨🏨🏨 **Holiday Inn Garden Court** Ⓜ, 46 r. Buirette ℘ 03 26 78 99 99, higcreims@alliance
pitality.com, Fax 03 26 78 99 90, 🈷 – 📶 🕬 📺 🔊 ⇔ – 🛆 30. 🄰🄴 ⓪ 🅶🅱 🅹🅲🅱 Aₗ
Repas (fermé sam. midi, lundi midi et dim.) (14) - 17 ♀, enf. 7 – ⵣ 10 – **82 ch** 130

🏨🏨 **Univers**, 41 bd Foch ℘ 03 26 88 68 08, hotel-univers@ebc.net, Fax 03 26 40 95 61 –
📶 – 🛆 20 à 70. 🄰🄴 ⓪ 🅶🅱 🅹🅲🅱   Aₗ
Repas (fermé dim. soir) 15/30 ♀, enf. 8,50 – ⵣ 8,50 – **42 ch** 68/76

🏨🏨 **Continental** sans rest, 93 pl. Drouet-d'Erlon ℘ 03 26 40 39 35, grand-hotel-contin
@wanadoo.fr, Fax 03 26 47 51 12 – 📶 📺 📶 🄰🄴 ⓪ 🅶🅱 🅹🅲🅱   AX
fermé 20 déc. au 6 janv. – ⵣ 9 – **50 ch** 54/104

🏨🏨 **Porte Mars** sans rest, 2 pl. République ℘ 03 26 40 28 35, Fax 03 26 88 92 12 – 📶 🗗
🄰🄴 ⓪ 🅶🅱   Aₗ
ⵣ 8 – **24 ch** 57/72

Grand Hôtel du Nord sans rest, 75 pl. Drouet-d'Erlon ✆ 03 26 47 39 03, *Fax 03 26 40 92 26* – |‡| ⇝ TV. AE ⓓ GB JCB. ⊗
fermé vacances de Noël – ☕ 6 – **50 ch** 46,50/60 AY m

Ibis Centre sans rest, 28 bd Joffre ✆ 03 26 40 03 24, *Fax 03 26 88 33 19* – |‡| ⇝ ▤ TV ✆ ♿ – 🏔 25 à 40. AE ⓓ GB
☕ 6,60 – **92 ch** 55/60 AX d

Crystal sans rest, 86 pl. Drouet-d'Erlon ✆ 03 26 88 44 44, *hotelcrystal@wanadoo.fr, Fax 03 26 47 49 28,* 🌳 – |‡| TV ✆. AE GB JCB
☕ 6,10 – **31 ch** 47,30/61 AXY n

Cathédrale sans rest, 20 r. Libergier ✆ 03 26 47 28 46, *Fax 03 26 88 65 81* – TV ✆. AE ⓓ GB JCB
☕ 6,10 – **17 ch** 45/59,50 BY e

XXX **Chardonnay,** 184 av. Épernay ✆ 03 26 06 08 60, *Fax 03 26 05 81 56* – AE ⓓ GB JCB V a
fermé 29 juil. au 15 août, sam. midi et dim. soir – **Repas** 25/64 et carte 46 à 68 ♀, enf. 9

XXX **Millénaire,** 4 r. Bertin ✆ 03 26 08 26 62, *lemillenaire2@wanadoo.fr, Fax 03 26 84 24 13* – AE ⓓ GB BY s
fermé sam. midi et dim. sauf fériés – **Repas** 22,87/60,98 et carte 46 à 59 ♀

XXX **Foch,** 37 bd Foch ✆ 03 26 47 48 22, *Fax 03 26 88 78 22* – ▤. AE ⓓ GB JCB AX a
fermé 29 juil. au 19 août, vacances de fév., sam. midi, dim. soir et lundi – **Repas** 29/37 et carte 43 à 66

XX **Continental,** 95 pl. Drouet d'Erlon ✆ 03 26 47 01 47, *Fax 03 26 40 95 60,* 🏖 – ▤. AE ⓓ GB AXY r
Repas *(15,09)* - 17,07/44,06 ♀

XX **Vigneron,** pl. P. Jamot ✆ 03 26 79 86 86, *info@restaurant-levigneron.com, Fax 03 26 79 86 87,* 🏖, « Belle collection d'affiches anciennes » – ▤. AE GB BY a
fermé 5 au 19 août, 21 déc. au 3 janv., sam. et dim. – **Repas** (nombre de couverts limité, prévenir) 22,87/39,64 ♀

XX **Flo,** 96 pl. Drouet d'Erlon ✆ 03 26 91 40 50, *jost@groupeflo.fr, Fax 03 26 91 40 54,* 🏖, brasserie – ▤. AE ⓓ GB AX v
Repas *(18,60 bc)* - 27,60 bc, enf. 7,77

XX **Vigneraie,** 14 r. Thillois ✆ 03 26 88 67 27, *Fax 03 26 40 26 67* – ▤. AE GB AY a
fermé 5 au 26 août, 17 fév. au 3 mars, merc. midi, dim. soir et lundi – **Repas** (nombre de couverts limité, prévenir) *(14,50)* - 21,50/46, enf. 9,20

XX **Petit Comptoir,** 17 r. Mars ✆ 03 26 40 58 58, *aupetitcomptoir@wanadoo.fr, Fax 03 26 47 26 19,* 🏖 – ▤. AE GB BX b
fermé 3 au 18 août, 22 déc. au 5 janv., 24 fév. au 3 mars, sam. midi, lundi midi et dim. – **Repas** carte 29 à 39 ♀

XX **Vonelly-Gambetta,** 13 r. Gambetta ✆ 03 26 47 22 00, *ericarnaud@wanadoo.fr, Fax 03 26 47 22 43,* 🏖 – AE ⓓ GB BY d
fermé 23 juil. au 7 août, dim. soir et lundi – **Repas** 17,53/44,97 ♀

X **Brasserie Le Boulingrin,** 48 r. Mars ✆ 03 26 40 96 22, *boulingrin@wanadoo.fr, Fax 03 26 40 03 92,* 🏖 – ▤. AE GB BX e
fermé dim. – **Repas** 16/22,87 ♀, enf. 6,86

X **Jamin,** 18 bd Jamin ✆ 03 26 07 37 30, *eurl-jamin@wanadoo.fr, Fax 03 26 02 09 64* – GB CX n
fermé 16 au 31 août, 20 au 27 janv., dim. soir et lundi – **Repas** *(11,89 bc)* - 17,53 bc/27,44, enf. 8,23

X **Charmes,** 11 r. Brûlart ✆ 03 26 85 37 63, *jgoyeux@club-internet.fr, Fax 03 26 36 21 00* – AE GB CZ v
fermé vacances de printemps, 21 juil. au 7 août, sam. midi, dim. et fériés – **Repas** 20/24,50 ♀, enf. 8,50

de Châlons-en-Champagne *vers ③ : 3 km* – ✉ *51100 Reims :*

Mercure Parc des Expositions Ⓜ, ✆ 03 26 05 00 08, *h0363@accor-hotels.com, Fax 03 26 85 64 72,* 🏖, 🏊 – |‡| ⇝ ▤ TV ✆ ♿ 🅿 – 🏔 25 à 100. AE ⓓ GB JCB V s
Repas *(16)* - 22 ♀, enf. 9,15 – ☕ 9,50 – **101 ch** 76/86

Reflets Bleus, 12 r. G. Voisin ✆ 03 26 82 59 79, *Fax 03 26 82 53 92,* 🏖 – TV ✆ ♿ 🅿 – 🏔 25. AE GB V n
Repas *(fermé sam. midi et dim. soir)* 18,30/28 ♀ – ☕ 7 – **41 ch** 46,50/60 – ½ P 41,20

ery *par ③ et D 8E : 11 km* – *1 655 h. alt. 90* – ✉ *51500 :*

X **Relais de Sillery,** ✆ 03 26 49 10 11, *Fax 03 26 49 12 07,* 🏖, 🌳 – GB
fermé 16 août au 5 sept., vacances de fév., dim. soir, mardi soir et lundi – **Repas** 17,53/42,69 ♀

à Montchenot *par ⑤ : 11 km – ✉ 51500 Rilly-la-Montagne :*

XXX ✿ **Grand Cerf** (Giraudeau), N 51 ✆ 03 26 97 60 07, *Fax 03 26 97 64 24,* ☂, ⛱ – 🅿. GB
fermé août, vacances de fév., dim. soir, mardi soir et merc. – **Repas** 33 (déj.), 49/79 et 60 à 90 ♀
Spéc. Homard "melon" (avril-sept.) ou homard "poire" (oct. à mars). Saint-Pierre épices douces. Canard de Challans aux graines de sésame. **Vins** Champagne, Co Champenois

par ⑦ *, autoroute A 4 sortie Tinqueux : 6 km – ✉ 51430 Tinqueux :*

Novotel M, ✆ 03 26 08 11 61, *h0428@accor-hotels.com, Fax 03 26 08 72 05,* ☂, ⇆ ▤ TV ✆ ♿ 🅿 – 🏛 30 à 150. AE ⓓ GB
Repas *(14)* - 18,50 ♀, enf. 8 – ☕ 9,50 – **127 ch** 84/89

Ibis sans rest, ✆ 03 26 04 60 70, *h0811@accor-hotels.com, Fax 03 26 84 24 40* – ⇆ ✆ ♿ 🅿 – 🏛 35. AE ⓓ GB. ✂
☕ 5,50 – **75 ch** 53/56,50

Campanile-Ouest, ZA Sarah Bernhardt ✆ 03 26 04 09 46, *Fax 03 26 84 25 87,* ☂ TV ✆ ♿ 🅿 – 🏛 25. AE ⓓ GB
Repas *(12)* - 16 ♀, enf. 7,47 – ☕ 6 – **48 ch** 49

REIPERTSWILLER *67340 B.-Rhin* 87 ⑬ *G. Alsace Lorraine – 933 h alt. 230.*
Paris 446 – Strasbourg 55 – Bitche 19 – Haguenau 33 – Sarreguemines 48 – Saverne 3

Couronne M ⛰, 13 r. Wimmenau ✆ 03 88 89 96 21, *Fax 03 88 89 98 22,* ⛱ – TV GB
fermé 12 au 28 nov. et 3 fév. au 6 mars – **Repas** *(fermé merc. soir de nov. à mars, lu mardi)* 15,30 (déj.), 25,20/33,50 ♀, enf. 13 – ☕ 6,10 – **16 ch** 46/55 – ½ P 51/55

Le RELECQ-KERHUON *29 Finistère* 58 ④ *– rattaché à Brest.*

REMIREMONT *88200 Vosges* 62 ⑯ *G. Alsace Lorraine – 8 538 h alt. 400.*
Voir *Rue Ch.-de-Gaulle★ – Crypte★ de l'abbatiale St-Pierre.*
🅸 *Office du tourisme 2 rue Charles de Gaulle* ✆ *03 29 62 23 70, Fax 03 29 23 9 tourisme.remiremont@wanadoo.fr.*
Paris 411 ⑤ – Épinal 27 ⑤ – Belfort 71 ② – Colmar 80 ① – Mulhouse 82 ② – Vesoul 6.

REMIREMONT

Abbaye (Pl. de l') .... A 2	Courtine (R. de la) .... A	Prêtres (R. des) .... B
Calvaire (Av. du) .... A 3	Écoles (R. des) .... A 5	Utard (Pl. H.) .... A
	États-Unis (R. des) .... A 6	Xavée (R. de la) .... A
	Franche-Pierre (R.) .... A 7	5e-et-15e-B.C.P. (R. des) .... B
	Gaulle (R. Ch.-de) ...... AB	

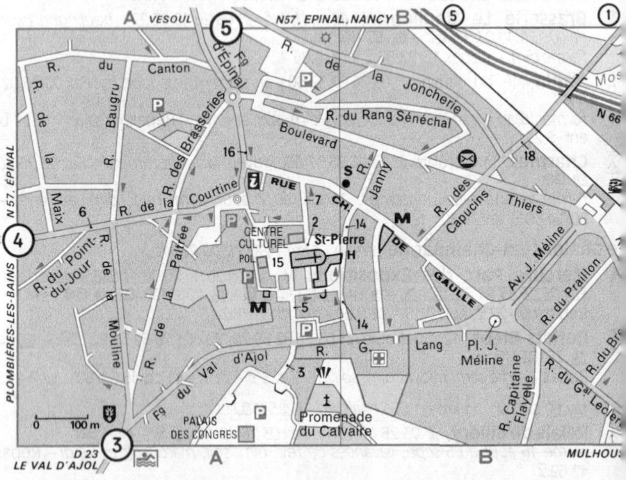

Cheval de Bronze sans rest, 59 r. Ch. de Gaulle ✆ 03 29 62 52 24, *hotel-du-cheval-de-bronze@wanadoo.fr, Fax 03 29 62 34 90* – 📺 ⇔. ⒜⒠ 🄶🄱
B   s
⬒ 5,80 – **35 ch** 27,44/54,12

✗ **Clos Heurtebise,** 13 chemin des Capucins par r. Capit. Flayelle B ✆ 03 29 62 08 04, *Fax 03 29 62 38 80*, 🉐, 🌳 – **P.** ⒜⒠ 🄶🄱. 🍴
fermé 13 au 27 janv., dim. soir, merc. soir et lundi – **Repas** 16/42 Ⓨ

Étienne-lès-Remiremont *par* ① : *2 km* – *4 057 h. alt. 400* – ⊠ *88200* :

✗ **Chalet Blanc** Ⓜ avec ch, 34 r. Pêcheurs (face centre commercial) ✆ 03 29 26 11 80, *lechaletblanc@hotmail.com, Fax 03 29 26 11 81*, 🉐 – 📺 🅴 🄿 – ⌀ 30. 🄶🄱. 🍴
fermé 1er au 20 août et vacances de fév. – **Repas** *(fermé sam. midi, dim. soir et lundi)* 19/55 Ⓨ, enf. 13 – ⬒ 6,50 – **7 ch** 45/61 – ½ P 53/57

OULINS *30210 Gard* 🄱🄾 ⑲ ⑳ *G. Provence* – *1 996 h alt. 27.*
☒ *Office du tourisme Place des Grands Jours* ✆ 04 66 37 22 34, *Fax 04 66 37 22 34.*
Paris 689 – *Avignon 22* – *Alès 51* – *Arles 36* – *Nîmes 24* – *Orange 33* – *Pont-St-Esprit 40.*

Moderne, 8 av. Geoffroy-Perret ✆ 04 66 37 20 13, *Fax 04 66 37 01 85* – 🎙 📺 ⇔. ⒜⒠ ⓞ 🄶🄱. 🍴
fermé 27 oct. au 5 nov. – **Repas** 12,50/23,70 ⓙ, enf. 7 – ⬒ 6,50 – **22 ch** 43/76,50

Hilaire-d'Ozilhan *Nord-Est : 4,5 km par D792* – *640 h. alt. 55* – ⊠ *30210 :*

L'Arceau 🍴, ✆ 04 66 37 34 45, *patricia.brunel@wanadoo.fr, Fax 04 66 37 33 90*, 🉐 – 📺 **P.** ⒜⒠ ⓞ 🄶🄱
fermé 20 nov. au 15 fév., dim. soir, mardi midi et lundi du 1er oct. à Pâques – **Repas** 19,06 *(déj.)*, 25,11/50,31 – ⬒ 6,10 – **25 ch** 53,86/83,85 – ½ P 45,73

AISON *42370 Loire* 🄷🄸 ⑦ *G. Vallée du Rhône* – *2 653 h alt. 387.*
Voir *Bourg★ de St-Haon-le-Châtel N : 2 km* – *Barrage de la Tache : rocher-belvédère★ O : 5 km.*
☒ *Syndicat d'initiative Côtes roannaises* ✆ 04 77 62 17 07.
Paris 390 – *Roanne 12* – *Chauffailles 43* – *Lapalisse 40* – *St-Étienne 91* – *Thiers 61* – *Vichy 57.*

✗ **Jacques Coeur,** ✆ 04 77 64 25 34, *Fax 04 77 64 43 88*, 🉐 – ⒜⒠ 🄶🄱
fermé dim. soir, jeudi soir et lundi – **Repas** 15/34 Ⓨ

NES 🄿 *35000 I.-et-V.* 🄵🄾 ⑰ *G. Bretagne* – *206 229 h Agglo. 272 263 h alt. 40.*
Voir *Le Vieux Rennes★★* – *Jardin du Thabor★★* – *Palais de justice★★* – *Retable★★ à l'intérieur★ de la cathédrale St-Pierre* AY – *Musées : de Bretagne★, des Beaux-Arts★* BY **M.**
⚓ *de Rennes-St-Jacques :* ✆ 02 99 29 60 00, par ⑦ : *7 km.*
☒ *Office du tourisme 11 rue Saint-Yves* ✆ 02 99 67 11 11, *Fax 02 99 67 11 00, infos@tourisme-rennes.com.*
Paris 349 ③ – *Angers 128* ④ – *Brest 246* ⑨ – *Caen 184* ② – *Le Mans 155* ③ – *Nantes 109* ⑥.
Plan page suivante

Novotel Ⓜ, av. Canada, près centre commercial Alma ⊠ 35200 ✆ 02 99 86 14 14, *H0430-accor-hotels.com, Fax 02 99 86 14 15*, 🉐, 🏊, 🌳 – 🍴 📺 🅴 🄿 – ⌀ 15 à 90. ⒜⒠ ⓞ 🄶🄱
CV   e
Repas *(16)* - 22 Ⓨ, enf. 8 – ⬒ 10 – **100 ch** 88/100

Mercure Colombier Ⓜ, 1 r. Cap. Maignan ✆ 02 99 29 73 73, *h1249@accor-hotels.com, Fax 02 99 29 54 00* – 🎙 🍴 📺 🅴 – ⌀ 15 à 150. ⒜⒠ ⓞ 🄶🄱
ABZ   m
Repas carte environ 32 Ⓨ, enf. 10 – ⬒ 10 – **142 ch** 91/103

Mercure Pré Botté Ⓜ sans rest, r. Paul Louis Courier ✆ 02 99 78 82 20, *h1056@accor-hotels.com, Fax 02 99 78 82 21* – 🎙 🍴 📺 🅴 ⇔ – ⌀ 20. ⒜⒠ ⓞ 🄶🄱
BZ   t
⬒ 10 – **104 ch** 91/137

Lecoq-Gadby, 156 r. Antrain ✆ 02 99 38 05 55, *Fax 02 99 38 53 40*, « Bel aménagement intérieur », 🌿, 🌳 – 🎙 📺 🅴 🄿 – ⌀ 150. ⒜⒠ ⓞ 🄶🄱 🄹🄲🄱
DU   x
Repas *(fermé 11 au 19 août et dim. soir)* 29/55 – ⬒ 15 – **10 ch** 107/148 – ½ P 108/118

Anne de Bretagne sans rest, 12 r. Tronjolly ✆ 02 99 31 49 49, *hotelannedebretagne@wanadoo.fr, Fax 02 99 30 53 48* – 🎙 🍴 📺 🅴 ⇔ – ⌀ 20. ⒜⒠ ⓞ 🄶🄱 🄹🄲🄱
AZ   q
⬒ 7,32 – **43 ch** 73,18/97,57

Relais Mercure Ⓜ sans rest, 6 r. Lanjuinais ✆ 02 99 79 12 36, *relaismercure.rennes@libertysurf.fr, Fax 02 99 79 65 76* – 🎙 🍴 📺 🅴 ⇔. ⒜⒠ 🄶🄱
AY   n
⬒ 8 – **48 ch** 56/85

Président sans rest, 27 av. Janvier ✆ 02 99 65 42 22, *Fax 02 99 65 49 77* – 🎙 📺 🅴 ⇔. ⒜⒠ 🄶🄱
BZ   n
fermé 25 juil. au 9 août et 21 déc. au 6 janv. – ⬒ 6,30 – **34 ch** 53,40/64,40

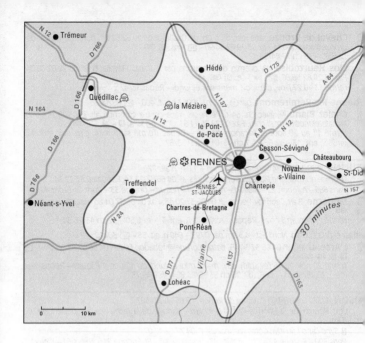

🏨 **Kyriad** Ⓜ sans rest, 6 pl. Gare ℰ 02 99 30 25 80, *Fax 02 99 31 84 88* – 📶 ✿ ≡ 📺 ✆
　Ⓞ ⒼⒷ
　⛆ 6,10 – **47 ch** 52/88

🏨 **Sévigné** sans rest, 47 av. Janvier ℰ 02 99 67 27 55, *hotellesevigne@f.*
　Fax 02 99 30 66 10 – 📶 📺 ✆ ♿. ⒶⒺ Ⓞ ⒼⒷ
　⛆ 6 – **44 ch** 45/63

🏨 **Astrid** Ⓜ sans rest, 32 av. L. Barthou ℰ 02 99 30 82 38, *hotelastrid@wanad*
　Fax 02 99 31 88 55 – 📶 📺 ✆. ⒶⒺ Ⓞ ⒼⒷ 🇯🇨🇧
　⛆ 6 – **30 ch** 49/58

🏨 **Brest** sans rest, 15 pl. Gare ℰ 02 99 30 35 83, *hotel.de.brest@wanac*
　Fax 02 99 30 08 60 – 📶 📺 ✆ – 🏛 15. ⒼⒷ 🇯🇨🇧. ✗
　fermé 24 déc. au 2 janv. – ⛆ 6,95 – **48 ch** 44,50/53,05

🏨 **Lanjuinais** sans rest, 11 r. Lanjuinais ℰ 02 99 79 02 03, *Fax 02 99 79 03 97* – 📶 📺
　Ⓞ ⒼⒷ 🇯🇨🇧
　⛆ 7 – **33 ch** 33/53

🏨 **Garden Hôtel** sans rest, 3 r. Duhamel ℰ 02 99 65 45 06, *Fax 02 99 65 02 62* – 📶 📺
　ⒶⒺ ⒼⒷ
　⛆ 7 – **26 ch** 42/54

🍴🍴🍴 **Fontaine aux Perles** (Gesbert), quartier de la Poterie par ④, *96 r. Poterie* ✉
🕸️ 　ℰ 02 99 53 90 90, *lafontaineauxperles@dial.oleane.com, Fax 02 99 53 47 77*, �& 🍃
　ⒶⒺ Ⓞ ⒼⒷ 🇯🇨🇧
　fermé 4 au 21 août, dim. soir et lundi – **Repas** 22/61 et carte 55 à 75 ⛆, enf. 13
　Spéc. Mimosa de langoustines et Saint-Jacques rôties au foie gras. Homard rôti à la
　au vin de Layon. Poire rôtie, nougat glacé, blanc manger et pain d'épice

🍴🍴🍴 **Escu de Runfao**, 11 r. Chapître ℰ 02 99 79 13 10, *escuderunfao@wanac*
🕸️ 　*Fax 02 99 79 43 80*, 🌿, « Maison à colombage du 17ᵉ siècle » – ⒶⒺ ⒼⒷ
　fermé 4 au 22 août, 22 fév. au 3 mars, sam. midi et dim. soir – **Repas** 26 (déj.), 37/75 e
　61 à 74 ⛆

🍴🍴🍴 **L'Ouvrée**, 18 pl. Lices ℰ 02 99 30 16 38, *louvree@dial.oleane.com, Fax 02 99 30 1*
🕸️ 　ⒶⒺ Ⓞ ⒼⒷ 🇯🇨🇧
　fermé 5 au 16 avril, 26 juil. au 20 août, 2 au 7 janv., sam. midi, dim. soir et lundi. –
　13,90/31,50 et carte environ 36 ⛆, enf. 11

RENNES

Bourgeois (Bd L.) . . . . . DV 3
Canada (Av. du) . . . . CV 6
Churchill
(Av. Sir W.) . . . . CU 13
Combes (Bd E.) . . . . DV 14
Duchesse Anne
(Bd de la) . . . . DU 15
Guilloux (R. L.) . . . . CU 23
Laennec (Bd) . . . . DU 31
Leroux (Bd Oscar) . . . . . DV 36
Lorient (R. de) . . . . CU 38
Maginot (Av. du Sergent) DU 39
Pompidou (Bd G.) . . . . . CV 55
St-Brieuc (R. du) . . . . . . CU 64
St-Jean-Baptiste
de la Salle (Bd) . . . . . CU 70
Strasbourg (Bd de) . . . . DU 83
Ukraine (Allée d') . . . . . CV 84
Vitré (Bd de) . . . . DU 87
Yser (Bd de l') . . . . CV 88
3-Croix (Bd des) . . . . . . CU 89

XX Corsaire, 52 r. Antrain ⊠ 35700 ℰ 02 99 36 33 69, *Fax 02 99 36 33 69* – AE ① GB BX y
fermé merc., dim. sauf le midi de sept. à juin et lundi en juil.-août – **Repas** (18,30) - 19,82/30,49 et carte 41 à 60 ♀, enf. 10,68

XX Puits des Saveurs, 262 r. Chateaugiron par ④ ℰ 02 99 53 18 14, *Fax 02 99 53 16 45* – P. AE GB
fermé 28 juil. au 23 août, dim. soir et lundi – **Repas** 15 (déj.), 24/46 ♀, enf. 10

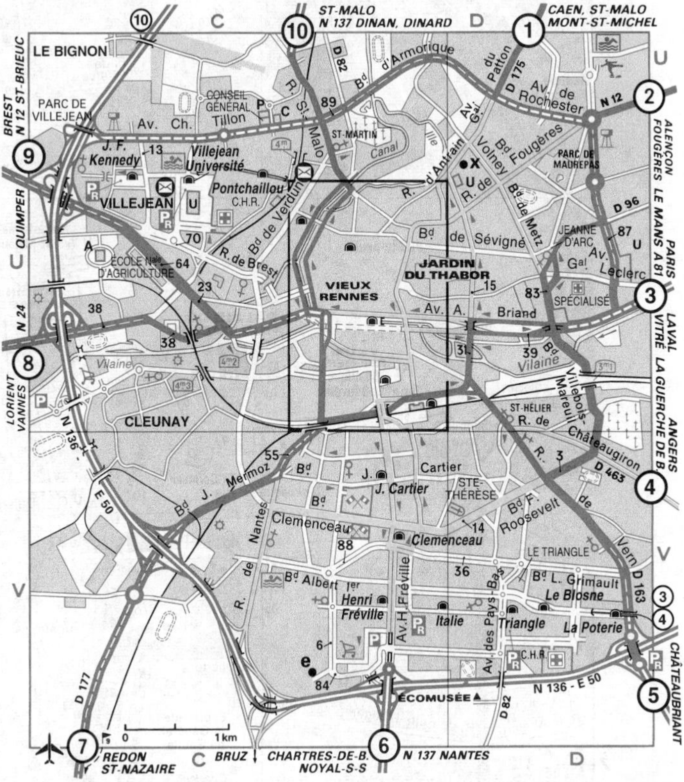

XX Four à Ban, 4 r. St-Mélaine ℰ 02 99 38 72 85, *Fax 02 99 38 72 85* – ▤. AE GB BY s
fermé 13 juil. au 5 août, 18 au 26 fév., sam. midi et dim.
Repas 16,70 (déj.), 22,70/43,50 ♀

XX Florian, 12 r. Arsenal ℰ 02 99 67 25 35, *Fax 02 99 67 25 35* – AE GB AZ b
fermé 11 août au 4 sept., 23 déc. au 3 janv., dim. sauf le midi en hiver, sam. midi et lundi – **Repas** (nombre de couverts limité, prévenir) 16/38,11 ♀, enf. 9,15

X Chouin, 12 r. Isly ℰ 02 99 30 87 86, *Fax 02 99 31 39 72* – GB BZ h
fermé 29 juil. au 15 août, dim. et lundi – **Repas** - produits de la mer - (12 bc) - 16/21 ♀

X Gourmandin, 4 pl. Bretagne ℰ 02 99 30 42 01, *Fax 02 99 30 42 01* – ▤. AE ① GB AYZ r
fermé 1er au 10 mars, 27 juil. au 21 août, sam. midi, lundi midi et dim. – **Repas** (nombre de couverts limité, prévenir) 13,11/25,15 ♀

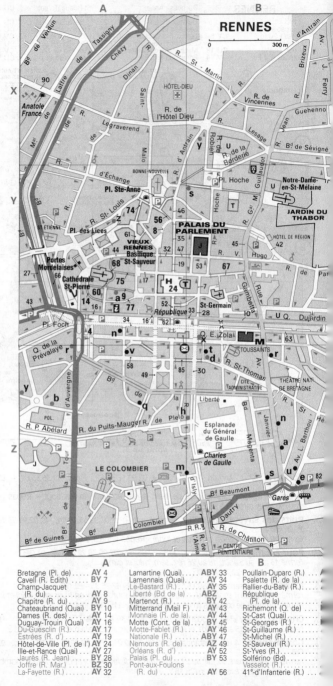

RENNES

0   300 m

1156

✕ **Léon le Cochon**, 1 r. Mar. Joffre ℰ 02 99 79 37 54, Fax 02 99 79 07 35 – 📧, 💳 ⓿ 🅶🅱
　 🅹🅲🅱 　　　　　　　　　　　　　　　　　　　　　　　　　　　　　BY x
　 fermé dim. en juil.-août – **Repas** bistrot *(11)* - carte 20 à 33 ♀

✕ **Petit Sabayon**, 16 r. des Trente ℰ 02 99 35 02 04, *petit-sabayon@wanadoo.fr* –
　 🅶🅱 　　　　　　　　　　　　　　　　　　　　　　　　　　　　　　　AZ y
　 fermé 10 au 30 août, sam. midi, dim. et lundi – **Repas** (nombre de couverts limité, prévenir)
　 17,68/25

✕ **Tête de Lard**, 37 r. Vasselot ℰ 02 99 79 05 91, Fax 01 99 79 05 91 – 🅶🅱　　　BZ d
　 fermé 1er au 21 août, vacances de fév., dim. et lundi – **Repas** (10,21) - 12,65 (déj.), 14,92/
　 19,67 ♀

sson-Sévigné par ③ : 6 km – 14 344 h. alt. 28 – ⌧ 35510 :

🏨 **Germinal** ⌂, 9 cours de la Vilaine, au bourg ℰ 02 99 83 11 01, Fax 02 99 83 45 16, ≼,
　 ⌂, « Ancien moulin sur la Vilaine » – 📋 📺 💥 – 🔬 20. 💳 🅶🅱
　 fermé vacances de Noël – **Repas** (fermé dim.) 19 (déj.), 28/50 – ⌸ 10 – **20 ch** 61/80

yal-sur-Vilaine par ③ : 12 km – 4 698 h. alt. 75 – ⌧ 35530 :

✕ **Auberge du Pont d'Acigné**, rte d'Acigné : 3 km ℰ 02 99 62 52 55, Fax 02 99 62 21 70,
　 ⌂ – 🅿. 💳 🅶🅱
　 fermé 4 au 26 août, 1er au 9 janv., sam. midi, dim. soir et lundi – **Repas** 16 (déj.), 28/40 🔸,
　 enf. 11

✕ **Hostellerie Les Forges** avec ch, ℰ 02 99 00 51 08, Fax 02 99 00 62 02 – 📺 🅿. – 🔬 30.
　 🍃 💳 🅶🅱
　 fermé 6 au 19 août, 23 fév. au 3 mars, vend. soir (sauf hôtel), dim. soir et soirs fériés –
　 Repas 11,95/29,70, enf. 9 – ⌸ 5,80 – **12 ch** 35,45/48,80 – ½ P 34,25/37,10

ud-Est de Chantepie par ④ : 5 km – 6 793 h. alt. 40 – ⌧ 35135 :

🏨 **Relais Bleus**, r. Bignon ℰ 02 99 32 34 34, Fax 02 99 53 57 26 – 📺 💥 🅿. – 🔬 30. 💳
　 🍃 🅶🅱
　 Repas (10,50) - 12,50/18 ♀, enf. 6 – ⌸ 5,50 – **50 ch** 50

artres-de-Bretagne par ⑥ : 10 km – 6 467 h. alt. 37 – ⌧ 35131 :

🏨 **Chaussairie** sans rest, sur ancienne rte de Nantes ℰ 02 99 41 14 14, *interhoteldelachaus*
　 sairie@wanadoo.fr, Fax 02 99 41 33 44 – ⇆ 📺 💥 ⧫ 🅿. – 🔬 15 à 30. 💳 🅶🅱. ⌀
　 fermé 26 déc. au 2 janv. – ⌸ 6 – **35 ch** 42/50

✕ **Braise**, 92 r. Nationale ℰ 02 99 41 21 29, Fax 02 99 41 33 80, ⌂ – 🅿. 💳 🅶🅱
　 fermé 1er au 21 août, 1er au 10 janv., sam. midi, dim. soir et lundi – **Repas** 18/52 ♀

le Lorient par ⑧, N 24 : 6 km – ⌧ 35650 Le Rheu :

✕ **Manoir du Plessis** avec ch, ℰ 02 99 14 79 79, *info@manoirduplessis.fr*,
　 Fax 02 99 14 69 60, ⌂, « Demeure de maître dans un parc », ⧫ – 📺 💥 🅿. – 🔬 20. 💳 🅶🅱.
　 ⌀ ch
　 fermé 30 déc. au 5 janv. et 24 fév. au 10 mars – **Repas** (fermé dim. soir et lundi) 16 (déj.),
　 21/37 – ⌸ 9 – **5 ch** 90/95

ont-de-Pacé par ⑨ : 10 km – ⌧ 35740 Pacé :

✕ **Griotte**, r. Dr Léon ℰ 02 99 60 15 15, Fax 02 99 60 26 84, ⌂, ⌖ – 🅿. 💳 ⓿ 🅶🅱
　 fermé 15 fév. au 15 mars, 25 juil. au 28 août, dim. soir, mardi et merc. – **Repas** (14) - 17/55 et
　 carte 27 à 53 ♀, enf. 10

Mézière par ⑩, sortie Gévezé : 15 km – 3 121 h. alt. 106 – ⌧ 35520 :

✕ **Les Agapes**, 22 pl. Église ℰ 02 99 69 39 27, Fax 02 99 69 32 42, ⌂ – 💳 🅶🅱
　 fermé 12 au 26 août, dim. soir et lundi
　 Repas 13,72 (déj.), 25,61/36,59 ♀

le St-Malo par ⑩ - sortie St-Grégoire : 6,5 km – ⌧ 35760 St-Grégoire :

🏨 **Oceania** M, Espace Performance Alphasis ℰ 02 99 23 78 78, Fax 02 99 23 78 33, ⌂ – 📋
　 ⇆, 📧 rest, 📺 💥 ⧫ ⧴ 🅿. – 🔬 20 à 60. 💳 ⓿ 🅶🅱
　 Repas (fermé vend. soir, sam. et dim.) 16/38 🔸 – ⌸ 10 – **70 ch** 64/86

ÉOLE 33190 Gironde 🔢 ⑬ – 4 187 h alt. 44.
　 Paris 652 – Bordeaux 75 – Casteljaloux 42 – Duras 24 – Libourne 46 – Marmande 32.

✕ **Les Fontaines**, 8 r. Verdun ℰ 05 56 61 15 25, Fax 05 56 61 15 25, ⌂, ⌖ – 💳 🅶🅱
　 fermé 12 au 26 nov., 11 au 18 fév., dim. soir et lundi – **Repas** (nombre de couverts limité,
　 prévenir) 14,50/38,20 ♀, enf. 7,70

TONICA (Gorges de la) 2B H.-Corse 🔢 ⑤ – voir à Corse (Corte).

RETHEL ◁▷ 08300 Ardennes 🟦🟦 ⑦ G. Champagne Ardenne – 8 052 h alt. 80.

🛈 Syndicat d'initiative - Bureau Municipal de Tourisme ℘ 03 24 39 51 45, Fax 03 24 39.

Paris 187 – Charleville-Mézières 46 – Reims 41 – Laon 60 – Verdun 119.

🏨 **Moderne,** pl. Gare ℘ 03 24 38 44 54, hotel.le.moderne@wanadoo.fr, Fax 03 24 38
– 🍽 rest, 📺 ✆ – 🛗 70. ⁂ 🇬🇧

Repas 16,77/25,92 – 🖵 5,34 – **21 ch** 33,54/41,16 – ½ P 38,11

RETHONDES 60 Oise 🟦🟦 ③, 🔲🔲 ⑪ – rattaché à Compiègne.

REUGNY 03190 Allier 🟦🟦 ⑫ – 272 h alt. 204.

Paris 314 – Moulins 64 – Bourbon-l'Archambault 43 – Montluçon 15 – Montmarault 45

XX **Table de Reugny,** ℘ 04 70 06 70 06, Fax 04 70 06 70 06, 🌳 – 🍽 . 🇬🇧 🛇
🍴 fermé 26 août au 11 sept., 2 au 17 janv.,dim. soir, lundi et mardi – **Repas** 13/39,50

REUILLY-SAUVIGNY 02850 Aisne 🟦🟦 ⑮ – 213 h alt. 78.

Paris 110 – Reims 51 – Épernay 34 – Château-Thierry 16 – Soissons 46 – Troyes 115.

XXX **Auberge Le Relais** (Berthuit) avec ch, ℘ 03 23 70 35 36, auberge.relais.de.reuilly@
🏵 doo.fr, Fax 03 23 70 27 76, 🌳 – 🍽 📺 🅿. ⁂ ⑩ 🇬🇧. 🛇 ch

fermé 18 août au 5 sept., 10 fév. au 6 mars, mardi et merc. – **Repas** 26/67,50 et carte
82 – 🖵 9,50 – **7 ch** 58/81,50

Spéc. Noix de Saint-Jacques (15 oct. au 15 avril). Turbot aux carottes. Pièce de vea
limousin et asperges vertes au jus de truffe **Vins** Cumières.

REVEL 31250 H.-Gar. 🟦🟦 ⑳ G. Midi-Pyrénées – 7 985 h alt. 210.

🛈 Office du tourisme Place Philippe VI de Valois ℘ 05 34 66 67 68, Fax 05 34 66 6
tourisme-revel@revel-lauragais.com.

Paris 749 – Toulouse 54 – Carcassonne 46 – Castelnaudary 21 – Castres 28 – Gaillac 62.

🏨 **Midi,** 34 bd Gambetta ℘ 05 61 83 50 50, Fax 05 61 83 34 74, 🌳 – 📺 . 🇬🇧
Repas (fermé 12 nov. au 6 déc., dim. soir et lundi midi d'oct. à Pâques) 14 (déj.), 1
enf. 10 – 🖵 6 – **17 ch** 34/61 – ½ P 29/43

XX **Lauragais,** 25 av. Castelnaudary ℘ 05 61 83 51 22, Fax 05 62 18 91 79, 🌳 , « Cadre
tique », 🌳 – 🅿. ⁂ ⑩ 🇬🇧
Repas 22/57 🝙, enf. 10

au Nord par rte de Castres : 3 km – ✉ 31250 Revel :

XX **Auberge des Mazies** 🍃 avec ch, ℘ 05 61 27 69 70, mazies31@fre
🍴 Fax 05 62 18 06 37, 🌳 , « Jardin », 🌳 – 📺 ✆ 🅿. ⁂ ⑩ 🇬🇧 🇯🇨🇧
fermé 28 oct. au 12 nov. et 26 déc. au 21 janv. – **Repas** (fermé dim. soir et lundi) 12 ⧫
15/40 🝙, enf. 10 – 🖵 6 – **7 ch** 45/49 – ½ P 42

à St-Ferréol Sud-Est : 3 km par D 629 – ✉ 31250 :

Voir Bassin de St-Ferréol★.

🏨 **Hôtellerie du Lac** 🍃, ℘ 05 62 18 70 80, Fax 05 62 18 71 13, ≤, 🌳 , 🏊 , 🌳 – cuisi
🍴 📺 ✆ 🛗 🅿.– 🛗 50. 🇬🇧. 🛇 ch
fermé 23 déc. au 2 janv. – **Repas** (fermé 23 déc. au 15 janv. et dim. soir sauf juil.-août)
- 14/32 🍴, enf. 9 – 🖵 6 – **21 ch** 51/56, 4 duplex – ½ P 48

REVENTIN-VAUGRIS 38 Isère 🟦🟦 ⑪ – rattaché à Vienne.

REVIGNY-SUR-ORNAIN 55800 Meuse 🟦🟦 ⑲ – 3 660 h alt. 144.

🛈 Office du tourisme Rue du Stade ℘ 03 29 78 73 34, Fax 03 29 78 73 34.

Paris 238 – Bar-le-Duc 18 – St-Dizier 30 – Vitry-le-François 36.

XXX **Les Agapes et Maison Forte** (Joblot) 🍃 avec ch, pl. Henriot du Cou
🏵 ℘ 03 29 70 56 00, lamaisonfortelesagapes@minitel.net, Fax 03 29 70 59 30, 🌳 , « M
du 17ᵉ siècle », 🌳 – 📺 ✆ 🛗 🅿. ⁂ ⑩ 🇬🇧. 🛇 ch
fermé 1ᵉʳ au 17 août, vacances de fév., dim. soir et lundi – **Repas** 26,70/50,30 et carte
60 🝙 – 🖵 9,15 – **7 ch** 50/76 – ½ P 68,65/91,50

Spéc. Pot-au-feu de foie gras au vinaigre balsamique. Lièvre à la royale (15 oct. au 15 ⧫
Soufflé à la mirabelle de Lorraine **Vins** Auxerrois, Pinot noir de Meuse.

RÉVILLE 50760 Manche 🟦🟦 ③ – 1 168 h alt. 12.

Voir La Pernelle ✳★★ du blockhaus O : 3 km – Pointe de Saire : blockhaus ≤★ SE : 2,
G. Normandie Cotentin.

Paris 351 – Cherbourg 31 – Carentan 44 – St-Lô 72 – Valognes 22.

✗ **Au Moyne de Saire** avec ch, ☎ 02 33 54 46 06, *au.moyne.de.saire@wanadoo.fr*,
Fax 02 33 54 14 99 – **P. AE GB**
fermé fév. et merc. hors saison – **Repas** 9,91/38,11 – ☲ 5,95 – **10 ch** 38,87/44,97 –
½ P 38,87/41,16

---

30 Gard 80 ⑯ – *rattaché au Vigan.*

---

44 Loire-Atl. 67 ③ – *rattaché à Nantes.*

HIEN 70 H.-Saône 66 ⑦ – *rattaché à Ronchamp.*

JAU 67860 B.-Rhin 62 ⑩ – 2 348 h alt. 158.
🛈 *Office du tourisme Rue du Rhin* ☎ 03 88 74 68 96.
Paris 527 – Strasbourg 40 – Marckolsheim 27 – Molsheim 38 – Obernai 27 – Sélestat 27.

✗ **Au Vieux Couvent** (Albrecht), ☎ 03 88 74 61 15, Fax 03 88 74 89 19, 😤 – **AE ⓞ GB**
fermé 1er au 19 juil., mardi et merc. – **Repas** 25/74 et carte 55 à 80 🍷, enf. 16
Spéc. Carpaccio d'espadon. Côte de veau aux champignons de saison. Le grand dessert
Vins Riesling, Tokay-Pinot gris.

IS 83560 Var 84 ④, 114 ⑰ ⑱ – 3 628 h alt. 406.
🛈 *Office du tourisme Le Grenier* ☎ 04 94 80 33 37, Fax 04 94 80 33 37.
Paris 775 – Marseille 69 – Aix-en-Provence 40 – Avignon 99 – Manosque 33 – Toulon 79.

✗ **Roquette,** rte Manosque : 1 km ☎ 04 94 80 32 58, 😤 – **P. GB**
fermé 2 janv. au 1er fév., mardi soir en hiver, dim. soir et lundi – **Repas** 21,34/41,16 🍷,
enf. 8,38

e St-Maximin : 5 km par D 3 – ⊠ 83560 Rians :

✗ **Bois St-Hubert** ⊗ avec ch, ☎ 04 94 80 31 00, Fax 04 94 80 55 71, 😤, « Belle décoration intérieure », ⛵, 🏊, **C. P. AE ⓞ GB JCB**
27 mars-31 oct. et fermé lundi et mardi – **Repas** 29/39 🍷, enf. 16 – ☲ 11 – **8 ch** 138/145 –
½ P 100/135

AUVILLÉ ⚓ 68150 H.-Rhin 62 ⑱ ⑲ G. Alsace Lorraine – 4 929 h alt. 240.
Voir Grand'Rue★★ : *tour des Bouchers★.*
Env. Riquewihr★★★ – Château du Haut-Ribeaupierre : ☀★★ – Château de St-Ullrich★ :
☀★★.
🛈 *Office du tourisme 1 Grand' Rue* ☎ 03 89 73 62 22, Fax 03 89 73 23 62, info@ribeauville-
riquewihr.com.
Paris 433 ⑤ – Colmar 15 ③ – Mulhouse 59 ④ – St-Dié 40 ⑤ – Sélestat 14 ②.

Plan page suivante

🏠 **Clos St-Vincent** ⊗, Nord-Est : 1,5 km par rte secondaire ☎ 03 89 73 67 65, clovincent@
aol.com, Fax 03 89 73 32 20, ≤ la plaine d'Alsace, 😤, « Dans le vignoble », ⛵, 🌳 – 🛗 📺
C. & P. GB   B u
mi-mars-mi-nov. – **Repas** *(fermé merc. midi, vend. midi et mardi)* 30 (déj.)/40 🍷 – **12 ch**
☲ 115/160, 3 appart – ½ P 107,50/120

🏠 **Ménestrel** Ⓜ sans rest, 27 av. Gén. de Gaulle par ④ ☎ 03 89 73 80 52, menestrel2@wana
doo.fr, Fax 03 89 73 32 39, 🏋, 🌳 – 🛗 ☯ 📺 & **P. AE GB**
fermé 15 fév. au 15 mars – ☲ 12 – **28 ch** 60/90

🏠 **Tour** ⊗ sans rest, 1 r. Mairie ☎ 03 89 73 72 73, hoteldelatour@aol.com,
Fax 03 89 73 38 74, 🏋 – 🛗 📺 **P. AE GB JCB**   A a
fermé 1er au 14 mars – ☲ 6,50 – **35 ch** 52/72

🏠 **Cheval Blanc,** 122 Grand Rue ☎ 03 89 73 61 38, cheval-blanc-ribeauville@wanadoo.fr,
Fax 03 89 73 37 03 – 📺 **C. GB JCB**, ⊗   A e
fermé 15 nov. au 3 déc. et 20 déc. au 1er fév. – **Repas** *(fermé lundi)* 14,50/24,40 🍷 – ☲ 6,10 –
25 ch 44,30/51,90 – ½ P 44,30

✗ **Haut Ribeaupierre** (Frenot), 1 rte Bergheim ☎ 03 89 73 87 63, Fax 03 89 73 88 15 –
GB, ⊗   B e
fermé 1er au 10 juil., fév., mardi et merc. – **Repas** 23/43,50 et carte 42 à 55 🍷
Spéc. Pressé de jarret de porc et foie gras. Filet de boeuf aux girolles. Crumble aux mûres
et poires.

RIBEAUVILLÉ

Abbé Kremp
(R. de l') .... A 2
Bergheim (Rte de) ...... B
Château (R. du) .... A 3
Flesch (R.) .... B 5
Fontaine (R. de la) ..... A 6
Frères-Mertian (R. des) .. A 7

Gaulle (Av. du Gén.-de) ... B 9
Gouraud (Pl.) .... B 10
Grand'Rue .... AB
Halle-aux-Blés (R.) ...... B 12
Juifs (R. des) .... B
Klée (R.) .... B
Klobb (R.) .... A
Lutzelbach (R. du) ...... A
Mairie (Pl. de la) .... A 13
Marne (R. de la) .... A

Rempart-
de-la-Streng (R. du) ... A
République (Pl. de la) ....
Sainte-Marie-
aux-Mines (Rte) ....
Sinne (Pl. de la) ....
Tanneurs (R. des) ....
Vignoble (R. du) ....
Ire-Armée (Pl. de la) ....
3-Décembre (R. du) .... A

« Zone piétonne en saison »

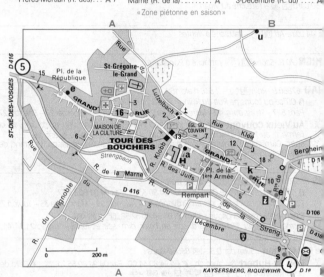

KAYSERSBERG, RIQUEWIHR

 Relais des Ménétriers, 10 av. Gén. de Gaulle ℘ 03 89 73 64 52, Fax 03 89 73 69
GB
fermé 29 juin au 17 juil., 23 déc. au 2 janv., jeudi soir, dim. soir et lundi – Repas 10
20/30 ♀

 Wistub Zum Pfifferhüs, 14 Grand rue ℘ 03 89 73 62 28, Fax 03 89 73 80 34,
non-fumeurs exclusivement, « Cadre typiquement alsacien » – GB. ❀
fermé 1er au 11 juil., 31 déc. au 9 janv., 5 fév. au 6 mars, merc. et jeudi – Repas (p
nir) carte environ 36 ♀

rte de Ste-Marie-aux-Mines par ⑤ sur D 416 : 4 km – ⊠ 68150 :

 Au Valet de Coeur et Hostel de la Pépinière avec ch, ℘ 03 89 73 (
Fax 03 89 73 88 78, ❀ – ▯ ┄ ⇦ ₚ. ☒ ⓪ GB
fermé mi-janv. à début fév. – Repas (fermé dim. soir, mardi midi et lundi) 32/69 et cart
75 ♀ – ⊆ 7,62 – **18 ch** 41,16/68,60 – ½ P 61,74/73,18
Spéc. Cocotte de sandre aux écrevisses. Millefeuille de filet de boeuf au foie gras et tr
Baeckeoffa de fruits de saison aux épices **Vins** Riesling, Pinot noir.

RIBÉRAC 24600 Dordogne ⑦⑤ ④ G. Périgord Quercy – 4 000 h alt. 68.
🖪 Office du tourisme Place Charles de Gaulle ℘ 05 53 90 03 10, Fax 05 53 91 3
o.t.riberac@perigord.tm.fr.
Paris 505 – Périgueux 39 – Angoulême 58 – Barbezieux 58 – Bergerac 53 – Libourne 6

 France, ℘ 05 53 90 00 61, info@hoteldefranceriberac.com, Fax 05 53 91 06 05, 🏤
✆. GB
fermé 15 nov. au 15 déc., mardi midi, sam. midi et lundi sauf juil.-août – Repas 13
16/42 ♀, enf. 11 – ⊆ 8 – **13 ch** 39/48 – ½ P 40

 Rêv'Hôtel, rte de Périgueux : 1,5 km ℘ 05 53 91 62 62, Fax 05 53 91 48 96, 🏤 – �🆟
🅿 – ♨ 25. GB
fermé 20 déc. au 5 janv. – Repas 15/25 ♀, enf. 7 – ⊆ 5 – **17 ch** 30/42 – ½ P 31,50

Use this year's Guide.

RICEYS 10340 Aube **61** ⑰ G. Champagne Ardenne – 1 376 h alt. 180.

🔁 Office du tourisme 3 place des Héros de la Résistance 𝄞 03 25 29 15 38, Fax 03 25 29 15 38, ot.lesriceys@wanadoo.fr.

Paris 211 – Troyes 46 – Bar-sur-Aube 50 – St-Florentin 58 – Tonnerre 37.

Magny ⊗ avec ch, D 452 𝄞 03 25 29 38 39, Fax 03 25 29 11 72, 🌦, ⅃ – 🔟 📺 ✆ & 🅿. 🆖 fermé janv., fév., dim. soir, mardi soir d'oct. à avril et merc. sauf le soir de juin à sept. – Repas 11/36 ⅃, enf. 7 – ⊆ 7 – **12 ch** 46/54 – ½ P 45/49

C-SUR-BELON 29340 Finistère **58** ⑪ ⑯ – 4 008 h alt. 65.

🔁 Office du tourisme 2 rue des Gentilshommes 𝄞 02 98 06 97 65, Fax 02 98 06 93 73, ot.riec.sur.belon@wanadoo.fr.

Paris 529 – Quimper 41 – Carhaix-Plouguer 61 – Concarneau 20 – Quimperlé 13.

Port de Belon Sud : 4 km par C 3 et C 5 – ✉ 29340 Riec-sur-Belon :

Chez Jacky, 𝄞 02 98 06 90 32, Fax 02 98 06 49 72, ≤, « En bordure du Belon » – 🆖 début avril-30 sept. et fermé lundi sauf fériés – Repas - produits de la mer seul. - (en saison, prévenir) 17 (déj.), 31/69, enf. 8

UPEYROUX 12240 Aveyron **80** ① – 2 157 h alt. 750.

🔁 Syndicat d'initiative 3 place du Gitat 𝄞 05 65 65 60 00.

Paris 644 – Rodez 38 – Albi 55 – Carmaux 38 – Millau 93 – Villefranche-de-Rouergue 24.

Commerce, 𝄞 05 65 65 53 06, hotel.j.b.delmas@wanadoo.fr, Fax 05 65 65 56 58, 🌦, ⅃, 🌦 – 🛗 🔟 ✆ 🅿 – ⅃ 30. 🔠 ◑ 🆖 fermé 27 oct. au 4 nov., 18 déc. au 16 janv., dim. soir et lundi sauf juil.-août – Repas 14/24,40 ⅃, enf. 7 – ⊆ 5,50 – **22 ch** 38,10/50,30 – ½ P 38,15/41

---

rices For notes on the prices quoted in this Guide, see the explanatory pages.

Z 04500 Alpes de H.P. **81** ⑯, **114** ⑦ G. Alpes du Sud – 1 667 h alt. 520.

Voir Baptistère★ – Echassier fossile★ au musée "Nature en Provence" – Mont St-Maxime ❋★ NE : 2 km.

🔁 Office de tourisme 4 Allée Louis-Gardiol 𝄞 04 92 77 82 80, Fax 04 92 77 79 67.

Paris 773 – Digne-les-Bains 41 – Brignoles 67 – Castellane 59 – Manosque 35 – Salernes 45.

Carina sans rest, 𝄞 04 92 77 85 43, Fax 04 92 77 85 44 – 🔟 ✆ & 🅿. 🆖. ❀ 1ᵉʳ avril-31 oct. – ⊆ 6,10 – **30 ch** 53,36/57,93

NAC 12390 Aveyron **80** ① – 1 658 h alt. 500.

Voir Commune de la "Méridienne verte".

🔁 Office de tourisme Place du Portail-Haut 𝄞 05 65 80 26 04, Fax 05 65 64 45 45, o.t.rignac@wanadoo.fr.

Paris 625 – Rodez 28 – Aurillac 87 – Figeac 40 – Villefranche-de-Rouergue 30.

Marre, rte Belcastel 𝄞 05 65 64 51 56, 🌦, 🌦 – 🌦 🅿. 🆖 fermé vacances de Printemps, de Noël, dim. soir et lundi sauf juil.-août – Repas (8,50 bc) - 11,50 bc/24,50 ⅃, enf. 7,50 – ⊆ 4,75 – **13 ch** 30/36 – ½ P 32/35

Delhon, rte Belcastel 𝄞 05 65 64 50 27 – 🔠 🆖 fermé dim. soir et sam. d'oct. à juin – Repas 9,50 bc/20 bc, enf. 6,10 – ⊆ 5 – **18 ch** 23/37 – ½ P 30,50

NY 70 H.-Saône **66** ⑭ – rattaché à Gray.

LÉ 37340 I.-et-L. **64** ⑬ – 272 h alt. 82.

Paris 275 – Tours 39 – Angers 73 – Chinon 40 – Saumur 41.

Logis du Lac ⊗, Ouest : 2 km sur D 49 𝄞 02 47 24 66 61, 🌦 – ✆ 🅿. 🆖 avril-déc. et fermé dim. soir et merc. hors saison – Repas (11) - 16/23, enf. 8 – ⊆ 6 – **6 ch** 32/38 – ½ P 33,50

IEUX-LA-PAPE 69 Rhône **74** ⑪ ⑫, **110** ⑮ – rattaché à Lyon.

BACH-PRÈS-GUEBWILLER 68 H.-Rhin **62** ⑱ – rattaché à Guebwiller.

RIMONT 09420 Ariège **86** ③ – 501 h alt. 525.

Paris 791 – Foix 32 – Auch 127 – St-Gaudens 57 – St-Girons 14 – Toulouse 93.

✗ **Poste**, pl. 8-Mai ℘ 05 61 96 33 23, Fax 05 61 96 33 23, 🌧 – **GB**
fermé 1ᵉʳ au 8 oct., 6 au 28 janv., lundi soir et mardi soir sauf juil.-août – **Repas** 10/
enf. 7

RIOM 🚾 63200 P.-de-D. **73** ④ G. Auvergne – 18 548 h alt. 363.

Voir Église N.-D.-du-Marthuret★ : Vierge à l'Oiseau★★★ – Maison des Consuls★ **K** – C
de l'hôtel Guimoneau **B** – Ste-Chapelle★ du palais de justice **N** – Cour★ de l'hôtel de vil
Tour de l'Horloge★ **R** – Musées : Régional d'Auvergne★ **M¹**, Mandet★ **M²**.
Env. Mozac : chapiteaux★★, trésor★★ de l'église★ 2 km par ④ – Marsat : Vierge no
dans l'église SO : 3 km par D 83.
🅑 Office du tourisme 16 rue du Commerce ℘ 04 73 38 59 45, Fax 04 73 38 2
ot-riom@micro-assist.fr.
Paris 410 ① – Clermont-Ferrand 16 ③ – Montluçon 75 ① – Thiers 47 ② – Vichy 39 ①.

RIOM

Bade (Fg de la)	2
Chabrol (R.)	3
Châtelguyon (Av. de)	4
Commerce (R. du)	
Croisier (R.)	6
Daurat (R.)	7
Delille (R.)	8
Fédération (Pl. de la)	9
Hellénie (R.)	10
Horloge (R. de l')	
Hôtel-des-Monnaies (R. de l')	12
Hôtel-de-Ville (R. de l')	13
Laurent (Pl. J.-B.)	14
Layat (Fg)	15
Libération (Av. de la)	16
Madeline (Av. du Cdt)	17
Marthuret (R. du)	18
Martyrs-de-la-Résistance (Pl. des)	19
Menut (Pl. Marinette)	20
Pré-Madame (Promenade du)	21
République (Bd de la)	22
Reynouard (Av. J.)	23
Romme (R. G.)	26
St-Amable (R.)	27
St-Louis (R.)	29
Soanen (Pl. Jean)	32
Soubrany (R.)	34
Taules (Carrefour des)	36

✗✗ **Les Petits Ventres**, 6 r. A. Dubourg (n) ℘ 04 73 38 21 65, Fax 04 73 63 12 21 – 🗐
GB
fermé 19 août au 9 sept., 24 fév. au 3 mars, dim. soir, lundi soir et mardi – **Repas**
16,50/40 ⚶, enf. 8 - **Brasserie des Petits Ventres** ℘ 04 73 64 01 77 Repa
12 ⚶, enf. 5,50

✗ **Flamboyant**, 21 bis r. Horloge (a) ℘ 04 73 63 07 97, Fax 04 73 63 07 97, 🌧 – 🄰🄴 ⓘ
🄹🄲🄱
fermé 16 au 27 sept. et lundi – **Repas** 14,48/39,64 bc

✗ **Magnolia**, 11 av. Cdt Madeline (v) ℘ 04 73 38 08 25, LEMAGNOLIA@libertysu
Fax 04 73 38 08 25 – 🗐. **GB**
fermé 21 juil. au 14 août, dim. soir et lundi – **Repas** 17,50/33

par ② dir. A 71 et Aigueperse : 2 km – ✉ 63200 Riom :

🏨 **Anémotel** **M**, Z.A.C. Les Portes de Riom ℘ 04 73 33 71 00, Fax 04 73 64 00 60, 🌧,
🏊 🗐 📺 ❧ & 🄿 – 🛄 30. 🄰🄴 **GB**
Repas (11) - 15/29 ⚶, enf. 6,50 – ⊑ 6,20 – **43 ch** 50,30

rte de Marsat Sud-Ouest : 2,5 km par D 83 – ✉ 63200 Riom :

✗✗ **Moulin de Villeroze**, ℘ 04 73 38 58 23, Fax 04 73 38 92 26, 🌧 – 🄿. 🄰🄴 **GB**
fermé 29 juil. au 15 août, 26 au 30 déc., dim. soir et lundi – **Repas** 22,50/43 ⚶

RIOM-ÈS-MONTAGNES 15400 Cantal **81** ④ – 2 842 h alt. 840.
🅑 Office du tourisme Place Charles de Gaulle ℘ 04 71 78 07 37, Fax 04 71 78 1
ot.riomesmontagnes@auvergne.net.
Paris 509 – Aurillac 83 – Clermont-Ferrand 91 – Ussel 45.

⌂ **St-Georges** Ⓜ, 5 r. Cap. Chevalier ℘ 04 71 78 00 15, *hotel.saint-georges@wanadoo.fr,*
Fax 04 71 78 24 37 – 🛗 TV 📞 ఉ, ☎ ⓞ GB
Repas 11,50/29,80 ♀, enf. 6,90 – ⌘ 4,60 – **14 ch** 29,80/45 – ½ P 36,60

RGES 42 Loire 🔲🔲 ⑦ – rattaché à Roanne.

Z 70190 H.-Saône 🔲🔲 ⑮ – 1 134 h alt. 267.
   🅱 Syndicat d'initiative 97 rue du Général de Gaulle ℘ 03 84 91 84 98, Fax 03 84 91 88 34.
   Paris 384 – Besançon 26 – Gray 47 – Vesoul 23.

✗ **Logis Comtois** avec ch, ℘ 03 84 91 83 83, Fax 03 84 91 83 83 – 🅿. GB
   fermé 16 déc. au 27 janv., lundi midi et dim. soir – **Repas** 11,90/22,90 ♪, enf. 8 – ⌘ 8 –
   27 ch 24,50/37,50 – ½ P 29/35,90

UEWIHR 68340 H.-Rhin 🔲🔲 ⑱ ⑲ G. Alsace Lorraine – 1 212 h alt. 300.
   Voir Village★★★.
   🅱 Office de tourisme 2 r. de la 1ère Armée ℘ 03 89 49 08 40, Fax 03 89 49 08 49,
   info@ribeauville-riquewihr.com.
   Paris 437 – Colmar 12 – Gérardmer 53 – Ribeauvillé 4 – St-Dié 45 – Sélestat 18.

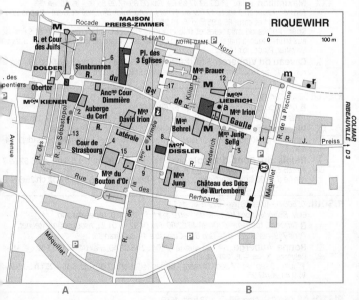

⌂ **Hôtel Le Schoenenbourg** Ⓜ 🌓 sans rest, r. Piscine ℘ 03 89 49 01 11, *schoenenbourg*
   @calixo.net, Fax 03 89 47 95 88, 🍃, ⛲, 🔳 – 🛗 TV 📞 ఉ, ⇔ 🅿 – 🔺 20. ☎ GB   **B** r
   ⌘ 9 – **58 ch** 61/100,60

⌂ **Riquewihr** sans rest, rte Ribeauvillé ℘ 03 89 86 03 00, *reservation@hotel-riquewihr.fr,*
   Fax 03 89 47 99 76, ← – 🛗 TV 📞 ఉ, 🅿. ☎ ⓞ GB   **B**
   fermé janv. et fév. – ⌘ 8 – **44 ch** 50/105, 6 duplex

⌂ **L'Oriel** 🌓 sans rest, 3 r. Ecuries Seigneuriales ℘ 03 89 49 03 13, *oriel@club-internet.fr,*
   Fax 03 89 47 92 87 – 🛗 TV. ☎ ⓞ GB JCB   **B** a
   ⌘ 8,40 – **16 ch** 60,50/78, 3 duplex

XXX **Table du Gourmet** (Brendel), 5 r. 1ᵉ Armée ℰ 03 89 49 09 09, *Fax 03 89 49*
☼ « Cadre typiquement alsacien » – ■. ᴀᴇ ᴳᴮ. ℘
fermé mi-janv. à fin fév., jeudi midi et merc. sauf le soir d'avril à fin nov. et mardi – R
37/70 et carte 55 à 70 ♀, enf. 18
Spéc. Jambonnettes de grenouilles en beignet. Chevreuil des chasses d'Alsace (auto
hiver). Griottes dans une mousse glacée au coquelicot (été) **Vins** Riesling.

XXX **Auberge du Schoenenbourg** (Kiener), r. Piscine ℰ 03 89 47 9
☼ Fax 03 89 47 89 84, 佘 – ■ ℙ. ᴀᴇ ᴳᴮ
fermé 6 janv. au 8 fév., merc. soir de nov. à avril et le midi sauf dim. – **Repas** 31/70 et
56 à 72 ♀
Spéc. Foie gras de canard légèrement fumé, poêlé aux poires. Filet de sandre au pinot
Trilogie de soufflés **Vins** Riesling, Pinot noir.

XX **Sarment d'Or** ⌕, au cœur, 4 r. Cerf ℰ 03 89 86 02 86, *Fax 03 89 47 99 23*, « Maiso
17ᵉ siècle » – ▭. ᴳᴮ. ℘ ch
fermé 1ᵉʳ au 9 juil., 6 janv. au 12 fév., dim. soir, mardi midi et lundi – **Repas** 19,80/51
enf. 9,50 – ⌑ 8 – **9 ch** 55/75 – ½ P 60/71

à Zellenberg *Est : 1 km par D 3 – 391 h. alt. 300 –* ⌂ 68340 :

🏨 **Au Riesling**, ℰ 03 89 47 85 85, *info@auriesling.com, Fax 03 89 47 92 08,* ⩽ – ▭
ᴳᴮ
fermé 1ᵉʳ janv. au 1ᵉʳ mars – **Repas** *(fermé dim. soir, mardi midi et lundi)* 15,10/28 ♀, en
⌑ 7,62 – **36 ch** 46/70,31 – ½ P 50,31/58

XXX **Maximilien** (Eblin), ℰ 03 89 47 99 69, *Fax 03 89 47 99 85,* ⩽ – ℙ. ᴀᴇ ⓪ ᴳᴮ
☼ *fermé 19 août au 3 sept., 17 fév. au 4 mars, vend. midi, dim. soir et lundi –* **Repas** 28,97 et
38,87/72,41 et carte 65 à 85 ♀, enf. 18,29
Spéc. Poêlée de mirabelles et foie chaud (sept.-oct.). Schniederspaetle et Saint-Jac
aux truffes (déc. à mars). Pavé de loup de mer sur tartare de langoustines (juil. à sept.)
Sylvaner, Pinot noir rosé

X **Caveau du Vigneron**, 5 rte Ostheim ℰ 03 89 47 81 57, *Fax 03 89 47 80 28* – ■. ᴳ
fermé 1ᵉʳ au 15 juil., mardi et merc. – **Repas** 15/30,30 ♀, enf. 7,05

RISCLE *32400 Gers* 🔢 ② *– 1 675 h alt. 105.*
🛈 *Office du tourisme - Mairie* ℰ 05 62 69 74 01.
Paris 742 – Mont-de-Marsan 48 – Aire-sur-l'Adour 17 – Auch 71 – Pau 63 – Tarbes 56.

XX **Pigeonneau**, 36 av. Adour ℰ 05 62 69 85 64, *Fax 05 62 69 85 64* – ᴳᴮ
fermé 15 au 30 nov., 15 au 31 janv., dim. soir, mardi soir et lundi – **Repas** 15 *(déj.)*, 24/
enf. 10

X **Relais du Pont d'Arcole** avec ch, rte Bordeaux : 1,5 km ℰ 05 62 69 7
⌕ Fax 05 62 69 84 36, 佘, ⾵ – ▭ ℙ. ᴳᴮ
fermé 6 au 20 janv., vend. soir et dim. soir – **Repas** 11,50/25 ⅃ – ⌑ 6 – **12 ch** 25/37

RISOUL *05600 H.-Alpes* 🔢 ⑱ *– 622 h alt. 1117.*
Env. Belvédère de l'Homme de Pierre ☀⁎⁎ *S : 15 km* G. Alpes du sud.
🛈 *Office du tourisme* ℰ 04 96 46 02 60, *Fax 04 92 46 01 23, risoul.ot@minitel.net.*
Paris 719 – Briançon 37 – Gap 62 – Guillestre 4 – St-Véran 35.

🏠 **Bonne Auberge** ⌕, au village ℰ 04 92 45 02 40, *Fax 04 92 45 13 12,* ⩽ Mass
⌕ Pelvoux, ⌧, ᴳᴮ. ℘ ch
1ᵉʳ juin-20 sept. et 27 déc.-31 mars – **Repas** 13/20, enf. 7,60 – ⌑ 5,35 – **25 ch** 50,30/54
½ P 41,20/47,25

RISTOLAS *05460 H.-Alpes* 🔢 ⑲ *– 78 h alt. 1630.*
Paris 734 – Briançon 52 – Gap 96 – Guillestre 34.

🏠 **Chalet de Ségure** ⌕, ℰ 04 92 46 71 30, *Fax 04 92 46 79 54,* ⩽ – ⇱. ᴳᴮ
26 mai-15 sept. et 22 déc.-30 mars – **Repas** *(fermé lundi)* (dîner seul.) (résidents seul
⌑ 6 – **10 ch** 45 – ½ P 47

RIVA-BELLA *14 Calvados* 🔢 ② *– voir à Ouistreham-Riva-Bella.*

RIVE-DE-GIER *42800 Loire* 🔢 ⑲, 🔢 ㉛ G. Vallée du Rhône *– 14 383 h alt. 225.*
Paris 498 – Lyon 38 – St-Étienne 23 – Montbrison 66 – Roanne 106 – Thiers 129 – Vienn

XXX **Hostellerie La Renaissance** avec ch, 41 r. A. Marrel ℰ 04 77 75 0
⌕ Fax 04 77 83 68 58, 佘, ⾵ – ℙ. ᴀᴇ ᴳᴮ
fermé dim. soir, merc. soir, lundi et soirs fériés – **Repas** *(15,09)* -24,39/76,22 et carte 44
– ⌑ 9,15 – **5 ch** 46/60

-Croix-en-Jarez *Sud-Est : 10 km par D 30 – 351 h. alt. 450 – ✉ 42800 :*

Prieuré avec ch, ☎ 04 77 20 20 09, *Fax 04 77 20 20 80*, – ▤ rest, TV. AE ⓓ GB.

fermé 2 janv. au 1er mars et lundi – **Repas** 11,89/38,11 ♀, enf. 9,76 – ▭ 6,40 – **4 ch** 39,63/45,73 – 1/2 P 43

DOUX-PLAGE *17 Char.-Mar.* **71** ⑫ – *voir à Ré (Ile de).*

IVIÈRE-ST-SAUVEUR *14 Calvados* **55** ④ – *rattaché à Honfleur.*

ÈRE-SUR-TARN *12640 Aveyron* **80** ④ – *961 h alt. 380.*

Office du tourisme Route des Gorges du Tarn ☎ 05 65 59 74 28, Fax 05 65 59 74 28, ot-gorgesdutarn@wanadoo.fr.

Paris 632 – Mende 86 – Millau 14 – Rodez 65 – Sévérac-le-Château 26.

Clos d'Is, ☎ 05 65 59 81 40, *Fax 05 65 59 84 03*, , – P. GB

Repas *(fermé dim. soir d'oct. à fév.)* 10/19 ♀ – ▭ 5,50 – **22 ch** 26/45 – 1/2 P 30,50/38

Restaurants serving a good but moderately priced meal are distinguished in the Guide by the symbol

---

IVIÈRE-THIBOUVILLE *27 Eure* **55** ⑮ – ✉ *27550 Nassandres.*

Paris 140 – Rouen 51 – Bernay 15 – Évreux 35 – Lisieux 39 – Pont-Audemer 34.

Soleil d'Or avec ch, ☎ 02 32 45 00 08, *Fax 02 32 46 89 68*, , – TV P – 30. AE ⓓ GB JCB

fermé 2 au 15 janv. – **Repas** *(fermé dim. soir)* 18,50/44 ♀ – ▭ – **12 ch** 50,30/89,17 – 1/2 P 42,68/62,11

HEIM *68 H.-Rhin* **87** ⑲ – *rattaché à Mulhouse.*

IX *84 Vaucluse* **81** ② – *rattaché à Vaison-la-Romaine.*

NNE SP *42300 Loire* **73** ⑦ *G. Vallée du Rhône – 38 896 h Agglo. 104 892 h alt. 265.*

Voir *Musée Joseph-Déchelette : Faïences révolutionnaires★.*

Env. *Belvédère de Commelle-Vernay <★ : 7 km au S par quai Sémard* **BV.**

Roanne-Renaison : ☎ 04 77 66 83 55, par D 9 **AV** *: 5 km.*

Office du tourisme 1 cours de la République ☎ 04 77 71 51 77, Fax 04 77 71 07 11, contact@leroannais.com.

Paris 401 ④ – Clermont-Ferrand 102 ③ – Lyon 89 ② – St-Étienne 86 ②.

Plan page suivante

Troisgros M, pl. Gare ☎ 04 77 71 66 97, *troisgros@avo.fr*, *Fax 04 77 70 39 77*, « Élégant décor contemporain », – ▤ TV – . AE ⓓ GB JCB CX r

fermé 30 juil. au 16 août, vacances de fév., mardi et merc. – **Repas** (nombre de couverts limité, prévenir) 117/143 et carte 90 à 140 ♀, enf. 30,45 – ▭ 20 – **13 ch** 148/270, 5 appart

Spéc. "Melba" de Saint-Jacques, oursins à la moutarde (automne-hiver). Acidulé d'écrevisses à la trévise. Jalousie de pamplemousse au miel de bourdaine (déc. à sept.) **Vins** Côte roannaise, Côte Rôtie.

Grand Hôtel sans rest, 18 cours République (face gare) ☎ 04 77 71 48 82, *Fax 04 77 70 42 40* – TV P – 60. AE ⓓ GB JCB CX f

fermé 1er au 20 août et 22 au 31 déc. – ▭ 8 – **30 ch** 45/77

Campanile, 38 r. Mâtel ☎ 04 77 72 72 73, *Fax 04 77 72 77 61*, – TV P – 25. AE ⓓ GB BV n

Repas *(12)* - 15,50/17 ♀, enf. 5,95 – ▭ 6 – **46 ch** 50

L'Astrée, 17 bis cours République (face gare) ☎ 04 77 72 74 22, *astree42@club-internet.fr*, *Fax 04 77 72 72 23* – ▤. ⓓ GB CX f

fermé 29 juil. au 18 août, 22 fév. au 9 mars, sam. et dim. – **Repas** *(18)* - 26/48 et carte 33 à 50 ♀, enf. 13

Central, 20 cours République (face gare) ☎ 04 77 67 72 72, *Fax 04 77 72 57 67*, bistrot – ▤. GB CX r

fermé 5 au 20 août, 24 déc. au 1er janv., dim. et lundi – **Repas** (prévenir) *(16)* - 22/26 ♀

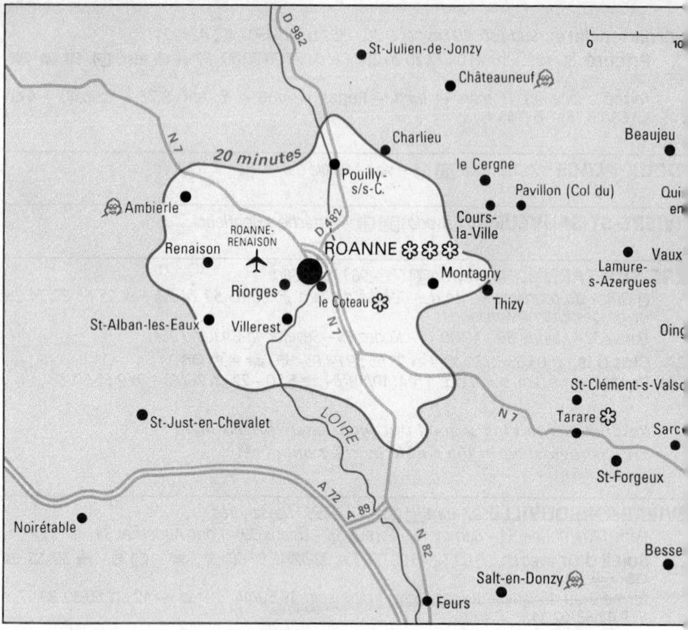

au Coteau *(rive droite de la Loire) – 7 375 h. alt. 350 – ✉ 42120 Le Coteau :*

Artaud, 133 av. Libération ☎ 04 77 68 46 44, *hotel.restaurant.artaud@wanad* *Fax 04 77 72 23 50* – 15 à 100. AE GB JCB
fermé 28 juil. au 19 août, lundi midi et dim. – **Repas** 16,50/43 – 7,80 – **25 ch** 55/

Ibis, 53 bd Ch. de Gaulle, ZI Le Coteau - BV – ☎ 04 77 68 36 22, *hotel.ibis.roanne@wan* *fr, Fax 04 77 71 24 99,* – 60. AE GB
Repas 15/18, enf. 6 – 6 – **66 ch** 52/55

XXX **Auberge Costelloise** (Souchon), 2 av. Libération ☎ 04 77 68 12 71, *Fax 04 77 72 2* . AE GB
fermé 7 août au 3 sept., 26 déc. au 4 janv., dim. et lundi – **Repas** 19,81/57,92 et carte 63
Spéc. Sandre à l'infusion de persil plat (mai-juin). Lotte à la nage de langoustines saf et artichauts. Risotto de poulet fermier, langoustines et Saint-Jacques. **Vins** Roannaise, Vin de pays d'Urfé

XX **Relais Fleuri,** quai P. Sémard ✉ 42300 Roanne ☎ 04 77 67 18 52, *françois-xavier.g* *wanadoo.fr, Fax 04 77 67 72 07,* – P. GB
fermé vacances de Toussaint, dim. soir, mardi soir et merc. – **Repas** 18/39

X **Ma Chaumière,** 3 r. St-Marc ☎ 04 77 67 25 93, *Fax 04 77 23 35 94* – GB
fermé 29 juil. au 22 août, dim. soir et lundi – **Repas** 17,99/35,06

à Riorges *Ouest : 3 km par D 31 - AV – 10 074 h. alt. 295 – ✉ 42153 :*

XXX **Marcassin** avec ch, rte St-Alban-les-Eaux ☎ 04 77 71 30 18, *Fax 04 77 23 11 22,* AE GB. ch
fermé 1er au 26 août, vacances de fév., dim. soir, vend. soir et sam. – **Repas** 23/53 et 35 à 47 – 6,50 – **9 ch** 46/55

à Villerest *par ③ : 6 km – 4 243 h. alt. 363 – ✉ 42300 :*

Relais de Champlong sans rest, ☎ 04 77 69 78 78, *rchamlong@hotmail.* *Fax 04 77 69 78 78,* – P. AE GB.
fermé mars, 3 au 30 nov., 2 au 23 fév. et dim. hors saison – 6 – **23 ch** 51/68

XXX **Château de Champlong,** près golf ☎ 04 77 69 69 69, *Fax 04 77 69 71 08,* AE GB
fermé 18 nov. au 6 déc., vacances de fév., mardi de sept. à juin, dim. soir et lundi – **R** 16,77/50,31 et carte 41 à 55

ROANNE

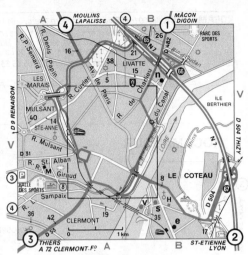

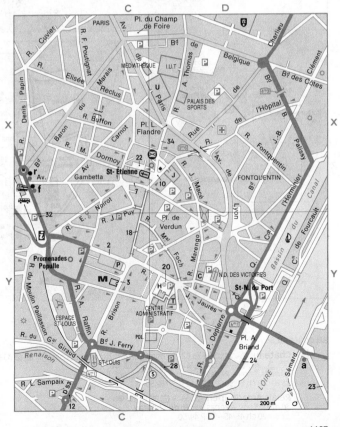

ROCAMADOUR 46500 Lot **75** ⑱ ⑲ G. Périgord Quercy – 614 h alt. 279.

Voir Site★★★ – Remparts ✳️★★★ – Tapisseries★ dans l'hôtel de ville – Vierge noire★ d
chapelle Notre-Dame – Musée d'Art sacré★ **M¹** - Musée du Jouet ancien automo
voitures à pédales★ – L'Hospitalet ✳️★★ : Féerie du rail : maquette★ par ②.

🛈 Office du tourisme Maison du Tourisme ℘ 05 65 33 22 00, Fax 05 65 33 22 01, rc
dour@wanadoo.fr.

Paris 538 ① – Cahors 60 ③ – Brive-la-Gaillarde 55 ① – Figeac 47 ② – St-Céré 31 ①.

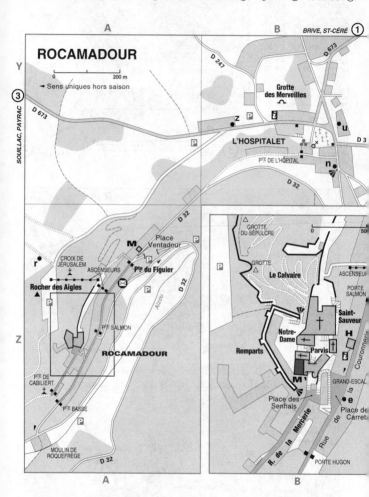

au château :

🏰 **Château** 🏊, ℘ 05 65 33 62 22, hotelduchateau@gofornet.com, Fax 05 65 33 69 0
🍴, 🏊, 🐾, ✳️ – ≡ ch, 📺 ❦ 🅿 – 🛎 50. 🆎 ⓪ ⒼⒷ   A
23 mars-3 nov. – Repas 14 (déj.), 17,50/37,50, enf. 8,50
🛏 8 – **59 ch** 60,50/75,50 – ½ P 57/69,50

Relais Amadourien 🏠 🏊, – 📺 🅿 🆎 ⓪ ⒼⒷ
30 mars-3 nov. – Repas voir **H. du Château**   A
🛏 6 – **20 ch** 43/45 – ½ P 49/50

1168

s la cité :

🏠 **Beau Site** ⚜, ℘ 05 65 33 63 08, hotel@bw-beausite.com, Fax 05 65 33 65 23, ≤, 🏠,
« Hall d'accueil d'inspiration médiévale » – 🕸 📺 🅿. AE ⓞ GB JCB BZ a
8 fév.-12 nov. – **- Jehan de Valon** : Repas 19,50/45 ♀, enf 9,50 – ☲ 9 – **43 ch** 50/80 –
1/2 P 63

🏠 **Terminus des Pèlerins** ⚜, ℘ 05 65 33 62 14, hotelterm.pelerinsroc@wanadoo.fr,
Fax 05 65 33 72 10, ≤, 🏠 – 📺 ✆. AE ⓞ GB JCB BZ e
24 mars-3 nov. – Repas (fermé jeudi hors saison) (9,91) - 14,10/19,70 ♀, enf. 7,63 – ☲ 6,10 –
12 ch 36,59/54,89 – 1/2 P 44,21/50,31

Hospitalet :

🏠 **Belvédère,** ℘ 05 65 33 63 25, le.belvere@wanadoo.fr, Fax 05 65 33 69 25, ≤ site de
Rocamadour, 🏠 – 📺 ✆ 🅿. AE ⓞ GB BY n
30 mars-3 nov. – Repas 10,50 (déj.), 15/23 ♀, enf. 6,50 – ☲ 5,70 – **18 ch** 38,50/55 –
1/2 P 40/43

🏠 **Panoramic,** ℘ 05 65 33 63 06, hotelpanoramic@wanadoo.fr, Fax 05 65 33 69 26, ≤, 🏠,
♨, ♒ – 📺 🅿. AE ⓞ GB BY z
17 fév.-5 nov. et fermé vend. sauf juil.-août – Repas (dîner seul.)(résidents seul.) 15/33 ♀,
enf. 7,62 – ☲ 6 – **20 ch** 40/50 – 1/2 P 44/50

🏠 **Comp'Hostel** sans rest, ℘ 05 65 33 73 50, Fax 05 65 10 68 21, ♨ – 📺 ✆ ♿ 🅿. GB
1er avril-1er oct. – ☲ 5,34 – **15 ch** 44,21 BY u

de Brive par ① : 2,5 km par D 673 – ⊠ 46500 Rocamadour :

🏠 **Troubadour** ⚜, ℘ 05 65 33 70 27, troubadour@rocamadour.com, Fax 05 65 33 71 99,
≤, 🏠, ♨, ♒ – ▤ rest, 📺 ✆ 🅿. AE ⓞ GB JCB
hôtel : 15 fév.-31 mai et 1er oct.-15 nov. ; rest. : 15 fév.-31 mai et 1er oct.-15 nov. – Repas (dîner seul.)
(résidents seul.) 21/23, enf. 8,50 – ☲ 7,65 – **10 ch** 80 – 1/2 P 80

Rhue par ① et rte de Brive : 6 km par D 673, N 140 et rte secondaire – ⊠ 46500 Rocamadour :

🏠 **Domaine de la Rhue** ⚜ sans rest, ℘ 05 65 33 71 50, domainedelarhue@wanadoo.fr,
Fax 05 65 33 72 48, ≤, « Anciennes écuries du 19e siècle », ♨, ♒ –🅿. ⓞ GB. ✹
22 mars-20 oct. – ☲ 7 – **14 ch** 67/101

de Payrac par ③ : 4 km par D 673 et rte secondaire – ⊠ 46500 Rocamadour :

🏠 **Les Vieilles Tours** ⚜, ℘ 05 65 33 68 01, les.vieillestours@wanadoo.fr,
Fax 05 65 33 68 59, ≤, 🏠, « Demeure ancienne, fauconnier du 13e siècle », ♨, ♒ – 📺 ✆
🅿 – ♨ 15. AE ⓞ GB
23 mars-15 nov. – Repas (fermé le midi sauf dim. et fêtes) 21/38 ♀, enf. 8,50 – ☲ 9,68 –
16 ch 52/78 – 1/2 P 61,50/83,50

Dans ce guide

un même symbole, un même caractère,
imprimé en couleur ou en noir, en maigre ou en gras,
n'ont pas tout à fait la même signification.
Lisez attentivement les pages explicatives.

ROCHE-BERNARD 56130 Morbihan 🔢 ⑭ G. Bretagne – 796 h alt. 38.
Voir Pont du Morbihan★.
🎫 Syndicat d'Initiative 14 r. du Docteur-Cornudet ℘ 02 99 90 67 98, Fax 02 99 90 67 99.
Paris 447 – Nantes 70 – Vannes 41 – Ploërmel 57 – Redon 27 – St-Nazaire 37.

🏠 **Manoir du Rodoir** ⚜, rte Nantes ℘ 02 99 90 82 68, Fax 02 99 90 76 22, 🏠, ♨, ♒ –
▤ rest, 📺 ♿ 🅿 – ♨ 80. ⓞ GB
Repas (fermé 23 déc. au 5 janv., lundi et mardi) 16,62 (déj.), 23,63/47,64 ♀ – ☲ 9,91 – **28 ch**
68,60/85,37 – 1/2 P 67,84

🏠 **Auberge des Deux Magots,** pl. Bouffay ℘ 02 99 90 60 75, Fax 02 99 90 87 87 – 📺 ✆.
GB. ✹
fermé 1er au 12 juin, 12 au 22 oct., 20 déc. au 15 janv. et hôtel : dim. et lundi de sept. à juin –
Repas (fermé dim. soir sauf juil.-août, mardi midi et lundi) 13/49 ♀, enf. 8 – ☲ 6,10 – **15 ch**
43/74

🏠 **Colibri** sans rest, r. Four ℘ 02 99 90 66 01, Fax 02 99 90 75 94 – ✤ 📺 ✆ ♿. GB. ✹
fermé 24 janv. au 9 fév. – ☲ 5,50 – **11 ch** 33,50/50

La ROCHE-BERNARD

XXX **Auberge Bretonne** (Thorel) M avec ch, pl. Duguesclin ℰ 02 99 90 60 28, jacques.t
❀❀ @wanadoo.fr, Fax 02 99 90 85 00 – |≡| ⊡ ✆ ⅋ ⇦ – ⚐ 15. ⚎ ◉ ⊞ ᴊᴄʙ
fermé 12 au 30 nov. et 2 au 20 janv. – Repas (fermé lundi midi, mardi midi, vend. m
jeudi) 30/120 et carte 85 à 120 – ⚌ 14 – 10 ch 140/225 – ½ P 145/225
Spéc. Léger bouillon d'asperges et truffes de Saint-Jacques en surprise (nov. à j
Rougets de roche à la compote de chorizo (juin à sept.). Homard rôti au jus, coffre t
comme un parmentier.

La ROCHE-CHALAIS 24490 Dordogne 🔟 ③ – 2 801 h alt. 60.
🚺 Syndicat d'initiative 9 place du Puits Qui Chante ℰ 05 53 90 18 95.
Paris 510 – Bergerac 63 – Blaye 65 – Bordeaux 69 – Périgueux 69.

🏨 **Soleil d'Or**, 14 r. Apre Côte ℰ 05 53 90 86 71, Fax 05 53 90 28 21, ⇪ – ⊡ ✆ ⅊
⊞ GB
fermé sam. midi de nov. à mars et lundi midi – Repas 11,43/38,11 ⅀, enf. 8,38 – ⚌ 6,
15 ch 45,73/60,98 – ½ P 48,78

ROCHECORBON 37 I.-et-L. 🔟 ⑮ – rattaché à Tours.

When looking for a hotel or restaurant use the most efficient method.
Look for the names of towns underlined in red
*on the **Michelin maps** scale: 1:200 000.*
But make sure you have an up-to-date map!

ROCHEFORT ⬠ 17300 Char.-Mar. 🔟 ⑬ G. Poitou Vendée Charentes – 25 797 h alt. 12 –
therm. (début fév.-mi déc.).
Voir Quartier de l'Arsenal★ – Corderie royale★★ – Maison de Pierre Loti★ AZ – Musée
et d'Histoire★ AZ M² – Les Métiers de Mercure★ (musée) BZ D.
Accès Pont de Martrou. Péage en 2001 : auto 3,81 (AR 6,10), voiture et caravane
(AR 10,67), P.L 7,62 à 9,91 (AR 12,20 à 16,77).
🚺 Office du tourisme Avenue Sadi Carnot ℰ 05 46 99 08 60, Fax 05 46 99 52 64, roche
.tourisme@wanadoo.fr.
Paris 470 ① – La Rochelle 38 ③ – Royan 40 ② – Limoges 213 ① – Niort 62 ① – Saintes 4

Plan page ci-contre

🏯 **Corderie Royale** M ⤜, r. Audebert (près Corderie Royale) ℰ 05 46 99 35 35, hotel◉
derieroyale.com, Fax 05 46 99 78 72, ⇐, ⇪, « Ancienne artillerie royale au bord c
Charente », ₲, ⌇, ⇸ – |≡| ≡ rest, ⊡ ✆ ⅋ ꜰ – ⚐ 40 à 150. ⚎ ◉ ⊞ ᴊᴄʙ BY
fermé 1ᵉʳ fév. au 4 mars, dim. soir et lundi de nov. à mars – Repas (17,53) - 24,39/5
enf. 18,29 – ⚌ 9,50 – 45 ch 77/155, 3 appart – ½ P 80

🏨 **Les Remparts**, 43 r. C. Pelletan (aux Thermes) ℰ 05 46 87 12 44, Fax 05 46 83 92 62,
– |≡| ⊡ – ⚐ 30. ⚎ ◉ ⊞ BY
Repas 13/18 ⅀ – ⚌ 6,50 – 73 ch 63 – ½ P 52

🏨 **Paris**, 27 av. La Fayette ℰ 05 46 99 33 11, Fax 05 46 99 77 34 – |≡|, ≡ rest, ⊡ ✆ – ⚐
⚎ ◉ ⊞ AZ
Repas 13,72/28,96 ⅃, enf. 9,14 – ⚌ 5,64 – 40 ch 44,97

🏨 **Ibis** M, 1 r. Bégon ℰ 05 46 99 31 31, Fax 05 46 87 24 09 – |≡| ⅏ ≡ ⊡ ✆ ⅋ ꜰ. ⚎ ◉
ᴊᴄʙ, ⅌ rest BY
Repas 15 ⅃, enf. 6 – ⚌ 5,50 – 44 ch 55

XXX **L'Escale de Bougainville**, quai Louisiane (port de plaisance) ℰ 05 46 99 54
Fax 05 46 99 54 99, ⇐, ⇪ – ≡. ⊞ BY
fermé 10 au 31 janv., dim. soir et lundi – Repas 15 (déj.), 24,50/35 bc et carte 47 à 66, en

XX **Tourne-Broche**, 56 av. Ch. de Gaulle ℰ 05 46 99 20 19, tourne.broche@wanado
Fax 05 46 99 72 06 – ⚎ ⊞ ᴊᴄʙ, ⅌ AZ
fermé 6 au 25 janv., mardi soir, dim. soir et lundi – Repas 25/40

par ② : 3 km rte de Royan avant pont de Martrou – ⊠ 17300 Rochefort :

🏨 **Belle Poule**, ℰ 05 46 99 71 87, belle-poule@wanadoo.fr, Fax 05 46 83 99 77, ⇪, ⫶
⊡ ✆ ꜰ. ⚎ ◉ ⊞
fermé 28 oct. au 17 nov., dim. soir et vend. hors saison – Repas 17,53/28,97, enf. 7,
⚌ 5,64 – 20 ch 41,92/48,02 – ½ P 44,59

ROCHEFORT

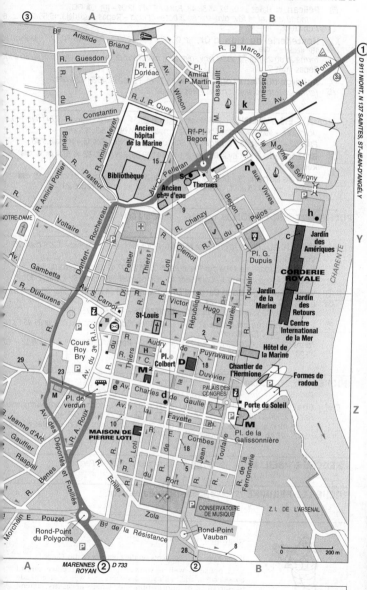

Donnez-nous votre avis sur les tables que nous recommandons,
sur leurs spécialités et leurs vins de pays.

ROCHEFORT-EN-TERRE *56220 Morbihan* 🔢 ④ *G. Bretagne – 693 h alt. 40.*

Voir *Site★ – Maisons anciennes★.*

🔵 *Office du tourisme Place des Halles ℰ 02 97 43 33 57, Fax 02 97 43 33 57.*

Paris 430 – Ploërmel 34 – Redon 25 – Rennes 82 – La Roche-Bernard 26 – Vannes 35.

🏛 **Pélican,** pl. Halles ℰ 02 97 43 38 48, Fax 02 97 43 42 01 – 📺. ⓪ 😁
— *fermé 13 janv. au 11 fév., dim. soir (sauf hôtel) et lundi* – **Repas** 11,50 (déj.), 15,55/28 – ⓩ
   7 ch 40/46 – ½ P 42

🍴🍴 **Hostellerie du Lion d'Or,** ℰ 02 97 43 32 80, Fax 02 97 43 30 12, « Maiso
😁 *16ᵉ siècle »* – 😁
— *fermé 25 au 29 nov., 2 au 24 janv., dim. soir, mardi soir et merc. sauf du 8 juil. au 30 a*
   Repas 14/45 ⓩ

🍴 **Auberge du Vieux Logis,** ℰ 02 97 43 31 71, Fax 02 97 43 31 62 – 😁
😁 *fermé janv., mardi soir et merc.* – **Repas** 12,96/36,59 ⓩ

ROCHEFORT-EN-YVELINES *78730 Yvelines* 🔢 ⑨, 🔢 ④ *G. Ile de France – 774 h alt. 140*

Voir *Site★ – Vaisseau★ de l'église de St-Arnoult-en-Yvelines SO : 3,5 km.*

Paris 52 – Chartres 43 – Dourdan 9 – Étampes 26 – Rambouillet 15 – Versailles 48.

🍴🍴 **Brazoucade,** 51 r. Guy le Rouge ℰ 01 30 41 49 09, Fax 01 30 88 41 55 – 🖿 📵. 😁
   Repas 25/59 ⓩ

🍴🍴 **Escu de Rohan,** 15 r. Guy le Rouge ℰ 01 30 41 31 33, Fax 01 30 41 47 52 – 🖿 😁
   fermé 15 juil. au 15 août, vacances de fév., dim. soir et lundi – **Repas** 29

ROCHEFORT-SUR-NENON *39 Jura* 🔢 ⑭ – *rattaché à Dôle.*

La ROCHEFOUCAULD *16110 Charente* 🔢 ⑭ *G. Poitou Vendée Charentes – 3 228 h alt. 75.*

Voir *Château★★.*

🔵 *Office du tourisme 1 rue des Tanneurs ℰ 05 45 63 07 45, Fax 05 45 63 08 54.*

Paris 444 – Angoulême 23 – Confolens 43 – Limoges 81 – Nontron 39 – Ruffec 40.

🏛 **Vieille Auberge de la Carpe d'Or,** 1 r. Vitrac ℰ 05 45 62 02 72, Fax 05 45 63 01
😁 📺 ⚒ 👤 📵 – 🎯 20 à 80. 🖿 😁
   Repas 10,50/32 ⓩ, enf. 6,10 – ⓩ 5,50 – **25 ch** 34/45 – ½ P 30,87/36,59

🏛 **L'Aubervières,** rte Mansle ℰ 05 45 63 10 10, philippe9@wanadoo.fr, Fax 05 45 63 (
😁 – 🖿 rest, 📺 ⚒ 📵. 😁. ⚒ ch
   fermé 1ᵉʳ au 15 août, 25 déc. au 1ᵉʳ janv. et dim. – **Repas** 10,52/23,78 ⓩ – ⓩ 4,12 – **1**
   29,73/33,54 – ½ P 28,26

ROCHEGUDE *26790 Drôme* 🔢 ② – *1 236 h alt. 121.*

Paris 647 – Avignon 46 – Bollène 8 – Carpentras 34 – Nyons 31 – Orange 17.

🏰 **Château de Rochegude** 🦢, ℰ 04 75 97 21 10, rochegude@relaischateau
   Fax 04 75 04 89 87, ≼, 🍽, 🔲, ⚒, ⓝ – 🖿 📺 ⚒ 📵 – 🎯 25. 🖿 ⓪ 😁 📱
   fermé mi-nov. à mi-déc., mardi midi, dim. soir et lundi hors saison – **Repas** 31/100
   ⓩ 17 – **26 ch** 168/330, 3 appart – ½ P 128/230

La ROCHE-L'ABEILLE *87 H.-Vienne* 🔢 ⑰ – *rattaché à St-Yrieix-la-Perche.*

ROCHE-LEZ-BEAUPRÉ *25 Doubs* 🔢 ⑮ – *rattaché à Besançon.*

Write us...

If you have any comments on the contents of this Guide.

Your praise as well as your criticisms will receive careful
consideration and, with your assistance, we will be able to add
to our stock of information and, where necessary, amend
our judgments.

Thank you in advance!

ROCHELLE Ⓟ 17000 Char.-Mar. **71** ⑫ *G. Poitou Vendée Charentes* – 76 584 h Agglo. 116 157 h alt. 1 – Casino AX.

Voir *Vieux Port*★★ : tour St-Nicolas★, ☀★★ *de la tour de la Lanterne*★ – *Le quartier ancien*★★ : hôtel de ville★ Z **H**, *Hôtel de la Bourse*★ Z **C**, *Porte de la Grosse Horloge*★ Z **N**, *Grande-rue des Merciers*★ – *Maison Henry II*★, *arcades*★ *de la rue du Minage, rue Chaudrier*★, *rue du Palais*★, *rue de l'Escale*★ – *Aquarium*★★ CDZ – *Musées : Nouveau Monde*★ CDY **M⁷**, *Beaux-Arts*★ P35CDY **M²** – *d'Orbigny-Bernon*★ *(histoire rochelaise et céramique)* Y **M⁸**, *Automates*★ *(place de Montmartre*★★*)* Z **M¹**, *maritime :* Neptunéa C **M⁵** – *Muséum d'Histoire naturelle*★★ Y.

Accès à l'île de Ré *par le pont par* ③. **Péage** *en 2001 : auto (AR) 16,77 (saison) 9,15 (hors saison), auto et caravane 27,44 (saison), 15,24 (hors saison), camion 18,29 à 45,73, moto 2,29, gratuit pour piétons et vélos..*

Renseignements par Régie d'Exploitation des Ponts : ☏ 05 46 00 51 10, Fax 05 46 43 04 71.

✈ *de la Rochelle-Île-de-Ré :* ☏ 05 46 42 30 26, NO : 4,5 km V.

🛈 *Office du tourisme Place de la Petite Sirène - Le Gabut* ☏ 05 46 41 14 68, Fax 05 46 41 99 85, tourisme.la.rochelle@wanadoo.fr.

Paris 474 ① – Angoulême 144 ② – Bordeaux 185 ② – Nantes 137 ① – Niort 66 ①.

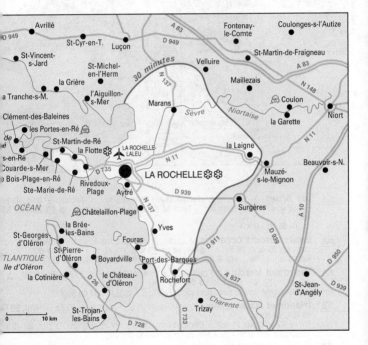

🏛 **France-Angleterre et Champlain** sans rest, 20 r. Rambaud ☏ 05 46 41 23 99, *hotel @france-champlain.com, Fax 05 46 41 15 19, « Ancien hôtel particulier avec agréable jardin », 🌳 – 🛗 🔟 📺 ☎ 🚗 – 🔬 40. ⅋ ⓪ ⅏*   CY **b**
  ☐ 11,50 – **36 ch** 57/99, 4 appart

🏛 **Monnaie** Ⓜ ⍟ sans rest, 3 r. Monnaie ☏ 05 46 50 65 65, *info@hotel-monnaie.com, Fax 05 46 50 63 19, « Ancienne demeure du 17ᵉ siècle » – 🛗 ▤ 📺 ☎ 🚗 – 🔬 25. ⅋ ⓪ ⅏*   CZ **z**
  ☐ 9,50 – **31 ch** 75/100, 4 appart

🏛 **Novotel** Ⓜ ⍟, av. Porte Neuve ☏ 05 46 34 24 24, *h0965@accor-hotels.com, Fax 05 46 34 58 32, 🌳, 🏊, 🔟 ✢ ▤ 📺 ☎ 🚗 🅿 – 🔬 15 à 120. ⅋ ⓪ ⅏*   CY **t**
  Repas *(14,48)* - carte environ 27 ⅛, enf. 8,38 – ☐ 10 – **94 ch** 82/110

1173

LA ROCHELLE

A   B

1174

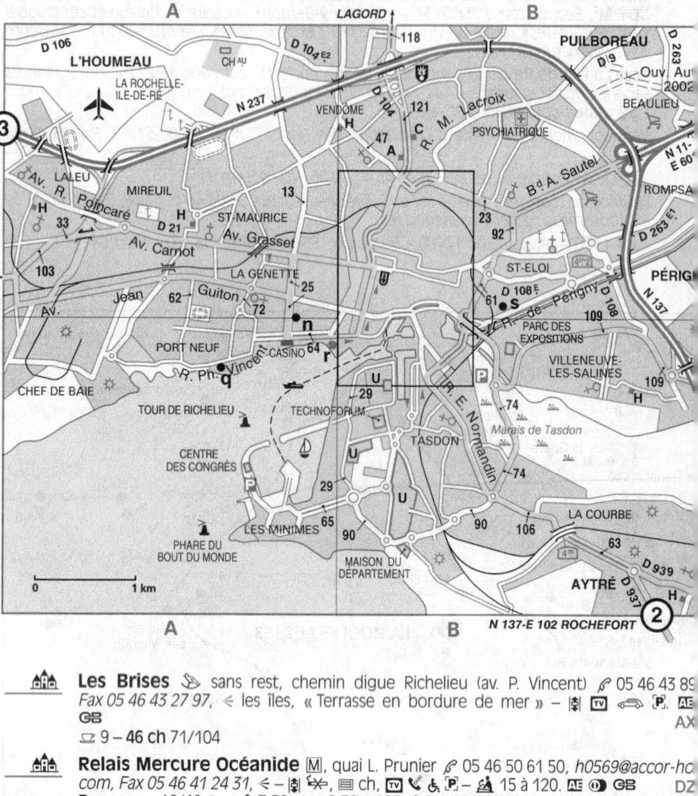

🏨🏨🏨 **Les Brises** ⬟ sans rest, chemin digue Richelieu (av. P. Vincent) ℘ 05 46 43 89
 Fax 05 46 43 27 97, ≤ les îles, « Terrasse en bordure de mer » – 🛗 📺 ⟲ 🅿. 📭
 GB
 ☎ 9 – **46 ch** 71/104
 AX

🏨🏨🏨 **Relais Mercure Océanide** 🅜, quai L. Prunier ℘ 05 46 50 61 50, *h0569@accor-ho
 com, Fax 05 46 41 24 31*, ≤ – 🛗 ⤬, 🗐 ch, 📺 📞 🅿 – ⏏ 15 à 120. 📭 ⓪ GB
 Repas *(12)* - 16/46 ⅊, enf. 7,50 – ☎ 8,50 – **123 ch** 74/90 – ½ P 60,50/62,50
 DZ

🏨🏨🏨 **Yachtman Mercure,** 23 quai Valin ℘ 05 46 41 20 68, *Fax 05 46 41 81 24*, ☂, 🏊
 ⤬, 🗐 ch, 📺 📞 – ⏏ 80. 📭 ⓪ GB JCB
 Repas *(fermé dim. et lundi hors saison)* 20/25 ⅊ – ☎ 9,15 – **44 ch** 84/153
 DZ

🏨🏨 **Trianon et Plage,** 6 r. Monnaie ℘ 05 46 41 21 35, *Fax 05 46 41 95 78* – 🗐 rest, 📺 🅿
 ⓪ GB. ⌖ rest
 CZ
 fermé 22 déc. au 1er fév. – **Repas** *(fermé sam. midi et dim. du 15 oct. au 15 n*
 15,50/30 ⅊, enf. 9,20 – ☎ 7,30 – **25 ch** 62/77 – ½ P 62/70

🏨🏨 **Comfort Hôtel St-Nicolas** 🅜 sans rest, 13 r. Sardinerie ℘ 05 46 41 71 55, *comfort.*
 chelle@wanadoo.fr, Fax 05 46 41 70 46 – 🛗 ⤬ 🗐 📺 📞 🅿 – ⏏ 25. 📭 ⓪ GB
 CZ
 ☎ 7,70 – **79 ch** 65/70

🏨 **Aliénor** sans rest, 51 r. Perigny ℘ 05 46 27 31 31, *alienor2@wanado*
 Fax 05 46 27 09 34, ┠, 🗐 – 🛗 📺 📞 🅿 – ⏏ 20. 📭 ⓪ GB
 BV
 fermé 13 déc. au 12 janv. – ☎ 5,75 – **40 ch** 56,50

🏨 **Terminus** sans rest, 11 pl. Cdt de la Motte Rouge ℘ 05 46 50 69 69, *hotel.terminus@*
 risme-français.com, Fax 05 46 41 73 12 – 📺 📞 – ⏏ 25. GB
 DZ
 ☎ 5,75 – **30 ch** 52/60

🏨 **Majestic** sans rest, 6 av. Coligny ℘ 05 46 34 10 23, *hotel-le-majestic.la-rochelle@wana*
 .fr, Fax 05 46 34 00 44 – 📺 ⓪ GB JCB
 AVX
 ☎ 6 – **14 ch** 52/70

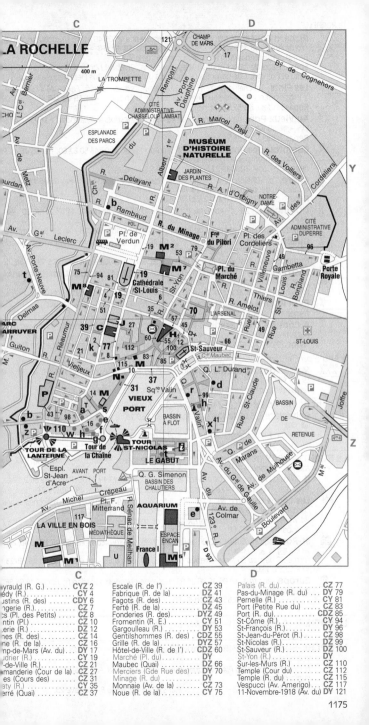

LA ROCHELLE

XXXX **Richard Coutanceau,** plage de la Concurrence ℘ 05 46 41 48 19, r.coutanceau@a
❀❀ cro.fr, Fax 05 46 41 99 45, ≤ entrée du port – ▣. 🅰🄴 ⓞ 🄶🄱 🄹🄲🄱 A⊁
fermé dim. – **Repas** 38,11/73,18 et carte 55 à 80 ♀
Spéc. Salade de langoustines rôties aux cocos. Civet de homard. Bar de ligne rôti s⊁
peau et fins ravioli de pommes de terre à la purée d'olive **Vins** Fiefs Vendéens, Haut-Po⊁

XX **Les Flots,** 1 r. Chaîne ℘ 05 46 41 32 51, les-flots@wanadoo.fr, Fax 05 46 41 90 80, ≤,
« Estaminet du 18ᵉ siècle au pied de la tour de la Chaîne » – ▣. 🅰🄴 ⓞ 🄶🄱 C⊁
Repas 21 (déj.), 30/52 ♀, enf. 15

XX **Au Vieux Port,** 4 pl. Chaîne ℘ 05 46 41 06 08, lesflots@wanadoo.fr, Fax 05 46 41 9⊁
🛱 – ▣. 🅰🄴 ⓞ 🄶🄱 C⊁
Repas 21 (déj.), 29/58 ♀

XX **Comptoir des Voyages,** 22 r. St-Jean-du-Pérot ℘ 05 46 50 62 60, Fax 05 46 41 9⊁
« Décor contemporain » – ▣. 🅰🄴 ⓞ 🄶🄱 C⊁
fermé dim. soir – **Repas** 21,50, enf. 15

X **André,** pl. Chaîne ℘ 05 46 41 28 24, barandre@wanadoo.fr, Fax 05 46 41 64 22,
« Salles au décor marin » – 🅰🄴 ⓞ 🄶🄱 C⊁
Repas - produits de la mer - 27,29/30,34

X **L'Orangerie,** 26 r. Admyrault ℘ 05 46 41 08 31, Fax 05 46 41 07 24 – 🅰🄴 ⓞ
🄹🄲🄱 C⊁
fermé 2 au 15 janv., vacances de Toussaint, dim. et lundi – **Repas** (18) - 24/34 ♀, enf. 12

X **Guilbrette,** 16 r. Chaîne ℘ 05 46 41 57 05, lasserre.dominique@wanad⊁
Fax 05 46 41 20 39, 🛱 – ▣. 🅰🄴 ⓞ 🄶🄱 C⊁
fermé 26 au 30 nov., 4 au 10 fév., dim. soir et lundi sauf juil.-août – **Repas** 19,67/56,25

X **Mistral,** au Gabut, 10 pl. Coureauleurs ℘ 05 46 41 24 42, restaurant.lemistral@wanad⊁
🕾 , Fax 05 46 41 76 14, ≤, 🛱 – ▣. ⓞ 🄶🄱 CD⊁
fermé 9 au 24 fév. et le soir du lundi au jeudi – **Repas** 13,72/24,39 ♀, enf. 7

X **Petit Rochelais,** 25 r. St-Jean-du-Pérot ℘ 05 46 41 28 43, 🛱 – ▣. 🄶🄱 C⊁
fermé dim. sauf fériés – **Repas** carte environ 24 ♀

X **A Côté de chez Fred,** 30 r. St-Nicolas ℘ 05 46 41 65 76, chezfred@rivages.net,
bistrot – ⓞ 🄶🄱 D⊁
fermé 20 oct. au 12 nov., dim. et lundi – **Repas** - produits de la mer - carte 20 à 35 ♀

à Aytré par ② : 5 km – 7 725 h. – ✉ 17440 :

XXX **Maison des Mouettes,** bd Plage ℘ 05 46 44 29 12, Fax 05 46 34 66 01, ≤, 🛱 – ▣
🅰🄴 ⓞ 🄶🄱
fermé dim. soir et lundi de nov. à mars – **Repas** 20/53 et carte 41 à 62 ♀

au Pont de l'Ile de Ré par ③ : 7 km – ✉ 17000 La Rochelle :

X **Belvédère,** ℘ 05 46 42 62 62, Fax 05 46 43 30 16, ≤ Pont et port de la Pallice, 🛱
ⓞ 🄶🄱
fermé lundi soir, mardi soir et merc. soir d'oct. à Pâques – **Repas** 11 (déj.), 15,50/23 ⅃

La ROCHE-POSAY 86270 Vienne 🔠🔠 ⑤ G. Poitou Vendée Charentes – 1 445 h alt. 112 –
therm. – Casino.
🔠 Office du tourisme 14 boulevard Victor Hugo ℘ 05 49 19 13 00, Fax 05 49 86 27 94.
Paris 326 – Poitiers 61 – Le Blanc 29 – Châteauroux 77 – Loches 49 – Tours 93.

🏨 **Les Loges du Parc** 🅼, 10 pl. République ℘ 05 49 19 40 50, loges@larocheposay-s⊁
com, Fax 05 49 19 40 51, 🛱 , 🎋, 🌊, 🏵 – 🛗 cuisinette ▤ 📺 ✔ 🕭. 🄶🄱
24 mars-19 oct. – **Repas** (fermé lundi et mardi) 11,43 (déj.), 19,82/32,01 ♀ – ☺ 7⊁
35 appart 79,27/176,08

🏨 **St-Roch** 🅼, ℘ 05 49 19 49 00, info@larocheposay-shrp.com, Fax 05 49 19 49 40, 🐎
▤ ch, 📺 ✔ 🕭, 🄿. 🄶🄱
fermé 22 déc. au 25 janv. – **Repas** (12,20) - 15,24, enf. 6,86 – ☺ 6,86 – **36 ch** 48,78/73,
½ P 52,59/56,03

🏨 **Europe** sans rest, ℘ 05 49 86 21 81, hotel-de-europe@wanadoo.fr, Fax 05 49 86 66 .
📳 📺 🄿. 🄶🄱
1ᵉʳ avril-15 oct. – ☺ 4,65 – **31 ch** 30,50/35

Le ROCHER 07 Ardèche 🔠🔠 ⑧ – rattaché à Largentière.

La ROCHE-SUR-FORON 74800 H.-Savoie 🔠🔠 ⑥ G. Alpes du Nord – 8 538 h alt. 548.
Voir Vieille ville★★.
🔠 Office du tourisme Place Andrevetan ℘ 04 50 03 36 68, Fax 04 50 03 31 38, info@laro⊁
surforon.com.
Paris 555 – Annecy 32 – Thonon-les-Bains 42 – Bonneville 8 – Genève 25.

🏠 **Foron** sans rest, Z.I. du Dragiez, N 203 ℘ 04 50 25 82 76, *Fax 04 50 25 81 54*, ⬛ – 📺 📞 👥 📞 ⬛. 🆎 ⓞ 🆖
fermé 15 déc. au 10 janv. – ☕ 5,80 – **26 ch** 52,60/58

🏠 **Les Afforets** sans rest, 101 r. Egalité ℘ 04 50 03 35 01, *Fax 04 50 25 82 47* – 🛗 📺. 🆖.
※
☕ 5,20 – **28 ch** 40,40/48,80

XX **Marie-Jean** (Signoud), rte Bonneville : 2 km ℘ 04 50 03 33 30, *Fax 04 50 25 99 98* – 🄿. 🆎
❄ ⓞ 🆖
fermé 28 juil. au 26 août, mardi midi, dim. soir et lundi – **Repas** 24,50 (déj.), 35,85/47,30 et
carte 55 à 74
Spéc. Bouillon de pignons de pin safrané, homard et écrevisses. Filet de Saint-Pierre à la
plancha, réduction de vin rouge. Caneton croisé cuit au four. **Vins** Roussette de Marestel,
Gamay de Savoie

renthon *Nord-Est : 6 km par N 503 et D 19⁹* – 1 144 h. alt. 439 – ✉ 74800 :

X **Auberge Savoyarde "La Rôtisserie",** ℘ 04 50 25 57 16, *Fax 04 50 25 58 97*, 🍴 –
🆖
fermé 29 juil. au 14 août, 6 au 23 janv., dim. soir, lundi et mardi – **Repas** -cuisine sur braise
et à la broche - 15 (déj.), 25/44,50 🍷

ROCHE-SUR-YON 🄿 85000 Vendée 🗒 ⑬ ⑭ *G. Poitou Vendée Charentes* – 49 262 h alt. 75.
🄱 *Office du tourisme Rue Clemenceau* ℘ 02 51 36 00 85, *Fax 02 51 47 46 57, info@
ot.roche.sur.yon.fr.*
Paris 417 ② – Cholet 67 ② – Nantes 67 ① – Niort 91 ③ – La Rochelle 78 ③.

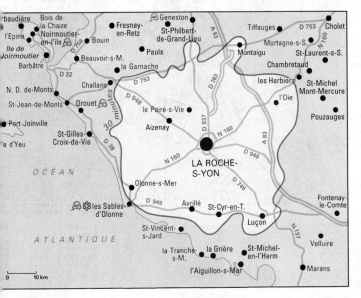

🏨 **Mercure** Ⓜ, 117 bd A. Briand ℘ 02 51 46 28 00, *mercure-lafayette@wanadoo.fr,*
Fax 02 51 46 28 98, 🍴 – 🛗 📺 📞 👥 – 🛎 80. 🆎 ⓞ 🆖   AZ **u**
Repas (15,30) - 18,60/25,40 bc 🍷, enf. 8,90 – ☕ 9,50 – **67 ch** 64/91

🏨 **Napoléon** sans rest, 50 bd A. Briand ℘ 02 51 05 33 56, *Fax 02 51 62 01 69* – 🛗 📺 📞 🚗
– 🛎 40. 🆎 ⓞ 🆖 🎴   AY **r**
fermé 24 déc. au 1ᵉʳ janv. – ☕ 7,17 – **29 ch** 42,69/68,60

XX **St-Charles,** 38 r. de Gaulle ℘ 02 51 47 71 37, *mail@restaurant-stcharles.com,*
Fax 02 51 44 96 07 – 🍽. 🆖   BY **e**
fermé 1ᵉʳ au 18 août et dim. – **Repas** 14,99 (déj.), 20,12/31,99 🍷, enf. 7,47

XX **Pavillon Gourmand,** 86 r. Prés.de Gaulle ℘ 02 51 07 08 09, *Fax 02 51 37 66 90* –
🆖   BY **n**
fermé 10 au 19 août, 20 déc. au 6 janv., sam. et dim. – **Repas** (19) - 22/26

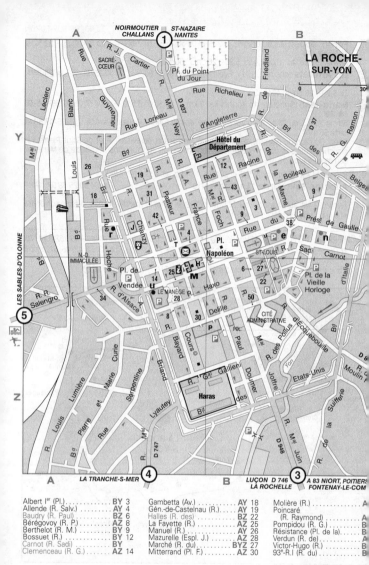

NOIRMOUTIER ST-NAZAIRE
CHALLANS NANTES

LA ROCHE-SUR-YON

LES SABLES-D'OLONNE

LA TRANCHE-S-MER

LUÇON D 746   A 83 NIORT, POITIERS
LA ROCHELLE   FONTENAY-LE-COM

Albert Ier (Pl.)	**BY** 3	Gambetta (Av.)	**AY** 18	Molière (R.)	A
Allende (R. Salv.)	**AY** 4	Gén.-de-Castelnau (R.)	**AY** 19	Poincaré	
Baudry (R. Paul)	**BZ** 6	Halles (R. des)	**BZ** 22	(R. Raymond)	A
Bérégovoy (R. P.)	**AZ** 8	La Fayette (R.)	**AZ** 25	Pompidou (R. G.)	B
Berthelot (R. M.)	**BY** 9	Manuel (R.)	**AY** 26	Résistance (Pl. de la)	A
Bossuet (R.)	**BY** 12	Mazurelle (Espl. J.)	**AZ** 28	Verdun (R. de)	A
Carnot (R. Sadi)	**BY**	Marché (R. du)	**BYZ** 27	Victor-Hugo (R.)	B
Clemenceau (R. G.)	**AZ** 14	Mitterrand (Pl. F.)	**AZ** 30	93e-R.I (R. du)	B

à l'Est par ③, D 948 et D 80 : 5 km :

🏠 **Logis de la Couperie** ⊗ sans rest, ℘ 02 51 37 21 19, Fax 02 51 47 71 08, 🐎 – 📺 ▣
GB. ⊗
⊇ 7,50 – **7 ch** 58/92

par ⑤ et ancienne rte des Sables-d'Olonne : 4 km – ⊠ 85000 La Roche-sur-Yon :

✕✕ **Auberge de la Borderie,** ℘ 02 51 08 95 95, Fax 02 51 62 25 78, 😤 – 🅿. 🆎 GB
⊗ fermé 1er au 19 août, 24 fév. au 4 mars, merc. soir, dim. soir et lundi – **Repas** 14/3
enf. 8

ROCHETAILLÉE 42 Loire 🗗🗗 ⑨ – rattaché à St-Étienne.

ROCHETTE *73110 Savoie* **74** ⑯ *G. Alpes du Nord* – 3 098 h alt. 360.

Voir *Vallée des Huiles*★ *NE.*

🛈 *Office du tourisme Maison des Carmes* ✆ 04 79 25 53 12, Fax 04 79 25 53 12.

Paris 591 – Grenoble 48 – Albertville 41 – Allevard 9 – Chambéry 29.

✗ **Parc** avec ch., ✆ 04 79 25 53 37, Fax 04 79 25 53 37, 佘, 屏 – **P.** AE ⓪ GB JCB
⊖ *fermé dim. soir* – **Repas** 14/35 ⅄ – ⊑ 5,50 – **12 ch** 25,90/33,50 – ½ P 38/40

DEMACK *57570 Moselle* **57** ④ – 804 h alt. 190.

🛈 *Office du tourisme Place des Baillis* ✆ 03 82 51 25 50, Fax 03 82 51 29 85.

Paris 360 – Longwy 42 – Luxembourg 23 – Metz 51 – Thionville 18.

✗✗ **Petite Carcassonne,** 12 pl. Porte de Sierck ✆ 03 82 51 26 22, Fax 03 82 51 26 44, 佘 –
AE GB
fermé 22 août au 5 sept., 28 oct. au 1er nov., vacances de fév. mardi et merc. – **Repas** 20
(déj.), 26/46 ⅄, enf. 13

DEZ **P** *12000 Aveyron* **80** ② *G. Midi-Pyrénées* – 23 707 h alt. 635.

Voir *Clocher*★★★ *de la cathédrale N.-Dame*★★ – *Musée Fenaille*★ *BZ* **M**[1] – *Tribunes en bois*★
de la chapelle des Jésuites.

✈ *de Rodez-Marcillac :* ✆ 05 65 76 02 00, par ③ : 10 km.

🛈 *Office du tourisme Place Foch* ✆ 05 65 68 02 27, Fax 05 65 68 78 15, *Officetourisme
rodez@wanadoo.fr.*

Paris 657 ① – Albi 78 ② – Aurillac 89 ① – Clermont-Ferrand 245 ①.

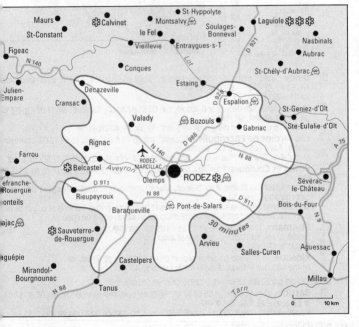

🏛 **Tour Maje** sans rest, bd Gally ✆ 05 65 68 34 68, *bernard.lacaze@wanadoo.fr,*
Fax 05 65 68 27 56 – 🛗 📺 ✆ – 🔬 15. AE ⓪ GB   **BZ** **s**
fermé 18 déc. au 5 janv. – ⊑ 7,50 – **41 ch** 49/77, 3 appart

🏛 **Libertel** sans rest, 46 r. St-Cyrice ✆ 05 65 76 10 30, *H2748GM@accor-hotels.com,*
Fax 05 65 76 10 33 – 🛗 ✑ 📺 ✆ 🔥. AE ⓪ GB JCB. ✿   **BX** **a**
⊑ 8 – **45 ch** 57/62

🏛 **Midi,** 1 r. Béteille ✆ 05 65 68 02 07, *hoteldumidi@wanadoo.fr,* Fax 05 65 68 66 93 – 🛗,
⊖ 🍴 rest, 📺 ✆ **P.** AE ⓪ GB   **ABY** **v**
fermé 20 déc. au 6 janv. – **Repas** (fermé dim.) 9,15/21,34 ⅄ – ⊑ 6,10 – **34 ch** 39,65/44,20 –
½ P 39,65/50,30

RODEZ

Bordeaux (Av. de) . . . **BX** 3
Bourg (Pl. du) . . . . . . **BZ** 4
Cité (Pl. de la) . . . . . . **BY** 5
Denys-Puech (Bd) . . . **BY** 6
Douls (R. Camille) . . . **BY** 7
Fabié (Bd François) . . **BZ** 8
Frayssinous (R.) . . . . **BY** 9

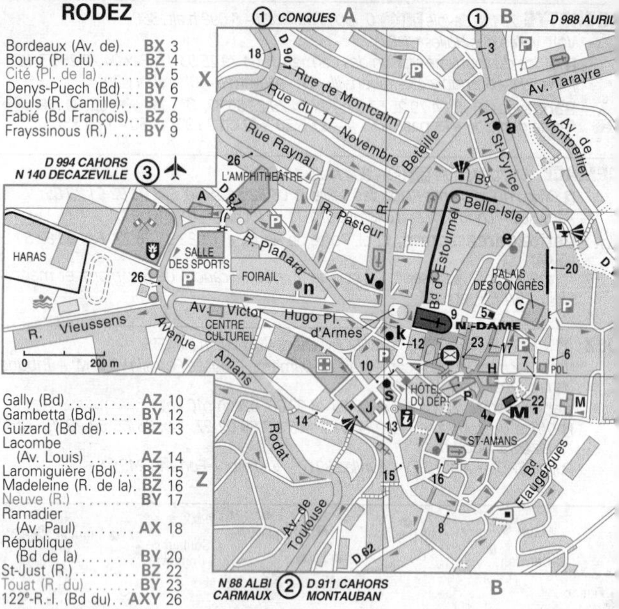

Gally (Bd) . . . . **AZ** 10
Gambetta (Bd) . . . . . . **BY** 12
Guizard (Bd de) . . . . . **BZ** 13
Lacombe (Av. Louis) . . . . . . **AZ** 14
Laromiguière (Bd) . . . . **BZ** 15
Madeleine (R. de la) . **BZ** 16
Neuve (R.) . . . . **BY** 17
Ramadier (Av. Paul) . . . . **AX** 18
République (Bd de la) . . . . **BY** 20
St-Just (R.) . . . . **BZ** 22
Touat (R. du) . . . . **BY** 23
122e-R.-I. (Bd du) . . **AXY** 26

Biney sans rest, r. Victoire-Massol ✆ 05 65 68 01 24, *HOTEL.BINEY@wanado Fax 05 65 75 22 98* – 📺. AE GB **BY**
14 – **29 ch** 60/135

Kyriad, face gare (Nord par D 901 **AX**) ✆ 05 65 87 11 00, *Fax 05 65 87 11 01* – 📺
20. AE GB. rest
Repas *(fermé sam. et dim.)* (10,50) - 15, enf. 6 – 9 – **40 ch** 49/54

Les Jardins de l'Acropolis, à Bourran, par ③ : *1,5 km* ✆ 05 65 68 40 07, *dpanis@doo.fr, Fax 05 65 68 40 67* – . GB
fermé 4 au 15 août, 1er au 6 janv., dim. soir et lundi – **Repas** 14,50 (déj.), 17,50/39, enf.

Goûts et Couleurs (Fau), 38 r. Bonald ✆ 05 65 42 75 10, *Fax 05 65 42 75 10,* –
GB **BY**
fermé 28 avril au 1er mai, 8 au 25 sept., 5 au 30 janv., dim. et lundi – **Repas** 18 (déj.), 23/5 carte 35 à 50, enf. 10
Spéc. Crème de girolles aux Saint-Jacques et ventrêche grillée. Poitrine et cuisse de pig cuit rosé, abats en pastilla. Pyramide chocolat au kirsch et lait de coco.

St-Amans, 12 r. Madeleine ✆ 05 65 68 03 18 – . GB **BZ**
fermé 10 fév. au 10 mars, dim. soir et lundi
Repas 16 (déj.)/23

Kiosque, av. V. Hugo (jardin public) ✆ 05 65 68 56 21, – GB. **AY**
fermé dim. soir de sept. à avril – **Repas** 15,20/33,40

rte d'Espalion *par ① BX : 3 km – ✉ 12850 Onet-le-Château :*

Bastide, rd-pt St-Marc ✆ 05 65 67 08 15, *hotel.bastide@wanadoo.fr, Fax 05 65 67 43*
📺 – 120. AE GB
Repas 9,91 (déj.), 19,82/27,44, enf. 7,62 – 6,10 – **38 ch** 50,31/54,88 – ½ P 39,64

rte d'Espalion *par ① et D 988 : 12 km – ✉ 12630 Gages :*

Causse Comtal Ⓜ, ✆ 05 65 74 90 98, *Fax 05 65 46 92 69,* –
– 80. AE GB.
fermé janv., vend. soir, sam. et dim. de nov. à avril – **Repas** 21/37 – **117 ch** 85/1
½ P 64/105

à Olemps *Ouest par ② : 3 km – 3 020 h. alt. 580 – ✉ 12510 :*

Les Peyrières , ✆ 05 65 68 20 52, *hotel-les-peyrieres@wanado Fax 05 65 68 47 88,* – 📺 – 20. AE GB. rest
Repas *(fermé dim. soir sauf juil.-août et lundi midi)* 15,24/45,70 – 6,86 – 5
45,73/64,03 – ½ P 45,73/51,83

RODEZ

de Conques *Nord, par* ① *et D 901* AX :

🏨 **Hostellerie de Fontanges** ⤴, à 3,5 km ℰ 05 65 77 76 00, *fontanges-hotel@wanadoo.fr*, Fax 05 65 42 82 29, 🍽, « Demeure du 16ᵉ siècle », 🏊, ℜ, 🕊 – 📺 ℰ 🅿 – 🔬 100. 🖭 ⓪ ☷ ᴊᴄᴮ
Repas *(fermé sam. midi et dim. soir du 15 oct. au 31 mars)* 15/21 ♀, enf. 9 – 🖫 9 – **44 ch** 60/69, 4 appart – ½ P 61/65,50

🏨 **Campanile**, rd-pt des Moutiers à 2 km ℰ 05 65 42 97 08, Fax 05 65 42 66 69, 🍽 – ↔, 🍽 rest, 📺 ℰ 🅿 – 🔬 20. 🖭 ⓪ ☷
Repas *(12,04)* - 13,57/16,62 ♀, enf. 5,95 – 🖫 5,95 – **46 ch** 48,02/50,30

GNES *13840 B.-du-R.* 84 ③ *G. Provence* – 4 194 h alt. 311.
Voir *Retables*★ *dans l'église.*
🛈 *Office du tourisme 5 cours Saint-Étienne* ℰ 04 42 50 13 36, Fax 04 42 50 13 36, *office.tourisme.rognes@wanadoo.fr.*
Paris 739 – *Marseille 48* – *Aix-en-Provence 18* – *Cavaillon 40* – *Manosque 54.*

𝕏𝕏 **Les Olivarelles**, *Nord-Ouest : 6 km par D 66 et rte secondaire* ℰ 04 42 50 24 27, Fax 04 42 50 17 99, 🍽, 🌳 – 🅿. ☷
fermé 1ᵉʳ au 9 sept., 5 au 11 nov., 1ᵉʳ au 6 janv., mardi, merc. et jeudi d'oct. à avril, dim. soir et lundi – **Repas** *(prévenir)* 29 ♀, enf. 14,05

IAN *56580 Morbihan* 58 ⑲ *G. Bretagne* – 1 521 h alt. 55.
Paris 450 – *Vannes 53* – *Lorient 72* – *Pontivy 17* – *Quimperlé 88.*

𝕏 **Eau d'Oust**, *rte Loudéac* ℰ 02 97 38 91 86, Fax 02 97 38 91 86, 🍽 – 🖭 ☷
fermé 5 au 18 mars, dim. soir et lundi – Repas *(en hiver, dîner sur réservation)* 13,70/38,80, enf. 10,50

Une réservation confirmée par écrit ou par fax est toujours plus sûre.

SEY *42520 Loire* 76 ⑩ – 698 h alt. 510.
Paris 518 – *St-Étienne 46* – *Annonay 26* – *Tournon-sur-Rhône 57* – *Vienne 28.*

𝕏𝕏 **Chanterelle**, *Sagnemorte* ℰ 04 74 87 47 27, *granet.daniel@wanadoo.fr*, Fax 04 74 87 47 27, ≤ chaîne montagneuse, 🍽, 🔥 – 🅿. ☷ ᴊᴄᴮ
fermé janv., fév., lundi et mardi – **Repas** *(nombre de couverts limité, prévenir)* 22,50/39,50 ♀

SSY-EN-FRANCE *95 Val-d'Oise* 56 ⑪, 101 ⑧ – *voir à Paris, Environs.*

LEBOISE *78270 Yvelines* 55 ⑱ – 401 h alt. 20.
Paris 64 – *Rouen 73* – *Dreux 45* – *Mantes-la-Jolie 9* – *Vernon 15* – *Versailles 56.*

🏨 **Château de la Corniche** ⤴, ℰ 01 30 93 20 00, *corniche@wanadoo.fr*, Fax 01 30 42 27 44, ≤ vallée de la Seine, 🍽, 🏊, 🍽 – ⒤ 📺 ℰ 🅿 – 🔬 30. 🖭 ⓪ ☷ ᴊᴄᴮ
fermé 21 déc. au 6 janv., lundi sauf le soir d'avril à oct. et dim. soir de sept. à juin – **Repas** 25 *(déj.)*, 36/55 – 🖫 9,50 – **35 ch** 75/168 – ½ P 78,50/125

MAINVILLE *93 Seine-St-Denis* 56 ⑪, 101 ⑰ – *voir à Paris, Environs.*

MANÈCHE-THORINS *71570 S.-et-L.* 74 ① *G. Vallée du Rhône* – 1 717 h alt. 187.
Voir *"Le Hameau du vin"* ★ – *Parc zoologique et d'attractions Touroparc*★.
Paris 408 – *Mâcon 17* – *Chauffailles 46* – *Lyon 59* – *Villefranche-sur-Saône 23.*

🏨 **Les Maritonnes**, *près gare* ℰ 03 85 35 51 70, *mariton@wanadoo.fr*, Fax 03 85 35 58 14, 🍽, « Parc fleuri », 🏊, 🍽, 🔥 – 🍽 ch, 📺 🅿 – 🔬 30. 🖭 ⓪ ☷ ᴊᴄᴮ
fermé mi-déc. à fin janv. – **Repas** 23 *(déj.)*, 30/65 ♀, enf. 20 – 🖫 10 – **20 ch** 70/95 – ½ P 83/90

MANS-SUR-ISÈRE *26100 Drôme* 77 ② *G. Vallée du Rhône* – 32 667 h alt. 162.
Voir *Tentures*★★ *de la collégiale St-Barnard* – *Collection de chaussures*★ *du musée international de la chaussure* – *Musée diocésain d'Art sacré*★ *à Mours-St-Eusèbe, 4 km par* ①.
🛈 *Office du tourisme Place Jean Jaurès* ℰ 04 75 02 28 72, Fax 04 75 05 91 62.
Paris 563 ⑤ – *Valence 21* ④ – *Die 77* ④ – *Grenoble 80* ② – *St-Étienne 121* ⑤ – *Vienne 73* ⑤.

ROMANS-SUR-ISÈRE
BOURG-DE-PÉAGE

🏨 **Comfort Inn Primevère**, clos des Tanneurs ℰ 04 75 05 10 20, romans@confort-d .com, Fax 04 75 05 67 67, 🌰, 🍸 – ▤ rest, 📺 ✆ ㋔ 🅿 – 🔬 30. 🆎 ⓞ ☑ ᴊᴄʙ   A
Repas (10,90) - 14,50/25,90 ♀, enf. 7,90 – ☲ 6 – **32 ch** 51

🏨 **Cendrillon** sans rest, 9 pl. Carnot ℰ 04 75 02 83 77, Fax 04 75 05 35 33 – 🆎
☑   A.
fermé dim. d'oct. à mars – ☲ 4,40 – **28 ch** 24,40/36,60

✕✕✕ **Parc**, 6 av. Gambetta par ② ℰ 04 75 70 26 12, Fax 04 75 05 08 23, 🌰, « Décor moderne dans une villa des années 20 », 🍴 – ☑
fermé merc. soir, dim. soir et lundi – **Repas** 22 (déj.), 32/53 ♀, enf. 13

✕✕ **Fourchette**, 8 r. Solférino ℰ 04 75 02 12 94, Fax 04 75 05 07 61, 🌰, « Ter ombragée », 🍴 – ☑   C
fermé 22 sept. au 11 oct., 7 au 14 mai, 2 au 9 janv., jeudi soir en hiver, dim. soir et lu
Repas 16 (déj.), 34/46 ♀

✕ **Chevet de St-Barnard**, 1 pl. aux Herbes ℰ 04 75 05 04 78, Fax 04 75 05 04 78,
☑   B
fermé 17 juil. au 7 août, dim. soir, mardi soir et merc. – **Repas** 13/37 ♀

à Bourg-de-Péage AZ – *9 752 h. alt. 151* – ⊠ *26300* :

🖪 *Office du tourisme Allée de Provence* ℘ *04 75 72 18 36, Fax 04 75 70 95 57, contact@ot-bourg-de-peage.com.*

🏨 **Don Angelo** Ⓜ, bd Alpes-Provence ℘ 04 75 72 44 11, *ledonangelo@aol.com,* *Fax 04 75 72 20 01,* 🥘, 🖛, 🏊, 🌇 – 🛗 ▤ 📺 📶 🕭 &, ⚡ **P** – 🕍 50. 🖭 ⑩ 🖼, ※ rest
AZ u
Repas *(fermé sam. midi et dim.)* 20 (dîner), 25/29 – ☲ 11,50 – **38 ch** 78/182 – ½ P 111

▮ l'Est : *par* ② *et N 92 : 4 km* – ⊠ *26750 St-Paul-lès-Romans* :

🏨 **Karene Hôtel** Ⓜ, ℘ 04 75 05 12 50, *hotel.karene@libertysurf.fr, Fax 04 75 05 25 17,* 🏊, 🖛 – 📺 📶 &, **P** – 🕍 15 à 30. 🖭 ⑩ 🖼 🖬
hôtel : fermé 20 déc. au 6 janv. et sam. de nov. à Pâques ; rest. : fermé 20 déc. au 6 janv., sam. et dim. – **Repas** *(dîner seul.) (15,50)* - 23 🍷, enf. 7,50 – ☲ 8,50 – **23 ch** 47,50/58 – ½ P 51,50

Granges-lès-Beaumont *par* ⑤ *: 6 km* – *948 h. alt. 155* – ⊠ *26600* :

XXXX **Les Cèdres** (Bertrand), ℘ 04 75 71 50 67, Fax 04 75 71 64 39, 🥘, 🖛 – ▤ **P**. 🖼
❀ *fermé 21 août au 6 sept., 24 déc. au 3 janv., 15 au 19 avril, lundi et mardi* – **Repas** (nombre de couverts limité, prévenir) 29 (déj.), 44/69 🍷
Spéc. Queues de langoustines royales poêlées, grecque d'artichaut au basilic. Jarret de veau braisé, poêlée de girolles et pois gourmands. Petit bouchon de baba à l'écorce d'orange en chaud-froid **Vins** Crozes-Hermitage blanc, Hermitage rouge

St-Paul-lès-Romans *par* ② *: 8 km* – *1 502 h. alt. 171* – ⊠ *26750* :

XXX **Malle Poste**, ℘ 04 75 45 35 43, Fax 04 75 71 40 48 – ▤. 🖭 ⑩ 🖼
fermé 15 au 31 août, 1ᵉʳ au 15 janv., dim. soir et lundi – **Repas** *(11,43)* - 28,97/54,88, enf. 9,15

Read the introduction with its explanatory pages
to make the most of your **Michelin Red Guide.**

OMANSWILLER *67 B.-Rhin* 🔢 ⑭ – *rattaché à Wasselonne.*

OMILLY-SUR-SEINE *10100 Aube* 🔢 ⑤ – *14 616 h alt. 76.*
Paris 126 – Troyes 41 – Châlons-en-Champagne 77 – Nogent-sur-Seine 18 – Sens 61.

🏨 **Auberge de Nicey** Ⓜ, 24 r. Carnot ℘ 03 25 24 10 07, *denicey@club-internet.fr,* *Fax 03 25 24 47 01,* 🔲 – 🛗 📺 📶 &, **P** – 🕍 30. 🖭 ⑩ 🖼
fermé 11 au 25 août, sam. midi et dim. soir – **Repas** 18/40 🍴 – ☲ 9,10 – **24 ch** 58/74,80 – ½ P 64/73

OMORANTIN-LANTHENAY ◐ *41200 L.-et-Ch.* 🔢 ⑱ *G. Châteaux de la Loire* – *18 350 h alt. 93.*
Voir *Maisons anciennes* ★ **B** – *Vues des ponts* ★ – *Musée de Sologne* ★ **M².**
🖪 *Office du tourisme Place de la Paix* ℘ 02 54 76 43 89, Fax 02 54 76 96 24, *romorantin-lanthenay@fnotsi.net.*
Paris 202 ① – *Bourges 73* ③ – *Blois 42* ⑤ – *Orléans 67* ① – *Tours 93* ④ – *Vierzon 38* ③.
Plan page suivante

🏨 **Grand Hôtel du Lion d'Or** (Clément) Ⓜ, 69 r. Clemenceau (a) ℘ 02 54 94 15 15, ❀❀ *liondor@relaischateaux.com, Fax 02 54 88 24 87,* 🥘, « Belle décoration intérieure, patio fleuri » – 🛗 ▤ 📺 &, **P** – 🕍 40. 🖭 ⑩ 🖼 🖬 – **Repas** *(fermé mardi midi)* (nombre de couverts limité, prévenir) 76/106 et carte 90 à 120 🍷, enf. 45 – ☲ 19 – **13 ch** 122/335, 3 appart
Spéc. Cuisses de grenouilles à la Rocambole. Langoustines bretonnes rôties à la graine de paradis. Brioche caramélisée, sorbet d'angélique (avril à oct.) **Vins** Pouilly Fumé, Bourgueil

XX **Lanthenay** (Valin) ⌘ avec ch, à Lanthenay par ① : *2,5 km* ℘ 02 54 76 09 19, ❀ Fax 02 54 76 72 91, 🖛 – 📺. 🖭 🖼
fermé 15 juil. au 31 juil., 22 déc. au 15 janv., dim. et lundi – **Repas** (nombre de couverts limité, prévenir) 17,53/48,02 et carte 35 à 50 🍷, enf. 10,67 – ☲ 6,86 – **10 ch** 41,92/48,78 – ½ P 42,69/48,02
Spéc. Huîtres chaudes au beurre blanc. Pâté chaud de colvert en croûte (oct. à janv.). Pigeonneau rôti "Lucien Valin". **Vins** Cheverny blanc et rouge.

X **Cabrière**, 30 av. Villefranche par ③ ℘ 02 54 76 38 94, Fax 02 54 76 38 94 – ▤. 🖼
fermé 1ᵉʳ au 15 sept., dim. soir et lundi – **Repas** 14,50/32,10, enf. 7,60

ROMORANTIN-LANTHENAY

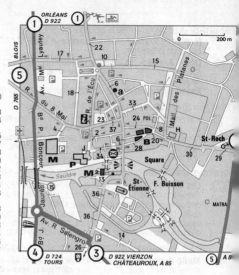

En juin et en septembre,

les hôtels sont moins chers qu'en pleine saison, le service est plus soigné.

RONCE-LES-BAINS 17 Char.-Mar. **71** ⑭ G. Poitou Vendée Charentes – ✉ 17390 La Tremblade
  🛈 Office du tourisme Place Brochard ☎ 05 46 36 06 02, Fax 05 46 36 38 17, ot@ronce-le
  bains.com.
  Paris 506 – Royan 27 – Marennes 9 – Rochefort 31 – La Rochelle 68.

🏨 **Grand Chalet**, 2 av. La Cèpe ☎ 05 46 36 06 41, Fax 05 46 36 38 87, ≤ île d'Oléron, 🍴 – 🛌
  ① ⌷
  fermé 11 nov. au 8 fév. – **Repas** (fermé lundi midi hors saison et mardi) (12) - 15 (déj.), 20/40
  – ⌷ 8 – **28 ch** 45/60 – ½ P 50/55

RONCHAMP 70250 H.-Saône **66** ⑦ G. Jura – 2 965 h alt. 380.
  Voir Chapelle Notre-Dame-du-Haut★★.
  🛈 Office du tourisme Place du 14 Juillet ☎ 03 84 63 50 82, Fax 03 84 63 50 82.
  Paris 400 – Besançon 88 – Belfort 22 – Lure 12 – Luxeuil-les-Bains 31 – Vesoul 43.

au Rhien Nord : 3 km – ✉ 70250 Ronchamp :

🏨 **Rhien Carrer** 🅂, ☎ 03 84 20 62 32, carrer@ronchamp.com, Fax 03 84 63 57 08, 🍴
  ⌷ 🍴 – 🔟 ⌷ ⓟ – 🔬 30.
  Repas 10/36 ⅋, enf. 7 – ⌷ 6 – **21 ch** 32/38 – ½ P 34

à Champagney Est : 4,5 km par D 4 – 3 310 h. alt. 370 – ✉ 70290 :

🏨 **Commerce**, ☎ 03 84 23 13 24, hotel-du-commerce@essor.info.fr, Fax 03 84 23 24
  ⌷, 🛌, 🍴 – 🔟 ⌷ ⓟ – 🔬 15 à 30. ⌷
  fermé 23 déc. au 15 janv. et dim. soir de nov. à avril – **Repas** 10/39 ⌷, enf. 7 – ⌷ 5 – **25 ch**
  – ½ P 34

RONCQ 59 Nord **51** ⑥ – rattaché à Lille.

Le ROND-D'ORLÉANS 02 Aisne **56** ③ ④ – rattaché à Chauny.

ROOST-WARENDIN 59 Nord **51** ⑯ – rattaché à Douai.

ROPPENHEIM 67480 B.-Rhin **87** ③ – 942 h alt. 117.
  Paris 515 – Strasbourg 43 – Haguenau 25 – Karlsruhe 39 – Wissembourg 35.

✗ **A l'Agneau**, ☎ 03 88 86 40 08, 🍴 – ⌷
  fermé 21 juil. au 12 août, 2 déc. au 9 janv., dim., lundi et le midi – **Repas** 22,56/48,02 ⌷

QUEBRUNE-CAP-MARTIN 06190 Alpes-Mar. 🎵 ⑩, 🎵 ㉘ G. Côte d'Azur – 11 692 h alt. 70.

Voir Village perché★★ : rue Moncollet★, ☀★★ du donjon★ – Cap Martin ≤★★ X – ≤★★ du belvédère du Vistaëro SO : 4 km.

Env. Site★ de Gorbio N : 8 km par D 50.

🖪 Office du tourisme 218 avenue Aristide Briand ℘ 04 93 35 62 87, Fax 04 93 28 57 00, roquebrune-cap-martin@officedutourisme.com.

Paris 960 – Monaco 9 – Menton 2 – Monte-Carlo 7 – Nice 27.

Plans : voir à Menton.

Vista Palace Ⓜ, Grande Corniche par ③ rte La Turbie D 2564 : 4 km ℘ 04 92 10 40 00, info@vistapalace.com, Fax 04 93 35 18 94, ≤ Monaco et la côte, 余, « Piscine panoramique et parc en terrasses », ⑯, ⓘ, ☝ – ᇦ ☰ ⓣⓥ ℅ ㈼ ⓟ – ☝ 80. ⒶⒺ ⓞ ⒼⒷ ⓙⓒⓑ
fermé fév. – **Vistaero** ℘ 04 92 10 40 20 (dîner seul. du 1er juin au 15 sept.) Repas 53/91 ♈, enf. 23 – **Corniche** ℘ 04 92 10 40 20 (1er juin-30 sept.) Repas carte 48 à 84 ♈, enf. 23 – ☲ 23 – **65 ch** 267/377, 3 appart – ½ P 228/251,50

Diodato ⤴ sans rest, pointe de Cabbé, par ③ : 2,5 km ℘ 04 92 10 52 52, contact_hotel diodato@hoteldiodato.com, Fax 04 92 10 52 53, ≤, ⓘ, ≈ – ᇦ ☰ ⓣⓥ ㈼ ⓟ – ☝ 15. ⒶⒺ ⒼⒷ. ♉
☲ 9,15 – **32 ch** 80/190   AX **n**

Victoria sans rest, 7 prom. Cap-Martin ℘ 04 93 35 65 90, Fax 04 93 28 27 02, ≤ – ☰ ⓣⓥ ℅. ⒶⒺ ⓞ ⒼⒷ   AX **k**
fermé 8 janv. au 8 fév. – ☲ 7 – **32 ch** 78/94

Alexandra sans rest, 93 av. W. Churchill ℘ 04 93 35 65 45, accueil@hotel-alexandra.net, Fax 04 93 57 96 51, ≤ – ᇦ ☰ ⓣⓥ ⓟ. ⒶⒺ ⒼⒷ ⓙⓒⓑ   AX **a**
fermé 5 nov. au 15 déc. – ☲ 7 – **40 ch** 69/162

Westminster sans rest, 14 av. L. Laurens par ③ et N 98, rte de Monaco par basse corniche ℘ 04 92 41 41 40, westminster@ifrance.com, Fax 04 93 28 88 50, ≤, « Jardin en terrasses », ≈ – ☰ ⓣⓥ ℅ ⓟ. ⒶⒺ ⓞ ⒼⒷ ⓙⓒⓑ. ♉
8 fév.-18 nov. – ☲ 5 – **32 ch** 50/80

Roquebrune, 100 av. J. Jaurès par ③ et N 98, rte de Monaco par basse corniche ℘ 04 93 35 00 16, leroquebrune@wanadoo.fr, Fax 04 93 28 98 36, ≤ Cap Martin et la mer, 余. ⒶⒺ ⓞ ⒼⒷ ⓙⓒⓑ
fermé 4 nov. au 5 déc., le midi de juin à août sauf week-ends, lundi et mardi d'oct. à mai – Repas (prévenir) 38 (déj.)/60 et carte 85 à 120 ♈
Spéc. Salade tiède de homard. Bouillabaisse. Poussin au citron. Vins Bellet, Côtes de Provence

Les Deux Frères avec ch, pl. Deux Frères, au village par ③ : 3,5 km ℘ 04 93 28 99 00, info@lesdeuxfreres.com, Fax 04 93 28 99 10, ≤, 余 – ⓣⓥ. ⒶⒺ ⓞ ⒼⒷ
Repas (fermé 11 au 17 mars et 11 nov. au 11 déc.) 18,29 bc (déj.)/48,78 ♈, enf. 15,24 – ☲ 9,15 – **10 ch** 64,79/90,71 – ½ P 103,36

Hippocampe, 44 av. W. Churchill ℘ 04 93 35 81 91, Fax 04 93 35 81 91, ≤ baie et littoral, 余 – ⒶⒺ ⓞ ⒼⒷ   AX **h**
fermé 29 avril au 14 mai, 15 oct. au 19 nov., 6 au 20 janv., le midi de juil. à sept. et lundi – Repas (prévenir) 31,25/36,59

Au Grand Inquisiteur, 18 r. Château (accès piétonnier) au vieux village par ③ : 3,5 km ℘ 04 93 35 05 37, Fax 04 93 35 05 37, « Salle voûtée dans une maison du 14e siècle » – ☰. ⒼⒷ. ♉
fermé 24 juin au 1er juil., 4 nov. au 10 déc., mardi sauf juil.-août et lundi – Repas (nombre de couverts limité, prévenir) 23,50/38,11 ♈

Les Tables du Berger, 4 r. V. Hugo, quartier Carnolès ℘ 04 93 57 40 60, Fax 04 93 57 40 60 – ☰.   AX **v**
fermé 15 juil. au 30 août, dim. soir et lundi – Repas (14,47) · 17,50 (déj.), 25,89/37,77

ROQUEBRUSSANNE 83136 Var 🎵 ⑮, 🎵 ㉜ – 1 672 h alt. 365.
Paris 817 – Toulon 37 – Aix-en-Provence 60 – Aubagne 49 – Brignoles 15.

Auberge de la Loube, ℘ 04 94 86 81 36, Fax 04 94 86 86 79, 余 – ⓣⓥ. ⒶⒺ ⒼⒷ
fermé déc. – Repas (fermé lundi soir et mardi) 19,67/27,30 – ☲ 6 – **8 ch** 68,60

ROQUE-D'ANTHÉRON 13640 B.-du-R. 🎵 ② G. Provence – 4 446 h alt. 183.
Voir Abbaye de Silvacane★★ E : 2 km.
🖪 Office du tourisme 3 cours Foch ℘ 04 42 50 58 63, Fax 04 42 50 59 81, omt@ville-la-roque-d-antheron.fr.
Paris 732 – Aix-en-Provence 28 – Cavaillon 33 – Manosque 60 – Marseille 57.

Mas de Jossyl M, ℰ 04 42 50 71 00, *jossyl.mas@wanadoo.fr*, Fax 04 42 50 75 94, 🔋 – 📺 🕭 **P** – 🛎 25. ⓪ ⅏
Repas *(fermé janv., lundi et mardi de sept. à juin)* 18/29 h, enf. 10 – ⊊ 6 – **22 ch**
1/2 P 63

ROQUEFORT-LES-PINS 06330 Alpes-Mar. 84 ⑨ – 5 239 h alt. 184.
🛈 Syndicat d'initiative Place Mougins-Roquefort ℰ 04 93 09 67 54, Fax 04 93 09 6
contact@ville-roquefort-les-pins.fr.
Paris 921 – Nice 26 – Cannes 18 – Grasse 14.

XXX **Auberge du Colombier** avec ch, au Colombier, rte de Nice, sur D
ℰ 04 92 60 33 00, *info@auberge-du-colombier.com*, Fax 04 93 77 07 03, ⏚, ⌁, ⌀
📺 **P** – 🛎 25. ⅏ ⓪ ⅏ ⅉⅭⅮ
Repas *(fermé mardi d'oct. à mars)* 34,30/53,38 et carte 48 à 60 h – ⊊ 7,62 – 2
64,55/103,80 – 1/2 P 75,55/98,50

La ROQUE-GAGEAC 24250 Dordogne 75 ⑰ G. Périgord Quercy – 449 h alt. 85.
Voir Site★★.
Paris 528 – Brive-la-Gaillarde 71 – Sarlat-la-Canéda 13 – Cahors 52 – Périgueux 71.

Belle Étoile, ℰ 05 53 29 51 44, *hotel.belle-etoile@wanadoo.fr*, Fax 05 53 29 45 6
⏚ – ☰ rest, 📺 ☏. ⅏ ⓪ ⅏. ⌀ ch
fin mars-fin oct. – **Repas** *(fermé merc. midi et lundi)* 20/32 h – ⊊ 7 – **16 ch** 43/
1/2 P 57/68

Gardette, ℰ 05 53 29 51 58, *EGardette@aol.com*, Fax 05 53 31 19 32, ⏚
⅏
30 mars-30 sept. – **Repas** 19/39 ⅊, enf. 9,99 – ⊊ 5,80 – **12 ch** 30,50/45,80 – 1/2 P 4
48,90

XX **Auberge La Plume d'Oie** avec ch, ℰ 05 53 29 57 05, Fax 05 53 31 04 81, ≼, exclu
ment non-fumeur – 📺. ⅏. ⌀
*fermé fin nov.-20 déc., 10 janv.-début mars, mardi midi et lundi de sept. à juin et le m
juil. au 15 sept.* – **Repas** *(nombre de couverts limité, prévenir)* 34 (déj.), 49/54 – ⊊ 11 –
70/76

rte de Vitrac Sud-Est par D 703 – ✉ 24250 La Roque Gageac:

Périgord, à 3 km ℰ 05 53 28 36 55, Fax 05 53 28 38 73, ⏚, ⌁, ⍪, ⌀ – ☰ rest, 📺
⅏ ⅏
10 mars-15 nov. – **Repas** 15/40 – ⊊ 7 – **40 ch** 46/57 – 1/2 P 48/54

XX **Les Prés Gaillardou**, à 4 km ℰ 05 53 59 67 89, Fax 05 53 31 07 37, ⏚, ⍪
⅏
fermé 5 janv. au 15 fév., dim. soir et lundi soir hors saison, – **Repas** (13,40) - 18/30,20, er

---

ROQUEMAURE 30150 Gard 81 ⑪ ⑫ G. Provence – 4 848 h alt. 19.
🛈 Office du tourisme Place de la Mairie ℰ 04 66 90 21 01, Fax 04 66 90 21 01.
Paris 671 – Avignon 18 – Alès 76 – Nîmes 48 – Orange 12 – Pont-St-Esprit 32.

Clément V, rte Nîmes ℰ 04 66 82 67 58, *hotel.clementv@wanadc*
Fax 04 66 82 84 66, ⏚, ⌁, 📺 ☏, ⌀ **P**, ⅏
15 mars-25 oct. et fermé les week-ends hors saison – **Repas** *(dîner seul.)* *(résidents s*
15/20 h, enf. 8,50 – ⊊ 6,50 – **19 ch** 52/57 – 1/2 P 45/49

ROSBRUCK 57 Moselle 57 ⑯ – rattaché à Forbach.

ROSCOFF 29680 Finistère 58 ⑥ G. Bretagne – 3 550 h alt. 7 – Casino.
Voir Église N.-D.-de-Croaz-Batz★ – Aquarium Ch. Pérez★ – Jardin exotique★.
🛈 OMT 46 rue Gambetta ℰ 02 98 61 12 13, Fax 02 98 69 75 75.
Paris 563 ① – Brest 66 ① – Landivisiau 27 ① – Morlaix 26 ① – Quimper 100 ①.
Plan page ci-contre

Brittany ⌖, bd Ste Barbe ℰ 02 98 69 70 78, Fax 02 98 61 13 29, ≼, ⏚, « Ancien ma
reconstitué élégamment aménagé », ◫ – ⬚ 📺 🕭 **P** – 🛎 30. ⅏ ⅏ ⅉⅭⅮ. ⌀ rest
25 mars-21 oct. et fermé lundi midi, mardi midi et merc. midi – **Repas** 23/53 h, enf.
⊊ 12 – **25 ch** 107/136 – 1/2 P 100/116

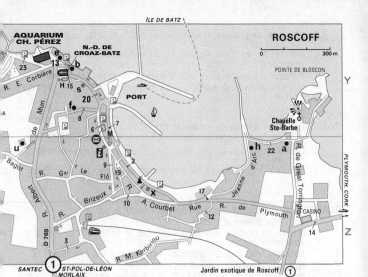

Gulf Stream ⟩, r. Marquise de Kergariou par r. E. Corbière, Ouest : 1 km
🖉 02 98 69 73 19, *creach.jacques@wanadoo.fr*, Fax 02 98 61 11 89, ≤, ⟨, ☞ – 🛎 📺 📞 🅿 –
🏊 40. 🆎 ⚙ 🍴 rest
20 mars-15 oct. – **Repas** (fermé dim. soir et lundi midi) 19,82/57,93 – 🖙 7,62 – **32 ch**
76,22/97,57 – ½ P 80,04

Talabardon, pl. Église 🖉 02 98 61 24 95, Fax 02 98 61 10 54, ≤ – 🛎 📺 📞 🅿 – 🏊 40. 🆎
⓪ ⚙ 🍴 rest   Y b
1er mars-26 oct. – **Repas** (fermé jeudi midi et dim. soir) (15,50) - 20/43, enf. 9,50 – 🖙 9,50 –
39 ch 66/104 – ½ P 63,50/78,50

Thalasstonic M, r. V. Hugo (Y) 🖉 02 98 29 20 20, *sat@thalasso.com*, Fax 02 98 29 20 19,
≤, centre de thalassothérapie, 🔁, ☒, ⟨ – 🛎 📺 📞 ⟨ 🅿. 🆎 ⚙ 🍴 rest
fermé 1er au 25 déc. – **Repas** 20 ⟨ – 🖙 8 – **54 ch** 72/86 – ½ P 71

Armen Le Triton ⟩ sans rest, r. Dr Bagot 🖉 02 98 61 24 44, Fax 02 98 69 77 97, ☞, 🍴
– 🛎 📺 📞 🅿. 🆎 ⚙   Z u
15 fév.-15 nov. – 🖙 5,80 – **45 ch** 42/54

Résidence sans rest, r. des Johnies 🖉 02 98 69 74 85, Fax 02 98 69 78 63, ☞ – 🛎 📺. 🆎
⚙   Y f
15 mars-15 oct. – 🖙 5,64 – **31 ch** 42,69/53,36

Bellevue sans rest, r. Jeanne d'Arc 🖉 02 98 61 23 38, *hotel.bellevue.roscoff@wanadoo.fr*,
Fax 02 98 61 11 80, ≤ – 📺. ⚙   Z h
fermé 15 nov. au 23 déc. et 4 janv. au 15 mars – 🖙 6,50 – **18 ch** 55/65

Ibis sans rest, pl. Église 🖉 02 98 61 22 61, *ibis.roscoff@wanadoo.fr*, Fax 02 98 61 11 94 – 🛎
🌐 📺 📞 ⟨. 🆎 ⓪ ⚙   Y e
🖙 6 – **40 ch** 59

Aux Tamaris sans rest, r. É. Corbière 🖉 02 98 61 22 99, *auxtamaris@dial.oleane.com*,
Fax 02 98 69 74 36, ≤ – 🛎 📺 📞. 🆎 ⚙   Y d
29 mars-3 nov. – 🖙 6,10 – **26 ch** 42/55

Temps de Vivre (Crenn) (chambres prévues), pl. Église 🖉 02 98 61 27 28,
Fax 02 98 61 19 46, ≤ – 🆎 ⚙ 🇯🇨🇧   Y e
fermé 1er au 25 oct., dim. soir sauf juil.-août, mardi midi et lundi – **Repas** 30/68 et carte 45 à
75
Spéc. Choux farcis au tourteau et aux oignons rosés de Roscoff. Homard cuit au beurre
salé et artichauts bretons.(avril à oct.) Turbot rôti sur l'arête aux grenailles de l'île de Batz
(avril à oct.)

ROSCOFF

XX **L'Écume des Jours,** quai d'Auxerre 🕿 02 98 61 22 83, *michelquere2@wanadoo.f*
Fax 02 98 61 22 83, 🍴 – **GB**   Z
fermé 1ᵉʳ déc. au 1ᵉʳ fév., merc. sauf le soir en juil.-août et mardi de sept. à juin – **Repa**
(10,50) - 15/36 🍷

X **Surcouf,** r. Amiral Réveillère 🕿 02 98 69 71 89, Fax 02 98 61 10 19 – **GB**   Y
⇔ *fermé 25 nov. au 9 déc., 6 janv. au 14 fév., mardi et merc. d'oct. à juin –* **Repas** 9,15/21,34 ゚
enf. 6,40

ROSENAU 68128 H.-Rhin 🔟🟫 ⑨ – 1 840 h alt. 230.
Paris 493 – Mulhouse 24 – Altkirch 25 – Basel 16 – Belfort 69 – Colmar 57.

XX **Lion d'Or,** 🕿 03 89 68 21 97, *baumlin@auliondor-rosenau.com*, Fax 03 89 70 68 05, 🍴
P. AE GB
fermé 8 au 31 juil., 17 au 25 fév., lundi et mardi sauf fériés – **Repas** 21 bc (déj.), 22,10/36 ゚
enf. 10

ROSHEIM 67560 B.-Rhin 🔢 ⑨ G. Alsace Lorraine – 4 548 h alt. 190.
Voir Église St-Pierre et St-Paul★.
🅱 Office du tourisme Place de la République 🕿 03 88 50 75 38, Fax 03 88 50 45 ◄
accueil@rosheim.com.
Paris 484 – Strasbourg 32 – Erstein 20 – Molsheim 9 – Obernai 7 – Sélestat 33.

🏨 **Hostellerie du Rosenmeer,** Nord-Est : 2 km sur D 35 🕿 03 88 50 43 29, *hubert.mae*
@wanadoo.fr, Fax 03 88 49 20 57, 🍴, 🌳 – 🛗, 🍴 rest, 📺 ✆ **P.** – 🔥 20. **AE GB**
fermé 24 au 31 juil. et 19 fév. au 8 mars – **Repas** *(fermé dim. soir, merc. soir et lur*
39,39/94,59 bc ゚ **- Winstub d'Rosemer** *(fermé dim. et lundi)* **Repas** 8,70(déj.)13,7
27,45 ゚, enf. 7,65 – 😋 8,40 – **20 ch** 48,78/89,95 – ½ P 65,50/74,70

XX **Auberge du Cerf,** 120 r. Gén. de Gaulle 🕿 03 88 50 40 14, Fax 03 88 50 40 14 – **GB**
⇔ *fermé 2 au 12 juil., 7 au 13 janv., dim. soir et lundi –* **Repas** 9,15 (déj.), 12,96/32,01 ゚

X **Petite Auberge** Ⓜ avec ch, 41 r. Gén. de Gaulle 🕿 03 88 50 40 60, Fax 03 88 50 40 ◄
🍴 – cuisinette, 🛏 rest, 📺 ✆ **P. GB**
fermé 26 juin au 10 juil. et 5 au 26 fév. – **Repas** *(fermé jeudi midi et merc.)* 19/46 ゚, enf.
😋 6 (½ pens. seul.), 9 appart – ½ P 43

La ROSIÈRE 14 Calvados 🔢 ⑮ – rattaché à Arromanches-les-Bains.

La ROSIÈRE 1850 73 Savoie 🔢 ⑱ ⑲ G. Alpes du Nord – Sports d'hiver : 1 100/2 600 m ⚡ 19 ◄
✉ 73700 Bourg-St-Maurice.
Altiport 🕿 04 79 06 83 40.
🅱 Office de tourisme 🕿 04 79 06 80 51, Fax 04 79 06 83 20, *la.rosiere@wanadoo.fr.*
Paris 667 – Albertville 77 – Bourg-St-Maurice 22 – Chambéry 126.

🏠 **Relais du Petit St-Bernard** 🦌, 🕿 04 79 06 80 48, *info@petit-saint-bernard.c*
Fax 04 79 06 83 40, ‹ montagnes, 🍴 – **GB**
23 juin-8 sept. et 20 déc.-20 avril – **Repas** 15/19,50 ゚ – 😋 6,30 – **20 ch** 39/46 – ½ P 53
60,50

Write us...

If you have any comments on the contents
of this Guide.

Your praise as well as your criticisms
will receive careful consideration and,
with your assistance, we will be able to add to our
stock of information
and, where necessary, amend our judgments.

Thank you in advance

ROSIERS-SUR-LOIRE 49350 M.-et-L. **64** ⑫ G. Châteaux de la Loire– 2 242 h alt. 22.
🚹 Office de tourisme pl. du Mail ℘ 02 41 51 90 22, Fax 02 41 51 90 22.
Paris 305 – Angers 32 – Baugé 27 – Bressuire 66 – Cholet 69 – La Flèche 45 – Saumur 18.

XX **Jeanne de Laval** avec ch, rte Nationale ℘ 02 41 51 80 17, Fax 02 41 38 04 18, « Jardin
fleuri », 🐎 – ▤ rest, 📺 **P.** 🆎 **GB**
fermé 15 nov. au 28 déc. et lundi sauf le soir en saison – **Repas** 30,50/74 et carte 54 à 81 ♀ –
☑ 9,15 – **4 ch** 68,50/99 – ½ P 91,47/106,71

Annexe Ducs d'Anjou 🏠 ⊗ sans rest,, 🐎 – 📺. 🆎 **GB**
fermé 15 nov. au 28 déc. et lundi hors saison – ☑ 9,15 – **7 ch** 68,50/99

XX **Toque Blanche,** rte Angers ℘ 02 41 51 80 75, Fax 02 41 38 06 38 – ▤ **P.** **GB**
fermé mardi soir et merc. – **Repas** 18,27 bc/38,87 ♀

XX **Val de Loire** avec ch, pl. Église ℘ 02 41 51 80 30, Fax 02 41 51 95 00 – 📺 ✆. **GB**
⊖ *fermé 15 fév. au 15 mars, dim. soir et lundi hors saison –* **Repas** 12,50/32,86 ⅃, enf. 7,30 –
☑ 6,10 – **9 ch** 38/44 – ½ P 37,60/40,60

OSNY-SOUS-BOIS 93 Seine-St-Denis **56** ⑪, **101** ⑰ – *voir à Paris, Environs.*

OSY 89 Yonne **61** ⑭ – *rattaché à Sens.*

OSPORDEN 29140 Finistère **58** ⑯ G. Bretagne– 6 441 h alt. 125.
🚹 Syndicat d'initiative Rue Lebas ℘ 02 98 59 27 26, Fax 02 98 59 92 00.
Paris 545 – Quimper 24 – Carhaix-Plouguer 51 – Concarneau 14 – Pontivy 101.

🏠 **Jet'otel**, pl. Gare ℘ 02 98 66 99 99, jet-otel@club-internet.fr, Fax 02 98 66 94 98 – 📺 📺 –
🅰 40. **GB**
fermé 21 déc. au 14 janv., 29 avril au 6 mai, 21 au 30 sept. et dim. soir sauf juil.-août – **Repas**
11,50 (déj.), 15/38,50 ⅃, enf. 8 – ☑ 7,50 – **27 ch** 37/43 – ½ P 41

ROTHIÈRE 10500 Aube **61** ⑱ – 125 h alt. 137.
Paris 212 – Chaumont 59 – Bar-sur-Aube 18 – Troyes 40.

🏠 **Auberge de la Plaine,** D 396 ℘ 03 25 92 21 79, aubergedelaplaine@wanadoo.fr,
Fax 03 25 92 26 16, 🏡, 🐎 – 📺 **P.** **GB**
fermé 20 au 29 déc., vend. soir et sam. midi du 23 sept. à fin juin – **Repas** 16/32 ♀, enf. 7,50
– ☑ 5,50 – **17 ch** 27/42 – ½ P 30,25/35

OUBAIX 59100 Nord **51** ⑥ ⑯ G. Picardie Flandres Artois– 96 984 h alt. 27.
Voir *Centre des archives du monde du travail* BX **M¹** – *Parc Barbieux* – *Chapelle d'Hem★*
(murs-vitraux★★ de Manessier) 5 km, voir plan de Lille JS **B.**
🚹 Office du tourisme 10 rue de la Tuilerie ℘ 03 20 65 31 90, Fax 03 20 65 31 83.
Paris 233 ⑩ – Lille 15 ⑩ – Kortrijk 23 ④ – Tournai 24 ⑦.

Accès et sorties : voir plan de Lille.

🏠🏠 **Grand Hôtel Mercure** Ⓜ, 22 av. J. Lebas ℘ 03 20 73 40 00, h1250@accorhotels.com,
Fax 03 20 73 22 42 – 📺 ✆ 📺 ✆ – 🅰 60. 🆎 ⓞ **GB** **JCB**   BX   r
Repas *(fermé août, vend. et sam.)* (dîner seul.) (15) · 18 ⅃ – ☑ 10 – **93 ch** 96

X **Chez Charly,** 127 r. J. Lebas ℘ 03 20 70 78 58, chezcharly@voila.fr, Fax 03 20 73 49 11 –
GB. ✵   AX   a
fermé 6 au 12 mai, 27 juil. au 22 août, 6 au 12 janv. et dim. – **Repas** (déj. seul.) 17/29

X **Auberge de Beaumont,** 143 r. Beaumont ℘ 03 20 75 43 28, Fax 03 20 75 43 28 – ⓞ
GB   BY   r
*fermé 1ᵉʳ au 21 août, 26 au 31 déc., 24 fév. au 3 mars, dim. soir, lundi soir, mardi soir et
merc. –* **Repas** 15,50 (déj.), 23/33,50 ⅃

Lys-lez-Lannoy Sud-Est : 5 km par D 206 – 13 018 h. alt. 28 – ✉ 59390 :
🚹 Syndicat d'initiative Rue Paul Bert ℘ 03 20 82 30 90, Fax 03 20 82 30 90.

XX **Auberge de la Marmotte,** 5 r. J.-B. Lebas ℘ 03 20 75 30 95, Fax 03 20 81 16 34 – **P.**
                                                                            plan de Lille JS f
fermé août, vacances de fév., dim. soir, mardi soir, merc. soir et lundi – **Repas** (12,20 bc) ·
16,45/45,75 ♀

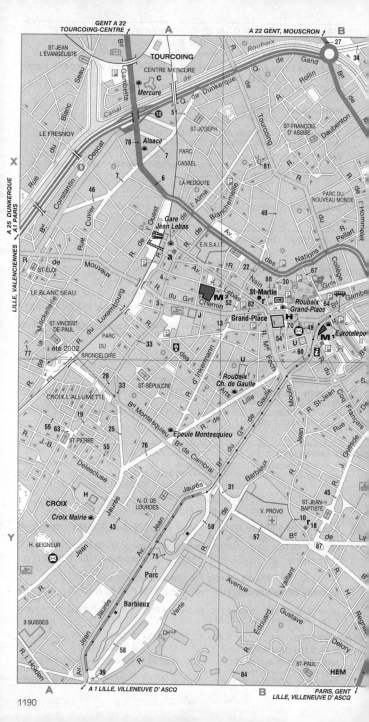

ROUDOUALLEC 56110 Morbihan 🗐🗐 ⑯ – 700 h alt. 167.

Paris 522 – Quimper 36 – Carhaix-Plouguer 29 – Concarneau 36 – Lorient 64 – Vannes

✗ **Bienvenue,** ℰ 02 97 34 50 01, lebienvenue@wanadoo.fr, Fax 02 97 34 54 90 – 🅿. GE
🍴 fermé vacances de fév. – Repas (11,45 bc) - 12,50/49,60 ₰

ROUEN 🅿 76000 S.-Mar. 🗐🗐 ⑥ G. Normandie Vallée de la Seine – 106 592 h Agglo. 389 8₆
alt. 12.

Voir Cathédrale Notre-Dame★★★ – Le Vieux Rouen★★★ : Église St-Ouen★★, Église★★
Aître★★ St-Maclou, palais de justice★★, rue du Gros-Horloge★★, rue St-Romain★★ BZ, p
du Vieux-Marché AY, – Verrière★★ de l'église Ste-Jeanne-d'Arc AY D, rue Ganterie★,
Damiette★ CZ - 35, rue Martainville★ CZ – Église St-Godard★ BY - Demeure★ (mu
national de l'Éducation) CZ M¹5 - Vitraux★ de l'église St-Patrice – Musées : Beaux-Arts★
Le Secq des Tournelles★★ BY M¹3, Céramique★★ BY M³, départemental des Antiquités ₀
Seine-Maritime★★ CY M¹ – Musée national de l'Éducation★ – Jardin des Plantes★ Ε
Corniche★★★ de la Côte Ste-Catherine★★★ – Bonsecours★★ FX, 3 km – Centre Universit
❄★★ EV.

Env. St-Martin de Boscherville : anc. abbatiale St-Georges★★, 11 km par ⑦.
✈ de Rouen-Vallée de Seine : ℰ 02 35 79 41 00, par ③ : 9 km.
Bac: de Dieppedalle ℰ 02 35 36 20 81 ; du Petit-Couronne ℰ 02 35 32 40 21.
🅱 Office du tourisme 25 place de la Cathédrale ℰ 02 32 08 32 40, Fax 02 32 08 32
ot-rouen@mcom.fr.
Paris 133 ⑥ – Amiens 120 ① – Caen 123 ⑥ – Le Havre 88 ⑧ – Le Mans 203 ⑥.

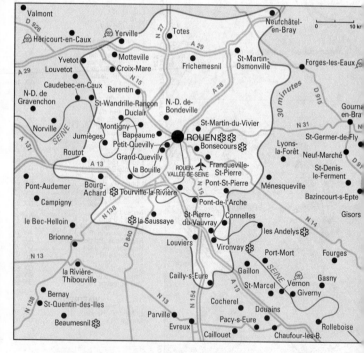

🏨 **Mercure Champ de Mars** Ⓜ, 12 av. A. Briand ℰ 02 35 52 42 32, h1273@accor-hot
com, Fax 02 35 08 15 06 – 📱 ❄, 🍴 rest, 📺 ₠ ⇔ 🅿 – 🛗 25 à 100. 🆎 ⓪ ₀
🗐🅱
CZ
Repas (fermé dim. midi et sam. du 14 juil. au 25 août) (17) - 21,34/27,44, enf. 7,62 – ⊈ 9₀
– 139 ch 91,47/109,76

🏨 **Mercure Centre** Ⓜ sans rest, 7 r. Croix de Fer ℰ 02 35 52 69 52, h1301@accor-hot
com, Fax 02 35 89 41 46 – 📱 ❄ 🍴 📺 ⇔ – 🛗 35. 🆎 ⓪ 🗐🅱 BZ
⊈ 10 – **125 ch** 69/151

Dieppe, pl. B. Tissot ℰ 02 35 71 96 00, *hotel.dieppe@wanadoo.fr*, Fax 02 35 89 65 21 – 🛗,
▤ rest, 📺. ஊ ⓞ ☺ ᴊᴄʙ. ※
BY z
Quatre Saisons (fermé sam. midi) **Repas** (14,95)- 20,58/35,06 – ☲ 7,62 – **41 ch** 55/99 –
½ P 60

Dandy sans rest, 93 bis r. Cauchoise ℰ 02 35 07 32 00, *contact@hotels-rouen.net*,
Fax 02 35 15 48 82 – 🛗 📺 📶 ⇔. ஊ ☺
AY p
fermé 26 déc. au 2 janv. – ☲ 8 – **18 ch** 71,50/95

Vieux Marché M ⤢ sans rest, 15 r. Pie ℰ 02 35 71 00 88, Fax 02 35 70 75 94 – 🛗 📺 📶
& ⇔ 🄿 – 🔬 25. ஊ ⓞ ☺
AY h
☲ 9 – **48 ch** 74/120

Versan sans rest, 3 r. J. Lecanuet ℰ 02 35 07 77 07, *hotel-versan@wanadoo.fr*,
Fax 02 35 70 04 67 – 🛗 📺 📶 &. ஊ ⓞ ☺ ᴊᴄʙ
BCY a
☲ 7,93 – **34 ch** 40,39/44,21

Ibis Rive Droite M, 56 quai Gaston Boulet ℰ 02 35 70 48 18, *h0821@accor-hotels.com*,
Fax 02 35 71 68 95, 🏤 – 🛗 📶 📺 & 🄿 – 🔬 25. ஊ ⓞ ☺
EV a
Repas 14,79/16,01, enf. 5,95 – ☲ 5 – **88 ch** 57

Viking sans rest, 21 quai Havre ℰ 02 35 70 34 95, *levicking@normandnet.fr*,
Fax 02 35 89 97 12 – 🛗 📺. ஊ ⓞ ☺ ᴊᴄʙ
AZ y
fermé 23 déc. au 2 janv. – ☲ 6,40 – **37 ch** 43,45/51,07

Ibis Rive Gauche sans rest, 44 r. Amiral Cécille ⊠ 76100 ℰ 02 35 63 27 27, *h1107-gm@
accor-hotels.com*, Fax 02 35 63 27 11 – 🛗 📶 📺 & ⇔. ஊ ⓞ ☺
AZ m
☲ 5,50 – **80 ch** 49

Cardinal sans rest, 1 pl. Cathédrale ℰ 02 35 70 24 42, *hotelcardinal.rouen@wanadoo.fr*,
Fax 02 35 89 75 14 – 🛗 📺. ☺
BZ r
fermé 16 déc. au 5 janv. – ☲ 6,50 – **18 ch** 41,50/65,50

Notre Dame sans rest, 4 r. Savonnerie ℰ 02 35 71 87 73, Fax 02 35 89 31 52 – 📺. ஊ
☺
BZ b
☲ 6 – **30 ch** 47/58

Gill (Tournadre), 9 quai Bourse ℰ 02 35 71 16 14, *gill@gill.fr*, Fax 02 35 71 96 91 – ▤. ஊ ⓞ
☺
BZ a
1er au 15 avril, 4 août au 2 sept. et 2 au 7 janv. – **Repas** (fermé mardi midi sauf de mai
à sept., dim. sauf le midi en mars-avril et d'oct. à déc. et lundi) 30 (déj.), 36/70 et carte 65 à
80 ♀, enf. 18,30
Spéc. Salade de queues de langoustines poêlées. Pigeon à la rouennaise et ravioli de foie
gras. Millefeuille chocolat (hiver).

Les Nymphéas (Kukurudz), 9 r. Pie ℰ 02 35 89 26 69, Fax 02 35 70 98 81, 🏤 – ஊ ⓞ
☺
AY h
fermé 20 août au 9 sept., 18 au 24 fév., dim. soir et lundi – **Repas** 26/42 et carte 46 à 72,
enf. 18
Spéc. Escalope de foie gras de canard au vinaigre de cidre. Civet de homard au sauternes.
Soufflé chaud aux pommes et calvados.

L'Écaille (Tellier), 26 rampe Cauchoise ℰ 02 35 70 95 52, Fax 02 35 70 83 49 – ▤. ஊ
☺
AY g
fermé 13 au 19 août, 18 au 24 fév., sam. midi et dim. soir d'oct. à mai, dim. de juin à sept. et
lundi – **Repas** - produits de la mer - 28,50/62,50 et carte 50 à 100
Spéc. Tagine de rouget barbet aux épices douces. Fricassée de sole et homard en sabayon
de crustacés. "Bouillabaisse" de la Manche.

Couronne, 31 pl. Vieux Marché ℰ 02 35 71 40 90, Fax 02 35 71 05 78, « Maison
normande du 14e siècle » – ஊ ⓞ ☺
AY d
Repas 19/37 et carte 47 à 68, enf. 15

P'tits Parapluies, pl. Rougemare ℰ 02 35 88 55 26, Fax 02 35 70 24 31 – ஊ ☺ ☺
ᴊᴄʙ
CY e
fermé 5 au 14 avril, 9 au 26 août, 18 fév. à 3 mars, sam. midi, dim. soir et lundi – **Repas**
24/31,70 et carte 41 à 55 ♀

Rouennais, 5 r. Pie ℰ 02 35 07 55 44, Fax 02 35 71 96 38 – ☺
AY s
fermé dim. soir et lundi – **Repas** 14,03 (déj.), 16,62/39,62 ♀, enf. 7,93

Beffroy (Mme Engel), 15 r. Beffroy ℰ 02 35 71 55 27, Fax 02 35 89 66 12, « Cadre
normand » – ஊ ⓞ ☺
BY b
fermé dim. soir et mardi – **Repas** (nombre de couverts limité, prévenir) (15,25) - 30,50/42 et
carte 44 à 59 ♀
Spéc. Timbale de homard et langoustines. Turbot au vinaigre de cidre. Canard à la
rouennaise.

Reverbère, 5 pl. République ℰ 02 35 07 03 14, Fax 02 35 89 77 93 – ஊ ☺
BZ e
fermé 5 au 28 août et dim. – **Repas** 29 bc/45

1193

ROUEN

1194

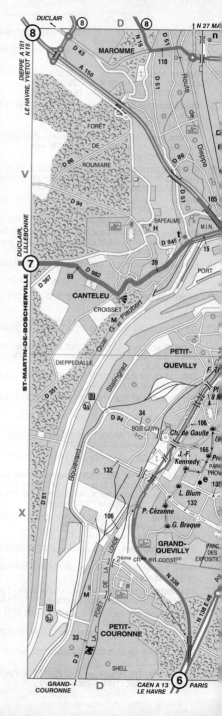

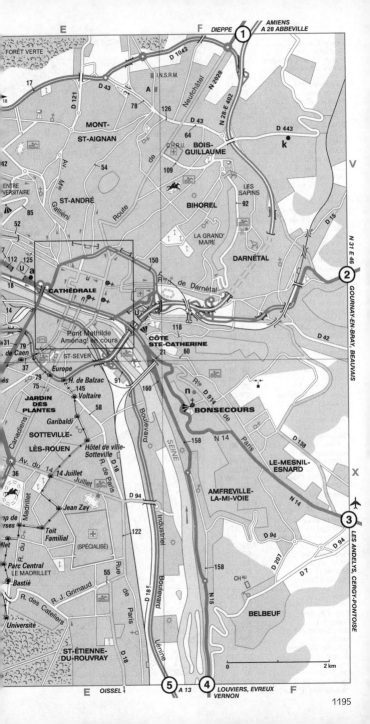

ROUEN

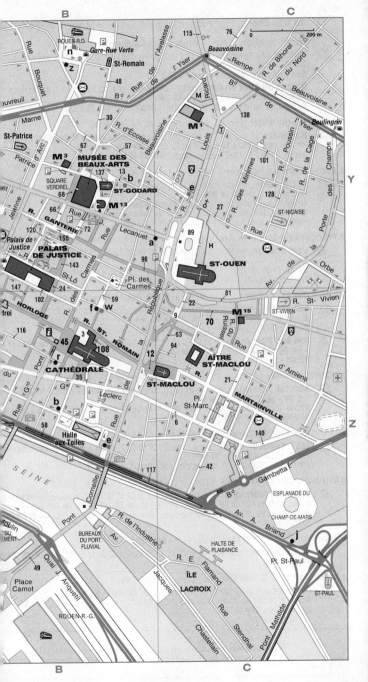

XX **Au Bois Chenu,** 23 pl. Pucelle d'Orléans ℰ 02 35 71 19 54, Fax 02 35 89 49 83 – ▯
GB
A
fermé 9 au 22 janv. et merc. – **Repas** 16,20/24,40 ♀, enf. 9

XX **Dufour,** 67 r. St-Nicolas ℰ 02 35 71 90 62, Fax 02 35 89 70 34, « Cadre vieux norman
AE GB
B
fermé dim. soir et lundi – **Repas** 19/36 ♀

X **Bistrot du Chef en Gare,** Buffet-Gare (1er étage) ℰ 02 35 71 41 15, media.restaur
@wanadoo.fr, Fax 02 35 15 14 43 – AE GB
B
fermé août, lundi soir, sam. midi et dim. – **Repas** (14) - carte 23 à 32 ♀

à St-Martin-du-Vivier Nord-Est : 8 km – 1 484 h. alt. 56 – ✉ 76160 :

🏨 **Bertelière** M ≫, ℰ 02 35 60 44 00, la-berteliere@libertysurf.fr, Fax 02 35 61 56 63
⌖ – ▤ rest, 🆃 ✆ & 🅿 – 🔬 25 à 150. AE ① GB JCB ✸ rest
F
Repas 17 (déj.), 21/30 ♀ – ⊑ 9 – **44 ch** 70/110 – ½ P 64

à Bonsecours Sud-Est : 3,5 km – 6 853 h. alt. 144 – ✉ 76240 :

XXX **Butte** (Hervé) ℰ 02 35 80 43 11, Fax 02 35 80 69 74, « Coquette aub
✿ normande » – ▤. AE ① GB
F
fermé 1er au 27 août, dim. et lundi – **Repas** 28 (déj.), 43/58 et carte 55 à 70
Spéc. Bouquet de salade de homard au beurre mousseux de truffe. Canardeau
rouennaise. Baba au rhum, glace au caramel et raisins.

à Franqueville-St-Pierre Sud-Est par N 14 : 9 km – 5 099 h. alt. 140 – ✉ 76520 :

🏠 **Vert Bocage,** rte Paris par ③ ℰ 02 35 80 14 74, Fax 02 35 80 55 73 – ▤ rest, 🆃 ▯
GB
fermé 12 au 25 août, 2 au 15 janv., lundi de nov. à mars et dim. soir – **Repas** 17/3
enf. 8,50 – ⊑ 4,50 – **19 ch** 38/44 – ½ P 41/44

au Parc des Expositions Sud par N 138 : 6 km – ✉ 76800 St-Étienne-du-Rouvray :

🏨 **Novotel** M, ℰ 02 32 91 76 76, h0432@accor-hotels.com, Fax 02 32 91 76 86, ㈡, ⊒
🏊 – 🛗 ✸ ▤ 🆃 ✆ & 🅿 – 🔬 150. AE ① GB JCB
D▸
Repas 17,50/22 ♀, enf. 8 – ⊑ 10 – **134 ch** 77/93

🏠 **Ibis Sud Parc Expo** M, ℰ 02 35 66 03 63, h0742@accor-hotels.com, Fax 02 35 66 ▯
– ✸ 🆃 & 🅿 – 🔬 25 à 70. AE ① GB JCB
D▸
Repas (12,04) - 18,60 &, enf. 5,95 – ⊑ 6 – **76 ch** 51

au Grand Quevilly Sud-Ouest : 5,5 km près Parc des Expositions – 26 679 h. alt. 6 – ✉ 76120

🏨 **Soretel,** av. Provinces ℰ 02 35 69 63 50, hotelsorelrouen@wanadoo.fr, Fax 02 35 69 4
– 🛗 🆃 – 🔬 15 à 100. AE ① GB
D▸
Repas (fermé sam. midi et dim. soir) 14,48/26,67 bc &, enf. 9,15 – ⊑ 6,86 – 4
54,88/61,74 – ½ P 47,26

au Petit Quevilly Sud-Ouest : 3 km – 22 332 h. alt. 5 – ✉ 76140 :

XXX **Les Capucines,** 16 r. J. Macé ℰ 02 35 72 62 34, capucines@lerapporteu
Fax 02 35 03 23 84, ㈡ – AE GB
D▸
fermé 5 au 20 août, sam. midi et dim. soir – **Repas** 25,15/48,78

à Montigny par ⑦, D 94E et D 86 : 10 km – 1 114 h. alt. 110 – ✉ 76380 :

🏠 **Relais de Montigny,** r. Lieutenant Aubert ℰ 02 35 36 05 97, le.relais.de.montigny
wanadoo.fr, Fax 02 35 36 19 60, ㈡, ⌖ – 🆃 ✆ ⇔ 🅿 – 🔬 25. AE ① GB JCB
fermé 23 au 30 déc. – **Repas** (fermé sam. midi) (14) - 22/30 ♀, enf. 12 – ⊑ 8 – **22 ch** 43/
½ P 59/64

à Bapeaume-lès-Rouen Nord-Ouest : 3 km – ✉ 76820 :

XX **Vieux Moulin,** 3 r. S. Lecoeur ℰ 02 35 36 39 59, Fax 02 35 36 02 56, ㈡ – 🅿. AE GB
DV
Repas 19/45

à Notre-Dame-de-Bondeville Nord-Ouest : 7,5 km – 7 652 h. alt. 25 – ✉ 76960 :

X **Les Elfes** avec ch, ℰ 02 35 74 36 21, Fax 02 35 75 27 09 – 🆃 🅿. GB
DV
fermé 1er au 24 août, dim. soir et merc. – **Repas** 17,42/34,85, enf. 7,62 – ⊑ 5,30 – ▯
29,73/34,30 – ½ P 36,59

Send us your comments on the restaurants we recommend
and your opinion on the specialities and local wines they offer.

FFACH 68250 H.-Rhin 62 ⑲ G. Alsace Lorraine – 4 187 h alt. 204.

🛈 Office du tourisme Place de la République ℘ 03 89 78 53 15, Fax 03 89 49 75 30.
Paris 480 – Colmar 16 – Basel 61 – Belfort 56 – Guebwiller 10 – Mulhouse 28 – Thann 26.

Château d'Isenbourg ≫, ℘ 03 89 78 58 50, isenbourg@grandesetapes.fr, Fax 03 89 78 53 70, ≤, 斎, 氐, ∑, ◰, ☞, ※ – 劇, 圖 rest, ◻ 🅿 – 🔏 25. 🖭 ⑩ 𝙶𝙱 🄹𝙲𝙱
fermé 20 janv. au 8 mars – **Repas** (fermé merc. midi et sam. midi) 29 (déj.), 45/115 ⵏ – ⬚ 15 – **41 ch** 135/260 – ½ P 139,50/290

A la Ville de Lyon sans rest, r. Poincaré ℘ 03 89 49 65 51, villedelyon@infonie.fr, Fax 03 89 49 76 67, ◻ – 劇 ◻ 🅻 🅿 – 🔏 30. 🖭 ⑩ 𝙶𝙱
fermé 25 fév. au 18 mars – ⬚ 7,80 – **44 ch** 44,50/96,50

Philippe Bohrer, r. Poincaré ℘ 03 89 49 62 49, Fax 03 89 49 76 67 – 圖 🅿. 🖭 ⑩ 𝙶𝙱
🕃
fermé 25 fév. au 18 mars, merc. midi et lundi – **Repas** 22,87/65,55 ⵏ, enf. 16 - **Brasserie Chez Julien** ℘ 03 89 49 69 80 **Repas** 15/24ⵏ, enf. 8
Spéc. Navarin de queues d'écrevisses au chou-fleur et raifort doux. Filet de daurade royale au jus de carotte douce. Aile et cuisse de pigeonneau en jambonnette **Vins** Riesling, Pinot noir.

llenberg Sud-Ouest : 6 km par N 83 et rte secondaire – ⌧ 68250 Rouffach :

Auberge au Vieux Pressoir, ℘ 03 89 49 60 04, info@bollenberg.com, Fax 03 89 49 76 16, 斎, « Décor alsacien » – 🅿. 🖭 ⑩ 𝙶𝙱
fermé 23 janv. au 13 fév., 24 au 27 déc. et merc. – **Repas** 16,77 (déj.), 30,18/60,67 ⅋

FFIAC-TOLOSAN 31 H.-Gar. 82 ⑧ – rattaché à Toulouse.

ROUGET 15290 Cantal 76 ⑪ – 901 h alt. 614.
Paris 555 – Aurillac 26 – Figeac 41 – Laroquebrou 15 – St-Céré 38 – Tulle 74.

Voyageurs, ℘ 04 71 46 10 14, HOTEL-DES-VOYAGEURS2@wanadoo.fr, Fax 04 71 46 93 89, 斎, ∑ – ◻ ⇐ 🅿. 𝙶𝙱
fermé fév. et dim. soir d'oct. à mars – **Repas** 9,50 (déj.), 15/24,50 ⵏ – ⬚ 5 – **23 ch** 34/51,80 – ½ P 38

JGIVILLE 88 Vosges 62 ⑰ – rattaché à St-Dié-des-Vosges.

JLLET 16 Charente 72 ⑬ – rattaché à Angoulême.

ROURET 07 Ardèche 80 ⑨ – rattaché à Ruoms.

ROURET 06650 Alpes-Mar. 84 ⑨ – 3 428 h alt. 350.
Paris 921 – Cannes 19 – Grasse 9 – Nice 27 – Toulon 138.

Clos St-Pierre, pl.Église ℘ 04 93 77 39 18, Fax 04 93 77 39 90, 斎 – 🖭 𝙶𝙱
fermé 19 au 26 déc., 13 janv. au 13 fév., mardi et merc. – **Repas** 25 (déj.), 35/42 ⵏ, enf. 10

ROUSSES 39220 Jura 70 ⑮ ⑯ G. Jura – 2 927 h alt. 1110 – Sports d'hiver : 1 100/1 680 m ✔40 ⚡.
Voir Gorges de la Bienne★ O : 3 km.
🛈 Office du tourisme Rue Pasteur ℘ 03 84 60 02 55, Fax 03 84 60 52 03, ot.les.rousses @wanadoo.fr.
Paris 462 – Genève 45 – Gex 29 – Lons-le-Saunier 65 – Nyon 25 – St-Claude 31.

France, ℘ 03 84 60 01 45, Fax 03 84 60 04 63, 斎 – ◻ – 🔏 25. 🖭 ⑩ 𝙶𝙱
fermé 15/04 au 3/05, 12/11 au 13/12, dim. soir et lundi midi hors saison sauf fériés – **Repas** (15) - 22/72 ⵏ, enf. 9,20 – ⬚ – **32 ch** 66/110 – ½ P 61/84

Redoute, ℘ 03 84 60 00 40, hotel.de.la.redoute@wanadoo.fr, Fax 03 84 60 04 59 – ◻ 🅿. 𝙶𝙱
fermé 5 nov. au 15 déc. – **Repas** 14/29 ⅋, enf. 7 – ⬚ 6,10 – **25 ch** 60 – ½ P 59

Village sans rest, ℘ 03 84 34 12 75, Fax 03 84 34 12 76 – ◻ ⇐. 𝙶𝙱
fermé 9 au 23 juin, 15 au 22 sept., 1ᵉʳ au 15 déc. et dim. de sept. à nov. – ⬚ 5,80 – **10 ch** 39/49

à la Cure *Sud-Est : 2,5 km par N 5, rte de Genève –* ⊠ *39220 Les Rousses :*

XX **Arbez Franco-Suisse** M avec ch, ℰ 03 84 60 02 20, Fax 03 84 60 08 59, 斎 – ■
GB, ℅ rest
fermé nov., lundi et mardi hors saison – **Repas** 22/30 ♀ **Brasserie : Repas** *(12,96)*-carte
ron 17 ♀, enf. 8,38 – ☑ 6,10 – **10 ch** 45/57 – ½ P 55

à Bois-d'Amont *Nord : 8 km par D 29ᴱ et D 415 – 1 517 h. alt. 1050 –* ⊠ *39220 :*

X **L'Atelier,** ℰ 03 84 60 94 15, brocart.patrick@wanadoo.fr, Fax 03 84 60 97 29 –
GB
fermé vacances de printemps, lundi, mardi et merc. sauf vacances scolaires et dim. .
Repas 20/38 ⌂

ROUSSILLON *84220 Vaucluse* **81** ⑬ *G. Provence– 1 161 h alt. 360.*
Voir *Site*★★.
🛈 *Office de tourisme pl. de la Poste* ℰ 04 90 05 60 25, Fax 04 90 05 60 25, ot-r
lon@axit.fr.
Paris 726 – Apt 11 – Avignon 46 – Bonnieux 12 – Carpentras 41 – Cavaillon 25 – Sault 3

🏨 **Mas de Garrigon** ⑤, *Nord : 3 km par C 7 et D 2* ℰ 04 90 05 63 22, mas-de-garrigor
nadoo.fr, Fax 04 90 05 70 01, 斎, ⌵, ⌂ – ▥ ℙ, ㏂ ◑ GB, ℅
Repas *(fermé mardi midi, merc. midi et lundi)* 28 (déj.), 50/58 ♀, enf. 18,30 – **10 ch** 12ᵉ
pens. seul. de mars à oct.) – ½ P 141

🏨 **Les Sables d'Ocre** M *sans rest, rte d'Apt* ℰ 04 90 05 55 55, sabled'ocre@fr.
Fax 04 90 05 55 50, ⌵, 斎 – ▤ ▥ & ℙ, ㏂ GB
fermé 10 nov. au 15 déc. et 1ᵉʳ fév. au 1ᵉʳ mars – ☑ 8 – **22 ch** 57,50/72

XX **David,** *pl. Poste* ℰ 04 90 05 60 13, Fax 04 90 05 75 80, ≤ *falaises et vallée,* 斎 – ▤
GB
21 mars-11 nov. et fermé dim. soir et lundi sauf fériés – **Repas** *(week-ends et 1*
prévenir) 21,35/42,70 ⌂, enf. 10,68

ROUSSILLON *38150 Isère* **77** ① *– 7 437 h alt. 200.*
🛈 *Office du tourisme Place de l'Edit* ℰ 04 74 86 72 07, Fax 04 74 29 74 76, ot.p.i.ro
@wanadoo.fr.
Paris 511 – Annonay 25 – Grenoble 90 – St-Étienne 57 – Tournon-sur-Rhône 44 – Vienn

🏨 **Médicis** M *sans rest, r. Fernand Léger* ℰ 04 74 86 22 47, info@hotelmedic
Fax 04 74 86 48 05 – ▥ ℃ & ⇨ ℙ – 🕭 20, ㏂ GB
☑ 6 – **15 ch** 45/61

🏠 **Europa,** *rte Valence* ℰ 04 74 11 10 80, Fax 04 74 86 15 11 – ▮, ▤ rest, ▥ ℃ ℙ
L'Émeraude ℰ 04 74 86 46 69 *(fermé 15 au 31 août, 1ᵉʳ au 8 janv., dim. soir et sam.)* **R**
16/34♀, enf.9 – ☑ 5 – **26 ch** 32/45

ROUTOT *27350 Eure* **54** ⑲ *G. Normandie Vallée de la Seine– 1 115 h alt. 140.*
Voir *La Haye-de-Routot : ifs millénaires*★ *N : 4 km.*
Paris 148 – Le Havre 59 – Rouen 35 – Bernay 45 – Évreux 69 – Pont-Audemer 19.

XX **L'Écurie,** ℰ 02 32 57 30 30, Fax 02 32 57 30 30 – GB
fermé 29 juil. au 5 août, vacances de fév., dim. soir, merc. soir et lundi – **Repas** *(17)* - 25/

ROUVRES-EN-XAINTOIS *88500 Vosges* **62** ⑭ *– 299 h alt. 330.*
Paris 356 – Épinal 43 – Lunéville 59 – Mirecourt 9 – Nancy 51 – Neufchâteau 34 – Vittel

XX **Burnel** avec ch (Annexe 🏨 M ⑤ 17 ch), au village ℰ 03 29 65 64 10, hotelburnellelu
🍴 aramail.com, Fax 03 29 65 68 88, 🛁, 斎 – ▥ ℃ & ℙ, ㏂ GB
fermé 23 au 31 déc., dim. soir et sam. midi hors saison – **Repas** 13,50/29 ♀, enf. 8 – ☑
22 ch 32/65 – ½ P 34/43

ROUVRES-LA-CHÉTIVE *88 Vosges* **62** ⑬ *– rattaché à Neufchâteau.*

ROUVROIS-SUR-OTHAIN *55 Meuse* **57** ② *– rattaché à Longuyon (M.-et-M.).*

Restaurants, die sorgfältig zubereitete,
preisgünstige Mahlzeiten anbieten, sind
durch das Zeichen 🍴 *kenntlich gemacht.*

AN 17200 *Char.-Mar.* **71** ⑮ *G. Poitou Vendée Charentes* – *17 102 h alt. 20* – *Casino Royan Pontaillac* A.

Voir *Front de mer*★ – *Église Notre-Dame*★ **E** – *Corniche*★ *et Conche*★ *de Pontaillac*.

Bac: *pour le Verdon-s-Mer* ☎ 05 46 38 35 15.

🛈 *Office du tourisme* ☎ 05 46 05 04 71, Fax 05 46 06 67 76, info@ot-royan.fr.

Paris 504 ① – *Bordeaux 122* ② – *Périgueux 182* ② – *Rochefort 40* ⑤ – *Saintes 37* ①.

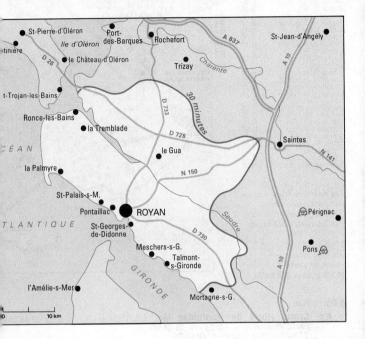

Novotel Ⓜ ⑳, bd Carnot - Conche du Chay ☎ 05 46 39 46 39, *H1173@accor-hotels.com*, Fax 05 46 39 46 46, ≤ mer, 佘, centre de thalassothérapie, ⑇ – 🛗 ⌽ ≡ 🆃🆅 ❤ 🕭 ⟿ 🅿 – 🔼 15 à 130. 🅰🅴 ⓪ 🆖 🆑🆒🅱
               A b
Repas 23,63 ♈, enf. 9,91 – ⌸ 10,21 – **83 ch** 141 – ½ P 105

Family Golf Hôtel sans rest, 28 bd Garnier ☎ 05 46 05 14 66, Fax 05 46 06 52 56, ≤ – 🛗 🆃🆅 🅿 🅰🅴 ⓪ 🆖
               C m
15 mars-30 nov. – ⌸ 8 – **33 ch** 77/92

Les Bleuets, 21 façade Foncillon ☎ 05 46 38 51 79, *info@hotel-les-bleuets.com*, Fax 05 46 23 82 00 – 🆃🆅 🕭 🆖 ⌾
               B a
fermé le week-end hors saison) (dîner seul.) 16,01 ♈ – ⌸ 5 – **16 ch** 42,69/59,46 – ½ P 42,35/50,74

Beau Rivage sans rest, 9 façade Foncillon ☎ 05 46 39 43 10, Fax 05 46 38 22 50, ≤ – 🛗 ⌽ 🆃🆅 🕭 🆖
               B z
fermé 15 déc. au 15 janv. – ⌸ 6,49 – **22 ch** 64,10/73,63

Corinna ⑳ sans rest, 5 r. Amazones ☎ 05 46 39 82 53 – 🕭 🅿. 🆖. ⌾
               A d
Pâques-fin sept. – ⌸ 5,20 – **14 ch** 42,70/48,80

Pasteur sans rest, 40 r. Pasteur ☎ 05 46 05 14 34, Fax 05 46 05 90 60 – 🕭. 🆖
               B s
⌸ 4,30 – **15 ch** 29/47

Chalet, 6 bd La Grandière ☎ 05 46 05 04 90, Fax 05 46 22 31 84 – ≡. 🅰🅴 ⓪ 🆖
               C u
Repas *(15)* - 19/54 ♈, enf. 9,50

Relais de la Mairie, 1 r. Chay ☎ 05 46 39 03 15, *Alain.gedoux@wanadoo.fr*, Fax 05 46 39 13 32 – ≡. 🅰🅴 ⓪ 🆖
               A k
fermé 4 au 12 nov., 17 fév. au 2 mars, jeudi soir, dim. soir et mardi hors saison – **Repas** 14,50/30 ⍟, enf. 7,50

ROYAN

*Les pastilles numérotées
des plans de villes
① ② ③ sont répétées
sur les cartes Michelin
à 1/200 000.
Elles facilitent
ainsi le passage
entre les cartes
et les guides Michelin.*

à Pontaillac

🏨🏨🏨 **Grand Hôtel de Pontaillac** sans rest, 195 av. Pontaillac ℘ 05 46 39 C
Fax 05 46 39 04 05, ≤ – 📶 📺 ⇐⇒. 🖭 ⓞ 🆖
23 mars-30 sept. – ☲ 8 – **41 ch** 69/98

🏨🏨 **Résidence de Saintonge** ❦, 10 allée des Algues ℘ 05 46 39 00 00, le.pavillon.b
wanadoo.fr, Fax 05 46 39 07 00 – 📺 🅿. 🆖
7 avril-30 sept. – **Pavillon Bleu** : Repas 15/28, enf.7 – ☲ 6 – **40 ch** 36/54 – ½ P 55

🏨🏨 **Miramar** sans rest, 173 av. Pontaillac ℘ 05 46 39 03 64, miramaroyan@wanadé
Fax 05 46 39 23 75 – 📶 📺 ⅙. 🆖
☲ 8,50 – **27 ch** 69/99

🏨 **Belle-Vue** sans rest, 122 av. Pontaillac ℘ 05 46 39 06 75, Fax 05 46 39 44 92, ≤ – 📺
ⓞ 🆖, ❄
1er avril-1er nov. – ☲ 6 – **18 ch** 45/60

XXX **Jabotière,** esplanade de Pontaillac ℘ 05 46 39 91 29, Fax 05 46 38 39 93, ≤ Conch
Pontaillac – 🖭 🆖
fermé vacances de Noël, 2 janv. au 2 fév., dim. soir et lundi – **Repas** (13,41) - 16,46 (
23,62/57,93 et carte 50 à 60 ♈

rte de St-Palais par ④ : 3,5 km – ⊠ 17640 Vaux-sur-Mer :

🏨🏨🏨 **Résidence de Rohan** ❦ sans rest, Conche de Nauzan ℘ 05 46 39 00 75, info@res
ce-rohan.com, Fax 05 46 38 29 99, ≤, « Villas dans un parc dominant la plage », ☒, ❧
📺 ✆ 🅿. 🖭 🆖
25 mars-10 nov. – ☲ 9,15 – **41 ch** 91/118

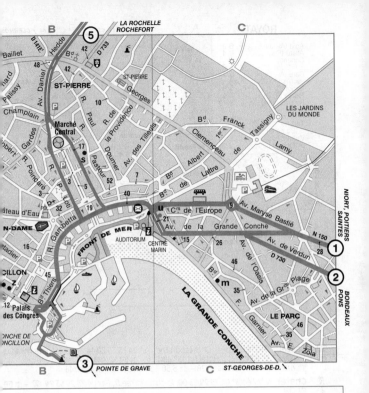

Write us...

If you have any comments on the contents of this Guide.

Your praise as well as your criticisms will receive careful consideration and, with your assistance, we will be able to add to our stock of information and, where necessary, amend our judgments.

Thank you in advance!

ᴙAT 63130 P.-de-D. **73** ⑭ *G. Auvergne* – *4 658 h alt. 450* – *Stat. therm. (fin mars-fin oct.)* – *Casino* B.

Voir *Église St-Léger★*.

Circuit automobile de montagne d'Auvergne.

🛈 *Office du tourisme 1 avenue Auguste Rouzaud ℘ 04 73 29 74 70, Fax 04 73 35 81 07, ot–royat@micro-assist.fr.*

Paris 424 – *Clermont-Ferrand 5* – *Aubusson 90* – *La Bourboule 47* – *Le Mont-Dore 40.*

Accès et sorties : voir plan de Clermont-F.

Plan page suivante

🏨 **Métropole**, bd Vaquez ℘ 04 73 35 80 18, *contact@metropole-hotel.com,* Fax 04 73 35 66 67 – 📶 📺 ✆. ⓪ 🆚   B **h**
29 avril-12 oct. – **Repas** *(29 avril- 28 sept.)* 25,20 – ⥿ 7,50 – **58 ch** 49/95, 4 appart – P 61/98,35

🏨 **Royal St-Mart**, av. Gare ℘ 04 73 35 80 01, Fax 04 73 35 75 92, 佘, 禾 – 📶 📺 🅿 – ᴧ 25. 🆎 ⓪ 🆚   B **n**
hôtel : 28 avril-30 sept. ; rest. : 5 mai-30 sept. – **Repas** 21/29 – ⥿ 7 – **50 ch** 38/79 – ½ P 35/71

1203

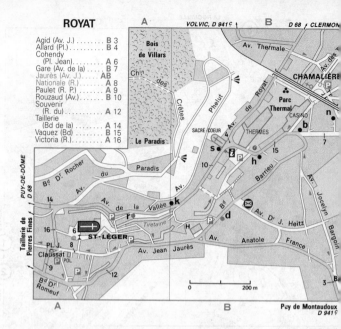

ROYAT

🏨 **Castel Hôtel**, pl. Dr Landouzy ℘ 04 73 35 80 14, *castel.hotel@wanad*
  Fax 04 73 35 80 49, ≼, « Hôtel fin 19ᵉ siècle » – 🛗 📺 📞 ☎️ GB JCB, ❈ ch
  1ᵉʳ mars-15 nov. – **Repas** 14/28 – ☲ 5,50 – **31 ch** 38/62 – ½ P 41/46

🏨 **Chatel**, av. Vallée ℘ 04 73 29 53 00, *le-chatel@free.fr*, Fax 04 73 29 53 29, 🍴 – 🛗 📺
  AE GB
  hôtel : fermé les week-ends de nov. à mars ; rest. : ouvert d'avril à oct. – **Repas** 13/3
  enf. 9 – ☲ 6 – **24 ch** 46/66 – P 51

XX **Belle Meunière** avec ch, av. Vallée ℘ 04 73 35 80 17, Fax 04 73 29 95 18, 🍴 – 📺. 🟦
  GB
  fermé 28 oct. au 18 nov., 17 fév. au 4 mars, dim. soir, sam. midi et lundi – R
  21,65/39,64 ♀ – ☲ 6,10 – **7 ch** 39,64/45,73 – ½ P 42,69

XX **Pépinière** avec ch, 11 av. Pasteur (rte Puy-de-Dôme) ℘ 04 73 35 81 19, *info@hot*
  pepiniere.com, Fax 04 73 35 94 23, 🍴 – 🍽 rest, 📺 🅿️. GB
  fermé 15 oct. au 1ᵉʳ nov., 2 au 8 janv., dim. soir et lundi – **Repas** 11,43 (déj.), 20,58/45,
  ☲ 4,88 – **4 ch** 36,60

X **L'Hostalet**, bd Barrieu ℘ 04 73 35 82 67 – GB
  fermé 1ᵉʳ janv. au 15 mars, dim. sauf fêtes et lundi – **Repas** 12,20 (déj.), 20 bc/29

Write us...

If you have any comments on the contents
of this Guide.

Your praise as well as your criticisms
will receive careful consideration and,
with your assistance, we will be able to add to our
stock of information
and, where necessary, amend our judgments.

Thank you in advance!

ROYE 80700 Somme 🔢 ⑳ *G. Picardie Flandres Artois* – 6 529 h alt. 88.

Paris 113 ⑤ – Amiens 47 ⑤ – Compiègne 42 ⑤ – Arras 75 ⑤ – St-Quentin 61 ②.

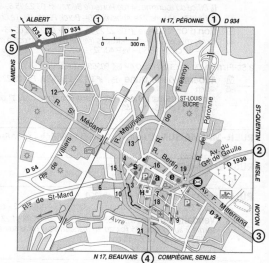

*as de publicité
yée dans ce guide*

XXX **Flamiche** (Mme Klopp), pl. H. de Ville (a) *ℰ* 03 22 87 00 56, *restaurant.flamiche@world
online.fr*, Fax 03 22 78 46 77 – ▤. ⓞ ⒼⒷ ⒿⒸⒷ
fermé 23 déc. au 7 janv., dim. soir, mardi midi et lundi – **Repas** 22,87/128,06 bc et carte 60 à
90 ♀
Spéc. Flamiche aux poireaux (fin sept. à mi-mai). Anguille de Somme aux herbes et petits
farcis de chou. Colvert au vinaigre de sureau et cannelloni d'aubergine (sept. à fév.).

XX **Florentin et Hôtel Central** avec ch., 36 r. Amiens (s) *ℰ* 03 22 87 11 05,
Fax 03 22 87 42 74 – ▤ rest, ⓉⓋ ✓. ⒶⒺ ⒼⒷ
fermé 11 au 27 août, dim. soir et lundi – **Repas** 14/34 – ☷ 5 – **8 ch** 35,10/49

XX **Nord** avec ch, pl. République (e) *ℰ* 03 22 87 10 87, Fax 03 22 87 46 88 – ⒼⒷ
fermé 15 au 31 juil., 12 fév. au 5 mars, mardi soir et merc. – **Repas** 14,49/44,98 ♀, enf. 9,91 –
☷ 4,58 – **7 ch** 21,34/27,44

OYE 70 H.-Saône 🔢 ⑦ – *rattaché à Lure.*

ROZIER 48150 Lozère 🔢 ④ ⑤ *G. Languedoc Roussillon* – 153 h alt. 400.
Voir *Terrasses du Truel* ≤★ *E : 3,5 km* – *Gorges du Tarn*★★★.
Env. *Chaos de Montpellier-le-Vieux*★★★ *S : 11,5 km* – *Corniche du Causse Noir* ≤★★ *SE :
13 km puis 15 mn.*
Paris 635 – Mende 64 – Florac 57 – Millau 22 – Sévérac-le-Château 23 – Le Vigan 71.

🏠 **Grand Hôtel de la Muse et du Rozier** Ⓜ ⌕, à La Muse (D 907) rive droite du Tarn
⌨ 12720 Peyreleau (Aveyron) *ℰ* 05 65 62 60 01, *info@hotel-delamuse.com*,
Fax 05 65 62 63 88, ≤, 🍴, « Au bord du Tarn », ♨, 🐎 – 🛗 ⓉⓋ 🄿. ⒶⒺ ⓞ ⒼⒷ
28 mars-4 nov. – **Repas** *(fermé merc. midi)* 15,25 (déj.), 25,20/35,10 ♀ – ☷ 11 – **38 ch**
81/107 – ½ P 74,50/87,50

🏠 **Doussière** sans rest, *ℰ* 05 65 62 60 25, Fax 05 65 62 65 48, 🐎 – 🄿. ⒼⒷ
Pâques-11 nov. – ☷ 5,50 – **20 ch** 38/49

CH 33350 Gironde 🔢 ⑬ – 504 h alt. 100.
Paris 559 – Bordeaux 47 – Bergerac 55 – La Réole 28.

🏠 **Château Lardier** ⌕ sans rest, *ℰ* 05 57 40 54 11, *lardier@chateaulardier.com*,
Fax 05 57 40 72 35, ♨, 🐎 – ⓉⓋ 🄿. ⒼⒷ
mars-oct. – ☷ 5 – **7 ch** 40/48

RUE 80120 Somme **52** ⑥ G. Picardie Flandres Artois – 3 075 h alt. 9.

Voir *Chapelle du St-Esprit★ : intérieur★*.

🚹 *Office du tourisme 54 rue Porte de Bécray* 🕿 03 22 25 69 94, Fax 03 22 25 76 26.

Paris 213 – Amiens 77 – Abbeville 29 – Berck-Plage 23 – Le Crotoy 8.

🏠 **Lion d'Or**, r. Barrière 🕿 03 22 25 74 18, Fax 03 22 25 66 63 – 📺, ⬜ 🃏. 🛇 ch
🍽 *fermé mi-déc. à mi-janv. – Repas (fermé dim. soir d'oct. à mai et lundi)* 14/29 ⬜, enf.
⬜ 7 – **16 ch** 39/76,50 – ½ P 40/52

à St-Firmin *Ouest : 3 km par D 4* – ⬜ 80550 Le Crotoy :

🏠 **Auberge de la Dune** ⬙, 🕿 03 22 25 01 88, Fax 03 22 25 66 74, 🏠 – 📺 ⅙ 🅿
🍽 🛇 ch
fermé 3 au 15 mars, 8 au 25 déc., mardi soir et merc. du 1er oct. au 15 mars – Repas 14
– ⬜ 8 – **11 ch** 55 – ½ P 48

RUEIL-MALMAISON 92 Hauts-de-Seine **55** ⑳, **101** ⑭ – *voir à Paris, Environs.*

RUGY 57 Moselle **57** ④ – *rattaché à Metz.*

RULLY 71150 S.-et-L. **70** ① – 1 463 h alt. 220.

Paris 332 – Beaune 21 – Chalon-sur-Saône 16 – Autun 42 – Le Creusot 32.

🍴🍴 **Vendangerot** avec ch, 🕿 03 85 87 20 09, Fax 03 85 91 27 18, 🏠 ⅙ 🅿. ⬜
fermé 2 au 15 janv., 15 fév. au 10 mars, merc. sauf le soir en juil.-août et mardi – R
15/39 ⬜, enf. 9 – ⬜ 7 – **14 ch** 45

RUMILLY 74150 H.-Savoie **74** ⑤ G. Alpes du Nord – 11 230 h alt. 334.

🚹 *Office du tourisme* 🕿 04 50 64 58 32, Fax 04 50 01 03 53, albanais@ot-albanais74.fr.

Paris 533 – Annecy 19 – Aix-les-Bains 21 – Bellegarde-sur-Valserine 37 – Genève 54.

🍴🍴 **Boîte à Sel**, 27 r. Pont-Neuf 🕿 04 50 01 02 52, Fax 04 50 01 42 11 – ⬜
fermé août, dim. soir et lundi – Repas 10,36 (déj.), 14,94/23,63 ⬙, enf. 5,33

RUNGIS 94 Val-de-Marne **81** ①, **101** ㉖ – *voir à Paris, Environs.*

RUOMS 07120 Ardèche **80** ⑨ G. Vallée du Rhône – 2 132 h alt. 121.

Voir *Labeaume★ O : 4 km – Défilé de Ruoms★*.

🚹 *Office du tourisme Rue Alphonse Daudet* 🕿 04 75 93 91 90, Fax 04 75 39 78 91.

Paris 655 – Alès 54 – Aubenas 25 – Pont-St-Esprit 55.

rte des Vans *Sud-Ouest : 3,5 km par D 111* – ⬜ 07120 Ruoms :

🏠 **Chapoulière**, 🕿 04 75 39 65 43, Fax 04 75 39 75 82, 🏠, 🌳 – 📺 🅿. ⬜
8 mars-20 oct. et fermé dim. soir et lundi sauf de mai au 15 sept. – Repas 15/40, enf. 8
⬜ 6,50 – **12 ch** 40/64

domaine du Rouret *près Grospierres, Sud-Ouest : 11 km par D 111* – ⬜ 07120 Grospierres :

🏰 **Maéva Le Rouret** ⬙, 🕿 04 75 35 77 00, sud.ardeche@maeva.fr, Fax 04 75 93 97 4
🏠, « Parc ombragé et complexe de loisirs », 🛠, 🏊, 🏊, 🎾,🏌,🅿 – ⬛📺 ⅙ 🅿 – 🛎
🅰🅴 ⓞ ⬜, 🛇 rest
30 mars-12 oct. – Repas (13,50) -17,50, enf. 7,50 – ⬜ 7 – **113 ch** 93/139 – ½ P 65/81

RUPT-SUR-MOSELLE 88360 Vosges **62** ⑰ – 3 637 h alt. 424.

🚹 *Syndicat d'Initiative 6 r. d'Alsace* 🕿 03 29 24 32 78.

Paris 423 – Épinal 38 – Belfort 59 – Colmar 82 – Mulhouse 69 – St-Dié 65 – Vesoul 60.

🏠 **Relais Benelux-Bâle**, 69 r. Lorraine 🕿 03 29 24 35 40, beneluxbale@wanado
🍽 Fax 03 29 24 40 47, 🏠, 🌳 – 📺 ⅙ 🔄 🅿. ⬜
fermé 29 avril au 5 mai, 20 déc. au 13 janv. et dim. soir – Repas 12,20/30 ⬜, enf. 7,77 – ⬜
10 ch 36/53 – ½ P 33/40

🏠 **Centre**, r. Église 🕿 03 29 24 34 73, hotelcentreperry@wanadoo.fr, Fax 03 29 24 45
🍽 📺 ⅙ 🔄 🅿 – 🛎 20. 🅰🅴 ⓞ ⬜ 🃏
fermé 8 au 17 juin, 5 au 14 oct., 11 au 20 janv., dim. soir et lundi sauf juil.-août et fér.
Repas 11,89/54,88 ⬜, enf. 9,91 – ⬜ 6,10 – **9 ch** 26,68/52,59 – ½ P 36,59/47,26

NES-EN-MARGERIDE 15320 Cantal **76** ⑭ ⑮ – 648 h alt. 920.

🛈 Syndicat d'initiative Maison Communale la Ferme ℘ 04 71 23 43 32, Fax 04 71 23 90 01, margeride-truyere@wanadoo.fr.

Paris 525 – Aurillac 89 – Le Puy-en-Velay 81 – St-Chély-d'Apcher 28 – St-Flour 16.

🏠 **Moderne,** ℘ 04 71 23 41 17, hotel-moderne15@wanadoo.fr, Fax 04 71 23 49 82, 🚗 – 🗓 📞 📠 📺 📶 ⒢ 📶

3 mars-mi-oct. – **Repas** 11/25 ⚗, enf. 6,90 – ⚗ 5,50 – **20 ch** 31/36 – ½ P 36/38

SABLES-D'OLONNE ◈ 85100 Vendée **67** ⑫ G. Poitou Vendée Charentes – 15 532 h alt. 4 – Casinos des Pins CY, Casino de la Plage AZ.

Voir *Le Remblai*★.

🛈 Office du tourisme 1 promenade Joffre ℘ 02 51 96 85 85, Fax 02 51 96 85 71, info@ot-lessablesdolonne.fr.

Paris 487 ② – La Roche-sur-Yon 38 ② – Cholet 106 ② – Nantes 105 ② – Niort 115 ④.

Plan page suivante

🏨 **Mercure** 🅼 ◈, au Lac de Tanchet par la corniche : 2,5 km ℘ 02 51 21 77 77, h1078@accor-hotels.com, Fax 02 51 21 77 80, ≤, 🏠, centre de thalassothérapie, 🛗, 🔲 – 🗓 ❄ 🗐 📺 ❤ ⒢ 🖭 – 🛗 120. 📠 ⓞ ⒢ 🖪 📶 rest　　　　　　　　　　CY f
fermé 5 au 18 janv. – **Repas** (15,50) - 24 ⚗, enf. 10,70 – ⚗ 10,70 – **100 ch** 115/131 – ½ P 85/96

🏨 **Atlantic Hôtel,** 5 prom. Godet ℘ 02 51 95 37 71, info@atlantichotel.fr, Fax 02 51 95 37 30, ≤, 🔲 – 🗓 🗐 📺 ❤ – 🛗 25. 📠 ⓞ 📶　　　　　BY e
Sloop (fermé déc., vend. et dim. d'oct. à mars) – **Repas** 19/41 ⚗, enf. 9 – ⚗ 9 – **30 ch** 71/122 – ½ P 78/93

🏨 **Roches Noires** sans rest, 12 prom. G. Clemenceau ℘ 02 51 32 01 71, info@bw-lesroches noires.com, Fax 02 51 21 61 00, ≤ – 🗓 🗐 📺 ❤ ⒢ 📠 ⓞ 📶　　　　BY s
⚗ 7,50 – **37 ch** 62/105

🏨 **Arundel** sans rest, 8 bd F. Roosevelt ℘ 02 51 32 03 77, qualityhotelarundel@wanadoo.fr, Fax 02 51 32 86 28 – 🗓 ❄ 📺 ❤ 📠 ⓞ 📶　　　　　　　　　AZ k
fermé 22 déc. au 5 janv. – ⚗ 7,50 – **42 ch** 70/115

🏨 **Admiral's** sans rest, Port Olona ℘ 02 51 21 41 41, hotel.admiral@wanadoo.fr, Fax 02 51 32 11 23 – 🗓 📺 ❤ 📠 – 🛗 25. 📠 ⓞ 📶　　　　　　　AY q
fermé dim. du 15 oct. au 28 fév. – ⚗ 7 – **33 ch** 58/68

🏨 **Hirondelles,** 44 r. Corderies ℘ 02 51 95 10 50, leshirondelles@wanadoo.fr, Fax 02 51 32 31 01 – 🗓 📺 ❤ ⒢ 📶 📠 📶　　　　　　　　　BZ r
hôtel : 1ᵉʳ avril-30 sept. ; rest. : 1ᵉʳ avril-20 sept. – **Repas** 16,01/25,15 ⚗, enf. 9,91 – ⚗ 7,62 – **31 ch** 60,98 – ½ P 57,17

🏠 **Calme des Pins** 🅼, 43 av. A. Briand ℘ 02 51 21 03 18, calmedespins@wanadoo.fr, Fax 02 51 21 59 85 – 🗓 ❤ ⒢ 📠 📶　　　　　　　　　　CY v
Pâques-30 sept. – **Repas** (dîner seul.)(résidents seul.) 12,20/27,44 ⚗, enf. 7,62 – ⚗ 7,62 – **46 ch** 60,98 – ½ P 57,93

🏠 **Antoine,** 60 r. Napoléon ℘ 02 51 95 08 36, antoinehotel@club-internet.fr, Fax 02 51 23 92 78 – 📶 ⒢ 📶. 📶　　　　　　　　　　　AZ a
mars-oct. – **Repas** (dîner seul.)(résidents seul.) 15,50/20 – ⚗ 5,50 – **20 ch** 54 – ½ P 47

🏠 **Les Embruns** sans rest, 33 r. Lt Anger ℘ 02 51 95 25 99, info@hotel-lesembruns.com, Fax 02 51 95 84 48 – 🗓 📺 📶　　　　　　　　　　　AY n
fermé 26 oct. au 24 nov., fév. et dim. d'oct. à mai – ⚗ 6,10 – **21 ch** 39/48

🏠 **Chêne Vert,** 5 r. Bauduère ℘ 02 51 32 09 47, Fax 02 51 21 29 65 – 🗓 📺. 📠 📶. 📶
fermé 24 déc. au 15 janv. et dim. d'oct. à fin mars – **Repas** (fermé vend. soir, sam. et dim. d'oct. à fin mars) 9/17 ⚗, enf. 5,50 – ⚗ 5 – **33 ch** 53 – ½ P 46　　　BZ p

🏠 **Alizé Hôtel** sans rest, 78 av. A. Gabaret ℘ 02 51 32 44 90, Fax 02 51 21 49 59 – 📺. 📠 ⓞ 📶. 📶　　　　　　　　　　　　BY n
fermé 20 déc. au 20 fév. et dim. soir sauf juil.-août – ⚗ 5,35 – **24 ch** 29,73/45,74

🍴🍴 **Beau Rivage** (Drapeau), 1 bd de Lattre de Tassigny, près Lac de Tanchet (par la corniche) ℘ 02 51 32 03 01, b.rivage@wanadoo.fr, Fax 02 51 32 46 48, ≤ Océan et les Sables – 🗐 📶 📠 ⓞ 📶 📶　　　　　　　　　　CY y
fermé 7 au 21 oct., 6 au 22 janv., lundi sauf le soir en juil.-août et dim. soir de sept. à juin sauf fériés – **Repas** 40/81 et carte 68 à 88 ⚗, enf. 20 - **Bistrot "la Mytiliade"** ℘ 02 51 95 47 47 (rez-de-chaussée) **Repas** 21/23,50 ⚗
Spéc. Foie gras poêlé aux queues de langoustines. Millefeuille de langouste et pommes de terre (avril à oct.). Poularde fermière aux filets de sole et morilles. **Vins** Fiefs vendéens blanc et rouge.

🍴🍴 **Villa Dilecta,** 15 bd Kennedy ℘ 02 51 23 85 68, Fax 02 51 23 89 53 – 📠 📶　　CY r
fermé 23 au 30 déc., 2 au 10 janv., dim. soir et lundi sauf juil.-août – **Repas** 17 bc (déj.), 23/59,50 ⚗

LES SABLES-D'OLONNE

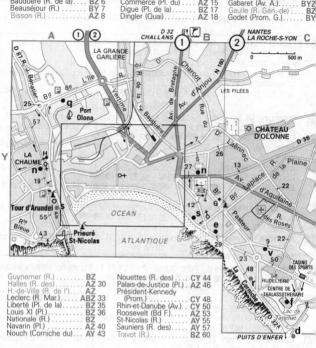

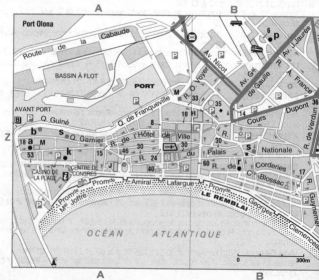

XX **Sablier**, 56 r. Nationale ℘ 02 51 21 09 54, Fax 02 51 23 41 40 – 🅖🅑   BZ s
fermé merc. en hiver et lundi – **Repas** 18 (déj.), 23/30

XX **Pêcherie**, 4 quai Boucaniers, la Chaume ℘ 02 51 95 18 27, Fax 02 51 95 18 27 – 🅖🅑
fermé 17 au 21 juin, 14 au 25 oct., 6 janv. au 8 fév., lundi en juil.-août, mardi et merc. de
sept. à juin – **Repas** 21/36 ⅀, enf. 12   AY s

XX **Loulou**, rte Bleue, la Chaume : 4 km ℘ 02 51 21 32 32, Fax 02 51 21 32 32, ← – 🅖🅑
fermé 11 au 18 mars, 30 sept. au 20 oct., dim. soir et jeudi soir de sept. à juin et lundi –
Repas 18,30/25,15

XX **Clipper**, 19 bis quai Guiné ℘ 02 51 32 03 61, Fax 02 51 95 21 28 – 🔳. 🅰🅔 🅞 🅖🅑   AZ b
fermé 3 au 18 déc., 28 janv. au 6 fév., merc. hors saison et mardi
Repas 15/33 ⅀, enf. 10

XX **Fleur des Mers**, 5 quai Guiné ℘ 02 51 95 18 10, *fleur.mers@wanadoo.fr*,
Fax 02 51 96 96 10, ✿ – 🅖🅑   AZ s
fermé mardi hors saison et lundi – **Repas** 14/32

▪ **Pironnière** Sud-Est : 4 km par la corniche – ✉ 85100 Château-d'Olonne :

XX **Auberge Robinson**, 51 r. du Puits d'Enfer ℘ 02 51 23 92 65, Fax 02 51 21 28 60 – 🅰🅔 🅖🅑
fermé 4 au 20 mars, 2 au 20 déc., dim. soir et lundi de sept. à juin, merc. midi et lundi midi
en juil.-août – **Repas** 16,77 (déj.), 22,11/44,97 ⅀, enf. 12

▪ **l'anse de Cayola** Sud-Est : 7 km par la Corniche – ✉ 85180 Château-d'Olonne :

XXX **Cayola**, 76 promenade de Cayola ℘ 02 51 22 01 01, Fax 02 51 22 08 28, ← mer, « Villa
contemporaine avec piscine et terrasse dominant la mer », ⬞, ☞ – 🔳 🅰🅔 🅖🅑
fermé 12 au 25 nov., 1ᵉʳ au 15 janv., dim. soir et lundi – **Repas** 26/67 ⅀, enf. 9,15

ABLES-D'OR-LES-PINS 22 C.-d'Armor 🔟 ④ G. Bretagne – ✉ 22240 Fréhel.
Paris 457 – St-Brieuc 39 – St-Malo 43 – Dinan 42 – Dol-de-Bretagne 60 – Lamballe 26.

🏠 **Manoir St-Michel** ⌖ sans rest., à la Carquois, Est : 1,5 km par D 34 ℘ 02 96 41 48 87,
manoir-st-michel@fournel.de, Fax 02 96 41 41 55, « Jardin et plan d'eau », ☞ – 🔳 🅿. 🅖🅑
30 mars-4 nov. – ⌂ 7 – **17 ch** 43/104, 3 duplex

🏠 **Voile d'Or - La Lagune** (Hellio), ℘ 02 96 41 42 49, *lavoiledor@wanadoo.fr*,
Fax 02 96 41 55 45, ←, ☞ – 🔳 ♿ 🅿. 🅰🅔 🅖🅑 🅹🅲🅱
✿ *15 mars-15 nov.* – **Repas** *(fermé lundi midi, mardi midi et merc. midi)* 28,97/74,90, enf. 18,29
– ⌂ 11,45 – **26 ch** 91,16/203,36 – ½ P 100,80/156,90
Spéc. Huîtres chaudes, sabayon de cidre et pommes. Homard breton rôti au beurre salé.
Soupe de fruits de saison soufflée.

🏠 **Manoir de la Salle** Ⓜ ⌖ sans rest., r. Lac - Sud-Ouest : 1 km par D 34 ✉ 22240 Plurien
℘ 02 96 72 38 29, *aude.labruyere@manoir-de-la-salle.com*, Fax 02 96 72 00 57, « Demeure
du 16ᵉ siècle », ☞ – 🔳 📞 🅿. 🅰🅔 🅞 🅖🅑
1ᵉʳ avril-30 sept. – ⌂ 6,80 – **14 ch** 43/120

🏠 **Diane**, ℘ 02 96 41 42 07, *hoteldiane@wanadoo.fr*, Fax 02 96 41 42 67, ✿, ☞ – ⬗ 🔳 ♿.
🅰🅔 🅖🅑
28 mars-8 oct. – **Repas** 13/46, enf. 8,50 – ⌂ 8 – **28 ch** 63/69 – ½ P 57/60

🏠 **Morgane** sans rest, ℘ 02 96 41 46 90, Fax 02 96 41 57 85, ☞ – 🔳 🅿. 🅖🅑
1ᵉʳ avril-30 sept. – ⌂ 7,70 – **19 ch** 43/72

🏠 **Bon Accueil** sans rest, ℘ 02 96 41 42 19, Fax 02 96 41 57 59, ☞ – ⬗ 🅿.
28 mars-8 oct. – ⌂ 8 – **38 ch** 38/64

🏠 **Pins**, ℘ 02 96 41 42 20, Fax 02 96 41 59 02, ☞ – 🅰🅔 🅖🅑. ✿
30 mars-30 sept. – **Repas** 13/28 – ⌂ 6,50 – **22 ch** 48 – ½ P 44/48

▪ **Pléhérel-plage** Est : 3,5 km par D 34 – ✉ 22240 Fréhel :

🏠 **Plage et Fréhel** ⌖, ℘ 02 96 41 40 04, Fax 02 96 41 57 96, ←, ☞ – 🅿. 🅖🅑. ✿ ch
30 mars-30 sept. et 26 sept.-11 nov. – **Repas** 13,50/35 ⅀, enf. 8 – ⌂ 6,50 – **27 ch** 26/47 –
½ P 39/52

BLÉ-SUR-SARTHE 72300 Sarthe 🔟 ① G. Châteaux de la Loire – 12 716 h alt. 29.
🅱 Office de tourisme r. Raphaël-Élizé ℘ 02 43 95 00 60, Fax 02 43 92 60 77.
Paris 252 – Le Mans 61 – Angers 64 – La Flèche 27 – Laval 44 – Mayenne 59.

XX **Hostellerie St-Martin**, 3 r. Haute St-Martin ℘ 02 43 95 00 03, *st-martin@wanadoo.fr*,
✿ – 🅰🅔 🅞 🅖🅑 🅹🅲🅱. ✿
fermé 27 août au 6 sept., 18 au 24 fév., dim. soir, merc. soir et lundi – **Repas** 16/31, enf. 8,38

▪ **olesmes** Nord-Est : 3 km par D 22 – 1 384 h. alt. 28 – ✉ 72300 .
Voir *Statues des "Saints de Solesmes"*★★ dans l'église abbatiale★ (chant grégorien) – Pont ← ★.

🏠 **Grand Hôtel**, ℘ 02 43 95 45 10, Fax 02 43 95 22 26, 🖺 – ⬗ 🔳 🅿 – 🏛 50. 🅰🅔 🅞 🅖🅑
Repas *(fermé dim. soir de nov. à mars)* 38/54 ⅀ – ⌂ 10 – **32 ch** 90/100

SABLÉ-SUR-SARTHE

au Golf Sud-Ouest : 5 km par rte de Pincé (D 159) et rte secondaire – ⊠ 72300 Sablé-sur-Sarthe :

XX **Martin Pêcheur,** ℰ 02 43 95 97 55, Fax 02 43 92 37 10, ≤, ❦ – ▤ ℙ. GB
fermé dim. soir, mardi soir et lundi midi – Repas (11,74) - 19/43 ♀

SABRES 40630 Landes ⒎⒏ ④ G. Aquitaine – 1 107 h alt. 78.
Voir Ecomusée★ de la grande Lande NO : 4 km.
Paris 680 – Mont-de-Marsan 36 – Arcachon 93 – Bayonne 110 – Bordeaux 95 – Miziman 4

▥ **Auberge des Pins** Ⓜ ⟲, ℰ 05 58 08 30 00, reception@auberge-des-pins.cor
Fax 05 58 07 56 74, ❦, ⚏ – ❧ ℡ ❦ & ℙ – 🄐 25. ℀ GB. ❦ ch
fermé 6 au 20 janv., lundi sauf le soir en juil.-août et dim. soir – Repas 18,30 (dé
21,34/60,98 ♀, enf. 11,43 – ⊇ 12,20 – 25 ch 64,03/121,96 – ½ P 56,41/88,42

SACHÉ 37 I.-et-L. ⒍⒋ ⑭ – rattaché à Azay-le-Rideau.

SAIGNES 15240 Cantal ⒎⒍ ② G. Auvergne – 1 006 h alt. 480.
🄱 Office de tourisme ℰ 04 71 40 62 41, Fax 04 71 40 62 80.
Paris 486 – Aurillac 77 – Clermont-Ferrand 93 – Mauriac 26 – Le Mont-Dore 57 – Ussel 40.

▥ **Relais Arverne,** ℰ 04 71 40 62 64, Fax 04 71 40 61 14 – ℡ ℙ. GB
fermé 1er au 15 oct., vacances de fév., dim. soir et vend. soir – Repas 12 (déj.), 15/34
enf. 7,50 – ⊇ 4,50 – 10 ch 37/43 – ½ P 35/39

SAIGNON 84 Vaucluse ⒏⒈,, ⒒⒋ ② – rattaché à Apt.

SAILLAGOUSE 66800 Pyr.-Or. ⒏⒍ ⑯ G. Languedoc Roussillon – 820 h alt. 1309.
Voir Gorges du Sègre★ E : 2 km.
🄱 Office du tourisme - Mairie ℰ 04 68 04 72 89, Fax 04 68 04 05 57.
Paris 888 – Font-Romeu-Odeillo-Via 12 – Bourg-Madame 9 – Mont-Louis 12 – Perpignan

▥ **Planes** (La Vieille Maison Cerdane), ℰ 04 68 04 72 08, contact@planotel.co
Fax 04 68 04 75 93 – ❧ ℡ ❦, ℀ ⓞ GB
fermé 15 oct. au 20 déc. – Repas (16) - 21/40, enf. 9 - **Brasserie :** Repas 11 ⚱ – ⊇ 6 – 19
45,80/48,70 – ½ P 46/52,50

Annexe Planotel ⟲,, ≤, ⚏, ▨, ❀ – ℡ ℙ. ℀ ⓞ GB
fermé 30 sept. au 20 déc., 4 janv. au 1er fév. et 3 au 30 mars – Repas voir **H. Planes** – ⊇
20 ch 44,50/48,80 – ½ P 49/53

à Llo Est : 3 km par D 33 – 133 h. alt. 1424 – ⊠ 66800 :
Voir Site★.

▥ **L'Atalaya** ⟲, ℰ 04 68 04 70 04, atalaya@franlimel.com, Fax 04 68 04 01 29, ≤, ❦
« Jolie auberge rustique », ▨ – ℡ ℙ. GB. ❦ rest
8 avril-3 nov. et 15 déc.-15 janv. – Repas (fermé lundi midi, mardi midi et merc. midi h
saison) 27/51 – ⊇ 11 – 13 ch 83/126 – ½ P 80,50/102

SAILLÉ 44 Loire-Atl. ⒍⒊ ⑭ – rattaché à Guérande.

ST-AFFRIQUE 12400 Aveyron ⒏⒊ ⑬ G. Languedoc Roussillon – 7 507 h alt. 325.
Env. Roquefort-sur-Soulzon : caves de Roquefort★, rocher St-Pierre ≤★.
🄱 Office du tourisme Boulevard de Verdun ℰ 05 65 98 12 40, Fax 05 65 98 12
info@roquefort.com.
Paris 667 – Albi 82 – Castres 89 – Lodève 67 – Millau 26 – Rodez 79.

▥ **Moderne,** 54 av. A. Pezet ℰ 05 65 49 20 44, hotel-restaurant-le-moderne@wanadoc
Fax 05 65 49 36 55, ❦ – ℡ ⓞ GB
fermé 7 au 13 oct. et 1er au 28 janv. – Repas 15,50/47 ♀, enf. 8,70 – ⊇ 6,70 – 28
32/62,50 – ½ P 39,80/50

ST-AFFRIQUE-LES-MONTAGNES 81290 Tarn ⒏⒊ ① – 600 h alt. 244.
Paris 760 – Toulouse 66 – Albi 54 – Carcassonne 52 – Castres 12.

▥ **Domaine de Rasigous** ⟲, Sud : 2 km par D 85 ℰ 05 63 73 30 50, info@domainede
gous.com, Fax 05 63 73 30 51, ❦, ▨, ⚏ – ℡ ℙ. ℀ GB. ❦
15 mars-15 nov. – Repas (fermé merc.) (dîner seul.)(résidents seul.) – ⊇ 8,50 – 8 ch 69/
– ½ P 132/178

AIGNAN 58230 Nièvre **65** ⑰ – 163 h alt. 525.

Paris 241 – Autun 52 – Avallon 33 – Clamecy 63 – Nevers 97 – Saulieu 15.

🏠 **Vieille Auberge**, ℰ 03 86 78 71 36, *lavieiileaubergehotelre@minitel.net*, Fax 03 86 78 71 57 – 📺 😵 🅿. 🆖
fermé 15 au 30 nov., 15 janv. au 1ᵉʳ mars, lundi soir et mardi – **Repas** 14/35 ♀ – ☲ 7 – **8 ch** 40/45 – ½ P 41

AGRÈVE 07320 Ardèche **76** ⑨ ⑲ *G. Vallée du Rhône* – 2 688 h alt. 1050.

Voir Mont Chiniac ≤★★.

🛈 *Office de tourisme Grand'Rue ℰ 04 75 30 15 06, Fax 04 75 30 15 06, ot-stagr@info-routes-ardeche.fr.*

Paris 589 – Le Puy-en-Velay 51 – Aubenas 68 – Lamastre 21 – Privas 66 – St-Étienne 71.

🏠 **L'Arraché**, ℰ 04 75 30 10 12, Fax 04 75 30 24 03, ⅃ – 📺. 🆖
Repas 14/16 ♀, enf. 7 – ☲ 7 – **10 ch** 37/50 – ½ P 33,50/39,50

🍴🍴 **Domaine de Rilhac** (Sinz) 🕭 avec ch, Sud-Est : 2 km par D 120, D 21 et rte secondaire ℰ 04 75 30 20 20, Fax 04 75 30 20 00, ≤, « Ancienne ferme ardéchoise dans la campagne », ☞ – 📺 😵 🅿. 🕮 ⑩ 🆖
fermé janv., fév., mardi soir, jeudi midi et merc. – **Repas** 21 (déj.), 34/66 et carte 40 à 60, enf. 13 – **6 ch** 64/79 – ½ P 73/82
Spéc. Salade folle de truite fario marinée. Carpaccio de boeuf au vin de Cornas. Velouté de châtaignes grillées à la truffe (oct. à déc.). **Vins** Viognier de l'Ardèche, Cornas.

Les localités dont les noms sont soulignés de rouge
*sur les **cartes Michelin** à 1/200 000 sont citées dans ce guide.*

Utilisez une carte récente pour profiter de ce renseignement.

AIGNAN 41110 L.-et-Ch. **64** ⑰ *G. Châteaux de la Loire* – 3 542 h alt. 115.

Voir Crypte★★ de l'église★ – Zoo Parc de Beauval★ *S : 4 km.*

🛈 *Office de tourisme pl. Wilson ℰ 02 54 75 22 85, Fax 02 54 75 50 26.*

Paris 222 – Tours 62 – Blois 41 – Châteauroux 65 – Romorantin-Lanthenay 35 – Vierzon 57.

🏠 **Grand Hôtel**, ℰ 02 54 75 18 04, Fax 02 54 75 12 59, ≤ – 😚 🅿 – 🔬 25. 🕮 ⑩ 🆖
fermé 18 nov. au 2 déc., 15 fév. au 11 mars, dim. soir, mardi midi et lundi de nov. à mars –
Repas 15,09 (déj.), 22,10/32,77 ♀, enf. 7,62 – ☲ 6,40 – **20 ch** 22,86/57,16 – ½ P 33,99/50

ALBAN-DE-MONTBEL 73 Savoie **74** ⑮ – rattaché à Aiguebelette-le-Lac.

ALBAN-LES-EAUX 42370 Loire **73** ⑦ – 953 h alt. 410.

Paris 395 – Roanne 12 – Lapalisse 45 – Montbrison 58 – St-Étienne 88 – Thiers 56 – Vichy 62.

🍴🍴 **Petit Prince**, ℰ 04 77 65 87 13, Fax 04 77 65 96 88, ☞ – 🕮 🆖
fermé 26 août au 2 sept., 30 sept. au 21 oct. et 17 fév. au 3 mars – **Repas** 12 (déj.), 17/35 ♀

ALBAN-SUR-LIMAGNOLE 48120 Lozère **76** ⑮ – 1 598 h alt. 950.

Paris 557 – Mende 40 – Le Puy-en-Velay 75 – Espalion 72 – St-Chély-d'Apcher 13.

🏠 **Relais St-Roch** 🕭, Château de la Chastre ℰ 04 66 31 55 48, *rsr@relais-saint-roch.fr*, Fax 04 66 31 53 26, ⅃, ☞ – 📺 😵 🅿. 🕮 ⑩ 🆖 🌃
1ᵉʳ avril-3 nov. - voir rest. **Petite Maison** *ci-après* – ☲ 12 – **9 ch** 118/148 – ½ P 100/110

🍴 **Petite Maison**, av. Mende ℰ 04 66 31 56 00, *rsr@relais-saint-roch.fr*, Fax 04 66 31 53 26 – 🗐. 🕮 ⑩ 🆖 🌃
1ᵉʳ avril-3 nov. et fermé mardi midi et lundi – **Repas** 18 (déj.), 24/56, enf. 15

AMANDIN 15190 Cantal **76** ③ – 245 h alt. 840.

Paris 498 – Aurillac 86 – Clermont-Ferrand 80 – Ussel 55.

🍴 **L'Amandine**, ℰ 04 71 78 02 83, Fax 04 71 78 02 83, ☞ – 🅿. 🆖
fermé 11 au 30 nov., 20 janv. au 5 fév. et lundi – **Repas** 9,91/28,20 ♀, enf. 6,10

AMAND-MONTROND 🔊 18200 Cher **69** ① ⑪ *G. Berry Limousin* – 11 447 h alt. 160.

Voir Abbaye de Noirlac★★ *4 km par ⑥.*

Env. Château de Meillant★★ *8 km par ①.*

🛈 *Office de tourisme pl. de la République ℰ 02 48 96 16 86, Fax 02 48 96 46 64.*

Paris 285 ⑤ – Bourges 44 ⑤ – Châteauroux 66 ⑤ – Montluçon 55 ④ – Nevers 70 ③.

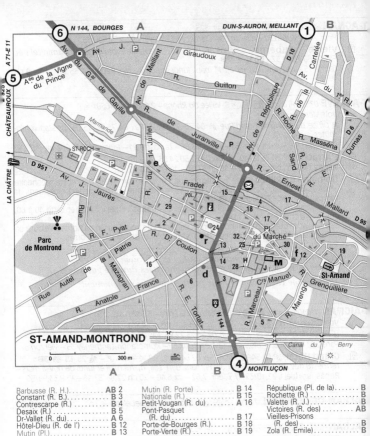

ST-AMAND-MONTROND

Noirlac M, rte Bourges par ⑥ : 2 km ℰ 02 48 82 22 00, lenoirlac@worldonline
Fax 02 48 82 22 01, 斎, ⌦, ⋘, ⋙ – 📺 🕿 ⅙, 🅿 – 🛦 30. 🖭 🆑
fermé 21 déc. au 5 janv. – **Repas** (fermé vend. soir, sam. midi et dim. soir de mi-no
Pâques) 14,94/22,87 ☨, enf. 6,86 – ⊊ 5,95 – **43 ch** 50/56 – ½ P 46

Relais Mercure L'Amandois M, 7 r. H. Barbusse ℰ 02 48 63 72 00, Fax 02 48 96 77
– 😫, 🗐 rest, 📺 ⅙ 🅿 – 🛦 30. 🖭 🕦 🆑 B
Repas 13 (déj.), 15/20 ☨, enf. 8 – ⊊ 7 – **27 ch** 56/62

St-Jean, 1 r. Hôtel-Dieu ℰ 02 48 96 39 82, lesaintjean@wanadoo.fr, Fax 02 48 60 52 7
🆑 B
fermé 16 au 29 sept., 24 fév. au 2 mars, dim. soir, lundi, mardi, merc. et jeudi – Rep
16/23 ☨, enf. 10

Poste Le Relais avec ch, 9 r. Dr Vallet ℰ 02 48 96 27 14, Fax 02 48 96 97 74 – 📺 🅿.
🆑 B
fermé 1er au 15 janv., dim. soir et lundi de fin oct. à juin et vend. midi de juin à août – Re
19/22 ☨, enf. 9,50 – ⊊ 6,50 – **18 ch** 41/48 – ½ P 52

Croix d'Or avec ch, 28 r. 14-Juillet ℰ 02 48 96 09 41, Fax 02 48 96 72 89 –
🆑 A
fermé vend. soir de nov. à mars sauf fériés – **Repas** 18,29/45,73 – ⊊ 6,10 – **9 ch** 33,54/53

à Noirlac par ⑥ et D 35 : 4 km – ⌧ 18200 St-Amand-Montrond :

Auberge de l'Abbaye de Noirlac, ℰ 02 48 96 22 58, Fax 02 48 96 86 63, 斎
🆑
19 fév.-15 nov. et fermé mardi soir d'oct. à mars et merc. – **Repas** 16/27 ☨

Bruère-Allichamps par ⑥ : 8,5 km – 573 h. alt. 170 – ⊠ 18200 :

🏠 **Les Tilleuls**, rte Noirlac, 𝒫 02 48 61 02 75, Fax 02 48 61 08 41, 佘 – 𝟙𝟘 ✆ 🅿. GB. ⅌ ch
fermé 18 au 25/06, 9 au 13/08, 8 au 15/10, 21 au 31/12, 29/01 au 2/03, vend. soir et dim.
soir hors sais. et lundi – Repas 19,82/33,54 ⅀, enf. 9,45 – 立 6,71 – **10 ch** 41,16/44,21 –
½ P 44,21/45,73

T-AMARIN 68550 H.-Rhin 👀 ⑱ – 2 440 h alt. 410.

🛈 Office du tourisme 81 rue Charles de Gaulle 𝒫 03 89 82 13 90, Fax 03 89 82 76 44,
info@ot-saint.amarin.com.
Paris 461 – Mulhouse 30 – Belfort 51 – Colmar 52 – Épinal 77 – Gérardmer 40.

🏠 **Auberge du Mehrbächel** ⑱, à l'Est, 4 km par rte du Mehrbächel 𝒫 03 89 82 60 68,
Fax 03 89 82 66 05, ≤ le massif du Rossberg – 🍴 rest, 🅿. – 🛁 25. GB. ⅌
fermé 25 oct. au 10 nov., 21 fév. au 8 mars, jeudi soir et vend. – Repas 15,24/30,50 ⅀,
enf. 8,38 – 立 7,62 – **23 ch** 33,54/48,78 – ½ P 44,21

T-AMBROIX 30500 Gard 👀 ⑧ – 3 365 h alt. 142.

🛈 Office du tourisme Place de l'Ancien-Temple 𝒫 04 66 24 33 36, Fax 04 66 24 05 83.
Paris 687 – Alès 20 – Aubenas 55 – Mende 105.

t-Brès Nord : 1,5 km par D 904 – 533 h. alt. 156 – ⊠ 30500 :

✗ **Auberge St-Brès** avec ch, 𝒫 04 66 24 10 79, Fax 04 66 24 38 30, 佘, 🚗 – 𝟙𝟘 ✆ 🅿. GB
hôtel : fermé nov. à fév. ; rest. : fermé 4 au 11 nov., dim. soir et lundi – Repas (fermé le soir
hors saison) 14,50/45 ⅀, enf. 8 – 立 7 – **9 ch** 40,50/52 – ½ P 48/53

t-Victor-de-Malcap Sud-Est par D 51 : 2 km – 538 h. alt. 140 – ⊠ 30500 :

✗✗ **Bastide des Senteurs** ⑱ avec ch, 𝒫 04 66 60 24 45, Fax 04 66 60 26 10, 佘, 🍸 – 𝟙𝟘
✆ & 🅿. 🖭 ⓪ GB
fermé vacances de Toussaint, janv., le midi en juil.-août sauf dim. et fériés, dim. soir et
merc. de sept. à juin – Repas 26/64 ⅀, enf. 13 – 立 7 – **9 ch** 67 – ½ P 65

AMOUR 39160 Jura 👀 ⑬ – 2 102 h alt. 248.

🛈 Office du tourisme 2 rue Sainte-Marie 𝒫 03 84 48 76 69.
Paris 405 – Mâcon 67 – Bourg-en-Bresse 30 – Chalon-sur-Saône 67 – Lons-le-Saunier 34.

✗ **Commerce**, pl. Chevalerie 𝒫 03 84 48 73 05, Fax 03 84 48 86 94 – GB
fermé 15 déc. au 20 janv., lundi sauf en juil.-août et dim.soir – Repas 15/46 ⅀,
enf. 9,15

AMOUR-BELLEVUE 71570 S.-et-L. 👀 ① – 460 h alt. 306.

Paris 402 – Mâcon 13 – Bourg-en-Bresse 51 – Lyon 66 – Villefranche-sur-Saône 31.

✗✗ **Chez Jean Pierre**, 𝒫 03 85 37 41 26, Fax 03 85 37 18 40, 佘 – 🖭 GB
fermé 23 déc. au 12 janv., dim. soir, merc. soir et jeudi – Repas 15,25/31,26 ⅀, enf. 9,91

✗ **Auberge du Paradis**, 𝒫 03 85 37 10 26, Fax 03 85 37 47 92, 佘 – 🖭 ⓪ GB
fermé 5 janv. au 1er fév., lundi et mardi – Repas 16 (déj.), 24,50/27,50 ⅀

ANDIOL 13670 B.-du-R. 👀 ① – 2 605 h alt. 55.

🛈 Syndicat d'initiative 27 rue de la République 𝒫 04 90 95 48 95, Fax 04 90 95 48 88.
Paris 697 – Avignon 19 – Aix-en-Provence 64 – Arles 37 – Marseille 84.

🏠 **Berger des Abeilles** ⑱, Nord : 2 km par N 7 et D 74ᴱ (rte Cabanes) 𝒫 04 90 95 01 91,
abeilles13@aol.com, Fax 04 90 95 48 26, 佘, 🚗 – 🖭 🅿. 🖭 GB
15 mars-15 nov. – Repas (fermé lundi midi et mardi midi) 28,20/39,64, enf. 10,67 – 立 11,50
– **9 ch** 64,03/83,85 – ½ P 63/72,50

ANDRÉ-DE-CUBZAC 33240 Gironde 👀 ⑧ – 7 234 h alt. 35.

🛈 Office du tourisme 9 allée du Champ de Foire 𝒫 05 57 43 64 80, Fax 05 57 43 69 63,
office.de.tourisme.du.cubzaguais@wanadoo.fr.
Paris 559 – Bordeaux 26 – Angoulême 96 – Blaye 25 – Jonzac 63 – Libourne 21 – Saintes 95.

Gervais Nord-Ouest : 3,5 km par N 137 et D 151E – 1 219 h. alt. 39 – ⊠ 33240 :

✗✗ **Au Sarment**, 𝒫 05 57 43 44 73, Fax 05 57 43 90 28, 佘 – GB
fermé 10 fév. au 24 mars, 6 au 20 août, dim. soir et lundi – Repas 22,87/38,11

ANDRÉ-DES-EAUX 44 Loire-Atl. 👀 ⑭ – rattaché à La Baule.

ST-ANDRÉ-DE-VALBORGNE 30940 Gard 80 ⑯ – 368 h alt. 450.

⋕ Office du tourisme Les Quais 𝓹 04 66 60 32 11, Fax 04 66 60 33 26.
Paris 660 – Mende 70 – Alès 53 – Millau 81.

✕ **Bourgade** ॐ avec ch, 𝓹 04 66 60 30 72, picoboo@compuserve.
Fax 04 66 60 35 56, ⌂ – ⊡. ⌷
28 mars-3 nov. et fermé du lundi au jeudi soir sauf juil.-août – **Repas** 16 (déj.), 2
enf. 10,50 – ⌷ 6,10 – **10 ch** 39/50 – ½ P 50

ST-ANDRÉ-LES-VERGERS 10 Aube 61 ⑯ – rattaché à Troyes.

ST-ANTHÈME 63660 P.-de-D. 73 ⑰ – 809 h alt. 950.

⋕ Office du tourisme Place de l'Aubépin 𝓹 04 73 95 47 06, Fax 04 73 95 41 06.
Paris 467 – St-Étienne 57 – Ambert 23 – Clermont-Ferrand 100 – Feurs 47 – Montbriso

à Raffiny Sud : 5 km par D 261 – ⊠ 63660 St-Anthème :

🏠 **Pont de Raffiny,** 𝓹 04 73 95 49 10, Fax 04 73 95 80 21, ≤ – ✟ 🅿. ⌷
fermé mars sauf week-ends, 1ᵉʳ janv. au 15 fév., dim. soir et lundi – **Repas** (10,50) - 14/
enf. 7,50 – ⌷ 6 – **11 ch** 28,50/40 – ½ P 36

ST-ANTOINE-L'ABBAYE 38160 Isère 77 ③ G. Vallée du Rhône – 910 h alt. 339.

Voir Abbatiale★.

⋕ Syndicat d'initiative Maison du Tourisme 𝓹 04 76 36 44 46, Fax 04 76 36 40 49.
Paris 556 – Valence 50 – Grenoble 66 – Romans-sur-Isère 26 – St-Marcellin 12.

✕✕ **Auberge de l'Abbaye,** Mail de l'Abbaye 𝓹 04 76 36 42 83, Fax 04 76 36 46 13,
« Maison ancienne face à l'Abbaye » – ⌭ ⓪ ⌷
fermé 4 au 30 janv. et mardi d'oct. à mai – **Repas** (12,20) - 17/42 ⓩ, enf. 9,15

ST-ARCONS-D'ALLIER 43300 H.-Loire 76 ⑥ – 164 h alt. 560.

Paris 519 – Le Puy-en-Velay 34 – Brioude 37 – Mende 87 – St-Flour 59.

🏠 **Les Deux Abbesses** ॐ, 𝓹 04 71 74 03 08, direction@les-deux-abbesse
Fax 04 71 74 05 30, ≤, ⌇, ☞ – ⌭ ⌷ ⌷. ⌷ rest
28 avril-12 nov. – **Repas** (fermé dim.) (dîner seul.) (résidents seul.) 40, enf. 25 – ⌷ 15 - ¹
130/240 – ½ P 95/155

ST-AUBAN 04 Alpes-de-H.-P. 81 ⑯ – rattaché à Château-Arnoux.

ST-AUBIN-DE-MÉDOC 33160 Gironde 71 ⑨ – 4 990 h alt. 29.

Paris 593 – Bordeaux 19 – Angoulême 131 – Bayonne 195 – Toulouse 262.

🏠 **Pavillon de St-Aubin** M, 𝓹 05 56 95 98 68, Fax 05 56 05 96 65, ⌂ – ⊡ 🅿
fermé 2 au 8 janv., dim. soir et lundi – **Repas** (15) - 19/54 – ⌷ 6 – **16 ch** 54/58 – ½ P 53

ST-AUBIN-SUR-MER 14750 Calvados 55 ① G. Normandie Cotentin – 1 810 h – Casino.

⋕ Office du tourisme Rue Pasteur et Digue Favreau 𝓹 02 31 97 30 41, Fax 02 31 96 ¹
tourisme-st-aubin-smer-14@wanadoo.fr.
Paris 252 – Caen 20 – Arromanches-les-Bains 19 – Bayeux 29 – Cabourg 33.

🏠 **Clos Normand,** 𝓹 02 31 97 30 47, closnormand@compuserve.com, Fax 02 31 96 4
≤, ⌂, ☞ – ⊡ ✟ 🅿. ⌭ ⌷ ⌷
23 mars-31 déc. – **Repas** (fermé mardi midi et merc. midi du 15 sept. au 23 déc.) 19/
enf. 10 – ⌷ 6 – **29 ch** 55/98 – ½ P 57/78

🏠 **St-Aubin,** 𝓹 02 31 97 30 39, hotelsaintaubin@wanadoo.fr, Fax 02 31 97 41 56, ≤ –
🅿 – ⌂ 25. ⌭ ⌷
fermé 2 janv. au 5 fév., dim. soir et lundi d'oct. à mars – **Repas** 13,57 (déj.), 19,82/45,7
⌷ 7,62 – **24 ch** 44,21/76,22 – ½ P 48,78/59,46

ST-AULAIRE 19 Corrèze 75 ⑧ – rattaché à Objat.

ST-AUNÈS 34130 Hérault 83 ⑦ – 2 825 h alt. 32.

Paris 752 – Montpellier 12 – Lunel 16 – Nîmes 44.

🏠 **Cetus** M, N 113 𝓹 04 67 70 38 40, Fax 04 67 87 38 04, ⌂, ⌗, ⌇ – ⌷ ▤ ⊡ ✟ ⌂
⌂ 35. ⌭ ⓪ ⌷. ⌷ rest
Repas (fermé sam. midi) (10) - 14,50/34,30 ⓩ, enf. 11 – ⌷ 8,40 – **50 ch** 68,59/83
½ P 64,50

AUVENT 87310 H.-Vienne 72 ⑯ – 837 h alt. 300.
Paris 421 – Limoges 32 – Chalús 19 – Rochechouart 11 – St-Junien 13.

※ **Auberge de la Vallée de la Gorre**, ℰ 05 55 00 01 27, Fax 05 55 00 01 27 – **GB**
🕮 *fermé 1ᵉʳ au 6 janv., dim. soir et lundi soir* – **Repas** *(10,06)* - 11,59/33,53 ♀, enf. 8,38

AVÉ 56 Morbihan 63 ③ – *rattaché à Vannes.*

AVOLD 57500 Moselle 57 ⑮ *G. Alsace Lorraine* – 16 922 h alt. 260.
Voir *Groupe sculpté★ dans l'église St-Nabor.*
Env. *Mine-image★ de Freyming-Merlebach NE : 10 km.*
🖪 *Office du tourisme - Hôtel de Ville ℰ 03 87 91 30 19, Fax 03 87 92 98 02, OTSI.STA@wana doo.fr.*
Paris 372 – Metz 44 – Saarbrücken 31 – Sarreguemines 32 – Strasbourg 125.

🏨 **Europe**, 7 r. Altmayer ℰ 03 87 92 00 33, sodextel@wanadoo.fr, Fax 03 87 92 01 23, 佘 –
📶, 🍽 rest, 🆀 ♦ ⇔ ⛐ – 🛦 25. 🆎 **GB**
Repas *(fermé 1ᵉʳ au 15 août, sam. midi et dim. soir)* 25,15/76,22 ♀ – ♀ 12 – **34 ch** 65/70 –
½ P 48

✗✗ **Neptune**, à la piscine ℰ 03 87 92 27 90, courrier@pauly-gastronomie.fr,
Fax 03 87 92 38 10 – 🆎 **GB**. ✼
fermé juil., août, lundi et le soir sauf sam. – **Repas** *(20)* - 30/54 et carte 32 à 63

lord 2,5 km sur N 33 *(près échangeur A 4)* – ⊠ 57500 St-Avold :

🏨 **Novotel** 🅼, ℰ 03 87 92 25 93, h0433@accor-hotels.com, Fax 03 87 92 02 47, 佘,
« A l'orée de la forêt », 🅹, 🕊 – 📶 🆀 ♦ ⛐ – 🛦 25 à 150. 🆎 ⓞ **GB**
Repas 18/25 ♀, enf. 7,62 – ♀ 9,60 – **61 ch** 89/98

lord-Ouest *par D 72 et D 25⁰ : 5 km* – ⊠ 57740 Longeville-lès-St-Avold :

✗✗ **Moulin d'Ambach**, ℰ 03 87 92 18 40, Fax 03 87 29 08 68, 佘 – ⛐. 🆎 **GB**
fermé 8 au 14 juil., 28 oct. au 3 nov., 24 fév. au 2 mars, dim. soir, merc. soir et lundi – **Repas**
22,50/47,50 ♀, enf. 12,50

AYGULF 83370 Var 84 ⑱, 114 ㊳, 115 ㊱ *G. Côte d'Azur.*
🖪 *Office du tourisme Place de la Poste ℰ 04 94 81 22 09, Fax 04 94 81 23 04.*
Paris 880 – Fréjus 6 – Brignoles 69 – Draguignan 33 – St-Raphaël 9 – Ste-Maxime 15.

🏨 **Catalogne** sans rest, ℰ 04 94 81 01 44, hotel.catalogne@wanadoo.fr, Fax 04 94 81 32 42,
🅹, 🕊 – 📶 🆀 ♦ ⛐. 🆎 ⓞ **GB** 🎴 ✼
15 mars-30 oct. – ♀ 8,40 – **32 ch** 61/104

BEAUZEIL 82150 T.-et-G. 79 ⑯ – 132 h alt. 181.
Paris 638 – Agen 32 – Cahors 56 – Montauban 64 – Villeneuve-sur-Lot 23.

🏨 **Château de l'Hoste** ≫, rte Agen *(D 656)* ℰ 05 63 95 25 61, Fax 05 63 95 25 50, 佘,
« Gentilhommière dans la campagne quercynoise », 🅹, 🕊 – 🆀 ♦ ⛐ – 🛦 50. **GB**. ✼ rest
Repas *(22)* - 28/31 ♀ – ♀ 8 – **37 ch** 54/90 – ½ P 60/67,50

BEAUZIRE 43100 H.-Loire 76 ⑤ – 271 h alt. 700.
*Paris 485 – Aurillac 97 – Brioude 12 – Clermont-Ferrand 72 – Le Puy-en-Velay 73 –
St-Flour 41.*

🏨 **Baudière**, D 588, rte Brioude ℰ 04 71 76 81 70, Fax 04 71 76 80 66, 佘, ✔5, 🅹, ⬛ – 📶
♦ ⛐ – 🛦 15. **GB**
fermé 26 déc. au 25 janv. – **Vieux Four** *(fermé lundi)* **Repas** 15,24/39,64 ♀, enf. 6 – ♀ 6 –
20 ch 40/47 – ½ P 40

BÉNIGNE 01 Ain 70 ⑫ – *rattaché à Pont-de-Vaux.*

BENOIT 86 Vienne 68 ⑬ ⑭ – *rattaché à Poitiers.*

When looking for a hotel or restaurant use the most efficient method.
Look for the names of towns underlined in red
*on the **Michelin** maps scale: 1:200 000.*
But make sure you have an up-to-date map!

ST-BENOIT-SUR-LOIRE *45730 Loiret* [64] ⑩ *G. Châteaux de la Loire – 1 876 h alt. 126.*
Voir *Basilique★★ – Commune de la "Méridienne verte".*
Env. *Germigny-des-Prés : mosaïque★★ de l'église★ NO : 6 km.*
[i] *Office du tourisme 44 rue Orléanaise* ☎ *02 38 35 79 00, Fax 02 38 35 79 00.*
Paris 166 – Orléans 41 – Bourges 93 – Châteauneuf-sur-Loire 10 – Gien 32 – Montargis

🏨 **Labrador** 🛋 sans rest, ☎ 02 38 35 74 38, *hoteldulabrador@wanado*
Fax 02 38 35 72 99, 🌳 – [TV] 📞 ♿ [P] – 👥 30 à 50. [AE] [GB]
fermé 1er au 23 janv. – ☕ 6,60 – **40 ch** 45/58

XX **Grand St-Benoit,** 7 pl. St-André ☎ 02 38 35 11 92, *hoteldulabrador@wanad*
Fax 02 38 35 13 79, ⛱ – ☰. [GB]
😊 *fermé 25 août au 3 sept., 22 déc. au 21 janv., sam. midi, dim. soir et lundi –* Repas
enf. 13

ST-BERTRAND-DE-COMMINGES *31510 H.-Gar.* [85] ⑳ *G. Midi-Pyrénées – 237 h alt. 581.*
Voir *Site★★ – Cathédrale Ste-Marie-de-Comminges★ : cloître★★, boiseries★★ et trés*
Basilique Saint-Just★ de Valcabrère (chevet★) NE : 2 km.
[i] *Syndicat d'initiative - Mairie* ☎ *05 61 88 37 07, Fax 05 61 95 56 16.*
Paris 809 – Bagnères-de-Luchon 33 – Lannemezan 24 – St-Gaudens 17 – Tarbes 68.

🏨 **Comminges** 🛋 sans rest, face Cathédrale ☎ 05 61 88 31 43, *Fax 05 61 94 98 22* –
[GB]
1er avril-31 oct. et fermé jeudi – ☕ 6,10 – **14 ch** 27,44/64,03

à Aveux *(H.-Pyr.) Sud : 4 km par D 26A et D 925 – 55 h. alt. 587 – ✉ 65370 :*

X **Moulin d'Aveux** avec ch, ☎ 05 62 99 20 68, *Fax 05 62 99 22 27,* ⛱, 🌳 – [P]. [O] G
fermé 14 au 22 oct., 25 nov. au 3 déc., lundi et mardi d'oct. à mai et merc. de juin à s
Repas 13 (déj.), 21/37, enf. 6 – ☕ 6 – **10 ch** 33/42 – ½ P 36

à Valcabrère *Est : 2 km par D 26 – 139 h. alt. 460 – ✉ 31510 :*

XX **Lugdunum,** Sud sur N 125 : 1 km ☎ 05 61 94 52 05, *Fax 05 61 94 52 06,* <, ⛱ –
[GB]. 🚫🐕
fermé lundi soir, mardi hors saison et dim. soir – **Repas** (prévenir) 27,50 🍷

ST-BOIL *71390 S.-et-L.* [70] ⑪ *– 406 h alt. 240.*
Paris 358 – Chalon-sur-Saône 22 – Cluny 27 – Montceau-les-Mines 37 – Mâcon 50.

XX **Auberge du Cheval Blanc** [M] avec ch, ☎ 03 85 44 03 16, *Fax 03 85 44 07 25,* ⛱
🌳 – [TV] 📞 ♿ [P]. [GB]. 🚫🐕
fermé 15 fév. au 15 mars et merc. – **Repas** 23/40 – ☕ 10 – **11 ch** 60/80 – ½ P 72

ST-BONNET-EN-CHAMPSAUR *05500 H.-Alpes* [77] ⑯ *G. Alpes du Sud – 1 466 h alt. 1025.*
[i] *Office du tourisme Place Grenette* ☎ *04 92 50 02 57.*
Paris 660 – Gap 16 – Grenoble 94 – La Mure 51.

🏨 **Crémaillère** 🛋, ☎ 04 92 50 00 60, *lacremaille@worldonline.fr, Fax 04 92 50 01 5*
⛱, 🌳 – [TV] 📞 [P]. [GB]. 🚫🐕 rest
Pâques-1er nov. et vacances de fév. – **Repas** *(fermé jeudi midi en avril, mai et*
19,10/31 🍷, enf. 8,40 – ☕ 6,10 – **21 ch** 42,70/53,40 – ½ P 46,50/50,35

ST-BONNET-LE-CHÂTEAU *42380 Loire* [76] ⑦ *G. Vallée du Rhône – 1 562 h alt. 870.*
Voir *Chevet de la collégiale <★ – Chemin des Murailles★.*
[i] *Syndicat d'initiative 7 place de la République* ☎ *04 77 50 52 48, Fax 04 77 50 52 49.*
Paris 491 – St-Étienne 34 – Ambert 47 – Montbrison 31 – Le Puy-en-Velay 66.

🏨 **Béfranc** 🛋, 7 rte d'Augel ☎ 04 77 50 54 54, *Fax 04 77 50 73 17* – [TV] 📞 ♿ [P]. [GB]
fermé 6 au 21 janv., dim. soir et lundi d'oct. à mai – **Repas** 11,43 bc (déj.), 15,24/30,
enf. 6,10 – ☕ 4,57 – **17 ch** 32,01/38,11 – ½ P 36,59

X **Calèche,** 2 pl. Cdt Marey ☎ 04 77 50 15 58, *Fax 04 77 50 15 58* – [GB]
🪙 *fermé vacances de Toussaint, de fév., 2 au 6 janv., dim. soir, mardi soir et merc.* – **R**
13,72/38,12 🍷

ST-BONNET-LE-FROID *43290 H.-Loire* [76] ⑨ *– 194 h alt. 1126.*
[i] *Syndicat d'initiative Le Bourg* ☎ *04 71 65 64 41, Fax 04 71 65 64 41.*
Paris 562 – Le Puy-en-Velay 58 – Valence 68 – Annonay 27 – St-Étienne 51 – Yssingeau

🏨 **Fort du Pré** 🛋, ☎ 04 71 59 91 83, *info@le-fort-du-pre.fr, Fax 04 71 59 91 84,* ⛱
🏊, 🌳 – cuisinette [TV] ♿ [P] – 👥 60. [AE] [GB]. 🚫🐕 rest
fermé 1er au 5 sept., 1er déc. au 31 janv., dim. soir et lundi sauf juil.-août – **Repas** 16/
enf. 10 – ☕ 6,50 – **34 ch** 47/65 – ½ P 48/52

Auberge et Clos des Cimes (Marcon) M ⚶ avec ch, ℘ 04 71 59 93 72, *contact@regis marcon.fr*, Fax 04 71 59 93 40, ≤, 🛋 – ⭑⭑, ▤ rest, 📺 ✆ ⅙ 🅿. 🖭 🇬🇧
fermé 1er janv. au 15 mars, lundi soir sauf de juin à sept., mardi et merc. – **Repas** 51 (déj.), 74/100 et carte 70 à 95 – 🖙 16 – **12 ch** 145/206
Spéc. Menu ''champignons'' (printemps et automne). Omble chevalier à l'huile de champignons grillés. Agneau cuit en croûte de foin. **Vins** Saint-Joseph, Madargues.

André Chatelard, ℘ 04 71 59 96 09, *restaurant-chatelard@wanadoo.fr*, Fax 04 71 59 98 75, 🛋 – 🇬🇧
fermé janv., fév., dim. soir en juil.-août, lundi soir, mardi soir, merc. soir et jeudi soir de sept. à juin – **Repas** 17/61 ♈, enf. 9,15

BRÈS 30 Gard 🔠 ⑧ – rattaché à St-Ambroix.

BRIAC-SUR-MER 35800 I.-et-V 🔠 ⑤ – 2 054 h alt. 30.
🖪 Office du tourisme 49 Grande Rue ℘ 02 99 88 32 47.
Paris 424 – St-Malo 16 – Dinan 24 – Dol-de-Bretagne 33 – Lamballe 41 – St-Brieuc 61.

ncieux Sud-Ouest : 2 km par D 786 – ✉ 22770 :
🖪 Office du tourisme Square Jean Conan ℘ 02 96 86 25 37, Fax 02 96 86 25 37, *lancieux-.tourisme@wanadoo.fr*.

Bains sans rest, 20 r. Poncel ℘ 02 96 86 31 33, *bertrand.mehouas@wanadoo.fr*, Fax 02 96 86 22 85, 🛋 – cuisinette 📺 ⅙ 🅿. 🖭 🇬🇧
fermé dim. de nov. à fév. – 🖙 6,50 – **12 ch** 55/80

Dans ce guide
un même symbole, un même caractère,
imprimé en couleur ou en **noir***, en maigre ou en* **gras***,*
n'ont pas tout à fait la même signification.
Lisez attentivement les pages explicatives.

BRICE-EN-COGLÈS 35460 I.-et-V. 🔠 ⑱ – 2 395 h alt. 105.
Paris 342 – St-Malo 62 – Avranches 35 – Fougères 16 – Rennes 52.

Lion d'Or, r. Chateaubriant ℘ 02 99 98 61 44, Fax 02 99 97 85 66, 🏠, 🛋 – ⭑⭑, ▤ rest, 📺 ✆ ⅙ 🅿.– 🕮 40. 🖭 🇬🇧
Repas *(fermé dim. soir sauf juil.-août)* 10 (déj.), 16/35 ♈ – 🖙 6 – **30 ch** 39/48 – ½ P 46

BRIEUC 🅿 22000 C.-d'Armor 🔠 ③ *G. Bretagne* – 46 087 h Agglo. 121 237 h alt. 78.
Voir Cathédrale St-Étienne★ – Tertre Aubé ≤★ BV.
✈ de St-Brieuc-Armor : ℘ 02 96 94 95 00, 10 km par ①.
🖪 Office du tourisme 7 rue Saint-Gouéno ℘ 02 96 33 32 50, Fax 02 96 61 42 16, *tourisme @cybercom.fr*.
Paris 451 ② – Brest 144 ① – Quimper 129 ③ – Rennes 100 ② – St-Malo 73 ②.

Plans pages suivantes

Clisson ⚶ sans rest, 36 r. Gouët ℘ 02 96 62 19 29, Fax 02 96 61 06 95 – ▯ 📺 ✆ ⅙ 🅿. 🖭 🇬🇧, ⅙
fermé 18 déc. au 2 janv. – 🖙 7,93 – **24 ch** 49/76,10 · AY e

Champ de Mars M sans rest, 13 r. Gén. Leclerc ℘ 02 96 33 60 99, *champdemars@wana doo.fr*, Fax 02 96 33 60 05 – ▯ 📺 ✆ ⅙. 🇬🇧 · BZ s
fermé 20 déc. au 5 janv. – 🖙 5,80 – **21 ch** 42/45

Quai des Etoiles M sans rest, 51 r. Gare ℘ 02 96 78 69 96, *quaidesetoiles@libertysurf.fr*, Fax 02 96 78 69 90 – ▯ 📺 ✆ ⅙ 🅿. 🖭 ⓞ 🇬🇧 · AZ e
fermé 20 déc. au 5 janv. – 🖙 6,50 – **41 ch** 41/51

Ker Izel ⚶ sans rest, 20 r. Gouët ℘ 02 96 33 46 29, Fax 02 96 61 86 12 – 📺 ✆. 🇬🇧. ⅙
🖙 6,10 – **22 ch** 35,06/48,80 · AY a

Aux Pesked, 59 r. Légué ℘ 02 96 33 34 65, *lepesked@wanadoo.fr*, Fax 02 96 33 65 38, ≤, 🏠 – ▤ 🅿. 🖭 🇬🇧 ⃝. ⅙ · AV a
fermé 29 avril au 6 mai, 1er au 9 sept., 1er au 13 janv., sam. midi, dim. soir et lundi – **Repas** - produits de la mer - 18/75 bc et carte environ 50 ♈

Amadeus, 22 r. Gouët ℘ 02 96 33 92 44, Fax 02 96 61 42 05 – 🇬🇧 · AY b
fermé 18 août au 2 sept., 23 fév. au 9 mars, sam. midi et dim. – **Repas** 18,29 bc (déj.), 25,92/50,31 ♈

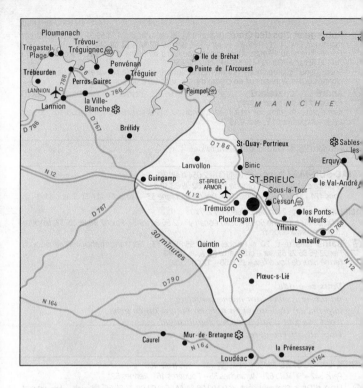

X **Petit Pesked,** 10 r. J. Ferry ✆ 02 96 94 05 34, Fax 02 96 94 05 34 – GB   A
   fermé 1er au 20 août, sam. midi et dim. – **Repas** (10,52) - 22,87 bc

à Sous-la-Tour Nord-Est : 3 km par Port Légué et D 24 BV – ⌧ 22190 Plérin :

XX **Vieille Tour,** 75 r. de la Tour ✆ 02 96 33 10 30, ugho777@aol.com, Fax 02 96 33 38
   ▤. AE GB
   fermé 19 août au 2 sept., 11 au 25 fév., sam. midi, dim. soir et lundi – **Repas** (nomb
   couverts limité, prévenir) 20/65 ⌇

à Cesson Est : 3 km par r. Genève BV – ⌧ 22000 :

XXX **Croix Blanche,** 61 r. Genève ✆ 02 96 33 16 97, Fax 02 96 62 03 50, ⌂ – AE GB
   fermé 5 au 26 août, dim. soir et lundi
   Repas 16,77/38,11 et carte 38 à 52

XX **Manoir le Quatre Saisons,** 61 chemin Courses ✆ 02 96 33 20 38, manoirleq
   saisons@hotmail.com, Fax 02 96 33 77 38, ⌂, ⌂ – AE GB
   fermé 9 au 23 mars, 13 au 27 oct., dim. soir et lundi – **Repas** (17) - 29/61

à Yffiniac par ② : 8 km – 3 842 h. alt. 10 – ⌧ 22120 :

⌂ **Ibis,** aire de repos N 12 ✆ 02 96 72 64 10, ibis-st-brieuc@netcourrier
   Fax 02 96 72 71 55 – �|⌂ ⌂ ⌂ ⌂ ⌂, ⌂ – ⌂ 50. AE GB. ⌂ rest
   Repas (12) - 15 ⌂, enf. 5,95 – ⌇ 6 – **40 ch** 56,50 – ½ P 46

à Ploufragan Sud-Ouest : 5 km par r. Luzel AX – 10 579 h. alt. 139 – ⌧ 22440 :

⌂ **Beaucemaine** ⌂, ✆ 02 96 78 05 60, Fax 02 96 78 08 33 – ⌂ ⌂. GB. ⌂ rest
   fermé 20 déc. au 10 janv. et dim. soir (sauf hôtel) – **Repas** (dîner seul.) 9 ⌂ – ⌇ 4 –
   22/43 – ½ P 27/35

à Trémuson rte de Guingamp par r. Corderie AX 13 : 8 km – 1 684 h. alt. 141 – ⌧ 22440 :

X **Buchon,** ✆ 02 96 94 05 84, Fax 02 96 76 78 21 – AE GB
   fermé sam. midi et lundi soir – **Repas** 13,80/24,40 ⌇

ST-BRIEUC

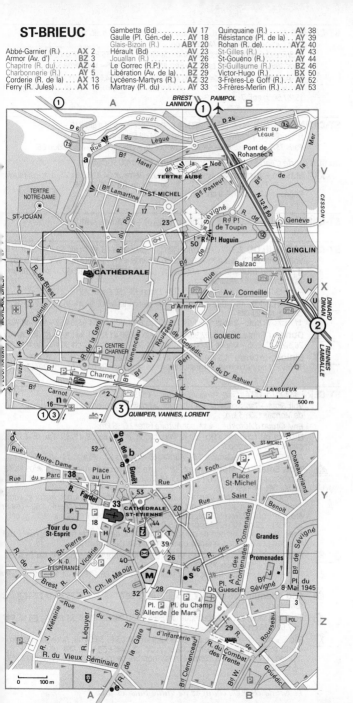

ST-CALAIS 72120 Sarthe **64** ⑤ G. Châteaux de la Loire – 3 785 h alt. 155.

Voir Façade★ de l'église Notre-Dame.

🛈 Office du tourisme Place de l'Hôtel de Ville ℘ 02 43 35 82 95, Fax 02 43 35 15 13.

Paris 188 – Le Mans 44 – La Ferté-Bernard 33 – Tours 66 – Vendôme 32.

✗ **St-Antoine**, pl. St-Antoine ℘ 02 43 35 01 56, Fax 02 43 35 00 01 – **GB**

fermé 29 juil. au 14 août, 24 fév. au 3 mars, dim.soir, merc. soir et lundi – **Repas** 11
15/37,50 ⌣, enf. 7

ST-CANNAT 13760 B.-du-R. **84** ②, **114** ⑭ G. Provence – 4 634 h alt. 216.

🛈 Syndicat d'initiative Espace Suffren ℘ 04 42 57 34 65.

Paris 737 – Marseille 46 – Aix-en-Provence 16 – Cavaillon 38 – Manosque 66.

au Sud par rte d'Éguilles et rte secondaire : 2 km – ✉ 13760 St-Cannat :

✗✗ **Mas de Fauchon** ⬎ avec ch, chemin de Berre ℘ 04 42 50 61 77, mas-de-faucho..
nadoo.fr, Fax 04 42 57 22 56, 🏖, 🏊, ☞ – ≡ ch, 📺 ⅏ 🅿. 🖭 **GB**
Repas 26/46 – ⌣ 10 – **9 ch** 107/130 – ½ P 92/110

ST-CAPRAISE-DE-LALINDE 24 Dordogne **75** ⑮ – rattaché à Lalinde.

ST-CAST-LE-GUILDO 22380 C.-d'Armor **59** ⑤ G. Bretagne – 3 187 h alt. 52.

Voir Pointe de St-Cast ≤★★ – Pointe de la Garde ≤★★ – Pointe de Bay ≤★ S : 5 km.

🛈 Office du tourisme Place Charles de Gaulle ℘ 02 96 41 81 52, Fax 02 96 41 ⁊
saint.cast.le.guildo@wanadoo.fr.

Paris 434 – St-Malo 34 – Avranches 92 – Dinan 33 – St-Brieuc 49.

🏨 **Les Arcades**, 15 r. Duc d'Aiguillon (rue piétonne) ℘ 02 96 41 80 50, Fax 02 96 41 ⁊
🏗 – ⁅ 📺. 🖭 **GB**
11 mars-17 nov. – **Repas** 12,81/24,70 ⅃ – ⌣ 6,86 – **32 ch** 64,03/94,52 – ½ P 48,78/64

🏨 **Dunes**, r. Primauguet ℘ 02 96 41 80 31, Fax 02 96 41 85 34, ☞, ✗ – 📺 **GB**. ⅙
26 avril-30 sept. – **Repas** 18,30/61 ⌣, enf. 11,50 – ⌣ 7,50 – **27 ch** 56/64 – ½ P 59,50/⁊

✗✗ **Biniou** ⬎, rte Dinard : 1,5 km ℘ 02 96 41 94 53, Fax 02 96 41 65 09, ≤ – 🅿. **GB**
15 fév.-11 nov. et fermé mardi sauf vacances scolaires – **Repas** (13,72) - 18,29/33,54, enf

---

ST-CÉRÉ 46400 Lot **75** ⑲ ⑳ G. Périgord Quercy – 3 515 h alt. 152.

Voir Site★ – Tapisseries de Jean Lurçat★ au casino – Atelier-musée Jean Lurçat★ – Ch⁊
de Montal★★ O : 3 km.

Env. Cirque d'Autoire★ : ≤★★ par Autoire (site★) O : 8 km.

🛈 Office du tourisme Place de la République ℘ 05 65 38 11 85, Fax 05 65 38 ⁊
saint-cere@wanadoo.fr.

Paris 540 – Brive-la-Gaillarde 53 – Aurillac 63 – Cahors 80 – Figeac 43 – Tulle 57.

🏨 **Trois Soleils de Montal** (Bizat) Ⓜ ⬎, rte de Gramat, 2 km par D 673 ℘ 05 65 10 ⁊
lestroissoleils@wanadoo.fr, Fax 05 65 38 30 66, ≤, 🏖, 🏊, ✗✗, 🎣 – ⁅ 📺 ⅏ ⁊
🅐 50. **GB**. ⅙ rest
1ᵉʳ fév.-31 oct. – **Repas** (fermé lundi midi (août), le midi des lundi, mardi et vend.
sept.), dim. soir, mardi midi, lundi hors sais) 26 (déj.), 33,50/58 et carte 45 à 60 - **Les Pr⁊
Montal** - grill (15 avril-15 sept. et fermé jeudi et le soir) **Repas** (15)-18/25 ⅃, enf. ⁊
⌣ 11,90 – **22 ch** 100,60, 4 appart – ½ P 97,60
Spéc. Mesclun au jambon de canard mariné. Blanc de poulette de ferme, purée truf⁊
foie gras poêlé. Glace à la vanille bourbon **Vins** Cahors, Bergerac.

🏨 **France**, rte d'Aurillac ℘ 05 65 38 02 16, lefrance-hotel@wanadoo.fr, Fax 05 65 38 ⁊
🏗, 🏊, ☞ – 📺 ⅏ ⬌ **GB**. ⅙ ch
fermé janv. à mi-fév. – **Repas** (dîner seul.) 20,58 – ⌣ 6,86 – **18 ch** 41,16/51,83 – ½ P ⁊
51,83

🏨 **Coq Arlequin** sans rest, av. Dr Roux ℘ 05 65 38 02 13, Fax 05 65 38 37 27 – 📺 ⬌
fermé oct. – ⌣ 7,65 – **16 ch** 45,75/83,85

🏠 **Touring** sans rest, pl. République ℘ 05 65 38 30 08, Fax 05 65 38 18 67 – 📺 ⅏. **GB**
⌣ 7,62 – **28 ch** 38/50,30

✗✗ **Ric** ⬎ avec ch, rte Leyme par D 48 : 2,5 km ℘ 05 65 38 04 08, hotel.jpric@libertys⁊
Fax 05 65 38 00 14, ≤ plateau du Quercy, ☞, 🏊, ☞ – 📺 ⅏ 🅿. **GB**. ⅙
29 mars-15 nov. – **Repas** (fermé le midi) (nombre de couverts limité, prévenir) 33/50 ⁊
– **5 ch** 85 – ½ P 85

Le Guide change, changez de guide tous les ans.

ERGUES 74140 H.-Savoie **70** ⑯ ⑰ – 2 513 h alt. 615.

Paris 549 – Thonon-les-Bains 21 – Annecy 53 – Annemasse 9 – Bonneville 24 – Genève 19.

※ **France** avec ch, ℰ 04 50 43 50 32, hoteldefrance74@wanadoo.fr, Fax 04 50 94 66 45, 斎, 滬 – 🖵 📞 ℙ. – 🛏 25. 🖭 🖼
fermé 5 au 22 avril, 23 août au 9 sept. (sauf hôtel), dim. soir et lundi sauf juil.-août – **Repas** 15/40 ♈ – ☯ 7,50 – **18 ch** 37/52 – ½ P 44/49

ÉZAIRE-SUR-SIAGNE 06780 Alpes-Mar. **84** ⑧, **114** ⑫ G. Côte d'Azur – 2 840 h alt. 475.

Voir Site★ – Point de vue★ – Grottes de St-Cézaire★ NE : 4 km.

🄱 Office du tourisme 3 rue de la République ℰ 04 93 60 84 30, Fax 04 93 60 84 40.

Paris 908 – Cannes 28 – Castellane 64 – Draguignan 51 – Grasse 16 – Nice 52.

※ **Auberge du Puits d'Amon**, ℰ 04 93 60 28 50 – 🍴. 🖼
fermé 31 janv. au 17 fév., dim. soir sauf de juin au 20 sept. et merc. – **Repas** 16/69 ♈, enf. 11,43

HAMAS 13250 B.-du-R. **84** ① G. Provence – 6 595 h alt. 15.

🄱 Office du tourisme Montée des Pénitents ℰ 04 90 50 90 54, Fax 04 90 50 90 10.

Paris 744 – Marseille 49 – Arles 43 – Martigues 25 – Salon-de-Provence 15.

※ **Rabelais**, 10 r. A. Fabre (centre ville) ℰ 04 90 50 84 40, Fax 04 90 50 78 49, 斎, « Salle voûtée du 17e siècle » – 🍴. 🖭 🝔 🖼. ※
fermé 15 août au 1er sept., vacances de fév., sam. midi, dim. soir et lundi – **Repas** 25,76/45,73, enf. 13,74

HAMASSY 24 Dordogne **75** ⑯ – 443 h alt. 185 – ⊠ 24260 Le Bugue.

Paris 530 – Périgueux 50 – Sarlat-la-Canéda 33 – Bergerac 42 – Brive-la-Gaillarde 77.

※ **Auberge La Vieille Cure**, ℰ 05 53 07 24 24, Fax 05 53 54 39 44, 斎 – 🖼
1er mars-15 nov. et fermé dim. soir sauf du 1er juil. au 15 sept. et lundi – **Repas** 19,06/39,64

HAMOND 42400 Loire **73** ⑲ G. Vallée du Rhône – 37 378 h alt. 388.

🄱 Office du tourisme 23 avenue de la Libération ℰ 04 77 31 04 41, Fax 04 77 22 04 34, tourisme@ville-st-chamond.fr.

Paris 510 ① – St-Étienne 11 ③ – Feurs 56 ③ – Lyon 50 ① – Montbrison 54 ③ – Vienne 39 ①.

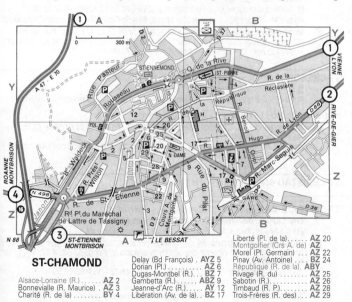

ST-CHAMOND

Alsace-Lorraine (R.)	AZ 2	Liberté (Pl. de la)	AZ 20
Bonnevialle (R. Maurice)	AZ 3	Montgolfier (Crs A. de)	AZ
Charité (R. de la)	BY 4	Morel (Pl. Germain)	AZ 22
Delay (Bd François)	AYZ 5	Pinay (Av. Antoine)	BZ 24
Dorian (Pl.)	AZ 6	République (R. de la)	ABY
Dugas-Montbel (R.)	BZ 7	Rivage (R. du)	AZ 25
Gambetta (R.)	ABZ 9	Sabotin (R.)	AZ 26
Jeanne-d'Arc (R.)	AY 12	Timbaud (R. P.)	AZ 28
Libération (Av. de la)	BZ 17	Trois-Frères (R. des)	AZ 29

🏨 **Ambassadeurs**, 28 av. Libération ☎ 04 77 22 85 80, Fax 04 77 31 96 95 – 📺 ✆. 🗐
🖦 Ⓢ
B

fermé 5 au 25 août – **Repas** *(fermé vend. soir, dim. soir et sam.)* (12) - 14/47 👗 – ☲ 5
16 ch 42,50/53

XXX **Maison des Chanoines**, 52 bd Waldeck Rousseau ☎ 04 77 29 3
Fax 04 77 29 33 29, 🌫 – 🝙 Ⓢ
Y
fermé dim. soir et lundi soir – **Repas** (16,77) - 30,18/99,10 et carte 50 à 76

à l'Horme *par* ② : *3 km* – *4 639 h. alt. 320* – ✉ 42152 :

🏨 **Vulcain** *sans rest*, ☎ 04 77 22 17 11, Fax 04 77 29 07 95, 🌫 – 🛗 📺 ✆ 🛏 P – 🕍 2
🖦 Ⓢ
☲ 6,10 – **30 ch** 37/56

ST-CHARTIER *36 Indre* 📙 ⑲ – *rattaché à La Châtre.*

ST-CHÉLY-D'APCHER *48200 Lozère* 📗 ⑮ – *4 316 h alt. 1000.*
🛈 *Office du tourisme Place du 19 Mars 1962* ☎ 04 66 31 03 67, Fax 04 66 31 30 30.
Paris 544 – Aurillac 107 – Mende 45 – Le Puy-en-Velay 85 – Rodez 114 – St-Flour 35.

🏠 **Les Portes d'Apcher** 🅼, *Nord : 1,5 km sur N 9* ☎ 04 66 31 00 46, Fax 04 66 31 28 8
🖦 🌫, 🌫 – 🛗 📺 ♿ 🛏 P – 🕍 100. 🝙 🌿
fermé janv. – **Repas** *(fermé vend. soir d'oct. au 15 avril)* 13,26/33,54 ♀, *enf.* 7,32 – ☲ 5
16 ch 43,45 – ½ P 40,40

à La Garde *Nord : 9 km par N 9* – ✉ 48200 Albaret-Ste-Marie :

🏨 **Château d'Orfeuillette** 🌇, *à l'échangeur A 75, sur N 9* ☎ 04 66 42 65 65, *orfeu*
48@aol.com, Fax 04 66 42 65 66, 🕭 – 🛗 📺 🛏 P – 🕍 30. 🝙 🕦 Ⓢ
fermé 7 au 20 janv. – **Repas** *(fermé merc. hors vacances scolaires)* 25,15/34,30 ♀, *enf.*
☲ 15,24 – **23 ch** 75/105,50 – ½ P 69,50/85,50

🏠 **Rocher Blanc**, ☎ 04 66 31 90 09, *hotel@lerocherblanc.com, Fax 04 66 31 93 67*, 🛏
🖦 🌿 – 🍴 rest, 📺 🛏. 🝙
Pâques-1er nov. et fermé dim. soir et lundi sauf juil.-août et vacances scolaires – R
14/36 ♀, *enf.* 10 – ☲ 7 – **21 ch** 43/50 – ½ P 45/51

ST-CHÉLY-D'AUBRAC *12470 Aveyron* 📖 ③ ④ – *532 h alt. 700 – Sports d'hiver à Brame*
1 200/1 390 m ⚐ 9 ⇗.
🛈 *Syndicat d'initiative Route d'Espalion* ☎ 05 65 44 21 15, Fax 05 65 44 20 08.
Paris 594 – Rodez 50 – Espalion 20 – Mende 69 – St-Flour 72 – Sévérac-le-Château 60.

🏠 **Voyageurs** *(annexe* 🏠*)*, ☎ 05 65 44 27 05, Fax 05 65 44 21 67 – ✆. Ⓢ. 🌿 *ch*
🖦 *30 mars-25 juin et 30 juin-30 sept.* – **Repas** *(fermé sam. midi sauf juil.-août et f*
14,50/24 ♀, *enf.* 10 – ☲ 5,80 – **14 ch** 29/46 – ½ P 42/45

ST-CHÉRON *91530 Essonne* 🐧 ⑩ – *4 444 h alt. 100.*
🛈 *Syndicat d'Initiative Mairie* ☎ 01 69 14 13 00.
Paris 43 – Fontainebleau 63 – Chartres 54 – Dourdan 10 – Étampes 21 – Orléans 90.

à St-Évroult *Sud : 1,5 km par V 6* – ✉ 91530 St-Chéron :

XX **Auberge de la Cressonnière**, ☎ 01 64 56 60 55, Fax 01 64 56 56 37, 🌫, « -
fleuri », 🌫 – 🝙 Ⓢ
fermé 4 au 18 mars, 26 août au 16 sept., jeudi soir, dim. soir et lundi sauf fériés – R
18/33,50 ♀, *enf.* 11

ST-CHRISTAU *64 Pyr.-Atl.* 📕 ⑥ – *voir à Lurbe-St-Christau.*

ST-CIERS-DE-CANESSE *33710 Gironde* 📖 ⑧ – *718 h alt. 40.*
Env. Citadelle de Blaye★ NO : 8 km, G. Pyrénées Aquitaine.
Paris 549 – Bordeaux 46 – Blaye 10 – Jonzac 54 – Libourne 41.

🏠 **Closerie des Vignes** 🅼 🌇, *Village Arnauds, Nord : 2 km par D 250 et L*
☎ 05 57 64 81 90, *la-closerie-des-vignes@wanadoo.fr, Fax 05 57 64 94 44*, 🕭, 🏊, 🌫
✆ ♿ P. Ⓢ
avril-oct. – **Repas** *(dîner seul.)* 22/30 ♀ – ☲ 8 – **9 ch** 76 – ½ P 65/68,50

The Guide changes, so renew your Guide every year.

CIRQ-LAPOPIE 46330 Lot **79** ⑨ G. Périgord Quercy – 207 h alt. 320.

Voir Site★★ – Vestiges de l'ancien château ≤★★ – Le Bancourel ≤★ – Bouziès : chemin de halage du Lot★ NO : 6,5 km.

🛈 Office du tourisme Place du Sombral ℘ 05 65 31 29 06, Fax 05 65 31 29 06, saint cirq.lapopie@wanadoo.fr.

Paris 582 – Cahors 26 – Figeac 44 – Villefranche-de-Rouergue 37.

XX **Auberge du Sombral "Aux Bonnes Choses"** 🦢 avec ch., ℘ 05 65 31 26 08, Fax 05 65 30 26 37, 🍽 – **GB**

1ᵉʳ avril-11 nov. et fermé mardi et merc. de sept. à juin – Repas (12,20) · 17/35 ♈, enf. 9,15 – ⚏ 7 – **8 ch** 69

●ur-de-Faure Est : 2 km par D 8 – 350 h. alt. 137 – ⊠ 46330 :

🏠 **Les Gabarres** sans rest, ℘ 05 65 30 24 57, Fax 05 65 30 25 85, ⬛, 🐎 – ⚘ 👬 🄿. **GB**
31 mars-31 oct. – ⚏ 7 – **28 ch** 46/78

CLAIR 83 Var **84** ⑯, **114** ㊽ – rattaché au Lavandou.

CLAUDE ◈ 39200 Jura **70** ⑮ G. Jura – 12 303 h alt. 450.

Voir Site★★ – Cathédrale St-Pierre★ : stalles★★ Z – Exposition de pipes, de diamants et de pierres fines Z **E**.

Env. Georges du Flumen★ par ② – Route de Morez ≤★★ 7 km par ①.

🛈 Office du tourisme 19 rue du Marché ℘ 03 84 45 34 24, Fax 03 84 41 02 72, ot-st-claude-jura@en-france.com.

Paris 465 ③ – Annecy 88 ② – Genève 59 ② – Lons-le-Saunier 59 ③.

ST-CLAUDE

rues
sélectionnées
onction
eur importance
r la circulation
repérage
établissements cités.
rues secondaires
ont qu'amorcées.

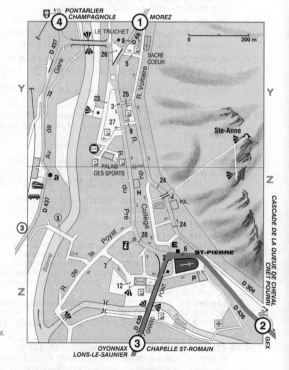

🏨 **Jura**, 40 av. Gare ℘ 03 84 45 24 04, Fax 03 84 45 58 10 – 📺 ⚘ 👬 🚗. **GB** **Z a**
🍴 Repas 13,72/25,15 ♈, enf. 8 – ⚏ 6,10 – **35 ch** 33,60/53,35

CLÉMENT-DES-BALEINES 17 Char.-Mar. **71** ⑫ – voir à Ré (île de).

ST-CLÉMENT-SUR-VALSONNE 69170 Rhône 🔟🔢 ⑨ – 546 h alt. 370.

Paris 461 – Roanne 44 – Lyon 44 – Montbrison 65 – Tarare 5 – Villefranche-sur-Saône 3

❌ **St-Clément** ॐ avec ch, ✆ 04 74 05 17 80, hotel@le-saint-clement.
Fax 04 74 05 17 80, 🍽 – 🔲. ☒
fermé 20 janv. au 12 fév., lundi soir et mardi sauf juil.-août – **Repas** 10 (déj.), 15/34 ♀, ♀
– ☑ 4 – **9 ch** 31/37 – ½ P. 28

ST-CLOUD 92 Hauts-de-Seine 🔢🔢 ⑳, **101** ⑭ – voir à Paris, Environs.

ST-CONSTANT 15600 Cantal 🔟🔢 ⑪ – 553 h alt. 260.

Voir *Église de Maurs : statues★ et buste-reliquaire★ NO : 4,5 km,* G. Auvergne.
Paris 579 – Aurillac 48 – Rodez 56 – Decazeville 17 – Figeac 23 – Tulle 98.

❌ **Auberge des Feuillardiers** avec ch, ✆ 04 71 49 10 06, Fax 04 71 49 11 43, 🍽
☒
fermé 22 août au 4 sept., vacances de fév. ; hôtel: fermé mardi et merc. sauf juil.-a
rest. : fermé merc. – **Repas** (nombre de couverts limté, prévenir) 18,50/38,20 – ☑ 6
12 ch 26/40 – ½ P 33,50

ST-CYPRIEN 24220 Dordogne 🔟🔢 ⑯ G. Périgord Quercy – 1 522 h alt. 80.

🅱 *Syndicat d'initiative Place Charles de Gaulle ✆ 05 53 30 36 09, Fax 05 53 30 2*
si.stcyprien@perigord.com.
Paris 523 – Périgueux 56 – Sarlat-la-Canéda 22 – Bergerac 53 – Cahors 67 – Fumel 53.

🏨 **L'Abbaye** ॐ sans rest, ✆ 05 53 29 20 48, hotel@abbaye-dordogne.
Fax 05 53 29 15 85, ⏚, 🍽 – 🔲 ✆ 🅿 ☒ ⓞ ☒
15 avril-20 oct. – ☑ 10,67 – **24 ch** 85,37/126,53

rte de Sarlat *Est : 2,5 km par D 703 –* ⊠ *24200 St-Cyprien :*

❌❌ **Jardin d'Épicure,** sur D 703 ✆ 05 53 30 40 95, Fax 05 53 30 40 96, 🍽, 🍽 – 🅿. ☒
fermé jeudi midi, sam. midi et merc. – **Repas** 23/44 ♀, enf. 11

à Allas-les-Mines *Sud-Ouest : 5 km par D 703 et C 204 – 224 h. alt. 85 –* ⊠ *24220 :*

❌ **Gabarrier,** ✆ 05 53 29 22 51, Fax 05 53 29 47 12, 🍽, « En bordure de la Dordog
🍽 – 🅿. ☒
fermé 15 nov. au 15 janv. et merc.de janv. à avril – **Repas** 23/33 ♀, enf. 11

ST-CYPRIEN 66750 Pyr.-Or. 🔢🔢 ⑳ G. Languedoc Roussillon – 8 573 h alt. 5 – Casino.

🅱 *Office du tourisme Quai A. Rimbaud ✆ 04 68 21 01 33, Fax 04 68 21 98 33, ot.stcy*
@wanadoo.fr.
Paris 872 – Perpignan 17 – Céret 32 – Port-Vendres 20.

à St-Cyprien-Plage *Nord-Est : 3 km par D 22 –* ⊠ *66750 St-Cyprien :*

🏨🏨 **Mas d'Huston** 🅼 ॐ, au golf ✆ 04 68 37 63 63, masdhustonhotel@opengolfclub
Fax 04 68 37 64 64, ≤, 🍽, « Parc », ⏚, 🍽, ♨ – 🛗 🔲 ☒ ✆ 🅿 – 🔺 15 à 100. ☒ ⓞ
🍽 rest
fermé 5 au 31 janv. – **Le Mas** : Repas 19(déj.)33/45, enf. 17 – **Les Parasols** (buffets
seul.) *(mi-avril-mi-oct.)* **Repas** carte environ 23, enf. 12 – ☑ 9 – **50 ch** 84/122 – ½ P 8

à St-Cyprien-Sud : *3 km –* ⊠ *66750 St-Cyprien :*

🏨🏨 **L'Ile de la Lagune** 🅼 ॐ, ✆ 04 68 21 01 02, hotelilelelagune@wanad
🏵 Fax 04 68 21 06 28, ≤, 🍽, ⏚, 🛶 – 🛗 🔲 🔲 🍽 ⇔ 🅿 – 🔺 30. ☒ ⓞ ☒
fermé 28 oct. au 5 nov. et 24 fév. au 11 mars – **L'Almandin** *(fermé lundi et mardi d'oct. a*
Repas 37/67 et carte 56 à 70, enf. 13 – ☑ 13 – **18 ch** 132/180, 4 appart – ½ P 130/140
Spéc. Blinis de pomme de terre aux anchois de Collioure. Suquet de baudroie et p
pommes au safran, jus à la picada. Escabèche de filets de rougets en salade d'herbes
Côtes du Roussillon, Collioure.

🏨 **Lagune** ॐ, ✆ 04 68 21 24 24, hotellagune@wanadoo.fr, Fax 04 68 37 00 00, ≤, 🍽
🍽 – cuisinette 🔲 ✆ 🅿. ☒
28 avril-30 sept. – **Repas** 24 ♀, enf. 10 – ☑ 8 – **36 ch** 61/82, 14 studios – ½ P 65/70

ST-CYR-EN-TALMONDAIS 85540 Vendée 🔟🔢 ⑪ – 301 h alt. 31.

🅱 *Syndicat d'initiative - Mairie ✆ 02 51 30 82 82, Fax 02 51 30 88 29.*
Paris 445 – La Rochelle 57 – La Roche-sur-Yon 30 – Luçon 14 – Les Sables-d'Olonne 37.

❌ **Auberge de la Court d'Aron,** ✆ 02 51 30 81 80, dominique.orizet@wanao
Fax 02 51 98 99 55, – ☒. 🍽
fermé 5 au 11 nov., 1ᵉʳ au 9 déc., vacances de fév., dim. soir et merc. de sept. à juin – R
(10.98) - 17,08/37,35 ♀

R-SUR-MER 83270 Var 84 ⑭, 114 ㊸ G. Côte d'Azur – 8 898 h alt. 10.

🛈 Office de tourisme pl. de l'appel du 18 Juin ℘ 04 94 26 73 73, Fax 04 94 26 73 74, tourisme.st.cyr@wanadoo.fr.

Paris 815 – Marseille 39 – Toulon 24 – Bandol 8 – Le Beausset 10 – Brignoles 53.

cques – ⊠ 83270 St-Cyr-sur-Mer :

🏠 **Grand Hôtel des Lecques** ⑤, ℘ 04 94 26 23 01, info@lecques-hotel.com, Fax 04 94 26 10 22, ≤, 霫, « Parc fleuri », 🛴, ※, 🦎 – 🛗 🔟 ❤ 🅿. 🕮 ❶ ᏻᴄᴮ. ※ rest
15 mars-15 nov. – **Repas** (23) - 33/54,50, enf. 11,50 – ⊡ 13 – **57 ch** 107/160 – ½ P 80/116

🏠 **Chanteplage** sans rest, ℘ 04 94 26 16 55, Fax 04 94 26 25 71, ≤ – 🔟 🅿. GB. ※
28 mars-30 sept. – ⊡ 6,50 – **20 ch** 65/88,50

🏠 **Petit Nice** ⑤, ℘ 04 94 32 00 64, petitnice@lcm.fr, Fax 04 94 32 00 99, 🛴, 霫 – 🔟 🅿. 🕮 GB. ※ rest
hôtel : 15 mars-15 oct. ; rest. : 15 avril-25 sept. – **Repas** 19,05 – ⊡ 6,10 – **31 ch** 44,52/55,19 – ½ P 45,50/56,50

e Bandol par D 559 : 4 km – ⊠ 83270 St-Cyr-sur-Mer :

🏠 **Frégate** Ⓜ ⑤, ℘ 04 94 29 39 39, hotel-fregate@wanadoo.fr, Fax 04 94 29 39 40, ≤ littoral, 霫, « Complexe de loisirs et centre de conférences », 🖎, 🛴, 🔄, ※, 🦎 – 🛗 💱 ≣ 🔟 ❤ & ⇔ 🅿 – 🔬 20 à 180. 🕮 ❶ GB
Mas des Vignes (dîner seul.) **Repas** 36/45 ♀, enf. 19 – **Club House** (dîner seul. en juil.-août) **Repas** 25,50(déj.)/34 ♀ – – ⊡ 16 – **133 ch** 230/340, 33 appart – ½ P 174/200

ALMAS-DE-TENDE 06 Alpes-Mar. 84 ⑩ ⑳, 115 ⑧ ⑨ – rattaché à Tende.

*Read the introduction with its explanatory pages
to make the most of your Michelin Red Guide.*

ALMAS-VALDEBLORE 06 Alpes-Mar. 84 ⑲, 115 ⑥ – voir à Valdeblore.

ENIS 93 Seine-St-Denis 56 ⑪, 101 ⑯ – voir à Paris, Environs.

ENIS-D'ORQUES 72350 Sarthe 60 ⑫ – 815 h alt. 120.

🛈 Syndicat d'initiative - Mairie ℘ 02 43 88 43 14.

Paris 239 – Le Mans 45 – Alençon 86 – Laval 39 – Mayenne 47 – Sablé-sur-Sarthe 25.

✗ **Auberge de la Grande Charnie,** av. Libération ℘ 02 43 88 43 12, Fax 02 43 88 61 08 – GB. ※
fermé vacances de fév., lundi et le soir sauf vend. et sam. – **Repas** (13,57) - 14,94 (déj.), 21,65/35,06 ♀, enf. 7,62

ENIS-LE-FERMENT 27 Eure 55 ⑧ – rattaché à Gisors.

ENIS-SUR-SARTHON 61420 Orne 60 ② – 1 062 h alt. 193.

Paris 203 – Alençon 12 – Argentan 40 – Domfront 50 – Falaise 63 – Flers 60 – Mayenne 49.

🏠 **Faïencerie** sans rest, rte d'Alençon (N 12) ℘ 02 33 27 30 16, la-faiencerie@wanadoo.fr, Fax 02 33 27 17 56, 🦎 – 🅿. GB
15 mai-15 oct. – ⊡ 7 – **15 ch** 53/60

IDIER 35 I.-et-V. 59 ⑱ – rattaché à Chateaubourg.

IDIER 84 Vaucluse 81 ⑬ – rattaché à Carpentras.

IDIER-DE-LA-TOUR 38 Isère 74 ⑭ – rattaché à La Tour-du-Pin.

IDIER-EN-VELAY 43140 H.-Loire 76 ⑧ – 2 891 h alt. 830.

🛈 Office du tourisme 5 rue de la République ℘ 04 71 66 25 72, Fax 04 71 66 25 72.

Paris 542 – Le Puy-en-Velay 57 – St-Étienne 25 – St-Agrève 45.

✗ **Auberge du Velay,** Grand'place ℘ 04 71 61 01 54, Fax 04 71 61 15 80 – GB
fermé 16 au 31 août, vacances de fév., dim. soir, lundi soir et mardi – **Repas** 16/22

ST-DIÉ-DES-VOSGES ◉ 88100 Vosges **62** ⑰ G. Alsace Lorraine – 22 569 h alt. 350.

Voir Cathédrale St-Dié★ – Cloître gothique★.

🚹 Office du tourisme 8 quai du Maréchal de Lattre de Tassigny ℰ 03 29 42 22 22, Fax⚹
42 22 23, tourisme@ville-saintdie.fr.

Paris 393 ③ – Colmar 52 ① – Épinal 49 ② – Mulhouse 107 ① – Strasbourg 93 ①.

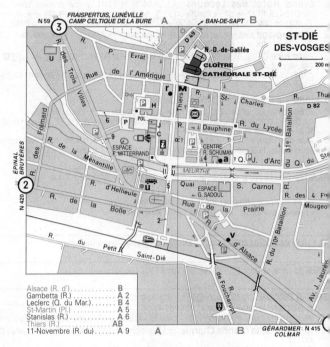

🏠 **Ibis**, 5 quai Jeanne d'Arc ℰ 03 29 42 24 22, Fax 03 29 55 49 15 – 📳 ⇄ 🔲 📺 ❖ ♿ –
🔼 ⓪ ⌨
    Repas (13) - 16 ♀ – 🖙 5,35 – **58 ch** 51,85/56,40

🏠 **Moderne**, 64 r. Alsace ℰ 03 29 56 11 71, Fax 03 29 56 45 06, � – 📺 ❖ 🄿
    ✼ ch
    fermé 18 août au 1er sept., 20 déc. au 12 janv., vend. soir et sam. – **Repas** 16,50/21,⚹
    🖙 6,50 – **10 ch** 41/60,50 – ½ P 52/56

🏠 **Vosges** sans rest, 57 r. Thiers ℰ 03 29 56 16 21, Fax 03 29 55 48 71 – 📺 ❖ 🚗.
    ⌨
    🖙 5,34 – **17 ch** 27,44/45,73

🍴🍴 **Voyageurs**, 22 r. Hellieule ℰ 03 29 56 21 56, Fax 03 29 56 60 80 – ⌨
🍴 fermé vacances de Noël , dim. soir et lundi – **Repas** 13,50/18 ♀, enf. 7,50

à Rougiville Ouest : 6 km par ② – ⊠ 88100 St-Dié :

🏠 **Haut Fer** ⬎, ℰ 03 29 55 03 48, Fax 03 29 55 23 40, ≤, 🔼, 🌳, 🎇 – 📺 ❖ 🄿. 🔼 ⌨
    fermé 1er au 8 janv., dim. sauf juil.-août et fériés – **Repas** (fermé dim. soir et lundi
    juil.-août et fériés) 18,30/30,49 ♣, enf. 7,62 – 🖙 5,80 – **16 ch** 45,74/60,98 – ½ P 41,1⚹

ST-DISDIER 05250 H.-Alpes **77** ⑮ G. Alpes du Nord – 141 h alt. 1024.

Voir Défilé de la Souloise★ N.

Paris 649 – Gap 45 – Grenoble 84 – La Mure 34.

🏠 **Auberge La Neyrette** ⬎, ℰ 04 92 58 81 17, info@la-neyrette⚹
🍴 Fax 04 92 58 89 95, ≤, 🎇, « Jardin avec plan d'eau », 🌳 – 📺 ❖ 🄿. 🔼 ⌨
    fermé 19 nov. au 14 déc., 8 au 20 avril – **Repas** 17,50/33,50, enf. 9,50 – 🖙 7 –
    44,20/62,50 – ½ P 49,45/53,25

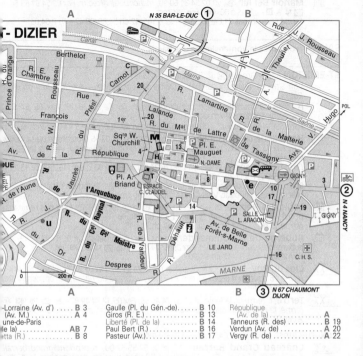 52100 H.-Marne **61** ⑨ *G. Champagne Ardenne* – *30 900 h alt. 147.*
🛈 *Office du tourisme 4 av. de Belle-Forêt-sur-Marne ℰ 03 25 05 31 84, Fax 03 25 06 95 51.*
Paris 207 ⑤ – Bar-le-Duc 25 ① – Chaumont 74 ③ – Nancy 100 ② – Troyes 87 ④.

-Lorraine (Av. d') ..... **B 3**	Gaulle (Pl. du Gén.-de)...... **B 10**	République
(Av. M.) .... **A 4**	Giros (R. E.) .... **B 13**	(Av. de la) .... **A**
une-de-Paris	Liberté (Pl. de la) .... **B 14**	Tanneurs (R. des) .... **B 19**
le la) .... **AB 7**	Paul Bert (R.) .... **B 16**	Verdun (Av. de) .... **A 20**
etta (R.) .... **B 8**	Pasteur (Av.)............... **B 17**	Vergy (R. de) .... **A 22**

🏨 **Gambetta**, 62 r. Gambetta ℰ 03 25 56 52 10, *legambetta.citotel@wanadoo.fr,*
Fax 03 25 56 39 47 – 🛗, ☰ rest, 📺 ☎ 🅿 – 🕭 20 à 150. 🆎 ⓪ 🅶🅱 **B e**
Repas *(fermé dim. soir et soirs fériés)* 13,50/19,50 ♨, enf. 5,50 – � 5,50 – **63 ch** 44/60 –
½ P 40

🍴 **Gentilhommière**, 29 r. J. Jaurès ℰ 03 25 56 32 97, Fax 03 25 06 32 66 – 🆎 🅶🅱 **A u**
fermé 31 juil. au 23 août, 25 fév. au 4 mars, sam. midi, dim. soir et lundi – **Repas** 18/26,50 ♈

ONAT-SUR-L'HERBASSE 26260 Drôme **77** ② *G. Vallée du Rhône* – *3 132 h alt. 202.*
🛈 *Office du tourisme 32 avenue Georges Bert ℰ 04 75 45 15 32, Fax 04 75 45 20 42.*
Paris 551 – Valence 26 – Grenoble 92 – Hauterives 21 – Romans-sur-Isère 13.

🍴 **Chartron** 🅼 avec ch, ℰ 04 75 45 11 82, *restaurantchartron@wanadoo.fr,*
Fax 04 75 45 01 36, 🏡 – ☰ 📺 ☎ 🚗 🅿 ⓪ 🅶🅱
fermé 26 août au 13 sept., 2 au 10 janv., mardi et merc. sauf juil.-août – **Repas** 26/34 ♈,
enf. 13 – � 8 – **7 ch** 50/62 – ½ P 60

🍴 **Mousse de Brochet**, ℰ 04 75 45 10 47, Fax 04 75 45 10 47 – ☰. 🅶🅱
fermé 24 juin au 14 juil., 13 janv. au 4 fév., les soirs de semaine en hiver, dim. soir et lundi –
Repas 13,82/45,22 ♈

OULCHARD 18 Cher **69** ① – *rattaché à Bourges.*

Donnez-nous votre avis sur les tables que nous recommandons,
sur leurs spécialités et leurs vins de pays.

ST-DYÉ-SUR-LOIRE 41500 L.-et-Ch. 🔟 ⑦ ⑧ *G. Châteaux de la Loire* – 945 h alt. 96.
🛈 *Office du tourisme 73 rue Nationale ℰ 02 54 81 65 45, Fax 02 54 81 62 22.*
Paris 173 – Orléans 52 – Beaugency 21 – Blois 17 – Romorantin-Lanthenay 44.

🏠 **Manoir Bel Air** ⊜, ℰ 02 54 81 60 10, *manoirbelair@free.fr, Fax 02 54 81 65 34,* ⋖
📺 ℰ 🔥 🅿 – 🔏 15 à 80. ☺☺ ⱼⱼ. ✀ *rest*
fermé fév. – **Repas** 21,04/39,33 🖺 – ☵ 6,10 – **42 ch** 54,88/88,42 – ½ P 64,03

SAINTE voir après la nomenclature des Saints.

ST-EMILION 33330 Gironde 🔟🖟 ⑫ *G. Aquitaine* – 2 345 h alt. 30.
Voir Site★★ – Église monolithe★ – Cloître des Cordeliers★ – ⋖★ de la tour du châte
Roi.
🛈 *Office du tourisme Place des Créneaux ℰ 05 57 55 28 28, Fax 05 57 55 2*
st-emilion.tourisme@wanadoo.fr.
Paris 586 – Bordeaux 42 – Bergerac 58 – Langon 49 – Libourne 8 – Marmande 60.

🏛 **Hostellerie de Plaisance**, pl. Clocher ℰ 05 57 55 07 55, *hostellerie.plaisance@w*
✿ *o.fr, Fax 05 57 74 41 11,* ⋖, 🍴, « Au coeur de la cité médiévale », 🞼 – 🔏 ▤ 📺 ℰ.
☺☺ ⱼⱼ
fermé janv. – **Repas** 30,49 *(déj.)*, 44,98/76,23 et carte 72 à 90 ♀, enf. 15,25 – ☵ 13,72 –
144/305 – ½ P 111,29/210,38
Spéc. Brandade de brochet et ragoût de grenouilles. Palombe rôtie au jus de ¶
Millefeuille au chocolat. **Vins** Graves blanc, Saint-Emilion

🏠 **Logis des Remparts** sans rest, r. Guadet ℰ 05 57 24 70 43, *logis-des-remparts@*
doo.fr, Fax 05 57 74 47 44, 🎇, 🞼 – 📺 ℰ 🅿 ☺☺. ✀
fermé 15 déc. au 31 janv. – ☵ 9,15 – **17 ch** 71/115

🏠 **Auberge de la Commanderie** sans rest, r. Cordeliers ℰ 05 57 24 70 19, *cor*
aubergedelacommande.com, Fax 05 57 74 44 53 – 🔏 📺 ℰ 🅿. ☺☺. ✀
fermé janv. – ☵ 9 – **17 ch** 54/90

🍽🍽 **Clos du Roy**, 12 r. Petite Fontaine ℰ 05 57 74 41 55, *Fax 05 57 74 41 55* – ▤. ☺☺
fermé 26 août au 4 sept., 28 oct. au 7 nov., vacances de fév., mardi et merc. – **Rep**
(déj.), 26/42 ♀

🍽🍽 **Tertre**, r. Tertre de la Tente ℰ 05 57 74 46 33, *Fax 05 57 74 49 87* – ▤. 🅰🎟 ⓞ ☺☺ ⱼⱼ
fermé 12 nov. au 18 déc., 6 janv.au 11 fév., lundi d'oct. à avril et mardi – **Repas** 15
20/45 ♀

au Nord-Ouest : *4 km par D 243* – ✉ 33330 St-Émilion :

🏛 **Château Grand Barrail** ⊜, ℰ 05 57 55 37 00, *reception@grand-barrail.*
⋖, 🍴, « Château du 19ᵉ siècle au milieu des vignobles », 🎇, 🏊 –
📺 ℰ 🔥 🅿 – 🔏 20. 🅰🎟 ⓞ ☺☺ ⱼⱼ. ✀ *rest*
fermé vacances de fév. et 25 nov. au 15 déc. – **Repas** *(fermé dim. soir, lundi et marc*
de nov. à mars) 28 *(déj.)*, 40/69, enf. 20 – ☵ 19 – **28 ch** 220/450 – ½ P 159/319

ST-ÉTIENNE 🅿 42000 Loire 🔟🔟 ⑲, 🔟🖟 ⑨ *G. Vallée du Rhône* – 180 210 h Agglo. 291 ¸
alt. 520.
Voir Le Vieux St-Etienne★ – Musée d'Art moderne★★ T M² – Puits Couriot, musée¸
mine★ AY – Musée d'Art et d'Industrie★ – Site de la Manufacture des Armes et Cyc¸
St-Étienne : planétarium★.
✈ de St-Étienne-Bouthéon : ℰ 04 77 55 71 71, Fax 04 77 55 71 79, par ⑤: 15 km.
🛈 *Office du tourisme 16 avenue de la Libération ℰ 04 77 49 39 00, Fax 04 77 49 ¸*
information@tourisme-st-etienne.com.
Paris 522 ① – Clermont-Ferrand 145 ④ – Grenoble 155 ① – Lyon 62 ① – Valence 122¸

Plans pages suivantes

🏛 **Mercure Parc de l'Europe** Ⓜ, r. Wuppertal, Sud-Est du plan, par cours F¸
✉ 42100 ℰ 04 77 42 81 81, *h1252@accor-hotels.com, Fax 04 77 42 81 89* – 🔏 ✻ ▤
🚗 🅿 – 🔏 25 à 120. 🅰🎟 ⓞ ☺☺
Ribandière (fermé 3 au 25 août, 21 déc. au 1ᵉʳ janv., sam. et dim.) **Repas** ¸
34,♀, enf.13 – ☵ 11 – **120 ch** 81/109

🏠 **Midi** sans rest, 19 bd Pasteur ✉ 42100 ℰ 04 77 57 32 55, *contact@hotelm¸*
Fax 04 77 57 28 00 – 🔏 ✻ 📺 ℰ 🚗. 🅰🎟 ⓞ ☺☺
fermé août – ☵ 7,63 – **33 ch** 51,08/70,13

🏠 **Albatros** Ⓜ, face au golf par r. Revollier T ℰ 04 77 41 41 00, *Fax 04 77 38 28 16,* ⋖
🏊 – 🔏 📺 ℰ 🔥 🚗 🅿 – 🔏 20 à 60. 🅰🎟 ⓞ ☺☺
fermé 13 au 27 août, 22 déc. au 2 janv. et week-ends de nov. à fév. – **Repas** *(15)* - 24 ♀ ¸
– **44 ch** 69/77, 3 appart – ½ P 38,50

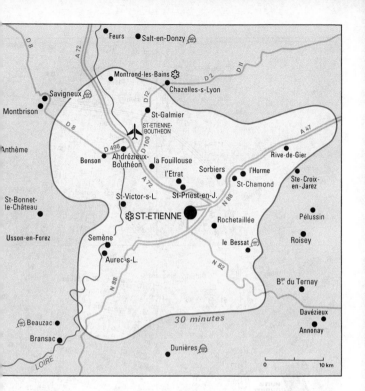

Terminus du Forez, 31 av. Denfert-Rochereau ℘ 04 77 32 48 47, *hotel.forez@wana doo.fr*, Fax 04 77 34 03 30 – 📶 ╪⊱, 🍴 rest, 📺 ✆ 🅿 – 🛄 30. 🆎 ⑩ 🅶🅱 🅹🅲🅱   CY **h**
fermé 28 juil. au 25 août et 22 au 28 déc. – **Repas** *(fermé sam. midi, lundi midi et dim.)*
12/37 ♈ – 🖙 8 – **66 ch** 56/63

Ténor Ⓜ sans rest, 12 r. Blanqui ℘ 04 77 33 79 88, Fax 04 77 41 69 81 – 📶 📺 ⟲.
🅶🅱   BY **d**
🖙 6 – **68 ch** 48/56

Carnot sans rest, 11 bd J. Janin ℘ 04 77 74 27 16, Fax 04 77 74 25 79 – 📶 📺 ✆.
🅶🅱   BX **e**
fermé 8 au 20 août – 🖙 5,35 – **24 ch** 28,20/39,65

Clos des Lilas, 28 r. Virgile, Sud-Est du plan par cours Fauriel ⊠ 42100 ℘ 04 77 25 28 13,
Fax 04 77 41 58 91, 🍽 – 🍴. 🅶🅱   V **p**
fermé août, vacances de fév., dim. soir, mardi soir et lundi – **Repas** 29,70/65,60 et carte 45 à
60 ♈

André Barcet, 19 bis cours V. Hugo ℘ 04 77 32 43 63, Fax 04 77 32 23 93 – 🍴. 🆎
🅶🅱   BZ **u**
fermé 7 juil. au 4 août et dim. soir – **Repas** 24/62 et carte 43 à 64 ♈, enf. 9,20

Chantecler, 5 cours Fauriel ⊠ 42100 ℘ 04 77 25 48 55, Fax 04 77 37 62 75 – 🍴. 🆎
🅶🅱   CZ **q**
fermé 19 juil. au 18 août, dim. de mai à sept. et sam. – **Repas** 20,58/32,78 et carte 35 à 51 ♈

Nouvelle (Laurier), 30 r. St-Jean ℘ 04 77 32 32 60, Fax 04 77 41 77 00 – 🍴. 🆎 🅶🅱
❀ *fermé 5 au 27 août, 1er au 15 janv., dim. soir et lundi* – **Repas** 23,63/48,78 et carte 45 à 60 ♈,
enf. 13,72   BY **v**
Spéc. Foie gras de canard en terrine. Lieu jaune cuit à la vapeur , peau laquée à la réglisse.
Filet de canard rôti au sautoir.

Régency, 17 bd J. Janin ℘ 04 77 74 27 06, Fax 04 77 74 98 24 – 🍴. 🆎 🅶🅱   BX **r**
fermé août, lundi soir d'oct. à avril, sam. sauf le soir d'oct. à avril et dim. – **Repas** 24/39

Évohé, 10 pl. Villeboeuf ℘ 04 77 32 70 22, Fax 04 77 32 91 52 – 🆎 🅶🅱   CZ **n**
fermé 1er au 31 août, sam. midi et dim. soir – **Repas** *(16 bc)* - 23/34 ♈

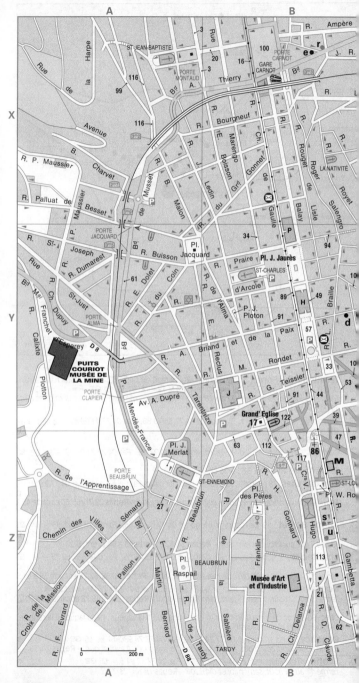

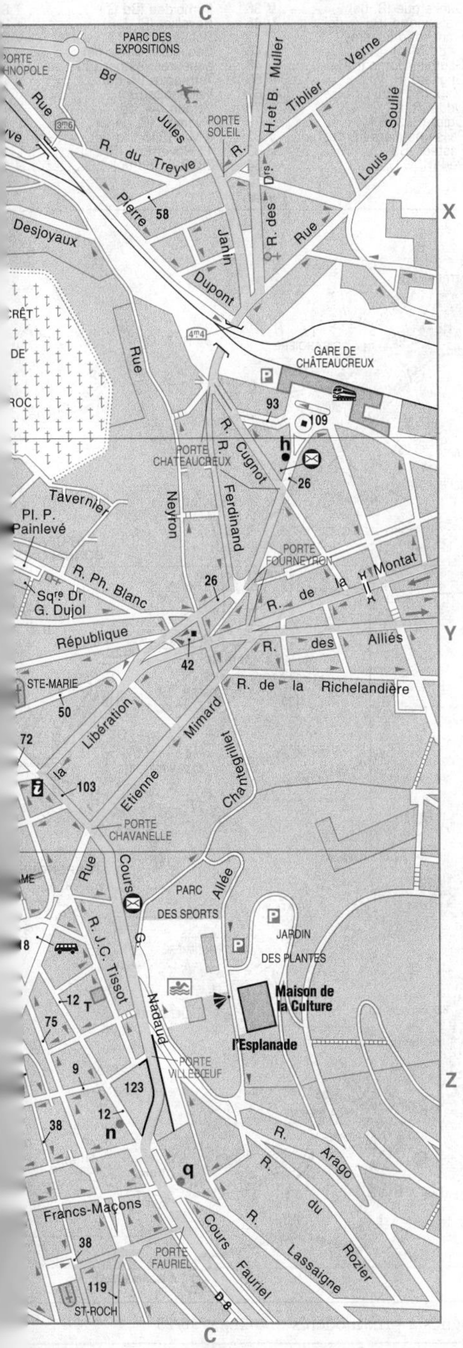

ST-ÉTIENNE

Albert-Ier (Bd) . . . . **ABX** 3
Anatole-France (Pl.) . . . . . **BZ** 7
Badouillère (R. de la) . . . . **CZ** 9
Barbusse (R. H.) . . . . **CZ** 12
Bérard (R. P.) . . . . **BCY** 14
Bergson (R.) . . . . **BX** 16
Boivin (Pl.) . . . . **BY** 17
Chavanelle (Pl.) . . . . **CZ** 18
Clovis-Hugues (R.) . . . . . . **BX** 20
Comte (Pl. Louis) . . . . **BZ** 21
Denfert-Rochereau (Av.) . . . . **CY** 26
Descours (R.) . . . . **AZ** 27
Dorian (Pl.) . . . . **BY** 33
Dormoy (R. M.) . . . . **BXY** 34
Dupré (R. G.) . . . . **BY** 37
Durafour (R. A.) . . . . **CZ** 38
Escoffier (R. D.) . . . . **BY** 39
Fougerolle (R.) . . . . **CZ** 41
Fourneyron (Pl.) . . . . **CY** 42
Foy (R. Gén.) . . . . **BY** 44
Frappa (R. J.) . . . . **BZ** 47
Gambetta (R.) . . . . **BZ**
Gaulle (R. Ch.-de) . . . . . **BXY**
Gérentet (R.) . . . . **BY** 49
Gervais (R. E.) . . . . **CY** 50
Gillet (R. F.) . . . . **BY** 52
Grand-Moulin (R. du) . . . **BY** 53
Guesde (Pl. J.) . . . . **BY** 56
Hôtel-de-Ville (Pl. de l') . . . . **BY** 57
Jacob (R.) . . . . **CX** 58
Krumnow (Bd F.) . . . . **AY** 61
Leclerc (R. du Gén.) . . . . **BZ** 62
Libération (Av. de la) . . **BCY**
Loubet (Av. du Président E.) . . . . **BZ** 63
Martyrs-de-Vingré (R. des) . . . . **BYZ** 66
Michelet (R.) . . . . **BYZ**
Moine (Pl. Antonin) . . . **CYZ** 68
Moulin (Pl. J.) . . . . **CY** 72
Mulatière (R. de la) . . . . . **CZ** 75
Neuve (Pl.) . . . . **BZ** 77
Peuple (Pl. du) . . . . **BZ** 86
Pointe-Cadet (R.) . . . . . . **BCZ** 87
Président-Wilson (R.) . . . . **BY** 89
République (R. de la) . . **BCY**
Résistance (R. de la) . . . . **BY** 91
Rivière (R. du Sergent) . . . . . . **CX** 93
Robert (R.) . . . . **BY** 94
Ruel (R. A.) . . . . **AX** 99
Sadi-Carnot (Pl.) . . . . **BX** 100
St-Jean (R.) . . . . **BY** 102
Sauzéa (Cours H.) . . . . . . **CY** 103
Servet (R. M.) . . . . **BY** 106
Stalingrad (Square de) . . . . **CX** 109
Théâtre (R. du) . . . . **BYZ** 112
Thomas (Pl. A.) . . . . **BZ** 113
Tilleuls (R. des) . . . . **AX** 116
Ursules (Pl. des) . . . . **BZ** 117
Valbenoite (Bd) . . . . **CZ** 119
Ville (R. de la) . . . . **BY** 122
Villebœuf (Pl.) . . . . **CZ** 123
11-Novembre (R. du) . . . **BZ** 128

*Les **cartes Michelin** sont constamment tenues à jour.*

ST-ÉTIENNE

Repas soignés à prix modérés : ⊛ Repas 16/23

1232

※ **Corne d'Aurochs**, 18 r. Michel Servet ℰ 04 77 32 27 27, Fax 04 77 32 72 56 – ㏿
fermé 8 au 12 mai, 20 juil. au 26 août, lundi midi, sam. midi et dim. – **Repas** 15,50 (déj.),
17,50/31 ♀
BY a

※ **L'Escargot d'Or**, 5 cours V. Hugo ℰ 04 77 41 24 04, Fax 04 77 37 27 79 – ㏿ ⓞ
㏿
BZ s
fermé 29 juil. au 26 août, 1ᵉʳ au 10 mars, dim. soir et lundi – **Repas** 12,65/31,71

à **Crat** Nord : 5 km par D 11 – 2 519 h. alt. 460 – ⋈ 42580 :

※ **Yves Pouchain**, rte St-Héand ℰ 04 77 93 46 31, Fax 04 77 93 90 71, 龠 – ㏿
fermé 16 au 30 août, 12 au 25 janv., merc. soir en hiver, dim. soir et lundi – **Repas**
19,85/65,55, enf. 12,50

à **Rochetaillée** Sud-Est : 8 km par D 8 – ⋈ 42100 :

※ **Yves Genaille**, ℰ 04 77 32 88 48, Fax 04 77 46 06 41, ≼ – ㏿ ⓞ ㏿ ㎉
fermé août, vacances de fév., mardi soir, dim. soir et sam. – **Repas** (prévenir) 16 (déj.)/21,34

à **St-Victor-sur-Loire** Ouest : 10 km par ④ et D 25 (vers Firminy) – ⋈ 42230 :

※ **Auberge La Grange d'Ant'**, lieu-dit Bécizieux ℰ 04 77 90 45 36, Fax 04 77 90 45 36 –
㏿ ℙ. ㏿
fermé 6 au 27 janv., dim. soir et lundi du 29 sept. au 26 mars – **Repas** (nombre de couverts
limté, prévenir) 14/65 ♀

à **St-Priest-en-Jarez** Nord-Ouest : 4 km -T – 5 812 h. alt. 605 – ⋈ 42270 :

※ **Clos Fleuri**, 76 av. Albert Raimond ℰ 04 77 74 63 24, Fax 04 77 79 06 70, 龠 – ㏿
㏿
T u
fermé 4 au 20 août, 2 au 15 janv., dim. soir, lundi soir et merc. – **Repas** 19,82/51,83 ♀

※ **du Musée**, Musée d'Art Moderne-la Terrasse ℰ 04 77 79 24 52, Fax 04 77 79 92 07, 龠 –
ℙ.
T s
fermé 6 au 27 août, 1ᵉʳ au 8 janv., sam. midi et dim. midi en été et dim. soir – **Repas** (10,98) -
14,03 (déj.), 19,06/22,11 ♀

à **Fouillouse** Nord-Ouest : 8,5 km par N 82 – 4 234 h. alt. 438 – ⋈ 42480 :

※ **Route Bleue**, Le Vernay ℰ 04 77 30 12 09, Fax 04 77 30 27 16, 龠 – ℙ. ㏿ ㏿
fermé 15 juil. au 15 août, vacances de fév. et sam. – **Repas** (déj. seul. sauf vend.) 14 (déj.),
20/29 ☖

ST-ÉTIENNE-DE-BAÏGORRY 64430 Pyr.-Atl. 85 ③ G. Aquitaine – 1 525 h alt. 163.
Voir Église St-Etienne★.
🛈 Office du tourisme Place de l'Église ℰ 05 59 37 47 28, Fax 05 59 37 49 58.
Paris 818 – Biarritz 51 – Cambo-les-Bains 31 – Pau 118 – St-Jean-Pied-de-Port 12.

🏨 **Arcé** ⧖, rte col d'Ispéguy ℰ 05 59 37 40 14, hotel-arce@wanadoo.fr, Fax 05 59 37 40 27,
≼, 龠, « Terrasse au bord de la rivière », ⊿, ☞, ※ – ㏄ ℙ. ⓞ ㏿
mars-nov. – **Repas** (fermé lundi midi de sept. à juin sauf vacances scolaires et fériés) (dim.
prévenir) 20/32 ♀, enf. 11 – ⋤ – **23 ch** 122 – ½ P 95/98

ST-ÉTIENNE-DE-FURSAC 23 Creuse 72 ⑧ – rattaché à La Souterraine.

ST-ÉTIENNE-LÈS-REMIREMONT 88 Vosges 62 ⑯ – rattaché à Remiremont.

ST-FARGEAU 89170 Yonne 65 ③ G. Bourgogne – 1 814 h alt. 175.
Voir Château★★.
🛈 Office du tourisme 3 place de la République ℰ 03 86 74 15 72, Fax 03 86 74 15 82,
office.de.tourisme.saint-fargeau@wanadoo.fr.
Paris 183 – Auxerre 45 – Clamecy 48 – Gien 41.

※ **Demoiselle**, 1 pl. République ℰ 03 86 74 10 58, f-dupuy@wanadoo.fr,
Fax 03 86 74 10 58, 龠 – ㏿
fermé 23 déc. au 31 janv., merc. soir, dim. soir et lundi sauf 14 juil.-31 août – **Repas** 12,96
(déj.), 16,01/32,01 ♀, enf. 10

ST-FARGEAU-PONTHIERRY 77310 S.-et-M. 61 ① – 11 224 h alt. 51.
Paris 45 – Fontainebleau 23 – Créteil 43 – Étampes 36 – Melun 16 – Versailles 51.

🏨 **Apollonia**, N 7, rte de Fontainebleau ℰ 01 60 65 65 35, Fax 01 64 38 10 41, 龠 – 📱 ⇆
㏄ ✆ ⧵ ℙ. – 🅰 100. ㏿ ⓞ ㏿ ㎉
Repas (fermé 1ᵉʳ au 26 août et dim. soir) (14,50) - 20,50/30 ♀ – ⋤ 8,38 – **48 ch** 69/80 –
½ P 75

ST-FÉLIX-LAURAGAIS *31540 H.-Car.* 82 ⑲ *G. Midi-Pyrénées – 1 301 h alt. 332.*
Voir *Site★.*
Office du tourisme Place Guillaume de Nogaret ✆ 05 62 18 96 99, Fax 05 62 18 90 8
Paris 744 – Toulouse 43 – Auterive 45 – Carcassonne 59 – Castres 39 – Gaillac 71.

Auberge du Poids Public (Taffarello), ✆ 05 62 18 85 00, *Fax 05 62 18 85 05,* <
« Cadre rustique » – TV – 25. AE GB
fermé 28 oct. au 4 nov., janv., et dim. soir – **Repas** 22/57 et carte 50 à 65 ♀ – 10 –
45/55 – ½ P 51,50/56,50
Spéc. Foie gras de canard en trois préparations. Raviole de gésiers confits. Macaro
amandes, sorbet au basilic. **Vins** Corbières, Minervois.

ST-FERRÉOL *31 H.-Car.* 82 ⑳ *– rattaché à Revel.*

ST-FIRMIN *05800 H.-Alpes* 77 ⑯ *G. Alpes du Nord – 438 h alt. 901.*
Paris 644 – Gap 32 – Corps 10 – Grenoble 78 – La Mure 35 – St-Bonnet-en-Champsaur

au Séchier *Est : 4 km – ✉ 05800 St-Firmin :*

Coin Tranquille Hôtel Loubet, ✆ 04 92 55 21 12, *hotel.loubet@wanad*
Fax 04 92 55 32 72, <, – P. GB
20 juin-15 sept. – **Repas** 9/23, enf. 6,50 – 5 – **23 ch** 28/45,20 – ½ P 34/48

ST-FIRMIN *80 Somme* 52 ⑥ *– rattaché à Rue.*

ST-FLORENT *2B H.-Corse* 90 ③ *– voir à Corse.*

ST-FLORENTIN *89600 Yonne* 61 ⑮ *G. Bourgogne – 5 748 h alt. 120.*
Voir *Vitraux★ de l'église* **E.**
Office du tourisme 10 rue de la Terrasse ✆ 03 86 35 11 86, Fax 03 86 35 11 86.
Paris 161 ③ – Auxerre 33 ② – Troyes 51 ① – Chaumont 136 ② – Dijon 165 ② – Sens 4

ST-FLORENTIN

Capucins (R. des) 4
Decourtive (R.) 6
Dilo (Pl.) 7
Faubourg d'Aval (R. du) 8
Faubourg Dilo (R. du) .. 9
Faubourg du Pont (R. du) 10
Faubourg St-Martin (R. du) 12
Grande-Rue
Guimbarde (R. de la)... 13
Halle (Pl. de la)....... 14
Leclerc (Av. Gén.) 16
Rempart (R. Basse-du). 24
St-Martin (R.) 25

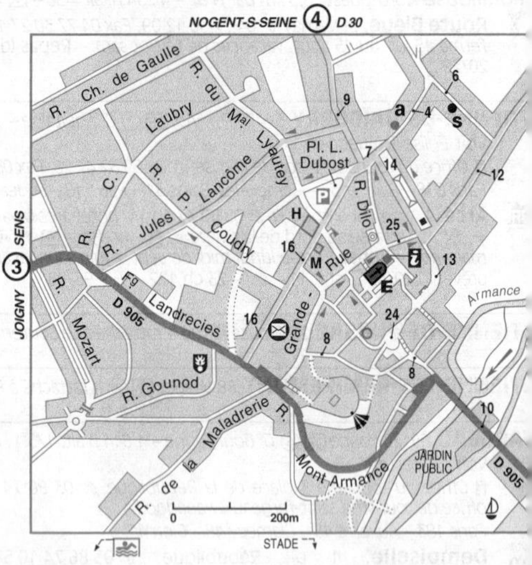

Une réservation confirmée par écrit est toujours plus sûre.

Tilleuls, 3 r. Decourtive (s) ✆ 03 86 35 09 09, *alliances.tilleuls@wanadc*
Fax 03 86 35 36 90, – TV P. AE GB
fermé 1er au 4 sept., 26 déc. au 6 janv., 10 fév. au 10 mars et dim. soir de sept. à mai – **R**
(fermé dim. soir et lundi de sept. à mai) (14) - 17/39 ♀, enf. 11 – 8 – **9 ch** 40/51

Grande Chaumière (Bonvalot) avec ch, 3 r. Capucins (a) ✆ 03 86 35 15 12, *l*
dechaumière@wanadoo.fr, Fax 03 86 35 33 14, – TV P. AE GB JCB.
fermé 20 déc. au 18 janv., 2 au 9 sept., jeudi midi et merc. de sept. à mai – **Repas** 24,39
35,83/79,27 et carte 55 à 72 ♀ – 9,76 – **11 ch** 53,36/129,58 – ½ P 85,37/88,42
Spéc. Saint-Jacques grillées au café (nov. à avril). Soufflé de brochet au chablis. No
d'agneau au curry. **Vins** Chablis, Irancy.

Pommerats *par ④, rte de Venizy et D 129 : 4 km –* ✉ *89210 Venizy :*

Moulin des Pommerats, ☏ 03 86 35 08 04, *Fax 03 86 43 47 88*, – TV P – 30. GB
fermé 3 au 28 fév., dim. soir et lundi de sept. à mars – **Repas** 16/41, enf. 12 – ☕ 9 – **19 ch** 46/70 – ½ P 44/56

FLORENT-LE-VIEIL *49410 M.-et-L.* 63 ⑲ *G. Châteaux de la Loire – 2 623 h alt. 45.*

Voir *Tombeau★ dans l'église – Esplanade ≤★.*

Office du tourisme Rue de Rénéville ☏ 02 41 72 62 32, Fax 02 41 72 62 95, office-de-tourisme-st-florent-49@wanadoo.fr.

Paris 337 – Angers 43 – Ancenis 16 – Châteaubriant 69 – Château-Gontier 63 – Cholet 39.

Hostellerie de la Gabelle, ☏ 02 41 72 50 19, *Fax 02 41 72 54 38*, ≤, – TV. AE GB
fermé 23 déc. au 1er janv., dim. soir et lundi midi du 1er oct. au 15 mai – **Repas** 13,20/39 ♀, enf. 7,63 – ☕ 6,10 – **18 ch** 30,50/45,73 – ½ P 40,50

Restaurants serving a good but moderately priced meal are distinguished in the Guide by the symbol

FLOUR <SP> *15100 Cantal* 76 ④ ⑭ *G. Auvergne – 6 625 h alt. 783.*

Voir *Site★★ – Cathédrale★ – Brassard★ dans le musée de la Haute Auvergne* **H**.

Office du tourisme Cours Spy des Ternes ☏ 04 71 60 22 50, Fax 04 71 60 05 14, info@saint-flour.com.

Paris 516 ① – Aurillac 72 ④ – Issoire 66 ① – Le Puy-en-Velay 114 ① – Rodez 112 ③.

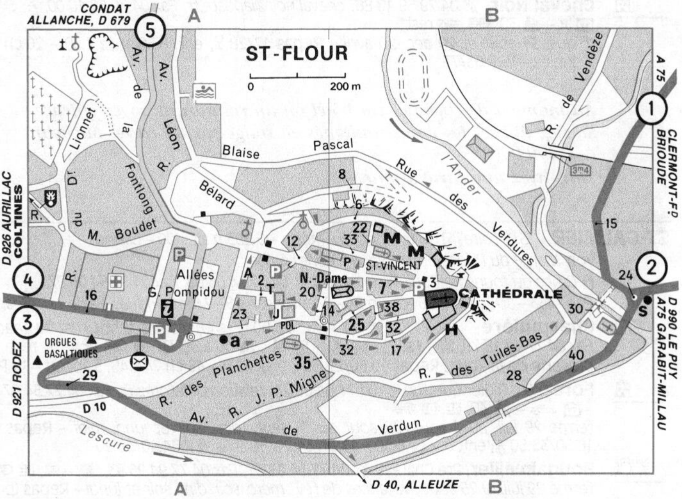

Agials (R. des) .... A 2
Armes (Pl. d') .... B 3
Belloy (R. de) .... B 6
Breuil (R. du) .... B 7
Cardinal Bernet (R. du) .. B 8
Collège (R. du) .... A 12
Collégiale (R. de la) ..... A 14
Delorme (Av. du Cdt) .... B 15
Dr Mallet (Av. du) ...... A 16
Frauze (R. de la) .... B 17
Halle-aux-Bleds (Pl. de la) .... AB 20
Jacobins (R. des) .... B 22
Lacs (R. des) .... A 23
Liberté (Pl. de la) .... B 24
Marchande (R.) .... B 25
Odilon-de-Mercœur (Place) .... B 28
Orgues (Av. des) .... A 29
Pont-Vieux (R. du) ...... B 30
Rollandie (R. de la) ..... B 32
Sorel (R.) .... B 33
Tuiles-Haut (R. des) ... AB 35
Traversière (R.) .... B 38
11-Novembre (Av. du) ... B 40

basse :

Grand Hôtel de l'Étape, 18 av. République par ② ☏ 04 71 60 13 03, *info@hotel-etape.com, Fax 04 71 60 48 05* – TV . AE GB JCB
fermé janv., dim. soir et lundi sauf juil.-août – Repas *(12,20)* - 16/37 ♀, enf. 8 – ☕ 7,50 – **23 ch** 39/73 – ½ P 50,31/57,93

🏠 **St-Jacques**, 8 pl. Liberté ℰ 04 71 60 09 20, Fax 04 71 60 33 81, ⅃ – 🛗 📺 ⇔. 🖭 (
fermé 15 nov. au 5 janv., vend. soir et sam. de nov. à Pâques et sam. midi sauf juil.-a
Repas 14/35, enf. 8 • **Grill** (fermé vend. soir et sam. midi du 5 janv. à Pâques) ▮
carte 15 à 20 ⅄ – ⅂ 6,50 – **28 ch** 42,70/65 – ½ P 41/47

🏠 **Auberge de La Providence**, 1 r. Château d'Alleuze par D 40 (sud du
ℰ 04 71 60 12 05, auberge-providence@free.fr, Fax 04 71 60 33 94 – 📺 ✆ 🅿. 🖭 ⓞ ▮
fermé 15 oct. au 15 nov., lundi midi en saison, vend. soir, dim. soir et sam. hors sa
Repas 18,50/24,50 ⅄ – ⅂ 7 – **12 ch** 42/54 – ½ P 42/46

Ville haute :

🏨 **Europe**, 12 cours Ternes ℰ 04 71 60 03 64, hoteleurope.stflour@wanao
Fax 04 71 60 03 45, ≤ vallée – 🛗 📺 ⇔. 🖭 ⓞ 🆚 🆓
Repas 13,50/51 ⅄, enf. 9,50 – ⅂ 8 – **44 ch** 41/60 – ½ P 34/50

ST-FORGEUX 69490 Rhône 🔲🔲 ⑨ – 1 353 h alt. 350.
Paris 461 – Roanne 49 – Lyon 45 – St-Étienne 80 – Villefranche-sur-Saône 30.

✗ **Taverne du Chasseur**, ℰ 04 74 05 60 15, Fax 04 74 05 90 40, 🍴 – 🖭 🆓
fermé en août, en fév., merc. soir, dim. soir et lundi – **Repas** (9,50) - 14/38,50 ⅄

ST-FRANÇOIS-LONGCHAMP 73130 Savoie 🔲🔲 ⑰ G. Alpes du Nord – 194 h alt. 1400 – S
d'hiver : 1 450/2 550 m ⅄ 17 ⅊.
🛈 Office du tourisme Maison du Tourisme ℰ 04 79 59 10 56, Fax 04 79 59 17 23, info@
francoislongchamp.com.
Paris 639 – Albertville 64 – Chambéry 77 – Moûtiers 32 – St-Jean-de-Maurienne 24.

Station Haute : Longchamp – ✉ 73130 La Chambre :

🏠 **Cheval Noir**, ℰ 04 79 59 10 88, cheval.noir@laposte.fr, Fax 04 79 59 10 00, ≤, 🍴,
📺 🅿. – ⅊ 30. 🆚. ✻ rest
1er juil.-31 août et 20 déc.-20 avril – **Repas** 17/28 ⅄, enf. 8,50 – ⅂ 7,50 – **20 ch** 4
7 duplex – ½ P 63/73

Au moment de chercher un hôtel ou un restaurant, soyez efficace.
*Sachez utiliser les noms soulignés en rouge sur les **cartes Michelin***
à 1/200 000.

Mais ayez une carte à jour!

ST-GALMIER 42330 Loire 🔲🔲 ⑱ G. Vallée du Rhône – 5 293 h alt. 400 – Casino.
Voir Vierge du Pilier★ et triptyque★ dans l'église.
🛈 Office du tourisme Boulevard du Sud ℰ 04 77 54 06 08, Fax 04 77 54 06 07.
Paris 463 – St-Étienne 26 – Lyon 84 – Montbrison 25 – Montrond-les-Bains 11 – Roanr

🏨 **Charpinière** ⅗, ℰ 04 77 52 75 00, charpiniere.hot.rest@wanado
Fax 04 77 54 18 79, 🍴, ⅃, ⅃, ✻, ⅊ – 📺 🅿 – ⅊ 15 à 50. 🖭 ⓞ 🆚 🆓. ✻ rest
Closerie de la Tour : Repas 19,60/38,50 ⅄ – ⅂ 8,84 – **46 ch** 74/145, 3 appart – ½ P 6

🏠 **Forez**, 6 r. Didier Guetton ℰ 04 77 54 00 23, relations.leforez.fr, Fax 04 77 54 07 4
– 📺 ⇔ – ⅊ 30. 🖭 ⓞ 🆚
fermé 29 juil. au 4 août, 26 août au 1er sept., dim. soir et lundi midi – **Repas** (1
16,80/33,60 ⅊, enf. 9 – ⅂ 8,50 – **17 ch** 34,20/51,30 – ½ P 34,40/39,20

✗✗✗ **Bougainvillier**, Pré Château ℰ 04 77 54 03 31, Fax 04 77 94 95 93, 🍴 – 🗏. 🖭 🆚
fermé 29 juil.au 25 août., vacances de fév., merc. soir, dim. soir et lundi – **Repas** (pré
20/47 et carte 33 à 57 ⅄

✗✗ **Paillote**, au casino le Lion Blanc ℰ 04 77 54 01 99, lion.blanc@wanado
Fax 04 77 54 18 57, 🍴 – 🆚
fermé sept., mardi et merc. – **Repas** 15/38

✗ **Poste**, r. Maurice André ℰ 04 77 54 00 30, Fax 04 77 54 18 50, ≤ – 🗏. 🆚
fermé 22 juil. au 8 août, 24 au 28 fév., lundi soir de nov. à mars, mardi soir et merc. – R
(dim. prévenir) 12,50/38,50 ⅄

ST-GAUDENS ⬙ 31800 H.-Gar. 🔲🔲 ① G. Midi-Pyrénées – 10 845 h alt. 405.
Voir Boulevards des Pyrénées ≤★ – Belvédères★.
🛈 Office du tourisme 2 rue Thiers ℰ 05 61 94 77 61, Fax 05 61 94 77 50, tourism
gaudens.com.
Paris 792 ② – Bagnères-de-Luchon 46 ③ – Tarbes 67 ④ – Toulouse 94 ②.

ST-GAUDENS

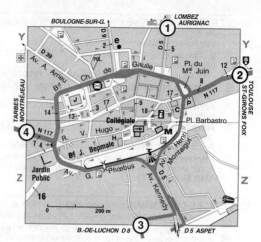

🏨 **Commerce**, av. Boulogne ℰ 05 62 00 97 00, hotel.commerce@wanadoo.fr, Fax 05 62 00 97 01 – 📱, 🍴 rest, 📺 📞 🔥 🚗. 🆎 ⓪ 🇬🇧   Y e
fermé 21 déc. au 6 janv. – **Repas** 15/30 ♀, enf. 9 – 🍽 7 – **49 ch** 39/60 – ½ P 35/43

🏨 **Beaurivage**, par av. Mar. Foch : 2 km ℰ 05 61 94 76 70, lebeaurivage@yahoo.fr, Fax 05 61 94 76 79, 🌿 – 📺 📞 – 🏃 50. 🇬🇧 🇯🇨🇧
Repas 22 ,carte le dim.28 à 44 – 🍽 9 – **11 ch** 65/120 – ½ P 70/80

 ...alentine par av. Mar. Foch : 4 km – 894 h. alt. 370 – ⊠ 31800 St-Gaudens :

🍴🍴 **Connivence**, rte d'Encausse-les-Thermes (D 39) ℰ 05 61 95 29 31, Fax 05 61 88 36 42, 🌿, 🌳 – 📵. 🆎 🇬🇧
fermé sam. midi et lundi – **Repas** (13) - 21/33 ♀, enf. 10,50

 ...illeneuve-de-Rivière par ④ : 5 km – 1 360 h. alt. 386 – ⊠ 31800 :

🏨 **Hostellerie des Cèdres** 🌿, ℰ 05 61 89 36 00, information@hotel-descedres.com, Fax 05 61 88 31 04, 🌿, manoir du 17ᵉ siècle, 🏊, 🌳 – 📺 📵 – 🏃 20. 🇬🇧
Repas (fermé dim. soir, mardi midi et lundi de nov. à mars) 21,34/53,36 ♀, enf. 15,24 – **24 ch** 53,36/76,22 – ½ P 60,98/68,60

 ...GENIEZ-D'OLT 12130 Aveyron 🔲 ④ G. Midi-Pyrénées – 1 841 h alt. 410.
🇧 Office du tourisme 4 rue du Cours ℰ 05 65 70 43 42, Fax 05 65 70 47 05, office.tourisme.saintgeniez@wanadoo.
Paris 615 – Rodez 46 – Espalion 28 – Florac 80 – Mende 67 – Sévérac-le-Château 25.

🏨 **France**, ℰ 05 65 70 42 20, hoteldefrance@free.fr, Fax 05 65 47 41 38 – 📱 ⤢ 📺. 🇬🇧
30 mars-30 oct. – **Repas** (9,15 bc) - 13,75/29 ♨ – 🍽 5,50 – **48 ch** 40/45 – ½ P 44/48

 ...GENIS-POUILLY 01630 Ain 🔲 ⑮ – 6 383 h alt. 445.
Paris 527 – Bellegarde-sur-Valserine 29 – Bourg-en-Bresse 101 – Genève 12 – Gex 10.

🍴🍴 **L'Amphitryon**, Nord : 2 km sur D 984ᶜ et rte de Crozet ℰ 04 50 20 64 64, Fax 04 50 42 06 98, 🌿 – 📵. 🇬🇧
fermé 1ᵉʳ au 15 août, 26 déc. au 10 janv., dim. soir, mardi soir et lundi – **Repas** 13,72 (déj.), 22,87/44,21 ♀, enf. 6,10

 ...GÉNIX-SUR-GUIERS 73240 Savoie 🔲 ⑭ – 1 817 h alt. 235.
🇧 Office du tourisme Rue du Faubourg ℰ 04 76 31 63 16, Fax 04 76 31 71 30, valguiers.tourisme@wanadoo.fr.
Paris 516 – Grenoble 59 – Belley 22 – Chambéry 32 – Lyon 74.

 ...ampagneux Nord-Ouest : 4 km par N 516 – 379 h. alt. 214 – ⊠ 73240 :

🏨 **Bergeronnettes** 🅼 🌿, près église ℰ 04 76 31 50 30, gourjux@aol.com, Fax 04 76 31 61 29, ≤, 🌿, 🔲, 🌳 – 📱 cuisinette 📺 📞 🔥 📵. 🇬🇧
fermé janv. – **Repas** 11/31 ♨ – 🍽 9 – **18 ch** 48 – ½ P 45/64

ST-GEORGES-DE-DIDONNE 17110 Char.-Mar. **71** ⑮ *G. Poitou Vendée Charentes* – 5
alt. 7.

Voir *Pointe de Vallières*★ – *Pointe de Suzac*★ *S : 3 km.*

🚉 Office du tourisme Boulevard Michelet ℘ 05 46 05 09 73, Fax 05 46 06 36 99, omt
georgesdedidonne.com.

Paris 505 – *Royan 4* – *Blaye 81* – *Bordeaux 119* – *Jonzac 57* – *La Rochelle 80.*

🏠 **Colinette et Costabela** ⑤, 16 av. Gde Plage ℘ 05 46 05 15 75, infos@colinett
Fax 05 46 06 54 17, 🍴 – **ⓣⱽ**. **GB**
fermé janv. – Repas *(dîner pour résidents seul.)* (13) - 15/21 ⑤ – ☎ 6 – **21 ch** 52
½ P 41/47,50

🏕 **Floréal** ⑤, 10 allée Repos ℘ 05 46 05 08 12, Fax 05 46 06 30 70, 🍴 – ✸ **ⓣⱽ** **P**
🍽 rest
Repas *(mai-sept.)* (résidents seul.) – ☎ 5,50 – **18 ch** 36/42 – ½ P 36/38

🏕 **Printemps** ⑤, 7 av. Pelletan ℘ 05 46 05 14 65, Fax 05 46 02 00 89 – **P**. **GB**. 🍽 res
fermé vacances de Noël – Repas *(Pâques-fin sept.)* (dîner seul.)(½ pens. seul.) ⑤ –
12 ch 34/44 – ½ P 39

ST-GEORGES-DE-RENEINS 69830 Rhône **74** ① – 3 832 h alt. 209.
Paris 421 – *Mâcon 35* – *Bourg-en-Bresse 48* – *Lyon 44* – *Villefranche-sur-Saône 9.*

🏕 **Sables**, r. Saône ℘ 04 74 67 64 08, Fax 04 74 67 68 23 – **ⓣⱽ P**. **AE GB**
🍴 *fermé déc. et janv.* – Repas *(dîner seul.)*(résidents seul.) 13 ⑤ – ☎ 5 – **18 ch** 26/30

🍴🍴 **Hostellerie St-Georges**, N 6 ℘ 04 74 67 62 78, Fax 04 74 67 62 78 – **GB**
fermé 1er au 20 août, vacances de Noël, dim. soir, lundi soir, mardi soir, jeudi soir et m
Repas 12,50 *(déj.)*, 18,50/41,20

ST-GEORGES-D'ESPÉRANCHE 38790 Isère **74** ⑫, **110** ㊲ – 2 840 h alt. 400.
Paris 499 – *Lyon 41* – *Bourgoin-Jallieu 25* – *Grenoble 93* – *Vienne 22.*

🍴🍴 **Castel d'Espéranche**, ℘ 04 74 59 18 45, Fax 04 74 59 04 40, 🍴, 🌊, 🌳 – **P**. **AE**
fermé 15 au 30 août, fév., lundi, mardi et merc. – Repas 16/51

ST-GEORGES-D'OLÉRON 17 Char.-Mar. **71** ⑬ – *voir à Oléron (Ile d').*

ST-GEORGES-SUR-LOIRE 49170 M.-et-L. **63** ⑲ ⑳ *G. Châteaux de la Loire* – 3 011 h alt. 5C
Voir *Château de Serrant*★★ *NE : 2 km.*
Paris 312 – *Angers 19* – *Ancenis 35* – *Châteaubriant 65* – *Château-Gontier 56* – *Cholet*

🍴🍴 **Relais d'Anjou**, r. Nationale ℘ 02 41 39 13 38, relais-anjou@wanad(
Fax 02 41 39 13 69, 🍴 – **AE GB**
fermé 1er au 15 juil., 1er au 15 janv., mardi soir, dim. soir et lundi – Repas 13 *(déj.)*, 31 bc
enf. 13

🍴 **Tête Noire**, r. Nationale ℘ 02 41 39 13 12 – **GB**. 🍽
fermé 4 au 25 août, 2 au 15 fév., dim. soir et sam. – Repas 18,50/55

ST-GEORGES-SUR-MOULON 18110 Cher **65** ⑪ – 667 h alt. 181.
Paris 216 – *Bourges 15* – *Cosne-sur-Loire 51* – *Gien 64* – *Vierzon 32* – *Orléans 106.*

🍴 **St-Georges**, rte Bourges (D 940) ℘ 02 48 64 50 14, st-georges@pme-fr.
🍴 Fax 02 48 64 13 67 – **P**. **AE ⓞ GB**
fermé mi-fév. à mi-mars et dim. soir de nov. à avril – Repas 12,20/29,75 🏵, enf. 7,60

ST-GERMAIN-DE-JOUX 01130 Ain **74** ④ ⑤ – 476 h alt. 507.
Paris 488 – *Bellegarde-sur-Valserine 13* – *Belley 68* – *Bourg-en-Bresse 61* – *Nantua 14.*

🍴🍴 **Reygrobellet** avec ch, N 84 ℘ 04 50 59 81 13, Fax 04 50 59 83 74 – **ⓣⱽ** 🛏 **P**. **ⓞ**
🍽
fermé 4 au 14 mars, 30 juin au 19 juil., 21 oct. au 8 nov., merc. soir, dim. soir et lu
Repas 15,50/45 ⑤, enf. 10 – ☎ 5,60 – **10 ch** 36/44 – ½ P 40/44,30

> Vous aimez le camping ?
> Utilisez le guide Michelin **Camping Caravaning France.**

GERMAIN-DES-VAUX 50440 Manche 🔢 ① – 457 h alt. 59.

Voir *Baie d'Ecalgrain*★★ S : 3 km – Port de Goury★ NO : 2 km.

Env. *Nez de Jobourg*★★ S : 7,5 km puis 30 mn – ≤★★ *sur anse de Vauville* SE : 9,5 km par Herqueville, G. Normandie Cotentin.

Paris 384 – Cherbourg 29 – Barneville-Carteret 48 – Nez de Jobourg 7 – St-Lô 105.

✗ **Moulin à Vent**, Est : 1,5 km sur D 45 ♪ 02 33 52 75 20, Fax 02 33 52 22 57, ≤, 🍽, 🌲 – 🄿 🄰🄴 🄶🄱

fermé dim. soir et lundi de Pâques au 15 oct., sam. et le soir du 16 oct. à avril – Repas 18/23 ⚡, enf. 7

GERMAIN-DE-TALLEVENDE 14 Calvados 🔢 ⑨ – rattaché à Vire.

GERMAIN-DU-BOIS 71330 S.-et-L. 🔢 ③ G. Bourgogne – 1 765 h alt. 210.

Paris 367 – Chalon-sur-Saône 33 – Dole 18 – Lons-le-Saunier 29 – Mâcon 70 – Tournus 41.

✗ **Hostellerie Bressane** avec ch, ♪ 03 85 72 04 69, Fax 03 85 72 07 75 – 🄲 🄿, 🄶🄱

fermé 17 au 30 juin, 23 déc. au 7 janv., dim. soir et lundi – Repas 9,07/27,06 ⚡, enf. 6,40 – ☕ 5,03 – **8 ch** 16,01/38,34 – ½ P 29,96/34,91

GERMAIN-DU-CRIOULT 14 Calvados 🔢 ⑩ – rattaché à Condé-sur-Noireau.

GERMAIN-EN-LAYE 78 Yvelines 🔢 ⑲ ⑳, 🔢 ⑬ – voir à Paris, Environs.

GERMAIN-LES-ARLAY 39210 Jura 🔢 ④ – 503 h alt. 255.

Paris 398 – Chalon-sur-Saône 58 – Besançon 74 – Dole 46 – Lons-le-Saunier 12.

✗✗ **Hostellerie St-Germain** avec ch, ♪ 03 84 44 60 91, Fax 03 84 44 63 64, 🍽 – 🄫 🄿. 🄶🄱

fermé 15 au 30 nov. – Repas 17,53/35,83 ⚡, enf. 9,15 – ☕ 5,40 – **8 ch** 46/61 – ½ P 46

GERMAIN-L'HERM 63630 P.-de-D. 🔢 ⑯ – 515 h alt. 1050.

🄱 Office du tourisme Route de la Chaise-Dieu ♪ 04 73 72 05 95, Fax 04 73 72 05 95, officedetourisme@minitel.net.

Paris 481 – Clermont-Ferrand 68 – Ambert 28 – Brioude 32 – St-Étienne 101.

🏠 **France**, ♪ 04 73 72 00 27, Fax 04 73 72 02 33, 🌲 – 🄲 🥄. 🄶🄱

fermé nov., janv. et merc. sauf vacances scolaires – Repas 11/24 ⚡ – ☕ 6 – **20 ch** 26,68/51 – ½ P 35/40

GERMER-DE-FLY 60850 Oise 🔢 ⑧ ⑨ G. Picardie Flandres Artois – 1 761 h alt. 105.

Voir *Église*★ – ≤★ *de la D 129 SE* : 4 km.

🄱 Office du tourisme Place de Niedenstein ♪ 03 44 82 62 74.

Paris 96 – Rouen 58 – Les Andelys 40 – Beauvais 26 – Gisors 21 – Gournay-en-Bray 8.

✗ **Auberge de l'Abbaye**, ♪ 03 44 82 50 73, Rolandtaysse@worldonline.fr, Fax 03 44 82 64 54 – 🄶🄱

fermé dim. soir, mardi soir et merc. – Repas 11 (déj.), 17/28 ⚡, enf. 9

GERVAIS 33 Gironde 🔢 ⑪ – rattaché à St-André-de-Cubzac.

GERVAIS-D'AUVERGNE 63390 P.-de-D. 🔢 ③ G. Auvergne – 1 272 h alt. 725.

🄱 Office du tourisme Rue E. Maison ♪ 04 73 85 80 94, accueil@ot-stgervais-auvergne.fr.

Paris 377 – Clermont-Ferrand 54 – Aubusson 72 – Gannat 41 – Montluçon 47 – Riom 39.

🏰 **Castel Hôtel 1904** ⌂, ♪ 04 73 85 70 42, Fax 04 73 85 84 39, « Hostellerie rustique au charme ancien », 🌲 – 🄫 🄿. 🄶🄱. ✂

1ᵉʳ mars-30 nov. – Repas (23 mars-11 nov. et fermé merc. midi, lundi et mardi) 32/49 ⚡, enf. 12 - **Comptoir à Moustaches** (fermé déc. au 15 janv., 18 au 24 fév., dim. soir, lundi et mardi en hiver) Repas 13/30 ⚡, enf. 12 – ☕ 7,50 – **17 ch** 54/61 – ½ P 48

🏠 **Relais d'Auvergne**, rte Châteauneuf ♪ 04 73 85 70 10, relais.auvergne.hotel@wana doo.fr, Fax 04 73 85 85 66 – 🄫 🥄 🄿. 🄰🄴 🄶🄱

fermé 25 déc. au 1ᵉʳ mars, dim.soir et lundi du 1ᵉʳ oct. au 25 déc. – Repas 12 (déj.), 16/28 ⚡, enf. 10 – ☕ 5,50 – **10 ch** 35/39 – ½ P 37

ST-GERVAIS-EN-VALLIÈRE 71350 S.-et-L. **70** ② – 305 h alt. 203.

Paris 324 – Beaune 16 – Chalon-sur-Saône 24 – Dijon 57 – Mâcon 84 – Nevers 165.

à Chaublanc Nord-Est : 3 km par D 94 et D 183 – ⊠ 71350 Verdun-sur-le-Doubs :

🏨 **Moulin d'Hauterive** ⤸, ℘ 03 85 91 55 56, hauterive1@aol.com, Fax 03 85 91
🍴, « Beaux meubles anciens », ₤₅, ⊿, ⚒, 🏊, ⚖ – ▥ ⚓ ₱ – 🔥 20. AE ① GB JCB
15 fév.-30 nov. et fermé le midi (sauf juil.-août et dim.), lundi en mai, juin et sept. et
soir hors saison – **Repas** 25 (déj.), 37/62 ♀, enf. 14 – ☲ 11 – **9 ch** 95/115, 6 appart, 5 c
– ½ P 100/130

ST-GERVAIS-LES-BAINS 74170 H.-Savoie **74** ⑧ G. Alpes du Nord – 5 276 h alt. 820 –
therm. – Sports d'hiver : 850/2 350 m ≰ 2 ≰ 25 ≵.

Env. Route du Bettex★★★ 8 km par ③ puis D 43.

🚠 ℘ 08 36 35 35 35.

🅱 Office de tourisme 115 avenue du Mont Paccard ℘ 04 50 47 76 08, Fax 04 50 47
welcome@st-gervais.net.

Paris 599 ⑤ – Chamonix-Mont-Blanc 24 ① – Annecy 81 ⑤ – Bonneville 42 ⑤ – Megève 12 ③.

ST-GERVAIS-LES-BAINS LE FAYET

Comtesse (R.) . . . .
Gontard (Av.) . . . .
Miage (Av. de) . . . .
Mont-Blanc (R. et jardin du) . . . .
Mont-Lachat (R. du) . . . . . .

🏨 **Carlina** ⤸, r. Rosay (w)
℘ 04 50 93 41 10, hotel.carlina
@wanadoo.fr,
Fax 04 50 93 56 26, ≤, ▦, 🍴
– ฿ ▥ ₱, AE ① GB JCB, ⚒
15 juin-30 sept. et
19 déc.-15 mars – **Repas** (dîner
seul.) 21/29 – ☲ 8,23 – **34 ch**
67/98 – ½ P 102

🏠 **Val d'Este**, pl. Église (b)
℘ 04 50 93 65 91, hotelvald'es
te@voila.fr, Fax 04 50 47 76 29,
≤ – ▥, AE ① GB
fermé 1ᵉʳ nov. au 15 déc. – **Repas** (fermé dim. soir et merc.
hors saison) (dîner seul.) (résidents seul.) 15/28 ♀ – ☲ 6,10 –
15 ch 40/63 – ½ P 41/53

🏊 **L'Escapade** ⤸, chemin du
Vorassay par ② (u)
℘ 04 50 93 44 48, hotelescapa
de@free.fr, Fax 04 50 47 75 05,
≤, 🍴 – ₱, GB
Repas (dîner seul.)(½ pens.
seul.) – ☲ 5,34 – **14 ch** 40,40/
49,55 – ½ P 39,64/41,92

au Bettex Sud-Ouest : 8 km par D 43
ou par télécabine, station
intermédiaire – ⊠ 74170
St-Gervais-les-Bains :

🏨 **Arbois-Bettex** M ⤸,
℘ 04 50 93 12 22, arboisbette
x@wanadoo.fr,
Fax 04 50 93 14 42, ≤ Massif
Mont-Blanc, 🍴, ₤₅, ⊿ – ▥ ⚓
₱, GB, ⚒ rest
7 juil.-31 août et 20 déc.-17 avril
– **Repas** 24/32 ♀ – ☲ 9 – **33 ch**
70/130, (en hiver : ½ pens.
seul.) – ½ P 98/122

voir aussi ressources aux Houches (au Prarion) et à Megève (sommet du Mont d'Arbois)

Le Fayet 74190.

🏠 **Deux Gares**, près Gare (s) ℘ 04 50 78 24 75, Fax 04 50 78 15 47, ▦ – ฿ cuisinett
🚗, AE GB, ⚒
fermé 1ᵉʳ nov. au 15 déc. – **Repas** (dîner seul.)(résidents seul.) 12,20/13 ♀ – ☲ 5,35 – 2
35,80/53,35, 4 appart – ½ P 37,35/38,90

GILLES 30800 Gard **83** ⑨ *G. Provence* – 11 626 h alt. 10.

Voir *Façade*★★ et *crypte*★ de l'église – *Vis de St-Gilles*★.

🛈 Office du tourisme 1 place Mistral ℘ 04 66 87 33 75, Fax 04 66 87 16 28, o.t.st.gilles @wanadoo.fr.

Paris 729 – Montpellier 64 – Arles 18 – Beaucaire 27 – Lunel 32 – Nîmes 20.

🏠 **Cours**, 10 av. F. Griffeuille ℘ 04 66 87 31 93, hotel-le-cour@wanadoo.fr, Fax 04 66 87 31 83, 希, ⚄, 屛 – 闄, ☰ rest, ▥ 🖭 ⒶⒺ ⓪ ᴊᴄʙ
fermé 10 déc. au 1er mars – **Repas** 10,70/26 ♀, enf. 7 – ⏛ 6 – **33 ch** 49/63 – ½ P 44/49

d'Arles Est : 3,5 km – ⊠ 13200 Arles :

🏠 **Les Cabanettes**, ℘ 04 66 87 31 53, Fax 04 66 87 35 39, 希, ⚄, 屛 – ☰ ▥ 🖭 ✇ ⇦ 🅿 – 🛦 25. ⒶⒺ ⓪ ᴳᴮ
fermé 25 janv. au 28 fév. – **Repas** 22/33, enf. 12 – ⏛ 9 – **29 ch** 77 – ½ P 61

GILLES-CROIX-DE-VIE 85800 Vendée **67** ⑫ *G. Poitou Vendée Charentes* – 6 797 h alt. 12 – Casino "Le Royal Concorde".

🛈 Office du tourisme Boulevard de l'Égalité ℘ 02 51 55 03 66, Fax 02 51 55 69 60, ot@stgillescroixdevie.com.

Paris 461 – La Roche-sur-Yon 44 – Cholet 110 – Nantes 79 – Les Sables-d'Olonne 29.

❌ **Boisvinet**, 2 r. Louis Cristau ℘ 02 51 55 51 77, Fax 02 51 55 51 77 – ☰. ᴳᴮ
fermé 9 au 27 oct., vacances de fév., lundi du 10 juil. au 30 août, dim. soir, mardi soir et merc. hors saison – **Repas** 12,96/35,52 ♀, enf. 8,38

Dans ce guide

un même symbole, un même caractère,
imprimé en couleur ou en **noir***, en maigre ou en* **gras***,*
n'ont pas tout à fait la même signification.
Lisez attentivement les pages explicatives.

GINGOLPH 74500 H.-Savoie **70** ⑱ *G. Alpes du Nord* – 565 h alt. 385.

🛈 Syndicat d'initiative - Mairie ℘ 04 50 76 72 28, Fax 04 50 76 74 17.

Paris 560 – Thonon-les-Bains 28 – Annecy 100 – Évian-les-Bains 18 – Montreux 21.

🏠 **National**, ℘ 04 50 76 72 97, hotel.lenational@wanadoo.fr, Fax 04 50 76 71 93, ≼ – ▥ 🅿. ᴳᴮ. ❀
fermé 21 oct. au 22 nov., mardi et merc. hors saison – **Repas** 14,50/38,10 ♀, enf. 7,60 – ⏛ 6,40 – **13 ch** 38,10/53,40 – ½ P 38,10/45,70

❌❌ **Aux Ducs de Savoie**, ℘ 04 50 76 73 09, abare@wanadoo.fr, Fax 04 50 76 74 31, ≼, 希 – 🅿. ⒶⒺ ᴳᴮ
fermé vacances de Toussaint, de fév., lundi et mardi – **Repas** 35,50/56 et carte 36 à 56 ♀, enf. 15

GIRONS ⬠ 09200 Ariège **86** ③ *G. Midi-Pyrénées* – 6 254 h alt. 398.

🛈 Office du tourisme Place Alphonse Sentein ℘ 05 61 96 26 60, Fax 05 61 96 26 69, otcouserans@wanadoo.fr.

Paris 800 ① – Foix 44 ② – Auch 110 ① – St-Gaudens 43 ① – Toulouse 102 ①.

Plan page suivante

🏠 **Eychenne**, 8 av. P. Laffont ℘ 05 61 04 04 50, eychen@club-internet.fr, Fax 05 61 96 07 20, 希, ⚄, 屛 – ☰ rest, ▥ 🅿. ⒶⒺ ᴳᴮ B a
fermé déc., janv., dim. soir et lundi de nov. à fin mars – **Repas** 22/50,35 ♀, enf. 11 – ⏛ 8 – **41 ch** 61/99,10 – ½ P 57,90/73,20

🏠 **Clairière**, par ③ : 1 km ℘ 05 61 66 66 66, hotel.laclairiere@wanadoo.fr, Fax 05 34 14 30 30, 希, ⚄, 屛 – ▥ ❅ 🅿. ⒶⒺ ⓪ ᴳᴮ
fermé 15 au 30 nov. – **Repas** (fermé dim. soir et lundi d'oct. à avril) 14 (déj.), 19/64 – ⏛ 7 – **19 ch** 49 – ½ P 49

orp-Sentaraille par ① : 4 km – 1 138 h. alt. 361 – ⊠ 09190 St-Lizier :

🏠 **Horizon 117**, ℘ 05 61 66 26 80, horizon.117@wanadoo.fr, Fax 05 61 66 26 08, 希, ⚄, 屛, ❀ – ▥ 🅿 – 🛦 20. ⒶⒺ ⓪ ᴳᴮ ᴊᴄʙ
fermé 1er au 18 nov., sam. (sauf hôtel) et dim. soir hors saison – **Repas** 12,80/17,50 ♀, enf. 7,47 – ⏛ 5,95 – **20 ch** 42,69/50,30 – ½ P 30,31/46,50

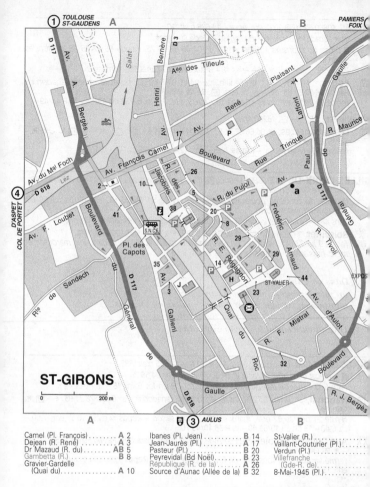

ST-GIRONS

0 — 200 m

Une réservation confirmée par écrit ou par fax est toujours plus sûre.

ST-GROUX 16 Charente **72** ③ – rattaché à Mansle.

ST-GUÉNOLÉ 29 Finistère **58** ⑭ G. Bretagne – ✉ 29760 Penmarch.

Voir *Musée préhistorique★ – ≤★★ du phare d'Eckmühl★* S : 2,5 km – *Église★* de Penm
SE : 3 km – *Pointe de la Torche* ≤★ NE : 4 km.

🛈 Office de tourisme pl. du Mar.-Davout 𝄐 02 98 58 81 44, Fax 02 98 58 86 62, otpenm
@wanadoo.fr.

Paris 589 – Quimper 34 – Douarnenez 48 – Guilvinec 8 – Pont-l'Abbé 14.

Sterenn ॐ, rte phare d'Eckmühl 𝄐 02 98 58 60 36, Fax 02 98 58 71 28, ≤ pointe
Penmarch – 🗏 rest, 📺 🅿 ஊ 🇬🇧, ※
11 avril-6 oct. et fermé lundi – Repas (fermé jeudi midi sauf du 10 juil. au 28 août et le
15/50 ♀, enf. 10 – ☷ 7 – **16 ch** 57/76 – ½ P 59/73

Héol sans rest, r. L. Le Lay 𝄐 02 98 58 71 71, Fax 02 98 58 64 02, ≤, ⌇ – 📺 🅿 🇬🇧. ※
8 juin-15 sept. – ☷ 6 – **20 ch** 46/76

Mer, 184 r. F. Péron 𝄐 02 98 58 62 22, Fax 02 98 58 53 86 – 📺 🇬🇧
fermé 12 au 30 nov., 20 janv. au 10 fév., dim. soir hors saison et lundi sauf hôtel en sais
Repas 14,80/64 – ☷ 6,45 – **10 ch** 45/50,50 – ½ P 60,50/63,50

🔒 **Les Ondines** ⑤, rte phare d'Eckmühl ℘ 02 98 58 74 95, *Fax 02 98 58 73 99*, 余 – 📺.
GB
avril-déc. et fermé mardi sauf juil.-août et merc. du 15 oct. à déc. – **Repas** 12,50/31, enf. 9
– ⊆ 6 – **14 ch** 45/50 – ½ P 48

ᴧUIRAUD *34 Hérault*83 ⑤ – *rattaché à Clermont-l'Hérault.*

ᴧAON *43340 H.-Loire*76 ⑯ *G. Auvergne* – *370 h alt. 1000.*
Paris 565 – Mende 70 – Le Puy-en-Velay 29 – Langogne 25.

🏠 **Auberge de la Vallée** ⑤, ℘ 04 71 08 20 73, *aubergevallée43@aol.com*,
Fax 04 71 08 29 21, 余 – ᴀᴇ GB
fermé 1ᵉʳ janv.au 15 mars, dim. soir et lundi d'oct. à avril – **Repas** 13/32 ♀, enf. 9 – ⊆ 6 –
10 ch 29/40 – ½ P 39

ᴧILAIRE-DE-BRETHMAS *30 Gard*80 ⑱ – *rattaché à Alès.*

ᴧILAIRE-DE-RIEZ *85270 Vendée*67 ⑫ *G. Poitou Vendée Charentes* – *8 761 h alt. 8.*
🚇 *Office du tourisme 21 place Gaston Pateau* ℘ 02 51 54 31 97, *Fax 02 51 55 27 13,*
otsthilairederiez@voilà.fr.

ᴏn-sur-l'Océan – ⊠ *85270* :
🔒 **Frédéric** sans rest, 25 r. Estivants ℘ 02 51 54 30 20, *info@hotel-frederic.com*,
Fax 02 51 54 11 68, ← – 📺 🄿. ᴀᴇ GB
⊆ 8 – **13 ch** 67

ᴧILAIRE-D'OZILHAN *30 Gard*80 ⑲ – *rattaché à Remoulins.*

ᴧILAIRE-DU-HARCOUËT *50600 Manche*59 ⑨ *G. Normandie Cotentin* – *4 368 h alt. 70.*
🚇 *Office du tourisme Place du Bassin* ℘ 02 33 79 38 88, *Fax 02 33 79 38 89.*
Paris 339 – Alençon 99 – Avranches 29 – Caen 100 – Fougères 29 – Laval 67 – St-Lô 70.

🏨 **Cygne et Résidence**, rte Fougères ℘ 02 33 49 11 84, *hotel-le-cygne@wanadoo.fr*,
Fax 02 33 49 53 70, 余, 🛋, 秝 – 🛗 📺 📞 🄿. ᴀᴇ ⑩ GB
fermé 23 au 29 déc., 3 au 17 janv., dim. soir et vend. d'oct. à Pâques – **Repas** 12,50/61 bc ♀,
enf. 7 – ⊆ 6,50 – **28 ch** 35,50/58 – ½ P 47/56,50

🔒 **Cléandre** sans rest, rte Fougères ℘ 02 33 49 10 14, *Fax 02 33 49 53 69* – 🛗 📺 – ᴀ 60.
GB
1ᵉʳ avril-30 sept. – ⊆ 6,40 – **16 ch** 29/45

ᴧILAIRE-DU-ROSIER *38840 Isère*77 ③ – *1 760 h alt. 240.*
Paris 580 – Valence 40 – Grenoble 63 – Romans-sur-Isère 17 – St-Marcellin 9.

XX **Bouvarel** avec ch, à St-Hilaire-gare, Sud : 4 km ℘ 04 76 64 50 87, *bouvarel.hotel@world*
✿ *online.fr, Fax 04 76 64 58 47*, 余, « *Jardin fleuri* », 🛋, 秝 – 📺 📞 🄿. ᴀᴇ ⑩ GB
*fermé 29 avril au 6 mai, 30 sept. au 7 oct., 6 au 20 janv., lundi sauf le soir en saison, mardi
midi et dim. soir sauf fériés* – **Repas** 36/95 et carte 60 à 80 ♀, enf. 16 – ⊆ 12 – **11 ch** 49/137
– ½ P 84/127
Spéc. Ravioles crémées aux truffes. Cassolette de queues d'écrevisses aux champignons
des bois (juin à sept.). Lièvre à la broche sauce poivrade (oct. à déc.) **Vins** Saint-Joseph,
Crozes-Hermitage.

ᴧILAIRE-LE-CHÂTEAU *23250 Creuse*72 ⑨ ⑩ – *276 h alt. 453.*
Paris 379 – Limoges 62 – Aubusson 26 – Bourganeuf 15 – Guéret 28 – Montluçon 79.

XX **Thaurion** avec ch, ℘ 05 55 64 50 12, *Fax 05 55 64 90 92*, 余, 秝 – 📺 📞 🄿. ᴀᴇ ⑩ GB
1ᵉʳ mars-30 nov. et fermé jeudi midi et merc. sauf juil.-août – **Repas** 23/70 et carte 36 à 45 ♀
– ⊆ – **8 ch** 35/78

ᴧILAIRE-PETITVILLE *50 Manche*54 ⑬ – *rattaché à Carentan.*

ᴧILAIRE-ST-FLORENT *49 M.-et-L.*64 ⑫ – *rattaché à Saumur.*

ᴧILAIRE-ST-MESMIN *45 Loiret*64 ⑨ – *rattaché à Orléans.*

ST-HIPPOLYTE 25190 Doubs 🖪🖪 ⑱ *G. Jura* – 1 045 h alt. 380.

Voir Site★ – Vallée du Dessoubre★ S.

🛈 Syndicat d'initiative Place de l'Hôtel de Ville ℰ 03 81 96 58 00, Fax 03 81 96 5 tourisme@ville-saint-hippolyte.fr.

Paris 487 – Besançon 85 – Basel 91 – Belfort 48 – Montbéliard 30 – Pontarlier 72.

🏠 **Bellevue,** rte Maîche ℰ 03 81 96 51 53, hotel.bellevue@free.fr, Fax 03 81 96 52 40, 🔟 🌊 🖘 🖭 – 🏄 20. 🖼
fermé 27 août au 2 sept., lundi (sauf hôtel), dim. soir et vend. soir – **Repas** 10,50
21/39 ⅛ – ⊇ 7,30 – **16 ch** 41,50/49 – ½ P 44/49

ST-HIPPOLYTE 68590 H.-Rhin 🖫🖫 ⑲ *G. Alsace Lorraine* – 1 060 h alt. 234.

Env. Château du Haut-Koenigsbourg★★ : ☀★★ NO : 8 km.

Paris 434 – Colmar 20 – Ribeauvillé 7 – St-Dié 41 – Sélestat 10 – Villé 18.

🏨 **Parc** 🔟 🦴, ℰ 03 89 73 00 06, hotel-le-parc@wanadoo.fr, Fax 03 89 73 04 30, 🍽, 🛝 – 🛗 🔟 🌊 🔥 🖭 – 🏄 80. 🖼 ⓞ 🖼
fermé 6 janv. au 6 fév. – **Repas** (fermé 1ᵉʳ au 10 juil., 6 janv. au 6 fév., lundi sauf le se 16 mars au 14 nov. et mardi midi) 28/55 🍷, enf. 10 - **Winstub Rabseppi-Stebel** (ferr au 10 juil., 6 janv. au 6 fév., lundi sauf le soir du 16 mars au 14 nov. et mardi midi) **Repas** – ⊇ 12 – **25 ch** 65/125, 6 duplex – ½ P 70/105

🏨 **Hostellerie Munsch Aux Ducs de Lorraine,** ℰ 03 89 73 00 09, hotel.mur. wanadoo.fr, Fax 03 89 73 05 46, ≤, 🍽 – 🛗 🔟 🖭 – 🏄 30. 🖼 ❄ ch
fermé 22 au 31 juil., 12 au 29 nov. et 6 janv. au 13 fév. – **Repas** (fermé dim. soir de mi-mai, vend. midi, lundi et mardi) 15,25 (déj.), 20,60/53,35 🍷 – ⊇ 11,45 – **40 ch** 6 117,40 – ½ P 79,25/99,10

🏠 **A la Vignette,** ℰ 03 89 73 00 17, restaurant.la-vignette@wanadoo.fr, Fax 03 89 73 – 🛗 🔟 🔥 – 🏄 40. 🖼 ❄ rest
fermé 1ᵉʳ au 10 juil., 24 déc. au 31 janv., merc. et jeudi de nov. à avril – **Repas** 15,50/ enf. 6,50 – ⊇ 6,50 – **25 ch** 48/60 – ½ P 41,50/53,50

ST-HIPPOLYTE 12140 Aveyron 🖫🖫 ⑫ – 500 h alt. 695.

Paris 587 – Aurillac 37 – Rodez 55 – Entraygues-sur-Truyère 14 – Espalion 40 – Figeac

🏠 **St-Hippolyte** 🔟 🦴, ℰ 05 65 66 00 00, hotel-st-hippolyte@wanado Fax 05 65 66 60 01, ≤, 🍽, 🖳, 🍽 – 🛗 🔟 🌊 🔥 🖭 – 🏄 25. 🖼
fermé nov. et déc. – **Repas** 14,48/22,88 🍷 – ⊇ 6,86 – **17 ch** 42,69/68,60 – ½ P 38,11/4

ST-HIPPOLYTE-DU-FORT 30170 Gard 🖫🖫 ⑰ *G. Gorges du Tarn* – 3 391 h alt. 165.

🛈 Office du tourisme Les Casernes ℰ 04 66 77 91 65, Fax 04 66 77 25 36.

Paris 700 – Alès 35 – Montpellier 51 – Florac 72 – Nîmes 48.

par rte de Lasalle (D 39), Nord : 7 km – ✉ 30170 Monoblet :

🍽 **Auberge de Valestalière,** ℰ 04 66 85 45 79, Fax 04 66 85 45 79, ≤, 🍽 – 🖭 ⓞ (fermé 20 déc. au 5 fév., lundi et mardi sauf le soir en juil.-août – **Repas** 17/25 🍷

ST-HONORAT (Ile) ★★ 06 Alpes-Mar. 🖫🖫 ⑨, 🖫🖫🖫 ㉟ ㊴ *G. Côte d'Azur.*

Voir Ancien monastère fortifié★ : ≤★★ – Tour de l'île★★.

ST-HONORÉ-LES-BAINS 58360 Nièvre 🖫🖫 ⑥ *G. Bourgogne* – 763 h alt. 300 – therm. (2 avril-13 oct.) – Casino.

🛈 Office du tourisme 13 rue Henri Renaud ℰ 03 86 30 71 70, Fax 03 86 30 7 tourisme.sthonore@wanadoo.fr.

Paris 306 – Château-Chinon 28 – Luzy 22 – Moulins 69 – Nevers 67 – St-Pierre-le-Moutie

🏨 **Lanoiselée,** ℰ 03 86 30 75 44, aboizot@club-internet.fr, Fax 03 86 30 75 66, 🍽 – 🗖
🖼
hôtel : 31 mars-6 oct. ; rest. : 16 juin-2 sept., week-ends hors saison et fermé mare saison – **Repas** 14/25,50 🍷 – ⊇ 6 – **18 ch** 42/92 – P 43/48

🍽🍽 **Auberge du Pré Fleuri** avec ch, ℰ 03 86 30 74 96, Fax 03 86 30 64 61, 🍽, 🍽 – 🖟 🖭 🖼 🖼
fermé janv., fév., dim. soir et lundi d'oct. à mars – **Repas** 14,48/31,25, enf. 9,15 – ⊇ 6 **9 ch** 44,32/51,96

ST-IGNACE (col de) 64 Pyr.-Atl. 🖫🖫 ② – rattaché à Ascain.

1244

15800 Cantal 🔟🔟 ③ – 325 h alt. 990.

Paris 539 – Aurillac 34 – Brioude 76 – Issoire 89 – St-Flour 39.

🏨 **Griou,** ℘ 04 71 47 06 25, hotel.griou@wanadoo.fr, Fax 04 71 47 00 16, ≤, 佘, ⋒ – ⛌ ㅊ
🍴 🖻. **GB**
fermé 20 oct. au 21 déc. – **Repas** 12/28 ⏰, enf. 7 – ヱ 6 – **18 ch** 37/45 – ½ P 36/42

🏨 **Brunet** ⑤, ℘ 04 71 47 05 86, hotel.brunet@wanadoo.fr, Fax 04 71 47 04 27, ≤, 佘, ⋒ –
🍴 ㅊ 🖻. **GB**. ⁄⁄ rest
1er mai-10 oct. et 20 déc.-30 avril – **Repas** 12/22, enf. 7 – ヱ 5,50 – **15 ch** 37/46 –
½ P 35/41,10

⚓ **L'Escoundillou** ⑤, ℘ 04 71 47 06 42, Fax 04 71 47 00 97, ≤, ⋒ – 📺 ⛌ ㅊ 🖻. **GB**
fermé 4 au 18 janv., vend. soir et sam. midi d'oct. à déc. – **Repas** 11/18,50 ⏰, enf. 7 – ヱ 6 –
12 ch 42 – ½ P 38/42

50240 Manche 🖥🖥 ⑧ G. Normandie Cotentin – 2 917 h alt. 100.

Voir Cimetière américain.

🚩 Office du tourisme 21 rue de la Libération ℘ 02 33 89 62 12, Fax 02 33 89 62 11.
Paris 356 – St-Malo 60 – Avranches 22 – Fougères 30 – Rennes 66 – St-Lô 78.

🏨 **Normandie,** pl. Bagot ℘ 02 33 48 31 45, Fax 02 33 48 31 37 – 📺. **GB**
fermé 27 déc. au 16 janv. – **Repas** (fermé dim. soir du 15 nov. au 15 mars) 12,60 (déj.),
20/37 ⏰, enf. 9 – ヱ 6 – **14 ch** 28/46 – ½ P 46

---

06 Alpes-Mar. 🎇 ⑧, 🎇 ㉖, 🎇 ㉞ – rattaché à Pégomas.

58270 Nièvre 🖥🖥 ④ – 466 h alt. 230.

Paris 255 – Bourges 80 – Château-Chinon 51 – Clamecy 61 – Nevers 16.

🍴 **Relais de Bourgogne,** ℘ 03 86 58 61 44, 佘, ⋒ – **GB**
fermé 15 au 30 nov., dim. soir et merc. – **Repas** 16/34

---

60 Oise 🖥🖥 ③ – rattaché à Pierrefonds.

06230 Alpes-Mar. 🎇 ⑩, 🎇 ㉗ G. Côte d'Azur – 1 895 h alt. 12.

Voir Site de la Villa ephrussi-de-Rothschild★★ M : musée Île de France★★, jardins★ – Phare
☀☀★★ – Pointe de St-Hospice : ≤★ de la chapelle, sentier★ – Promenade Maurice-Rouvier★.
🚩 Office du tourisme 59 avenue Denis Semeria ℘ 04 93 76 08 90, Fax 04 93 76 16 67.
Paris 942 ④ – Nice 10 ④ – Menton 26 ③.

Plan page suivante

🏨🏨🏨 **Grand Hôtel du Cap Ferrat** 📺 ⑤, bd Gén. de Gaulle au Cap-Ferrat (a)
℘ 04 93 76 50 50, marketin@grand-hotel-cap-ferrat.com, Fax 04 93 76 04 52, ≤ mer, 佘,
« Vaste parc, jardin fleuri, piscine en bord de mer, funiculaire privé », 🔟, ⁄⁄, 🎇 – ⌷ 🖳 📺
⛌ 🖻 – 🖳 15. 🖭 ⓪ **GB** 🇯🇨🇧. ⁄⁄
fermé 3 janv. au 28 fév. – **Repas** 72/95 et carte 95 à 125 ⏰, enf. 25 - **Club Dauphin** à la
piscine (déj. seul.) *(1er avril-31 oct.)* Repas 60, carte 76 à 92 ⏰, enf. 25 – ヱ 23 – **44 ch**
505/1100, 9 appart

🏨🏨🏨 **Royal Riviera** 📺, av. J. Monnet (m) ℘ 04 93 76 31 00, resa@royal-riviera.com,
Fax 04 93 01 23 07, ≤ Cap et golfe, 佘, « Jardin fleuri », 🔟, 🐾, ⋒ – ⌷ 🖳 📺 ⛌ 🖻 –
🖳 80. 🖭 ⓪ **GB** 🇯🇨🇧
fermé déc. et janv. – **Panorama** (dîner seul. de juil. à sept.) Repas 40 et carte 56 à 85 ⏰ –
Pergola à la piscine (déj. seul.) *(juil.-sept.)* Repas 44 ⏰ – ヱ 23 – **77 ch** 210/640 – ½ P 163/
367

🏨🏨🏨 **Voile d'Or** ⑤, au port (f) ℘ 04 93 01 13 13, reservation@lavoiledor.fr,
Fax 04 93 76 11 17, ≤ port et golfe, 佘, « Terrasse et piscine en bord de mer », 🖸, 🔟,
🐾, ⋒ – ⌷ 🖳 📺 ⛌ 🖻 – 🖳 30. 🖭 ⓪ **GB**
22 mars-28 oct. – **Repas** 58 (déj.), 64/92, enf. 23 – ヱ 22 – **45 ch** 365/741

🏨🏨 **Brise Marine** ⑤ sans rest, av. J. Mermoz (x) ℘ 04 93 76 04 36, info@hotel-brisemarine.
com, Fax 04 93 76 11 49, ≤ Cap et golfe, ⋒ – 🖳 📺 ⛌. 🖭 ⓪ **GB**. ⁄⁄
fév.-nov. – ヱ 9,50 – **16 ch** 119/134

🏨🏨 **Panoramic** ⑤ sans rest, av. Albert 1er (s) ℘ 04 93 76 00 37, info@hotel-lepanoramic.
com, Fax 04 93 76 15 78, ≤ Cap et golfe, ⋒ – 📺 🖻. 🖭 ⓪ **GB**. ⁄⁄
fermé 15 nov. au 15 déc. – ヱ 11 – **20 ch** 101/137

🏨🏨 **Clair Logis** ⑤ sans rest, av. Centrale (b) ℘ 04 93 76 51 81, Fax 04 93 76 51 82, « Parc »,
🐾 – 📺 ⛌ ㅊ 🖻. 🖭 **GB**
15 mars-10 nov. et 20 déc.-10 janv. – ヱ 9 – **18 ch** 65/125

ST-JEAN-CAP-FERRAT

Les flèches noires indiquent les sens uniques supplémentaires l'été

Promeneurs, campeurs, fumeurs

ATTENTION AU FEU

soyez prudents !
Le feu est le plus terrible ennemi de la forêt

🏨 **Frégate**, (v) ℘ 04 93 76 04 51, Fax 04 93 76 14 93, ≤ – ▤ rest, 📺. ⌾
hôtel : fermé 15 déc. au 5 janv. ; rest. : fermé 15 nov. au 15 fév. – **Repas** 19/23 ♀ – ☞ 6
10 ch 42/73 – ½ P 41/53

🍴 **Capitaine Cook**, av. J. Mermoz (n) ℘ 04 93 76 02 66, Fax 04 93 76 02 66, ⌾
fermé 15 nov. au 26 déc., jeudi midi et merc. – **Repas** 21/26 ♀

Dans ce guide
un même symbole, un même caractère,
*imprimé en couleur ou en **noir**, en maigre ou en **gras**,*
n'ont pas tout à fait la même signification.
Lisez attentivement les pages explicatives.

ST-JEAN (Col) 04 Alpes-de-H.-P. 🟦 ⑦ – rattaché à Seyne.

ST-JEAN-D'ANGÉLY 🔄 17400 Char.-Mar. 🟦 ③ ④ G. Poitou Vendée Charentes – 7 6
alt. 25.

🛈 Office du tourisme 8 rue du Grosse Horloge ℘ 05 46 32 04 72, Fax 05 46 32 2
ville@angely.net.
Paris 446 ② – La Rochelle 69 ④ – Royan 67 ③ – Niort 48 ① – Saintes 27 ④.
Plan page ci-contre

🏨 **Place**, pl. Hôtel de Ville ℘ 05 46 32 69 11, Fax 05 46 32 08 44, 🏝 – ▤ rest, 📺 📞. ⌸
🍴 ch
Repas (fermé 1er au 15 janv.) 11,90/38 ♀, enf. 8,80 – ☞ 5,80 – **10 ch** 38/47 – ½ P 39/42

🍴🍴 **Scorlion**, 5 r. Abbaye ℘ 05 46 32 52 61, « Ancienne abbaye royale » – ▤. ⌾
fermé 6 au 13 mai, 28 oct. au 11 nov., 1er au 13 janv., dim. soir et lundi – **Repas**
48,80 ♀

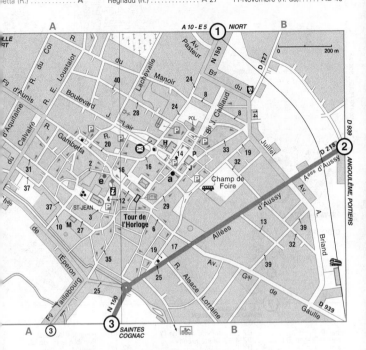

*Un automobiliste averti utilise le **Guide Rouge Michelin** de l'année.*

JEAN-DE-BLAIGNAC 33420 Gironde ⏹️ ⑫ – 401 h alt. 50.
Paris 595 – Bordeaux 39 – Bergerac 55 – Libourne 17 – La Réole 30.

XX **Auberge St-Jean**, ℰ 05 57 74 95 50, Fax 05 57 74 97 84 – ▣. ◯ ◯
fermé 15 nov. au 12 déc., mardi soir, merc. et dim. – **Repas** 22/40 ⬚, enf. 11

JEAN-DE-BRAYE 45 Loiret ⏹️ ⑨ – *rattaché à Orléans.*

JEAN-DE-LUZ 64500 Pyr.-Atl. ⏹️ ② *G. Aquitaine–* 13 247 h alt. 3 – Casino ABY.
Voir Port★ – Église St-Jean-Baptiste★★ – Maison Louis-XIV★ **N** – Corniche basque★★ par ④
– Sémaphore de Socoa ⩽★★ 5 km par ④.
🅱️ OMT Place du Maréchal Foch ℰ 05 59 26 03 16, Fax 05 59 26 21 47.
Paris 790 ① *– Biarritz 18* ① *– Bayonne 24* ① *– Pau 132* ① *– San Sebastián 34* ③.

Plan page suivante

🏨 **Grand Hôtel** Ⓜ, 43 bd Thiers ℰ 05 59 26 35 36, *direction@luzgrandhotel.fr*, BY d
Fax 05 59 51 99 84, ☏, ♨, 🏊, ▄ – ♦ ▤ ch, 📺 🖱️ ◐ ☎ ◑ – 🔔 45. ◯ ◯ ◯ ◯
1ᵉʳ mars-17 nov. – **Repas** 35/70 – ⬚ 20 – **52 ch** 260/365 – ½ P 315/420

🏨 **Parc Victoria** ❧, 5 r. Cépé par bd Thiers et rte Quartier du Lac ℰ 05 59 26 78 78,
parcvictoria@relaischateaux.fr, Fax 05 59 26 78 08, ☏, « Villa fin 19ᵉ siècle dans un parc »,
🏊, ♨, – ▤ ch, 📺 🖱️ 🖳 🅿️ ▄ ◐ ◯ ◯ ◯
*15 mars-15 nov. – - **Les Lierres** (1ᵉʳ avril-1ᵉʳ nov. et fermé mardi hors saison)* **Repas** 34/61 ⬚
– ⬚ 14 – **9 ch** 170/262, 8 appart – ½ P 124/155

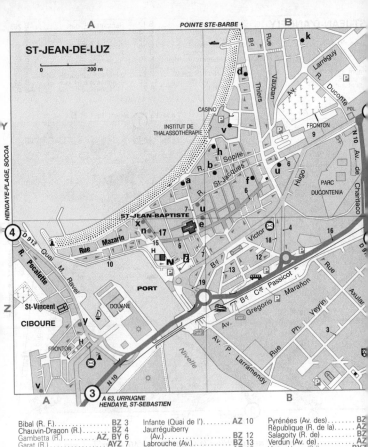

Chantaco sans rest, face au golf par ② : 2 km ☎ 05 59 26 14 76, resa@hotel-chanta com, Fax 05 59 26 35 97, ≤, ♨, ☞ – 国 ☑ ❤ ℗ – 益 40. ஊ ⓪ ☜ ☜. ⋘ BY
1er mai-31 oct. – ☲ 14 – **23 ch** 175/250

Hélianthal, pl. M. Ravel ☎ 05 59 51 51 51, helianthal@helianthal.fr, Fax 05 59 51 51 ﹐ centre de thalassothérapie – ▮ 国 ☑ ❤ ➟ – 益 15 à 200. ஊ ⓪ ꕯ BY
⋘ rest
fermé 23 nov. au 14 déc. – **Repas** 34 ♀ – ☲ 12,50 – **100 ch** 122/220 – ½ P 108/139

Devinière sans rest, 5 r. Loquin ☎ 05 59 26 05 51, Fax 05 59 51 26 38, « Bel aména ment intérieur », ☞ – ☜ BY
☲ 9 – **8 ch** 100/135

Marisa sans rest, 16 r. Sopite ☎ 05 59 26 95 46, info@la-marisa.com, Fax 05 59 51 17 « Belle décoration intérieure » – ▮ ☑ ❤ ⅙ ➟. ☜. ⋘ BY
☲ 9 – **15 ch** 86/115

Réserve ⧼, rd-pt Ste-Barbe, Nord : 2 km par bd Thiers ☎ 05 59 51 32 00, lareser wanadoo.fr, Fax 05 59 51 32 01, ≤, ♧, « Jardin et piscine dominant la mer », ♨, ☞ ﹐ ☑ ⅙ ➟ ℗ – 益 15 à 50. ஊ ⓪ ꕯ
Repas (fermé dim. soir et lundi hors saison) 27/35 ♀, enf. 11 – **60 ch** 113/148, 27 studi ½ P 96/110

Villa Bel Air, Promenade J. Thibaud ☎ 05 59 26 04 86, Fax 05 59 26 62 34, ≤ – ▮, 国 ☑ ❤ ℗. ☜. ⋘ rest BY
hôtel : 29 mars-11 nov. ; rest. : 4 juin-28 sept. et fermé dim. – **Repas** 21,35/22,90 – ☲ – **21 ch** 79/106 – ½ P 70/79

Les Goëlands, 4 av. Etcheverry ℘ 05 59 26 10 05, *hotel.les.goelands@wanadoo.fr*, Fax 05 59 51 04 02, 🚗 – 📺 🅿. 🖭 ⓪ 🅶🅱. ⅋ rest BY k
Repas *(fermé 1er mars au 20 avril)* (résidents seul.) 18,50/21,50 ⅃ – ⚌ 6,50 – **35 ch** 42,50/97,50 – ½ P 65/70

Plage, promenade J. Thibaud ℘ 05 59 51 03 44, *hoteldelaplage@dial.oleane.com*, Fax 05 59 51 03 48, ≤ – 📺 🚗. 🅶🅱. ⅋ AY a
hôtel : 1er avril-30 sept. ; rest. : 1er mars-30 sept. et fermé dim. soir et lundi – **Repas** brasserie carte environ 31 ⅄ – ⚌ 7 – **27 ch** 73/90 – ½ P 63/72

Maria Christina sans rest, 13 r. Paul Gélos par bd Thiers et rte quartier du Lac ℘ 05 59 26 81 70, *mariachristina@wanadoo.fr*, Fax 05 59 26 36 04 – 📺. 🅶🅱
début fév.-début nov. – ⚌ 7 – **11 ch** 60/110

Agur sans rest, 96 r. Gambetta ℘ 05 59 51 91 11, *hotel.agur@wanadoo.fr*, Fax 05 59 51 91 21 – cuisinette 📺. 🖭 ⓪ 🅶🅱. ⅋ BY u
16 mars-5 oct. – ⚌ 6,25 – **9 ch** 68/89, 4 appart

XX **Patio**, 10 r. Abbé Onaindia ℘ 05 59 26 99 11, *restaurant.le.patio@freesbee.fr*, Fax 05 59 26 99 11 – ⓪ 🅶🅱. ⅋ AYZ e
fermé 13 nov. au 10 déc., mardi midi, jeudi midi et lundi – **Repas** 25/61

XX **Taverne Basque**, 5 r. République ℘ 05 59 26 01 26, 🏠 – 🗏. 🖭 ⓪ 🅶🅱 AZ n
fermé mars, janv., mardi sauf juil.-août et lundi – **Repas** 19,82 (déj.) et carte environ 38 ⅄

XX **Auberge Kaïku**, 17 r. République ℘ 05 59 26 13 20, Fax 05 59 51 07 47, « Maison du 16e siècle » – 🖭 🅶🅱 AZ x
fermé 12 nov. au 22 déc., lundi midi et merc. – **Repas** - produits de la mer - 22,86/33,53 ⅄, enf. 9,90

X **Petit Grill Basque "Chez Maya"**, 2 r. St-Jacques ℘ 05 59 26 80 76, Fax 05 59 26 80 76, décor basque ancien – 🖭 ⓪ 🅶🅱. ⅋ AY u
fermé 27 mai au 3 juin, 20 déc. au 20 janv., jeudi midi et merc. – **Repas** 18/25 ⅄

④ *et rte de la Corniche : 4,5 km* – ✉ 64122 Urrugne :

XX **Auberge de la Corniche**, ℘ 05 59 47 30 23, Fax 05 59 47 30 23, ≤, 🚗 – 🅿. ⓪ 🅶🅱
avril-déc. et fermé lundi et mardi – **Repas** 24,39/48,78, enf. 9,15

⦁oure AZ *du plan* – *6 283 h alt. 3* – ✉ 64500 .
Voir *Chapelle N.-D. de Socorri : site★ 5 km par ③.*
🛈 *Office du tourisme 4 place du Fronton ℘ 05 59 47 64 56, Fax 05 59 47 64 55.*

XX **Chez Dominique**, 15 quai M. Ravel ℘ 05 59 47 29 16, Fax 05 59 47 29 16, ≤, 🏠 – 🗏. 🖭 ⓪ 🅶🅱 AZ y
fermé fév., dim. soir et lundi – **Repas** - produits de la mer - 22,87 (déj.)et carte 39 à 56 ⅄

X **Chez Mattin**, 63 r. E. Baignol ℘ 05 59 47 19 52, Fax 05 59 47 05 57 – 🖭 🅶🅱 AZ v
fermé 10 janv. au 20 fév., dim. soir et lundi hors saison et sauf vacances scolaires – **Repas** carte 28 à 37

⦁JEAN-DE-MAURIENNE ◉ 73300 Savoie 🗂 ⑦ *G. Alpes du Nord* – *8 902 h alt. 556.*
Voir *Ciborium★ et stalles★★ de la cathédrale St-Jean-Baptiste.*
🛈 *Office du tourisme Place de la Cathédrale ℘ 04 79 83 51 51, Fax 04 79 83 42 10, ot@ville-saint-jean-de-maurienne.fr.*
Paris 636 ① – *Albertville 61* ① – *Chambéry 74* ① – *Grenoble 104* ① – *Torino 135* ②.
Plan page suivante

Nord, pl. Champ de Foire ℘ 04 79 64 02 08, *info@hoteldunord.net*, Fax 04 79 59 91 31 – AY e
🔄 📺 🅿. 🖭 ⓪ 🅶🅱. ⅋ rest
fermé nov. – **Repas** *(fermé dim. soir sauf juil.-août et lundi midi)* 13/36 ⅄, enf. 8 – ⚌ 6 – **19 ch** 32/44 – ½ P 37

Dorhotel 🅼 sans rest, r. L. Sibué ℘ 04 79 83 23 83, *info@dorhotel.com*, Fax 04 79 83 23 00 – 🔄 📺 ⚫ 🕭 🅿 – 🔼 40. 🖭 ⓪ 🅶🅱 🅹🅲🅱 BY n
⚌ 5,30 – **39 ch** 34,30/41,50

Europe, 15 av. Mt-Cenis ℘ 04 79 64 06 33, *heurope@icor.fr*, Fax 04 79 64 05 71 – 🔄, 🗏 rest, 📺 ⚫ 🕭. 🖭 ⓪ 🅶🅱 AZ v
fermé 28 déc. au 18 janv. et dim. sauf le soir en saison – **Repas** 11,43/27,44 ⅄, enf. 7,62 – ⚌ 6,10 – **27 ch** 38/53,36 – ½ P 41,16/44,21

ST-JEAN-DE-MAURIENNE

Arvan (Pont d') .... **BZ** 2
Bonrieux (R.) .... **AZ** 3
Brun-Rollet (R.) .... **AY** 5
Cathédrale (Pl. de la) ..... **AY** 6

Desogus (R. Joseph) ...... **AZ** 8
Docteur Grange (R. du) ... **AY** 10
Fodéré (Pl. E.) .... **AY** 12
Gare (Av. de la) .... **BY** 13
Girard (R. F.) .... **AY** 15
Huguet (R. Jean) .... **AZ** 16
Marché (Pl. du) .... **AY** 19

Orme (R. de l') ....
République (R. de la) ..... **A**
Saint-Antoine (R.) ....
Sainte Claire Deville
  (R. H.) .... **B**
Sommeiller (Av. G.) ...... **B**
Sous-Préfecture (R. de la) .. **A**
8 Mai 1945 (R.du) .... **B**

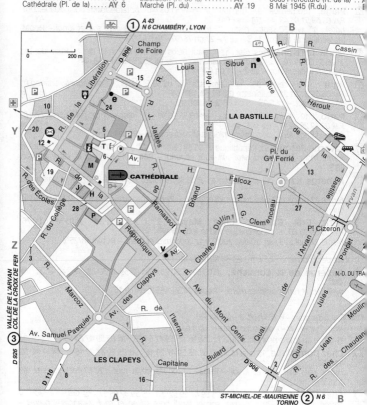

*Restaurants serving a good but moderately priced meal
are distinguished in the Guide by the symbol* 🏵

ST-JEAN-DE-MOIRANS 38430 Isère **77** ④ – 2 680 h alt. 226.

Paris 550 – Grenoble 24 – Chambéry 46 – Lyon 87 – Valence 86.

XXX **Beauséjour** avec ch, Sud-Ouest : 2 km sur N 85, direction Grenoble ℘ 04 76 35 30
🏵 restaurant-beausejour@libertysurf.fr, Fax 04 76 35 59 80, 🌲 – 📺 P. AE ① GB
fermé 29 avril au 7 mai, 5 au 27 août, 6 au 14 janv., dim. soir, lundi et mardi – Repas 22/6
carte 42 à 49 – � 6 – **7 ch** 40/61 – ½ P 53,50

ST-JEAN-DE-MONTS 85160 Vendée **67** ⑪ G. Poitou Vendée Charentes – 6 886 h alt. 1
Casino La Pastourelle.

🛈 OMT 67 Esplanade de la Mer ℘ 02 51 59 60 61, Fax 02 51 59 87 87, Saint-J
Activites@wanadoo.fr.

Paris 458 – La Roche-sur-Yon 58 – Cholet 100 – Nantes 76 – Les Sables-d'Olonne 47.

🏨 **Mercure** M 🌭, 16 av. Pays de Monts ℘ 02 51 59 15 15, Fax 02 51 59 91 03, centre
thalassothérapie, 🔧, 🔟 – 🔌 📺 📞 🅿 – 🔬 35. AE ① GB
1ᵉʳ mars-16 nov. – **Repas** (15) - 24,40/32 ᵇ, enf. 9 – ☶ 9,50 – **44 ch** 113/129 – ½ P 88/96

L'Espadon, 8 av. Forêt ✆ 02 51 58 03 18, *info@hotel-espadon.com, Fax 02 51 59 16 11* – AE GB
Repas *(début fév.-mi-nov. et fermé dim. soir et lundi du 15 oct. à Pâques)* 12,95 (déj.), 16,77/30,50 ♀, enf. 8,40 – 6,40 – **27 ch** 53,40/58 – ½ P 54,90/58

Annexe Les Dunes sans rest, 1 allée d'Alsace ✆ 02 51 58 10 32, *info@hotel-lesdunes.com, Fax 02 51 59 16 11* – AE GB
1er avril-30 sept. – 6,40 – **44 ch** 57

Robinson (annexe 30 ch), 28 bd Gén. Leclerc ✆ 02 51 59 20 20, *infos@hotel-lerobinson.com, Fax 02 51 58 88 03,* – rest, AE GB
fermé 2 déc. au 30 janv. – **Repas** 12,20/31 ♀, enf. 9,15 – 6,20 – **73 ch** 42,70/70 – ½ P 42/52

Tante Paulette, 32 r. Neuve ✆ 02 51 58 01 12, *cheztapa@club-internet.fr, Fax 02 51 59 77 54,* – AE GB
Repas *(mars-oct.)* 14/24, enf. 8 – 6 – **32 ch** 34/52 – ½ P 41/50

Cloche d'Or, 26 av. Tilleuls ✆ 02 51 58 00 58, *lacloche@club-internet.fr, Fax 02 51 58 82 85,* – GB. rest
1er mars-21 oct. et week-ends hors vacances scolaires – **Repas** *(fermé merc. et jeudi en mars et oct.)* 12/30 ♀, enf. 8 – 6 – **25 ch** 52/60 – ½ P 46/53

Petit St-Jean, 128 rte Notre-Dame de Monts ✆ 02 51 59 78 50, – GB
fermé 27 mai au 24 juin, 15 déc. au 10 janv., dim. soir et mardi d'oct. à juin et lundi – **Repas** 20/35

Richelieu avec ch, 8 av. Oeillets ✆ 02 51 58 06 78, *Fax 02 51 59 74 45,* – GB. ch
fermé 4 au 24 mars, 13 nov. au 4 déc., mardi soir et merc. – **Repas** 15,09/48,78, enf. 7,62 – 6,10 – **8 ch** 57,93/68,60 – ½ P 51,83

Quich'Notte, 200 rte Notre-Dame-de-Monts ✆ 02 51 58 62 64 – AE GB
fin mars-mi-sept. et fermé mardi midi, sam. midi et lundi hors saison – **Repas** 15/22, enf. 7

rouet *Sud-Est : 7 km sur D 38 – ✉ 85160 St-Jean-de-Monts :*

Auberge de la Chaumière, ✆ 02 51 58 67 44, *chaumière-sarl@wanadoo.fr, Fax 02 51 58 98 12,* – cuisinette, rest, AE GB. rest
1er avril-30 sept. – **Repas** 16,50/40,50 ♀ – 6,10 – **37 ch** 41,50/68,60 – ½ P 50,50/62,50

JEAN-DE-SIXT *74450 H.-Savoie 74 ⑦ G. Alpes du Nord – 1 005 h alt. 963.*

Voir *Défilé des Étroits★ NO : 3 km.*
Office du tourisme Maison des Aravis ✆ 04 50 02 70 14, Fax 04 50 02 78 78, infos@saintjeandesixt.com.
Paris 564 – Annecy 30 – Chamonix-Mont-Blanc 77 – Bonneville 23 – La Clusaz 4 – Genève 46.

Beau Site ✆ 04 50 02 24 04, *hotelbeausite@hotmail.com, Fax 04 50 02 35 82,* – GB. rest
15 juin-15 sept. et Noël-Pâques – **Repas** 14/22, enf. 9 – 6,50 – **15 ch** 40/60 – ½ P 40/53

JEAN-DE-VÉDAS *34 Hérault 83 ⑦ – rattaché à Montpellier.*

JEAN-DU-BRUEL *12230 Aveyron 80 ⑮ G. Languedoc Roussillon – 642 h alt. 520.*

Env. *Gorges de la Dourbie★★ NE : 10 km.*
Syndicat d'initiative 32 Grand'Rue ✆ 05 65 62 23 64, Fax 05 65 62 23 08.
Paris 680 – Montpellier 99 – Lodève 44 – Millau 40 – Rodez 106 – Le Vigan 36.

Midi-Papillon ✆ 05 65 62 26 04, *Fax 05 65 62 12 97,* – GB
23 mars-11 nov. – **Repas** 11,89/33,23, enf. 8,54 – 4,27 – **18 ch** 29,12/52,90 – ½ P 34,76/36,28

JEAN-DU-DOIGT *29630 Finistère 58 ⑥ G. Bretagne – 628 h alt. 15.*

Voir *Enclos paroissial : trésor★★, église★, fontaine★.*
Paris 544 – Brest 77 – Guingamp 61 – Lannion 33 – Morlaix 22 – Quimper 96.

Ty Pont, ✆ 02 98 67 34 06, *Fax 02 98 67 85 94,* – GB
2 avril-1er nov. et fermé mardi midi et lundi du 15 sept. au 15 juin – **Repas** 12,96/18,50, enf. 7,47 – 5,49 – **24 ch** 31,25/39,85 – ½ P 41,16/42,69

Les pages explicatives de l'introduction
vous aideront à mieux profiter de votre ***Guide Rouge Michelin***

ST-JEAN-EN-ROYANS 26190 Drôme 🗏 ③ *G. Alpes du Nord* – 2 895 h alt. 250.

🛈 *Office du tourisme Place de l'Église* 𝒫 04 75 48 61 39, Fax 04 75 47 54 44, ot. @wanadoo.fr.

Paris 589 – Valence 45 – Die 62 – Romans-sur-Isère 27 – Grenoble 71 – St-Marcellin 21

🏠 **Castel Fleuri**, pl. Champ de Mars 𝒫 04 75 47 58 01, *castelfleuri@fr* Fax 04 75 47 79 30, 😩, 🛋, 🛒 – 📺 📞 📭 – 🏛 20. 🆖

fermé 19 nov. au 10 déc., dim. soir et lundi du 20 sept. au 15 juin – **Repas** 10,67 14,48/31,25 ♈, enf. 6,10 – 🖙 5,34 – **15 ch** 26/44,25

au col de la Machine *Sud-Est : 11 km par D 76.*

Voir *Combe Laval★★★*.

🏠 **Col de la Machine** ♧, 𝒫 04 75 48 26 36, *Jfaravello@aol.com*, Fax 04 75 48 29 1 😩, 🛋, 🛒 – cuisinette 📺 📞 📭 🆚 🆖, 🌣 rest

fermé 11 au 17 mars, 12 nov. au 25 déc., dim soir et lundi hors saison sauf vac scolaires – **Repas** (13) - 21,35, enf. 9 – 🖙 7 – **10 ch** 43, 4 studios – ½ P 45

ST-JEAN-LE-THOMAS 50530 Manche 🗏 ⑦ – 395 h alt. 20.

🛈 *Syndicat d'initiative 21 place Pierre Le Jaudet* 𝒫 02 33 70 90 71, Fax 02 33 70 90 71.

Paris 349 – St-Lô 71 – St-Malo 81 – Avranches 15 – Granville 18 – Villedieu-les-Poêles 38

🏠 **Bains**, 𝒫 02 33 48 84 20, *hdesbains@aol.com*, Fax 02 33 48 66 42, 🛋, 🛒 – 📭 🆎 ⓪ 🆖 23 mars-3 nov. et fermé merc. en oct., mardi midi et merc. midi – **Repas** 14/29 ♈, enf – 🖙 6 – **30 ch** 42/58 – ½ P 39/53

ST-JEANNET 06640 Alpes-Mar. 🗏 ⑨ *G. Côte d'Azur* – 3 594 h alt. 400.

Voir *Site★* – ✳★★ *Baou de St-Jeannet*.

🛈 *Syndicat d'initiative Rue de la Soucare* 𝒫 04 93 24 73 83, Fax 04 93 59 49 41.

Paris 935 – Nice 22 – Grenoble 315 – Torino 233 – Toulon 152.

🏠 **L'Indicible** ♧, 𝒫 04 92 11 01 08, *hotellindicible@wanadoo.fr*, Fax 04 92 11 02 06, ◄ 📞 🆎 ⓪ 🆖

hôtel: 8 fév.-15 oct.. rest.: juil.-août – **Repas** 19 ♈ – 🖙 5 – **8 ch** 38/52 – ½ P 47/50

ST-JEAN-PIED-DE-PORT 64220 Pyr.-Atl. 🗏 ③ *G. Aquitaine* – 1 417 h alt. 159.

Voir *Trajet des pèlerins★ de St-Jacques.*

🛈 *Office du tourisme Place Charles de Gaulle* 𝒫 05 59 37 03 57, Fax 05 59 37 34 91.

Paris 822 ③ – Biarritz 55 ③ – Bayonne 54 ③ – Pau 106 ① – San Sebastián 99 ③.

ST-JEAN-PIED-DE-PORT

Çaro (Rte de) 2
Citadelle (R. de la) . . 4
Église (R. de l') 6
Espagne (R. d') . . . . .
France (R.) 12
Fronton (Av. du) 15
Gaulle (Pl. Ch.-de) . . . 16
Liberté (R. de la) 17
St-Jacques (Ch. de) . 18
St-Michel (Rte de) . . . 21
Trinquet (Pl. du) 24
Uhart (R. d') 27
Zuharpeta (R.) 30

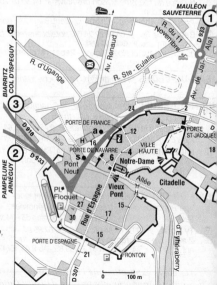

Si vous êtes retardé sur la route, dès 18 h, confirmez votre réservation par téléphone, c'est plus sûr.. et c'est l'usage.

1252

Les Pyrénées (Arrambide), pl. Ch. de Gaulle (a) ℰ 05 59 37 01 01, pyrenees@relaischatea
ux.fr, Fax 05 59 37 18 97, 🛴 – 🛊, 🗏 ch, 🔟 🗇 – 🏖 20. 🖭 ⑩ 🖼 🖼 🦂
fermé 20 nov. au 22 déc., 5 au 28 janv., lundi soir de nov. à mars et mardi du 20 sept. au
30 juin – **Repas** (dim. et saison - prévenir) 38/84 et carte 60 à 80 – 😞 – **21 ch** 90/150 –
½ P 120
Spéc. Ravioli de langoustines au caviar d'Aquitaine. Rougets et chipirons grillés sauce à
l'encre. Foie gras frais de canard poêlé aux pommes. **Vins** Irouléguy blanc et rouge.

Central, pl. Ch. de Gaulle (s) ℰ 05 59 37 00 22, Fax 05 59 37 27 79, 🛖 – 🔟 🖭 ⑩ 🖼 🖼
🖼 🦂
fermé 15 déc. au 1ᵉʳ mars – **Repas** 17/38 – 😞 8 – **14 ch** 55/77 – ½ P 62/73

cille par ① et D 18 : 7 km – 103 h. alt. 253 – ⊠ 64220 :

Pecoïtz 🦢 avec ch, ℰ 05 59 37 11 88, Fax 05 59 37 35 42, ≼, 🛖 – 🅿. 🖼
fermé 1ᵉʳ janv. au 15 mars et vend. d'oct. à mai – **Repas** 13,72/28,20, enf. 7,62 – 😞 4,57 –
16 ch 32,01/35,06 – ½ P 30,49/36,59

térençuby Sud : 8 km par D 301 – 382 h. alt. 229 – ⊠ 64220 :

Les Sources de la Nive 🦢, à Béherobie, Sud : 4 km par rte secondaire
ℰ 05 59 37 10 57, Fax 05 59 37 39 06, ≼, 🛴, 🛖 – 🔟 ⅙ 🅿. 🖼
fermé janv. et mardi hors saison – **Repas** 12,20/27,44 ♀ – 😞 4,57 – **26 ch** 33,54 – ½ P 36,59

EAN-SAVERNE 67 B.-Rhin 🟨🟨 ⑭ – rattaché à Saverne.

EAN-SUR-VEYLE 01290 Ain 🟨🟨 ② – 958 h alt. 200.
Paris 402 – Mâcon 12 – Bourg-en-Bresse 33 – Villefranche-sur-Saône 41.

Petite Auberge, ℰ 03 85 31 53 92, Fax 03 85 31 69 34 – 🖼
fermé 25 juin au 7 juil., vacances de fév., dim. soir, mardi soir d'oct. à mars et lundi – **Repas**
15 (déj.), 20,50/38

OACHIM 44720 Loire-Atl. 🟨🟨 ⑮ G. Bretagne – 3 772 h alt. 5.
Voir Tour de l'île de Fédrun★ O : 4,5 km – Promenade en chaland★★.
Paris 439 – Nantes 62 – Redon 41 – St-Nazaire 14 – Vannes 62.

Auberge du Parc (Guérin) 🦢 avec ch, ile de Fedrun ℰ 02 40 88 53 01, aubergeduparc@
aol.com, Fax 02 40 91 67 44, 🛖, « Chaumière briéronne », 🛖 – ❤ 🅿. 🖭 🖼
fermé mars, dim. soir et lundi sauf juil.-août – **Repas** 30/61 et carte 46 à 56 ♀ – 😞 8 – **5 ch**
61 – ½ P 68,60
Spéc. Croquant de queue de boeuf et anguilles fumées. Dos de Saint-Pierre aux pétales
d'épeautre. Suprême de canard à la moutarde de salicorne. **Vins** Muscadet.

ORIOZ 74410 H.-Savoie 🟨🟨 ⑥ – 5 002 h alt. 452.
🚊 Office du tourisme 92 route de l'Église ℰ 04 50 68 61 82, Fax 04 50 68 96 11, info@
ot-saintjorioz.fr.
Paris 548 – Annecy 9 – Albertville 37 – Megève 52.

Manoir Bon Accueil 🦢, à Epagny : 2,5 km par D 10 A ℰ 04 50 68 60 40,
Fax 04 50 68 94 84, 🛖, 🛴, 🛖, 🦂 – 🛊 🔟 🅿. – 🏖 25. 🖼 🦂 rest
fermé 20 déc. au 20 janv. – **Repas** (fermé dim. soir du 20 sept. au 20 avril) 19/29, enf. 10 –
😞 7 – **28 ch** 61/77 – ½ P 65/84

ULIA 31540 H.-Gar. 🟨🟨 ⑲ G. Midi-Pyrénées – 333 h alt. 302.
Paris 742 – Toulouse 41 – Auterive 48 – Carcassonne 61 – Castres 38 – Gaillac 65.

Auberge des Remparts, ℰ 05 61 83 04 79, 🛖 – 🖭 ⑩ 🖼
fermé dim. soir, lundi soir et mardi soir – **Repas** 10 (déj.), 15/25

ULIEN-AUX-BOIS 19220 Corrèze 🟨🟨 ⑩ – 501 h alt. 594.
Paris 599 – Aurillac 53 – Brive-la-Gaillarde 66 – Mauriac 29 – St-Céré 63 – Tulle 51 – Ussel 63.

Auberge de St-Julien-aux-Bois avec ch, ℰ 05 55 28 41 94, auberge-st-julien@hot
mail.com, Fax 05 55 28 37 85, 🛖, 🛖 – 🔟 ❤ 🅿. 🖼
fermé vacances de Toussaint et de fév. – **Repas** (fermé merc. midi en juil.-août, mardi soir
et merc. hors saison) (11) · 13/39 ♀, enf. 8 – 😞 6 – **5 ch** 26/42 – ½ P 31/39

ULIEN-BEYCHEVELLE 33250 Gironde 🟨🟨 ⑦ – 798 h alt. 16.
Paris 625 – Bordeaux 45 – Arcachon 113 – Blaye 12 – Lesparre-Médoc 28.

St-Julien, ℰ 05 56 59 63 87, Fax 05 56 59 63 89, 🛖 – 🗏. ⑩ 🖼 🦂
Repas 16 (déj.), 28/61 ♀

ST-JULIEN-CHAPTEUIL *43260 H.-Loire* **76** ⑦ *G. Vallée du Rhône* – *1 804 h alt. 815.*

Voir Site★ – Montagne du Meygal★ : Grand Testavoyre ✳★★ NE : 14 km puis 30 mn.

🅸 Office du tourisme Place Saint-Robert ✆ 04 71 08 77 70, Fax 04 71 08 42 20.

Paris 563 – *Le Puy-en-Velay 20* – Lamastre 52 – Privas 88 – St-Agrève 32 – Yssingeaux

🏠 **Barriol,** ✆ 04 71 08 70 17, jm.et.gw.barriol@wanadoo.fr, Fax 04 71 08 74 19 – 📺 ☎
   ✺
   1ᵉʳ fév.-30 oct. et fermé dim. soir et lundi sauf juil.-août – **Repas** 12,50 (déj.), 17/26 ♚, e
   – ♋ 6,50 – **11 ch** 45 – ½ P 41

✕✕✕ **Vidal,** ✆ 04 71 08 70 50, Fax 04 71 08 40 14 – 🆎 🆒
   ⊛ *fermé 15 janv. au 1ᵉʳ mars, dim. soir et mardi sauf juil.-août et lundi soir* – **Repas** 19
   24/55 et carte 37 à 52 ♚, enf. 11

ST-JULIEN-DE-CREMPSE *24 Dordogne* **75** ⑮ – *rattaché à Bergerac.*

ST-JULIEN-DE-JONZY *71110 S.-et-L.* **73** ⑧ *G. Bourgogne* – *299 h alt. 508.*

Voir Portail★ de l'église – Église★ de Semur-en-Brionnais NO : 6 km.

Paris 372 – *Moulins 89* – Roanne 30 – Charolles 32 – Lapalisse 46 – Mâcon 73.

✕ **Pont** avec ch, ✆ 03 85 84 01 95, Fax 03 85 84 14 61, 🏡, ⅃, – 📺 🅿. 🆒
   🆒 *fermé vacances de fév.* – **Repas** (fermé dim. soir et lundi) 12,04 (déj.), 13,57/27,
   enf. 7,32 – ♋ 5,64 – **7 ch** 30,49/46,50 – ½ P 37,81/42,38

En juin et en septembre,

les hôtels sont moins chers qu'en pleine saison, le service est plus soign

---

ST-JULIEN-D'EMPARE *12 Aveyron* **79** ⑩ – *rattaché à Capdenac-Gare.*

ST-JULIEN-EN-CHAMPSAUR *05500 H.-Alpes* **77** ⑯ – *275 h alt. 1050.*

Paris 668 – *Gap 19* – Grenoble 101 – La Mure 58 – Orcières 20.

🏠 **Les Chenets,** ✆ 04 92 50 03 15, Fax 04 92 50 73 06, 🏡 – 🚗. 🆒
   fermé 8 au 30 avril , 12 nov. au 27 déc., dim. soir et merc. hors saison – **Repas** 15,50 ◗
   23,65/31,25, enf. 8 – ♋ 6 – **18 ch** 27,50/41,50 – ½ P 41,50

ST-JULIEN-EN-GENEVOIS ◀🆂▶ *74160 H.-Savoie* **74** ⑥ – *9 140 h alt. 460.*

🅸 Syndicat d'initiative Place de la Libération ✆ 04 50 35 13 78, Fax 04 50 49 23 03.

Paris 527 – *Annecy 35* – Thonon-les-Bains 47 – Bonneville 35 – Genève 11 – Nantua 55

🏠 **Savoie Hôtel** sans rest, av. L. Armand ✆ 04 50 49 03 55, mc.levet@wanado⊂
   Fax 04 50 49 06 23 – ▯ 📺 ☎ 🅿. 🆎 ① 🆒
   ♋ 5,80 – **20 ch** 36/49

🏠 **Soli** sans rest, r. Mgr Paget ✆ 04 50 49 11 31, Fax 04 50 35 14 64 – ▯ 📺 🅿. 🆎 ① 🆒
   fermé 22 déc. au 2 janv. – ♋ 6 – **29 ch** 35/51

à Bossey *Est : 5 km par N 206 – 545 h. alt. 438 –* ✉ *74160 :*

✕✕✕ **Ferme de l'Hospital** (Noguier), ✆ 04 50 43 61 43, Fax 04 50 95 31 53, 🏡 – 🗏 🅿. ┗
   🆒
   ✽ *fermé 1ᵉʳ au 16 août, 1ᵉʳ au 15 fév., dim. et lundi* – **Repas** 32/52 et carte 46 à 60 ♚
   Spéc. Saladier d'écrevisses du Léman (été-automne). Meunière d'omble chevalie
   genépi (printemps). Risotto au vieux beaufort d'alpage (hiver-printemps). **Vins** Chi
   Bergeron, Manicle.

✕ **Clos,** chemin des Bornants ✆ 04 50 43 60 76, Fax 04 50 82 05 01, ⩤, 🏡 – 🆒
   fermé 1ᵉʳ au 15 août, 1ᵉʳ au 21 janv., lundi et mardi – **Repas** (nombre de couverts li
   prévenir) 24 (déj. en semaine)et carte 45 à 55 ♚

à Viry *Sud-Ouest : 5 km par N 206 – 3 032 h. alt. 504 –* ✉ *74580 :*

🏠 **Viry** 🅼 sans rest, ✆ 04 50 04 82 68, hotel.de.viry@wanadoo.fr, Fax 04 50 04 82 38 – ◗
   ☎ 🚗 🅿. 🆎 🆒
   ♋ 5,35 – **22 ch** 41,25/52

rte d'Annecy *Sud : 9,5 km par N 201 –* ✉ *74350 Cruseilles :*

🏨 **Rey,** au Col du Mont Sion ✆ 04 50 44 13 29, Fax 04 50 44 05 48, 🏡, ⅃, 🞐, ✕ – ▯ ◗
   🆒. ✺
   fermé 10 au 15 nov. et 5 au 27 janv. – **Clef des Champs** ✆04 50 44 13 11 (fermé 16/◗
   2/07, 3 au 23/01, mardi midi, dim. soir et lundi) **Repas** 18/45 ♚, enf. 9 – ♋ 6,50 – ◗
   44/77,50 – ½ P 53/70

1254

JULIEN-LE-FAUCON 14140 Calvados 55 ⑬ – 582 h alt. 40.
Paris 192 – Caen 40 – Falaise 32 – Lisieux 16.

✗ **Auberge de la Levrette,** ✆ 02 31 63 81 20, Fax 02 31 63 97 05, « Ancien relais de poste » – ◎
fermé janv., lundi et mardi sauf fériés – **Repas** 16,80/40 ♀

JULIEN-SUR-CHER 41320 L.-et-Ch. 64 ⑱ – 663 h alt. 110.
Paris 227 – Bourges 66 – Blois 51 – Châteauroux 62 – Vierzon 26.

✗ **Les Deux Pierrots,** ✆ 02 54 96 40 07 – ◎
fermé 12 au 30 août, lundi et mardi – **Repas** 22,11 (déj.)/31,25

JUNIEN 87200 H.-Vienne 72 ⑥ G. Berry Limousin – 10 666 h alt. 240.
Voir Collégiale★ B.
🚪 Office du tourisme Place du Champ de Foire ✆ 05 55 02 17 93, Fax 05 55 02 94 31, saint-junien@wanadoo.fr.
Paris 417 ① – Limoges 31 ① – Angoulême 72 ③ – Bellac 34 ① – Confolens 27 ③.

ST-JUNIEN

plans de villes
t orientés
Nord en haut.

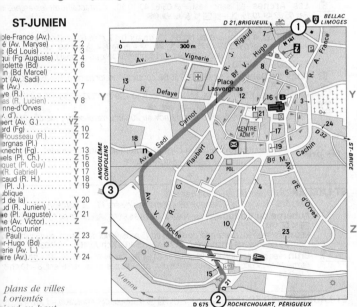

🏨 **Relais de Comodoliac,** 22 av. Sadi-Carnot ✆ 05 55 02 27 26, Fax 05 55 02 68 79, 🌰,
◎ 🌳 – 📺 ✆ 🅿 – 🔒 30. 🅰🅴 ⓞ ◎ 🇯🇨🇧   Y n
Repas *(fermé dim. soir de nov. à fév.)* 13,42/31,25 ♀, enf. 8,38 – 🖵 6 – **29 ch** 39,64/53,36 –
½ P 45,45/47,26

🍴 ② rte de Rochechouart, D 675 et rte secondaire : 2 km – ⊠ 87200 St-Junien :
✗✗ **Lauryvan,** ✆ 05 55 02 26 04, lauryvan@nomade.fr, Fax 05 55 02 25 29, 🌰, 🌳 – 🅿. ◎
fermé 23 sept. au 7 oct., 2 au 6 janv., vacances de fév., lundi sauf fériés et dim. soir – **Repas**
21/44,20 et carte 35 à 50 *L'Auberge :* **Repas** carte 17 à 25 &

JUST-EN-CHEVALET 42430 Loire 73 ⑦ – 1 281 h alt. 647.
🚪 Syndicat d'initiative Place du Chêne Pays d'Urfé ✆ 04 77 65 05 33, Fax 04 77 65 08 02.
Paris 403 – Roanne 29 – Montbrison 47 – St-Étienne 84 – Thiers 35 – Vichy 50.

✗ **Londres** avec ch, ✆ 04 77 65 02 42, Fax 04 77 65 11 71 – 📺 ✆. ◎
◎ *fermé vacances de Toussaint, vend. soir et sam. d'oct. à avril* – **Repas** *(9,92)* - 12,97/40,45 ♀,
enf. 7,94 – 🖵 5,34 – **7 ch** 33,58/45,79 – ½ P 38,16/43,50

ST-JUSTIN 40240 Landes 🗾 ⑫ – 888 h alt. 90.

🔒 Office du tourisme Place des Tilleuls ℘ 05 58 44 86 06, Fax 05 58 44 86 06, s justin@aol.com.

Paris 697 – Mont-de-Marsan 25 – Aire-sur-l'Adour 37 – Casteljaloux 49 – Dax 84 – Pau 9

※ **France** avec ch, ℘ 05 58 44 83 61, Fax 05 58 44 83 89, 🏤 – 📺. GB
fermé 14 oct. au 12 nov., jeudi soir, dim. soir et lundi – Repas 19,06/38,11 - **Bistro** (fe jeudi soir, dim., lundi et fériés) Repas 11 🍷, enf. 6,86 – 立 6 – **8 ch** 38/45,80

ST-LARY-SOULAN 65170 H.-Pyr. 🗾 ⑲ G. Midi-Pyrénées – 1 024 h alt. 820 – Stat. therm. (d avril-début nov.) – Sports d'hiver : 1 680/2 450 m ⚡2 ⚡30 ⚡.

🔒 Office du tourisme 37 rue Principale ℘ 05 62 39 50 81, Fax 05 62 39 50 st-lary@wanadoo.fr.

Paris 856 – Bagnères-de-Luchon 43 – Arreau 12 – Auch 104 – St-Gaudens 66 – Tarbes 7

🏨 **Pergola** ⍟, ℘ 05 62 39 40 46, jean-pierre.mir@wanadoo.fr, Fax 05 62 40 06 55, ≤, 🏤 – 🛗 📺 🕭 P – 🔏 25. 🖭 ◑ GB JCB. 🛠 ch
fermé 12 au 23 mai et 4 nov. au 18 déc. – Repas (10,37) - 17,50/34,50 🍷, enf. 9,90 – 立 6 **20 ch** 52/58 – ½ P 51/58

🏨 **Les Arches** M sans rest, ℘ 05 62 49 10 10, contact@hotel-les-arches.c Fax 05 62 49 10 15, 🔟 – 🛗 📺 🕭 & 🕭 P. ◑ GB
立 7 – **30 ch** 53/84

🏨 **Aurélia** ⍟, à Vieille-Aure, au Nord : 1,5 km sur D 19 ℘ 05 62 39 56 90, contact@h aurelia.com, Fax 05 62 39 43 75, 🏤, 🔟, 🌳, 🛠 – 🛗 📺 🕭 – 🔏 20. GB. 🛠
fermé 25 sept. au 15 déc. – Repas (résidents seul.)(½ pens. seul.) – 立 6,50 – 2 36/45,50 – ½ P 45,50

🏨 **Pons "Le Dahu"** ⍟, ℘ 05 62 39 43 66, contact@hotelpons.com, Fax 05 62 40 00 8 🏤 – 📺 🕭 – 🔏 30. GB. 🛠 rest
Repas 7,62 (déj.), 9,91/16,01 🍷, enf. 6,86 – 立 6,10 – **39 ch** 45,73/57,93 – ½ P 41,16/48,

※※ **Grange**, ℘ 05 62 40 07 14, 🏤 – 🕭. GB. 🛠
fermé 15 au 30 avril, 3 au 15 juin, 12 nov. au 20 déc., mardi soir et merc. – Repas 16,50/34 🍷, enf. 9

Les prix	Pour toutes précisions sur les prix indiqués dans ce guide, reportez-vous aux pages explicatives.

ST-LATTIER 38840 Isère 🗾 ③ – 1 031 h alt. 170.

Paris 576 – Valence 35 – Grenoble 68 – Romans-sur-Isère 13 – St-Marcellin 14.

※※ **Auberge du Viaduc** avec ch, N 92 ℘ 04 76 64 51 65, Fax 04 76 64 30 93, 🏤, 🌳, 📺 🕭 P. GB
Repas (fermé déc., merc. midi du 15 juin au 15 sept., lundi du 15 sept. au 15 juin et m (nombre de couverts limité, prévenir) 24/42 – 立 10 – **7 ch** 70/100 – ½ P 69/84

※ **Brun** avec ch, Les Fauries, N 92 ℘ 04 76 64 54 76, Fax 04 76 64 31 78, 🏤 – 📺 🕭. 🖭 G fermé 14 au 27 oct., vacances de fév. et dim. soir – Repas (11,50) - 14/36, enf. 8 – **10 ch** 3 – ½ P 33

ST-LAURENT-DE-CERDANS 66260 Pyr.-Or. 🗾 ⑱ G. Languedoc Roussillon – 1 218 h alt. 67
🔒 Syndicat d'initiative 7 rue Joseph Nivert ℘ 04 68 39 55 75, Fax 04 68 39 59 59.
Paris 907 – Perpignan 59 – Céret 28.

au Sud-Ouest par D 3 et rte secondaire : 6,5 km – ⊠ 66260 St-Laurent-de-Cerdans :

🏨 **Domaine de Falgos** M ⍟, ℘ 04 68 39 51 42, golfalgos@aol.com, Fax 04 68 39 52 ≤, 🏤, « Golf, installations de loisirs », 🌡, 🔟, 🛠, 🛡 – cuisinette 📺 🕭 & P. – 🔏 60. 🖭 GB
Repas 29 🍷 – 立 11 – **13 ch** 92/138, 7 appart, 5 duplex (en été : ½pens. seul.) – ½ P 99

ST-LAURENT-DE-LA-SALANQUE 66250 Pyr.-Or. 🗾 ⑳ – 7 932 h alt. 2.

Env. Fort de Salses★★ NO : 9 km, G. Languedoc Roussillon.
🔒 Syndicat d'initiative Place Gambetta ℘ 04 68 28 31 03, Fax 04 68 28 31 03, ot.st.lau @libertysurf.fr.
Paris 851 – Perpignan 19 – Elne 25 – Narbonne 62 – Quillan 79 – Rivesaltes 12.

※※ **Commerce** avec ch, 2 bd Révolution ℘ 04 68 28 02 21, Fax 04 68 28 39 86 – ▥ rest 🕭 ⍟ – 🔏 25. GB. 🛠
fermé 1er au 18 mars, 4 au 25 nov., dim. soir et lundi sauf juil.-août – Repas 15/33 – 立 **12 ch** 36,50/49 – ½ P 39,50/46

AURENT-DE-MURE 69720 Rhône 🔢 ⑫, 🔢 ㉖ – 4 694 h alt. 252.
Paris 480 – Lyon 19 – Pont-de-Chéruy 15 – La Tour-du-Pin 39 – Vienne 33.

🏨 **Hostellerie St-Laurent**, ℰ 04 78 40 91 44, Fax 04 78 40 45 41, 🏡, 🏡 – 📺 📞 **P** – 🏛 15. 🔠 ☻ ☑
fermé 3 au 25 août, 2 au 7 janv., vend. soir, dim. soir, soirs fériés et sam. – **Repas** 15,25/46 ⅃, enf. 9,15 – ☑ 5,30 – **29 ch** 44,20/56,40

AURENT-DES-ARBRES 30126 Gard 🔢 ⑳ – 1 743 h alt. 60.
🛈 *Office de tourisme Tour de Ribas* ℰ 04 66 50 10 10, Fax 04 66 50 10 10.
Paris 678 – Avignon 20 – Alès 69 – Nîmes 48 – Orange 22.

🏨 **Galinette** ⑤, pl. de l'Arbre ℰ 04 66 50 14 14, infos@lagalinette.com, Fax 04 66 50 46 30, 🏡, 🏊 – 📺 📞 📶 **P**. 🔠 ☻ ☑ ☒
fermé 20 nov. au 11 déc. et 10 janv. au 11 fév. – **Repas** *(fermé dim. soir et lundi)* 15/36 ⅃ – ☑ 12,20 – **13 ch** 115/195 – ½ P 75/129

AURENT-DU-PONT 38380 Isère 🔢 ⑤ G. Alpes du Nord – 4 222 h alt. 410.
Voir *Gorges du Guiers Mort*★★ SE : 2 km – Site★ *de la Chartreuse de Curière SE : 4 km.*
🛈 *Syndicat d'initiative La Vieille Tour* ℰ 04 76 06 22 55, Fax 04 76 06 21 21, tourisme.st-laurent-du-pont@wanadoo.fr.
Paris 563 – Grenoble 34 – Chambéry 29 – La Tour-du-Pin 42 – Voiron 15.

🏨 **Voyageurs**, r. Pasteur ℰ 04 76 55 21 05, Fax 04 76 55 12 68 – 📺 🚗. 🔠 ☑ 🚉
fermé 1er au 15 janv., vend. soir et dim. soir sauf juil.-août – **Repas** 10,40/32,02, enf. 7,63 – ☑ 6,10 – **14 ch** 29,75/48,05 – ½ P 29,81/38,50

🍴🍴 **La Blache**, av. Gare ℰ 04 76 55 29 57, 🏡 – ☑
fermé 16 août au 7 sept., dim. soir et lundi – **Repas** 19,40/42,70

Towns underlined in red on the Michelin maps
at a scale of 1 : 200 000 are included in this Guide.

Use the latest map to take full advantage of this information.

AURENT-DU-VAR 06700 Alpes-Mar. 🔢 ⑨, 🔢 ㉖ G. Côte d'Azur – 27 141 h alt. 18.
Voir *Corniche du Var*★ N.
🛈 *Office du tourisme 1 promenade des Flots Bleus* ℰ 04 92 12 40 00, Fax 04 93 14 92 83, st-laurent@franceplus.com.
Paris 926 – Nice 10 – Antibes 15 – Cagnes-sur-Mer 7 – Cannes 25 – Grasse 29 – Vence 16.

Voir plan de NICE Agglomération.

Cap 3000 – ✉ 06700 :

🏨 **Novotel** Ⓜ, 40 av. Verdun ℰ 04 93 19 55 55, H0414@accor-hotels.com, Fax 04 93 19 55 59, 🏡, 🏊, 🌳 – 🛗 ⤢ 📺 📞 🖐 **P** – 🏛 150. 🔠 ☻ ☑
Repas 16 ⅃, enf. 7,62 – ☑ 11 – **103 ch** 117/125

Port St-Laurent – ✉ 06700 :

🏨 **Holiday Inn Resort** Ⓜ, prom. Flots Bleus ℰ 04 93 14 80 00, resort@wanadoo.fr, Fax 04 93 07 21 24, ≤, 🏡, 🏊, 🏊, 🌳 – 🛗 ⤢ 📺 📞 🖐 **P** – 🏛 150. 🔠 ☻ ☑ 🚉
Calypso : **Repas** 24(déj.), 27/30 ⅃, enf. 7,70 – ☑ 14,50 – **125 ch** 197/273

🍴🍴 **Aigue Marine**, prom. Flots Bleus ℰ 04 93 07 84 55, marine.aigue@libertysurf.fr, Fax 04 93 07 88 68, ≤, 🏡 – 🍽. 🔠 ☻ ☑
fermé dim. soir du 16 sept. au 14 mai et sam. midi du 15 mai au 15 sept. – **Repas** 20,60/27,10

🍴🍴 **Sant'Ana**, ℰ 04 93 07 02 24, Fax 04 93 14 90 34, 🏡 – 🍽. 🔠 ☻ ☑
fermé 11 au 27 nov., 13 au 22 janv. et lundi – **Repas** 22,11/45,73 ⅃, enf. 15,24

🍴 **Mousson**, prom. Flots Bleus ℰ 04 93 31 13 30, Fax 04 93 07 27 49, 🏡 – 🍽. 🔠 ☑
fermé 2 au 31 janv., mardi soir et merc. d'oct. à juin, vend. midi, sam. midi et dim. midi en juil.-août – **Repas** (16) - 22,10 (déj.), 29,75/35 ⅃

AURENT-DU-VERDON 04500 Alpes-de-H.-P. 🔢 ⑯ – 74 h alt. 468.
Paris 791 – Digne-les-Bains 59 – Brignoles 51 – Castellane 70 – Manosque 38.

🏨 **Moulin du Château** ⑤, ℰ 04 92 74 02 47, lmdch@club-internet.fr, Fax 04 92 74 02 97, 🏡, 🌳 – 📺 ☻. ☑ ☒ rest
15 fév.-15 nov. – **Repas** *(fermé lundi et jeudi)* (dîner seul.)(résidents seul.) 26 ⅃, enf. 12 – ☑ 7,50 – **10 ch** 71,50/92

ST-LAURENT-EN-GRANDVAUX 39150 Jura **70** ⑮ *G. Jura*– 1 767 h alt. 904.

🛈 Office du tourisme Place Charles Thevenin 🕾 03 84 60 15 25, Fax 03 84 60 15 25.

Paris 443 – Champagnole 22 – Lons-le-Saunier 46 – Morez 11 – Pontarlier 57 – St-Claud

🏩 **Poste,** 🕾 03 84 60 15 39, Fax 03 84 60 89 03 – ✦ 📖. ⊟

fermé 1ᵉʳ au 15 mai, 15 nov. au 15 déc. et sam. midi – **Repas** 14/21 ♈, enf. 7 – ⌷ 6 – ʻ

38 – ½ P 38

ST-LAURENT-NOUAN 41220 L.-et-Ch. **64** ⑧ – 3 686 h alt. 84.

🛈 Office du tourisme 58 route Nationale 🕾 02 54 87 01 31, Fax 02 54 87 01 31.

Paris 161 – Orléans 40 – Beaugency 9 – Blois 28 – Romorantin-Lanthenay 43.

🏰 **Les Bordes** ⟡, Nord-Est : 6 km par D 925 et rte secondaire 🕾 02 54 87 72 13, go⌍

bordes@wanadoo.fr, Fax 02 54 87 78 61, ≼, 🏔, 🎿 – ⊡ 📞 📭 – 🔬 30. 🖭 ⊟. ≉

fermé mardi et merc. de déc. à fév. – **Repas** *(fermé le soir de déc. à fév.)* 30 (déj.)/3

⌷ 12 – **40 ch** 175/195

🏠 **Verger** ⟡ sans rest, rte de Blois 🕾 02 54 87 22 22, hotel.le.verger@wanado⌍

Fax 02 54 87 22 82, 🎿 – ✦ ⊡ 📭. 🖭 ⊟ ᴊᴄ⌍

⌷ 5,20 – **15 ch** 39/47

ST-LAURENT-SUR SAÔNE 01 Ain **69** ⑲ – rattaché à Mâcon.

ST-LAURENT-SUR-SÈVRE 85290 Vendée **67** ⑤ *G. Poitou Vendée Charentes*– 3 307 h alt.

Paris 363 – Angers 73 – La Roche-sur-Yon 59 – Bressuire 36 – Cholet 14 – Nantes 70.

❌❌ **Chaumière** avec ch, La Trique-N 149 🕾 02 51 67 88 12, Fax 02 51 67 82 87, « Aut⌍

vendéenne », 🎿, 🎿 – ⊡ 📞 📭 ≉ rest

fermé 24 au 30 déc. – **Repas** *(fermé lundi midi d'oct. à mars)* 16 (déj.), 24/59 ♈, enf.

⌷ 10 – **20 ch** 75/120 – ½ P 75/90

ST-LÉGER-EN-YVELINES 78610 Yvelines **60** ⑧, **106** ㉗ – 1 322 h alt. 150.

Paris 55 – Chartres 54 – Dreux 37 – Mantes-la-Jolie 39 – Rambouillet 11 – Versailles 37.

🏠 **Chêne Pendragon** sans rest, 17 r. Croix Blanche 🕾 01 34 86 30 11, Fax 01 34 86 3⌍

🎿 – ⊡ 📞 📭 – 🔬 20. ⊟

⌷ 8 – **17 ch** 58/92

ST-LÉGER-LES-MÉLÈZES 05260 H.-Alpes **77** ⑯ *G. Alpes du Nord* – 228 h alt. 1250 – S⌍

d'hiver : 1 260/2 000 m ⚡ 16 ⚡.

Paris 673 – Gap 20 – Grenoble 107.

🏠 **L'Écureuil,** 🕾 04 92 50 40 49, Fax 04 92 50 71 64, ≼, 🎿, 🎿 – ⫿ 📭 – 🔬 15 à 60.

≉ rest

15 juin-15 sept. et 28 déc.-15 mars – **Repas** 12,20/18,29, enf. 6,10 – ⌷ 6,10 – **4**⌍

42,69/48,78 – ½ P 38,87/42,69

ST-LÉONARD-DE-NOBLAT 87400 H.-Vienne **72** ⑱ *G. Berry Limousin* – 4 764 h alt. 347.

Voir Église★ : clocher★★.

🛈 Office du tourisme Place du Champ de Mars 🕾 05 55 56 25 06, Fax 05 55 56 36 97.

Paris 408 – Limoges 20 – Aubusson 68 – Brive-la-Gaillarde 99 – Guéret 62.

🏰 **Grand St-Léonard** (Vallet), 23 av. Champs de Mars 🕾 05 55 56 18 18, Fax 05 55 56 9⌍

❀ – ⊡ 📖 – 🔬 15. 🖭 ⓞ ⊟

fermé 15/11 au 15/12, vacances de fév., mardi midi hors saison et lundi sauf le so⌍

15 juin au 15 sept. – **Repas** 23/55 et carte 48 à 62 – ⌷ 8,50 – **13 ch** 51/55 – ½ P 70

Spéc. Terrine de foie de canard au sauternes. Médaillon de lotte aux cèpes (sept. à d⌍

Coeur de filet de boeuf au cahors et à la moelle.

🏩 **Relais St-Jacques,** 6 bd A. Pressemane 🕾 05 55 56 00 25, Fax 05 55 56 19 87 – ⊡⌍

⊟

fermé 23 déc. au 12 janv., dim. soir et lundi d'oct. à mai – **Repas** *(9) -* 11 (déj.), 15/3⌍

enf. 7,50 – ⌷ 6 – **7 ch** 45 – ½ P 43

❌ **Gay Lussac,** 18 r. Egalité 🕾 05 55 56 98 45, 🎿 – ⊟, ≉

fermé dim. soir et lundi sauf juil.-août – **Repas** 10,38 (déj.), 15,27/30,53 ♈

ST-LEU-LA-FORÊT 95 Val d'Oise **55** ⑳, **101** ④ – voir à Paris, Environs.

Voir *Haras national*★ – *Tenture des Amours de Gombaut et Macée du musée des Beaux-Arts.*

🛈 *Office du tourisme* Place Général de Gaulle ℰ 02 33 77 60 35, Fax 02 33 77 60 36.
Paris 305 ② – Caen 72 ② – Cherbourg 80 ⑦ – Laval 156 ⑤ – Rennes 139 ⑤.

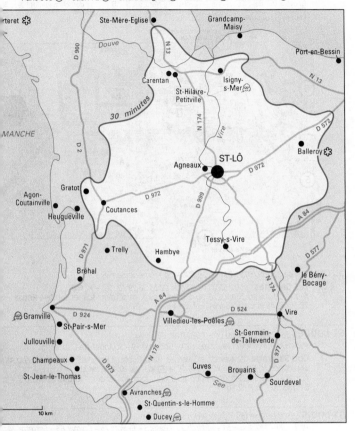

🏨 **Voyageurs** Ⓜ, 5 av. Briovère ℰ 02 33 05 08 63, *Fax 02 33 05 14 34*, 🏤 – 🛗 ⇄ 📺 📞 🕭 –
🏛 50. 🆎 ⓪ 🔾   A   s
fermé 15 déc. au 5 janv. – **Tocqueville** ℰ 02 33 05 15 15 *(fermé sam. midi et dim. soir)*
Repas 17/34 ♈, , enf. 9 – ☲ 6,50 – **31 ch** 52/92 – ½ P 55/65

🏨 **Relais Mercure** Ⓜ sans rest, 1 av. Briovère ℰ 02 33 05 10 84, *h1072@accor-hotels.com,*
Fax 02 33 56 46 92 – 🛗 ⇄ 📺 📞 🕭 – 🏛 80. 🆎 ⓪ 🔾 🔾   A   v
☲ 7 – **35 ch** 55/62

🏨 **Ibis**, Z.I. La Chevalerie, par ③ : 1,5 km ℰ 02 33 57 78 38, *h0930@accor-hotels.com,*
Fax 02 33 55 27 67, 🏤 – ⇄ 📺 📞 🕭 – 🏛 25. 🆎 ⓪ 🔾
Repas (12) - 15 ♈, enf. 5,95 – ☲ 6 – **48 ch** 51/57

🏨 **Armoric** sans rest, 15 r. Marne ℰ 02 33 05 61 32, *Fax 02 33 05 12 68* – 📺 📞. 🆎
🔾   B   a
☲ 4,55 – **20 ch** 36,36/48,48

XX **Gonivière**, rd-pt 6 Juin (1ᵉʳ étage) ℰ 02 33 05 15 36, *Fax 02 33 05 01 72* – 🆎 🔾   A   r
fermé dim. – **Repas** 17,53/44,97 et carte 35 à 61

XX **Péché Mignon**, 84 r. Mar. Juin ℰ 02 33 72 23 77, *restaurant-le-peche-mignon@wana*
⊖ *doo.fr, Fax 02 33 72 27 58* – 🆎 ⓪ 🔾   B   e
fermé 25 fév. au 6 mars, 25 juil. au 15 août, sam. midi, dim. soir et lundi – **Repas** (10,52) -
13,57/49,55 ♈, enf. 5,95

ST-LÔ

Alsace-Lorraine (R.) ..... A 2
Baltimore (R. de) .... A 3
Beaucoudray (R. de) .... A 5
Belle (R. du) .... A 7
Briovère (Av. de) .... A 8
Champ-de-Mars (Pl.) .... B 9
Feuillet (R. Octave) ..... A 12
Gaulle (Pl. Gén.-de) ..... A 13
Gerhardt (R. Gén.) ...... B 14
Grimouville (R. de) ...... A 16
Havin (R.) .... A 17
Houssin-Dumanoir (R.) .... A 18
Lattre-de-T. (R. Mar.-de) . B 19
Leclerc (R. Mar.) .... B
Mesnilcroc (R. du) .... B 22
Neufbourg (R. du) .... B 23
Notre-Dame (Parvis) .... A
Noyers (R. des) .... A
Poterne (R. de la) .... A
Ste-Croix (Pl.) .... B
St-Thomas (R.) .... A
Torteron (R.) .... A
Vieillard de Boismartin (R.) .... B
80e-et-136e Territorial (R. des) .... A

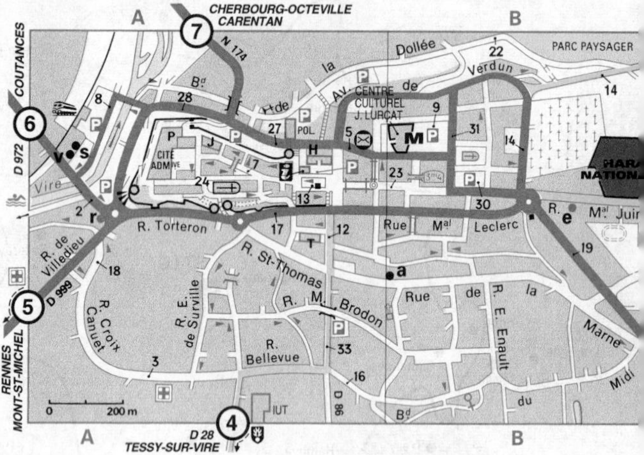

au Calvaire *par ② et D 972 : 7 km – ✉ 50810 St-Pierre-de-Semilly :*

XXX **Les Glycines,** ✆ 02 33 05 02 40, *Fax 02 33 56 29 32,* 余 – P. GB
fermé 21 juil.au 5 août, 6 au 21 janv., sam. midi, dim. soir et lundi – **Repas** (14
22,56/48,48 et carte 43 à 61, enf. 8,84

ST-LOUBÈS *33450 Gironde 71 ⑨ – 7 090 h alt. 28.*

Paris 571 – Bordeaux 19 – Créon 20 – Libourne 19 – St-André-de-Cubzac 15.

X **Coq Sauvage** avec ch, à Cavernes, Nord-Ouest : 4 km ✆ 05 56 20 41 04, *coq.sau @wanadoo.fr, Fax 05 56 20 44 76,* 余 – TV – 20. GB. ch
fermé 27 juil. au 25 août, 21 déc. au 5 janv., sam. soir et dim – **Repas** 18/28,50 ♀ –
6 ch 43,50 – 1/2 P 42,50

ST-LOUIS *68300 H.-Rhin 66 ⑩ – 19 961 h alt. 250.*

Paris 499 – Mulhouse 31 – Altkirch 29 – Basel 5 – Belfort 75 – Colmar 63 – Ferrette 24.

Berlioz sans rest, r. Henner (près gare) ✆ 03 89 69 74 44, *Fax 03 89 70 19 17* – TV
GB
7 – **23 ch** 46/65

XXX **Trianon,** 46 r. Mulhouse ✆ 03 89 67 03 03, *Fax 03 89 69 15 94* – ▤. GB JCB.
fermé 15 juil. au 7 août, 6 au 22 janv., dim. soir, lundi et mardi – **Repas** 21,30 (
47,30/55 et carte 53 à 70 ♀

à Huningue *Est : 2 km par D 469 – 6 097 h. alt. 245 – ✉ 68330 :*

Tivoli M, 15 av. Bâle ✆ 03 89 69 73 05, *info@tivoli.fr, Fax 03 89 67 82 44* – ▤ TV
P. AE GB
Philippe Schneider *(fermé 23 juil. au 16 août, 23 déc. au 6 janv., sam. midi et dim.)* R
22,10/58,70 ♀, enf. 8,40 – 9,20 – **41 ch** 60/76,50 – 1/2 P 45,80/53,40

à Village-Neuf *Nord-Est : 3 km par N 66 et D 21 – 3 108 h. alt. 240 – ✉ 68128 :*

Office du tourisme 81 rue Vauban ✆ *03 89 70 04 49, Fax 03 89 69 30 80, ot.saint huningue@wanadoo.fr.*

X **Au Cerf,** 72 r. Gén. de Gaulle ✆ 03 89 67 12 89, *Fax 03 89 69 85 57,* 余 – GB
fermé 14 juil. au 15 août, jeudi soir, dim. soir et lundi sauf avril-mai – **Repas** 8,84 (
17,53/45,73

ésingue *Ouest : 4 km par D 419 – 1 921 h. alt. 290 –* ⊠ *68220 :*

XX **Au Boeuf Noir**, ℘ 03 89 69 76 40, Fax 03 89 67 77 29 – ▤. ⁂ ⒼⒷ
fermé 12 au 25 août, vacances de fév., sam. midi, lundi midi et dim. – **Repas** 26 (déj.), 42,70/54,50 et carte 38 à 57 ⁚, enf. 5

XX **Au Cheval Blanc**, 4 r. Gén. de Gaulle ℘ 03 89 69 70 73, Fax 03 89 69 70 73 – ⒼⒷ
fermé 1ᵉʳ au 18 août, dim. soir, mardi soir et merc. – **Repas** 13,26 (déj.), 33,54/63,27

-LOUP-DE-VARENNES *71 S.-et-L.* ⑥⑨ ⑨ *– rattaché à Chalon-sur-Saône.*

-LOUP-SUR-SEMOUSE *70800 H.-Saône* ⑥⑥ ⑥ *– 4 291 h alt. 247.*

🛈 *Syndicat d'initiative 7 rue Henry Guy* ℘ 03 84 49 02 92, Fax 03 84 49 02 92.
Paris 363 – Épinal 42 – Bourbonne-les-Bains 48 – Gray 83 – Remiremont 35 – Vesoul 36.

🏨 **Trianon**, pl. J.-Jaurès ℘ 03 84 49 00 45, Fax 03 84 94 22 34, 佘 – ⓣⓥ. ⁂ ⒼⒷ
fermé sam. midi – **Repas** 13/34 ⅃, enf. 7,50 – ⇋ 6 – **13 ch** 34/41 – ½ P 37

-LYPHARD *44410 Loire-Atl.* ⑥⑧ ⑭ *G. Bretagne– 3 178 h alt. 12.*

Voir *Clocher de l'église* ⁂ ★★.

🛈 *Office du tourisme Place de l'Église* ℘ 02 40 91 41 34, Fax 02 40 91 34 96, otsi-st-lyphard@wanadoo.fr.
Paris 451 – Nantes 74 – La Baule 17 – Redon 42 – St-Nazaire 22.

🏨 **Les Chaumières du Lac et Auberge Les Typhas** Ⓜ, rte Herbignac
℘ 02 40 91 32 32, les.cinq.chaumieres@wanadoo.fr, Fax 02 40 91 30 33, 佘, 罒 – ⓣⓥ ✔ ㅅ.
Ⓟ – 🄰 30. ⁂ ⒼⒷ
fermé déc. et janv. – **Repas** *(fermé lundi midi et mardi midi du 15/06 au 15/09, lundi soir et mardi du 16/09 au 14/06)* 19,82/53,36, enf. 10,67 – ⇋ 8,38 – **20 ch** 64,03/88,42 – ½ P 60,98/71,65

de St-Nazaire *Sud : 3 km par D 47 –* ⊠ *44410 St-Lyphard :*

XX **Nézil**, ℘ 02 40 91 41 41, Fax 02 40 91 45 39, 佘, 罒 – Ⓟ. ⁂ ⒼⒷ
fermé 12 nov. au 3 déc., 27 janv. au 11 fév., merc. soir d'oct. à mai, dim. soir et lundi – **Repas** 19 (déj.), 25/40

réca *Sud : 6 km par D 47 et rte secondaire –* ⊠ *44410 St-Lyphard :*

XX **Auberge de Bréca**, ℘ 02 40 91 41 42, aubergedebreca@wanadoo.fr, Fax 02 40 91 37 41, 佘, « Chaumière briéronne dans un jardin fleuri », 罒 – ⁂ ⒼⒷ
fermé 19 déc. au 10 janv., dim. soir et jeudi – **Repas** 21/43 ⁚, enf. 9,50

erbourg *Sud-Ouest : 6 km par D 51 (rte de Guérande) –* ⊠ *44410 St-Lyphard :*

XX **Auberge de Kerbourg** (Jeanson), ℘ 02 40 61 95 15, Fax 02 40 61 98 64, 佘,
❀ « Chaumière briéronne aménagée avec élégance », 罒 – ⒼⒷ
fermé mi-déc. à mi-fév., mardi midi, dim. soir et lundi – **Repas** *(en saison, prévenir)* 27 (déj.), 42/55 et carte 52 à 64
Spéc. Homard dans un consommé de pigeon (juin à sept.). Alose de Loire (mai-juin). Gros turbot sauvage du Croisic **Vins** Montlouis, Chinon

---

-MACAIRE *33 Gironde* ⑦⑨ ② *– rattaché à Langon.*

-MAIXENT-L'ÉCOLE *79400 Deux-Sèvres* ⑥⑧ ⑫ *G. Poitou Vendée Charentes– 6 602 h alt. 85.*

Voir *Église abbatiale* ★ – *Musée militaire (série d'uniformes* ★ *).*

🛈 *Office du tourisme Pavillon du Tourisme* ℘ 05 49 05 54 05, Fax 05 49 05 76 25, otsi.hvs@ot-valsevre.fr.
Paris 384 – Poitiers 51 – Angoulême 106 – Niort 24 – Parthenay 30.

🏨 **Logis St-Martin** ॐ, chemin Pissot ℘ 05 49 05 58 68, courrier@logis-saint-martin.com, Fax 05 49 76 19 93, 佘, « Demeure du 17ᵉ siècle », 🄰 – ⓣⓥ ✔ Ⓟ. ⓞ ⒼⒷ ᴶᶜᴮ, ⁒ ch
fermé janv. et lundi soir de nov. à mars – **Repas** *(fermé mardi midi, sam. midi et lundi)* 28,20 (déj.), 39,64/82,32 bc ⁚ – ⇋ 12,20 – **11 ch** 79,27/109,76 – ½ P 94,52/109,76

🏠 **Lika**, rte Niort ℘ 05 49 05 63 64, Fax 05 49 05 53 63, 佘, 罒 – ⓣⓥ ✔ Ⓟ – 🄰 25. ⁂ ⓞ ⒼⒷ
fermé 20 déc. au 6 janv. et dim. sauf juil.-août – **Repas** *(fermé sam. soir et dim. midi sauf juil.-août)* 11/22 ⅃, enf. 6 – ⇋ 5 – **20 ch** 36/49 – ½ P 34,50

oudan *Est : 7,5 km par N 11 – 379 h. alt. 155 –* ⊠ *79800 :*

Voir *Musée des Tumulus de Bougon* ★★.

XX **L'Orangerie** avec ch, ℘ 05 49 06 56 06, Fax 05 49 06 56 10, 佘, 罒 – ⓣⓥ ✔ Ⓟ. ⁂ ⒼⒷ
fermé 12 nov. au 12 déc., dim. soir et merc. – **Repas** 13,57/38,11 ⁚, enf. 7,62 – ⇋ 5,79 – **7 ch** 29,73/39,64 – ½ P 45,73

ST-MALO 🕿 35400 I.-et-V. 🔢 ⑥ G. Bretagne – 50 675 h alt. 5 – Casino AXY.

Voir Remparts★★★ – Château★★ : musée d'Histoire de la ville et d'Ethnographie du malouin★ M², tour Quic-enroigne★ DZ E – Fort national★ : ≤★★ 15 mn – Vitraux★ cathédrale St-Vincent – Grand Aquarium★★ par ③ – Rothéneuf : musée-manoir Jacq Cartier★, 3 km par ① – St Servan sur Mer : corniche d'Aleth≤★, tour Solidor★, échapée parc des Corbières★, belvédère du Rosais★.

≥ de Dinard-Pleurtuit-St-Malo : 𝒫 02 99 46 18 46, par ③ : 14 km.

🖪 Office du tourisme Esplanade Saint-Vincent 𝒫 02 99 56 64 48, Fax 02 99 56 67 office.de.tourisme.saint-malo@wanadoo.fr.

Paris 417 ③ – Avranches 68 ③ – Dinan 32 ③ – Rennes 72 ③ – St-Brieuc 73 ③.

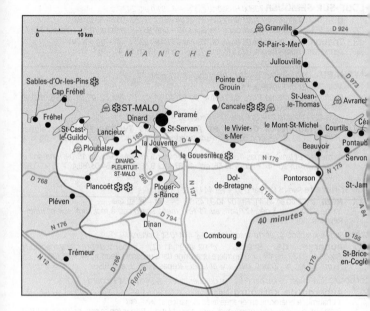

Intra muros :

🏨 **Central,** 6 Gde rue 𝒫 02 99 40 87 70, centralbw@aol.com, Fax 02 99 40 47 57 – ⒮ 🕂
 – 🛁 50. ⒜Ⓔ ⓪ ⒼⒷ ⒿⒸⒷ   DZ
Pêcherie : Repas 22/49 ♀, enf. 11,50 – ☲ 10 – **50 ch** 70/115 – ½ P 64/88

🏨 **Ajoncs d'Or** sans rest, 10 r. Forgeurs 𝒫 02 99 40 85 03, hotel-ajoncs-dor@wanadoo
 Fax 02 99 40 80 70 – ⒮ 📺 ✆ ⒜Ⓔ ⓪ ⒼⒷ ⒿⒸⒷ. ⒮⒮
 25 fév.-12 nov. – ☲ 8 – **22 ch** 71/104   DZ

🏨 **Cité** sans rest, 26 r. Ste-Barbe 𝒫 02 99 40 55 40, Fax 02 99 40 10 04 – ⒮ ⊟ 📺 ✆ 🕿
 ⓪ ⒼⒷ ⒿⒸⒷ
 ☲ 9 – **41 ch** 68,50/100   DZ

🏨 **Quic en Groigne** ⌂ sans rest, 8 r. d'Estrées 𝒫 02 99 20 22 20, rozenn.roualec@w
 doo.fr, Fax 02 99 20 22 30 – 📺 🕿. ⒜Ⓔ ⒼⒷ ⒿⒸⒷ. ⒮⒮
 ☲ 6 – **15 ch** 47/61   DZ

🏨 **Palais** sans rest, 8 r. Toullier 𝒫 02 99 40 07 30, hotel-du-palais@wanadoo
 Fax 02 99 40 29 53 – ⒮ 📺 ✆ ⒜Ⓔ ⓪ ⒼⒷ ⒿⒸⒷ. ⒮⒮
 ☲ 6 – **18 ch** 45/55   DZ

🏨 **Jean Bart** sans rest, 12 r. Chartres 𝒫 02 99 40 33 88, hoteljeanbart@wanadoo
 Fax 02 99 56 98 89 – ⒮ 📺. ⒜Ⓔ ⒼⒷ
 15 mars-15 nov. et 26 déc-6 janv. – ☲ 6,10 – **18 ch** 45,12/58,69   DZ

🏠 **Cartier** sans rest, 1 r. Corne de Cerf 𝒫 02 99 56 30 00, Fax 02 99 56 55 54 – ⒮ 📺.
 ⒮⒮
 1er avril-15 nov. – ☲ 6 – **22 ch** 44/69   DZ

1262

XX **Chalut** (Foucat), 8 r. Corne de Cerf ℘ 02 99 56 71 58, Fax 02 99 56 71 58 – 🍴. 🖭 ☺ GB   DZ **d**
fermé mardi sauf le soir en saison et lundi – **Repas** (nombre de couverts limité, prévenir) 19/43 et carte 40 à 58 ♀
Spéc. Filet de Saint-Pierre à la coriandre. Saint-Jacques au jus de truffe (oct. à avril). Filet de bar au champagne

XX **A la Duchesse Anne**, 5 pl. Guy La Chambre ℘ 02 99 40 85 33, Fax 02 99 40 00 28, 🍴 – GB. ⅛   DZ **e**
fermé déc., janv., dim. soir hors saison, lundi midi et merc. – **Repas** carte 35 à 65

XX **Delaunay**, 6 r. Ste-Barbe ℘ 02 99 40 92 46, Fax 02 99 56 88 91 – GB   DZ **x**
fermé déc., janv., lundi sauf en juil.-août et dim sauf fériés. – **Repas** 15 (déj.), 23/30

X **Gilles**, 2 r. Pie qui boit ℘ 02 99 40 97 25, Fax 02 99 40 97 25 – GB   DZ **t**
fermé 20 nov. au 14 déc., vacances de fév., merc. sauf le soir en août et jeudi du 15 nov. à Pâques – Repas (nombre de couverts limité, prévenir) 15/29 ♀, enf. 9,60

X **Ancrage**, 7 r. J. Cartier ℘ 02 99 40 15 97, 🍴 – GB   DZ **r**
fermé 15 déc. au 15 fév., mardi hors saison et merc. – **Repas** - produits de la mer - 13 (déj.), 16/30

Malo Est et Paramé – ✉ 35400 St-Malo :

🏨 **Grand Hôtel des Thermes** ≫, aux Thermes marins, 100 bd Hébert ℘ 02 99 40 75 75, thalasso@st-malo.com, Fax 02 99 40 76 00, ≤, centre de thalassothérapie, 🗔, 🖵 – 🛗, 🍴 rest, 📺 ❦ & 🚗 – 🔬 50. 🖭 ⓞ GB 🕞 ⅛ rest   AY **n**
fermé 5 au 25 janv. – **Cap Horn** ℘ 02 99 40 75 40 Repas 24,39/65,55 ♀, enf. 12,96 –
Verrière : Repas 27,44 ♀, enf. 12,96 – ☲ 14 – **171 ch** 80/304,50, 7 appart – ½ P 172/216

🏨 **Océania** sans rest, 2 r. Joseph Loth ℘ 02 99 56 84 84, oceania-st-malo@hotel-sofibra. com, Fax 02 99 56 45 73, ≤ – 🛗 🎁 📺 ❦ & 🚗. 🖭 ⓞ GB   AY **d**
☲ 10 – **70 ch** 104/145

🏨 **Villefromoy** sans rest, 7 bd Hébert ℘ 02 99 40 92 20, villefromoy.hotel@wanadoo.fr, Fax 02 99 56 79 49 – 🛗 📺 ❦ & 🅿 🖭 ⓞ GB 🕞   CX **s**
fermé 20 nov. au 20 déc. et 6 janv. au 1er fév. – ☲ 9 – **21 ch** 84/119

🏨 **Mercure** 🅼 sans rest, 36 chaussée Sillon ℘ 02 23 18 47 47, h3225@accor-hotels.com, Fax 02 23 18 47 48 – 🛗 🎁 📺 ❦ & 🖭 ⓞ GB   AY **z**
☲ 9 – **51 ch** 80/115

🏨 **Grand Hôtel Courtoisville** ≫, 69 bd Hébert ℘ 02 99 40 83 83, courtoisville.comhotel @courtoisville.com, Fax 02 99 40 57 83, 🗔, 🍴 – 🛗 🎁 📺 ❦ 🚗 🅿. GB. ⅛ rest   BX **a**
mi-fév.-mi-nov. et vacances de Noël – Repas (mi-fév.-mi-nov.) 22/30 ♀, enf. 10,70 – ☲ 9,90 – **44 ch** 114/145 – ½ P 79/92

🏨 **Alexandra** ≫, 138 bd Hébert ℘ 02 99 56 11 12, hotel.alexandre@gofornet, Fax 02 99 56 30 03, ≤, 🍴 – 🛗, 🍴 rest, 📺 ❦ 🅿 – 🔬 30. 🖭 ⓞ GB 🕞   BX **h**
fermé janv. – Repas 17,50/55 ♀, enf. 7,65 – ☲ 10 – **40 ch** 108/130 – ½ P 79/93

🏨 **Brocéliande** sans rest, 43 chaussée Sillon ℘ 02 99 20 62 62, hotel-broceliande@wana doo.fr, Fax 02 99 40 42 47 – 📺 🅿. 🖭 ⓞ GB. ⅛   BX **v**
fermé janv. – ☲ 10 – **9 ch** 104/140

🏨 **Les Acacias** ≫ sans rest, 8 bd Hébert ℘ 02 99 56 01 19, hotel.acacias@wanadoo.fr, Fax 02 99 56 17 81, ≤ – 📺. GB   CX **d**
fermé 20 nov. au 20 déc. et 7 janv. au 1er fév. – ☲ 5,70 – **23 ch** 47,30/75

🏨 **Ibis Plage** sans rest, 58 chaussée Sillon ℘ 02 99 40 57 77, h1105@accor-hotels.com, Fax 02 99 40 57 78 – 🛗 🎁 📺 ❦ & 🅿. 🖭 ⓞ GB   BXY **t**
☲ 6,25 – **60 ch** 62,50/93,50

🏨 **Eden** sans rest, 1 r. Étang ℘ 02 99 40 23 48, Fax 02 99 40 55 86 – 🎁 📺. 🖭 GB   CX **b**
fermé 15 janv. au 15 mars – ☲ 5,50 – **27 ch** 50,50/58

X **Fleur de Sel**, 93 bd Rochebonne ℘ 02 99 40 09 93, Fax 02 99 40 09 93 – GB   CX **e**
fermé 15 au 30 oct., vacances de fév., dim. soir de sept. à juin, sam. midi et lundi – Repas (18) - 25/31,50 ♀, enf. 10,70

t-Servan-sur-Mer – ✉ 35400 St-Malo :

🏨 **Manoir du Cunningham** sans rest, 9 pl. Mgr Duchesne ℘ 02 99 21 33 33, cunningham @wanadoo.fr, Fax 02 99 21 33 34, ≤ – 📺 ❦ & 🅿. GB   AZ **a**
29 mars-4 nov. – ☲ 9 – **13 ch** 110/210

🏨 **Valmarin** ≫ sans rest, 7 r. Jean XXIII ℘ 02 99 81 94 76, Fax 02 99 81 30 03, « Élégante malouinière du 18e siècle, parc », 🌿 – 📺 ❦ 🅿. 🖭 GB   AZ **n**
fermé 15 au 25 nov. et 6 au 19 janv. – ☲ 9,50 – **12 ch** 92/130

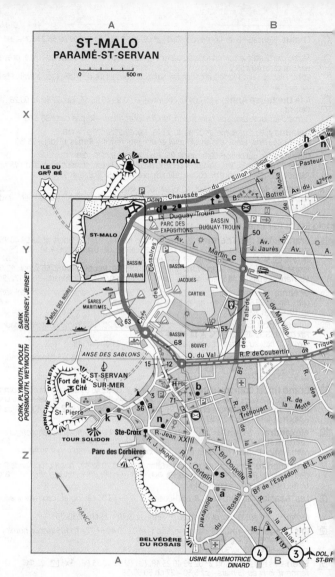

ST-MALO
PARAMÉ-ST-SERVAN

0   500 m

ILE DU GR° BÉ

FORT NATIONAL

ST-MALO

CASINO — Chaussée — du — Sillon

Duguay-Trouin

PARC DES EXPOSITIONS

BASSIN DUGUAY-TROUIN

BASSIN VAUBAN

Av. L. Martin

GARES MARITIMES

BASSIN JACQUES CARTIER

ANSE DES SABLONS

BASSIN BOUVET

Q. du Val — R.P de Coubertin

ST-SERVAN SUR-MER

Fort de la Cité

Pl. St. Pierre

CORNICHE D'ALETH

TOUR SOLIDOR

Ste-Croix

R. Jean XXIII

Parc des Corbières

Bd de l'Espadon

BELVÉDÈRE DU ROSAIS

USINE MAREMOTRICE DINARD

CORK, PLYMOUTH, POOLE PORSMOUTH, WEYMOUTH
SARK GUERNSEY, JERSEY

Pasteur

Av. du 47ème

Av. J. Jaurès

Av. de Marville

R. de la Motte

Bd Tréhouart

Bd Douville

R. de la Marne

R. de la Balue

(4)   (3)   DOL, ST-BR

🏨 **Rance** Ⓜ sans rest, 15 quai Sébastopol (port Solidor) ℰ 02 99 81 78 63, *hotel-la-rance@
wanadoo.fr*, Fax 02 99 81 44 80, ≼, « Mobilier ancien » – 📺 📞. 🆎 🆖 🇯🇨🇧. ⚹⚹   AZ
  ⛝ 8 – **11 ch** 80

🏨 **Korrigane** sans rest, 39 r. Le Pomellec ℰ 02 99 81 65 85, *la.korrigane.st.malo@wanad@
fr*, Fax 02 99 82 23 89, 🌿 – 📺. 🆎 ⓞ 🆖 🇯🇨🇧   BZ
  ⛝ 10 – **12 ch** 115/145

🏠 **Ascott** ⍕ sans rest, 35 r. Chapitre ℰ 02 99 81 89 93, Fax 02 99 81 77 40, 🌿 – 📺. 🆎
  fermé 6 janv. au vacances de fév. – ⛝ 9 – **10 ch** 82/130   BZ

✕✕ **St-Placide**, 6 pl. Poncel ℰ 02 99 81 70 73, Fax 02 99 81 89 49 – 🆎 🆖   BZ
  fermé 1er au 15 oct., mardi soir hors saison et merc. – **Repas** 16,46 (déj.), 21,04/30,1◆
  enf. 10,37

1264

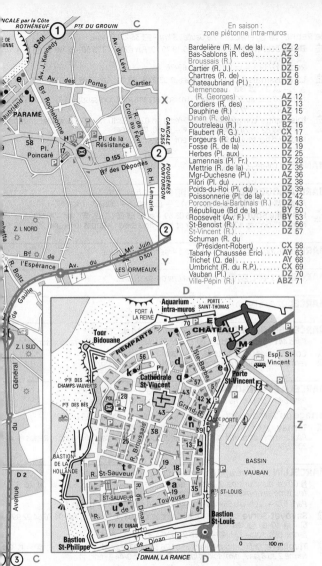

CALE par la Côte
ROTHÉNEUF ① PTE DU GROUIN C

En saison :
zone piétonne intra-muros

✗ **L'Atre,** 7 espl. Cdt Menguy (port Solidor) ℘ 02 99 81 68 39, *Fax* 02 99 81 56 18, ≼ – **AE**
GB AZ **v**
fermé mi-déc. à fin janv., dim. soir et mardi soir de sept. à juin et merc. – **Repas** *(12)* -
16/23 ♀, enf. 10

de Cancale *par* ② *sur D 355 : 6 km* – ⊠ *35400 St-Malo :*

✗✗ **Clos du Chanoine** (Langrée), La Mettrie au Chanoine ℘ 02 99 82 84 57, *chanoine@free.*
✿ *fr, Fax* 02 99 82 08 67, ⇗, ☞ – **P.** **AE** **①** **GB** **JCB**
fermé 24 au 29 juin, 21 oct. au 7 nov., 27 janv. au 6 fév., mardi et merc. – **Repas** 20/70 et
carte 45 à 60
Spéc. Saint-Pierre au gingembre, citrons et oignons confits. Croustillant de pieds de porc
au jus de truffe. Tarte fine croquante au citron

rte de Rennes par ③ et av. Gén. de Gaulle : 3 km – ⊠ 35400 St-Malo :

Brit Hôtel Transat Ⓜ, ℘ 02 99 19 79 79, Fax 02 99 19 79 50 – 📶 ≋ 🔳 📺 ☎ ₺ ◉
🏊 20 à 80. ☉🅱
Repas 12/19 🍴 – ☑ 6,10 – **39 ch** 69/76

La Grassinais Ⓜ, 12 r. Grassinais ℘ 02 99 81 33 00, Fax 02 99 81 60 90, 🌳 – 🔳 res
🄬 ₺ ₱ – 🏊 25. 🅰🅴 ☉🅱
fermé 20 déc. au 30 janv., lundi, dim. soir et sam. midi hors saison – **Repas** 17/65 ♀ – ☑
– **29 ch** 55/65 – ½ P 54

Ibis, centre commercial La Madeleine ℘ 02 99 82 10 10, H0728-gm@accor-hotels.
Fax 02 99 82 35 74 – ≋ 📺 ₺ ₱ – 🏊 30. ☉🅱
Repas (dîner seul.) 8,99/15,09 ♀, enf. 5,95 – ☑ 6,25 – **73 ch** 62/74

ST-MANDÉ 94 Val-de-Marne 𝟻𝟼 ⑪, 𝟭𝟬𝟭 ㉗ – voir à Paris, Environs.

ST-MARC-A-LOUBAUD 23460 Creuse 𝟳𝟮 ⑳ – 122 h alt. 705.
Paris 417 – Limoges 78 – Aubusson 27 – Guéret 56 – Tulle 87 – Ussel 57.

✕ **Les Mille Sources,** ℘ 05 55 66 03 69, Fax 05 55 66 03 69, 🌳, 🎋 – ₱. ☉🅱
fermé 1er déc. au 10 fév., dim. soir et lundi hors saison – **Repas** (prévenir) 25,15/38,11

ST-MARCEL 36 Indre 𝟨𝟪 ⑰ ⑱ – rattaché à Argenton-sur-Creuse.

ST-MARCEL 71 S.-et-L. 𝟨𝟫 ⑨ – rattaché à Chalon-sur-Saône.

ST-MARCEL 27 Eure 𝟻𝟻 ⑰ – rattaché à Vernon.

ST-MARCEL-EN-DOMBES 01390 Ain 𝟳𝟰 ② – 1 059 h alt. 265.
Paris 441 – Lyon 30 – Bourg-en-Bresse 36 – Meximieux 21 – Villefranche-sur-Saône 26.

✕ **Colonne,** ℘ 04 72 26 11 06, 🌳 – ☉🅱
fermé 23 déc. au 23 janv., lundi soir et mardi – **Repas** 13,57/29

ST-MARCEL-LÈS-ANNONAY 07100 Ardèche 𝟳𝟨 ⑨ – 1 189 h alt. 450.
Paris 540 – St-Étienne 36 – Annonay 9 – Vienne 49 – Yssingeaux 56.

au Barrage du Ternay Nord : 2 km par D 306 G. Vallée du Rhône – ⊠ 07100 :

✕ **Ternay,** ℘ 04 75 67 12 03, Fax 04 75 32 02 80, 🌳 – ☉🅱. 🎾
Pâques-Noël et fermé dim. soir, mardi soir et merc. sauf juil.-août – **Repas** 16,46 (
20,12/30,18

ST-MARCELLIN 38160 Isère 𝟳𝟳 ③ G. Vallée du Rhône – 6 955 h alt. 282.
🛈 Office du tourisme 2 avenue du Collège ℘ 04 76 38 53 85, Fax 04 76 38 1
tourisme-saint-marcellin@wanadoo.fr.
Paris 572 – Grenoble 55 – Valence 48 – Die 76 – Vienne 69 – Voiron 47.

Savoyet-Serve sans rest, 16 bd Gambetta ℘ 04 76 38 24 31, Fax 04 76 64 02 99 – 📶
₱ – 🏊 30. 🅰🅴 ☉🅱
fermé dim. soir – ☑ 5,40 – **36 ch** 27,50/54,90

✕✕ **Tivollière,** Château du Mollard ℘ 04 76 38 21 17, Fax 04 76 64 02 99, ≤, 🌳 – ₱. ☉🅱
fermé 2 au 8 janv., dim. soir et lundi – **Repas** 15,50/44 🍴, enf. 11

ST-MARTIN-BELLE-ROCHE 71 S.-et-L. 𝟳𝟬 ⑪ – rattaché à Mâcon.

ST-MARTIN-BELLEVUE 74370 H.-Savoie 𝟳𝟰 ⑥ – 1 739 h alt. 732.
Paris 541 – Annecy 9 – Aix-les-Bains 34 – La Clusaz 34 – Genève 41 – Rumilly 34.

Beau Séjour ≫, à la gare : 1 km ℘ 04 50 60 30 32, hotelbs@aol.com, Fax 04 50 60 3
🌳, 🎋 – 📶 📺 ₱. ☉🅱
15 mars-22 déc. – **Repas** (fermé dim. soir et lundi sauf août) 12,50/38 ♀ – ☑ 6,50 – 1
36,60/56 – ½ P 45/51

ST-MARTIN-D'ARMAGNAC 32 Gers 𝟴𝟮 ② – rattaché à Nogaro.

ST-MARTIN-DE-BELLEVILLE 73440 Savoie **74** ⑰ *G. Alpes du Nord* – 2 532 h alt. 1450 – Sports d'hiver : 1 450/2 850 m ≰ 9 ≴ 37 ≵.

🖪 Office du tourisme ℘ 04 79 00 73 00, Fax 04 79 00 75 06, lesmenuires@lesmenuires.com.
Paris 656 – Albertville 44 – Chambéry 94 – Moûtiers 19.

🏨 **St-Martin** Ⓜ ⌂, ℘ 04 79 00 88 00, hotel-stmartin@compuserve.com,
Fax 04 79 00 88 39, ≤, ㈑, ℔ – ᪲ 🆃🆅 ❄ 🅶 ⇔ – ◬ 30. 🅰🅴 ⓞ 🆖. ❀ ch
15 déc.-22 avril – **Grenier** : Repas 29/34, enf. 19 – ☷ 10 – **19 ch** 202/295,76, 8 duplex –
1/2 P 105,19/147,88

🏨 **Alp-Hôtel** ⌂, ℘ 04 79 08 92 82, alphotel@wanadoo.fr, Fax 04 79 08 94 61, ≤, ㈑, ℔ –
᪲ 🅶. 🆖. ❀ rest
15 déc.-15 avril – Repas 18,50 (déj.)/28 ☷ – ☷ 9 – **30 ch** 60/125 – 1/2 P 85,50

🏨 **Edelweiss** sans rest, ℘ 04 79 08 96 67, hoteledelweiss@wanadoo.fr, Fax 04 79 08 90 40 –
🆃🆅. ⓞ 🆖
12 juil.-10 sept. et 20 déc.-fin avril – ☷ 9 – **16 ch** 54/95

🍴🍴 **Bouitte** ⌂ avec ch, à St-Marcel, Sud-Est : 2 km ℘ 04 79 08 96 77, Fax 04 79 08 96 03, ≤,
㈑, « Décor de vieux chalet » – 🅿. 🅰🅴 ⓞ 🆖 🅹🅲🅱
1er juil.-31 août et 15 déc.-1er mai – Repas 27/92, enf. 14 – ☷ 12 – **7 ch** 110/198

🍴 **Étoile des Neiges**, ℘ 04 79 08 92 80, hoteledelweiss@wanadoo.fr, Fax 04 79 08 90 40,
㈑ – ᪲ ⓞ 🆖
20 déc.-fin avril – Repas 20 (déj.), 23/46

T-MARTIN-DE-FRAIGNEAU 85 Vendée **71** ① – rattaché à Fontenay-le-Comte.

T-MARTIN-DE-LONDRES 34380 Hérault **83** ⑥ *G. Languedoc Roussillon* – 1 894 h alt. 194.
🖪 Office du tourisme Maison de Pays ℘ 04 67 55 09 59, Fax 04 67 55 09 59.
Paris 749 – Montpellier 25 – Le Vigan 38.

🍴🍴🍴 **Les Muscardins**, 19 rte Cévennes ℘ 04 67 55 75 90, trousset@les-muscardins.fr,
Fax 04 67 55 70 28 – ▤. 🅰🅴 ⓞ 🆖 🅹🅲🅱
fermé fév., lundi et mardi – Repas 29 (déj.), 39,50/64 et carte 48 à 68 ☷, enf. 12

🍴🍴 **Pastourelle**, chemin de la Prairie ℘ 04 67 55 72 78, Fax 04 67 55 72 78, ㈑, ⇴ – 🅿. 🅰🅴
ⓞ 🆖
fermé 15 au 30 sept., vacances de fév., mardi soir en hiver et merc. – Repas 18/46 ☷, enf. 10

⌂ Sud : 12 km par D 32, D 127 et D 127E6 – ✉ 34380 Argelliers :
🍴🍴 **Auberge de Saugras** ⌂ avec ch, ℘ 04 67 55 08 71, auberge.saugras@wanadoo.fr,
Fax 04 67 55 04 65, ㈑, « Ancien mas du 12e siècle », ⌁ – ❄ 🅿. 🅰🅴 ⓞ 🆖
fermé 7 au 29 août, fév., lundi midi en juil.-août, mardi soir sauf le soir en juil.-août et merc. –
Repas (prévenir) 16/46 – ☷ 6,50 – **7 ch** 45 – 1/2 P 48,50/75,50

T-MARTIN-D'ENTRAUNES 06470 Alpes-Mar. **81** ⑨, **115** ② – 88 h alt. 1050.
🖪 Syndicat d'Initiative Mairie ℘ 04 93 05 51 04, Fax 04 93 05 57 55.
Paris 801 – Digne-les-Bains 107 – Barcelonnette 50 – Castellane 67 – Nice 109.

🏨 **Vallière**, ℘ 04 93 05 59 59, Fax 04 93 05 59 60, ㈑ – 🅿. 🆖
1er mai-1er nov. et fermé dim. soir et jeudi sauf juil.-août – Repas 19,06/25,15, enf. 9,15 –
☷ 6,86 – **10 ch** 42,69/48,78 – 1/2 P 42,69/48,78

T-MARTIN-DE-RÉ 17 Char.-Mar. **71** ⑫ – voir à Ré (Ile de).

-MARTIN-DU-FAULT 87 H.-Vienne **72** ⑦ – rattaché à Limoges.

-MARTIN-DU-TOUCH 31 H.-Gar. **82** ⑦ – rattaché à Toulouse.

-MARTIN-DU-VAR 06670 Alpes-Mar. **84** ⑨, **115** ⑯ – 2 197 h alt. 110.
Paris 945 – Nice 28 – Antibes 34 – Cannes 44 – Puget-Théniers 40 – Vence 23.

🍴🍴🍴 **Jean-François Issautier**, rte de Nice (N 202) : 3 km ℘ 04 93 08 10 65, jf.issautier@wa
nadoo.fr, Fax 04 93 29 19 73 – ▤ 🅿. 🅰🅴 ⓞ 🆖
fermé 23 déc. au 30 janv., lundi et mardi – Repas 44/86 et carte 68 à 107
Spéc. Grosses crevettes en robe de pomme de terre. Pied de cochon croustillant au jus de marjolaine. "Cul" d'agneau rôti rosé à la menthe fraîche. Vins Bellet, Côtes de Provence.

-MARTIN-DU-VIVIER 76 S.-Mar. **55** ⑦ – rattaché à Rouen.

ST-MARTIN-EN-BRESSE 71620 S.-et-L. **69** ⑩ – 1 639 h alt. 192.

Paris 354 – Beaune 37 – Chalon-sur-Saône 18 – Dijon 87 – Dôle 55 – Lons-le-Saunier 48.

🏠 **Au Puits Enchanté,** ℰ 03 85 47 71 96, Chateau.Jacky@wanadoo.fr, Fax 03 85 47 74 5
— 📺 ❤️ 🅿️. GB
fermé 24 au 30/09, 6 au 29/01, 24/02 au 2/03, lundi (sf le soir du 11/03 au 15/10), dim. so
(sf 07/08) et mardi – Repas 16/38, enf. 9 – 🔄 6,50 – **13 ch** 39/50 – ½ P 41/49

ST-MARTIN-LA-GARENNE 78 Yvelines **55** ⑱, **106** ③ – rattaché à Mantes.

ST-MARTIN-LA-MÉANNE 19320 Corrèze **75** ⑩ – 365 h alt. 500.

Voir Barrage du Chastang★ SE : 5 km, G. Berry Limousin.
Paris 514 – Brive-la-Gaillarde 57 – Aurillac 67 – Mauriac 49 – St-Céré 55 – Tulle 33 – Ussel 5

✗ **Voyageurs** avec ch, ℰ 05 55 29 11 53, Fax 05 55 29 27 70, 🍴, 🚗 – 📺 ❤️ 🚗 🅿️. GB
mi-fév.-mi-nov. et fermé dim. soir et lundi hors saison – Repas (10,52) · 14,48/30,49
enf. 7,17 – 🔄 4,88 – **8 ch** 37,35/48,02 – ½ P 38,87/42,69

ST-MARTIN-LE-BEAU 37270 I.-et-L. **64** ⑮ G. Châteaux de la Loire – 2 481 h alt. 55.

Paris 232 – Tours 20 – Amboise 9 – Blois 46 – Loches 33.

✗✗ **Auberge de la Treille** avec ch, ℰ 02 47 50 67 17, Fax 02 47 50 20 14 – 📺 ❤️ 🚗
GB
fermé 15 nov. au 5 déc., 15 janv. au 8 fév., merc. soir, dim. soir et lundi – Repas 11/40 ♀
🔄 6 – **8 ch** 39/43 – ½ P 40/42

Towns underlined in red on the Michelin maps
at a scale of 1 : 200 000 are included in this Guide.

Use the latest map to take full advantage of this information.

ST-MARTIN-LE-GAILLARD 76260 S.-Mar. **52** ⑤ G. Normandie Vallée de la Seine – 315 h alt.

Paris 171 – Amiens 98 – Dieppe 25 – Eu 12 – Neufchâtel-en-Bray 35 – Rouen 88.

✗✗ **Moulin du Becquerel,** Nord-Ouest : 1,5 km sur D 16 ℰ 02 35 86 74 9
Fax 02 35 86 99 78, 🍴, « Dans la campagne », 🚗 – 🅿️. GB
fermé 20 janv. au 10 mars, mardi et merc. (sauf fériés) d'oct. à mars, dim. soir et lundi sa
fériés – Repas 26, enf. 8

ST-MARTIN-LE-VINOUX 38 Isère **77** ⑤ – rattaché à Grenoble.

ST-MARTIN-OSMONVILLE 76680 S.-Mar. **52** ⑮ – 824 h alt. 160.

Paris 162 – Amiens 88 – Rouen 32 – Dieppe 46 – Neufchâtel-en-Braye 18.

✗✗ **Auberge de la Varenne,** ℰ 02 35 34 13 80, Fax 02 35 34 59 82, 🍴 – GB
fermé 20 déc. au 2 janv., dim. soir et lundi – Repas 16,05/33,55, enf. 9,15

ST-MARTIN-VÉSUBIE 06450 Alpes-Mar. **84** ⑲, **115** ⑥ G. Côte d'Azur – 1 098 h alt. 1000.

Voir Venanson : ≤★, fresques★ de la chapelle St-Sébastien S : 4,5 km.
Env. Le Boréon★★ (cascade★) N : 8 km – Cirque★★ du vallon de la Madone de Fenestre
12 km.
🛈 Syndicat d'initiative Place Félix Faure ℰ 04 93 03 21 28, Fax 04 93 03 21 28.
Paris 865 – Antibes 74 – Barcelonnette 105 – Cannes 83 – Menton 67.

🏠 **Châtaigneraie** 🦢, ℰ 04 93 03 21 22, hotel-lachataigneraie@raiberti.cc
Fax 04 93 03 33 99, 🍴, 🛁, 🌳 – 🅿️. AE GB JCB. ✹
1er juin-30 sept. – Repas 18,50 – 🔄 5 – **35 ch** 64,50/69 – ½ P 50,50

ST-MATHIEU-DE-TRÉVIERS 34270 Hérault **83** ⑦ – 3 713 h alt. 81.

Paris 767 – Montpellier 21 – Marseille 180 – Nice 335 – Nîmes 60 – Toulouse 259.

✗✗ **Cour,** D 17 ℰ 04 67 55 37 97, latour@net/up.com, Fax 04 67 55 24 51, 🍴 – 🍽️. GB
fermé vacances de Toussaint, de fév., le midi en 07/08 (sauf dim.), sam. midi et dim. soi
sept. à juin et lundi – Repas 19,50 (déj.), 34/68,50 ♀

ST-MATHIEU (Pointe de) 29 Finistère **58** ③ – rattaché au Conquet.

ST-MATHURIN-SUR-LOIRE 49250 M.-et-L. 64 ⑪ – 2 228 h alt. 25.

🖬 Office du tourisme Place Charles Sigogne ℘ 02 41 57 01 82, Fax 02 41 57 08 02.
Paris 297 – Angers 22 – Baugé 28 – La Flèche 46 – Saumur 29.

XX **Promenade,** rte Saumur : 1,5 km sur D 952 ℘ 02 41 57 01 50, Fax 02 41 57 07 11 – 🅿.
⊛ GB
fermé 1ᵉʳ au 10 janv., 21 au 31 juil., lundi soir et jeudi soir d'oct. à fév., dim. soir, mardi soir et merc. – Repas 15/35 ⌾, enf. 9,50

ST-MAUR-DES-FOSSÉS 94 Val-de-Marne 61 ①, 101 ㉗ – *voir à Paris, Environs.*

ST-MAURICE 94 Val-de-Marne 61 ①, 101 ㉗ – *voir à Paris, Environs.*

ST-MAURICE-DE-BEYNOST 01 Ain 74 ⑫ – *rattaché à Lyon.*

ST-MAXIMIN 30 Gard 80 ⑲ – *rattaché à Uzès.*

ST-MAXIMIN-LA-STE-BAUME 83470 Var 84 ④ ⑤, 114 ⑱ G. Provence – 12 402 h alt. 289.
Voir *Basilique*★★ – *Ancien couvent royal*★.

🖬 Office de tourisme Hôtel de Ville ℘ 04 94 59 84 59, Fax 04 94 59 82 92.
Paris 799 – Aix-en-Provence 42 – Brignoles 21 – Marseille 52 – Rians 23 – Toulon 56.

🏨 **France,** av. Albert 1ᵉʳ ℘ 04 94 78 00 14, hotel-france@wanadoo.fr, Fax 04 94 59 83 80,
😚, ⊿ – 📺 ✆ 🚗. 🖭 ◑ GB
Repas 17 (déj.), 24/43 ⌾, enf. 10 – ⊇ 10 – **26 ch** 44/68,50

ST-MÉDARD 46150 Lot 79 ⑦ – 153 h alt. 170.
Paris 588 – Cahors 17 – Gourdon 34 – Villeneuve-sur-Lot 60.

XXX **Gindreau** (Pelissou), ℘ 05 65 36 22 27, le.gindreau@wanadoo.fr, Fax 05 65 36 24 54, ≼,
❀ ✿, « Terrasse ombragée face à la vallée » – 🔳. 🖭 ◑ GB
fermé 4 au 19 mars, 21 oct. au 20 nov., mardi sauf le soir en juil.-août et lundi – Repas (dim. et fêtes prévenir) 30/70 et carte 50 à 70 ⌾, enf. 13
Spéc. Escalopes de foie gras de canard poêlées aux câpres capucines. Noix d'agneau du Quercy rôtie, pomme au rocamadour. Truffe fraîche (déc. à fév.). Vins Gaillac blanc, Cahors.

ST-MÉDARD-EN-JALLES 33160 Gironde 71 ⑨ – 25 566 h alt. 22.
Paris 592 – Bordeaux 18 – Blaye 60 – Jonzac 96 – Libourne 47 – Saintes 128.

X **Tournebride,** à Hastignan, Ouest : 2 km sur D 107 ℘ 05 56 05 09 08, Fax 05 56 05 09 08 –
🅿. 🖭 ◑ GB
fermé 10 au 31 août, dim. soir et lundi – Repas 15,50/33 ⌾, enf. 8

ST-MICHEL-DE-MONTAIGNE 24230 Dordogne 75 ⑬ – 297 h alt. 100.
Paris 547 – Bergerac 41 – Bordeaux 57 – La Réole 44.

🏨 **Jardin d'Eyquem** 🅼 ⚘ sans rest, ℘ 05 53 24 89 59, jardin-eyquem@wanadoo.fr,
Fax 05 53 61 14 40, ⊿, ❀ – cuisinette 📺 ✆ & 🅿. GB. ❀
1ᵉʳ mai-1ᵉʳ nov. – ⊇ 8, 5 appart 79/95

ST-MICHEL-EN-L'HERM 85580 Vendée 71 ⑪ – 1 931 h alt. 9.
🖬 Office du tourisme 5 place de l'Abbaye ℘ 02 51 30 21 89, Fax 02 51 30 21 89.
Paris 453 – La Rochelle 46 – La Roche-sur-Yon 47 – Luçon 15 – Les Sables-d'Olonne 52.

X **Rose Trémière,** 4 r. Église ℘ 02 51 30 25 69, Fax 02 51 30 25 69 – GB
⊛ *fermé 7 au 20 oct., 24 fév. au 9 mars, dim. soir, mardi soir et merc.* – Repas 11/38

ST-MICHEL-MONT-MERCURE 85700 Vendée 67 ⑮ G. Poitou Vendée Charentes – 1 729 h alt. 284.
Voir ✻★★ du clocher de l'église.
Paris 379 – La Roche-sur-Yon 53 – Bressuire 36 – Cholet 35 – Nantes 85 – Pouzauges 7.

XX **Auberge du Mont Mercure,** près église ℘ 02 51 57 20 26, Fax 02 51 57 78 67 – 🅿.
⊛ GB
fermé 9 au 25 sept., vacances de fév., mardi soir et merc. – Repas 12/27,50

ST-MIHIEL 55300 Meuse 57 ⑫ G. Alsace Lorraine – 5 260 h alt. 228.

Voir *Sépulcre*★★ *dans l'église St-Étienne* – *Pâmoison de la Vierge*★ *dans l'église St-Mic*

🛈 Office du tourisme Rue du Palais de Justice ℘ 03 29 89 06 47, Fax 03 29 89 06 47.

Paris 288 – Bar-le-Duc 35 – Metz 62 – Nancy 71 – Toul 49 – Verdun 36.

à Heudicourt-sous-les-Côtes *Nord-Est : 15 km par D 901 et D 133 – 188 h. alt. 240 –* ⊠ 55

Voir *Butte de Montsec :* ✳★★, *monument*★ *S : 13 km.*

🏛 **Lac de Madine** (annexe ⌁ 🚗), ℘ 03 29 89 34 80, *hotel-lac-madine@wanad*
Fax 03 29 89 39 20, 🏤 – 📺 📞 🔥 🅿 – 🔥 70. 🖭 🖼
fermé 23 au 28 déc., 2 janv. au 13 fév., dim. soir du 15 oct. au 15 avril et lundi de sept.
– **Repas** 21/41 ⌁, enf. 9,50 – 🖙 7 – **45 ch** 42/53 – ½ P 45/55

Le Guide change, changez de guide tous les ans.

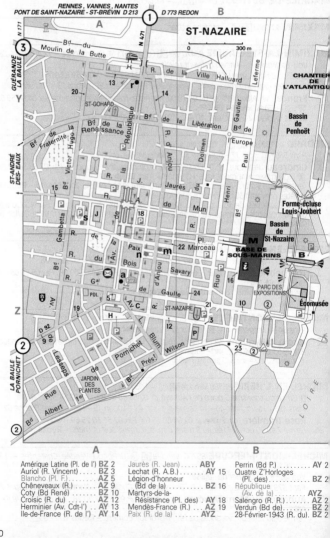

Amérique Latine (Pl. de l') **BZ** 2	Jaurès (R. Jean) . . . . . **ABY**	Perrin (Bd P.) . . . . **AY** 2
Auriol (R. Vincent) . . . . . **BZ** 3	Lechat (R. A.B.) . . . . . . **AY** 15	Quatre Z'Horloges
Blancho (Pl. F.) . . . . **AZ** 5	Légion-d'honneur	(Pl. des) . . . . **BZ** 2
Chêneveaux (R.) . . . . . . **AZ** 9	(Bd de la) . . . . **BZ** 16	République
Coty (Bd René) . . . . **BZ** 10	Martyrs-de-la-	(Av. de la) . . . . **AYZ**
Croisic (R. du) . . . . **AZ** 12	Résistance (Pl. des) . **AY** 18	Salengro (R. R.) . . . . . . **AZ** 2
Herminier (Av. Cdt-l') . . **AY** 13	Mendès-France (R.) . . **AZ** 19	Verdun (Bd de) . . . . **BZ** 2
Ile-de-France (R. de l') . **AY** 14	Paix (R. de la) . . . . **AYZ**	28-Février-1943 (R. du). **BZ** 2

NAZAIRE ◉ 44600 Loire-Atl. 🖽 ⑮ G. Bretagne – 65 874 h Agglo. 136 886 h alt. 4.

Voir *Base de sous-marins*★ – *Forme-écluse "Louis-Joubert"*★ – *Terrasse panoramique*★ B – *Pont routier de St-Nazaire-St-Brévin par* ①.

Accès Pont de Saint-Nazaire : gratuit.

🛈 *Office du tourisme bd de la Légion d'Honneur* ℘ 02 40 22 40 65, Fax 02 40 22 19 80.
Paris 439 ① – Nantes 62 ① – La Baule 19 ② – Vannes 75 ③.

Plan page ci-contre

🏨 **Berry,** 1 pl. Gare ℘ 02 40 22 42 61, berry.hotel@wanadoo.fr, Fax 02 40 22 45 34 – 📳 📺 📞.
🎴 ⓞ 🔢 🔢   AY   r
fermé 21 déc. au 4 janv. – **Repas** (fermé sam.) 15/38 ♀ – � 9 – **27 ch** 69/115 – ½ P 65,50/
84

🏠 **Touraine** sans rest, 4 av. République ℘ 02 40 22 47 56, hoteltourraine@free.fr,
Fax 02 40 22 55 05, 🐎 – 📺. 🎴 ⓞ 🔢 🔢   AZ   a
fermé 22 déc. au 10 janv. – ⊶ 4,57 – **18 ch** 19,82/35,83

XX **Au Bon Accueil** avec ch, 39 r. Marceau ℘ 02 40 22 07 05, jdau0236@lsurf.fr,
Fax 02 40 19 01 58 – 📺 – 🔬 30. 🎴 ⓞ 🔢   AZ   n
Repas (fermé dim. soir) 19,50/49 ♀ – ⊶ 7,55 – **12 ch** 65/69, 2 studios, 3 duplex – ½ P 62

XX **Table d'Harmonie,** 60 r. Paix ℘ 02 51 76 04 10, Fax 02 40 19 14 64 – 🔢   AY   s
🐚 fermé 10 au 25 mars, 1er au 15 juil., dim. soir, mardi soir et merc. – **Repas** (10,37 bc) ·
13,87/30,18

X **Moderne,** 46 r. Anjou ℘ 02 40 22 55 88, Fax 02 40 22 55 88 – 🔢   AZ   m
fermé 15 juil. au 6 août, merc. soir, dim. soir et lundi – **Repas** (11,43) · 14,98/22,87 ⓩ

When looking for a hotel or restaurant use the most efficient method.
Look for the names of towns underlined in red
on the Michelin maps scale: 1:200 000.
But make sure you have an up-to-date map!

NAZAIRE-EN-ROYANS 26190 Drôme 🖽 ③ G. Alpes du Nord – 498 h alt. 172.
Paris 581 – Valence 36 – Grenoble 68 – Pont-en-Royans 9 – Romans-sur-Isère 18.

🏠 **Rome,** ℘ 04 75 48 40 69, Fax 04 75 48 31 17, ≤, 🏖 – 📳, ≡ rest, 📺 📞 🚲 📭 – 🔬 25. 🎴
🔢
fermé 29 oct. au 26 nov., lundi (sauf hôtel en juil.-août) et dim. soir – **Repas** 14,50/41 –
⊶ 6,50 – **13 ch** 30,50/47 – ½ P 41/44

XX **Muraz "du Royans",** ℘ 04 75 48 40 84, Fax 04 75 48 47 06 – ≡. 🔢
🐚 fermé 3 au 11 juin, 30 sept. au 29 oct., jeudi soir (sauf en juil.), lundi soir et mardi – **Repas**
13/37 ♀

NECTAIRE 63710 P.-de-D. 🖽 ⑭ G. Auvergne – 675 h alt. 700 – Stat. therm. (mi avril-mi oct.) –
Casino.

Voir *Église*★★ : *trésor*★★ – *Puy de Mazeyres* 🌟★ E : 3 km puis 30 mn.

🛈 *Office du tourisme Les Grands Thermes* ℘ 04 73 88 50 86, Fax 04 73 88 40 48, ot-saint-
nectaire@micro-assist.fr.
Paris 456 – Clermont-Ferrand 37 – Issoire 27 – Le Mont-Dore 25.

🏨 **Relais Mercure** Ⓜ, Les Bains Romains ℘ 04 73 88 57 00, h1814-gm@accor-hotels.com,
Fax 04 73 88 57 02, 🛁, 🔆, 🐎 – 📳 📺 👶 – 🔬 30. 🎴 ⓞ 🔢
Repas (11,90) · 25,16/29,73 ♀, enf. 7,63 – ⊶ 8,39 – **71 ch** 57,94/78,52 – ½ P 56,41

🏠 **Régina,** ℘ 04 73 88 54 55, regina.st-nectaire@wanadoo.fr, Fax 04 73 88 50 56, 🔆 – 📺 📭.
🔢
fermé nov. et déc. – **Repas** 14,48/19,82 ♀, enf. 7,62 – ⊶ 5,18 – **24 ch** 33,54/51,83

NICOLAS-LA-CHAPELLE 73 Savoie 🖽 ⑦ – rattaché à Flumet.

OMER ◉ 62500 P.-de-C. 🖽 ③ G. Picardie Flandres Artois – 15 747 h alt. 23.
Voir *Quartier de la cathédrale*★★ : *cathédrale Notre-Dame*★★ – *Hôtel Sandelin et musée*★
AZ – *Anc. chapelle des Jésuites*★ AZ B – *Jardin public*★ AZ – *Musée Henri-Dupuis* :
collection de coquillages★ M.
Env. *Ascenseur à bateaux des Fontinettes*★ SE : 5,5 km – *Coupole d'Helfaut-Wizernes*★★,
S : 5 km.

🛈 *Office du tourisme 4 rue du Lion d'Or* ℘ 03 21 98 08 51, Fax 03 21 98 08 07.
Paris 257 ④ – Calais 43 ④ – Arras 77 ④ – Boulogne-sur-Mer 54 ④ – Ieper 58 ② – Lille 67 ②.

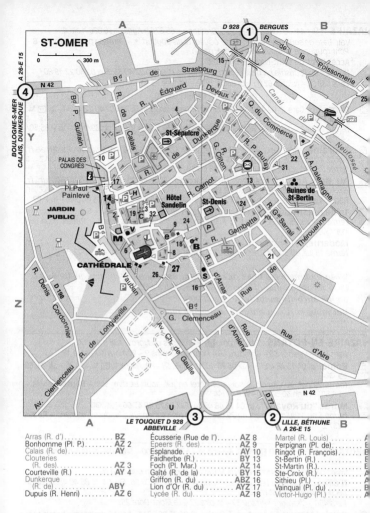

ST-OMER

St-Louis, 25 r. Arras ℘ 03 21 38 35 21, contact@hotel-saintlouis.com, Fax 03 21 38 5
🏠 – 🍴 rest, 📺 ♦ 🅿 🖭 🖼 ⚿ rest
B.
fermé 23 déc. au 6 janv. – Repas (fermé sam. midi et dim. midi) 12,50/25,50 ♀, enf. 8
😞 8 – **30 ch** 35,50/56 – ½ P 48

Ibis, 2 r. H. Dupuis ℘ 03 21 93 11 11, Fax 03 21 88 80 20 – 🛗 ⇄ 📺 ♦ & 🅿 – 🔬 25. 🖼
🖼 ⚿ rest
A.
Repas 15 ♀, enf. 6 – 😞 5,50 – **66 ch** 53/56

Cygne, 8 r. Caventou ℘ 03 21 98 20 52, – 🍴. 🖼
A
fermé 19 août au 4 sept., 16 au 28 fév., dim. soir et lundi sauf fériés – Repas 12,50/
carte 27 à 48 ♀

Charette, 32 pl. Foch ℘ 03 21 98 28 29, Fax 03 21 38 17 91 – 🖭 🖼
A
fermé 28 juil. au 18 août et dim. – Repas 10/16 ♀, enf. 7

à Hallines par ③ et D 211 : 6 km – 1 396 h. alt. 36 – ✉ 62570 :

Hostellerie St-Hubert 🌳 avec ch, ℘ 03 21 39 77 77, Fax 03 21 93 00 86, « Dem
du 19e siècle, parc avec rivière », 🏊 – 📺 ♦ ⟿ 🅿 🖼
fermé dim. soir, mardi midi et lundi – Repas 32/54 et carte 40 à 64, enf. 16 – 😞 8 –
61/122

...ques par ④, N 43 et rte secondaire : 6 km – 947 h alt. 27 – ⌧ 62500 :

🏨 **Château Tilques** ⑤, ℰ 03 21 88 99 99, *hotelchateautilques@wanadoo.fr*, Fax 03 21 38 34 23, « Parc », ℅, ⬛ ⬛ – ⇄ 🔲 ℰ ﬓ – ﬔ 25 à 100. 🖭 ⓪ ☎ ℅
Repas 20 (déj.), 37/53, enf. 12 – ⌷ 14 – **53 ch** 75/160

⋯OUEN 93 Seine-St-Denis 🖾 ⑳, 🔟🔟 ⑯ – voir à Paris, Environs.

⋯OUEN 41 L.-et-Ch. 🔢 ⑥ – rattaché à Vendôme.

⋯OUEN-LES-VIGNES 37 I.-et-L. 🔢 ⑯ – rattaché à Amboise.

⋯OYEN-MONTBELLET 71 S.-et-L. 🔢 ⑲ ⑳ – rattaché à Fleurville.

⋯PAIR-SUR-MER 50 Manche 🔢 ⑦ – rattaché à Granville.

⋯PALAIS 64210 Pyr.-Atl. 🔢 ④ G. Aquitaine – 1 701 h alt. 50.
🚩 Office du tourisme Place Charles de Gaulle ℰ 05 59 65 71 78, Fax 05 59 65 69 15, *office.tourisme.stpalais@wanadoo.fr*.
Paris 787 – Biarritz 63 – Bayonne 52 – Dax 61 – Pau 73 – St-Jean-Pied-de-Port 32.

🏨 **Paix** M, ℰ 05 59 65 73 15, Fax 05 59 65 63 83, 🍴 – ᵇ 🔲 ℰ ﬓ. 🖭 ⓪ ☎
🕮 fermé janv., vend. soir et sam. midi de sept. à juin – **Repas** 10,30/26,50 ﬗ – ⌷ 5,50 – **27 ch** 44,50/46,50 – ½ P 39

🏨 **Trinquet,** ℰ 05 59 65 73 13, Fax 05 59 65 83 84, 🍴 – 🔲 ℰ. ☎
🕮 fermé 20 sept. au 15 oct., dim. soir et lundi – **Repas** 11/25 ﬗ – ⌷ 5,34 – **11 ch** 39 – ½ P 38

⋯PALAIS-SUR-MER 17420 Char.-Mar. 🔢 ⑮ G. Poitou Vendée Charentes – 3 343 h alt. 5.
Voir La Grande Côte★★ NO : 3 km – Zoo de la Palmyre★★ NO : 10 km.
🚩 Office du tourisme 1 avenue de la République ℰ 05 46 23 22 58, Fax 05 46 23 36 73, *st.palais.tourisme@wanadoo.fr*.
Paris 512 – Royan 7 – La Rochelle 82.

🏨 **Primavera** ⑤, 12 r. Brick, par av. Gde Côte ℰ 05 46 23 20 35, *contact@hotel-primavera. com*, Fax 05 46 23 28 78, ⬅, « Élégante villa 1900 dans un parc face à la mer », ⬛, ℅, ﬓ – ᵇ 🔲 🅿. 🖭 ⓪ ☎. ℅ ch
fermé 15 nov. au 15 déc. et vacances de fév. – **Repas** (fermé mardi midi, merc. midi et lundi du 15 sept. au 30 juin) 20/40 – ⌷ 10 – **45 ch** 92/130

🏨 **Téthys,** plage de Nauzan (rte de Royan : 1,5 km) ℰ 05 46 23 33 61, Fax 05 46 23 05 36, ⬅, ﬓ – 🔲 🅿. ☎
🕮 mai-sept. – **Repas** (½ pens. seul.) – ⌷ 6,86 – **23 ch** 45,73/53,36 – ½ P 52,59

🏨 **Nauzan** sans rest, plage de Nauzan (rte de Royan : 1,5 km) ℰ 05 46 23 33 73 – 🔲 ℰ 🅿.
☎
17 mai-20 sept. – ⌷ 6,10 – **27 ch** 50/58

❌ **Auberge des Falaises** avec ch, 133 av. Grande Côte ℰ 05 46 23 20 49, *claude.allias@ infonie.fr*, Fax 05 46 23 29 95, ⬅ – 🔲 🅿. ☎
🕮 fermé 15 nov. au 20 déc. – **Repas** (fermé 1ᵉʳ nov. au 31 janv., dim. soir et lundi hors saison sauf vacances scolaires) 14/29 ﬗ, enf. 7 – ⌷ 7 – **13 ch** 57/69 – ½ P 55/63

⋯PARDOUX 63440 P.-de-D. 🔢 ④ – 369 h alt. 615.
Paris 393 – Clermont-Ferrand 42 – Aubusson 91 – Montluçon 51 – Vichy 37.

autoroute A 71 aire des Volcans ou accès de St-Pardoux Est par N 144 et D 12 : 8 km – ⌧ 63440 Champs :

🏨 **des Volcans** M, ℰ 04 73 33 71 50, *volcans@autogrill.net*, Fax 04 73 33 03 78, ⬅, 🍴, ﬕ – ᵇ ⇄ 🔲 ℰ ﬓ 🅿 – ﬔ 20. 🖭 ☎
Repas 16,50/20 ﬗ – ⌷ 5,95 – **46 ch** 43,90/68,60

⋯PARDOUX-LA-CROISILLE 19320 Corrèze 🔢 ⑩ – 157 h alt. 410.
Paris 504 – Brive-la-Gaillarde 49 – Aurillac 80 – Mauriac 47 – St-Céré 68 – Tulle 24 – Ussel 52.

🏨 **Beau Site** ⑤, ℰ 05 55 27 79 44, *contact@hotel-lebeausite-correze.com*, Fax 05 55 27 69 52, ⬅, ⬛, ℅, ﬓ – ﬔ 40. ⓪ ☎ – **29 ch**
1ᵉʳ mai-30 sept. – **Repas** 14 (déj.), 18/41, enf. 9,50 – ⌷ 6,40 – **29 ch** 51,80/58 – ½ P 52,59/ 58,42

ST-PATRICE 37 I.-et-L. 🔢 ⑬ – rattaché à Langeais.

ST-PAUL 06570 Alpes-Mar. 🔢 ⑨, 🔢 ㉕ G. Côte d'Azur – 2 847 h alt. 125.

Voir Site★ – Remparts★ – Fondation Maeght★★.

🏢 Office du tourisme 2 rue Grande 𝒫 04 93 32 86 95, Fax 04 93 32 60 27, artdevivre@
doo.fr.

Paris 928 – Nice 21 – Antibes 18 – Cagnes-sur-Mer 9 – Cannes 27 – Grasse 22 – Vence ⊄

🏨 **Saint-Paul** M ⬧, 86 r. Grande, au village 𝒫 04 93 32 65 25, stpaul@relaischateaux.
Fax 04 93 32 52 94, ≼, 🍽, « Demeure provençale du 16ᵉ siècle » – 🔲 📺 ❤ ⅄. 🕮 ⬧
🌸
fermé 2 déc. au 24 janv. – **Repas** (fermé mardi sauf le soir d'avril à oct. et merc. midi de
à mars et en nov.) 43 (déj.), 53/90 et carte 66 à 105 ⅄ – 🖂 16 – **15 ch** 220/290, 4 app
½ P 179/214
Spéc. Marbré de foie gras de canard cuit au vin d'orange. Loup de Méditerranée en cr
d'argile. Chapon rôti entier, jus à l'anis étoilé. **Vins** Bellet.

🏨 **Colombe d'Or**, 𝒫 04 93 32 80 02, Fax 04 93 32 77 78, 🍽, « Cadre ''vieille Prover
collection de peintures et sculptures modernes », 🛋, 🐾 – 🔲 ch, 📺 ❤ 🅿. 🕮 ⬧ 🕮
fermé 1ᵉʳ nov. au 20 déc. – **Repas** carte 48 à 66 ⅄ – 🖂 9,15 – **16 ch** 236,28, 10 app
½ P 154,73

🍴🍴 **Couleur Pourpre**, 7 rempart Ouest 𝒫 04 93 32 60 14, Fax 04 93 32 60 14 – 🕮 🕮
fermé 1ᵉʳ nov. au 27 déc., jeudi midi et merc. de sept. à juin – **Repas** (dîner seu
juil.-août) 35

par rte de La Colle-sur-Loup :

🏨 **Mas d'Artigny** ⬧, rte des Hauts de St-Paul : 3 km 𝒫 04 93 32 84 54, mas@gra
etapes.fr, Fax 04 93 32 95 36, ≼, 🍽, « Appartements avec piscines privées », 🇫, 🛋
🕭 – 🎪, 📺 🅿 – 🛡 130. 🕮 ⬧ 🕮
Repas 45 (déj.), 55/72 ⅄, enf. 21 – 🖂 20 – **55 ch** 222/420, 30 appart – ½ P 208/288

🏨 **Grande Bastide** M sans rest, 2 km 𝒫 04 93 32 50 30, stpaullgb@leme
Fax 04 93 32 50 59, ≼, 🛋, 🐾 – 🎪 🔲 📺 ❤ 🅿. 🕮 ⬧ 🕮
fermé 26 nov. au 26 déc. et 19 janv. au 17 fév. – 🖂 14 – **14 ch** 175/290

🏨 **Hameau** sans rest, 1 km 𝒫 04 93 32 80 24, lehameau@wanadoo.fr, Fax 04 93 32 5
« Cadre rustique, jardin en terrasses », 🛋, 🐾 – 🔲 📺 ❤ 🅿. 🕮 🕮
fermé 15 nov. au 22 déc. et 6 janv. au 17 fév. – 🖂 11 – **16 ch** 93/145

🏨 **Hostellerie des Messugues** ⬧ sans rest, quartier Gardettes par rte Fonda
Maeght : 2 km 𝒫 04 93 32 53 32, Fax 04 93 32 94 15, « Piscine originale », 🛋, 🐾 – 🍴
🕮 ⬧ 🕮 🕭
1ᵉʳ avril-30 sept. – 🖂 8,38 – **15 ch** 83,85/106,71

au Sud : 4 km par D 2 et rte secondaire :

🏨 **Les Bastides de St-Paul** M sans rest, 880 chemin Blaquières (D 336 - axe Cag
Vence) 𝒫 04 92 02 08 07, bastides@fr.fm, Fax 04 93 20 50 41, 🛋, 🐾 – 🔲 📺 ❤ ⅄. 🅿. 🕮
🕮 🕭
🖂 9,50 – **20 ch** 77/115

ST-PAUL-DES-LANDES 15250 Cantal 🔢 ⑪ – 1 100 h alt. 554.

Paris 551 – Aurillac 14 – Figeac 59 – St-Céré 50.

🍴 **Voyageurs**, 𝒫 04 71 46 38 43, Fax 04 71 46 38 08, 🍽 – 🕮
fermé sam. midi de sept. à mai et lundi soir – **Repas** 9 bc (déj.), 15,24/24,39 ⅄, enf. 6,8€

ST-PAULIEN 43350 H.-Loire 🔢 ⑦ G. Vallée du Rhône – 1 912 h alt. 795.

Voir Intérieur★ de l'église.

🏢 Office du tourisme 34 avenue de Ruéssium 𝒫 04 71 00 50 01, Fax 04 71 00 50
otourisme@es-conseil.com.

Paris 534 – Le Puy-en-Velay 14 – La Chaise-Dieu 28 – St-Étienne 90 – Saugues 44.

🏛 **Voyageurs**, 9 av. Rochelambert (près église) 𝒫 04 71 00 40 47, Fax 04 71 00 51
🕭 🔲 rest, 📺 🚗. 🕮
Repas (7,65) - 10,40/22,90 🍷, enf. 6,10 – 🖂 4,60 – **15 ch** 31,25/38,15 – ½ P 30,50

ST-PAUL-LE-JEUNE 07460 Ardèche 🔢 ⑧ – 762 h alt. 255.

Voir Banne : ruines de la citadelle ≼★ N : 5 km, G. Provence.

Paris 679 – Alès 32 – Aubenas 45 – Pont-St-Esprit 54 – Vallon-Pont-d'Arc 29 – Villefort 3

🍴 **Moderne** avec ch, 𝒫 04 75 39 82 75, Fax 04 75 39 82 75 – 🕮
🕭 fermé janv., fév., dim. soir et lundi – **Repas** 13/29, enf. 8 – 🖂 5 – **9 ch** 31 – ½ P 33,50

'AUL-LÈS-DAX 40 Landes 🔢 ⑦ – rattaché à Dax.

'AUL-LÈS-ROMANS 26 Drôme 🔢 ③ – rattaché à Romans-sur-Isère.

'AUL-TROIS-CHATEAUX 26130 Drôme 🔢 ① G. Vallée du Rhône – 7 277 h alt. 90.

Voir Cathédrale St-Paul★ – Barry ≤★★ S : 8 km.

🚩 Office de tourisme Rue de la République ℘ 04 75 96 61 29, Fax 04 75 96 74 61, st.paul3chxot@wanadoo.fr.

Paris 634 – Montélimar 28 – Nyons 39 – Orange 33 – Vaison-la-Romaine 35 – Valence 73.

🏠 **L'Esplan** M, pl. l'Esplan ℘ 04 75 96 64 64, saintpaul@esplan-provence.com, Fax 04 75 04 92 36, 🏤, « Décor contemporain » – 🛗 📧 📺 ✆ – 🔏 15. 🖭 ⑩ 🟩 🔢

🏊 ch

fermé 15 déc. au 15 janv. – Repas (fermé dim. soir du 30 sept. au 30 avril et sam. midi) 17/40 ♀, enf. 9,80 – ♀ 7,70 – **36 ch** 59/99,50 – ½ P 65,80/74,30

🍴🍴 **Vieille France-Jardin des Saveurs**, 1,2 km rte La Garde Adhémar ℘ 04 75 96 70 47, Fax 04 75 96 70 47, ≤, 🏤 – 🗐 🅿. 🖭 🟩

fermé 12 nov. au 6 déc., 24 fév. au 9 mars, lundi et mardi sauf fériés – Repas - cuisine provençale - (nombre de couverts limité, prévenir) 26/69

🍴 **Chapelle**, impasse L. de Bimard ℘ 04 75 96 60 88, Fax 04 75 96 60 88, 🏤 – 🖭 🟩

fermé 15 au 25 juin, 20 sept. au 10 oct., dim. soir de sept à juin, mardi midi en juil.-août et lundi – Repas 21 (déj.), 26/37

'PÉE-SUR-NIVELLE 64310 Pyr.-Atl. 🔢 ② – 4 331 h alt. 30.

🚩 Office du tourisme Près de la Poste ℘ 05 59 54 11 69, Fax 05 59 54 17 81, office.de.tou risme@saint-pee-sur-nivelle.com.

Paris 790 – Biarritz 17 – Bayonne 22 – Cambo-les-Bains 17 – Pau 131 – St-Jean-de-Luz 14.

arron rte de St-Jean-de-Luz : 1,5 km – ✉ 64310 St-Pée-sur-Nivelle :

🍴🍴 **Fronton**, ℘ 05 59 54 10 12, Fax 05 59 54 18 09, 🏤 – 🖭 ⑩ 🟩

fermé 30 juin au 8 juil., 20 fév. au 15 mars, lundi et mardi d'oct. à avril – Repas 19,85/36,65

)uest par vieille rte de St-Jean-de-Luz : 4 km – ✉ 64310 St-Pée-sur-Nivelle :

🏠 **Auberge Basque** 🏡 sans rest, ℘ 05 59 54 10 15, ≤, « Jardin ombragé », 🚗 – 🅿. 🟩

🏊

Pâques-oct. – ♀ 5,50 – **16 ch** 49/53

'PÉRAY 07130 Ardèche 🔢 ⑪ ⑫ – 6 502 h alt. 124.

Voir Ruines du château de Crussol : site★★ et ≤★★ SE : 2 km.

Env. Saint-Romain-de-Lerps ⁂★★★ NO : 9,5 km par D 287, G. Vallée du Rhône.

🚩 Office de tourisme 45 r. de la République ℘ 04 75 40 46 75, Fax 04 75 40 55 72, ot.st-peray-ardeche@en-france.com.

Paris 568 – Valence 4 – Lamastre 35 – Privas 40 – Tournon-sur-Rhône 15.

rnas Nord : 2 km par N 86 – 2 082 h. alt. 130 – ✉ 07130 :

🍴 **Auberge de Crussol**, ℘ 04 75 40 32 17, Fax 04 75 40 32 17 – 🗐. 🟩

fermé 15 au 30 août et lundi – Repas 12 bc (déj.), 16/35 ♀, enf. 8

oyons Sud : 7 km par N 86 – 1 721 h. alt. 106 – ✉ 07130 :

🏠 **Domaine de la Musardière** M, ℘ 04 75 60 83 55, musard@club-internet.fr, Fax 04 75 60 85 21, 🏤, 👌, 🏊, 🎾, 🎣 – 🛗 📺 🅿 – 🔏 30. 🖭 ⑩ 🟩

Repas (fermé 6 au 31 janv. et lundi d'oct. à avril sauf fériés) 26/60 – ♀ 16 – **12 ch** 105/190 – ½ P 137

La Châtaigneraie 🏠, , 🏊, 🎾, 🎣 – cuisinette, 🗐 ch, 📺 🅿. 🖭 ⑩ 🟩

Repas voir **Domaine de la Musardière** – ♀ 16 – **18 ch** 90/135 – ½ P 106

'PÈRE 89 Yonne 🔢 ⑮ ⑯ – rattaché à Vézelay.

'PÉREUSE 58110 Nièvre 🔢 ⑥ – 286 h alt. 355.

Paris 292 – Autun 55 – Château-Chinon 15 – Clamecy 57 – Nevers 53.

🍴🍴 **Auberge de la Madonette**, ℘ 03 86 84 45 37, Fax 03 86 84 46 69, 🏤, « Jardin fleu-

🥘 ri », 🚗 – 🟩

fermé 15 déc. au 5 fév., mardi soir et merc. sauf juil.-août – Repas 10,52/42,68 ♂, enf. 7,80

ST-PHILBERT-DE-GRAND-LIEU *44310 Loire-Atl.* **67** ③ *G. Poitou Vendée Charentes – 6 2 alt. 10.*

🛈 *Office du tourisme le Prieuré* ☎ *02 40 78 73 88, Fax 02 40 78 83 42, otsi.st.ph @wanadoo.fr.*

Paris 409 – Nantes 27 – La Roche-sur-Yon 50 – Niort 150 – Rennes 140 – Tours 222.

🏠 **La Bosselle,** ☎ 02 40 78 73 47, Fax 02 40 78 01 85, � – 📺 📞 ᘒ 🅿 – 🅰 20. ᴳᴮ
Repas 10,06/24,85 ℤ, enf. 6,71 – 🖙 5,34 – **15 ch** 44,21 – ½ P 38,11

ST-PIERRE-DE-CHARTREUSE *38380 Isère* **77** ⑤ *G. Alpes du Nord – 770 h alt. 885 – S d'hiver : 900/1 800 m.*

Voir *Terrasse de la Mairie* ≤★ – *Prairie de Valombré* ≤★ *O : 4 km – Site★ de Perquelin E : – La Correrie : musée Cartusien★ du couvent de la Grande Chartreuse NO : 3,5 Décoration★ de l'église de St-Hugues-de-Chartreuse S : 4 km.*

🛈 *Office du tourisme Place de la Mairie* ☎ *04 76 88 62 08, Fax 04 76 88 68 78, OT.st-pi de-chartreuse@wanadoo.fr.*

Paris 574 – Grenoble 27 – Belley 62 – Chambéry 39 – La Tour-du-Pin 52 – Voiron 25.

🏠 **Beau Site,** ☎ 04 76 88 61 34, hotel.beausite@libertysurf.fr, Fax 04 76 88 64 69, ≤, 🌤 – 📳 📺 📞 – 🅰 25. ⓞ ᴳᴮ
fermé 6 au 22 avril et 26 oct. au 21 déc. – **Repas** (fermé dim. soir et lundi) 14,50/2 enf. 10 – 🖙 8,50 – **26 ch** 49/61 – ½ P 52/58

🍴 **Auberge de l'Atre Fleuri** 🦢 avec ch, Sud : 3 km sur D 512 ☎ 04 76 88 60 21, atre.f @wanadoo.fr, Fax 04 76 88 64 97, 🌤 – 📺 🅿. ᴳᴮ. 🌤
fermé 6 nov. au 15 déc., dim. soir, lundi et mardi – **Repas** 14,50/24 ℤ – 🖙 6,10 – 38,10/41,16 – ½ P 38,85/40,40

🍴 **du Temps de Vivre** avec ch, La Diat, Sud-Ouest : 1 km ☎ 04 76 88 67 75, dutdevivre .fr, Fax 04 76 88 65 07 – 🅿. ᴳᴮ
fermé 15 nov. au 15 déc., 6 au 19 janv. et merc. hors saison – **Repas** 14,94/23,63 ℤ – 🖙 – **8 ch** 34,42/39,64 – ½ P 40,40

au col du Cucheron *Nord : 3,5 km par D 512 – Sports d'hiver au Planolet : 1 050/1 500 m ✉ 38380 St-Pierre-de-Charteuse :*

⛷ **Chalet Hôtel Le Cucheron** 🦢, ☎ 04 76 88 62 06, Fax 04 76 88 65 43, ≤, 🌤, 🌲 ᴳᴮ. 🌤 rest
fermé 15 oct. au 25 déc., dim. soir et lundi sauf vacances scolaires – **Repas** 16/27 ℤ, enf **7 ch** 28/37 – ½ P 35/38

ST-PIERRE-D'ENTREMONT *73670 Savoie* **74** ⑮ *G. Alpes du Nord – 372 h alt. 640.*

Voir *Cirque de St-Même★★ SE : 4,5 km – Gorges du Guiers Vif★★ et Pas du Frou★★ O : – Château du Gouvernement★ : ≤★ SO : 3 km.*

🛈 *Office du tourisme Maison Intercommunale* ☎ *04 79 65 81 90, Fax 04 79 65 88 ot-entremont@wanadoo.fr.*

Paris 567 – Grenoble 48 – Belley 63 – Chambéry 26 – Les Echelles 12 – Lyon 104.

🏠 **Château de Montbel,** ☎ 04 79 65 81 65, Fax 04 79 65 89 49 – 📳 🦢, ᴳᴮ. 🌤
fermé 15 au 26 avril, 25 oct. au 7 déc., merc. soir (sauf hôtel), dim. soir et lundi vacances scolaires – **Repas** 15/34 ℤ, enf. 9 – 🖙 6 – **13 ch** 34/41 – ½ P 40/44

ST-PIERRE-DES-CORPS *37 I.-et-L.* **64** ⑮ – rattaché à Tours.

ST-PIERRE-D'OLÉRON *17 Char.-Mar.* **71** ⑬ – voir à Oléron (Ile d').

ST-PIERRE-DU-PERRAY *91 Essonne* **61** ①, **101** ㊳ – voir à Paris, Environs.

ST-PIERRE-DU-VAUVRAY *27 Eure* **55** ⑰ – rattaché à Louviers.

ST-PIERRE-LAFEUILLE *46090 Lot* **79** ⑧ – 292 h alt. 350.

Paris 572 – Cahors 10 – Figeac 63 – Payrac 39 – Puy-l'Évêque 31 – Rocamadour 51.

🍴🍴 **Bergerie** avec ch, N 20 ☎ 05 65 36 82 82, hotel.bergerie@wanado Fax 05 65 36 82 40, 🌤, 🌀, 🌲 – 📺 📞 ᘒ 🅿. ᴁᴇ ⓞ ᴳᴮ
fermé 18 janv. au 15 fév., dim. soir, madi midi et lundi sauf juil.-août – **Repas** 15 (23/54 ℤ, enf. 10 – 🖙 7 – **10 ch** 57/77 – ½ P 52/75

PIERRE-LE-MOUTIER 58240 Nièvre 69 ③ G. Bourgogne – 2 029 h alt. 214.

🎫 Syndicat d'initiative 13 place de l'Église ℘ 03 86 37 21 15, Fax 03 86 90 80 69, si.payse-lanb@wanadoo.fr.

Paris 267 – Bourges 70 – Moulins 31 – Château-Chinon 84 – Montluçon 75 – Nevers 26.

XX **Vigne** avec ch, rte Decize ℘ 03 86 37 41 66, hotel-restaurant-la-vigne@wanadoo.fr, Fax 03 86 37 28 90, 🍽, 🕮 – 📺 🕮 ⚐ 🅿. 🆎
fermé 23 au 30 nov., 15 au 31 janv., lundi (sauf hôtel) et dim. soir – **Repas** (dim. et fêtes prévenir) (13,50) - 16/35 ♀ – ☞ 6 – **12 ch** 45/55 – ½ P 46/51

PIERRE-LÈS-AUBAGNE 13 B.-du-R. 84 ⑭, 114 ㉙ ㉚ – rattaché à Aubagne.

PIERREMONT 88700 Vosges 62 ⑥ – 162 h alt. 251.

Paris 363 – Nancy 57 – Lunéville 25 – St-Dié 40.

🏨 **Relais Vosgien**, ℘ 03 29 65 02 46, relais.vosgien@wanadoo.fr, Fax 03 29 65 02 83, 🍽, 🍽 – 🍽, 📋 rest, 📺 🕮 & 🅿 – 🔬 20 à 30. 🆎 🆎
Repas (fermé vend. soir hors saison et dim. soir) (12,20) - 19/53,50 ♀, enf. 9,50 – ☞ 7 – **24 ch** 32,50/105 – ½ P 57,50/147

PIERRE-QUIBERON 56 Morbihan 63 ⑪ ⑫ – rattaché à Quiberon.

POL-DE-LÉON 29250 Finistère 58 ⑥ G. Bretagne – 7 121 h alt. 60.

Voir Clocher** de la chapelle du Kreisker* : ✱** de la tour – Ancienne cathédrale* – Rocher Ste-Anne : ≤* dans la descente.

🎫 Office du tourisme - Place de l'Evêché ℘ 02 98 69 05 69, Fax 02 98 69 01 20.

Paris 556 – Brest 62 – Brignogan-Plages 30 – Morlaix 19 – Roscoff 6.

🏨 **France** sans rest, 29 r. Minimes ℘ 02 98 29 14 14, hotel.de.france.finistere@wanadoo.fr, Fax 02 98 29 10 57, 🍽 – 📺 🕮 🅿. 🆎
☞ 6 – **22 ch** 40/45

XX **Auberge Pomme d'Api**, 49 r. Verderel ℘ 02 98 69 04 36, « Cadre rustique » – 🆎 🆎
fermé 12 au 26 nov., 23 fév. au 12 mars, dim. soir et mardi soir hors saison et lundi – **Repas** 19,50/52 ♀

PONS 07580 Ardèche 76 ⑲ – 203 h alt. 350.

Paris 627 – Valence 66 – Aubenas 24 – Montélimar 20 – Privas 24.

🏨 **Hostellerie Gourmande "Mère Biquette"** 🍃, Nord : 4 km par rte secondaire ℘ 04 75 36 72 61, merebiquette@europost.org, Fax 04 75 36 76 25, ≤, 🍽, 🏊, 🍽, 🍽 – 📺 🕮 🅿. 🆎 🆎
fermé 1er déc. au 5 fév., dim. soir et lundi midi d'oct. à mars – **Repas** 16/38 ♀, enf. 9,50 – ☞ 6,50 – **9 ch** 54/71 – ½ P 53/63,50

PONS-DE-THOMIÈRES 34220 Hérault 83 ⑬ G. Languedoc Roussillon – 2 287 h alt. 301.

Voir Grotte de la Devèze* SO : 5 km.

🎫 Office du tourisme Place du Foirail ℘ 04 67 97 06 65, Fax 04 67 97 39 30, st-pons-de-thomieres@wanadoo.fr.

Paris 753 – Béziers 53 – Carcassonne 64 – Castres 54 – Lodève 73 – Narbonne 53.

XX **Les Bergeries de Pondérach** 🍃 avec ch, rte Narbonne : 1 km ℘ 04 67 97 02 57, bergeries.ponderach@wanadoo.fr, Fax 04 67 97 29 75, 🍽 – 📺 🅿. 🆎 🆎 🆎
1er mars-30 nov. – **Repas** (16) - 19/41 ♀ – ☞ 9 – **7 ch** 73/90 – ½ P 66/76

X **Route du Sel**, 15 Grand'Rue ℘ 04 67 97 05 14, Fax 04 67 97 13 70 – 🍽. 🆎
fermé 27 mai au 2 juin, 23 au 29 sept., vacances de fév., mardi soir et merc. – **Repas** 11,50 bc/23 🎋

Nord : 10 km sur D 907 – ⊠ 34220 St-Pons :

XX **Auberge du Cabaretou**, ℘ 04 67 97 02 31, Fax 04 67 97 32 74, ≤ vallée et montagne, 🍽, 🍽 – 🅿. 🆎 🆎 🆎 🆎
fermé mi-janv. à mi-fév., lundi et mardi d'oct. à avril – **Repas** 14,50/38, enf. 6,90

POURÇAIN-SUR-SIOULE 03500 Allier 69 ⑭ G. Auvergne – 5 266 h alt. 234.

Voir Église Ste-Croix* – Musée de la Vigne et du Vin*.

🎫 Office du tourisme 13 place Maréchal Foch ℘ 04 70 45 32 73, Fax 04 70 45 60 27.

Paris 328 – Moulins 32 – Montluçon 65 – Riom 62 – Roanne 80 – Vichy 29.

🏠 **Chêne Vert**, bd Ledru-Rollin ℰ 04 70 47 77 00, Fax 04 70 47 77 39, 🚓 – 📺 ⛄ 🄿 – ⚽
🄰🄴 ⓪ 🅶🄱
hôtel : fermé 5 au 19 janv. et dim. du 15 sept. au 15 juin – **Repas** (fermé 5 janv. au 3
vend. midi, dim. soir et lundi du 15 sept. au 15 juin) 15/34 ♀ – ♎ 6,25 – **29 ch** 34/46,50

ST-PRIEST-BRAMEFANT 63310 P.-de-D. 🎤 ⑤ – 647 h alt. 290.
Paris 368 – Clermont-Ferrand 48 – Riom 33 – Thiers 26 – Vichy 13.

🏰 **Château de Maulmont** ॐ, Sud : 1,5 km sur D 59 ℰ 04 70 59 03 45, info@cha
maulmont.com, Fax 04 70 59 11 88, 🚓, « Belle demeure du 19ᵉ siècle », 🖼, 🖼, 🐎 –
🄿 – ⚽ 40. 🄰🄴 🅶🄱 🅹🄲🄱
fermé 2 janv. au 13 fév. – **Repas** 18/45, enf. 8,50 – ♎ 12 – **19 ch** 80/165 – ½ P 68/110

ST-PRIEST-EN-JAREZ 42 Loire 🎤 ⑲ – rattaché à St-Étienne.

ST-PRIEST-TAURION 87480 H.-Vienne 🎤 ⑧ G. Berry Limousin – 2 613 h alt. 255.
Env. ≤★ du parc de Montméry N : 9 km par D 44.
Paris 387 – Limoges 14 – Bellac 47 – Bourganeuf 33 – La Souterraine 52.

🏠 **Relais du Taurion** ॐ, ℰ 05 55 39 70 14, Fax 05 55 39 67 63, 🚓, 🌳 – 📺 🄿, 🅶🄱
fermé 15 déc. au 15 janv., dim. soir et lundi – **Repas** 16/31, enf. 8 – ♎ 6 – **8 ch** 40/
½ P 46/49

ST-QUAY-PORTRIEUX 22410 C.-d'Armor 🎤 ③ G. Bretagne – 3 114 h alt. 25 – Casino.
🄱 Office du tourisme 17 Bis rue Jeanne d'Arc ℰ 02 96 70 40 64, Fax 02 96 70 3.
saintquayportrieux@wanadoo.fr.
Paris 470 – St-Brieuc 23 – Étables-sur-Mer 3 – Guingamp 28 – Lannion 53 – Paimpol 26.

🏰 **Ker Moor** ॐ, 13 r. Prés. Le Sénécal ℰ 02 96 70 52 22, ker-moor@wanado
Fax 02 96 70 50 49, ≤ côte et mer, 🌳 – 🛗 📺 🄿 – ⚽ 20. 🄰🄴 ⓪ 🅶🄱 🅹🄲🄱, ⚡ rest
fermé 21 déc. au 7 janv. et dim. du 15 oct. au 31 mars – **Repas** 21/53 ♀, enf. 13 – ♎
29 ch 70/98 – ½ P 92/98

🏠 **Gerbot d'Avoine**, bd Littoral ℰ 02 96 70 40 09, gerbotdavoine@net-up.(
Fax 02 96 70 34 06, 🌳 – 🍽 rest, 📺 🄿. 🅶🄱
fermé 12 nov. au 15 déc., 6 janv. au 2 fév., dim. soir , merc. midi et lundi hors saison – **R**
14,48/33,54 ♀, enf. 7,63 – ♎ 6,40 – **20 ch** 41/53,36 – ½ P 47,26/52,60

ST-QUENTIN 🆎 02100 Aisne 🎤 ⑭ G. Picardie Flandres Artois – 59 066 h Agglo. 103 7
alt. 74.
Voir Basilique★ – Hôtel de ville★ – Collection de portraits de Maurice Quentin de La Tou
au musée Antoine-Lécuyer.
🄱 Office du tourisme 27 rue Victor Basch ℰ 03 23 67 05 00, Fax 03 23 67 78 71, s
.quentin.haute.@wanadoo.fr.
Paris 165 ⑤ – Amiens 81 ⑥ – Charleroi 162 ③ – Lille 113 ⑥ – Reims 100 ③.

Plan page ci-contre

🏰 **Grand Hôtel** Ⓜ, 6 r. Dachery ℰ 03 23 62 69 77, Fax 03 23 62 53 52 – 🛗 📺 ♿ 🄿 – ⚽
🄰🄴 ⓪ 🅶🄱 🅹🄲🄱
Repas (fermé dim. soir et lundi) (18) · 24/34 ♀ – ♎ 7,50 – **24 ch** 69/99 – ½ P 70/100   BZ

🏠 **Canonniers** sans rest, 15 r. Canonniers ℰ 03 23 62 87 87, Fax 03 23 62 87 86, ⚡
cuisinette 📺 🄿 – ⚽ 20. 🄰🄴 ⓪ 🅶🄱   AZ
fermé 4 au 18 août et dim. soir – ♎ 9 – **7 ch** 44/73

🏠 **Ibis**, 14 pl. Basilique ℰ 03 23 67 40 40, ibis-st-quentin@escalotel.fr, Fax 03 23 67 84 90
⚡, 🍽 rest, 📺 ⛄ ♿. 🄰🄴 ⓪ 🅶🄱   ABZ
Repas (fermé dim. soir et lundi) 14/25 ♀, enf. 7,50 – ♎ 5,50 – **49 ch** 52/57

🏠 **Paix et Albert 1ᵉʳ**, 3 pl. 8-Octobre ℰ 03 23 62 77 62, hoteldelapaix@worldonlin
Fax 03 23 62 66 03 – 🛗 ⛄ 🄿 – ⚽ 30. 🄰🄴 ⓪ 🅶🄱   BZ
Brésilien brasserie (fermé dim. soir) **Repas** (11,89) · 14,94/25,92 ♀, enf. 9,15 – **Carno**
(fermé le midi et dim.) **Repas** (11,89) · 14,94 ♀, enf. 9,15 – ♎ 5,79 – **52 ch** 45,73/50,31

🏠 **Mémorial** sans rest, 8 r. Comédie ℰ 03 23 67 90 09, memorial.hotel@wanado
Fax 03 23 62 34 96 – 📺 ⛄ 🄿. 🄰🄴 ⓪ 🅶🄱   AZ
♎ 7,50 – **18 ch** 45,10/66,85

ST-QUENTIN

XX **Rond d'Alembert**, 27 r. d'Isle ℘ 03 23 64 46 46, *Fax 03 23 02 04 23* – ⚫ ① ⌷
                                                                                BZ **e**
   fermé août, sam. midi et dim. soir – **Repas** 20/40 et carte 40 à 60 ♀, enf. 11

XX **Villa d'Isle**, 113 r. d'Isle ℘ 03 23 67 08 09, *info@villadisle.com, Fax 03 23 67 06 07,* 🏠 –
    🅿. ⚫ ① ⌷   BZ **z**
   fermé dim. soir – **Repas** (12) - 18/32 ♀, enf. 8

X **Vert Gouteille**, 80 r. d'Isle ℘ 03 23 05 13 25, *Fax 03 23 05 13 27,* 🏠 – ⚫ ⌷   BZ **h**
   fermé 29 juil. au 25 août, 2 au 9 janv., sam. midi et dim. – **Repas** carte 28 à 38,
   enf. 7,70

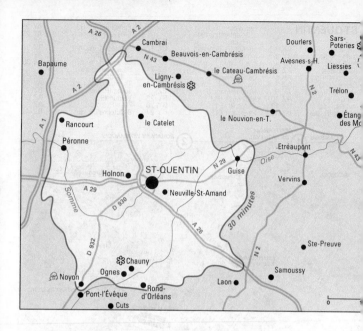

à Neuville-St-Amand *par* ③ *et D 12 : 3 km – 908 h. alt. 82 –* ⊠ 02100 :

🏨 **Château** ⬥, ☎ 03 23 68 41 82, Fax 03 23 68 46 02, 🏤, 🌡 – 📺 📞 📧 – 🔬 25. 🆎 ⓞ 🕳 ch
fermé 29 juil. au 19 août, 24 au 31 déc. et dim. – **Repas** *(fermé sam. midi et lundi* 21/53,50 – 立 7,50 – **15 ch** 51/60

à Holnon *par* ⑥ *et N 29 : 6 km – 1 334 h. alt. 102 –* ⊠ 02760 :

🏨 **Pot d'Étain**, ☎ 03 23 09 34 35, Fax 03 23 09 34 39, 🏤, 🌱 – 📺 📞 🕭 📧 – 🔬 30. 🕳
GB
Repas 19 bc/39 – 立 7,50 – **32 ch** 51/57 – ½ P 47

ST-QUENTIN-DES-ISLES *27 Eure* 55 ⑮ *– rattaché à Bernay.*

ST-QUENTIN-EN-YVELINES *78 Yvelines* 60 ⑨, 106 ㉙, 101 ㉑ *– voir à Paris, Environs.*

ST-QUENTIN-LA-POTERIE *30 Gard* 80 ⑲ *– rattaché à Uzès.*

ST-QUENTIN-SUR-LE-HOMME *50 Manche* 59 ⑧ *– rattaché à Avranches.*

ST-QUIRIN *57560 Moselle* 62 ⑧ *G. Alsace Lorraine – 873 h alt. 305.*
🛈 *Syndicat d'initiative - Mairie* ☎ 03 87 08 60 34, Fax 03 87 08 66 44.
Paris 436 – Strasbourg 92 – Baccarat 40 – Lunéville 56 – Phalsbourg 34 – Sarrebourg 1.

✗✗ **Hostellerie du Prieuré** 🅼 *avec ch*, ☎ 03 87 08 66 52, Fax 03 87 08 66 49 – 📺 📞 🕭
🔬 30. GB
fermé vacances de Toussaint – Repas *(fermé vacances de Toussaint, de fév., sam.* *mardi soir et merc.)* 11 (déj.), 19/48 🍷 – 立 6,80 – **8 ch** 38/58 – ½ P 34

vers Turquestein-Blancrupt *rte du Col du Donon, Sud-Est : 5,5 km par D 96 et D 993 – alt. 365 –* ⊠ 57560 Turquestein :

🏠 **Auberge du Kiboki** ⬥, ☎ 03 87 08 60 65, Fax 03 87 08 65 26, 🏤, « Auberge rust. *dans un havre de verdure »*, 🛁, 🔲, ✗, 🐎 – 📺 📧, GB, 🛏
fermé 17 fév. au 29 mars., lundi de nov. à Pâques, mardi et merc. – **Repas** 16,45/37. 立 8,80 – **16 ch** 68,60/71,60 – ½ P 33,25/43,80

1280

RAPHAËL *83700 Var* 84 ⑧, 114 ㉕, 115 ㉝ *G. Côte d'Azur – 30 671 h – Casino* Z.

Voir *Collection d'amphores★ dans le musée archéologique* **M.**

OMT Rue Waldeck-Rousseau ✆ 04 94 19 52 52, Fax 04 94 83 85 40, saint-raphael.information@wanadoo.fr.

Paris 878 ③ – Fréjus 4 ③ – Aix-en-Provence 121 ③ – Cannes 41 ④ – Toulon 95 ③.

Accès et sorties : voir plan de Fréjus.

ST-RAPHAËL

Aicard (R. J.)	Z 2
Albert-Ier (Quai)	Z 3
Allongue (R. Marius)	Y 5
Barbier (R. J.)	Z 6
Basso (R. Léon)	Y 7
Baux (R. Amiral)	Y 9
Carnot (Pl.)	Y 10
Coty (Promenade René)	Z 13
Doumer (Av. Paul)	Z 14
Gambetta (R.)	Y 15
Gounod (R. Ch.)	Z 17
Guilbaud (Cours Cdt)	Y 18
Karr (R. A.)	Y 21
Libération (Bd de la)	Z 22
Liberté (R. de la)	Y 23
Martin (Bd Félix)	YZ 24
Péri (Pl. Gabriel)	Y 26
Remparts (R. des)	Y 28
Rousseau (R. W.)	Y 30
Vadon (R. H.)	Z 31

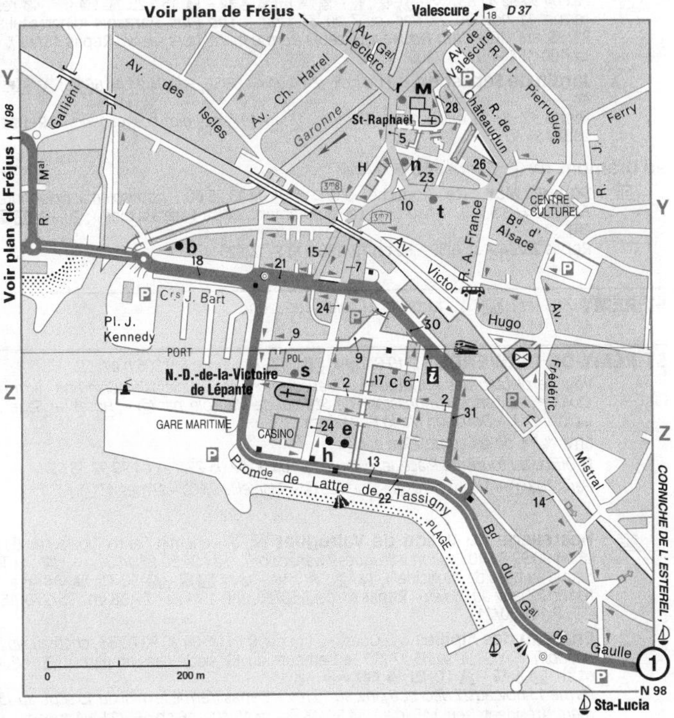

Continental Ⓜ sans rest, 100 prom. René Coty ✆ 04 94 83 87 87, *info@hotel-continental.com, Fax 04 94 19 20 24,* ← – |‡| ✈ ▤ TV ✆ ♿ 🚗. AE GB. ✂ Z e

fermé 28 oct. au 13 déc. – ☕ 10 – **44 ch** 94/193

Excelsior, 193 bd F. Martin (prom. R.Coty) ✆ 04 94 95 02 42, *info@excelsior-hotel.com, Fax 04 94 95 33 82,* ←, 🍴 – ♿. AE ⓓ GB Z h

Repas 21 (déj.), 23/45,50 🍷 – **36 ch** ☕ 120/150 – ½ P 83/103

Amarine Ⓜ, port Santa-Lucia par ① ✆ 04 94 95 31 31, *amarine@var-provence.com, Fax 04 94 82 21 46,* 🍴, 🏋, 🏊 – |‡| ▤ TV ✆ ♿ 🚗 – 🎤 15 à 200. AE ⓓ GB

Repas 18,30 (déj.), 19,80/30 🍷, enf. 8,50 – ☕ 10 – **100 ch** 111/136 – ½ P 85,50/90,50

Provençal Ⓜ sans rest, 195 r. Garonne ✆ 04 98 11 80 00, *reception@hotel-provencal.com, Fax 04 98 11 80 13* – |‡| ▤ TV ✆ ♿ 🚗. AE ⓓ GB Y b

☕ 7 – **24 ch** 75

XXX **L'Arbousier,** 6 av. Valescure 𝒫 04 94 95 25 00, Fax 04 94 83 81 04, 🛱 – 🗏. ▯
GB

fermé 20 déc. au 5 janv., lundi midi, mardi midi en saison, dim. soir, lundi et merc
saison – **Repas** 23 (déj.), 31/51 et carte 60 à 70

XX **Gargoulette,** 29 r. P. Aublé 𝒫 04 94 95 48 18, Fax 04 94 95 48 18 – 🗏. **AE** ⓪ **GB**
fermé juil. , dim. soir et lundi – **Repas** 22 (déj.), 30/50

XX **Pastorel,** 54 r. Liberté 𝒫 04 94 95 02 36, Fax 04 94 95 64 07, 🛱, « Terrasse ombra◄
– **AE** ⓪ **GB**
fermé 27 mai au 3 juin, 1ᵉʳ au 18 nov., 10 au 24 mars, dim. soir, hors saison et lundi – R▮
(dîner seul. en juil.-août) 28/32

X **Sémillon,** 21 pl. Carnot 𝒫 04 94 40 56 77, Fax 04 94 40 56 77, 🛱 – 🗏. **GB**
fermé 20 déc. au 6 janv., dim. et lundi – **Repas** 14,50 (déj.), 21,50/27,50 �?

à Valescure *Nord-Est : 5 km –* ⊠ *83700 :*

🏛 **Golf de Valescure** ≫, au golf 𝒫 04 94 52 85 00, info@valescure
Fax 04 94 82 41 88, 🛱, ⌇, ❊, ▦ – ▯ 🗏 ▥ ❤ ₺ ▯ – 🖾 15 à 25. **AE** ⓪ **GB**. ❊ rest
fermé 11 nov. au 21 déc. et 7 au 31 janv. – **Les Pins Parasols** *(dîner seul.)* R▮
29/33, enf. 10 – **Club House** *(déj. seul.) (fermé merc. hors saison)* **Repas** 18/23 ₺ – ◄
⊊ 100/154 – ½ P 90/100

XX **Jardin de Sébastien,** rte du golf 𝒫 04 94 44 66 56, Fax 04 94 44 66 56, 🛱 – ▯. **AE**
❊
fermé 17 au 23 mars, 18 au 24 nov., 13 au 19 janv., dim soir et jeudi – **Repas** (▮
20,58/34,30

au Dramont *par* ① *: 6 km –* ⊠ *83530 Agay :*

🏛 **Sol e Mar,** rte Corniche d'Or 𝒫 04 94 95 25 60, hotelsolemar@club-interr▮
Fax 04 94 83 83 61, ≤ Ile d'Or et cap du Dramont, 🛱, « Face à la mer », ⌇ – ▯ ▥ ▯. ▮
GB
Repas 23/34 – ⊊ 8,50 – **50 ch** 79/186 – ½ P 72/123

ST-RÉMY *71 S.-et L.* **70** ① – *rattaché à Chalon-sur-Saône.*

ST-RÉMY-DE-PROVENCE *13210 B.-du-R.* **81** ⑫ *G. Provence – 9 806 h alt. 59.*
Voir *Le plateau des Antiques★★ : Mausolée★★, Arc municipal★, Glanum★ 1km par*
Cloître★ de l'ancien monastère de St-Paul-de-Mausole par ③ *– Hôtel de Sade : o▮*
lapidaire★ L – Donation Mario Prassinos★.
Env. ☀★★ *de la Caume 7 km par* ③.
🅱 *Office du tourisme Place Jean Jaurès 𝒫 04 90 92 05 22, Fax 04 90 92 38 52.*
Paris 708 ① *– Avignon 20* ① *– Arles 25* ④ *– Marseille 93* ② *– Nîmes 43* ④.

Plan page ci-contre

🏛 **Hostellerie du Vallon de Valrugues** 🅼 ≫, chemin Canto Cigalo par ② :
𝒫 04 90 92 04 40, vallon.valrugues@wanadoo.fr, Fax 04 90 92 44 01, ≤, 🛱, « Ter▮
fleurie au bord de la piscine », ₤₆, ⌇, 🌳, ❊ – ▯ 🗏 ▥ ▯ – 🖾 30. **AE** ⓪ **GB** **JCB**
fermé 27 janv. au 23 fév. – **Repas** 30 (déj.), 50/80, enf. 19 – ⊊ 17 – **38 ch** 175/270, 15 ap▮
– ½ P 149,50/217

🏛 **Château des Alpilles** ≫, Ouest : 2 km par D 31 𝒫 04 90 92 03 33, chateau.alpilles▮
nadoo.fr, Fax 04 90 92 45 17, 🛱, « Demeure du 19ᵉ siècle dans un parc », ⌇, ❊, ❊▮
🗏 ch, ▥ ₺ ▯ – 🖾 20. **AE** ⓪ **GB** **JCB**
fermé 13 nov. au 27 déc. et 6 janv. au 15 fév. – **Repas** *(fermé le midi du 15 sept. au 15 ju▮*
merc.) (résidents seul.) 15 (déj.), 33,55/43 �? – ⊊ 15,40 – **16 ch** 165/214, 4 appart

🏛 **Les Ateliers de l'Image** 🅼 ≫ sans rest, 5 av. Pasteur 𝒫 04 90 92 51 50, ate▮
images@pacwan.fr, Fax 04 90 92 43 52, « Cadre contemporain » – ▯ ▥ ❤ ₺ ⟷. **AE**
JCB. ❊
⊊ 12 – **18 ch** 140/290

🏛 **Mas des Carassins** ≫ sans rest, 1 chemin Gaulois par ③ : 1 km 𝒫 04 90 92 1▮
carassin@pacwan.fr, Fax 04 90 92 63 47, ≤, « Jardin ombragé et fleuri », ⌇, ❊ – 🗏 ▮
⓪ **GB**
fermé 4 janv. au 28 mars – ⊊ 9,90 – **14 ch** 90,71/110

🏛 **Castelet des Alpilles** sans rest, 6 pl. Mireille 𝒫 04 90 92 07 21, hotel.castel.alpilles▮
nadoo.fr, Fax 04 90 92 52 03, ❊ – ▥ ▯. **AE** **GB** **JCB**
28 mars-4 nov. – ⊊ 8 – **19 ch** 62/83

🏛 **Canto Cigalo** ≫ sans rest, chemin Canto Cigalo par ② : 1 km 𝒫 04 90 92 14 28, h▮
cantocigalo@wanadoo.fr, Fax 04 90 92 24 48, ❊ – ▯. **AE** ⓪ **GB**
1ᵉʳ mars-12 nov. et 19 déc.-5 janv. – ⊊ 6,56 – **20 ch** 49,39/60,52

ST-RÉMY-DE-PROVENCE

de publicité
ée dans ce guide.

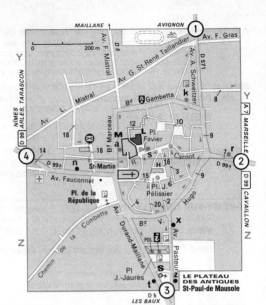

🏠 **L'Amandière** ⤳ sans rest, av. Plaisance du Touch par ① puis rte Noves : 1 km ℘ 04 90 92 41 00, Fax 04 90 92 48 38, ⅃, ㎡ – 🆃🆅 ℃ 🅿 ℁, 🅿, GB. ✼
mi-mars-fin oct. – ⎓ 6,55 – **26 ch** 48/57

🏠 **Van Gogh** ⤳ sans rest, 1 av. J. Moulin par ② ℘ 04 90 92 14 02, *vangoghhot@aol.com*, Fax 04 90 92 09 05, ⅃ – 🆃🆅 ⇔ 🅿. GB. ✼
1ᵉʳ mars-15 nov. – ⎓ 6,50 – **21 ch** 55/65

🏠 **Villa Glanum** ⤳ sans rest, rte des Baux par ③ ℘ 04 90 92 03 59, *villa.glanum@wanadoo.fr*, Fax 04 90 92 00 08, ⅃, ㎡ – 🆃🆅 🅿. GB. ✼
23 mars-30 oct. – ⎓ 7 – **28 ch** 60/76

🏠 **Soleil** ⤳ sans rest, 35 av. Pasteur ℘ 04 90 92 00 63, *hotelsoleil@wanadoo.fr*, Fax 04 90 92 61 07, ⅃ – 🆃🆅 ℃ 🅿. ㏂ ⓞ GB 🄹🄲🄱. ✼   Z z
mi mars-début nov. – ⎓ 7 – **21 ch** 50/63

🏠 **Cheval Blanc** sans rest, 6 av. Fauconnet ℘ 04 90 92 09 28, Fax 04 90 92 69 05 – 🆃🆅 ⇔ 🅿. GB   Z n
début mars-début nov. – ⎓ 6 – **22 ch** 40/49

🍴 **Accent du Sud**, rte Maillane : 1 km par av. F. Mistral ℘ 04 90 92 13 43, Fax 04 90 92 64 01, 㤠, ㎡ – 🆃🆅 🅿. GB. ✼ ch
Repas 14/19 – ⎓ 6,50 – **13 ch** 45/58 – ½ P 50

🍴🍴 **Maison Jaune**, 15 r. Carnot ℘ 04 90 92 56 14, *lamaisonjaune@wanadoo.fr*, Fax 04 90 92 56 32, 㤠, « Terrasse ombragée » – GB   Y s
fermé 8 janv. au 8 mars, dim. soir en hiver, mardi midi de juin à sept. et lundi – **Repas** (nombre de couverts limités, prévenir) 19 (déj.), 28/51 ♌, enf. 15

🍴🍴 **Alain Assaud**, 13 bd Marceau ℘ 04 90 92 37 11 – 🍽. ㏂ ⓞ GB   Y a
15 mars-15 nov. et fermé jeudi midi, sam. midi et merc. – **Repas** 22,87/35,06, enf. 12,20

🍴🍴 **Source**, 13 av. Libération ℘ 04 90 92 44 71, Fax 04 90 92 44 71, 㤠 – 🍽. ㏂ GB   Y r
fermé vacances de Toussaint, janv., fév. et merc. – **Repas** 15 (déj.), 26/36

🍴 **Jardin de Frédéric**, 8 bd Gambetta ℘ 04 90 92 27 76, Fax 04 90 92 27 76 – 🍽. ㏂ GB   Y k
fermé vacances de fév., jeudi midi et merc. – **Repas** 24/28, enf. 10

Domaine de Bournissac *par ②, D 30 et D 29 : 11 km* – ✉ 13550 Paluds-de-Noves :

🏠 **La Maison** ⤳, ℘ 04 90 90 25 25, *annie@lamaison-a-bournissac.com*, Fax 04 90 90 25 26, ≤, 㤠, ⅃, ㎡ – 🍽 🆃🆅 🅿 ㏂ GB
fermé 18 au 25 nov. et 6 janv. au 17 fév. – **Repas** (fermé mardi midi d'oct. à mai et lundi) 30 (déj.), 40/70 – ⎓ 13 – **10 ch** 140/210, 3 appart – ½ P 106/151

à Verquières *par ②, D 30 et D 29 : 11 km – 801 h. alt. 48 – ✉ 13670 :*

XX **Croque Chou** (Ravoux), pl. Église ☎ 04 90 95 18 55, rest. non fumeur –
✿ *fermé 23 déc. au 1er mars, dim. soir d'oct. à mars, lundi et mardi* – **Repas** (prévenir) 30
Spéc. Galantine de gigot d'agneau aux senteurs de Provence. Dorade rôtie au vin ro
fenouil braisé. Filet mignon de lapin à l'infusion de sauge. **Vins** Coteaux des Baux, Caira

par ④ *et rte des Baux D 27 : 4,5 km – ✉ 13210 St-Rémy-de-Provence :*

Domaine de Valmouriane , ☎ 04 90 92 44 62, *info@valmouriane.*
Fax 04 90 92 37 32, <, , « Mas provençal aménagé avec élégance, parc », , ,
P. AE GB JCB.
Repas *(fermé 17 nov. au 3 déc., 19 janv. au 4 fév., lundi sf le soir d'oct. à nov., dim. soir*
saison et mardi midi) 27 (déj.), 37/65 ♀, enf. 16 – ☕ 15 – **11 ch** 180/335 – ½ P 135/225

à Maillane *Nord-Ouest : 7 km par D 5 – 1 880 h. alt. 14 – ✉ 13910 :*

XX **L'Oustalet Maïanen,** ☎ 04 90 95 74 60, *Fax 04 90 95 76 17,* – . AE GB
fermé 2 déc. au 1er fév., le soir en semaine hors saison, dim. soir sauf juil.-août, mardi
et lundi – **Repas** 19,50 (déj.)/28,50 ♀, enf. 11

ST-RÉMY-SUR-DUROLLE *63550 P.-de-D.* 73 ⑥ *G. Auvergne – 1 925 h alt. 620.*

Paris 400 – Clermont-Ferrand 53 – Chabreloche 13 – Thiers 7.

XX **Vieux Logis** avec ch, Nord : 3,5 km sur D 201 ☎ 04 73 94 30 78, *Fax 04 73 94 0*
<, , – P. GB
fermé 1er au 15 oct, janv., fév., dim. soir et lundi – **Repas** 13/26 ♀, enf. 6 – ☕ 5 – **4 ch** 2

Les établissements signalés par un proposent des repas soignés à prix modérés.

ST-RIQUIER *80 Somme* 52 ⑦ *– rattaché à Abbeville.*

ST-ROMAIN-SUR-CHER *41140 L.-et-Ch.* 64 ⑰ *– 1 289 h alt. 130.*

Paris 215 – Tours 62 – Blois 34 – Montrichard 21 – Romorantin-Lanthenay 38.

XX **St-Romain** avec ch, ☎ 02 54 71 71 10, *Fax 02 54 71 72 89* – TV P. GB
fermé 23 sept. au 14 oct., 2 au 14 janv., dim. soir et lundi sauf fériés – **Repas**
(déj.)/36,30 ♀ – ☕ 5,35 – **5 ch** 28,20/43,45 – ½ P 41,15

ST-SALVADOUR *19 Corrèze* 75 ⑨ *– rattaché à Seilhac.*

ST-SAMSON-DE-LA-ROQUE *27680 Eure* 55 ④ *– 283 h alt. 80.*

Voir *Phare de la Roque* ✱★ *N : 2 km,* G. **Normandie Vallée de la Seine.**
Paris 178 – Le Havre 39 – Beuzeville 14 – Bolbec 24 – Évreux 99 – Honfleur 23.

XXX **Relais du Phare,** ☎ 02 32 57 61 59, *Fax 02 32 57 61 68,* , – GB
fermé dim. soir et lundi – **Repas** 38/42 et carte 34 à 64

ST-SATURNIN-DE-LUCIAN *34 Hérault* 83 ⑤ *– rattaché à Clermont-l'Hérault.*

ST-SAUD-LACOUSSIÈRE *24470 Dordogne* 72 ⑯ *– 868 h alt. 370.*

Paris 443 – Limoges 55 – Brive-la-Gaillarde 97 – Châlus 23 – Nontron 16 – Périgueux 62.

Hostellerie St-Jacques , ☎ 05 53 56 97 21, *Fax 05 53 56 91 33,* , « Terrass
jardin fleuris », , , – TV P. AE GB
mars-mi-nov. et fermé dim. soir, mardi midi et lundi sauf du 20 juin au 1er sept. – Re
18,30/54,89 ♀, enf. 11,43 – ☕ 7,63 – **15 ch** 54,89/121,96 – ½ P 57,93/73,18

ST-SAUVES-D'AUVERGNE *63 P.-de-D.* 73 ⑬ *– rattaché à La Bourboule.*

ST-SAUVEUR-DE-LANDEMONT *49270 M.-et-L.* 67 ④ *– 653 h alt. 65.*

Paris 362 – Nantes 32 – Ancenis 15 – Cholet 50 – Clisson 26.

Château de la Colaissière , ☎ 02 40 98 75 04, *info@colaissiere.c*
Fax 02 40 98 74 15, , « Château Renaissance dans un parc », , , – TV
50. GB JCB
fermé janv. – **Repas** *(fermé lundi)* 25/53 ♀, enf. 20 – ☕ 13 – **16 ch** 110/220

AUVEUR-DE-MONTAGUT 07190 Ardèche 76 ⑲ – 1 248 h alt. 218.
  🔒 Syndicat d'initiative Quartier de la Tour 𝒫 04 75 65 40 64.
  Paris 603 – Valence 38 – Le Cheylard 24 – Lamastre 29 – Privas 24.
  ✗ **Montagut** avec ch, pl. Église 𝒫 04 75 65 40 31, Fax 04 75 65 41 86, 🏠 – 📺. 🅰🅴 🆬🅱
  🐟 fermé 4 au 25 sept., 1ᵉʳ au 15 janv., dim. soir et lundi – Repas 13/40 ♀, enf. 7 – ☎ 5,34 – **4 ch**
  33 – ½ P 35,06

AVIN 65 H.-Pyr. 85 ⑰ – rattaché à Argelès-Gazost.

AVIN 86310 Vienne 68 ⑮ G. Poitou Vendée Charentes – 1 009 h alt. 76.
  Voir Peintures murales★★★ de l'Abbaye★★.
  🔒 Office de tourisme 20 pl. de la Libération 𝒫 05 49 48 11 00, Fax 05 49 48 11 00,
  otsi.st-savin@worldonline.fr.
  Paris 345 – Poitiers 44 – Belac 62 – Châtellerault 48 – Montmorillon 19.
  🔒 **France,** pl. République 𝒫 05 49 48 19 03, hotel-saint-savin@wanadoo.fr,
  🐟 Fax 05 49 48 97 07 – 📺 ⎣ & 🄿. 🅰🅴 🅾 🆬🅱. ✗ rest
  Repas (fermé dim. soir et vend. de sept. à mai) 14/23 ♀, enf. 8 – ☎ 6 – **15 ch** 37/45 –
  ½ P 40

ÉBASTIEN-SUR-LOIRE 44 Loire-Atl. 67 ③ – rattaché à Nantes.

EINE L'ABBAYE 21440 Côte-d'Or 65 ⑲ G. Bourgogne – 355 h alt. 451.
  🔒 Office du tourisme Parvis de l'Abbatiale 𝒫 03 80 35 07 63, Fax 03 80 35 07 63, InfoTouris
  meOT.stseine.Abbaye@wanadoo.fr.
  Paris 290 – Dijon 28 – Autun 77 – Châtillon-sur-Seine 57 – Montbard 48.
  🔒 **Poste** 🐟, 𝒫 03 80 35 00 35, Fax 03 80 35 07 64, 🏠, 🚗 – 📺 🚗 🄿. 🆬🅱
  🐟 fermé 25 déc. au 2 janv., fév., merc. du 15 nov. à Pâques, merc. midi sauf de juil. à sept. et
  mardi – **Repas** 13,50/46 ♀, enf. 8 – ☎ 7 – **15 ch** 40/54 – ½ P 54/57

ERNIN-SUR-RANCE 12380 Aveyron 80 ⑫ G. Languedoc Roussillon – 530 h alt. 300.
  🔒 Syndicat d'initiative - Maison des Vallons du Rance Route d'Albi 𝒫 05 65 97 60 19,
  Fax 05 65 97 60 77.
  Paris 698 – Albi 51 – Castres 69 – Lacaune 29 – Rodez 84 – St-Affrique 32.
  🏨 **Carayon** 🐟, 𝒫 05 65 98 19 19, carayon.hotel@wanadoo.fr, Fax 05 65 99 69 26, ≤, 🏠,
  🐟 « Parc avec activités de loisirs », 🎿, ⚓, ⊡, ✕, 🎾, 🚣 – 📱 📺 ⎣ & 🚗 🄿 – 🔏 30. 🅰🅴 🅾 🆬🅱
  fermé dim. soir, mardi midi et lundi sauf juil.-août et fériés – **Repas** 14/54 ♀, enf. 8 – ☎ 7,50
  – **60 ch** 40/88 – ½ P 50/67

ERVAN-SUR-MER 35 I.-et-V. 59 ⑥ – rattaché à St-Malo.

EVER 40500 Landes 78 ⑥ G. Aquitaine – 4 455 h alt. 102.
  Voir Chapiteaux★ de l'église.
  🔒 Office du tourisme Place du Tour de Sol 𝒫 05 58 76 34 64, Fax 05 58 76 43 55.
  Paris 730 – Mont-de-Marsan 18 – Aire-sur-l'Adour 32 – Dax 50 – Orthez 39 – Pau 70.
  ✗ **Relais du Pavillon** avec ch, au Nord : 2 km carrefour D 933 et D 924 𝒫 05 58 76 20 22,
  🐟 Fax 05 58 76 25 81, 🏠, ⊡, 🚗 – 📺 🄿. 🅰🅴 🅾 🆬🅱
  fermé 2 au 14 janv., dim. soir et lundi – **Repas** 13,72/38,11 et carte 35 à 50 ♀, enf. 8,84 –
  ☎ 7,32 – **12 ch** 36,59/45,73

s-Mauco Nord : 5 km par rte de Mont-de-Marsan – 277 h. alt. 37 – ✉ 40500 :
  🔒 **Alios,** 𝒫 05 58 76 44 00, Fax 05 58 76 35 38, 🏠 – 📺 ⎣ & 🄿. – 🔏 15. 🆬🅱. ✗ ch
  🐟 **Repas** (fermé vend. soir et dim.) (7,40) -9 bc (déj.), 13/19,10 – ☎ 4,60 – **10 ch** 34/40

SIMON 31 H.-Gar. 82 ⑧ – rattaché à Toulouse.

ORLIN-D'ARVES 73530 Savoie 77 ⑥ ⑦ G. Alpes du Nord – 325 h alt. 1550.
  Voir Site★ de l'église de St-Jean-d'Arves SE : 2,5 km.
  Env. Col de la Croix de Fer ✳★★ O : 7,5 km puis 15 mn – Col du Glandon ≤★ puis Combe
  d'Olle★★ O : 10 km.
  🔒 Office du tourisme Champrond 𝒫 04 79 59 71 77, Fax 04 79 59 75 50, otstort@club-
  internet.fr.
  Paris 658 – Albertville 83 – Le Bourg-d'Oisans 50 – Chambéry 95 – St-Jean-de-Maurienne 22.
  🔒 **Beausoleil** 🐟, 𝒫 04 79 59 71 42, beausol@club-internet.fr, Fax 04 79 59 75 25, ≤, 🏠,
  🚗 – 📺 🄿. 🅰🅴 🆬🅱. ✗ rest
  1ᵉʳ juil.-31 août et 15 déc.-13 avril – **Repas** (11,60) - 15,10/19,82, enf. 6,86 – ☎ 7,01 – **23 ch**
  42,70/53,40 – ½ P 70/80

🏠 **Balme** ⤵, ☎ 04 79 59 70 21, *hotel-balme@arcalpin.com, Fax 04 79 59 71 71*, ≼, 🌤 – 🄿. ☞. 🗷 rest
15 juin-15 sept. et 15 déc.-15 avril – **Repas** 16,01 ⤳ – ⇌ 6,10 – **26 ch** 45,73 – ½ P 5 57,17

ST-SULPICE 81370 Tarn **82** ⑨ – 4 801 h alt. 112.
🖼 *Office du tourisme Parc Georges Spenale* ☎ 05 63 41 89 50, Fax 05 63 40 23 30.
Paris 685 – Toulouse 31 – Albi 46 – Castres 54 – Montauban 44.

XX **Auberge de la Pointe**, D 988 ☎ 05 63 41 80 14, *jrchelot@aol.com, Fax 05 63 41 9*
🌤, « Terrasse dominant le Tarn » – 🖭 🖾 – ☞
fermé 14 au 28 nov., mardi soir et merc. de sept. à mai – **Repas** 16/31 ⤳, enf. 8

ST-SULPICE-SUR-LÈZE 31410 H.-Gar. **82** ⑰ – 1 639 h alt. 200.
Paris 730 – Toulouse 36 – Auterive 14 – Foix 53 – St-Gaudens 66.

XX **Commanderie**, ☎ 05 61 97 33 61, Fax 05 61 97 33 61, 🌤, 🍴 – ☞
🍽 *fermé 8 au 31 oct., 27 janv. au 5 fév., lundi soir et mardi* – **Repas** 14/29 ⤳, enf. 8

ST-SYLVESTRE-SUR-LOT 47140 L.-et-G. **79** ⑥ – 2 060 h alt. 65.
Paris 596 – Agen 36 – Cahors 62 – Villeneuve-sur-Lot 8.

🏰 **Château Lalande** Ⓜ ⤵, ☎ 05 53 36 15 15, *chateau.lalande@wanado*
Fax 05 53 36 15 16, 🌤, 🍴, ℔, 🎾, 🏊 – 🖵 🖭 🗷 & 🄿 – 🖾 15 à 30. 🖾 ⓪ ☞
Repas 37/61, enf. 14 – ⇌ 14 – **23 ch** 145/275 – ½ P 110/170

ST-SYMPHORIEN-D'OZON 69360 Rhône **74** ⑪ – 5 063 h alt. 176.
Paris 477 – Lyon 17 – Rive-de-Gier 27 – La Tour-du-Pin 51 – Vienne 14.

X **Louvre**, quai H. Berlioz ☎ 04 78 02 80 80, Fax 04 78 02 92 78 – ☞
🍽 *fermé dim. soir, lundi soir et mardi soir* – **Repas** (9) - 10,55 (déj.), 12,20/39,64 ⤳

ST-THÉGONNEC 29410 Finistère **58** ⑥ G. Bretagne – 2 267 h alt. 83.
Voir Enclos paroissial★★ – Guimiliau : Enclos paroissial★★, SO : 7,5 km.
Paris 549 – Brest 48 – Châteaulin 60 – Morlaix 13 – Quimper 70 – St-Pol-de-Léon 28.

🏠 **Auberge St-Thégonnec** Ⓜ, ☎ 02 98 79 61 18, *auberge@wanado*
🍽 Fax 02 98 62 71 10, 🌤, 🌳 – 🖭 🗷 & 🄿. 🖾 ☞. 🗷 rest
fermé 20 déc. au 10 janv., lundi midi en juil.-août, sam. midi, dim soir et lundi de sept.
– **Repas** 22/40 ℔, enf. 12 – ⇌ 9 – **19 ch** 60/92 – ½ P 74/80

ST-TROJAN-LES-BAINS 17 Char.-mar. **71** ⑭ – voir à Oléron (Ile d').

ST-TROPEZ 83990 Var **84** ⑰, **114** ㊲ G. Côte d'Azur – 5 444 h alt. 4.
Voir Port★★ – Musée de l'Annonciade★★ – Môle Jean Réveille ≼★ – Citadelle★ : ≼★
remparts, ✳★★ du musée naval – Chapelle Ste-Anne ≼★ S : 1 km par av. P. Roussel.
🖼 *Office du tourisme Quai Jean Jaurès* ☎ 04 94 97 45 21, Fax 04 94 97 82 66, *touris nova.fr.*
Paris 876 – Fréjus 34 – Aix-en-Provence 119 – Cannes 72 – Draguignan 47 – Toulon 70.

Plan page ci-contre

🏨 **Byblos** Ⓜ ⤵, av. P. Signac ☎ 04 94 56 68 00, *saint-tropez@byblos.c*
Fax 04 94 56 68 01, 🌤, ℔, 🏊, 🌳 – 🖵 🖭 🗷 🚗 🄿 – 🖾 80. 🖾 ⓪ ☞ 🇯🇨🇧
24 avril-14 oct. – **- Spoon Byblos** ☎ 04 94 56 68 20 (dîner seul.) carte 55 à 80 ⤳ – ⇌
74 ch 340/810, 11 appart

🏨 **Résidence de la Pinède** Ⓜ ⤵, à la plage de la Bouillabaisse par ① : *1*
☎ 04 94 55 91 00, *residence.pinede@wanadoo.fr, Fax 04 94 97 73 64*, ≼ golfe de St
🏵 pez, 🌤, « En bordure de mer », 🏊, ⚓, 🌳 – 🖵 🖭 🗷 🄿. 🖾 ⓪ ☞
22 mars-7 oct. – **Repas** (dîner seul du 15 juin au 15 sept.) 49 (déj.), 69/119 et carte 100 à
– ⇌ 23 – **36 ch** 732/995, 4 appart
Spéc. Soupe de cocos froide aux cuisses de grenouilles (juil.-août). Saint-Pierre rôti
cannelle (sept.). Trilogie de boeuf. **Vins** Côtes de Provence.

🏨 **Bastide de St-Tropez** Ⓜ ⤵, rte Carles : 1 km par av. P. Roussel - Z ☎ 04 94 55 8
bst@wanadoo.fr, Fax 04 94 97 21 71, 🌤, « Belle décoration intérieure », 🏊, 🌳 – 🖾
🖭 🗷 🄿 – 🖾 15. 🖾 ⓪ ☞
fermé 3 janv. au 13 fév. – **Repas** (fermé lundi et mardi d'oct. à fin avril et le midi de *sept.)* carte 60 à 80, enf. 25 – ⇌ 20 – **18 ch** 373/450, 8 appart

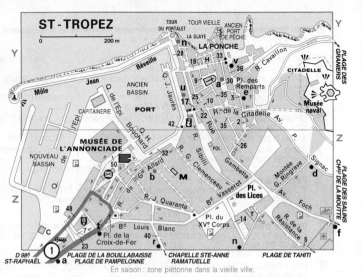

ST-TROPEZ

0 — 200 m

En saison : zone piétonne dans la vieille ville.

Domaine de l'Astragale M ⌂, par ① : 1,5 km, chemin de la Cassine 𝄐 04 94 97 48 98, *message@lastragale.com*, Fax 04 94 97 16 01, 🍴, 🏊, 🌳, 🍽 – 🗏 📺 ✆ 🔥 🅿 – 🛄 25. 🏧 ⑩ 🖎
30 avril-fin sept. – **Repas** 46 (dîner)et carte 37 à 55 ♀, enf. 23 – 🍽 17 – **34 ch** 290/350 – ½ P 210/255

Mandarine ⌂, Sud : 0,5 km par av. P. Roussel, rte Tahiti 𝄐 04 94 79 06 66, *message@ hotellamandarine.com*, Fax 04 94 97 33 67, 🍴, 🏊, 🌳 – 🗏 ch, 📺 ✆ 🅿 – 🛄 50. 🏧 ⑩ 🖎
30 avril-6 oct. – **Repas** 46 (dîner)et carte 45 à 55 ♀ – 🍽 17 – **39 ch** 220/380, 4 duplex – ½ P 170/325

Yaca, 1 bd Aumale 𝄐 04 94 55 81 00, *hotel-le-yaca@wanadoo.fr*, Fax 04 94 97 58 50, 🍴, 🏊 – 🗏 📺 ✆. 🏧 ⑩ 🖎
25 mars-12 oct. – **Repas** - cuisine italienne - *(fermé lundi de mars à juin)* carte 52 à 72 – 🍽 18 – **27 ch** 280/500
Y e

Ponche M, pl. Révelin 𝄐 04 94 97 02 53, *hotel@laponche.com*, Fax 04 94 97 78 61, 🍴 – 🛗 🗏 📺 🚗. 🏧 🖎
15 fév.-3 nov. – **Repas** 22 (déj.), 32/41 – 🍽 17 – **18 ch** 225/340
Y v

Mistralée ⌂ sans rest, 1 av. Gén. Leclerc 𝄐 04 98 12 91 12, *mistralee@infonie.fr*, Fax 04 98 12 91 13, 🏊, 🌳 – 🗏 📺 ✆ 🅿. 🏧 ⑩ 🖎 🔞
🍽 18,30 – **7 ch** 305/839
Z t

Lices, av. Augustin Grangeon 𝄐 04 94 97 28 28, *lices@nova.fr*, Fax 04 94 97 59 52, 🍴, 🏊 – 🗏 ch, 📺 ✆ 🅿. 🏧 ⑩ 🖎 🔞
22 mars-11 nov. – **Repas** grill *(fermé merc.)* (dîner seul.) 30/54 - **snack de piscine** (déj. seul.) **Repas** carte 16 à 20 ♀, enf. 10 – 🍽 10 – **41 ch** 130/191
Z n

Provençal ⌂, par ① : 2 km, chemin Bonnaventure 𝄐 04 94 97 00 83, Fax 04 94 97 44 37, 🍴, 🏊, 🌳 – 📺 ✆ 🅿. 🏧 🖎
fermé 15 nov. au 15 déc. – **Repas** grill de piscine (résidents seul.) carte 26 à 39 ♀ – 🍽 10,67 – **20 ch** 99,09/205,81

Bastide du Port sans rest, Port du Pilon 𝄐 04 94 97 87 95, *hotel-la-bastide.du.port@wa nadoo.fr*, Fax 04 94 97 91 00, ← – 📺 ✆ 🅿. 🏧 🖎
1ᵉʳ avril-5 nov. – 🍽 10 – **27 ch** 138/168
Z a

Lou Cagnard sans rest, av. P. Roussel 𝄐 04 94 97 04 24, Fax 04 94 97 09 44 – 📺 🅿. 🖎, 🍴
fermé 6 nov. au 27 déc. – 🍽 7 – **19 ch** 50/90
Z r

🏠 **Lou Troupelen** sans rest, chemin des Vendanges ℰ 04 94 97 44 88, *troupelen@aol.*
Fax 04 94 97 41 76, � – 📺 **P**, **AE** ⓪ **GB** **JCB**, ✀
1ᵉʳ mai-10 oct. – ☲ 10 – **44 ch** 69/107

XXX **Leï Mouscardins** (Tarridec), au port (Tour du Portalet) ℰ 04 94 97 2
✿✿ *Fax 04 94 97 76 39*, ≼ golfe de St-Tropez – 🍽. **AE** ⓪ **GB** **JCB**
fermé nov. à janv., le midi en juil.-août, jeudi midi, mardi et merc. hors saison – **Repas**
carte 77 à 107, enf. 30
Spéc. Artichauts en cuisson ''barigoule''. Calamar farci au fenouil, compotée d'auberg
Chocolat-feuilles à la confiture de lait. **Vins** Côtes de Provence, Bandol.

XX **Girelier,** quai Jean Jaurès ℰ 04 94 97 03 87, *contact@legirelier.com, Fax 04 94 97 4*
� – **AE** ⓪ **GB** **JCB**
16 fév.-31 oct. et fermé le midi en juil.-août et lundi de sept. à juin – **Repas** 33 ☲, enf.

X **Banh Hoï,** 12 r. Petit St-Jean ℰ 04 94 97 36 29, *banh-hoi@wanad*
Fax 04 98 12 91 47, � – 🍽. **AE** **GB**
29 mars-12 oct. – **Repas** · cuisine vietnamienne et thaïlandaise (dîner seul.) carte enviro

X **Petit Charron,** 6 r. Charrons ℰ 04 94 97 73 78 – **AE** **GB** **JCB**
1ᵉʳ mars-31 oct. et week-ends en déc. et janv. sauf dim. soir – **Repas** *(fermé dim.*
juil.-août) (dîner seul. en juil.-août)(nombre de couverts limité, prévenir) 31/42

au Sud-Est : par av. Foch - Z – ✉ 83990 St-Tropez :

🏠 **Bastide des Salins** ⅀ sans rest, à 4 km ℰ 04 94 97 24 57, *bastisal@club-interr*
Fax 04 94 54 89 03, « Ancienne bastide isolée dans un grand jardin arboré », ⅀, � – 🍽
📞 **P**, **AE** **GB**, ✀
1ᵉʳ avril-10 oct. – ☲ 12 – **14 ch** 237/382

🏠 **Lou Pinet** ⅀, à 2 km ℰ 04 94 97 04 37, *Fax 04 94 97 04 98*, �, ⅀, 🌺 – 🍽 ch, 📺
⓪ **GB** **JCB**
hotel : 29 mars-29 sept. ; rest : 14 juin-14 sept. – **Repas** carte 27 à 42 ☲ – ☲ 14 – 2
140/180

🏠 **Levant** ⅀ sans rest, à 2,5 km ℰ 04 94 97 33 33, *info@hotel-le-levant.*
Fax 04 94 97 76 13, ⅀, 🌺 – 📺 **P**, **AE** ⓪ **GB**
15 mars-21 oct. – ☲ 10 – **28 ch** 105,20/140,30

🏠 **Pré de la Mer** ⅀ sans rest, à 2,5 km ℰ 04 94 97 12 23, *Fax 04 94 97 43 91*,
cuisinette 📺 **P**, **AE** **GB**
Pâques-30 sept. – ☲ 10,67 – **12 ch** 138,73/173,79

🏠 **Bastide Rouge** ⅀ sans rest, à 1,5 km ℰ 04 94 97 41 24, *labastiderouge@wanad*
Fax 04 94 97 73 40, ⅀, 🌺 – 📞 **P**, **AE** ⓪ **GB**
☲ 12,20 – **22 ch** 189,04/295,75

au Sud-Est par av. Paul Roussel et rte de Tahiti :

🏠 **Château de la Messardière** Ⓜ ⅀, à 2 km ✉ 83990 St-Tropez ℰ 04 94 56 7
hotel@messardiere.com, Fax 04 94 56 76 01, �, « Dans une pinède dominant la ba
🛁, ⅀, 🏊 – 📶 📺 📞 🌺 ⇔ **P** – 🔔 80. **AE** ⓪ **GB**, ✀ rest
24 mars-20 oct. – **Repas** (dîner seul. de mi-juin à mi-sept.) 53 (déj.), 55/85 ☲, enf. 32
☲ 20 – **94 ch** 460/1150, 6 appart – ½ P 280/355

🏠 **Ferme d'Augustin** ⅀ sans rest, à 4 km ✉ 83350 Ramatuelle ℰ 04 94 55 97 00,
ferme.augustin@wanadoo.fr, Fax 04 94 97 40 30, ⅀, 🌺 – 📶 📺 📞 **P**, **AE** **GB**
20 mars-20 oct. – ☲ 12 – **46 ch** 140/290

🏠 **St-Vincent** ⅀, à 4 km ✉ 83350 Ramatuelle ℰ 04 94 97 36 90, *saintvincent@var-pr*
ce.com, Fax 04 94 54 80 37, �, ⅀ – 🍽 ch, 📺 📞 **P**, **AE** **GB**
16 mars-13 oct. – **Repas** grill de piscine 25/50 – ☲ 14 – **15 ch** 132/216, 4 duplex

🏠 **Mas Bellevue** ⅀, à 2 km ✉ 83990 St-Tropez ℰ 04 94 97 07 21, *hotel-mas-belle*
caromail.com, Fax 04 94 97 61 07, �, ⅀, 🌺, 🏊 – 🍽 ch, 📺 📞 **P**, **AE** ⓪ **GB** **JCB**, ✀
19 mars-12 nov. et 28 déc.-3 janv. – **Repas** grill de piscine (dîner seul.) 35 ☲ – ☲ 12 – 3
145/300 – ½ P 190/300

🏠 **Figuière** ⅀, à 4 km ✉ 83350 Ramatuelle ℰ 04 94 97 18 21, *Fax 04 94 97 68 48*, �
🌺, ✀ – 🍽 ch, 📺 📞 **P**, **AE**
22 mars-7 oct. – **Repas** grill de piscine carte 30 à 45 – ☲ – **38 ch** 85/180, 3 duplex

rte de Ramatuelle par ① et D 93le – ✉ 83350 Ramatuelle :

🏠 **Les Bergerettes** Ⓜ ⅀, sur rte secondaire : 5 km ℰ 04 94 97 40 22, *hotel-bergere*
wanadoo.fr, Fax 04 94 97 37 55, ≼, �, « Parc », ⅀, 🏊 – 🍽 ch, 📺 **P**, **AE** **GB**
hôtel : Pâques-oct. ; rest.: mai-15 sept. – **Repas** grill de piscine (déj. seul.) carte 29 à 4
☲ 14 – **29 ch** 170/210

🏠 **Romarine** ⅀, sur rte secondaire, à 3 km ℰ 04 94 97 32 26, *reservation@hc*
romarine.com, Fax 04 94 97 44 45, ≼, �, 🛁, ⅀, 🌺, ✀ – cuisinette, 🍽 ch, 📺 📞 🌺
GB, ✀
- grill de piscine *(juil.-août)* **Repas** carte environ 39 ☲ – ☲ 11 – **18 ch** 214/321, 9 app

Les Bouis M ⌖, sur rte secondaire, à 6 km ✆ 04 94 79 87 61, *Fax 04 94 79 85 20*, ≤ mer, 🍴, ⌿, 🌳 – ≡ ch, 📺 ✆ ⅍ 🅿. 🕮 GB JCB, 🚫 rest
hôtel : 25 mars-25 oct. ; rest. : 1er avril-30 sept. – **Repas** grill de piscine (déj. seul.) 16/24 ♀ – ☲ 11 – **23 ch** 122/143

Deï Marres 🎇 sans rest, sur rte secondaire, à 3 km ✆ 04 94 97 26 68, *hoteldeimarres@infonie.fr, Fax 04 94 97 62 76*, ⌿, 🌳, 🚫 – ≡ 📺 ✆ ⅍ 🅿. 🕮 GB. 🚫
15 mars-15 oct. – ☲ 9,15 – **24 ch** 137/183

Auberge de l'Oumède, sur rte secondaire, à 7 km ✆ 04 94 79 81 24, *Fax 04 94 79 93 63*, 🍴 – 🅿. GB
Pâques-mi-oct et fermé merc. sauf du 15 juin au 15 sept. – **Repas** (dîner seul.) 50 ♀

① *et rte secondaire* – ✉ *83580 Gassin :*

Villa Belrose M ⌖, bd Crêtes, à 3 km ✆ 04 94 55 97 97, *info@villa.belrose.net, Fax 04 94 55 97 98*, ≤ golfe de St-Tropez, 🍴, 🏋, 🌳, 🌳 – ⌸ ≡ 📺 ✆ ⅍ 🍷 🅿. 🕮 ◉ GB. 🚫 rest
15 mars-27 oct. et fermé le midi en juil.-août – **Repas** 60/80 et carte 75 à 95 ♀ – ☲ 20 – **38 ch** 550/645 – ½ P 335/397,50
Spéc. Chou farci à l'araignée de mer. Chapon cuit en croûte d'argile. Délice de Provence.

Bastide d'Antoine 🎇 sans rest, à 2 km ✆ 04 94 97 70 08, *bastide-d-antoine@wanadoo.fr, Fax 04 94 97 67 25*, ≤, 🌳, 🌳 – 📺 ✆ 🅿. 🕮 ◉ GB
Pâques-mi-oct. – ☲ 10 – **16 ch** 190/250

Les Capucines 🎇 sans rest, à 2 km ✆ 04 94 97 70 05, *hotel.les.capucines@wanadoo.fr, Fax 04 94 97 55 85*, 🌳, 🌳 – ≡ 📺 🅿. 🕮 ◉ GB JCB
15 avril-15 oct. – ☲ 12,50 – **24 ch** 150/275

Le Guide change, changez de guide tous les ans.

VAAST-LA-HOUGUE 50550 Manche 🗺 ③ G. Normandie Cotentin – 2 097 h alt. 4.
🔰 Office du tourisme 1 place Général de Gaulle ✆ 02 33 23 19 32, Fax 02 33 54 41 37, office-de-tourisme@saint-vaast-reville.com.
Paris 348 – Cherbourg 31 – Carentan 41 – St-Lô 69 – Valognes 19.

France et Fuchsias, ✆ 02 33 54 42 26, *france-fuchsias@wanadoo.fr, Fax 02 33 43 46 79*, 🍴, 🌳 – ≡ rest, 📺 – 🅪 25. 🕮 ◉ GB. 🚫 ch
fermé 3 janv. au 1er mars., lundi de sept. à avril, dim. soir de nov. à mars et mardi midi de sept. à mars – Repas (14) - 21 (déj.)/52 ♀, enf. 10 – ☲ 7 – **34 ch** 36/76 – ½ P 41/64

Granitière sans rest, ✆ 02 33 54 58 99, *granithot@club-internet.fr, Fax 02 33 20 34 91*, 🌳 – 🅿. 🕮 ◉ GB
1er mars-10 déc. et fermé mardi de nov. à mars – **10 ch** ☲ 84/91

Chasse-Marée, ✆ 02 33 23 14 08, 🍴 – GB. 🚫
fermé janv., dim. soir et lundi – **Repas** 14 (déj.), 17/23

VALÉRIEN 89150 Yonne 🗺 ⑬ – 1 540 h alt. 165.
Paris 109 – Fontainebleau 50 – Auxerre 73 – Nemours 33 – Sens 16.

Gâtinais, ✆ 03 86 88 62 78 – GB
fermé 5 au 12 mars, dim. soir, lundi soir, mardi soir et merc. soir – **Repas** 16/48

VALERY-EN-CAUX 76460 S.-Mar. 🗺 ③ G. Normandie Vallée de la Seine – 4 782 h alt. 5 – Casino.
Voir *Falaise d'Aval* ≤★ *O : 15 mn.*
🔰 Office du tourisme Maison Henri IV ✆ 02 35 97 00 63, Fax 02 35 97 32 65, OTSI.ST.VALERY.EN.CAUX@wanadoo.fr.
Paris 192 – Le Havre 79 – Bolbec 46 – Dieppe 35 – Fécamp 33 – Rouen 59 – Yvetot 31.

Les Terrasses, à la plage ✆ 02 35 97 11 22, *Fax 02 35 97 05 83*, ≤ – 📺. GB
fermé déc., dim. soir, mardi midi et lundi – **Repas** 20,58/33,23 ♀, enf. 9,15 – ☲ 5,79 – **12 ch** 33,54/53,36 – ½ P 49,55

Port, quai d'Amont ✆ 02 35 97 08 93, *Fax 02 35 97 28 32*, ≤ – GB
fermé dim. soir sauf juil.-août et lundi – **Repas** 18/32

rte de Fécamp vers le Bourg-Ingouville par D 925 et D 68 : 3 km – ✉ *76460 St-Valéry-en-Caux :*

Les Hêtres M 🎇 avec ch, ✆ 02 35 57 09 30, *leshetres.@wanadoo.fr, Fax 02 35 57 09 31*, 🍴, « Belle chaumière du 17e siècle dans un jardin fleuri », 🌳 – 📺 ✆ 🅿. GB
ferme 23 sept. au 4 oct., 6 janv. au 13 fév., lundi et mardi hors saison – **Repas** 36/68 et carte 57 à 80 – ☲ 15 – **5 ch** 90/145

ST-VALERY-SUR-SOMME 80230 Somme 52 ⑥ G. Picardie Flandres Artois – 2 686 h alt. 27.

Voir Digue-promenade★ – Chapelle des Marins ≤★ – Ecomusée Picarvie★ – La ba. Somme★★.

🖪 Office du tourisme 2 place Guillaume le Conquérant ℘ 03 22 60 93 50, Fax 03 22 60 8 otsi@wanadoo.fr.

Paris 207 – Amiens 71 – Abbeville 18 – Blangy-sur-Bresle 41 – Le Tréport 25.

🏨 **Picardia** M sans rest, 41 quai Romerel ℘ 03 22 60 32 30, Fax 03 22 60 76 69 – 劇 Ⅳ – 🛦 15. 🖭
fermé janv. – � 8 – **18 ch** 68

🏨 **Port et des Bains**, 1 quai Balvet ℘ 03 22 60 80 09, hotel.hpb@wanadc Fax 03 22 60 77 90, ≤ – 圓 rest, Ⅳ ✔. 🖭 ① 🖭. ℀ ch
fermé 2 au 15 janv. et merc. d'oct. à avril – **Repas** 14/31 ♀, enf. 8,50 – 引 8 – **16 ch** 54/ ½ P 49/56,50

🏠 **Relais Guillaume de Normandy** ⤸, quai Romerel ℘ 03 22 60 82 36, relais-guil e@wanadoo.fr, Fax 03 22 60 81 82, ≤, 霈 – 圓 rest, Ⅳ P. 🖭 ① 🖭. ℀
fermé 22 déc. au 31 janv. et mardi sauf du 10 juil. au 20 août – **Repas** 15/38 ♂, enf. 9 – – **14 ch** 44/63 – ½ P 53/59

✗✗ **Le Nicol's**, 15 r. La Ferté ℘ 03 22 26 82 96, alleduc@wanadoo.fr, Fax 03 22 26 10 07 🖭 🖭
fermé 12 au 29 nov., 6 janv. au 6 fév., lundi soir, jeudi soir et merc. d'oct. à mars – **R** 12/29 ♀

ST-VALLIER 26240 Drôme 77 ① G. Vallée du Rhône – 4 154 h alt. 135.

🖪 Office du tourisme Avenue Désiré Valette ℘ 04 75 23 45 33, Fax 04 75 23 4 office.tourisme@saintvallier.com.

Paris 531 – Valence 35 – Annonay 21 – St-Étienne 60 – Tournon-sur-Rhône 16 – Vienne

✗ **Bistrot d'Albert et Hôtel Terminus** M avec ch, 116 av. J. Jaurès, rte ℘ 04 75 23 01 12, rest.lecomte@free.fr, Fax 04 75 23 38 82 – 圓 Ⅳ 🚗 P. 🖭 ① 🗷🗨
fermé 5 au 25 août, vacances de fév., sam. et dim. – **Repas** 13,72 ♀ – 立 5,34 – 41,16/57,93 – ½ P 51,83

au Sud par N 7 : 3 km – ⊠ 26600 Serves-sur-Rhône :

✗✗✗ **Alexandre Lecomte**, Château de Fontager ℘ 04 75 23 59 35, Fax 04 75 23 59 39, ⽊ – P. 🖭 🖭
fermé 11 au 18 nov., vacances de fév., dim. soir et lundi – **Repas** 29,73 (déj.), 44,21/79, carte 45 à 58 ♀

au Nord-Est par N 7, D 122 et D 132 : 8 km – ⊠ 26140 Albon :

🏨 **Domaine des Buis** ⤸ sans rest, rte de St-Martin-des-Rosiers ℘ 04 75 03 1 Fax 04 75 03 14 14, ≤, 🔄, ⽊ – Ⅳ 🚗 P 🖭. ℀
1er mars-15 nov. – 立 9,50 – **8 ch** 73/112

ST-VALLIER-DE-THIEY 06460 Alpes-Mar. 84 ⑧, 114 ⑫, 115 ㉓ G. Côte d'Azur – 2 2 alt. 730.

Voir Pas de la Faye ≤★★ NO : 5 km – Grotte de Beaume Obscure★ S : 2 km – Col de la L ≤★ SO : 5 km.

🖪 Office du tourisme 10 place du Tour ℘ 04 93 42 78 00, Fax 04 93 42 78 00, tou @saintvallierdethiey.com.

Paris 914 – Cannes 29 – Castellane 53 – Draguignan 57 – Grasse 12 – Nice 47.

🏠 **Relais Impérial**, ℘ 04 92 60 36 36, relaisimperial@compuserve.com, Fax 04 92 60 3 霈 – 劇 Ⅳ ✔ – 🛦 40. 🖭 ① 🗷🗨
Repas (13) - 15,20/33,60 ♀ - **Grill du Relais** (Pizzeria) **Repas** (12)-19 ♀, enf. 8,40 – 立 5, **30 ch** 45,70/60,60 – ½ P 45,80/55

✗✗ **Préjoly** avec ch, ℘ 04 93 42 60 86, laprejoly@wanadoo.fr, Fax 04 93 42 67 80, 霈 – ① 🖭
fermé 15 nov. au 1er fév. – **Repas** (fermé dim. soir et lundi) 15,10/30, enf. 7,62 – 立 5 **17 ch** 57,93/70, (½ pension en juil.-août) – ½ P 55/70

> **Ne confondez pas :**
>
> | Confort des hôtels | : | 🏨🏨🏨 ... 🏠, 🛖 |
> | Confort des restaurants | : | ✗✗✗✗✗ ... ✗ |
> | Qualité de la table | : | 🏵🏵🏵, 🏵🏵, 🏵, 🖭 |

VÉRAN 05350 H.-Alpes **77** ⑲ *G. Alpes du Sud* – 267 h alt. 2042 *la plus haute commune d'Europe* – Sports d'hiver : 1 750/3 000 m ≰ 15 ≴.
Voir Vieux village★★ – Musée du Soum★.
🖪 Office du tourisme ℘ 04 92 45 82 21, Fax 04 92 45 84 52.
Paris 731 – Briançon 50 – Guillestre 32.

🏨 **Grand Tétras** ⑳, ℘ 04 92 45 82 42, legrandtetras@free.fr, Fax 04 92 45 85 98, ≤, 龠, 14 – 🅿. ⌑⊟
18 mai-15 sept. et 21 déc.-10 avril – **Repas** 17,60/22,20 ⚈, enf. 7,65 – 🖵 7,65 – **21 ch**
44,80/68 – ½ P 53,10/60

ÉRAND 71570 S.-et-L. **74** ① – 182 h alt. 300.
Paris 402 – Mâcon 14 – Bourg-en-Bresse 52 – Lyon 69 – Villefranche-sur-Saône 34.

🏨 **Auberge du St-Véran,** ℘ 03 85 23 90 90, Fax 03 85 23 90 91, 龠, ⚞, 毋 – 🆃 🅿. ⊟
fermé en janv., lundi et mardi hors saison – **Repas** 19,51/40,40 ⚈, enf. 8,84 – 🖵 6,86 – **11 ch**
44,97/59,46 – ½ P 51,53/74,70

IANCE 19 Corrèze **75** ⑧ – rattaché à Brive-la-Gaillarde.

ICTOR-DE-MALCAP 30 Gard **80** ⑧ – rattaché à St-Ambroix.

ICTOR-SUR-LOIRE 42 Loire **73** ⑲ – rattaché à St-Étienne.

Si vous cherchez un hôtel tranquille,
consultez d'abord les cartes de l'introduction
ou repérez dans le texte les établissements indiqués avec le signe ⑳.

INCENT 43800 H.-Loire **76** ⑦ – 831 h alt. 605.
Paris 547 – Le Puy-en-Velay 18 – La Chaise-Dieu 36 – St-Étienne 77.

✗ **Renouée,** à Cheyrac, Nord par D 103 ℘ 04 71 08 55 94, Fax 04 71 08 55 94 – ⊟. 稀
fermé vacances de Toussaint, janv., fév., lundi sauf juil.-août et dim. soir – **Repas** (déj. seul.
le mardi, merc. et jeudi du 12 nov. au 31 déc.) 16/27 ⚈, enf. 9,40

INCENT-DE-TYROSSE 40230 Landes **78** ⑰ – 5 360 h alt. 24.
🖪 Office du tourisme Placette du Midi ℘ 05 58 77 12 00, Fax 05 58 77 26 86, pays
tyrossais@wanadoo.fr.
Paris 740 – Biarritz 37 – Mont-de-Marsan 77 – Bayonne 30 – Dax 24 – Pau 102.

✗ **Hittau,** ℘ 05 58 77 11 85, Fax 05 58 77 11 85, 龠, « Ancienne bergerie dans un jardin
fleuri », 毋 – 🅿. ⊟
fermé dim. soir et lundi sauf juil.-août – **Repas** (12,20) - 21,50/68,60 et carte 47 à 63 ⚈

INCENT-SUR-JARD 85520 Vendée **67** ⑪ *G. Poitou Vendée Charentes* – 871 h alt. 10.
🖪 Office du tourisme Place de l'Église ℘ 02 51 33 62 06, Fax 02 51 33 01 23,
otstvincent@aol.com.
Paris 452 – La Rochelle 71 – La Roche-sur-Yon 35 – Luçon 34 – Les Sables-d'Olonne 23.

🏨 **Océan** ⑳, Sud : 1 km (près maison de Clemenceau) ℘ 02 51 33 40 45, hotel.locean@
wanadoo.fr, Fax 02 51 33 98 15, 龠, ⚞, 毋 – ▤ rest, 🆃 & 🅿. ⊟
20 fév.-18 nov. et fermé merc. sauf d'avril à sept. – **Repas** 13/38,50 ⚈, enf. 9 – 🖵 5,80 –
37 ch 52/69 – ½ P 53/62

✗ **Chalet St-Hubert** avec ch, rte de Jard ℘ 02 51 33 40 33, Fax 02 51 33 41 94, 毋 – 🅿.
⊟
fermé 10 nov. au 18 déc., dim. soir et lundi du 15 sept. au 15 juin – **Repas** 13,57/28,97,
enf. 7,32 – 🖵 6,10 – **10 ch** 27,44/36,60 – ½ P 39,64

RAIN 91770 Essonne **60** ⑩, **106** ㊸ *G. Île de France* – 2 800 h alt. 75.
Paris 41 – Fontainebleau 42 – Corbeil-Essonnes 16 – Étampes 22 – Melun 39.

✗ **Hostellerie de St-Caprais** avec ch, 30 r. St-Caprais ℘ 01 64 56 15 45,
Fax 01 64 56 85 22, 龠 – 🆃. ⊟
fermé 14 juil. au 10 août – **Repas** (fermé dim. soir et lundi) 26/35 – 🖵 5,34 – **5 ch**
44,21/48,78 – ½ P 52,60

ST-WANDRILLE-RANÇON 76490 S.-Mar. **55** ⑤ G. Normandie Vallée de la Seine – 1
alt. 16.

Voir Abbaye★ (chant grégorien).

Paris 163 – Le Havre 58 – Rouen 34 – Barentin 16 – Duclair 13 – Lillebonne 22 – Yvetot

✗✗ **Auberge des Deux Couronnes**, ℘ 02 35 96 11 44, Fax 02 35 56 56 23, « Maison
mande ancienne » – ﹏ ⚈

fermé vacances de fév., dim. soir et lundi – Repas 21,50/26 ☉, enf. 10

ST-YBARD 19 Corrèze **75** ⑧ – rattaché à Uzerche.

ST-YORRE 03 Allier **73** ⑤ – rattaché à Vichy.

ST-YRIEIX-LA-PERCHE 87500 H.-Vienne **72** ⑰ G. Berry Limousin – 7 251 h alt. 360.

Voir Collégiale du Moûtier★.

🛈 Office du tourisme 58 boulevard de l'Hôtel de Ville ℘ 05 55 08 20 72, Fax 05 55 08
otsistyrieix@free.fr.

Paris 430 – Limoges 40 – Brive-la-Gaillarde 62 – Périgueux 63 – Rochechouart 52 – Tul

à la Roche l'Abeille Nord-Est : 12 km par D 704 et 17A – 561 h. alt. 400 – ⊠ 87800 :

✗✗✗ **Moulin de la Gorce** (Bertranet) ⏃ avec ch, Sud : 2 km par D 17 ℘ 05 55 00 7
✿ moulingorce@relaischateaux.fr, Fax 05 55 00 76 57, ≤, ⏃, « En bordure d'étang, pa
⏃ – �📺 🄿. ﹏ ⓪ ⚈

fermé 12/11 au 4/12, 2/01 au 20/03, dim. soir en nov. et déc., lundi midi et merc. m
20/03 à oct. et mardi midi – Repas (38) – 55/75 ☉, enf. 23 – ☑ 13 – 10 ch 76/1
½ P 119/145

Spéc. Chartreuse de tourteau et foie gras de canard poêlé. Bar de ligne grillé à la
mousseline de cresson. Douceur chocolat et noix caramélisées. Vins Bergerac, Monba

ST-ZACHARIE 83640 Var **84** ⑭ – 4 184 h alt. 265.

🛈 Office du tourisme Square Reda Caire ℘ 04 42 32 63 28, Fax 04 42 32 63 28.

Paris 794 – Marseille 35 – Aix-en-Provence 37 – Brignoles 31 – Rians 40 – Toulon 64.

✗ **Urbain Dubois**, rte St-Maximin sur N 560 : 1 km ℘ 04 42 72 94 28, urbain-dubois@
doo.fr, Fax 04 42 72 94 28, 🎇 – 🄿. ⚈

fermé dim. soir et lundi sauf fériés – Repas 18 (déj.), 28/38

STE-ANNE-D'AURAY 56400 Morbihan **63** ② G. Bretagne – 1 844 h alt. 42.

Voir Trésor★ de la basilique – Pardon (26 juil.).

🛈 Syndicat d'Initiative 12 pl. Nicolazic ℘ 02 97 57 69 16 , Fax 02 97 57 79 22.

Paris 475 – Vannes 17 – Auray 7 – Hennebont 34 – Locminé 27 – Lorient 44 – Quimper

🏠 **Myriam** ⏃ sans rest, ℘ 02 97 57 70 44, Fax 02 97 57 67 94 – 🛗 ✳ 📺 🄿. ⚈
1er mai-30 sept. – ☑ 6 – 30 ch 47

🏠 **Moderne**, 8 r. Vannes ℘ 02 97 57 66 95, hotellemoderne@aol.com, Fax 02 97 57 67
✳ 📺 🄿. ⚈

fermé 27 oct. au 3 nov., 21 déc. au 12 janv. et sam. d'oct. à mars – Repas 14,50/25
enf. 6 – ☑ 6 – 34 ch 47 – ½ P 43

✗✗✗ **L'Auberge** avec ch, ℘ 02 97 57 61 55, auberge-jl-larvoir@wanadoo.fr, Fax 02 97 57
– ▤ rest, 📺 🄿. ﹏ ⚈

fermé 18 nov. au 11 déc., 24 fév. au 13 mars, mardi sauf en juil.-août et merc. – R
23/62 et carte 45 à 53 ☉, enf. 10 – ☑ 6 – 6 ch 37/44 – ½ P 50/52

STE-ANNE-LA-PALUD (Chapelle de) 29550 Finistère **58** ⑭ G. Bretagne.

Voir Pardon (fin août).

Paris 584 – Quimper 24 – Brest 68 – Châteaulin 20 – Crozon 27 – Douarnenez 11.

🏠🏠 **Plage** ⏃, à la plage ℘ 02 98 92 50 12, laplage@relaischateaux.com, Fax 02 98 92 5
✿ ≤, ⏃, 🎇, ✗ – 🛗, ▤ rest, 📺 ⚈ 🄿. ﹏ ⓪ ⚈

30 mars-3 nov. – Repas (fermé merc.midi hors saison et mardi midi) 41/76 et carte 6
– ☑ 13,70 – 26 ch 158/251, 4 appart – ½ P 148,50/183,50

Spéc. Risotto d'épeautre au foie gras, langoustines rôties et truffes de la Saint-Jean
oct.) Minute de Saint-Pierre au verjus. Jalousie d'agneau de lait, croquettes d'ail e
chauts bretons

CÉCILE 71134 S.-et-L. **69** ⑲ – 251 h alt. 250.
Paris 392 – Mâcon 21 – Charolles 34 – Cluny 9 – Roanne 75.

✗ **L'Embellie**, ℘ 03 85 50 81 81, Fax 03 85 50 81 81, 😤 – **P.** **GB**
☞ *fermé oct., dim. soir du 1er nov. au 30 avril, lundi soir et mardi* – **Repas** (11) - 13/32 ₽,
enf. 8,50

CÉCILE-LES-VIGNES 84290 Vaucluse **81** ② – 2 100 h alt. 108.
Paris 651 – Avignon 46 – Bollène 13 – Nyons 26 – Orange 17 – Vaison-la-Romaine 19.

🏨 **Relais** M ⑤, ℘ 04 90 30 84 39, Fax 04 90 30 81 79, ≤, **☍**, **ℛ** – ▤ **M** & **P** – **⚿** 20. **GB**
30 mars-30 sept. – **Repas** (fermé dim. soir et lundi) 19,83/41,16, enf. 7,62 – 🍴 7,62 – **12 ch**
73,18/114,34

🏨 **Farigoule**, ℘ 04 90 30 89 89, Fax 04 90 30 78 00 – **TV.** **GB**
fermé vacances de Toussaint, de fév., dim. soir et lundi sauf juil.-août, jeudi soir de nov. à
mars – **Repas** 15/26 ₽, enf. 9 – 🍴 6 – **11 ch** 43/60 – ½ P 42/50

COLOMBE 84 Vaucluse **81** ⑬ – rattaché à Bédoin.

CROIX 01 Ain **74** ② – rattaché à Montluel.

CROIX-DE-VERDON 04500 Alpes-de-H.P. **81** ⑯ *G. Alpes du Sud* – 102 h alt. 530.
🚩 Syndicat d'Initiative Mairie ℘ 04 92 77 85 29, Fax 04 92 77 76 23.
Paris 783 – Digne-les-Bains 52 – Brignoles 61 – Castellane 59 – Manosque 45 – Salernes 35.

✗ **L'Olivier**, ℘ 04 92 77 87 95, Fax 04 92 77 87 95, ≤, « Terrasse panoramique » – **GB**
Pâques-1er nov. et fermé merc. sauf juil.-août et le soir en oct. – **Repas** (13) - 17/55 ₰, enf. 10

CROIX-EN-JAREZ 42 Loire **73** ⑲ – rattaché à Rive-de-Gier.

CROIX-EN-PLAINE 68 H.-Rhin **87** ⑰ – rattaché à Colmar.

CROIX-VOLVESTRE 09230 Ariège **86** ③ – 611 h alt. 300.
🚩 Office du tourisme ℘ 05 61 66 27 98, ot.volvestre.ariegeois@wanadoo.fr.
Paris 771 – Foix 52 – Toulouse 74 – St-Gaudens 52 – St-Girons 25.

🏠 **Jardin des Troubadours**, ℘ 05 61 04 01 10, Fax 05 61 04 01 24, 😤, **ℛ** – &. **GB**
☞ *fermé 1er au 24 oct. et lundi de sept. à mai* – **Repas** 12,20/30,49 ₰, enf. 6,86 – **10 ch**
30,49/36,59 – ½ P 30,49/44,21

-ÉNIMIE 48210 Lozère **80** ⑤ *G. Languedoc Roussillon* – 509 h alt. 470.
Env. ≤**★★** sur le canyon du Tarn S : 6,5 km par D 986.
🚩 Office du tourisme ℘ 04 66 48 53 44, Fax 04 66 48 52 28, otsi.gorgesdutarn@wanadoo.fr.
Paris 615 – Mende 28 – Florac 27 – Meyrueis 30 – Millau 58 – Sévérac-le-Château 47.

🏠 **Auberge du Moulin**, ℘ 04 66 48 53 08, Fax 04 66 48 58 16, 😤 – **TV.** **GB.** **⚿** ch
☞ *fin mars-mi-nov. et fermé dim. soir et lundi midi sauf juil.-août et fériés* – **Repas** 13,72/
27,44 – 🍴 5,64 – **10 ch** 53,36 – ½ P 48,78

🏠 **Chante-Perdrix** M sans rest, rte Millau : 1 km ℘ 04 66 48 55 00, Fax 04 66 48 56 31, ≤ –
TV & **P.** **GB.** **⚿**
1er mai-7 oct. – 🍴 5,50 – **14 ch** 45/48

ussignac *par D 987 : 7 km* – ✉ 48210 Ste-Énimie :

🏠 **Aires de la Carline** ⑤, ℘ 04 66 48 54 79, lesairesdelacarline@wanadoo.fr,
Fax 04 66 48 57 59, 😤, **ℛ** – **TV** **P.** **⓪** **GB.** **⚿** rest
avril-fin oct. – **Repas** 14,40/36,40 ₽, enf. 7,80 – 🍴 6,50 – **12 ch** 48 – ½ P 47

EULALIE 07510 Ardèche **76** ⑱ – 253 h alt. 1233.
Paris 592 – Le Puy-en-Velay 48 – Aubenas 46 – Langogne 47 – Privas 50 – Thueyts 37.

🏠 **Nord**, ℘ 04 75 38 80 09, Fax 04 75 38 85 50 – **☍** &. **P.** **GB**
1er mars-11 nov. et fermé mardi soir et merc. sauf juil.-août – **Repas** 15/29 ₰, enf. 7,50 –
🍴 6 – **15 ch** 41/57,50 – ½ P 42

1293

STE-EULALIE-D'OLT 12130 Aveyron 80 ④ – 327 h alt. 425.

Paris 619 – Rodez 44 – Espalion 25 – Sévérac-le-Château 28.

✗ **Au Moulin d'Alexandre** ⌖ avec ch, ℘ 05 65 47 45 85, Fax 05 65 52 73 78
« Moulin du 16ᵉ siècle », ✎
fermé 22 avril au 5 mai, 30 sept. au 13 oct. et dim. soir hors saison – **Repas** 10 15,50/23 ♀ – ☑ 6,90 – **9 ch** 40/45 – ½ P 79,50

STE-EULALIE-EN-BORN 40200 Landes 78 ⑭ – 785 h alt. 26.

Paris 675 – Mont-de-Marsan 79 – Arcachon 57 – Bayonne 123 – Bordeaux 90 – Dax 86

✗✗ **Auberge du Moulin des Cygnes** M ⌖ avec ch, au Sud : 1 km par D
℘ 05 58 09 72 63, eric.volante@worldonline.fr, Fax 05 58 09 74 35, ✿, ♨ – ☑ ♥ P
✎ ch
hôtel : fermé vacances de fév. et de printemps ; rest. : ouvert 1ᵉʳ juil. au 15 sept. et ✱
lundi – **Repas** 24/28 ♀, enf. 8 – ☑ 6,86 – **6 ch** 45/60

STE-EUPHÉMIE 01600 Ain 74 ⑪ – 1 118 h alt. 247.

Paris 436 – Lyon 27 – Bourg-en-Bresse 49 – Dijon 169 – Genève 165.

✗ **Au Petit Moulin,** ℘ 04 74 00 60 10, Fax 04 74 00 60 10, ✿ – ⚎ ⴳⴴ
fermé merc. en hiver, lundi (sauf le midi en hiver), dim. soir et mardi – **Repas** 10,37 bc
14,94/25,62 ♀

STE-FEYRE 23 Creuse 72 ⑩ – rattaché à Guéret.

STE-FLORINE 43250 H.-Loire 76 ⑤ – 3 002 h alt. 440.

Paris 471 – Clermont-Fd 58 – Brioude 16 – Issoire 20 – Murat 59 – Le Puy-en-Velay 77.

✗ **Florina** avec ch, ℘ 04 73 54 04 45, Fax 04 73 54 02 62, ✿ – ☑ ♥ ⴳ. ⴳⴴ
fermé 22 déc. au 13 janv. – **Repas** (fermé dim. soir) (9) - 13/27,50 ♀, enf. 7,62 – ☑ €
14 ch 38,11/56,41 – ½ P 38,11/45,73

STE-FORTUNADE 19490 Corrèze 75 ⑨ G. Berry Limousin – 1 716 h alt. 470.

Voir *Chef-reliquaire★ dans l'église.*

Paris 489 – Brive-la-Gaillarde 28 – Aurillac 77 – Mauriac 72 – St-Céré 49 – Tulle 9.

à l'Ouest *par D 1 et D 94 : 5 km* – ⊠ 19490 Ste-Fortunade :

✗ **Moulin de Lachaud,** ℘ 05 55 27 30 95, ≤, ✿, « Au bord d'un étang », ✎
ⴳⴴ
fermé 4 au 8 sept., 23 déc. au 19 janv., lundi et mardi sauf fériés – **Repas** (12,96) - 20,58/

STE-FOY-LA-GRANDE 33220 Gironde 75 ⑬ ⑭ G. Aquitaine – 2 788 h alt. 10.

🄳 Office du tourisme 102 rue de la République ℘ 05 57 46 03 00, Fax 05 57 46 ·
ot.sainte-foy-la-grande@wanadoo.fr.
Paris 556 ⑤ – Périgueux 66 ① – Bordeaux 72 ⑤ – Langon 59 ④ – Marmande 44 ③.

Plan page ci-contre

🏠 **Grand Hôtel,** r. République (a) ℘ 05 57 46 00 08, Fax 05 57 46 50 70, ✿ – ☑ ♥ ✍
⓿ ⴳⴴ
fermé 26 oct. au 4 nov. et 6 au 27 fév. – **Repas** (fermé merc. sauf le soir en juil.-août,
midi en juil.-août et sam. midi de sept. à juin) 10,40 (déj.), 13,50/32 ♀, enf. 7 – ☑ 6,10 –
42/46 – ½ P 37,40

✗ **Côté Bastide,** 8 r. Marceau (t) ℘ 05 57 46 14 02, cotebastide@aol
Fax 05 57 46 14 02, ✿ – ⴖ. ⴳⴴ, ✱
fermé 16 au 30 sept., sam. midi et lundi – **Repas** (nombre de couverts limité, pré
(14,48) - 20,58/25,15 ⴳ

✗ **Au Fil de l'Eau,** à Port-Ste-Foy (s) ⊠ 33220 Port-Ste-Foy ℘ 05 53 24 ·
Fax 05 53 24 94 97, ✿ – ⴖ. ⴳⴴ
fermé 3 au 15 mars, 30 sept. au 15 oct., , dim. soir hors saison et lundi – **Repas** 19
enf. 9

par ⑤ *et rte secondaire* – ⊠ 33220 Port-Ste-Foy :

🏠 **Escapade** ⌖, rte Chaumes ℘ 05 53 24 22 79, info@escapade-dordogne
Fax 05 53 57 45 05, ✿, ✵, ⴲ, – ☑ ⴖ. ⴳⴴ, ✱
fermé 5 nov. au 1ᵉʳ fév., dim. soir et vend. d'oct. à Pâques – **Repas** (prévenir)(dîner
14,60/30 ♀ – ☑ 5,40 – **12 ch** 36,70/44,30 – ½ P 46,50

1294

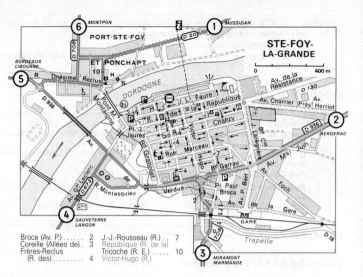

...ud-Est : *8 km sur D 18 –* ⊠ *24240 Monestier* :

Château des Vigiers M Ⲏ, au golf des Vigiers ℘ 05 53 61 50 00, *reserve@vigiers.com*, Fax 05 53 61 50 20, ≤, 佘, « Château du 16ᵉ siècle, golf », ⅙, ⬟, ⬥, ⬩ – ⬚ ⊡ ⬩ ⬩ ⬩ – ⬙ 25 à 50. ⬚ ⬩ ⬩ ⬩. ⬩

fermé janv. et fév. – **Repas** *(1ᵉʳ déc.-28 fév. et fermé le soir, lundi et mardi)* 115/195 **Les Fresques** ℘05 53 61 50 39 *(1ᵉʳ mars-30 nov. et fermé mardi et le soir sauf jeudi, vend. et dim.)* **Repas** 29,90 (déj.), 39,90/75 ⬨, enf. 16 – **Brasserie Le Chai** ℘ 05 53 61 50 39 *(1ᵉʳ mars-30 nov.)* **Repas** 18(déj.)27/33,50 ⬨, enf. 8,50 – ⬩ 16 – **36 ch** 150/316, 11 duplex

---

...-FOY-TARENTAISE *73640 Savoie* ⬩ ⑲ *G. Alpes du Nord –* *681 h alt. 1050.*

⬩ *Office du tourisme* ℘ 04 79 06 95 19, Fax 04 79 06 95 09.

Paris 679 – Albertville 67 – Chambéry 117 – Moûtiers 40 – Val-d'Isère 20.

Monal, ℘ 04 79 06 90 07, *le.monal@wanadoo.fr*, Fax 04 79 06 94 72, ≤ – ⬩ ⊡ ⬩ ⬩. ⬚ ⬚. ⬩ rest

fermé 10 mai au 15 juin et 10 oct. au 19 nov. – **Repas** 13 (déj.), 19/28 ⬨, enf. 8 – ⬩ 6 – **24 ch** 26/58 – ½ P 52/55

...GEMME-MORONVAL *28 E.-et-L.* ⬩ ⑦, ⬩ ㉕ – *rattaché à Dreux.*

...GENEVIÈVE-DES-BOIS *91 Essonne* ⬩ ⑦, ⬩ ㉟ ㊱ – *voir à Paris, Environs.*

...GENEVIÈVE-SUR-ARGENCE *12420 Aveyron* ⬩ ⑬ – *1 027 h alt. 800.*

Env. Barrage de Sarrans★ N : 8 km, G. Midi-Pyrénées.

⬩ *Syndicat d'initiative - Mairie* ℘ 05 65 66 41 46, Fax 05 65 66 29 28.

Paris 578 – Aurillac 58 – Chaudes-Aigues 34 – Espalion 46.

Voyageurs, ℘ 05 65 66 41 03, Fax 05 65 66 10 94, 佘 – ⊡ ⬩ ⬩. ⬚

fermé 20 sept. au 15 oct. et sam. d'oct. à juin – **Repas** 9,20/25,50 ⬩ – ⬩ 4,60 – **14 ch** 30,60/36,70 – ½ P 36/42

...LUCIE-DE-TALLANO *2A Corse-du-Sud* ⬩ ⑧ – *voir à Corse.*

...MAGNANCE *89420 Yonne* ⬩ ⑰ *G. Bourgogne –* *353 h alt. 310.*

Voir Tombeau★ dans l'église.

Paris 224 – Auxerre 64 – Avallon 15 – Dijon 68 – Saulieu 24.

Auberge des Cordois, N 6 ℘ 03 86 33 11 79 – ⬚

fermé 11 au 19 juin, 12 au 20 nov., 6 au 29 janv., mardi et merc. – **Repas** 17/33 ⬨

STE-MARGUERITE (Ile) ★★ 06 Alpes-Mar. [84] ⑨, [115] ㉟ ㊴ G. Côte d'Azur – ⊠ 06400 Cann

Voir Forêt★★ – ←★ de la terrasse du Fort-Royal.

Accès par transports maritimes.

⚓ depuis **Cannes** Traversée 15 mn par Cie Esterel Chanteclair-Gare Maritime de. ℘ 04 93 39 11 82, Fax 04 92 98 80 32.

STE-MARIE 44 Loire-Atl. [67] ① – rattaché à Pornic.

STE-MARIE-AUX-MINES 68160 H.-Rhin [87] ⑯ G. Alsace Lorraine – 5 816 h alt. 350.

Tunnel de Ste-Marie-aux-Mines. Péage en 2001 aller simple : autos 3,20, camions 6 14,94 ,moto 1,83 - Renseignements par S.A.P.R.R. ℘ 03 29 51 21 71.

🅑 Office du tourisme 81 rue Wilson ℘ 03 89 58 80 50, Fax 03 89 58 67 92, ot.valar @calixo.net.

Paris 416 – Colmar 42 – St-Dié 23 – Sélestat 22.

✗ **Aux Mines d'Argent** avec ch, 8 r. Dr Weisgerber (près H. de Ville) ℘ 03 89 58 5
Fax 03 89 58 65 49, 😤 – 📺. 🇬🇧
Repas 10 (déj.), 15/27 ♈, enf. 6,86 – ⚌ 5,35 – **9 ch** 38,11/42,69 – ½ P 42,69

STE-MARIE-DE-RÉ 17 Char.-Mar. [71] ⑫ – voir à Ré (Ile de).

STE-MARIE-DE-VARS 05 H.-Alpes [77] ⑱ – rattaché à Vars.

STES-MARIES-DE-LA-MER – voir après Saintes.

STE-MARIE-SICCHÉ 2A Corse-du-Sud [90] ⑰ – voir à Corse.

STE-MARINE 29 Finistère [58] ⑮ – rattaché à Bénodet.

STE-MAURE 10 Aube [61] ⑯ – rattaché à Troyes.

STE-MAURE-DE-TOURAINE 37800 I.-et-L. [68] ④ ⑤ G. Châteaux de la Loire – 3 909 h alt.
🅑 Office du tourisme Rue du Château ℘ 02 47 65 66 20, Fax 02 47 34 04 28.
Paris 274 – Tours 41 – Le Blanc 70 – Châtellerault 39 – Chinon 31 – Loches 31 – Thouar

🏨 **Hostellerie des Hauts de Ste-Maure**, av. Gén. de Gaulle ℘ 02 47 65 50 65, haut
ste-maure@wanadoo.fr, Fax 02 47 65 60 24, 😤, « Ancien relais de poste », ⅃, 🍴
🍽 rest, 📺 ✆ 🅿 – 🛏 30. 🅰🇪 ⓞ 🇬🇧 🇯🇨🇧
fermé janv. et dim. d'oct. à avril – **Poste** ℘ 02 47 65 51 18 (fermé janv., dim. du 1ᵉʳ o
1ᵉʳ mai et lundi midi) **Repas** 32,01/54,88 – ⚌ 9,15 – **29 ch** 74,70/175,32 – ½ P 6
134,60

✗✗ **Gueulardière** avec ch, av. Gén. de Gaulle ℘ 02 47 65 40 71, Fax 02 47 65 69 47 – 📺
🅰🇪 ⓞ 🇬🇧
fermé 17 nov. au 3 déc., 5 janv. au 4 fév., dim. soir et mardi midi sauf de juin à sept. et
– **Repas** 11,89/33,54 ♈, enf. 8,38 – ⚌ 6,40 – **16 ch** 43,45/47,26 – ½ P 43,45

rte de Chinon Ouest : 2,5 km par D 760 – ⊠ 37800 Noyant-de-Touraine :

✗✗ **Ciboulette**, face échangeur A 10, sortie n° 25 ℘ 02 47 65 84 64, Fax 02 47 65 89 29,
🅿. 🇬🇧
Repas (12,20) - 15,09/39,64 ♈, enf. 7,62

à Noyant-de-Touraine Ouest : 5 km – 646 h. alt. 92 – ⊠ 37800 :

🏨 **Château de Brou** 🌲 sans rest, au Nord : 2 km par rte secondaire ℘ 02 47 65 8
info@chateau-de-brou.fr, Fax 02 47 65 82 92, ←, 🦌 – 🐾 🍽 📺 ✆ 🅿 – 🛏 15. 🅰🇪 ⓞ
❄
fermé 5 janv. au 13 fév. – ⚌ 12 – **12 ch** 95/150

à Pouzay Sud-Ouest : 8 km – 755 h. alt. 51 – ⊠ 37800 :

✗ **Gardon Frit,** ℘ 02 47 65 21 81, Fax 02 47 65 21 81, 😤 – 🇬🇧
fermé 5 au 13 mars, 17 sept. au 2 oct., 21 au 29 janv., mardi et merc. – **Repas** - produ
la mer - (7,50) - 12/34,50 ♈

MAXIME 83120 Var 84 ⑰, 114 ㊲ G. Côte d'Azur – 11 785 h alt. 10.

🛈 Office du tourisme Promenade Simon Loriere ℘ 04 94 55 75 55, Fax 04 94 55 75 56, office@sainte-maxime.com.

Paris 879 ① – Fréjus 20 ② – Cannes 58 ② – Draguignan 34 ① – Toulon 73 ③.

Alizier (Pl. des) . . . . **B** 2	Louis-Blanc (Pl.) . . . . **A** 8	Pasteur (Pl.) . . . . **B** 13
Alsace (R.) . . . . **B** 3	Maures (R. des) . . . . **B** 9	Victor-Hugo (Pl.) . . . . . . **B** 14
Courbet (R.) . . . . **B** 5	Mermoz (Pl. J.) . . . . **A** 10	15-Août-1944
Hoche (R.) . . . . **B** 6	Mistral (Bd F.) . . . . **B** 12	(Pl. du) . . . . **B** 16

🏨 **Le Beauvallon** ⌂, rte de St-Tropez par ③ : 5 km ℘ 04 94 55 78 88, Fax 04 94 55 78 78, ≤, 🍴, 🕭, 🏊, 🐎, 🏌 – 🛗 🗏 📺 📞 🅿 🖭 ⓪ ☞ 🃏
22 mars-14 oct. – **Les Colonnades** (dîner seul.) Repas carte 54 à 68 ♀ – **Grand Large :** Repas carte 30 à 40 ♀, enf. 12 – ⌧ 22 – **65 ch** 320/2200, 5 appart

🏨 **Hostellerie la Belle Aurore** 🅼, 5 bd Jean Moulin par ③ ℘ 04 94 96 02 45, info@belle aurore.com, Fax 04 94 96 63 87, ≤ golfe de St-Tropez, 🍴, « En bordure de mer », 🏊, 🐎 – 🗏 📺 📞 🅿 🖭 ⓪ ☞. ⌘ rest
23 mars-13 oct. – **Repas** (fermé merc. sauf du 15 mai au 15 sept.) 35/72, enf. 16 – ⌧ 15 – **17 ch** 214/404 – ½ P 142/252

🏨 **Les Santolines** sans rest, La Croisette par ③ ℘ 04 94 96 31 34, hotel.les.santolines@ wanadoo.fr, Fax 04 94 49 22 12, « Jardin fleuri », 🏊, 🌳 – 🗏 📺 📞 🅿 🖭 ☞
⌧ 10 – **13 ch** 121/130

🏨 **Mas des Oliviers** 🅼 ⌂ sans rest, quartier de la Croisette par ③ : 1 km ℘ 04 94 96 13 31, hotel.le.mas.oliviers@wanadoo.fr, Fax 04 94 49 01 46, ≤, 🏊, 🌳, ⚒ – 🗏 📺 📞 ⴵ 🅿 🖭 ⓪ ☞
⌧ 9 – **20 ch** 103/130

🏨 **Petit Prince** 🅼 sans rest, 11 av. St-Exupéry ℘ 04 94 96 44 47, lepetit.prince@wanadoo. fr, Fax 04 94 49 03 38 – 🛗 🗏 📺 📞 ⴵ 🅿 🖭 ⓪ ☞ 🃏 **A** e
⌧ 8 – **29 ch** 89/115

🏨 **Croisette** ⌂ sans rest, 2 bd Romarins par ③ ℘ 04 94 96 17 75, contact@hotel-la-croisette.com, Fax 04 94 96 52 40, 🌳 – 🛗 🗏 📺 📞 ⴵ. 🖭 ☞
15 mars-31 oct. – ⌧ 10 – **19 ch** 104/160

🏨 **Montfleuri**, 3 av. Montfleuri par ② ℘ 04 94 55 75 10, montfleuri.ste.maxime@wanadoo. fr, Fax 04 94 49 25 07, 🍴, 🏊, 🌳 – 🛗 🗏 ch, 📺 📞 🅿 – 🕭 25. 🖭 ☞ 🃏
fermé 16 nov. au 25 déc. et 6 janv. au 28 fév. – **Repas** 23, enf. 12 – ⌧ 10 – **30 ch** 85/185 – ½ P 80,50/125,50

🏨 **Poste** sans rest, 11 bd F. Mistral ℘ 04 94 96 18 33, Fax 04 94 96 41 68, 🏊 – 🛗 📺 📞 ⴵ – 🕭 30. 🖭 ⓪ ☞. ⌘ **B** b
fermé 6 janv. au 2 fév. – ⌧ – **28 ch** 96/160

XX **L'Amiral**, galerie marchande du port (1er étage) ℰ 04 94 43 99 36, Fax 04 94 43
≤ port et golfe, 佘, « Toit ouvrant » – 또 GB
fermé 15 nov. au 15 déc., dim. soir et lundi – Repas 28/44 ⌀

XX **Daniéli**, 10 av. Gén. Leclerc ℰ 04 94 43 96 45, Fax 04 94 49 06 77, 佘 – 또 GB
avril-oct. et fermé lundi sauf juil. à sept. – Repas 22,70/33,55 ⌀, enf. 13,70

X **Sans Souci**, r. P. Bert ℰ 04 94 96 18 26, Fax 04 94 96 18 26, 佘 – GB
15 fév.-4 nov. et fermé lundi sauf vacances scolaires et sam. midi – Repas 15,70/2
enf. 9

X **Dauphin**, av. Ch. de Gaulle ℰ 04 94 96 31 56 – ▤. GB
fermé 20 nov. au 20 janv., mardi midi en juil.-août, mardi soir et merc. de sept. à
Repas 16,77 (déj.), 26,68/35,83

X **Gruppi**, av. Ch. de Gaulle ℰ 04 94 96 03 61, Fax 04 94 49 16 86 – 또 ① GB JCB
fermé 15 au 26 oct., 28 nov. au 27 déc., mardi soir et merc. d'oct. à avril –
21,65/30,18

au Nord-Est par av. Clemenceau et rte du Débarquement – ⊠ 83120 Ste-Maxime :

🏨 **Golf Plaza** M ⟨, au Golf, 5,5 km ℰ 04 94 56 66 66, reservation@golf-p
Fax 04 94 56 66 00, ≤ baie et golf, 佘, ₤₆, ⌗, ▨, 咲 – ▤ ▤ ▥ ℭ & ⟶ – 🔏 25 à
① GB
fermé fév. – **Relais Provence** (dîner seul.) Repas 33,54, enf. 12,96 – **St-Andrew**
house) Repas (13,72)-18,29(déj.)/22,11(dîner), enf. 9,91 – **Costa Smeralda** snack de p
(déj. seul.) (juil.-août) Repas carte 30/37, enf. 9,91 – ⌒ 13,72 – **93 ch** 209/281, 13 app

🏨 **Jas Neuf** M sans rest, 112 av. Débarquement ℰ 04 94 55 07 30, info@hotel-jasneu
Fax 04 94 49 09 71, ⌗, 咲 – ▥ ℙ. GB
2 mars-20 oct. – ⌒ 9 – **24 ch** 140/172

à La Nartelle par ② : 4 km – ⊠ 83120 Ste-Maxime :

🏨 **Hostellerie de la Vierge Noire** sans rest, ℰ 04 94 96 33 11, Fax 04 94 49 28.
咲 – ▥ ℙ. GB – ⌒ 8 – **11 ch** 82/113

à Val d'Esquières Nord-Ouest : 6 km par rte des Issambres – ⊠ 83120 Ste-Maxime :

🏨 **Villa**, à la Garonnette ℰ 04 94 49 40 90, la.villa@worldonline.fr, Fax 04 94 49 40 85, 佘
▥ ℙ. 또 ① GB
fermé 11 au 26 nov. et 8 au 29 janv. – ⌀ **La Table** (fermé lundi, mardi et merc.d'oct.)
Repas 15/34 ⌀, enf. 9 – ⌒ 7,60 – **11 ch** 76/137 – ½ P 60/80

STE-MENEHOULD ⟨⟩ 51800 Marne 🖫🖫 ⑲ G. Champagne Ardenne – 4 979 h alt. 137.
Voir ≤⋆ de la butte appelée "Le château" – Château de Braux-Ste-Cohière⋆ O : 5,5 k
🛈 Office de tourisme 5 place du Général Leclerc ℰ 03 26 60 85 83, Fax 03 26 60 27 22
Paris 222 – Bar-le-Duc 50 – Châlons-en-Champagne 49 – Reims 79 – Verdun 48.

🏨 **Cheval Rouge** M, 1 r. Chanzy ℰ 03 26 60 81 04, rouge.cheval@wanad
Fax 03 26 60 93 11 – ▥ ℭ. 또 ① GB JCB
fermé 18 nov. au 8 déc. et lundi du 11 nov. au 1er avril – Repas 14,50/46 ⌀, enf. 1
⌒ 6,50 – **20 ch** 38/50 – ½ P 45

à Futeau Est : 13 km par N 3 et D 2 – 154 h. alt. 190 – ⊠ 55120 :

XXX **L'Orée du Bois** ⟨ avec ch, Sud : 1 km ℰ 03 29 88 28 41, oreedubois@f
Fax 03 29 88 24 52, ≤, 咲 – ▥ & ℙ. GB
fermé 21 au 29 oct., janv., lundi midi, mardi midi et merc. midi en sais., dim. soir, lu
mardi d'oct. à mars – Repas 19,82/62,50 et carte 40 à 64 ⌀ – ⌒ 9,91 – **15 ch** 60,98/9
½ P 79,27/99,09

STE-MÈRE-ÉGLISE 50480 Manche 🖫🖫 ③ G. Normandie Cotentin – 1 585 h alt. 28.
🛈 Syndicat d'initiative Rue Eisenhower ℰ 02 33 21 00 33, Fax 02 33 21 53 91.
Paris 321 – Cherbourg 39 – St-Lô 42 – Bayeux 58.

🏨 **Sainte-Mère** M, rte Caen ℰ 02 33 21 00 30, hotel-le-ste-mere-@wanao
Fax 02 33 41 38 40 – ▤ ▥ ℭ & ℙ – 🔏 70. 또 GB
Repas (fermé vend. soir, sam. midi et dim. soir hors saison) 10,88 (déj.), 12,49/22
enf. 6,10 – ⌒ 5,95 – **41 ch** 43,30/46,50 – ½ P 41,60

STE-PREUVE 02 Aisne 🖫🖫 ⑥ – 85 h alt. 115 – ⊠ 02350 Liesse.
Paris 162 – St-Quentin 69 – Laon 23 – Reims 49 – Rethel 47 – Soissons 58 – Vervins 29

🏨 **Château de Barive** ⟨, Sud-Ouest : 3 km par rte secondaire ℰ 03 23 22
Fax 03 23 22 08 39, 佘, « Demeure du 19e siècle dans la campagne picarde », ▨, 咲
▥ ℭ ℙ – 🔏 25. 또 ① GB 咲
fermé 23 déc. au 30 janv., merc. midi, lundi et mardi – Repas 30/55 ⌀ – ⌒ 12 –
75/145 – ½ P 79,50/114,50

RADEGONDE *33360 Gironde* 75 ⑬ – *438 h alt. 85.*

Paris 558 – Bergerac 44 – Bordeaux 58 – Libourne 27 – La Réole 36.

Château de Sanse Ⓜ, Sud-Est : 4 km par D 15, D 18 et rte secondaire ☎ 05 57 56 41 10, *sanse@chateau-hotels.com, Fax 05 57 56 41 29*, ≤, – 🅿 – 25. AE GB. rest

fermé fév. – **Repas** *(fermé lundi et mardi d'oct. à mai et dim. soir)* 26 ♀, enf. 12 – ☕ 10 – **14 ch** 90/168 – ½ P 98/108

TES 17100 *Char.-Mar.* 71 ④ *G. Poitou Vendée Charentes – 25 595 h alt. 15.*

Voir *Abbaye aux Dames : église abbatiale★ – Vieille ville★ – Arc de Germanicus★* **B** – *Église St-Eutrope : église inférieure★* **E** – *Arènes★ – Musée des Beaux-Arts★ : Présidial* **M**5 – *Musée Archéologique : char de parade★* – ℹ *Office du tourisme 62 cours National ☎ 05 46 74 23 82, Fax 05 46 92 17 01, saintongetour@wanadoo.fr.*

Paris 470 ⑥ – Royan 37 ⑤ – Bordeaux 118 ④ – Poitiers 138 ⑥ – Rochefort 42 ⑦.

SAINTES

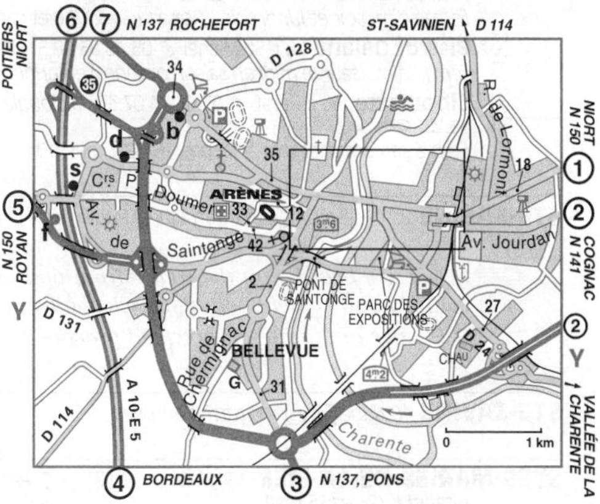

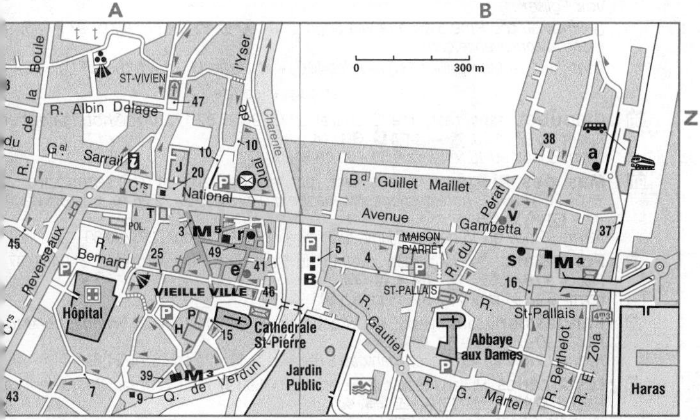

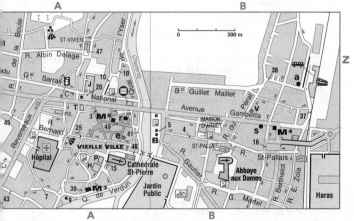

Relais du Bois St-Georges Ⓜ, r. Royan (D 137) ☎ 05 46 93 50 99, *info@relaisdubois.com, Fax 05 46 93 34 93*, ≤, « Dans un parc avec étang ; original décor dans les chambres », – 50. AE GB JCB **Y d**

Repas 34,30 bc/99,10 bc, enf. 20,58 - ***Table du Bois :*** **Repas** *(16,80)*-et carte environ 20 ♀ – ☕ 16,80 – **27 ch** 74,70/198,18, 3 duplex

SAINTES

🏨 **Messageries** ॐ sans rest, r. Messageries ℰ 05 46 93 64 99, *info@hotel-des-mess s.com*, Fax 05 46 92 14 34 – 🖵 🕻 🚗. 🖭 🖪
fermé 20 déc. au 6 janv. – ⯎ 6,56 – **35 ch** 33,54/59,46

🏨 **Avenue** sans rest, 114 av. Gambetta ℰ 05 46 74 05 91, *contact@hoteldelavenu*
Fax 05 46 74 32 16 – 🖵 🕻 🅿. 🖪
fermé 20 déc. au 3 janv. – ⯎ 5,85 – **15 ch** 31/45,80

🏨 **Les Bosquets** sans rest, 107 cours Mar. Leclerc ℰ 05 46 74 04 47, Fax 05 46 74 27
– 🖵 🕻 🅿. 🖪
fermé 23 déc. au 10 janv. et dim. du 15 oct. au 15 mars – ⯎ 6,10 – **35 ch** 48,78/51,83

🏨 **Ibis** 🅼, r. Royan ℰ 05 46 74 36 34, *ibissaintes@wanadoo.fr*, Fax 05 46 93 33 39, 🍴
�️ 🗐 🖵 🕻 🕭 🅿 – 🖄 50. 🖭 🕕 🖪 🗛
Repas *(fermé sam. midi et dim. midi d'oct. à mars)* 15,10 🕭, enf. 6 – ⯎ 6 – **71 ch** 51,

🏨 **Terminus** sans rest, 2 r. J. Moulin ℰ 05 46 74 35 03, *hotelauterminus@wana*
Fax 05 46 97 24 47 – 🖵 🕻 🚗. 🖪
fermé 21 déc. au 6 janv. – ⯎ 5,70 – **28 ch** 33,55/61,75

🗙🗙🗙 **Saintonge,** complexe Saintes-Végas, rte Royan ℰ 05 46 97 00 00, *le-saintonge@ya*
, Fax 05 46 97 21 46 – 🗐 🅿. 🖭 🕕 🖪
fermé dim. soir et lundi soir – **Repas** *(16)* - 21/38 et carte 45 à 60 ♀, enf. 7,50

🗙 **Bistrot Galant,** 28 r. St-Michel ℰ 05 46 93 08 51, Fax 05 46 90 95 58 – 🖪
fermé dim. (sauf le midi en saison et fériés) et lundi – **Repas** *(12,04)* - 15,09/30,18 ♀

🗙 **Ciboulette,** 36 r. Pérat ℰ 05 46 74 07 36, *la.ciboulette@wanadoo.fr*, Fax 05 46 94
🗐. 🖭 🖪. 🛠
fermé sam. midi et dim. – **Repas** 16/32 ♀, enf. 10

STE-SABINE 21 Côte-d'Or 🖸🖸 ⑱ – rattaché à Pouilly-en-Auxois.

If you are held up on the road - from 6pm onwards -
confirm your hotel booking by telephone.
It is safer and quite an accepted practice.

STE-SAVINE 10 Aube 🖸🖪 ⑯ – rattaché à Troyes.

STES-MARIES-DE-LA-MER 13460 B.-du-R. 🖸🖸 ⑲ G. Provence – 2 478 h alt. 1 Pèlerina
Gitans★★ *(24 et 25 mai)*.
Voir Église★.
🄳 Office du tourisme 5 avenue Van Gogh ℰ 04 90 97 82 55, Fax 04 90 97 71 15, s
maries@enprovence.com.
Paris 765 ① – Montpellier 68 ① – Arles 40 ① – Marseille 134 ① – Nîmes 55 ①.

Plan page ci-contre

🏨 **Galoubet** sans rest, rte Cacharel ℰ 04 90 97 82 17, *info@hotelgaloubet*
Fax 04 90 97 71 20, 🏊 – 🗐 🖵 🅿. 🖪. 🛠
fermé 5 janv. au 15 fév. – ⯎ 5,50 – **20 ch** 51,83/67

🏨 **Mas des Rièges** ॐ sans rest, rte Cacharel et rte secondaire :
ℰ 04 90 97 85 07, *hoteldesrieges@wanadoo.fr*, Fax 04 90 97 72 26, ≤, « Jardin fleuri
🌴 – 🖵 🅿. 🖭 🖪
fermé 15 nov. au 15 déc. et 5 janv. au 5 fév. – ⯎ 6,86 – **20 ch** 57,93/80,80

🏨 **Pont Blanc** ॐ sans rest, chemin du Pont Blanc par rte Arles ℰ 04 90 97
Fax 04 90 97 87 00, 🏊 – 🖵 🕭 🅿. 🖪
fermé 5 au 31 janv. – ⯎ 5 – **15 ch** 52/60

🏨 **Fangassier** sans rest, rte Cacharel ℰ 04 90 97 85 02, *fangassier@ao*
Fax 04 90 97 76 05 – 🖵. 🖪. 🛠
fermé 15 nov. au 15 déc. et 8 janv. au 8 fév. – ⯎ 5,40 – **23 ch** 45,74/51,83

🏨 **Les Arcades** 🅼 sans rest, r. P. Herman ℰ 04 90 97 73 10, *contact@hotel-lesarca*
Fax 04 90 97 75 23 – 🖵 🕭. 🖭 🖪. 🛠
1er mars-31 oct. – ⯎ 7 – **17 ch** 54

🏨 **Lou Marquès** ॐ sans rest, r. Vibre ℰ 04 90 97 82 89, *hotelloumarques@netcc*
com, Fax 04 90 97 72 24 – 🖵. 🖪. 🛠
23 mars-5 oct. – ⯎ 5,34 – **14 ch** 48,78

🏨 **Bleu Marine** 🅼 sans rest, av. Dr Cambon ℰ 04 90 97 77 00, *hbleumar@ao*
Fax 04 90 97 76 00, 🏊 – 🖵 🕻 🕭. 🖪
28 mars-1er nov. – ⯎ 5 – **26 ch** 55/61

1300

STES-MARIES DE-LA-MER

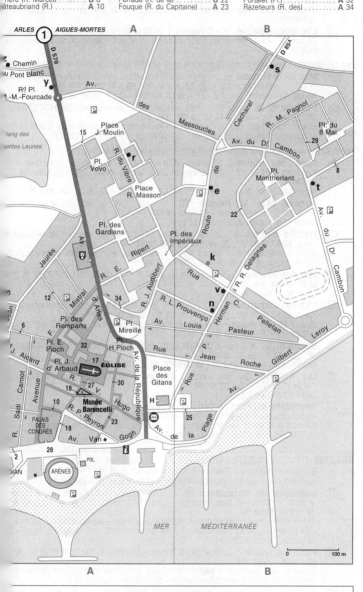

🏠 **Mas des Salicornes,** rte d'Arles ℰ 04 90 97 83 41, info@hotel-salicornes.co
Fax 04 90 97 85 70, 🌿, ⚎ – ▦ rest, 📺 ⴱ 🅿. 🆎 ᴳᴮ   A
Repas *(dîner seul.)* 16/18 🎋, enf. 10 – ⚏ 5 – **16** 48/74 – ½ P 90

🏠 **Mirage,** r. C. Pelletan ℰ 04 90 97 80 43, *Fax 04 90 97 72 22,* 🌿 – ᴳᴮ. ⚆ ch   B
23 mars-15 oct. – **Repas** *(fermé lundi)* (dîner seul.) 18/28, enf. 12 – ⚏ 5 – **27 ch** 51/55
½ P 45/48

✕✕ **L'Hippocampe** avec ch, r. C. Pelletan ℰ 04 90 97 80 91, *Fax 04 90 97 73 05* – ᴳᴮ   B
23 mars-1ᵉʳ nov. et fermé mardi sauf du 16 juil. au 17 sept. – **Repas** 20,50/32,50 – ⚏ 5,2
4 ch 52

rte du Bac du Sauvage *Nord-Ouest : 4 km par D 38* – ✉ *13460 Les Stes-Maries-de-la-Mer :*

🏯 **Mas de la Fouque** Ⓜ ⌖, ℰ 04 90 97 81 02, fouque@wanadoo.fr, *Fax 04 90 97 96*
⩽, 🌿, « Dans la Camargue », ⚎, ✑, ⵜ – ▦ rest, 📺 ⴱ 🅿. ᴳᴮ ᴶᶜᴮ
Repas *(fermé mardi)* 38,11 🍷 – ⚏ – **16 ch** 247/344 – ½ P 175/225

🏯 **L'Estelle** Ⓜ ⌖, ℰ 04 90 97 89 01, reception@hotelestelle.com, *Fax 04 90 97 80 36,*
🌿, ⚎, ⵜ – ▦ 📺 ⴱ 🅿. 🆎 ᴳᴮ ᴶᶜᴮ. ⚆ rest
fermé 1ᵉʳ au 20 déc. et 5 janv. au 28 mars – **Repas** *(fermé lundi sauf le soir d'avril au 11 r
et mardi midi)* 25 *(déj.),* 35/85 🍷, enf. 15 – **20 ch** ⚏ 155/300 – ½ P 130/175

rte d'Arles *Nord-Ouest par D 570* – ✉ *13460 Les Stes-Maries-de-la-Mer :*

🏯 **Pont des Bannes,** à 1 km ℰ 04 90 97 81 09, le.pont.des.bannes@wanadoo
Fax 04 90 97 89 28, 🌿, « Cabanes de gardians dans les marais », ⚎ – 📺 ⴱ 🅿. – 🚗 30
⓪ ᴳᴮ
fermé 12 nov. au 18 déc. – **Repas** 23/37,50 🍷, enf. 12,50 – **27 ch** ⚏ 150 – ½ P 91,50

Annexe Mas Ste-Hélène 🏠 ⌖ sans rest, à 500 m. ℰ 04 90 97 83
Fax 04 90 97 89 28, ⩽ étang – 📺 🅿. ⓪ ᴳᴮ
fermé 12 nov. au 17 déc. – **13 ch** ⚏ 131

🏯 **Mangio Fango** Ⓜ ⌖, à 1 km ℰ 04 90 97 80 56, mangio.fango@wanadoo
Fax 04 90 97 83 60, 🌿, ⚎, ⵜ – ▦ 📺 ⴱ 🅿. 🆎 ⓪ ᴳᴮ ᴶᶜᴮ
fermé 5 janv. au 2 fév. – **Repas** *(fermé merc.)* (dîner seul. sauf dim. et feriés) 25/3
enf. 18,30 – ⚏ 9,15 – **15 ch** 91,50/107 – ½ P 80/93

🏠 **Mas des Roseaux** ⌖ sans rest, à 1 km ℰ 04 90 97 86 12, *Fax 04 90 97 70 84,* ⩽, ⚎ –
🅿. 🆎 ⓪ ᴳᴮ ᴶᶜᴮ ⚆
mars-oct. – ⚏ 6 – **15 ch** 96

🏠 **L'Étrier Camarguais** ⌖, à 1,5 km ℰ 04 90 97 81 14, letrier@francemarket.c
Fax 04 90 97 88 11, 🌿, ⚎, ⵜ – ▦ ch, 📺 🅿. – 🚗 60. 🆎 ⓪ ᴳᴮ ᴶᶜᴮ
29 avril-31 oct. – **Repas** *(fermé lundi sauf vacances scolaires et feriés)* 28 🍷, enf. 11 – ⚏
– **28 ch** 90/107 – ½ P 83

🏠 **Boumian** ⌖, à 2 km ℰ 04 90 97 81 15, leboumian@camargue.fr, *Fax 04 90 97 8.*
🌿, ⚎, ⵜ – 🚗 80. ⴱ ᴳᴮ
Repas *(18,30)* - 31,25 – ⚏ 9,15 – **28 ch** 60,98/83,85 – ½ P 65,55/69,36

🏠 **Les Rizières** ⌖ sans rest, à 2,5 km ℰ 04 90 97 91 91, rizieres@wanadoo
Fax 04 90 97 70 77, ⚎ – 📺 🅿. ᴳᴮ
⚏ 7 – **27 ch** 79/99

✕✕ **Hostellerie du Pont de Gau** avec ch, à 5 km ℰ 04 90 97 81 53, hostellerie-du-por
🏮 -gau@wanadoo.fr, *Fax 04 90 97 98 54* – ▦ ch, 📺 🅿. 🆎 ᴳᴮ ᴶᶜᴮ
fermé 6 janv. au 15 fév. et merc. du 15 oct. à Pâques sauf vacances scolaires – **R**
16,77/45,73, enf. 12,20 – ⚏ 6,10 – **9 ch** 45,73 – ½ P 56,40

SALBRIS *41300 L.-et-Ch.* 🖅 ⑲ *G. Châteaux de la Loire* – *6 029 h alt. 104.*
🛈 *Office du tourisme 27 boulevard de la République* ℰ 02 54 94 10 90.
Paris 187 – Bourges 62 – Blois 65 – Montargis 101 – Orléans 64 – Vierzon 24.

🏠 **Domaine de Valaudran** Ⓜ ⌖, *Sud-Ouest : 1,5 km par rte Romora*
ℰ 02 54 97 20 00, info@valaudran.com, *Fax 02 54 97 12 22,* 🌿, ⚎, ⵜ – 📺 ⴲ ⴱ,
🚗 15 à 60. 🆎 ⓪ ᴳᴮ
fermé 15 fév. au 30 mars et dim. du 15 sept. au 30 mars – **Repas** *(fermé lundi midi,*
midi et dim. du 15 sept. au 30 mars) *(27,44)* - 33,54/48,78 🍷, enf. 12,96 – ⚏ 12,20 – **3**
68,60/106,71 – ½ P 125

🏠 **Parc,** 8 av. Orléans ℰ 02 54 97 18 53, hotel@leparcsalbris.fr, *Fax 02 54 97 24 34,* 🌿
📺 ⟷ 🅿. – 🚗 15. ᴳᴮ
fermé 21 déc. au 6 janv. – **Repas** *(fermé dim. soir, mardi midi et lundi de nov. à*
(prévenir) 23/38,50 🍷, enf. 7,65 – ⚏ 8,50 – **23 ch** 48/71 – ½ P 53/57,50

🏠 **Sauldraie,** 81 av. Orléans ℰ 02 54 97 17 76, *Fax 02 54 97 29 67,* 🌿, ⵜ – ▦ rest,
ᴳᴮ
hôtel : fermé 11 au 25 mars et dim. en hiver – **Repas** *(fermé 11 au 25 mars, 14 au 23*
lundi sauf le soir en été et dim. soir) 18/35 – ⚏ 10 – **11 ch** 42/55

15140 Cantal **76** ② G. Auvergne – 401 h alt. 950.

Voir Grande-Place★★ – Église★ – Esplanade de Barrouze ≤★.

🛿 Office du tourisme Place Tyssandier d'Escous ℰ 04 71 40 70 68, Fax 04 71 40 70 94, salers@wanadoo.fr.

Paris 511 – Aurillac 42 – Brive-la-Gaillarde 100 – Mauriac 20 – Murat 43.

🏠 **Bailliage**, r. Notre-Dame ℰ 04 71 40 71 95, info@salers-hotel-bailliage.com, Fax 04 71 40 74 90, 🌧, ⻠, 🚗 – 🖂 ⇆ 🅿. 🖭 ⓪ ☞
fermé 15 nov. au 1er fév. – Repas 11/30 🏵, enf. 7 – ⌑ 7 – **30 ch** 40/76 – ½ P 54

🏠 **Gerfaut** ⍤ sans rest, rte Puy Mary, Nord Est : 1 km par D 680 ℰ 04 71 40 75 75, info@salers-hotel-gerfaut.com, Fax 04 71 40 73 45, ≤, ⻠, 🚗 – 🛗 🖂 📞 🕭 🅿 – 🔬 25. 🖭 ⓪ ☞
Pâques-Toussaint – ⌑ 6,10 – **20 ch** 47,26/64,02

🏠 **Château de la Bastide** ⍤ sans rest, esplanade Barrouze ℰ 04 71 40 74 14, Fax 04 71 40 75 94, 🚗 – 🖂. ☞
2 avril-5 nov. et 20 au 31 déc. – ⌑ 5,79 – **13 ch** 51,83/53,35

🏠 **Les Remparts** ⍤, esplanade Barrouze ℰ 04 71 40 70 33, hotel.remparts@wanadoo.fr, Fax 04 71 40 75 32, ≤ Monts du Cantal, 🌧, 🚗 – 🖂. ☞
fermé 11 oct. au 20 déc. – Repas 11,28/28,97 🏵, enf. 7,32 – ⌑ 6,10 – **18 ch** 43,65/48 – ½ P 42,69/45,73

ntanges Sud : 5 km par D 35 – 241 h. alt. 692 – ⊠ 15140 Salers :

🏠 **Auberge de l'Aspre** ⍤, ℰ 04 71 40 75 76, auberge.aspre@worldonline.fr, Fax 04 71 40 75 27, ≤, 🌧, ⻠, 🚗 – 🖂 🕭 🅿. ☞
fermé 1er déc. au 31 janv., dim. soir, merc. soir et lundi d'oct. à mai – Repas 15/30 🏵, enf. 8 – ⌑ 7 – **8 ch** 46/77 – ½ P 48

heil Sud-Ouest : 6 km par D 35 et D 37 – ⊠ 15140 St-Martin-Valmeroux :

🏠 **Hostellerie de la Maronne** ⍤, ℰ 04 71 69 20 33, hotelmaronne@cfi15.fr, Fax 04 71 69 28 22, ≤, « Jardin fleuri », ⻠, 🚗 – ▤ rest, 🖂 🅿. 🖭 ⓪ ☞ ⒿⒸⒷ. ⚕ rest
29 mars-4 nov. – Repas (dîner seul.) 26/38 🏵 – ⌑ 11 – **17 ch** 90/113, 4 appart – ½ P 82/93

ES-DE-BÉARN 64270 Pyr.-Atl. **78** ⑧ G. Aquitaine – 4 759 h alt. 50 – Stat. therm. – Casino.

Env. Sauveterre-de-Béarn : site★, ≤★★ du vieux pont, S : 10 km.

🛿 Office du tourisme Rue des Bains ℰ 05 59 38 00 33, Fax 05 59 38 02 95, salies-de-bearn.tourisme@wanadoo.fr.

Paris 781 – Pau 64 – Bayonne 61 – Dax 36 – Orthez 18 – Peyrehorade 26.

🏠 **Golf** M, rte Orthez, Est : 1 km ℰ 05 59 65 02 10, Fax 05 59 38 16 41, 🌧, ⻠, 🚗, ⚒ – ▤ 🖂 🖾 🅿. ☞
fermé 2 au 13 janv. – Repas (11,89) -13,72 🍴, enf. 6,86 – ⌑ 6,10 – **32 ch** 45/55 – ½ P 47,50

stagnède Sud-Ouest : 8 km par D 17, D 27 et D 384 – 211 h. alt. 38 – ⊠ 64270 :

✕ **Belle Auberge** ⍤ avec ch, ℰ 05 59 38 15 28, Fax 05 59 65 03 57, 🌧, ⻠, 🚗 – 🖂 📞 🅿. ☞
fermé mi-déc. à fin janv. – Repas (fermé dim. soir et lundi soir) 10/20, enf. 7,60 – ⌑ 4,50 – **12 ch** 35/42,70

ES-DU-SALAT 31260 H.-Gar. **86** ② G. Midi-Pyrénées – 1 943 h alt. 300 – Stat. therm. (début avril-fin oct.) – Casino.

🛿 Office du tourisme Boulevard Jean Jaurès ℰ 05 61 90 53 93, Fax 05 61 90 49 39, oftour@free.net.

Paris 777 – Bagnères-de-Luchon 72 – St-Gaudens 27 – Toulouse 80.

🏠 **Parc** M sans rest, 6 r. d'Austerlitz ℰ 05 61 90 51 99, Fax 05 61 90 43 07 – ▤ 🖂 📞 🕭 🅿 – 🔬 25. ☞
⌑ 5,30 – **23 ch** 30/45

GNAC-EYVIGUES 24590 Dordogne **75** ⑰ G. Périgord Quercy – 1 008 h alt. 297.

🛿 Syndicat d'initiative Place du 19/03/62 ℰ 05 53 28 81 93, Fax 05 53 28 81 93, ot.salignac@perigord.tm.fr.

Paris 515 – Brive-la-Gaillarde 33 – Sarlat-la-Canéda 18 – Cahors 83 – Périgueux 68.

🏠 **Terrasse** (annexe à 1,5 km ⍤, 3 ch, 3 studios ⻠ 🚗), ℰ 05 53 28 80 38, jean-paul.bregegere@wanadoo.fr, Fax 05 53 28 99 67 – cuisinette 📞. ☞
Pâques-15 oct. – Repas (fermé le midi sauf sam. et dim.) 16/32,01 🏵, enf. 9,14 – ⌑ 7 – **12 ch** 43/64, 3 studios – ½ P 45/48

ord Ouest : 3 km par D 62⁶ et rte secondaire – ⊠ 24590 Salignac-Eyvigues :

✕ **Meynardie**, ℰ 05 53 28 85 98, Fax 05 53 28 82 79, 🌧, « Cadre rustique », 🚗 – 🅿. ☞
fermé fin nov. à mi-fév., mardi et merc.
Repas 12,20 (déj.), 19,05/41,16

à Laval Nord : 7 km rte de Brive-la-Gaillarde – ⊠ 24590 Salignac-Eyvigues :

⌂ **Coulier**, sur D 60 ℰ 05 53 28 86 46, hotel.coulier@wanadoo.fr, Fax 05 53 28 26 33,
– 📺 ✆ & 🅿, ⒜ 🆐, 🗭 ch
fermé 23 nov. au 10 fév., vend. soir et sam. hors saison – **Repas** 15/39 ⁹ – ☲ 6,50 –
37/46 – ½ P 47

SALINS-LES-BAINS 39110 Jura 🗗 ⑤ G. Jura – 3 333 h alt. 340 – Stat. therm. (début m
oct.) – Casino.

Voir Site★ – Fort Belin★.

🛈 Office du tourisme Place des Salines ℰ 03 84 73 01 34, Fax 03 84 37 92 85.
Paris 404 – Besançon 41 – Dole 44 – Lons-le-Saunier 52 – Poligny 24 – Pontarlier 46.

🏢 **Grand Hôtel des Bains** sans rest, pl. Alliés ℰ 03 84 37 90 50, hotel.bains@wanad
Fax 03 84 37 96 80, 🗚, 🖂 – 🛊 📺 ✆ 🅿 – 🔬 25. 🆐
fermé 6 au 20 janv. et dim. hors saison – ☲ 6,60 – **30 ch** 50/68

XX **Rest. des Bains**, pl. des Alliés ℰ 03 84 73 07 54, m.marchand@m
Fax 03 84 37 99 43 – 🅰 🆐
fermé 3 au 10 janv., dim. soir, mardi midi et lundi – **Repas** 15,90/26,90 ⁹, enf. 8,10

rte de Champagnole Sud : 5 km par D 467 – ⊠ 39110 Salins-les-Bains :

X **Relais de Pont d'Héry**, ℰ 03 84 73 06 54, Fax 03 84 73 19 00, 🏠, 🦌 – 🆐
fermé 28 oct. au 12 nov., 17 fév. au 4 mars, lundi soir et mardi de sept. à mai et lundi r
juin à août – **Repas** 15/25 ⁹, enf. 7

SALLANCHES 74700 H.-Savoie 🗗 ⑧ G. Alpes du Nord – 14 383 h alt. 550.

Voir ✳★★ sur le Mt-Blanc – Chapelle de Médonnet : ✳★★ – Cascade d'Arpenaz★ N :
🛈 Office du tourisme Quai de l'Hôtel de Ville ℰ 04 50 58 04 25, Fax 04 50 58
ot.sallanches@wanadoo.fr.
Paris 587 – Chamonix-Mont-Blanc 27 – Annecy 69 – Bonneville 30 – Megève 14.

🏢 **Hostellerie des Prés du Rosay**, rte du Rosay ℰ 04 50 58 06 15, hotelrosay@f
Fax 04 50 58 48 70, 🏠, 🦌 – 🛊 📺 ✆ 🅿. 🅰 🆐 🏧
fermé 1ᵉʳ au 15 nov. – **Repas** (fermé dim. soir) 17,50/42, enf. 8,40 – ☲ 8,40 – **17 ch** 6
– ½ P 63,70

⌂ **Auberge de l'Orangerie**, carrefour de la Charlotte, par rte Passy (D 13) : 2
ℰ 04 50 58 49 16, auberge-orange@wanadoo.fr, Fax 04 50 58 54 63, ≤, 🏠, 🦌 – 📺
🆐
fermé 3 au 17 juin – **Repas** (fermé dim. soir et lundi) (15) · 26/45 ⁹, enf. 9 – ☲ 7 – **7 ch**

⌂ **Les Sorbiers**, 17 r. Dr Bonnefoy ℰ 04 50 58 01 22, hsorbier@club-intern
Fax 04 50 58 39 55, 🏠, 🦌 – 🛊 📺 🅿. – 🔬 20. 🅰 ⓞ 🆐
Repas 13 (déj.), 16/35 ⁹, enf. 9 – ☲ 6 – **23 ch** 44/54 – ½ P 46/48

☝ **Mont-Blanc** sans rest, 83 r. Chenal ℰ 04 50 58 12 47, Fax 04 50 47 87 68 – 📺. 🅰 🆐
fermé 26 mai au 9 juin et 27 oct. au 3 nov. – ☲ 5 – **23 ch** 26/43

XX **Bernard Villemot**, 57 r. Dr Berthollet ℰ 04 50 93 74 82, Fax 04 50 58 00 82 – 🅰 🆐
fermé 12 au 26 nov., 6 au 29 janv., dim. soir et lundi – **Repas** (17,50) · 24,50/45,75 🍴, en

XX **Chaumière**, 73 ancienne rte Combloux ℰ 04 50 58 00 59, Fax 04 50 58 00 59 – 🅿.
🆐
fermé 15 au 23 avril, 26 août au 12 sept., mardi midi, dim. soir et lundi – **Repas**
22,50/35 ⁹

SALLEBOEUF 33370 Gironde 🗗 ⑨ – 1 926 h alt. 46.
Paris 582 – Bordeaux 17 – Créon 10 – Libourne 19 – St-André-de-Cubzac 27.

X **Auberge la Forêt**, Sud-Est : 1,5 km par D 13ᴱ² et rte secondaire ℰ 05 56 21
Fax 05 56 21 25 49, 🏠 – 🅿. 🆐
fermé 15 au 30 oct., mardi hors saison, dim. soir et lundi – **Repas** 15,24/47,26, enf. 1

SALLES-CURAN 12410 Aveyron 🗗 ⑬ – 1 088 h alt. 887.
🛈 Office du tourisme Place de la Vierge ℰ 05 65 46 31 73, Fax 05 65 46 31 73.
Paris 651 – Rodez 39 – Albi 78 – Millau 38 – St-Affrique 41.

XX **Hostellerie du Lévézou** ⤳ avec ch, ℰ 05 65 46 34 16, info@hostellerieduleve
com, Fax 05 65 46 01 19, ≤, 🏠, Demeure du 14ᵉ siècle, 🦌 – 📺 – 🔬 25. 🅰 ⓞ 🆐
Pâques-oct. et fermé mardi midi, dim. soir et lundi sauf juil.-août – **Repas** (13,58) ·
41,16 ⁹, enf. 10,67 – ☲ 6,90 – **14 ch** 38/53,35 – ½ P 54,90

SALLES-SUR-VERDON 83630 Var 84 ⑥, 114 ⑧ G. Alpes du Sud – 186 h alt. 440.

Voir *Lac de Ste-Croix*★★.

Syndicat d'initiative Place Font Freye ✆ 04 94 70 21 84, Fax 04 94 84 22 57, verdon83@club-internet.fr.

Paris 797 – Digne-les-Bains 59 – Brignoles 57 – Draguignan 49 – Manosque 63.

Auberge des Salles ⛰, ✆ 04 94 70 20 04, *Fax 04 94 70 21 78*, ←, ⛱, ⛱ – |♦| TV ♿ 🚗 P. GB
1er avril-1er nov. et fermé lundi soir et mardi hors saison – **Repas** 15/30, enf. 7,70 – ☕ 6,50 – **30 ch** 52/61 – ½ P 46/51

Ste-Anne sans rest, ✆ 04 94 70 20 02, *Fax 04 94 84 23 00*, ← – TV. AE GB. ✂
1er mars-fin oct. – ☕ 6,86 – **19 ch** 60,98/91,47

ON-DE-PROVENCE 13300 B.-du-R. 84 ② G. Provence – 37 129 h alt. 80.

Voir *Musée de l'Empéri*★★.

Office du tourisme 56 cours Gimon ✆ 04 90 56 27 60, Fax 04 90 56 77 09, ot.salon@visit-provence.com.

Paris 726 ① – Marseille 56 ② – Aix-en-Provence 37 ② – Arles 46 ③ – Avignon 50 ①.

SALON-DE-PROVENCE

ıne Halle (Pl.) .... BY 2
ıns
des) .... BZ 3
: (Cours) .... AY 4
ies (Pl. des) .... BY 6
nceau
Georges) .... AY 7
Léopold) .... AY 8
ıne
es de) .... BZ 10
llat (Pl.) .... BY 12
roux (Pl.) .... BZ 13
e (Pl.) .... BZ 14
es-de-Soie
des) .... AY 15
J. et R.-Kennedy
des) .... AY
etta (Pl.) .... BZ 18
(Cours) .... BZ
e (R. de l') .... BY 20
Rollin (Bd) .... AY 22
ınet (R.) .... AY 23
is (Pl. C. de) .... BZ 24
Frédéric) .... BY 26
d'Isnard
.... BY 27
damus (Bd) .... AY 28
et (Bd) .... BZ 30
ın
ırs Camille) .... AY 32
ılique
de la) .... AY 33
ıd-d'Ursule
.... BZ 34
rent (Square) .... BY 35
Hugo (Cours) .... BY 38

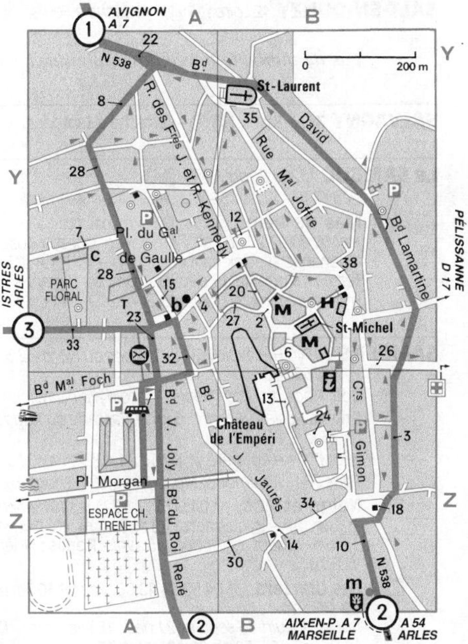

Angleterre sans rest, 98 cours Carnot ✆ 04 90 56 01 10, *Fax 04 90 56 71 75* – TV ✆. AE GB JCB — AY b
fermé 20 déc. au 6 janv. – ☕ 6 – **25 ch** 36/51

Midi sans rest, 518 allées Craponne par ② ✆ 04 90 53 34 47, *hotel-du-midi2@wanadoo.fr, Fax 04 90 53 37 41* – |♦| TV P. AE GB
☕ 6,10 – **23 ch** 42/60

Mas du Soleil M ⛰ avec ch, 38 chemin St-Côme (Est - BY - *par D 17*) ✆ 04 90 56 06 53, *le.mas.du.soleil@wanadoo.fr, Fax 04 90 56 21 52*, ⛱, ⛱, ⛱ – ▤ TV ✆ ♿ P. AE ⓓ GB JCB
Repas *(fermé dim. soir et lundi)* 36,59/85,37 et carte 55 à 77 – ☕ 11,43 – **10 ch** 129,58/259,16 – ½ P 144,83/167,69

Craponne, 146 allées Craponne ✆ 04 90 53 23 92, ⛱ – GB — BZ m
fermé 13 août au 3 sept., 24 déc. au 6 janv., merc.soir hors saison, dim. soir et lundi – **Repas** 18/32, enf. 11

au Nord-Est : 5 km par D 17 BY puis D 16 – ⊠ 13300 Salon-de-Provence :

🏨🏨 **Abbaye de Sainte-Croix** ⑤, ℰ 04 90 56 24 55, saintecroix@relaischatea
Fax 04 90 56 31 12, ≤, 🏤 – 🖺 ch, 🗇 🕭 🏠 – 🕍 100. 🕮 🕦 🕮 🗷 ※ rest
22 mars-3 nov. – **Repas** (fermé jeudi midi hors saison et lundi midi) 55 (déj.)/70 – ☲
21 ch 200/270, 4 appart – ½ P 186/221
Spéc. Salade de homard. Saint-Pierre rôti sur crème de concombre aux huîtres. M
d'agneau au chèvre frais et foie gras **Vins** Coteaux d'Aix en Provence

à la Barben Sud-Est : 8 km par ②, D 572 et D 22E – 555 h. alt. 105 – ⊠ 13330 :

🇽🇽 **Touloubre** avec ch, ℰ 04 90 55 16 85, Fax 04 90 55 17 99, 🏤 – 🗇 🏠 – 🕍 40. 🕮
fermé 21 oct. au 7 nov., 10 fév. au 3 mars, dim. soir, mardi sauf le soir de mars à oct. et
– **Repas** 15,50/38 – ☲ 5,50 – **7 ch** 43 – ½ P 44,50

au Sud par ②, N 538, N 113 et D 19 (direction Grans) : 5 km – ⊠ 13250 Cornillon :

🏨 **Devem de Mirapier** ⑤, ℰ 04 90 55 99 22, pecoul@mirapier.com, Fax 04 90 55
≤, 🏤, « Dans un parc de pins et de garrigues », 🟰, ※, 🕭 – 🗇 🏠 – 🕍 15 à 30. 🅰
fermé 15 déc. au 20 janv. et week-ends d'oct. à avril – **Repas** (résidents seul.) 20/30 –
– **13 ch** 95/183 – ½ P 103

SALT-EN-DONZY 42 Loire 🔢 ⑱ – rattaché à Feurs.

Pas de publicité payée dans ce guide.

SALVAGNY 74 H.-Savoie 🔢 ⑧ – rattaché à Samoëns.

Le SAMBUC 13200 B.-du-R. 🔢 ⑩.

Paris 748 – Arles 25 – Marseille 119 – Stes-Marie-de-la-Mer 50 – Salon-de-Provence 68

🏨🏨 **Mas de Peint** 🖩 ⑤, 2,5 km par rte Salins ℰ 04 90 97 20 62, hotel@masdepein
Fax 04 90 97 22 20, 🏤, ambiance guest house, « Demeure camarguaise du 17ᵉ
aménagée avec élégance », 🟰, 🕭 – 🗇 🗇 🏠 🕮 🕦 🕮 🗷
fermé 18 nov. au 19 déc. et 7 janv. au 8 mars – **Repas** (fermé merc.) (nombre de cou
limité, prévenir) 30 (déj.)/43 ☲ – ☲ 17 – **11 ch** 206/358 – ½ P 155/235

SAMOËNS 74340 H.-Savoie 🔢 ⑧ G. Alpes du Nord – 2 323 h alt. 710 – Sports d'hiver : 720/2 4
🐾 7 ≨ 69 🐾.

Voir Place du Gros Tilleul★ – Jardin alpin Jaÿsinia★.

Env. La Rosière ≤★★ N : 6 km – Cascade du Rouget★★ S : 10 km – Cirque du Fer à Che
E : 13 km.

🅱 OMT Gare Routière ℰ 04 50 34 40 28, Fax 04 50 34 95 82, samoens@wanadoo.fr.
Paris 584 – Chamonix-Mont-Blanc 60 – Thonon-les-Bains 57 – Annecy 72 – Genève 54

🏨 **Neige et Roc**, ℰ 04 50 34 40 72, resa@neigeetroc.com, Fax 04 50 34 14 48, ≤, 🏤
🟰, 🛪, ※ – 🖺 cuisinette 🗇 🕻 🏠 – 🕍 40. 🕮 ※ rest
1ᵉʳ juin-15 sept. et 21 déc.-15 avril – **Repas** 20 (déj.), 25/38 – ☲ 10 – **32 ch** 100, 18 stu
½ P 78

🏨 **Les Glaciers**, ℰ 04 50 34 40 06, Fax 04 50 34 16 75, 🏤, 🕭, 🟰, 🖫, 🛪, ※ – 🖺 🗇
🕦 🕮 ※
hotel : 15 juin-15 sept. et 21 déc.-15 avril ; rest : 15 juin-1ᵉʳ sept. et 21 déc.-30 mars – R
18 ☲, enf. 10 – **50 ch** 99,10 – ½ P 75

🏨 **Edelweiss** ⑤, Nord-Ouest : 1,5 km par rte Plampraz ℰ 04 50 34 41 32, hotel-edelw
wanadoo.fr, Fax 04 50 34 18 75, ≤ montagnes, 🏤 – 🗇 🏠 🕮 ※
18 mai-21 sept. et 20 déc.-20 avril – **Repas** (fermé le midi en hiver sauf vacances sco
15/30 ☲, enf. 7,50 – ☲ 6 – **20 ch** 50,30/59,50 – ½ P 50,30

🏨 **Gai Soleil**, ℰ 04 50 34 40 74, hotel.gai-soleil@wanadoo.fr, Fax 04 50 34 10 78, ≤, 🍸
🟰 – 🖺 cuisinette, 🗔 rest, 🗇 🕻 🏠. 🕮 ※ rest
15 juin-15 sept. et 21 déc.-15 avril – **Repas** 14/31 ☲, enf. 10,50 – ☲ 7,50 – **24 ch**
½ P 59,50

à Morillon Ouest : 4,5 km – 498 h. alt. 687 – Sports d'hiver 700/2200 m ≨ 1 ≨ 6 ≨ 69 – ⊠ 74
🅱 Office du tourisme ℰ 04 50 90 15 76, Fax 04 50 90 11 47, otmorill@ot-morillon.fr.

🏨 **Morillon**, ℰ 04 50 90 10 32, infos@hotellemorillon.com, Fax 04 50 90 70 08, ≤, 🟰,
🖺 🗇 🏠. 🕮 ※ rest
15 juin-15 sept. et 21 déc.-12 avril – **Repas** (fermé le midi sauf sam. en hiver et dim. e
16/22 ☲, enf. 7,30 – ☲ 6,85 – **25 ch** 55,65 – ½ P 62

rchaix Ouest : 6 km par D 907 – 558 h. alt. 800 – ⊠ 74440 :

🖪 Office du tourisme ℘ 04 50 90 10 08, Fax 04 50 90 10 08.

Rouge Gorge, près rd-pt D 907 ℘ 04 50 90 16 77, Fax 04 50 90 74 03 – **GB**
fermé 17 juin au 5 juil., 12 au 29 nov. – **Repas** (fermé lundi sauf le soir en saison, mardi soir, merc. soir, jeudi soir hors saison et dim. soir) (nombre de couverts limité, prévenir) 13 bc (déj.), 20/29 ♀, enf. 9

ivagny Sud-Est : 9 km par D 907 et D 29 – ⊠ 74740 Sixt-Fer-à-Cheval :

Petit Tetras ⟩, ℘ 04 50 34 42 51, ptitetra@club-internet.fr, Fax 04 50 34 12 02, ≤, 余, 盂, 斎 – ❙ 🅿, 匝 ⓪ **GB**. ❤ rest
1ᵉʳ juin-15 sept. et 21 déc.-1ᵉʳ avril – **Repas** (dîner seul. en été) 16/22,80 ♂, enf. 10 – ⊇ 6,40 – **30 ch** 45,50/51,80 – ½ P 50/52,50

OIS-SUR-SEINE 77920 S.-et-M. 🗿 ②, 🗿 ㊻ G. Ile de France – 2 236 h alt. 83.
Voir Ensemble★ (quai, île du Berceau) – Tour Dénecourt ※★ SO : 5 km.
Paris 65 – Fontainebleau 7 – Melun 15 – Montereau-Fault-Yonne 22.

Maison de Champgosier, à Samois-le-Haut ℘ 01 64 24 60 71, Fax 01 64 24 80 93, 余, 斎 – 匝 ⓪ **GB**
fermé 16 au 29 août, 4 au 14 nov., 2 au 15 janv., dim. soir et mardi – **Repas** (21) – 34/46 et carte 54 à 63

Les pages explicatives de l'introduction
vous aideront à mieux profiter de votre Guide Rouge Michelin

OREAU 77210 S.-et-M. 🗿 ② – 2 157 h alt. 55.
Paris 66 – Fontainebleau 6 – Melun 17 – Montereau-Faut-Yonne 19 – Nemours 23.

Auberge de la Treille, 5 r. Grande ℘ 01 64 23 71 22, Fax 01 64 23 71 22, 余, 斎 – **GB**
fermé 15 au 29 avril, 16 août au 6 sept., jeudi soir, dim. soir et lundi – **Repas** 23/34

OUSSY 02 Aisne 🗿 ⑤ – rattaché à Laon.

ARY-SUR-MER 83110 Var 🗿 ⑭, 🗿 ㊹ G. Côte d'Azur – 16 995 h alt. 1.
Voir Chapelle N.-D.-de-Pitié ≤★.
🖪 Office de tourisme Jardins de la Ville ℘ 04 94 74 01 04.
Paris 831 ① – Toulon 13 ② – Aix-en-Provence 74 ① – La Ciotat 22 ① – Marseille 54 ①.

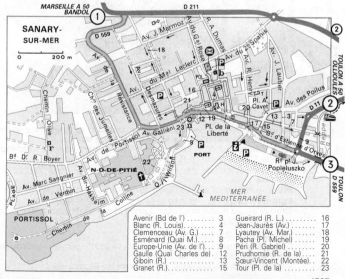

Avenir (Bd de l')	3	Gueirard (R. L.)	16
Blanc (R. Louis)	4	Jean-Jaurès (Av.)	17
Clemenceau (Av. G.)	7	Lyautey (Av. Mar.)	18
Esménard (Quai M.)	8	Pacha (Pl. Michel)	19
Europe-Unie (Av. de l')	9	Péri (R. Gabriel)	20
Gaulle (Quai Charles de)	12	Prudhomie (R. de la)	21
Giboin (R.)	13	Sœur-Vincent (Montée)	22
Granet (R.)	15	Tour (Pl. de la)	23

Tour, quai Gén. de Gaulle **(n)** 04 94 74 10 10, *Fax 04 94 74 69 49,* ≤, – ch, AE GB
Repas *(fermé 1er déc. au 10 janv., mardi soir sauf juil.-août et merc.* 19 (déj.), 29/43 – 6, – **24 ch** 56/90 – ½ P 64/76

Synaya, chemin Olive **(r)** 04 94 74 10 50, – P. GB. rest
1er mars-1er nov. – **Repas** (dîner seul.) (résidents seul.) 13 – 5,80 – **11 ch** 34/42 ½ P 38,50/44,50

Relais de la Poste, pl. Poste **(b)** 04 94 74 22 20, *Fax 04 94 74 22 20,* – AE GB
fermé dim. soir et lundi du 1er sept. au 30 juin – **Repas** *(22)* - 28/40, enf. 12

SANCERRE *18300 Cher* 65 ⑫ *G. Berry Limousin – 1 799 h alt. 342.*
Voir *Esplanade de la porte César* ≤★★ – *Carrefour D 923 et D 7* ≤★★ *O : 4 km par D955.*
Office du tourisme Rue de la Croix de Bois 02 48 78 03 58, *Fax 02 48 78 03 ot.sancerre@wanadoo.fr.*
Paris 204 ① – *Bourges 46* ③ – *La Charité-sur-Loire 25* ② – *Salbris 69* ③ – *Vierzon 68* ③.

SANCERRE

Abreuvoirs (Rempart des) 2
Fangeuse (R.) 3
Marché-aux-Porcs (R. du) 5
Nouvelle Place 6
Paix (R. de la) 8
Paneterie (R. de la) 9
Pavé-Noir (R. du) 12
Porte-César (R.) 13
Porte-Serrure (R.) ....
Puits-des-Fins (R. du) ....
St-André (R.) ....
St-Jean (R.) ....
St-Père (R.) ....
Trois-Piliers (R. des) ....

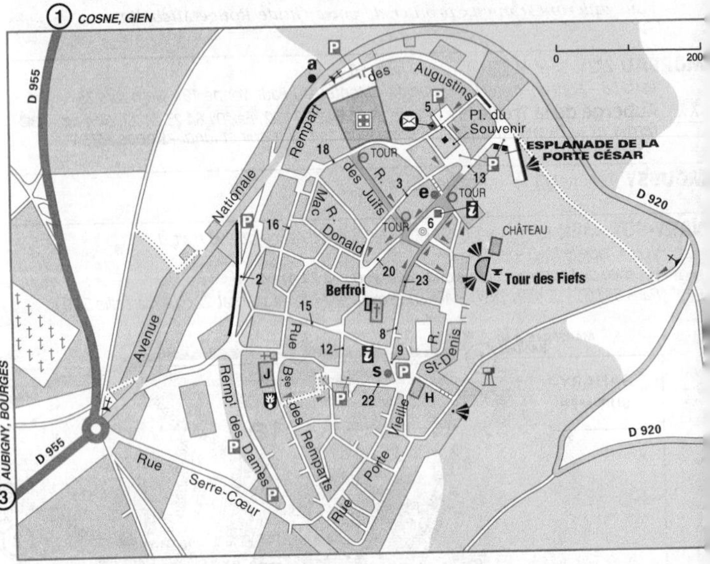

Panoramic, rempart des Augustins **(a)** 02 48 54 22 44, *panoramicotel@wanad*
Fax 02 48 54 39 55, ≤, – – 50. AE GB
Tasse d'Argent : 02 48 54 01 44 *(fermé janv. et merc. de nov. à mars)* **Repas** 45 ℣, enf. 9 – 6,70 – **57 ch** 45,50/87 – ½ P 51,50/61

Tour, Nouvelle Place **(e)** 02 48 54 00 81, *info@la-tour-sancerre.fr, Fax 02 48 78 0*
. AE GB
Repas *(15)* - 18/38 et carte 35 à 55 ℣, enf. 15

Pomme d'Or, pl. Mairie **(s)** 02 48 54 13 30, *Fax 02 48 54 19 22* – GB
fermé 28 déc. au 15 janv., mardi d'oct. à avril et merc. – **Repas** (nombre de couverts l prévenir) 14,50/36,59 ℣

à Chavignol *par* ① *et D 183 : 4 km* – *18300 :*

Côte des Monts Damnés, 02 48 54 01 72, *restaurantcmd@wanad*
Fax 02 48 54 14 24, – . GB
fermé fév., mardi soir hors saison, dim. soir et merc. – **Repas** 22/39 ℣

ICY (Puy de) 63 P.-de-D. 73 13 – *voir ressources hôtelières au Mont-Dore.*

D 67230 B.-Rhin 62 10 – *1 073 h alt. 159.*
Paris 501 – Strasbourg 32 – Barr 14 – Erstein 7 – Molsheim 26 – Obernai 15 – Sélestat 21.

🏠 **Hostellerie de la Charrue** ⚜, ℘ 03 88 74 42 66, Fax 03 88 74 12 02 – 📺 ✆ **P** – 🏧 20. GB. ✍
Repas *(fermé 24 juin à 8 juil., lundi et le midi sauf dim.)* 19/30 ♀ – ⌂ 6 – **20 ch** 46/53 – ½ P 46

DARVILLE 28120 E.-et-L. 60 17 – *342 h alt. 171.*
Paris 106 – Chartres 16 – Brou 23 – Châteaudun 36 – Le Mans 119 – Nogent-le-Rotrou 48.

XX **Auberge de Sandarville**, près Église ℘ 02 37 25 33 18, Fax 02 37 25 35 18, 斎, « Ancienne ferme beauceronne », 斎 – 匝 GB
fermé 16 au 31 août, 21 janv. au 10 fév., mardi soir en hiver, dim. soir et lundi – **Repas** 30/40 et carte 44 à 63 ♀, enf. 13

ILHAC 07110 Ardèche 80 8 – *346 h alt. 420.*
Paris 656 – Largentière 9 – Alès 65 – Aubenas 24.

🏠 **Auberge de la Tour de Brison**, à la Chapelette ℘ 04 75 39 29 00, belinc@wanadoo.fr, Fax 04 75 39 19 56, ☃, ✗ – 🍴, 🍽 ch, 📺 ✆ ᵬ 🅿. GB
fermé 6 janv. au 20 mars, mardi et merc. sauf juil.-août – **Repas** *(menu unique)(prévenir)* 25 ♂ – ⌂ 7 – **12 ch** 42/63 – ½ P 47/59

-MARTINO-DI-LOTA 2B H.-Corse 90 2 – *voir à Corse (Bastia).*

-PEIRE-SUR-MER 83 Var 84 17 18, 114 37 – *rattaché aux Issambres.*

TA-COLOMA 86 14 – *voir à Andorre (Principauté d').*

TA-GIULIA (Golfe de) 2A Corse-du-Sud 90 8 – *voir à Corse (Porto-Vecchio).*

TENAY 41190 L.-et-Ch. 64 6 – *254 h alt. 115.*
Paris 202 – Tours 44 – Amboise 26 – Blois 18 – Château-Renault 17 – Vendôme 33.

X **Union** avec ch, ℘ 02 54 46 11 03, Fax 02 54 46 18 57 – 🅿. GB. ✍ ch
🍽 *fermé 15 fév. au 19 mars, merc. soir hors saison, dim. soir et lundi –* **Repas** 13/36 ♀, enf. 10 – ⌂ 6 – **5 ch** 33/58 – ½ P 42/58

TENAY 21590 Côte-d'Or 70 1 G. Bourgogne – *904 h alt. 225 – Casino.*
🚩 *Office du tourisme Gare Sncf* ℘ 03 80 20 63 15, Fax 03 80 20 65 98.
Paris 321 – Beaune 18 – Chalon-sur-Saône 24 – Autun 39 – Le Creusot 29 – Dijon 63.

X **Terroir**, pl. Jet d'Eau ℘ 03 80 20 63 47, Restaurant.le.Terroir@wanadoo.fr, 🍽 Fax 03 80 20 66 45 – GB
fermé 10 déc. au 10 janv., merc. soir de nov. à mars, dim. soir et jeudi sauf du 22 juil. au 21 août – **Repas** 14,50 *(déj.)*, 18/37 ♀, enf. 8,50

T-JULIA-DE-LORIA 86 14 – *voir à Andorre (Principauté d').*

AP 61470 Orne 55 14 – *939 h alt. 220.*
🚩 *Syndicat d'initiative 1 place du Marché* ℘ 02 33 36 93 31, Fax 02 33 39 46 81.
Paris 170 – Alençon 61 – Argentan 42 – Caen 72 – Falaise 49 – Lisieux 41.

X **Les Saveurs du Grand Jardin**, rue du Grand Jardin ℘ 02 33 36 56 88, les-saveurs@wa nadoo.fr, Fax 02 33 36 50 21, 斎 – 🅿. GB
fermé 1ᵉʳ au 15 mars, 11 au 30 nov., dim. soir et lundi – **Repas** 22/28 ♂

APPEY-EN-CHARTREUSE 38700 Isère 77 5 G. Alpes du Nord – *942 h alt. 1014 – Sports d'hiver au Sappey et au Col de Porte : 1 000/1 700 m ✆ 11 ✗.*
Env. *Charmant Som ☀★★★ NO : 9 km puis 1 h.*
🚩 *Syndicat d'initiative* ℘ 04 76 88 84 05, Fax 04 76 88 87 16, si.sappey@wanadoo.fr.
Paris 579 – Grenoble 14 – Chambéry 49 – St-Pierre-de-Chartreuse 14 – Voiron 37.

Les Skieurs ⑤, ℘ 04 76 88 82 76, hotelskieurs@wanadoo.fr, Fax 04 76 88 85 76, ≤,
🔥, 🌿 – 📺 ❤ 🅿 – 🔟 30. 🆎 🆑
1er mai-30 oct., 31 déc.-30 mars et fermé dim. soir et lundi – Repas 20,60/32 ℤ – ⒵ 6
18 ch 48,80/52

✕✕ **Pudding**, ℘ 04 76 88 80 26, Fax 04 76 88 84 66, 🌤 – 🆎 🆑, 🛇
fermé 3 au 28 sept., 2 au 12 janv., dim. soir, mardi midi et lundi – Repas 22,50/€
enf. 11,43

SARCEY 69490 Rhône **73** ⑨, **110** ⑪ – 784 h alt. 380.
Paris 454 – Roanne 53 – Lyon 35 – Tarare 12 – Villefranche-sur-Saône 23.

Chatard M ⑤, ℘ 04 74 26 85 85, Fax 04 74 26 89 99, 🔥, 🛇 – 📲 🌤 📺 ❤ ૯ 🅿 – 🔟
🆎 🆑
fermé 2 au 12 janv. – Repas *(fermé dim. soir et lundi)* (11) · 21/46 ℤ, enf. 11 – ⒵ 8 – 3
46/58 – ½ P 58

When looking for a hotel or restaurant use the most efficient method.
Look for the names of towns underlined in red
on the Michelin maps scale: 1:200 000.
But make sure you have an up-to-date map!

SARE 64310 Pyr.-Atl. **85** ② G. Aquitaine – 2 184 h alt. 70.
🅱 Office du tourisme ℘ 05 59 54 20 14, Fax 05 59 54 29 15.
Paris 798 – Biarritz 26 – Cambo-les-Bains 25 – Pau 140 – St-Jean-de-Luz 14.

Arraya, ℘ 05 59 54 20 46, hotel@arraya.com, Fax 05 59 54 27 04, 🌤, « Cadre rus
basque », 🌿 – 📺 – 🔟 15. 🆎 🆑, 🛇 ch
hôtel : 29 mars-2 nov.; rest. : 1er avril-3 nov. – Repas *(fermé dim. soir et lundi midi sa
2 juil. au 15 sept.)* 21/30 ℤ – ⒵ 8 – **20 ch** 68/91 – ½ P 67/76

Pikassaria ⑤, quartier Lehembiscay, Sud : 3 km ℘ 05 59 54 21 51, Fax 05 59 54 2
≤, 🌿 – 📺 🅿 – 🔟 20. 🆑
20 mars-11 nov. et fermé merc. – Repas 14,50/27, enf. 8,50 – ⒵ 6 – **32 ch** 33,50/44
½ P 44

Baratxartea (annexe 🏠 M 8 ch), quartier Ihalar, à l'Est : 2 km ℘ 05 59 54 2
Fax 05 59 47 50 84, ≤ – 📺 ૯ 🅿. 🆑, 🛇 rest
fermé 1er janv. au 15 mars – Repas *(fermé dim. soir et lundi)* 13,75/19,85, enf. 7
⒵ 5,35 – **22 ch** 48,80 – ½ P 39,65/47,30

SARLAT-LA-CANÉDA ⬥ 24200 Dordogne **75** ⑰ G. Périgord Quercy – 9 707 h alt. 145.
Voir Vieux Sarlat★★★ : place du marché aux trois Oies★ Y, hôtel Plamon★ Y, hôt
Maleville★ Y – Maison de La Boétie★ Z – Quartier Ouest★.
Env. Décor★ et mobilier★ du château de Puymartin NO : 7 km par ④.
🅱 Office de tourisme pl. de la Liberté ℘ 05 53 31 45 45 , Fax 05 53 59 19 44, ot24.sa
perigord.tm.fr.
Paris 516 ① – Brive-la-Gaillarde 51 ① – Bergerac 74 ② – Cahors 59 ② – Périgueux 68 ㏄

Plans pages suivantes

de Selves M sans rest, 93 av. de Selves ℘ 05 53 31 50 00, hotel@selves-sarlat.
Fax 05 53 31 23 52, 🔲, 🌿 – 📲 🌤 📺 ❤ ૯ ⬟ – 🔟 40. 🆎 ① 🆑 ᴊᴄᴮ
fermé 5 janv. au 5 fév. – ⒵ 8,50 – **40 ch** 56/92

Madeleine M, 1 pl. Petite Rigaudie ℘ 05 53 59 10 41, hotel.madeleine@wanad
Fax 05 53 31 03 62, 🌤 – 📲 ▤ 📺 ❤ ૯ – 🔟 15. 🆎 ① 🆑 ᴊᴄᴮ
fermé 2 janv. au 8 fév. – Repas *(ouvert 15 mars-15 nov. et fermé lundi midi, mardi mid
juil.-août)* 22,10/38,10 ℤ, enf. 11 – ⒵ 8,40 – **39 ch** 58,70/80,75 – ½ P 64,45/70,25

Compostelle sans rest, 66 av. Selves ℘ 05 53 59 08 53, hotel.compostelle@wanad
Fax 05 53 30 31 65 – 📲 📺 ❤ ૯, 🆑
20 mars-15 nov. – ⒵ 7 – **22 ch** 46/53

St-Albert et Montaigne, pl. Pasteur ℘ 05 53 31 55 55, Fax 05 53 59 19 99 – 📲, ▤
📺 – 🔟 25. 🆎 🆑, 🛇 rest
fermé dim. et lundi de nov. à mars – Repas 19/29 ℤ, enf. 8 – ⒵ 7 – **53 ch** 43/
½ P 49/55

Mas del Pechs ⑤ sans rest, à l'Est, par chemin des Monges - VX - 1,5
℘ 05 53 31 12 11, hotel.masdelpechs@wanadoo.fr, Fax 05 53 31 16 99, 🔥, 🌿 – 📺
🅿. 🆎 ① 🆑
15 mars-30 nov. – ⒵ 5,50 – **14 ch** 46/51

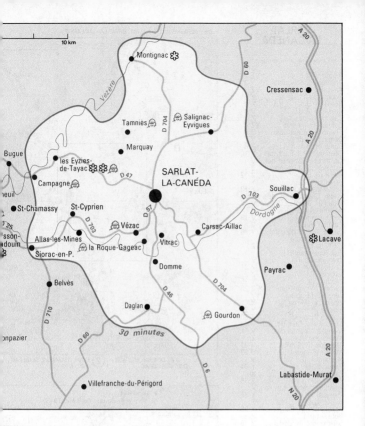

Quatre Saisons, 2 Côte de Toulouse ℘ 05 53 29 48 59, *Fax 05 53 59 53 74*, 😤 – 🝳 ⓪
GB JCB. ⅏   Y s
fermé 4 au 17 mars et merc. – **Repas** 23/35, enf. 9,50

Présidial, 6 r. Landry ℘ 05 53 28 92 47, *Fax 05 53 59 43 84*, 😤, « Demeure historique du
vieux Sarlat », 🎐 – GB   Y m
15 mars-15 nov. et fermé lundi midi et dim. – **Repas** 19 (déj.), 25/40

Rossignol, 15 r. Fénelon ℘ 05 53 31 02 30, *Fax 05 53 31 02 30* – GB   Y a
fermé jeudi – **Repas** 13,60/44,21, enf. 8,60

ud *par ② et C 1 : 3 km :*

Hoirie ⤵, ℘ 05 53 59 05 62, *lahoirie@club-internet.fr*, *Fax 05 53 31 13 90*, 😤, « Ancien
pavillon de chasse du 13ᵉ siècle », 🏊, 🎐 – 🖵 ⎈ 🅿. 🝳 GB
20 mars-17 nov. – **Repas** *(fermé mardi hors saison)* (dîner seul.) 20/42 ♟, enf. 7,90 –
⊒ 10,70 – **17 ch** 60/91 – ½ P 64/84

Mas de Castel ⤵ sans rest, ℘ 05 53 59 02 59, *Fax 05 53 28 25 62*, 🏊, 🎐 – 🖵 ᪣ 🅿. GB
30 mars-11 nov. – ⊒ 6 – **13 ch** 53/69

②, rte de Gourdon puis rte La Canéda et rte secondaire : 3 km : – ⊠ *24200 Sarlat-la-Canéda :*

Relais de Moussidière Ⓜ ⤵ sans rest, ℘ 05 53 28 28 74, *Fax 05 53 28 25 11*, ≤, 😤,
« Parc », 🏊, 𐂂 – 🕼 🖵 ⎈ ᪣ 🅿. 🝳 GB
Pâques-1ᵉʳ nov. – ⊒ 10 – **35 ch** 100/140

① rte des Eyzies et rte secondaire : 3 km :

Hostellerie Meysset ⤵, ℘ 05 53 59 08 29, *Fax 05 53 28 47 61*, ≤, 😤, 𐂂 – 🖵 🅿. 🝳
⓪ GB
26 avril-30 oct. et fermé lundi midi et merc. midi – **Repas** 18/42 – ⊒ 9,50 – **24 ch** 54/78 –
½ P 59/66

SARLAT-LA-CANÉDA

Restrictions de circulation
et zone piétonne en saison

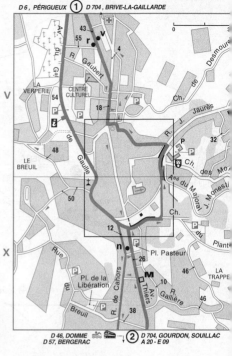

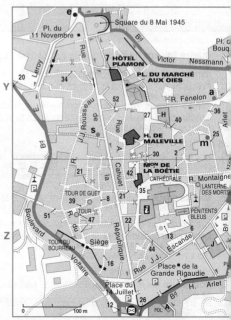

RLIAC-SUR-L'ISLE 24420 Dordogne **75** ⑥ – 885 h alt. 102.
Paris 473 – Périgueux 15 – Brive-la-Gaillarde 65 – Limoges 84.

Chabrol, ℰ 05 53 07 83 39, Fax 05 53 07 86 53, ㊢ – **GB**. ✀
fermé sept. et lundi – **Repas** (9,15) - 11,45/19,80 ♀, enf. 6 – ♀ 5 – **10 ch** 23/38 – ½ P 38

RPOIL 63 P.-de-D. **73** ⑭ ⑮ – rattaché à Issoire.

RRAS 07370 Ardèche **77** ① – 1 829 h alt. 133.
Voir De la D 506 coup d'oeil★★ sur le défilé de St-Vallier★ S : 5 km, G. Vallée du Rhône.
Paris 532 – Valence 36 – Annonay 20 – Lyon 72 – St-Étienne 59 – Tournon-sur-Rhône 18.

Commerce, ℰ 04 75 23 03 88, Fax 04 75 23 30 38 – **GB**
fermé 21 déc. au 13 janv., dim. soir et lundi midi – **Repas** 10,06 (déj.), 11,43/25,92 ♀ – ♀ 4,57
– **9 ch** 22,87/45,73 – ½ P 30,49/38,11

Vivarais avec ch, ℰ 04 75 23 01 88, Fax 04 75 23 49 73, ㊢ – **TV** **P**. **AE** **GB**
fermé 30 juil. au 15 août, 24 fév. au 11 mars, dim. soir, lundi soir, mardi et mardis fériés –
Repas 16/25 ♀ – ♀ 6 – **7 ch** 40/58 – ½ P 41/44

RREBOURG ◁SP▷ 57400 Moselle **62** ⑧ G. Alsace Lorraine – 13 330 h alt. 282.
Voir Vitrail★ dans la chapelle des Cordeliers **B**.
🛈 Office du tourisme Place des Cordeliers ℰ 03 87 03 11 82, Fax 03 87 07 13 93, tourisme-sarrebourg@wanadoo.fr.
Paris 449 ④ – Strasbourg 74 ② – Épinal 87 ④ – Lunéville 60 ④ – Metz 95 ④ – St-Dié 72 ④.

SARREBOURG

chons et Nivernais		Erckmann-Chatrian (R.) 7	Jean-XXIII (Quai) 16
des) 2		Fayolle (Av. Gén.) 8	Lebrun (Quai) 18
uet (R.) 3		Foch (R. Mar.) 10	Marché (Pl. du) 19
eliers (Pl. des) 5		France (Av. de) 12	Napoléon (R.) 20
		Gare (R. de la) 13	Poincaré (Av.) 21
		Grand'Rue	Président-Schuman (R.) 22
		Jardins (R. des) 15	St-Pierre (R.) 24

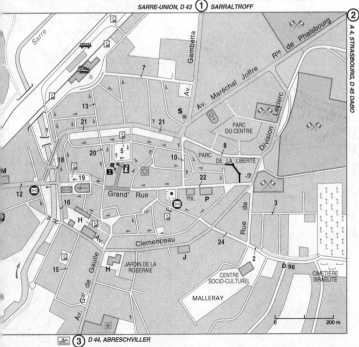

SARRE-UNION, D 43 ① SARRALTROFF

② A 4, STRASBOURG, D 45 DABO

🏊 ③ D 44, ABRESCHVILLER

1313

Les Cèdres Ⓜ, par ③ *et chemin d'Imling : 3 km* ✆ 03 87 03 55 55, *info@hotel-les-cedres.fr, Fax 03 87 03 66 33,* – – 100. AE GB
fermé 22 déc. au 2 janv. – **Repas** *(fermé sam. midi et dim. soir)* 10,50 (déj.), 19/33,4
enf. 8,80 – 6,50 – **44 ch** 52,50/57,30 – ½ P 38,10

Mathis, 7 r. Gambetta (s) ✆ 03 87 03 21 67, *Fax 03 87 23 00 64* – . GB.
fermé 29 juil. au 6 août, 2 au 10 janv., dim. soir, mardi soir et lundi – **Repas** 28,20/60,
carte 40 à 63 ♀
Spéc. Presskopf de cochon de lait au klevner. Dos de bar de ligne poêlé. Pojarsk
biche-faon à la goutte de sang (oct. à fév.). **Vins** Chasselas, Pinot blanc.

Le Guide change, changez de guide tous les ans.

SARREGUEMINES

Chamborand (R. Du Marquis de) . . . . **BZ** 2
Chapelle (R. de la) . . . . **BZ** 3
Cremer (R. des Généraux) . . . . **ABZ** 6
Faïenceries (Bd des) . . . . **BZ** 7
France (R. de) . . . . **AZ** 8
Gare (Av. de la) . . . . **BZ** 12
Louvain (Chée de) . . . . **BYZ** 15
Marché (Pl. du) . . . . **AZ** 17
Nationale (R.) . . . . **ABZ** 20
Or (R. de l') . . . . **AZ** 22
Paix (R. de la) . . . . A
Pasteur (R. L.) . . . . B
St-Nicolas (R.) . . . . A
Ste-Croix (R.) . . . . B
Sibille (Pl. du Gén.) . . . . B
Utzschneider (R.) . . . . B
Verdun (R. de) . . . . A

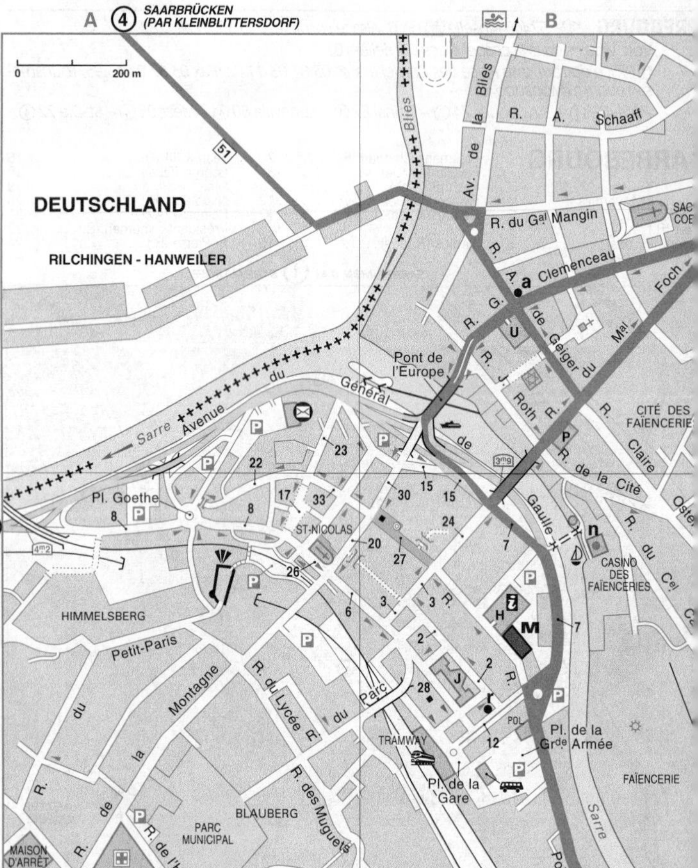

REGUEMINES 57200 Moselle 57 ⑯ ⑰ G. Alsace Lorraine – 23 202 h alt. 210.

Voir *Musée : jardin d'hiver★★, collection de céramiques★* BZ **M**.

Env. *Parc archéologique européen de Bliesbruck-Reinheim : thermes★*, 9,5 km par ①.

🖪 *Office du tourisme 11 rue du Maire Massing* ℰ 03 87 98 80 81, Fax 03 87 98 25 77, otsgs@wanadoo.fr.

Paris 405 ③ – Strasbourg 106 ② – Metz 77 ② – Nancy 92 ② – Saarbrücken 18 ③.

🏠 **Amadeus** M sans rest, 7 av. Gare ℰ 03 87 98 55 46, amadeushotel@ad.com, Fax 03 87 98 66 92 – 🛗 ⇔ 📺 ℰ. 🖭 ⓪ ☞
BZ **r**
fermé 24 déc. au 6 janv. et dim. – � 6,10 – **39 ch** 44,20/56,40

🏠 **Union**, 28 r. Geiger ℰ 03 87 95 28 42, hotelunion@free.fr, Fax 03 87 98 25 21 – ▤ rest, 📺 ⊞ ⊠ **P**. 🖭 ⓪ ☞
BY **a**
Repas *(fermé 10 août au 1ᵉʳ sept., 21 déc. au 1ᵉʳ janv., sam. et dim)* 12,04/22,56 ♀, enf. 6,10 – ☐ 5,95 – **28 ch** 42,69/57,93 – ½ P 35,83/40,40

🏠 **Comfort Inn Primevère**, rte Bitche par ① : 2 km ℰ 03 87 95 34 35, cip.sar@wanadoo. fr, Fax 03 87 95 34 60 – 📺 ℰ ♿ **P**. – ♨ 25. 🖭 ⓪ ☞
Repas 13,41/17,98 ♃ – ☐ 5,94 – **46 ch** 46,49

🍴🍴 **Auberge St-Walfrid** (Schneider) M avec ch, par ③ et rte Grosbliederstroff 🌼 ℰ 03 87 98 43 75, saintwalfrid@chateauxhotels.com, Fax 03 87 95 76 75, 🌲, 🌳 – 🛗 📺 ℰ ♿ **P**. 🖭 ☞. ✵ ch
fermé 1ᵉʳ au 21 août, 1ᵉʳ au 21 janv., lundi midi, sam. midi et dim. – **Repas** 20/65 et carte 55 à 75 ♀ – ☐ 12 – **11 ch** 92/153 – ½ P 115
Spéc. Escalope de foie gras de canard aux épices et vin de noix. Poissons de Lesconil accommodés au gré des saisons. Gibier (saison). **Vins** Côtes de Toul blanc et gris.

🍴🍴 **Auberge du Vieux Moulin** (Breininger), 135 r. France par ③ : 1,5 km ℰ 03 87 98 22 59, Fax 03 87 28 12 63 – **P**. ☞
fermé 17 juil. au 8 août, 16 janv. au 1ᵉʳ fév., mardi et merc. – **Repas** 31/66 et carte 50 à 70 ♀, enf. 11
Spéc. Foie gras de canard confit aux artichauts et kumquats. Pigeonneau à l'ail doux et thym vert. Crème vanille aux pommes croustillantes.

🍴 **Casino des Sommeliers**, 4 r. Col. Cazal ℰ 03 87 02 90 41, Fax 03 87 02 90 28 – **P**. ☞
fermé 1ᵉʳ au 15 janv., dim. soir et lundi – **Repas** 13 ♀
BZ **n**

à Bitche par ① : 11 km sur N 62 – ⊠ 57200 Sarreguemines :

🍴🍴 **Pascal Dimofski**, ℰ 03 87 02 38 21, pascal.dimofski@wanadoo.fr, Fax 03 87 02 21 36, 🌲, 🌳 – **P**. 🖭 ⓪ ☞
fermé 5 au 28 août, 24 fév. au 12 mars, lundi et mardi – **Repas** 20/64 ♀, enf. 12

RRE-UNION 67260 B.-Rhin 57 ⑰ – 3 356 h alt. 240.

Paris 410 – Strasbourg 84 – Metz 82 – Nancy 80 – St-Avold 37 – Sarreguemines 24.

à Strasbourg Sud-Est : 10 km par N 61 – ⊠ 67260 Burbach :

🍴🍴 **Windhof**, ℰ 03 88 01 72 35, Fax 03 88 01 72 71, 🌲 – **P**. ☞
fermé 29 juil. au 20 août, 1ᵉʳ au 14 janv., dim. soir, mardi soir et lundi – **Repas** 11 (déj.), 26,70/58 et carte 41 à 63 ♀

RS-POTERIES 59216 Nord 53 ⑥ G. Picardie Flandres Artois – 1 541 h alt. 181.

Voir *Musée du Verre★*.

🖪 *Office du tourisme 20 rue du Général de Gaulle* ℰ 03 27 59 35 49, Fax 03 27 59 36 23, sars-poteries@wanadoo.fr.

Paris 257 – St-Quentin 78 – Avesnes-sur-Helpe 12 – Charleroi 46 – Lille 108 – Maubeuge 16.

🏠 **Marquais** ⌾ sans rest, ℰ 03 27 61 62 72, Fax 03 27 57 47 35, 🌳, ✵ – **P**. ☞
fermé 15 au 31 mars – ☐ 6,09 – **11 ch** 38,11/44,21

🍴🍴 **Auberge Fleurie** (Lequy) ⌾ avec ch, ℰ 03 27 61 62 48, Fax 03 27 61 56 66, 🌲, 🌳 – 📺 ℰ ♿ **P**. 🖭 ⓪ ☞
fermé 20 au 30 août, 8 au 25 janv., lundi (sauf hôtel) et dim. soir – **Repas** 22,87/53,36 et carte 38 à 58 ♀ – ☐ 7,62 – **8 ch** 53,36/89,94 – ½ P 83,85/99,09
Spéc. Carpaccio de foie gras aux épices et aux truffes. Agneau de lait des Pyrénées rôti à la fleur de thym. Gibier (oct. à janv.).

RTÈNE 2A Corse-du-Sud 90 ⑱ – voir à Corse.

RTROUVILLE 78 Yvelines 55 ⑳, 106 ⑱, 101 ⑬ – voir à Paris, Environs.

SARZEAU 56370 Morbihan 🔢 ⑬ *G. Bretagne – 6 143 h alt. 30.*

Voir Ruines★ du château de Suscinio SE : 3,5 km – Presqu'île de Rhuys★.

🖪 *Office du tourisme Rue Général de Gaulle 🕿 02 97 41 82 37, Fax 02 97 41 7* *office.de.tourisme.sarzeau@wanadoo.fr.*

Paris 479 – Vannes 23 – Nantes 112 – Redon 69.

à St-Colombier *Nord-Est : 4 km par D 780 – ⊠ 56370 Sarzeau :*

XX **Tournepierre,** 🕿 02 97 26 42 19, Fax 02 97 43 91 70 – 💳 GB
fermé 6 au 29 nov., mardi midi, dim. soir et lundi sauf juil.-août – Repas 16,77 / 22,87/53,36, enf. 9,90

à Penvins *Sud-Est : 7 km par D 198 – ⊠ 56370 Sarzeau :*

🏠 **Mur du Roy** ⌂, 🕿 02 97 67 34 08, contact@lemurduroy.com, Fax 02 97 67 36 2
🎇, 🗢 – 📺 ᰔ 🅿. GB
Repas 18,50/58 ♈, enf. 10 – ☕ 7,50 – **10 ch** 54/72 – ½ P 54,50/63,50

XX **L'Hortensia,** La Grée Penvins 🕿 02 97 67 42 15, Fax 02 97 67 42 16 – 🅿. GB
fermé 4 au 14 mars, 25 nov. au 10 déc., lundi et mardi sauf juil.-août – Repas 15 (déj.), 2

SASSENAY 71 S.-et-L. 🔟 ① – rattaché à Chalon-sur-Saône.

SASSETOT-LE-MAUCONDUIT 76540 S.-Mar. 🔢 ⑫ – 957 h alt. 89.

🖪 Syndicat d'initiative 🕿 02 35 29 24 05, Fax 02 35 27 47 37.
Paris 199 – Le Havre 56 – Bolbec 30 – Fécamp 16 – Rouen 70 – Yvetot 30.

XX **Relais des Dalles** avec ch, près château 🕿 02 35 27 41 83, le-relais-des-dalles@war
.fr, Fax 02 35 27 13 91, 🎇, « Jardin fleuri » – 📺 💳 GB
fermé 2 au 6 sept., 9 déc. au 5 janv., mardi soir et merc. de mars au 7 juil., lundi et mar
9 sept. à fév. – Repas (dim. prévenir) 17 (déj.), 23,50/36 ♈, enf. 8 – ☕ 8 – **4 ch** 62/110

SAUBUSSE 40180 Landes 🔢 ⑰ – 742 h alt. 10 – Stat. therm. (début mars-fin nov.).

🖪 Office de tourisme r. Vieille 🕿 05 58 57 76 68, Fax 05 58 57 37 37.
Paris 739 – Biarritz 51 – Mont-de-Marsan 72 – Bayonne 44 – Dax 19.

🏠 **Villa Stings,** ⊠ 40180 🕿 05 58 57 70 18, Fax 05 58 57 71 86, ≤ – 📺, GB, ❀
fermé fév., sam. midi, dim. soir et lundi sauf du 1er juil. au 15 sept. – Repas 28/45, enf
☕ 7 – **17 ch** 34/45

SAUGUES 43170 H.-Loire 🔢 ⑯ *G. Auvergne – 2 013 h alt. 960.*

🖪 Office du tourisme Cours Gervais 🕿 04 71 77 71 38, Fax 04 71 77 66 40.
Paris 533 – Le Puy-en-Velay 43 – Brioude 51 – Mende 72 – St-Flour 55.

🏠 **Terrasse** 🅼, 🕿 04 71 77 83 10, laterrasse-saugues@wanadoo.fr, Fax 04 71 77 63
🍽 rest, 📺 ᰔ 🗢. 💳 GB
fermé déc., janv., dim. soir et lundi hors saison – Repas 19,66/44,96 ♈, enf. 7,62 – ☕ 7
9 ch 41,92/54,87 – ½ P 44,96/57,16

SAULCE-SUR-RHÔNE 26270 Drôme 🔢 ⑪ – 1 613 h alt. 93.

Paris 592 – Valence 31 – Crest 24 – Montélimar 19 – Privas 27.

🏠 **Clutier,** 62 av. Provence - Les Reys-de-Saulce 🕿 04 75 63 00 22, clutier@wanad
⌘ Fax 04 75 63 12 60, 🎇, 🗾, 🗢 – 🍽 📺 🅿. GB
fermé 23 déc. au 17 janv., dim. soir de janv. à juin et lundi – Repas 12,65/36,59 ♈, enf. 9
☕ 5,72 – **21 ch** 38/52,63 – ½ P 43,60

à Mirmande *Sud-Est : 3 km par D 204 G. Vallée du Rhône – 503 h. alt. 204 – ⊠ 26270 :*

🖪 Office du tourisme Place du Champ de Mars 🕿 04 75 63 10 88, Fax 04 75 63 10 88.

🏠 **Capitelle** ⌂, 🕿 04 75 63 02 72, capitelle@wanadoo.fr, Fax 04 75 63 02 50, ≤,
« Demeure ancienne » – 📺. GB
mars-nov. et fermé lundi de sept. à mai et mardi midi – Repas 21,35/32,10 ♈, enf. 11
☕ 9,91 – **11 ch** 68,60 – ½ P 68,60

ILCHOY 62870 P.-de-C. **51** ⑫ – 292 h alt. 13.

Paris 221 – Calais 95 – Abbeville 36 – Arras 73 – Berck-sur-Mer 30 – Doullens 45 – Hesdin 16.

✕ **Val d'Authie,** ℘ 03 21 90 30 20, 斧 – **GB.** ✕
   fermé 2 au 14 sept. et jeudi d'oct. à avril – **Repas** (dim. prévenir) 13 bc/29

ILGES 53340 Mayenne **60** ⑪ G. Normandie Cotentin – 334 h alt. 97.

🖪 *Office du tourisme Place Jacques Favrot* ℘ 02 43 90 49 81, Fax 02 43 90 55 44.
Paris 249 – Le Mans 55 – Château-Gontier 37 – La Flèche 48 – Laval 33 – Mayenne 41.

🏠 **Ermitage** ⟋, ℘ 02 43 64 66 00, ermitage.saulges@dial.oleane.com, Fax 02 43 64 66 20, « Jardin fleuri », ₺, ⟋, 槑 – **TV** ✆ ₺ **P** – 🅰 15 à 60. 歴 ◑ **GB**
   fermé vacances de Toussaint, fév., dim. soir et lundi du 30 sept. au 15 avril – **Repas** 19/44 ⓨ, enf. 11,40 – ⚌ 9 – **36 ch** 60/80 – ½ P 54/74

ILIEU 21210 Côte-d'Or **65** ⑰ G. Bourgogne – 2 837 h alt. 535.

Voir *Basilique St-Andoche*★ : *chapiteaux*★★ – *Le Taureau*★ (sculpture) par Pompon.
🖪 *Syndicat d'initiative 24 rue d'Argentine* ℘ 03 80 64 00 21, Fax 03 80 64 21 96, saulieu.tourisme@wanadoo.fr.

Paris 247 ① – Dijon 74 ② – Autun 40 ④ – Avallon 39 ① – Beaune 65 ② – Clamecy 76 ①.

SAULIEU

Les localités citées
dans le guide Michelin
sont soulignées
de rouge
sur les cartes Michelin
à 1/200 000.

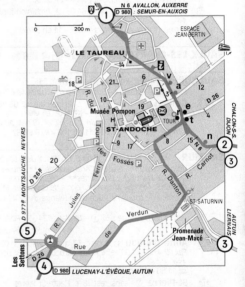

🏠 **Côte d'Or** (Loiseau) Ⓜ ⟋, 2 r. Argentine (e) ℘ 03 80 90 53 53, loiseau@relaischateaux.com, Fax 03 80 64 08 92, « Élégante hostellerie agrémentée d'un jardin fleuri », ₺, ⟋, 槑 – 📺 **TV** ✆ ⟋ – 🅰 30. 歴 ◑ **GB** **JCB**
   Repas 122/185 et carte 130 à 200, enf. 28 – ⚌ 25 – **23 ch** 195/380, 7 appart, 3 duplex
   Spéc. Jambonnettes de grenouilles à la purée d'ail et au jus de persil. Sandre à la fondue d'échalotes au vin rouge. Blanc de volaille fermière lardé de truffes. **Vins** Vin des Coteaux de l'Auxois, Mercurey.

🏠 **Hostellerie de la Tour d'Auxois** Ⓜ, square Alexandre Dumaine (r) ℘ 03 80 64 36 19, jlprevost@tourdauxois.com, Fax 03 80 64 93 10, 斧, ⟋, 槑 – 📺 ✕ 囯 **TV** ✆ ₺ ⟋ – 🅰 40. 歴 ◑ **GB.** ✕ rest
   Repas 15/34 ⅃ – ⚌ 7,50 – **29 ch** 65/89, 6 duplex – ½ P 67/82

🏠 **Poste,** 1 r. Grillot (t) ℘ 03 80 64 05 67, hotelposte@aol.com, Fax 03 80 64 10 82, « Salle à manger Belle Époque » – 囯 rest, **TV** ✆ **P** – 🅰 30. 歴 ◑ **GB**
   Repas 13,75 (déj.), 17,99/60,70, enf. 9,90 – ⚌ 7,60 – **45 ch** 42,70/104,45 – ½ P 50,30/59,50

✕✕ **Borne Impériale** avec ch, 16 r. Argentine (v) ℘ 03 80 64 19 76, Fax 03 80 64 30 63, 斧 – **P. GB**
   fermé 15 nov. au 15 déc., mardi soir et merc. sauf juil.-août – **Repas** 18 (déj.), 21/42, enf. 11 – ⚌ 7,60 – **7 ch** 31/48

✗ **Auberge du Relais,** 8 r. Argentine (a) ℰ 03 80 64 13 16, taverna.serge@wanado
Fax 03 80 64 08 33 – ﹏ ☞
Repas (14,50) - 16/30 ♀, enf. 10

✗ **Vieille Auberge** avec ch., 15 r. Grillot (n) ℰ 03 80 64 13 74, Fax 03 80 64 13 74, 斎
☞ ☞
fermé 6 janv. au 6 fév., mardi soir et merc. sauf juil.-août – **Repas** 12/29 ♀ – ☷ – **5 ch** ℑ
– ½ P 40

SAULT 84390 Vaucluse **81** ⑭ G. Alpes du Sud – 1 171 h alt. 765.
Env. Gorges de la Nesque★★ : belvédère★★ SO : 11 km par D 942 – Mont Ventoux ﹡
NO : 26 km.
🖪 Office du tourisme Avenue de la Promenade ℰ 04 90 64 01 21, Fax 04 90 64 ℩
ot-sault@axit.fr.
Paris 724 – Digne-les-Bains 93 – Aix-en-Provence 86 – Apt 31 – Avignon 68 – Carpentra

🏯 **Hostellerie du Val de Sault** ⌂, rte St-Trinit et rte secondaire : 2 km ℰ 04 90 64 0
valdesault@aol.com, Fax 04 90 64 12 74, ≼ Mont-Ventoux, 斎, ₤⌂, ☷, ∓, ✗ – 🄏 ⅋ ⅃
⊙ ☞
30 mars-3 nov. – **Repas** (fermé le midi en semaine sauf de juin à août) 25 (déj.), 30/45
11 ch (½ pens. seul.), 5 appart – ½ P 99,50

🏠 **Albion** sans rest, ℰ 04 90 64 06 22, hrdalbion@aol.com, Fax 04 90 64 17 28 – 🄏 ⅋
✗
fermé 1er janv. au 15 mars – ☷ 7 – **11 ch** 58/69

SAULX-LES-CHARTREUX 91 Essonne **60** ⑩, **101** ㉟ – voir à Paris, Environs (Longjumeau)

SAULXURES 67420 B.-Rhin **87** ⑯ – 457 h alt. 535.
Paris 403 – Épinal 71 – Strasbourg 69 – Lunéville 65 – Saint-Dié 30.

✗✗ **Belle Vue** avec ch., 36 r. Principale ℰ 03 88 97 60 23, labellevue@wanado
Fax 03 88 47 23 71, 斎, ✗ – 🄏 ⅋ ⅃, ﹏ ☞
fermé 3 au 20 mars, 24 juin au 3 juil. et 18 nov. au 4 déc. – **Repas** (fermé mardi et m
18/48 ♀, enf. 10 – ☷ 10 – **11 ch** 100 – ½ P 68/82

SAUMUR <ⓢⓟ> 49400 M.-et-L. **64** ⑫ G. Châteaux de la Loire – 29 857 h alt. 30.
Voir Château★★ : musée d'Arts décoratifs★★, musée du Cheval★, tour du Guet ﹡★ – E
N.-D.-de-Nantilly★ : tapisseries★★ – Vieux quartier★ BY : Hôtel de ville★ H , tapisseries
l'église St-Pierre – Musée de l'école de Cavalerie★ M¹ – Musée des Blindés★★ au Sud.
🖪 Office du tourisme Place de la Bilange ℰ 02 41 40 20 60, Fax 02 41 40 20 69, infos
saumur.fr.
Paris 322 ① – Angers 67 ① – Le Mans 124 ① – Poitiers 93 ③ – Tours 66 ①.

Plan page ci-contre

🏯 **Anne d'Anjou** sans rest, 32 quai Mayaud ℰ 02 41 67 30 30, anneanjou@saumur
Fax 02 41 67 51 00, ≼, « Hôtel particulier du 18e siècle » – 🛗 🄏 ⅋ 🄿 – 🔺 25. ﹏ ⊙
🄹🄲🄱
☷ 11,50 – **45 ch** 72/155

🏯 **St-Pierre** ⌂ sans rest, 8 r. Haute-St-Pierre ℰ 02 41 50 33 00, stpierre@saumur
Fax 02 41 50 38 68 – 🛗 ﹡ ≡ 🄏 ⅋ ₤. ﹏ ⊙ ☞ 🄹🄲🄱. ✗
fermé 1er au 15 janv. – ☷ 9 – **15 ch** 77/150

🏯 **Loire Hôtel** ⌂, r. Vieux Pont ℰ 02 41 67 22 42, loire-hotel@saumur.
Fax 02 41 67 88 80, ≼ – 🛗, ≡ rest, 🄏 ⅋ ⅃ ⇔ – 🔺 40. ﹏ ⊙ ☞ 🄹🄲🄱
Repas (fermé vend. soir et sam. du 15 nov. au 31 mars) 18/34 ♀, enf. 10 – ☷ 8,50 – **4**
75/95 – ½ P 55/62

🏠 **Kyriad** sans rest, 23 r. Daillé ℰ 02 41 51 05 78, central.kyriad.saumur@multi-micro.c
Fax 02 41 67 82 35 – ﹡ 🄏 ⅋ ⇔. ﹏ ⊙ ☞
☷ 6,11 – **27 ch** 45,03/70,21

🏠 **Londres** sans rest, 48 r. Orléans ℰ 02 41 51 23 98, lelondresaumur@aol.
Fax 02 41 51 12 63 – 🄏 ⅋ 🄿. ☞
☷ 6 – **27 ch** 34/46

🏠 **Volney** sans rest, 1 r. Volney ℰ 02 41 51 25 41, contact@le-volney.c
Fax 02 41 38 11 04 – 🄏 ⅋. ☞
☷ 5,34 – **12 ch** 24,39/45,73

✗✗✗ **Les Menestrels,** 11 r. Raspail ℰ 02 41 67 71 10, menestrel@saumur
Fax 02 41 50 89 64, 斎 – ﹏ ⊙ ☞ 🄹🄲🄱
fermé dim. – **Repas** 17 (déj.), 29/55 et carte 41 à 64 ♀, enf. 11

SAUMUR

XX **Les Délices du Château,** cour du château ℰ 02 41 67 65 60, *delices.du.chateau@wana doo.fr, Fax 02 41 67 74 60*, ≤, 🍽, « Terrasse face au jardin du château » – 🅿. 🆎 ⓞ
🔒 　　　　　　　　　　　　　　　　　　　　　　　　　　　　　　　　　　　　　　BZ **f**
fermé 15 déc. au 10 janv., dim. soir, mardi soir et lundi du 1er oct. au 15 avril – **Repas** 21
(déj.), 30/56 bc 🍷, enf. 15,25 **L'Orangeraie** ℰ 02 41 67 12 88 **Repas** 14/19 🍷

XX **Gambetta,** 12 r. Gambetta ℰ 02 41 67 66 66, *Fax 02 41 50 83 23*, 🍽 – 🆎 🆖　　AY **w**
fermé nov., vacances de fév., lundi sauf de mai à sept. et dim. soir d'oct. à avril – **Repas**
15/46 🍷

X **Auberge St-Pierre,** 6 pl. St-Pierre ℰ 02 41 51 26 25, *Fax 02 41 59 89 28*, 🍽,
🔒 « Ancienne maison de cordelier du 15e siècle » – 🆎 🆖　　　　　　　　　　　BY **r**
fermé 12 au 26 mars, 8 au 22 oct., 24 déc. au 3 janv., dim. et lundi – **Repas** 12,96/
22,87 🍷

X **Pyrène,** 42 r. Mar. Leclerc ℰ 02 41 51 31 45, *Fax 02 41 67 26 71* – 🆖　　　　AZ **a**
🔒 *fermé dim. soir et lundi* – **Repas** 13,60/19,06 🍷

Z.I. St-Lambert par ① : 3 km – ⊠ 49400 St-Lambert-des-Levées :

🏠 **Parc**, av. Fusillés ℘ 02 41 67 17 18, hotelduparc@saumur.net, Fax 02 41 67 18 85 –
⏗ ⅙, ▣ – 🛦 30. ㏂ ㎪ ㏇
fermé 24 déc. au 2 janv. – **Repas** *(fermé sam. et dim.)* (9) - 13/24 ♀ – ⌂ 6 – **28 ch** 44/5
duplex – ½ P 36/40

à St-Hilaire-St-Florent par av. Foch AXY et D 751 : 3 km – ⊠ 49400 Saumur.

Voir **École nationale d'Équitation★**.

🏠 **Clos des Bénédictins** 🐾, ℘ 02 41 67 28 48, clos@symphonie-
Fax 02 41 67 13 71, ≤ Saumur, 🍽, 🏊, 🌳 – ▣ ⅙ ▣ – 🛦 35. ㏂ ㎪ ㎫ ㍿. ⌘ rest
fermé 15 déc. au 15 janv. – **Repas** *(fermé lundi midi, mardi midi et merc. midi)* 31/66
enf. 12 – ⌂ 9,20 – **23 ch** 68/92 – ½ P 65/82

à Chênehutte-les-Tuffeaux par av. Foch AXY et D 751 : 8 km – 1 102 h. alt. 29 – ⊠ 4
Gennes :

🅷 Syndicat d'initiative Place V. Dailland - Cunault ℘ 02 41 67 92 55, Fax 02 41 67 91 94.

🏠 **Prieuré** 🐾, ℘ 02 41 67 90 14, prieure@grandesetapes.fr, Fax 02 41 67 92 24, ≤ la
🍽, « Ancien prieuré des 12e et 16e siècles dans un parc boisé dominant la Loire », 🏊
🐾 – ▣ ⅙ ▣ – 🛦 25. ㏂ ㎪ ㏇ ㍿. ⌘ rest
fermé janv. et fév. – **Repas** 38/65, enf. 21 – ⌂ 14 – **20 ch** 120/240 – ½ P 144/191

Les Résidences du Prieuré, – ▣. ㏂ ㎪ ㏇ ㍿
Repas voir *Prieuré* – ⌂ 14 – **15 ch** 100 – ½ P 109

*Les localités dont les noms sont soulignés de rouge
sur les cartes Michelin à 1/200 000 sont citées dans ce guide.*

Utilisez une carte récente pour profiter de ce renseignement.

La SAUSSAYE 27370 Eure 🎇 ⑳ – 1 954 h alt. 137.
Paris 122 – Rouen 24 – Évreux 40 – Louviers 19 – Pont-Audemer 43.

🏠 **Manoir des Saules** 🐾, ℘ 02 35 87 25 65, Fax 02 35 87 49 39, 🍽, « Décoration ⓞ
✿ nale, beau mobilier ancien », 🌳 – ⛞ ▣ ⅙ ▣ – 🛦 15. ㏂ ㎪ ㏇
fermé 9 au 24 sept., 17 fév. au 11 mars, dim. soir de sept. à mars, lundi et mardi – **R**◐
(nombre de couverts limité, prévenir) 37/83 et carte 55 à 70 – ⌂ 13,50 – **9 ch** 135/229
Spéc. Foie gras de canard au torchon. Poêlée de Saint-Jacques et lentilles au lard (ⓞ
mars). Pot-au-feu de homard et escalope de foie grillé.

SAUSSET-LES-PINS 13960 B.-du-R. 🎇 ⑫ G. Provence – 7 233 h alt. 15.
🅷 Office de tourisme 16 av. du Port ℘ 04 42 45 60 65, Fax 04 42 45 60 68, tour
slp@ville-sausset-les-pins.fr.
Paris 775 – Marseille 37 – Aix-en-Provence 42 – Martigues 12 – Salon-de-Provence 48.

🏠 **Paradou-Méditerranée** Ⓜ, au port ℘ 04 42 44 76 76, hotel.paradou@wanadⓞ
Fax 04 42 44 78 48, ≤, 🍽, 🏊 – ▣ ▣ ⅙ ▣ – 🛦 20 à 60. ㏂ ㎪ ㏇
Repas 19,06/27,44 ♀ – ⌂ 7,62 – **41 ch** 85,37/137,20 – ½ P 60,98

🍴 **Les Girelles**, ℘ 04 42 45 26 16, Fax 04 42 45 49 65, ≤, 🍽 – ▣. ㏂ ㎪ ㏇ ㍿
fermé 2 janv. au 1er fév., dim. soir hors saison, mardi midi en juil.-août et lundi – **R**◐
21,95/50,30 et carte 48 à 56 ♀, enf. 14

SAUTERNES 33210 Gironde 🎇 ① G. Aquitaine – 586 h alt. 50.
🅷 Office du tourisme 11 rue Principale ℘ 05 56 76 69 13, Fax 05 57 31 00 67, saute
@wanadoo.fr.
Paris 627 – Bordeaux 50 – Bazas 24 – Langon 11.

🍴 **Saprien**, ⊠ 33210 ℘ 05 56 76 60 87, Fax 05 56 76 68 92, 🍽, 🌳 – ▣. ㏂ ㎪ ㏇
fermé vacances de Noël, de fév., dim. soir, merc. soir et lundi – **Repas** 20/33 ♀, enf. 11

SAUVE 30610 Gard 🎇 ⑰ – 1 690 h alt. 103.
🅷 Office du tourisme Place René Isouard ℘ 04 66 77 57 51, Fax 04 66 77 05
otsauve@net-up.com.
Paris 751 – Alès 28 – Montpellier 47 – Nîmes 39 – Le Vigan 39.

🍴 **Magnanerie** 🐾 avec ch, rte Nîmes ℘ 04 66 77 57 44, la.magnanerie@wanadⓞ
Fax 04 66 77 02 31, 🍽, 🏊, 🌳 – cuisinette ▣ ⅙ ▣. ㏂ ㎪ ㏇
Repas *(fermé 24 déc. au 7 janv., mardi d'oct. à mars et lundi)* 22/30 ♀, enf. 9 – ⌂ 6 –
69, 3 duplex – ½ P 50

VETERRE 30150 Gard 🛚🗋 ⑪ – 1 696 h alt. 23.

Paris 675 – Avignon 12 – Alès 77 – Nîmes 50 – Orange 16 – Pont-St-Esprit 36.

🏨 **Hostellerie de Varenne** ⬙, 𝒫 04 66 82 59 45, hostellerie.varenne@wanadoo.fr, Fax 04 66 82 84 83, 🈕, « Demeure du 18ᵉ siècle », ⬛, 🖼 – 🖵 **P**. 🕮 ⑩ 🖼
fermé 1ᵉʳ au 15 nov., fév. et merc. hors saison – **Repas** 18,29 (déj.), 29,73/42,65 ☽, enf. 12,20
– ⯑ 9,15 – **13 ch** 83,85/114,34 – ½ P 67,84/90,71

VETERRE-DE-COMMINGES 31510 H.-Gar. 🛚🗋 ① – 720 h alt. 480.

Paris 803 – Bagnères-de-Luchon 35 – Lannemezan 30 – Tarbes 71 – Toulouse 105.

🏨 **Hostellerie des 7 Molles** ⬙, à Gesset, Sud : 3 km par D 9 𝒫 05 61 88 30 37, contact@hotel7molles.com, Fax 05 61 88 36 42, ≤, « Jardin fleuri », ⬛, 🖼, 🍽, 🛝 – 🖨 🖵 🗣 **P**. 🕮 ⑩ 🖼
fermé 15 fév. au 15 mars, merc. midi et mardi – **Repas** 18,50 (déj.), 29/47 – ⯑ 12 – **18 ch** 79/140 – ½ P 114/120

VETERRE-DE-ROUERGUE 12800 Aveyron 🛚🗋 ① G. Midi-Pyrénées – 832 h alt. 460.

Voir Place centrale★ – Commune de la "Méridienne verte".
🛈 Office du tourisme Place des Arcades 𝒫 05 65 72 02 52, Fax 05 65 72 02 85.
Paris 653 – Rodez 31 – Albi 53 – Millau 87 – St-Affrique 78 – Villefranche-de-Rouergue 44.

🏨 **Sénéchal** (Truchon) Ⓜ ⬙, 𝒫 05 65 71 29 00, le.senechal@wanadoo.fr, Fax 05 65 71 29 09, 🈕, « Décor contemporain », 🖾 – 🖨 🖿 🖵 🗣 ⬙ – 🛆 30. 🕮 🖼 🛠
fermé début janv. à mi-mars et lundi sauf juil.-août – **Repas** (fermé lundi sauf le soir en juil.-août, mardi, merc. et jeudi midi de sept. à juin) (nombre de couverts limité, prévenir)
23/92 et carte 60 à 72 – ⯑ 13 – **8 ch** 99, 3 appart – ½ P 96/114
Spéc. Foies gras chauds et froids. Viandes et volailles de pays. Cristallin de fraises aux brèdes. **Vins** Marcillac, Vins d'Entraygues et du Fel.

VIGNY-LES-BOIS 58160 Nièvre 🛚🗋 ④ – 1 527 h alt. 210.

Paris 249 – Autun 99 – Decize 26 – Nevers 10.

🗶🗶 **Moulin de l'Etang**, 𝒫 03 86 37 10 17, Fax 03 86 37 12 06, 🈕 – **P**. 🖼
fermé dim. soir, merc. soir et lundi – **Repas** 17,50 ☽

X 65 H.-Pyr. 🛚🗋 ⑧ – rattaché à Lourdes.

XILLANGES 63490 P.-de-D. 🛚🗋 ⑮ G. Auvergne – 1 082 h alt. 460.

Voir Pic d'Usson ⬥★ SO : 4 km.
Paris 460 – Clermont-Ferrand 47 – Ambert 47 – Issoire 13 – Thiers 45 – Vic-le-Comte 20.

🗶🗶 **Mairie**, pl. St-Martin 𝒫 04 73 96 80 32, Fax 04 73 96 89 92 – 🖿. 🖼
fermé 17 au 28 juin, 16 sept. au 4 oct., 2 au 10 janv., dim. soir, lundi et mardi
Repas 18/38

SAUZE 04 Alpes-de-H.-P. 🛚🗋 ⑧ – rattaché à Barcelonnette.

JZON 56 Morbihan 🛚🗋 ⑪ – voir à Belle-Ile-en-Mer.

VERNE ⬥ 67700 B.-Rhin 🛚🗋 ⑱ G. Alsace Lorraine – 11 201 h alt. 200.

Voir Château★ : façade★★ – Maisons anciennes à colombage★ N.
🛈 Office du tourisme 37 Grand' Rue 𝒫 03 88 91 80 47, Fax 03 88 71 02 90, info@ot-saverne.fr.
Paris 449 ① – Strasbourg 39 ③ – Lunéville 89 ④ – St-Avold 84 ① – Sarreguemines 64 ①.

Plan page suivante

🏨 **Chez Jean**, 3 r. Gare 𝒫 03 88 91 10 19, chez.jean@wanadoo.fr, Fax 03 88 91 27 45 – 🖨 🖵
🗣 – 🛆 30. 🕮 ⑩ 🖼. 🛠   A v
fermé 20 déc. au 10 janv. – **Repas** (fermé lundi sauf le soir de juil. à sept. et dim. soir)
22,20/36,30 ☽, enf. 9,90 • **Winstub s'Rosestiebel** (fermé lundi sauf le soir de juil. à sept. et dim. soir) **Repas** carte environ 30 ☽, enf. 9,90 – ⯑ 8,50 – **25 ch** 54/74 – ½ P 66/69

🏨 **Europe** sans rest, 7 r. Gare 𝒫 03 88 71 12 07, info@hotel-europe-fr.com, Fax 03 88 71 11 43 – 🖨 🖵 🗣 ⬙. 🕮 ⑩ 🖼   A e
⯑ 8,30 – **28 ch** 54/81

🗶🗶 **Zum Staeffele**, 1 r. Poincaré 𝒫 03 88 91 63 94, Fax 03 88 91 63 94 – 🕮 🖼. 🛠   B a
fermé 8 au 28 juil., 24 déc. au 11 janv., jeudi midi, dim. soir et merc. – **Repas** 19,06 (déj.), 34,30/48,78 ☽, enf. 9,15

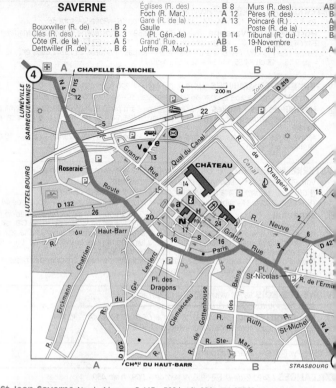

à **St-Jean-Saverne** Nord : 4 km par D 115 – 598 h. alt. 280 – ⊠ 67700 :

🏠 **Kleiber,** 37 Grand'Rue 𝒫 03 88 91 11 82, info@kleiber-fr.com, Fax 03 88 71 09 64 – ✆
P – 🛁 25. **GB**
fermé 23 déc. au 15 janv., sam. midi et dim. soir – **Repas** (8) - 14 (déj.), 19/43 ⌾, enf. 8 – ⌾
16 ch 46/58 – ½ P 47/71

SAVIGNEUX 42 Loire **73** ⑰, **110** ④ – *rattaché à Montbrison.*

SAVIGNY-LÈS-BEAUNE 21 Côte-d'Or **69** ⑨ – *rattaché à Beaune.*

SAVIGNY-SUR-ORGE 91 Essonne **81** ①, **101** ㊱ – *voir à Paris, Environs.*

SCEAUX-SUR-HUISNE 72160 Sarthe **60** ⑭ – 547 h alt. 93.
Paris 174 – Le Mans 33 – Châteaudun 74 – La Ferté-Bernard 12 – Mamers 42 – Noge
Rotrou 34.

XX **Panier Fleuri,** N 23 𝒫 02 43 93 40 08, Fax 02 43 93 43 86 – **GB**
fermé 19 août au 4 sept., 13 au 29 janv., mardi soir et merc. – **Repas** 16/37 ⌾

SCHERWILLER 67750 B.-Rhin **87** ⑯ – 2 614 h alt. 185.
🛈 Office du tourisme Rue de la Mairie 𝒫 03 88 92 25 62, otchatenoischerwiller@fnac.r
Paris 434 – Colmar 27 – Barr 20 – St-Dié 41 – Sélestat 5.

🏠 **Auberge Ramstein** Ⓜ, 1 r. Riesling 𝒫 03 88 82 17 00, Fax 03 88 82 17 02, ≤, 🏠 –
P. **GB**
fermé 15 fév. au 2 mars – **Repas** (*fermé dim. soir et merc.*) 22,60/39,60 ⌾, enf. 7
⌑ 6,30 – **15 ch** 38,20/52 – ½ P 48,10

IRMECK 67130 B.-Rhin 📖 ⑧ G. Alsace Lorraine – 2 177 h alt. 315.

Voir Vallée de la Bruche★ N et S.

🖪 Syndicat d'initiative - Hôtel de Ville ℰ 03 88 49 63 80, Fax 03 88 49 63 89, cc.haute bruche@wanadoo.fr.

Paris 408 – Strasbourg 53 – Nancy 102 – St-Dié 42 – Saverne 47 – Sélestat 60.

XX **Sabayon**, 4 r. Gare à Labroque ℰ 03 88 97 04 35, restaurant@lesabayon.com, Fax 03 88 48 44 85, 🍽 – ▤. 😰
Repas 18,29 (déj.), 24,39/30,49 bc ⏼, enf. 7,62

rembach Nord-Est : 1,5 km – 873 h. alt. 348 – ⊠ 67130 :

🏨 **Du château**, 5 r. Mar. de Lattre de Tassigny ℰ 03 88 97 97 50, Fax 03 88 47 17 19, 🌿 – 📺 🖵 🅿 🖭 ⑩ 😰, 🛇 rest
fermé 2 au 23 janv., 15 au 30 sept., dim. soir et lundi – Repas 22,86/39,63 ⏼, enf. 9,90 – ⏫ 11,43 – **15 ch** 42,68/129,57 – ½ P 57,46/129,57

Quelles Sud-Ouest : 7,5 km par N 420, D 261 et rte forestière – ⊠ 67130 Schirmeck :

🏨 **Neuhauser** 🏡, ℰ 03 88 97 06 81, Fax 03 88 97 14 29, ≤, 🍽, 🔲, 🌿 – 📺 🖿 🅿. ⑩ 😰
Repas 18/41 ⏼, enf. 10 – ⏫ 8 – **15 ch** 52/65, 3 chalets – ½ P 58/64

LEITHAL 67160 B.-Rhin 📖 ② – 1 395 h alt. 155.

Paris 516 – Strasbourg 61 – Haguenau 33 – Karlsruhe 32 – Sarrebourg 99 – Wissembourg 11.

XX **Café de France**, 282 r. Principale ℰ 03 88 94 32 55 – 😰
fermé sam. midi – Repas 7,60 (déj.), 19,60/37 ⏼, enf. 6,10

Les établissements signalés par un 🏵
proposent des repas soignés à prix modérés.

SCHLUCHT (Col de) 88 Vosges 📖 ⑱ G. Alsace Lorraine – Sports d'hiver : 1 150/1 250 m ⭧.

Voir Route des Crêtes★★★ N et S – Le Hohneck ⛰★★★ S : 5 km.

Paris 440 – Colmar 27 – Épinal 56 – Gérardmer 16 – St-Dié 37 – Thann 48.

🏨 **Collet**, au Collet : 2 km sur rte Gérardmer ⊠ 88400 Xonrupt-Longemer ℰ 03 29 60 09 57, 🏵 hotcollet@aol.com, Fax 03 29 60 08 77, ≤, 🍽 – 📺 🅿. 🖭 ⑩ 😰
fermé 7 au 21 avril et 11 nov. au 8 déc. – Repas (fermé jeudi midi et merc.) (11,90) - 15 (déj.), 21/26 ⏼, enf. 8 – ⏫ 9 – **21 ch** 55/66 – ½ P 61/67

HWEIGHOUSE-SUR-MODER 67 B.-Rhin 📖 ⑲ – rattaché à Haguenau.

BOURG 59 Nord 📖 ⑤ – rattaché à Valenciennes.

SECHIER 05 H.-Alpes 📖 ⑯ – rattaché à St-Firmin.

CLIN 59113 Nord 📖 ⑯ G. Picardie Flandres Artois – 12 089 h alt. 30.

Voir Cour★ de l'hôpital.

🖪 Syndicat d'initiative 9 boulevard Hentgès ℰ 03 20 90 00 02.

Paris 212 – Lille 18 – Lens 31 – Tournai 33 – Valenciennes 48.

XX **Auberge du Forgeron** avec ch, 17 r. Roger Bouvry ℰ 03 20 90 09 52, pbelot@nordnet.fr, Fax 03 20 32 70 87 – 📺 🕻 🚗. 🖭 😰
fermé 27 juil. au 18 août, 24 déc. au 2 janv., sam. midi et dim. – Repas 20,50/46,50 ⏼ – ⏫ 6,90 – **18 ch** 50/69 – ½ P 47/52

DAN 👁 08200 Ardennes 📖 ⑲ G. Champagne Ardenne – 20 548 h alt. 154.

Voir Château fort★★.

🖪 Office du tourisme Place du Château Fort ℰ 03 24 27 73 73, Fax 03 24 29 03 28, ot.sedan@wanadoo.fr.

Paris 250 ② – Charleville-Mézières 24 ② – Liège 171 ① – Metz 166 ① – Reims 103 ②.

Plan page suivante

🏨 **Europe**, 2 pl. Gare ℰ 03 24 27 18 71, Fax 03 24 29 32 00 – 📳 📺 🕻 🅿. 😰   AZ e
fermé 23 déc. au 5 janv. – Repas 14,33/21,19 ⏼, enf. 9,15 – ⏫ 5,95 – **25 ch** 35,06/42,69 – ½ P 35,06

SEDAN

Alsace-Lorraine (Pl. d') . **BZ** 2	Gambetta (R.) . . . . **BY** 13	Martyrs-de-la-
Armes (Pl. d') . . . . . . **BY** 3	Goulden (Pl.) . . . . **BY** 14	Résistance (Av. des) . **AY**
Bayle (R. de) . . . . **BY** 4	Halle (Pl. de la) . . . . . . **BY** 15	Mesnil (R. du) . . . . **BY**
Berchet (R.) . . . . **BY** 5	Horloge (R. de l') . . . . . **BY** 17	Nassau (Pl.) . . . . **BZ**
Blanpain (R.) . . . . **BY** 6	Jardin (Bd du Gd) . . . . **BY** 18	Promenoir-des-Prêtres . **BY**
Capucins (Rampe) . . . . **BY** 7	La Rochefoucauld	Rivage (R. du) . . . . **BY**
Carnot (R.) . . . . **BY** 8	(R. de) . . . . **BY** 20	Rochette (Bd de la) . . . **BY**
Crussy (Pl.) . . . . **BY** 9	Lattre-de-Tassigny	Rovigo (R.) . . . . **BY**
Fleuranges (R. de) . . . **AY** 10	(Bd Mar.-de) . . . . . . **AZ** 21	Strasbourg (R. de) . . . . **BZ**
Francs-Bourgeois (R. des) **BY** 12	Leclerc (Av. du Mar.) . . **BY** 24	Turenne (Pl.) . . . . **BY**
	Marguerite	Vesseron-Lejay (R.) . . . **AY**
	(Av. du G.) . . . . **ABY** 26	Wuidet-Bizot (R.) . . . . . **BZ**

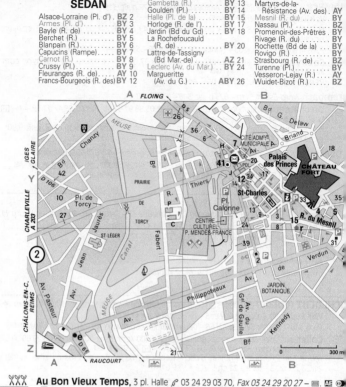

XXX **Au Bon Vieux Temps,** 3 pl. Halle 🖉 03 24 29 03 70, Fax 03 24 29 20 27 – 🗐. 🖽 ①
JCB
BY
fermé 26 août au 2 sept., 17 fév. au 10 mars, dim. soir et lundi – **Repas** 20,60/45,70 et 🖫
40 à 55 🖫, enf. 8,40

à Bazeilles par ① : 3 km – 1 879 h. alt. 161 – ⊠ 08140 :

🏨 **Château de Bazeilles** 🅼 ⑤, 🖉 03 24 27 09 68, bazeilles@chateaubazeilles.
Fax 03 24 27 64 20, 佘, 🏖 – 🗹 📞 🕭 🗜. 🖽 ⊕ 🖭 JCB
L'Orangerie : Repas (13,72)-19/43 🖫, enf. 12,20 – 🖙 8,10 – **20 ch** 66/76 – ½ P 70

🏨 **Auberge du Port** ⑤, Sud : 1 km par rte Remilly-Aillicourt 🖉 03 24 27 13 89, aube
du-port@wanadoo.fr, Fax 03 24 29 35 58, 佘, « Jardin en bord de Meuse », 🐴 – 🗹 📞
🏖 25. 🖽 ⊕ 🖭 JCB. 🦐 ch
fermé 16 août au 6 sept. et 20 déc. au 5 janv. – **Repas** (fermé vend., sam. midi et dim.
16/40 bc 🖫, enf. 8 – 🖙 7 – **20 ch** 45/52 – ½ P 47

à Frénois par ② et D 67 : 3,5 km – ⊠ 08200 Sedan :

🏨 **Campanile,** 🖉 03 24 29 45 45, Fax 03 24 27 64 52, 佘 – 🔆 🗹 📞 🕭 🗜 – 🏖 25. 🄰
🖭
Repas 12,04/16,62 🖫, enf. 5,95 – 🖙 5,94 – **47 ch** 44,97

Write us...

If you have any comments on the contents of this Guide.

Your praise as well as your criticisms will receive careful
consideration and, with your assistance, we will be able to add
to our stock of information and, where necessary, amend
our judgments.

Thank you in advance!

1324

ÉES 61500 Orne 60 ③ G. Normandie Cotentin – 4 504 h alt. 186.

Voir *Cathédrale Notre-Dame*★ : *choeur et transept*★★ – *Forêt d'Ecouves*★★ SO : 5 km.

🛈 *Office du tourisme Place Général de Gaulle* ℘ 02 33 28 74 79, Fax 02 33 28 18 13, office-tourisme-sees@wanadoo.fr.

Paris 187 – Alençon 22 – L'Aigle 42 – Argentan 24 – Domfront 66 – Mortagne-au-Perche 33.

Macé : 5,5 km par rte d'Argentan, D 303 et D 747 – 476 h. alt. 173 – ⊠ 61500 :

Voir *Château d'O*★ NO : 5 km.

🏨 **Ile de Sées** ⬧, ℘ 02 33 27 98 65, ile-sees@ile-sees.fr, Fax 02 33 28 41 22, 🏤, 🕭 – 📺 📞 🅿 – 🔬 30. 🆗 ⊗
mars-oct. et fermé dim. soir et lundi – **Repas** 12,95 (déj.), 19,05/30,48 ♀, enf. 8,38 – ☷ 6,40 – **16 ch** 48,78/57,93 – ½ P 48,78

EGOS 32 Gers 82 ② – *rattaché à Aire-sur-l'Adour.*

EGURET 84 Vaucluse 81 ② – *rattaché à Vaison-la-Romaine.*

EGUR-LES-VILLAS 15300 Cantal 76 ③ – 270 h alt. 1045.

Paris 510 – Aurillac 64 – Allanche 14 – Condat 19 – Mauriac 55 – Murat 18 – St-Flour 41.

🏠 **Santoire**, à La Carrière du Monteil de Ségur Sud : 4 km sur D 3 ℘ 04 71 20 70 68, christian. chabrier@worldonline.fr, Fax 04 71 20 73 44, ≤, 🏊, ✖ – 📺 🅿. 🆗
fermé janv. – **Repas** 13/30,50 🍴, enf. 7,62 – ☷ 5,80 – **28 ch** 40 – ½ P 39,65

EIGNOSSE 40510 Landes 78 ⑰ – 2 427 h alt. 15.

🛈 *Office du tourisme Avenue des Lacs* ℘ 05 58 43 32 15, Fax 05 58 43 32 66, office.tou risme@seignosse.com.

Paris 748 – Biarritz 38 – Mont-de-Marsan 84 – Dax 31 – Soustons 11.

🏨 **Golf Hôtel** Ⓜ ⬧, au golf, Ouest : 4 km par D 86 ℘ 05 58 41 68 40, hotelseignosse@wana doo.fr, Fax 05 58 41 68 41, ≤, 🏤, « *Golf en lisière de forêt* », 🏊 – 🛗 📺 📞 🕭 🅿 – 🔬 30. 🆎 ⓪ 🆗
fermé 6 janv. au 10 mars – **Repas** (dîner seul.) 23/31 ♀, enf. 10 – ☷ 10 – **45 ch** 74/137 – ½ P 84/115

SEIGNUS 04 Alpes-de-H.P. 81 ⑧ – *rattaché à Allos.*

ILH 31 H.-Gar. 82 ⑦ – *rattaché à Toulouse.*

ILHAC 19700 Corrèze 75 ⑨ – 1 635 h alt. 500.

🛈 *Office du tourisme Place de l'Horloge* ℘ 05 55 27 97 62.

Paris 467 – Brive-la-Gaillarde 33 – Aubusson 97 – Limoges 73 – Tulle 15 – Uzerche 16.

🏠 **Relais des Monédières**, rte de Tulle : 1 km ℘ 05 55 27 04 74, Fax 05 55 27 90 03, 🏤, ✖ 🕭 – 📺 🅿. 🆗
fermé 15 déc. au 22 janv. et vend. soir – **Repas** (fermé vend. soir, sam. midi et dim. soir du 15 sept. au 30 juin) (9,15) - 13/29 ♀ – ☷ 6 – **14 ch** 35/42 – ½ P 40/42

t-Salvadour Nord-Est : 8 km par D 940, D 44 et D 173E – 294 h. alt. 460 – ⊠ 19700 :

🍴 **Ferme du Léondou**, ℘ 05 55 21 60 04, jlfauvert@aol.com, Fax 05 55 21 60 04 – 🅿. 🆎 🆗 ⊗
fermé fév. et merc. sauf le midi en juil.-août – **Repas** 9,12/35 ♀

N (île de) 29990 Finistère 58 ⑫ G. Bretagne.

⛴ *Transports uniquement piétons* – ⛴ *depuis* **Brest** *(saisonnier) - Traversée 1 h 30 mn - Renseignementset tarifs : Cie Maritime Penn Ar Bed (Brest)* ℘ 02 98 80 80 80, Fax 02 98 44 75 43 – ⛴ *depuis* **Audierne** *(toute l'année) Traversée 1 h - Renseignements et tarifs : voir ci-dessus.*

⛴ *depuis* **Camaret** *(saisonnier) Traversée 1 h - Renseignements et tarifs : voir ci-dessus.*

🏠 **Ar Men** ⬧, rte Phare ℘ 02 98 70 90 77, hotel.armen@wanadoo.fr, Fax 02 98 70 93 25, ≤ – 🕭. 🆗
fermé 7 au 20 oct. – **Repas** (fermé dim. soir) 17/23, enf. 8 – ☷ 5,80 – **10 ch** 45/60 – ½ P 42/49,50

SÉLESTAT 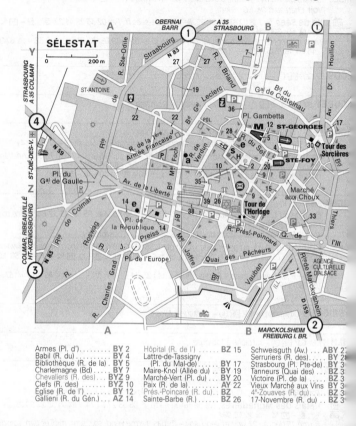 67600 B.-Rhin **62** ⑲ *G. Alsace Lorraine* – *17 179 h alt. 170.*

Voir *Vieille ville★ : église Ste-Foy★ , église St-Georges★ , Bibliothèque humaniste★* **M.**

Env. *Ebermunster : intérieur★★ de l'église abbatiale★, 9 km par ①.*

🛈 *Office du tourisme Boulevard Leclerc ✆ 03 88 58 87 20, Fax 03 88 92 88 63, accuei selestat-tourisme.com.*

Paris 436 ① – Colmar 23 ③ – Gérardmer 65 ③ – St-Dié 43 ④ – Strasbourg 51 ①.

Armes (Pl. d') . . . . **BY** 2	Hôpital (R. de l') . . . . . . **BZ** 15	Schweisguth (Av.) . . . **ABY** 2
Babil (R. du) . . . . **BY** 4	Lattre-de-Tassigny	Serruriers (R. des) . . . . **BY** 2
Bibliothèque (R. de la) . **BY** 5	(Pl. du Mal-de) . . . . . **BY** 17	Strasbourg (Pl. Pte-de) . **BY** 3
Charlemagne (Bd) . . . . . **BY** 7	Maire-Knol (Allée du) . . **BY** 19	Tanneurs (Quai des) . . . **BZ** 3
Chevaliers (R. des) . . . **BYZ** 9	Marché-Vert (Pl. du) . . **BY** 20	Victoire (Pl. de la) . . . . . **BZ** 3
Clefs (R. des) . . . . **BYZ** 10	Paix (R. de la) . . . . **AY** 22	Vieux Marché aux Vins **BY** 3
Église (R. de l') . . . . **BY** 12	Prés.-Poincaré (R. du). . **BZ**	4°-Zouaves (R. du) . . . . **BZ** 3
Gallieni (R. du Gén.) . . . **AZ** 14	Sainte-Barbe (R.) . . . . . . **BZ** 26	17-Novembre (R. du) . . **BZ** 3

🏛️ **Hostellerie de l'Abbaye la Pommeraie** Ⓜ, 8 av. Mar. Foch ✆ 03 88 92 07 *pommeraie@relaischateaux.fr, Fax 03 88 92 08 71,* �, « Belle décoration intérieure » - ▤ rest, ⅏ 🚗 ⒜ ⓞ ⒼⒷ, ⅌
   BY
   Repas *(fermé dim. soir et lundi midi hors saison)* 44,20/73,20 ⅌, enf. 12
   - S'Apfelstuebel : **Repas** 45 ⅌, enf. 12,20 – ⅏ 14,18 – **14 ch** 121,96/288,6 ½ P 95,46

🏨 **Vaillant,** pl. République ✆ 03 88 92 09 46, *hotel-vaillant@rmcnet.fr, Fax 03 88 82 95* ┇ ⅏ ⒱ – ⒜ 30. ⒜ ⒼⒷ ⒿⒸⒷ, ⅌ rest
   AZ
   Repas *(fermé en fév., sam. midi et dim. soir)* ⅌ – ⅏ 8 – **47 ch** 44/64 – ½ P 43/53

🍴🍴🍴 **Jean-Frédéric Edel,** 7 r. Serruriers ✆ 03 88 92 86 55, *jfedel@club-interne* ✿ *Fax 03 88 92 87 26,* � – ⒜ ⒼⒷ ⒿⒸⒷ
   BY
   fermé 23 juil. au 15 août, 23 au 27 déc., dim. soir sauf fériés, mardi soir et merc. – **Re** 33,54/105,95 bc et carte 55 à 90
   Spéc. Feuille de foie de canard poché. Ragoût de grenouilles au riesling. Vacherin gla l'alsacienne. **Vins** Muscat, Riesling.

🍴 **Vieille Tour,** 8 r. Jauge ✆ 03 88 92 15 02, *Fax 03 88 92 19 42* – ⒼⒷ
   BY
   fermé dim. soir et lundi – **Repas** 13,84/38,46

aldenheim par ①, D 21 et D 209 : 8,5 km – 924 h. alt. 170 – ⊠ 67600 :

XX **Couronne**, r. Sélestat, ℘ 03 88 85 32 22, Fax 03 88 85 36 27 – ﬦ GB
☆ *fermé 23 juil. au 6 août, 6 au 13 janv., dim. soir, jeudi soir et lundi* – **Repas** 31/66 et carte 50 à 68 ♈
Spéc. Marbré de foie gras de canard. Jambonnettes de grenouilles, flan aux queues d'écrevisses. Matelote du Ried au grand cru Frankstein. **Vins** Riesling, Tokay-Pinot gris.

chnellenbuhl par ②, D 159 et D 424 : 8 km – ⊠ 67600 Sélestat :

X **Auberge de l'Illwald**, ℘ 03 88 85 35 40, Fax 03 88 85 39 18, 佘 – ﬞ. GB
fermé 1ᵉʳ au 14 juil., 23 déc. au 8 janv., mardi et merc. – **Repas** (8,50) - 12,20 (déj.), 25,90/30,50 ♈

LES-ST-DENIS 41300 L.-et-Ch. 64 ⑲ – 1 193 h alt. 98.
Paris 194 – Bourges 69 – Orléans 71 – Romorantin-Lanthenay 16 – Vierzon 26.

XX **Auberge du Cheval Blanc** avec ch, pl. Mail ℘ 02 54 96 36 36, cheval.blanc.ssd@wana doo.fr, Fax 02 54 96 13 96, 佘 – ﬞ ﬦ ﬥ ﬞ. – ﬞ 25. ﬦ GB. ﬞ rest
fermé 16 au 23 août, 20 au 26 déc., 5 fév au 1ᵉʳ mars , mardi et merc. sauf fériés – **Repas** 15,50 (déj.), 21,50/43,50 ♈, enf. 10 – ﬞ 6,10 – **6 ch** 44,50/53,50 – ½ P 47/67

Dans ce guide
un même symbole, un même caractère,
*imprimé en couleur ou en **noir**, en maigre ou en **gras**,*
n'ont pas tout à fait la même signification.
Lisez attentivement les pages explicatives.

LONCOURT 25 Doubs 66 ⑱ – rattaché à Audincourt.

LONNET 04 Alpes-de-H.-P. 81 ⑦ – rattaché à Seyne.

LTZ 67470 B.-Rhin 87 ③ – 2 985 h alt. 115.
🛈 Office du tourisme 2 avenue Général Schneider ℘ 03 88 05 59 79, Fax 03 88 05 59 77, mediathique.seltz@wanadoo.fr.
Paris 519 – Strasbourg 47 – Haguenau 29 – Karlsruhe 33 – Wissembourg 31.

🏠 **Bois** M sans rest, ℘ 03 88 05 56 10, hoteldesbois@free.fr, Fax 03 88 05 56 20 – ﬞ ﬥ ﬞ ﬞ. GB
ﬞ 5,50 – **15 ch** 36/43

MBLANÇAY 37360 I.-et-L. 64 ⑭ – 1 692 h alt. 100.
Paris 249 – Tours 16 – Angers 97 – Blois 77 – Le Mans 70.

XX **Mère Hamard** avec ch, pl. Eglise ℘ 02 47 56 62 04, merehamard@wanadoo.fr, Fax 02 47 56 53 61, 佘 – ﬞ ﬥ – ﬞ 15. ﬞ
fermé 18 fév. au 18 mars, mardi midi du 15 avril au 15 sept., dim. soir et lundi – **Repas** 16/43 ♈, enf. 11 – ﬞ 7 – **10 ch** 40/73 – ½ P 49/69

MÈNE 43 H.-Loire 76 ⑧ – rattaché à Aurec-sur-Loire.

MNOZ (Montagne du) 74 H.-Savoie 74 ⑥ ⑯ G. Alpes du Nord – ⊠ 74000 Annecy.
Voir Crêt de Châtillon ⁂ ★★★ (accès par D 41 : d'Annecy 20 km ou du col de Leschaux 14 km, puis 15 mn).
Paris 554 – Annecy 17 – Aix-les-Bains 42 – Albertville 60 – Chambéry 58.

D 41 – ⊠ 74000 Annecy :

🏔 **Rochers Blancs** ﬞ, près du sommet, alt. 1 650 ℘ 04 50 01 23 60, Fax 04 50 01 40 68, < montagnes, 佘 – ﬞ ﬥ ﬞ. GB
hôtel : fermé 15 sept. au 15 déc.; rest.: fermé nov. – **Repas** 12,50/24,50, enf. 7,80 – ﬞ 6 – **18 ch** 34/48 – ½ P 44,50/49

🏔 **Semnoz Alpes** ﬞ, au sommet, alt. 1 704 ℘ 04 50 01 23 17, hotelcouttet@semnoz. com, Fax 04 50 64 53 05, < Mont-Blanc, 佘 – ﬞ. GB. ﬞ rest
1ᵉʳ juin-30 sept. et 25 déc.-vacances de Pâques – **Repas** 14,50/39, enf. 7 – ﬞ – **12 ch** 24,50/46 – ½ P 35/43

SEMUR-EN-AUXOIS 21140 Côte-d'Or 🆖🆖 ⑰ ⑱ G. Bourgogne – 4 453 h alt. 286.

Voir *Église N.-Dame★ – Pont Joly ≤★*.

🅱 *Syndicat d'initiative 2 place Gaveau ℘ 03 80 97 05 96, Fax 03 80 97 08 85, Tour pays.Auxois@wanadoo.fr.*

Paris 247 ③ – Dijon 82 ③ – Auxerre 87 ③ – Avallon 41 ③ – Beaune 82 ③ – Montbard 2

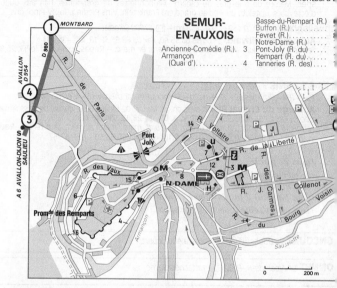

SEMUR-EN-AUXOIS

Ancienne-Comédie (R.). 3
Armançon
(Quai d'). 4

Basse-du-Rempart (R.)
Buffon (R.) . . . .
Fevret (R.) . . . .
Notre-Dame (R.) . . . . .
Pont-Joly (R. du) . . . . .
Rempart (R. du) . . . . .
Tanneries (R. des) . . . .

🏨 **Hostellerie d'Aussois** Ⓜ ⤸, rte Saulieu (s) ℘ 03 80 97 28 28, *aussois-mermoz@ doo.fr, Fax 03 80 97 34 56,* ≤, 🏡, 🕭, 🏊 – 🍽 rest, 📺 ⚞ ₺ 🅿 – 🛦 25 à 60. ⅀ ⓖⓑ
Repas *(fermé 22 janv. au 11 fév. et dim. soir du 8 déc. au 26 janv.)* 14,48/28,20 ⅀, enf. 6 – ⅄ 7,32 – **43 ch** 74,70/94,51 – ½ P 60,21/69,82

🏨 **Cymaises** ⤸ sans rest, 7 r. Renaudot (u) ℘ 03 80 97 21 44, *hotel.cymaises@liberty fr, Fax 03 80 97 18 23,* 🎄 – 📺 ⚞ ₺ 🅿 ⓖⓑ
fermé 4 au 24 nov. et 10 fév. au 3 mars – ⅄ 6,10 – **18 ch** 45,70/54,90

au lac de Pont *Est : 3 km par D 103⁹ –* ⊠ *21140 Semur-en-Auxois :*

🏨 **Lac** ⤸, ℘ 03 80 97 11 11, *hoteldulacdepont@wanadoo.fr, Fax 03 80 97 29 25,* 🎄, ☙ 📺 ⚞ 🅿 ⅀ ⓞ ⓖⓑ ⒿⒸⒷ ❀ ch
fermé 25 nov. au 10 janv., dim. soir et lundi d'oct. à avril – **Repas** *(11)* - 14/25 – ⅄ 6 – 2 45/57 – ½ P 55/58

SENLIS 🆖 60300 Oise 🆖🆖 ⑪ ⑫, 🔟🔟 ⑧ ⑨ G. Île de France – 16 327 h alt. 76.

Voir *Cathédrale N.-Dame★★ – Vieilles rues★ ABY – Place du Parvis★ BY – Chapelle r St-Frambourg★ B – Jardin du Roy ≤★ – Musée d'Art et d'Archéologie★*.

Env. *Parc Astérix★★ S : 12 km par autoroute A1.*

🅱 *Office du tourisme Place du Parvis Notre Dame ℘ 03 44 53 06 40, Fax 03 44 53 2 off.tourisme-senlis@wanadoo.fr.*

Paris 52 ③ – Compiègne 33 ③ – Amiens 105 ③ – Beauvais 56 ⑥ – Meaux 38 ③.

Plan page ci-contre

🏨 **Ibis,** *par ③ : 2 km sur N 324* ℘ 03 44 53 70 50, *Fax 03 44 53 51 93,* 🎄 – ❧ 📺 ⚞ ₺ 🛦 30. ⅀ ⓞ ⓖⓑ
Repas carte environ 20 ⅀, enf. 6 – ⅄ 5,50 – **92 ch** 59

XXX **Scaramouche,** 4 pl. Notre-Dame ℘ 03 44 53 01 26, *Fax 03 44 53 46 14,* 🎄 – 🍽. ⅀ ⓖⓑ BY
fermé vacances de fév., mardi soir et merc. – **Repas** 25/48 et carte 46 à 60, enf. 10

XX **Bourgeois Gentilhomme,** 3 pl. Halle ℘ 03 44 53 13 22, *Fax 03 44 53 15 11 –* ⅀ ⓞ ⒿⒸⒷ BY
fermé 6 au 20 août, sam. midi, dim. soir et lundi – **Repas** *(19,06)* - 25/62,25

SENLIS

t-au-Pain (R.) . . . . AY 2
ɜville (Cours) . . . . BY 5
ınerie
de la) . . . . AZ 6
ɜnceau (Av. G.) . . . . . . BY 7
liers (R. des) . . . . AZ 9
(Pl. de la) . . . . BY 12
Heaume (R. du) . . . . AZ 13
Leclerc (Av. Gén.) . . . . BY 15
Montagne St-Aignan
(R. de la) . . . . AY 17
Montauban (Rempart du) . . AY 19
Moulin St-Rieul (R. du) . . . . BY 21
Odent (R.) . . . . BY 24
Parvis (Pl. du) . . . . BY 26
Puits Tiphaine (R. du) . . . . . AY 27
Poterne (R. de la) . . . . BZ 29
Poulaillerie (R. de la) . . . . . . AY 31
St-Vincent (Rempart) . . . . . . BZ 36
St-Yves-à-l'Argent (R.) . . . . . BZ 38
Ste-Geneviève (R.) . . . . BZ 40
Treille (R. de la) . . . . AY 42
Vernois (Av. F.) . . . . AY 47
Vignes (R. des) . . . . BZ 49
Villevert (R. de) . . . . BY 52

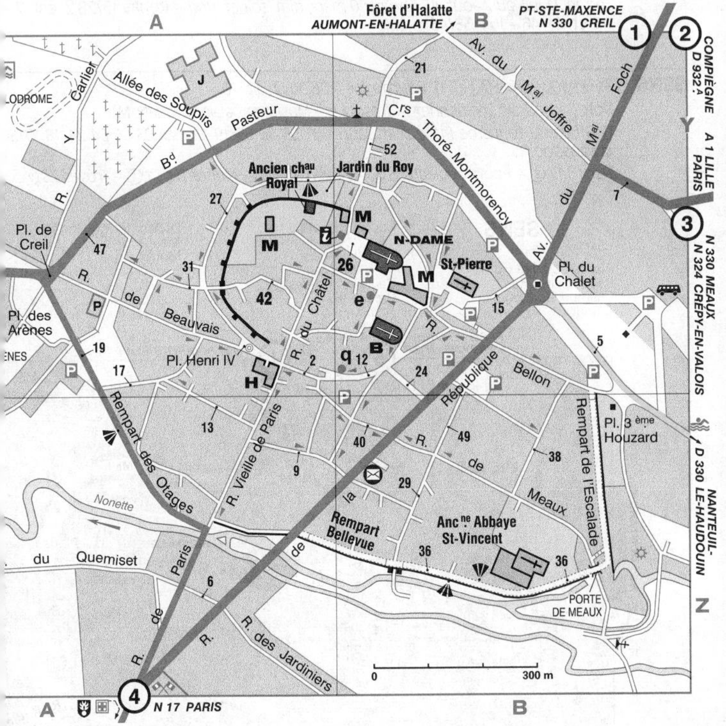

Donnez-nous votre avis sur les tables que nous recommandons, sur leurs spécialités et leurs vins de pays.

NNECÉ-LÈS-MÂCON *71 S.-et-L.* 69 ⑲ *– rattaché à Mâcon.*

NNECEY-LÈS-DIJON *21 Côte-d'Or* 66 ⑫ *– rattaché à Dijon.*

NONCHES *28250 E.-et-L.* 60 ⑥ *– 3 143 h alt. 223.*

Syndicat d'initiative 34 place de l'Hôtel de Ville ✆ 02 37 37 80 11.
Paris 117 – Chartres 37 – Dreux 38 – Mortagne-au-Perche 42 – Nogent-le-Rotrou 36.

XX **Pomme de Pin** avec ch, r. M. Cauty ✆ 02 37 37 76 62, *lapommedepin@club-internet.fr, Fax 02 37 37 86 61,* – TV P – 15. AE GB. ch
fermé 16 au 28 juil., 2 au 26 janv., dim. soir et lundi – **Repas** 14 (déj.), 16/34 ꝰ, enf. 8 – 6 – **10 ch** 38/61 – 1/2 P 38/46

XX **Forêt** avec ch, pl. Champ de Foire ✆ 02 37 37 78 50, *Fax 02 37 37 74 98,* – TV. AE GB
fermé fév., vend. soir, dim. soir hors saison et merc. de mars à oct. – **Repas** 11,50/39 – 6,30 – **13 ch** 31/54 – 1/2 P 52

SENONES 88210 Vosges 🗗🗀 ⑦ G. Alsace Lorraine – 2 906 h alt. 340.

Env. *Route de Senones au col du Donon★ NE : 20 km.*

🖪 *Office du tourisme 6 place Clemenceau ℘ 03 29 57 91 03, Fax 03 29 57 8*
ot.senones@wanadoo.fr.

Paris 388 – Épinal 57 – Strasbourg 82 – Lunéville 51 – St-Dié 22.

🍴🍴 **Bon Gîte** avec ch, ℘ 03 29 57 92 46, Fax 03 29 57 93 92 – 📺 🌜 🖪, 🝐 🖭 ⅏
🕮 *fermé 21 juil. au 7 août, 15 fév. au 10 mars, dim. soir et lundi* – **Repas** 15/28 ♀, enf. 7 –
– **7 ch** 41/46 – ½ P 38/43

SENS 〰🍑 89100 Yonne 🗖🗀 ⑭ G. Bourgogne – 26 904 h alt. 70.

Voir *Cathédrale St-Étienne★ – Trésor★★ – Musée et palais synodal★ M¹.*

🖪 *Office du tourisme Place Jean Jaurès ℘ 03 86 65 19 49, Fax 03 86 64 24 18, OTSI*
@wanadoo.fr.

Paris 117 ⑤ – Fontainebleau 55 ⑤ – Auxerre 59 ③ – Montargis 51 ④ – Troyes 73 ②.

SENS

Alsace-Lorraine (R. d')..... 2	Cousin (Square J.)...... 10	Leclerc (R. du Gén.)....
Beaurepaire (R.)...... 3	Déportés-et-de-la-Résistance (R. des)	Maupéou (Bd de)......
Chambonas (Cours)..... 8	Foch (Bd Mar.)........ 12	Moulin (Quai J.)......
Cornet (Av. Lucien)...... 9	Garibaldi (Bd des)...... 13	République (Pl. de la)......
	Gateau (R. A.)........ 15	République (R. de la)......
	Grande-Rue........... 16	

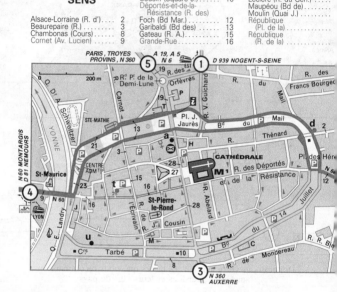

🏨 **Paris et Poste**, 97 r. République (a) ℘ 03 86 65 17 43, *godard@gatewan*
Fax 03 86 64 48 45, 😘 – 🛎, 🗏 rest, 📺 🍽 – 🔏 30. 🖭 ⓞ 🖼 🄑🄒
Repas *(fermé 6 au 20 août, 7 au 21 janv., dim. soir et lundi)* 28,20 (déj.), 44,21/94,5⁴ –
Postillon *(fermé 6 au 20 août, dim. soir et mardi))* **Repas** (16)-21/26 ♀, enf. 11 – ⭤ 9
21 ch 61/114, 4 appart – ½ P 74,70

🏨 **Virginia** 🅼, par ② rte de Troyes : 3 km ℘ 03 86 64 66 66, Fax 03 86 65 75 11, 😘 – 🗏
🕭 🖪 – 🔏 20 à 50. 🖭 ⓞ 🖼
Repas *(fermé 23 déc. au 2 janv. et dim. soir)* (13) - 16/22 ♀ – ⭤ 5,50 – **100 ch** 37/43

🏨 **Archotel**, 9 cours Tarbé (u) ℘ 03 86 64 26 99, *archotel.sens@wanadc*
🝐 Fax 03 86 64 46 29, 🖫, 🌤 – 🛎 📺 🌜 🖪, 🝐 🖭 ⓞ 🖼 🄑🄒
fermé 20 déc. au 5 janv. – **Repas** snack 12,96/18,29 ♀ – ⭤ 6,10 – **44 ch** 43,45/91,47

🍴🍴🍴 **Madeleine** (Gauthier), 1 r. Alsace-Lorraine (d) ℘ 03 86 65 09 31, Fax 03 86 95 37 41 ⭤
🝐 🖭 ⓞ 🖼
fermé 4 au 26 août, 22 déc. au 6 janv., mardi midi, dim., lundi et fériés – **Repas** *(nor*
de couverts limité, prévenir)* 32 (déj.), 38/66 et carte 55 à 70, enf. 16 - **Au Crieur de**
℘ 03 86 65 92 80 **Repas** 19 ♀, enf. 13
Spéc. Foie gras frais poêlé au cassis. Filet de bar de ligne à l'huile de Maussane. Rognor
veau à la moutarde. **Vins** Chablis, Irancy.

XX **Potinière,** 51 r. Cécile de Marsangy par ④ ✆ 03 86 65 31 08, *Fax 03 86 64 60 19*, ≤, ☂, « Belle terrasse au bord de l'Yonne » – AE GB JCB
fermé 4 au 10 fév., dim. soir, lundi soir et mardi – **Repas** (en saison, prévenir) 27,44/64,02 et carte 50 à 66 ♀

XX **Clos des Jacobins,** 49 Gde rue (t) ✆ 03 86 95 29 70, *lesjacobins@wanadoo.fr, Fax 03 86 64 22 98* – ▤. AE GB
fermé 12 au 28 août, 23 déc. au 8 janv., dim. soir, mardi soir et merc. – **Repas** 16/46 ♀

XX **Auberge de la Vanne,** 176 av. de Senigallia par ③ ✆ 03 86 65 13 63, *Fax 03 86 65 90 85*, ≤, ☂, « Terrasse au bord de l'eau » – P. AE GB
fermé 12 au 25 nov., dim. soir, merc. soir et mardi – **Repas** 15/38

ucy *par ① : 7 km – 1 339 h. alt. 90 – ✉ 89100 :*

XX **Auberge du Regain,** ✆ 03 86 86 64 62, *Fax 03 86 86 54 18*, ☂ – GB
fermé 11 au 25 mars, 19 au 30 juil., dim. soir et lundi – **Repas** 25 ♀

alay-le-Petit *par ② : 8 km – 334 h. alt. 85 – ✉ 89100 :*

X **Auberge Rabelais** avec ch, ✆ 03 86 88 21 44, *Fax 03 86 88 33 79*, ☂ – P. GB
fermé 25 oct. au 7 nov., 24 janv. au 12 fév., merc. soir et jeudi – **Repas** 15,10/35 – ☕ 5,50 – **6 ch** 28,20/44,20

osoy *par ③ : 5,5 km – ✉ 89100 :*

XX **Auberge de l'Hélix** avec ch, ✆ 03 86 97 92 10, *Fax 03 86 97 19 00* – TV ✆ P. GB
fermé 5 au 26 août, 10 au 24 fév., dim. soir et lundi – **Repas** 15/33 ♀ – ☕ 4,50 – **10 ch** 29/37 – ½ P 40

ubligny *par ④ et N 60 : 7 km – 478 h. alt. 150 – ✉ 89100 :*

X **Haie Fleurie,** La Haie Pélerine, Sud-Ouest : 2 km ✆ 03 86 88 84 44, ☂ – P. AE GB
fermé dim. soir, merc. soir et jeudi – **Repas** 14,95/42,35

lleroy *par ④ et D 81 : 7 km – 254 h. alt. 184 – ✉ 89100 :*

XX **Relais de Villeroy** avec ch, ✆ 03 86 88 81 77, *Fax 03 86 88 84 04*, ☂, ⛱ – TV ✆ P. GB
fermé 1er au 10 juil., 22 déc. au 8 janv., 16 fév. au 5 mars, lundi et mardi (sauf hôtel) et dim. soir – **Repas** 25/58 et carte 45 à 62 ***Bistro Chez Clément*** *(fermé sam. et dim.)* **Repas** (10)-13/18,50 – ☕ 6,50 – **8 ch** 45/53

PT-SAULX *51400 Marne 56 ⑰ – 510 h alt. 96.*
Paris 168 – Reims 26 – Châlons-en-Champagne 31 – Épernay 29 – Rethel 51 – Vouziers 59.

🏨 **Cheval Blanc** ⛰, ✆ 03 26 03 90 27, *cheval.blanc-sept-saulx@wanadoo.fr, Fax 03 26 03 97 09*, ☂, ⛱, ✂ – TV P – 🏛 15. AE ◑ GB
fermé 23 janv. au 22 fév., merc. midi et mardi d'oct. à mars – **Repas** 23,63 (déj.), 28,20/85,37 bc ♀ – ☕ 8,38 – **25 ch** 54,88/129,58 – ½ P 82,32/116,62

REILHAC *87620 H.-Vienne 72 ⑰ – 1 595 h alt. 322.*
Paris 406 – Limoges 17 – Confolens 50 – Périgueux 77 – St-Yrieix-la-Perche 37.

🏠 **Relais des Tuileries,** aux Betoulles Nord-Est : 2 km sur N 21 ✆ 05 55 39 10 27, *Fax 05 55 36 09 21*, ⛱ – TV P. GB
fermé 12 au 25 nov., 2 au 30 janv., dim. soir et lundi – **Repas** 12/33 ♀, enf. 8,50 – ☕ 6 – **10 ch** 42/45

REZIN-DU-RHÔNE *69360 Rhône 74 ⑪, 110 ㉔ – 2 388 h alt. 164.*
Paris 478 – Lyon 18 – Rive-de-Gier 22 – La Tour-du-Pin 65 – Vienne 19.

🏨 **Bourbonnaise,** ✆ 04 78 02 80 58, *labourbonnaise@labourbonnaise.com, Fax 04 78 02 17 39*, ☂ – ⇹, ▤ rest, TV ♿ P – 🏛 35. AE ◑ GB
Repas *(fermé dim. soir)* 21/41 ♀ - ***Grill :*** **Repas** (12)-15,50 🍷, enf. 7 – ☕ 6,50 – **39 ch** 49/60

RIGNAN-DU-COMTAT *84 Vaucluse 81 ② – rattaché à Orange.*

RMERSHEIM *67230 B.-Rhin 87 ⑥ – 829 h alt. 160.*
Paris 506 – Strasbourg 38 – Lahr/Schwarzwald 41 – Obernai 20 – Sélestat 14.

🏠 **Au Relais de l'Ill** Ⓜ sans rest, r. Rempart ✆ 03 88 74 31 28, *Fax 03 88 74 17 51* – TV ✆ ♿ P. GB. ✗
☕ 7 – **23 ch** 48/70

SERRAVAL 74230 H.-Savoie 🔢 ⑰ – 489 h alt. 760.

Paris 565 – Annecy 32 – Albertville 25 – Bonneville 41 – Faverges 9 – Megève 40 – Thôn

⛷ **Tournette**, ℰ 04 50 27 50 13, Fax 04 50 27 52 68, ≤, 🍴 –📺 ⇔ 🅿. 🇬🇧
fermé 20 au 30 avril, 1ᵉʳ au 15 oct. et mardi hors saison – **Repas** 15/22,10, enf. 1C
� 5,35 – **18 ch** 33,50/35 – ½ P 32/44,20

SERRE-CHEVALIER 05240 H.-Alpes 🔢 ⑱ G. Alpes du Sud – Sports d'hiver : 1 200/2 800 n
🎿 67 🎿.

Voir ⁂**★★**.

🄷 Office du tourisme ℰ 04 92 24 98 98, Fax 04 92 24 98 84, contact@ot-serrechevalie
Paris 678 – Briançon 7 – Gap 95 – Grenoble 110 – Col du Lautaret 21.

à Chantemerle – ✉ 05330 St-Chaffrey.

Voir Col de Granon ⁂**★★** N : 12 km.

🏨 **Plein Sud** ⌂, ℰ 04 92 24 17 01, bl@hotelpleinsud.com, Fax 04 92 24 10 21, ≤, ⌂
🍴 – 🛗 ⤬ 📺 🆚 🅿. 🇦🇪 🇬🇧. ⁒ ch
fermé 15 au 30 oct. – **Repas** (fermé merc. hors saison) 14/17 🍷, enf. 7,50 – ⊆ 6 – 4
109/160 – ½ P 91

🏠 **Boule de Neige** ⌂, ℰ 04 92 24 00 16, Fax 04 92 24 00 25, 🍴, 🍴 – 📺, 🇬🇧
29 juin-1ᵉʳ sept. et 14 déc.-20 avril – **Repas** (dîner seul. en hiver) 24,50 – ⊆ 7,60 –
80/119 – ½ P 70/79

à Villeneuve-la-Salle – ✉ 05240 La-Salle-les-Alpes.

Voir Eglise St-Marcellin★ de La-Salle-les-Alpes.

🏨 **Christiania**, ℰ 04 92 24 76 33, le.christiana@wanadoo.fr, Fax 04 92 24 83 82, ≤, 🍴
– 📺 🅿. 🇬🇧. ⁒ rest
22 juin-15 sept. et 14 déc.-15 avril – **Repas** (dîner seul. en hiver) 20/24 – ⊆ 8 – **26 ch** 5
– ½ P 70/76

✗ **Bidule**, au Bez ℰ 04 92 24 77 80, lauberge.aupetitlard@wanadoo.fr, Fax 04 92 24 8
🍴 – 🇬🇧
fermé 1ᵉʳ au 20 juin et 10 au 28 novembre – **Repas** (prévenir) 14 (déj.), 24/35 🍷

au Monêtier-les-Bains – 1 009 h. alt. 1480 – ✉ 05220 :

🏨 **Auberge du Choucas** ⌂, ℰ 04 92 24 42 73, auberge.du.choucas@wanadc
Fax 04 92 24 51 60, 🍴, « Décor montagnard, belle salle de restaurant voûtée », 🍴
🇼 🇬🇧
hôtel : fermé 2 au 30/05 et 3/11 au 6/12 ; rest. : fermé 15/4 au 30/05 et 14/10 au 14,
Repas (fermé le midi du lundi au jeudi de déc.à avril, en juin et oct.) 16 (déj.), 23/60 🍷, er
– ⊆ 13 – **8 ch** 100/122, 4 duplex – ½ P 85/101

🏠 **Alliey**, ℰ 04 92 24 40 02, hotel@alliey.com, Fax 04 92 24 40 60, ≤, 🍴, 🍴 –
⁒ rest
29 juin-31 août. et 21 déc.-15 avril – **Repas** (dîner seul.) 25 – ⊆ 8 – **24 ch** 52/96 – ½ P 6

🏠 **Europe et des Bains**, ℰ 04 92 24 40 03, hotel-de-leurope@wanadc
Fax 04 92 24 52 17, 🍴 – 📺. 🇦🇪 🄾 🇬🇧
1ᵉʳ juin-25 sept. et 15 déc.-20 avril – **Repas** 18/27 🍷, enf. 7,60 – ⊆ 7,62 – **29 ch** 5
60,98

🏠 **Castel Pélerin** ⌂, Le Lauzet, Nord-Ouest : 6 km par rte Lautaret et rte secon
ℰ 04 92 24 42 09, Fax 04 92 24 40 34, ≤ – 🅿. 🇦🇪 🇬🇧
1ᵉʳ juil.-31 août et 24 déc.-31 mars – **Repas** 21 🍷 – ⊆ 5,40 – **6 ch** 70,50 – ½ P 48,50

✗ **Chazal**, Les Guibertes, Sud-Est 2,5 km par rte Briançon ℰ 04 92 24 45 54, 🍴
🇬🇧
fermé 8 au 15 avril, 23 juin au 10 juil. et 24 nov. au 15 déc. – **Repas** (fermé dim. soir, r
soir et merc. soir hors saison et lundi) 17/29, enf. 10

SERRIÈRES 07340 Ardèche 🔢 ① G. Vallée du Rhône – 1 078 h alt. 140.

🄷 Syndicat d'initiative - Pavillon du Tourisme Quai Jules Roche ℰ 04 75 34 06 01.
Paris 520 – Annonay 16 – Privas 94 – St-Étienne 54 – Vienne 30.

XXX **Schaeffer** avec ch, ℰ 04 75 34 00 07, mathe@hotel-schaeffer.com, Fax 04 75 34 0
🍴 – 🔲 📺 ⇔ – 🔺 40. 🇦🇪 🇬🇧
fermé vacances de Toussaint, janv., sam.midi, dim. soir et lundi de sept. à juin et mar
juil.-août – **Repas** 21 (déj.), 30/75 et carte 45 à 70, enf. 13 – ⊆ 7 – **11 ch** 41/56

Dans la liste des rues des plans de villes,
les noms en rouge indiquent les principales voies commerçantes.

SERVIERS-ET-LABAUME 30 Gard 80 ⑲ – rattaché à Uzès.

SERVON 50170 Manche 59 ⑧ – 251 h alt. 25.

Paris 350 – St-Malo 54 – Avranches 17 – Dol-de-Bretagne 30 – St-Lô 73.

XX **Auberge du Terroir** ⑤ avec ch, ℘ 02 33 60 17 92, Fax 02 33 60 35 26, 佘, 寒, ℀ – 📺
🕏 ✦ **P**. 巫 ⅏ ❀ rest
fermé 17 nov. au 6 déc., vacances de fév., sam. midi et merc. (sauf hôtel d'avril à oct.) –
Repas 14,50/40 ℤ – 🖙 6,40 – **6 ch** 44,50/54 – ½ P 47,50/52

SERVOZ 74310 H.-Savoie 74 ⑧ G. Alpes du Nord – 818 h alt. 816.

🔋 Office de tourisme Maison de l'Alpage ℘ 04 50 47 21 68, Fax 04 50 47 27 06, ot.servoz
@wanadoo.fr.

Paris 601 – Chamonix-Mont-Blanc 14 – Annecy 82 – Bonneville 43 – Megève 22.

🏠 **Gorges de la Diosaz** ⑤, ℘ 04 50 47 20 97, info@hoteldesgorges.com,
Fax 04 50 47 21 08, ≤, 佘 – 📺 ✦ **P**. 巫 ❀
fermé 6 au 17 mai, 26 oct. au 9 nov., mardi soir et merc. – Repas 15,20 (déj.), 18,30/30 ℤ,
enf. 7,60 – 🖙 6,10 – **9 ch** 49/68 – ½ P 51,83

🏠 **Les Chamois** ⑤ sans rest, près Église ℘ 04 50 47 20 09, infos@leschamois.fr,
Fax 04 50 47 24 87, ≤, 寒 – 📺 **P**. ⅏ ❀
fermé 12 nov. au 14 déc. – 🖙 7 – **7 ch** 45/60

Michelin n'accroche pas de panonceau aux hôtels et restaurants
qu'il signale.

ESSENHEIM 67770 B.-Rhin 57 ⑳, 87 ③ G. Alsace Lorraine – 1 783 h alt. 120.

Paris 506 – Strasbourg 34 – Haguenau 23 – Wissembourg 44.

XX **A L'Agneau**, à Dengolsheim, D 468 ℘ 03 88 86 95 55, Fax 03 88 86 04 43, 佘 – ▤ **P**.
GB
fermé 10 au 25 fév., dim. soir, merc. soir et lundi – Repas 23,65 ℤ

XX **Au Boeuf**, 1 r. Église ℘ 03 88 86 97 14, auberge.boeuf@wanadoo.fr, Fax 03 88 86 04 62,
佘, « Décor alsacien, petit musée Goethe » – GB
fermé 24 juil. au 15 août, lundi et mardi – Repas 27,44/38,80 ℤ, enf. 8

SÈTE 34200 Hérault 83 ⑯ G. Languedoc Roussillon – 39 542 h alt. 4 – Casino.

Voir Mont St-Clair★ : terrasse du presbytère de la chapelle N.-D. de la Salette ✳★★ AZ – Le
Vieux Port★ – Cimetière marin★.

🔋 Office de tourisme 60 Grand'Rue ℘ 04 67 74 71 71, Fax 04 6746 17 54, tourisme@ville
sete.fr.

Paris 791 ③ – Montpellier 34 ③ – Béziers 56 ② – Lodève 62 ③.

Plan page suivante

🏨🏨🏨 **Grand Hôtel** sans rest, 17 quai Mar. de Lattre de Tassigny ℘ 04 67 74 71 77, ghsetect@
sete-hotel.com, Fax 04 67 74 29 27 – 🛗 📺 ⇔ – 🕍 25. 巫 ⅏ GB   AY t
fermé 21 déc. au 5 janv. – 🖙 7,65 – **43 ch** 58/106,70

🏨🏨 **Port Marine**, Môle St-Louis ℘ 04 67 74 92 34, hotelportmarine@wanadoo.fr,
Fax 04 67 74 92 33, ≤, 佘 – 🛗 ▤ 📺 🕏 🕭 ⇔ – 🕍 35. 巫 ⅏ GB   AZ d
Repas (fermé dim. et lundi du 1ᵉʳ oct. au 30 avril) 13 (déj.), 21/30, enf. 10 – 🖙 9 – **36 ch**
58/85, 6 appart – ½ P 61/73

XX **Rotonde**, 17 quai de Lattre de Tassigny ℘ 04 67 74 86 14, ghsetect@sete-hotel.com,
Fax 04 67 74 86 14 – ▤. 巫 ⅏ GB   AY t
fermé 28 juil. au 12 août, 2 au 13 janv., sam. midi et dim. – Repas 21 (déj.), 24/50, enf. 10

XX **Palangrotte**, rampe P. Valéry - quai Marine ℘ 04 67 74 80 35, Fax 04 67 74 97 20 – ▤. 巫
GB   AZ r
fermé dim. soir et lundi sauf juil.-août – Repas - produits de la mer - 20/55 ℤ

la Corniche Sud du plan par D 2 : 2 km :

🏨 **Tritons** sans rest, bd Joliot-Curie ℘ 04 67 53 03 98, info@hotellestritons.com,
Fax 04 67 53 38 31, 🏊 – 🛗 📺 **P**. 巫 ⅏ GB 🃏
🖙 6 – **40 ch** 39/61

XX **Les Terrasses du Lido** avec ch, rd-pt Europe ℘ 04 67 51 39 60, Fax 04 67 51 28 90, 佘,
🏊 – 🛗 ▤ 📺 🕏 ⇔ **P** – 🕍 25. 巫 ⅏ GB
fermé 15 fév. au 1ᵉʳ mars – Repas (fermé dim. soir et lundi sauf juil.-août) 23/52, enf. 12 –
🖙 8 – **9 ch** 54/122 – ½ P 58/69

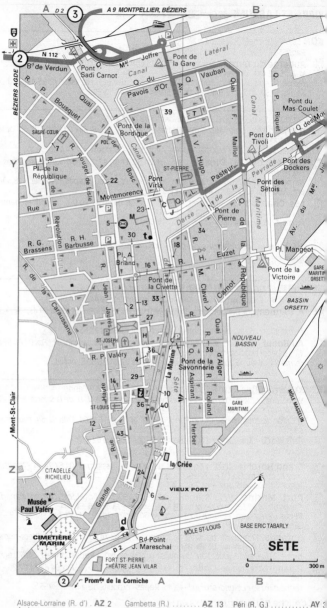

SÈTE

1334

ÉRAC-LE-CHÂTEAU *12150 Aveyron* **80** ④ *G. Languedoc Roussillon* – *2 458 h alt. 735*.

🖪 *Office du tourisme 5 rue des Douves ℘ 05 65 47 67 31, Fax 05 65 47 65 94.*

Paris 609 – Mende 63 – Rodez 51 – Espalion 47 – Florac 74 – Millau 35.

Commerce, ℘ 05 65 71 61 04, jacques.lafon@wanadoo.fr, Fax 05 65 47 66 01, 😷, 🏊 –
🛗 📺 ✆ 🚗. 🖭 ⓞ 😐
fermé janv., dim. soir et lundi du 15 sept. au 15 mai – **Repas** 13/31 ♈, enf. 7 – ☲ 6 – **32 ch**
39/48 – ½ P 48

Causses, à Sévérac-gare ℘ 05 65 70 23 00, Fax 05 65 70 23 04 – 🅿. 😐
fermé 6 au 27 oct., dim. soir de sept. à juin et lundi du 3 nov. au 15 avril – **Repas** 10,30 (déj.),
14,50/28,20 ᐣ, enf. 6,40 – ☲ 6,90 – **18 ch** 25/46 – ½ P 29,97/39,64

VIGNACQ-MEYRACQ *64260 Pyr.-Atl.* **85** ⑥ – *535 h alt. 415.*

Paris 804 – Pau 24 – Lourdes 38 – Oloron-Ste-Marie 21.

Les Bains de Secours 🦢 avec ch, rte de Pau (D 934) et voie secondaire : 5 km
℘ 05 59 05 62 11, jp.paroix@wanadoo.fr, Fax 05 59 05 76 56, 😷 – 📺 🅿. 🖭 ⓞ 😐.
❀ ch
fermé janv., jeudi midi d'oct à juin, dim. soir et lundi (sauf hôtel de juil. à sept.) – **Repas** 12,50
(déj.)/24,50 ♈ – ☲ 6,50 – **7 ch** 48/58 – ½ P 42,50

VRAN *93 Seine-St-Denis* **56** ⑪, **101** ⑱ – *voir à Paris, Environs.*

Un automobiliste averti utilise le Guide Rouge Michelin de l'année.

VRIER *74320 H.-Savoie* **74** ⑥ *G. Alpes du Nord* – *3 421 h alt. 456.*

Voir *Musée de la Cloche★*.

🖪 *Office du tourisme Place de la Mairie ℘ 04 50 52 40 56, Fax 04 50 52 48 66, sevrier*
@wanadoo.fr.

Paris 544 – Annecy 5 – Albertville 41 – Megève 56.

Auberge de Létraz, ℘ 04 50 52 40 36, contact@aubergedeletraz.com,
Fax 04 50 52 63 36, ≤, 😷, « Jardin face au lac », 🏊, 🌳 – 🛗 📺 ✆ ᐣ 🅿. 🖭 ⓞ 😐
Repas *(fermé dim. soir et lundi d'oct. à mai)* 34 ♈ – ☲ 11 – **25 ch** 152 – ½ P 116

Beauregard, ℘ 04 50 52 40 59, Fax 04 50 52 44 71, ≤, 😷, 🌳 – 🛗 📺 ✆ ᐣ 🅿. –
🛗 20 à 100. ⓞ 😐
fermé 6 déc. au 20 janv. – **Repas** *(fermé dim. d'oct. à avril)* 16/38, enf. 9,20 – ☲ 6 – **45 ch**
50/79,30 – ½ P 48/64

Auberge de Chuguet, ℘ 04 50 19 03 69, achuguet@aol.com, Fax 04 50 52 49 42, ≤,
😷, 🌳 – 📺 ✆ ᐣ 🅿. 🖭 ⓞ 😐
L'Arpège ℘ 04 50 19 07 35 *(fermé nov., dim. soir et lundi sauf le soir du 15 avril au 15 oct.)*
Repas 20/49,6, enf. 9,9 – ☲ 6,90 – **23 ch** 42,70/62,50, 4 duplex – ½ P 45,10/67,90

VEN *68290 H.-Rhin* **66** ⑧ – *530 h alt. 500.*

Voir *Lac d'Alfeld★ O : 4 km,* **G. Alsace Lorraine.**

Paris 462 – Épinal 78 – Mulhouse 40 – Altkirch 41 – Belfort 33 – Colmar 66 – Thann 25.

Vosges, ℘ 03 89 82 00 43, info@hoteldesvosges.com, Fax 03 89 82 08 33, 😷, 🌳 – 📺
🚗 🅿. – 🛗 15. 🖭 ⓞ 😐
fermé 24 juin au 4 juil., 1ᵉʳ au 26 déc., 2 au 9 fév., dim. soir et merc. hors saison – **Repas** 14
(déj.), 19/40, enf. 8,50 – ☲ 5,50 – **15 ch** 42/46 – ½ P 42/46

Hostellerie du Relais des Lacs, ℘ 03 89 82 01 42, Fax 03 89 82 09 29, « Parc en
bordure de rivière », 🦌, – 🚗 🅿. 🖭 ⓞ 😐 🗸😐
fermé 6 janv. au 6 fév., mardi soir et merc. hors saison – **Repas** 14/31 ♈ – ☲ 6 – **13 ch** 41/53
– ½ P 41/48

YNE *04140 Alpes-de-H.-P.* **81** ⑦ *G. Alpes du Sud* – *1 440 h alt. 1200.*

Voir *Col du Fanget ≤★ SO : 5 km.*

🖪 *Office du tourisme pl. d'Armes ℘ 04 92 35 11 00, Fax 04 92 35 28 88.*

Paris 739 – Digne-les-Bains 42 – Gap 55 – Barcelonnette 43 – Guillestre 73.

elonnet *Nord-Ouest : 4 km par D 900* – *404 h. alt. 1060* – *Sports d'hiver : 1 500/2 050 m ✦ 12 ☆ –*
✉ *04140 Seyne :*

Relais de la Forge 🦢, ℘ 04 92 35 16 98, lerelais@libertysurf.fr, Fax 04 92 35 07 37,
😷, 🌳 – 📺 ✆ 🅿. 🖭 ⓞ 😐
fermé 17 nov. au 15 déc., dim. soir et lundi hors vacances scolaires – **Repas** 11/27 ᐣ,
enf. 6,50 – ☲ 7 – **15 ch** 27/45 – ½ P 33/40

au col St-Jean *Nord : 12 km par D 900 – Sports d'hiver : 1 300/2 500 m ✕ 16 ✗ – ⊠ 04140 Se*

✕ **Les Alisiers,** *Sud : 1 km par D 207 ℘ 04 92 35 34 80, Fax 04 92 35 02 72 – P. GB*
⊗ *fermé 11 au 17 juin, 15 nov. au 25 déc., mardi et merc. hors vacances scolaires – R*
10,98/24,39 ♀, enf. 6,40

La SEYNE-SUR-MER *83500 Var 84 ⑮ G. Côte d'Azur – 60 188 h alt. 3.*
Voir ≤★ de la terrasse du fort Balaguier E : 3 km.
Paris 836 – Toulon 8 – Aix-en-Provence 79 – La Ciotat 35 – Marseille 60.

✕ **L'Aubergade,** 20 r. Faidherbe ℘ 04 94 94 81 95 – ⊟. ⚎ GB
fermé dim. soir et lundi – **Repas** 14,48/27,44 ♀, enf. 6,10

à Fabrégas *Sud : 4 km par rte de St-Mandrier et rte secondaire – ⊠ 83500 La Seyne-sur-Mer .*

✕ **Chez Daniel "rest. du Rivage",** ℘ 04 94 94 85 13, Fax 04 94 87 25 25, ≤,
« Collection d'outils anciens » – P. ⚎ GB
fermé nov., dim. soir et lundi de sept. à juin – **Repas** - produits de la mer - 36/58

SEYNOD *74 H.-Savoie 74 ⑥ – rattaché à Annecy.*

SEYSSEL *74910 H.-Savoie 74 ⑤ G. Jura – 1 793 h alt. 252.*
Env. Grand Colombier ✳★★★ SO : 22 km.
🛈 *Office du tourisme Maison de Pays ℘ 04 50 59 26 56, Fax 04 50 56 21 94.*
Paris 519 – Annecy 41 – Aix-les-Bains 32.

dans le Val du Fier *Sud : 3 km par D 991 et D 14 G. Alpes du Nord – ⊠ 74910 Seyssel.*
Voir Val du Fier★.

✕✕ **Rôtisserie du Fier,** ℘ 04 50 59 21 64, rotdufier@worldonline.fr, Fax 04 50 56 2
🌣, « Terrasse en bordure de rivière », ✿, ✕ – P. GB. ✕
fermé 9 au 23 sept., vacances de Toussaint, de fév., mardi et merc. – **Repas** (12,96
bc/38,11 ♨, enf. 9,15

SÉZANNE *51120 Marne 61 ⑤ G. Champagne Ardenne – 5 585 h alt. 137.*
🛈 *Office du tourisme Place de la République ℘ 03 26 80 51 43, Fax 03 26 80 54*
office.de.tourisme.sezanne@wanadoo.fr.
Paris 113 – Troyes 62 – Châlons-en-Champagne 60 – Meaux 77 – Melun 90 – Sens 80.

🏨 **Croix d'Or,** 53 r. Notre-Dame ℘ 03 26 80 61 10, Fax 03 26 80 65 20 – 📺 P. ⚎
⊗ GB
fermé 15 au 18 oct., 22 janv. au 1ᵉʳ fév., dim. soir et mardi – **Repas** 10,50/36 ♀, enf. 8,
⊡ 5,50 – **12 ch** 36,60/53,30 – ½ P 47,56

🏨 **Relais Champenois,** 157 r. Notre-Dame ℘ 03 26 80 58 03, relaischamp@infor
Fax 03 26 81 35 32 – ⊟ rest, 📺 ✇ ᰀ, ⚎ GB
fermé 20 déc. au 5 janv. et dim. soir du 20 nov. au 15 mars – **Repas** 18/39,60 ♀ – ⊡ 6,
15 ch 30,50/60,20 – ½ P 55/60

SIERCK-LES-BAINS *57480 Moselle 57 ④ G. Alsace Lorraine – 1 872 h alt. 147.*
Voir ≤★ du château fort.
🛈 *Office du tourisme Rue du Château ℘ 03 82 83 74 14, Fax 03 82 83 22 10.*
Paris 357 – Metz 48 – Luxembourg 37 – Thionville 18 – Trier 51.

à Montenach *Sud-Est : 3,5 km sur D 956 – 410 h. alt. 200 – ⊠ 57480 :*

✕✕ **Auberge de la Klauss,** ℘ 03 82 83 72 38, Fax 03 82 83 73 00, 🌣, ✿ – P. ⚎ GB
fermé 24 déc. au 7 janv. et lundi – **Repas** (14) - 25/45 ♀, enf. 16

à Manderen *Est : 7 km par N 153 et D 64 – 383 h. alt. 290 – ⊠ 57480 :*

🏨 **Relais du Château Mensberg** 🦢, ℘ 03 82 83 73 16, Fax 03 82 83 23 37, 🌣, ✿
ᰀ P. ⚎ ⓞ GB
fermé 1ᵉʳ au 20 janv. – **Repas** (fermé mardi) 26,68/40,40 ♀, enf. 8,84 – ⊡ 7 – **17 ch** 46/
½ P 50,50

RENTZ 68510 H.-Rhin **66** ⑩ – 2 442 h alt. 270.

🛈 Syndicat d'initiative 9 rue du Général de Gaulle ℘ 03 89 68 28 58, Fax 03 89 70 73 54.
Paris 484 – Mulhouse 16 – Altkirch 19 – Basel 18 – Belfort 60 – Colmar 52.

Auberge St-Laurent (Arbeit), 1 r. Fontaine ℘ 03 89 81 52 81, Fax 03 89 81 67 08, 斎 –
P. **GB**
fermé 8 au 25 juil., 11 au 24 fév., lundi et mardi – **Repas** (20) - 32 (déj.), 39/64 et carte 50 à
70 ⿱, enf. 16
Spéc. Foie gras de canard, confit de choucroute. Fantaisie d'asperges vertes et blanches au
saumon (printemps). Galette de pommes de terre charlotte et de truffes (hiver). **Vins** Pinot
blanc, Sylvaner.

NY-L'ABBAYE 08460 Ardennes **53** ⑰ G. Champagne Ardenne – 1 340 h alt. 240.

🛈 Syndicat d'initiative Cour Rogelet ℘ 03 24 53 10 10, Fax 03 24 35 02 69.
Paris 211 – Charleville-Mézières 29 – Hirson 41 – Laon 74 – Rethel 23 – Rocroi 30 – Sedan 48.

Auberge de l'Abbaye avec ch, ℘ 03 24 52 81 27, Fax 03 24 53 71 72 – **TV** **GB**
fermé 7 janv. au 28 fév. – **Repas** (fermé mardi soir et merc.) (10) - 12/33 ⿱, enf. 9 – ⊂ 5 – **9 ch**
32/50 – 1/2 P 35/41

NY-LE-PETIT 08380 Ardennes **53** ⑰ – 1 314 h alt. 238.

🛈 Syndicat d'initiative Place de la Mairie ℘ 03 24 53 55 44, Fax 03 24 53 55 44.
Paris 214 – Charleville-Mézières 37 – Hirson 15 – Chimay 22.

Au Lion d'Or, pl. Église ℘ 03 24 53 51 76, blandine.bertrand@wanadoo.fr,
Fax 03 24 53 36 96 – ⇔ **TV** **&**. **GB**. ⊁
fermé 1er au 15 juil., 16 déc. au 16 janv., dim. soir, mardi et merc. – **Repas** 19/67 bc ⿱, enf. 9
– ⊂ 7,60 – **12 ch** 58/66 – 1/2 P 52/80

LÉ-LE-GUILLAUME 72140 Sarthe **60** ⑫ G. Normandie Cotentin – 2 585 h alt. 161.

🛈 Office du tourisme 13 place du Marché Aux Bestiaux ℘ 02 43 20 10 32, Fax 02 43
20 10 32.
Paris 231 – Le Mans 34 – Alençon 39 – Laval 55 – Mayenne 40.

Bretagne avec ch, pl. Croix d'Or ℘ 02 43 20 10 10, lebretagne@france.com,
Fax 02 43 20 03 96 – **TV** **&** **P**. **GB**
fermé 16 au 31 août, sam. midi d'oct. à mars, vend. soir et dim. soir – **Repas** 12,65/40,40 ⿱,
enf. 8,38 – ⊂ 6,86 – **14 ch** 27,44/41,16 – 1/2 P 31,25/32,75

ERY 51 Marne **56** ⑰ – rattaché à Reims.

N-SUR-L'OCÉAN 85 Vendée **67** ⑫ – rattaché à St-Hilaire-de-Riez.

RAC-EN-PÉRIGORD 24170 Dordogne **75** ⑯ G. Périgord Quercy – 893 h alt. 77.

🛈 Syndicat d'initiative Le Bourg ℘ 05 53 31 63 51.
Paris 531 – Périgueux 58 – Sarlat-la-Canéda 29 – Bergerac 45 – Brive-la-Gaillarde 75.

Relais du Périgord Noir, ℘ 05 53 31 60 02, hotel@relais-perigord-noir.fr,
Fax 05 53 31 61 05, 斎, ␑, ⏘ – **TV**. **AE** ⓞ **GB**
fin avril-début oct. – **Repas** (fermé le midi en semaine) 14/27 ⿱, enf. 8 – ⊂ 6 – **39 ch** 47/56
– 1/2 P 47

AN 34210 Hérault **83** ⑬ – 568 h alt. 96.

Voir Chapelle de Centeilles★ N : 2 km,G Languedoc Roussillon.
Paris 819 – Carcassonne 35 – Lézignan-Corbières 19 – Narbonne 36 – Perpignan 95.

Villa d'Eléis ⌂, ℘ 04 68 91 55 98, villadeleis@wanadoo.fr, Fax 04 68 91 48 34, ⬉, 斎,
– **TV** **&** **P**. **AE** ⓞ **GB**
fermé 1er fév. au 10 mars, dim. soir, merc. midi et lundi – **Repas** 25/62,50 ⿱, enf. 13 – ⊂ 10
– **12 ch** 66/127 – 1/2 P 65/91

TERON 04200 Alpes-de-H.-P. **81** ⑤ ⑥ G. Alpes du Sud – 6 964 h alt. 490.

Voir Vieux Sisteron★ – Site★★ – Citadelle★ : ⬉★ – Cathédrale Notre-Dame-des-Pommiers★.
🛈 Office du tourisme Place de la Mairie ℘ 04 92 61 12 03, Fax 04 92 61 19 57, office.de.tou
risme-sisteron@wanadoo.fr.
Paris 707 ① – Digne-les-Bains 39 ② – Barcelonnette 101 ① – Gap 53 ①.

SISTERON

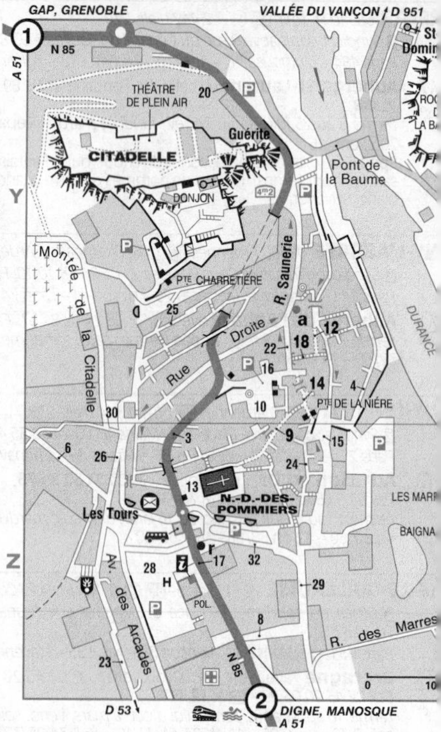

*Si vous êtes retardé
sur la route, dès 18 h,
confirmez
votre réservation
par téléphone,
c'est plus sûr..
et c'est l'usage.*

GAP, GRENOBLE   **VALLÉE DU VANÇON / D 951**

🏨 **Grand Hôtel du Cours,** pl. de l'Église ✆ 04 92 61 04 51, hotelducours@wanadc
Fax 04 92 61 41 73, 🏡 – 📶, 🍴 rest, 📺 ✆ 🚗, 🄰🄴 🄾 🄶🄱
début mars-début nov. – **Repas** 19,50/24 ♀, enf. 8 – ♀ 7,50 – **51 ch** 44/73 – ½ P 47/5

🍴🍴 **Becs Fins,** 16 r. Saunerie ✆ 04 92 61 12 04, becsfins@aol.com, Fax 04 92 61 28 33,
🄰🄴 🄾 🄶🄱
fermé 12 au 21 juin, 27 nov. au 11 déc., dim. soir, mardi soir et merc. sauf du 14 ju
15 août – **Repas** (14) - 20/46 ♀, enf. 11

au Nord-Ouest par ① et N 85 – ✉ 04200 Sisteron :

🏨 **Les Chênes,** à 2 km ✆ 04 92 61 13 67, Fax 04 92 61 16 92, 🏡, 🏊, 🌳 – 📺 ✆ 🄿 – 🚗
🄰🄴 🄶🄱
fermé 21 déc. au 10 fév., sam. soir d'oct. à mars et dim. sauf juil.-août – **Repas**
15,50/28, enf. 9 – ♀ 6 – **23 ch** 46/61 – ½ P 40/45

🏨 **Ibis,** à 4 km ✆ 04 92 62 62 00, h1199@accor-hotels.com, Fax 04 92 62 62 10, 🏊 – ↺
📺 ✆ 🕭 🄿 – 🚗 25. 🄰🄴 🄾 🄶🄱
Repas 15 🍴, enf. 6 – ♀ 5,50 – **43 ch** 51/56

SIX-FOURS-LES-PLAGES 83140 Var 🎴 ⑭, 🎴 ⑭ G. Côte d'Azur – 32 742 h alt. 20.

Voir Fort de Six-Fours ⚹⚹ N : 2 km – Presqu'île de St-Mandrier⋆ : ⚹⚹⋆ E : 5 km – ⚹⋆
cimetière de St Mandrier-sur-Mer E : 4 km.

Env. Chapelle N.-D.-du-Mai ⚹⚹ S : 6 km.

🄱 Office du tourisme Promenade Charles de Gaulle ✆ 04 94 07 02 21, Fax 04 94 25 1.
tourisme@six-fours-les-plages.com.

Paris 836 – Toulon 12 – Aix-en-Provence 79 – La Ciotat 35 – Marseille 60.

🏨 **Clos des Pins,** 101 bis r. République ✆ 04 94 25 43 68, j-m-et-k.rives@wanadc
Fax 04 94 07 63 07, 🏡 – 📶, 🍴 rest, 📺 ✆. 🄰🄴 🄾 🄶🄱. ⚹ rest
Repas (fermé sam. et dim. de sept. à juin) (dîner seul.) carte 20 à 25 🍴, enf. 7,62 – ♀ 6
23 ch 56/62

XX **Auberge St-Vincent,** carrefour Pont-du-Brusc (D 559) ℰ 04 94 25 70 50, contact@auberge-saint-vincent.com, Fax 04 94 07 43 76, 🍴 – ▤ 🄿, 🄰🄴 ⓿ 🇬🇧 🇯🇨🇧
fermé lundi soir et dim. soir sauf juil.-août et lundi midi – **Repas** (14) - 23/43 ♈, enf. 10

Plage de Bonnegrâce Nord-Ouest : 3 km par rte de Sanary – ⊠ 83140 Six-Fours-les-Plages :

XX **Dauphin,** square Bains ℰ 04 94 07 61 58, contact@restaurant-ledauphin.com, Fax 04 94 34 80 44, 🍴 – ▤. 🄰🄴 ⓿ 🇬🇧
fermé 15 au 28 fév., jeudi soir, dim. soir et lundi – **Repas** 22,11/44,21, enf. 11,43

Brusc Sud : 4 km – ⊠ 83140 Six-Fours-les-Plages :

XX **St-Pierre - Chez Marcel,** ℰ 04 94 34 02 52, saintpierrebrusc@aol.com, Fax 04 94 34 18 01, 🍴 – 🄰🄴 ⓿ 🇬🇧 🇯🇨🇧
fermé janv., 17 au 24 fév., lundi midi en juil.-août, dim. soir et lundi de sept. à juin – **Repas** - produits de la mer - 17/31 ♈

UN 29450 Finistère 🖫🖫 ⑤ G. Bretagne – 1 850 h alt. 112.
Voir Enclos paroissial★ – Bannières★ dans l'église de Locmélar N : 5 km.
🄴 Office de tourisme 3 r. de l'argoat ℰ 02 98 68 88 40, Fax 02 98 68 80 13.
Paris 572 – Brest 37 – Châteaulin 35 – Landerneau 16 – Morlaix 36 – Quimper 58.

🏨 **Voyageurs,** ℰ 02 98 68 80 35, Fax 02 98 24 11 49 – 📺 ঙ 🄿. 🇬🇧. ⅏ ch
fermé 13 sept. au 6 oct., dim. soir et sam. hors saison – **Repas** 12,20/30,49 ঙ, enf. 8,23 – ⊒ 5,64 – **22 ch** 44,21 – ½ P 40,40

CCIA 2A Corse-du-Sud 🟨🟨 ⑮ – voir à Corse.

Pour les grands voyages d'affaires ou de tourisme,
Guide Rouge MICHELIN : EUROPE.

CHAUX 25600 Doubs 🖫🖫 ⑧ G. Jura – 4 491 h alt. 310.
Voir Musée de l'Aventure Peugeot★★ AX.
Paris 479 – Besançon 77 – Mulhouse 35 – Audincourt 5 – Belfort 17 – Montbéliard 5.

Voir plan de Montbéliard agglomération.

🏨 **Arianis** Ⓜ, 11 av. Gén. Leclerc ℰ 03 81 32 17 17, arianis@wanadoo.fr, Fax 03 81 32 00 90, 🍴 – 🗗 ⅏ ▤ rest, 📺 ঙ ਓ 🄿. 🔎 100. 🄰🄴 ⓿ 🇬🇧   X u
Repas (fermé dim. soir et sam.) (11,89) - 18,29/30,18 ♈, enf. 6,86 – ⊒ 6,86 – **65 ch** 60,22/67,08 – ½ P 48,78

🏨 **Campanile,** r. Collège ℰ 03 81 95 23 23, Fax 03 81 32 21 49, 🍴 – ⅏ 📺 ঙ ਓ 🄿 – 🔎 25.
🄰🄴 ⓿ 🇬🇧   X d
Repas 15,09/16,62 ♈, enf. 5,95 – ⊒ 5,94 – **62 ch** 53,35

XX **Luc Piguet,** 9 r. Belfort ℰ 03 81 95 15 14, Fax 03 81 95 51 21, 🍴, 🚗 – 🄿. 🄰🄴 ⓿ 🇬🇧   X z
fermé 5 au 26 août, 7 au 13 janv., dim. soir et lundi sauf fériés – **Repas** (14,50) - 17/41, enf. 9

XX **Au Fil des Saisons,** à Étupes par ③, r. Libération ⊠ 25460 ℰ 03 81 94 17 12, grilladi@club-internet.fr, Fax 03 81 32 36 04 – 🄰🄴 🇬🇧
fermé 3 au 26 août, 23 déc. au 5 janv., lundi soir, sam. midi, dim. et fériés – **Repas** 21,34/27,44, enf. 12

ISSONS ◉ 02200 Aisne 🖫🖫 ④ G. Picardie Flandres Artois – 29 453 h alt. 47.
Voir Anc. Abbaye de St-Jean-des-Vignes★★ – Cathédrale St-Gervais-et-St-Protais★★.
🄴 Office du tourisme 16 place Fernand Marquigny ℰ 03 23 53 17 37, Fax 03 23 59 67 72, officedetourisme@ville-soissons.fr.
Paris 102 ⑥ – Compiègne 39 ⑦ – Laon 37 ② – Reims 58 ③ – St-Quentin 61 ①.

Plan page suivante

🏨 **Campanile,** rte Paris par ⑥ : 2 km ℰ 03 23 73 28 28, Fax 03 23 73 02 34, 🍴 – ⅏ 📺 ঙ 🄿 – 🔎 25. 🄰🄴 ⓿ 🇬🇧
Repas (12) - 15,50 ♈, enf. 5,95 – ⊒ 6 – **48 ch** 53

🏨 **Prime,** rte Paris par ⑥ : 2 km ℰ 03 23 73 33 04, Fax 03 23 73 31 89 – 📺 ঙ ਓ 🄿 – 🔎 25. ⓿ 🇬🇧
Repas (11,59) - 13,57/16,62 ঙ – ⊒ 7,48 – **42 ch** 48,79

XX **Avenue,** 35 av. Gén. de Gaulle ℰ 03 23 53 10 76, Fax 03 23 53 63 45 – 🇬🇧   BZ v
fermé 6 au 26 août, dim. soir et lundi – **Repas** 14,94/38,11 ♈

SOISSONS

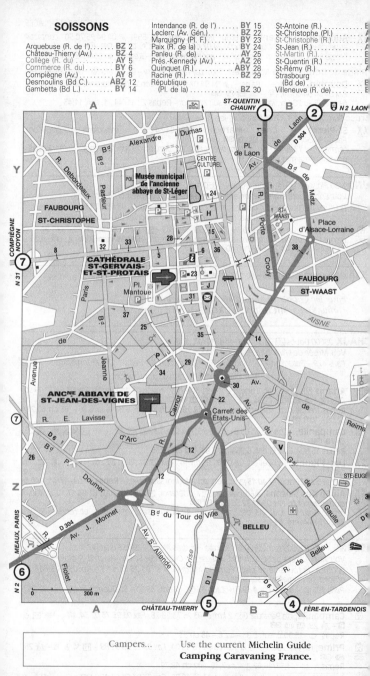

SOISY-SUR-SEINE 91 Essonne 🔟 ①, 🔟 ㊲ – voir à Paris, Environs.

1340

AIZE 69360 Rhône 🖽 ⑳ – 2 256 h alt. 232.
Paris 477 – Lyon 17 – Rive-de-Gier 25 – La Tour-du-Pin 52 – Vienne 18.

🏠 **Soleil et Jardin** Ⓜ, r. République ℰ 04 78 02 44 90, *soleiletjardin@wanadoo.fr,*
Fax 04 78 02 09 26, 帘 – 🛗 ✸ 📺 📞 & 🄿 – 🛦 30. 🕮 ⓪ 🆖 🏧, 🛠 rest
Repas *(fermé sam. et dim.)* 23/43 – ⌖ 9 – **22 ch** 80/165

DEU 🚇 ⑮ – *voir à Andorre (Principauté d').*

ENZARA 2A Corse-du-Sud 🟨 ⑦ – *voir à Corse.*

ÉRIEUX 26130 Drôme 🟨 ⑩ – 211 h alt. 112.
Paris 640 – Montélimar 34 – Orange 39 – Valence 79.

🏠 **Ferme St-Michel** 🍽, rte La Baume, D 341 ℰ 04 75 98 10 66, Fax 04 75 98 19 09, 帘,
« Ferme du 16e siècle dans un parc séculaire », 🏊, 🅿 – 🄿 🄿 – 🛦 20. 🆖. 🛠
Repas *(fermé 20 déc. au 20 janv., dim. soir, lundi midi, mardi midi et vend. midi)* 20/30,
enf. 6 – ⌖ 6 – **14 ch** 58/94

ESMES 72 Sarthe 🟦 ① ② – *rattaché à Sablé-sur-Sarthe.*

IGNAC 87110 H.-Vienne 🖽 ⑰ – 1 367 h alt. 251.
🔰 Office du tourisme Place Georges Dubreuil ℰ 05 55 00 42 31, Fax 05 55 00 56 44.
Paris 400 – Limoges 10 – Bourganeuf 55 – Nontron 70 – Périgueux 94 – Uzerche 52.

🏠 **St-Éloi** 🍽, 66 av. St-Éloi ℰ 05 55 00 44 52, *lesaint.eloi@wanadoo.fr,* Fax 05 55 00 55 56,
帘 – 📺 & – 🛦 30. ⓪ 🆖
fermé 10 au 20 sept., janv. et dim. soir – **Repas** *(fermé dim. soir., sam. midi et lundi)* 14 (déj.),
17/38 ⌺, enf. 10 – ⌖ 7 – **15 ch** 43/58 – ½ P 40/46

MIÈRES 30250 Gard 🟨 ⑱ – 3 677 h alt. 34.
🔰 Office du tourisme Rue Général Bruyère ℰ 04 66 80 99 30, Fax 04 66 80 06 95,
ot.sommieres@wanadoo.fr.
Paris 740 – Montpellier 35 – Nîmes 30.

🏠 **Auberge du pont Romain**, ℰ 04 66 80 00 58, *aubergedupontromain@wanadoo.fr,*
Fax 04 66 80 31 52, 帘, 🏊, 🌳 – 🛗 📺 🄿. 🕮 ⓪ 🆖
fermé nov. et 13 janv. au 14 mars – **Repas** *(fermé lundi midi)* 30/54 ⌺, enf. 19 – ⌖ 10 –
19 ch 62/90 – ½ P 65/82

IDERNACH 68380 H.-Rhin 🖽 ⑱ – 614 h alt. 540.
Paris 465 – Colmar 28 – Gérardmer 41 – Guebwiller 39 – Thann 42.

🍴 **A l'Orée du Bois** avec ch, rte du Schnepfenried ℰ 03 89 77 70 21, *contact@oreedubois.*
🍴 *com,* Fax 03 89 77 77 58, ≼, 帘 – 📺 🄿. 🆖
fermé 25 au 30 juin et 7 janv. au 5 fév. – **Repas** *(fermé merc. midi et mardi)* 11,43/28,20 ⌺,
enf. 7 – ⌖ 4 – **6 ch** 42/48 – ½ P 43

INAZ 73 Savoie 🖽 ⑮ – *rattaché à Chambéry.*

PHIA-ANTIPOLIS 06 Alpes-Mar. 🖽 ⑨ – *rattaché à Valbonne.*

BIERS 42290 Loire 🖽 ⑲ – 7 399 h alt. 560.
🔰 Office du tourisme 2 avenue Charles de Gaulle ℰ 04 77 01 11 42, Fax 04 77 01 11 42,
contact@mairie-sorbiers.fr.
Paris 518 – St-Étienne 9 – Feurs 49 – Lyon 58 – Montbrison 47 – Vienne 47.

🍴 **Valjoly**, rte St-Symphorien, D 3 ℰ 04 77 53 60 35, Fax 04 77 53 13 60 – 🄿. 🆖. 🛠
fermé 29 juil. au 26 août, 4 au 13 janv., dim. soir, jeudi soir et lundi – **Repas** 15/45 ⌺

RÈDE 66690 Pyr.-Or. 🖽 ⑲ – 2 699 h alt. 20.
🔰 Office du tourisme Place de la Mairie ℰ 04 68 89 31 17, Fax 04 68 89 31 17,
ot.sorede@wanadoo.fr.
Paris 878 – Perpignan 22 – Amélie-les-Bains-Palalda 31 – Argelès-sur-Mer 8 – Le Boulou 16.

🍴 **Salamandre**, 3 rte Laroque ℰ 04 68 89 26 67, Fax 04 68 89 26 67 – 🕮 ⓪ 🆖
fermé 15 nov. au 1er déc., 15 janv. au 15 mars, lundi et mardi sauf le soir en été et dim. soir –
Repas 15,10/21,20 ⌺

SORÈZE 81540 Tarn 82 ⑳ G. Midi-Pyrénées – 2 164 h alt. 272.

🛈 OMT - Mairie ℘ 05 63 74 16 28, Fax 05 63 74 40 39, OTSI-Soreze@wanadoo.fr.
Paris 754 – Toulouse 59 – Carcassonne 44 – Castelnaudary 27 – Castres 27 – Gaillac 65.

🏠 **Pavillon des Hôtes** ⟋, ℘ 05 63 74 44 80, contact@hotelfp.soreze.
Fax 05 63 74 44 89, 斋, « Dans l'abbaye-école du 17ᵉ siècle », 🏖 – 📺 🍴 🅿 – 🔏 50.
GB
fermé mars à fin mai – **Repas** 15 (déj.), 22/29 ♈, enf. 10 – ⛃ 7 – **18 ch** 45

SORGES 24420 Dordogne 75 ⑥ G. Périgord Quercy – 1 123 h alt. 178.
🛈 Office du tourisme Écomusée ℘ 05 53 46 71 43, Fax 05 53 46 71 43, si.so
perigord.tm.fr.
Paris 463 – Périgueux 21 – Brantôme 24 – Limoges 75 – Nontron 43 – Thiviers 15.

🏨 **Auberge de la Truffe,** sur N 21 ℘ 05 53 05 02 05, contact@auberge-de-la-truffe
⟋ Fax 05 53 05 39 27, 斋, ⛲, 渦 – 📺 🍴 🅿 – 🔏 25. 🖭 ⓞ GB JCB
Repas (fermé dim. soir sauf du 15 mars au 15 oct.) et lundi midi) 13/51,50 ♈, enf. 9 – ⛃
– **26 ch** 40/53,50 – ½ P 49

SORGUES 84700 Vaucluse 81 ⑫ – 17 539 h alt. 24.
Paris 677 – Avignon 11 – Carpentras 20 – Cavaillon 33 – Orange 18.

XX **Patrick Davico,** 12 r. 19-Mars-1962 ℘ 04 90 39 11 02, Fax 04 90 83 48 42, 斋 – GB
fermé 4 au 26 août, 15 fév. au 3 avril, dim. soir, merc. soir et lundi – **Repas** 21 (déj.), 29

SOSPEL 06380 Alpes-Mar. 84 ⑳ G. Côte d'Azur – 2 885 h alt. 360.
Voir Vieux village★ : vieux pont★, vierge immaculée★ dans l'église St-Michel – Fo
Roch★ S : 1 km par la D 2204.
🛈 Office du tourisme Pont Vieux ℘ 04 93 04 15 80, Fax 04 93 04 19 96.
Paris 974 – Menton 19 – Nice 41 – Tende 39 – Ventimiglia 28.

🏠 **des Étrangers,** bd Verdun ℘ 04 93 04 00 09, sospel@ifrance.com, Fax 04 93 04
⟋ 🏊, 🏊 – 🛗 🍴 📺. GB
4 mars-4 nov. – **Repas** (fermé mardi midi sauf août et lundi) 19,50/34, enf. 9,20 – ⛃ 6
35 ch 48/70 – ½ P 61/68

SOTTEVILLE-SUR-MER 76740 S.-Mar. 52 ③ – 388 h alt. 60.
Paris 192 – Dieppe 26 – Fontaine-le-Dun 11 – Rouen 60 – St-Valery-en-Caux 11.

XX **Les Embruns,** ℘ 02 35 97 77 99, Fax 02 35 57 14 27 – GB
fermé 24 sept. au 10 oct., 22 janv. au 13 fév., dim. soir et lundi de fin sept. à Pâques et r
en hiver – **Repas** 11,45 (déj.), 22,10/29

SOUCY 89 Yonne 61 ⑭ – rattaché à Sens.

SOUDAN 79 Deux-Sèvres 68 ⑫ – rattaché à St-Maixent-l'École.

SOUILLAC 46200 Lot 75 ⑱ G. Périgord Quercy – 3 671 h alt. 104.
Voir Anc. église abbatiale : bas-relief ''Isaïe''★★, revers du portail★ – Musée nation
l'Automate et de la Robotique★.
🛈 Office du tourisme Boulevard Louis-Jean Malvy ℘ 05 65 37 81 56, Fax 05 65 27 1
souillac@wanadoo.fr.
Paris 522 ① – Brive-la-Gaillarde 39 ① – Sarlat-la-Canéda 29 ③ – Cahors 67 ② – Figeac
Plan page suivante

🏨 **Quercy** sans rest, 1 r. Recège ℘ 05 65 37 83 56, reservation@le-querc
Fax 05 65 37 07 22, 🏊, 渦 – 📺 🍴 ⟋. 🖭 ⓞ GB
fermé janv. et fév. – ⛃ 8 – **25 ch** 49

🏨 **Vieille Auberge,** 1 r. Recège ℘ 05 65 32 79 43, r.veril@la-vieille-auberge.c
Fax 05 65 32 65 19, 🏖, 🏊 – ≡ rest, 📺 ⟋ 🅿 – 🔏 30. 🖭 ⓞ GB JCB
fermé 12 nov. au 20 déc., dim. soir, mardi midi et lundi de janv. à mars – **Repas** (15) - 20/
enf. 9 – ⛃ 6,50 – **19 ch** 48/60 – ½ P 64

🏨 **Granges Vieilles** ⟋, rte Sarlat, par ③ : 1,5 km ℘ 05 65 37 80 92, Fax 05 65 37 0
⟋ 斋, 🏊, 🏖 – 📺 🍴 🅿. ⓞ GB. 🚫 ch
15 mars-15 nov. – **Repas** 14/34 ♈, enf. 8 – ⛃ 8 – **11 ch** 67/82 – ½ P 62/69

SOUILLAC

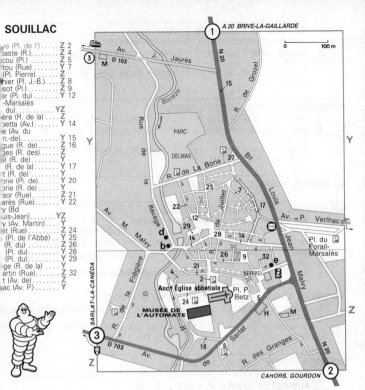

SOULAINES-DHUYS *10200 Aube* 61 ⑲ – *267 h alt. 153.*
Paris 230 – Chaumont 47 – Bar-sur-Aube 18 – Troyes 58.

🏠 **Venise Verte**, r. Plessis ℘ 03 25 92 76 10, Fax 03 25 92 73 97, 🏤 – ▤ rest, 📺 ✇ 👆
🍴 **P**. GB
fermé 24 au 31 déc. et dim. soir hors saison – **Repas** 12/28 ♀, enf. 8,40 – ☑ 7 – **12 ch**
½ P 51

SOUMOULOU *64420 Pyr.-Atl.* 85 ⑦ – *1 015 h alt. 296.*
Paris 784 – Pau 22 – Lourdes 24 – Nay 15 – Pontacq 12 – Tarbes 25.

🍴 **Béarn** avec ch, N 117 ℘ 05 59 16 08 08, Fax 05 59 16 08 01, 🏤, 🐎, ☀ – 📺 🚗 **P**. Ⓐ
🍴 JCB
fermé dim. soir et lundi du 15 sept. à Pâques – **Repas** 16,01/37,25 ♀, enf. 9,15 – ☑ 7
13 ch 39,64/44,21 – ½ P 44,21/44,97

La SOURCE *45 Loiret* 64 ⑨ – *rattaché à Orléans.*

SOURDEVAL *50150 Manche* 59 ⑨ – *3 038 h alt. 217.*
Voir *Vallée de la Sée*★ *O*, G. Normandie Cotentin.
🅱 *Office du tourisme Jardin de l'Europe ℘ 02 33 79 35 61, Fax 02 33 79 35 59.*
Paris 309 – St-Lô 53 – Avranches 37 – Domfront 30 – Flers 31 – Mayenne 63 – Vire 14.

🍴 **Temps de Vivre**, 12 r. St-Martin ℘ 02 33 59 60 41, le-temps-de-vivre@wanado
🍴 Fax 02 33 59 88 34 – 📺 **P**. GB
fermé vacances de fév. et lundi sauf en août – **Repas** (8,70) · 10/20 ♫, enf. 6 – ☑ 4,
10 ch 29/44 – ½ P 32/44

à Brouains *Ouest : 6 km sur D 911 – 213 h. alt. 142 –* ✉ *50150 :*

🍴🍴 **Auberge du Moulin** 🕭 avec ch, ℘ 02 33 59 50 60, du.moulin.auberge@wanado
🍴 Fax 02 33 59 50 60 – **P**. – 🏛 50. GB
fermé 25 déc. au 31 janv., mardi soir et merc. soir de nov. au 15 mars, dim. soir et lu
Repas 12,80/32 ♀, enf. 7 – ☑ 4,50 – **5 ch** 25/37 – ½ P 30

SOURNIA *66730 Pyr.-Or.* 86 ⑱ – *367 h alt. 525.*
Paris 901 – Perpignan 48 – Font-Romeu-Odeillo-Via 74 – Prades 24 – Quillan 45.

🍴 **Auberge de Sournia**, ℘ 04 68 97 72 82 – GB
fermé 1ᵉʳ au 24 janv., dim. soir, mardi soir et merc. de sept. à juin et lundi midi en juil.-ao
Repas 10 (déj.), 15/31 ♫, enf. 6,86

SOURZAC *24 Dordogne* 75 ④ – *rattaché à Mussidan.*

SOUSCEYRAC *46190 Lot* 75 ⑳ – *988 h alt. 559.*
🅱 *Office du tourisme Place de l'Église ℘ 05 65 33 02 20, OT-sousc@club-internet.fr.*
Paris 554 – Aurillac 48 – Cahors 96 – Figeac 41 – Mauriac 70 – St-Céré 17.

🍴 **Au Déjeuner de Sousceyrac** avec ch, ℘ 05 65 33 00 56, Fax 05 65 33 04 37 – 📺
🍴 GB
fermé vacances de fév., dim. soir et lundi sauf juil.-août – **Repas** 14,48/38,11, enf. 9,
☑ 5,34 – **8 ch** 35,06 – ½ P 38,11

SOUS-LA-TOUR *22 C.-d'Armor* 59 ③ – *rattaché à St-Brieuc.*

SOUSTONS *40140 Landes* 78 ⑯ – *5 743 h alt. 9.*
Voir *Étang de Soustons*★ *O : 1 km*, G. Aquitaine.
🅱 *Office du tourisme Grange de Labouyrie ℘ 05 58 41 52 62, Fax 05 58 41 30*
tourisme.soustons@wanadoo.fr.
Paris 734 – Biarritz 55 – Mont-de-Marsan 78 – Castets 25 – Dax 26.

🏠 **Pavillon Landais** 🕭, av. Lac ℘ 05 58 41 14 49, Fax 05 58 41 26 03, ≤, 🏤, « Au bor
🍴 lac », 🏊, ✳, ✇ **P**. – 🏛 50. Ⓐ ⓪ GB JCB
Repas *(fermé nov., dim. soir, mardi midi et lundi hors saison)* 19,82 (déj.), 25,92/48,78
☑ 8,38 – **26 ch** 60,98/91,47 – ½ P 62,50/71,65

🍴 **Les Gourmandines**, 18 av. Galleben ℘ 05 58 41 22 52, Fax 05 58 41 34 69, 🏤 – ▤
🍴 **P**. GB
fermé 20 déc. au 20 janv., dim. soir et lundi sauf juil.-août – **Repas** 12,20/22,60 ♫, enf.
– ☑ 6,10 – **13 ch** 35,80/44,20 – ½ P 38,10/39,60

OUTERRAINE 23300 Creuse 🗐 ⑧ G. Berry Limousin – 5 320 h alt. 390.

Voir Église★.

🖪 Office du tourisme Place de la Gare ℘ 05 55 63 10 06, Fax 05 55 63 37 27, ot.souterraine@wanadoo.fr.

Paris 340 – Limoges 57 – Bellac 40 – Châteauroux 74 – Guéret 34.

st : 7 km par N 145, D 74 et rte secondaire – ⊠ 23300 La Souterraine :

🏨 **Château de la Cazine** ⑤, ℘ 05 55 89 60 00, Fax 05 55 63 71 85, ≤, « Dans un parc, château du 19e siècle », ၊₅, ⊼, ✵, ♨ – ៉ ✵ 🖵 ✆ ₺ 🅟 – 🔏 30. 🝪 ☒
fermé dim. soir, mardi midi et lundi d'oct. à mai – **Repas** 15/35, enf. 8,50 – ☲ 8 – **22 ch** 60/90 – 1/2 P 62/70

·Étienne-de-Fursac Sud : 11 km par D 1 – 816 h. alt. 322 – ⊠ 23290 :

🏨 **Nougier**, ℘ 05 55 63 60 56, Fax 05 55 63 65 47, « Intérieur rustique », � – 🖵 ✆, 🝪 ☒
début mars-fin nov. et fermé lundi sauf le soir en 07-08, dim. soir de 09 à 06 sauf fêtes et mardi midi hors sais. – **Repas** 16,40/27,50 ♈, enf. 9,50 – ☲ 6,40 – **12 ch** 39,65/57,50 – 1/2 P 44,20/60

UVIGNY 03210 Allier 🗓 ⑭ G. Auvergne – 1 952 h alt. 242.

Voir Prieuré St-Pierre★★ – Calendrier★★ dans l'église-musée St-Marc.

Paris 304 – Moulins 13 – Bourbon-l'Archambault 16 – Montluçon 68.

XX **Auberge des Tilleuls**, ℘ 04 70 43 60 70, Fax 04 70 44 85 73, 🌫 – ☒
fermé 23 au 30/08, 26/12 au 3/01, vacances de fév., mardi soir du 15/09 au 15/10, dim. soir et lundi sauf fériés – **Repas** 11 (déj.), 15/37 ♈

UVIGNY-EN-SOLOGNE 41600 L.-et-Ch. 🗓 ⑩ – 410 h alt. 210.

Paris 173 – Orléans 39 – Gien 43 – Lamotte-Beuvron 15 – Montargis 63.

XX **Perdrix Rouge**, ℘ 02 54 88 41 05, Fax 02 54 88 05 56, 🌫 – 🝪 ☒
fermé 1er au 9 juil., 26 août au 3 sept., 17 fév. au 4 mars, lundi et mardi – **Repas** (dim. et fêtes prévenir) 13/47

XX **Auberge de la Grange aux Oies**, ℘ 02 54 88 40 08, Fax 02 54 88 91 06, 🌫, 🌫 – 🅟.
☒
fermé 1er au 10 sept., 24 déc. au 31 janv., lundi soir, merc. soir, jeudi soir et mardi – **Repas** 23 (déj.), 23/36, enf. 14

VAUX 16 Charente 🗓 ⑭ – rattaché à Angoulême.

YONS 07 Ardèche 🗓 ⑪ ⑫ – rattaché à St-Péray.

ENVOORDE 59114 Nord 🗓 ④ – 4 024 h alt. 50.

🖪 Syndicat d'initiative Place du Docteur Jean-Marie Ryckewaert ℘ 03 28 42 97 98.

Paris 259 – Calais 73 – Lille 45 – Dunkerque 33 – Hazebrouck 12 – St-Omer 30.

X **Auprès de mon Arbre**, ℘ 03 28 49 79 49, Fax 03 28 49 72 29, 🌫, 🌫 – 🅟. ☒
fermé 22 juil. au 12 août, le soir sauf vend. et sam., lundi midi, merc. midi et sam. midi – **Repas** 14,48 (déj.), 23,63/31,25 ♈, enf. 6,86

ELLA-PLAGE 62 P.-de-C. 🗓 ⑪ – rattaché au Touquet.

ENAY 55700 Meuse 🗓 ⑩ – 2 952 h alt. 182.

🖪 Office du tourisme 5 place Poincaré ℘ 03 29 80 64 22, Fax 03 29 80 62 59, OTSISTENAY@wanadoo.fr.

Paris 251 – Charleville-Mézières 58 – Carignan 20 – Longwy 52 – Sedan 35 – Verdun 46.

🏨 **Commerce**, 16 r. A. Briand ℘ 03 29 80 30 62, Fax 03 29 80 61 77 – 🖵, 🝪 ⑩ ☒
fermé vacances de Toussaint, 1er au 6 janv., vend. soir, sam. midi et dim. soir du 15 sept. au 1er mai – **Repas** (13) 16/40 bc ♈, enf. 7,60 – ☲ 7 – **17 ch** 36/70 – 1/2 P 46

RING-WENDEL 57 Moselle 🗓 ⑥ – rattaché à Forbach.

*Les localités dont les noms sont soulignés de rouge
sur les **cartes Michelin** à 1/200 000 sont citées dans ce guide.*

Utilisez une carte récente pour profiter de ce renseignement.

1346

STRASBOURG

ⓟ 67000 B.-Rhin 𝟞𝟤 ⑩ G. Alsace Lorraine - 264 115 h. - Agglo. 427 245 h - alt. 143.
Paris 491 ① – Basel 141 ③ – Karlsruhe 81 ③ – Stuttgart 148 ③

OFFICES DE TOURISME

17 pl. de la Cathédrale ℘ 03 88 52 28 28, Fax 03 88 52 28 29, otsr@strasbourg.com
Pl. de la Gare ℘ 03 88 32 51 49
Pont de l'Europe ℘ 03 88 61 39 23

RENSEIGNEMENTS PRATIQUES

TRANSPORTS
Auto-train ℘ 08 36 35 35 35.

AÉROPORT
Strasbourg-Entzheim-International ℘ 03 88 64 67 67 AT

DÉCOUVRIR

QUARTIER DE LA CATHÉDRALE
Cathédrale Notre-Dame ★★★ : *horloge astronomique*★ ≤★ *de la flèche - Place de la cathédrale* ★ : *maison Kammerz* ★ **KZ** - *Musée*★★ *du palais Rohan*★ - *Musée alsacien*★★ **KZ M¹** - *Musée de l'Oeuvre Notre-Dame*★★ **KZ M⁶** - *Musée historique*★ **KZ M⁵**

LA PETITE FRANCE
Rue du Bains-aux-Plantes★★ **HJZ** - *Ponts couverts*★ **HZ** - *Barrage Vauban*❋★★ **HZ** - *Mausolée du maréchal de Saxe*★★ *dans l'église St-Thomas* **JZ** - *Musée d'Art moderne et contemporain*★★ **HZ M³**
Promenades en vedette sur l'Ill

AUTOUR DES PLACES KLÉBER ET BROGLIE
Place Kléber★ , *la plus célèbre place de Strasbourg , bordée au Nord par l'Aubette* **JY** - *Place Broglie : hôtel de ville*★ **KY H**

L'EUROPE À STRASBOURG
Palais de l'Europe★ **FGU** - *Nouveau palais des Droits de l'Homme* **GU** - *Orangerie*★ **FGU**

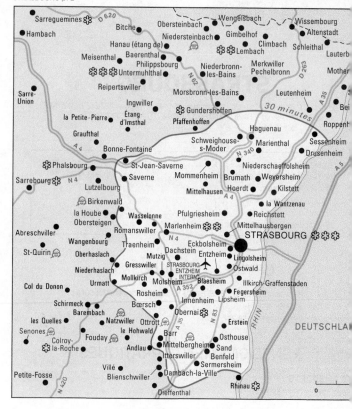

Sarreguemines · D 620 · Bitche · Oberlsteinbach · Wengelsbach · Wissembourg
Hambach · Niedersteinbach · Gimbelhof · Altenstadt
Hanau (étang de) · Climbach · Schleithal · Lauterb
Meisenthal · Baerenthal · Lembach
Philippsbourg · Niederbronn-les-Bains · Merkwiller Pechelbronn · Mother
Untermuhlthal · Reipertswiller
Sarre-Union · Morsbronn-les-Bains · Leutenheim · Bei
Ingwiller · Gundershoffen · 30 minutes · Roppenh
la Petite-Pierre · Étang-d'Imsthal · Pfaffenhoffen · Haguenau · Sessenheim
Graufthal · Schweighouse-s-Moder · Marienthal · Drusenheim
Bonne-Fontaine · Niederschaeffolsheim
Phalsbourg · St-Jean-Saverne · Mommenheim · Brumath · Weyersheim
Sarrebourg · N 4 · Saverne · Mittelhausen · Hoerdt · Kilstett
Lutzelbourg · Pfulgriesheim · la Wantzenau
Birkenwald · Wasselonne · Marlenheim · Mittelhausbergen
la Hoube · Obersteigen · Romanswiller · Eckbolsheim · STRASBOURG
Abreschviller · Wangenbourg · Traenheim · Dachstein · Entzheim · Lingolsheim
St-Quirin · Oberhaslach · Mutzig · STRASBOURG ENTZHEIM INTERN. · Ostwald
Niederhaslach · Gresswiller · Blaesheim · Illkirch-Graffenstaden
Col du Donon · Urmatt · Mollkirch · Molsheim · A 352 · Fegersheim
Rosheim · Innenheim · Lipsheim
Schirmeck · Barembach · Bœrsch · Obernai · Erstein · RHIN
les Quelles · Natzwiller · Ottrott · DEUTSCHLA
Senones · le Hohwald · Osthouse
Colroy-la-Roche · Fouday · Andlau · Barr · Sand
Villé · Mittelbergheim · Benfeld
Petite-Fosse · Blienschwiller · Dambach-la-Ville · Ittersviller · Sermersheim
Dieffenthal · Rhinau

🏨🏨🏨 **Hilton,** av. Herrenschmidt ℘ 03 88 37 10 10, *Fax 03 88 36 83 27,* � – 🛏 ⇆ ≡ 📺
☁ 🅿 – 🔥 25 à 300. 🆎 ⓪ ☒ 🅹🅲🅱 ⚓. 🏊 p. 6 E
Jardin ℘ 03 88 35 72 61 **Repas** 26,52/49,23 ♀, enf. 6,86 – ⇌ 11 – **238 ch** 190
5 appart

🏨🏨🏨 **Sofitel** Ⓜ, pl. St-Pierre-le-Jeune ℘ 03 88 15 49 00, *h0568@accor-hotels*
Fax 03 88 15 49 99, 🌠, patio – 🛏 ⇆ ≡ 📺 ☁ – 🔥 120. 🆎 ⓪ ☒ 🅹🅲🅱 p. 8 J
L'Alsace Gourmande ℘03 88 15 49 10 **Repas** *(22)* - 27 ♀ – ⇌ 17 – **155 ch** 220/275

🏨🏨🏨 **Régent Petite France** Ⓜ 🌊, 5 r. Moulins ℘ 03 88 76 43 43, *rpf@regent-hotels*
Fax 03 88 76 43 76, ⬉, « Anciennes glacières au bord de l'Ill - décor contemporain », *F*
⇆ ≡ 📺 ✆ & – 🔥 30. 🆎 ⓪ ☒ 🅹🅲🅱 p. 8 J
Repas *(fermé lundi de juin à sept. et week-ends d'oct. à mai)* 32/59 – ⇌ 17 – ⬤
200/272, 5 appart, 4 duplex – ½ P 157,50/257,50

🏨🏨🏨 **Holiday Inn,** 20 pl. Bordeaux ℘ 03 88 37 80 00, *Fax 03 88 37 07 04,* ▣ – 🛏 ⇆ ≡
& 🅿 – 🔥 300. 🆎 ⓪ ☒ 🅹🅲🅱. 🏊 rest p. 7 F
Repas *(fermé sam. midi et dim. midi) (22)* - 25 ♀, enf. 9 – ⇌ 15 – **170 ch** 170/450

🏨🏨 **Régent Contades** Ⓜ sans rest, 8 av. Liberté ℘ 03 88 15 05 05, *rc@regent-hotels*
Fax 03 88 15 05 15, « Hôtel particulier du 19ᵉ siècle » – 🛏 ⇆ ≡ 📺 ✆. 🆎 ⓪
🅹🅲🅱 p. 9 L
⇌ 15 – **45 ch** 145/235

🏨🏨 **Beaucour** Ⓜ sans rest, 5 r. Bouchers ℘ 03 88 76 72 00, *beaucour@hotel-beaucour*
Fax 03 88 76 72 60, « Anciennes maisons alsaciennes élégamment aménagées » – 🛏
✆ & – 🔥 30. 🆎 ⓪ ☒ 🅹🅲🅱 p. 9 K
⇌ 10 – **49 ch** 86/162

Maison Rouge sans rest, 4 r. Francs-Bourgeois ☎ 03 88 32 08 60, *info@maison-rouge.com, Fax 03 88 22 43 73,* « Belle décoration intérieure » – |≡| TV ☎ ♿ – 🏛 30. AE ⓓ GB p. 8 **JZ** g
☕ 12 – **142 ch** 82/109

Monopole-Métropole sans rest, 16 r. Kuhn ☎ 03 88 14 39 14, *infos@bw-monopole.com, Fax 03 88 32 82 55,* « Décor alsacien et contemporain » – |≡| ✕ TV ☎ 🚗. AE ⓓ GB JCB p. 8 **HY** p
☕ 10 – **90 ch** 73/125

Europe sans rest, 38 r. Fossé des Tanneurs ☎ 03 88 32 17 88, *info@hotel-europe.com, Fax 03 88 75 65 45,* « Maison alsacienne à colombages, belle reproduction au 1/50e de la cathédrale » – |≡| ✕ ≡ TV 🚗 – 🏛 30. AE ⓓ GB JCB p. 8 **JZ** v
fermé 22 au 29 déc. – ☕ 9,50 – **60 ch** 69/154

Mercure Centre Ⓜ sans rest, 25 r. Thomann ☎ 03 90 22 70 70, *h1106@accor-hotels.com, Fax 03 90 22 70 71* – |≡| ✕ ≡ TV ☎ ♿ 🚗. AE ⓓ GB JCB p. 8 **JY** q
☕ 11 – **98 ch** 125/134

France sans rest, 20 r. Jeu des Enfants ☎ 03 88 32 37 12, *hotel.de.france.sa@wanadoo.fr, Fax 03 88 22 48 08* – |≡| ✕ TV 🚗 – 🏛 30. AE ⓓ GB p. 8 **JY** v
☕ 12 – **66 ch** 83/119

Novotel Centre Halles Ⓜ, 4 quai Kléber ☎ 03 88 21 50 50, *h0439@accor-hotels.com, Fax 03 88 21 50 51* – |≡| ✕ ≡ TV ☎ ♿ – 🏛 80. AE ⓓ GB JCB p. 8 **JY** k
Repas carte 23 à 26 ♀ – ☕ 11 – **98 ch** 129/136

Grand Hôtel sans rest, 12 pl. Gare ☎ 03 88 52 84 84, *le.grand.hotel.@wanadoo.fr, Fax 03 88 52 84 00* – |≡| TV ☎. AE ⓓ GB JCB p. 8 **HY** m
☕ 10 – **85 ch** 66/106

Cathédrale Ⓜ sans rest, 12 pl. Cathédrale ☎ 03 88 22 12 12, *reserv@hotel-cathedrale.fr, Fax 03 88 23 28 00,* « En face de la cathédrale » – |≡| ≡ TV ☎ – 🏛 25. AE ⓓ GB JCB p. 9 **KZ** n
☕ 9,50 – **44 ch** 75/130, 5 duplex

des Rohan sans rest, 17 r. Maroquin ☎ 03 88 32 85 11, *info@hotel-rohan.com, Fax 03 88 75 65 37* – |≡| ✕ TV. AE ⓓ GB JCB p. 9 **KZ** u
☕ 10 – **36 ch** 63/122

Villa d'Est Ⓜ sans rest, 12 r. J. Kablé ☎ 03 88 15 06 06, *res.villa@cieldenuit.com, Fax 03 88 15 06 16,* 🏋 – |≡| ✕ ≡ TV ♿ – 🏛 20. AE ⓓ GB JCB p. 6 **EU** n
☕ 11 – **48 ch** 93

Hannong sans rest, 15 r. 22-Novembre ☎ 03 88 32 16 22, *info@hotel-hannong.com, Fax 03 88 22 63 87* – |≡| TV ☎ – 🏛 30. AE ⓓ GB JCB p. 8 **JY** a
fermé 1er au 5 janv. – ☕ 11 – **72 ch** 102/124

Mercure Carlton sans rest, 14 pl. Gare ☎ 03 88 15 78 15, *H2149@accor-hotels.com, Fax 03 88 15 78 16* – |≡| ✕ ≡ TV ☎ ♿ – 🏛 30. AE ⓓ GB p. 8 **HY** a
☕ 11 – **60 ch** 117/126

Dragon Ⓜ sans rest, 2 r. Écarlate ☎ 03 88 35 79 80, *hotel@dragon.fr, Fax 03 88 25 78 95* – |≡| ✕ TV. AE ⓓ GB. ✗ p. 8 **JZ** d
☕ 9,15 – **32 ch** 65,55/107,47

Diana-Dauphine sans rest, 30 r. 1e Armée ☎ 03 88 36 26 61, *hotel.dianadauphine@wanadoo.fr, Fax 03 88 35 50 07* – |≡| ≡ TV ☎ 🚗. AE ⓓ GB JCB p. 6 **EX** a
fermé 22 déc. au 1er janv. – ☕ 9 – **45 ch** 76/84

Gutenberg sans rest, 31 r. Serruriers ☎ 03 88 32 17 15, *Fax 03 88 75 76 67* – |≡| TV. GB. ✗ p. 9 **KZ** m
fermé 1er au 12 janv. – ☕ 6,90 – **42 ch** 53/84

Princes sans rest, 33 r. Geiler ☎ 03 88 61 55 19, *princes@strasbourg.com, Fax 03 88 41 10 92* – |≡| TV. AE GB p. 7 **FV** t
fermé 1er au 21 août – ☕ 10,60 – **43 ch** 75,50/102

Relais Mercure sans rest, 3 r. Maire Kuss ☎ 03 88 32 80 80, *h1813@accor-hotels.com, Fax 03 88 23 05 39* – |≡| ✕ ≡ TV – 🏛 25. AE ⓓ GB JCB p. 8 **HY** e
☕ 9 – **52 ch** 84/95

Relais Mercure Ⓜ, 50 rte Bischwiller à Schiltigheim ✉ 67300 ☎ 03 88 62 55 55, *h0513-@accor-hotels.com, Fax 03 88 62 66 02* – |≡| ✕, ≡ rest, TV ☎ ♿ 🚗 P – 🏛 40 à 80. AE ⓓ GB JCB p. 6 **EU** s
Repas *(fermé sam. midi et dim.)* carte 20 à 27 🍷, enf. 6,10 – ☕ 9 – **85 ch** 80/88

Ibis Ⓜ sans rest, 18 r. Fg National ☎ 03 88 75 10 10, *h0943@accor-hotels.com, Fax 03 88 75 79 60* – |≡| ✕ ≡ TV ☎ ♿ P. AE ⓓ GB p. 8 **HYZ** u
☕ 5,50 – **98 ch** 66

Aux Trois Roses sans rest, 7 r. Zürich ☎ 03 88 36 56 95, *hotel-aux-trois-roses@wanadoo.fr, Fax 03 88 35 06 14* – |≡| TV ☎. AE ⓓ GB JCB. ✗ p. 9 **LZ** y
☕ 6 – **33 ch** 45/74

STRASBOURG AGGLOMÉRATION

0   2 km

BERSTETT
PFETTISHEIM
TRUCHTERSHEIM
KLEINFRANKENHEIM
BEHLENHEIM
PFULGRIESHEIM
WIWERSHEIM
STUTZHEIM-OFFENHEIM
GRIESHEIM-SUR-SOUFFEL
DINGSHEIM
HURTIGHEIM
ITTENHEIM
Rte de Paris
OBERSCHAEFFOLSHEIM
BREUSCHWICKERSHEIM
ACHENHEIM
WOLFISHEIM
HANGENBIETEN
HOLTZHEIM
KOLBSHEIM
Canal
STRASBOURG-ENTZHEIM-INTERNATIONAL
DUPPIGHEIM
ENTZHEIM
GLOECKELSBERG
GEISPOLSHEIM
BLAESHEIM
LIPSHEIM
COLMAR, SÉLESTAT

SAVERNE
METZ, NANCY
SAVERNE
A35-E25 COLMAR MOLSHEIM, ST-DIÉ-DES-VOSGES
BARR OBERNAI

Rte de Sav

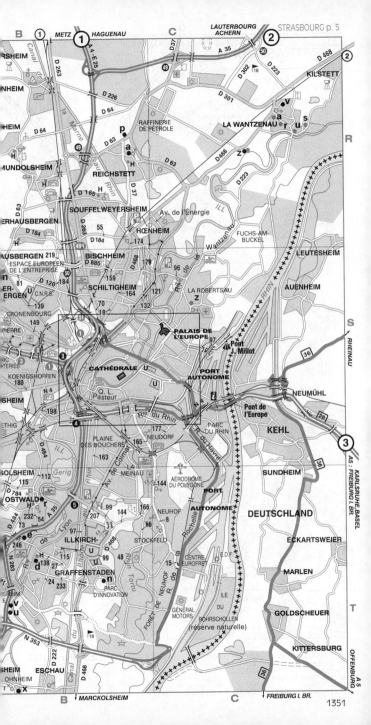

STRASBOURG

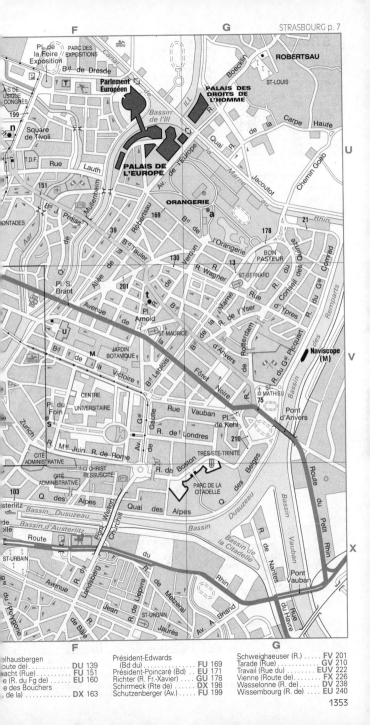

STRASBOURG

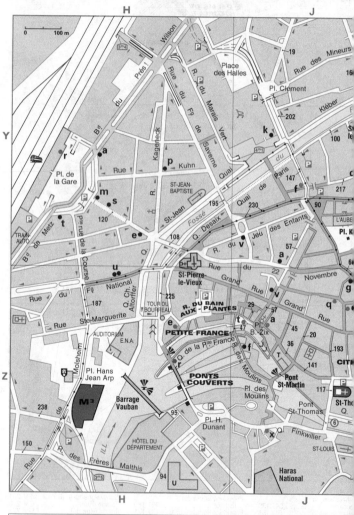

Ne voyagez pas aujourd'hui avec une carte d'hier.

Reisen Sie nicht heute mit einer Karte von gestern.

Couvent du Franciscain sans rest, 18 r. Fg de Pierre ☎ 03 88 32 93 93, info@
franciscain.com, Fax 03 88 75 68 46 – 📱 📺 ♿ 📵 – ⚒ 15. 🆎 ◑ 🅶🅱 🅹🅲🅱   p. 8
fermé 24 déc. au 5 janv. – ☲ 8 – **43 ch** 52/58

St-Christophe-Kyriad sans rest, 2 pl. Gare ☎ 03 88 22 30 30, Fax 03 88 32 17 11–
☎ 🆎 ◑ 🅶🅱 🅹🅲🅱   p. 8
☲ 7 – **70 ch** 58/74

Pax, 24 r. Fg National ☎ 03 88 32 14 54, info@paxhotel.com, Fax 03 88 32 01 16, 📶
📺 ♿ ⬅ – ⚒ 25. 🆎 ◑ 🅶🅱 🅹🅲🅱   p. 8 H
fermé 23 déc. au 2 janv. – **Repas** (fermé dim. de nov. à fév.) 12/22 ☲, enf. 6,10 – ☲
106 ch 54,88/67,08 – ½ P 52

Continental sans rest, 14 r. Maire Kuss ☎ 03 88 22 28 07, Fax 03 88 32 22 25 – 📱
◑ 🅶🅱 ✽   p. 8 H
☲ 6,50 – **48 ch** 58/61

Au Crocodile (Jung), 10 r. Outre ☎ 03 88 32 13 02, info@au-crocodile
✽ ✽   Fax 03 88 75 72 01, « Cadre élégant » – 🍽. 🆎 ◑ 🅶🅱 🅹🅲🅱. ✽   p. 9 K
fermé 7 au 29 juil., 22 déc. au 6 janv., dim. et lundi – **Repas** 54 (déj.), 74/113 et cart
110 ☲, enf. 20
Spéc. Sandre et laitance de carpe, paysanne de poireau. Pigeon des Vosges rôti, artic
en barigoule. Symphonie aux trois chocolats **Vins** Riesling, Tokay-Pinot gris

Buerehiesel (Westermann), dans le parc de l'Orangerie ☎ 03 88 45 56 65, westerm
✽✽✽✽   buerehiesel.fr, Fax 03 88 61 32 00, ≤, « Reconstitution d'une authentique ferme
✽✽✽   cienne agrémentée d'une verrière » – 🍽 📶. 🆎 ◑ 🅶🅱   p. 7 G
fermé 31 juil. au 22 août, 31 déc. au 15 janv., mardi et merc. – **Repas** 51,83 (déj.), 9
129,58 et carte 105 à 125, enf. 19,82
Spéc. Schniederspaetle et cuisses de grenouilles poêlées au cerfeuil. Poissons d'eau d
rôtis, jus de volaille à la coriandre fraîche, nouilles à l'alsacienne. Poularde de Bresse
entière comme un baeckeoffa **Vins** Tokay-Pinot gris, Pinot noir

Vieille Enseigne (Langs), 9 r. Tonneliers ☎ 03 88 32 58 50, Fax 03 88 75 63 80 – 🍽.
✽   🅶🅱 🅹🅲🅱   p. 9 K
fermé sam. midi et dim. – **Repas** 32 (déj.), 56,41/73,18 et carte 60 à 82 ☲
Spéc. Foie gras d'oie en terrine. Bar rôti au basilic et citronnelle. Paletot de canette
aux épices **Vins** Sylvaner, Pinot blanc

Zimmer, 8 r. Temple Neuf ☎ 03 88 32 35 01, Fax 03 88 32 42 28, 📶 – 🍽. 🆎 ◑
✽   p. 9 K
fermé 30 juil. au 20 août, 23 déc. au 7 janv., dim. et lundi – **Repas** (22,11) - 29,73/54,88 ☲

Estaminet Schloegel, 19 r. Krütenau ☎ 03 88 36 21 98, Fax 03 88 36 21 98
🅶🅱   p. 9 L
fermé août, sam. midi et dim. – **Repas** 24,39 (déj.), 36,60/45,70 et carte 38 à 52 ☲

Maison des Tanneurs dite "Gerwerstub", 42 r. Bain aux Plantes ☎ 03 88 32 7
maison.des.tanneurs@wanadoo.fr, Fax 03 88 22 17 26, « Vieille maison alsacienne au
de l'Ill » – 🆎 ◑ 🅶🅱   p. 8 J
fermé 30 déc. au 20 janv., dim. et lundi – **Repas** carte 28 à 63, enf. 9

Maison Kammerzell et Hôtel Baumann M avec ch, 16 pl. Cathé
☎ 03 88 32 42 14, infomaison@kammerzell.com, Fax 03 88 23 03 92, « Belle maison
cienne du 16° siècle » – 📱, 🍽 ch, 📺 ☎ – ⚒ 80. 🆎 ◑ 🅶🅱 🅹🅲🅱   p. 9 K
hôtel : fermé fév. – **Repas** 29/45 et carte 35 à 45 ☲ – ☲ 11 – **9 ch** 69/110

Julien, 22 quai Bateliers ☎ 03 88 36 01 54, Fax 03 88 35 40 14 – 🍽. 🆎 ◑
✽   🅹🅲🅱   p. 9 K
fermé 1ᵉʳ au 21 avril, 1ᵉʳ au 15 janv., dim. et lundi – **Repas** 32 (déj.), 46/69 et carte 55 à
Spéc. Foie gras gras de canard poêlé à la rhubarbe. Langoustines rôties à l'infusio
gingembre confit. Moelleux de chocolat "guanaja" et sorbet à l'orange **Vins** Riesling,
noir

Cambuse, 1 r. Dentelles ☎ 03 88 22 10 22, Fax 03 88 23 24 99, « Décoration rappe
l'intérieur d'un bateau » – 🅶🅱. ✽   p. 8 J
fermé 31 mars au 15 avril, 28 juil. au 19 août, 22 déc. au 6 janv., dim. et lundi – **Re
produits de la mer - (prévenir) carte 42 à 47 ☲

L'Arsenal, 11 r. Abreuvoir ☎ 03 88 35 03 69, info@restaurant-arsenal.
Fax 03 88 35 03 69 – 🍽. 🆎 🅶🅱. ✽   p. 9 L
fermé 30 juil. au 27 août, sam. midi, dim. et fériés – **Repas** 22,10 (déj.)/25,15 ☲

Violon d'Ingres, 1 r. Chevalier Robert ☎ 03 88 31 39 50, Fax 03 88 31 46 74 – 🅶🅱
fermé 17 août au 7 sept., sam. midi et dim. soir – **Repas** 27,90/57,90 ☲   p. 5 CS

S'Staefele, 2 pl. St-Thomas ☎ 03 88 32 39 03, Fax 03 88 21 90 80, 📶   p. 8 J
fermé 1ᵉʳ au 15 janv., 6 au 15 août, dim. et lundi – **Repas** 17,53 et carte 28 à 39 ☲

Pont des Vosges, 15 quai Koch ☎ 03 88 36 47 75, Fax 03 88 25 16 85, 📶 – 🆎 🅶🅱
fermé dim. – **Repas** carte 30 à 40 ☲   p. 9 LY

✗ **Penjab,** 12 r. Tonneliers ℰ 03 88 32 36 37, *Fax 03 88 32 18 55* – ▤. **GB** p. 9 **KZ r**
fermé 31 déc. au 3 janv., 1ᵉʳ au 15 avril, lundi midi, jeudi midi et dim. – **Repas** - cuisine
indienne - 19,82/42,68 ♀, enf. 9,15

✗ **L'Alsace à Table,** 8 r. Francs-Bourgeois ℰ 03 88 32 50 62, *info@alsace-a-table.fr,*
Fax 03 88 22 44 11, brasserie – ▤. **AE ⓪ GB JCB** p. 8 **JZ z**
fermé 24 déc. au 1ᵉʳ janv. – **Repas** - produits de la mer - (20,43) - 25 ♀, enf. 7,62

✗ **Panier du Marché,** 15 r. Ste-Barbe ℰ 03 88 32 04 07, *Fax 03 88 23 64 52,* 斎 – ▤. **GB**.
❀ p. 8 **JZ e**
fermé 4 au 10 mars, 5 au 18 août, sam. et dim. – **Repas** 18,90 (déj.)/25,61 ♀

✗ **Festin de Lucullus,** 18 r. Ste-Hélène ℰ 03 88 22 40 78, *lucullus@restaurateurs-*
cuisiniers-alsace.asso.fr, Fax 03 88 22 40 78 – **GB** p. 8 **JZ q**
fermé 12 août au 2 sept., dim. et lundi sauf fériés – **Repas** 11,89 (déj.), 25,15/30,49 ♀

✗
✗ **Buffet de la Gare-Argentoratum,** pl. Gare ℰ 03 88 32 68 28, *Fax 03 88 32 88 34* –
▤. **AE ⓪ GB** p. 8 **HY r**
Repas (8,85) - 10,40/23 ♀, enf. 5,80

✗ **A L'Ancienne Douane,** 6 r. Douane ℰ 03 88 15 78 74, *anciennedouane.rv@elior.com,*
Fax 03 88 22 45 64, 斎 – **AE ⓪ GB** p. 9 **KZ s**
Repas (8,55) - 14,95/21,20 ♨

✗ **Cruche d'Or** avec ch, 6 r. Tonneliers ℰ 03 88 32 11 23, *Fax 03 88 21 94 78,* 斎 – **TV** ☎. **AE**
GB. ❀ ch p. 9 **KZ v**
fermé 1ᵉʳ au 15 août, vacances de fév. et dim. – **Repas** 21,35/27,45 ♀, enf. 7,60 – ⴢ 6,10 –
12 ch 48,78/53,36

✗ **Brasserie Kirn,** 6/8 r. de l'Outre ℰ 03 88 52 03 03, *Fax 03 88 52 01 00* – ▤. **AE**
GB P. 9 **KY f**
fermé dim. soir – **Repas** 25 (déj.), 29/34 ♀, enf. 8,40

✗ **Vieille Tour,** 1 r. A. Seyboth ℰ 03 88 32 54 30, *Fax 03 88 32 54 30,* 斎 – **GB** p. 8 **HZ e**
fermé 15 au 30 juil., dim. et lundi – **Repas** 18,30 (déj.)/29,80

✗ **Patrie,** 1 r. Balayeurs ℰ 03 88 35 16 92, *Fax 03 88 36 81 92* – **GB** p. 7 **FV s**
fermé 29 juil. au 26 août, sam. midi, dim. et lundi – **Repas** - cuisine portugaise - carte 24 à
32 ♀

✗ **Au Rocher du Sapin,** 6 r. Noyer ℰ 03 88 32 39 65, *Fax 03 88 75 60 99,* 斎, brasserie –
AE GB p. 8 **JY f**
fermé dim. – **Repas** 14,48/22,11 ♀, enf. 8,38

LES WINSTUBS : *Dégustation de vins et cuisine du pays, ambiance typiquement alsacienne*

✗ **Le Clou,** 3 r. Chaudron ℰ 03 88 32 11 67, *Fax 03 88 75 72 83* – ▤. **AE GB** p. 9 **KY n**
fermé merc. midi, dim. et fériés – **Repas** carte 30 à 38 ♀

✗ **Ami Schutz,** 1 r. Ponts Couverts ℰ 03 88 32 76 98, *ami-schutz@strasbourg.com,*
Fax 03 88 32 38 40, 斎 – **AE ⓪ GB** p. 8 **HZ r**
fermé vacances de Noël – **Repas** 14,03 bc (déj.), 33,54 bc/38,87 bc, enf. 11,43

✗ **S'Burjerstuewel (Chez Yvonne),** 10 r. Sanglier ℰ 03 88 32 84 15, *Fax 03 88 23 00 18*
– **AE GB** p. 9 **KYZ r**
fermé 1ᵉʳ au 15 août, 23 déc. au 2 janv., lundi midi et dim. – **Repas** (prévenir) 27,44/38,11 ♀

✗ **S'Muensterstuewel,** 8 pl. Marché aux Cochons de Lait ℰ 03 88 32 17 63, *munsterstue*
wel@wanadoo.fr, Fax 03 88 21 96 02, 斎 – ▤. **AE ⓪ GB** p. 9 **KZ y**
fermé 20 août au 9 sept., 18 au 28 fév., 5 au 11 mars, 30 avril au 6 mai, dim. et lundi – **Repas**
28,66 (déj.)/39,64, enf. 10,67

✗ **Au Pont du Corbeau,** 21 quai St-Nicolas ℰ 03 88 35 60 68, *corbeau@reperes.com,*
Fax 03 88 25 72 45 – ▤. **GB** p. 9 **KZ b**
fermé 22 avril au 2 mai, août, dim. midi et sam. sauf en déc. – **Repas** (10,98) - carte 25 à 30 ♀

✗ **Fink'Stuebel,** 26 r. Finkwiller ℰ 03 88 25 07 57, *Fax 03 88 36 48 82* – **GB** p. 8 **JZ x**
fermé 5 au 20 août, 1ᵉʳ au 10 janv., dim. et lundi – **Repas** carte 22 à 32 ♀, enf. 5,79

✗ **Hailich Graab "Au St-Sépulcre",** 15 r. Orfèvres ℰ 03 88 32 39 97, *Fax 03 88 32 39 97*
– ▤. **GB** p. 9 **KZ d**
fermé 14 au 31 juil., dim. et lundi – **Repas** 23/29

✗ **Zum Strissel,** 5 pl. Gde Boucherie ℰ 03 88 32 14 73, *Fax 03 88 32 70 24,* cadre rustique –
▤. **AE ⓪ GB** p. 9 **KZ a**
fermé 3 au 31 juil., 30 janv. au 10 fév., dim. sauf fêtes et lundi – **Repas** 10,20/21 ♀, enf. 7,60

Environs

à Reichstett : Nord : 7 km par D 468 et D 37 ou par A 4 et D 63 – 4 882 h. alt. 141 – ⊠ 67116

Paris, sur D 63 *&* 03 88 20 00 23, horest@infonie.fr, Fax 03 88 20 30 60, 斎, 国, 屛 -
≡ rest, ⊡ **P** - ﹠ 40. ᴳᴮ   p. 5 B
fermé 20 juil. au 18 août et 22 déc. au 3 janv. – **Repas** *(fermé dim. soir et sam.)* 13,70/28
– ☲ 6,86 – **17 ch** 44,22/52 – ½ P 45

L'Aigle d'Or sans rest, (près église) *&* 03 88 20 07 87, info@aigledor.
Fax 03 88 81 83 75 – ⊡. ᴬᴱ ᴳᴮ   p. 5 B
☲ 8,50 – **17 ch** 48/90

à La Wantzenau Nord-Est : 12 km par D 468 – 5 462 h. alt. 130 – ⊠ 67610 :

Hôtel Au Moulin ⑤, Sud : 1,5 km par D 468 *&* 03 88 59 22 22, moulin-wantze.
wanadoo.fr, Fax 03 88 59 22 00, ≤, « Ancien moulin sur un bras de l'Ill », 屛 – ⫴ ⊡
ᴬᴱ ᴳᴮ   p. 5 C
fermé 24 déc. au 2 janv. voir rest. **Au Moulin** ci-après – ☲ 8,85 – **20 ch** 59/90 – ½ P 64

Roseraie sans rest, 32 r. Gare *&* 03 88 96 63 44, laroseraie67@wanad
Fax 03 88 96 64 95 – ⊡ ⫦ **P**. ᴳᴮ   p. 5 C
fermé 26 juil. au 19 août – ☲ 6,40 – **15 ch** 42,70/50,30

XXX **Relais de la Poste** avec ch, 21 r. Gén. de Gaulle *&* 03 88 59 24 80, info@relais-poste.
Fax 03 88 59 24 89, 斎, « Belle maison alsacienne aménagée avec soin » – ⫴, ≡ rest,
P. ᴬᴱ ⓞ ᴳᴮ   p. 5 C
fermé 2 au 22 janv. – **Repas** *(fermé 22 juil. au 2 août, 2 au 22 janv.), sam. midi, dim. s
lundi)* 28 (déj.), 39/73 et carte 62 à 80, enf. 15 – ☲ 10 – **19 ch** 60/115 – ½ P 122

XXX **Zimmer,** 23 r. Héros *&* 03 88 96 62 08, Fax 03 88 96 37 40 – ⫴ ᴬᴱ ᴳᴮ   p. 5 C
fermé 21 au 30 nov., 24 fév. au 11 mars, dim. soir et lundi sauf fériés – **Repas** *(20)* - 26/
carte 32 à 38 ⅃, enf. 14,50

XX **Rest. Au Moulin** - Hôtel Au Moulin, Sud : 1,5 km par D 468 *&* 03 88 96 20 01, phi
clauss@wanadoo.fr, Fax 03 88 68 07 97, 斎, « Jardin fleuri », 屛 – ≡ **P**. ᴬᴱ
ᴳᴮ   p. 5 C
fermé 8 au 29 juil., 27 déc. au 5 janv., 17 au 23 fév., dim. soir et soir fériés – **Repas**
22/60, enf. 14

XX **Les Semailles,** 10 r. Petit-Magmod *&* 03 88 96 38 38, semailles@reperes.
Fax 03 88 68 09 06, 斎 – ᴳᴮ   p. 5 C
fermé 14 août au 4 sept., 19 fév. au 5 mars, dim. soir, merc. et jeudi – **Repas**
35/45 ⅃

X **Pont de l'Ill,** 2 r. Gén. Leclerc *&* 03 88 96 29 44, Fax 03 88 96 21 18, 斎 -
ᴳᴮ   p. 5 C
fermé août et sam. midi – **Repas** *(7,93)* - 9,76 (déj.), 21,19/36,28 ⅃, enf. 9,60

à Illkirch-Graffenstaden par rte de Colmar BST : 5 km ou par A 35 (sortie n° 7) – 23 8
alt. 140 – ⊠ 67400 :

Holiday Inn Garden Court Ⓜ, au Parc d'Innovation *&* 03 88 40 8
Fax 03 88 66 22 83, 斎, ⅃₆, 国 – ⫴ ⅗ ≡ ⊡ ⫦ ﺫ ⇌ **P** – ﹠ 80. ᴬᴱ ⓞ ᴳᴮ   p. 5 B
Repas *(fermé sam. midi et dim. midi)* (12) - 22 ⅃, enf. 11 – ☲ 10,67 – **68 ch** 90/115

Alsace, 187 rte Lyon *&* 03 90 40 35 00, contact@hotelalsace.com, Fax 03 90 40 35 0
– ⫴ ⊡ ⫦ **P** – ﹠ 30. ᴬᴱ ᴳᴮ   p. 5 B
Repas *(fermé sam. midi et dim.)* 11 ⅃, enf. 7,60 – ☲ 6,90 – **40 ch** 53,40 – ½ P 38,15

au Sud-Ouest par A 35 (sortie n° 7), D 484 et D 884 : 10 km – ⊠ 67540 Ostwald :

Mercure Strasbourg-Sud Ⓜ, r. 23 Novembre *&* 03 90 40 51 51, h0369@accor-h
com, Fax 03 90 40 51 59, 斎, ⅃, – ⫴ ⅗ ≡ ⊡ **P** - ﹠ 80. ᴬᴱ ⓞ ᴳᴮ
⅗ rest   p. 5 B
Repas *(fermé sam. midi et dim. midi)* 21/24,30 ⅃ – ☲ 10,50 – **97 ch** 100/109

vers ④ sur N 83 : 11 km – ⊠ 67400 Illkirch-Graffenstaden :

Novotel Strasbourg-Sud Ⓜ, *&* 03 88 66 21 56, h0441@accor-hotels.
Fax 03 88 67 21 63, 斎, ⅃, 屛 – ⅗ ≡ ⊡ ⫦ ﺫ **P** – ﹠ 70. ᴬᴱ ⓞ ᴳᴮ ᴶᴄᴮ   p. 5 B
Repas 14,03/17,07 ⅃, enf. 7,62 – ☲ 9,91 – **76 ch** 95/106

ibis Strasbourg-Sud, *&* 03 88 67 81 67, h2193@accor-hotels.com, Fax 03 88 66 9
斎 – ⫴, ≡ ch, ⊡ ⫦ ﺫ **P** – ﹠ 30. ᴬᴱ ⓞ ᴳᴮ   p. 5 B
Repas *(13)* - 15/17 ⅃, enf. 6 – ☲ 5,50 – **75 ch** 51

gersheim *vers ④ par A 35 (sortie n° 7), N 283 et N 83 : 14 km – 4 533 h. alt. 145 –* ⊠ *67640 :*

🏠 **Auberge Au Chasseur,** près église d'Ohnheim, Est : 2 km par D 221 ℰ 03 88 64 03 78,
Fax 03 88 64 05 49, 斎 – ▤ rest, 📺 🅿 🖭 ⏢ p. 5 BT x
fermé août, vend. soir., dim. soir et sam. – **Repas** 11/28 ⴵ – ⴱ 6,50 – **24 ch** 46/52 –
½ P 42

✕ **Auberge du Bruchrhein,** 24 r. Lyon ℰ 03 88 64 17 77, Fax 03 88 64 17 77, 斎 – ▤. 🖭
⏢ p. 4 AT x
fermé 19 août au 2 sept., 17 au 24 fév., dim. soir et lundi – **Repas** (11,90) - 16,50 (déj.),
21,40/27,20 ⴵ, enf. 6,10

sheim *vers ④ par A 35, N 83 et D 221 – 2 268 h. alt. 146 –* ⊠ *67640 :*

🏠 **Alizés** Ⓜ ⑂ sans rest, ℰ 03 88 59 02 00, hotellesalizes@wanadoo.fr, Fax 03 88 64 21 61,
▨ – ▣ ✦ ▤ 📺 ⅙ 🅿 – ⴲ 25. 🖭 ⏢ ⏣ p. 4 AT e
fermé 24 déc. au 1ᵉʳ janv. – ⴱ 9 – **49 ch** 55/74

esheim *par A 35 (sortie n° 9), N 422 et D 84 : 19 km – 1 369 h. alt. 150 –* ⊠ *67113 :*

🏠 **Au Bœuf,** ℰ 03 88 68 68 99, Fax 03 88 68 60 07, 斎 – ▣, ▤ rest, 📺 ⅙ 🅿 – ⴲ 90. 🖭 ⓞ
⏢ p. 4 AT q
fermé 15 au 30 août et 27 déc. au 15 janv. – **Repas** (fermé dim. soir et sam midi)
37,35/51,07 ⴵ – ⴱ 8,38 – **22 ch** 59,45/129,58 – ½ P 73,17

✕ **Schadt,** ℰ 03 88 68 86 00, Fax 03 88 68 89 83 – 🖭 ⓞ ⏢ p. 4 AT v
fermé 8 au 18 août, dim. soir et jeudi – **Repas** 29/53 ⴵ

tzheim *par A 35 (sortie n° 8), D 400 et D 392 : 12 km – 1 855 h. alt. 150 –* ⊠ *67960 :*

🏠 **Père Benoit,** 34 rte Strasbourg ℰ 03 88 68 98 00, hotel.perebenoit@wanadoo.fr,
Fax 03 88 68 64 56, 斎, « Ancienne ferme alsacienne du 18ᵉ siècle », 𝄢, ✿ – ▣, ▤ rest,
📺 ⅙ 🅿 – ⴲ 30. 🖭 ⏢ ✄ rest p. 4 AT h
fermé 4 au 25 août et 23 déc. au 6 janv. – **Repas** 17 ⴵ, enf. 6,50 – ⴱ 6,50 – **60 ch** 47,50/72

twald *par rte de Schirmeck (D 392) et D 484 : 7 km ou par A 35 (sortie n° 7) et D 484 – 10 761 h.
alt. 140 –* ⊠ *67540 :*

🏠 **Château de l'Île** Ⓜ ⑂, 4 quai Heydt ℰ 03 88 66 85 00, contact@chateau-ile.com,
Fax 03 88 66 85 49, 𝄢, ▨, ✿ – ▣ ▤ 📺 ⅙ 🅿 – ⴲ 80. 🖭 ⓞ ⏢ ✄ p. 5 BT r
Repas 34/58 ⴵ - **Winstub : Repas** 34/58 ⴵ, enf.21 – ⴱ 15 – **58 ch** 145/385, 4 appart –
½ P 147,50/267,50

golsheim *par rte de Schirmeck (D 392) : 5 km – 16 860 h. alt. 140 –* ⊠ *67380 :*

🏠 **Kyriad** sans rest, 59 r. Mar. Foch ℰ 03 88 76 11 00, hotelkyriad@evc.net,
Fax 03 88 77 39 31 – ▣ 📺 ✆ 🅿 – ⴲ 30. 🖭 ⓞ ⏢ p. 5 BS a
ⴱ 6 – **37 ch** 55/59

kbolsheim *Ouest : 4 km par A 351 sortie n° 4 – 5 937 h. alt. 145 –* ⊠ *67201*

🏠 **Y.G.,** 14 r. J. Monnet ℰ 03 88 77 85 60, yg@strasbourg.com, Fax 03 88 77 85 33, 斎, ▨, ✕
– 📺 ⅙ 🅿 – ⴲ 40. ⏢ p. 5 BS v
Repas (9) - 19/23 ⴵ, enf. 7 – ⴱ 8 – **67 ch** 47/74 – ½ P 47,50/55

ttelhausbergen *Nord-Ouest : 5 km par D 31 – 1 680 h. alt. 155 –* ⊠ *67206 :*

✕ **Tilleul** avec ch, 5 rte de Strasbourg ℰ 03 88 56 18 31, autilleul@wanadoo.fr,
Fax 03 88 56 07 23 – ✦ 📺 ⅙ 🅿 🖭 ⏢ p. 5 BS v
Repas (fermé 29 juil. au 16 août, 15 fév. au 5 mars, mardi et merc.) (8,50) - 15 (déj.), 21/55 ⴵ,
enf. 7,50 – ⴱ 8 – **12 ch** 47/50 – ½ P 45/48

ulgriesheim *Nord-Ouest : 10 km par D 31 – 1 171 h. alt. 135 –* ⊠ *67370 :*

✕ **Bürestubel,** 8 r. Lampertheim ℰ 03 88 20 01 92, info@burestubel.com,
Fax 03 88 20 48 97, 斎 – ⏢. ✕ P. 4 AR a
fermé 21 juil. au 7 août, 17 fév. au 5 mars, lundi et mardi – **Repas** 13/22 ⴵ

LIGNY *89 Yonne* 𝟨𝟷 ⑭ *– rattaché à Sens.*

É-SUR-ERDRE *44 Loire-Atl.* 𝟨𝟹 ⑰ *– rattaché à Nantes.*

Y-EN-BRIE *94 Val-de-Marne* 𝟨𝟷 ①, 𝟷𝟢𝟷 ㉘ *– voir à Paris, Environs.*

Le Guide change, changez de guide tous les ans.

SULLY-SUR-LOIRE 45600 Loiret 🔢 ① G. Châteaux de la Loire – 5 907 h alt. 115.

Voir *Château★ : charpente★★* – *Commune de la Méridienne verte.*

🖪 *Office du tourisme Place de Gaulle ℘ 02 38 36 23 70, Fax 02 38 36 32 21.*

Paris 151 ① – Orléans 50 ① – Bourges 85 ④ – Gien 25 ① – Montargis 41 ① – Vierzon

Utilisez
le guide de l'année.

🏛 **Hostellerie du Château** Ⓜ, 4 rte Paris à St-Père-sur-Loire par ① : ℘ 02 38 36 24 44, resasylvie@wanadoo.fr, Fax 02 38 36 62 40 – 🛗, 🍴 rest, 📺 ✆ ♿ 🛌 40. 🖭 ☯
Repas *(18)* - 21/37 ⚲ – ⬚ 7,50 – **42 ch** 39/55 – 1/2 P 51

🏛 **Poste**, 11 r. Fg St-Germain ℘ 02 38 36 26 22, Fax 02 38 36 39 35, 🌧 – ✤ 📺 🅿. 🖭
Repas 14,64/32,01 bc – ⬚ 4,88 – **26 ch** 30,49/45,73 – 1/2 P 32,78

🍴🍴 **Ferme des Châtaigniers**, chemin Châtaigniers, Sud-Ouest : 2,5 km par ⑥ *et* ℘ 02 38 36 51 98, Fax 02 38 36 51 98, 🌧, 🎐 – 🅿. 🖭 ⓞ ☯
fermé 28 août au 11 sept., 23 déc. au 8 janv., dim. soir, mardi soir et merc. – **Repas** (nc de couverts limité, prévenir) 18 (déj.), 25/33

aux Bordes par ①, D 948 et D 961 : 6 km – 1 445 h. alt. 132 – ✉ 45460 :

🍴 **Bonne Étoile**, D 952 ℘ 02 38 35 52 15, Fax 02 38 35 52 15 – 🛏 🅿. ☯
🍽 *fermé 25 août au 10 sept., 2 au 8 janv., mardi soir, dim. soir et lundi* – **Repas** 13,50/31 enf. 8,40

SUPER-BESSE 63 P.-de-D. 🔢 ⑬ – rattaché à Besse-en-Chandesse.

SUPERDÉVOLUY 05250 H.-Alpes 🔢 ⑮ G. Alpes du Sud.

Paris 660 – Gap 36 – Grenoble 95 – La Mure 45.

🏛 **Les Chardonnelles**, ℘ 04 92 58 86 90, Fax 04 92 58 87 76, ≤, 🌧, 🔟 – 🛗 📺 🅿 – 🖭 ☯
21 juin.-8 sept. et 15 déc.-25 avril – **Repas** 15/27 ⚲, enf. 7,50 – **41 ch** ⬚ 62/94 – 1/2 P ■

SUPER-LIORAN 15 Cantal 🔢 ③ G. Auvergne – Sports d'hiver : 1 160/1 850 m ✋1 ⚡23 ✉ 15300 Laveissière.

Voir *Plomb du Cantal ✳★★ par téléphérique* – *Gorges de l'Alagnon★ NE : 4 km puis ⸬* – *Col de Cère ≤★ O : 2 km.*

🖪 *Office de tourisme ℘ 04 71 49 50 08, Fax 04 71 49 51 01.*

Paris 536 – Aurillac 41 – Condat 46 – Murat 14 – St-Jacques-des-Blats 8.

🏨 **Grand Hôtel Anglard et du Cerf** ఏ, ℘ 04 71 49 50 26, Fax 04 71 49 53 53, ≤ 🍽 du Cantal – 🛗 📺 ✆ 🅿 – 🛌 80. 🖭 ⓞ ☯
6 juil.-15 sept. et 21 déc.-13 avril – **Repas** 12,20/38 – ⬚ 7 – **38 ch** 53/58 – 1/2 P 49/54

🏔 **Rocher du Cerf et Crystal Chalet** ఏ, ℘ 04 71 49 50 14, Fax 04 71 49 54 07 – 🍽 🖭 ☯
1er juil.-10 sept. et 20 déc.-1er avril – **Repas** 10/20, enf. 7 – ⬚ 5 – **27 ch** 32/38 – 1/2 P 4▮

SUPER-SAUZE 04 Alpes-de-H.-P. 🔢 ⑧ – rattaché à Barcelonnette.

SUQUET *06 Alpes-Mar.* 84 ⑲, 115 ⑯ – ✉ *06450 Lantosque.*

Paris 883 – Levens 19 – Nice 47 – Puget-Théniers 48 – St-Martin-Vésubie 22.

Auberge du Bon Puits, ✆ 04 93 03 17 65, *Fax 04 93 03 10 48,* – P

Pâques-fin nov. et fermé mardi sauf juil.-août – **Repas** 17/26, enf. 12 – 7 – **8 ch** 54/58 – ½ P 53/55

ESNES *92 Hauts-de-Seine* 55 ⑳, 101 ⑭ – *voir à Paris, Environs.*

GÈRES *17700 Char.-Mar.* 71 ③ *G. Poitou Vendée Charentes – 6 051 h alt. 16.*

Voir *Église Notre-Dame*★.

Office du tourisme ✆ *05 46 07 20 02, Fax 05 46 07 20 30.*

Paris 443 – La Rochelle 38 – Niort 35 – Rochefort 28 – St-Jean-d'Angély 30 – Saintes 54.

Vieux Puits, 6 r. P. Bert (proche Château) ✆ 05 46 07 50 83 – GB

fermé 15 au 30 sept., dim. soir et jeudi – **Repas** 15/30

VILLIERS *95470 Val-d'Oise* 56 ⑪, 106 ⑧ – *3 654 h alt. 110.*

Paris 37 – Compiègne 47 – Chantilly 15 – Meaux 39 – Pontoise 44 – Senlis 19.

Novotel M, sur D 16 par échangeur A1 Survilliers ✆ 01 34 68 69 80, *H0459@accor-hotels.com, Fax 01 34 68 64 94,* – P – 100. AE GB JCB

Repas carte 24 à 31 – 11,45 – **79 ch** 105/112

Parc Astérix – ✉ *60128 Plailly :*

des Trois Hiboux M, accès autoroute A 1, sortie Parc Astérix ✆ 03 44 62 68 00, *hoteldestroishiboux@parcasterix.fr, Fax 03 44 62 68 01,* – P – 45. AE GB

fermé 30 nov. au 31 janv. – **Repas** (dîner seul.) 13,72/25,15, enf. 6,86 – 11 – **96 ch** 136/148,62, 4 studios

E-LA-ROUSSE *26790 Drôme* 81 ② *G. Provence – 1 564 h alt. 92.*

Office du tourisme ✆ *04 75 04 81 41, Fax 04 75 04 81 41.*

Paris 646 – Avignon 59 – Bollène 7 – Nyons 28 – Orange 33 – Valence 85.

Relais du Château, ✆ 04 75 04 87 07, *Fax 04 75 98 26 00,* – P – 40. AE GB

13 mars-31 oct. – **Repas** 21/40, enf. 9 – 7,50 – **39 ch** 56/75 – ½ P 60/65

Comte, rte Bollène ✆ 04 75 04 85 38, *hotel-suze-la-rousse@wanadoo.fr, Fax 04 75 04 85 37,* – P. GB. rest

fermé 5 au 21 janv. – **Repas** (dîner seul.)(résidents seul.) 15 – 7 – **11 ch** 48/55 – ½ P 69/74

Garlaban, r. Remparts ✆ 04 75 04 04 74, *Fax 04 75 04 01 06,* – GB

fermé vacances de Toussaint, janv., mardi de sept. à mars et lundi – **Repas** 20/37, enf. 9,15

LLECOURT *25 Doubs* 66 ⑧ – *rattaché à Audincourt.*

N-TOURNON 77 ① ② *G. Vallée du Rhône.*

Voir *Terrasses*★ *du château* B D.

voir à Tain-l'Hermitage et à Tournon.

Plan page suivante

n-l'Hermitage *26 Drôme – 5 503 h alt. 124 –* ✉ *26600.*

Voir *Belvédère de Pierre-Aiguille*★ *N : 4 km par D 241.*

Office du tourisme 70 avenue Jean Jaurès ✆ *04 75 08 06 81, Fax 04 75 08 34 59.*

Paris 550 – Valence 17 – Grenoble 97 – Le Puy-en-Velay 106 – St-Étienne 76 – Vienne 60.

Pavillon de l'Ermitage, 1 av. P. Durand ✆ 04 75 08 65 00, *pavillon.26@wanadoo.fr, Fax 04 75 08 66 05,* – P – 90. AE GB — C e

Repas 22,87/42,69, enf. 9,91 – 8,54 – **46 ch** 75,46/79,27

Les 2 Coteaux sans rest, 18 r. J. Péala ✆ 04 75 08 33 01, *Fax 04 75 08 44 20* – . GB — B a

fermé 28 déc. au 2 janv. et dim. de nov. à fév. – 6 – **22 ch** 31/49

Reynaud M avec ch, 82 av. Prés. Roosevelt, par ③ *rte Valence* ✆ 04 75 07 22 10, *Fax 04 75 08 03 53,* – cuisinette, ch, P. AE GB. rest

Repas *(fermé dim. soir, mardi midi et lundi)* 26/61 et carte 38 à 61 – 9 – **13 ch** 58/73

Rive Gauche, 17 r. J. Péala ✆ 04 75 07 05 90, *Fax 04 75 07 05 90,* – GB — B v

fermé 1er au 22 janv., merc. midi de juil. à sept., merc. soir d'oct. à juin, dim. soir et lundi – **Repas** 27,44/62,50

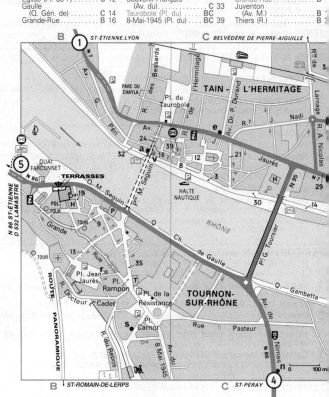

rte de Romans par ② : 4 km – ⊠ 26600 Tain-l'Hermitage :

🏨 **L'Abricotine,** ℘ 04 75 07 44 60, Fax 04 75 07 47 97, ㏃ – 🖵 ❤ 🅿. 🄰🄴 ㏄
🍴 *fermé 20 nov. au 10 déc. et dim. au 28 fév.* – **Repas** (dîner seul.) 13/17 ♀, enf.
– ⌑ 6,10 – **11 ch** 44/57,60

Tournon-sur-Rhône ◁◈▷ 07 Ardèche – 9 946 h alt. 125 – ⊠ 07300.

Voir *Terrasses★ du château* B – *Route panoramique★★★* B.

🛈 *Office du tourisme Hôtel de la Tourette* ℘ 04 75 08 10 23, Fax 04 75 08 4
ot.tournon.ardeche@en-france.com.

Paris 551 – Valence 18 – Grenoble 98 – Le Puy-en-Velay 105 – St-Étienne 76 – Vienne 6

🏨🏨 **Amandiers** 🅼 sans rest, 13 av. de Nîmes ℘ 04 75 07 24 10, *info@hotel-amandiers*
Fax 04 75 07 06 30 – 🛗 🖵 ❤ 🅿 – 🔬 30. 🄰🄴 ⓘ ㏄
⌑ 6,50 – **25 ch** 44,50/55

🏨 **Azalées,** 6 av. Gare ℘ 04 75 08 05 23, *Fax 04 75 08 18 27,* ㏃ – 🍽 rest, 🖵 ❤ 🅿 – ♨
🍴 ㏄
fermé 25 déc. au 3 janv. et dim. soir d'oct. à mars – **Repas** 14/25 ♨, enf. 8 – ⌑ 6 – ?
40/46 – ½ P 40

🍴🍴 **Chaudron,** 7 r. St-Antoine ℘ 04 75 08 17 90, Fax 04 75 08 06 61, ㏃ – ㏄
🍵 *fermé 5 au 25 août, 24 déc. au 3 janv., jeudi soir et dim.* – **Repas** 20,58/27,44 ♀, enf. 9

LOIRES 74290 H.-Savoie 74 ⑥ G. Alpes du Nord – 1 448 h alt. 470.

Voir Site★★ – Site★★ de l'Ermitage St-Germain★ E : 4 km.

🟦 Office du tourisme Rue Henri Theuriet ℘ 04 50 60 70 64, Fax 04 50 60 76 59, talloirestou
rism@wanadoo.fr.

Paris 551 – Annecy 13 – Albertville 34 – Megève 50.

Auberge du Père Bise ⬙, ℘ 04 50 60 72 01, reception@perebise.com,
Fax 04 50 60 73 05, ≤, �─, « Terrasse ombragée face au lac, parc », 🐾, 🐶 – 📺 🍴 🅿 –
🏊 25. 🆎 ⓞ 🅶🅱 🅹🅲🅱
fermé 15 déc. au 10 fév. mardi midi et vend. midi – Repas 76,22/140,25 et carte 88 à 138 ♀
– ☑ 16,70 – **29 ch** 274/380, 5 appart – ½ P 243/366
Spéc. Gratin de queues d'écrevisses "Marguerite Bise". Tatin de pommes de terre, truffes et
foie gras sauce Périgueux. Marjolaine **Vins** Roussette de Seyssel, Mondeuse d'Arbin

L'Abbaye ⬙, ℘ 04 50 60 77 33, abbaye@abbaye-talloires.com, Fax 04 50 60 78 81, ≤,
�─, « Abbaye bénédictine du 17ᵉ siècle, terrasse et jardin ombragés », 🐾, 🌿 – 📺 🍴 🅿 –
🏊 25. 🆎 ⓞ 🅶🅱 🅹🅲🅱
fermé 3 janv. au 13 fév. – Repas (fermé dim. et lundi de nov. à avril) 40 (déj.), 43/89 ♀ –
☑ 17 – **32 ch** 184/335 – ½ P 144/277

Cottage ⬙, ℘ 04 50 60 71 10, cottagebise@wanadoo.fr, Fax 04 50 60 77 51, ≤, �─,
« Terrasse ombragée face au lac », 🐾, 🌿 – 📺 🍴 🅿 🆎 ⓞ 🅶🅱 🅹🅲🅱
25 avril-2 oct. – Repas (22 bcl) - 30/49 ♀, enf. 20 – ☑ 14 – **35 ch** 99/215 – ½ P 76/145

Les Prés du Lac ⬙ sans rest, ℘ 04 50 60 76 11, les.pres.du.lac@wanadoo.fr,
Fax 04 50 60 73 42, ≤, « Jardin au bord du lac », 🐾, 🌿 – 📺 🍴 🅿 🆎 ⓞ 🅶🅱 🅹🅲🅱
30 mars-13 oct. – ☑ 15 – **16 ch** 136/244

Beau Site ⬙, ℘ 04 50 60 71 04, hotelbeausite@free.fr, Fax 04 50 60 79 22, ≤, 🐾, 🌿,
✖ – 🍴 📺 🍴 🅿 🆎 ⓞ 🅶🅱. 🛇 rest
9 mai-6 oct. – Repas 27/29 ♀ – ☑ 11 – **29 ch** 81/180 – ½ P 79/110

Charpenterie ⬙, ℘ 04 50 60 70 47, lacharpenterie@hotmail.com, Fax 04 50 60 79 07,
�─ – 🍴 📺. 🆎 ⓞ 🅶🅱
20 avril-29 sept. – Repas 21/30 ♀, enf. 7,50 – ☑ 10,50 – **18 ch** 78/94 – ½ P 59/79

Villa des Fleurs ⬙ avec ch, ℘ 04 50 60 71 14, lavilladesfleurs@wanadoo.fr,
Fax 04 50 60 74 06, �─, 🐶 – 📺 🍴 🅿 🆎 🅶🅱
fermé 15 nov. au 15 déc., 20 janv. au 4 fév., dim. soir, mardi midi et lundi – Repas
26,50/46,50 ♀, enf. 17,50 – ☑ 11 – **8 ch** 79/99 – ½ P 85/90

à **gon** Sud : 2 km par D 909a – ✉ 74290 Veyrier-du-Lac :

Les Grillons, ℘ 04 50 60 70 31, grillon74@hotmail.com, Fax 04 50 60 72 19, �─, 🌊, 🌿 –
📺 🅿. 🅶🅱. 🛇 rest
29 mars-4 nov. – Repas 22,87/38,11 ♀ – ☑ 7,62 – **30 ch** 68,60/91,47 – ½ P 54,88/71,65

MONT-SUR-GIRONDE 17120 Char.-Mar. 71 ⑮ G. Poitou Vendée Charentes – 83 h alt. 20.

Voir Site★ de l'église Ste-Radegonde★.

Paris 504 – Royan 18 – Blaye 69 – La Rochelle 91 – Saintes 36.

L'Estuaire ⬙ avec ch, au Caillaud, 1 av. Estuaire ℘ 05 46 90 43 85, Fax 05 46 90 43 88,
≤ estuaire et le village – 🅿. 🅶🅱
hôtel : 1ᵉʳ mars-30 sept. et fermé mardi et merc. hors saison – Repas (fermé 1ᵉʳ au 10 oct.,
15 janv. au 15 fév., mardi soir hors saison et merc.) 16,70/33,50, enf. 8,40 – ☑ 5,60 – **7 ch**
38,90/49,60 – ½ P 41,10

NIÈS 24620 Dordogne 75 ⑰ – 317 h alt. 200.

Paris 504 – Brive-la-Gaillarde 47 – Périgueux 59 – Sarlat-la-Canéda 14.

Laborderie ⬙, ℘ 05 53 29 68 59, hotel.laborderie@worldonline.fr, Fax 05 53 29 65 31,
≤, �─, 🐶 – ▤ rest, 📺 🅿. 🅶🅱
6 avril-3 nov. – Repas (fermé merc. midi sauf du 15 juin au 15 sept.) 17,50/40 – ☑ 7 – **40 ch**
34/75 – ½ P 43/60

The Guide changes, so renew your Guide every year.

TANCARVILLE (Pont routier de) ★ *76430 S.-Mar.* 55 ④ *G. Normandie Vallée de la Sei*
Voir ≤★ *sur estuaire.*
Accès Péage en 2001 : *auto 2,29, auto et caravane 2,90, camions et autocars 3,51 a gratuit pour motos* ☎ *02 35 39 65 60.*
Paris 172 – Le Havre 29 – Caen 81 – Pont-Audemer 21 – Rouen 60.

XXX **Marine** avec ch, au pied du pont (D 982) ☎ 02 35 39 77 15, *la-marine@wanac Fax 02 35 38 03 30,* ≤ pont suspendu et la Seine, 🏠, 🚗 – 📺 🅿 – 🔔 20. AE GB. ✂
fermé 24 juil. au 24 août, sam. midi, lundi (sauf hôtel) et dim. soir – **Repas** 25,92/57 carte 58 à 63 ♀, enf. 9,90 – ☕ 7,62 – **9 ch** 48,78/60,98 – ½ P 53,36/68,60

TANINGES *74440 H.-Savoie* 74 ⑦ *G. Alpes du Nord – 3 140 h alt. 640.*
🅘 *Office du tourisme Avenue des Thézières* ☎ *04 50 34 25 05, Fax 04 50 34 8 ot@taninges.com.*
Paris 573 – Chamonix-Mont-Blanc 51 – Thonon-les-Bains 47 – Annecy 63 – Genève 43

XX **Crémaillère,** au lac de Flérier, Sud-Ouest : 1 km ☎ 04 50 34 21 98, *Fax 04 50 34* 🏠, « Au bord du lac » – 🅿. GB
fermé 25 juin au 1er juil., janv., dim. soir, lundi soir et merc. sauf juil.-août – **Repas** (no de couverts limité, prévenir) 14,50/37,50 ♀

TANNERON *83440 Var* 84 ⑧, 114 ㉖ *– 1 307 h alt. 376.*
Paris 908 – Cannes 20 – Antibes 31 – Draguignan 64 – Grasse 16 – St-Raphaël 43.

XX **Champfagou** 🐦 avec ch, pl. du Village ☎ 04 93 60 68 30, *Fax 04 93 60 70 60,* ≤, 🏠 – 🅿. AE ⓓ GB
hôtel : fermé nov. ; rest. : déj. seul. du 15 oct. au 15 déc – **Repas** *(fermé mardi so juil.-août et merc.)* 20/26 ♀ – ☕ 5,49 – **9 ch** 39,64 – ½ P 48,78

Pas de publicité payée dans ce guide.

TANTONVILLE *54116 M.-et-M.* 62 ⑤ *– 600 h alt. 300.*
Paris 322 – Nancy 28 – Épinal 51 – Lunéville 34 – Toul 48 – Vittel 44.

XX **Commanderie,** 1 r. Pasteur ☎ 03 83 52 49 83, *Fax 03 83 52 49 83* – 🅿. GB
fermé 26 août au 8 sept., 13 au 26 janv., dim. soir et lundi – **Repas** (8,84) - 11,43 18,14/37,96 🍷, enf. 7,47

TANUS *81190 Tarn* 80 ⑪ *– 436 h alt. 439.*
Voir Viaduc du Viaur★ NE : 7 km – Commune de la "Méridienne verte" – **G. Midi-Pyré**
🅘 *Syndicat d'initiative - Mairie* ☎ *05 63 76 36 71.*
Paris 704 – Rodez 48 – Albi 34 – St-Affrique 62.

🏠 **Voyageurs,** ☎ 05 63 76 30 06, *ddelpous@club-internet.fr, Fax 05 63 76 37 94,* ▤ rest, 📺. ⓓ GB
fermé dim. soir et lundi sauf juil.-août – **Repas** 13 bc /25,15 🍷, enf. 6,90 – ☕ 5,35 – 34/43 – ½ P 32,80/37,35

TARARE *69170 Rhône* 73 ⑨ *G. Vallée du Rhône – 10 420 h alt. 383.*
🅘 *Office du tourisme 6 place Madeleine* ☎ *04 74 63 06 65, Fax 04 74 63 52 69.*
Paris 464 – Roanne 42 – Lyon 48 – Montbrison 60 – Villefranche-sur-Saône 33.

🏠 **Burnichon,** Est par N 7 : 1,5 km ☎ 04 74 63 44 01, *Fax 04 74 05 08 52,* 🏠, 🏊 – 🔔 40. AE ⓓ GB
Repas *(fermé dim.)* 12/30 ♀ – ☕ 6 – **34 ch** 34/46

XXX **Jean Brouilly,** 3 ter r. Paris ☎ 04 74 63 24 56, *Fax 04 74 05 05 48,* 🌳 – 🅿. AE ⓓ GB
✿ *fermé 4 au 27 août, vacances de fév., dim et lundi* – **Repas** 32/60 et carte 40 à 60 ♀, e
Spéc. Diable de lapin et salade aux herbes. Tournedos "Milotier". Millefeuille aux fru saison **Vins** Saint-Véran, Beaujolais

TARASCON *13150 B.-du-R.* 81 ⑪ *G. Provence – 12 668 h alt. 8.*
Voir Château du roi René★★ : ✻★★ – Église Ste-Marthe★ – Musée Charles-Der (Souleïado) **M.**
🅘 *Office de tourisme 59 r. des halles* ☎ *04 90 91 03 52, Fax 04 90 91 22 96, tour tarascon.org.*
Paris 707 ④ – Avignon 24 ① – Arles 18 ③ – Marseille 105 ③ – Nîmes 27 ④.

TARASCON

*Le Guide change,
changez de guide
tous les ans.*

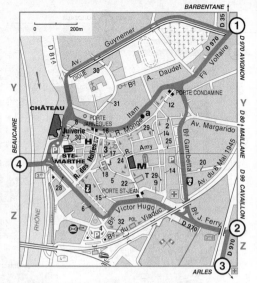

Échevins, 26 bd Itam ℘ 04 90 91 01 70, echevins@aol.com, Fax 04 90 43 50 44 – 🛗, 🍴 rest, 📺 🕭 🚗, ⬛ 🚗 ⬛ rest
1er avril-30 oct. – **Mistral** ℘ 04 90 91 27 62 *(fermé sam. midi, dim. soir et merc.)* **Repas**
14,60/20,60 ⚕, enf. 10 – ⚌ 7 – **40 ch** 52/60 – ½ P 50

*Un automobiliste averti utilise le **Guide Rouge Michelin** de l'année.*

ASCON-SUR-ARIÈGE 09400 Ariège 🎯🎯 ④ ⑤ G. Midi-Pyrénées – 3 446 h alt. 474.
Voir Parc pyrénéen de l'art préhistorique★★ O : 3 km – Grotte de Niaux★★ *(dessins préhistoriques)* SO : 4 km – Grotte de Lombrives★ S : 3 km par N 20.
🅱 Office du tourisme ℘ 05 61 05 94 94, Fax 05 61 05 57 79, pays.de.tarascon@wanadoo.fr.
Paris 810 – Foix 16 – Ax-les-Thermes 27 – Lavelanet 30.

Confort sans rest, quai A. Sylvestre ℘ 05 61 05 61 90, Fax 05 61 05 61 90 – 📺 🚗. ⬛
fermé 7 au 25 janv. – ⚌ 6,50 – **12 ch** 32/48

sat Sud-Est : 2 km – 372 h. alt. 520 – ⬜ 09400 :

Parc M, ℘ 05 61 02 20 20, thermes.ussat@wanadoo.fr, Fax 05 61 05 10 60, 🎾, 🏊, 🎾, 🏔
– 🛗 📺 🕭 🅿, ⬛ ⬛ ⬛ rest
6 janv.-24 nov. – **Repas** 10,90 ⚕ – ⚌ 6,10 – **49 ch** 39,70/49,60 – ½ P 38,90

BES 🅿 65000 H.-Pyr. 🎯🎯 ⑧ G. Midi-Pyrénées – 46 275 h Agglo. 109 892 h alt. 320.
✈ de Tarbes-Lourdes-Pyrénées : ℘ 05 62 32 92 22, par ④ : 9 km.
🚂 ℘ 08 36 35 35 35.
🅱 Office du tourisme 3 cours Gambetta ℘ 05 62 51 30 31, Fax 05 62 44 17 63.
Paris 797 ① – Pau 44 ⑤ – Bordeaux 220 ① – Lourdes 18 ④ – Toulouse 159 ②.

Plan page suivante

Henri IV sans rest, 7 av. B. Barère ℘ 05 62 34 01 68, Fax 05 62 93 71 32 – 🛗 📺 🕭 🚗. ⬛
⬤ ⬛, 🚗   AY k
⚌ 7 – **24 ch** 52/90

Foch sans rest, 18 pl. Verdun ℘ 05 62 93 71 58, Fax 05 62 93 34 59 – 🛗 ⬛ 📺 🕭. ⬛
⬛   AYZ e
fermé 23 déc. au 1er janv. – ⚌ 6,41 – **30 ch** 48,79/65,56

L'Ambroisie (Labarrère), 48 r. Abbé Torné ℘ 05 62 93 09 34, Fax 05 62 93 09 24, 🌂 – ⬛.
⬤ ⬛, 🚗   AY n
fermé 28 avril au 14 mai, 11 au 26 août, 22 au 29 déc., 2 au 6 janv., dim., lundi et fériés –
Repas 16,77 (déj.), 27,44/50,31 et carte 50 à 65
Spéc. Homard sous toutes ses formes (nov. à fév.). Filets de pigeon rôtis et pastilla des abats au curry. Biscuit mi-cuit mi-cru au chocolat noir. **Vins** Madiran.

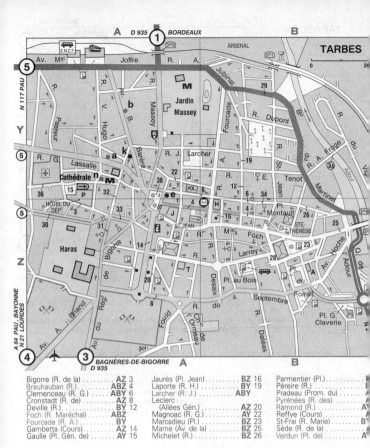

TARBES

🍴 **Fil à la Patte**, 30 r. G. Lassalle ℘ 05 62 93 39 23, Fax 05 62 93 39 23 – 🍽. 🆖   A
   fermé 6 août au 2 sept., 6 au 14 janv., sam. midi, dim. et lundi – **Repas** (12)-15/23 Ⴘ, e

🍴 **Petit Gourmand**, 62 av. B. Barère ℘ 05 62 34 26 86, Fax 05 62 34 26 86, 🍽 – 🅰🅴 ⓪
   fermé 15 août au 7 sept., sam. midi, dim. soir et lundi – **Repas** 16,78/30,50   A

rte de Lourdes par Juillan par ④ : 4 km sur D 921^A – ⊠ 65290 Juillan :

🍴🍴 **L'Aragon**   avec   ch,   ℘ 05 62 32 07 07,   hotel-restaurant.aragon@wanad
   Fax 05 62 32 92 50, 🍽 – 📺 ☎ 🅿 – 🔬 20. 🅰🅴 ⓪ 🆖 🃏
   fermé 4 au 20 août, 22 déc. au 6 janv., 23 fév. au 10 mars, sam. midi et dim. soir – R
   30/52 - **Bistrot** (fermé sam. midi et dim. soir) **Repas** (12)bc-15 bc Ⴘ, enf. 8 – ⊡ 7 –
   43/57 – ½ P 46/52

rte de Pau par ⑤ : 6 km – ⊠ 65420 Ibos :

🏨 **Chaumière du Bois** ॐ, N 117 ℘ 05 62 90 03 51, Fax 05 62 90 05 33, 🍽, ⛱,
🆖 ☎ & 🅿. 🅰🅴 ⓪ 🆖
   Repas (fermé dim. soir et lundi sauf juil.-août) (11) - 14/23 Ⴘ – ⊡ 5,50 – **22 ch** 46
   ½ P 46/52

à la Côte de Ger par ⑤ : 10 km sur N 117 – ⊠ 65420 Ibos :

🍴🍴 **Vieille Auberge**, ℘ 05 62 31 51 54, vieille-auberge@wanadoo.fr, Fax 05 62 31 55 5
   – 🅿. 🅰🅴 ⓪ 🆖
   fermé dim. soir, lundi et soirs fériés – **Repas** 16/38,50

ARDETS-SORHOLUS 64470 Pyr.-Atl. 85 ⑤ – 656 h alt. 220.

Paris 817 – Pau 62 – Mauléon-Licharre 14 – Oloron-Ste-Marie 28 – St-Jean-Pied-de-Port 48.

XX **Pont d'Abense** ⑤ avec ch, à Abense-de-Haut ℘ 05 59 28 54 60, uhaltia@wanadoo.fr, Fax 05 59 28 75 91, 佘, ㎡ – 🅿. ⒼⒷ. ⅍

*fermé 1ᵉʳ au 15 déc., janv., dim. soir et lundi – Repas (nombre de couverts limité, prévenir) 15/25 – ☲ 6,50 – **10 ch** 28/46*

ARGASONNE 66 Pyr.-Or. 86 ⑯ – rattaché à Font-Romeu.

ARNAC 19170 Corrèze 72 ⑳ G. Berry Limousin – 356 h alt. 700.

Paris 429 – Limoges 68 – Aubusson 47 – Bourganeuf 44 – Tulle 61 – Ussel 46.

🏠 **Voyageurs** ⑤, ℘ 05 55 95 53 12, voyageurs-tarnac@voila.fr, Fax 05 55 95 40 07 – ▤ rest, 🆗 ⒼⒷ. ⅍ rest

*fermé 21 déc. au 12 janv., 15 fév. au 3 mars, lundi (sauf hôtel en juil.-août) et dim. soir de sept. à juin – Repas 13,50/26 ♀ – ☲ 6,50 – **15 ch** 37,50/42 – 1/2 P 46*

SSIN-LA-DEMI-LUNE 69 Rhône 73 ⑳ 110 ⑬ – rattaché à Lyon.

ULÉ 29670 Finistère 58 ⑥ – 2 781 h alt. 90.

Paris 545 – Brest 63 – Morlaix 8 – St-Pol-de-Léon 13.

🏠 **Relais des Primeurs**, à la gare, Nord : 1,5 km ℘ 02 98 67 11 03, Fax 02 98 79 02 70 – 🅿. ⒼⒷ. ⅍ ch

*fermé sept., vend. soir et sam. midi sauf juil.-août – Repas 12/29,80 ♀ – ☲ 5,50 – **16 ch** 25/33,50 – 1/2 P 42/43,50*

UTAVEL 66720 Pyr.-Or. 86 ⑨ G. Languedoc Roussillon – 851 h alt. 110.

Voir Centre européen de préhistoire★★, ≼★.

🖪 Office de tourisme Mairie ℘ 04 68 29 44 29, Fax 04 68 29 40 48.

Paris 864 – Perpignan 32 – Carcassonne 96 – Limoux 85 – Narbonne 74 – Quillan 57.

X **Petit Gris**, rte d'Estagel ℘ 04 68 29 42 42, Fax 04 68 29 40 49, ≼, 佘 – 🅿. ⒼⒷ

fermé 2 au 20 janv., le soir et lundi d'oct. à fin mars – Repas - grillades et spécialités catalanes - 12,20/27,44 ♀

VEL 30126 Gard 80 ⑳ – 1 529 h alt. 100.

🖪 Office de tourisme ℘ 04 66 50 04 10.

Paris 678 – Avignon 15 – Alès 68 – Nîmes 42 – Orange 22.

🏠 **Pont du Roy**, Sud-Est : 3 km par D 4 et D 976 ℘ 04 66 50 22 03, hotelpontduroy@wana doo.fr, Fax 04 66 50 10 14, 佘, ⊐, ㎡ – ▤ ch, 🆗 ⅖ 🅿. ⒼⒷ

*28 mars-13 oct. – Repas (dîner seul.)(résidents seul.) 20,50/43, enf. 10 – ☲ 7 – **14 ch** 67/89 – 1/2 P 60*

ERS 45 Loiret 64 ⑧ – rattaché à Beaugency.

EIL 07400 Ardèche 80 ⑩ G. Vallée du Rhône – 7 999 h alt. 75.

Voir Baptistère★ de l'église de Mélas.

🖪 Office du tourisme Place Pierre Sémard ℘ 04 75 49 10 46, Fax 04 75 49 65 19, ot.leteil.ardeche@en-france.com.

Paris 614 – Valence 53 – Aubenas 34 – Montélimar 7 – Privas 32.

X **Gafferot**, 2 bd Stalingrad ℘ 04 75 49 49 24 – ▤. ⒼⒷ

fermé 2 au 23 juil., vacances de fév., dim. soir, merc. soir et lundi – Repas 15/30 ♀, enf. 8,40

EILLEUL 50640 Manche 59 ⑨ – 1 377 h alt. 212.

Paris 272 – Avranches 48 – Domfront 20 – Fougères 37 – Mayenne 39 – St-Lô 79.

🏠 **Clé des Champs**, Est : 1 km sur N 176 ℘ 02 33 59 42 27, Fax 02 33 59 33 71, ㎡ – 🆗 ⅖ ⇔ 🅿 – 🔏 20. ⒼⒷ

*fermé 15 fév. au 7 mars, dim. soir et lundi d'oct. à mars – Repas 14/36 ♀ – ☲ 7 – **16 ch** 32/48 – 1/2 P 37/39,50*

Le TEMPLE-SUR-LOT 47110 L.-et-G. **79** ⑤ – 969 h alt. 43.

🏢 *Syndicat d'initiative Place des Templiers &* 05 53 40 64 55, Fax 05 53 01 10 98.
Paris 601 – Agen 30 – Nérac 45 – Villeneuve-sur-Lot 16.

🏠 **Les Rives du Plantié** ≽, rte Castelmoron & 05 53 79 86 86, -lesrivesduplantie@wa
doo.fr, Fax 05 53 79 86 85, 🏡, 🏊, 🎏 – 📺 📞 ఊ 👤 – 🏛 150. 🖭 ⑩ ஊ ❀ rest
fermé 20 oct. au 8 nov. et janv. – **Repas** *(fermé samedi midi, dim. soir et lundi)* (12,96)
19,82/28,97 ♀, enf. 11,43 – ☑ 8,38 – **10 ch** 56,41/62,50 – ½ P 90,75

TENCE 43190 H.-Loire **76** ⑧ G. Vallée du Rhône – 2 890 h alt. 840.

🏢 *Office du tourisme Place du Chatiague &* 04 71 59 81 99, Fax 04 71 65 47 13, office.
tourisme.tence@freesbee.fr.
Paris 572 – Le Puy-en-Velay 47 – Lamastre 38 – St-Étienne 54 – Yssingeaux 19.

🏨 **Hostellerie Placide,** av. Gare (rte d'Annonay) & 04 71 59 82 76, placide@hostellerie-
cide.fr, Fax 04 71 65 44 46, 🎏 – ⇋ 📺 📞 👤 🖭 ஊ, ❀ rest
mi-mars-mi-nov. et fermé lundi midi et mardi midi en juil.-août, dim. soir, lundi et ma
hors saison – **Repas** 26/49 ♀ – ☑ 10 – **14 ch** 69/99 – ½ P 61/81

TENDE 06430 Alpes-Mar. **84** ⑳ G. Côte d'Azur – 1 844 h alt. 815.

Voir *Site*★ – *veille ville*★ – *Fresques*★★★ de la chapelle Notre-Dame des fontaines★★
11 km.

🏢 *Office du tourisme Avenue du 16 Septembre 47 &* 04 93 04 73 71, Fax 04 93 04 35 09
Paris 896 – Cuneo 46 – Menton 57 – Nice 79 – Sospel 39.

❌ **Auberge Tendasque,** 65 av. 16-Septembre-1947 & 04 93 04 62 26, Fax 04 93 04 68
🏠 – ஊ
fermé mardi soir de juin à oct. et le soir de nov. à mai sauf sam. – **Repas** 13/20

à Casterino Ouest : 16 km par St-Dalmas-de-Tende et D 91 – ✉ 06430 Tende :

🏡 **Les Mélèzes** ≽, & 04 93 04 95 95, Fax 04 93 04 95 96, ≼, 🎏 – 📞 ஊ. ❀ ch
fermé 28 oct. au 27 déc., mardi soir et merc. hors saison – **Repas** 16,77/20,58, enf. 6,8
☑ 5,30 – **10 ch** 44,20/48,80 – ½ P 41,40/43,70

à St-Dalmas-de-Tende Sud : 4 km par N 204 – ✉ 06430 :

🏨 **Prieuré** ≽ (Centre d'Aide par le Travail), & 04 93 04 75 70, contact@leprieure.
Fax 04 93 04 71 58, 🎏, 🎏 – 📺 👤 – 🏛 50. 🖭 ஊ
fermé Noël au Jour de l'An – **Repas** *(fermé dim. soir et lundi de nov. à mars)* (10) · 15/2
enf. 8,40 – ☑ 5,65 – **24 ch** 41,60/58,85 – ½ P 40,40/45,13

à la Brigue Sud-Est : 6,5 km par N 204 et D 43 – 595 h. alt. 810 – ✉ 06430 :

Voir *Collégiale St-Martin*★.

🏢 *Syndicat d'initiative Place Saint-Martin &* 04 93 04 36 07, Fax 04 93 04 36 07.

🏠 **Mirval** ≽, & 04 93 04 63 71, Fax 04 93 04 79 81, ≼, 🎏, 🎏 – 📺 👤. ஊ
1er avril-2 nov. – **Repas** 15/21, enf. 8 – ☑ 8 – **18 ch** 40/54 – ½ P 40/50

TERMES 48310 Lozère **76** ⑭ – 202 h alt. 1120.

Paris 549 – Aurillac 112 – Mende 56 – Chaudes-Aigues 19 – St-Flour 40.

🏠 **Auberge du Verdy,** & 04 66 31 60 97, Fax 04 66 31 66 13, 🎏 – 📺 ⇋ 👤. ஊ
fermé 22 déc. à début mars – **Repas** 9/20 🍷 – ☑ 4 – **10 ch** 31/39 – ½ P 35

TERNAY Barrage du 07 Ardèche **76** ⑨ – rattaché à St-Marcel-lès-Annonay.

TERRASSON-LAVILLEDIEU 24120 Dordogne **75** ⑦ G. Périgord Quercy – 6 180 h alt. 90.

Voir *Les jardins de l'imaginaire*★.

🏢 *Office de tourisme r. Jean Rouby &* 05 53 50 37 56, Fax 05 53 51 02 22.
Paris 503 – Brive-la-Gaillarde 22 – Lanouaille 44 – Périgueux 53 – Sarlat-la-Canéda 32.

🏠 **Moulin Rouge,** rte Brive sur N 89 : 2 km & 05 53 50 25 00, le.moulin.rouge@wan-
ஊ fr, Fax 05 53 50 12 20, 🎏, 🏊, ▤ ch, 📺 📞 ఊ 👤 – 🏛 30. 🖭 ⑩ ஊ 🇯🇨🇧
Repas *(fermé sam. et dim. sauf juil.-août)* 11/15 ♀ – ☑ 6,90 – **38 ch** 50, 3 studios – ½

❌❌❌ **L'Imaginaire,** pl. Foirail (direction église St-Sour) & 05 53 51 37 27, Fax 05 53 51
🎏, « Belle salle voûtée d'un ancien hospice du 17e siècle » – 👤. 🖭 ⑩ ஊ
fermé 12 au 20 nov., 2 au 22 janv., vacances de fév., dim. soir et mardi midi de sept. à j
lundi – **Repas** (19) · 28/68,60 bc et carte 28 à 45 ♀, enf. 14

TERTENOZ 74 H.-Savoie **74** ⑰ – rattaché à Faverges.

SY-SUR-VIRE 50420 Manche �🟦🟦 ⑬ – 1 427 h alt. 50.
Paris 299 – St-Lô 18 – Caen 66 – Coutances 36 – Vire 25.

🏠 **Minoterie** Ⓜ ⌖, rte Pont-Farcy ✆ 02 33 77 21 21, *la-minoterie@wanadoo.fr*,
Fax 02 33 77 21 22, 🛋 – 📺 👍 🅿. GB
fermé lundi midi ,dim. soir et merc. – **Repas** *(14)* - 18/28 ♈, enf. 8 – 🍽 8 – **7 ch** 53/69 –
½ P 39/51

EGHEM 59 Nord 🟦🟦 ④ – rattaché à Dunkerque.

NN ◉ 68800 H.-Rhin 🟦🟦 ⑨ G. Alsace Lorraine – 8 033 h alt. 343.
Voir *Collégiale St-Thiébaut★★ – Grand Ballon ☀★★★ N : 19 km.*
🗓 *Office du tourisme 7 rue de la 1ère Armée ✆ 03 89 37 96 20, Fax 03 89 37 04 58,*
office-de-tourisme.thann@wanadoo.fr.
Paris 465 – Mulhouse 21 – Belfort 41 – Colmar 43 – Épinal 87 – Guebwiller 21.

🏠 **Cigogne** Ⓜ, ✆ 03 89 37 47 33, Fax 03 89 37 40 18, 🛋 – 🛎 📺 👍 🅿. GB
⌖ *fermé fév.* – **Repas** *(fermé dim. soir et lundi)* 11,45/38,15 ♈ – 🍽 7,65 – **27 ch** 42,70/67,10 –
½ P 48,80/57,95

🏠 **Moschenross**, 42 r. Gén. de Gaulle ✆ 03 89 37 00 86, *info@le-moschenross.com*,
Fax 03 89 37 52 81, 🛎 – 📺 👍 🅿 – 🏛 20. GB
Repas *(fermé sam. midi et dim. soir)* 8,84 (déj.), 15/45 ♈ – 🍽 6,10 – **23 ch** 31/49 – ½ P 35/42

🏠 **Aux Sapins**, 3 r. Jeanne d'Arc ✆ 03 89 37 10 96, Fax 03 89 37 23 83, 🛎 – 📺 👍 🅿. ⓞ
GB
fermé 3 au 18 août et 23 déc. au 2 janv. – **Repas** *(fermé sam.)* 16/30 ♈, enf. 6 – 🍽 6 – **17 ch**
38/45 – ½ P 40

🏠 **Kléber**, 39 r. Kléber ✆ 03 89 37 13 66, Fax 03 89 37 39 67, 🛁 – 📺 👍 🅿. GB. ⌖ rest
⌖ *fermé 8 au 28 fév.* – **Repas** *(fermé sam. et dim.)* 10,70/21,50 ♈ – 🍽 6,10 – **26 ch** 23,65/51,83
– ½ P 45,75

Les pages explicatives de l'introduction
*vous aideront à mieux profiter de votre **Guide Rouge Michelin***

NNENKIRCH 68590 H.-Rhin 🟦🟦 ⑲ G. Alsace Lorraine – 446 h alt. 520.
Voir *Route★ de Schaentzel (D 48¹) N : 3 km.*
Paris 432 – Colmar 25 – St-Dié 39 – Sélestat 17.

🏠 **Auberge La Meunière** ⌖, ✆ 03 89 73 10 47, *info@aubergelameuniere.com*,
Fax 03 89 73 12 31, ≤, 🛋, « Décor rustique », 🛁 – 🛎 📺 👍 🚗 🅿 – 🏛 25. ⒶⒺ GB
25 mars-20 déc. – **Repas** *(fermé lundi midi et mardi midi)* 17/30 ♈, enf. 7 – 🍽 6 – **23 ch**
50/75 – ½ P 41/56

🏠 **Touring-Hôtel**, ✆ 03 89 73 10 01, *touringhotel@free.fr*, Fax 03 89 73 11 79, ≤, 🛋 – 🛎,
▤ rest, 📺 🅿 – 🏛 45. GB
fermé 4 janv. au 26 mars – **Repas** *(14)* - 19,06/29 ♈, enf. 7 – 🍽 9 – **45 ch** 38/73 – ½ P 46/64

RON-PLAGE 44730 Loire-Atl. 🟦🟦 ①.
Paris 445 – Nantes 57 – Challans 53 – St-Nazaire 24.

🍴 **Belem**, 56 av. Convention ✆ 02 40 64 90 06, Fax 02 40 39 43 14, 🛋 – ▤. GB
fermé 1ᵉʳ janv. au 7 fév., dim. soir et lundi sauf juil.-août – **Repas** 16,92/32,01 ♈, enf. 7,62

HEIL 15 Cantal 🟦🟦 ② – rattaché à Salers.

MES 89 Yonne 🟦🟦 ⑭ – ✉ 89410 Cézy.
Paris 144 – Auxerre 35 – La Celle-St-Cyr 5 – Joigny 9 – Montargis 50 – Sens 26.

🍴 **P'tit Claridge** ⌖ avec ch, ✆ 03 86 63 10 92, Fax 03 86 63 01 34, 🛋, 🛋 – 📺 👍 🅿. ⒶⒺ
GB. ⌖ ch
fermé 4 au 15 mars, 1ᵉʳ au 15 oct., 8 au 15 janv., lundi sauf hôtel et dim. soir – **Repas**
22/64 ♈, enf. 10 – 🍽 8 – **7 ch** 40/46

NAY 36800 Indre 🟦🟦 ⑰ – 827 h alt. 120.
Paris 299 – Châteauroux 33 – Limoges 104 – Le Blanc 30 – La Châtre 49.

🍴 **Auberge de Thenay**, ✆ 02 54 47 99 00, 🛋 – GB
fermé fév., dim. soir et lundi – **Repas** 9,90 bc (déj.), 16/25 ♈

THÉOULE-SUR-MER 06590 Alpes-Mar. **84** ⑧, **114** ㉖, **115** ㉞ *G. Côte d'Azur* – *1 296 h.*
Excurs. Massif de l'Estérel★★★.
[i] *Office du tourisme 1 Corniche d'Or* & 04 93 49 28 28, Fax 04 93 49 00 04, ot@th
sur-mer.org.
Paris 903 – *Cannes 11* – *Draguignan 59* – *Nice 42* – *St-Raphaël 30.*

à Miramar *5 km par N 98* - *rte de St-Raphaël G. Côte d'Azur* – ⊠ *06590 Théoule-sur-Mer.*
Voir *Pointe de l'Esquilon* ⩹★★ *NE* : *1 km puis 15 mn.*

🏨 **Miramar Beach** M, & 04 93 75 05 05, reservation@mbhotel.com, Fax 04 93 75
⩹ mer, 🍽, **🎏**, 🏊, 🗷, ⦿▲, 🛥, 🌳, ❤️ – 🛗 🖃 📺 📞 🕹 🅿 – 🛗 30 à 50. 🖭 🇬🇧 🏧
L'Étoile des Mers *(fermé le midi du 25 juin au 2 sept. sauf sam. et dim.)* Repa
79 ♀, enf. 14 – �}Ω 16 – **57 ch** 135/610 – ½ P 281/358

THÉRONDELS 12600 Aveyron **76** ⑬ – *478 h alt. 965.*
Paris 563 – *Aurillac 44* – *Chaudes-Aigues 48* – *Murat 50* – *Rodez 82* – *St-Flour 48.*

🏨 **Miquel,** & 05 65 66 02 72, hotel-miquel@wanadoo.fr, Fax 05 65 66 19 84, 🍽, 🏊,
📺 📞 🅿. 🇬🇧
fermé 15 déc. au 10 fév., dim. soir sauf juil.-août et lundi sauf le midi en juil.-août – R
16/27 ♀ – ⊠ 6 – **20 ch** 47/49 – ½ P 39/42

THÉSÉE 41140 L.-et-Ch. **64** ⑰ *G. Châteaux de la Loire* – *1 123 h alt. 80.*
Paris 217 – *Tours 53* – *Blois 42* – *Châteauroux 73* – *Montrichard 12* – *Vierzon 63.*

🏠 **Hostellerie du Moulin de la Renne,** & 02 54 71 41 56, contact@moulindelar
com, Fax 02 54 71 75 09, 🍽, 🌳 – 🅿. 🇬🇧
fermé 1er janv. au 15 mars, dim. soir et lundi du 15 sept. au 30 avril – Repas 14,50/35, en
⊠ 7 – **15 ch** 24/48 – ½ P 33,50/43

THIÉBLEMONT-FARÉMONT 51300 Marne **61** ⑨ – *601 h alt. 120.*
Paris 189 – *Bar-le-Duc 42* – *Châlons-en-Champagne 43* – *Troyes 92* – *Vitry-le-François*

XX **Champenois** avec ch, N 4 & 03 26 73 81 03, Fax 03 26 73 80 95 – 📺 🅿. 🖭 ① 🇬🇧
fermé 15 au 31 oct., 15 au 28 fév., dim. soir et lundi – Repas 16 (déj.)/40 ♀, enf. 8
⊠ 6,90 – **9 ch** 34/51 – ½ P 51

THIERS ⟨SNCF⟩ 63300 P.-de-D. **73** ⑯ *G. Auvergne* – *13 338 h alt. 420.*
Voir *Site*★★ – *Le Vieux Thiers*★ : *Maison du Pirou*★ *N* – *Terrasse du Rempart* ☀★ – *R
de Borbes* ⩹★ *S* : *3,5 km par D 102.*
[i] *Office du tourisme Maison du Pirou* & 04 73 80 65 65, Fax 04 73 80 01 32.
Paris 393 ③ – *Clermont-Ferrand 41* ① – *Lyon 133* ① – *St-Étienne 108* ① – *Vichy 37* ③

Plan page ci-contre

🏠 **L'Aigle d'Or,** 8 r. Lyon & 04 73 80 00 50, Fax 04 73 80 17 00 – 📺. 🇬🇧
Repas 15/29 – ⊠ 6 – **20 ch** 39/45 – ½ P 42

à la Monnerie-le-Montel *par* ① : *6,5 km par N 89* – *2 241 h. alt. 544* – ⊠ *63650* :

X **Auberge du Piarrou,** & 04 73 80 02 78 – 🇬🇧
fermé 5 au 25 août, 23 déc. au 6 janv. et le soir sauf sam. – Repas 15/23 🍂

rte de Clermont-Ferrand *par* ② : *5 km sur N 89* – ⊠ *63300 Thiers* :

🏨 **Parc de Geoffroy** M, & 04 73 80 87 00, reservation@parc-de-geoffroy.
🍴 Fax 04 73 80 87 01, 🍽, 🌳 – 🛗 📺 📞 🕹 🅿 – 🛗 15 à 50. 🖭 🇬🇧
Repas *(11)* - 14/36 ♀, enf. 9,90 – ⊠ 8 – **31 ch** 60/68 – ½ P 47,72

à Pont-de-Dore *par* ② : *6 km par N 89* – ⊠ *63920 Peschadoires* :

🏠 **Éliotel,** rte Maringues & 04 73 80 10 14, eliotel@wanadoo.fr, Fax 04 73 80 51 02, 🍽
🍴 – 📺 📞 🅿. 🇬🇧
fermé 24 déc. au 13 janv. – Repas *(11,40)* - 13,70/26,70 🍂, enf. 7,90 – ⊠ 5,90 – **13 ch** 37
½ P 38/48

XX **Ferme des Trois Canards,** Nord-Ouest : 3 km par rte Maringues et rte secon
& 04 73 51 06 70, restaurant3canards@wanadoo.fr, Fax 04 73 51 06 71, 🍽 – 🅿. 🇬🇧
fermé dim. soir, mardi soir et merc. – Repas 20,60/49 ♀

à Courty *par* ③ : *6,5 km par D 906ᴬ* – ⊠ *63300 Thiers* :

XX **Moulin Bleu** 🌿 avec ch, & 04 73 80 06 22, Fax 04 73 80 08 16, 🍽, 🌳 – 📺 📞
🍴 🛗 15. 🇬🇧
Repas *(fermé vend. midi, sam. midi, dim. soir et lundi)* 13,50/26 ♀ – ⊠ 6 – **9 ch** 46/49

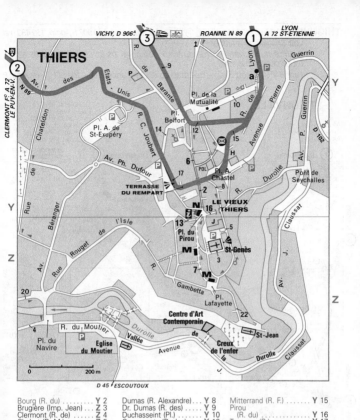

THIERS

VICHY, D 906 · *ROANNE N 89* · *LYON A 72 ST-ETIENNE*

CLERMONT-F° A 72 LE PUY-EN-V. · *N 88*

D 45 / ESCOUTOUX

North is at the top on all town plans.

ZAC 15800 Cantal **76** ⑫ ⑬ G. Auvergne – 614 h alt. 805.

Voir *Pas de Compaing★ NE : 3 km.*

🅱 *Office du tourisme Le Bourg ℰ 04 71 47 03 50, Fax 04 71 47 02 23, ot.thiezac@auvergne. net.*

Paris 546 – Aurillac 27 – Murat 23 – Vic-sur-Cère 8.

🏠 **Casteltinet,** ℰ 04 71 47 00 60, faustmacua@aol.com, Fax 04 71 47 04 08, ≤, 😤 – 📱 📺 😻 🅿. 😘. ❄ rest

1er fév.-1er nov. – **Repas** *(fermé dim. soir et lundi)* 10,80/40 – 😑 6,15 – **22 ch** 40/55,40 – ½ P 41,50

🏠 **L'Elancèze** *(annexe Belle Vallée 10 ch),* ℰ 04 71 47 00 22, info@elanceze.fr, Fax 04 71 47 02 08 – 🅿. 😘

fermé 2 nov. au 22 déc. – **Repas** *(10) ·* 14,50/28,50 😤, enf. 7 – 😑 5,35 – **41 ch** 38,20/43 – ½ P 38/41

THILLOT 88160 Vosges **66** ⑧ G. Alsace Lorraine – 3 945 h alt. 495.

🅱 *Office du tourisme 11 avenue de Verdun ℰ 03 29 25 28 61, Fax 03 29 25 38 39.*

Paris 434 – Épinal 49 – Belfort 47 – Colmar 74 – Mulhouse 58 – St-Dié 59 – Vesoul 65.

à Ménil *Nord-Est : 3,5 km par D 486 – 1 117 h. alt. 524 –* ✉ 88160 Le Thillot :

🏠 **Les Sapins,** ℰ 03 29 25 02 46, Fax 03 29 25 80 23, 😤, ✾ – 📺 🅿. 🅰🅴 😘

fermé 1er au 8 juil. et 25 nov. au 17 déc. – **Repas** *(fermé dim. soir sauf juil.-août et lundi midi)* 11 *(déj.),* 17,50/36 😤, enf. 9,20 – 😑 5,50 – **23 ch** 39/42 – ½ P 43,50/45

THIONVILLE ⟨SP⟩ 57100 Moselle 57 ③ ④ G. Alsace Lorraine – 40 907 h Agglo. 130 480 h a
Voir *Château de la Grange*★.

🛈 *Office du tourisme 16 rue du Vieux Collège* ℘ 03 82 53 33 18, Fax 03 82 53
tourisme@thionville.net.

Paris 340 ④ – Metz 31 ④ – Luxembourg 32 ⑦ – Nancy 85 ④ – Trier 77 ③ – Verdun 8

THIONVILLE

Afrique (Chée d') .... **AV 3**	Bel Air (Allée) .... **AV 7**
Amérique (Chée d') ...... **BV 4**	Comte-de-Bertier	Océanie (Chée d') ....
Asie (Chée d') .... **AV 6**	(Av.) .... **BV 10**	Paul-Albert (R.) ....
	Europe (Chée d') .... **AV 13**	Pyramides (R. des) ......
	Guentrange (Rte de) ..... **AV 15**	Romains (R. des) ....
	Longwy (R. de) .... **AV 18**	Terrasse (Allée de la) .....
		14 Juillet (Av. du) ....

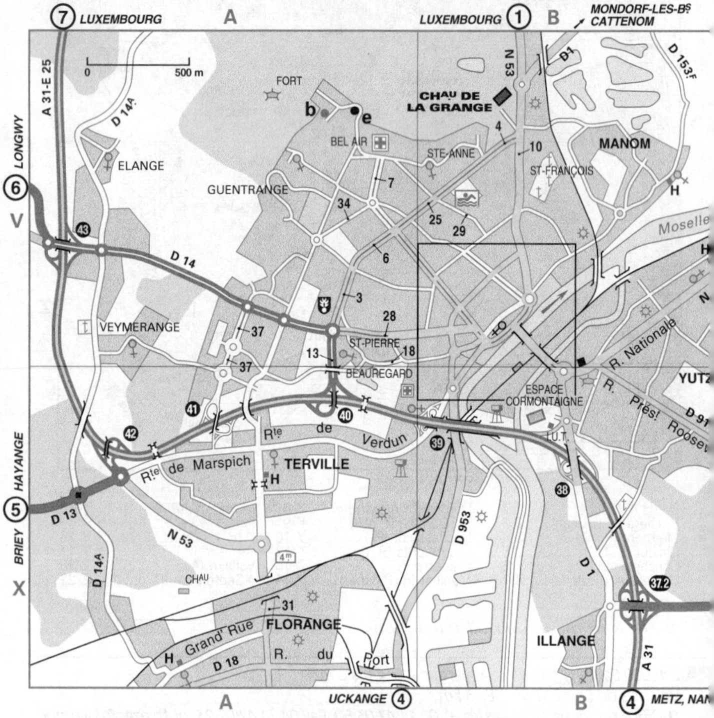

🏨 **Saint-Hubert** Ⓜ sans rest, 2 r. G. Ditsch ℘ 03 82 51 84 22, info@hotel-sainthuber
Fax 03 82 53 99 61 – 📶 🗏 📺 ✆ 🕭. ⓐ ① ⓖⓑ ᴶᶜᴮ
⛱ 8 – **44 ch** 55/75

🏨 **Central** sans rest, 1 r. Four Banal ℘ 03 82 53 70 27, hotelcentral@bplorra
Fax 03 82 53 23 34 – 📺 ✆. ⓐ ① ⓖⓑ ᴶᶜᴮ. ⅍
⛱ 5,50 – **26 ch** 44,50/47,50

🏨 **Parc** sans rest, 10 pl. République ℘ 03 82 82 80 80, contact@hoteldu-parc
Fax 03 82 82 71 82 – 📶 ⟲ 📺 ✆ – 🕿 20. ⓐ ① ⓖⓑ ᴶᶜᴮ
⛱ 6,30 – **41 ch** 45/56

🍴🍴🍴 **Concorde** Ⓜ avec ch, 6 pl. Luxembourg (14ᵉ étage) ℘ 03 82 53 83 18, Fax 03 82 53
✳ Thionville – 📶 📺. ⓐ ⓖⓑ
Repas (fermé sam. midi, dim. soir et lundi) 28,97/35,07 bc et carte 54 à 69 ⅀ – ⛱
25 ch 51,84/59,46

à Yutz par ③ : 3 km – 14 687 h. alt. 155 – ⊠ 57970 :

🍴🍴 **Les Alerions**, 102 r. Nationale ℘ 03 82 56 26 63, Fax 03 82 56 26 65 – ⓐ ⓖⓑ
fermé 18 juil. au 7 août, 24 fév. au 11 mars, dim. soir et lundi (sauf fériés) – **Repas**
14,48/32,01 bc ⅀, enf. 9,15

THIONVILLE

-au-Grand-Pied
.... **DY** 8

Ditsch (R.G.) .... **DZ** 12	Marché (Pl. du) .... **DY** 22
Hoche (R. Lazare) .... **DY** 16	Marie-Louise (Pl.) .... **CZ** 24
Luxembourg	Paris (R. de) .... **DZ** 27
(R. du) .... **DY** 19	République (Pl.) .... **CZ** 30
Marchal (Quai P.) .... **DY** 21	St-Pierre (R. de) .... **CZ** 33

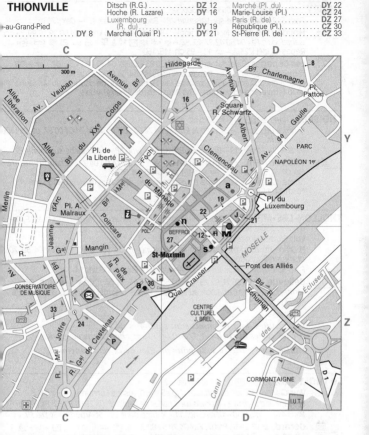

rève-Coeur - ⊠ 57100 Thionville :

L'Horizon ⤾, ☎ 03 82 88 53 65, hotel@lhorizon.fr, Fax 03 82 34 55 84, ≤, 🍴, 🌳 – 📺
☎ – 🔒 25. 🗚 ⑩ 🖸. 🛠 rest   AV e
fermé janv., vacances de fév., dim. soir de nov. à mars, sam. midi et lundi midi – **Repas** 30
(déj.), 35,50/53, enf. 15 – 🖵 11 – **12 ch** 96/145 – ½ P 106/126

Auberge Crève-Coeur, ☎ 03 82 88 50 52, Fax 03 82 34 89 06, 🍴 – 🖫. 🗚 ⑩ 🖸
fermé dim. soir, lundi soir et merc. soir – **Repas** 22/42 👌   AV b

---

IERS 24800 Dordogne 🟨🟨 ⑥ G. Périgord Quercy – 3 261 h alt. 273.
🖪 Office du tourisme 8 place du Maréchal Foch ☎ 05 53 55 12 50, Fax 05 53 55 12 50.
Paris 449 – Périgueux 34 – Brive-la-Gaillarde 74 – Limoges 60 – St-Yrieix-la-Perche 32.

France et Russie sans rest, 51 r. Gén. Lamy ☎ 05 53 55 17 80, Fax 05 53 52 59 60, 🌳 –
📺. 🗚 🖸. 🛠
🖵 5,34 – **9 ch** 40,40/54,88

Y 69240 Rhône 🟨🟨 ⑧ – 2 483 h alt. 553.
🖪 Syndicat d'initiative Galerie d'Animation Thizy ☎ 04 74 64 35 23.
Paris 420 – Roanne 23 – Lyon 69 – Montbrison 75.

Terrasse Ⓜ ⤾ avec ch, Le Bourg Marmand (Nord-Est : 2 km par D 94) ☎ 04 74 64 19 22,
Fax 04 74 64 25 95, ≤, 🍴 – 🖃 📺 ☎ 🖫 – 🔒 80. 🖸
fermé 21 oct. au 6 nov., vacances de fév. et dim. soir – **Repas** (fermé dim. soir et lundi)
11,45/42,68 👌 – 🖵 5,79 – **10 ch** 36,58/41,16

THOIRY *01710 Ain* 🔟 ⑤ – *4 063 h alt. 500.*

Paris 526 – Bellegarde-sur-Valserine 28 – Bourg-en-Bresse 100 – Gex 12.

🏨 **Holiday Inn** M, au Nord-Est, angle D 89K et D 984 : 1,5 km *℘* 04 50 99 19 99, hi.ger
wanadoo.fr, Fax 04 50 42 27 40, ※ – 🔊 ※ 🔲 📺 ℃ ₺, 🅿 – 🖄 90. 🆎 ⓪ 😎 🎌
Repas 14 (déj.)/23 🖁 – � 12 – **95 ch** 115/160

🎍🎍🎍 **Les Cépages** (Delesderrier), *℘* 04 50 20 83 85, Fax 04 50 41 24 58, 🎐, 🚗 – 😎
❀ *fermé dim. soir et lundi* – **Repas** 22,87 (déj.), 33,54/64,03 et carte 60 à 80 ♡
Spéc. Féra du Léman aux écrevisses (avril à oct.). Blanc de poularde au Vin Jaune. Pineau fermier rôti en cocotte. **Vins** Roussette de Seyssel, Arbois.

THOISSEY *01140 Ain* 🔟 ① – *1 358 h alt. 175.*

🔁 *Office du tourisme 37 Grande Rue ℘ 04 74 04 90 17, Fax 04 74 04 00 67, ot–01140@
internet.fr.*

Paris 409 – Mâcon 19 – Bourg-en-Bresse 36 – Lyon 58 – Villefranche-sur-Saône 25.

🏨 **Chapon Fin - Paul Blanc** 🐾, *℘* 04 74 04 04 74, chaponfin@infor
Fax 04 74 04 94 51, 🎐, 🚗 – 🔊 📺 ⇌ 🅿. 🆎 ⓪ 😎
fermé 19 nov. au 5 déc., merc. midi et mardi – **Repas** 25 (déj.), 31/80 ♡, enf. 15 – ♨
16 ch 74/110 – ½ P 107/117

THOLLON-LES-MÉMISES *74500 H.-Savoie* 🔟 ⑱ *G. Alpes du Nord* – *593 h alt. 920 – 9*
d'hiver : 950/1 960 m ⧼ 1 ⧼ 17 ⅍.

Voir *Pic de Mémise* ⁂★★ *30 mn.*

🔁 *Office du tourisme Place de la Télécabine ℘ 04 50 70 90 01, Fax 04 50 70 9
ot.thollon@wanadoo.fr.*

Paris 590 – Thonon-les-Bains 21 – Annecy 94 – Évian-les-Bains 14.

🏨 **Bellevue**, *℘* 04 50 70 92 79, Fax 04 50 70 97 63, ⩤, 🎐, 🔲, 🚗 – 🔊 📺 🅿. 😎
fermé 15 au 30 avril et 4 nov. au 15 déc. – **Repas** 12,50 (déj.), 15/28 ♡, enf. 8 – � 6 –
49/57 – ½ P 49

Les localités dont les noms sont soulignés de rouge
*sur les **cartes Michelin** à 1/200 000 sont citées dans ce guide.*

Utilisez une carte récente pour profiter de ce renseignement.

Le THOLY *88530 Vosges* 🔟 ⑰ – *1 556 h alt. 628.*

Voir *Grande Cascade de Tendon★ NO : 5 km, G. Alsace Lorraine.*

🔁 *Syndicat d'initiative - Mairie 3 rue Charles de Gaulle ℘ 03 29 61 81 82, Fax 03 29 61 «
Paris 414 – Épinal 30 – Gérardmer 11 – Remiremont 19 – St-Amé 12 – St-Dié 39.

🏨 **Gérard**, *℘* 03 29 61 81 07, Fax 03 29 61 82 92, ⩤, 🔲, 🚗 – 🔲 rest, 📺 ⇌ – 🖄 15.
⇌ *fermé oct.* – **Repas** *(fermé dim. soir sauf vacances scolaires)* 10,67 (déj.), 12,96/23,
enf. 7,32 – ⊝ 6,10 – **20 ch** 35,06/42,69 – ½ P 48,78

🏨 **Grande Cascade**, au Nord-Ouest : 5 km sur D 11 *℘* 03 29 66 66 66, hotel-de-la-gr
⇌ cascade@wanadoo.fr, Fax 03 29 66 37 17, ⩤, 🎐 – 🔊 cuisinette 📺 ℃ ₺, ⇌
🖄 15 à 50. 🆎 ⓪ 😎. ⁒ rest
fermé 1ᵉʳ au 25 déc. – **Repas** 11/22 ♡, enf. 7 – ⊝ 6,50 – **22 ch** 45/57, 8 stud
½ P 39,50/48,50

THONON-LES-BAINS ◁▷ *74200 H.-Savoie* 🔟 ⑰ *G. Alpes du Nord* – *28 927 h alt. 431 –*
therm. (fin janv.-mi déc.).

Voir *Les Belvédères sur le lac Léman★★ ABY – Voûtes★ de l'église St-Hippolyte – Do
de Ripaille★ N : 2 km.*

🔁 *Office du tourisme Place du Marché ℘ 04 50 71 55 55, Fax 04 50 26 68 33, tho
thononlesbains.com.*

Paris 570 ③ – Annecy 74 ③ – Chamonix-Mont-Blanc 99 ③ – Genève 34 ④.

Plans pages suivantes

🏨 **Arc en Ciel** M sans rest, 18 pl. Crête *℘* 04 50 71 90 63, info@hotel-arcenciel
Fax 04 50 26 27 47, 👝, 🔲, 🚗 – 🔊 cuisinette 📺 ℃ ⇌ 🅿 – 🖄 40. 🆎 ⓪ 😎   B
fermé 26 avril au 5 mai et 20 au 29 déc. – ⊝ 6,50 – **35 ch** 60/77, 5 duplex

🏨 **Savoie et Léman** (École hôtelière), 40 bd carnot *℘* 04 50 71 13 80, hotel@
hoteliere-thonon.com, Fax 04 50 71 16 14, ⩤ – 🔊 📺 🅿 – 🖄 15 à 40. 🆎 ⓪ 😎   A
fermé vacances scolaires, sam. soir et dim. – **Repas** 12,20 (déj.), 16,01/21,34 ♡ – ♨
33 ch 35,06/51,83

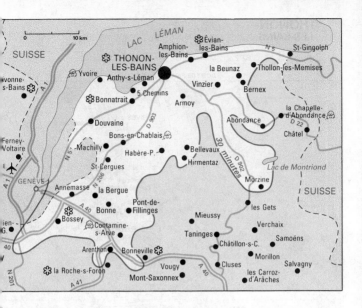

Alpazur sans rest, 8 av. Gén. Leclerc 𝒞 04 50 71 37 25, *hotelalpazur.large@wanadoo.fr*, Fax 04 50 71 01 24, ≤, 🐜 – |‡| 📺. ⒼⒷ. ⅋
AY q
*fermé 15 nov. au 1ᵉʳ fév. – ⯐ 6 – **25 ch** 41/51*

A l'Ombre des Marronniers, 17 pl. Crête 𝒞 04 50 71 26 18, *info@hotel-maronniers. com*, Fax 04 50 26 27 47, 🐜 – 📺 📞 🅿. ⒶⒺ ⓞ ⒼⒷ. ⅋
BZ t
hôtel : fermé 26 avril au 5 mai et 2 au 6 janv. – **Repas** *(fermé 29 avril au 6 mai, 18 nov. au 2 déc., 2 au 8 janv., dim. soir et lundi du 15 nov. au 1ᵉʳ mai)*13/33 �, enf. 9 – ⯐ 5,70 – **17 ch** 45/54 – ½ P 44/48

Annexe Villa des Fleurs 🏠 ♨ sans rest, 4 av. Jardins 𝒞 04 50 71 11 38, Fax 04 50 26 27 47, 🐜 – 📺. ⒶⒺ ⓞ ⒼⒷ. ⅋
BZ d
*1ᵉʳ avril-15 oct. – ⯐ 6 – **11 ch** 46/54*

Côté Sud Léman, rte Genève par ④ : 3 km 𝒞 04 50 70 36 70, Fax 04 50 70 31 05, 🏖 – |‡| 📺 ⅋ 🅿 – 🔏 30 à 30. ⒶⒺ ⒼⒷ
Repas 19/28 � – ⯐ 6,50 – **52 ch** 51/51 – ½ P 44,50/56,30

Prieuré (Plumex), 68 Gde rue 𝒞 04 50 71 31 89, Fax 04 50 71 31 09 – ⒶⒺ ⓞ ⒼⒷ ⒿⒸⒷ
AY f
fermé 3 au 15 avril, 12 au 25 nov., mardi midi, dim. soir et lundi – **Repas** 31 bc (déj.), 34/58 et carte 50 à 70
Spéc. Strudel de fromage de chèvre, minestrone de pois et cresson. Omble chevalier du Léman (sauf déc.). Filets de perche du lac (sauf juin). **Vins** Roussette de Seyssel, Ripaille.

St-Charles, 69 av. Gén. de Gaulle 𝒞 04 50 83 09 26, Fax 04 50 26 57 64, 🏖 – ⒼⒷ
fermé 1ᵉʳ au 15 août, sam. midi, dim. soir et lundi – **Repas** 16,77 (déj.), 25/37 �

Scampi, 1 av. Léman 𝒞 04 50 71 10 04, Fax 04 50 71 31 09, ≤, 🏖 – ⒶⒺ ⓞ ⒼⒷ
BY e
fermé 3 au 15 avril, 12 au 25 nov. et lundi – **Repas** 17/23 �

rnoy Sud-Est : 7 km par ② et D 26 – 940 h. alt. 620 – ⊠ 74200 :

A l'Écho des Montagnes, 𝒞 04 50 73 94 55, Fax 04 50 70 54 07, 🐜 – |‡| 📺 ⅋ 🅿. ⒼⒷ
fermé 1ᵉʳ au 4 oct. et 20 déc. au 8 fév., hôtel : fermé lundi – **Repas** *(fermé dim. soir et lundi hors saison)* 14,50/36 � – ⯐ 5,50 – **47 ch** 26/50 – ½ P 40/43

thy-sur-Léman par ④ et D 33 : 6 km – 1 767 h. alt. 400 – ⊠ 74200 Thonon-les-Bains :

Lemanthy, 𝒞 04 50 70 61 50, *info@le-lemanthy.fr*, Fax 04 50 70 62 50, ≤, 🏖 – 🅿. ⒶⒺ ⓞ ⒼⒷ
fermé dim. soir – **Repas** 20,58 (déj.), 26,68/47,26, enf. 9,15

Auberge d'Anthy ♨ avec ch, 𝒞 04 50 70 35 00, *auberge.danthy@wanadoo.fr*, Fax 04 50 70 40 90, 🏖 – 📺 ⒶⒺ ⓞ ⒼⒷ ⒿⒸⒷ
fermé 2 au 23 avril, 7 au 15 oct., dim. soir et lundi – **Repas** 13,42 (déj.), 18,29/38,11 �, enf. 12,20 – ⯐ 5,79 – **7 ch** 45,73/53,36 – ½ P 53,36

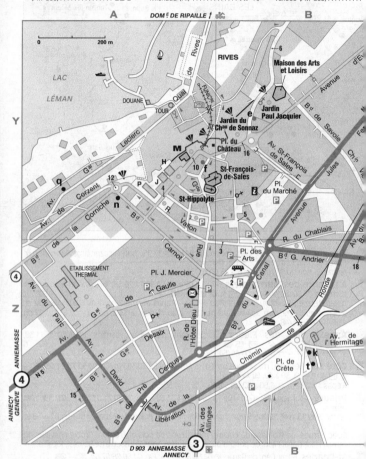

THONON-LES-BAINS

aux Cinq Chemins par ④ : 7 km – ⊠ 74200 Thonon-les-Bains :

🏠 **Denarié**, ℘ 04 50 72 63 45, francoise@hotel-denarie.com, Fax 04 50 72 30 69, 🏢 🌧 – 📻 ⅓ ↔, 🍴 ch, 📺 ☎ 🅿 – 🔬 25. 🅖🅑
fermé 4 au 18 juin, 17 au 22 sept., janv. et dim. soir sauf juil.-août – **Cinq Chemins** (f dim. soir et lundi sauf juil.-août) **Repas** 16(déj.),23/35 🍴, enf. 10,60 – ☲ 7,50 – **28 ch** ❶ – ½ P 59

à Bonnatrait par ④ : 9 km G. Alpes – ⊠ 74140 Douvaine :

🏠🏠 **Hôtellerie Château de Coudrée** ⊗, ℘ 04 50 72 62 33, chcoudree@aol Fax 04 50 72 57 28, 🏢, « Château médiéval dans un parc au bord du lac », 🏊, 🄰❀, 🏸 – 📺 🅿 – 🔬 15 à 60. 🅰🅴 🅾 🅖🅑 🅹🅲🅱
fermé 27 oct. au 28 nov. et 26 janv. au 28 fév. – **Repas** (fermé mardi et merc.) 51,85/82 carte 70 à 90 🍴 – ☲ 15,25 – **19 ch** 160,10/327,77 – ½ P 133,10/216,95
Spéc. Fricassée d'écrevisses du lac. Pigeonneau de Bresse cuit à la broche. Biscuit m au guanaja.

HORÉ-LA-ROCHETTE *41100 L.-et-Ch.* 64 ⑥ *– 883 h alt. 75.*

Office de tourisme Mairie ✆ 02 54 72 80 82, Fax 02 54 72 73 38, thoremairie@wanadoo.fr.
Paris 179 – Blois 43 – La Flèche 94 – Le Mans 70 – Vendôme 9.

du Pont, ✆ 02 54 72 80 62, *Fax 02 54 72 70 95,* – GB
fermé 26 août au 3 sept., 20 janv. au 11 fév., lundi soir et mardi soir – **Repas** 15/42, enf. 10

HORENC *06 Alpes-Mar.* 81 ⑲, 114 ⑫, 115 ㉓ *– ✉ 06750 Andon.*

Voir *Col de Bleine* ≤★★ *N : 4 km,* G. Alpes du Sud.
Paris 836 – Castellane 35 – Draguignan 64 – Grasse 40 – Nice 58 – Vence 41.

Voyageurs , ✆ 04 93 60 00 18, *Fax 04 93 60 03 51,* , – TV P. GB
1er nov.-1er fév. et fermé jeudi sauf vacances scolaires – **Repas** 15 (déj.), 22,10/25,15 ♀, enf. 9,90 – 5,80 – **9 ch** 32/47 – ½ P 47/49

Auberge Les Merisiers avec ch, ✆ 04 93 60 00 23, *Fax 04 93 60 02 17,* , – TV. AE GB
fermé 25 février au 22 mars, lundi soir et mardi sauf vacances scolaires – **Repas** 16 (déj.), 22/26, enf. 8 – 6 – **12 ch** 31/39 – ½ P 39/42

HORIGNÉ-SUR-DUÉ *72160 Sarthe* 60 ⑭ *– 1 546 h alt. 82.*

Syndicat d'initiative - Mairie ✆ 02 43 89 05 13.
Paris 179 – Le Mans 29 – Châteaudun 79 – Mamers 46 – Nogent-le-Rotrou 44 – St-Calais 24.

St-Jacques avec ch, pl. Monument ✆ 02 43 89 95 50, *hotel.st-jacques.thorigne@wanadoo.fr, Fax 02 43 76 58 42,* – TV P – 15. AE GB JCB
fermé 18 juin au 2 juil., 23 déc. au 15 janv., dim. soir et lundi de sept. à juin – **Repas** 19,82/54 ♀ – 7,93 – **15 ch** 51,83/73,18 – ½ P 53,66/62,05

THORONET *83 Var* 84 ⑥, 114 ㉒ *– 1 533 h alt. 120 – ✉ 83340 Le Luc.*

Voir *Abbaye du Thoronet★★ O : 4,5 km,* G. Côte d'Azur.
Paris 837 – Brignoles 24 – Draguignan 22 – St-Raphaël 52 – Toulon 62.

Hostellerie de l'Abbaye , ✆ 04 94 73 88 81, *Fax 04 94 73 89 24,* – ch, TV P – 25 à 60. AE GB
fermé 28 oct. au 2 déc. – **Repas** *(fermé dim. soir et lundi de déc. à mars)* 20/37, enf. 10 – 8 – **20 ch** 65 – ½ P 60

OUARCÉ *49380 M.-et-L.* 64 ⑪ *– 1 682 h alt. 35.*

Env. *Château★★ de Brissac-Quincé, NE : 12 km,* G. Châteaux de la Loire.
Syndicat d'initiative - Mairie ✆ 02 41 54 14 36, Fax 02 41 54 09 11.
Paris 319 – Angers 30 – Cholet 43 – Saumur 37.

Relais de Bonnezeaux, rte Angers : 1 km ✆ 02 41 54 08 33, *relais.bonnezeaux@wanadoo.fr, Fax 02 41 54 00 63,* ≤, – P. AE GB
fermé 2 au 20 janv., mardi soir, dim. soir et lundi – **Repas** *(13)* - 15,50/40,50 ♀, enf. 10

OUARS *79100 Deux-Sèvres* 67 ⑧ *G. Poitou Vendée Charentes – 10 656 h alt. 102.*

Voir *Façade★★ de l'église St-Médard★ – Site★ – Maisons anciennes★.*
Office du tourisme 3 Bis boulevard Pierre Curie ✆ 05 49 66 17 65, Fax 05 49 67 87 58.
Paris 353 – Angers 72 – Bressuire 30 – Châtellerault 72 – Cholet 57.

Hôtellerie St-Jean, rte Parthenay ✆ 05 49 96 12 60, *hotellerie-st-jean@wanadoo.fr, Fax 05 49 96 34 02* – TV P. AE GB
fermé dim. soir – **Repas** 12,96/36,59 ♀, enf. 7,62 – 4,87 – **18 ch** 35,06/42,68 – ½ P 35,06/37,35

Relais sans rest, Nord : 3 km par rte Saumur ✆ 05 49 66 29 45, *Fax 05 49 66 29 33* – TV P. GB
4,58 – **15 ch** 32,78/35,07

In this Guide,
a symbol or a character,
printed in **black** or another colour, in light or **bold** type,
does not have the same meaning.
Please read the explanatory pages carefully.

THOURON 87140 H.-Vienne 72 ⑦ – 427 h alt. 374.
Paris 380 – Limoges 28 – Bellac 23 – Guéret 79.

XX **Pomme de Pin** ⑤ avec ch, étang de Tricherie, Nord-Est : 2,5 km par D
 ℘ 05 55 53 43 43, Fax 05 55 53 35 33, 斎, ⅋ – TV ℃ P, GB, ⅋ ch
 fermé sept., vacances de fév., lundi et mardi – **Repas** (14) - 21/30 ♀, enf. 8 – � 5,50 –
 46/53,50

THUEYTS 07330 Ardèche 76 ⑱ G. Vallée du Rhône – 1 004 h alt. 462.
 Voir *Coulée basaltique⋆*.
 🚺 Office du tourisme Place du Champs de Mars ℘ 04 75 36 46 79, Fax 04 75 36 46 79.
 Paris 608 – Le Puy-en-Velay 73 – Privas 46.

🏠 **Marronniers**, ℘ 04 75 36 40 16, Fax 04 75 36 48 02, 斎, ♨ – TV ℃ P, GB, ⅋ rest
 fermé 20 déc. au 5 mars et lundi – **Repas** 13,72/28,97, enf. 8,38 – ⊡ 5,49 – **19 ch** 3
 44,97 – ½ P 43,45

THURY-HARCOURT 14220 Calvados 55 ⑪ G. Normandie Cotentin – 1 825 h alt. 45.
 Voir *Parc et jardins du château⋆ – Boucle du Hom⋆ NO : 3 km.*
 🚺 Office du tourisme 2 place Saint-Sauveur ℘ 02 31 79 70 45, Fax 02 31 79 1
 otsi.thury@libertysurf.fr.
 Paris 257 – Caen 28 – Condé-sur-Noireau 20 – Falaise 28 – Flers 32 – St-Lô 64 – Vire 39

XXX **Relais de la Poste** avec ch, rte Caen ℘ 02 31 79 72 12, lerelais@r
 Fax 02 31 39 53 55, 斎 – TV ⇔ P, AE GB
 fermé 23 déc. au 30 janv., dim. soir et lundi d'oct. à avril – **Repas** 13 (déj.), 25/69 et carte
 70 ♀ – ⊡ 7,62 – **12 ch** 64,03/99,09

TIERCÉ 49125 M.-et-L. 64 ① – 3 605 h alt. 30.
 🚺 Syndicat d'initiative ℘ 02 41 34 14 40.
 Paris 279 – Angers 21 – Château-Gontier 35 – La Flèche 34.

XX **Table d'Anjou**, 16 r. Anjou ℘ 02 41 42 14 42, latabledanjou@club-intern
 Fax 02 41 42 64 80, 斎 – GB
 fermé 29 juil. au 19 août, 2 au 20 janv., dim. soir, merc. soir et lundi – **Repas** 13 (déj.), 18/
 enf. 10

TIFFAUGES 85130 Vendée 67 ⑤ G. Poitou Vendée Charentes – 1 328 h alt. 77.
 Paris 372 – Angers 82 – La Roche-sur-Yon 56 – Nantes 48 – Cholet 21 – Clisson 19.

🏠 **Barbacane** ⑤ sans rest, pl. Église ℘ 02 51 65 75 59, Fax 02 51 65 71 91, ♨, ⅋
 ⇔, AE GB
 ⊡ 8 – **16 ch** 48/78

TIGNES 73320 Savoie 74 ⑲ G. Alpes du Nord – 2 220 h alt. 2100 – Sports d'hiver : 1 550/3 4
 ⛷ 10 ⚡ 87 ⅍.
 Voir *Site⋆⋆ – Barrage⋆⋆ NE : 5 km – Panorama de la Grande Motte⋆⋆ SO.*
 Altiport ℘ 04 79 06 46 06, E : 3 km.
 🚺 Office de tourisme ℘ 04 79 40 04 40, Fax 04 79 40 03 15, information@tignes.net.
 Paris 697 – Albertville 86 – Bourg-St-Maurice 31 – Chambéry 135 – Val-d'Isère 14.

🏠 **Les Campanules** M ⑤, ℘ 04 79 06 34 36, campanules@wanado
 Fax 04 79 06 35 78, ≤, 斎, ℔ – 劇 TV ℃ GB, ⅋ rest
 5 juil.-31 août et 1er nov.-1er mai – **Repas** 24 (déj.), 32/43 – ⊡ 14 – **37 ch** 125/180, 7 dup
 ½ P 120/125

🏠 **Les Suites du Montana** M ⑤, Les Almes ℘ 04 79 40 01 44, contact@montana.
 Fax 04 79 40 04 03, ≤, 斎, « Belle décoration intérieure », ℔, ☒ – 劇 TV ℃ & ⇔
 ⩊ 25 à 120. AE ⓞ GB, ⅋ rest
 15 déc.-20 avril – - **La Rôtisserie :** Repas (15)-22,50/46 ♀, enf. 9,90 – ⊡ 11 – **1 ch**
 27 suites 224/356

🏠 **Village Montana** M ⑤, les Almes ℘ 04 79 40 01 44, contact@vmontana.
 Fax 04 79 40 04 03, ≤, 斎, balnéothérapie, « Architecture et décor savoyard », ℔, ☒
 TV ℃ & ⇔ – ⩊ 50. AE ⓞ GB, ⅋ rest
 15 juin-15 sept. et 1er déc.-15 mai – **La Chaumière** - spécialités savoyardes *(fermé er*
 Repas (17)-22,50/25 ♀, enf. 9,90 – ⊡ 11 – **78 ch** 135/230, 4 duplex

🏠 **Paquis** ⑤, ℘ 04 79 06 37 33, info@hotel-lepaquis.fr, Fax 04 79 06 36 59, ≤ – 劇
 ⩊ 20. GB, ⅋ rest
 hôtel : 8 juil.-30 août et 10 nov.-2 mai ; rest. : 10 nov.-20 avril – **Repas** 15 (déj.), 22/
 enf. 10 – ⊡ 9 – **36 ch** 64/95 – ½ P 73,20/87,60

Refuge sans rest, ✆ 04 79 06 36 64, *info@refuge-tignes.com, Fax 04 79 06 33 78*, ← – TV ✆. AE GB
7 juil.-9 sept. et 15 oct.-8 mai – ☕ 8 – **24 ch** 88/252

Gentiana ⛷, ✆ 04 79 06 52 46, *serge.revial@wanadoo.fr, Fax 04 79 06 35 61*, ←, – ⇅ TV ✆ ♿. GB. ✗ rest
hôtel : 1er déc.-8 mai ; rest. : 1er déc.-1er mai – **Repas** 19,85 (déj.), 22,90/35,85 ♀, enf. 9,90 – ☕ 9,15 – **31 ch** 63,30/126,55 – ½ P 84/99,10

al Claret *Sud-Ouest : 2 km – ✉ 73320 Tignes :*

Ski d'Or ⛷, ✆ 04 79 06 51 60, *ski.dor@telepost.fr, Fax 04 79 06 45 49*, ← – ⇅ TV – 15. AE GB
1er déc.-1er mai – **Repas** *(20)* - 38 ♀, enf. 15,25 – ☕ 13 – **23 ch** 100/138, (en hiver ½ pens. seul.) – ½ P 160

Vanoise ⛷, ✆ 04 79 06 31 90, *infos@hotelvanoise.com, Fax 04 79 06 37 06*, ← – ⇅ TV. GB. ✗ rest
hôtel : 28 juin-30 août et 1er oct.-8 mai ; rest. : 30 oct.-30 avril – **Repas** 9,15 (déj.), 16,77/25,92 ♀ – ☕ 7,62 – **21 ch** 60,98/91,47 – ½ P 77/86

CHÂTEL *21120 Côte-d'Or 66 ⑫ G. Bourgogne – 819 h alt. 275.*
Paris 319 – Dijon 27 – Châtillon-sur-Seine 74 – Dole 76 – Gray 43 – Langres 48.

Poste, ✆ 03 80 95 03 53, *Fax 03 80 95 19 90* – TV 🚗. GB
fermé 19 au 31 oct., 23 déc. au 8 janv., lundi midi et sam. sauf le soir d'avril à oct. et dim. soir – **Repas** 11,43/30,49 ♀ – ☕ 5,34 – **9 ch** 34,30/48,02 – ½ P 33,62/38,95

Entrez à l'hôtel ou au restaurant le Guide à la main, vous montrerez ainsi qu'il vous conduit là en confiance.

ILLEUL *76 S.-Mar. 52 ⑪ – rattaché à Étretat.*

UES *62 P.-de-C. 51 ③ – rattaché à St-Omer.*

NEINS *47400 L.-et-G. 79 ④ – 9 041 h alt. 26.*
Office du tourisme 3 boulevard Charles de Gaulle ✆ 05 53 79 22 79, Fax 05 53 79 39 94, office-tourisme-tonneins@wanadoo.fr.
Paris 598 – Agen 44 – Nérac 38 – Villeneuve-sur-Lot 37.

Les Fleurs sans rest, rte Marmande ✆ 05 53 79 10 47, *Fax 05 53 79 46 37* – TV ✆ ♿ P – 15. GB
☕ 5,50 – **27 ch** 28/44

Côté Garonne (Rabanel) M ⛷ avec ch, 36 cours de l'Yser ✆ 05 53 84 34 34, *contact@cotegaronne.com, Fax 05 53 84 31 31*, ← la Garonne et les quais, « Demeure dominant la Garonne » – ⇅, ▤ rest, TV ✆ – 20. AE ⓓ GB JCB
fermé 26 oct. au 11 nov., 1er au 15 janv., dim. soir et lundi – **Repas** 26 (déj.), 30/69 et carte 56 à 76 ♀, enf. 15 – ☕ 15 – **6 ch** 161
Spéc. Tarte fine de parmesan et cèpes crus (saison). Homard breton au jus de pomelos. Pot-au-feu de foie gras et truffes (nov. à mars). **Vins** Côtes de Duras, Buzet.

NERRE *89700 Yonne 65 ⑥ G. Bourgogne – 5 979 h alt. 156.*
Voir *Fosse Dionne★ – Intérieur★ de l'ancien hôpital : mise au tombeau★ – Château de Tanlay★★ 9 km par ①.*
Office du tourisme 12 rue François Mitterrand ✆ 03 86 55 14 48, Fax 03 86 54 41 82, info@tonnerre89.com.
Paris 199 ② – Auxerre 38 ② – Châtillon-sur-Seine 49 ② – Montbard 47 ① – Troyes 62 ①.

Plan page suivante

Auberge de Bourgogne M, par ① *et rte Dijon : 2 km* ✆ 03 86 54 41 41, *auberge.bourgogne@wanadoo.fr, Fax 03 86 54 48 28* – ⇹, ▤ rest, TV ✆ ♿ P – 40. AE ⓓ GB
fermé 15 déc. au 7 janv. – **Repas** *(fermé dim. soir et lundi)* 11,50/23 🍷, enf. 6 – ☕ 6 – **40 ch** 44/48

Saint Père, 2 av. G. Pompidou **(a)** ✆ 03 86 55 12 84, *Fax 03 86 55 12 84*, 🏡, collection de moulins à café – GB
fermé 9 au 18 mars, 7 au 30 sept., mardi soir, merc. soir, jeudi soir de nov. à mars, dim. soir et lundi – **Repas** 11,80/35,50 ♀

TONNERRE

Dans la liste des rues des plans de villes, les noms en rouge indiquent les principales voies commerçantes.

*Un automobiliste averti utilise le **Guide Rouge Michelin** de l'année.*

TORCY *71 S.-et-L.* 🔢 ⑧ – *rattaché au Creusot.*

TORNAC *30 Gard* 🔢 ⑰ – *rattaché à Anduze.*

TÔTES *76890 S.-Mar.* 🔢 ⑭ – *1 084 h alt. 150.*
Paris 167 – Rouen 35 – Dieppe 33 – Fécamp 59 – Le Havre 80.

※ **Auberge du Cygne,** 5 r. G. de Maupassant ✆ 02 35 32 92 03, Fax 02 35 32 91 35, 🅿 🖭 ⊞
fermé lundi soir – **Repas** 14,94/25,61, enf. 9,15

TOUCY *89130 Yonne* 🔢 ④ *G. Bourgogne – 2 602 h alt. 200.*
🅱 *Office du tourisme 1 place de la République* ✆ 03 86 44 15 66.
Paris 156 – Auxerre 24 – Avallon 74 – Clamecy 44 – Joigny 38 – Montargis 72.

※ **Lion d'Or,** r. L. Cormier ✆ 03 86 44 00 76 – ⊞
fermé 1ᵉʳ au 20 déc., dim. soir et lundi – **Repas** (13) - 16/26 ♀

TOUËT-SUR-VAR *06710 Alpes-Mar.* 🔢 ⑲ ⑳, 🔢 ⑭ *G. Alpes du Sud – 445 h alt. 327.*
Env. Gorges inférieures du Cians★★ N : 2 km – Villars-sur-Var : Mise au tombeau★ retable du maître-autel★ – Gorges supérieures du Cians★★★ N : 13 km.
Paris 846 – Nice 56 – Puget-Théniers 11 – St-Étienne-de-Tinée 62 – St-Martin-Vésubie

※ **Auberge des Chasseurs,** ✆ 04 93 05 71 11, Fax 04 93 05 71 11, 🍽 – 🖭 ⓞ ⊞
fermé 15 nov. au 5 déc., le soir en hiver du dim. au jeudi et mardi – **Repas** 15,09/29 enf. 6,86

TOUL ◁🆂🅿▷ *54200 M.-et-M.* 🔢 ④ *G. Alsace Lorraine – 16 945 h alt. 209.*
Voir Cathédrale St-Étienne★★ et cloître★ N : 2 km – Église St-Gengoult : cloître★★ – Façade l'ancien palais épiscopal H – Musée municipal★ : salle des malades★ M.
🅱 *Office du tourisme Parvis de la Cathédrale* ✆ 03 83 64 11 69, Fax 03 83 63 2 *office.tourisme.toul@wanadoo.fr.*
Paris 286 ⑤ – Nancy 23 ② – Bar-le-Duc 61 ⑤ – Metz 75 ① – St-Dizier 78 ⑤ – Verdun

Plan page suivante

🏨 **L'Europe** sans rest, 373 av. V. Hugo (près gare) ✆ 03 83 43 00 10, Fax 03 83 63 27 6 ⇔
fermé 15 déc. au 3 janv. – ⇌ 5 – **21 ch** 36/46

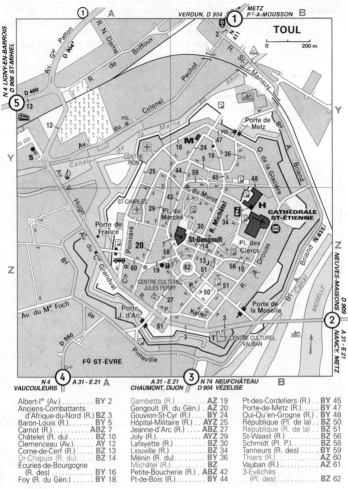

TOUL

0   200 m

🏠 **Villa Lorraine** sans rest, 15 r. Gambetta ℰ 03 83 43 08 95, *Fax 03 83 64 63 64* – 🅿️. 📶   **AZ** **a**
   🍽 6,50 – **24 ch** 34/43

XX **Belle Époque,** 351 av. V. Hugo ℰ 03 83 43 23 71 – 📶. 📶   **AY** **s**
fermé 1er au 12 mai, 10 au 25 août, 22 déc. au 5 janv., sam. midi, lundi soir et dim. – **Repas**
19,50 (déj.)/30

Z. I. Croix de Metz par ① *et rte Villey-St-Etienne : 6 km* – ⊠ 54200 Toul :

XX **Dauphin** (Vohmann),   ℰ 03 83 43 13 46,   *christophe.vohmann@wanadoo.fr,*
🙂   *Fax 03 83 43 81 31,* 🌳, 🌿 – 🅿️. 📶
fermé 21 juil. au 12 août, 23 fév. au 2 mars, dim. soir, merc. soir et lundi – **Repas** 29/70 *et*
carte 50 à 70 🍷
Spéc. Pâté en croûte chaud aux cèpes. Aïoli de morue et moules de bouchot. Côte de veau
de lait en cocotte aux épices douces. **Vins** Côtes de Toul blanc et rouge.

Icey par ⑤ *et D 908 : 5 km* – 579 h. alt. 260 – ⊠ 54200 :

XX **Auberge du Pressoir,** ℰ 03 83 63 81 91, *Fax 03 83 63 81 38,* 🌳, 🌿 – 🅿️. 📶
fermé 16 août au 4 sept., vacances de Noël, merc. soir, dim. soir et lundi – **Repas**
12,20/25,92 🥄, enf. 8,84

TOULON 🅿 *83000 Var* 🔢 ⑮, 🔢 ㊺ *G. Côte d'Azur – 160 639 h Agglo. 519 640 h alt. 10.*

Voir *Rade*★★ – *Port*★ – *Vieille ville*★ **GYZ** : *Atlantes*★ *de la mairie d'honneur* **F**, *Musée marine*★ – *Porte*★ *de la Corderie* – *Navire-Musée "la Dives"*★ **BV**.

Env. *Corniche du Mont Facon* ≤★ *du téléphérique – Musée-mémorial du Débarque* *en Provence*★ *et* ≤★★★ *au Nord*.

✈ *de Toulon-Hyères* : ℰ *04 94 00 83 83, par* ① *: 21 km.*

🚂 ℰ *08 36 35 35 35.*

🚢 *pour la Corse : SNCM-CMT (1ᵉʳ avril-30 sept.) 49 av. Infanterie de Marine* ℰ *C 16 66 66, Fax 04 94 16 66 68.*

🛈 *Office du tourisme Place Raimu* ℰ *04 94 18 53 00, Fax 04 94 18 53 09, toulon.tour @wanadoo.fr.*

Paris 840 ④ – *Aix-en-Provence 84* ④ – *Marseille 64* ④.

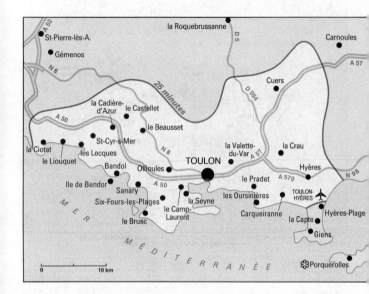

🏨 **Holiday Inn Garden Court** Ⓜ, 1 av. Rageot de la Touche ℰ *04 94 92 00 21, higcto .manager@alliance-hotellerie.fr, Fax 04 94 62 08 15,* 🍴, 🔟, 🏊 – 📶 🕸 ▤ 📺 📞 ㋐ 🚗 **⚿** 15 à 60. 🆎 ⓪ 🆖 🎴 E'
Repas *(fermé week-ends de nov. à mai)* 16 🍷, enf. 7,60 – 🗐 10 – **80 ch** 87

🏨 **Mercure** Ⓜ, pl. Besagne ℰ *04 98 00 81 00, h2095@accor-hotels.com, Fax 04 94 41 5* 🍴 – 📶 🕸 ▤ 📺 📞 ㋐ 🚗 – **⚿** 35 à 80. 🆎 ⓪ 🆖 G2
- **Table de l'Amiral** : **Repas** 22 🍷, enf.8,38 – 🗐 10,50 – **139 ch** 69/118

🏨 **Dauphiné** sans rest, 10 r. Berthelot ℰ *04 94 92 20 28, grandhoteldauphine@wanado* Fax 04 94 62 16 69 – 📶 ▤ 📺. 🆎 ⓪ 🆖 G' 🗐 6,10 – **55 ch** 38,11/48,78

🏨 **Nouvel Hôtel** sans rest, 224 bd Tessé ℰ *04 94 89 04 22, Fax 04 94 92 13 06* – 📶 ▤ 🖫 🆖 🎴 ⚄ G' 🗐 5,03 – **29 ch** 25,76/45,73

🍴🍴 **Chamade,** 25 r. Comédie ℰ *04 94 92 28 58, Fax 04 94 92 28 58* – ▤. 🆎 🆖 F' *(fermé août, sam. midi, lundi midi et dim.)* – **Repas** *(nombre de couverts limité, prév* 31/40

🍴🍴 **Jardin du Sommelier,** 20 allée Amiral Courbe ℰ *04 94 62 03 27, jsommelier@inf* *fr, Fax 04 94 09 01 49* – ▤. 🆎 🆖 F' *fermé sam. midi et dim.* – **Repas** 28/34 🍷

🍴 **Au Sourd,** 10 r. Molière ℰ *04 94 92 28 52, Fax 04 94 91 59 92,* 🍴 – ⓪ 🆖 🎴 G' *fermé dim. et lundi* – **Repas** - produits de la mer - 23

1382

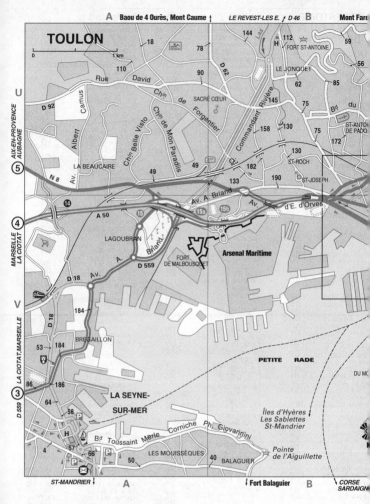

TOULON

0 __1 km__

PETITE RADE

Îles d'Hyères
Les Sablettes
St-Mandrier

Pointe
de l'Aiguillette

LA SEYNE-
SUR-MER

LES MOUISSÈQUES

au Mourillon – ✉ *83000 Toulon* :

Voir *Tour royale* ✳ ★.

🏠 **Corniche,** 17 littoral F. Mistral ✆ 04 94 41 35 12, *info@cornichehotel.*
Fax 04 94 41 24 58, ≤, 🏡 – 🔌 📺 📞 ⚓ 🆑 ⑩ 🕼 ⋙ C'
Repas *(fermé dim. soir et lundi)* 25,15/32,01 ⅞ – ⚏ 10 – **19 ch** 69/110, 4 appart

🍴🍴 **Lido,** av. F. Mistral ✆ 04 94 03 38 18, *lelido83@monmenu.com,* Fax 04 94 42 07 65, ≤
de Toulon, 🏡 – 🔲 🅿 🆎 🕼 C'
fermé dim. soir et lundi du 30 sept. au 30 mai – **Repas** 21,50/29 ⅞, enf. 8

🍴🍴 **Gros Ventre,** 279 littoral F. Mistral ✆ 04 94 42 15 42, Fax 04 94 31 40 32, 🏡 – 🄰
🕼 C'
fermé jeudi midi, mardi, merc. et le midi en juil.-août – **Repas** 25/39 🍷, enf. 11

🍴🍴 **L'Oustaou,** 9 r. Pré des Pêcheurs ✆ 04 94 41 64 64, *loustaou@aol.*
Fax 04 94 41 64 64 – 🆎 🕼 🅹🅲🅱 C'
fermé 15 juil. au 30 août, le midi en juil., le soir du 1er au 15 août, sam. midi et d
Repas *carte 26 à 42,* enf. 12

🍴 **L'Eau à la Bouche,** 54 r. Muiron ✆ 04 94 46 33 09, 🏡 – 🔲. 🕼 C'
fermé sam. midi, dim. et lundi – **Repas** *(dîner seul. en août) (18)* - 22/30 ⅞

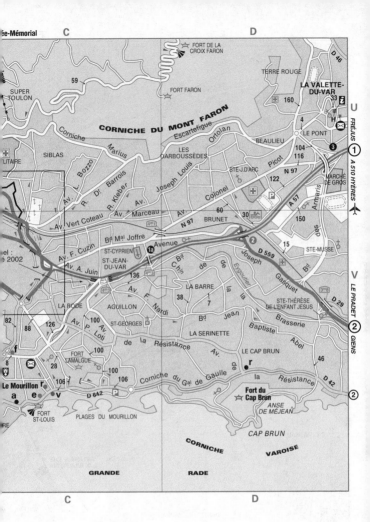

Cap Brun – ✉ 83100 Toulon :

🏠 **Les Bastidières** sans rest, 2371 av. Résistance ✆ 04 94 36 14 73, Fax 04 94 42 49 75,
« Jardin provençal fleuri », ⅏, 🍽 – 🗏 📺 ✆ 🅿   DV r
20 mars-30 sept. – ☲ 11 – **5 ch** 115

Valette-du-Var par ① : 7 km – 21 739 h. alt. 64 – ✉ 83160 :

🚹 Office du tourisme 72 avenue du Char Verdun ✆ 04 94 61 46 39, Fax 04 94 61
46 39.

🏠 **Ibis**, sortie Valgora (sortie n° 5ᵇ) ✆ 04 94 14 14 14, info@est.ibistoulon.com,
Fax 04 94 14 10 04, 🍽, ⅏ – 🛗 ❄ 🗏 📺 ✆ 👌 🅿 – 🛏 15 à 50. ㏂ ⓞ ㏋
Repas 9,15/15,24 🍴, enf. 6 – ☲ 6 – **84 ch** 54/61

Camp-Laurent par ④ autoroute A50 sortie Ollioules : 7,5 km – ✉ 83140 Six-Fours :

🏠 **Novotel**, ✆ 04 94 63 09 50, info@noveltoulon.com, Fax 04 94 63 03 76, 🍽, ⅏, 🍽 –
🛗 ❄ 🗏 📺 ✆ 👌 🅿 – 🛏 20 à 90. ㏂ ⓞ ㏋
Repas carte 23 à 28, enf. 7,77 – ☲ 9,50 – **86 ch** 77/92

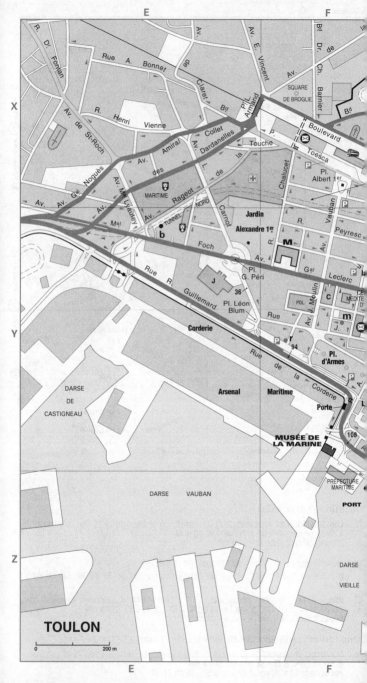

TOULON

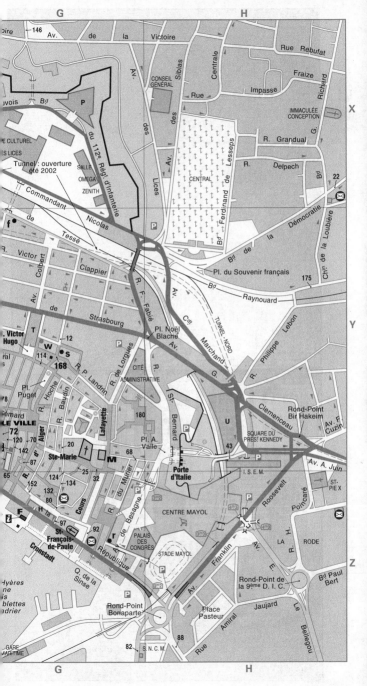

TOULOUSE

P 31000 H.-Gar. **32** ⑧ *G. Midi-Pyrénées - 390 350 h. - Agglo. 761 090 h - alt. 146.*
Paris 696 ① – Barcelona 321 ⑤ – Bordeaux 245 ① – Lyon 536 ⑤ – Marseille 408 ⑤

OFFICE DE TOURISME

Donjon du Capitole ℘ 05 61 11 02 22, Fax 05 61 22 03 63

RENSEIGNEMENTS PRATIQUES

TRANSPORTS
Auto-train ℘ 08 36 35 35 35.

AÉROPORT
Toulouse-Blagnac ℘ 05 61 42 44 00 AS

DÉCOUVRIR

TOULOUSE ET L'AÉRONAUTIQUE
Usine Clément-Ader à Colomiers dans la banlieue Ouest par ⑦

QUARTIERS DE LA BASILIQUE ST-SERNIN ET DU CAPITOLE
Basilique St-Sernin★★★ - Musée St-Raymond★★ - Église les Jacobins★★ (vaisseau de l'église★★) - Capitole★ - Tour d'escalier★ de l'hôtel de Bernuy EY

DE LA PLACE DE LA DAURADE À LA CATHÉDRALE
Hôtel d'Assézat et fondation Bemberg★★ EY - Cathédrale St-Étienne★ - Musée des Augustins★★ (sculptures★★★) FY

AUTRES CURIOSITÉS
Muséum d'Histoire naturelle★★ FZ - Musée Paul-Dupuy★ FZ - Musée Georges-Labit★ DV M²

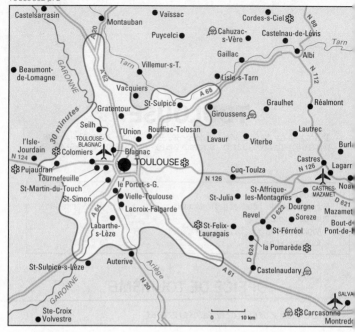

🏨 **Sofitel Centre** M, 84 allées J. Jaurès 🕿 05 61 10 23 10, *h1091@accor-hotels.c*
Fax 05 61 10 23 20 – 🛗 ⁺⁺ ≡ 🖵 📞 🕹 🛏 – 🔏 150. 🖭 ⓞ ☸ 🗺 ⟷ p. 7 FX
L'Armagnac *(fermé dim. midi et sam.)* **Repas** *(22)*-26 ♀ – ⊆ 16 – **112 ch** 200/297, 7 app

🏨 **Crowne Plaza** M, 7 pl. Capitole 🕿 05 61 61 19 19, *dvtlsfr@imagine*
Fax 05 61 23 79 96, 😤 , ⌘ – 🛗 ⁺⁺ ≡ 🖵 📞 🛏 – 🔏 60. 🖭 ⓞ ☸ 🗺 p. 7 EY
Repas 23/54 ♀ – ⊆ 18,30 – **159 ch** 160/350, 3 appart

🏨 **Grand Hôtel de l'Opéra** M sans rest, 1 pl. Capitole 🕿 05 61 21 82 66, *contact@gr.*
hotel-opera.com, Fax 05 61 23 41 04, ♣ – 🛗 ≡ 🖵 📞 🛏 – 🔏 15 à 40. 🖭 ⓞ ☸ 🗺
⊆ 18 – **47 ch** 122/245, 3 appart p. 7 EY

🏨 **Grand Hôtel Capoul** M, 13 pl. Wilson 🕿 05 61 10 70 70, *Fax 05 61 21 96 70*, 😤 – 🛗
≡ 🖵 📞 🕹 – 🔏 100. 🖭 ⓞ ☸ 🗺 p. 7 FY
Brasserie le Capoul 🕿 05 61 21 08 27 **Repas** carte 29 à 40 ♀ – ⊆ 11 – **130 ch** 106/
20 appart

🏨 **Brienne** M sans rest, 20 bd Mar. Leclerc 🕿 05 61 23 60 60, *hoteldebrienne@wanado*
Fax 05 61 23 18 94 – 🛗 ≡ 🖵 📞 🕹 🅿 – 🔏 25. 🖭 ⓞ ☸ 🗺 p. 6 DV
⊆ 8,40 – **71 ch** 67,10/106,80

🏨 **Mercure Atria** M, 8 espl. Compans Caffarelli 🕿 05 61 11 09 09, *h1585@accor-ho*
com, Fax 05 61 23 14 12, 😤 – 🛗 ⁺⁺ ≡ 🖵 📞 🕹 🛏 – 🔏 200. 🖭 ⓞ ☸ 🗺 p. 6 DV
Repas *(14)*-19 ♀, enf. 13 – ⊆ 11 – **136 ch** 99/144

🏨 **Novotel Centre** M ♨, pl. A. Jourdain 🕿 05 61 21 74 74, *h0906@accor-hotels.c*
Fax 05 61 22 81 22, 😤 , ⌘ – 🛗 ⁺⁺ ≡ 🖵 📞 🕹 🛏 – 🔏 100. 🖭 ⓞ ☸ 🗺 p. 6 DV
Repas carte environ 28 🍴, enf. 7,62 – ⊆ 10,50 – **125 ch** 100/110, 6 appart

🏨 **Beaux Arts** M sans rest, 1 pl. Pont-Neuf 🕿 05 34 45 42 42, *contact@hoteldesbeaux*
com, Fax 05 34 45 42 43, ≼, « Bel aménagement intérieur » – 🛗 ≡ 🖵 📞. 🖭 ☸ 🗺.
⊆ 15 – **19 ch** 99/153 p. 7 EY

🏨 **Mermoz** M sans rest, 50 r. Matabiau 🕿 05 61 63 04 04, *reservation@hotel.merr*
com, Fax 05 61 63 15 64 – 🛗 cuisinette 🖵 📞 🕹 🛏 – 🔏 30. 🖭 ⓞ ☸ 🗺 p. 7 DV
⊆ 9,15 – **52 ch** 83,85/105,20

🏨 **Grand Hôtel Jean Jaurès "Les Capitouls"** M sans rest, 29 allées J. Ja
🕿 05 34 41 31 21, *info@hotel-capitouls.com, Fax 05 61 63 15 17* – 🛗 ⁺⁺ ≡ 🖵 📞
🔏 20. 🖭 ⓞ ☸ 🗺 p. 7 FX
⊆ 10,50 – **52 ch** 103/145

🏨 **Mercure Wilson** Ⓜ sans rest, 7 r. Labéda ℰ 05 34 45 40 60, *h1260@accor-hotels.com*, Fax 05 34 45 40 61 – 📶 ⁜ ☰ 📺 ✆ � ⇔. ⌧ ⓪ ⒼⒷ ⒿⒸⒷ
p. 7 FY **m**
☐ 11 – **91 ch** 111/155, 4 appart

🏨 **Mercure St-Georges**, r. St-Jérôme (pl. Occitane) ℰ 05 62 27 79 79, *H0370@accor-hotels.com*, Fax 05 62 27 79 00, ㎡ – 📶 cuisinette ⁜, ☰ rest, 📺 ✆ & – 🈺 60. ⌧ ⓪ ⒼⒷ ⒿⒸⒷ
p. 7 FY **s**
fermé 13 juil. au 26 août – **Repas** (fermé vend. soir, sam., dim. et fériés) carte environ 23 ♈ –
☐ 11 – **122 ch** 110/130, 26 appart

🏨 **Président** ⌧ sans rest, 43 r. Raymond IV ℰ 05 61 63 46 46, *contact@hotel-president. com*, Fax 05 61 22 83 60 – 📺 ✆ ⇔. ⌧ ⓪ ⒼⒷ ⒿⒸⒷ
p. 7 FX **k**
☐ 7,20 – **31 ch** 45/60

🏨 **Athénée** sans rest, 13 r. Matabiau ℰ 05 61 63 10 63, Fax 05 61 63 87 80 – 📶 ☰ 📺 ✆ & 🅿
– 🈺 15 à 25. ⌧ ⓪ ⒼⒷ ⒿⒸⒷ
p. 7 FX **a**
☐ 8,38 – **35 ch** 60,98/83,84

🏨 **Castellane** sans rest, 17 r. Castellane ℰ 05 61 62 18 82, Fax 05 61 62 58 04 – 📶 cuisinette
☰ 📺 ✆ & ⇔ – 🈺 15 à 30. ⌧ ⓪ ⒼⒷ ⒿⒸⒷ
p. 7 FX **f**
☐ 6 – **43 ch** 48/74, 6 studios, 4 duplex

🏨 **Albert 1er** sans rest, 8 r. Rivals ℰ 05 61 21 17 91, *hotel.albert.1er@wanadoo.fr*, Fax 05 61 21 09 64 – 📶 ☰ 📺 ✆ – 🈺 15. ⌧ ⓪ ⒼⒷ
P. 7 EX **r**
☐ 8 – **50 ch** 54/74

🏨 **Park Hôtel** sans rest, 2 r. Porte Sardane ℰ 05 61 21 25 97, *contact@au-park-hotel.com*, Fax 05 61 23 96 27, ⌧ – 📶 ☰ 📺 ✆. ⌧ ⓪ ⒼⒷ
p. 7 FX **s**
☐ 6 – **44 ch** 45/57

🏨 **Ours Blanc-Wilson** sans rest, 2 r. V. Hugo ℰ 05 61 21 62 40, *wilson@hotel-oursblanc. com*, Fax 05 61 23 62 34 – 📶 ☰ 📺 ✆.
p. 7 FX **p**
☐ 7 – **37 ch** 49/70

🏨 **Gascogne** sans rest, 25 allées Ch. de Fitte ⌧ 31300 ℰ 05 61 59 27 44, Fax 05 61 42 25 52
– 📶 📺 & 🅿 – 🈺 15. ⌧ ⓪ ⒼⒷ
p. 6 DV **a**
☐ 6,50 – **51 ch** 41,50/49

🏨 **Bordeaux** sans rest, 4 bd Bonrepos ℰ 05 61 62 41 09, Fax 05 61 63 06 65 – 📶 📺 ⇔. ⌧
⓪ ⒼⒷ – fermé 25 déc. au 1er janv. – ☐ 6,10 – **31 ch** 38/49
p. 7 FX **e**

🍴🍴 **Toulousy-Les Jardins de l'Opéra**, 1 pl. Capitole ℰ 05 61 23 07 76, *toulousy@wana
✿ doo.fr*, Fax 05 61 23 63 00 – ☰. ⌧ ⓪ ⒼⒷ ⒿⒸⒷ
p. 7 EY **q**
fermé 28 juil. au 27 août, 1er au 6 janv., dim. et lundi – **Repas** 36 (déj.), 46/84 et carte 85 à
110 ♈, enf. 15
Spéc. Ravioli de foie gras de canard au jus de truffe. Oeufs de caille aux six saveurs. Pigeonneau au parfum d'épices, abatis en surprise et cuisse laquée. **Vins** Gaillac, Côtes du Frontonnais

🍴🍴 **Michel Sarran**, 21 bd A. Duportal ℰ 05 61 12 32 32, *michelsarran@wanadoo.fr*,
✿ Fax 05 61 12 32 33, ㎡ – ☰. ⌧ ⒼⒷ
p. 6 DV **m**
fermé 27 juil. au 28 août, 1er au 6 janv., sam. et dim. – **Repas** (prévenir) 38,12 bc/91,50 bc et
carte 60 à 90
Spéc. Soupe tiède de foie gras à l'huître belon. Loup cuit et cru au chorizo. Pigeon en brochette au sésame et curry **Vins** Gaillac, Fronton

🍴🍴 **Pastel** (Garrigues), 237 rte St-Simon ⌧ 31100 ℰ 05 62 87 84 30, Fax 05 61 44 29 22, ㎡,
✿ ⌧ – 🅿. ⌧ ⓪ ⒼⒷ. ⌧
p. 4 AU **r**
fermé 11 au 19 août, dim. et lundi – **Repas** (prévenir) 27,50 (déj.), 44,50/69 et carte 62
à 82
Spéc. Saint-Jacques rôties ''Jubilatoires'' (10 oct. au 10 avril). Poitrine de pigeon, pastilla et savouries de foie gras (fév. à sept.). Assiette de dessert au fruit de saison. **Vins** Gaillac, Côtes du Marmandais

🍴🍴 **L'Edelweiss**, 19 r. Castellane ℰ 05 61 62 34 70, Fax 05 61 62 34 70 – ☰. ⌧ ⓪ ⒼⒷ
ⒿⒸⒷ – fermé 1er au 30 août, dim. et lundi – **Repas** 26,68 ♈, enf. 13,72
p. 7 FX **f**

🍴🍴 **Depeyre**, 17 rte Revel ⌧ 31400 ℰ 05 61 20 26 56, *depeyre@depeyre.fr*,
Fax 05 61 34 83 96 – ☰. ⌧ ⓪ ⒼⒷ
p. 5 CU **r**
fermé 30 juil. au 27 août, 25 fév. au 3 mars, dim. et lundi – **Repas** (28) - 38/52 ♈

🍴🍴 **7 Place St-Sernin**, 7 pl. St-Sernin ℰ 05 62 30 05 30, Fax 05 62 30 04 06, « ''Toulousaine'' élégamment aménagée » – ☰. ⌧ ⓪ ⒼⒷ
p. 7 EX **v**
fermé 1er au 15 juil., 24 déc. au 2 janv., sam. et dim. – **Repas** (17) - 23/49 ♈, enf. 11

🍴🍴 **Brasserie ''Beaux Arts''**, 1 quai Daurade ℰ 05 61 21 12 12, Fax 05 61 21 14 80, ㎡ –
⌧ ⓪ ⒼⒷ
p. 7 EY **v**
Repas 27,59 bc, enf. 7,93

🍴🍴 **Chez Laurent Orsi ''Bouchon Lyonnais''**, 13 r. Industrie ℰ 05 61 62 97 43, *orsi.le-bouchon-lyonnais@wanadoo.fr*, Fax 05 61 63 00 71, ㎡ – ☰. ⌧ ⓪ ⒼⒷ ⒿⒸⒷ
p. 7 FY **f**
fermé sam. midi et dim. – **Repas** 18,50/30 ♈, enf. 9,93

*Les principales voies
commerçantes figurent
en rouge
dans la liste des rues
des plans de villes.*

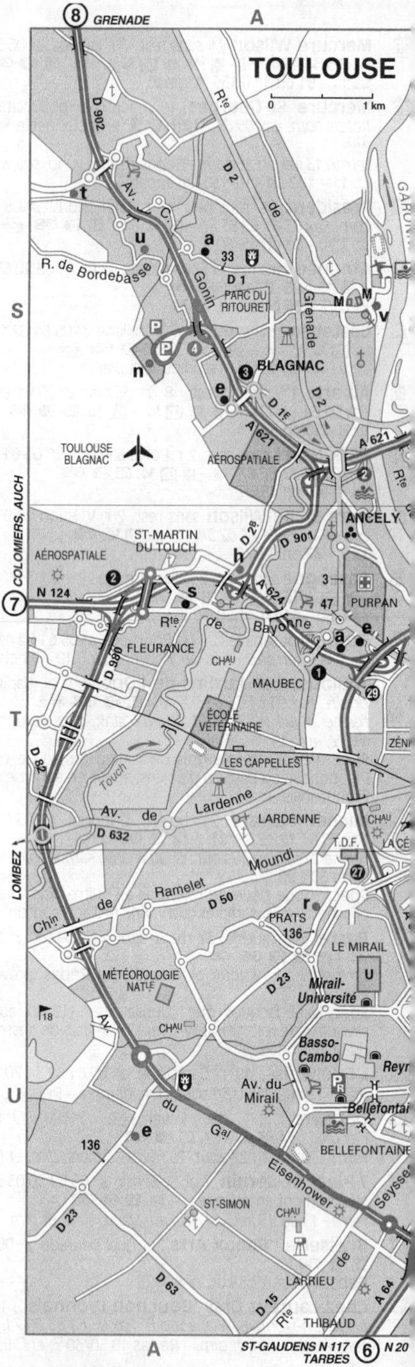

TOULOUSE

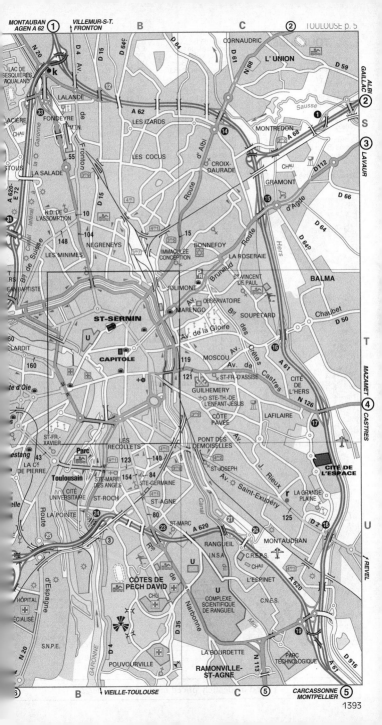

TOULOUSE

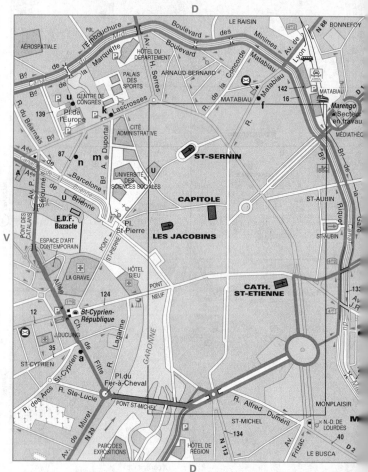

A good moderately priced meal : 🏶 Repas 16/23

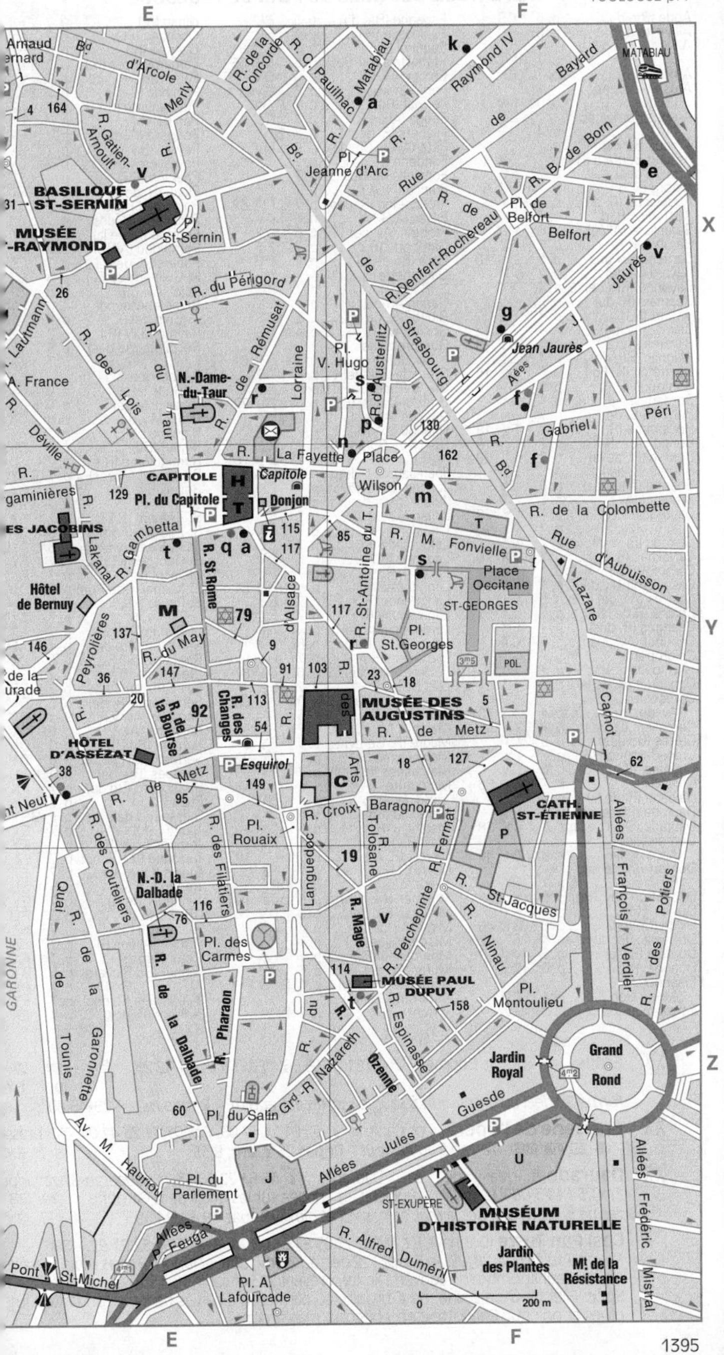

MATABIAU

Arnaud
ernard

Bd

d'Arcole

R. de la
Concorde

R. G. Pauilhac

Matabiau

R. de la

k

Raymond IV

Bayard

Bd

de

a

R.

Bd

de Born

4 164

R. Gatien-
Arnoult

R.
Merly

Pl. de
Jeanne d'Arc

Rue

de Born

e

31

v

**BASILIQUE
ST-SERNIN**

Pl.
St-Sernin

R. de

Pl. de
Belfort

**MUSÉE
-RAYMOND**

P

R. du Périgord

R. Denfert-Rochereau

Belfort

Jaurès

X

v

26

R. Rémusat

Strasbourg

g

A. France

R. des Lois

R. du

Pl.
V. Hugo

s

R. d'Austerlitz

Jean Jaurès

Aées

Péri

f

Deville

Lorraine

P

P

130

Gabriel

R.

f

Bd

gaminières

**N.-Dame-
du-Taur**

r

R.

La Fayette

Place
Wilson

162

R. de la Colombette

ES JACOBINS

CAPITOLE

Pl. du Capitole

**H
T**

Capitole
Donjon

n

p

m

129

R. Gambetta

R. Lakanal

t

a

q

R. St Rome

115
117

85

de

R. Austerlitz

R. M. Fonvielle

Rue

d'Aubuisson

**Hôtel
de Bernuy**

M

R. du May

79

d'Alsace

117

R. St-Antoine du T.

s

Place
Occitane

Lazare

146

137

9

Pl.
St.Georges

ST-GEORGES

Y

de la
urade

36

R.

147

91

103

des

23

5

Carnot

20

92

R. des
Changes

113

54

**MUSÉE DES
AUGUSTINS**

R.

de

Metz

**HÔTEL
D'ASSÉZAT**

38

Metz

95

149

Esquirol

18

127

62

t Neuf

R.

de

C

R. Croix

Baragnon

R. Fermat

**CATH.
ST-ÉTIENNE**

P

Pl.
Rouaix

18

**N.-D. la
Dalbade**

R. des Filatiers

19

R. Tolosane

R. St-Jacques

Ninau

P

GARONNE

76

116

Pl. des
Carmes

R. Languedoc

V

R. Mage

R. Perchepinte

Pl.
Montoulieu

Allées

François

Verdier

des

Quai

R. des Couteliers

R.

de

la

Dalbade

R. Pharaon

114

**MUSÉE PAUL
DUPUY**

158

**Grand
Rond**

Z

R. de la
Garonnette

R.

R. Nazareth

Ozenne

Jardin
Royal

Av. M. Hauriou

60

Pl. du Salin

Gd R.

Guesde

P

J

Allées

Jules

U

Allées

Frédéric

Pl. du
Parlement

ST-EXUPERE

**MUSÉUM
D'HISTOIRE NATURELLE**

Mistral

Pont St-Michel

Allées P. Feuga

R. Alfred Duméril

Jardin
des Plantes

**M! de la
Résistance**

Pl. A.
Lafourcade

0   200 m

E

F

1395

RÉPERTOIRE DES RUES DU PLAN DE TOULOUSE

XX **Émile,** 13 pl. St-Georges ℰ 05 61 21 05 56, *Fax 05 61 21 42 26,* 🍴 – 🍽, 🅰🅴 🇬🇧
p. 7 FY
fermé 22 déc. au 6 janv., lundi sauf le soir en été et dim. – **Repas** *(15,50)* - 29/48,80 ♌

XX **Brasserie de l'Opéra,** 1 pl. Capitole ℰ 05 61 21 37 03, *Fax 05 61 23 41 04,* 🍴, brass
– 🍽, 🅰🅴 ⓞ 🇬🇧 – *fermé 5 au 28 août* – **Repas** 25 ♌, enf. 8,53
p. 7 EY

XX **Daurade,** quai de la Daurade ℰ 05 61 22 10 33, *ladaurade@wanado*
Fax 05 61 23 08 71, ≤, 🍴, « Péniche aménagée sur les quais de la Garonne » – 🍽, 🇬🇧
fermé lundi midi d'oct. à mai, sam. midi et dim. – **Repas** 18,30/24,39 ♌
p. 7 EY

X **Cosi Fan Tutte** (Donnay), 8 r. Mage ℰ 05 61 53 07 24, *Fax 05 61 52 27 92* – 🇬🇧
❀ *fermé 5 au 13 mai, 28 juil. au 5 sept., 22 déc. au 2 janv., dim. et lundi* – **Repas** - cuisine italie
- (dîner seul.)(nombre de couverts limité, prévenir) 23 et carte 40 à 55
p. 7 EY
Spéc. Filet de thon séché, oeuf brouillé au parmesan. Épaules de lapin fondantes, jus
olives et polenta. Charlotte café, chocolat, mascarpone.

✗ **Au Gré du Vin**, 10 r. Pléau ✆ 05 61 25 03 51, Fax 05 61 25 03 51 – ⓞ GB   p. 7 FZ **t**
fermé août, Noël au Jour de l'An, sam., dim. et fériés – **Repas** (prévenir) (11) - 20,58/25,76 ♀,
enf. 7,62

✗ **Chais**, 30 r. B. Mulé ✆ 05 61 54 27 20, Fax 05 61 54 25 15, � – ▣. 🜇 ⓞ
GB   p. 6 DV **e**
fermé 10 au 25 août, vacances de fév., sam. midi, lundi et dim. – **Repas** 20,60/28,20 ♀

lande Nord : 6 km – ⊠ 31200 :

🏨 **Hermès** sans rest, 49 av. J. Zay ✆ 05 61 47 60 47, reception@hotel-hermes.com,
Fax 05 61 47 56 08 – 🛗 🍴 ▤ ▣ 🅫 📶 ☰ ⚙ P – 🛆 25. 🜇 ⓞ GB ⒿⒸⒷ   p. 5 BS **k**
⊠ 5,50 – **68 ch** 45/52

atentour Nord : 15 km par D 4 et D 14 – 3 035 h. alt. 174 – ⊠ 31150 :

🏨 **Barry** 🍴, r. Barry ✆ 05 61 82 22 10, lebarry@wanadoo.fr, Fax 05 61 82 22 38, 🌅, ☓, 🐎
– ▦ 🅫 📶 ☰ P – 🛆 30. 🜇 ⓞ GB ⒿⒸⒷ, 🎯
Repas (fermé 13 au 19 août, 24 au 31 déc., vend. soir, dim. et sam.) 12 (déj.), 18,29/22 ♺ –
⊠ 8 – **22 ch** 46/58 – ½ P 52/55

Jnion Nord-Est : 7 km – 12 141 h. alt. 146 – ⊠ 31240 :

✗✗ **Bonne Auberge**, 2 bis r. Autan Blanc - N 88 ✆ 05 61 09 32 26, la-bonne-auberge@wana
doo.fr, Fax 05 61 09 97 53, 🌅 – ▣ P. GB
fermé 12 août au 9 sept., dim. soir, mardi soir et lundi – **Repas** (17,50) - 24,50/36,50 ♀

ouffiac-Tolosan par ② : 12 km – 1 404 h. alt. 210 – ⊠ 31180 :

✗✗ **Ô Saveurs**, pl. Ormeaux (au village) ✆ 05 34 27 10 11, Fax 05 62 79 33 84, 🌅 – ▣. ⓞ
GB
fermé dim. soir et lundi – **Repas** 18,30 (déj.), 26/33,54 ♀, enf. 13

✗✗ **Clos du Loup** avec ch, N 88 ✆ 05 61 09 28 39, Fax 05 61 35 13 97 – ▦ rest, 📶 P – 🛆 20.
GB
fermé 29 juil. au 20 août – **Repas** (fermé mardi midi, dim. soir et lundi) 15 (déj.), 21,50/32 ♀,
enf. 12,20 – ⊠ 4,60 – **20 ch** 37,40/45 – ½ P 42,50/54

eille-Toulouse Sud : 9 km par D 4 – 894 h. alt. 269 – ⊠ 31320 :

🏨 **Flânerie** 🍴 sans rest, rte Lacroix-Falgarde ✆ 05 61 73 39 12, Fax 05 61 73 18 56, ≤ la
Garonne, 🌳, 🕭 – 📶 🅫 🚗 P. 🜇 ⓞ GB
fermé 10 au 21 fév. – ⊠ 8 – **12 ch** 53/98

acroix-Falgarde Sud : 13 km par D 4 – 1 485 h. alt. 154 – ⊠ 31120 :

✗✗ **Bellevue**, 1 av. Pyrénées ✆ 05 61 76 94 97, Fax 05 61 76 94 97, ≤, 🌅 – P. 🜇 GB
fermé 21 oct. au 13 nov., lundi et mardi – **Repas** 19,06 (déj.), 24,09/29,73

ortet-sur-Garonne Sud : 10 km par N 20 – 8 733 h. alt. 150 – ⊠ 31120 :

🏨 **L'Hotan** 🄼, 80 rte d'Espagne (N 20) ✆ 05 62 87 14 14, Fax 05 62 20 02 36, 🌅, 🐎 – 🛗 ▤
📶 🅫 📶 P – 🛆 50. 🜇 ⓞ GB
Repas (fermé dim. midi et sam.) 19,82/28,97 ♺ – ⊠ 8,08 – **52 ch** 64,03/83,85

:-Simon Sud-Ouest : 8 km par D 23 – ⊠ 31100 Toulouse :

✗✗ **Les Ombrages**, 48 bis rte St-Simon ✆ 05 61 07 61 28, fzago@les-ombrages.fr,
Fax 05 61 06 42 26 – P. 🜇 ⓞ GB ⒿⒸⒷ   p. 4 AU **e**
fermé 6 au 21 août et lundi – **Repas** 20,60 (déj.), 25,30/58 ♀, enf. 15,50

ournefeuille Ouest : 10 km par D 632 AT – 22 758 h. alt. 155 – ⊠ 31170 :

✗✗ **L'Art de Vivre**, 279 chemin Ramelet-Moundi ✆ 05 61 07 52 52, Fax 05 61 06 41 94, 🌅 –
P. 🜇 ⓞ GB
fermé 19 août au 4 sept., 18 au 27 fév., dim. soir, lundi soir, mardi soir et merc. – **Repas** 20
(déj.), 27/44 ♀

urpan Ouest : 6 km par N 124 – ⊠ 31300 Toulouse :

🏨 **Palladia** 🄼, 271 av. Grande Bretagne ✆ 05 62 12 01 20, hotel.palladia@wanadoo.fr,
Fax 05 62 12 01 21, 🌅, ☓ – 🛗 🍴 ▤ 📶 🅫 📶 🚗 P – 🛆 280. 🜇 ⓞ GB   p. 4 AT **e**
Repas (fermé dim. et fériés) 24,40 ♀ – ⊠ 14,48 – **91 ch** 140/305

🏨 **Novotel Aéroport** 🄼, 23 impasse Maubec ✆ 05 61 15 00 00, h0445@accor-hotels.com,
Fax 05 61 15 88 44, 🌅, ☓, 🐎, 🌳 – 🛗 🍴 ▤ 📶 🅫 📶 P – 🛆 100. 🜇 ⓞ GB ⒿⒸⒷ
Repas (13,25) - carte environ 25 ♀, enf. 8 – ⊠ 10 – **123 ch** 100   p. 4 AT **a**

t-Martin-du-Touch vers ⑦ – ⊠ 31300 Toulouse :

🏨 **Airport Hôtel** sans rest, 176 rte Bayonne ✆ 05 61 49 68 78, airporthotel@wanadoo.fr,
Fax 05 61 49 73 66, 🕭 – 🛗 🍴 📶 🚗 P – 🛆 20. 🜇 ⓞ GB ⒿⒸⒷ   p. 4 AT **s**
⊠ 6 – **48 ch** 51/58

✗✗ **Cantou**, 98 r. Velasquez (D 2⁸) ✆ 05 61 49 20 21, le.cantou@wanadoo.fr,
Fax 05 61 31 01 17, 🌅, « Beau jardin », 🐎 – P. 🜇 ⓞ GB ⒿⒸⒷ   p. 4 AT **h**
fermé 11 au 25 août, 21 déc. au 6 janv., sam. et dim. – **Repas** 28/50

à Colomiers *par ⑦ - sortie nº 4 - puis direction Cornebarrieu par D 63 : 10 km – 28 538 h. alt. ✉ 31770 :*

XXX **L'Amphitryon,** chemin de Gramont ✆ 05 61 15 55 55, *amphitryon@wanado*
Fax 05 61 15 42 30, ≤, 🏠 – ▤ 🅿. AE ⓓ GB
Repas 29,73 (déj.), 44,21/71,65 et carte 60 à 90 ♀
Spéc. Défait de pigeonneau du Rouergue. Sardine fraîche, crème de morue et caviar choïs, sauce raifort. Bar de ligne et bonbons croustillants au foie gras. **Vins** Jurançon, Mad

à Blagnac *Nord-Ouest : 7 km – 20 586 h. alt. 135 – ✉ 31700 :*

Sofitel Ⓜ, 2 av. Didier Daurat, dir. aéroport (sortie nº 3) ✆ 05 61 71 11 25, *h0565@a hotels.com, Fax 05 61 30 02 43,* 🏠, 🏊, 🌳, 🎾 – 🛗 ⊬ ▤ 📺 📞 🅿 – 🏛 90. AE ⓓ GB p. 4 A
Caouec : Repas 27/33 bc, enf. 20 – ☕ 15 – **100 ch** 180/190

Grand Noble, 90 av. Cornebarrieu ✆ 05 34 60 47 47, *hotel.rest.grand.noble@wana fr, Fax 05 34 60 47 48,* 🏠 – 🛗 ⊬ ▤ 📺 📞 ♿ 🅿 – 🏛 50. AE ⓓ GB p. 4 A
Repas *(fermé août, vend. soir et sam.)* 15,50/33,50, enf. 10,50 – ☕ 8,50 – **44 ch** 64/ ½ P 51,50/57,50

XX **Le Goulu,** r. Bordebasse (zone aéroportuaire nord) ✆ 05 61 15 66 66, *Fax 05 61 30 4*
🏠 – ▤ 🅿. AE GB p. 4 A
fermé sam. midi et dim. midi – **Repas** 19,51/25,61

XX **Cercle d'Oc,** 6 pl. M. Dassault ✆ 05 62 74 71 71, *cercledoc@wanadc*
Fax 05 62 74 71 72, 🏠, 🌳 – ▤ 🅿. AE ⓓ GB p. 4 A
fermé 3 au 25 août, 1er au 7 janv., sam. midi et dim. – **Repas** 27 bc (déj.)/43 ♀

XX **Pré Carré,** aéroport Toulouse-Blagnac (2e étage) ✆ 05 61 16 70 40, *Fax 05 61 16 70 5*
– ▤. AE ⓓ GB JCB. ✂ p. 4 A
fermé 14 juil. au 15 août, dim. soir et sam. – **Repas** 33,50/37 ♀

X **Bistrot Gourmand,** 1 bd Firmin Pons ✆ 05 61 71 96 95, *bistrot-gourmand@bis gourmand.com, Fax 05 61 71 96 95,* 🏠 – AE ⓓ GB p. 4 A
fermé 22 juil. au 18 août, 30 déc. au 6 janv., sam. midi, dim. et lundi – **Repas** 10,55 (16,90/27,50 🍷, enf. 7,50

à Seilh *par ⑧ : 15 km – 2 086 h. alt. 133 – ✉ 31840 :*

Maéva Latitudes Ⓜ 🐎, rte Grenade ✆ 05 62 13 14 15, *toulouse@mae Fax 05 61 59 77 97,* ≤, 🏠, « En bordure de golf », 🏋, 🏊, 🎾 – 🛗 cuisinette ⊬ ▤ 📺 🚗 🅿 – 🏛 180. AE ⓓ GB
Repas *(fermé 14 juil. au 19 août, sam. midi, dim. midi et fériés)* (16) - 20,58 🍷, enf. 11
☕ 10 – **116 ch** 86/114, 36 studios

TOUQUES *14 Calvados* **55** *③ – rattaché à Deauville.*

Le TOUQUET-PARIS-PLAGE *62520 P.-de-C.* **51** *⑪ G. Picardie Flandres Artois – 5 299 h alt*
Casino du Palais BZ – 🅸 *Office du tourisme Place de l'Hermitage* ✆ *03 21 06 72*
Fax 03 21 06 72 01, contact@letouquet.com.
Paris 243 ① – Calais 67 ① – Abbeville 59 ① – Arras 99 ① – Boulogne-sur-Mer 31 ①.

Plan page ci-contre

Westminster, av. Verger ✆ 03 21 05 48 48, *hotel.westminster@wanado*
Fax 03 21 05 45 45, 🏠, 🏊 – 🛗, ▤ rest, 📺 🅿 – 🏛 25 à 150. AE ⓓ GB BZ
Pavillon (dîner seul.) *(fermé 3 janv. au 1er mars et mardi soir sauf juil.-août)* **Repas** 39 57,93 ♀, enf. 20 – ***Coffee Shop*** *(fermé merc.sauf juil.-août)* **Repas** (23)-29 🍷, enf.
☕ 15,25 – **115 ch** 99,09/213,42 – ½ P 138/165

Park Plaza Grand Hôtel Ⓜ 🐎, 4 bd Canche ✆ 03 21 06 88 88, *parkplaz@club-net.fr, Fax 03 21 06 87 87,* 🏠, 🏊, 🌳 – 🛗, ▤ rest, 📺 📞 ♿ 🅿 – 🏛 150. AE ⓓ
✂ rest
Les Jardins d'Opale (dîner seul.) **Repas** 26 – ***Bistrot :*** **Repas** (15,10)- et carte environ 28
☕ 11,50 – **129 ch** 125/138,80, 5 appart – ½ P 94,55/102,20 BY

Manoir Hôtel 🐎, au Golf par ② : *2,5 km* ✆ 03 21 06 28 28, *manoirhotel@opengolf com, Fax 03 21 06 28 29,* 🏠, « Manoir début de siècle en bordure du golf », 🏊, 🌳,
📺 🅿 – 🏛 120. AE ⓓ GB. ✂ rest
fermé janv. – **Repas** 26/30 – **41 ch** ☕ 100/200 – ½ P 96/126

Holiday Inn Resort Ⓜ 🐎, av. Mar. Foch ✆ 03 21 06 85 85, *hotel@holidayinnletouc com, Fax 03 21 06 85 00,* 🏠, 🏋, 🏊, 🌳, 🎾 – 🛗 ⊬, ▤ rest, 📺 📞 ♿ 🅿 – 🏛 80. AE ⓓ
JCB. ✂ rest BZ
Picardy : Repas (15)-24/28 🍷, enf.10 – ☕ 13 – **56 ch** 139/299, 32 duplex – ½ P 99/124

Red Fox sans rest, r. Metz ✆ 03 21 05 27 58, *reception@hotelredfox.c*
Fax 03 21 05 27 56 – 🛗 📺 📞 ♿ 🚗. AE ⓓ GB AY
☕ 7,50 – **53 ch** 75/95

Les Embruns sans rest, 89 r. Paris ✆ 03 21 05 87 61, *nhe@wanado*
Fax 03 21 05 85 09 – 📺 📞. AE ⓓ GB. ✂ AYZ
fermé 15 déc. au 14 janv. – ☕ 5,80 – **19 ch** 43/55

LE TOUQUET-PARIS-PLAGE

Artois sans rest, 123 r. Paris $\mathscr{C}$ 03 21 05 17 09, *contact@hotelartois.com*,
Fax 03 21 05 33 61 – **AE** **O** **GB**   **AZ** v
⚏ 6,50 – **15 ch** 43/68

Forêt sans rest, 73 r. Moscou $\mathscr{C}$ 03 21 05 09 88, Fax 03 21 05 59 40 – **TV** **GB**.
⚒   **AZ** b
fermé vacances de Noël – ⚏ 5,03 – **10 ch** 36,59/45,73

XXX **Flavio,** av. Verger ☎ 03 21 05 10 22, *flavio@flavio.fr, Fax 03 21 05 91 55,* – AE ⓓ JCB BZ
fermé 5 janv. au 10 fév., lundi sauf juil.-août et fériés – **Repas** 23 (déj.), 30/115 et cart à 81 ♀

XX **Village Suisse,** 52 av. St-Jean ☎ 03 21 05 69 93, *Fax 03 21 05 66 97,* – GB BZ
fermé 4 au 12 mars, 6 au 16 janv., dim. soir d'oct. à Pâques, mardi midi sauf juil.-aoû lundi – **Repas** 21/41 ♀, enf. 10

à Trépied *par ① : 3 km* – ✉ *62780 Cucq :*

Relais de l'Espérance sans rest, 561 av. Étaples ☎ 03 21 94 62 99, *Fax 03 21 94 53* TV ✆ ♿. GB
fermé 22 déc. au 28 janv. et dim. – ☕ 7 – **10 ch** 51/63

TOURCOING

Allende (Bd Salvador) . . . . **BY** 2
Anges (R. des) . . . . **BYZ** 3
Austerlitz (R. d') . . . . **ABZ** 4
Bienfaisance (R. de la) . . . . **BY** 6
Brun-Pain (R. du) . . . . **AY**
Buisson (R. Ferdinand) . . . . **BZ** 7
Chateaubriand (R.) . . . . **CZ** 8
Cherbourg (Quai de) . . . . **BZ** 9
Clavell (Place Miss) . . . . **BY** 10
Cloche (R. de la) . . . . **BY** 12
Condorcet (R.) . . . . **BY** 13
Courbet (R. de l'Amiral) . . . . **BY** 15
Croix-Blanche (R. de la) . . . . **CX** 16
Croix-Rouge (R. de la) . . . . **CXY**
Delobel (R.) . . . . **BY** 18
Doumer (R. Paul) . . . . **BY** 19
Dron (Av. Gustave) . . . . **BZ**
Duguay-Trouin (R.) . . . . **CY** 21
Faidherbe (R.) . . . . **BZ** 22
Famelart (R.) . . . . **BZ** 24
Froissart (R. Jean) . . . . **AY** 25
Gambetta (Bd) . . . . **BZ** 27
Gand (R. de) . . . . **BXY**
Grand'Place . . . . **BY** 28
Hassebroucq (Pl. V.) . . . . **BY** 30
Hénaux (R. Marcel) . . . . **BXY** 31
La-Fayette (Av.) . . . . **BZ** 33
Leclerc (R. du Gén.) . . . . **BY** 36
Lefrançois (Av. Alfred) . . . . **CZ** 37
Marne (Av. de la) . . . . **BZ** 39
Marseille (Quai de) . . . . **BZ** 40
Menin (R. de) . . . . **BXY**
Millet (Av. Jean) . . . . **AY** 42
Moulin-Fagot (R. du) . . . . **BY** 43
Nationale (R.) . . . . **ABY**
Péri (R. Gabriel) . . . . **BY** 45
Petit-Village (R. du) . . . . **AY** 46
Pompidou (Av. G.) . . . . **BZ** 48
Pont-de-Neuville (R. du) . . . . **CX** 49
République (Pl. de la) . . . . **BY** 51
Résistance (Pl. de la) . . . . **BY** 52
Ribot (R. Alexandre) . . . . **BY** 54
Roosevelt (R. F.) . . . . **BY** 55
Roussel (Pl. Ch.-et-A.) . . . . **BY** 57
St-Jacques (R.) . . . . **BY** 58
Sasselange (R. Ed.) . . . . **BZ** 60
Testelin (R. A.) . . . . **CX** 61
Thiers (R.) . . . . **BZ** 63
Tournai (R. de) . . . . **BY** 64
Turenne (R.) . . . . **BZ** 66
Ursulines (R. des) . . . . **BYZ** 68
Victoire (Pl. de la) . . . . **BZ** 69
Wailly (R. de) . . . . **BY** 70
Wattine (R. Ch.) . . . . **BZ** 72

WATTRELOS

Vaneslander (R. M.) . . . . **CZ** 67

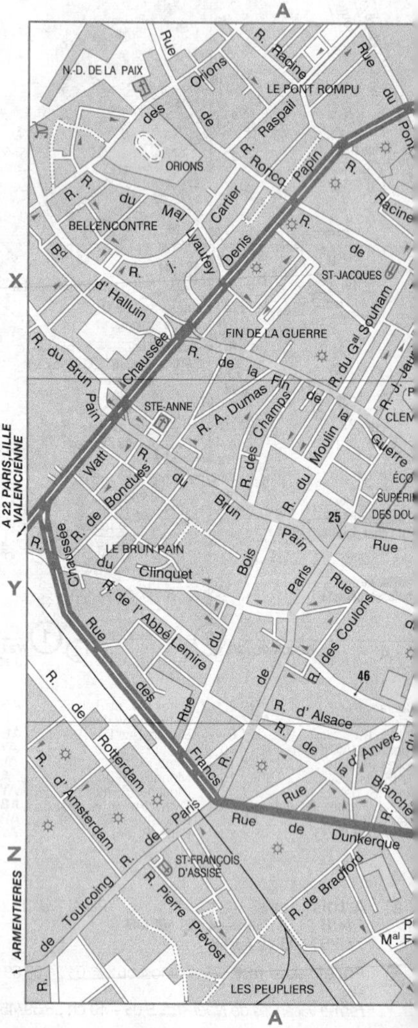

ella-Plage *par ② : 7 km – ✉ 62780 Cucq :*

Pelouses, bd E. Labrasse ✆ 03 21 94 60 86, *hotel.des.pelouses@wanadoo.fr, Fax 03 21 94 10 11,* – TV P. AE GB – *fermé 20 déc. au 1er fév., dim. soir, mardi midi et lundi d'oct. à avril sauf vacances scolaires* – **Repas** 14/30 ♀, enf. 7 – ☕ 6,50 – **27 ch** 50/56 – ½ P 40/50

ucq *par ② : 6 km – 4 912 h. alt. 5 – ✉ 62780 :*

Office du tourisme Place Jean Sapin ✆ 03 21 09 04 32, Fax 03 21 84 49 88.

Petite Auberge, av. Libération ✆ 03 21 94 33 03, *Fax 03 21 94 06 65,* – . GB *fermé dim. soir* – **Repas** 13,57/44,97 ♀, enf. 7,93

URCOING *59200 Nord* **51** ⑥ *G. Picardie Flandres Artois – 93 540 h alt. 37.*

Office du tourisme 9 rue de Tournai ✆ 03 20 26 89 03, Fax 03 20 24 79 80.

Paris 234 ⑩ – Lille 16 ⑩ – Kortrijk 19 ④ – Gent 62 ② – Oostende 80 ① – Roubaix 5 ⑦.

Accès et sorties : voir plan de Lille.

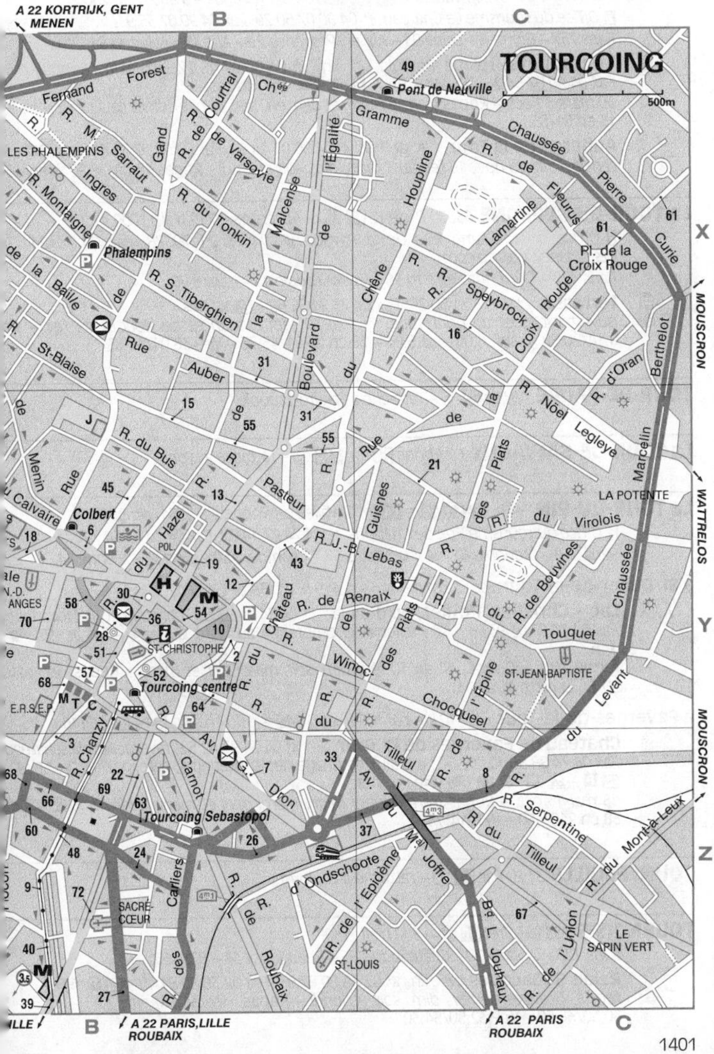

Novotel M, au Nord près échangeur de Neuville-en-Ferrain (sortie 18) ⊠ 59535 Neu-
en-Ferrain ℘ 03 20 28 88 00, H0451@accor-hotels.com, Fax 03 20 28 88 10, 斎, ⤢,
🛏 ⤢ ≡ 📺 ℃ & 🅿 – 🕍 200. 🖭 ⑩ ☯
plan de Lille HI
Repas (17,50) - 22 ♀, enf. 8 – ☵ – **108 ch** 80,04/84

Comfort Inn Primevère, Parc d'activités de Ravennes-les-Francs ⊠ 59910 Bon
℘ 03 20 36 01 96, confort-lille-tourcoing@wanadoo.fr, Fax 03 20 24 53 52, 斎 – ⤢
& 🅿 – 🕍 30. 🖭 ⑩ ☯
plan de Lille HI
fermé dim. soir – **Repas** (11,43) -14,02/19,51 ♀, enf. 7,01 – ☵ 5,79 – **53 ch** 48,02

XX Baratte, 395 r. Clinquet ℘ 03 20 94 45 63, Fax 03 20 03 41 84, 斎 – ≡. 🖭
☯
plan de Lille HI
fermé 1ᵉʳ au 7 avril, 29 juil. au 19 août, 18 au 24 fév., sam. midi, dim. soir et lundi – R
18,50/80 bc ♀

La TOUR D'AIGUES 84240 Vaucluse ⑧① ⑭, ⑪④ ③ G. Provence – 3 860 h alt. 250.
🅱 Office du tourisme Le Château ℘ 04 90 07 50 29, Fax 04 90 07 35 91.
Paris 757 – Digne-les-Bains 93 – Aix-en-Provence 29 – Apt 35 – Avignon 81.

Fenouillets, rte de Pertuis : 1 km ℘ 04 90 07 48 22, mail@lesfenouillets.
Fax 04 90 07 34 26, 斎, 🛋 – 📺 & 🅿. 🖭 ☯ ⱼⒸⒷ. 🛇 rest
30 mars-31 oct. – **Repas** (fermé merc. et dim. en mars et oct.) (dîner seul.) 21 ♀ – ☵ 9
15 ch 51/55

X Auberge de la Tour, r. A. de Tres ℘ 04 90 07 34 64, Fax 04 90 07 34 64 – ≡. ☯
fermé 1ᵉʳ au 25 nov., 16 fév. au 3 mars, dim. soir et lundi – **Repas** 15,09/28,20 ♀, enf. 9

La TOUR-D'AUVERGNE 63680 P.-de-D. ⑦③ ⑬ G. Auvergne – 719 h alt. 1000.
🅱 Office du tourisme Rue de la Pavade ℘ 04 73 21 79 78, Fax 04 73 21 79
otsa@sancy.artense.com
Paris 477 – Clermont-Ferrand 58 – La Bourboule 13 – Issoire 60.

Terrasse, ℘ 04 73 21 50 29, Fax 04 73 21 56 60 – 📺 ℃. ☯
ouvert vacances de printemps, 1ᵉʳ mai-30 sept., vacances de Noël et de fév. – R
9,14/20,58 ♣, enf. 6,09 – ☵ 5,03 – **28 ch** 25,91/45,73 – ½ P 38,01/39,63

TOUR-DE-FAURE 46 Lot ⑦⑨ ⑨ – rattaché à St-Cirq-Lapopie.

La TOUR-DE-SALVAGNY 69 Rhône ⑦④ ⑪, ⑪⓪ ⑬ – rattaché à Lyon.

La TOUR-DU-PIN ⑨ 38110 Isère ⑦④ ⑭ G. Vallée du Rhône – 6 553 h alt. 350.
🅱 Office du tourisme Rue de Châbons ℘ 04 74 97 14 87, Fax 04 74 83 34 74.
Paris 519 – Grenoble 67 – Aix-les-Bains 57 – Chambéry 50 – Lyon 56 – Vienne 54.

à St-Didier-de-la-Tour Est : 3 km par N 6 – 1 419 h. alt. 380 – ⊠ 38110 :

XXX Lac - Christian Poulet, bord du lac ℘ 04 74 97 25 53, christian.poulet@wanado
Fax 04 74 97 01 93, ≤, 斎, « Terrasse ombragée au bord du lac » – ≡ 🅿. 🖭 ⑩
ⱼⒸⒷ
fermé 10 au 20 sept., 1ᵉʳ au 10 fév., dim. soir, mardi soir et merc. – **Repas** (16) - 20 (d
30/54 et carte 45 à 60 ♀

à Faverges-de-la-Tour Est : 10 km par N 516 et D 145ᶜ – 1 107 h. alt. 394 – ⊠ 38110 :

Château de Faverges de la Tour ⑤, ℘ 04 74 97 42 52, faverges@relaischateau
Fax 04 74 88 86 40, ≤, 斎, « Beaux aménagements intérieurs, parc, golf », ⤢, ✕, ℀
📺 🅿 – 🕍 70. 🖭 ⑩ ☯ ⱼⒸⒷ. 🛇 rest
15 mai-15 oct. – **Repas** (fermé lundi midi , mardi midi et merc. midi) 47/72 ♀ – ☵
38 ch 210/460 – ½ P 145/390

TOURNEFEUILLE 31 H.-Gar. ⑧② ⑦ – rattaché à Toulouse.

TOURNOISIS 45310 Loiret ⑥⓪ ⑱ – 309 h alt. 130.
Paris 129 – Orléans 28 – Châteaudun 25 – Beaugency 34 – Blois 66.

X Relais St-Jacques avec ch, ℘ 02 38 80 87 03, Fax 02 38 80 81 46 – 📺 🅿. ☯
fermé vacances de fév., dim. soir et lundi – **Repas** 11,50/31,55, enf. 7,75 – ☵ 5 –
30,50/36,50 – ½ P 32,50/54,30

JRNUS 71700 S.-et-L. **69** ⑳ G. Bourgogne – 6 231 h alt. 193.

Voir Abbaye★★.

🖪 Office du tourisme Place Carnot ℰ 03 85 27 00 20, Fax 03 85 27 00 21, Ot.tournus @wanadoo.fr.

Paris 361 ① – Chalon-sur-Saône 28 ① – Bourg-en-Bresse 70 ② – Mâcon 36 ②.

🏨 **Hôtel de Greuze** M 🦐 sans rest, 5, pl. de l'Abbaye **(e)** ℰ 03 85 51 77 77, Fax 03 85 51 77 23 – 🛗 📶 🔟 📞 🅿 – 🔬 15. 🖭 ⓞ ☷ ᴊᴄʙ

fermé 17 nov. au 8 déc. – 😋 19 – **21 ch** 111/246

🏨 **Rempart** M, 2 av. Gambetta **(x)** ℰ 03 85 51 10 56, lerempart@wa nadoo.fr, Fax 03 85 51 77 22, « Cadre élégant » – 🛗 📶 🔟 🕭 ᴀᴩ 🅿 – 🔬 40. 🖭 ⓞ ☷ ᴊᴄʙ

Repas 28/66 ♈, enf. 17 - **Bistrot :** Repas (12)-15/20 ♈, enf. 9 – 😋 10 – **31 ch** 62/122, 6 appart – ½ P 69/133

🏨 **Sauvage**, pl. Champ de Mars **(u)** ℰ 03 85 51 14 45, Fax 03 85 32 10 27, 🌲 – 🛗, 🍴 rest, 🔟 📞 ᴀᴩ – 🔬 15. 🖭 ⓞ ☷

Repas 14/39 ♈, enf. 7 – 😋 7 – **30 ch** 49/74 – ½ P 49,50/64

🏨 **Paix**, 9 r. J. Jaurès **(k)** ℰ 03 85 51 01 85, info@hotel-de -la-paix.fr, Fax 03 85 51 02 30, 🌲 – 🔟 📞 🕭 ᴀᴩ. ☷

fermé 22 oct. au 5 nov, 14 janv. au 11 fév. et mardi du 15 sept. au 15 juin – Repas 15,50/34 ♈, enf. 8 – 😋 7 – **24 ch** 42/52 – ½ P 46,60/51,30

🍴🍴 **Rest. Greuze** (Ducloux), 1 r. A. Thibaudet **(e)** ℰ 03 85 51 13 52, greuze@wanadoo.fr, Fax 03 85 51 75 42 – 🍴. 🖭 ⓞ ☷ ᴊᴄʙ

fermé 18 nov. au 11 déc. – Repas 47/92 et carte 66 à 105, enf. 30

Spéc. Pâté en croûte "Alexandre Dumaine". Quenelle de brochet "Henri Racouchot". Poulet de Bresse sauté "Jean Ducloux". **Vins** Mâcon-Villages, Beaujolais.

🍴🍴 **Aux Terrasses** (Carrette) M avec ch, 18 av. 23-Janvier **(d)** ℰ 03 85 51 01 74, Fax 03 85 51 09 99 – 🍴 🔟 📞 🕭. ☷

fermé 17 au 24 juin, 11 au 18 nov, 6 janv. au 3 fév., dim. soir (sauf hôtel en juil.-août), mardi midi et lundi – Repas 16 (déj.), 22,50/45,50 et carte 35 à 50 ♈, enf. 9,80 – 😋 6,80 – **18 ch** 48/54,50 – ½ P 62

Spéc. Raviole ouverte de lotte et Saint-Jacques. Sandre rôti et champignons du moment. Pigeonneau rôti aux gousses d'ail confites. **Vins** Mâcon-Uchizy, Givry.

🍴🍴 **Terminus** avec ch, 21 av. Gambetta **(s)** ℰ 03 85 51 05 54, Fax 03 85 51 79 11, 🌲 – 🍴 🔟 📞 🅿. ☷

fermé 12 nov. au 6 déc., mardi soir et merc. sauf juil.-août – Repas 18/39 ♈, enf. 10 – 😋 6,86 – **13 ch** 37,30/58 – ½ P 48

acrost Est : 2 km par D 37 ou D 975 – 598 h. alt. 170 – ⊠ 71700 :

🍴 **Petite Auberge**, ℰ 03 85 51 18 59, Fax 03 85 51 18 59 – ☷

fermé 17 juin au 10 juil., 23 déc. au 8 janv., dim. soir et lundi – Repas 11,28 (déj.), 15/32 ♈, enf. 5,34

rancion à l'Ouest par D 14 : 14 km – ⊠ 71700 Tournus :

Voir Donjon du château ≤★.

🏨 **Montagne de Brancion** M 🦐, au col de Brancion ℰ 03 85 51 12 40, jacques.million@wa nadoo.fr, Fax 03 85 51 18 64, ≤ monts du Mâconnais, 🌲, 🏊, 🌿 – 🔟 📞 🅿 – 🔬 15. ⓞ ☷

mi-mars-début nov. – Repas (fermé le midi en semaine) 42/62 ♈ – 😋 13 – **19 ch** 116/136 – ½ P 116/161

TOURNUS

Arts (Pl. des)	2
Bessard (R. A.)	3
Dr-Privey (R. du)	4
Hôpital (R. de l')	5
Hôtel-de-Ville (Pl. de l')	6
Mathivet (R. D.)	7
République (R.)	9
Rive Gauche	10
Thibaudet (R. A.)	12
Tilsit (R.)	13
Tonneliers (R. des)	14
23-Janvier (Av. du)	16

TOURRETTES 83440 Var 84 ⑧, 114 ⑪ ㉔ *G. Côte d'Azur – 2 180 h alt. 350.*
Paris 891 – Castellane 56 – Draguignan 31 – Fréjus 34 – Grasse 26.

🏠 **Auberge des Pins**, Domaine Le Chevalier, Sud : 2 km sur D 19 ☎ 04 94 76 06 30
auberge.des.pins@wanadoo.fr, Fax 04 94 76 27 50, ⇔, ⌣, ⚘, ✕ – cuisinette 🗏 📺 ⅃ 🖵
AE GB
Repas *(fermé dim. soir)* (15) - 25/31, enf. 11 – ⊡ 7 – **8 ch** 54/64, 8 studios 74/92 – ½ P 60

TOURRETTES-SUR-LOUP 06140 Alpes-Mar. 84 ⑨, 115 ㉕ *G. Côte d'Azur – 3 870 h alt. 400.*
Voir *Vieux village★ – ≤★ sur le village de la route des Quenières.*
🛈 *Office du tourisme 5 route de Vence ☎ 04 93 24 18 93, Fax 04 93 59 24 4*
ot@tourrettessurloup.com.
Paris 936 – Nice 18 – Grasse 18 – Vence 6.

🏨 **Résidence des Chevaliers** ⊗ sans rest, rte Caire ☎ 04 93 59 31 9
Fax 04 93 59 27 97, ≤ village et côte, ⌣, ⚘ – 🅿 GB. ✼
1er avril-1er oct. – ⊡ 10 – **12 ch** 100/161

✕ **Auberge de Tourrettes** 🅼 avec ch, 11 rte Grasse ☎ 04 93 59 30 05, info@auberge-
tourrettes.fr, Fax 04 93 59 28 66, ≤, ⇔, ⚘ – 📺 ✆ 🅿, AE ⓞ GB, ✼
fermé 6 janv. au 5 fév. et 25 nov. au 4 déc. – **Repas** *(fermé lundi et mardi d'oct. à mai)* 26,
(déj.)/49,55, enf. 19,05 – ⊡ 9,92 – **6 ch** 79,30/106,70 – ½ P 95/102

✕ **Médiéval**, 6 Grande rue ☎ 04 93 59 31 63 – GB
fermé 15 déc. au 15 janv., merc. soir et jeudi – **Repas** 16/29,70 ⅄

In this Guide,

a symbol or a character, printed in **black** *or another colour*

in light or **bold** *type,*

does not have the same meaning.

Please read the explanatory pages carefully.

TOURS 🅿 37000 I.-et-L. 64 ⑮ *G. Châteaux de la Loire – 132 820 h Agglo. 297 631 h alt. 60.*
Voir *Quartier de la cathédrale★★ : cathédrale St-Gatien★★, musée des Beaux-Arts★
historial de Touraine★ (château) M¹ – La Psalette (cloître St-Gratien)★, Place Grégoire-c
Tours★ – Vieux Tours★★★ : place Plumereau★ , hôtel Gouin★, rue Briconnet★ – Quartier
St-Julien★ : musée du Compagnonnage★★, Jardin de Beaune-Semblancay★ BY K – Mus
des Équipages militaires et du Train★ V M⁵ – Prieuré de St-Cosme★ O : 3 km V.*
🛫 *de Tours-Val de Loire ☎ 02 47 49 37 00, NE : 7 km U.*
🛈 *Office du tourisme 78-82 rue Bernard Palissy ☎ 02 47 70 37 37, Fax 02 47 61 14*
info@ligeris.com.
Paris 237 ③ – Angers 108 ⑬ – Bordeaux 348 ⑩ – Le Mans 84 ⑭ – Orléans 116 ③.

Plans pages suivantes

🏨🏨 **Jean Bardet** ⊗, 57 r. Groison ☎ 02 47 41 41 11, sophie@jeanbardet.co
✿✿ Fax 02 47 51 68 72, ≤, « Grand parc fleuri, beau potager », ⌣, 🔥 – 🗏 📺 🅿 – 🔬 30. AE
GB JCB U
Repas *(fermé dim. soir hors saison, lundi sauf le soir d'avril à nov., mardi midi et sam. m*
61/128 et carte 85 à 120 ⅄ – ⊡ 20 – **16 ch** 115/229, 5 appart
Spéc. Assiette verte de légumes, fleurs et potager. Jambonnettes de cuisses
grenouilles, pieds d'agneau sautés et girolles. Pigeon au jus de fruits frais acidulés. V
Vouvray, Bourgueil.

🏨🏨 **Univers**, 5 bd Heurteloup ☎ 02 47 05 37 12, hotel-univers-sa@wanadoc
Fax 02 47 61 51 80, « Fresques des visiteurs célèbres de l'hôtel de 1846 à nos jours » -
✼✕ 🗏 📺 ✆ ⅃ ⇔ – 🔬 20 à 120. AE ⓞ GB JCB, ✼ rest CZ
Touraine *(fermé dim. de nov. à mars)* **Repas** 23/27 ⅄ – ⊡ 14 – **77 ch** 146/159, 8 appart

🏨🏨 **Mercure Centre** 🅼 sans rest, 29 r. E. Vaillant ☎ 02 47 60 40 60, H3475@accor-hot
com, Fax 02 47 64 74 81 – 🛗 ✼✕ 🗏 📺 ✆ ⅃ ⇔ – 🔬 20. AE ⓞ GB DZ
⊡ 10 – **92 ch** 80/104

🏨 **Turone** 🅼, 4 pl. Thiers ☎ 02 47 05 50 05, gilles.gianoglio@wanadoo.fr, Fax 02 47 20 2.
– 🛗 ✼✕ 🗏 📺 ✆ ⅃ ⇔ 🅿 – 🔬 70. AE ⓞ GB V
Repas (13) - 18/30,50 ⅄, enf. 10 – ⊡ 10 – **120 ch** 84/102

🏨 **Kyriad** sans rest, 65 av. Grammont ☎ 02 47 64 71 78, kyriad.tourscentre@wanadoo
Fax 02 47 05 84 62 – 🛗 📺 ⇔ – 🔬 35. AE ⓞ GB JCB V
fermé 25 déc. au 2 janv. – ⊡ 6,50 – **50 ch** 55/65

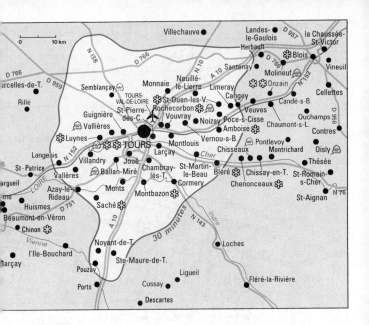

Central Hôtel sans rest, 21 r. Berthelot ✆ 02 47 05 46 44, *Fax 02 47 66 10 26,* ☞ – ⊞ ✤
🖵 **P** – 🔬 40. 🆎 ⑩ 🆖 🔤   CY r
⊡ 8,50 – **41 ch** 86/122

Châteaux de la Loire sans rest, 12 r. Gambetta ✆ 02 47 05 10 05, *hoteldeschateaux.*
tours@wanadoo.fr, Fax 02 47 20 20 14 – ⊞ 🖨 ✔ **P**. 🆎 ⑩ 🆖 🔤   BZ x
10 mars-20 nov. – ⊡ 6,10 – **30 ch** 36,50/48

Mirabeau sans rest, 89 bis bd Heurteloup ✆ 02 47 05 24 60, *Fax 02 47 05 31 09* – ⊞ 🖵.
🆎 ⑩ 🆖 🔤   DZ e
fermé 24 déc. au 2 janv. – ⊡ 5,64 – **25 ch** 38,11/50,30

Express By Holiday Inn 🅼, 247 r. Giraudeau ✆ 02 47 77 45 00, *hitoursexpress@allian*
ce-hospitality.com, Fax 02 47 77 45 01 – 🖨 ✤ ⊞ ✔ & **P** – 🔬 40. 🆎 ⑩ 🆖 🔤   V g
Repas *(fermé dim.)* (12) · 14 ⏦ – ⊡ 4,60 – **48 ch** 69

Relais St-Éloi, 8 r. Giraudeau ✆ 02 47 38 18 19, *contact@relais-st-eloi2.fr,*
Fax 02 47 39 05 38 – 🖨 ✤, 🍽 rest, ⊞ ⟵ – 🔬 15 à 30. 🆎 ⑩ 🆖   AZ b
Repas 12,20 (déj.), 15,24/24,39 – ⊡ 6,86 – **57 ch** 55/69

Cygne sans rest, 6 r. Cygne ✆ 02 47 66 66 41, *hotelcygne.tours@sfpc.net,*
Fax 02 47 66 05 13 – ⊞ ✔ ⟵. 🆎 ⑩ 🆖   CY a
fermé Noël au Jour de l'An – ⊡ 6 – **18 ch** 37/54

Charles Barrier, 101 av. Tranchée ✉ 37100 ✆ 02 47 54 20 39, *Fax 02 47 41 80 95,* 🈂 –
🍽 **P**. 🆎 ⑩ 🆖 🔤   U e
❀
fermé sam. midi et dim. – **Repas** 22,87/74,70 et carte 55 à 75 ⚲
Spéc. Grosses langoustines croquantes aux saveurs d'épices. Pied de cochon farci au ris
d'agneau et aux truffes. Lièvre à la royale (saison). **Vins** Montlouis, Bourgueil.

La Roche Le Roy (Couturier), 55 rte St-Avertin ✉ 37200 ✆ 02 47 27 22 00, *laroche.leroy*
@wanadoo.fr, Fax 02 47 28 08 39, 🈂 – **P**. 🆎 ⑩ 🆖   X r
❀
fermé 1ᵉʳ au 27 août, vacances de fév., dim. et lundi – **Repas** 27,50 (déj.), 42/60 et carte 53 à
67 ⚲, enf. 12
Spéc. Dos de sandre rôti au beurre blanc et pain d'épice. Matelote d'anguilles au chinon et
pruneaux. Choisi de géline "Cardinal la Balue". **Vins** Vouvray, Chinon.

L'Odéon, 10 pl. Gén. Leclerc ✆ 02 47 20 12 65, *restaurant.odeon@libertysurf.fr,*
Fax 02 47 20 47 58 – 🍽. 🆎 ⑩ 🆖 🔤   CZ r
fermé 5 au 27 août, dim. et lundi – **Repas** 17,53/41,92 ⚲

Les Tuffeaux, 19 r. Lavoisier ✆ 02 47 47 19 89 – 🍽. 🆎 🆖   CY n
fermé 15 au 28 juil., lundi midi, merc. midi et dim. – **Repas** 19/35

TOURS

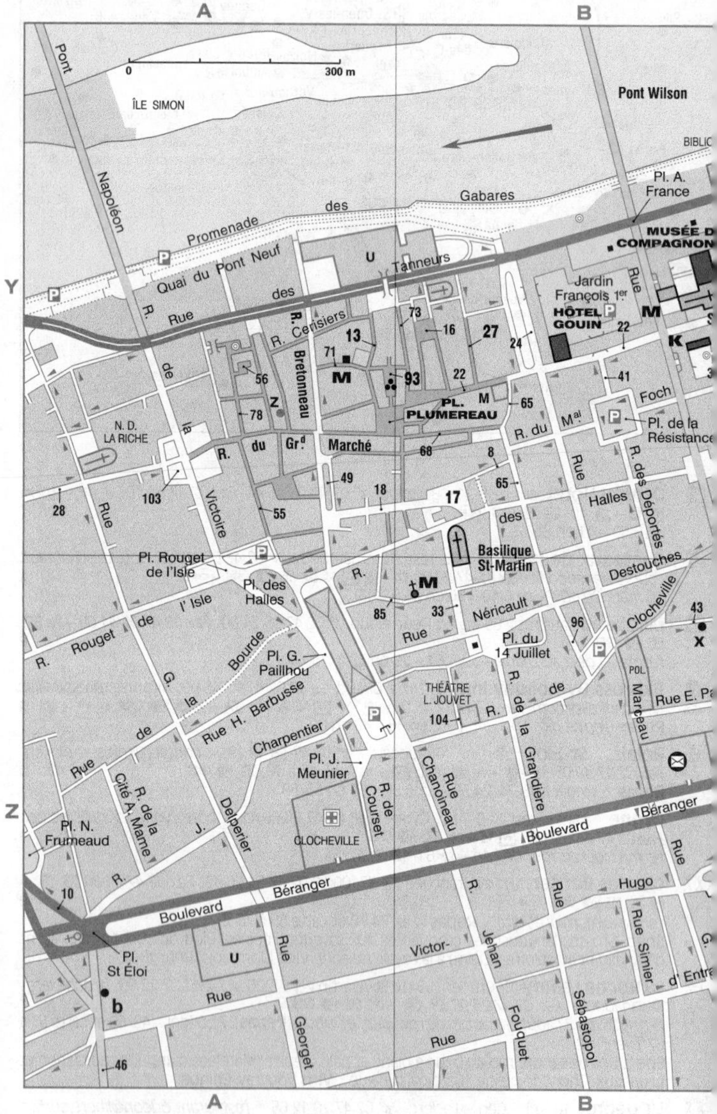

*Un conseil **Michelin** : pour réussir vos voyages, préparez-les à l'avance.*

*Les **cartes** et **guides Michelin** vous donnent toutes les indications utiles sur : itinéraires, visites des curioristés, logement, prix, etc.*

1406

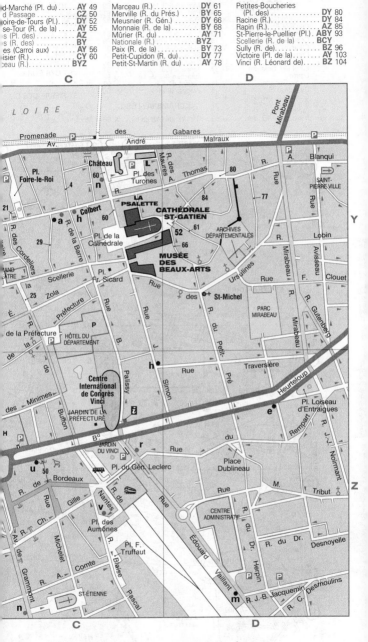

suggest: for a successful tour, that you prepare it in advance.

***chelin Maps** and **Guides**, will give you much useful information on route plan-*
g, places of interest, accommodation, prices etc.

TOURS

XX **L'Arc-en-Ciel,** 2 pl. Aumônes ☎ 02 47 05 48 88, *Fax 02 47 66 94 05* – AE ① GB
JCB
CZ v
fermé 1er au 15 août, dim. soir, mardi soir et lundi – **Repas** 13,72/38,11 ♀

XX **Chope,** 25 bis av. Grammont ☎ 02 47 20 15 15, *Fax 02 47 05 70 51*, brasserie – ▤, AE ①
GB
CZ n
Repas *(15,20)* - 17,20/20,60 ♀, enf. 8

XX **Ruche,** 105 r. Colbert ☎ 02 47 66 69 83, *simon.genevieve@wanadoo.fr,*
Fax 02 47 20 41 76 – ▤. GB
CY a
fermé 11 au 19 août, 1er au 7 janv., dim. et lundi – **Repas** 14,48/20,58 ♀

X **Rif,** 12 av. Maginot ⊠ 37100 ☎ 02 47 51 12 44 – GB
U f
fermé août, dim. soir et lundi – **Repas** - cuisine nord-africaine - *(18,29 bc)* - carte environ 25,
enf. 6,86

X **L'Atelier Gourmand,** 37 r. Étienne Marcel ☎ 02 47 38 59 87, *atelier.gourmand@wana*
doo.fr, Fax 02 47 37 66 12, 済 – AE GB
AY z
fermé 15 déc. au 5 janv. – **Repas** *(8,50)* - 15,24 ♀

X **Charolais (Chez Jean-Michel),** 123 r. Colbert ☎ 02 47 20 80 20, *Fax 02 47 66 66 25* –
▤. GB
CY h
fermé 27 avril au 13 mai, 10 au 31 août, 21 déc. au 6 janv., sam., dim. et fériés – **Repas** *(10)* -
12 *(déj.)* 25 ♀

X **Bistrot de la Tranchée,** 103 av. Tranchée ⊠ 37100 ☎ 02 47 41 09 08,
Fax 02 47 41 80 95, bistrot – ▤. AE ① GB
U s
fermé 5 au 26 août, dim. et lundi – **Repas** *(8,25)* - 11,50/22,74 ♀

② : 9 km :

⌂⌂ **Mercure** M, r. Aviation (Z.I. Milletière) ⊠ 37100 Tours ☎ 02 47 49 55 00, *mercure-tn@*
webtours.fr, Fax 02 47 49 55 25, 済, ⌁, – ⌘ ⌇ ▤ TV & P – 益 20 à 200. AE ① GB JCB
Les Vignes : **Repas** *(13)*-14/36 ♀, enf. 8,38 – ⊇ 10 – **93 ch** 78/95

XX **L'Arche de Meslay,** 14 r. Ailes ⊠ 37210 Parçay-Meslay ☎ 02 47 29 00 07,
Fax 02 47 29 04 04 – P. AE GB
fermé 4 au 26 août, dim. et lundi sauf fériés – **Repas** 14/35,10 ♀, enf. 9,91

ochecorbon *par* ④ : 6 km – 2 982 h. alt. 58 – ⊠ 37210 :

⌂⌂ **Les Hautes Roches,** 86 quai Loire ☎ 02 47 52 88 88, *hautes-roches@wanadoo.fr,*
Fax 02 47 52 81 30, ≤, 済, « Chambres troglodytiques », ⌁, 🌴 – ⌘ TV & P – 益 15. AE
① GB. ⅍
fermé 20 janv. au 21 mars – **Repas** *(fermé lundi sauf le soir d'avril à oct., mardi midi, merc.*
midi et sam. midi) 36/61 et carte 50 à 65 ♀ – ⊇ 15 – **15 ch** 115/240 – ½ P 127,50/190
Spéc. Foie gras frais de canard en terrine au vouvray. Poissons au beurre blanc nantais.
Tarte fine aux pommes caramélisées. **Vins** Vouvray sec, Chinon.

XX **L'Oubliette,** rte Parcey-Meslay ☎ 02 47 52 50 49, *Fax 02 47 52 85 65*, 済, « Salle creusée
dans la roche » - P. GB
fermé 27 août au 2 sept., 28 oct. au 4 nov., 17 fév. au 3 mars, dim. et lundi – **Repas** 21/50 ♀

XX **Lanterne,** 48 quai Loire ☎ 02 47 52 50 02, *aubergelalanterne@wanadoo.fr,*
Fax 02 47 52 54 46, 済 – ▤ P. AE GB JCB
fermé 18 au 25 nov., mi-janv. à mi-fév., mardi soir d'oct. à mai, dim. soir et lundi – Repas *(16)*
- 21,30/44 ♀

t-Pierre-des-Corps *Est : 3,5 km* - V – *15 773 h. alt. 48* – ⊠ 37700 :

🏨 **Skippy Dancotel,** 10 r. J. Moulin ☎ 02 47 44 44 67, *Fax 02 47 63 19 47*, 済 – ⌘, ▤ rest,
TV & P – 益 25 à 120. AE GB
V d
Repas *(fermé dim. soir)* *(8,85)* - 12,96/22,90 ♀, enf. 7,60 – ⊇ 5,35 – **30 ch** 48,80

hambray-lès-Tours *Sud, par rte de Poitiers : 6,5 km* - X – *10 275 h. alt. 90* – ⊠ 37170 :

⌂⌂ **Novotel** M, Z.A.C. La Vrillonnerie - N 10 ☎ 02 47 80 18 10, *h0453@accor-hotels.com,*
Fax 02 47 80 18 08, 済, ⌁, – ⌘ ⌇ ▤ TV & P – 益 25. AE ① GB JCB
Repas carte environ 25 ♀, enf. 7,62 – ⊇ 10 – **127 ch** 78/95

oué-lès-Tours *Sud-Ouest, par rte de Chinon : 5 km* – *36 517 h. alt. 65* – ⊠ 37300 :
☐ *Office du tourisme 39 avenue de la République* ☎ 02 47 80 05 97, *Fax 02 47 80 05 97,*
officetourismejouelestours@wanadoo.fr.

🏨 **Château de Beaulieu** ⊗, 67 r. Beaulieu ☎ 02 47 53 20 26, *chateaudebeaulieu@wana*
doo.fr, Fax 02 47 53 84 20, ≤, 済, ⌾, – ▤ TV & P – 益 25 à 80. AE ① GB
X b
Repas 25,90 *(déj.)*, 35,90/64,80 – ⊇ 11,50 – **19 ch** 73,20/129,60 – ½ P 83,85/108,30

⌂⌂ **Relais Mercure** ⊗, Parc des Bretonnières par ⑪ ☎ 02 47 53 16 16, *h1788@accor-*
hotels.com, Fax 02 47 53 14 00, 済, ⌁, – ⌘ ⌇ ▤ TV & P – 益 200. AE ① GB JCB
⅍ rest
X u
Repas *(fermé dim. soir et sam. de nov. à mars)* *(14)* - 20 ♀, enf. 9 – ⊇ 8 – **75 ch** 67/90

Chéops, 75 bd J. Jaurès ℘ 02 47 67 72 72, hotel.cheops@wanadoo.fr, Fax 02 47 67 ▮
– 📶 📺 ✆ ♿ 🚗 – 🏛 25. 🖭 ⓪ 🇬🇧
Repas *(fermé sam. et dim. d'oct. au 15 avril)* (dîner seul.) 12/15 ♀, enf. 6,10 – ☲ 6 – 5▮
45/55 – ½ P 40

Parc sans rest, 17 bd Chinon ℘ 02 47 25 15 38, toursparc.hotel@wanado▮
Fax 02 47 25 11 43 – 📶 📺 🖭 – 🏛 20. 🖭 ⓪ 🇬🇧 🇯🇨🇧
fermé vacances de fév. – ☲ 5,79 – **30 ch** 49,55/51,07

Ariane sans rest, 8 av. Lac par ⑪ ℘ 02 47 67 67 60, hotel.ariane@wanad▮
Fax 02 47 67 33 36, ⤓ – 📺 ✆ ♿ 🅿 – 🏛 25. 🇬🇧
fermé 15 déc. au 5 janv. – ☲ 6,50 – **32 ch** 51/61

Chantepie sans rest, r. Chantepie ℘ 02 47 53 06 09, chantepi@wanado▮
Fax 02 47 67 89 25 – 📺 ✆ 🅿. ⓪ 🇬🇧
fermé 20 déc. au 6 janv., vend. et sam. de nov. à mars – ☲ 6,40 – **26 ch** 41/49

à Ballan-Miré *par ⑪ : 10 km – 7 059 h. alt. 88 – ⊠ 37510 :*
🛈 Office du tourisme 1 place du 11 Novembre ℘ 02 47 53 87 47, Fax 02 47 53 8▮
tourismeballanmire@wanadoo.fr

Kiosque, 8 bis pl. Eglise ℘ 02 47 53 35 02, Fax 02 47 53 35 61 – 🇬🇧
fermé 2 au 8 avril, 30 juil. au 14 août, 2 au 15 janv., dim. soir, merc. soir et lundi – R▮
(13,50) - 16/38 ♀, enf. 9

à La Guignière *par ⑬, rte de Langeais : 4 km – ⊠ 37230 Fondettes :*

Manoir sans rest, N 152 ℘ 02 47 42 04 02, Fax 02 47 49 79 29, ≼ – 📺 ✆ 🚗. 🖭 🇬🇧
☲ 4 – **16 ch** 30/34

à Vallières *par ⑬, rte de Langeais : 8 km – ⊠ 37230 Fondettes :*

Auberge de Porc Vallières, N 152 ℘ 02 47 42 24 04, Fax 02 47 49 98 83 – 🇬🇧
fermé 15 août au 7 sept., 2 au 10 janv., dim. soir, lundi soir, mardi soir et merc. – Repas
15,30/18,30 ♀, enf. 9,15

TOURS-SUR-MARNE 51150 Marne 🎕🎕 ⑯ ⑰ – 1 207 h alt. 79.
Paris 155 – Reims 29 – Châlons-en-Champagne 25 – Épernay 14.

Touraine Champenoise avec ch, r. Magasin ℘ 03 26 58 91 93, Fax 03 26 58 95 47▮
– 📺 ✆ 🚗. 🖭 🇬🇧
fermé 1er au 15 janv. – **Repas** 18,29/42,69 ♨, enf. 9,15 – ☲ 7,93 – **10 ch** 47,26/50,
½ P 48,33/51,38

TOURTOUR 83690 Var 🎕🎕 ⑥, 🎕🎕🎕 ⑧ ⑨ G. Côte d'Azur – 472 h alt. 652.
Voir Église ✳ ★.
Paris 833 – Aups 10 – Draguignan 17 – Salernes 11.

Bastide de Tourtour ⤓, rte de Flayosc ℘ 04 98 10 54 20, bastide@verdon▮
Fax 04 94 70 54 90, ≼ massif des Maures, 😘, ⤓, ❊, 🅿, – 📶 🖖 📺 ♿ 🅿 – 🏛 30. 🖭
🇬🇧 ❊ rest
Repas *(fermé le midi du lundi au vend. du 15 sept. au 1er juil.)* 24,50/49 – ☲ 14,50 – 2▮
152/241 – ½ P 131/173

Petite Auberge ⤓, rte Flayosc par D 77 : 1,5 km ℘ 04 94 70 57 16, Fax 04 94 70 5▮
≼ massif des Maures, 😘, ⤓ – 📺 🅿. 🖭 ⓪ 🇬🇧 🇯🇨🇧
fermé 15 nov. au 15 déc. – **Repas** *(dîner seul.)* 27,50/53,50 ♀ – ☲ 9,50 – **15 ch** 101/1▮
½ P 75/112

Auberge St-Pierre ⤓, Est : 3 km par D 51 et rte secondaire ℘ 04 94 70 5▮
Fax 04 94 70 59 04, ≼, 😘, « Sur un domaine agricole », 🝔, ⤓, ❊, 🅿 – 🏛 25. 🇬
29 mars-13 oct. – **Repas** *(fermé lundi midi, mardi midi, jeudi midi et merc. sauf fériés)*
23/34 ♀, enf. 12,50 – ☲ 8,50 – **16 ch** 70,50/91 – ½ P 66,50/77

Mas des Collines ⤓, par rte Villecroze (D 51) et rte secondaire : 2,5▮
℘ 04 94 70 59 30, Fax 04 94 70 57 62, ≼ massif des Maures, 😘, ⤓, ❊, – 🍴 📺 ✆ ♿ 🅿
🇬🇧
Repas *(fermé 1er nov. au 31 mars, lundi et mardi)* (résidents seul.) ♨ – ☲ 5,50 –
(½ pens. seul.) – ½ P 62,50

L'Amandier, pl. Ormeaux ℘ 04 94 70 56 64, Fax 04 94 70 54 81, 😘 – 🇬🇧
fermé 15 au 30 nov. et 15 au 30 janv. – **Repas** 22,87 (déj.)/30,49

Les Chênes Verts (Bajade) ⤓ avec ch, rte Villecroze par D 51 : 2 km ℘ 04 94 70 5▮
Fax 04 94 70 59 35, ❊ – 📺 ✆ 🅿. 🖭 🇬🇧 🇯🇨🇧
fermé juin, mardi et merc. – **Repas** *(nombre de couverts limité, prévenir)* 43/135 et c▮
60 à 95 – ☲ 11 – **3 ch** 100
Spéc. Truffes noires du pays (nov. à mars). Ecrevisses simplement sautées. Agneau de ▮
rôti au pèbre d'ail. **Vins** Côtes de Provence, Coteaux Varois.

URVILLE-LA-RIVIÈRE *76410 S.-Mar. 55 ⑥ – 2 280 h alt. 11.*
Paris 120 – Rouen 15 – Les Andelys 38 – Elbeuf 10 – Gournay-en-Bray 62 – Louviers 19.

Tourville (Florin), ✆ 02 35 77 58 79, *Fax 02 35 81 32 66* – P. GB
fermé vacances de printemps, août et lundi – **Repas** (nombre de couverts limité, prévenir) (déj. seul. sauf vend. et sam.) carte 46 à 65
Spéc. Terrine de foies de volailles. Raie à la crème et moutarde. Petit canard sauvageon avec son foie.

TOUSSUIRE *73 Savoie 77 ⑥ ⑦ G. Alpes du Nord – Sports d'hiver : 1 800/2 400 m 19* –
73300 Fontcouverte-la-Toussuire.
Office du tourisme ✆ 04 79 83 06 06, Fax 04 79 83 02 99, info@la-toussuire.com.
Paris 651 – Albertville 76 – Chambéry 89 – St-Jean-de-Maurienne 16.

Les Soldanelles, ✆ 04 79 56 75 29, *infos@soldanelles.com, Fax 04 79 56 71 56,* ←, , – P. GB. rest
juil.-août et 15 déc.-25 avril – **Repas** 23/41, enf. 8 – 7,70 – **33 ch** 65/103, 4 appart – ½ P 66/86

Les Airelles, ✆ 04 79 56 75 88, *les.airelles@laposte.fr, Fax 04 79 83 03 48,* ← – P. GB
hôtel : 1er juil.-30 août et 15 déc.-20 avril ; rest. : 15 déc-20 avril – **Repas** 15/25, enf. 7,70 – 6,20 – **31 ch** 45/50 – ½ P 67,80/82,30

UZAC *46 Lot 79 ⑥ – rattaché à Puy-l'Évêque.*

ACY-SUR-MER *14 Calvados 54 ⑮ – rattaché à Arromanches-les-Bains.*

AENHEIM *67310 B.-Rhin 87 ⑮ – 556 h alt. 200.*
Paris 471 – Strasbourg 25 – Haguenau 54 – Molsheim 8 – Saverne 22.

Zum Loejelgucker, 17 r. Principale ✆ 03 88 50 38 19, *Fax 03 88 76 02 46,* , « Vieille demeure alsacienne » – GB.
fermé 29 oct au 12 nov., 18 fév. au 4 mars, lundi soir et mardi – **Repas** 18/24 , enf. 6,50

TRANCHE-SUR-MER *85360 Vendée 71 ⑪ G. Poitou Vendée Charentes – 2 510 h alt. 4.*
Env. *Parc de Californie★ (parc ornithologique) E : 9 km.*
Office du tourisme Place de la Liberté ✆ 02 51 30 33 96, Fax 02 51 27 78 71, ot-latranchesurmer@wanadoo.fr.
Paris 457 – La Rochelle 63 – La Roche-sur-Yon 41 – Les Sables-d'Olonne 39.

Les Dunes, ✆ 02 51 30 32 27, *info@hotel-les-dunes.com, Fax 02 51 27 78 30,* , – P. GB.
30 mars-27 sept. – **Repas** *(11)* - 15/28 , enf. 8 – 7,50 – **50 ch** 50/83 – ½ P 49/67

Océan , ✆ 02 51 30 30 09, *Fax 02 51 27 70 10,* ←, – P. GB
1er avril-30 sept. – **Repas** (résidents seul.) *(13,72)* - *18,29*/25,15, enf. 7,62 – 8,38 – **45 ch** 32,01/73,18 – ½ P 60,22/67,84

Milouin, av. M. Samson ✆ 02 51 27 49 49, *Fax 02 51 27 49 49,* – GB
mi-mars-mi-déc. et fermé lundi et mardi de mars à juin – **Repas** 14,50/32,77, enf. 7,62

Grière *Est : 2 km par D 46 – 85360 La Tranche-sur-Mer :*

Les Cols Verts, ✆ 02 51 27 49 30, *info@hotelcolsverts.com, Fax 02 51 30 11 42,* , – . AE GB
30 mars-29 sept. – **Repas** *(6 avril-29 sept. et fermé mardi sauf juil.-août) (12,50)* - 16/37 , enf. 7,50 – 8 – **34 ch** 60/66 – ½ P 60/66

AVEXIN *88 Vosges 62 ⑰ – rattaché à Ventron.*

ÉBEURDEN *22560 C.-d'Armor 59 ① G. Bretagne – 3 451 h alt. 81.*
Voir *Le Castel ←★ 30 mn – Pointe de Bihit ←★ SO : 2 km – Pleumeur-Bodou : Radôme et musée des Télécommunications★, Planétarium du Trégor★, NE : 5,5 km.*
Office du tourisme Place de Crec'H Héry ✆ 02 96 23 51 64, Fax 02 96 15 44 87, tourisme.trebeurden@wanadoo.fr.
Paris 523 – St-Brieuc 72 – Lannion 10 – Perros-Guirec 14.

Manoir de Lan-Kerellec , ✆ 02 96 15 47 47, *lankerellec@relaischateaux.fr, Fax 02 96 23 66 88,* ← la côte, – P – 25. AE GB JCB
16 mars-12 nov. – **Repas** *(fermé lundi midi et mardi midi)* 40/70 – 14,50 – **19 ch** 200/360 – ½ P 165/245

🏨 **Ti al-Lannec** ⚘, ☎ 02 96 15 01 01, resa@tiallannec.com, Fax 02 96 23 62 14, ≤ la c
🍴, ♨, ♨ – 🛗 📺 ✆ 🅿 – 🔏 30. 🆎 ⑩ 🆖 🆑 ⅏, ❆ rest
2 mars-11 nov. – **Repas** 19 (déj.), 32/62 ♀ – ☲ 13 – **29 ch** 87/204 – ½ P 118/148

🏠 **Toëno** sans rest, rte Trégastel : 1,5 km ☎ 02 96 23 68 78, toeno@wanado
Fax 02 96 15 42 54, ≤ – 📺 ♿ 🅿 🆎 ⑩ 🆖 🆑
fermé 7 janv. au 9 fév. – ☲ 8 – **17 ch** 70/80

TRÉBOUL 29 Finistère 58 ⑭ – rattaché à Douarnenez.

TREFFENDEL 35380 I.-et-V. 63 ⑤ – 768 h alt. 115.
Paris 377 – Rennes 29 – Ploërmel 42 – Redon 53.

🍴🍴 **Auberge du Presbytère**, ☎ 02 99 61 00 76, Fax 02 99 61 00 48, 🍴, � – 🅿. 🆖
fermé mardi d'oct. à avril, dim. soir et lundi – **Repas** (15,24) - 19,06 (déj.), 24,39/5
enf. 10,67

TREFFORT 38650 Isère 77 ⑭ – 129 h alt. 618.
Paris 601 – Grenoble 36 – Monestier-de-Clermont 9 – La Mure 44.

au bord du lac Sud : 3 km par D 110ᶠ – ⊠ 38650 Treffort :

🏨 **Château d'Herbelon** ⚘, ☎ 04 76 34 02 03, chateaudherbelon@wanadoo
Fax 04 76 34 05 44, ≤, 🍴, � – 📺 🅿 – 🔏 15. 🆖 ❆ ch
fermé vacances de Toussaint, 20 déc. au 7 mars, merc. midi, lundi soir et mardi
juil.-août – **Repas** 17/32, enf. 9 – ☲ 6 – **9 ch** 50/71 – ½ P 50/71

TREFFORT 01370 Ain 70 ⑬ – 1 910 h alt. 280.
Paris 439 – Mâcon 52 – Bourg-en-Bresse 18 – Lons-le-Saunier 57 – Oyonnax 41.

🏠 **L'Embellie**, pl. Marché ☎ 04 74 42 33 05, Fax 04 74 42 33 65, 🍴 – 📺 ✆ 🅿. 🆖
fermé 29 oct. au 7 nov., vacances de fév., mardi soir et merc. – **Repas** 15,24/38,11 – ☲
– **8 ch** 34,30/43,45

TRÉGASTEL 22730 C.-d'Armor 59 ① G. Bretagne – 2 234 h alt. 58.
Voir Rochers★★ – Ile Renote★★ NE – Table d'Orientation ≤★.
🅱 Office de tourisme Place Sainte-Anne ☎ 02 96 15 38 38, Fax 02 96 23 85 97.
Paris 525 – St-Brieuc 74 – Lannion 11 – Perros-Guirec 9 – Trébeurden 11 – Tréguier 28.

🏨 **Belle Vue**, ☎ 02 96 23 88 18, bellevue.tregastel@wanadoo.fr, Fax 02 96 23 89 91, �
📺 🅿. 🆎 ⑩ 🆖 🆑
hôtel : 13 avril-30 sept. ; rest. : 2 mai-30 sept. – **Repas** 16/45 ♀, enf. 9 – ☲ 9 – **31 ch** 65/
½ P 64/86,25

🍴🍴 **Auberge Vieille Eglise**, à Trégastel-Bourg, Sud : 2,5 km (rte Lannion) ☎ 02 96 23 88
vieille.eglise@wanadoo.fr, Fax 02 96 15 33 75 – 🅿. 🆖
fermé mars – **Repas** (fermé dim. soir, mardi soir et lundi sauf juil.-août) (prévenir) 14 (d
20/50

au golf de St-Samson Sud : 3 km par D 788 et rte secondaire – ⊠ 22560 Pleumeur-Bodou :

🏨 **Golf Hôtel** ⚘, ☎ 02 96 23 87 34, golfhotelstsamson@hotmail.com, Fax 02 96 23 84
🍴, �, ❄ – 📺 ♿ 🅿 – 🔏 60. 🆎 ⑩ 🆖. ❆ rest
Repas (avril-oct. et fermé dim. soir et lundi sauf juil.-août) 15/21 ♨ – ☲ 7 – **50 ch** 61/
½ P 58

TRÉGUIER 22220 C.-d'Armor 59 ② G. Bretagne – 2 679 h alt. 40.
Voir Cathédrale St-Tugdual★★ : cloître★.
🅱 Office de tourisme 1 place du Général Leclerc ☎ 02 96 92 22 33, Fax 02 96 92 22 33.
Paris 508 – St-Brieuc 61 – Guingamp 28 – Lannion 18 – Paimpol 15.

sur le port :

🏨 **Aigue Marine** Ⓜ, 5 r. M. Berthelot ☎ 02 96 92 97 00, aiguemarine@wanado
Fax 02 96 92 44 48, ≤, 🍴, ♨, ❄, � – 🛗 🍽 rest, 📺 ✆ 🅿 – 🔏 80. 🆎 🆖
fermé 6 janv. au 9 fév. et dim. de nov. à mars – **Repas** (fermé sam. midi, dim. soir et le
d'oct. à mars) 18/34, enf. 9,20 – ☲ 8,50 – **48 ch** 88/98 – ½ P 74/94

rte de Lannion Sud-Ouest : 2 km par D 786 et rte secondaire – ⊠ 22220 Tréguier :

🏨 **Kastell Dinec'h** ⚘, ☎ 02 96 92 49 39, kastell@club-internet.fr, Fax 02 96 92 34 03,
� – 📺 🅿. 🆖. ❆ rest
25 mars-8 oct., 27 oct.-31 déc. et fermé mardi soir et merc. hors saison – **Repas** (d
seul.) 22,10/51 ♀ – ☲ 10,40 – **15 ch** 73/91,50 – ½ P 77,80/88,50

ÉGUNC 29910 Finistère 58 ⑪ ⑯ – 6 354 h alt. 45.

🔹 *Office du tourisme* 16 rue de Pont Aven ℰ 02 98 50 22 05, Fax 02 98 97 77 60, tregunc@club-internet.fr.

Paris 544 – Quimper 28 – Concarneau 7 – Pont-Aven 9 – Quimperlé 28.

🏠 **Auberge Les Grandes Roches** ⑤, Nord-Est : 0,6 km par rte secondaire ℰ 02 98 97 62 97, Fax 02 98 50 29 19, « Fermes aménagées dans un parc, dolmen et menhir », 🏊 – ℃ **P**. **GB**. ⋘ ch
fin mars-début nov. – **Repas** *(fermé lundi)* (dîner seul.) 16/40 ⒯, enf. 11 – ⌧ 7,50 – **21 ch** 43,50/96 – ½ P 48/81

ÉLISSAC 24 Dordogne 75 ⑤ – rattaché à Périgueux.

ÉLLY 50660 Manche 54 ⑫ – 497 h alt. 20.

Paris 328 – St-Lô 34 – Avranches 37 – Coutances 11 – Villedieu-les-Poêles 24.

XX **Verte Campagne** ⑤ avec ch, Sud Est : 1,5 km par rte secondaire ℰ 02 33 47 65 33, Fax 02 33 47 38 03, « Ferme normande ancienne », 🌿 – **P**. **GB**
fermé 4 au 10 déc, 24 janv. au 7 fév., dim. soir et merc. midi de sept. à juin et lundi – **Repas** 21,35/54,90 – ⌧ 6 – **6 ch** 33,55/57,95 – ½ P 44,20/56,40

ÉLON 59132 Nord 53 ⑯ G. Flandres Artois Picardie – 2 828 h alt. 188.

🔹 *Office du tourisme* 3 rue Clavon Collignon ℰ 03 27 57 08 18, Fax 03 27 57 06 80.

Paris 213 – St-Quentin 69 – Avesnes-sur-Helpe 15 – Charleroi 53 – Lille 115 – Vervins 36.

X **Framboisier,** rte Val Joly ℰ 03 27 59 73 34, Fax 03 27 57 07 47 – **P**. **GB**
fermé 26 août au 17 sept., 18 fév. au 5 mars, dim. soir, lundi sauf fériés et soirs fériés –
Repas (11,89) - 14,94/51,83 ⒯

When looking for a quiet hotel
use the maps in the introduction
or look for establishments with the sign ⑤

TREMBLADE 17390 Char.-Mar. 71 ⑭ G. Poitou Vendée Charentes – 4 667 h alt. 4.

🔹 *Office du tourisme* 1 boulevard Pasteur ℰ 05 46 36 37 71, Fax 05 46 36 37 30, ot@la tremblade.com.

Paris 515 – Royan 21 – Marennes 10 – Rochefort 32 – La Rochelle 69.

🏠 **Phoebus** sans rest, 13 ter r. Foran ℰ 05 46 36 29 85, Fax 05 46 36 51 03 – **TV** ℃. **GB**
fermé 14 au 27 oct., 20 au 31 janv. – ⌧ 5,20 – **9 ch** 42,70/54,90

EMBLAY-EN-FRANCE 93 Seine-St-Denis 56 ⑪, 101 ⑱ – voir à Paris, Environs.

TREMBLAY-SUR-MAULDRE 78490 Yvelines 60 ⑨, 106 ㉘ – 813 h alt. 132.

Paris 43 – Houdan 24 – Mantes-la-Jolie 32 – Rambouillet 18 – Versailles 24.

XX **Gentilhommière** (Brun), ℰ 01 34 87 80 96, Fax 01 34 87 91 52, � – **AE** ⓞ **GB** **JCB**
🌼 *fermé 29 juil. au 5 sept., 27 janv. au 10 fév., lundi et mardi* – **Repas** 33,54/57,93 et carte 50 à
60
Spéc. Huîtres chaudes à la choucroute fumée (oct. à mars). Millefeuille de truffes (déc. à fév.). Lièvre à la royale (nov. à janv.)

EMEUR 22250 C.-d'Armor 59 ⑮ – 627 h alt. 62.

Paris 407 – Rennes 56 – St-Malo 57 – Dinan 26 – Loudéac 55 – St-Brieuc 45.

🏠 **Les Dineux,** voie express N 12, Z.A. Les Dineux ℰ 02 96 84 65 80, les-dineux.hotel-village @wanadoo.fr, Fax 02 96 84 76 35, 🔟, 🌿 – 🍽 rest, **TV** **P** – 🔥 15. **GB**. ⋘
fermé 20 fév. au 13 mars. – **Repas** *(fermé sam. soir et dim. de sept. à juin)* 14,18/22,26 ⒯ –
⌧ 9,91 – **12 ch** 48,78/54,88 – ½ P 51,83

ÉMINIS 38710 Isère 77 ⑮ G. Alpes du Nord – 172 h alt. 900.

Voir Site★.

Paris 632 – Gap 71 – Grenoble 67 – Monestier-de-Clermont 32 – La Mure 29 – Serres 56.

🏠 **Alpes** ⑤, à Château-Bas ℰ 04 76 34 72 94, 🌿 – **P**. **GB**
28 fév.-1ᵉʳ nov. et fermé dim. soir et lundi hors saison – **Repas** 11,50/21,50 ⒯, enf. 7,65 –
⌧ 4,60 – **11 ch** 23/44,50 – ½ P 34/37

TRÉMOLAT 24510 Dordogne **75** ⑯ G. Périgord Quercy – 571 h alt. 53.

Voir *Belvédère de Racamadou*★★ N : 2 km.

🚩 Syndicat d'initiative Ilot Saint-Nicolas Bourg 🕿 05 53 22 89 33.

Paris 532 – Périgueux 47 – Bergerac 34 – Brive-la-Gaillarde 85 – Sarlat-la-Canéda 48.

🏨 **Vieux Logis** ⚜, 🕿 05 53 22 80 06, *vieuxlogis@relaischateaux.fr*, Fax 05 53 22 84 8
🍴 « Jardins ouverts sur la campagne », 🍽 🖭 📺 ✆ 🅿 – 🔒 40. 🆎 ⑩ 🆑 🆑🆑
Repas *(fermé 3 janv. au 28 fév. et le midi de sept. à juin sauf week-ends et fériés)* 24 ▮
32/73 🎄, enf. 15 – 🖵 14 – **26 ch** 142/238 – ½ P 117/196

🍴 **Bistrot d'en Face**, 🕿 05 53 22 80 69, Fax 05 53 22 84 89, 🍽 – 🆖🅱
🛆 *fermé jeudi soir*
Repas 11 (déj.)/16 👌, enf. 5

TRÉMONT-SUR-SAULX 55 Meuse **61** ⑩ – rattaché à Bar-le-Duc.

TRÉMUSON 22 C.-d'Armor **59** ③ – rattaché à St-Brieuc.

TRÉPASSÉS (Baie des) 29 Finistère **58** ⑬ – rattaché à Raz (Pointe du).

TRÉPIED 62 P.-de-C. **51** ① – rattaché à Le Touquet-Paris-Plage.

Le TRÉPORT 76470 S.-Mar. **52** ⑤ G. Normandie Vallée de la Seine – 5 900 h alt. 12 – Casino.

Voir *Calvaire des Terrasses* ⩽★.

🚩 Office du tourisme Quai Sadi Carnot 🕿 02 35 86 05 69, Fax 02 35 86 73 96, offic
rismeletreport@wanadoo.fr.

Paris 181 – Amiens 90 – Abbeville 37 – Blangy-sur-Bresle 26 – Dieppe 31 – Rouen 94.

🍴🍴 **Homard Bleu**, 45 quai François 1ᵉʳ 🕿 02 35 86 15 89, Fax 02 35 86 49 21 – 🆎
🆖🅱
fermé 20 déc. au 20 janv. – **Repas** 15/61

🍴🍴 **St-Louis**, 43 quai François 1ᵉʳ 🕿 02 35 86 20 70, Fax 02 35 50 67 10 – 🖻. 🆎 ⑩
🆑🆑
fermé 20 nov. au 18 déc. – **Repas** 14,94/51,84 👌

TRESSERVE 73 Savoie **74** ⑮ – rattaché à Aix-les-Bains.

TRETS 13530 B.-du-R. **84** ④ – 9 312 h alt. 241.

🚩 Office du tourisme Château des Remparts 🕿 04 42 61 54 90, Fax 04 42 61 34 26.

Paris 782 – Marseille 46 – Aix-en-Provence 26 – Toulon 72.

🍴🍴 **Clos Gourmand**, 13 bd République 🕿 04 42 61 33 72, *leclosgourmand@aol.*
Fax 04 42 29 24 41, 🍽 – 🖻. 🆎 ⑩ 🆖🅱
fermé merc. soir sauf juil.-août, dim. sauf le midi de sept. à juin et lundi – **Repas** 15,25 ▮
21,35/64,03

TRÉVOU-TRÉGUIGNEC 22660 C.-d'Armor **59** ① – 1 144 h alt. 56.

🚩 Syndicat d'initiative - Mairie 🕿 02 96 23 71 92.

Paris 519 – St-Brieuc 68 – Guingamp 36 – Lannion 14 – Paimpol 27 – Perros-Guirec 11.

🏨 **Ker Bugalic** ⚜, 🕿 02 96 23 72 15, *kerbugalic@voila.fr*, Fax 02 96 23 74 71, ⩽, « Ja
🛆 fleuri », 🍽 ✆ 🅿, 🆖🅱. ✗ rest
23 mars-4 nov. – **Repas** *(fermé merc. midi en août, le midi sauf dim. et fériés de mars.*
et de sept.à oct.) (prévenir) 21/41 🎄, enf. 14 – 🖵 7 – **18 ch** 40/74 – ½ P 62/73

TRIEL-SUR-SEINE 78 Yvelines **55** ⑲, **101** ① ② – voir à Paris, Environs.

TRIE-SUR-BAÏSE 65220 H.-Pyr. **85** ⑨ – 1 034 h alt. 240.

🚩 Syndicat d'initiative - Mairie 🕿 05 62 35 50 88, Fax 05 62 35 50 88.

Paris 787 – Auch 49 – Lannemezan 24 – Mirande 24 – Tarbes 32.

🏠 **Tour**, pl. Mairie 🕿 05 62 35 52 12, Fax 05 62 35 59 92, 🍽 – 📺. 🆖🅱
fermé 1ᵉʳ au 15 oct. et lundi sauf juil.-août – **Repas** 9,15 (déj.), 14,48/29,27 – 🖵 4,57 –
27,43/44,20

GANCE 83840 Var 84 ⑥ ⑦, 114 ⑨ – 150 h alt. 800.

🛋 *Office du tourisme Place Saint-Michel 𝒫 04 94 85 68 40, Fax 04 94 85 68 40.*
Paris 821 – Digne-les-Bains 74 – Castellane 20 – Draguignan 43 – Grasse 71.

🏰 **Château de Trigance** 🔙, accès par voie privée 𝒫 04 94 76 91 18, *trigance@relais
chateaux.com*, Fax 04 94 85 68 99, ≤ vallée et montagne, 🛋, « Cadre médiéval » – 📺 🅿.
🅰🅔 ⑩ ⌷🅱 🅹🅲🅱
23 mars-31 oct. – **Repas** (mardi midi et merc. midi hors saison et fériés) 34/54 – 🖵 12,50 –
10 ch 104/150 – ½ P 98,50/121,50

🏠 **Vieil Amandier** 🔙, 𝒫 04 94 76 92 92, *levieilamandier@free.fr*, Fax 04 94 85 68 65, 🛋,
🏊 – 📺 ♿ 🅿, 🅰🅔 ⑩ ⌷🅱 🅹🅲🅱
27 mars-30 oct. – **Repas** 13,71 (déj.), 21,34/44,20 🍷, enf. 9,14 – 🖵 7 – **12 ch** 59,50/83,90 –
½ P 57/69

TRINITÉ-SUR-MER 56470 Morbihan 63 ⑫ G. Bretagne – 1 530 h alt. 20.

Voir *Pont de Kerisper* ≤★.

🛋 *Office du tourisme Môle Loïc-Caradec 𝒫 02 97 55 72 21, Fax 02 97 55 78 07,
tourisme@ot-trinite-sur-mer.fr.*
Paris 489 – Vannes 31 – Auray 13 – Carnac 4 – Lorient 52 – Quiberon 23 – Quimperlé 67.

🏰 **Petit Hôtel des Hortensias**, pl. Mairie 𝒫 02 97 30 10 30, *leshortensias@aol.com*,
Fax 02 97 30 14 54, ≤, 🛋 – 📺 ♿ ⌷🅱 🅹🅲🅱
fermé 1ᵉʳ déc. au 31 janv. – **L'Arrosoir** (fermé du lundi au jeudi d'oct. à mars et mardi d'avril
à juin) **Repas** carte 20 à 25 🍷, enf. 9,45 – 🖵 8,84 – **5 ch** 121,96

🏠 **Ostréa** Ⓜ, cours des Quais 𝒫 02 97 55 73 23, Fax 02 97 55 86 43, ≤, 🛋 – 📺 ♿ 🅿.
⌷🅱
Repas (fermé 2 janv. au 15 fév., lundi hors saison et dim. soir) (15) · 18 🍷, enf. 9 – 🖵 7 – **12 ch**
70 – ½ P 68

🍴🍴 **L'Azimut** (Le Calvez), r. Men-Dû 𝒫 02 97 55 71 88, *azimut@charme-gastronomie.com*,
Fax 02 97 55 80 15, ≤, 🛋 – ⌷🅱
🍃 *fermé mardi soir et merc. sauf vacances scolaires* – **Repas** 15 (déj.), 24/49 et carte 46
à 58 🍷
Spéc. Homards et langoustes grillés au feu de bois. Pressé de pieds de porc aux artichauts,
foie gras et tomates confites (15 juin au 15 sept.). Millefeuille de nougatine au sel (15 sept.
au 15 juin.)

Les Chambres Marines Ⓜ sans rest, r. Men-Dû 𝒫 02 97 30 17 00, Fax 02 97 55 80 15 –
📺 ♿ ♿
🖵 10 – **6 ch** 99/110

ZAY 17250 Char.-Mar. 71 ⑭ – 1 122 h alt. 20.
Paris 477 – La Rochelle 52 – Royan 35 – Rochefort 12 – Saintes 26.

lac du Bois Fleuri *Ouest : 2,5 km par D 238, D 123 et rte secondaire :*

🍴🍴 **Les Jardins du Lac** Ⓜ 🔙 avec ch, base de loisirs 𝒫 05 46 82 03 56, *hotel@jardins-du-
lac.com*, Fax 05 46 82 03 55, ≤, 🛋, « Dans un parc dominant le plan d'eau », 🏊, 🐾 –
🍽 rest, 📺 ♿ 🅿 – 🏛 20, 🅰🅔 ⑩ ⌷🅱 🅹🅲🅱
fermé vacances de fév., dim. soir et lundi de nov. à mars – **Repas** 17,53 (déj.), 28,20/45,79 et
carte 45,73 à 51,83 🍷, enf. 15,24 – 🖵 10,67 – **8 ch** 83,85 – ½ P 82,32

---

s TROIS-ÉPIS 68410 H.-Rhin 62 ⑱ G. Alsace Lorraine.
Paris 441 – Colmar 11 – Gérardmer 51 – Munster 19 – Orbey 12.

🏠 **Croix d'Or**, 𝒫 03 89 49 83 55, Fax 03 89 49 87 14, ≤, 🛋 – 📺 🅿. ⌷🅱
🍃 *fermé 3 déc. au 11 janv. et mardi* – **Repas** 12,96/32,01 🍷 – 🖵 6,40 – **12 ch** 32,01/47,26 –
½ P 35,06/42,68

🍴 **Villa Rosa**, 𝒫 03 89 49 81 19, Fax 03 89 78 90 45, ≤, établissement réservé aux non
fumeurs exclusivement, 🏊, 🐾 – 🍴, ⌷🅱 🚭 rest
fermé 13 au 28 nov. et 6 janv. au 22 mars – **Repas** (fermé jeudi soir) (dîner seul.) 20 🍶 – 🖵 8
– **9 ch** 46/52 – ½ P 51/53

Pleasant hotels and restaurants
are shown in the Guide by a red sign.
Please send us the names
of any where you have enjoyed your stay.
Your **Michelin Red Guide** will be even better.

1415

TRONÇAIS 03 Allier [69] ⑫ – ⊠ 03360 St-Bonnet-Tronçais.

Voir *Forêt de Tronçais*★★★ – *Étang de St-Bonnet*★ NO : 4 km – *Étang de Saloup*★ S : 5
G. Auvergne.

Paris 308 – Moulins 56 – Bourges 67 – Montluçon 42 – St-Amand-Montrond 24.

   Tronçais ⑤, ℘ 04 70 06 11 95, Fax 04 70 06 16 15, « Dans un parc au bord d'un étan
   ※, ⚒ – �📺 ❤ 🅿, ⅁ℬ, ※ rest
15 mars-15 nov. et fermé dim. soir et lundi hors saison – **Repas** 19/31 ♀, enf. 10 – ⊆
12 ch 38/63 – ½ P 45/52

TRONGET 03 Allier [69] ⑬ – 928 h alt. 460 – ⊠ 03240 Le Montet.

Paris 320 – Moulins 30 – Bourbon-l'Archambault 24 – Montluçon 52.

   Commerce, ℘ 04 70 47 12 95, Fax 04 70 47 32 53 – 📺 ❤ ♿ ⟺ 🅿, ⓞ ⅁ℬ
   Repas 12/28 ♀, enf. 8 – ⊆ 5,35 – **11 ch** 30,50/48 – ½ P 38/43

TROO 41800 L.-et-Ch. [64] ⑤ G. Châteaux de la Loire – 301 h alt. 60.

Voir La "butte" ☀★ – St-Jacques des Guérets : peintures murales★ de l'église S : 1 km
🚩 Syndicat d'initiative ℘ 02 54 72 58 74, Fax 02 54 72 58 74.
Paris 204 – Le Mans 61 – Château-du-Loir 34 – Tours 51 – Vendôme 27.

   Cheval Blanc Ⓜ avec ch, r. A.-Arnault ℘ 02 54 72 58 22, Fax 02 54 72 55 44, 🏡 – 📺
   ⅁ℬ
fermé nov. – **Repas** *(fermé mardi midi, dim. soir et lundi)* 20,58/60,98 ♀ – ⊆ 6,10 –
41,16/60,98 – ½ P 48,78

Si vous cherchez un hôtel tranquille,
consultez d'abord les cartes de l'introduction
ou repérez dans le texte les établissements indiqués avec le signe ⑤.

TROUVILLE-SUR-MER 14360 Calvados [55] ③ G. Normandie Vallée de la Seine – 5 411 h alt
Casino AY.

Voir *Corniche* ⇐★.
✈ de Deauville-St-Gatien : ℘ 02 31 65 65 65, par D 74 : 7 km BZ.
🚩 Office du tourisme 32 boulevard Fernand Moureaux ℘ 02 31 14 60 70, Fax 02 31 1
71, o.t.trouville@wanadoo.fr.
Paris 202 ③ – Caen 48 ④ – Le Havre 40 ③ – Lisieux 29 ③ – Pont-l'Évêque 12 ③.

Plan page ci-contre

   Hostellerie du Vallon Ⓜ ⑤ sans rest, 12 r. Sylvestre Lasserre ℘ 02 31 98 3⁵
   hduvallon@wanadoo.fr, Fax 02 31 98 35 10, ⒗, 🏊, –🛗 ✂ 📺 ♿ 🅿 ⅁ℬ ⅁ℬ ⅉℬ BZ
   ⊆ 13 – **60 ch** 92/122

   Mercure Ⓜ, pl. Foch ℘ 02 31 87 38 38, h1048@accor-hotels.com, Fax 02 31 87 3⁵
   🏡 –🛗 ✂ 📺 ❤ ♿ – 🔔 25 à 80. ℍ ⓞ ⅁ℬ   A⅄
   Repas *(fermé 12 nov. au 19 déc., dim. soir, mardi midi et lundi de nov. à mars)* (15) - 19/3
   enf. – ⊆ 11 – **80 ch** 109/117 – ½ P 76/84

   St-James sans rest, 16 r. Plage ℘ 02 31 88 05 23, Fax 02 31 87 98 45 – 📺. ⅁ℬ. ※
   fermé janv. – ⊆ 10 – **10 ch** 70/95   A⅄

   Relais de la Cahotte sans rest, 11 r. V. Hugo ℘ 02 31 98 30 20, rmhotel.trouville@w
   online.fr, Fax 02 31 98 04 00 –🛗 📺 ♿. ℍ ⓞ ⅁ℬ   A⅄
   ⊆ 7 – **32 ch** 72

   Central, 158 bd F.-Moureaux ℘ 02 31 88 80 84, Fax 02 31 88 42 22, 🏡 –🛗 📺. ℍ ⅁ℬ
   Repas brasserie 16/23 ♀ – ⊆ 6,10 – **26 ch** 50/75   A⅄

   Sablettes sans rest, 15 r. P.-Besson ℘ 02 31 88 10 66, Fax 02 31 88 59 06 – 📺 ❤. ⅁ℬ
   fermé janv. – ⊆ 6,10 – **18 ch** 38,11/64,03   A⅄

   Maison Normande sans rest, 4 pl. Mar. de Lattre de Tassigny ℘ 02 31 88 12 25, phi
   .halle@mageos.com, Fax 02 31 88 78 79 – 📺. ⅁ℬ. ※   A⅄
   ⊆ 6 – **16 ch** 44/64

   Carmen, 24 r. Carnot ℘ 02 31 88 35 43, l.b.carmen@wanadoo.fr, Fax 02 31 88 08 03 –
   ❤. ℍ ⓞ ⅁ℬ ⅉℬ   A⅄
   fermé 20 nov. au 5 déc. et janv. – **Repas** *(fermé jeudi midi et merc.)* (11) - 15/30 ♀, enf. 8,
   ⊆ 6,10 – **18 ch** 58/70 – ½ P 55

   Régence, 132 bd F. Moureaux ℘ 02 31 88 10 71, Fax 02 31 88 10 71, « Belles boise
   peintes du 19ᵉ siècle » – ℍ ⓞ ⅁ℬ   BY
   fermé 1ᵉʳ au 26 déc., 4 au 14 mars, lundi et jeudi – **Repas** 24,39/34,76

TROUVILLE-SUR-MER

Chalet-Cordier (R.) .... **BY** 6
Chapelle (R. de la) .... **AY** 7
Foch (Pl. Mar.) .... **AY** 9
Gaulle
  (R. Gén.-de) .... **BZ** 10
Lattre-de-Tassigny
  (Pl. Mar.-de) .... **AY** 12

Bains
  (R. des) .... **AY** 3
Carnot (R.) .... **AY** 5

Maigret (R. A.-de) .... **AY** 20
Moureaux (Bd F.) .... **BZ**
Moureaux (Pl. F.) .... **BZ** 22
Notre-Dame (R.) .... **BY** 23
Plage (R. de la) .... **AY** 26
Verdun (R. de) .... **BY** 29
Victor-Hugo (R.) .... **AY** 31

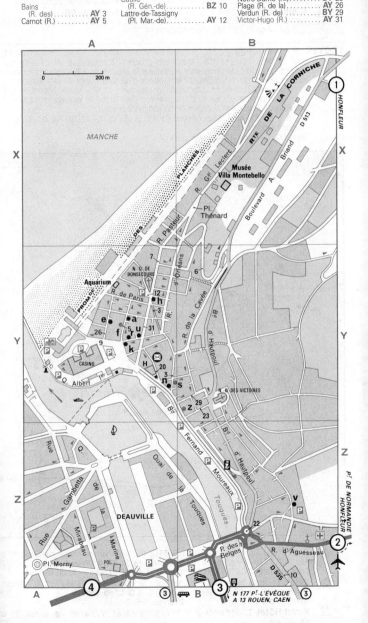

*Entrez à l'hôtel ou au restaurant le Guide à la main,
vous montrerez ainsi qu'il vous conduit là en confiance.*

✗ **Petite Auberge,** 7 r. Carnot ℰ 02 31 88 11 07, Fax 02 31 88 96 39 – ⅁Ⓑ   A
fermé 17 au 26 juin , mardi et merc. sauf en août – **Repas** (prévenir) 22,50/32,50 ♀

✗ **Doult** avec ch, 4 r. Bains ℰ 02 31 88 10 27, Fax 02 31 88 33 79 – ⅁Ⓑ   AB
fermé 18 nov. au 14 déc., dim soir et mardi de nov. à mars et lundi – **Repas** 15,40/34
⚏ 5,34 – **4 ch** 45,73/53,36 – ½ P 42,69/57,93

TROYES Ⓟ 10000 Aube **61** ⑯ ⑰ *G. Champagne Ardenne* – 60 958 h Agglo. 128 945 h alt. 11
Voir *Le Vieux Troyes*★★ BZ : *Ruelle des Chats*★ – *Cathédrale St-Pierre-et-St-Paul*
Jubé★★ *de l'église Ste-Madeleine*★ – *Basilique St-Urbain*★ BCY B – *Église St-Pantaléc*
Apothicairerie★ *de l'Hôtel-Dieu* CY **M**⁴ – *Musée d'Art Moderne*★★ CY **M**³ – *Maison de l*
et de la Pensée ouvrière★★ *dans l'hôtel de Mauroy*★★ BZ **M**² – *Musée historique de T*
et de Champagne★ *et musée de la Bonneterie dans l'hôtel de Vauluisant*★ BZ **M**¹ – *M*
des Beaux-Arts et d'Archéologie★ *dans l'abbaye St-Loup.*
🄱 *Office du tourisme 16 boulevard Carnot ℰ 03 25 82 62 70, Fax 03 25 73 0(*
troyes@club-internet.fr.
Paris 172 ⑦ – Dijon 184 ④ – Nancy 186 ④.

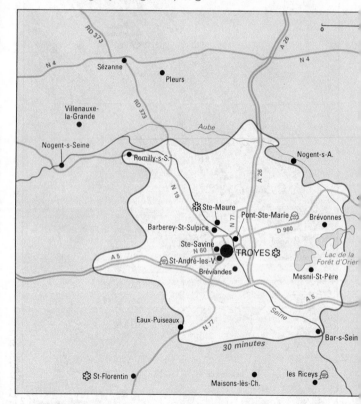

🏛 **Poste** Ⓜ, 35 r. E. Zola ℰ 03 25 73 05 05, *reservation@hotel-de-la-poste.c*
Fax 03 25 73 80 76 – ♦, ▤ rest, �📺 ✆ ♿ ⟺ – ⚱ 30. ⅀ⅇ ⓞ ⅁Ⓑ 🄹🄲🄱   BZ
Les Gourmets ℰ 03 25 73 80 78 **Repas** *(16)*·27 ♂, enf. 8 – ⚏ 11 – **32 ch** 93/114

🏛 **Relais St-Jean** Ⓜ ⤷ sans rest, 51 r. Paillot de Montabert ℰ 03 25 73 89 90, *relais.st*
@wanadoo.fr, Fax 03 25 73 88 60 – ♦ ▤ ⅏ �📺 ✆ ♿ Ⓟ ⅀ⅇ ⓞ ⅁Ⓑ 🄹🄲🄱   BZ
fermé 23 déc. au 1ᵉʳ janv. – ⚏ 11 – **25 ch** 69/105,50

🏨 **Royal Hôtel,** 22 bd Carnot ℰ 03 25 73 19 99, Fax 03 25 73 47 85 – ♦, ▤ rest, �📺 ✆
ⓞ ⅁Ⓑ 🄹🄲🄱   BZ
fermé 21 déc. au 14 janv. – **Repas** *(fermé sam. midi, dim. soir et lundi midi)* 20/2
enf. 11,50 – ⚏ 8 – **37 ch** 58/89

TROYES

e France (Av.) .... **AX** 2
olette (Av. Pierre) . **AX** 6
d (Av. M.) .... **AV** 8
eloup (R. de) ..... **AX** 9
nceau (R. Georges) . **AV** 12
Croix Blanche
(R. de la) .... **AX** 13
Jean Jaurès (Av.) .... **AV** 18
Lattre de Tassigny
(Av. du Mar.- de) .... **AV** 21
Leclerc (Av. Gén.) .... **AV** 22
Marots (R. des) .... **AV** 24
Noës (R. des) .... **AX** 26
Notre Dame des Prés ...... **AX** 27
Pasteur (R.) .... **AV** 32
Salengro (Av. Roger) .... **AV** 36
Salengro (R. Roger) .... **AV** 37
Schuman
(Av. Robert) .... **AV** 38
Vouldy (Chaussée du) ...... **AX** 42
1er Mai (Av. du) .... **AV** 48

Champ des Oiseaux M sans rest, 20 r. Linard Gonthier ✆ 03 25 80 58 50, *message@champdesoiseaux.com, Fax 03 25 80 98 34,* « Maisons des 15e et 16e siècles » – TV ✆ ♿. AE ⓞ GB
11 – **22 ch** 81/150 CY e

Troyes sans rest, 168 av. Gén. Leclerc ✆ 03 25 71 23 45, *hotel.de.troyes@wanadoo.fr, Fax 03 25 79 12 14* – TV ✆ ♿ P – 15. AE ⓞ GB AV k
6 – **23 ch** 42/47,50

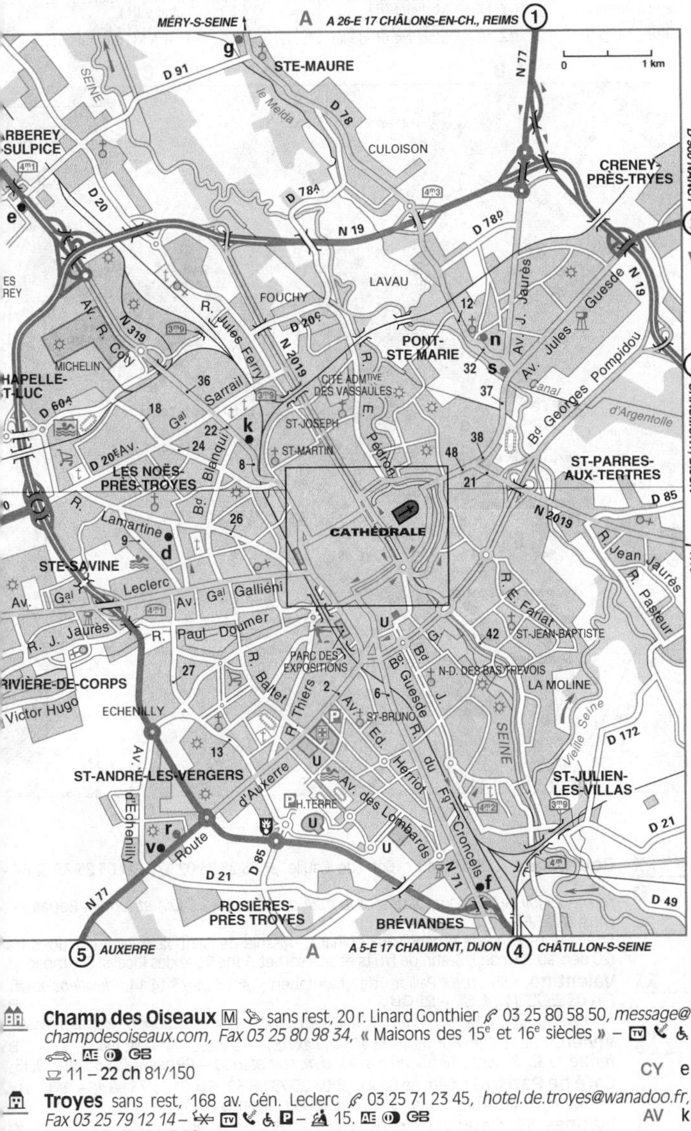

Cantine (Colin), 22 bd 14-Juillet ✆ 03 25 73 31 32, *Fax 03 25 73 98 59,* – AE GB CZ h
fermé dim. et lundi – **Repas** formule 17 bc et carte 30 à 40

TROYES

XXX **Bourgogne** (Dubois), 40 r. Gén. de Gaulle ℘ 03 25 73 02 67, Fax 03 25 73 02 67 -
❀ ✿ GB   B
fermé 29 juil. au 27 août, dim. sauf le midi du 10 oct. au 6 juin et lundi – **Repas** 29/4
carte 38 à 56 ♀
Spéc. Mousseline de brochet aux épinards. Rissole de Saint-Jacques aux truffes frai
(20 déc. au 20 mars). Gratin de fruits et son sorbet. **Vins** Rosé des Riceys, Champagne.

XX **Valentino,** 35 rue Paillot de Montabert ℘ 03 25 73 14 14, levalentino@fre
Fax 03 25 73 14 14, 佇 – 区 GB   B2
fermé 26 août au 9 sept., 1er au 13 janv., dim. soir, sam. midi et lundi – **Repas** 16,80/42,

XX **Vivien,** 7 pl. St-Rémy ℘ 03 25 73 70 70, Fax 03 25 73 70 90, 佇 – 区 GB   B
fermé 15 au 30 sept., 18 fév. au 4 mars, dim. soir et lundi – **Repas** 18/33,50, enf. 9,15

XXX **Café de Paris,** 63 r. Gén. de Gaulle ℘ 03 25 73 08 30, Fax 03 25 73 58 18 – GB   BY2
fermé 20 juil. au 10 août, dim. soir et lundi soir – **Repas** 20/36

X **Matines,** 53 r. Simart ℘ 03 25 76 03 82, Fax 03 25 81 06 98 – 区 GB   CY
fermé 14 juil. au 14 août, dim. soir, jeudi soir et lundi – **Repas** 17,55/41,20 ♀, enf. 8,40

X **Bistroquet,** pl. Langevin ℘ 03 25 73 65 65, Fax 03 25 73 07 25, 佇, brasserie –
GB   B2
fermé dim. sauf le midi de sept. à juin – **Repas** (13,70) - 17/24 ♀, enf. 7

e-Maure *Nord : 7 km par D 78 – 1 211 h. alt. 111 – ✉ 10150 :*

XX **Auberge de Ste-Maure,** ✆ 03 25 76 90 41, *Fax 03 25 80 01 55,* ☂, « En bordure de rivière » – P. AE GB — AV g
fermé 17 fév. au 2 mars, mardi midi de nov. à mars, dim. soir et lundi – **Repas** 25/45 et carte 42 à 57 ♀
Spéc. Foie gras de canard mi-cuit. Andouillette de Troyes à la crème de chaource. Croustillant de filets de pigeonneau. **Vins** Rosé des Riceys, Côteaux Champenois.

nt-Ste-Marie *Nord-Est : 3 km par N 77 – 4 936 h. alt. 110 – ✉ 10150 :*

XX **Hostellerie de Pont Ste-Marie,** 34 r. Pasteur (près église) ✆ 03 25 83 28 61, *Fax 03 25 83 28 61,* ☂ – GB — AV n
Repas *(fermé dim. soir)* 20/37 ♀

X **Bistrot DuPont,** 5 pl. Ch. de Gaulle ✆ 03 25 80 90 99, *Fax 03 25 80 90 99* – ▤. AE GB — AV s
fermé dim. soir et lundi – **Repas** 15,24/24,39 ♀, enf. 10,67

olf de la Forêt d'Orient *Nord-Est : 19 km par D 960, Rouilly puis rte de Géraudot – ✉ 10220 Piney :*

Holiday Inn Forêt d'Orient M, ✆ 03 25 43 80 80, *Fax 03 25 41 57 58,* ☂, « En forêt, entouré d'un golf », ▯, ▯, ▯ – ▯ ▯, ▤ ch, TV ✆ ♿ P – ▯ 15 à 120. AE ◑ GB JCB. ▯ ch
Repas 26 ♀ – ☕ 10,67 – **57 ch** 93/101, 23 appart

éviandes *: 5 km – 1 926 h. alt. 117 – ✉ 10450 :*

Pan de Bois ▯, ✆ 03 25 75 02 31, *Fax 03 25 49 67 84,* ☂ – TV ✆ ♿ P – ▯ 40. GB. ▯ ch — AX f
fermé 23 déc. au 2 janv. et dim. – ***Grill*** ✆ 03 25 49 22 78 *(fermé lundi sauf le soir en juil.-août et dim. sauf le midi de sept. à juin)* **Repas** 15/27 ▯, enf. 11 – ☕ 7 – **31 ch** 40/48 – ½ P 44

-André-les-Vergers *: 5 km – 11 125 h. alt. 112 – ✉ 10120 :*

ℹ *Syndicat d'initiative 21 avenue Maréchal Leclerc ✆ 03 25 71 91 11, Fax 03 25 49 67 71.*

Les Épingliers sans rest, 180 rte d'Auxerre ✆ 03 25 75 05 99, *citotel@club-internet.fr, Fax 03 25 75 32 22* – TV ✆ P. AE GB JCB — AX v
fermé 24 déc. au 2 janv. – ☕ 8 – **15 ch** 38/44

XX **Gentilhommière,** ✆ 03 25 49 35 64, *gentilhommiere@wanadoo.fr, Fax 03 25 75 13 55,* ☂ – P. GB — AX r
fermé 14 au 24 août, dim. soir, mardi soir et merc. – **Repas** 18,29/53,36 ♀

e-Savine *Ouest : 3 km – 10 125 h. alt. 116 – ✉ 10300 :*

Motel Savinien, 87 r. Fontaine ✆ 03 25 79 24 90, *motelsavinien@aol.com, Fax 03 25 78 04 61,* ☂, ▯, ▯, ▯ – cuisinette TV ✆ P – ▯ 30. GB — AX d
Repas 13,70/30,50 ▯, enf. 6,90 – ☕ 7 – **60 ch** 40/48 – ½ P 39

arberey-St-Sulpice *: 5 km – 766 h. alt. 100 – ✉ 10600 :*

Novotel M ▯, N 19 ✆ 03 25 71 74 74, *h0597@accor-hotels.com, Fax 03 25 71 74 50,* ☂, ▯ – ▯ ▤ TV ✆ ♿ P – ▯ 30 à 60. AE ◑ GB JCB — AV e
Repas 20,58 ♀ – ☕ 10 – **83 ch** 80/90

LLE P *19000 Corrèze* 75 ⑨ *G. Berry Limousin – 15 553 h alt. 210.*

Voir *Maison de Loyac★* Z B – *Clocher★ de la Cathédrale Notre-Dame.*

ℹ *Office du tourisme 2 place Émile Zola ✆ 05 55 26 59 61, Fax 05 55 20 72 93.*

Paris 482 ① – Brive-la-Gaillarde 28 ④ – Aurillac 83 ③ – Clermont-Ferrand 140 ②.

Plan page suivante

Gare, 25 av. W. Churchill ✆ 05 55 20 04 04, *Fax 05 55 20 15 87* – TV ✆. GB — Y k
fermé 1er au 15 sept. – **Repas** *(fermé dim. soir en hiver)* 14,94/22,11 ♀ – ☕ 6,10 – **12 ch** 44,21/45,73 – ½ P 44,21

Bon Accueil, 10 r. Canton ✆ 05 55 26 70 57 – TV ✆. GB — Z y
fermé 23 déc. au 7 janv. – **Repas** *(fermé sam. soir sauf juil.-août et dim.)* 12/22,50 ▯, enf. 6,10 – ☕ 5 – **12 ch** 28/37 – ½ P 39/45

XX **Central,** 12 r. Barrière ✆ 05 55 26 24 46, *r-poumier@intenet19.fr, Fax 05 55 26 53 16* – ▤. GB — Z a
fermé 1er au 15 août, dim. soir et sam. – **Repas** 22/39 et carte 40 à 60 ♀

XX **Toque Blanche** avec ch, pl. M. Brigouleix ✆ 05 55 26 75 41, *Fax 05 55 20 93 95* – ▤ rest, TV. AE GB — Z z
fermé 1er au 10 juil., 20 janv. au 10 fév., dim. soir et lundi – **Repas** 21/47,85 ♀, enf. 10 – ☕ 5,95 – **8 ch** 39,65/42,70 – ½ P 54,90

X **Passé Simple,** 6 r. F. Bonnelys ✆ 05 55 26 00 75 – AE GB — Z n
fermé lundi soir et dim. – **Repas** 17/26 ♀

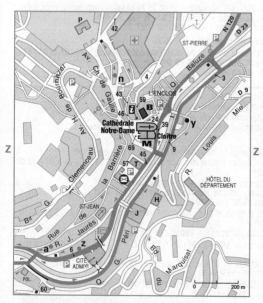

TULLE

L'ESPINAT

LA GARENNE-DU-CHAT

BOIS-MANGER

Cathédrale
Notre-Dame

HAUT-
MONTEIL

Jean Audiau

Boulevard

Gamblin

Av. Malaquin

de l'Estabournie

Quai de Rigny

Corrèze

Victor Hugo

R. Abbé Lair

Chivallier

Av. du Cel Monteil

Lamartine

R. Rouveyrol

Leclerc

Rue

Jean

Moulin

Marbot

A. Camus

W. Churchill

Foch

ST-PIERRE

N 120 D 23

Av. Ch. de Gaulle

L'ENCLOS

Cathédrale
Notre-Dame

Cloître

Av. H. de Bournazel

la Barrière

Clemenceau

ST-JEAN

HÔTEL DU
DÉPARTEMENT

Louis

Rue

de

Jaurès

R. J.

CITÉ
ADMIVE

POL.

200 m

Alsace-Lorraine (Av.) . . . . .
Baluze (Quai) . . . .
Briand (Quai A.) . . . .
Bride (Pl. de la) . . . .
Brigouleix (Pl. Martial) . . .
Chammard (Quai A.-de) . . .
Condamines (R. des) . . . . .
Dunant (R. Henri) . . . .
Faucher (Pl. Albert) . . . . .
Faugeras (Bd J.-F.) . . . . . .
Gambetta (Place) . . . .
Gaulle (Av. Ch.-de) . . . . . .
Jean-Jaurès (R.) . . . .
Lovy (R. Sergent) . . . .
Mermoz (R.) . . . .
Pauphile (R.) . . . .
Perrier (Quai Edmond) . . . .
Poincaré (Av.) . . . .
Portes-Chanac (R. des) . . .
République (Quai de la) . . .
Riche (R.) . . . .
Roche-Bailly (Bd de la) . . .
Sampeix (R. Lucien) . . . . .
Tavé (Pl. Jean) . . . .
Tour-de-Maïsse (R. de la) . .
Vialle (R. Anne) . . . .
Victor-Hugo (Av.) X
Vidalie (Av.) . . . .
Zola (Pl. Emile) . . . .

LINS 38210 Isère **77** ④ – 7 068 h alt. 223.

Paris 549 – Grenoble 30 – Bourgoin-Jallieu 46 – St-Marcellin 23 – Voiron 14.

※ **Auberge de Malatras** avec ch, Sud : 2 km sur N 92 ℘ 04 76 07 02 30, Fax 04 76 07 76 48, 佘 – **P**. – 🏄 25. 歴 **GB**
fermé 11 au 26 nov., vacances de fév., dim. soir et lundi – **Repas** 17/75 ♀ – ☎ 7 – **18 ch** 30/40 – ½ P 40/45

NEL SOUS LA MANCHE voir à Calais.

URBALLE 44420 Loire-Atl. **63** ⑭ G. Bretagne – 4 042 h alt. 6.

🛮 *Office du tourisme Place du Général de Gaulle ℘ 02 40 23 32 01, Fax 02 40 23 32 01.*
Paris 462 – Nantes 85 – La Baule 13 – Guérande 7 – La Roche-Bernard 31 – St-Nazaire 27.

🏠 **Les Chants d'Ailes** sans rest, 11 bd Bellanger ℘ 02 40 23 47 28, Fax 02 40 62 86 43, ≤ – **TV P. GB**
fermé 18 nov. au 15 déc. – ☎ 6,60 – **19 ch** 41/57

※※ **Terminus**, quai St-Paul ℘ 02 40 23 30 29, Fax 02 40 11 84 44 – **GB**
fermé 15 janv. au 19 fév., dim. soir, jeudi soir et lundi – **Repas** 14,48/38,11 ♀

※ **Chaudron**, rte Guérande 1,5 km ℘ 02 40 23 32 52, Fax 02 40 62 83 38, 佘 – **① GB JCB**
fermé 15 nov. au 15 déc., mardi et merc. sauf juil.-août et fériés – **Repas** 14/29 ♀

URBIE 06320 Alpes-Mar. **84** ⑩ – 3 021 h alt. 495.

Paris 949 – Monaco 13 – Menton 13 – Nice 16.

※※ **Hostellerie Jérôme** (Cirino) avec ch, 20 r. Comte de Cessole ℘ 04 92 41 51 51, Fax 04 92 41 51 50, ≤, 佘 – **TV ℃. GB**
fermé lundi et mardi sauf juil.-août – **Repas** (dîner seul. en juil.-août) 32 (déj.)/44 et carte 65 à 88 ♀ – ☎ 13 – **5 ch** 83/140
Spéc. Loup de mer rôti au citron de Menton. Rognon de veau en cocotte au romarin. Gibier (saison) **Vins** Côtes de Provence, Bandol

---

RCKHEIM 68230 H.-Rhin **62** ⑱ ⑲ G. Alsace Lorraine – 3 594 h alt. 225.

🛮 *Office du tourisme Corps de Garde ℘ 03 89 27 38 44, Fax 03 89 80 83 22, OT.TURCKHEIM @wanadoo.fr.*
Paris 471 – Colmar 6 – Gérardmer 46 – Munster 13 – St-Dié 51 – le Thillot 68.

🏠 **Les Portes de la Vallée** ১, 29 r. Romaine ℘ 03 89 27 95 50, mail@hotelturckheim. com, Fax 03 89 27 40 71, 佘 – 🛗 **TV ℃ P. GB.** ※ rest
Repas (fermé dim. soir) (½ pens. seul.)(résidents seul.) 15,50 ♀ – ☎ 6,50 – **14 ch** 39,50/ 58,50 – ½ P 42/51,50

🏠 **Berceau du Vigneron** sans rest, 10 pl. Turenne ℘ 03 89 27 23 55, Fax 03 89 30 01 33 – **GB**
fermé janv. – ☎ 7 – **16 ch** 35/63

※ **Auberge du Veilleur**, 12 pl. Turenne ℘ 03 89 27 32 22, auberge-veilleur@wanadoo.fr, Fax 03 89 27 55 56 – ▤. **GB**
fermé 22 déc. au 5 janv., mardi soir et merc. – **Repas** 8,60 (déj.), 17/28 ♀

RENNE 19500 Corrèze **75** ⑧ G. Périgord Quercy – 742 h alt. 350.

Voir *Site★ du château et ﹡﹡★ de la tour de César.*
Env. *Collonges-la-Rouge : village★★ E : 10 km.*
🛮 *Syndicat d'initiative ℘ 05 55 85 94 38.*
Paris 502 – Brive-la-Gaillarde 15 – Cahors 93 – Figeac 76.

※※ **Maison des Chanoines** ১ avec ch, ℘ 05 55 85 93 43, 佘, « Maison du 16ᵉ siècle » – ▤ rest,. **GB**, ※
6 avril-26 oct. – **Repas** (fermé mardi midi, merc. midi, jeudi midi et vend. midi) (nombre de couverts limité, prévenir) 27/33 ♀ – ☎ 8 – **6 ch** 60/80 – ½ P 62/70

RINI (Col de) 06440 Alpes-Mar. **84** ⑲, **115** ⑰ G. Côte d'Azur.

Voir *Forêt de Turini★★ – Monument aux Morts ﹡★ NE : 4 km.*
Env. *Pointe des 3-Communes ﹡★★ NE : 6,5 km – Pierre Plate ﹡★★ S : 7 km – Cime de Peira Cava ﹡★★ S : 8,5 km puis 30 mn.*
Paris 981 – L'Escarène 27 – Nice 47 – Roquebillière 20 – St-Martin-Vésubie 29 – Sospel 24.

🏠 **Trois Vallées** ১, ℘ 04 93 91 57 21, Fax 04 93 79 53 62, ≤, 佘 – **TV P. ① GB**
Repas 14,94 (déj.), 21,34/38,11 ♀, enf. 9,90 – ☎ 8,84 – **20 ch** 44,21/91,46 – ½ P 50,76/ 74,39

TURQUANT 49730 M.-et-L. 64 ⑫ – 448 h alt. 68.
Paris 296 – Angers 76 – Châtellerault 69 – Chinon 21 – Saumur 10 – Tours 60.

🏠 **Demeure de la Vignole,** impasse Marguerite d'Anjou ℰ 02 41 53 67 00, *deme demeure-vignole.com,* Fax 02 41 53 67 09, ≤, 佘, ☞ – TV ℰ &, GB. ✸ rest
avril-déc. – **Repas** *(fermé merc.)* (dîner seul.)(résidents seul.) 22 ♦ – ☲ 7,50 – **7 ch** 65
½ P 58,75/65,50

TURQUESTEIN-BLANCRUPT 57 Moselle 62 ⑧ – rattaché à St-Quirin.

TY-SANQUER 29 Finistère 58 ⑮ – rattaché à Quimper.

UCHACQ-ET-PARENTIS 40 Landes 78 ⑥ – rattaché à Mont-de-Marsan.

UCHAUX 84100 Vaucluse 81 ② – 1 465 h alt. 80.
Paris 650 – Avignon 40 – Montélimar 45 – Nyons 37 – Orange 11.

XX **Côté Sud,** rte Orange ℰ 04 90 40 66 08, Fax 04 90 40 64 77, 佘, ☞ – GB
🏵 *fermé 26 oct. au 13 nov., 15 au 27 fév., mardi hors saison et merc.* – **Repas** *(nomb couverts limité, prévenir)* 20/38 ♈

L'UNION 31 H.-Gar. 82 ⑧ – rattaché à Toulouse.

UNTERMUHLTHAL 57 Moselle 57 ⑱ – rattaché à Baerenthal.

URÇAY 03360 Allier 69 ⑪ ⑫ – 298 h alt. 169.
Paris 299 – Moulins 65 – La Châtre 55 – Montluçon 34 – St-Amand-Montrond 15.

X **L'Étoile d'Or** avec ch, ℰ 04 70 06 92 66, Fax 04 70 06 92 77 – P. AE GB. ✸ ch
fermé vacances de Toussaint, de fév., dim. soir et merc. – **Repas** 18/24, enf. 7 – ☲ 5 –
28/34 – ½ P 52/55

URCUIT 64990 Pyr.-Atl. 85 ③ G. Aquitaine – 1 796 h alt. 32.
Paris 762 – Biarritz 21 – Bayonne 14 – Dax 45 – Orthez 65 – Pau 102.

X **Au Goût des Mets,** Nord-Ouest : 4 km sur D 261 ℰ 05 59 42 95 64, 佘 – P. GB
fermé 1ᵉʳ au 14 juil. et merc. – **Repas** *(déj. seul. en hiver)* 11,40 (déj.)/18,60 ♈, enf. 7

URDOS 64490 Pyr.-Atl. 85 ⑯ – 108 h alt. 780.
Env. Col du Somport★★ SE : 14 km, G. Pyrénées Aquitaine.
Paris 863 – Pau 76 – Jaca 45 – Oloron-Ste-Marie 41.

🏠 **Voyageurs-Somport,** ℰ 05 59 34 88 05, Fax 05 59 34 86 74, ☞ – ⚒ 50. GB
🚅 *fermé 26 oct. au 2 déc., dim. soir et lundi sauf vacances scolaires* – **Repas** 11/25 ♈, enf
☲ 4,80 – **40 ch** 26/40 – ½ P 28/35

URIAGE-LES-BAINS 38410 Isère 77 ⑤ G. Alpes du Nord – Stat. therm. *(fin mars-début de*
Casino "Palais de la Source".
Voir Forêt de Prémol★ SE : 5 km par D 111.
Paris 578 – Grenoble 11 – Vizille 10.

🏨 **Grand Hôtel** 🅼, ℰ 04 76 89 10 80, *grandhotel.fr@wanadoo.fr,* Fax 04 76 89 04 6:
✿✿ 佘, ᵇₐ, ☒ – ⅋ TV ℰ P – ⚒ 15. AE ⓪ GB
fermé janv. – **Les Terrasses** (de sept. à juin : fermé dim., lundi et le midi sauf vend. et s
(fermé 25/8 au 9/9, janv., jeudi midi et merc. en juil.-août) **Repas**
86 et carte 75 à 110 ♈, enf. 18 – ☲ 11 – **42 ch** 76/135
Spéc. Pressé de pigeon au foie gras de canard. Noix de Saint-Jacques, tartelette
Cévennes et purée de céleri (oct. à fév.). Mûres en millefeuille de croustillant praliné-r
(juil. à sept.) **Vins** Chignin-Bergeron, Mondeuse.

🏨 **Les Mésanges** 🏖, rte St-Martin-d'Uriage et rte Bouloud : 1,5 km ℰ 04 76 89 70 69,
ce@hotel-les-mesanges.com, Fax 04 76 89 56 97, ≤, 佘, ☒, ☞ – TV ℰ P – ⚒ 40. AE
✸
1ᵉʳ mai-20 oct., vacances de fév. et week-ends de mars – **Repas** *(fermé mardi)* (14
18/42 ♈ – ☲ 6,50 – **33 ch** 42/58 – ½ P 45/51

🏠 **Manoir,** 62 rte Prémol ℰ 04 76 89 10 88, *hotelmanoir@magic.fr,* Fax 04 76 89 20 63,
🚅 ☞ – ⅋ TV ℰ P. GB
10 fév.-11 nov. – **Repas** 13/43 ♈ – ☲ 6,50 – **15 ch** 26/57 – ½ P 34/48

MATT 67280 B.-Rhin 🗺 ⑧ ⑨ – 1 357 h alt. 240.

Voir Église★ de Niederhaslach NE : 3 km, G. Alsace Lorraine.
Paris 486 – Strasbourg 44 – Molsheim 15 – Saverne 37 – Sélestat 50 – Wasselonne 22.

🏨 **Clos du Hahnenberg** M, ℘ 03 88 97 41 35, clos.hahnenberg@wanadoo.fr,
Fax 03 88 47 36 51, 🛵, 🔟, 🛠 – 📱 🔟 ✆ 🛠 🖭 – 🏛 25. 🖭 🖸🖲
Chez Jacques (fermé vend. soir) Repas 15,50/22, enf. 9 – 🖙 7,50 – **43 ch** 37/46 – ½ P 37/
49

🏠 **Poste**, ℘ 03 88 97 40 55, Fax 03 88 47 38 32, 🍽 – 🔳 rest, 🔟 🖭. 🖭 🖸 🖲. 🛠 ch
fermé 15 au 30 juil., 23 au 30 déc., 17 fév. au 3 mars et lundi – Repas 17/58 🦳, enf. 7 – 🖙 6 –
14 ch 36,50/51 – ½ P 42/48

RUGNE 64122 Pyr.-Atl. 🗺 ② G. Aquitaine – 7 043 h alt. 34.

🚊 Office du tourisme Place René Soubelet ℘ 05 59 54 60 80, Fax 05 59 54 63 49.
Paris 795 – Biarritz 23 – Bayonne 29 – Hendaye 8 – San Sebastián 50.

🍴 **Chez Maïté**, près église ℘ 05 59 54 30 27, Fax 05 59 54 30 27 – 🖭 🖸🖲. 🛠
fermé janv., dim. soir et merc. sauf juil.-août et lundi midi en juil.-août – Repas 18/31

T 64240 Pyr.-Atl. 🗺 ⑱ – 1 702 h alt. 41.

🚊 Office du tourisme - Mairie ℘ 05 59 56 20 33.
Paris 757 – Biarritz 24 – Bayonne 16 – Cambo-les-Bains 28 – Pau 99 – Peyrehorade 19.

🍴🍴 **Auberge de la Galupe** (Parra), au port de l'Adour ℘ 05 59 56 21 84, galupe@wanadoo.
🦋🦋 fr, Fax 05 59 56 28 66 – 🔳. 🖭 🖸 🖲🖲
❀❀ fermé 12/01 au 18/02, lundi midi du 14/07 au 31/08, dim. soir, lundi et mardi de sept. à
mi-juil. – Repas (week-end prévenir) 37,40 (déj.), 56,50/88,50 et carte 57 à 92, enf. 15
Spéc. Huîtres spéciales de Marennes au caviar d'Aquitaine. Saumon sauvage de l'Adour,
crème à l'estragon (printemps). Boudin noir maison et travers de cochon grillé au citron
confit Vins Jurançon sec, Irouléguy.

V 77760 S.-et-M. 🗺 ⑫ – 757 h alt. 117.

Paris 66 – Fontainebleau 10 – Melun 26 – Nemours 15 – Sens 61.

🏨 **Novotel** ⏵, Nord-Est par N 152 et rte secondaire ℘ 01 60 71 24 24, h0384@accor-hotels
.com, Fax 01 60 71 24 00, 🍽, « En lisière de forêt », 🔟, 🛠, 🟥 – 🖂 🔳 🔟 ✆ 🛠 🖭 –
🏛 120. 🖭 🖸 🖲🖲
Repas carte environ 28 🦳, enf. 7,62 – 🖙 10,67 – **124 ch** 98/112

CLADES-ET-RIEUTORD 07510 Ardèche 🗺 ⑱ – 102 h alt. 1270.

Paris 595 – Le Puy-en-Velay 51 – Aubenas 45 – Langogne 41 – Privas 59 – Thueyts 99.

à Rieutord :

🍴 **Ferme de la Besse**, ℘ 04 75 38 80 64, Fax 04 75 38 80 64, « Authentique ferme du
15ᵉ siècle » – 🖭
avril-nov. – Repas (prévenir) 15/23, enf. 9

SAC 19 Corrèze 🗺 ⑧ – rattaché à Brive-La-Gaillarde.

SAT 09 Ariège 🗺 ⑤ – rattaché à Tarascon-sur-Ariège.

SEL ⟨⬚⟩ 19200 Corrèze 🗺 ⑪ G. Berry Limousin – 10 753 h alt. 631.

🚊 Office du tourisme Place Voltaire ℘ 05 55 72 11 50, Fax 05 55 72 54 44, OT-USSEL@wana
doo.fr.
Paris 446 – Aurillac 100 – Clermont-Ferrand 84 – Guéret 101 – Tulle 59.

🏠 **Grand Hôtel de la Gare**, av. P. Sémard ℘ 05 55 72 25 98, Fax 05 55 96 25 63 – 🔟 ✆ 🖭 –
🏛 20. 🖸🖲
hôtel : fermé 24 déc. au 4 janv. et dim. soir – Repas (fermé 1ᵉʳ au 10 juil., 1ᵉʳ au 13 oct.,
24 déc. au 4 janv., dim. soir et lundi) 14,94/30,49 🦳 – 🖙 4,88 – **16 ch** 39,64/45,73

SON-EN-FOREZ 42550 Loire 🗺 ⑦ – 1 232 h alt. 925.

🚊 Syndicat d'initiative Place de la Vialle ℘ 04 77 50 66 15, Fax 04 77 50 66 15.
Paris 478 – St-Étienne 48 – Issoire 85 – Montbrison 41 – Le Puy-en-Velay 52.

🍴 **Rival** avec ch, ℘ 04 77 50 63 65, hotelrival@caramail.com, Fax 04 77 50 67 62 – cuisinette
🕭 🔟. 🖸🖲
fermé 17 au 29 juin, 12 au 28 nov. dim. soir et lundi sauf juil.-août – Repas 11/34 🦳, enf. 8 –
🖙 4,30 – **12 ch** 22/43 – ½ P 25/35

USTARITZ 64480 Pyr.-Atl. **85** ② – 4 984 h alt. 14.

🛈 Office du tourisme Place du Labourd ℘ 05 59 93 20 81, Fax 05 59 93 26 41.
Paris 781 – Biarritz 14 – Bayonne 13 – Cambo-les-Bains 6 – Pau 123 – St-Jean-de-Luz 2

XX **Patoula** ⌂ avec ch, face Église ℘ 05 59 93 00 56, Fax 05 59 93 16 54, 🈺, « Terras
bordure de rivière », 🚗 – 📺 **P**. **GB**
fermé 20 au 27 oct., 5 janv. au 5 fév. et lundi hors saison – **Repas** (fermé dim. soir sa
juin à sept., vend. midi et lundi) 20/35, enf. 11 – ⌸ 10 – **9 ch** 65/90 – ½ P 62/74

UTELLE 06450 Alpes-Mar. **84** ⑲ G. Côte d'Azur – 488 h alt. 800.
Voir Retable★ dans l'église St-Véran – Madone d'Utelle ※★★★ SO : 6 km.
Paris 888 – Levens 24 – Nice 52 – Puget-Théniers 53 – St-Martin-Vésubie 34.

X **Bellevue** ⌂ avec ch, ℘ 04 93 03 17 19, Fax 04 93 03 19 17, ≤, 🈺, **⊥** – 📺 **GB**,
hôtel : 1er juil.-31 août ; rest. : fermé 7 janv. au 2 fév., merc. hors saison et le soir
juil.-août – **Repas** 11 (déj.), 16,80/24,40 – ⌸ 6,10 – **15 ch** 35/48 – ½ P 38,30/48

UZERCHE 19140 Corrèze **75** ⑧ G. Berry Limousin – 3 062 h alt. 380.
Voir Ste-Eulalie ≤★ E : 1 km.
🛈 Office du tourisme Place de la Libération ℘ 05 55 73 15 71, Fax 05 55 73 1(
ot.uzerche@wanadoo.fr.
Paris 450 – Brive-la-Gaillarde 38 – Limoges 56 – Périgueux 90 – Tulle 30.

🏛 **Teyssier**, r. Pont Turgot ℘ 05 55 73 10 05, Fax 05 55 98 43 31, 🈺 – 📺 **℀ P**. **AE** ①
🚗 **JCB**, ※ rest
fermé 4 au 11/12, 8/01 au 5/02, mardi midi de mi-sept. à mi-juil. et merc. sauf le sc
saison – **Repas** 16/32 ♀, enf. 10 – ⌸ 7,15 – **14 ch** 44,20/64 – ½ P 48,80/61

🏛 **Ambroise**, av. Ch. de Gaulle ℘ 05 55 73 28 60, Fax 05 55 98 45 73, 🈺, 🚗 – 📺 ⌂
🚗 **🅰** 15. **GB**
fermé 29 avril au 6 mai, 3 nov. au 3 déc., mardi midi, dim. soir et lundi sauf juil.-ac
Repas 12,20/30,50 ♭, enf. 7,70 – ⌸ 6 – **15 ch** 26/43 – ½ P 33,55/36,50

à St-Ybard Nord-Ouest : 6 km par D 920 et D 54 – 593 h. alt. 320 – ⊠ 19140 :

X **Auberge St-Roch**, ℘ 05 55 73 09 71, Fax 05 55 98 41 63, 🈺 – ▤. **GB**
🚗 fermé 21 juin au 9 juil. et 21 déc. au 14 janv. – **Repas** (fermé le soir du 15 nov. au 15 ∥
sauf sam., dim. soir sauf juil.-août et lundi) 11,50/27,50 ♀, enf. 7

UZÈS 30700 Gard **80** ⑲ G. Provence – 8 007 h alt. 138.
Voir Ville ancienne★★ – Duché★ : ※★★ de la Tour Bermonde – Tour Fenestrelle★★ – ◾
aux Herbes★ – Orgues★ de la Cathédrale St-Théodorit **V**.
🛈 Office du tourisme Chapelle des Capucins ℘ 04 66 22 68 88, Fax 04 66 22 9ξ
otuzes@wanadoo.fr.
Paris 687 ② – Alès 34 ④ – Montpellier 83 ② – Arles 51 ② – Avignon 39 ② – Nîmes 25 ②

Plan page ci-contre

🏛 **Relais Mercure** M, rte de Nîmes par ② : 0,5 km ℘ 04 66 03 32 22, mercure.relaisu.
wanadoo.fr, Fax 04 66 03 32 10, 🈺, **⊥**, 🚗, ※ – ▤ ⇆, ▤ rest, 📺 ℀ ⅋ **P**. **AE** ① **GB**
Repas (fermé en janv., les midis et vend. soir, sam. soir, dim. soir de nov. à mars) (14,50) – 2
enf. 7,65 – ⌸ 8 – **65 ch** 54/68

🏛 **du Général d'Entraigues**, 8 r. de la Calade ℘ 04 66 22 32 68, hotels.entraigues.ag
@wanadoo.fr, Fax 04 66 22 57 01, 🈺, « Demeure du 15e siècle », **⊥** – ▤ ▤ 📺 ℀ ⌂
🚗 **🅰** 20. **AE** ① **GB**
Repas 22/76 ♀, enf. 10 – ⌸ 9,50 – **17 ch** 60/122 – ½ P 75/89

X **Les Fontaines**, 6 r. Entre les Tours ℘ 04 66 22 41 20, 🈺, « Maison du 16e siècle
GB
fermé merc. sauf juil.-août – **Repas** 19,06 (déj.), 25,15/74,70 ♀

à St-Quentin-la-Poterie par ① et D 5 : 5 km – 2 731 h. alt. 113 – ⊠ 30700 :

X **Table de l'Horloge** (Peyroche d'Arnaud), pl. Horloge ℘ 04 66 22 07 01, thibaut@ta
𝄞 horloge.fr, Fax 04 66 22 07 01, 🈺, rest pour non-fumeurs exclusivement – **GB**
fermé 23 oct. au 7 nov., 21 déc. au 5 janv., vend. midi, sam. midi, merc. et jeudi du 15 s
au 31 juil. – **Repas** (dîner seul du 1er juil. au 15 sept.) (menu unique)(nombre de couv
limité, prévenir) 40

à St-Maximin par ② et D 981 : 5,5 km – 630 h. alt. 110 – ⊠ 30700 :

X **Auberge St-Maximim**, ℘ 04 66 22 26 41, Fax 04 66 22 73 73, 🈺 – **AE** ① **GB**
1er avril-31 oct. et fermé mardi sauf le soir du 15 juin au 30 sept. et lundi – **Re**
15,30/38,50, enf. 13

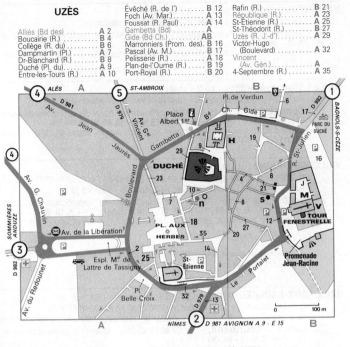

UZÈS

Alliés (Bd des) .... **A** 2
Boucairie (R.) .... **B** 4
Collège (R. du) .... **B** 6
Dampmartin (Pl.) .... **A** 7
Dr-Blanchard (R.) .... **B** 8
Duché (Pl. du) .... **A** 9
Entre-les-Tours (R.) ..... **A** 10

Évêché (R. de l') .... **B** 12
Foch (Av. Mar.) .... **A** 13
Foussat (R. Paul) .... **A** 14
Gambetta (Bd) .... **A**
Gide (Bd Ch.) .... **AB**
Marronniers (Prom. des) **B** 16
Pascal (Av. M.) .... **B** 17
Pelisserie (R.) .... **A** 18
Plan-de-l'Oume (R.) .... **B** 19
Port-Royal (R.) .... **B** 20

Rafin (R.) .... **B** 21
République (R.) .... **A** 23
St-Etienne (R.) .... **A** 25
St-Théodorit (R.) .... **B** 27
Uzès (R. J.-d') .... **A** 29
Victor-Hugo
(Boulevard) .... **A** 32
Vincent
(Av. Gén.) .... **A**
4-Septembre (R.) .... **A** 35

---

paillargues-et-Aureillac par ③ : 4,5 km – 785 h. alt. 107 – ⊠ 30700 :

🏠 **H. Marie d'Agoult** ≫, 𝜙 04 66 22 14 48, savrychateau30@aol.fr, Fax 04 66 22 56 10,
🏠, « Demeure du 18ᵉ siècle, parc », 🏊, 🏖, 🅿 – 📺 🅿 – 🔬 40, 🆀🅴 ⓞ 🆚
22 mars-4 nov. – **Repas** 27/46, enf. 15 – ⊑ 11 – **29 ch** 130/229 – ½ P 95,50/160,50

rviers et Labaume par ④ et D 981 : 6 km – 355 h. alt. 114 – ⊠ 30700 :

🍴 **L'Olivier**, 𝜙 04 66 22 56 01, Fax 04 66 22 56 01, 🏠 – 🆚
fermé janv., fév. et lundi – **Repas** (nombre de couverts limité, prévenir) 15 (déj.), 24,50/45,
enf. 11

S 72500 Sarthe 🟦🔢 ③ G. Châteaux de la Loire – 1 540 h alt. 41.
Paris 238 – Le Mans 43 – Angers 78 – Château-du-Loir 8 – Château-la-Vallière 15.

🍴 **Vedaquais** avec ch, pl. Liberté 𝜙 02 43 46 01 41, Fax 02 43 46 37 60, 🏠 – 📺 🆚 & 🅿 –
🔬 25, ⓞ 🆚
fermé vacances de Toussaint, de Noël, de fév., vend. soir, dim. soir et lundi – **Repas** (10) -
13/27,50 ⊑ – ⊑ 5 – **12 ch** 38/53 – ½ P 37/43,50

VACHETTE 05 H.-Alpes 🔢 ⑱ – rattaché à Briançon.

CQUEYRAS 84190 Vaucluse 🔢 ⑫ – 1 061 h alt. 117.
🚹 Syndicat d'initiative - Hôtel de Ville 𝜙 04 90 12 39 02, Fax 04 90 65 83 28, tourisme.
vacqueyras@wanadoo.fr.
Paris 668 – Avignon 34 – Nyons 36 – Orange 19 – Vaison-la-Romaine 20.

🏠 **Pradet** Ⓜ ≫ sans rest, 𝜙 04 90 65 81 00, Fax 04 90 65 80 27 – 📺 🆚 & 🅿, 🆀🅴 🆚
⊑ 7 – **20 ch** 50/65

ontmirail Est : 2 km par rte secondaire – ⊠ 84190 :

🏨 **Montmirail** ≫, 𝜙 04 90 65 84 01, hotel-montmirail@wanadoo.fr, Fax 04 90 65 81 50,
🏠, 🏊, 🌳, 🅿, 🆚
15 mars-15 oct. – **Repas** (fermé jeudi midi et sam. midi) 18,30 (déj.), 25,92/32,02 ⊑, enf. 12,96
– ⊑ 8,38 – **39 ch** 49,55/87,66 – ½ P 65,55/76,22

VACQUIERS 31340 H.-Gar. 82 ⑧ – 1 032 h alt. 200.

Paris 676 – Toulouse 31 – Albi 70 – Castres 80 – Montauban 35.

🏠 **Villa les Pins** ⑤, Ouest : 2 km par D 30 ℘ 05 61 84 96 04, Fax 05 61 84 28 54, 🌫, ▪
🕿 ☎ 📞 🖃 – 🔏 60. 🖪
Repas *(fermé dim. soir, mardi midi et lundi sauf fériés)* 13/28 ⓩ, enf. 7 – ⬜ 7 – **18 ch**
– ½ P 34/42

VAIGES 53480 Mayenne 60 ⑪ – 1 071 h alt. 90.

Paris 255 – Château-Gontier 35 – Laval 24 – Le Mans 60 – Mayenne 32.

🏠 **Commerce,** ℘ 02 43 90 50 07, oger-samuel.hotel-du-commerce@wanac
Fax 02 43 90 57 40, 🌫, ▪ – 🛗, 🖃 rest, 🖪 📞 🖃 – 🔏 30. 🖪 🕿
fermé 6 au 30 janv., dim. soir et vend. soir d'oct. à avril – **Repas** 17,50/42 ⓨ – ⬜
28 ch 54/72 – ½ P 55/58

VAILLY-SUR-AISNE 02370 Aisne 56 ⑤ – 2 081 h alt. 47.

🛈 *Office du tourisme 4 place Bouvines ℘ 03 23 74 62 47, Fax 03 23 74 62 47.*
Paris 120 – Reims 51 – Château-Thierry 58 – Laon 26 – Soissons 18.

🍴🍴 **Belle Porte** (Centre d'Aide par le Travail), 48 r. fg Sommecourt (Est par D
🍴 ℘ 03 23 54 67 45, Fax 03 23 54 67 45, 🌫, « Jardin fleuri », 🌿 – 🖪. 🖪 🖪
fermé 28 juil. au 26 août, vacances de fév., sam. midi, dim. soir et lundi – Repas 14,48
22,11/50,31 ⓨ

The names of main shopping streets are printed in red
in the list of streets.

VAILLY-SUR-SAULDRE 18260 Cher 65 ⑫ G. Berry Limousin – 806 h alt. 205.

🛈 *Office du tourisme 6 Grande Rue ℘ 02 48 73 87 57, Fax 02 48 73 88 33.*
Paris 185 – Bourges 56 – Aubigny-sur-Nère 18 – Cosne-sur-Loire 24 – Gien 37 – Sancer

🍴🍴 **Lièvre Gourmand,** ℘ 02 48 73 80 23, le.lievre.gourmand@wanad
🍴 Fax 02 48 73 86 13 – 🖃. 🖪
fermé 24 au 28 juin, 14 au 18 oct., 6 au 30 janv., dim. soir et lundi – Repas 22/47 ⓨ

VAISON-LA-ROMAINE 84110 Vaucluse 81 ② ③ G. Provence – 5 904 h alt. 193.

Voir Les ruines romaines★★ : théâtre romain★, musée archéologique Théo-Desplans
Haute Ville★ – Chapelle de St-Quenin★, cloître★ B.
🛈 *Office du tourisme Place du Chanoine-Sautel ℘ 04 90 36 02 11, Fax 04 90 28 7*
ot-vaison@axit.fr.
Paris 669 ④ – Avignon 51 ③ – Carpentras 26 ② – Montélimar 64 ④ – Pont-St-Esprit 4

Plan page ci-contre

🏠 **Hostellerie le Beffroi** ⑤, Haute Ville ℘ 04 90 36 04 71, lebeffroi@wanad
Fax 04 90 36 24 78, ≤, 🌫, « Demeures des 16ᵉ et 17ᵉ siècles », 🔳, 🌿 – 📺 🖃 🖪 🛗
🖪 🖳 🛗 rest
fermé fin-janv. à mi-mars – **Repas** *(ouvert avril-oct. et fermé mardi sauf en été)* (dîner
25,50/41 ⓨ, enf. 10,50 – ⬜ 10 – **22 ch** 65/115 – ½ P 72/86

🏠 **Burrhus et annexe Les Lis** sans rest, 2 pl. Monfort ℘ 04 90 36 00 11, info@bur
com, Fax 04 90 36 39 05 – 📺. 🖪 🖪 🛗
fermé 8 déc. au 20 janv. – ⬜ 6 – **32 ch** 39/69

🏠 **Logis du Château** ⑤, Les Hauts de Vaison ℘ 04 90 36 09 98, contact@logis
chateau.com, Fax 04 90 36 10 95, ≤, 🌫, 🔳, ※ – 🛗 📺 ⚅ 🖪 🖪 🖪
20 mars-15 nov. – **Repas** *(fermé le midi sauf week-ends et fériés)* (17,40) · 22,56/30,20, ⓔ
– ⬜ 7,40 – **43 ch** 43/72 – ½ P 48,50/61,50

🍴🍴 **Moulin à Huile** (Bardot), quai Mar. Foch ℘ 04 90 36 20 67, Fax 04 90 36 20 20, ≤,
🍴 🖃. 🖪 🖪
fermé fév., dim. soir et lundi sauf fériés – **Repas** (prévenir) 38,20 (déj.), 53,40/68,60 et
50 à 75
Spéc. Saint-Jacques cuites à la plancha (oct. à avril). Lièvre, son râble rosé, et son épaul
royale (oct. à déc.). Millefeuille à la crème vanillée **Vins** Cairanne, Côtes du Rhône

🍴🍴 **Brin d'Olivier** avec ch, 4 r. Ventoux ℘ 04 90 28 74 79, Fax 04 90 36 13 36, 🌫 – 🖃
🍴 📺 🖳 🖪 🖳 rest
fermé 13 au 20/3, 10 au 28/6, 1 au 16/10, 1 au 11/12, 26 au 31/1, sam. midi, jeudi m.
merc. – **Repas** (dîner seul. de juil. à sept.) 20 (déj.), 23/32 ⓨ, enf. 10 – ⬜ 10 – **3 ch** 61/
½ P 89/112

VAISON-LA-ROMAINE

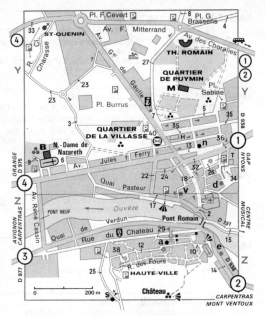

X Auberge de la Bartavelle, pl. Sus Auze ℰ 04 90 36 02 16, Fax 04 90 36 33 84 – ▤. GB. ⬚ Y d
fermé 15 déc. au 15 janv., dim. soir hors saison et lundi – **Repas** 15,25/57,95 ♀

Crestet par ②, D 938 et D 76 : 5 km – 432 h. alt. 310 – ⬚ 84110 :

Mas de Magali ॐ, ℰ 04 90 36 39 91, Fax 04 90 28 73 40, ≤ Mont-Ventoux, 斧, ⬚, ⬚ – ⬚ ℙ. GB. ⬚ ch
hôtel : 23 mars-20 oct. ; rest. : 29 mars-20 oct. – **Repas** (fermé merc.) (dîner seul.) 22/29 – **11 ch** (½ pens. seul.) – ½ P 67,85/75,45

ntrechaux par ②, D 938 et D 54 : 7 km G. Alpes du Sud – 869 h. alt. 280 – ⬚ 84340 :

XX St-Hubert, ℰ 04 90 46 00 05, Fax 04 90 46 00 06, 斧, ⬚ – ℙ. GB ⬚
fermé 30 sept. au 12 oct., 27 janv. au 14 mars, mardi et merc. – **Repas** 12,50/44,50 ♀

éguret par ③, D 977 et D 88 : 10 km – 892 h. alt. 250 – ⬚ 84110 :

Domaine de Cabasse ॐ, rte Sablet ℰ 04 90 46 91 12, info@domaine-de-cabasse.fr, Fax 04 90 46 94 01, ≤, 斧, « Dans un domaine viticole », ⬚, ⬚ – ⬚ & ℙ. ℒ GB. ⬚ ch
25 mars-1er nov. – **Repas** (fermé le midi en semaine sauf merc., sam., dim. et jul.-août) 15 (déj.)/26 ♀, enf. 9,50 – ⬚ 9,50 – **14 ch** 74/120 – ½ P 88/93,50

XX Table du Comtat ॐ avec ch, ℰ 04 90 46 91 49, table.comtat@wanadoo.fr, Fax 04 90 46 94 27, ≤ plaine et Dentelles de Montmirail, ⬚ – ▤ rest, ⬚ ℙ. ℒ ⓞ GB
fermé 1er fév. au 8 mars, dim. du 29 sept. à fin mars, mardi soir et merc. du 24 sept. au 1er juil. – **Repas** 29/63 et carte 43 à 75, enf. 14 – ⬚ 12 – **8 ch** 86/104 – ½ P 92/103

asteau par ④, D 975 et D 69 : 9 km – 674 h. alt. 200 – ⬚ 84110 :

Bellerive ॐ, rte Violès ℰ 04 90 46 10 20, hotel-bellerive@wanadoo.fr, Fax 04 90 46 14 96, ≤ vignobles et Dentelles de Montmirail, 斧, ⬚, ⬚ – cuisinette ⬚ ℙ. ℒ ⓞ GB
28 mars-31 oct. – **Repas** (fermé lundi midi, mardi midi et vend. midi) (déj. : snack seul.) 23/43 ♀, enf. 13 – ⬚ 11 – **20 ch** 102/132 – ½ P 94/109

aaix par ④ et D 975 : 5 km – 587 h. alt. 168 – ⬚ 84110 :

XX Grand Pré, rte Vaison-la-Romaine ℰ 04 90 46 18 12, legrandpre@waika9.com, Fax 04 90 46 17 84, 斧 – ℙ. ℒ GB
fermé 25 juin au 3 juil., 28 janv. au 26 fév., merc. midi, sam. midi et mardi – **Repas** (prévenir) 29/54 ♀

The Guide changes, so renew your Guide every year.

VAÏSSAC 82800 T.-et-G. **79** ⑱ – 599 h alt. 134.

Paris 639 – Toulouse 76 – Albi 60 – Montauban 23 – Villefranche-de-Rouergue 66.

🏠 **Terrassier**, ℰ 05 63 30 94 60, hotel-rest.terrassier@wanadoo.fr, Fax 05 63 30 87 40,
🛬 – 📺 📞 🖬 – 🄰 20. 🅰🅴 ⓪ 🈁
fermé 12 au 18 nov., 2 au 13 janv., vend. soir et dim. soir – **Repas** 12 bc (déj.), 17,20/34
enf. 9,30 – 🖭 6,10 – **12 ch** 36/42 – ½ P 39

Le VAL 83143 Var **84** ⑤, **114** ⑳ – 3 363 h alt. 242.

🛈 Syndicat d'initiative Place de la Libération ℰ 04 94 37 31 95, Fax 04 94 37 31 96.
Paris 819 – Aix-en-Provence 62 – Draguignan 41 – Toulon 54.

✕ **Crémaillère**, ℰ 04 94 86 40 00, Fax 04 94 86 37 02 – 🈁
fermé 6 au 20 mars, 14 oct. au 9 nov., lundi soir et mardi soir sauf juil.-août et me
Repas (nombre de couverts limité, prévenir) 19,50 (déj.), 27/38 ♀, enf. 11

VALADY 12330 Aveyron **80** ② – 1 133 h alt. 350.

Paris 632 – Rodez 20 – Decazeville 20.

🏠 **Combes** ⬙, ℰ 05 65 72 70 24, Fax 05 65 72 68 15, 🚗 – 📺 📞 🈁
fermé 27 déc. au 20 janv. – **Repas** (fermé dim. soir et lundi sauf fériés) 14,50/27 ⅃ – 🖭
13 ch 40/43 – ½ P 41/42

Le VAL-ANDRÉ 22 C.-d'Armor **59** ④ – voir à Pléneuf-Val-André.

Pas de publicité payée dans ce guide.

VALAURIE 26230 Drôme **81** ① ② – 508 h alt. 162.

Paris 627 – Montélimar 21 – Nyons 32 – Pierrelatte 13.

🏠 **Domaine Les Mejeonnes** ⬙, 2 km rte de Montélimar ℰ 04 75 98 60
Fax 04 75 98 63 44, 🛋, 🛬, 🚗 – 📺 🖬 🄿 – 🄰 25. 🅰🅴 ⓪ 🈁
Repas 15,50 (déj.), 22/29 ♀ – 🖭 7,50 – **10 ch** 60 – ½ P 60

✕✕ **Table de Nicole** avec ch, sur D 541 ℰ 04 75 98 52 03, Fax 04 75 98 58 45, 🛋, « Ja
fleuri et terrasse ombragée », 🛬 – 🗐 ch, 📺 🖬 🄿. 🈁
Repas (fermé mardi midi et merc. midi) 20,50 (déj.), 26/68, enf. 12 – 🖭 9,50 – **10 ch** 67/
½ P 65/79

VALBERG 06 Alpes-Mar. **81** ⑨ ⑲, **115** ④ G. Alpes du Sud – Sports d'hiver : 1 430/2 100 m ⚡2
– ⊠ 06470 Péone.

Voir Intérieur★ de la chapelle N.-D.-des-Neiges.
🛈 Office du tourisme ℰ 04 93 23 24 25, Fax 04 93 02 52 27, ot@valberg.com.
Paris 829 – Barcelonnette 74 – Castellane 68 – Nice 86 – St-Martin-Vésubie 58.

🏛 **Adrech de Lagas**, ℰ 04 93 02 51 64, Fax 04 93 02 52 33, ≤, 🛋 – 🛗 📺 🄿. 🅰🅴 🈁, 📞
1ᵉʳ juil.-20 sept. et 20 déc.-9 avril – **Repas** (½ pens. seul.) – 🖭 8 – **19 ch** 83 – ½ P 72

🏛 **Chalet Suisse** sans rest, ℰ 04 93 03 62 62, info@chalet-suisse.com, Fax 04 93 03 62
📺 📞 🚗. 🈁
1ᵉʳ juin-30 sept. et 1ᵉʳ déc.-31 mars – 🖭 8 – **23 ch** 83/95

🏠 **Blanche Neige** M, ℰ 04 93 02 50 04, Fax 04 93 02 61 90, 🛋 – 📺 🚗 🄿. 🅰🅴 ⓪ 🈁
fermé nov. – **Repas** (fermé hors saison) 22 ♀, enf. 11 – 🖭 8 – **17 ch** 71 – ½ P 63

🏠 **Clé des Champs**, ℰ 04 93 02 51 45, Fax 04 93 02 62 52, 🛋 – 📺 🄿. 🈁. 🛷
10 juil.-20 sept. et 20 déc.-10 avril – **Repas** (résidents seul.) 20 – 🖭 7,20 – **18 ch** 53,40/5
– ½ P 55,70

VALBONNE 06560 Alpes-Mar. **84** ⑨, **115** ㉔ ㉕ G. Côte d'Azur – 10 746 h alt. 250.

🛈 Office du tourisme Espace de la Vignasse ℰ 04 93 12 34 50, Fax 04 93 12 34
vsa@alpes-azur.com.
Paris 915 – Cannes 13 – Antibes 14 – Grasse 11 – Mougins 7 – Nice 32 – Vence 21.

🏛 **Bastide de Valbonne** M sans rest, rte Cannes (D 3) : 1,5 km ℰ 04 93 12 33 40, bas
de-valbonne@wanadoo.fr, Fax 04 93 12 33 41, 🛋 – 🗐 📺 📞 🄿. 🅰🅴 🈁 🄼🄲🄱
fermé 2 au 17 janv. – 🖭 8 – **29 ch** 80/115

🏛 **Armoiries** sans rest, pl. Arcades ℰ 04 93 12 90 90, Fax 04 93 12 90 91, « Belle décora
intérieure » – 🛗 🗐 📺 📞. 🅰🅴 ⓪ 🈁
fermé 20 déc. au 2 janv. – 🖭 9 – **16 ch** 90/150

XX **Lou Cigalon** (Parodi), 4 bd Carnot ✆ 04 93 12 27 07 – ▤. GB. ✻
✿ *fermé dim. et lundi* – **Repas** (nombre de couverts limité, prévenir) 44,21 (déj.), 53,36/ 89,94 ♀
Spéc. Consommé clair de volaille, quenelle bressane et écrevisses. Loup de ligne à la purée de céleri, cèpes et jus de viande. Douceur chocolatée pur Caraïbes

XX **Auberge Fleurie,** rte Cannes (D 3) : 1,5 km ✆ 04 93 12 02 80, *Fax 04 93 12 22 27,* 帘 – P. AE GB
fermé 2 déc. au 8 janv., lundi et mardi – **Repas** 20/29 ♀

olf d'Opio-Valbonne *Nord-Est : 2 km par rte de Biot (D 4 et D 204) – ✉ 06650 Opio :*

Château de la Bégude ⛰, ✆ 04 93 12 37 00, *begude@worldnet.fr, Fax 04 93 12 37 13,* ≤, 帘, « Bastide du 17e siècle, sur le golf », 🏊, ☖, ✗ – ▤ ch, TV ♿ P – 🏛 60. AE GB
hôtel : fermé 25 nov. au 25 déc. – **Repas** *(fermé le soir du 25 nov. au 25 déc. et merc. soir du 15 oct. au 15 avril)* (19,82) - 25,16/35,06 ♀ – ☕ 12,20 – **34 ch** 74,70/243,92 – ½ P 84,61/ 114,34

d'Antibes *au Sud par D 3 – ✉ 06560 Valbonne :*

Castel Provence M sans rest, à 2,5 km, 30 chemin Pinchinade ✆ 04 93 12 11 92, *Fax 04 93 12 90 01,* 🏊, ☖, ✗ – ⇄ ▤ TV ☎ ♿ P. AE ⓓ GB JCB
☕ 9,50 – **36 ch** 95/152

XX **Bois Doré,** à 3 km sur D 103 ✆ 04 93 12 26 25, *Fax 04 93 12 28 73,* 帘, « Joli parc arboré », ♧ – P. AE GB
fermé 29 oct. au 17 nov., vacances de fév., dim. soir de nov. à mars et merc. – **Repas** 21,65 (déj.), 30,18/42,69 et carte 46 à 61 ♀

ascassier *Ouest : 3 km rte de Grasse par D 4 – ✉ 06370 Mouans-Sartoux :*

Relais de Sartoux, ✆ 04 93 60 10 57, *relais.sartoux@wanadoo.fr, Fax 04 93 60 17 36,* 帘, 🏊 – TV P. AE GB
fermé 12 nov. au 15 déc. – **Repas** *(fermé lundi)* 22/28 ♫, enf. 11,50 – ☕ 7 – **12 ch** 57/70 – ½ P 53

phia-Antipolis *Sud-Est : 7 km par D 3 et D 103 – ✉ 06560 Valbonne :*

Sophia Country Club Grand Mercure M ⛰, Les Lucioles 2 - 3550 rte Dolines ✆ 04 92 96 68 78, *Fax 04 92 96 68 96,* 帘, Ⅰ₺, 🏊, ☖, ✗ – |‡| ⇄ ▤ TV ☎ ♿ P – 🏛 300. AE ⓓ GB
Le Club : **Repas** (20)-26(déj.)/34 ♀, enf. 11 – ☕ 13 – **158 ch** 214/290 – ½ P 148/186

Mercure M ⛰, Les Lucioles 2, r. A. Caquot ✆ 04 92 96 04 04, *h1122@accor-hotels.com, Fax 04 92 96 05 05,* 帘, 🏊, ☖ – |‡| ⇄ ▤ TV ☎ ♿ P – 🏛 120. AE ⓓ GB
Repas (22) - 28 ♀, enf. 10 – ☕ 10,50 – **104 ch** 99/110

Novotel M ⛰, Les Lucioles 1, 290 r. Dostoievski ✆ 04 92 38 72 38, *h0398@accor-hotels.com, Fax 04 93 95 80 12,* 帘, 🏊, ☖, ✗ – |‡| ⇄ ▤ TV ☎ ♿ P – 🏛 100. AE ⓓ GB JCB
Repas (16,77) - 21,34 ♀, enf. 7,62 – ☕ 11 – **97 ch** 107

Ibis M, Les Lucioles 2, r. A. Caquot ✆ 04 93 65 30 60, *H0711@accor-hotels.com, Fax 04 93 95 83 99,* 帘, 🏊, ☖ – |‡| ⇄ ▤ TV ☎ ♿ P. AE ⓓ GB
Repas (10) - 15,09 ♫, enf. 5,95 – ☕ 5,50 – **99 ch** 93

CABRÈRE *31 H.-Gar.* 86 ① *– rattaché à St-Bertrand-de-Comminges.*

CEBOLLÈRE *66340 Pyr.-Or.* 86 ⑯ *– 49 h alt. 1470.*
Paris 890 – Font-Romeu-Odeillo-Via 26 – Bourg-Madame 9 – Perpignan 107 – Prades 61.

Auberge Les Ecureuils ⛰, ✆ 04 68 04 52 03, *Fax 04 68 04 52 34,* 帘, « Auberge rustique aménagée avec soin », Ⅰ₺ – TV – 🏛 20. ⓓ GB
fermé 9 au 20 mai et 15 oct. au 18 déc. – **Repas** 19,50 (déj.), 24/45 ♀ – ☕ 11 – **15 ch** 55/80 – ½ P 54/68

CLARET *73 Savoie* 74 ⑲ *– rattaché à Tignes.*

DAHON *25800 Doubs* 66 ⑯ *– 4 027 h alt. 645.*
Paris 438 – Besançon 33 – Morteau 32 – Pontarlier 30.

Relais de Franche Comté ⛰, ✆ 03 81 56 23 18, *Fax 03 81 56 44 38,* 帘, ☖ – TV ☎ P – 🏛 30. AE ⓓ GB
fermé 20 déc. au 10 janv., 30 août au 3 sept., vend. soir, sam. midi sauf juil.-août et dim. soir de nov. à Pâques – **Repas** 11,20/40,50 ♀, enf. 6,10 – ☕ 5,60 – **20 ch** 35,80/44,20 – ½ P 41,20/43

VALDAHON

à Chevigney-lès-Vercel *Nord-Est : 3 km par D 50 – 109 h. alt. 630 –* ⊠ *25530 :*

⌂ **Promenade**, ℘ 03 81 56 24 76, hotelpromenade@aol.com, Fax 03 81 56 29 64, 龠
🖛 – 📺 🅿 – 🔏 30. GB
fermé 22 oct. au 12 nov., dim. soir et lundi sauf juil.-août – **Repas** 9,30/29 ♨, enf. 6,50 –
– **10 ch** 27/38 – ½ P 28/29,50

Le VAL-D'AJOL *88340 Vosges* 🖫🛛 ⑯ *G. Alsace Lorraine – 4 452 h alt. 380.*
🖪 *Office du tourisme 17 rue de Plombières ℘ 03 29 30 61 55, Fax 03 29 30 6*
otsi-valdajol@wanadoo.fr.
Paris 383 – Épinal 41 – Luxeuil-les-Bains 18 – Plombières-les-Bains 10 – Remiremont 1

🏨 **Résidence** ⌘, r. Mousses par rte Hamanxard ℘ 03 29 30 68 52, contact@la-resid
com, Fax 03 29 66 53 00, « Parc », 🏊, 🖫, 🛠, ♨, – 📺 🅿 – 🔏 25 à 80. ⁛ ⓞ GB
fermé 26 nov. au 26 déc. – **Repas** (fermé dim. soir et lundi sauf vacances scolaires et f
15/42 ⊻, enf. 7 – ⊊ 7,50 – **50 ch** 40/76 – ½ P 65,50/90

VALDEBLORE (Commune de) *06420 Alpes-Mar.* 🖫🛽 ⑱ ⑲, 🖫🖫🖫 ⑥ *G. Côte d'Azur –*
alt. 1050 – Sports d'hiver à la Colmiane : 1 400/1 800 m ⚡ 7.
🖪 *Office de tourisme ℘ 04 93 23 25 90, Fax 04 93 23 25 91, otcolmiane@wanadoo.fr.*
Paris 841 – Cannes 89 – Nice 72 – St-Étienne-de-Tinée 46 – St-Martin-Vésubie 11.

à St-Dalmas-Valdeblore – ⊠ *06420 St-Sauveur-de-Tinée.*
Voir Pic de Colmiane ⁂★★ *E 4,5 km accès par télésiège.*

⌂ **Auberge des Murès** ⌘, rte du col St-Martin ℘ 04 93 23 24 60, auberge.mures@
doo.fr, Fax 04 93 23 24 67, ≼, 龠 – 🅿. GB
fermé 1er au 15 nov., mardi soir (sauf hôtel) et merc. – **Repas** 18,50/23, enf. 11 – ⊊ 7 –
45/54 – ½ P 57

VAL-DE-MERCY *89 Yonne* 🖫🖫 ⑤ – *rattaché à Coulanges-la-Vineuse.*

VAL-D'ESQUIÈRES *83 Var* 🖫🛽 ⑰ – *rattaché à Ste-Maxime.*

VAL-D'ISÈRE *73150 Savoie* 🖫🛘 ⑲ *G. Alpes du Nord – 1 632 h alt. 1850 – Sports d'hiver : 1*
3 450 m ⚡ 6 ⚡ 45 ⚡.
Voir Rocher de Bellevarde ⁂★★★ *par téléphérique – Route de l'Iseran★★★.*
🖪 *Office du tourisme ℘ 04 79 06 06 60, Fax 04 79 06 04 56, info@valdisere.com.*
Paris 699 ① *– Albertville 87* ① *– Briançon 134* ① *– Chambéry 137* ①.

Plan page ci-contre

🏨🏨🏨🏨 **Christiania** Ⓜ ⌘, ℘ 04 79 06 08 25, welcome@hotel-christiania.
Fax 04 79 41 11 10, ≼, 龠, 🛐, 🖫 – 🛗 📺 ⚡ ᚼ 🅿 – 🔏 25. ⁛ ⓞ GB. ⚒
1er déc.-25 avril – **Repas** 47 et carte 53 à 89, enf. 15 – ⊊ 15 – **69 ch** 424/466 – ½ P 215

🏨🏨🏨 **Blizzard** Ⓜ, ℘ 04 79 06 02 07, information@hotelblizzard.fr, Fax 04 79 06 04 94, ≼
balnéothérapie, 🛐 – 🛗 📺 🅿 – 🔏 30. ⁛ ⓞ GB ᛃᚼᛒ. ⚒ rest
12 juil.-25 août et 2 déc.-5 mai – **Repas** 28 (déj.)/34, enf. 14 – ⊊ 11 – **70 ch** 210
4 duplex – P 136/287

🏨🏨🏨 **Tsanteleina** Ⓜ, ℘ 04 79 06 12 13, mattis@hotelstanteleina.com, Fax 04 79 41 14 1
龠, 🛐, ᚼ – 🛗 📺 ⚡ 🅿 – 🔏 20. ⁛ GB. ⚒ rest
début juil.-fin août et début déc.-début mai – **Repas** 35,06/48,80 et le midi carte en
44 – ⊊ 14,48 – **74 ch** 152,45/243,92 – ½ P 124,25/197,50

🏨🏨🏨 **Savoyarde**, ℘ 04 79 06 01 55, moris@infonie.fr, Fax 04 79 41 11 29, ≼, 🛐 – 🛗 📺
⁛ ⓞ GB
5 déc.-3 mai – **Repas** (dîner seul.) 30,49/57,93 – ⊊ 13,72 – **46 ch** (½ pens. se
½ P 122,72/161,60

🏨🏨🏨 **Grand Paradis**, ℘ 04 79 06 11 73, grandparadis@wanadoo.fr, Fax 04 79 41 11 13, ≼
– 🛗 📺 ⏪ 🅿. ⁛ ⓞ GB ᛃᚼᛒ. ⚒ rest
1er déc.-8 mai – **Repas** (dîner seul) 39 – **44 ch** (½ pens. seul.) – ½ P 179/233

🏨🏨 **Kandahar** Ⓜ, ℘ 04 79 06 02 39, Fax 04 79 41 11 54 – 🛗 📺 ᚼ 🅿. ⁛ GB
1er juil.-30 août et 25 nov.-8 mai – **Repas** (dîner seul.) carte 25 à 57 ⊻ – ⊊ 7,60 – ⚡
153/340 – ½ P 125/198

🏨🏨 **Altitude** ⌘, ℘ 04 79 06 12 55, altitude-valdisere@telepost.fr, Fax 04 79 41 11 09, ≼
🛐, 🛐 – 🛗 📺 ᚼ 🅿 – 🔏 15. GB. ⚒
29 juin-1er sept. et 30 nov.-4 mai – **Repas** 24 (déj.)/26 ⊻ – ⊊ 9 – **28 ch** 115/192, 12 dup
½ P 113/121

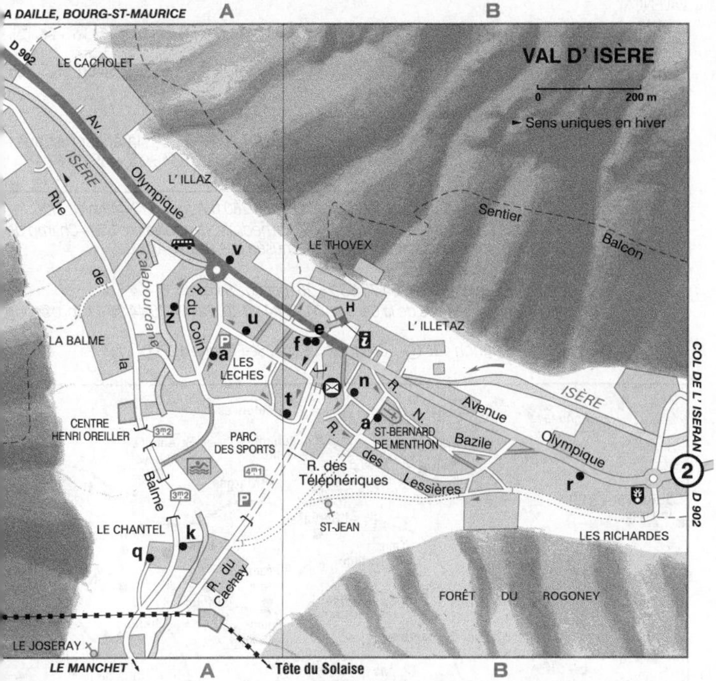

VAL D'ISÈRE

0 ——— 200 m

► Sens uniques en hiver

🏨 **Les Lauzes** Ⓜ sans rest, ℘ 04 79 06 04 20, lauzes@club-internet.fr, Fax 04 79 41 96 84 –
🛗 🕪 ℄ 🔥. ⅁⅁   B a
3 au 25 août et 23 nov.-4 mai – ⌑ 8 – **23 ch** 128/158

🏨 **Galise** sans rest, ℘ 04 79 06 05 04, Fax 04 79 41 16 16 – 🕪 ℄. ⅁⅁   B n
20 déc.-20 avril – ⌑ 10 – **30 ch** 112

🏠 **Bellier** ⌂, ℘ 04 79 06 03 77, lebellier@aol.com, Fax 04 79 41 14 11, ≤, 😊, 🍲, 🌿 – 🕪 ℄
📺.   A z
30 juin-20 sept. et 1er déc.-1er mai – **Repas** 15 (déj.), 17/22 ⅄ – ⌑ 9,15 – **22 ch** 172/174 –
½ P 92/108

🏠 **Chamois d'Or** ⌂, ℘ 04 79 06 00 44, Fax 04 79 41 16 58, ≤, 😊 – 🕪 ℄ 📺. ⅀⅁ ⅁⅁.
❀ rest   A q
juil.-août et début déc.-début mai – **Repas** (résidents seul. en été) 19,10 (déj.)/22,15 ⅄,
enf. 16,80 – ⌑ 9,15 – **24 ch** 100/154 – ½ P 91

🏠 **L'Avancher**, ℘ 04 79 06 02 00, lavancher@free.fr, Fax 04 79 41 16 07, 😊, 🍲 – 🕪. ⅁⅁
1er déc.-1er mai – **Repas** (dîner seul.) (17,50) - 22,40/40,80 ⅄ – ⌑ 10,70 – **15 ch** 90/114,50 –
½ P 80,90/93,40   B r

🏠 **Becca** ⌂, Le Laisinant, rte de l'Iseran par ② : 0,8 km ℘ 04 79 06 09 48, beccaval@club-
internet.fr, Fax 04 79 41 12 03, 😊 – 🕪 ℄. ⅁⅁. ❀ rest
hôtel : 1er juil.-24 août et 30 nov.-5 mai ; rest. : 13 juil.-23 août et 14 déc.-1er mai – **Repas**
(19,85) - 22,50 (déj.), 32,50/53,50 ⅄, enf. 13 – ⌑ 11,50 – **11 ch** 85/122 – ½ P 102,50

Daille par ① : 2 km – ⌧ 73150 Val-d'Isère
🏨 **Samovar,** ℘ 04 79 06 13 51, samovar@wanadoo.fr, Fax 04 79 41 11 08, ≤ – 🕪 ℄. ⅁⅁
1er déc.-20 avril – **Repas** 14,48 (déj.), 21,34/38,11 ⅄, enf. 13,72 – ⌑ 7,93 – **12 ch** 131,11/
147,88, 6 duplex – ½ P 114,34/141,78

ENÇAY 36600 Indre 🟦🏿 ⑱ G. Châteaux de la Loire – 2 736 h alt. 140.
Voir Château★★.
🛈 Office du tourisme 2 avenue de la Résistance ℘ 02 54 00 04 42, Fax 02 54 00 04 42,
otsi-valencay@wanadoo.fr.
Paris 233 – Blois 60 – Bourges 92 – Châteauroux 42 – Loches 49 – Vierzon 51.

🏛 **Relais du Moulin**, 94 r. Nationale ℰ 02 54 00 38 00, *Fax 02 54 00 38 79*, �, 🔥, 🔲, 🛗 📺 🔧 ᕋ, 🅿 – 🍴 70. 🆎 ᴳᴮ 🇯🇨🇧
23 mars-3 nov. – **Repas** 16,50 bc (déj.), 19/37 ♀, enf. 8 – 🔲 6,30 – **54 ch** 53,50/56, 1/2 P 49,60

à Veuil *Sud : 6 km par D 15 et rte secondaire* – 364 h. alt. 140 – ✉ 36600 :
🍴🍴 **Auberge St-Fiacre**, ℰ 02 54 40 32 78, *Fax 02 54 40 35 66*, 🌭, intérieur rustique – *fermé dim. soir et lundi sauf fériés* – **Repas** 19,82 (déj.), 28,20/34,30 ♀, enf. 10,67

VALENCE 🅿 26000 Drôme 🏠 ⑫ *G. Vallée du Rhône* – 64 260 h Agglo. 117 448 h alt. 126.
Voir *Maison des Têtes*★ CY – *Intérieur*★ *de la cathédrale St-Apollinaire* BZ – *Champ de* ≼★ BZ – *Sanguines de Hubert Robert*★★ *au musée des Beaux-Arts* BZ.
Env. *Site*★★★ *de Cruzol 5 km O.*
✈ *de Valence-Chabeuil :* ℰ 04 75 85 26 26, par ③ : 5 km B YZ.
🇧 *Office du tourisme Parvis de la Gare* ℰ 04 75 44 90 40, Fax 04 75 44 90 41, info@touri. valence.com.
Paris 564 ① – Avignon 126 ⑤ – Grenoble 96 ② – St-Étienne 122 ①.

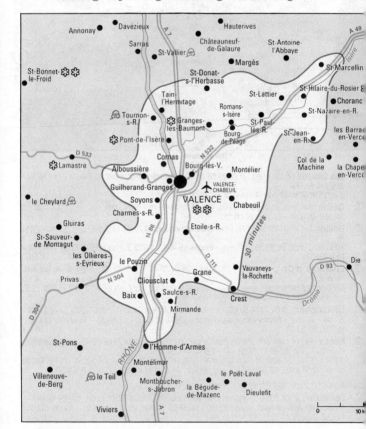

🏨 **Pic** Ⓜ, 285 av. V. Hugo ℰ 04 75 44 15 32, *pic@relaischateaux.com, Fax 04 75 40 96 03*
🌭🏵🏵 🔲, 🌭 – 🛗 🔳 📺 🔧 ᕋ, ᴁ ᕤ 🅿 – 🍴 50. 🆎 ⓪ ᴳᴮ 🇯🇨🇧   A
Repas *(fermé 1ᵉʳ au 21 janv., mardi de nov. à mars, dim. soir et lundi)* (dim. préver (déj.)/120 et carte 100 à 130 ♀, enf. 22 – 🔲 16 – **12 ch** 145/280, 3 appart
Spéc. Salade des pêcheurs. Filet de loup au caviar "Jacques Pic". Cochon de lait fe cuit au four et tian de fruits **Vins** Saint-Péray, Crozes-Hermitage

Belle-Meunière (R.)	**AV** 10		Lattre-de-Tassigny	
Bonnet (R. G.)	**AV** 13		(Av. Mar. de)	**AV** 41
(Bd G.)	**AV** 3	Châteauvert (R.)	**AX** 18	Libération (Av. de la)	**AX** 44
nes (Av. des)	**AX** 8	Grand-Charran (Av. du)	**AX** 34	Montplaisir (R.)	**AVX** 52
		Kennedy (Bd J.-F.)	**AV** 40	Roosevelt (Bd Franklin)	**AX** 68

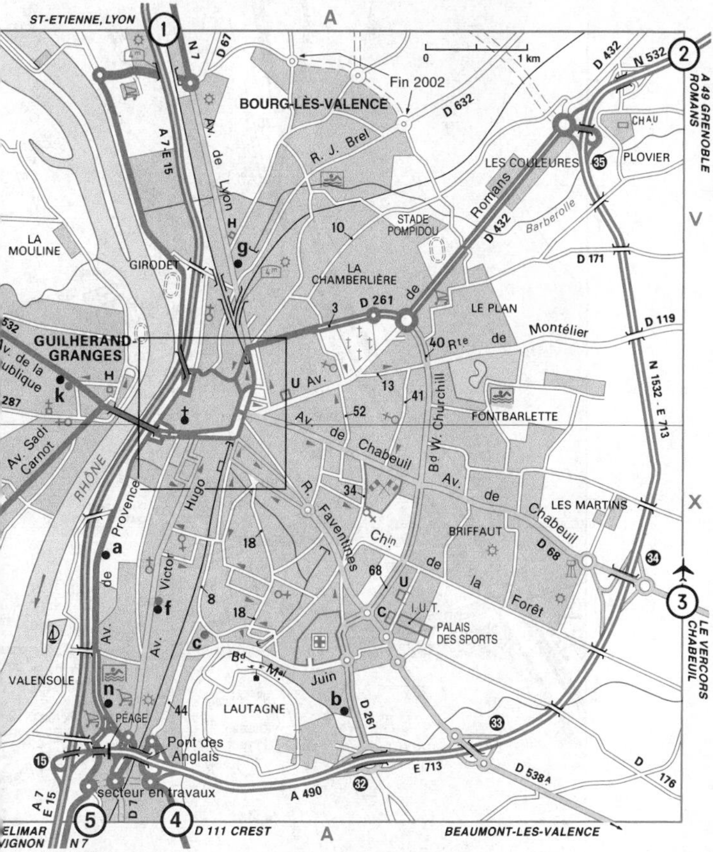

Novotel Ⓜ, 217 av. Provence ℰ 04 75 82 09 09, *info@novotelvalence.com*, *Fax 04 75 43 56 29*, 🏠, 🏊, 🐾, ⚓ – 🛗 🛌 📺 ❤ 🛗 P – 🔏 140. 🖭 ⓞ 🕮   AX **a**
Repas carte environ 28 ♈, enf. 7,77 – ☲ 9,60 – **107 ch** 84/99

Yan's Hôtel, rte Montéléger (près centre hospitalier) ℰ 04 75 55 52 52, *Fax 04 75 42 27 37*, 🏠, 🏊, 🐾 – ⚓, 🛌 ch, 📺 P – 🔏 35. 🖭 🕮   AX **b**
Repas grill *(fermé 20 déc. au 6 janv., sam. midi et dim. du 15 sept. au 30 mai)* 20/30 ♈, enf. 8,50 – ☲ 10 – **36 ch** 75,50/91

France sans rest, 16 bd Gén. de Gaulle ℰ 04 75 43 00 87, *info@hotel-valence.com*, *Fax 04 75 55 90 51* – 🛗 ⚓ 🛌 📺 ❤ 🚗 – 🔏 20. 🖭 ⓞ 🕮   CZ **w**
☲ 7 – **34 ch** 42/60

Ibis Ⓜ, 355 av. Provence ℰ 04 75 44 42 54, *H0644@accor-hotels.com*, *Fax 04 75 44 48 80*, 🏠, 🏊, – 🛗 ⚓ 🛌 ch, 📺 ❤ P – 🔏 30. 🖭 ⓞ 🕮   AX **n**
Repas *(12,96)* - 16 ♊, enf. 5,95 – ☲ 5,34 – **86 ch** 53,35/64,03

Park Hôtel sans rest, 22 r. J. Bouin ℰ 04 75 82 60 50, *Fax 04 75 42 43 55* – 📺 ❤ 🚗. 🖭 ⓞ 🕮   BY **u**
fermé 21 déc. au 5 janv. – ☲ 6 – **21 ch** 44/48,50

Europe sans rest, 15 av. F. Faure ℰ 04 75 82 62 65, *hoteleurope.valence@wanadoo.fr*, *Fax 04 75 82 62 66* – 🛌 📺 ❤ 🚗. 🖭 ⓞ 🕮   DY **r**
fermé 23 déc. au 2 janv. – ☲ 5,50 – **26 ch** 30,75/48,48

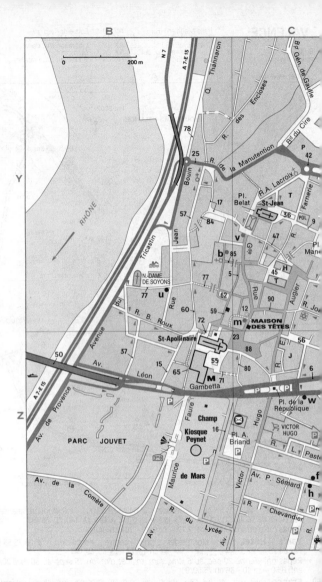

🏨 **Négociants**, 27 av. P. Sémard, ℰ 04 75 44 01 86, *hotel.les-negociants@wanad*
🍴 Fax 04 75 44 77 57 – 🛗 🦮 📺 🚗. 🅰🅴 ① 🆖 🆓
fermé 21 déc. au 6 janv.
Repas *(fermé dim.)* 12,96/18,29 ☟, enf. 7,62 – ☲ 6,40 – **36 ch** 35,06/54,88 – ½ P 3
46,80

🏨 **Paris** sans rest, 30 av. P. Sémard ℰ 04 75 44 02 83, Fax 04 75 41 49 61 – 🛗 📺 🚗.
🍴 🆖 🆓
fermé 22 déc. au 3 janv. – ☲ 6 – **30 ch** 38,50/46

🏨 **St-Jacques**, 9 fg St-Jacques ℰ 04 75 78 26 16, *hotelsjacques-valence@wanad*
🍴 Fax 04 75 78 47 30 – 🛗 🍴 rest, 📺 ⛽ 🅿 🅰🅴 ① 🆖
Repas 11,60/22 ☟ – ☲ 6 – **29 ch** 33/45 – ½ P 35/37,50

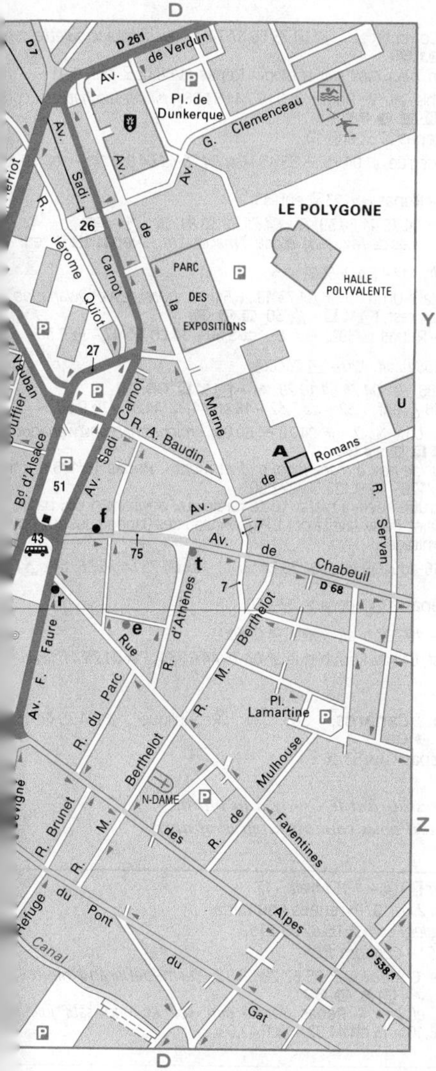

VALENCE

D 261
de Verdun
D 7
Av.
Pl. de
Dunkerque
G. Clemenceau
R. Sadi
Herriot
R. Jérôme Quiot
Carnot
26
de
LE POLYGONE
PARC
DES
**HALLE
POLYVALENTE**
EXPOSITIONS
27
Y
Av. Sadi Carnot
R. A. Baudin
Marne
A Romans
U
Bd d'Alsace
51
Av.
de
Chabeuil
f
75
Av.
7
Servan
7
t
Berthelot
D 68
R. d'Athènes
e
Rue
Av. F. Faure
r
R. M.
Pl.
Lamartine
R. du Parc
Berthelot
Mulhouse
R. Brunet
R. M.
N-DAME
de
Faventines
des
Z
Refuge du Pont
Alpes
Canal
du
D 538 A
Gat
P
D

*Les pastilles numérotées
des plans de villes
① ② ③ sont répétées
sur les cartes Michelin
à 1/200 000.
Elles facilitent
ainsi le passage
entre les cartes
et les guides Michelin.*

XX **Saint Ruf,** 9 r. Sabaterie ℘ 04 75 43 48 64, Fax 04 75 42 85 71 – 🖭 GB   BY **b**
fermé 28 juil. au 21 août, 1ᵉʳ au 15 janv., dim. sauf le midi d'oct. à juin, sam. midi et lundi –
Repas 23,63/45,73 ♀, enf. 9,15

XX **L'Épicerie,** 18 pl. St-Jean (ex Belat) ℘ 04 75 42 74 46, Fax 04 75 42 10 87, 🏤 – 🖭
GB   CY **v**
fermé 30 mars au 7 avril, 1ᵉʳ au 25 août, 21 déc. au 2 janv., sam. midi et dim. – **Repas**
19/52 ♀

XX **Petite Auberge,** 1 r. Athènes ℘ 04 75 43 20 30, la.petite.auberge@wanadoo.fr,
Fax 04 75 42 67 79 – 🖭 ⓪ GB   DY **t**
fermé 27 juil. au 26 août, merc. soir et dim. sauf fériés – **Repas** *(13,72)* - 19,05/38,87 ♀,
enf. 9,15

XX **Ciboulette,** 6 r. Commerce   *ℰ 04 75 55 67 74,* lechef@laciboulette.com
Fax 04 75 56 72 83, 🍴 – 🈺 ⓞ 🇬🇧   DZ
fermé 29 juil. au 18 août, sam. midi, dim. soir et lundi – **Repas** 20/68 bc , enf. 9,91

X **Auberge du Pin,** 285 bis av. V. Hugo   *ℰ 04 75 44 53 86,* pic@relaischateaux.com
Fax 04 75 40 96 03, 🍴 – 🅿 🈺 🈺 ⓞ 🇬🇧   AX
fermé merc. d'oct. à mai – **Repas** 27 , enf. 10

X **Bistrot des Clercs,** 48 Gde rue *ℰ 04 75 55 55 15, Fax 04 75 43 64 85,* 🍴 – 🈺 🈺
🇬🇧   CY N
fermé 1er au 19 janv. et dim. – **Repas** (17) - 23 , enf. 11

X **L'Origan,** 58 av. Beaumes *ℰ 04 75 41 60 39, Fax 04 75 78 30 81,* 🍴 – 🇬🇧   AX
fermé 27 juil. au 20 août, vacances de fév., sam. d'oct. à mai et dim. – **Repas** 15/32, enf.

à Bourg-lès-Valence – *18 347 h. alt. 142* – ✉ 26500 :

🏨 **Seyvet,** 24 av. Marc-Urtin *ℰ 04 75 43 26 51,* hotel.seyvet@wanadoo.
Fax 04 75 55 61 49, 🍴 – 🛗, 🍴 rest, 📺 ✆ 🅿 – 🚑 30. 🈺 ⓞ 🇬🇧   AV
fermé dim. soir hors saison – **Repas** 15/39 , enf. 8 – ☕ 5,50 – **34 ch** 34/47 – ½ P 36

à Pont de l'Isère par ① : *9 km – 2 688 h. alt. 120* – ✉ 26600 :

🏨 **Batida,** N 7 *ℰ 04 75 84 66 86, Fax 04 75 84 10 26,* 🌾 – 📺 ✆ 🅿. 🇬🇧
Repas 11,43 (déj.), 14,94/20,58 🍷, enf. 7,32 – ☕ 7,32 – **18 ch** 41,92/44,97 – ½ P 50,31

XXXX **Michel Chabran** avec ch, N 7 *ℰ 04 75 84 60 09,* michelchabran@wanadoo.
❀ *Fax 04 75 84 59 65* – 🍴 📺 ✆ 🅿 🈺 ⓞ 🇬🇧
fermé 6 au 22 janv., dim. soir de nov. à mars, jeudi midi et merc. – **Repas** 46/125 et car
100 à 125 – ☕ 24 – **12 ch** 77/120 – ½ P 122,50/222,50
Spéc. Menu "autour de la truffe"(déc. à mars). Lotte farcie aux poivrons doux, basilic
parmesan, beurre blanc au Saint-Péray (avril à oct.). Pigeonneau des Gandels, jus aux épic
Vins Crozes-Hermitage, Hermitage.

XXX **Auberge Chalaye,** 17 r. 16-août-1944 *ℰ 04 75 84 59 40, Fax 04 75 84 76 36,* 🍴, 🍷,
– 🅿. 🈺 🇬🇧
fermé dim. soir et lundi – **Repas** 26/45 et carte 37 à 60

à Guilherand-Granges (Ardèche) – *10 707 h. alt. 130* – ✉ 07500 :

🏨 **Alpes-Cévennes** sans rest, 641 av. République *ℰ 04 75 44 61 34, Fax 04 75 41 12 41 –*
📺 🚗. 🇬🇧   AV
☕ 4,50 – **26 ch** 32/40

XX **Auberge des Trois Canards,** 565 av. République *ℰ 04 75 44 43*
🈺 *Fax 04 75 41 64 48,* 🍴 – 🈺 ⓞ 🇬🇧   AV
fermé dim. soir et lundi – **Repas** 11,43/53,36

Entrez à l'hôtel ou au restaurant le Guide à la main,
vous montrerez ainsi qu'il vous conduit là en confiance.

VALENCE-SUR-BAÏSE *32310 Gers* 🎱🎱 ④ – *1 151 h alt. 117.*
Voir *Abbaye de Flaran★ NO : 2 km,* G. Pyrénées Aquitaine.
🚹 *Syndicat d'initiative Rue Jules Ferry ℰ 05 62 28 59 19.*
Paris 742 – Auch 36 – Agen 51 – Condom 10.

🏨 **Ferme de Flaran,** rte Condom *ℰ 05 62 28 58 22,* fermedeflaran@minitel.
Fax 05 62 28 56 89, 🍴, 🍷, 🌾 – 📺 🅿. ⓞ 🇬🇧
fermé 15 nov. au 15 déc. et janv. – **Repas** *(fermé dim. soir et lundi sauf juil.-a*
16,46/28,66, enf. 6,86 – ☕ 6,10 – **15 ch** 44,97 – ½ P 42,69

VALENCIENNES 🅢 *59300 Nord* 🎱🎱 ④ ⑤ *G. Picardie Flandres Artois – 41 278 h Agglo. 357 3
alt. 22.*
Voir *Musée des Beaux-Arts★ BY M – Bibliothèque des Jésuites★.*
🚹 *Office du tourisme 1 rue Askièvre ℰ 03 27 46 22 99, Fax 03 27 30 38 35,* valencie.
@tourisme.norsys.fr.
Paris 207 ⑤ – Lille 55 ⑥ – Arras 67 ⑤ – Bruxelles 104 ② – St-Quentin 79 ⑤.

Plan page ci-contre

🏨 **Grand Hôtel,** 8 pl. Gare *ℰ 03 27 46 32 01,* GRANDHOTEL.val@wanadoo
Fax 03 27 29 65 57 – 🛗 📺 ✆ – 🚑 80. 🈺 ⓞ 🇬🇧 🇯   A
Repas 19,82/39,63 – ☕ 9,15 – **85 ch** 71,65/108,01, 6 appart

🏨 **Auberge du Bon Fermier,** 64 r. Famars *ℰ 03 27 46 68 25,* contact@home-gas
mie.com, *Fax 03 27 33 75 01,* « *Ancien relais de poste du 17e siècle* » – 📺. 🈺 ⓞ 🇬🇧
Repas 20/47,50 , enf. 13 – ☕ 8 – **16 ch** 80/120   A

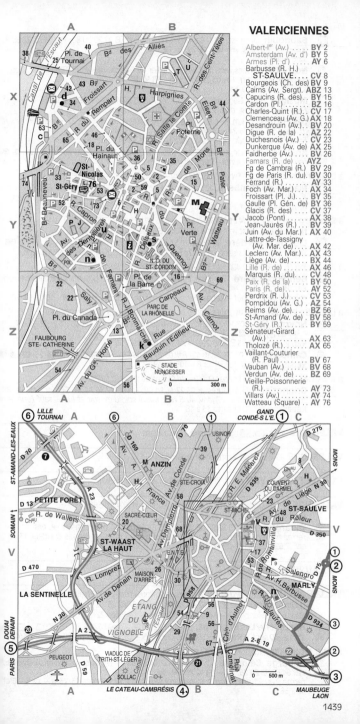

VALENCIENNES

1439

🏠 **Baudouin** sans rest, 90 r. Baudouin l'Édifieur 🝔 03 27 22 80 80, Fax 03 27 22 80 81
cuisinette 📺 ✆ & ⟵ **P** – 🔏 20. 🝇 ⑩ ☒
B
☲ 6 – **90 ch** 45

🏠 **Notre Dame** sans rest, 1 pl. Abbé Thellier de Poncheville 🝔 03 27 42 30 00, hotel.
dame@wanadoo.fr, Fax 03 27 45 12 68 – 📺 ✆. 🝇 ☒ ᴊᴄ̄ʙ
B
☲ 6,90 – **35 ch** 49/61

🇽🇽🇽 **Musigny**, 90 av. Liège 🝔 03 27 41 49 30, Fax 03 27 47 91 19 – 🝇 ⑩ ☒
C
fermé 2 au 10 janv., dim. soir et lundi – Repas 26/67 bc et carte 46 à 79

🇽 **Les Forges**, à 2 km, 58 r. É. Drue ⊠ 59770 Marly 🝔 03 27 41 31 22, lionel.coin@libert
.fr, Fax 03 27 30 28 24 – 🝇 ☒ ᴊᴄ̄ʙ
C
fermé 1er au 20 août, dim. soir et lundi – Repas 17/34 🌣, enf. 8

🇽 **Brasserie Arthur**, 46 bis r. Famars 🝔 03 27 46 14 15, Fax 03 27 41 62 96 – 🍽. 🝇 ☒
A
fermé dim. soir et lundi – Repas (21,19 bc) - 26,53 bc

à Quiévrechain au Nord-Est par N 30 : 12 km – 6 456 h. alt. 32 – ⊠ 59920 :

🇽🇽 **Manoir de Tombelle**, 135 av. J. Jaurès 🝔 03 27 35 12 30, Fax 03 27 26 27 61, 🌴,
P. ☒
fermé 14 au 21 juil. et le soir sauf sam. – Repas 18,29 (déj.), 22,87/44,97

à Sebourg à l'Est par D 934 et D 250 : 11 km – 1 661 h. alt. 80 – ⊠ 59990 :
🄱 Syndicat d'initiative - Mairie 🝔 03 27 26 52 78, Fax 03 27 26 50 83.

🇽🇽 **Clos de la Perrière**, 🝔 03 27 26 53 33, Fax 03 27 26 54 63, 🌴, 🌿 – **P**. 🝇 ⑩ ☒
fermé 15 août au 5 sept., 17 au 24 fév., dim. soir et lundi – Repas 25,92/40,40 🌣

à Artres par ④, D 958 et D 400 : 11 km – 1 071 h. alt. 65 – ⊠ 59269 :
🏠 **Gentilhommière** ⚲, face Église 🝔 03 27 28 18 80, la.gentilhommiere@wanad
Fax 03 27 28 18 81, 🌿 – 📺 **P** – 🔏 150. 🝇 ⑩ ☒ ᴊᴄ̄ʙ
fermé 12 au 23 août – Repas (fermé dim.soir) 20/35 🌣, enf. 13 – ☲ 8 – **10 ch** 61/70

à la Z.I. de Prouvy-Rouvignies par ⑤ et N 30 : 5 km – ⊠ 59300 Valenciennes :
🏨 **Novotel** 🅼, 🝔 03 27 21 12 12, h0456@accor-hotels.com, Fax 03 27 21 06 02, 🌴, ⊐
– ➳ 🍽 📺 ✆ & **P** – 🔏 100. 🝇 ⑩ ☒ ᴊᴄ̄ʙ
Repas (18,29) - 23,63 🌣, enf. 7,62 – ☲ 10 – **80 ch** 90/96

🏠 **Campanile**, 🝔 03 27 21 10 12, Fax 03 27 21 08 55 – ➳ 📺 ✆ & **P** – 🔏 25. 🝇 ⑩ ☒
Repas (12) - 17, enf. 5,95 – ☲ 6 – **105 ch** 49

à Raismes Nord-Ouest : 5 km par D 169 – 14 099 h. alt. 23 – ⊠ 59590 :
🇽🇽🇽 **Grignotière**, 6 r. J. Jaurès 🝔 03 27 36 91 99, Fax 03 27 36 74 29, 🌴, 🌿 – 🝇 ⑩ ☒
fermé 16 au 31 août, 27 janv. au 5 fév., mardi soir, dim. soir et lundi, sauf férié le r
Repas 18,50/32,50 et carte 33 à 48

VALENTINE 31 H.-Gar. 🐼 ⑮ – rattaché à St-Gaudens.

VALESCURE 83 Var 🐼 ⑧ – rattaché à St-Raphaël.

La VALETTE-DU-VAR 83 Var 🐼 ⑮, 🔢 ㊺ – rattaché à Toulon.

VALGORGE 07110 Ardèche 🐼 ⑧ G. Vallée du Rhône – 450 h alt. 560.
Paris 620 – Alès 77 – Aubenas 36 – Langogne 47 – Privas 67 – Le Puy-en-Velay 85.

🏠 **Tanargue**, 🝔 04 75 88 98 98, Fax 04 75 88 96 09, ←, 🀫 🍽 📺 ⟵ **P**. ☒
fermé fin déc. à mi-mars, dim. soir et lundi d'oct. à mi-déc. – Repas 8,84 (déj.), 13,72/,
enf. 7,62 – ☲ 6,10 – **22 ch** 39,64/53,36 – ½ P 39,64/47,26

VALLAURIS 06 Alpes-Mar. 🐼 ⑨, 🔢 ㉟ ㊴ – rattaché à Golfe-Juan.

VALLERAUGUE 30570 Gard 🐼 ⑯ G. Languedoc Roussillon – 1 009 h alt. 346.
🄱 Office du tourisme 🝔 04 67 82 25 10, Fax 04 67 82 25 10.
Paris 691 – Mende 101 – Millau 92 – Nîmes 86 – Le Vigan 22.

🏠 **Hostellerie Les Bruyères**, 🝔 04 67 82 20 06, Fax 04 67 82 20 06, 🌴, ⊐ – 📺 ⟵
1er mai-30 sept. – Repas 13,50/32 🌣, enf. 7,65 – ☲ 5,35 – **24 ch** 43/54 – ½ P 43/46

rte du Mont-Aigoual sur D 986 : 4 km – ⊠ 30570 :
🇽 **Auberge Cévenole**, La Pénarié 🝔 04 67 82 25 17, auberge.cevenole@wanad
Fax 04 67 82 26 26, 🌴 – 📺 ✆ **P**. ☒. ✀
fermé 9 au 21 déc., lundi soir et mardi sauf juil.-août – Repas 13/23 🌢 – ☲ 5 – **6 c**
½ P 36

LÈRES 37190 I.-et-L. 64 ⑭ – 779 h alt. 80.

Paris 259 – Tours 23 – Azay-le-Rideau 7 – Chinon 27 – Langeais 9 – Saumur 49.

※ **Fournil**, 22 r. Val de Loire ℰ 02 47 45 43 06, lefournil@wanadoo.fr, Fax 02 47 45 97 59, 斧 – ⚫B
fermé 25 au 31 août, 1er au 15 nov., 2 au 15 janv., mardi soir d'oct. à mars, dim. soir et merc. – **Repas** 18/38

LET 44330 Loire-Atl. 67 ④ – 6 807 h alt. 54.
🄳 Office du tourisme 1 place Charles de Gaulle ℰ 02 40 36 35 87, Fax 02 40 36 29 13.
Paris 375 – Nantes 26 – Ancenis 27 – Cholet 34 – Clisson 11.

🏠 **Don Quichotte**, 35 rte Clisson ℰ 02 40 33 99 67, Fax 02 40 33 99 72, 斧, 柔 – ⚫ 🄳 ⚫.
⚫E ⚫B
fermé 26 déc. au 9 janv. – **Repas** (fermé dim. soir) 15,25/20,59 ♀ – ⚄ 6,10 – **12 ch** 45,74/52,30 – ½ P 52,60

LIÈRES 37 I.-et-L. 64 ⑭ – rattaché à Tours.

When looking for a hotel or restaurant use the most efficient method.
Look for the names of towns underlined in red
*on the **Michelin maps** scale: 1:200 000.*
But make sure you have an up-to-date map!

LOIRE 73450 Savoie 77 ⑦ G. Alpes du Nord – 1 243 h alt. 1430 – Sports d'hiver : 1 430/2 600 m ⛷ 2 ⛷ 34 ⛷.
Voir Col du Télégraphe ⩽★ N : 5 km.
Altiport Bonnenuit ℰ 04 79 59 02 00.
🄳 Office du tourisme ℰ 04 79 59 03 96, Fax 04 79 59 09 66, infos@valloire.net.
Paris 665 – Albertville 90 – Briançon 52 – Chambéry 103 – Lanslebourg-Mont-Cenis 57.

🏨 **Sétaz**, ℰ 04 79 59 01 03, info@la-setaz.com, Fax 04 79 59 00 63, ⩽, ⚄, 柔 – ⚫ 🄳. ⚫E ⚫B. ⚫ ch
8 juin-20 sept. et 21 déc.-24 avril – **Gastilleur** (fermé lundi midi en été) Repas (14)- 20/35 – ⚄ 8 – **22 ch** 52/77 – ½ P 65/79

🏨 **Grand Hôtel de Valloire et du Galibier**, ℰ 04 79 59 00 95, info@grand-hotel-valloire.com, Fax 04 79 59 09 41, ⩽, 斧, ⚄, 柔 – ⚫ ⚫ 🄳.– ⚄ 40. ⚫E ⚫ ⚫B
15 juin-8 sept. et 21 déc.-12 avril – **L'Escarnavé : Repas** 16/45 ♀, enf. 9 – ⚄ 7 – **45 ch** 57/67 – ½ P 76/83

🏨 **Christiania**, ℰ 04 79 59 00 57, info@christiana-hotel.com, Fax 04 79 59 00 06, 斧 – ⚫.
⚫E ⚫B. ⚫ rest
15 juin-15 sept. et 7 déc.-20 avril – **Repas** 14/28 ♀ – ⚄ 6,50 – **26 ch** 51/56 – ½ P 52/57

Verneys Sud : 2 km – ✉ 73450 Valloire :

🏠 **Relais du Galibier**, ℰ 04 79 59 00 45, info@relais-galibier.com, Fax 04 79 83 31 89, ⩽, 柔 – ⚫ 🄳. ⚫B
15 juin-10 sept. et 15 déc.-10 avril – **Repas** 14/26 ♀, enf. 7 – ⚄ 6 – **26 ch** 43/56,50 – ½ P 59/63

🏠 **Crêt Rond**, ℰ 04 79 59 01 64, info.@hotel-cret-rond.com, Fax 04 79 83 33 24 – ⚫ 🄳. ⚫B
25 juin-30 sept. et 20 déc.-20 avril – **Repas** 12/23, enf. 8 – ⚄ 6,50 – **17 ch** 42/54 – ½ P 55

LON-PONT-D'ARC 07150 Ardèche 80 ⑨ G. Vallée du Rhône – 2 027 h alt. 117.
Voir Gorges de l'Ardèche★★★ au SE – Arche★★ de Pont d'Arc SE : 5 km.
🄳 Office du tourisme ℰ 04 75 88 04 01, Fax 04 75 88 41 09, tourisme.vallon@wanadoo.fr.
Paris 664 – Alès 47 – Aubenas 34 – Avignon 81 – Carpentras 90 – Montélimar 58.

🏨 **Clos des Bruyères**, rte des Gorges ℰ 04 75 37 18 85, clos.des.bruyeres@online.fr, Fax 04 75 37 14 89, 斧, ⚄, 柔 – ▦ rest, ⚫ 🄳.– ⚄ 20. ⚫B. ⚫ ch
hôtel : ouvert 1er avril-30 sept. ; rest.: fermé janv. et fév. – **Repas** (fermé merc. midi d'avril à juin et en sept., merc. d'oct. à mars et mardi sauf juil.-août) 11,90/32 ♀, enf. 9,60 – ⚄ 6,50 – **32 ch** 51/55 – ½ P 46/49

VALLORCINE 74660 H.-Savoie **74** ⑨ *G. Alpes du Nord* – 390 h alt. 1260 – Sports d'hiver : 1 1 400 m ⚡2 ⚡.

🛈 Office du tourisme Place de la Gare ℰ 04 50 54 60 71, Fax 04 50 54 61 73, vallor wanadoo.fr.

Paris 630 – *Chamonix-Mont-Blanc 19* – Annecy 112 – Thonon-les-Bains 100.

🏠 **L'Ermitage** ⌂, au Buet, Sud-Ouest : 2 km par N 506 et rte secondaire ℰ 04 50 54 6 hotel-ermitage@wanadoo.fr, Fax 04 50 54 64 38, ≤, 🍃, 🌳 – 🆃 🅿. 🆖, 🛇 rest fermé 2/04 au 7/05, 13 au 18 mai, 22 mai au 15 juin, 16 sept. au 25 déc., 7 janv. au 7 **Repas** (dîner seul.) 16/21 ♀, enf. 10 – ⌑ 9 – **15 ch** 55/56 – ½ P 55/58

🏡 **Mont-Blanc**, ℰ 04 50 54 60 02, Fax 04 50 54 62 03, ≤, 🌳 – 🅿. 🆖 ouvert 16 au 21 mai, 15 juin-15 sept. et 28 janv.- 19 mars – **Repas** 13/21, enf. 8 – ⌑ 5 **24 ch** 29/55,50 – ½ P 32,50/46

VALLOUX 89 Yonne **65** ⑯ – rattaché à Avallon.

VALMONT 76540 S.-Mar. **52** ⑫ *G. Normandie Vallée de la Seine* – 1 010 h alt. 60.

Voir Abbaye★.

🛈 Syndicat d'initiative - Mairie ℰ 02 35 10 08 12, Fax 02 35 10 08 12.

Paris 195 – *Le Havre 49* – Rouen 66 – Bolbec 23 – Dieppe 58 – Fécamp 11 – Yvetot 29.

XX **Auberge du Bec au Cauchois,** Ouest : 1,5 km par rte Fécamp ℰ 02 35 29 7 Fax 02 35 29 77 52 – 🅿. 🆖 fermé 24 au 30 déc., lundi sauf juil.-août – **Repas** 19,50/34,50 ♀

VALMOREL 73 Savoie **74** ⑰ *G. Alpes du Nord* – Sports d'hiver : 1 400/2 400 m ⚡2 ⚡35 ⊠ 73260 Aigueblanche.

🛈 Office du tourisme Maison de Valmorel ℰ 04 79 09 85 55, Fax 04 79 09 85 29, valmorel.com.

Paris 652 – Albertville 40 – Chambéry 89 – Moûtiers 19.

🏨 **Planchamp** ⌂, accès piétonnier ℰ 04 79 09 97 00, info@hotelplanchamp. Fax 04 79 09 83 93, ≤ – 🆃 🅞 🆖 🆓. 🛇 rest 20 déc.-20 avril – **Repas** 18 (déj.)/32 (dîner) ♀ – ⌑ 11 – **37 ch** (½ pens. seul.) – ½ P 99

VALOGNES 50700 Manche **54** ② *G. Normandie Cotentin* – 7 537 h alt. 35.

Voir Hôtel de Beaumont★.

✈ de Cherbourg-Maupertus : ℰ 02 33 88 57 60 : 18 km.

🛈 Office du tourisme 21 rue du Grand Moulin ℰ 02 33 95 01 26, Fax 02 33 95 2 mairie.officetourisme.valognes@wanadoo.fr.

Paris 338 – *Cherbourg 21* – Caen 104 – Coutances 56 – St-Lô 59.

🏠 **Grand Hôtel du Louvre,** 28 r. Religieuses ℰ 02 33 40 00 07, Fax 02 33 40 13 73 – 🚙 🅿. 🆖. 🛇 fermé 20 déc. au 21 janv. et dim. d'oct. à avril – **Repas** (dîner seul.) 14/25 ♀, enf. 8 – ⌑ **20 ch** 30/42 – ½ P 39/44

VALRAS-PLAGE 34350 Hérault **83** ⑮ *G. Languedoc Roussillon* – 3 625 h alt. 1 – Casino.

🛈 Office du tourisme Place René Cassin ℰ 04 67 32 36 04, Fax 04 67 32 33 41.

Paris 774 – Montpellier 76 – Agde 25 – Béziers 17.

🏨 **Mira-Mar** 🅼, bd Front de Mer ℰ 04 67 32 00 31, Fax 04 67 32 51 21, ≤, 🍃 – sinette, 🗏 ch, 🆎 🅞 🆖 🆓, 🛇 rest hôtel : 1er fév.-15 oct.; rest.:30 mars-30 sept. et fermé mardi du 15 sept. au 30 juin – R 18,29 – ⌑ 7,62 – **27 ch** 76,50/88,42, 4 appart – ½ P 67,08/73,94

🏨 **Albizzia** 🅼 ⌂ sans rest, bd Chemin Creux ℰ 04 67 37 48 48, Fax 04 67 37 58 10, 🖢 🅿 🆎 🅞 🆖 ⌑ 6 – **27 ch** 57/68

🏡 **Moderne,** pl. Gén. de Gaulle ℰ 04 67 32 25 86, Fax 04 67 32 03 38, 🍃 – 🆃 – 🖾 🅞 🆖 15 avril-30 sept. – **Repas** (fermé merc. en avril-mai et sept.) 11/23, enf. 7 – ⌑ 7 – 41,60/65 – ½ P 49/59

XX **Delphinium,** av. Élysées (face casino) ℰ 04 67 32 73 10, Fax 04 67 32 73 10, 🍃 – 🗏 🆖 fermé 12 au 21 nov., 13 janv. au 7 fév., le midi en semaine en saison, mardi et merc saison – **Repas** (16) - 21/43 ♀, enf. 10

Méditerranée avec ch, 32 r. Ch. Thomas ℰ 04 67 32 38 60, Fax 04 67 32 30 91 – ▤ rest,
📺, ⅍ ⓪ ㏉. ⅙ rest
hôtel : 14 avril-13 oct. ; rest. : fermé 30/09 au 4/10, 12/11 au 3/12, 19/01 au 7/02 – **Repas**
(fermé dim. soir et mardi hors saison et lundi) 15/41 – ☷ 6 – **9 ch** 43/47 – ½ P 43

RÉAS *84600 Vaucluse* 🎳 ② *G. Provence – 9 425 h alt. 250.*
🚩 *Office du tourisme Place Aristide Briand* ℰ 04 90 35 04 71, Fax 04 90 35 04 71,
enclavedespapes@pacwan.fr.
Paris 645 – Avignon 66 – Crest 53 – Montélimar 34 – Nyons 14 – Orange 37.

Grand Hôtel, 28 av. Gén. de Gaulle ℰ 04 90 35 00 26, Fax 04 90 35 60 93, 斎, ⅍, 龠 – 📺
⟵. ㏉
fermé 21 déc. au 28 janv. – **Repas** *(fermé sam. soir hors saison, lundi en saison et dim.)*
17/48 ⅟, enf. 8 – ☷ 7 – **15 ch** 45/62

Délice de Provence, 6 La Placette (centre ville) ℰ 04 90 28 16 91, Fax 04 90 37 42 49 –
㏉
fermé 1er au 15 juil., mardi soir et merc. – **Repas** 15/35, enf. 9

ROS *34290 Hérault* 🎳 ⑮ *– 1 130 h alt. 60.*
Paris 746 – Montpellier 61 – Agde 20 – Béziers 18 – Pézenas 7.

Auberge de la Tour, N 9 ℰ 04 67 98 52 01, Fax 04 67 98 65 31, 斎, ⅍, 龠 – 📺 🅿. ㏉
*fermé 29 oct. au 24 nov.,
18 fév. au 2 mars, merc.
midi à sept., dim.
soir et merc. d'oct. à avril*
– **Repas** 15/34 ⅍ – ☷ 6 –
17 ch 45 – ½ P 40

S-LES-BAINS *07600 Ar-
dèche* 🎳 ⑲ *G. Vallée du
Rhône – 3 536 h alt. 210
– Stat. therm. – Casino.*
🚩 *Office du tourisme 116
Bis rue Jean Jaurès* ℰ 04
75 37 49 27, Fax 04 75 94
67 00, tourisme@vals-
les-bains.com.
Paris 635 ② – Le Puy-en-
Velay 88③ – Aubenas 5③
– Langogne 58 ③ –
Privas 33 ②.*

Vivarais, av. C. Expilly
(e) ℰ 04 75 94 65 85,
Fax 04 75 37 65 47, 斎,
⅍ – 📺 ⅍ ⓪ ㏉
㎉ ⅙ rest
fermé fév. – **Repas** 28/
43 ⅟ – ☷ 8,50 – **47 ch**
44/77 – ½ P 58/95

**Grand Hôtel des
Bains** ⅍, (a)
ℰ 04 75 37 42 13, grand.
hotel.des.bains@wanado
o.fr, Fax 04 75 37 67 02,
斎, ⅍, ⅍ – 📺 ⅍ 🅿.
⅍ ⓪ ㏉
29 mars-31 oct. – **Repas**
23/52 – ☷ 9 – **64 ch** 66/
120 – ½ P 72/95

**Grand Hôtel de
Lyon**, av. P. Ribeyre (s)
ℰ 04 75 37 43 70, hotel.
de.lyon07@wanadoo.fr,
Fax 04 75 37 59 11, ⅍ –
⅍ 📺 ⟵. ⅍ ㏉
20 avril-29 sept. – **Repas**
(15) · 19/38 ⅟ – ☷ 7 –
33 ch 46/52 – ½ P 55/65

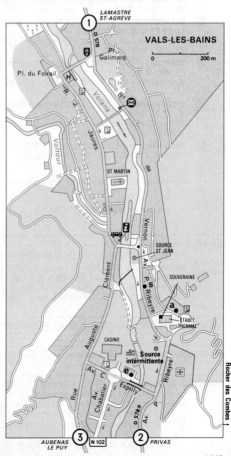

VAL-SUZON 21121 Côte-d'Or **66** ⑪ G. Bourgogne – 180 h alt. 361.

    Paris 313 – Dijon 19 – Avallon 108 – Châtillon-sur-Seine 67 – Montbard 58 – Saulieu 70.

🏠🏠 **Host. Val-Suzon et Chalet de la Fontaine aux Geais** ⊗, N 71 𝓟 03 80 35 6
    hostvalsuzon@mageos.com, Fax 03 80 35 61 36, 😚, « Jardin fleuri avec volière », 🌺
    P – 🛁 15. **AE** ⓪ **GB**. 🛇 rest
    fermé 12 nov. au 20 déc., mardi midi, dim. soir et lundi d'oct. à mai – **Repas** 20 (déj.), 33
    – ⌻ 10 – **16 ch** 69/92 – ½ P 92/122

VAL-THORENS 73 Savoie **77** ⑥ G. Alpes du Nord – Sports d'hiver : 2 300/3 200 m 🚠 4 🎿
    ✉ 73440 St-Martin-de-Belleville.

    Voir Cime de Caron✳︎✳︎✳︎ (accès par le téléphérique de Garon).

    🖪 Office du tourisme 𝓟 04 79 00 08 08, Fax 04 79 00 00 04, valtho@valthorens.com.

    Paris 672 – Albertville 60 – Chambéry 110 – Moûtiers 35.

🏠🏠 **Fitz Roy** Ⓜ ⊗, 𝓟 04 79 00 04 78, fitzroy@relaischateaux.com, Fax 04 79 00 06 1
    😚, balnéothérapie, ▦ – 🛗, 🍽 rest, 🆃🆅 ✆ ♿, **AE** ⓪ **GB**. 🛇 rest
    1er déc.-30 avril – **Repas** 42,69/76,22 (dîner), buffet au déj.53,36 – **34 ch** (½ pens. s
    3 appart, 3 duplex – ½ P 205/221

🏠🏠 **Le Val Thorens** ⊗, 𝓟 04 79 00 04 33, contact@levalthorens.com, Fax 04 79 00 0
    ≼, 😚 – 🛗 🆃🆅 ✆ ♿, **AE** ⓪ **GB**. 🛇 rest
    1er déc.-3 mai – **Repas** 15/28, enf. 9,50 **Bellevillois** (dîner seul.) (15 déc.-20 avril) R
    28/55, enf. 9,50 – **Fondue** 𝓟 04 79 00 05 17 (dîner seul.) (15 déc.-20 avril) Repa
    23, enf. 9,50 – **81 ch** (½ pens. seul.) – ½ P 78/132

🏠🏠 **Bel Horizon** ⊗, 𝓟 04 79 00 04 77, antoine@belhorizon.com, Fax 04 79 00 06 08, ≼
    🕰 – 🛗 🆃🆅 ✆ ♿. **GB**. 🛇 rest
    hôtel : 1er déc.-30 avril ; rest. : 20 déc.-8 avril – **Repas** (dîner seul.) 28 ⌻ – ⌻ 10 – ⌻
    126/242 – ½ P 118/136

🏠🏠 **Sherpa** ⊗, 𝓟 04 79 00 00 70, raphael@lesherpa.com, Fax 04 79 00 08 03, ≼, 😚, 🕰
    🆃🆅. **GB**. 🛇 rest
    30 nov.-2 mai – **Repas** 18 (déj.), 25/30 ⌻ – ⌻ – **52 ch** (½ pens. seul.), 4 duplex – ½ P
    145

🏠 **Trois Vallées** ⊗, 𝓟 04 79 00 01 86, reservation@hotel3vallees.com, Fax 04 79 00 0
    ≼ – 🆃🆅 ✆. **AE** **GB**. 🛇
    15 nov.-10 mai – **Repas** (dîner seul.) (21) · 24/30 ⌻ – ⌻ 10,50 – **28 ch** (½ pens. se
    ½ P 98

✕✕ **Bergerie**, immeuble 3 Vallées 𝓟 04 79 00 77 18 – **AE** **GB**
    18 juil.-20 août et 23 nov.-10 mai – **Repas** 25/34

    Les noms des localités citées dans ce guide

    sont soulignés de rouge

    sur les **cartes Michelin** à 1/200 000.

Le VALTIN 88230 Vosges **62** ⑱ – 98 h alt. 751.

    Paris 439 – Colmar 45 – Épinal 55 – Guebwiller 55 – St-Dié 27 – Col de la Schlucht 10.

✕✕ **Auberge du Val Joli** ⊗ avec ch, 𝓟 03 29 60 91 37, le-val-joli@wanadc
    Fax 03 29 60 81 73, 😚, 🌺, ✕ – 🆃🆅 ✆ ♿ **P** – 🛁 15. **GB**
    fermé 4 nov. au 1er déc., 10 au 18 mars., dim. soir et lundi soir sauf vacances scolai
    lundi midi sauf fériés – **Repas** 14/47 ⌻, enf. 9 – ⌻ 8,50 – **16 ch** 24/70 – ½ P 30/55,50

VANDENESSE-EN-AUXOIS 21 Côte-d'Or **65** ⑱ – rattaché à Pouilly-en-Auxois.

VANDOEUVRE-LÈS-NANCY 54 M.-et-M. **62** ⑤ – rattaché à Nancy.

VANNES P 56000 Morbihan **63** ③ G. Bretagne – 51 759 h Agglo. 118 029 h alt. 20.

    Voir Vieille ville✳︎✳︎ AZ : Place Henri-IV✳︎ AZ 10, Cathédrale St-Pierre✳︎ B, Rempa
    Promenade de la Garenne≼✳︎✳︎ – La Cohue✳︎ (anciennes halles) – Musée archéologiqu
    Aquarium océanographique et tropical✳︎ – Golfe du Morbihan✳︎✳︎ en bateau.

    🖪 Office du tourisme 1 rue Thiers 𝓟 02 97 47 24 34, Fax 02 97 47 29 49, tourisme@pay
    vannes.

    Paris 460 ② – Quimper 121 ④ – Rennes 112 ② – St-Brieuc 106 ① – St-Nazaire 75 ③.

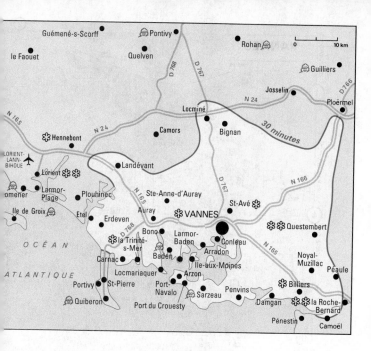

Mercure M, Le parc du Golfe, Sud rte Conleau : 2 km ℘ 02 97 40 44 52, *mercurevannes@easynet.fr*, Fax 02 97 63 03 20, ≤, 🎋 – 🛊 ⇆ 📺 ✆ 🕭 ⟵ 🄿 – 🔬 60. 🄰🄴 ⓿ 🄶🄱
Dauphin *(fermé sam. et dim. du 1er oct. au 30 avril)* **Repas** 19/27 , enf. 10 – 🖃 9,50 – **73 ch** 78/93

Villa Kerasy M sans rest, 20 av. Favrel et Lincy ℘ 02 97 68 36 83, *info@villakerasy.com*, Fax 02 97 68 36 84, « Décoration sur le thème de la Compagnie des Indes », 🎋 – 📺 ✆ 🕭 🄿 🄰🄴 🄶🄱 ✎
BY r
fermé 17 nov. au 8 déc. et 12 au 26 janv. – 🖃 10,60 – **12 ch** 107/282

Mascotte M, av. J. Monnet ℘ 02 97 47 59 60, *mascotte-vannes@hotel-sofibra.com*, Fax 02 97 47 07 54 – 🛊 ⇆ 🖿 ✆ 🕭 – 🔬 40. 🄰🄴 ⓿ 🄶🄱
AY b
Repas *(fermé le midi, vend. soir d'oct. à mai, sam. et dim.)* 15 🖢, enf. 8 – 🖃 7 – **65 ch** 59/83

Marébaudière sans rest, 4 r. A. Briand ℘ 02 97 47 34 29, *marebaudiere@wanadoo.fr*, Fax 02 97 54 14 11 – 🛊 ⇆ 📺 ✆ 🄿. 🄰🄴 ⓿ 🄶🄱 🄹🄲🄱
BZ r
🖃 8 – **41 ch** 59/86

Kyriad Image Ste-Anne, 8 pl. Libération ℘ 02 97 63 27 36, Fax 02 97 40 97 02 – 🛊 ⇆, 🖿 rest, 📺 ✆ 🄿. 🄰🄴 🄶🄱
AY x
Repas *(fermé dim. soir de nov. à Pâques)* 15/23 🖢, enf. 6,86 – 🖃 9 – **33 ch** 53/65

Ibis M, Z.U.P. de Ménimur par ① : 1,5 km (r. E. Jourdan) ℘ 02 97 63 61 11, Fax 02 97 63 21 33 – 🛊 ⇆ 📺 ✆ 🄿 – 🔬 50. 🄰🄴 ⓿ 🄶🄱
Repas *(12,04)* - 15,10 🕭, enf. 5,94 – 🖃 5,64 – **59 ch** 65

Anne de Bretagne sans rest, 42 r. O. de Clisson ℘ 02 97 54 22 19, Fax 02 97 42 69 10 – 📺 ✆ ⟵. 🄰🄴 ⓿ 🄶🄱 🄹🄲🄱
BY s
🖃 5,80 – **20 ch** 35/51,85

Régis Mahé, pl. Gare ℘ 02 97 42 61 41, Fax 02 97 54 99 01 – 🄶🄱
BY h
fermé 27 juin au 4 juil., 18 nov. au 2 déc., vacances de fév., dim. et lundi – **Repas** 26 (déj.), 47/62 et carte 58 à 96 🖢, enf. 18
Spéc. Salade de légumes et filets de rouget poêlés. Homard et sole rôtis au citron (avril à sept.). Tarte chaude au chocolat et beurre salé.

Table des Gourmets, 6 r. A. Le Pontois ℘ 02 97 47 52 44, *TABLEGOURMETS@wanadoo.fr*, Fax 02 97 47 52 44 – 🖿. 🄰🄴 ⓿ 🄶🄱
AZ v
fermé 24 juin au 3 juil., 24 fév. au 5 mars, dim. soir hors saison, lundi midi et merc. – **Repas** 22/55, enf. 12

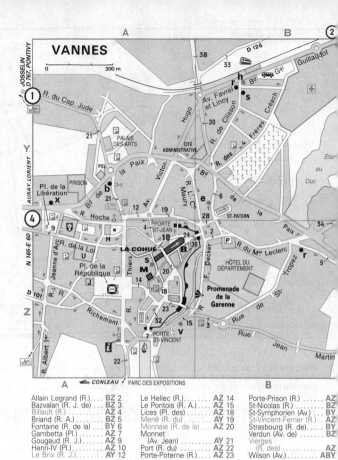

VANNES

0 — 300 m

✗ **Roscanvec**, 17 r. Halles ☎ 02 97 47 15 96, *roscanvec@wanadoo.fr, Fax 02 97 47 86*
■. AE ⓪ GB
A
fermé 22 déc. au 1ᵉʳ janv., dim. soir et lundi d'oct. à juin – **Repas** (nombre de cou
limité, prévenir) 17 (déj.), 23/54, enf. 10,37

✗ **Morgate**, 21 r. Fontaine ☎ 02 97 42 42 39, *Fax 02 97 47 25 27,* 🍴 – GB
B
fermé 4 au 17 nov., dim. sauf le midi de sept.à juin, mardi midi sauf juil.-août et lu
Repas 19,67/25,92 ♀, enf. 10,67

à St-Avé par ① et D 767, Nord : 6 km *(près centre hospitalier spécialisé) – 8 303 h. alt.*
✉ 56890 :

XXX **Pressoir** (Rambaud), rte de Plescop : 1,5 km *(près hôpital)* ☎ 02 97 60 8
⌖ *Fax 02 97 44 59 15 –* ■ ℙ. AE ⓪ GB
fermé 5 au 20 mars, 1ᵉʳ au 10 juil., 1ᵉʳ au 23 oct., 1ᵉʳ au 8 janv., dim. soir, lundi et m
Repas 29 (déj.), 39/75 et carte 50 à 80
Spéc. Galette de rougets aux pommes de terre et romarin. Homard rôti dans sa cara
(avril à sept.). Fins palets croustillants au chocolat **Vins** Muscadet.

à Conleau *Sud-Ouest : 4,5 km –* ✉ *56000 Vannes.*
Voir *Presqu'île de Conleau★ 30 mn.*

♨ **Roof** ⌖, ☎ 02 97 63 47 47, *Fax 02 97 63 48 10,* ≤, 🍴, 🌳 – ♿ 📺 ❄ ℙ – 🔬 60. ℙ
GB

Repas 25,90/52,60 **- Café de Conleau** *(fermé le soir du 4 nov. à Pâques)* **Repas** *(12,20*
– ☲ 9,50 – **42 ch** 79/106 – ½ P 71,50/77,75

d'Arradon par ④ et D 101 : 5 km – ⊠ 56610 Arradon :

XX **L'Arlequin,** Parc d'activités de Botquelen (3 allée D. Papin) ℰ 02 97 40 41 41, Fax 02 97 40 52 93 – **P**. **AE** **GB**
fermé 18 août au 3 sept., 23 fév. au 9 mars, dim. soir et merc. – **Repas** (14) - 20/35, enf. 10

'rradon par ④, D 101, D 101ᴬ et D 127 : 7 km – 4 719 h. alt. 40 – ⊠ 56610 :
Voir ≼ *.
🛈 Syndicat d'Initiative 2 pl. de l'Église ℰ 02 97 44 77 44, Fax 02 97 44 81 22, Mairie.tou
risme@arradon.com.

🏨 **Logis de Parc er Gréo** ⏳ sans rest, au Gréo, Ouest : 2 km (dir. le Moustoir)
ℰ 02 97 44 73 03, contact@parcergreo.com, Fax 02 97 44 80 48, ⚱, ⚘ – ⁕ ⊡ 📞 ⅙ **P**.
AE ⓞ **GB**
15 mars-11 nov. et 20 déc.-5 janv. – ☲ 9 – **12 ch** 75/92

🏨 **Les Vénètes** ⏳, à la pointe : 2 km ℰ 02 97 44 85 85, Fax 02 97 44 78 60, ≼ golfe et les
îles – ⊡ 📞. **GB**. ⅝
Repas *(fermé sam. midi et dim. soir sauf juil.-août)* 28 (déj.), 38/58 ♈ – ☲ 11 – **11 ch** 90/170
– ½ P 110

🏠 **Stivell,** r. Plessis d'Arradon ℰ 02 97 44 03 15, Fax 02 97 44 78 90, ⌂ – ▤ rest, ⊡ 📞 **P** –
🄰 25. **AE** ⓞ **GB**
fermé 15 nov. au 15 déc. – **Repas** *(fermé dim. soir et lundi midi du 15 sept. au 15 avril)* (9) -
14/39 ♈, enf. 6 – ☲ 6,50 – **25 ch** 55/75 – ½ P 69/74

🏠 **Beau Rivage** sans rest, r. Plessis d'Arradon ℰ 02 97 44 01 42, beau.rivage@free.fr,
Fax 02 97 44 87 37 – ⊡ 📞 **P** – **🄰** 35. ⓞ **GB**
☲ 6 – **18 ch** 49/64

XX **Médaillon,** 10 r. Bouruet Aubertot ℰ 02 97 44 77 28, Fax 02 97 44 79 08, ⌂ – **AE** **GB**
fermé vacances de Toussaint, dim. soir et merc. sauf juil.-août – **Repas** 13/31 ♈, enf. 8,50

NES-SUR-COSSON 45510 Loiret 🔢 ⑩ – 522 h alt. 125.
Paris 169 – Orléans 34 – Gien 41 – Lamotte-Beuvron 23 – Montargis 63.

XX **Vieux Relais,** ℰ 02 38 58 04 14, « Maison du 15ᵉ siècle » – **GB**
fermé 29 juil. au 13 août, 23 déc. au 15 janv., dim. soir, lundi et mardi – **Repas** 16/31

VANS 07140 Ardèche 🔠 ⑧ G. Vallée du Rhône – 2 664 h alt. 170.
🛈 Office du tourisme Place Ollier ℰ 04 75 37 24 48, Fax 04 75 37 27 46, ot@les-vans.com.
Paris 668 – Alès 44 – Aubenas 36 – Pont-St-Esprit 66 – Privas 66 – Villefort 24.

🏠 **Carmel** ⏳, ℰ 04 75 94 99 60, Fax 04 75 94 34 29, ancien couvent, ⚱, ⚘ – ⊡ 📞 ⅙ **P** –
🄰 30. **AE** ⓞ **GB**. ⅝
23 mars-11 nov. – **Repas** *(1ᵉʳ avril-30 sept.)* (dîner seul.)(½ pension seul.) – ☲ 8 – **27 ch**
58/90 – ½ P 56/72

XX **Grangousier,** face église ℰ 04 75 94 90 86, Fax 04 75 88 54 39, « Maison du 16ᵉ siècle »
– **GB**
fermé janv., fév. et merc. – **Repas** *(nombre de couverts limité, prévenir)* 17,55/48 ♈, enf. 11

:ud-Est : 6 km par D 901 – ⊠ 07140 Les Vans :

🏨 **Mas de l'Espaïre** ⏳, ℰ 04 75 94 95 01, espaire@wanadoo.fr, Fax 04 75 37 21 00, ⌂,
⚱, ⚘ – ⊡ 📞 **P** – **🄰** 20. **AE** **GB**
Pâques-15 nov. – **Repas** *(Pâques-sept.)* (dîner seul.)(résidents seul.) 20 – ☲ 7 – **30 ch** 61/69
– ½ P 58/61

NVES 92 Hauts-de-Seine 🔢 ⑩, 🔟🔟 ㉕ – voir à Paris, Environs.

RADES 44370 Loire-Atl. 🔢 ⑲ – 3 190 h alt. 13.
🛈 Syndicat d'initiative 182 rue Maréchal Foch ℰ 02 40 83 41 88.
Paris 334 – Angers 40 – Cholet 42 – Laval 96 – Nantes 57.

XX **Closerie des Roses,** La Meilleraie, Sud : 1,5 km par rte Cholet ℰ 02 40 98 33 30,
Fax 02 40 98 33 30, ≼ la Loire – **GB**
fermé 7 au 30 oct., 20 janv. au 12 fév., dim. soir, mardi soir et merc. – **Repas** 13 (déj.),
22,50/42 ♈, enf. 10

                    Repas à prix fixes :
                    des menus à prix intermédiaires à ceux indiqués sont
                    généralement proposés.

bas 11/28

1447

VARENGEVILLE-SUR-MER 76119 S.-Mar. 🔟 ④ G. Normandie Vallée de la Seine – 1
alt. 80.
Voir Site★ de l'église – Parc des Moustiers★ – Colombier★ du manoir d'Ango, S : 1
Ste-Marguerite : arcades★ de l'église O : 4,5 km – Phare d'Ailly ≤★ NO : 4 km.
Paris 199 – Dieppe 10 – Fécamp 58 – Fontaine-le-Dun 18 – Rouen 67.

à Vasterival Nord-Ouest : 3 km par D 75 et rte secondaire – ⊠ 76119 Varengeville-sur-Mer :

🏨 **Terrasse** ⤸, ℰ 02 35 85 12 54, FRANCOIS.DELAFONTAINE@wanadc
Fax 02 35 85 11 70, ≤, « Belle demeure face à la mer », ⅋ – 🄿. ⒼⒷ. ⅋ rest
15 mars-15 oct. – **Repas** 15,24/25,92, enf. 7,62 – ⚏ 6,10 – **22 ch** 42,68/48,78 – ½ P 4
48,78

La VARENNE-ST-HILAIRE 94 Val-de-Marne 🔟 ①, 🔟 ㉘ – voir à Paris, Environs (St-Maur
Fossés).

VARENNES-SUR-ALLIER 03150 Allier 🔟 ⑭ – 4 072 h alt. 245.
🄱 Office du tourisme Place de l'Hôtel de Ville ℰ 04 70 47 72 07, Fax 04 70 47 72 01.
Paris 332 – Moulins 31 – Digoin 59 – Lapalisse 20 – St-Pourçain-sur-Sioule 11 – Vichy 2.

à Boucé Est : 8 km par N 7 et D 23 – 512 h. alt. 310 – ⊠ 03150 Sansat :

🍴 **Auberge de Boucé**, ℰ 04 70 43 70 59, Fax 04 70 43 75 18, 🏦 – ⒼⒷ
fermé 12 août au 2 sept., vacances de fév., merc soir de nov. à mars, mardi soir, dim. s
lundi – Repas 15/30,50 &

au Sud-Est : 8,5 km par N 209 et D 214 – ⊠ 03150 Varennes-sur-Allier :

🏨 **Château de Theillat** ⤸, ℰ 04 70 99 86 70, Fax 04 70 99 86 33, ≤, « Châtea
19ᵉ siècle dans un parc », 🛁, 🥆, ⅋, 🄿 – 🛎 🖥 ❤ 🄿 – 🔏 20 à 100. 🄰🄴 ⓞ ⒼⒷ. ⅋ resᴛ
15 mars-15 oct. – **Repas** 25,92/39,64 – ⚏ 10,67 – **18 ch** 114,34/187,51 – ½ P 114,34

VARETZ 19 Corrèze 🔟 ⑧ – rattaché à Brive-la-Gaillarde.

VARREDDES 77 S.-et-M. 🔟 ⑬, 🔟 ㉓ – rattaché à Meaux.

VARS 05560 H.-Alpes 🔟 ⑱ G. Alpes du Sud – 637 h alt. 1650.
🄱 Office du tourisme Cours Fontanarosa ℰ 04 92 46 51 31, Fax 04 92 46 56 54, v
@pacwan.fr.
Paris 728 – Briançon 47 – Gap 72 – Barcelonnette 41 – Digne-les-Bains 124.

à Ste-Marie-de-Vars – ⊠ 05560 Vars :

🏨 **Alpage-le Logis**, ℰ 04 92 46 50 52, info@hotel-alpage.com, Fax 04 92 46 64 23, 🄿
ⒼⒷ 🄿. ⒼⒷ. ⅋
1ᵉʳ juil.-31 août et 21 déc.-19 avril – **Repas** 13/28 ♈, enf. 9 – ⚏ 6,50 – **17 ch** 74,
½ P 59/69

🏨 **Vallon** ⤸, ℰ 04 92 46 54 72, info@hotelvallon.com, Fax 04 92 46 61 62, ≤, 🏦, 🦌
🄿. ⒼⒷ. ⅋ rest
1ᵉʳ juil.-31 août et 20 déc.-20 avril – **Repas** 15,30/20,40 ♈, enf. 8,70 – ⚏ 6 – **34 ch** 46
½ P 54,50/61

⛲ **Vieille Auberge**, ℰ 04 92 46 53 19, Fax 04 92 46 66 07 – ⒼⒷ. ⅋ ch
1ᵉʳ juil.-1ᵉʳ sept. et 20 déc. au 20 avril – **Repas** 16/19 & – ⚏ 6,20 – **20 ch** 43/61 – ½ P 5

aux Claux – Sports d'hiver : 1 650/2 750 m ⅊ 2 ⅋ 54 ⅊ – ⊠ 05560 Vars :

🏨 **Caribou**, ℰ 04 92 46 50 43, hotelcaribou@wanadoo.fr, Fax 04 92 46 59 92, ≤, 🏦, 🄿
🖥 ❤ 🄿. ⒼⒷ. ⅋ rest
15 juin-2 sept. et 15 déc.-20 avril – **Repas** 15/28, enf. 12 – ⚏ 8 – **37 ch** 102/160 – ½ ⅼ

🏨 **L'Écureuil** ⤸ sans rest, ℰ 04 92 46 50 72, hotel.ecureuil@wanad￼
Fax 04 92 46 62 51, ≤ – 🖥 ❤ 🄿. ⒼⒷ
22 juin-8 sept. et 29 nov.-29 avril – ⚏ 6,50 – **19 ch** 75/84

🏨 **Les Escondus**, ℰ 04 92 46 67 00, Fax 04 92 46 50 47, ≤, 🏦, 🦌, ⅋ – 🖥 🄿. 🄰🄴 ⒼⒷ
11 juin-6 sept. et 15 déc.-24 avril – **Repas** 17/21 – ⚏ 7 – **22 ch** 76/107 – ½ P 78/90

🍴 **Chez Plumot**, ℰ 04 92 46 52 12, 🏦 – ⒼⒷ
1ᵉʳ juil.-1ᵉʳ sept. et 7 déc.-27 avril – **Repas** (dîner seul en été) 15 (déj.)/30 ♈

VASSIVIÈRE (Lac de) 87 H.-Vienne 🔟 ⑲ – rattaché à Peyrat-le-Château.

VASTERIVAL 76 S.-Mar. 🔟 ④ – rattaché à Varengeville-sur-Mer.

1448

AN *36150 Indre* 68 ⑧ ⑨ *G. Berry Limousin – 1 972 h alt. 140.*

☐ *Office du tourisme Place de la République* ℰ 02 54 49 71 69, Fax 02 54 49 71 69, *otsi.vatan@wanadoo.fr.*

Paris 235 – Bourges 69 – Blois 78 – Châteauroux 31 – Issoudun 21 – Vierzon 28.

🏠 **France,** ℰ 02 54 49 74 11, Fax 02 54 49 74 11, 🌳, 🚗 – 📺 🍴 🅿 ⒼⒷ
fermé 27 août au 4 sept., 27 nov. au 4 déc., 12 fév. au 7 mars, mardi soir et merc. sauf fériés
– **Repas** 15,25/30 ⦙ – ⌸ 5,80 – **12 ch** 24,40/60,50 – ½ P 27/41

JCHOUX *70 H.-Saône* 66 ⑤ – *rattaché à Port-sur-Saône.*

JCRESSON *92 Hauts-de-Seine* 60 ⑩, 101 ㉓ – *voir à Paris, Environs.*

JLT DE LUGNY *89 Yonne* 65 ⑯ – *rattaché à Avallon.*

JX-EN-BEAUJOLAIS *69460 Rhône* 73 ⑨ – *766 h alt. 360.*

Paris 432 – Mâcon 45 – Roanne 62 – Chauffailles 39 – Lyon 51 – Villefranche-sur-Saône 16.

XX **Auberge de Clochemerle** *avec ch,* ℰ 04 74 03 20 16, *aub.clochemerle@netcourrier. com,* Fax 04 74 03 28 48, 🌳 – 📺 🍴 �. ⒼⒷ ☂ ch
fermé 30 juil. au 14 août, 18 au 27 fév. mardi et merc. – **Repas** 16,50/50,50 – ⌸ 7 – **7 ch** 36/51 – ½ P 40/48

JX-LE-PÉNIL *77 S.-et-M.* 61 ②, 106 ㊺ – *rattaché à Melun.*

JX-SOUS-AUBIGNY *52100 H.-Marne* 66 ③ – *705 h alt. 275.*

Paris 304 – Dijon 44 – Gray 43 – Langres 25.

XX **Auberge des Trois Provinces** *avec ch,* ℰ 03 25 88 31 98, Fax 03 25 84 25 61 – 📺
🚗. ⒼⒷ ☂ ch
fermé 6 au 26 janv., dim. soir du 15 sept. au 15 juin et lundi – Repas 15/21,50 ⦙, enf. 10,40 –
⌸ 5,50 – **9 ch** 34/43

DÈNE *84 Vaucluse* 81 ⑫ – *rattaché à Avignon.*

LIZY-VILLACOUBLAY *78 Yvelines* 60 ⑩, 101 ㉔ – *voir à Paris, Environs.*

LLES *36330 Indre* 68 ⑱ – *827 h alt. 135.*

Paris 289 – Bourges 84 – Argenton-sur-Creuse 20 – Châteauroux 17 – La Châtre 35.

X **L'Orée du Bois,** ℰ 02 54 36 13 14, Fax 02 54 36 21 11, 🌳 – ⒼⒷ
🍴 *fermé 29 oct. au 3 nov., 7 au 12 janv. et lundi* – **Repas** 14/18,50 ⦙, enf. 7

LLUIRE *85 Vendée* 71 ⑪ – *rattaché à Fontenay-le-Comte.*

NAREY-LES-LAUMES *21150 Côte-d'Or* 65 ⑧ ⑱ *G. Bourgogne – 3 274 h alt. 235.*

☐ *Office du tourisme Place Bingerbrück* ℰ 03 80 96 89 13, Fax 03 80 96 13 22, *alesia-tourisme@wanadoo.fr.*

Paris 259 – Dijon 67 – Avallon 54 – Montbard 15 – Saulieu 41 – Semur-en-Auxois 13.

Nise-Ste-Reine *Est : 2 km – 674 h. alt. 415 – ⊠ 21150 :*
Voir *Mont Auxois★ : ⁂★ – Château de Bussy-Rabutin★.*

XX **Cheval Blanc,** ℰ 03 80 96 01 55, Fax 03 80 96 01 55 – 🅿. ⒼⒷ
🍴 *fermé 6 janv. au 3 fév., dim. soir et lundi*
Repas 15/32 ⦙

Dans ce guide
un même symbole, un même caractère,
imprimé en couleur ou en **noir,** *en maigre ou en* **gras,**
n'ont pas tout à fait la même signification.
Lisez attentivement les pages explicatives.

VENASQUE 84210 Vaucluse **81** ⑬ G. Provence – 966 h alt. 310.

Voir Baptistère★ – Gorges★ E : 5 km par D 4.

🛈 Office de tourisme Grand 'Rue ℰ 04 90 66 11 66, Fax 04 90 66 11 66.

Paris 696 – Avignon 32 – Apt 32 – Carpentras 13 – Cavaillon 30 – Orange 36.

🏠 **Auberge La Fontaine** ⌖, ℰ 04 90 66 02 96, fontvenasq@aol.com, Fax 04 90 66 1
ambiance guest house – cuisinette, 🛏 ch, 📺 ✆. 🐾 GB
fermé 15 nov. au 15 déc. – **Repas** (fermé merc.) (nombre de couverts limité, prév
(dîner seul.) 34, enf. 6 - **Bistro** (fermé dim. soir et lundi) **Repas** 15 ♀, enf. 4,60 –
5 appart 122/138

🏠 **Garrigue** ⌖ sans rest, ℰ 04 90 66 03 40, Fax 04 90 66 61 43, ⌁, 🌳 – ⛾ 🄿.
🐾
1ᵉʳ avril-15 oct. – ⊊ 7 – **14 ch** 44/70

VENCE 06140 Alpes-Mar. **84** ⑨, **115** ㉕ G. Côte d'Azur – 16 982 h alt. 325.

Voir Chapelle du Rosaire★ (chapelle Matisse) – Place du Peyra★ B **13** – Stalles★
cathédrale B E – ≤★ de la terrasse du château N. D. des Fleurs NO : 2,5 km par D 2210.

Env. Col de Vence ☀★★ NO : 10 km par D 2 – St-Jeannet : site★, ≤★ 8 km par ③.

🛈 Office de tourisme Place du Grand Jardin ℰ 04 93 58 06 38, Fax 04 93 58 91 81.

Paris 930 ① – Nice 23 ① – Antibes 19 ① – Cannes 29 ① – Grasse 23 ②.

Alsace-Lorr. (R.)	**B** 3	Poilus (Av. des)	**A** 15
Évêché (R. de l')	**B** 5	Portail-Levis (R. du)	**B** 16
Hôtel-de-Ville (R.)	**B** 6	Résistance	
Leclerc (Av. Gᵃˡ)	**A** 9	(Av. de la)	**A, B** 17
Marché (R. du)	**B** 10	Rhin-et-Danube	
Meyère (Av. Col.)	**B** 12	(Av.)	**A** 18
Peyra (Pl. du)	**B** 13	St-Lambert (R.)	**B** 19
Place-Vieille (R. de la)	**B** 14	Tuby (Av.)	**A** 21

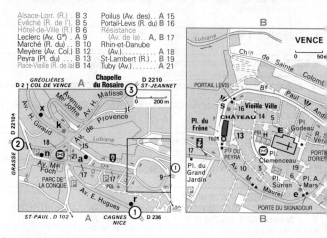

🏛 **Château du Domaine St-Martin** ⌖, rte de Coursegoules par D 2 : 2,5
ℰ 04 93 58 02 02, st-martin@webstore.fr, Fax 04 93 24 08 91, ≤ Vence et littoral, 🍽,
🍴, 🎱 – 🛗 🛏 📺 ✆ ♿ ⇆ – 🛎 50. 🄰🄴 ⓞ GB JCB. 🛏
fév.-oct. – **Repas** (fermé merc.) 49 (déj.), 69/89 et carte 85 à 120 – ⊊ 21 – **32 ch** 670/
6 appart – ½ P 419/479
Spéc. Langoustines rôties au lard paysan. Brochette de sole au romarin. Filet de boeuf
aux pignons de pin **Vins** Bellet, Bandol

🏛 **Relais Cantemerle** M ⌖, 258 chemin Cantemerle par av. Col. Meyèr
ℰ 04 93 58 08 18, info@relais-cantemerle.com, Fax 04 93 58 32 89, 🍽, « Ja
ombragé », ⌁, 🌳 – ⛾ ch, 📺 ✆ 🄿. 🄰🄴 GB
avril-oct. – **Repas** (fermé mardi midi et lundi sauf juil.-août) 36 – ⊊ 14 – **10 ch** 145
duplex 209 – ½ P 237/262

🏛 **Diana** sans rest, av. Poilus ℰ 04 93 58 28 56, hotel-diana-vence@worldonlin
Fax 04 93 24 64 06 – 🛗 cuisinette 📺 ✆ 🄿. 🄰🄴 ⓞ GB
⊊ 6,10 – **28 ch** 53,36/85,37

🏠 **Mas de Vence**, 539 av. E. Hugues ℰ 04 93 58 06 16, mas@azurline.c
Fax 04 93 24 04 21, 🍽, ⌁, 🌳 – 🛗 📺 ✆ ♿ ⇆ 🄿 – 🛎 20. 🄰🄴 ⓞ GB JCB. 🛏 rest
Repas (14 bc) -27/29 ♀, enf. 14 – ⊊ 7 – **41 ch** 63/86 – ½ P 68

🏛 **Floréal**, 440 av. Rhin et Danube par ② ℰ 04 93 58 64 40, hotel.floreal@wanado
Fax 04 93 58 79 69, 🍽, ⌁, 🌳 – 🛗 📺 ✆ 🄿. 🄰🄴 ⓞ GB
Repas 18/30 ♀ – ⊊ 10 – **44 ch** 59/120 – ½ P 60/86

Miramar sans rest, Plateau St-Michel, 167 av. Bougearel par ① ℰ 04 93 58 01 32, *resa@ hotel-miramar-vence.com, Fax 04 93 58 20 22, ≤, ⊒ – ⊡ ⊠ ⚜ 🅿. ⯍ ⓪ ⅁⅁ ⅃⅏⅁
*fermé 15 nov. au 15 déc. – ⊡ 10 – **18 ch** 68/125

Villa Roseraie sans rest, rte de Coursegoules ℰ 04 93 58 02 20, Fax 04 93 58 99 31,
« Jolie villa 1900 dans un jardin », ⊒, ⅌ – ⊡ 🅿. ⯍ ⅁⅁ A X
*15 fév.-15 nov. – ⊡ 13 – **14 ch** 82/133

Parc Hôtel sans rest, 50 av. Foch ℰ 04 93 58 27 27, *resa@le-parc-hotel.net,
Fax 04 93 58 59 64 – ⊡ 🅿. ⅁⅁ A n
⊡ 6 – **12 ch** 41,20/60,20

Jacques Maximin, 689 chemin de la Gaude par ① et rte Cagnes : 3 km
ℰ 04 93 58 90 75, *restaurant.maximin@vence-prestige.com, Fax 04 93 58 22 86, ⅌, ⅌ –
🅿. ⯍ ⅁⅁
*fermé mi-nov. à mi-déc., le midi en juil.-août sauf dim., dim. soir et lundi de sept. à juin sauf
fériés – **Repas** · cuisine provençale · (nombre de couverts limité, prévenir) 40 (déj.),
58/110 et carte 90 à 120
Spéc. Soupe de tomates crues aux écrevisses (mai à sept.) Filet de loup sauvage rôti à la
niçoise. Canard rôti à l'ail, sauce poivrade **Vins** Bellet, Côtes de Provence.

Auberge Les Templiers, 39 av. Joffre ℰ 04 93 58 06 05, *templiers@atsat.com,
Fax 04 93 58 92 68, ⅌ – ⯍ ⓪ ⅁⅁ A k
*fermé 6 janv. au 6 fév., lundi sauf le soir en saison, mardi midi et merc. midi de juin à sept. –
Repas 32/40 ⅀, enf. 15

Vieux Couvent, 37 av. Alphonse Toreille ℰ 04 93 58 78 58, Fax 04 93 58 78 58 –
⅁⅁ B f
*fermé 15 janv. au 15 mars, jeudi midi et merc. – **Repas** (nombre de couverts limité,
prévenir) (25) - 32/42 bc ⅀

Auberge des Seigneurs avec ch, pl. Frêne ℰ 04 93 58 04 24, Fax 04 93 24 08 01,
« Auberge rustique du 17e siècle » – ⯍ ⓪ ⅁⅁ B s
*15 mars-1er nov. – **Repas** (fermé mardi midi, merc. midi, jeudi midi et lundi) 27,44/39,64 –
⊡ 9,15 – **6 ch** 46,04/69,21

Chez Jordi, 8 r. Hôtel de Ville ℰ 04 93 58 83 45, Fax 04 93 58 83 45 – ⯍ B e
*fermé 1er juil. au 15 août, 15 déc. au 31 janv., dim. et lundi – **Repas** (nombre de couverts
limité, prévenir) 20/25 ⅀

NDÔME ⟨⬦⟩ 41100 L.-et-Ch. 🔢 ⑥ *G. Châteaux de la Loire – 17 707 h alt. 82.*
Voir Anc. abbaye de la Trinité★ : église abbatiale★★, musée★ BZ M – Château : terrasses
≤★.
🅱 Office du tourisme 47-49 rue Poterie ℰ 02 54 77 05 07, Fax 02 54 73 20 81,
Ot.Vendome@wanadoo.fr.
Paris 171 ① – Blois 33 ④ – Le Mans 76 ⑥ – Orléans 91 ① – Tours 58 ④.

Plan page suivante

Capricorne, 8 bd de Trémault ℰ 02 54 80 27 00, *capricorne41@hotmail.com,
Fax 02 54 77 30 63, ⅌, ⅌ – ⅌ ⊡ ⚜ ⅌ 🅿 – 🔢 15. ⯍ ⓪ ⅁⅁ ⅃⅏⅁ BX v
*fermé 20 déc. au 12 janv., sam. et dim. hors saison – **Folle Blanche** (fermé sam. sauf le soir
d'avril à oct. et dim. soir hors saison) **Repas** 17/37, enf. 11 – **Resto 7e Art** (fermé sam. sauf
le soir d'avril à oct. et dim. soir hors saison) **Repas** 15/17 ⅊, enf. 11 – ⊡ 6,40 – **31 ch**
46/56,50 – ½ P 43,50/50

Mercator, rte Blois par ③ : 2 km ℰ 02 54 89 08 08, Fax 02 54 89 09 17 – ⬛ rest, ⊡ ⚜ ⅌
🅿 – 🔢 20 à 80. ⯍ ⅁⅁
Repas (fermé dim. soir d'oct. à fin mars) 13,72/28,96 ⅀ – ⊡ 5,34 – **51 ch** 37,35 – ½ P 30,49

Bel air, par ① et N 10 : 3 km ℰ 02 54 72 20 20, Fax 02 54 73 24 41, ⅌ – ⊡ ⚜ ⅌ 🅿 –
🔢 15 à 30. ⯍ ⅁⅁
*fermé 15 déc. au 7 janv. et dim. en hiver – **Repas** (fermé vend. soir et dim. soir) (6,10) -
12,20 ⅀, enf. 5,79 – ⊡ 5,50 – **31 ch** 30,50/36 – ½ P 34,50

Auberge de la Madeleine avec ch, 6 pl. Madeleine ℰ 02 54 77 20 79,
Fax 02 54 80 00 02, ⅌ – ⊡. ⅁⅁ AY d
*fermé vacances de fév. – **Repas** (fermé merc.) 13,60/34,30 ⅀ – ⊡ 5,80 – **8 ch** 32,80/45,45 –
½ P 37,35/39,65

Paris, 1 r. Darreau ℰ 02 54 77 02 71, Fax 02 54 73 17 71 – ⯍ ⅁⅁ BX z
*fermé 30 juil. au 14 août, dim. soir, mardi soir et lundi – **Repas** 14,03/28,97 ⅀, enf. 9,91

t-Ouen Nord-Est : 4 km par D 92 et rte secondaire BX – 3 050 h. alt. 81 – ⊠ 41100 :

Vallée, 34 r. Barré-de-St-Venant ℰ 02 54 77 29 93, Fax 02 54 73 16 96, ⅌ – 🅿. ⯍ ⅁⅁
*fermé 6 au 29 janv., 16 au 29 sept., lundi et mardi – **Repas** (12) - 15/36 ⅀, enf. 7

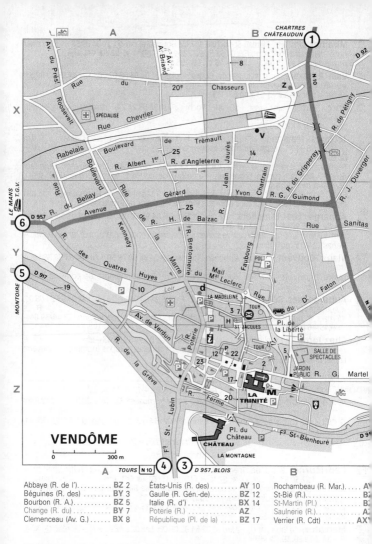

VENDÔME

0 ———— 300 m

TOURS N 10 ④ ③ D 957, BLOIS

Abbaye (R. de l')	**BZ** 2	États-Unis (R. des)	**AY** 10	Rochambeau (R. Mar.)	**AY**		
Béguines (R. des)	**BY** 3	Gaulle (R. Gén.-de)	**BZ** 12	St-Bié (R.)	**BZ**		
Bourbon (R. A.)	**BZ** 5	Italie (R. d')	**BX** 14	St-Martin (Pl.)	**BZ**		
Change (R. du)	**BY** 7	Poterie (R.)	**AZ**	Saulnerie (R.)	**AZ**		
Clemenceau (Av. G.)	**BX** 8	République (Pl. de la)	**BZ** 17	Verrier (R. Cdt)	**AX**		

A good moderately priced meal : 🍴 Repas 16/23

VENEUX-LES-SABLONS 77 S.-et-M. 🔢 ⑫, 🔢 ⑯ – rattaché à Moret-sur-Loing.

VENTABREN 13122 B.-du-R. 🔢 ②, 🔢 ⑭ G. Provence – 4 552 h alt. 210.

Voir ⩽★ des ruines du Château.

🛈 Office du tourisme 11 boulevard de Provence ℘ 04 42 28 76 47, Fax 04 42 28 96
ot.ventabren@visitprovence.com.

Paris 753 – Marseille 34 – Aix-en-Provence 13 – Salon-de-Provence 27.

✗ **Table de Ventabren,** r. F. Mistral ℘ 04 42 28 79 33, Fax 04 42 28 87 37, ⩽,
« Terrasse avec belle vue » – 🆚
fermé merc. – **Repas** (saison et week-ends, prévenir)(menu unique) 16 (déj.)/22

NTRON 88310 Vosges **62** ⑰ – 979 h alt. 630 – Sports d'hiver : 850/1 110 m ⚡7 ⚐.

Env. *Grand Ventron* ✹✹✹ NE : 7 km, G. Alsace Lorraine.

🛈 Office du tourisme 4 place de la Mairie ℰ 03 29 24 07 02, Fax 03 29 24 23 16, ot-ventron@wanadoo.fr.

Paris 439 – Épinal 55 – Mulhouse 51 – Gérardmer 25 – Remiremont 30 – Thann 31.

Ermitage Frère Joseph Sud : 5 km par D 43 et D 43E – Sports d'hiver : 850/1 110 m ⚡7 ⚐ – ⊠ 88310 Ventron :

🏨 **Les Buttes** Ⓜ ⚗, ℰ 03 29 24 18 09, info@frerejo.com, Fax 03 29 24 21 96, ≼, ▨ – ⊫ 📺 ◄ ⇔ 🅿 – 🕍 40. ﷼ ⒼⒷ. ⚒ rest
fermé 11 nov. au 13 déc. – **Repas** 23/43 ♀ – ⚌ 11 – **27 ch** 72,80/165 – ½ P 76/112

🏨 **Ermitage Frère Joseph** ⚗, ℰ 03 29 24 18 29, info@frerejo.com, Fax 03 29 24 16 57, ≼, 😤, ⚒ – ⊫ cuisinette 📺 ◄ 🅿 – 🕍 80. ⒼⒷ
Repas 13/22, enf. 9 – ⚌ 7 – **17 ch** 24,80/80, 35 studios – ½ P 38/63

avexin Ouest : 3 km – ⊠ 88310 Cornimont :

🏠 **Géhan**, ℰ 03 29 24 10 71, le.gehan@online.fr, Fax 03 29 24 10 70, 😤, ⚡ – 📺 ◄ 🅿 ﷼ ⓪ ⒼⒷ
fermé 1er au 21 juil. et 28 oct. au 3 nov. – **Repas** (fermé dim. soir et lundi) 11/31 ♀, enf. 8 – ⚌ 6,25 – **11 ch** 41 – ½ P 45

RBERIE 60410 Oise **56** ②, **106** ⑩ – 3 283 h alt. 33.

Paris 69 – Compiègne 16 – Beauvais 57 – Clermont 31 – Senlis 22 – Villers-Cotterêts 31.

✕✕ **Auberge de Normandie** avec ch, 26 r. Pêcherie ℰ 03 44 40 92 33, christiane.maletras@wanadoo.fr, Fax 03 44 40 50 62, 😤 – 📺. ⒼⒷ
fermé 9 au 29 juil., dim. soir et lundi – **Repas** 15 (déj.), 19/37 ♀ – ⚌ 6 – **5 ch** 35/52 – ½ P 36/45

RCHAIX 74 H.-Savoie **74** ⑧ – rattaché à Samoëns.

RDON (Grand Canyon du) ✭✭✭ 04 Alpes-de-H.-P. **81** ⑰, **114** ⑧ ⑨ G. Alpes du Sud.
Ressources hôtelières : *voir à* **Trigance, Point Sublime, La Palud-sur-Verdon.**

Towns underlined in red on the **Michelin maps**
at a scale of 1 : 200 000 are included in this Guide.

Use the latest map to take full advantage of this information.

RDUN ◀▣▶ 55100 Meuse **57** ⑪ G. Alsace Lorraine – 19 624 h alt. 198.

Voir *Ville Haute*★ BZ – *Cathédrale Notre-Dame*★, **BYZ** *Palais épiscopal*★ *(Centre mondial de la paix)* BZ – *Citadelle souterraine*★ : *circuit*★★ BZ – *Les champs de bataille*★★★ : *Mémorial de Verdun, Fort et Ossuaire de Douaumont, Tranchée des Baïonnettes, le Mort-Homme, la Cote 304.*

🛈 Office du tourisme Place de la Nation ℰ 03 29 86 14 18, Fax 03 29 84 22 42, verduntourisme@wanadoo.fr.

Paris 264 ④ – Bar-le-Duc 57 ④ – Metz 80 ③ – Châlons-en-Champagne 91 ④ – Nancy 95 ③.

Plan page suivante

🏨 **Hostellerie du Coq Hardi**, 8 av. Victoire ℰ 03 29 86 36 36, coq.hardi@wanadoo.fr, Fax 03 29 86 09 21 – ⊫ 📺 ⏸ – 🕍 25. ﷼ ⓪ ⒼⒷ   CY v
Repas *(fermé vend. sauf fériés)* 35/74,70, enf. 16,50 - **Bistro : Repas** 15,70/ 24,40 ♀, enf. 10,70 – ⚌ 13 – **34 ch** 47,30/125, 3 appart

🏠 **Prunellia**, 48 av. Metz par ③ ℰ 03 29 83 94 94, Fax 03 29 83 94 95 – 📺 ◄ ⏸ 🅿 – 🕍 25. ﷼ ⓪ ⒼⒷ
Repas *(fermé le midi sauf week-ends et vend.)* 15/39,50 ♀ – ⚌ 8 – **40 ch** 47 – ½ P 41

🏛 **Montaulbain** sans rest, 4 r. Vieille-Prison ℰ 03 29 86 00 47, Fax 03 29 84 75 70 – 📺. ⒼⒷ
⚌ 5 – **10 ch** 25/33   BCY e

✕ **Monthairons** par ④ et D 34 : 13 km – 388 h. alt. 200 – ⊠ 55320 :

🏨 **Hostellerie du Château des Monthairons** ⚗, ℰ 03 29 87 78 55, chateau-des-monthairons@wanadoo.fr, Fax 03 29 87 73 49, ≼, 😤, « Château du 19e siècle dans un parc en bordure de Meuse », ▲, ♨ – 📺 ◄ ⏸ 🅿 – 🕍 25. ﷼ ⓪ ⒼⒷ ᴊᴄᴮ. ⚒ rest
fermé 2 janv. au 9 fév., dim. soir et lundi du 16/11-14/03, lundi midi, merc. midi du 15 mars-15 nov. et mardi midi – **Repas** 29,10/73,91 ♀, enf. 13 – ⚌ 13,50 – **14 ch** 88,55/145, 6 appart – ½ P 80,25/130

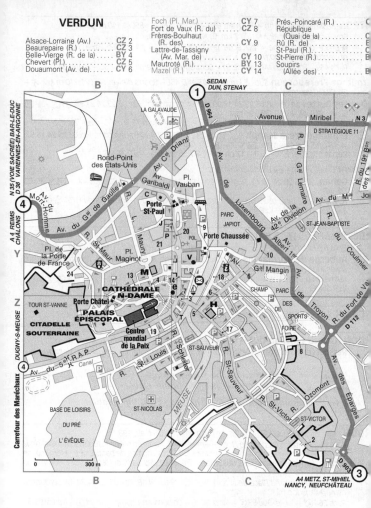

VERDUN

Le Guide change, changez de guide tous les ans.

VERDUN-SUR-LE-DOUBS 71350 S.-et-L. **70** ② G. Bourgogne – 1 199 h alt. 180.
🄑 Office du tourisme Chemin de Vallière ℰ 03 85 91 87 52.
Paris 332 – Beaune 24 – Chalon-sur-Saône 23 – Dijon 65 – Dole 49 – Lons-le-Saunier 56.

XX **Hostellerie Bourguignonne** Ⓜ avec ch, rte Ciel ℰ 03 85 91 51 45, hostelleriebou
gnonne@hotmail.com, Fax 03 85 91 53 81, 佘, 屛 – 📺 ℃ 🅿. 🆎 ⌷ ⌷
fermé fév., merc. midi et mardi – **Repas** 28,50/69 ♀ – ⌷ 10 – **9 ch** 73,50/88,5
½ P 91,50/107

VERGÈZE 30310 Gard **83** ⑧ – 3 643 h alt. 30.
🄑 Office du tourisme Place de la Mairie ℰ 04 66 35 45 92, Fax 04 66 35 45 92.
Paris 730 – Montpellier 44 – Nîmes 20.

🏨 **Passiflore** ♠, ℰ 04 66 35 00 00, Fax 04 66 35 09 21, 佘 – 📺. 🆎 ⌷. ⌻ rest
Repas (14 fév.-27 oct. et fermé dim. sauf juil.-août et lundi) (dîner seul.) 22,50/26 ♀ – ⌷
11 ch 46/55 – ½ P 48/52

GONGHEON 43360 H.-Loire **76** ⑤ – 1 608 h alt. 440.
Paris 474 – Clermont-Ferrant 62 – Le Puy-en-Velay 73 – St-Flour 50.

🍴 **Petite École**, à Rilhac, Sud-Est : 3 km par D 174 ℰ 04 71 76 00 44, petite.ecole@wanadoo .fr, Fax 04 71 76 90 94 – ▲ 🇬🇧
fermé 2 au 15 sept., 23 au 30 déc., dim. soir et lundi – **Repas** 18,30/22,50 ♀, enf. 10,80

RLINGHEM 59 Nord **51** ⑯ – rattaché à Lille.

RNET-LES-BAINS 66820 Pyr.-Or. **86** ⑰ G. Languedoc Roussillon – 1 440 h alt. 650 – Stat. therm. (mi mars-fin nov.) – Casino.
Voir Site★ – Abbaye Saint-Martin-du-Canigou 2,5 km S★★.
🛈 Office du tourisme 6 place de l'Ancienne Mairie ℰ 04 68 05 55 35, Fax 04 68 05 60 33.
Paris 909 ① – Perpignan 57 ① – Mont-Louis 36 ① – Prades 11 ①.

VERNET-LES-BAINS

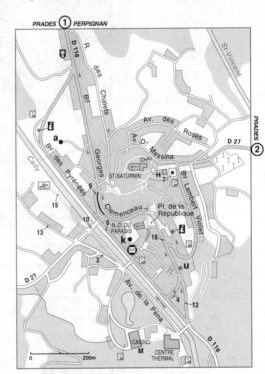

🏨 **Mas Fleuri** ॐ sans rest, bd Clemenceau **(a)** ℰ 04 68 05 51 94, Fax 04 68 05 50 77, « Parc ombragé », ☒, 🎣 – ▥ 🅿. ▲ ➊ 🇬🇧. ℅
1er mai-15 oct. – ☲ 7,50 – **30 ch** 61/83

🏨 **Princess** ॐ, r. Lavandières **(k)** ℰ 04 68 05 56 22, info@hotel.princess.com, Fax 04 68 05 62 45, ☆ – 📶, 🍽 rest, ▥ ✆ ⇔ 🅿 – 🔬 40. ▲ 🇬🇧. ℅ rest
15 mars-1er déc. – **Repas** 14/30 ♂, enf. 10 – ☲ 6,80 – **40 ch** 43/53 – ½ P 46,50

🍴 **Comte Guifred de Conflent** avec ch (collège d'application hôt.), av. Thermes **(u)** ℰ 04 68 05 51 37, Fax 04 68 05 64 11, ☆, ☞ – 📶 ▥ – 🔬 40. ▲ ➊ 🇬🇧
mars-oct. – **Repas** 13,50/22, enf. 8,50 – ☲ 6 – **10 ch** 44 – ½ P 44

Vous aimez le camping ?
Utilisez le guide Michelin **Camping Caravaning France.**

1455

VERNEUIL-SUR-AVRE 27130 Eure **60** ⑥ G. *Normandie Vallée de la Seine* – 6 619 h alt. 155

Voir *Église de la Madeleine★ – Statues★ de l'église Notre-Dame.*

🚩 *Office du tourisme* 129 place de la Madeleine ℘ 02 32 32 17 17, Fax 02 32 32 17 17.

Paris 115 ② – Alençon 78 ④ – Argentan 78 ⑤ – Chartres 57 ③ – Dreux 37 ② – Évreux

VERNEUIL-
SUR-AVRE

Breteuil (Rte de) 2
Briand (R. A.) 4
Canon (R. du) 5
Casati (Bd) 7
Chasles (Av. A.) 8
Clemenceau (R.) 9
Demolins (Av. E.) 10
Ferté-Vidame
  (Rte de la) 12
Lait (R. au) 13
Madeleine
  (Pl. de la) 15
Notre-Dame (Pl.) 16
Paul-Doumer (R.) 17
Poissonnerie
  (R. de la) 18
Pont-aux-Chèvres
  (R. du) 19
Tanneries (R. des) 21
Thiers (R.) 22
Tour-Grise (R. de la) .. 24
Verdun (Pl. de) 25
Victor-Hugo (Av.) 27
Vlaminck (R. M.-de) ... 30

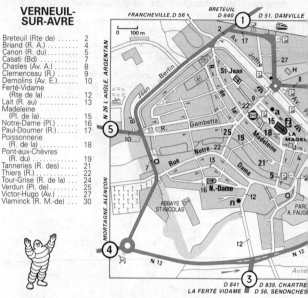

🏛 **Hostellerie Le Clos** ◈, 98 r. Ferté-Vidame (n) ℘ 02 32 32 21 81, hostellerie.lec
wanadoo.fr, Fax 02 32 32 21 36, 😤, 🛠, 🐜, ✕ – 📺 📞 & 🅿 – 🔏 20. 🆎 ⓪ ☜ 🅱
fermé 9 déc. au 19 janv., lundi midi et mardi midi – **Repas** 29,72/64,79 ♀, enf. 16,
🗟 14,48 – **4 ch** 129,58/167,69, 6 appart 198,18/236,30 – 1/2 P 141,01/182,94

🏨 **Saumon,** 89 pl. Madeleine (a) ℘ 02 32 32 02 36, *hotel.saumon@wanado*
Fax 02 32 37 55 80 – 📺 – 🔏 25. ☜
fermé 18 déc. au 5 janv. et dim. soir du 5 nov. au 31 mars – **Repas** 11/49 ♀ – 🗟 6,50 – 2
38/55

VERNON 27200 Eure **55** ⑰ ⑱, **106** ① ② G. *Normandie Vallée de la Seine* – 24 056 h alt. 32.

Voir *Église Notre-Dame★ – Château de Bizy★ 2 km par ③ – Giverny★ 3 km.*

🚩 *Office du tourisme* 36 rue Carnot ℘ 02 32 51 39 60, Fax 02 32 51 86 55, tourisme.ve
@wanadoo.fr.

Paris 76 ② – Rouen 63 ③ – Beauvais 67 ⑤ – Évreux 32 ③ – Mantes-la-Jolie 24 ②.

Plan page ci-contre

🏛 **Évreux,** 11 pl. d'Évreux ℘ 02 32 21 16 12, *hotel.devreux@libertysu*
Fax 02 32 21 32 73, 😤 – 📺 📞 🅿 🆎 ⓪ ☜ 🝊
Relais Normand *(fermé dim. sauf fériés)* **Repas** 2026 ♀ – 🗟 5,50 – **12 ch** 33/54   B⟩

✕✕ **Les Fleurs,** 71 r. Carnot ℘ 02 32 51 16 80, Fax 02 32 21 30 51 – 🆎 ☜. 🛠
fermé 4 au 13 mars, 1ᵉʳ au 27 août, dim. soir et lundi   B⟩
Repas 21/40

✕ **Poste,** 26 av. Gambetta ℘ 02 32 51 10 63 – 🆎 ☜   B⟩
fermé 1ᵉʳ au 15 mars, 1ᵉʳ au 24 août, mardi soir et merc. – **Repas** 14,50 (déj.), 20/29

✕ **Bistro,** 73 r. Carnot ℘ 02 32 21 29 19 – ☜. 🛠   B⟩
fermé 18 au 24 fév., lundi soir et dim. – **Repas** (13,50 bc) - 16 ♀

à St-Marcel par ④ – 4 982 h. alt. 60 – ✉ 27950 :

🏨 **Kyriad,** 11 r. Poste ℘ 02 32 71 10 00, Fax 02 32 21 20 95, 😤 – 📺 & 🅿 – 🔏 30. 🆎 ☜
Repas (10,50) - 14,50/20 🗟, enf. 6,50 – 🗟 6,50 – **44 ch** 46,50/50,50

🏨 **Haut Marais** *sans rest,* 2 rte Rouen ℘ 02 32 71 22 50, *hotel-du-haut-marais@wanad*
om, Fax 02 32 71 22 51 – 📺 📞 🅿. 🆎 ☜
fermé 3 au 17 fév. et dim. de nov. à mars – 🗟 5,34 – **28 ch** 41,16/45,73

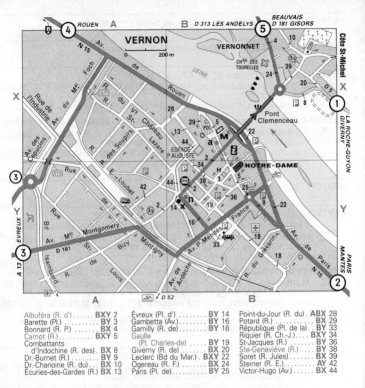

Albuféra (R. d')	**BXY** 2	Évreux (Pl. d')	**BY** 14	Point-du-Jour (R. du) . **ABX** 28
Barette (Pl.)	**BY** 3	Gambetta (Av.)	**BY** 16	Potard (R.)	**BX** 29
Bonnard (R. P.)	**BX** 4	Gamilly (R. de)	**BY** 18	République (Pl. de la) . **BY** 33
Carnot (R.)	**BXY** 5	Gaulle		Riquier (R. Ch.-J.) . . . . **BXY** 34
Combattants		(Pl. Charles-de)	**BY** 19	St-Jacques (R.)	**BY** 36
d'Indochine (R. des) . **BX** 8		Giverny (R. de)	**BX** 20	Ste-Geneviève (R.)	**BY** 38
Dr.-Burnet (R.)	**BY** 9	Leclerc (Bd du Mar.) . **BXY** 22	Soret (R. Jules)	**BX** 39
Dr.-Chanoine (R. du) . **BX** 10		Ogereau (R. F.)	**BX** 24	Steiner (R. E.)	**AY** 42
Écuries-des-Gardes (R.) **BX** 13		Paris (Pl. de)	**BY** 25	Victor-Hugo (Av.)	**BX** 44

ouains *par* ③, *D 181 et D 75 : 8 km* – *465 h. alt. 128* – ⊠ *27120 :*

🏨 **Château de Brécourt** 🕭, *𝒫 02 32 52 40 50, brecourt@leshotelsparticuliers.com, Fax 02 32 52 69 65*, ≤, 🏡, « Château du 17ᵉ siècle », 🖫, ✗, 🕭 – **P** – 🟔 15 à 200. 🖭 ⑩ ⒼⒷ

Repas *29,72 (déj.), 37,35/57,16* ♈ – ☕ *12,19* – **30 ch** *102,14/256,11* – ½ P *114,33/203,51*

RNOUILLET *28 E.-et-L.* 🔢 ⑦ – *rattaché à Dreux.*

RNOUILLET *78 Yvelines* 🔢 ⑲, 🔢 ① – *voir à Paris, Environs.*

RNOU-SUR-BRENNE *37210 I.-et-L.* 🔢 ⑮ – *2 452 h alt. 58.*

🄱 *Syndicat d'initiative 1 rue Anatole France 𝒫 02 47 52 10 35, Fax 02 47 52 08 44.*
Paris 234 – *Tours 14* – *Amboise 14* – *Blois 48* – *Vendôme 53.*

🏛 **Les Perce-Neige,** *𝒫 02 47 52 10 04, brigitte@perceneige.com, Fax 02 47 52 19 08*, 🏡, ♔ – 🔟 **P**, 🖭 ⒼⒷ
fermé 1ᵉʳ au 8 mars, 18 au 28 nov., merc. et jeudi du 15 sept. au 15 juin – **Repas** *15/37* ♈, enf. *9* – ☕ *6* – **15 ch** *30,50/46* – ½ P *30,50/42*

RQUIÈRES *13 B.-du-R.* 🔢 ① – *rattaché à St-Rémy-de-Provence.*

In this Guide,

a symbol or a character,
printed in **black** or another colour, in light or **bold** type,
does not have the same meaning.

Please read the explanatory pages carefully.

VERSAILLES 78 Yvelines 🗺️60 ⑨ ⑩, 🗺️101 ㉓ – voir à Paris, Environs.

VER-SUR-LAUNETTE 60 Oise 🗺️56 ⑫ – rattaché à Ermenonville.

VERTEILLAC 24320 Dordogne 🗺️75 ④ – 675 h alt. 185.

🛈 Syndicat d'initiative Avenue d'Aquitaine ☎ 05 53 90 37 78, Fax 05 53 90 37 78, si.ve lac@perigord.tm.fr.

Paris 493 – Angoulême 46 – Périgueux 50 – Brantôme 31 – Chalais 31 – Ribérac 13.

au Nord-Ouest : 5 km par D 1, D 101, C 201 et rte secondaire – ⊠ 24320 St-Martial-Viveyrols :

🏨 **Hostellerie Les Aiguillons** M ⟡, ☎ 05 53 91 07 55, lesaiguillons@aol.c Fax 05 53 91 00 43, ≼, 😤, ⏋, 🕭 – 🔟 ✆ ₺ 🄿 🄰🄴 🄾 🄶🄱
mars-1ᵉʳ nov. et fermé dim. soir et lundi hors saison – **Repas** (dîner seul. sauf dim.) 25/ enf. 13 – ⯜ 8 – **8 ch** 61/77 – ½ P 76,50/91,50

VERTOU 44 Loire-Atl. 🗺️67 ③ – rattaché à Nantes.

VERTUS 51130 Marne 🗺️56 ⑯ G. Champagne Ardenne – 2 513 h alt. 85.

Paris 139 – Reims 49 – Châlons-en-Champagne 30 – Épernay 21 – Montmirail 39.

🏨 **Hostellerie de la Reine Blanche,** av. Louis Lenoir ☎ 03 26 52 2C Fax 03 26 52 16 59, ₍₄ – ▤ 🔟 ✆ 🄿 – ⚖️ 45. 🄰🄴 🄾 🄶🄱 🄹🄲🄱
Repas 21/45, enf. 10 – ⯜ 9 – **30 ch** 60/82 – ½ P 69

à Bergères-les-Vertus Sud : 3,5 km par D 9 – 540 h. alt. 108 – ⊠ 51130 Vertus :

🏨 **Mont-Aimé** ⟡, ☎ 03 26 52 21 31, mont.aime@wanadoo.fr, Fax 03 26 52 21 39, 😤 🕭 – ▤ rest, 🔟 ✆ 🄿 – ⚖️ 45. 🄰🄴 🄾 🄶🄱 🄹🄲🄱
fermé vacances de fév. et dim. soir – **Repas** 20/64 ℤ – ⯜ 10 – **30 ch** 56,50/79 – ½ P 73

Les VERTUS 76 S.-Mar. 🗺️52 ④ – rattaché à Dieppe.

VERVINS ⟨🅂🄿⟩ 02140 Aisne 🗺️53 ⑯ G. Picardie Flandres Artois – 2 653 h alt. 147.

🛈 Office du tourisme Place du Général de Gaulle ☎ 03 23 98 11 98, Fax 03 23 98 0₂ office.de.tourisme.de.vervins.et.du.vervinois@wanadoo.fr.

Paris 177 – St-Quentin 50 – Charleville-Mézières 69 – Laon 36 – Reims 89 – Valencienne

🏨 **Tour du Roy,** 45 r. Gén. Leclerc ☎ 03 23 98 00 11, latourduroy@wanado Fax 03 23 98 00 72, 😤 – ▤ ch, 🔟 ₺ 🄿 🄰🄴 🄾 🄶🄱 🄹🄲🄱
Repas (fermé lundi midi et mardi midi) 30,49/60,98 ℤ – ⯜ 12,20 – **22 ch** 76,22/182, ½ P 80,80/134,16

VERZY 51380 Marne 🗺️56 ⑰ G. Champagne Ardenne – 1 058 h alt. 210.

Voir Faux de Verzy★ S : 2 km.

Paris 165 – Reims 22 – Châlons-en-Champagne 34 – Épernay 25 – Rethel 53 – Vouziers

🍴🍴 **Au Chant des Galipes,** 2 r. Chanzy ☎ 03 26 97 91 40, Fax 03 26 97 91 44, 😤 – 🄰🄴 ⟨ fermé 17 août au 2 sept., 23 déc. au 12 janv., dim. soir, mardi soir et merc. – **Repas** (déj.), 19,06/39,64, enf. 10,68

VESCOUS 06 Alpes-Mar. 🗺️81 ⑳ – rattaché à Gilette.

Le VÉSINET 78 Yvelines 🗺️55 ⑳, 🗺️101 ⑬ – voir à Paris, Environs.

VESOUL 🄿 70000 H.-Saône 🗺️66 ⑤ ⑥ G. Jura – 17 168 h alt. 221.

🛈 Office du tourisme Rue des Bains ☎ 03 84 97 10 85, Fax 03 84 97 10 71, otvesoul@c internet.fr.

Paris 360 ① – Besançon 49 ② – Belfort 65 ① – Épinal 90 ① – Langres 77 ① – Vittel 88 ⓒ

Plan page ci-contre

🏨 **Lion** sans rest, 4 pl. République (a) ☎ 03 84 76 54 44, Fax 03 84 75 23 31 – 📳 🔟 🄿 🄰🄴 fermé 4 au 15 août, 26 déc. au 5 janv. et sam. en janv. – ⯜ 5,80 – **18 ch** 43/46

🍴 **Caveau du Grand Puits,** r. Mailly (u) ☎ 03 84 76 66 12, Fax 03 84 76 66 12, 😤 – 🄰🄴 fermé 15 août au 1ᵉʳ sept., 24 déc. au 3 janv., merc. midi, sam. midi, dim. et fériés – **Re** 14,95/21,35 ₠, enf. 5,34

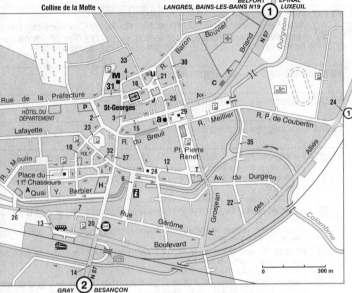

Une réservation confirmée par écrit ou par fax est toujours plus sûre.

UIL 36 *Indre* 68 ⑧ – *rattaché à Valençay.*

ULES-LES-ROSES 76980 *S.-Mar.* 52 ③ *G. Normandie Vallée de la Seine* – 676 h alt. 15.

🛈 *Office du tourisme 12 rue du Marché* ℘ 02 35 97 63 05, *Fax* 02 35 57 24 51, *mairie-veules-les-roses@wanadoo.fr.*

Paris 189 – *Dieppe 27* – *Fontaine-le-Dun 8* – *Rouen 57* – *St-Valery-en-Caux 8.*

XX **Les Galets**, à la plage ℘ 02 35 97 61 33, *lesgalets@lerapporteur.fr, Fax* 02 35 57 06 23 – AE GB

fermé 15 nov. au 15 déc., merc. sauf le soir en juil.-août et mardi – **Repas** 27/70 et carte 48 à 67

VEURDRE 03320 *Allier* 69 ③ *G. Auvergne* – 578 h alt. 190.

Paris 275 – *Bourges 66* – *Moulins 35* – *Montluçon 67* – *Nevers 34* – *St-Amand-Montrond 48.*

🏠 **Pont Neuf** ⊗, ℘ 04 70 66 40 12, *hotel.le.pontneuf@wanadoo.fr, Fax* 04 70 66 44 15, ㄅ, 🍴, ⤢, ㄱ, ⚄ – ↦ 🖭 ☎ ঙ 🄿 – ▵ 25. AE ⓞ GB JCB

fermé dim. d'oct. à mars – **Repas** *(fermé 26 oct. au 2 nov., 15 déc. au 15 janv. et dim. soir d'oct. à mars)* 15/37 ♀ – ⊑ 7 – **46 ch** 51/80 – ½ P 47/65

UVES 41150 *L.-et-Ch.* 64 ⑯ – 216 h alt. 62.

Paris 205 – *Tours 37* – *Bourges 136* – *Orléans 84* – *Poitiers 137.*

X **Auberge de la Croix Blanche**, N 152 ℘ 02 54 70 23 80, *jean.claude.sichi@wanadoo.fr, Fax* 02 54 70 24 38, ㄅ, ㄱ – 🄿. GB

fermé vacances de fév., mardi soir d'oct. à Pâques, dim. soir et lundi – **Repas** 16/28,20 ⅃, enf. 6,86

VEYNES 05400 H.-Alpes 🔟 ⑤ – 3 093 h alt. 827.

🚹 Office du tourisme Avenue Commandant Dumont ℘ 04 92 57 27 43, Fax 04 92 58 1▮
Tourisme.Veynois@wanadoo.fr.

Paris 664 – Gap 24 – Aspres-sur-Buëch 9 – Sisteron 50.

XX **Sérafine,** Les Pairois Est : 2 km par rte Gap et D 20 ℘ 04 92 58 06 00, Fax 04 92 58 C
🍴 – 🎖️ ① 🇬🇧
fermé en janv., lundi et mardi – **Repas** (nombre de couverts limité, prévenir) 16 (déj.), 2▮

VEYRE-MONTON 63960 P.-de-D. 🔞 ⑭ – 3 443 h alt. 450.

Paris 430 – Clermont-Ferrand 18 – Aurillac 144 – Moulins 114 – Le Puy-en-Velay 115.

XX **Les Veillées d'Auvergne,** ℘ 04 73 69 75 33, Fax 04 73 69 75 33, 🍴 – 🅿. 🇬🇧
fermé 26 août au 15 sept., 1er au 6 janv., dim. soir et lundi – **Repas** 14,49/36,59

VEYRIER-DU-LAC 74 H.-Savoie 🔟 ⑥ – rattaché à Annecy.

VÉZAC 24 Dordogne 🔟 ⑰ – rattaché à Beynac et Cazenac.

VÉZAC 15 Cantal 🔟 ⑫ – rattaché à Aurillac.

VÉZELAY 89450 Yonne 🔟 ⑮ G. Bourgogne – 492 h alt. 285 Pèlerinage (22 juillet).

Voir Basilique Ste-Madeleine★★★ : tympan du portail central★★★, chapiteaux★★★.

🚹 Office du tourisme Rue Saint-Pierre ℘ 03 86 33 23 69, Fax 03 86 33 34 00, vezel▮
si@ipoint.fr.

Paris 222 – Auxerre 52 – Avallon 16 – Château-Chinon 58 – Clamecy 23.

🏨 **Poste et Lion d'Or,** ℘ 03 86 33 21 23, Fax 03 86 32 30 92, 🍴, 🌿 – 📺 🅿. 🎖️ ①
🇯🇨🇧
23 mars-3 nov. – **Repas** (fermé mardi midi, jeudi midi et lundi) 18,30/40 ⊈, enf. 10 – ⊇
– **39 ch** 52/107 – ½ P 58/64

🏨 **Pontot** 🔌 sans rest, ℘ 03 86 33 24 40, Fax 03 86 33 30 05, ≤, ambiance guest'ho▮
« Jardin fleuri », 🌿 – ① 🇬🇧 🇯🇨🇧
15 avril-15 oct. – ⊇ 10 – **11 ch** 95/145

🏠 **Compostelle** Ⓜ sans rest, ℘ 03 86 33 28 63, Fax 03 86 33 34 34, 🌿 – 📺 ✔. 🎖️ 🇬🇧
fermé 2 au 15 déc. et janv. – ⊇ 6 – **18 ch** 44/53

XX **St-Étienne,** 39 r. St-Étienne ℘ 03 86 33 27 34, lesaintetienne@aol.c▮
Fax 03 86 33 34 79 – 🎖️ ① 🇬🇧 🇯🇨🇧
fermé mi-janv. à fin fév., merc. et jeudi – **Repas** 22,87/53,36 ⊈, enf. 9,15

à St-Père Sud-Est : 3 km par D 957 – 385 h. alt. 148 – ⊠ 89450 :

Voir Église N.-Dame★.

🏛️ **L'Espérance** (Meneau) 🔌, ℘ 03 86 33 39 10, Marc.Meneau@wanado▮
❀❀ Fax 03 86 33 26 15, ≤, « Salle à manger dans une verrière s'ouvrant sur le jardin », 🌿,
▦ rest, 📺 ✔ 🅿. – 🔼 50. 🎖️ ① 🇬🇧 🇯🇨🇧
fermé mi-janv. à début mars – **Repas** (fermé mardi sauf le soir du 15 juin au 15 sep▮
merc. midi) (prévenir) 85 bc (déj.), 130/170 et carte 135 à 195 – ⊇ 25 – **25 ch** 150/.
5 appart – ½ P 240
Spéc. "Carottes" de foie gras parfumées au cumin. Dos de turbot en croûte de se▮
beurre de homard. Ananas rôti à la vanille, sauce piment et glace au fromage blanc ▮
Bourgogne-Vézelay, Chablis.

🏠 **Renommée** sans rest, ℘ 03 86 33 21 34, Fax 03 86 33 34 17 – 📺 ⅙ 🅿. 🇬🇧 🌼
fermé 2 janv. au 28 fév. et mardi hors saison – ⊇ 6,25 – **19 ch** 31/65

à Fontette Est : 5 km par D 957 – ⊠ 89450 Vézelay :

🏨 **Crispol** Ⓜ 🔌, rte Avallon ℘ 03 86 33 26 25, Fax 03 86 33 33 10, ≤ colline de Vézelay,
« Décor contemporain », 🌿 – 📺 ⅙ ☞ 🅿. 🇬🇧
fermé 10 janv. à fin fév., mardi midi et lundi (sauf hôtel de mai à sept.) – **Repas** 20▮
enf. 10 – ⊇ 9 – **12 ch** 67/74 – ½ P 66

🏠 **Aquarelles** 🔌, ℘ 03 86 33 34 35, Fax 03 86 33 29 82, 🍴 – ✔ ⅙ 🅿. 🇬🇧. 🌼
fermé 29 déc. au 15 mars, mardi soir et merc. en nov. et déc. – **Repas** (10) · carte 20 à 30▮
⊇ 5 – **10 ch** 45/48 – ½ P 48

A good moderately priced meal : 🍴 Repas 16/23

ELS-ROUSSY 15130 Cantal **76** ⑫ – 143 h alt. 730.
Paris 583 – Aurillac 23 – Entraygues-sur-Truyère 29.

🏠 **Bergerie** ⑤, ℰ 04 71 49 42 90, Fax 04 71 49 44 70, ≼, **£₆**, **☒**, ☞ – **⒠** **🅿**. **GB**
🍴 *fermé janv. et fév.* – **Repas** 11,43/21,04 ♀, enf. 5,34 – ☲ 4,57 – **14 ch** 36,59/45,73 –
½ P 34,30

ZÉNOBRES 30360 Gard **80** ⑱ *G. Languedoc Roussillon* – 1 391 h alt. 213.
Voir ☀* du sommet du village.
🛈 *Office du tourisme Grand'Rue ℰ 04 66 83 62 02, Fax 04 66 83 62 35.*
Paris 710 – Alès 13 – Nîmes 34 – Uzès 27.

🏠 **Relais Sarrasin**, N 106 ℰ 04 66 83 55 55, Fax 04 66 83 66 83, **☒** – **⒠** **📺** **🅿**. **GB**
🍴 *fermé 15 fév. au 15 mars, dim. soir et lundi sauf juil.-août* – **Repas** 13/27,50 ♀, enf. 7,50 –
☲ 6,90 – **16 ch** 38/56,50 – ½ P 36

A 66 Pyr.-Or. **86** ⑯ – rattaché à Font-Romeu.

ALAS 48220 Lozère **80** ⑦ – 425 h alt. 620.
🛈 *Syndicat d'initiative - Mairie ℰ 04 66 41 05 95.*
Paris 653 – Alès 42 – Florac 40 – Mende 64.

%% **Chantoiseau**, ℰ 04 66 41 00 02, Fax 04 66 41 04 34, **☒** – **🅿**. **GB** **JCB**
🍴 *15 mai-15 sept. et fermé mardi soir et merc.* – **Repas** 19,82/48,80 et carte 43 à 55, enf. 9,15

If you are held up on the road - from 6pm onwards -
confirm your hotel booking by telephone.
It is safer and quite an accepted practice.

BRAC 16 Charente **72** ⑬ – rattaché à Jarnac.

C-EN-BIGORRE 65500 H.-Pyr. **85** ⑧ – 4 788 h alt. 216.
🛈 *Syndicat d'initiative 2 rue Jacques Fourcade ℰ 05 62 31 60 88, Fax 05 62 31 65 17.*
Paris 778 – Auch 62 – Pau 45 – Aire-sur-l'Adour 53 – Mirande 37 – Tarbes 19.

🏠 **Tivoli**, pl. Gambetta ℰ 05 62 96 70 39, hotel.tivoli@wanadoo.fr, Fax 05 62 96 29 74, 霜 –
🍴 **📺** – **🏧** 30. **GB**
Repas *(fermé lundi midi)* 9,91 (déj.), 11,74/32,01 ♀, enf. 6,86 – ☲ 5,34 – **25 ch** 27,44/42,69 –
½ P 28,97/34,30

%% **Réverbère** ⑤ avec ch, r. Alsace ℰ 05 62 96 78 16, Le.Reverbere@wanadoo.fr,
🍴 Fax 05 62 96 79 85, 霜 – **📺** **AE** **①** **GB**
fermé 23 déc. au 13 janv. – **Repas** *(fermé sam. midi, dim. soir et lundi midi)* 11,90/38,12 ♀ –
☲ 4,57 – **10 ch** 36,59/39,65 – ½ P 34,76/36,28

CHY ⑨ 03200 Allier **73** ⑤ *G. Auvergne* – 26 528 h alt. 340 – Stat. therm. (mi fév.-début déc.) –
Casinos Le Grand Café BZ, Elysée Palace.
Voir Parc des Sources★ – Les Parcs d'Allier★ – Chalets★ (boulevard des États-Unis) BYZ – Le
quartier thermal★ - Grand casino-théâtre★.
🛈 *Office du tourisme 19 rue du Parc ℰ 04 70 98 71 94, Fax 04 70 31 06 00, tourisme@ville-vichy.fr.*
Paris 356 ① – Clermont-Ferrand 56 ③ – Montluçon 97 ⑥ – Moulins 56 ① – Roanne 74 ①.

Plan page suivante

🏩 **Sofitel Les Célestins** **M**, 111 bd États-Unis ℰ 04 70 30 82 00, welcome@les-celestins-vichy.com, Fax 04 70 30 82 01, 霜, centre de remise en forme, « En bordure du parc
d'Allier », **£₆**, **☒**, ☞ – **⒠** **🕂** **☰** **📺** **☎** **☜** **⇔** – **🏧** 20 à 100. **AE** **①** **GB**. **※** rest   BY e
fermé 1er au 25 déc. – **Jardins de l'Empereur :** Repas 36/90 ♀, enf. 16 – **Bistrot des
Célestins** *(fermé dim. soir)* Repas 22/28 ♀, enf. 16 – ☲ 14 – **130 ch** 150/396, 5 appart –
P 181/284

🏩 **Aletti Palace Hôtel**, 3 pl. Joseph Aletti ℰ 04 70 31 78 77, aletti.palace.best.western@wa
nadoo.fr, Fax 04 70 98 13 82, « Élégante atmosphère début de siècle », **☒** – **⒠** **🕂** **☰** **📺** **☎**
☜ – **🏧** 15 à 140. **AE** **①** **GB**   BZ u
La Véranda ℰ 04 70 31 70 29 **Repas** (15)-19,50/30,20 ♀, enf. 8,40 – ☲ 11 – **126 ch** 105/210,
7 appart – ½ P 88/100

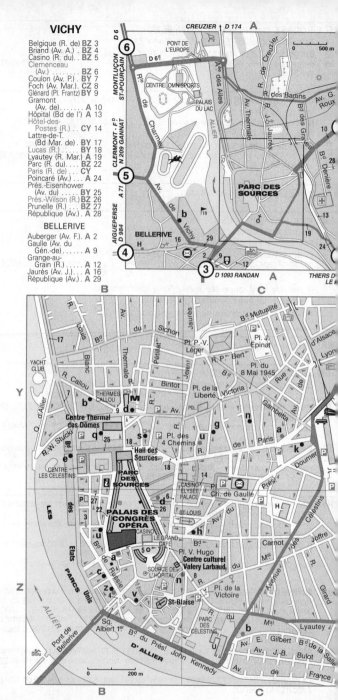

VICHY

Belgique (R. de) **BZ** 3
Briand (Av. A.) . . . **BZ** 4
Casino (R. du) . . . **BZ** 5
Clemenceau
  (Av.) . . . . **BZ** 6
Coulon (Av. P.) . . . **BY** 7
Foch (Av. Mar.) . . . **CZ** 8
Glénard (Pl. Frantz) **BY** 9
Gramont
  (Av. de) . . . . . . **A** 10
Hôpital (Bd de l') **A** 13
Hôtel-des-
  Postes (R.) . . . **CY** 14
Lattre-de-T.
  (Bd Mar. de) . **BY** 17
Lucas (R.) . . . . . **BY** 18
Lyautey (R. Mar.) **A** 19
Parc (R. du) . . . . **BZ** 22
Paris (R. de) . . . **CY**
Poincaré (Av.) . . . **A** 24
Prés.-Eisenhower
  (Av. du) . . . . . **BY** 25
Prés.-Wilson (R.) **BZ** 26
Prunelle (R.) . . . . **BZ** 27
République (R.) . . **A** 28

BELLERIVE

Auberger (Av. F.) . **A** 2
Gaulle (Av. du
  Gén.-de) . . . . . . **A** 9
Grange-au-
  Grain (R.) . . . . . **A** 12
Jaurès (Av. J.J.) . . **A** 16
République (Av.) . **A** 29

Novotel Thermalia, 1 av. Thermale ☎ 04 70 31 04 39, h0460@accor-hotels.com, Fax 04 70 31 08 67, ☆, ⌿, ⌷ – ▮ ✕ ≡ ▥ ✔ ⅖ ▣ – ⚜ 20 à 100. ▦ ⓞ ☞   BY q
fermé janv. – **Repas** (15,09) - 18,29/22,11 ♈, enf. 7,62 – ⌷ 10,50 – **128 ch** 98/118 – P 99,50

Pavillon d'Enghien Ⓜ, 32 r. Callou ☎ 04 70 98 33 30, Fax 04 70 31 67 82, ☆, ⌿ – ▮ ▥ – ⚜ 15. ▦ ⓞ ☞   BY b
fermé 20 déc. au 1er fév. – **Les Jardins d'Enghien** (*fermé vend. soir de nov. à mars, dim. soir et lundi*) **Repas** 12(déj.)17/23, enf. 6 – ⌷ 6 – **22 ch** 56/75 – P 54/63,50

de Grignan, 7 pl. Sévigné ☎ 04 70 32 08 11, hoteldegrignan@wanadoo.fr, Fax 04 70 32 47 07 – ▮, ≡ rest, ▥ ▣ – ⚜ 20 à 35. ▦ ⓞ ☞ ✻ rest   BZ v
fermé 7 janv. au 3 fév. – **Repas** 14,05/20 ♈, enf. 7 – ⌷ 6,40 – **113 ch** 36/62 – ½ P 50,40/51,95

Les Nations, 13 bd Russie ☎ 04 70 98 21 63, nations.vichy@wanadoo.fr, Fax 04 70 98 61 13 – ▮, ≡ rest, ▥ – ⚜ 20. ☞ ✻ rest   BZ c
29 mars-3 nov. – **Repas** 15/21 ⅄ – ⌷ 8 – **74 ch** 53/73 – ½ P 49,50/56,50

Chambord, 82 r. Paris ☎ 04 70 30 16 30, le.chambord@wanadoo.fr, Fax 04 70 31 54 92 – ▮, ≡ rest, ▥ ✔ – ⚜ 15. ▦ ⓞ ☞ ⱼCB   CY k
fermé 22 déc. au 22 janv. – **L'Escargot qui Tette** (*fermé dim. soir et lundi*) **Repas** (15,20)-22,90/38 ♈, enf. 8 – ⌷ 6,50 – **25 ch** 31/50,30 – ½ P 41,50/46

Ibis, 1 av. Victoria ☎ 04 70 31 53 53, Fax 04 70 31 55 05, ☆ – ▮ ✕ ≡ ▥ ✔ ⅖ ≈ – ⚜ 15 à 50. ▦ ⓞ ☞   BY d
Repas (12,04) - 15,09/17,55 ⅄ – ⌷ 7 – **139 ch** 69

Moderne, 8 r. M. Durand-Fardel ☎ 04 70 31 20 21, hotel.moderne.vichy@wanadoo.fr, Fax 04 70 98 45 04 – ▮, ≡ rest, ▥ ✔. ▦ ⓞ ☞ ⱼCB ✻   BY s
28 avril-6 oct. – **Repas** 16/20 – ⌷ 6 – **37 ch** 38/63 – ½ P 42,50/52,50

Arverna Hôtel sans rest, 12 r. Desbrest ☎ 04 70 31 31 19, Fax 04 70 97 86 43 – ▮ ▥ ✔ ≈ – ⚜ 25. ▦ ⓞ ☞ ⱼCB   CY g
fermé 18 au 26 oct., 21 déc. au 6 janv. et dim. du 1er déc. au 28 fév. – ⌷ 5,50 – **26 ch** 30/48

Vichy Tonic sans rest, 6 av. Prés. Doumer ☎ 04 70 31 45 00, Fax 04 70 97 67 37 – ▮ ▥. ▦ ⓞ ☞   CZ h
⌷ 5,50 – **36 ch** 41/48

Atlanta sans rest, 23 r. Pasteur ☎ 04 70 98 42 95, Fax 04 70 98 24 81 – ▥ ✔ ≈. ☞   CY n
fermé 13 déc. au 13 janv. – ⌷ 5 – **13 ch** 29/38

Londres sans rest, 7 bd Russie ☎ 04 70 98 28 27, hotel.londres@wanadoo.fr, Fax 04 70 98 29 37 – ✔. ▦ ⓞ ☞ ⱼCB   BZ z
1er mars-30 oct. – ⌷ 4,88 – **18 ch** 19,06/39,64

Jacques Decoret, 7 av. Gramont ☎ 04 70 97 65 06, jacques.decoret@wanadoo.fr – ≡. ▦ ⓞ ☞   CY a
fermé 16 août au 6 sept., vacances de fév., mardi et merc. – **Repas** 26 (déj.), 30/65 et carte 45 à 60 ♈
Spéc. Saint-Jacques, endives et noix torréfiées à l'émulsion de pain brûlé (nov. à fév.). Pigeon en deux cuissons, galette et grains de maïs en aigre-doux (juil. à oct.). Pyramide glacée aux pastilles Vichy (mai à sept.) **Vins** Saint-Pourçain, Côte Roannaise

Table d'Antoine, 8 r. Burnol ☎ 04 70 98 99 71, Fax 04 70 31 11 39, ☆ – ≡. ☞ BZ d
fermé 25 au 28 juin, 24 au 30 sept., 12 au 30 nov., dim. soir et lundi sauf fériés – **Repas** 17,53/39,48, enf. 11,43

L'Alambic, 8 r. N. Larbaud ☎ 04 70 59 12 71, Fax 04 70 97 98 88 – ☞   CY u
fermé 18 août au 11 sept., 16 fév. au 12 mars, lundi et mardi – **Repas** (nombre de couverts limité, prévenir) 26/44

L'Envolée, 44 av. E. Gilbert ☎ 04 70 32 85 15, Fax 04 70 32 85 15 – ☞   CZ b
fermé 26 août au 4 sept., vacances de Toussaint, de fév., mardi soir et merc. – **Repas** (12,20)-16,01/32,78 ♈

Brasserie du Casino, 4 r. Casino ☎ 04 70 98 23 06, Fax 04 70 98 53 17, « Décor authentique d'une brasserie des années 30 » – ☞   BZ a
fermé 14 oct. au 14 nov., 20 au 28 fév., mardi et merc. – **Repas** (14) - 23 ♈

L'Aromate, 9 r. Besse ☎ 04 70 32 13 22, Fax 04 70 32 13 22 – ☞   CZ n
fermé 21 juil. au 13 août, 2 au 10 janv., dim. soir, mardi soir et merc. – **Repas** (13,50) - 18/31

L'Hippocampe, 3 bd Russie ☎ 04 70 97 68 37, Fax 04 70 97 68 37 – ⓞ ☞   BZ z
fermé 15 au 31 mars, 1er au 15 sept., dim. soir et lundi – **Repas** - produits de la mer - (11,63) - 16,77/39,64 ⅃

à Bellerive-sur-Allier : – *8 448 h. alt. 340* – ⊠ *03700 :*

🏠 **Campanile,** 74 av. Vichy ℘ 04 70 59 32 33, Fax 04 70 59 81 90, 斎, ᾱ – 劃 ⵗᾱ ⅏ ✆ – 🛦 25. ⷬ ⓪ ⲅⲃ
Repas *(12,04)* - 15,09 ⵛ, enf. 5,95 – ⵚ 5,95 – **46 ch** 53,36

à Vichy-Rhue *Nord : 5 km par D 174* – ⊠ *03300 Cusset :*

✂ **Fontaine,** ℘ 04 70 31 37 45, fontaine-vichy@wanadoo.fr, Fax 04 70 31 38 60, 斎, ⓪ ⲅⲃ
fermé 15 au 30 oct., 17 déc. au 7 janv., mardi soir et merc. – **Repas** 16/30,50 ⵛ

à Abrest *par ② : 4 km* – *2 428 h. alt. 290* – ⊠ *03200 :*

✂✂ **Colombière** avec ch, rte Thiers sur D 906 ℘ 04 70 98 69 15, lacolombiere@wanado
Fax 04 70 31 50 89, ≤ vallée de l'Allier, « Jardin ombragé en terrasses », ᾱ – ▤ rest, ⌷
🄿. ⷬ ⓪ ⲅⲃ
fermé 3 au 15 oct., mi-janv. à mi-fév., mardi soir d'oct. à mars, dim. soir et lundi – **Re**
15,10/49 ⵛ, enf. 7 – ⵚ 6 – **4 ch** 31/51

à St-Yorre *par ② : 8 km* – *2 840 h. alt. 275* – ⊠ *03270 :*

🏨 **Auberge Bourbonnaise,** 2 av. Vichy ℘ 04 70 59 41 79, Fax 04 70 59 24 94, 斎, �
✆ & 🄿 – 🛦 15. ⲅⲃ
fermé 14 fév. au 26 mars, lundi midi et dim. soir sauf juil.-août – **Repas** *(10)* - 13/34 ⵛ – ⵚ
11 ch 40/45, 6 duplex – ½ P 55/66

VIC-LE-COMTE 63270 P.-de-D. **78** ⑮ G. Auvergne – *4 404 h alt. 472.*
Voir Ste-Chapelle★ – Château de Busséol★ N : 6,5 km.
Paris 436 – Clermont-Ferrand 24 – Ambert 57 – Issoire 16 – Thiers 40.

à Longues *Nord-Ouest : 4 km par D 225* – ⊠ *63270 Vic-le-Comte :*

✂✂ **Comté,** ℘ 04 73 39 90 31, Fax 04 73 39 24 58 – 🄿. ⲅⲃ
fermé 29 juil. au 5 août, 24 fév. au 3 mars, dim. soir et lundi – **Repas** 18,29/50,3
enf. 9,91

VICO *2A Corse-du-Sud* **90** ⑮ – *voir à Corse.*

VIC-SUR-CÈRE 15800 Cantal **76** ⑫ G. Auvergne – *1 890 h alt. 678.*
🄱 Office du tourisme Avenue Mercier ℘ 04 71 47 50 68, Fax 04 71 47 58 56, Vic-
cere@wanadoo.fr.
Paris 553 – Aurillac 19 – Murat 31.

🏠 **Family Hôtel,** ℘ 04 71 47 50 49, francois.courbebaisse@wanado
Fax 04 71 47 51 31, ≤, 🏊, 🄼, ᾱ, ✎ – 劃 cuisinette ⅏ & 🄿 – 🛦 35. ⷬ ⓪
✎ rest
fermé 1er au 17 déc. – **Repas** 14/28 ⵛ, enf. 9 – ⵚ 7 – **39 ch** 61/69, 16 studios – ½ P 48/

🏠 **Beauséjour,** ℘ 04 71 47 50 27, beausejour@wanadoo.fr, Fax 04 71 49 60 04, ≤, 🏊,
劃 ⅏ 🄿. ⲅⲃ. ✎ rest
début mai-fin sept. – **Repas** 13/18 – ⵚ 5,30 – **50 ch** 35/57 – ½ P 40/50

🏠 **Bel Horizon** ☙, ℘ 04 71 47 50 06, bouyssou@wanadoo.fr, Fax 04 71 49 63 81, ≤,
ᾱ – 劃. ⲅⲃ
fermé 15 nov. au 15 déc. et 5 au 20 janv. – **Repas** 14/40 ⵛ, enf. 8 – ⵚ 6 – **24 ch** 39/
½ P 43/45

au Col de Curebourse *Sud-Est : 6 km par D 54* – ⊠ *15800 Vic-sur-Cère :*

🏨 **Hostellerie St-Clément** ☙, ℘ 04 71 47 51 71, Fax 04 71 49 63 02, ≤ montagne
vallée, 🄦 – ⅏ 🄿. ⲅⲃ. ✎
fermé 1er janv. au 17 fév., dim. soir et lundi hors saison – **Repas** 20/54, enf. 8 – ⵚ 7 – **2**
52 – ½ P 52

VIDAUBAN 83550 Var **84** ⑦, **114** ㉒ ㉓ – *7 311 h alt. 60.*
🄱 Office du tourisme Place F. Maurel ℘ 04 94 73 10 28, Fax 04 94 73 07 82, ot–83@c
internet.fr.
Paris 847 – Fréjus 30 – Cannes 62 – Draguignan 18 – Toulon 61.

🏠 **Fontaine** 🄼, rte du Thoronet : 1,5 km ℘ 04 94 99 91 91, hotel.la.fontaine.vidaub
wanadoo.fr, Fax 04 94 73 16 49 – ▤ rest, ⅏ ✆ & 🄿. ⓪ ⲅⲃ. ✎
Repas (dîner seul.) 15/24 ⅋ – ⵚ 7,50 – **14 ch** 49/59 – ½ P 55

Bastide des Magnans, rte La Garde-Freinet *℘* 04 94 99 43 91, *bastide-des-magnans@wanadoo.fr*, Fax 04 94 99 44 35, �ில் – 🅿. ⅄ℰ ⓞ ⅁Ɓ
fermé 11 au 19 mars, 23 au 30 déc., dim. soir et merc. soir sauf juil.-août et lundi – **Repas** *(14)* - 22,50/41,50 ⅄, enf. 12,50

Concorde, pl. G. Clemenceau *℘* 04 94 73 01 19, *alainboeuf@provencariviera.com*, Fax 04 94 73 01 19, �ில் – ⅄ℰ ⓞ ⅁Ɓ
fermé 20 au 30 juin, 18 nov. au 6 déc. , mardi soir et merc. sauf juil.-août – **Repas** *(16,80)* - 24,24 (déj.), 28,97/45,73

LLE-TOULOUSE 31 H.-Gar. 🔢 ⑱ – *rattaché à Toulouse.*

LLEVIE 15120 Cantal 🔢 ⑫ – 114 h alt. 220.
Paris 606 – Aurillac 45 – Rodez 51 – Entraygues-sur-Truyère 15 – Figeac 44 – Montsalvy 14.

Terrasse, *℘* 04 71 49 94 00, *hotel-de-la-terrasse@wanadoo.fr*, Fax 04 71 49 92 23, 🌍, 🔺, 🐎, 🍽 – 🅿. ⓞ ⅁Ɓ
31 mars-11 nov. – **Repas** 13 (déj.), 21/26 ⅄, enf. 8,50 – 🍽 7 – **26 ch** 46/52 – ½ P 44,50

Pas de publicité payée dans ce guide.

NNE ◈ 38200 Isère 🔢 ⑪ ⑫, 🔢 ㉞, G. Vallée du Rhône – 29 975 h alt. 160.
Voir Cathédrale St-Maurice★★ – Temple d'Auguste et de Livie★★ R – Théâtre romain★ – Église★ et cloître★ de St-André-le-Bas – Esplanade du Mont Pipet ≤★ – Anc. église St-Pierre★ – Groupe sculpté★ de l'église de Ste-Colombe AY – Cité gallo-romaine de St-Romain-en-Gal★★ (musée★, site★).
🅱 Office du tourisme Cours Brillier *℘* 04 74 53 80 30, Fax 04 74 53 80 31, o-t-vienne@wanadoo.fr.
Paris 492 ① – Lyon 32 ① – Grenoble 89 ② – St-Étienne 50 ① – Valence 74 ⑤.

Plan pages suivantes

Pyramide (Henriroux) Ⓜ, 14 bd F. Point par ④ *℘* 04 74 53 01 96, *pyramide.f.point@wanadoo.fr*, Fax 04 74 85 69 73, 🌍, 🐎 – 🛗 🤙 🍽 📺 🕭 ⇔ 🅿 – 🛏 25. ⅄ℰ ⓞ ⅁Ɓ 🇯🇨🇧
fermé mi-fév. à mi- mars – **Repas** *(fermé mardi et merc.)* 48 bc (déj.), 76/110 et carte 95 à 125 ⅄, enf. 16 – 🍽 15,24 – **21 ch** 121/187, 4 appart
Spéc. Moelleux de dormeurs à l'artichaut cru. Cul de veau de lait aux légumes de la vallée. Piano au chocolat en ''ut'' praliné. **Vins** Condrieu, Côte-Rôtie.

Central sans rest, 7 r. Archevêché *℘* 04 74 85 18 38, *hotel-central-vienne@wanadoo.fr*, Fax 04 74 31 96 33 – 🛗 📺 ⇔, ⅄ℰ ⓞ ⅁Ɓ 🇯🇨🇧 BY u
fermé 7 déc. au 6 janv. – 🍽 6,50 – **25 ch** 52/80

Poste sans rest, 47 cours Romestang *℘* 04 74 85 02 04, Fax 04 74 85 16 17 – 🛗 📺 🅿 – 🛏 20. ⅄ℰ ⓞ ⅁Ɓ BZ a
🍽 7 – **36 ch** 46/52

Bec Fin, 7 pl. St-Maurice *℘* 04 74 85 76 72, Fax 04 74 85 15 30, 🌍 – 🍽. ⅄ℰ ⅁Ɓ 🇯🇨🇧 AY r
fermé vacances de Noël, 1er au 17 juil., dim. soir, merc. soir et lundi – **Repas** 16/50 ⅄

Cloître, 2 r. des Cloîtres *℘* 04 74 31 93 57, *cloitre@club-internet.fr*, Fax 04 74 85 03 51, 🌍 – 🍽. ⅁Ɓ BY n
fermé 12 au 18 août, dim. et fériés – **Repas** *(16)* - 21/45 ⅄, enf. 10

L'Estancot, 4 r. Table Ronde *℘* 04 74 85 12 09, Fax 04 74 85 12 09 – ⅁Ɓ BY e
fermé 15 au 31 août, 25 déc. au 15 janv., dim., lundi et fériés – **Repas** *(9,50)* - 11 (déj.), 14/19 ⅄

Saveurs du Marché, 34 cours de Verdun par ④ *℘* 04 74 31 65 65, Fax 04 74 31 65 65 – 🍽. ⅁Ɓ
fermé 5 au 26 août, sam., dim. et jours fériés – **Repas** 11 (déj.), 14/33

---

strablin par ② et D 41 : 8 km – 3 214 h. alt. 223 – ⌧ 38780 :

Gabetière sans rest, sur D 502 *℘* 04 74 58 01 31, Fax 04 74 58 08 98, 🔺, 🐕 – 📺 🅿. ⅄ℰ ⓞ ⅁Ɓ
🍽 6,40 – **12 ch** 39,64/79,27

---

ont-Évêque par ② : 4 km – 5 067 h. alt. 190 – ⌧ 38780 :

Midi, pl. Église *℘* 04 74 16 18 20, *home@hoteldumidi.fr*, Fax 04 74 57 24 99, 🌍, 🔺, 🐎 – 📺 🅿 ⅄ℰ ⅁Ɓ
Repas *(fermé 23 déc. au 6 janv. et dim.)* (dîner seul.) 14,49 ⅄ – 🍽 5,79 – **18 ch** 48,02/65,55

VIENNE

à Reventin-Vaugris (village) par ④, N 7 et D 131 : 9 km – 1 577 h. alt. 230 – ⊠ 38121 :

XX **Maison de l'Aubressin,** Nord : 1 km par rte secondaire ℘ 04 74 58 83 02, ≤ Pilat « Cadre soigné », ☞ – 🅿. ⅁ℬ
fermé 18 au 31 mars, 30 sept. au 14 oct., 26 au 31 déc., dim. soir et lundi – **Repas** (n01 de couverts limité, prévenir) 39/87 bc, enf. 14

à Chonas l'Amballan au Sud par ④ et N 7 : 9 km – 1 219 h. alt. 250 – ⊠ 38121 :

🏰 **Hostellerie Le Marais St-Jean** ≫ sans rest, ℘ 04 74 58 83 28, Fax 04 74 58 81 9. – 📺 ℭ & 🅿 – 🔬 30. ⅁ℰ ⓪ ⅁ℬ
fermé 18 au 23 août et 16 déc. au 17 janv. – ⊊ 9,91 – **10 ch** 82,33/89,95

VIENNE

Acqueducs (Chin. des) . . **CY**
Allmer (R.) . . . . **BZ** 2
Allobroges (Pl. des). . . . **AZ**
Asiaticus (Bd) . . . . **AZ**
Beaumur (Montée) . . . . **BCZ**
Boson (R.) . . . . **AZ**
Bourgogne (R. de) . . . . **BY**
Brenier (R. J.) . . . . **BY**
Briand (Pl. A.) . . . . **BY** 3
Brillier (Cours) . . . . **ABZ**
Capucins (R. des) . . . . . **BCY**
Célestes (R. des) . . . . . **CY** 4
Chantelouve (R.) . . . . . **BY** 5
Charité (R. de la) . . . . . **BCY** 6
Cirque (R. du) . . . . **CY** 7
Clémentine (R.) . . . . . . **BY** 8
Clercs (R. des) . . . . **BY** 9
Collège (R. du) . . . . **BY** 10
Coupe-Jarret (Montée) . **BZ**
Éperon (R. de l') . . . . . **BY** 12
France
   (Quai Anatole) . . . . . **BCY**
Gère (R. de) . . . . **CY**
Jacquier (R. H.) . . . . . . **BY** 14
Jaurès (Q. Jean) . . . . . . **AYZ**
Jeu-de-Paume (Pl. du) . **BY** 15
Jouffray (Pl. C.) . . . . . . **AZ**
Juiverie (R. de la) . . . . . **BZ** 16
Lattre de T. (Pont de) . **ABY**
Marchande (R.) . . . . . . **BY**
Miremont (Pl. de) . . . . **BY** 18
Mitterrand (Pl. F.) . . . . **BY** 19
Orfèvres (R. des). . . . . **BY** 20
Pajot (Quai) . . . . **BY** 22
Palais (Pl. du) . . . . **BY** 23
Peyron (R.) . . . . **BZ** 24
Pilori (Pl. du) . . . . **BY** 25
Pipet (R.) . . . . **CY**
Ponsard (R.) . . . . **BY** 28
République (Bd et Pl.) **ABZ** 29
Rhône Sud (Bd du) . . . **AZ**
Riondet (Quai) . . . . **AZ**
Rivoire (Pl. A.) . . . . **CY**
Romanet (R. E.) . . . . . . **ABZ**
Romestang (Cours) . . . **BZ**
St-André-le-Haut (R.) . . **CY** 34
St-Louis (Pl.) . . . . **BY**
St-Marcel (Montée) . . . **CYZ**
St-Maurice (Pl.) . . . . . . **AY**
St-Paul (R.) . . . . **BY**
St-Pierre (Pl.) . . . . **AZ**
Schneider (R.) . . . . **CY** 37
Semard (Pl. P.) . . . . . . **BZ**
Table-Ronde (R. de la) . **BY** 38
Thomas (R. A.) . . . . **CY**
Tupinières (Montée des) **CZ**
Ursulines (R. des) . . . . **CY** 39
Verdun (Cours de) . . . . **AZ**
Victor-Hugo (R.) . . . . **BCYZ**
11-Novembre
   (R. du) . . . . **AZ** 43

STE-COLOMBE (RHÔNE)

Briand (Pl. A.) . . . . **AY**
Cochard (R.) . . . . **AY**
Égalité (Pl. de l') . . . . . **AY**
Garon (R.) . . . . **AY**
Herbouville (Q. d') . . . . **AY**
Joubert (Av.) . . . . **AY**
Nationale (R.) . . . . **AY**
Petits-Jardins (R. des) . . **AY**

1466

Domaine de Clairefontaine (Girardon) avec ch, ℰ 04 74 58 81 52, *domaine.de.clairef ontaine@gofornet.com*, Fax 04 74 58 80 93, 🌳, ✖, 🏨 – ▤ rest, 🅿 AE ⓞ GB JCB. ✖ rest
fermé 18 au 23 août et 16 déc. au 17 janv. – **Repas** 27,50 (déj.), 41,20/83,85 et carte 56 à 72 ☷, enf. 13,75 – ☷ 9,91 – **9 ch** 34,31/60,98 – ½ P 68,27/81,60
Spéc. ''Nénuphar'' de homard en salade. Soupière de grenouilles et mousserons à l'ail des ours. Pigeonneau rôti et dragées d'ail confites, sauce au parfum de griottes **Vins** Viognier, Saint-Joseph.

Annexe Les Jardins de Clairefontaine 🏨 Ⓜ ⅍ – 🛗 ▤ ch, 📺 ঌ – ⚙ 25
Repas voir *Domaine de Clairefontaine* – ☷ 9,91 – **18 ch** 100 – ½ P 101,11

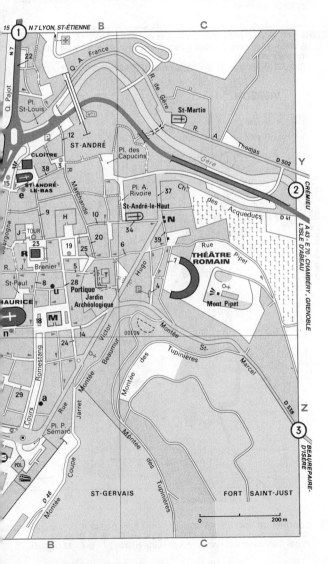

à Chasse-sur-Rhône *par ① : 8 km (Échangeur A7 - sortie Chasse-sur-Rhône) – 4 795 h. alt.* ✉ *38670 :*

Mercure, ☎ 04 72 49 58 68, *h0349@accor-hotels.com, Fax 04 72 49 58 88* – 🛗 ⟷ 📞 ♿ P – 🏛 20 à 60. AE ⓓ GB
Repas *(fermé sam. midi et dim. midi)* (15) - 20 🍷, enf. 8,40 – ☕ 10,50 – **115 ch** 77/99

VIENNE-EN-VAL *45510 Loiret* 64 ⑩ *– 1 549 h alt. 112.*

Paris 158 – Orléans 24 – La Ferté-St-Aubin 22 – Montargis 58 – Sully-sur-Loire 20.

Auberge de Vienne, ☎ 02 38 58 85 47, *Fax 02 38 58 63 29* – GB
fermé 15 au 23 juil. 13 janv. au 3 fév., merc. soir en hiver, dim. soir et lundi – **Repas** 17 24,50/38, enf. 12,50

VIERZON *18100 Cher* 64 ⑲ ⑳ *G. Berry Limousin – 29 719 h alt. 122.*

Office du tourisme 26 place Vaillant Couturier ☎ 02 48 53 06 14, Fax 02 48 53 0 info@ville-vierzon.fr.

Paris 208 ① – Bourges 39 ③ – Châteauroux 58 ④ – Orléans 85 ① – Tours 115 ⑤.

VIERZON

Baron (R. Bl.) .... A 2
Briand (Pl. Aristide) ...... B 3
Brunet (R. A.) .... B
Dr-P.-Roux (R. du) .... B 6
Foch (Pl. du Mar.) ...... B 7
Gaucherie (R. de la) .... A 8
Gaulle (R. Gén.-de) ..... A 9
Joffre (R. du Mar.) ...... B 12
Larchevêque (R. M.) .... A 13
Nation (Bd de la) .... A 14
Péri (Pl. Gabriel) .... A
Ponts (R. des) .... B
République (Av. de la) .... A
Roosevelt (R. Th.) ...... B
Voltaire (R.) .... B
11-Novembre-1918 (R. du) .... A

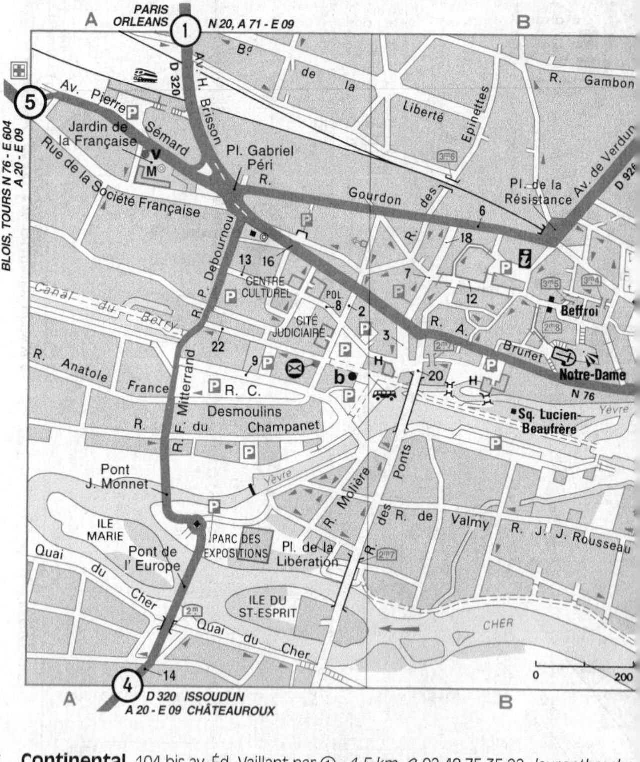

Continental, 104 bis av. Éd. Vaillant par ① : *1,5 km* ☎ 02 48 75 35 22, *laurentbreche@accesinter.com, Fax 02 48 71 10 39* – 🛗 TV 📞 🚗 P – 🏛 30. AE ⓓ GB
Repas snack (dîner seul.) (résidents seul.) carte environ 20 – ☕ 6 – **37 ch** 42/58

Arche Hôtel, Forum République ℘ 02 48 71 93 10, laurent.brechemier@accesinter.com, Fax 02 48 71 83 63, 🏠 – 📶 📺 📞 ⚓, 🅰 🛈 ⅏
A b
fermé dim. et lundi midi sauf de juin à sept. – **Repas** snack 13/20 – ☲ 6 – **40 ch** 46/77 – ½ P 39/44

Maison de Célestin, 20 av. P. Sémard ℘ 02 48 83 01 63, Fax 02 48 71 63 41, 🏠 – 📃 🅰
A V
fermé 30 juil. au 20 août, 3 au 17 janv., sam. midi, dim. soir et et lundi – **Repas** 20/54 et carte 32 à 47

changeur A 71-Vierzon-Est par ③ : 4 km – ⊠ 18100 Vierzon :

Comfort Inn Primevère, rte de Bourges ℘ 02 48 75 19 42, confort.hotel.vierzon@wanadoo.fr, Fax 02 48 75 22 02, 🏠 – ⚬ 📺 📞 🔥 🅿 – 🏛 25. 🅰 🛈 ⅏
Repas (11,43) - 12,20/18,29 🍷, enf. 6,40 – ☲ 5,49 – **41 ch** 44,06/48,02

de Tours par ⑤ : 2,5 km – ⊠ 18100 Vierzon :

Champêtre, 89 rte Tours ℘ 02 48 75 87 18, Fax 02 48 71 67 04 – 🅿. ⅏
fermé 26 août au 3 sept., vacances de fév., lundi soir, merc. soir et mardi – **Repas** 15,10/31,26

UX-BOUCAU-LES-BAINS 40480 Landes 🔞 ⑯ G. Aquitaine – 1 379 h alt. 5.
🛈 Office de tourisme le Mail ℘ 05 58 48 13 47, Fax 05 58 48 15 37, officedetourisme.vieux-boucau@wanadoo.fr.
Paris 742 – Biarritz 50 – Mont-de-Marsan 86 – Bayonne 43 – Castets 28 – Dax 37.

Côte d'Argent, ℘ 05 58 48 13 17, Fax 05 58 48 01 15, 🏠 – 📺 🅿. ⅏
fermé 1er oct. au 15 nov. et lundi – **Repas** 16/31 🍷 – ☲ 6 – **36 ch** 46/54 – ½ P 53/56

Marinero, 15 Grande rue ℘ 05 58 48 14 15, marinero.vb@free.fr, Fax 05 58 48 38 18, 🏠 – ⅏
avril-sept. – **Repas** (fermé mardi midi et lundi sauf juil.-août) 14,50/24 🍷

UX-MOULIN 60 Oise 🕅🕅 ③ – rattaché à Compiègne.

38450 Isère 🕅🕅 ④ – 6 478 h alt. 320.
Paris 584 – Grenoble 19 – Le Bourg-d'Oisans 45 – Villard-de-Lans 47.

Paix, 10 r. Desaix (pl. 30-Otages) ℘ 04 76 72 46 75, hotel-de-la-paix2@wanadoo.fr, Fax 04 76 72 74 99, 🏠, 🌳 – 📺 🅿. ⅏
Repas 12,50/27 🍷, enf. 9,50 – ☲ 5,80 – **7 ch** 31/46 – ½ P 42

VIGAN ◇ 30120 Gard 🕗🕔 ⑯ G. Languedoc Roussillon – 4 429 h alt. 221.
Voir Musée Cévenol★.
🛈 Office du tourisme Place Triaire ℘ 04 67 81 01 72, Fax 04 67 81 86 79, ot.le-vigan@wanadoo.fr.
Paris 710 – Montpellier 63 – Alès 65 – Lodève 51 – Mende 110 – Millau 71 – Nîmes 77.

Commerce sans rest, 26 r. Barris ℘ 04 67 81 03 28, Fax 04 67 81 43 20 – 🅿. ⅏
fermé dim. hors saison – ☲ 4,20 – **15 ch** 15/37

Rey Est : 5 km par D 999 – ⊠ 30570 Pont d'Hérault :

Château du Rey ⑳, ℘ 04 67 82 40 06, abeura@club-internet.fr, Fax 04 67 82 47 79, 🏠, 🌊, 🌳 – 📺 🅿. 🅰 ⅏
fermé janv. et fév. – **Repas** (fermé dim. soir et lundi sauf juil.-août) 23,63/44,97 🍷, enf. 7,62 – ☲ 7,62 – **13 ch** 57,93/88,42 – ½ P 58,69/73,18

ont d'Hérault Est : 6 km par D 999 – ⊠ 30570 Valleraugue :

Maurice, ℘ 04 67 82 40 02, hotelmaurice@aol.com, Fax 04 67 82 46 12, 🏠, 🌊, 🌳, 🍽 – 🍴 rest, 📺 🅿. ⅏
Repas (fermé dim. soir d'oct. à Pâques) 29,73/57,93 – ☲ 7,01 – **14 ch** 53,36/83,85 – ½ P 53,36/70,13

GNIEU 38890 Isère 🕖🕔 ⑬ – 706 h alt. 269.
Paris 505 – Grenoble 75 – Lyon 57 – Morestel 8 – La Tour-du-Pin 10.

Château de Chapeau Cornu ⑳, ℘ 04 74 27 79 00, chapeau.cornu@wanadoo.fr, Fax 04 74 92 49 31, 🏠, 🌊, 🏊 – 📺 📞 🅿 – 🏛 30. ⅏. 🍴 ch
fermé 22 déc. au 13 janv. – **Repas** (fermé dim. soir sauf juil.-août) 16 bc/45 🍷, enf. 10 – ☲ 11 – **20 ch** 57/125

VIGNOUX-SUR-BARANGEON 18500 Cher 64 ⑳ – 1 885 h alt. 157.

Paris 216 – Bourges 25 – Cosne-sur-Loire 69 – Gien 70 – Issoudun 37 – Vierzon 9.

XXX **Prieuré** ⬙ avec ch, rte St-Laurent (D 30) ℘ 02 48 51 58 80, prieurehotel@wanad⬝
Fax 02 48 51 56 01, 佘, ⬚, 屏 – ⬛ ⬥ ⬛. ⬛
fermé mardi et merc. sauf hôtel de juin à sept. – **Repas** 16 (déj.), 24/61 et carte 44 à 6⬝
⬚ 6,10 – **7 ch** 49/59,50 – ½ P 53,36/57,17

VILLAGE-NEUF 68 H.-Rhin 66 ⑩ – rattaché à St-Louis.

VILLAINES-LA-JUHEL 53700 Mayenne 60 ⑫ – 3 179 h alt. 185.

🄱 Office du tourisme Boulevard du Général de Gaulle ℘ 02 43 03 78 88, Fax 02 43 03 7⬝
Paris 224 – Alençon 32 – Le Mans 58 – Bagnoles-de-l'Orne 32 – Mayenne 28.

🏠 **Oasis** sans rest, rte Javron : 1 km ℘ 02 43 03 28 67, Fax 02 43 03 35 30, ☒ – ⬛ ⬛ – ⬝
⬛
⬚ 5,80 – **13 ch** 37,40/62,50

VILLANDRY 37510 I.-et-L. 64 ⑭ – 920 h alt. 50.

Voir Château★★ : jardins★★★, G. Châteaux de la Loire.

🄱 Syndicat d'initiative Le Potager ℘ 02 47 50 12 66, Fax 02 47 43 59 16, otsivillandry⬝
.com.
Paris 254 – Tours 17 – Azay-le-Rideau 12 – Chinon 32 – Langeais 13 – Saumur 52.

🏠 **Cheval Rouge,** ℘ 02 47 50 02 07, chevalrouge@wanadoo.fr, Fax 02 47 50 08 77, ⬝
▤ rest, ⬥ ⬛. ⬛
fermé janv. et lundi sauf fériés – **Repas** 16,50/38,15 ⬚, enf. 9,15 – ⬚ 6,90 – 1⬝
45,80/53,40

VILLAR-D'ARÈNE 05480 H.-Alpes 77 ⑦ – 219 h alt. 1650 – Sports d'hiver : 1 650/2 058 m ⬝⬝
Paris 650 – Briançon 35 – Le Bourg-d'Oisans 34 – La Grave 6 – Grenoble 85.

🏠 **Faranchin,** N 91 ℘ 04 76 79 90 01, hotelfaranchin@worldonline.fr, Fax 04 76 79 9⬝
⬙, 佘 – ⬛. ⬛ ⬛
1ᵉʳ juin-15 oct. et 20 déc.-20 avril – **Repas** 15 (déj.), 16/24 ⬚, enf. 7,50 – ⬚ 6,80 – 3⬝
23/39 – ½ P 32/45

VILLARD-DE-LANS 38250 Isère 77 ④ G. Alpes du Nord – 3 798 h alt. 1040 – Sports d'h⬝
1 160/2 170 m ⬝ 2 ⬝27 ⬝ – Casino.
Voir Gorges de la Bourne★★★ – Route de Valchevrière★ O par D 215c.

🄱 Office du tourisme 105 chemin de la Patinoire ℘ 04 76 95 10 38, Fax 04 76 95 98⬝
info@ot-villard-de-lans.fr.
Paris 587 ① – Grenoble 34 ① – Die 67 ② – Lyon 124 ① – Valence 68 ② – Voiron 44 ①.

VILLARD-DE-LANS

Adret (R. de l')	2
Chabert (Pl. P.)	4
Chapelle-en-Vercors (Av.)	5
Dr-Lefrançois (Av.)	6
Francs-Tireurs (Av. des)	8
Galizon (R. de)	9
Gambetta (R.)	10
Gaulle (Av. Gén. de)	12
Libération (Pl. de la)	13
Lycée Polonais (R. du)	14
Martyrs (Pl. des)	15
Moulin (Av. Jean)	16
Mure-Ravaud (Pl. R.)	17
Pouteil-Noble (R. P.)	19
Prof. Nobecourt (Av.)	20
République (R. de la)	22
Roux-Fouillet (R. A.)	23
Victor-Hugo (R.)	26

*Les plans de villes
sont orientés
le Nord en haut.*

🏠 **Christiania**, av. Prof. Nobecourt **(k)** ℰ 04 76 95 12 51, *le-christiania@planete-vercors. com*, Fax 04 76 95 00 75, ≤, ㎡, 🔱, 🔲, ㎡ – 🔲 – 🛗 15. ㎛ 🔲 🍽 rest
fermé 21 avril au 14 mai et 21 oct. au 19 déc. – **Tétras** *(fermé 21 avril au 16 mai, 29 sept. au 19 déc., mardi et merc. hors saison)* Repas 21/41 🕹, enf. 9 – 🖵 10 – **23 ch** 60/136 – ½ P 88/101

🏠 **Pré Fleuri** 🖎, rte Cochettes **(t)** ℰ 04 76 95 10 96, *le.pre.fleuri@wanadoo.fr*, Fax 04 76 95 56 23, ≤, ㎡, ㎡ – 🔲 🄿. 🔲 🍽
1ᵉʳ juin-1ᵉʳ oct. et 20 déc.-20 avril – **Repas** 16/30 🕹, enf. 10,67 – 🖵 6,71 – **20 ch** 54,88/65,55 – ½ P 56,40/57,17

🏠 **Fleur du Roy** 🖎, 166 r. Prof. Lesne **(s)** ℰ 04 76 95 11 91, *la-fleur-du-roy@planete-vercors.com*, Fax 04 76 95 56 79, ≤, ㎡ – 🔲 🕻, 🔲 🍽 rest
fermé avril et 6 nov. au 18 déc. – **Repas** *(dîner seul.)(résidents seul.)* 17 – 🖵 6,50 – **11 ch** 56

🏠 **Les Bruyères**, 31 r. V. Hugo **(a)** ℰ 04 76 95 11 83, *hotelbruyeres@club-internet.fr*, Fax 04 76 95 58 76, ㎡, ㎡ – 🔲. ㎛ 🔲 🍽 rest
fermé 6 au 21 avril et 30 sept. au 2 déc. – **Repas** *(dîner seul.)(résidents seul.)* 15/18,50 🍴, enf. 8,50 – 🖵 6 – **18 ch** 44,25/49 – ½ P 45

🏠 **Villa Primerose** sans rest, quartier Bains **(d)** ℰ 04 76 95 13 17, ≤, ㎡ – 🄿. 🔲
fermé 1ᵉʳ oct. au 20 déc. – 🖵 4 – **18 ch** 36/40

Bois-Barbu *Ouest : 3 km par D 215ᴱ* – ⌧ 38250 Villard-de-Lans :

🍽 **Ferme du Bois Barbu** 🖎 avec ch, **(n)** ℰ 04 76 95 13 09, *fermeboisbarbu@planete-vercors.com*, Fax 04 76 94 10 65, ≤, ㎡ – 🔲 🄿. ㎛ 🔲
fermé 17 au 21 juin et 12 nov. au 6 déc. – **Repas** *(fermé dim. soir et merc.)* (14,50) - 18/46 🕹, enf. 7,50 – 🖵 7 – **8 ch** 42/48 – ½ P 46

Balcon de Villard *rte Côte 2000, Sud-Est : 4 km par D 215 et D 215ᴮ* – ⌧ 38250 Villard-de-Lans :

🏠 **Playes** 🖎, ℰ 04 76 95 14 42, *hotel.lesplayes@free.fr*, Fax 04 76 95 58 38, ≤, ㎡, ㎡, 🍽 – 🔲 🄿. 🔲
mai-sept. et déc.-avril – **Repas** 22, enf. 8,50 – 🖵 8,50 – **23 ch** 52/57 – ½ P 52/55

Corrençon-en-Vercors *Sud : 6 km par D 215* – 322 h. alt. 1105 – ⌧ 38250 :
🛈 Office du tourisme Place du Village ℰ 04 76 95 81 75, Fax 04 76 95 84 63, *villard-correncon@wanadoo.fr*.

🏠 **du Golf** 🅼 🖎, Les Ritons ℰ 04 76 95 84 84, *hotel-du-golf@wanadoo.fr*, Fax 04 76 95 82 85, ≤, ㎡, 🔱, ㎡ – 🔲 🄿. ㎛ 🔲 🍽 rest
fermé 1ᵉʳ avril au 8 mai et 15 oct. au 15 déc. – **Repas** *(fermé dim. soir et lundi sauf vacances scolaires)* 15 (déj.), 24/40 🕹 – 🖵 10 – **8 ch** 96/120, 4 duplex – ½ P 95,76

VILLARS-LES-DOMBES 01330 Ain 🔢 ②, 🔢 ⑥ G. Vallée du Rhône – 4 190 h alt. 281.
Voir Vierge à l'Enfant⋆ dans l'église – Parc ornithologique⋆ S : 1 km.
🛈 Office de tourisme 3 place de l'Hôtel de Ville ℰ 04 74 98 06 29, Fax 04 74 98 29 13, *ot.villarslesdombes@caramail.com*.
Paris 434 – Lyon 37 – Bourg-en-Bresse 29 – Villefranche-sur-Saône 28.

🏠 **Ribotel**, rte Lyon ℰ 04 74 98 08 03, *ribotel@wanadoo.fr*, Fax 04 74 98 29 55, ㎡ – 🛗 🔲 🕻 🖣. 🄿 – 🛗 15 à 60. ㎛ 🔲 🄓
Repas *(fermé janv., sam. midi, dim. soir et vend. de nov. à mars)* 14,94/34,30 🕹, enf. 8,38 – 🖵 7,01 – **47 ch** 40,40/48,02 – ½ P 42,38

🍽 **Col Vert**, r. Commerce ℰ 04 74 98 00 33, Fax 04 74 98 12 97 – 🔲
fermé 2 au 31 déc., dim. soir, mardi soir et lundi – **Repas** 17,68/42,69

Bouligneux *Nord-Ouest : 4 km par D 2* – 290 h. alt. 282 – ⌧ 01330 :

🍽🍽 **Auberge des Chasseurs** (Dubreuil), ℰ 04 74 98 10 02, Fax 04 74 98 28 87, ㎡ – 🔲
✿ *fermé 1ᵉʳ au 9 sept., 20 déc. au 20 janv., mardi et merc. sauf fériés* – **Repas** 26/47 et carte 40 à 58 🕹, enf. 15
Spéc. Fricassée de chanterelles aux écrevisses (juin à déc.). Terrine de carpe royale de la Dombes. Poulet de Bresse à la crème aux morilles. Vins Mâcon-Villages, Pétillant du Bugey.

🍽 **Hostellerie des Dombes**, ℰ 04 74 98 08 40, Fax 04 74 98 16 63, ㎡ – 🄿. 🔲
fermé 26 juin au 4 juil., 25 sept. au 3 oct., 18 déc. au 3 janv., merc. et jeudi – **Repas** 23/40 🕹, enf. 11

VILLARS-SOUS-DAMPJOUX 25190 Doubs 🔢 ⑱ – 403 h alt. 362.
Paris 478 – Besançon 77 – Baume-les-Dames 42 – Montbéliard 22 – Morteau 49.

🍽🍽 **Sur les Rives du Doubs**, à Dampjoux Sud : 1 km ℰ 03 81 96 93 82, Fax 03 81 96 46 61, ㎡ – 🄿. 🔲 🍽
fermé 2 au 22 janv., lundi soir, mardi soir et merc. – **Repas** 31/37

à Bief *Sud : 3 km – 123 h. alt. 362 –* ✉ *25190 :*

   ✕ **Auberge Fleurie,** ℘ 03 81 96 53 01, Fax 03 81 96 55 64, 😭 – 🅿. 🆖
   fermé 19 août au 9 sept., 17 fév. au 3 mars, mardi soir et merc. sauf fériés – **Repas** 9
   18,50/25 🍷

VILLÉ *67220 B.-Rhin* 🟦🟥 ⑧ ⑨ *G. Alsace Lorraine –* 1 743 h *alt.* 260.
   🚩 *Office du tourisme Place du Marché* ℘ 03 88 57 11 69, Fax 03 88 57 04 54, touri
   cc-canton-de-ville.fr.
   Paris 420 – Strasbourg 58 – Lunéville 82 – St-Dié 47 – Ste-Marie-aux-Mines 26 – Sélesta

   🏠 **Bonne Franquette,** 6 pl. Marché ℘ 03 88 57 14 25, Fax 03 88 57 08 15 – 🍴 📺. 🟢
   fermé 30 juin au 8 juil., 27 oct. au 11 nov., et 16 fév. au 2 mars – **Repas** *(fermé dim. s*
   lundi) 19/53,50 bc 🍷 – 🍽 6,10 – **10 ch** 43/50,50 – ½ P 37,50/45

La VILLE-AUX-CLERCS *41160 L.-et-Ch.* 🟦🟥 ⑥ *– 1 197 h alt.* 143.
   🚩 *Syndicat d'initiative 29 rue de Vendôme* ℘ 02 54 80 65 64.
   Paris 160 – Brou 41 – Châteaudun 29 – Le Mans 72 – Orléans 72 – Vendôme 18.

   🏨🏨 **Manoir de la Forêt** ⚲, *à Fort-Girard, Est : 1,5 km par rte secondaire* ℘ 02 54 80 6
   Fax 02 54 80 66 03, ≤, 😭, 🏓 – 📺 🅿 – 🏛 15 à 30. 🆎 🆖
   Repas *(fermé dim. soir et lundi d'oct. à Pâques)* 25,90/45,75 🍷 – 🍽 8 – **18 ch** 50,50.
   ½ P 75/85

La VILLE-BLANCHE *22 C.-d'Armor* 🟧🟨 ① *– rattaché à Lannion.*

VILLECHAUVE *41310 L.-et-Ch.* 🟦🟥 ⑥ *– 270 h alt.* 120.
   Paris 193 – Tours 38 – Blois 51 – Loches 69 – Le Mans 85 – Vendôme 22.

   ✕ **Gastinais,** *sur N 10* ℘ 02 54 80 33 30, Fax 02 54 80 33 30, 🏓 – 🅿. ⓞ 🆖
   ⊂ᴥⵀ **Repas** *(déj. seul.)(dim. et fêtes prévenir)* 9,45/25,15 🍷, enf. 6,10

VILLECOMTAL-SUR-ARROS *32730 Gers* 🟦🟥 ⑬ *– 743 h alt.* 177.
   Paris 778 – Auch 48 – Pau 69 – Aire-sur-l'Adour 67 – Tarbes 26.

   ✕✕ **Rive Droite,** ℘ 05 62 64 83 08, rive-droite2@wanadoo.fr, Fax 05 62 64 84 02, 😭,
   🆎 ⓞ 🆖
   fermé 26 oct. au 6 nov.,lundi, mardi et merc. sauf 15 juil. au 15 août – **Repas** 12 *(déj.)/2*

VILLECROZE *83690 Var* 🟦🟥 ⑥, 🔢🔢 ㉑ *G. Côte d'Azur –* 1 087 h *alt.* 300.
   Voir Belvédère★ : 💥★ *N : 1 km.*
   🚩 *Office du tourisme Rue Amboise Croizat* ℘ 04 94 67 50 00, Fax 04 94 67 50 00.
   Paris 841 – Aups 8 – Brignoles 37 – Draguignan 21.

   ✕✕ **Colombier,** *rte Draguignan* ℘ 04 94 70 63 23, le-colombier@ifrance.
   Fax 04 94 70 63 23, 🏓 – 🅿. 🆎 ⓞ 🆖
   fermé 18 nov. au 13 déc., dim. soir hors saison et lundi – **Repas** *(17)* · 25/42 🍷, enf. 11

au Sud-Est *par rte de Draguignan et rte secondaire : 3 km –* ✉ *83690 Salernes :*

   ✕ **Au Bien Être** ⚲ *avec ch,* ℘ 04 94 70 67 57, aubienetre@libertysur
   Fax 04 94 70 67 57, 😭, 🏊, 🏓 – 📺 🆖 🅿. 🆖, 💥 rest
   fermé vacances de Toussaint , de fév., lundi midi, mardi midi et merc. midi – **Repas** *(22)*
   enf. 9 – 🍽 8 – **8 ch** 54/58 – ½ P 51,50/53,50

VILLEDIEU-LES-POÊLES *50800 Manche* 🟧🟨 ⑧ *G. Normandie Cotentin –* 4 102 h *alt.* 105.
   Voir Fonderie de cloches★.
   🚩 *Office du tourisme Place des Costils* ℘ 02 33 61 05 69, Fax 02 33 61 05 69, info@villec
   les-poeles.com.
   Paris 313 – St-Lô 35 – Alençon 122 – Avranches 25 – Caen 80 – Flers 59.

   🏨🏨 **Fruitier** Ⓜ, pl. Costils ℘ 02 33 90 51 00, hotel.le.fruitier@wanadoo.fr, Fax 02 33 90 5
   ⊂ᴥⵀ – 🛎, 🍽 rest, 📺 🆖 👌 ⟵ – 🏛 15 à 60. 🆖
   fermé 23 déc. au 19 janv. – **Repas** *(10,70)* · 13,50/30,50 🍷, enf. 8,50 – 🍽 5,50 – **38 ch** 41
   10 duplex – ½ P 39/48

   🏠 **St-Pierre et St-Michel,** pl. République ℘ 02 33 61 00 11, Fax 02 33 61 06 52 – 🖳
   ⊂ᴥⵀ ⟵ 🅿. 🆖
   fermé 12 janv. au 14 fév. – **Repas** 13/30 🍷, enf. 7 – 🍽 6 – **22 ch** 43

XX **Ferme de Malte,** 11 r. Jules Tétrel ℰ 02 33 91 35 91, Fax 02 33 91 35 90, ⌇, 龠 – **P**. ⃞
fermé 30 sept. au 15 oct., 27 janv. au 15 fév., dim. soir hors saison , sam. midi et lundi –
Repas 15,25 (déj.), 23/55 et carte 31 à 54

XX **Manoir de l'Acherie** ⌇ avec ch, à l'Acherie Est : 3,5 km par N 175 et D 554
ℰ 02 33 51 13 87, bernard.cahu@libertysurf.fr, Fax 02 33 51 33 69, « Dans le bocage
normand », 龠 – ⃞ ✆ & **P**. – ⃞ 50. ⃞ ⃞, ✷
fermé 4 au 20 nov., 24 fév. au 12 mars, dim. soir du 14 oct. à Pâques et lundi sauf le soir en
juil.-août – **Repas** 15/37 ⓨ – ⌂ 6,10 – **15 ch** 34/54 – ½ P 53/61

LE-EN-TARDENOIS 51170 Marne ⃞⃞ ⑮ G. Champagne Ardenne – 550 h alt. 161.
Paris 124 – Reims 21 – Châlons-en-Champagne 69 – Château-Thierry 38 – Épernay 25.

XX **Auberge du Postillon,** D 380 ℰ 03 26 61 83 67, auberge-du-postillon@wanadoo.fr,
Fax 03 26 61 84 64 – ⃞
dim. soir – **Repas** 14,50 (déj.), 23,50/54, enf. 10

LEFORT 48800 Lozère ⃞⃞ ⑦ G. Languedoc Roussillon – 620 h alt. 600.
⃞ Office du tourisme Rue de l'Église ℰ 04 66 46 87 30, Fax 04 66 46 85 33.
Paris 622 – Alès 52 – Aubenas 60 – Florac 57 – Pont-St-Esprit 90.

⃞ **Balme,** Place du Portalet ℰ 04 66 46 80 14, Fax 04 66 46 85 26, 龠 – ⌂. ⃞ ⃞ ⃞
fermé 14 au 18 oct., 15 nov. au 15 fév., dim. soir et lundi hors saison – **Repas** 21/32 ⓨ, enf. 9
– ⌂ 6,50 – **16 ch** 45/52 – ½ P 40/54

⌤ **Lac,** au bord du lac, Nord par D 906 ℰ 04 66 46 81 20, Fax 04 66 46 90 95, ≤, 龠 – **P**. ⃞
8 mars-15 nov. et fermé merc. – **Repas** 14,50/22,60 – ⌂ 6 – **10 ch** 42/58 – ½ P 43/52

LEFRANCHE-D'ALLIER 03430 Allier ⃞⃞ ⑫ G. Auvergne – 1 306 h alt. 270.
Paris 339 – Moulins 51 – Bourbon-l'Archambault 31 – Montluçon 25 – Montmarault 13.

⃞ **Relais Bourbonnais** ⃞, 1 r. Gare ℰ 04 70 07 40 01, Fax 04 70 07 48 36, 龠, ⌇, 龠 – ⃞
P. ⃞
fermé 1ᵉʳ au 15 oct., 15 déc. au 15 fév., lundi (sauf hôtel) et vend. d'oct. à mai – **Repas**
19/42 ⓨ – ⌂ 6,50 – **14 ch** 36/52 – ½ P 50/56

LEFRANCHE-DE-CONFLENT 66500 Pyr.-Or. ⃞⃞ ⑰ G. Languedoc Roussillon – 225 h
alt. 435.
Voir Ville forte★ – Fort Liberia : ≤★★ – Commune de la "Méridienne verte".
⃞ Office du tourisme Place de l'Église ℰ 04 68 96 22 96, Fax 04 68 96 07 24.
Paris 904 – Perpignan 51 – Mont-Louis 31 – Olette 11 – Prades 6 – Vernet-les-Bains 6.

XX **Auberge Saint-Paul,** 7 pl. Église ℰ 04 68 96 30 95, Fax 04 68 96 30 95, 龠 – ⃞ ⃞ ⃞
fermé 18 au 22 juin, 26 nov. au 6 déc., 7 au 31 janv., dim. soir et mardi d'oct. à Pâques et
lundi – **Repas** 22,50/69 et carte 38 à 55 ⓨ, enf. 15,50

LEFRANCHE-DE-ROUERGUE ⃝ 12200 Aveyron ⃞⃞ ⑳ G. Midi-Pyrénées – 11 919 h
alt. 230.
Voir La Bastide★ : place Notre-Dame★, église Notre-Dame★ – Ancienne chartreuse
St-Sauveur★ par ③.
⃞ Office du tourisme Promenade du Guiraudet ℰ 05 65 45 13 18, Fax 05 65 45 55 58,
infos@villefranche.com.
Paris 616 ① – Rodez 58 ① – Albi 71 ③ – Cahors 61 ④ – Montauban 76 ④.

Plan page suivante

⃞ **L'Univers,** pl. République (1ᵉʳ étage) (s) ℰ 05 65 45 15 63, univerhotelbourdy@wanadoo.
fr, Fax 05 65 45 02 21 – ⃞ ✆ ⌂ – ⃞ 50. ⃞ ⃞ ⃞
Repas (fermé 15 au 24 mars, 28 juin au 6 juil., 10 au 25 janv., vend.soir et sam. d'oct. à juin)
14/50 ⓨ – ⌂ 6 – **30 ch** 29/54 – ½ P 46/49

⃞ **Francotel** ⃞, Centre Comm. Hyper U par ① et D1ᴱ : 1 km ℰ 05 65 81 17 22,
Fax 05 65 45 56 09, ⌇, – ⃞, ⌑ ch, ⃞ ✆ & **P**. – ⃞ 80. ⃞ ⃞ ⃞
Repas (fermé dim.) (9,91) - 12,65 ⅃ – **28 ch** 42,69/48,78, 16 duplex

X **Assiette Gourmande,** pl. A. Lescure (e) ℰ 05 65 45 25 95, 龠 – ⃞ ⃞
fermé vacances de printemps, 1ᵉʳ au 7 sept., vacances de Toussaint, mardi soir et merc. soir
hors saison et dim. – **Repas** 12/28 ⓨ, enf. 8

X **Bellevue,** 5 av. du Ségala (k) ℰ 05 65 45 23 17, Fax 05 65 45 11 19 – ⃞
fermé vacances de Toussaint, de fév., dim. et lundi sauf juil.-août – **Repas** 12/43

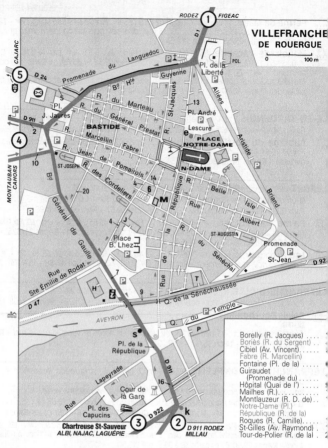

au Farrou *par* ① : 4 km – ⊠ 12200 Villefranche-de-Rouergue :

🏨 **Relais de Farrou** Ⓜ, ℘ 05 65 45 18 11, Fax 05 65 45 32 59, 🌳, ⅃₆, ⍔, 🌳, ℁ – 🍴 ch, 📺 ✆ 🖧 🅿 – 🔬 25. GB
fermé 26 oct au 4 nov., 23 au 30 déc. et 22 fév. au 1ᵉʳ mars – **Repas** *(fermé sam. midi,* soir et lundi hors saison)* 19,10/36,45 ♀, enf. 11,45 – ☖ 7,35 – **26 ch** 42,70/75,5 ½ P 53,40/64,10

VILLEFRANCHE-DU-PÉRIGORD 24550 Dordogne 🔢 ⑰ G. Périgord Quercy – 803 h alt. 2.
🚹 Office du tourisme Rue Notre-Dame ℘ 05 53 29 98 37, Fax 05 53 30 40
villefranchepgd@perigord.com.
Paris 555 – Agen 77 – Cahors 41 – Sarlat-la-Canéda 41 – Bergerac 67 – Périgueux 86.

🏠 **Petite Auberge** ⅌, ℘ 05 53 29 91 01, jacqueline.GHAIRA@wanadoc
Fax 05 53 28 88 10, 🌳, 🌳 – 📺 ✆ 🅿. GB
fermé 11 au 30 nov., 15 au 28 fév., vend. soir, sam. midi et dim. soir d'oct. à avril – **Re**
11,50 (déj.), 14,50/34,50 ♀ – ☖ 6,90 – **10 ch** 41,20/53,40 – ½ P 45

Ne confondez pas :

Confort des hôtels	🏨🏨🏨 … 🏠, 🏚
Confort des restaurants	XXXXX … X
Qualité de la table	❀❀❀, ❀❀, ❀, ⍟

1474

EFRANCHE-SUR-MER 06230 Alpes-Mar. **84** ⑨ ⑩, **115** ㉗ G. Côte d'Azur – 6 833 h alt. 30.

Voir *Rade*★★ – *Vieille ville*★ – *Chapelle St-Pierre*★ – *Musée Volti*★.

🛈 *Office de tourisme sq. F.-Binon & 04 93 01 73 68, Fax 04 93 76 63 65.*

Paris 938 ⑤ – *Nice 5* ③ – *Beaulieu-sur-Mer 4* ③.

Accès et sorties : Voir plan de Nice.

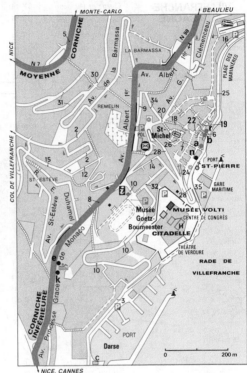

VILLEFRANCHE-SUR-MER

n (Av. V.)	2
rie (Quai de la)	3
-d'Or (Bd de la)	5
et (Quai Amiral)	6
(R. de l')	7
(Av. du Maréchal)	8
ni (Av. Général)	9
(Av. Général-de)	10
e-Bretagne (Av. de)	12
(Av. du Maréchal)	14
rc (Av. Général)	15
ères	
omenade des)	16
R. de)	18
ure (R.)	19
Pl. de la)	20
(R. du)	22
ais (Pl. A.)	24
hardier (Quai Amiral)	25
n (Pl. F.)	26
Carnot (Av.)	28
nelli-Lazare (Bd)	30
d'Or (Av. du)	31
n (Av. de)	32
re (R. de la)	34
n (Pl.)	35

cartes Michelin
constamment
es à jour.

belin maps
kept up to date.

🏠🏠 **Welcome** sans rest, 1 quai Courbet (n) *& 04 93 76 27 62, welcome@riviera.fr,*
Fax 04 93 76 27 66, ≤ port et plage – 📶 🗐 📺 📞 🖪 🕭 ⊕ ⅏ 🄹㏄
fermé 12 nov. au 22 déc. – ⇆ 8 – **37 ch** 125/290

🏠🏠 **Flore** Ⓜ, av. Princesse Grace de Monaco (e) *& 04 93 76 30 30, hotel-la-flore@wanadoo.fr,*
Fax 04 93 76 99 99, ≤, ☆, ℥, – 🁱 🗐 📺 📞 🖪 🖭 – 🕭 30. 🖭 ⊕ ⅏ 🄹㏄, ⅍ rest
Le Fleuron *(fermé 6 janv. au 6 fév. et merc. de nov. à mars)* **Repas** *(14)*-28/46 ⅔, enf. 11,60 –
⇆ 10 – **31 ch** 113/180 – ½ P 74/124

🏠🏠 **Versailles,** av. Princesse Grace de Monaco (k) *& 04 93 76 52 52, hotel.le.versailles@wana-*
doo.fr, Fax 04 93 01 97 48, ≤ rade, ☆, ℥, – 🁱 🗐 ch, 📺 🖪. 🖭 ⊕ ⅏
début fév.-fin oct. – **Repas** *(fermé lundi hors saison)* 27,50 ⅔, enf. 15,25 – ⇆ 11,50 – **49 ch**
105/180 – ½ P 87,50/125

%%% **Mère Germaine,** quai Courbet (a) *& 04 93 01 71 39, contact@meregermaine.com,*
Fax 04 93 01 96 44, ≤, ☆ – 🖭 ⅏
fermé 12 nov. au 24 déc. – **Repas** 34 ⅔

%%% **L'Oursin Bleu** (b) *& 04 93 01 90 12, Fax 04 93 01 30 45,* ☆ – 🗐. 🖭 ⅏
fermé 12 nov. au 8 déc. et mardi – **Repas** 25,80

%%% **Fille du Pêcheur,** 13 quai Courbet (r) *& 04 93 01 90 09, contact@lafilledupecheur.com,*
Fax 04 93 01 90 29, ≤, ☆ – 🗐. 🖭 ⅏
fermé janv., le midi en juil.-août, dim. soir et merc. en hiver – **Repas** 23 (déj.)/27 ⅔

VILLEFRANCHE-SUR-SAÔNE 📧 69400 Rhône **74** ①, **110** ③ G. Vallée du Rhô
30 647 h alt. 190.

🛈 Office du tourisme 96 rue de la Sous-Préfecture ℘ 04 74 07 27 40, Fax 04 74 07 .
ot.villefranche-beaujolais@wanadoo.fr.

Paris 433 ⑦ – Lyon 36 ⑤ – Bourg-en-Bresse 54 ③ – Mâcon 47 ⑤ – Roanne 74 ⑥.

VILLEFRANCHE-SUR-SAÔNE

Barbusse (Bd Henri) ...... **CX** 2
Beaujolais (Av. du) .... **CX** 3
Berthier (R. Pierre) ...... **DX** 7
Chabert (Ch. du) .... **CX** 12

Charmilles (Av. des) ...... **CX** 14
Condorcet (R.) .... **DX** 15
Desmoulins (R. Camille).. **DX** 17
Ecossais (R. de l') .... **DX** 18
Joux (Av. de) .... **DX** 25
Leclerc (Bd du Gén.) ..... **CX** 27
Libération (Av. de la) .... **CX** 28
Maladière (R. de la) ...... **CX** 30

Nizerand (R. du) C
Paradis (R. du) C
Pasquier (Bd Pierre) ..... D
Plage (Av. de la) C
St-Roch (Montée) C
Salengro (Bd Roger) C
Savoye (R. C.) C
Tarare (R. de) C

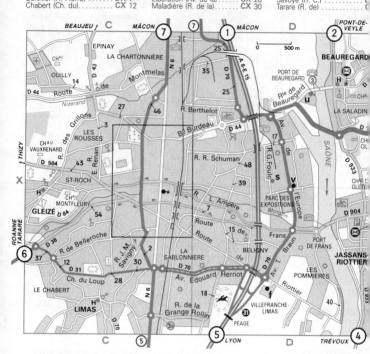

<hr>

🏨 **Plaisance** sans rest, 96 av. Libération ℘ 04 74 65 33 52, hotel.plaisance@wanado
Fax 04 74 62 02 89 – 📶 📺 ✆ ⇔ **P** – 🔏 40. 🆑 ◉ ⒼⒷ   A2
fermé 24 déc. au 1er janv. – 😐 6,70 – **68 ch** 61/84

🏨 **Newport**, av. de l'Europe Z.I. Nord-Est ℘ 04 74 68 75 59, Fax 04 74 09 08 89, 😤 – 📠
⇔ ઠ **P** – 🔏 60. 🆑 ⒼⒷ   DX
Repas (fermé sam. midi , dim.et fériés) (10,98) - 12,96/30,34 ♀, enf. 8,38 – 😐 5,95 – 3
44,21/51,83

🏨 **Ibis**, échangeur A 6 (péage Villefranche) ℘ 04 74 68 22 23, h0646@accor-hotels.c
Fax 04 74 60 41 67, 😤 – 📶 ⁂ 📺 **P** – 🔏 à 40. 🆑 ◉ ⒼⒷ ⒿⒸⒷ   DX
Repas (12,04) - 15,09 ◊, enf. 5,95 – 😐 5,50 – **116 ch** 54/62

🍴🍴🍴 **Ferme du Poulet** Ⓜ ⁂ avec ch, 180 r. Mangin, Z.I. Nord-Est ℘ 04 74 62 19
Fax 04 74 09 01 89, 😤 – 📶 📺 ✆ **P** – 🔏 45. 🆑 ⒼⒷ   DX
fermé 3 au 24 août, 23 déc. au 2 janv., dim. soir et lundi – **Repas** (21,34) - 30,18/54,8
enf. 13,72 – 😐 9,15 – **8 ch** 60,67/79,27

🍴🍴🍴 **Faisan Doré**, pont de Beauregard, Nord-Est : 2,5 km ℘ 04 74 65 01 66, info@faisan-
.com, Fax 04 74 09 00 81, 😤 – **P**. 🆑 ◉ ⒼⒷ   DX
fermé dim. soir et lundi soir – **Repas** 28/59 et carte 50 à 65

**VILLEFRANCHE-
SUR-SAÔNE**

Belleville (R. de) . . . . **BY** 5

Carnot (Pl.) . . . . **BZ** 9
Faucon (R. du) . . . . **BY** 19
Fayettes (R. des) . . . . . . **BZ** 20
Grange-Blazet (R.) . . . . . . **BZ** 23
Marais (Pl. des) . . . . **BZ** 32
Nationale (R.) . . . . **BYZ**

République (R. de la) . . **AZ** 41
Salengro (Bd Roger) . . **AY** 46
Savigny (R. J. M.) . . . . . **AZ** 47
Sous-Préfecture (Pl.) . . **AZ** 49
Sous-Préfecture (R.) . . . **AZ** 50
Stalingrad (R. de) . . . . . **BZ** 52

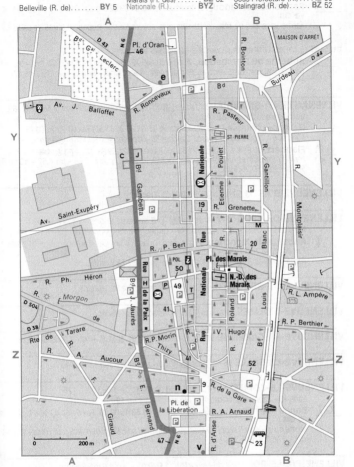

XX **Cèdre,** 196 r. Roncevaux *ℰ* 04 74 68 03 69, Fax 04 74 65 04 69, 斎 – AE GB   AY e
  fermé 11 au 22 août, dim. soir, merc.soir et lundi – **Repas** (14) - 17/28 ☲

X **Juliénas,** 236 r. Anse *ℰ* 04 74 09 16 55 – 🍽. GB   BZ v
  fermé sam. midi et dim. – **Repas** (10,50) - 14,48/27,75 ☲, enf. 6,86

LEJUIF *94 Val-de-Marne* **61** ①, **101** ㉖ – *voir à Paris, Environs.*

LEJUST *91 Essonne* **60** ⑩, **101** ㉞ – *voir à Paris, Environs.*

LEMAGNE-L'ARGENTIÈRE *34600 Hérault* **83** ④ *G. Languedoc Roussillon* – *429 h alt. 193.*
  Paris 733 – *Montpellier 78* – *Bédarieux 8* – *Béziers 38* – *Lunas 21* – *Olargues 24.*

X **Auberge de l'Abbaye,** *ℰ* 04 67 95 34 84, Fax 04 67 95 34 84, 斎 – AE ① GB
 🍃 *fermé 30 déc. au 13 fév., mardi d'oct. à avril, dim. soir et lundi*
  Repas 19/41, enf. 8

VILLEMUR-SUR-TARN 31340 H.-Gar. 82 ⑧ G. Midi-Pyrénées – 4 929 h alt. 108.

🛈 Office du tourisme 1 rue de la République ✆ 05 61 09 37 94, Fax 05 61 09 53 45.

Paris 664 – Toulouse 38 – Albi 62 – Castres 75 – Montauban 24.

XXX **Ferme de Bernadou,** rte Toulouse ✆ 05 61 09 02 38, Fax 05 61 35 94 87, 佘, 丞
⓪ ⌸
fermé vacances de fév., mardi soir, dim. soir et lundi – **Repas** 19,80/35 et carte 34
enf. 12,20

au Sud : 5 km par D 14 et rte secondaire – ⊠ 31340 Villemur sur Tarn :

X **Auberge du Flambadou,** ✆ 05 61 09 40 72, Fax 05 61 09 40 72, 佘, 肅 – 🅿. ⌸
fermé dim. soir du 15 sept. au 1ᵉʳ mai, merc. soir et lundi – **Repas** 10,67 (déj.), 16,47/33
enf. 6,10

VILLENAUXE-LA-GRANDE 10370 Aube 61 ⑤ G. Champagne Ardenne – 2 666 h alt. 80.

Voir Déambulatoire★ de l'église.

🛈 Syndicat d'initiative 3 rue des Abattoirs ✆ 03 25 21 33 35, Fax 03 25 21 00 75.

Paris 105 – Troyes 58 – La Ferté-Gaucher 36 – Nogent-sur-Seine 16 – Sézanne 23.

🏠 **Flaubert,** pl. Église ✆ 03 25 21 38 26, Fax 03 25 21 59 88, 佘 – 📺 ૬. ⌸
⌸ fermé dim. soir et lundi – **Repas** (9,91) - 12,96/37,35 ⅃, enf. 6,86 – ⌸ 4,57 – **12 ch** 3
38,11 – ½ P 60,96/65,53

VILLENEUVE D'ASCQ 59 Nord 51 ⑯, 111 ㉓ – rattaché à Lille.

VILLENEUVE-DE-BERG 07170 Ardèche 80 ⑨ G. Vallée du Rhône – 2 429 h alt. 320.

Paris 633 – Valence 72 – Aubenas 16 – Largentière 28 – Montélimar 26 – Privas 30.

X **Auberge de Montfleury,** à la gare, Ouest : 4 km par rte Aubenas ✆ 04 75 94 7
Fax 04 75 94 74 13, 佘 – 🅿. ⌸ ⓪
fermé lundi sauf juil.-août – **Repas** (9,91) - 14,48/32,78 ⌀, enf. 6,86

VILLENEUVE-DE-RIVIÈRE 31 H.-Gar. 86 ① – rattaché à St-Gaudens.

VILLENEUVE-D'OLMES 09 Ariège 86 ⑤ – rattaché à Lavelanet.

VILLENEUVE-LA-GARENNE 92 Hauts-de-Seine 55 ⑳, 101 ⑮ – voir à Paris, Environs.

VILLENEUVE-LA-SALLE 05 H.-Alpes 77 ⑧ ⑱ – rattaché à Serre-Chevalier.

VILLENEUVE-LE-COMTE 77174 S.-et-M. 61 ②, 106 ㉒ – 1 683 h alt. 126.

Paris 40 – Lagny-sur-Marne 13 – Meaux 19 – Melun 39.

XXX **Bonne Marmite,** 15 r. Gén. de Gaulle ✆ 01 60 43 00 10, Fax 01 60 43 11 01, 佘 – 🅔
⓪ ⌸
fermé 18 août au 5 sept., 19 janv. au 6 fév., dim. soir, lundi et mardi sauf fêtes – **Repas**
(déj.), 32/55 ⌀, enf. 14

VILLENEUVE-LE-ROI 94 Val-de-Marne 61 ①, 101 ㉖ – voir à Paris, Environs.

VILLENEUVE-LÈS-AVIGNON 30400 Gard 81 ⑪ ⑫ G. Provence – 11 791 h alt. 23.

Voir Fort et Abbaye St-André★ : ≤★★ AV – Tour Philippe-le-Bel ≤★★ AV – Vierge★
musée municipal Pierre de Luxembourg★ AV M – Chartreuse du Val-de-Bénédiction★
🛈 Office du tourisme Place Charles David ✆ 04 90 25 61 33, Fax 04 90 25 9
villeneuve.les.avignon.tourisme@wanadoo.fr.

Paris 683 ② – Avignon 5 ⑤ – Nîmes 47 ⑥ – Orange 27 ⑦ – Pont-St-Esprit 41 ⑥.

Plan : voir à Avignon.

🏠 **Prieuré** ⟫, 7 pl. Chapitre ✆ 04 90 15 90 15, leprieure@relaischateau
❀ Fax 04 90 25 45 39, 佘, « Jardins et terrasse ombragés », ⌱, ⌇, ⌖ – 🛗 📻 📺 ⌸
🅰 30. ⌸ ⓪ ⌸ ⌵⌷. ℀ rest   AV
15 mars-3 nov. – **Repas** (fermé merc. en mars, avril et oct.) 34/79,50 et carte 66 à 8
enf. 20 – ⌸ 15 – **26 ch** 92/211, 10 appart
Spéc. Kadaïf de grosse langoustine, artichaut violet et brandade. Canon d'agneau du p
cannelloni d'aubergine et panisse. Duo de fraises et olives noires confites. **Vins** Côte
Rhône Villages.

Magnaneraie ⍏, 37 r. Camp de Bataille ℘ 04 90 15 92 00, *magnaneraie@gulliver.fr*,
Fax 04 90 25 46 37, 龥, « Beaux aménagements dans une ancienne demeure du
15ᵉ siècle », ⍓, 粡, 粡 – ▤ rest, ▦ 粡 – ⌾ 40. ▤ ⬤ ▦ ⟐
AV z
fermé 17 nov. au 15 déc. – **Repas** *(fermé dim. soir)* 28,97/91,47 – ⌷ 11,43 – **32 ch** 112/321 –
½ P 106/132

L'Atelier sans rest, 5 r. Foire ℘ 04 90 25 01 84, *hotel.latelier@libertysurf.fr*,
Fax 04 90 25 80 06, 粡 – ▦ ▦ 粡. ▤ ▦
AV e
⌷ 8,40 – **23 ch** 60/90

Aubertin, 1 r. de l'Hôpital ℘ 04 90 25 94 84, Fax 04 90 25 83 07, 龥 – ▤. ▤ ⬤ ▦
▦ᴮ
AV n
fermé 14 au 31 août, dim. et lundi hors saison – **Repas** 28,20/44,97 ⍟

St-André, 4 bis Montée du Fort ℘ 04 90 25 63 23, Fax 04 90 25 63 23 – ▤ ⬤ ▦
▦ᴮ
AV u
fermé 1ᵉʳ au 15 nov., 1ᵉʳ au 15 fév., mardi midi et lundi – **Repas** 15,20 (déj.)/21,30 ⍟

ᴸENEUVE-LOUBET 06270 Alpes-Mar. 🎴 ⑨, 🎴 ㉕ G. Côte d'Azur – 12 935 h alt. 10.

Voir *Musée de l'Art culinaire*★ AX M².

🅱 *Office du tourisme* 16 avenue de la Mer ℘ 04 92 02 66 16, Fax 04 92 02 66 19,
info@ot-villeneuveloubet.org.

Paris 922 ⑤ – Nice 15 ③ – Antibes 11 ④ – Cannes 21 ⑤ – Grasse 24 ⑥.

Plans : voir plan de Cagnes-sur-Mer-Villeneuve-Loubet.

Hamotel ⍏ sans rest, Hameau du Soleil, rte La Colle-sur-Loup ℘ 04 93 20 86 60, *hamotel
@wanadoo.fr*, Fax 04 93 73 33 94, ⍓ – ⧉ ▦ ▦ 粡 ▤ ▤ ⬤ ▦
⌷ 8 – **30 ch** 71/88

Vieille Auberge, au village, 13 r. Mesures ℘ 04 93 73 90 92, Fax 04 93 73 90 92, 龥 – ▤
▦
Y u
fermé 27 août au 6 sept., 29 oct. au 4 nov., dim. soir et merc. hors saison et les midis sauf
dim. en juil.-août – **Repas** 30, enf. 11

ᴵlleneuve-Loubet-Plage :

Galoubet Ⓜ ⍏ sans rest, 174 av. Castel ℘ 04 92 13 59 00, *hotel.galoubet@wanadoo.fr*,
Fax 04 92 13 59 29, ⍓, 粡 – ▤ ▦ ▦ 粡 ▤ ▦. 粡
AY s
fermé 12 oct. au 9 déc. – ⌷ 7 – **22 ch** 64/73

Syracuse sans rest, av. Éric Tabarly ℘ 04 93 20 45 09, Fax 04 93 20 29 30, ⩾ – ⧉ cuisinette
▦ ▦ ▤. ▦
AY x
fermé 20 déc. au 20 janv. – ⌷ 6 – **39 ch** 51/100

ᴸENEUVE-SUR-LOT ⬥ 47300 L.-et-G. 🎴 ⑤ G. Aquitaine – 22 782 h alt. 51.

🅱 *Office du tourisme* 47 rue de Paris ℘ 05 53 36 17 30, Fax 05 53 49 42 98.

Paris 596 ① – Agen 30 ⑤ – Bergerac 61 ① – Bordeaux 147 ⑥ – Cahors 71 ③.

Plan page suivante

Résidence sans rest, 17 av. L. Carnot ℘ 05 53 40 17 03, *hotel.laresidence@wanadoo.fr*,
Fax 05 53 01 57 34 – ▦ 粡 粡. ▦
BZ s
fermé 20 déc. au 5 janv. – ⌷ 4,50 – **18 ch** 22,50/47

Campanile, rte Agen par ⑤ : 3 km ℘ 05 53 40 27 47, Fax 05 53 40 27 50, 龥 – 粡,
▤ rest, ▦ 粡 ▤ – ⌾ 25. ▤ ⬤ ▦ ▦ᴮ
Repas 11,58/16,61 ⍟, enf. 5,95 – ⌷ 5,94 – **46 ch** 50,30

ᴾujols Sud-Ouest : 4 km par D 118 – 3 546 h. alt. 180 – ⊠ 47300 :

Voir ⩾★.

🅱 *Syndicat d'initiative* ℘ 05 53 36 78 69, Fax 05 53 36 78 70, *mairie-de-pujols@wanadoo.fr*.

Chênes ⍏ sans rest, ℘ 05 53 49 04 55, *hotel.des.chenes@wanadoo.fr*,
Fax 05 53 49 22 74, ⩾, ⍓ – ▦ 粡 ▤ ⬤ ▦
fermé 30 déc. au 6 janv. – ⌷ 8 – **21 ch** 57,50/72

Toque Blanche (Lebrun), ℘ 05 53 49 00 30, *latoque.blanche@wanadoo.fr*,
Fax 05 53 70 49 79, ⩾, 龥 – ▤ ▤. ▤ ⬤ ▦
fermé 4 au 19 mars, 17 juin au 2 juil., 25 nov. au 2 déc., dim. soir, mardi midi et lundi –
Repas 23/69 et carte 62 à 90, enf. 13
Spéc. Escalope de foie gras de canard en millefeuille aux pommes. Pigeonneau cuit en
cocotte aux choux confits et lard paysan. Lièvre à la royale (oct. à janv.). **Vins** Buzet, Côtes
de Duras.

Auberge Lou Calel, ℘ 05 53 70 46 14, Fax 05 53 70 49 79, ⩾ Villeneuve, 龥 – ▦
fermé 29 mai au 6 juin, 2 au 17 oct., 3 au 17 janv., jeudi midi, mardi soir et merc.
Repas 13/33

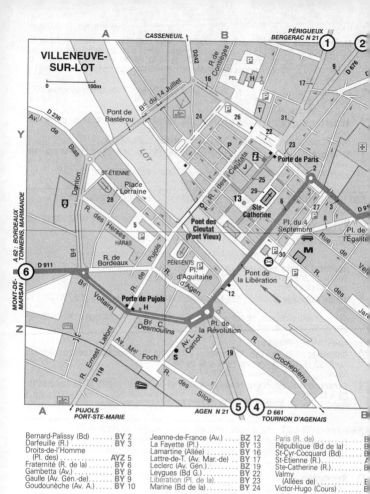

VILLENEUVE-SUR-LOT

*Un automobiliste averti utilise le **Guide Rouge Michelin** de l'année.*

VILLENEUVE-SUR-TARN 81 Tarn **80** ⑫ – ⊠ 81250 Alban.

Paris 719 – Albi 39 – Castres 66 – Lacaune 44 – Rodez 64 – St-Affrique 51.

Hostellerie des Lauriers, ℘ 05 63 55 84 23, pascal.sudre@worldonlir Fax 05 63 55 89 20, 斎, « Maison du 18ᵉ siècle au bord du Tarn », 🔲, 𝒫 – 🆃🆅 ⚓ 🅿. ℅ ch

15 mars-fin oct. et fermé dim. soir et lundi d'oct. à avril – **Repas** 12,50/40, enf. 10 – ⌓ **9 ch** 38/52 – ½ P 43/46

VILLENEUVE-SUR-YONNE 89500 Yonne **61** ⑭ G. Bourgogne – 5 404 h alt. 74.

Voir Porte de Joigny★.

🛈 Office du tourisme Quai Roland Bonnion ℘ 03 86 87 12 52, Fax 03 86 86 76 88.

Paris 133 – Auxerre 46 – Joigny 19 – Montargis 45 – Nemours 57 – Sens 14 – Troyes 89.

Lucarne aux Chouettes 🐦 avec ch, quai Bretoche ℘ 03 86 87 18 26, lesliecal auberge@wanadoo.fr, Fax 03 86 87 22 63, ≤, 斎, « Maisons du 17ᵉ siècle aménagées élégance » – 🆃🆅 ⚙ GB

fermé dim. soir et lundi sauf juil.-août – **Repas** 17 (déj.)/33, enf. 10 – ⌓ 9,50 – **4 ch** 119.

1480

.ENY _41220 L.-et-Ch._ 64 ⑧ – _334 h alt. 132._

Paris 163 – _Orléans 37_ – _Blois 38_ – _Romorantin-Lanthenay 32._

🏨 **Les Chênes Rouges** ⚲, Sud-Ouest : 2,5 km par D 113 et D 18 ℰ 02 54 98 23 94, _chenes rouges@wanadoo.fr_, Fax 02 54 98 23 99, 😚, « Dans la forêt, en bordure d'étang », ⌧, 🏊 – 📺 ⛄ 🕭 🅿 🖭 ⊕ 🖼
fermé 1ᵉʳ janv. au 22 mars, dim. et lundi de sept. à mai – **Repas** (dîner seul.) 27/35 – ⌧ 12 – **10 ch** 100/122 – ½ P 92/107

.EPARISIS _77 S.-et-M._ 56 ⑫, 101 ⑲ – _voir à Paris, Environs._

.ERAY _61 Orne_ 60 ⑮ – _rattaché à Nogent-le-Rotrou._

.EREST _42 Loire_ 73 ⑦ – _rattaché à Roanne._

.EROY _89 Yonne_ 61 ⑬ – _rattaché à Sens._

.ERS-BOCAGE _14310 Calvados_ 54 ⑮ _G. Normandie Cotentin_ – _2 904 h alt. 140._

Paris 261 – _Caen 28_ – _Argentan 81_ – _Avranches 76_ – _Bayeux 26_ – _Flers 43_ – _St-Lô 45_ – _Vire 35._

🏵 **Trois Rois** avec ch, ℰ 02 31 77 00 32, Fax 02 31 77 93 25, 🐎 – 📺 🅿 🖭 ⊕ 🖼
fermé 24 au 30 juin, janv., dim. soir et lundi – **Repas** 19,50/49 et carte 30 à 50 – ⌧ 7,62 – **12 ch** 33,54/61 – ½ P 55,70

.ERS-COTTERÊTS _02600 Aisne_ 56 ③ _G. Picardie Flandres Artois_ – _9 839 h alt. 126._

Voir _Château de François 1ᵉʳ : grand escalier★_.
Env. _Forêt de Retz★_.
🄳 Office du tourisme 8 place Aristide Briand ℰ 03 23 96 55 10, Fax 03 23 96 49 13.
Paris 82 – _Compiègne 32_ – _Laon 61_ – _Meaux 41_ – _Senlis 41_ – _Soissons 22._

🏨 **Régent** sans rest, 26 r. Gén. Mangin ℰ 03 23 96 01 46, _hotel.le.regent@gofornet.com_, Fax 03 23 96 37 57, « Ancien relais de poste du 18ᵉ siècle » – 📺 🅿 🖭 ⊕ 🖼 🖼
fermé dim. soir de nov. à mars sauf fériés – ⌧ 7,65 – **17 ch** 38,10/67,10

🍴 **L'Orthographe,** 63 r. Gén. Leclerc ℰ 03 23 96 30 84, _lortho@club-internet.fr_, Fax 03 23 96 82 71 – 🅿 🖭 ⊕ 🖼 🖼
fermé dim. soir et lundi – **Repas** 18,32 ♈

.ERSEXEL _70110 H.-Saône_ 66 ⑥ ⑦ _G. Jura_ – _1 444 h alt. 287._

🄳 Office du tourisme 33 rue des Cités ℰ 03 84 20 59 59, Fax 03 84 20 59 59, _tourisme. villersexel@wanadoo.fr_.
Paris 387 – _Besançon 60_ – _Belfort 43_ – _Lure 18_ – _Montbéliard 35_ – _Vesoul 27._

🏠 **Terrasse,** rte Lure ℰ 03 84 20 52 11, Fax 03 84 20 56 90, 😚, 🐎 – 📺 ⛄ 🅿 🖼
⊖ _fermé 8 déc. au 3 janv., dim. soir et lundi midi hors saison_ – **Repas** 10,50 (déj.), 14/28 🐖, enf. 8 – ⌧ 5,50 – **13 ch** 33,50/46 – ½ P 38/42

.ERS-LE-LAC _25130 Doubs_ 70 ⑦ _G. Jura_ – _4 196 h alt. 730._

Voir _Saut du Doubs★★★ NE : 5 km_ – _Lac de Chaillexon★ NE : 2 km_ – _Musée de la montre★_.
🄳 Office du tourisme Rue Berçot ℰ 03 81 68 00 98, Fax 03 81 68 00 98.
Paris 475 – _Besançon 69_ – _Basel 114_ – _La Chaux-de-Fonds 17_ – _Morteau 7_ – _Pontarlier 38._

🏨 **France** (Droz), 8 pl. Cupillard ℰ 03 81 68 00 06, Fax 03 81 68 09 22, « Collection sur le ❀ thème de l'art culinaire » – 📺 – 🍴 30. 🖭 ⊕ 🖼 🖼
fermé 6 au 16 nov. et janv. – **Repas** (fermé mardi midi du 1ᵉʳ oct. au 1ᵉʳ mai, dim. soir et lundi) 20 bc (déj.), 25/65 et carte 45 à 60 ♈, enf. 11 – ⌧ 8 – **12 ch** 60/80 – ½ P 75/80
Spéc. Escargots du Jura à l'infusion d'absinthe. Demi-homard aux noix. Pyramide de chocolat au macvin. **Vins** Arbois Savagnin, Arbois Trousseau.

.ERS-LES-POTS _21 Côte-d'Or_ 66 ⑬ – _rattaché à Auxonne._

.ERS-SOUS-CHÂTILLON _51700 Marne_ 56 ⑮ – _183 h alt. 135._

Paris 129 – _Reims 41_ – _Châlons-en-Champagne 49_ – _Meaux 82_ – _Troyes 125._

🏠 **Château de Villers** ⚲, ℰ 03 26 59 86 59, _info@chateau-de-villers.com_, Fax 03 27 57 81 22, ≤ vallée de la Marne et vignoble, 🏊 – 🛗 📺 🅿 🖭 ⊕ 🖼
fermé 10 au 31 août et 2 au 15 janv. – **Repas** 43/69 ♈ – ⌧ 14 – **11 ch** 145/250

VILLERVILLE 14113 Calvados 54 ⑦ G. Normandie Vallée de la Seine – 676 h alt. 10.
🚉 Office du tourisme Rue Général Leclerc ℘ 02 31 87 21 49, Fax 02 31 98 30 65, viller @free.fr.
Paris 205 – Caen 54 – Le Havre 34 – Le Mans 185 – Rouen 93.

🛏 **Bellevue** ⊗, rte Honfleur ℘ 02 31 87 20 22, resa@bellevue-hotel.fr, Fax 02 31 87.
≤, 🏠, 🛋 – 쓪 ⊡ 🛏 🖳 🖭 🖭 ⓞ ☎
fermé 6 janv. au 7 fév. – **Repas** (fermé mardi midi, merc. midi et jeudi midi) 17/39, enf
⊆ 8 – **21 ch** 58/115 – ½ P 59/79

VILLEURBANNE 69 Rhône 74 ⑪ ⑫, 110 ⑭ – rattaché à Lyon.

VILLIÉ-MORGON 69910 Rhône 74 ① – 1 614 h alt. 262.
Voir La Terrasse ※ ★★ près du col du Fût d'Avenas NO : 7 km, G Vallée du Rhône.
Paris 414 – Mâcon 23 – Lyon 58 – Villefranche-sur-Saône 22.

🏠 **Villon,** ℘ 04 74 69 16 16, hotel_restaurant.le_villon@libertysurf.fr, Fax 04 74 69
🏠, 🛋, 🛋, ❀ – ⊡ 🛏 🖳 – 🛎 60. ☎
fermé 22 déc. au 10 janv., dim soir et lundi du 15 oct. au 15 avril – **Repas** 17,07/39
⊆ 6,50 – **45 ch** 45/55 – ½ P 49

à Morgon Sud : 2 km par D 68 – ⊠ 69910 :

🍴 **Morgon,** ℘ 04 74 69 16 03, Fax 04 74 69 12 77, 🏠 – ☎
fermé 15 déc. au 20 janv., soirs fériés, mardi soir du 20 janv. au 1er avril, dim. soir et m
Repas 13/31 ⅌

VILLIERS-LE-BÂCLE 91 Essonne 60 ⑩, 101 ㉓ – voir à Paris, Environs.

VILLIERS-LE-MAHIEU 78770 Yvelines 55 ⑱ – 615 h alt. 127.
Paris 54 – Dreux 36 – Évreux 63 – Mantes-la-Jolie 18 – Rambouillet 30 – Versailles 35.

🏰 **Château de Villiers le Mahieu** ⊗ sans rest, ℘ 01 34 87 44 25, chateau-de-villie mahieu@wanadoo.fr, Fax 01 34 87 44 40, « Parc », 🛋, ❀, 🛎 – ⊡ 🛏 🖳 – 🛎 25 à 10
ⓞ ☎ 🌓
fermé 24 déc. au 1er janv. – ⊆ 14 – **80 ch** 125/145

VILLIERS-ST-BENOIT 89130 Yonne 65 ④ – 429 h alt. 170.
Paris 151 – Auxerre 33 – Avallon 83 – Cosne-sur-Loire 58 – Montargis 53.

🍴 **Relais St-Benoit** avec ch, ℘ 03 86 45 73 42, micheline.roche@wanade
Fax 03 86 45 77 90, 🏠 – ⊡ 🍴 ☎
fermé 25 au 30 déc., 3 au 16 fév., dim. soir et lundi – **Repas** 17/32 ⅌, enf. 8,50 – ⊆ 6
6 ch 38/54 – ½ P 39/47

VIMOUTIERS 61120 Orne 55 ⑬ G. Normandie Vallée de la Seine – 4 418 h alt. 95.
🚉 Office du tourisme 10 avenue du Général de Gaulle ℘ 02 33 39 30 29, Fax 02 33 67 (ot.vimoutiers@wanadoo.fr.
Paris 193 – Caen 60 – Alençon 65 – Argentan 31 – Falaise 36 – Lisieux 29.

🏠 **Escale du Vitou** ⊗, rte Argentan : 2 km par D 916 ℘ 02 33 39 1
Fax 02 33 36 13 34, ≤, 🏠, centre de loisirs, 🛋, ❀, 🛎 – ⊡ 🖳 – 🛎 80. ☎
Repas (fermé janv., mardi midi, dim. soir et lundi) 11,50/21,40 ⅌ – ⊆ 6 – **17 ch** 29.
½ P 34

VINAY 51 Marne 56 ⑯ – rattaché à Épernay.

VINÇA 66320 Pyr.-Or. 86 ⑱ G. Languedoc Roussillon – 1 666 h alt. 247.
🚉 Syndicat d'initiative Place Bernard Alart ℘ 04 68 05 84 47, Fax 04 68 05 84 47.
Paris 889 – Perpignan 36 – Céret 60 – Font-Romeu-Odeillo-Via 55 – Vernet-les-Bains 2

🍴 **Petite Auberge,** ℘ 04 68 05 81 47, Fax 04 68 05 85 80 – ▤. 🖭 ☎
fermé 24 déc. au 2 janv., dim. soir et merc. – **Repas** (11) - 13,40/28,20 ⅌, enf. 7,70

VINCELOTTES 89 Yonne 65 ⑤ – rattaché à Auxerre.

VINCENNES 94 Val-de-Marne 56 ⑪, 101 ⑰ – voir à Paris, Environs.

VINCEY 88 Vosges 62 ⑮ – rattaché à Charmes.

ON-SUR-VERDON 83560 Var 🔢 ④ – 2 992 h alt. 280.

🚩 Office du tourisme Avenue de la Libération ℘ 04 92 78 84 45, Fax 04 92 78 83 74.

Paris 780 – Digne-les-Bains 70 – Aix-en-Provence 46 – Brignoles 64 – Manosque 16.

XX **Relais des Gorges** avec ch, 6 av. République ℘ 04 92 78 80 24, Fax 04 92 78 96 47, 😤 – 📺 📞 🅰🅴 ⓞ ⒼⒷ

fermé 20 au 26 déc.,3 au 31 janv., vend. soir, sam. midi et dim. soir d'oct. à fin mars – **Repas** 17,50/68,60 ♀, enf. 9,90 – ☲ 6,80 – **9 ch** 36,60/44,20 – ½ P 32,75/40,40

ZIER 74500 H.-Savoie 🔢 ⑰ – 659 h alt. 920.

Paris 583 – Thonon-les-Bains 14 – Abondance 16 – Genève 47 – Montreux 45.

XX **Relais de Savoie ''Pré aux Merles''**, ℘ 04 50 73 61 05, 😤, 🍽 – 🅿. ⒼⒷ

15 mars-15 sept., 8 oct. -8 déc. et fermé dim. soir et lundi – **Repas** (déj. seul. hors saison) 16 (déj.), 20/28 ♀, enf. 10

LÈS 84150 Vaucluse 🔢 ② – 1 536 h alt. 94.

Paris 665 – Avignon 34 – Carpentras 20 – Nyons 33 – Orange 14 – Vaison-la-Romaine 17.

XX **Mas de Bouvau** avec ch, rte Cairanne : 2 km ℘ 04 90 70 94 08, Fax 04 90 70 95 99, 😤 – 📺 🅿. 🅰🅴 ⒼⒷ. ⚗ ch

fermé 20 au 30 déc., 2 au 31 janv., le soir (sauf sam.) et lundi de nov. à fév. – **Repas** 21/40 ♀, enf. 10 – ☲ 8 – **6 ch** 55/65 – ½ P 53,50/58

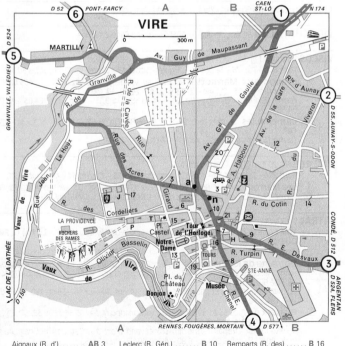

VIRE 🛑 14500 Calvados 59 ⑨ G. Normandie Cotentin – 12 815 h alt. 275.

🛈 Office du tourisme Square de la Résistance ℘ 02 31 66 28 50, Fax 02 31 66 2
office.tourisme.vire@wanadoo.fr.

Paris 295 ③ – St-Lô 40 ① – Caen 62 ① – Flers 31 ③ – Laval 105 ④ – Rennes 128 ④.

Plan page précédente

France, 4 r. Aignaux ℘ 02 31 68 00 35, Fax 02 31 68 22 65 – 🛗 📺 ✆ 🚗. 🛭
🎧

fermé 15 déc. au 15 janv. – Repas (9) - 12/38 ♈ – ☲ 6 – 20 ch 29/56,50 – ½ P 38/42

St-Pierre Ⓜ sans rest, 20 r. Gén. Leclerc ℘ 02 31 68 05 82, Fax 02 31 68 22 65 – 🛗 📺
🧖 50. 🖭 ⑩ 🎧

fermé 24 déc. au 2 janv. – ☲ 6 – 29 ch 29/48

rte de Flers *par ③ : 2,5 km sur D 524* – ⊠ 14500 Vire :

Manoir de la Pommeraie, ℘ 02 31 68 07 71, Fax 02 31 67 54 21, 🍽, « Manoir
un parc », 🐾 – 🅿. 🖭 ⑩ 🎧

fermé 29 juil. au 19 août, dim. soir et lundi – Repas 19,55/51,85

à St-Germain-de-Tallevende *par ④ : 5 km – 1 731 h. alt. 201* – ⊠ 14500 :

Auberge St-Germain, pl. Église ℘ 02 31 68 24 13, Fax 02 31 68 89 57, 🍽 – 🎧
🎧

fermé 1er au 15 sept., vacances de fév., dim. soir et lundi – Repas 10,98/35,06 ♈, enf. 8

Utilisez le guide de l'année.

VIROFLAY *78 Yvelines* 60 ⑩, 106 ⑯, 101 ㉔ – *voir à Paris, Environs.*

VIRONVAY *27 Eure* 55 ⑰ – *rattaché à Louviers.*

VIRY *74 H.-Savoie* 74 ⑥ – *rattaché à St-Julien-en-Genevois.*

VIRY-CHATILLON *91 Essonne* 61 ①, 101 ㊱ – *voir à Paris, Environs.*

VISCOS 65 H.-Pyr. 85 ⑱ – 41 h alt. 800 – ⊠ 65120 Luz-St-Sauveur.

Paris 846 – Pau 76 – Tarbes 49 – Argelès-Gazost 18 – Cauterets 22 – Lourdes 30.

Grange aux Marmottes Ⓜ ⍩, au village ℘ 05 62 92 88 88, Fax 05 62 92 9
≤ montagnes, 🍽, 🎇, 🌳 – 🛗 📺 ✆ ⚅ 🅿 – 🧖 20. ⑩ 🎧

*fermé 15 nov. au 15 déc. – Repas 18,29/33,55 – ☲ 9,15 – 6 ch 51,83/64,03 – ½ P 4
54,88*

Campanules ⍩ sans rest, ℘ 05 62 92 88 88, Fax 05 62 92 93 75, ≤, 🎇, 🌳 – 📺
🎧

fermé 15 nov. au 15 déc. – ☲ 9,15 – 8 ch 38,11/42,69

VITERBE 81220 Tarn 82 ⑩ – 254 h alt. 141.

Paris 714 – Toulouse 55 – Albi 62 – Castelnaudary 53 – Castres 31 – Montauban 71.

Les Marronniers, ℘ 05 63 70 64 96, Fax 05 63 70 60 96, 🍽, 🌳 – ≡ 🅿. 🖭 ⑩ 🎧
fermé 1er au 15 nov., mardi soir et merc. – Repas 11 (déj.), 17/35, enf. 7

VITRAC 24200 Dordogne 75 ⑰ – 767 h alt. 150.

Voir Château de Montfort★ NE : 2 km – Cingle de Montfort★ NE : 3,5 km, G. Péri
Quercy.

Paris 523 – Brive-la-Gaillarde 65 – Sarlat-la-Canéda 8 – Cahors 53 – Périgueux 74.

Domaine de Rochebois Ⓜ ⍩, Est : 2 km par D 703 ℘ 05 53 31 52 52, info@roch
.com, Fax 05 53 29 36 88, ≤, 🍽, « Parc, piscine et golf », 🎮, 🎇, 🐾 – 🛗 ≡ 📺 ✆ ⚅
🧖 30 à 60. 🖭 ⑩ 🎧. ⛝ rest

*30 mars-début nov. – Repas (dîner seul.) 29/54, enf. 14 – ☲ 14 – 36 ch 190/375, 4 du
½ P 124,50/240*

Plaisance, ℘ 05 53 31 39 39, plaisance@wanadoo.fr, Fax 05 53 31 39 38, 🍽, 🎇, 🌳
– 🛗, ≡ rest, 📺 ⚅ 🅿 – 🧖 15. 🖭 ⑩ 🎧

*15 fév.-14 nov. – Repas (fermé dim. soir et vend. d'oct. à avril et sam. midi de mai à se
(déj.), 20/36 ♈, enf. 8,50 – ☲ 6,80 – 42 ch 40/67 – ½ P 51/53*

Treille avec ch, ℘ 05 53 28 33 19, la.treille@perigord.com, Fax 05 53 30 38 54, 🍽 – 🖭
⑩ 🎧

*fermé 1er fév. au 15 mars, dim. soir et lundi midi – Repas 15/43,50 ♈, enf. 11 – ☲ 6 –
32/46 – ½ P 47/51*

AC 15220 Cantal 🔲 ⑪ – 277 h alt. 490.

Voir Commune de la "Méridienne verte".

Paris 568 – Aurillac 26 – Figeac 43 – Rodez 77.

🏠 **Auberge de la Tomette** ⑤, ℘ 04 71 64 70 94, latomette@wanadoo.fr,
Fax 04 71 64 77 11, 🏡, 🔲, 🐎 – 📺 🅿 🖭 ⑩ 🖼
Pâques-15 déc. – Repas 16,20/34,20 ⑨, enf. 8,16 – ☑ 7,20 – **9 ch** 58,90/62,20, 6 duplex –
½ P 57,40

É 35500 I.-et-V. 🔲 ⑱ G. Bretagne – 15 313 h alt. 106.

Voir Château★★ : tour de Montalifant ≤★, tryptique★ – La Ville★ : rue Baudrairie★★ A 5,
remparts★, eglise Notre-Dame★ B – Tertres noirs ≤★★ par ④ – Jardin du parc★ par ③ –
≤★★ des D178 B et D857 A – Champeaux : place★, stalles★ et vitraux★ de l'église 9 km par
④.

🅱 Office du tourisme Promenade Saint-Yves ℘ 02 99 75 04 46, Fax 02 99 74 02 01,
info@ot-vitre.fr.

Paris 310 ① – Châteaubriant 52 ③ – Fougères 30 ⑤ – Laval 39 ① – Rennes 43 ④.

🏠 **Minotel** sans rest, 47 r. Poterie ℘ 02 99 75 11 11, Fax 02 99 75 81 26 – 📺 📞 🖭
🖼
☑ 6 – **17 ch** 38/52 ⠀⠀⠀⠀⠀⠀⠀⠀⠀⠀⠀⠀⠀⠀⠀⠀⠀⠀⠀⠀⠀⠀⠀⠀⠀**AB b**

🍴 **Pichet,** 17 bd Laval par ① ℘ 02 99 75 24 09, lepichet@lepichet.fr, Fax 02 99 75 81 50, 🏡,
🐎 – 🖼
fermé 28 juil. au 18 août, merc. soir, jeudi soir et dim. – Repas (nombre de couverts limité,
prévenir) 13,50/26,50 ⑨

🍴 **Taverne de l'Écu,** 12 r. Beaudrairie ℘ 02 99 75 11 09, Fax 02 99 75 82 97, 🏡, « Maison
du 16e siècle » – 🖭 🖼 🃏 ⠀⠀⠀⠀⠀⠀⠀⠀⠀⠀⠀⠀⠀⠀⠀⠀⠀⠀⠀⠀⠀⠀⠀⠀⠀⠀⠀⠀⠀⠀**A e**
fermé vacances de Toussaint , de fév., mardi sauf le midi du 15 sept. au 15 juin, dim. soir
hors saison et merc. – Repas 13,72 (déj.), 19,06/32,78 ⑨, enf. 9,15

🍴 **Petit Billot,** 5 pl. Gén. Leclerc ℘ 02 99 74 68 88, Fax 02 99 74 75 21 – 🖼 ⠀⠀⠀⠀⠀**B t**
fermé ven. soir, dim. soir et sam. – Repas 14,50/25,20 ⑧

🍴 **Petit Pressoir,** 20 r. Paris ℘ 02 99 74 79 79, lepetitpressoir@wanadoo.fr,
Fax 02 99 74 07 00 – 🖭 ⑩ 🖼 ⠀⠀⠀⠀⠀⠀⠀⠀⠀⠀⠀⠀⠀⠀⠀⠀⠀⠀⠀⠀⠀⠀⠀⠀⠀⠀⠀⠀⠀**B k**
fermé 1er au 21 août, dim. soir et lundi – Repas 14/55 ⑨

Use this year's Guide.

VITRY-LE-FRANÇOIS 🛰 51300 Marne **61** ⑧ G. Champagne Ardenne – 16 737 h alt. 105.
🛈 Office du tourisme Place Giraud 𝄞 03 26 74 45 30, Fax 03 26 74 84 74, offic
tourisme.vitry-le-francois@wanadoo.fr.
Paris 177 ⑤ – Bar-le-Duc 54 ② – Châlons-en-Champagne 33 ① – Verdun 96 ②.

VITRY-LE-FRANÇOIS

Armes (Pl. d') . . . . **ABY**
Arquebuse (R. de l') . . . . **BZ** 2
Beaux-Anges
  (R. des) . . . . **BZ** 4
Bourgeois (Fg. Léon) . . . . **BZ** 7
Briand (R. Aristide) . . . . **AZ**
Chêne-Vert (R. du) . . . . **BY** 9
Dominé (Bd du Col.) . . . . **AZ** 10
Domyné-de-Verzet
  (R.) . . . . **BZ** 13
Gde-Rue-de-Vaux . . . . **BY**
Guesde (R. Jules) . . . . **AZ** 14
Hôtel-de-Ville (R. de l') . . . . . **BZ** 19
Joffre (Pl. Mar.) . . . . **BZ** 21
Leclerc (Pl. Mar.) . . . . **BY** 23
Minimes (R. des) . . . . **AY** 24
Moll (Av. du Col.) . . . . **AZ** 25
Paris (Av. de) . . . . **AY** 26
Petit-Denier (R. du) . . . . **AY** 28
Petite-Rue-de-Vaux . . . . **BY** 29
Petite-Sainte
  (R. de la) . . . . **BZ** 30
Pont (R. du) . . . . **AY**
République (Av. de la) . . . . . . **BZ** 33
Royer-Collard (Pl.) . . . . **BZ** 34
St-Éloi (Rue) . . . . **BY** 35
St-Michel (Rue) . . . . **ABY** 36
Ste-Memje (R.) . . . . **BY** 37
Sœurs (R. des) . . . . **AY** 40
Tanneurs (R. des) . . . . **AYZ** 42
Tour (R. de la) . . . . **AY** 44
Vieux-Port (Rue du) . . . . **BZ** 46
Vitry-le-Brûlé (Fg de) . . . . . . **BY** 47
106e-R.-I. (Av. du) . . . . **BZ** 49

🏛 **Poste**, pl. Royer-Collard 𝄞 03 26 74 02 65, Fax 03 26 74 54 71 – 🛗 📺 – 🏊 60. ㏅
JCB
fermé 21 déc. au 6 janv. et dim. – **Repas** *22/44 ♀ – ⚏ 9 –* **28 ch** *54/76 – ½ P 54/64*

🏠 **Cloche**, 34 r. A. Briand 𝄞 03 26 74 03 84, Fax 03 26 74 15 52, 🍽 – ⇄ 📺 ♦ ⟷.
GB JCB, ⚸
fermé 21 déc. au 5 janv., dim. soir d'oct. à mai et sam. midi – **Repas** *20/43 ♀, enf. 11 –*
Briscard 𝄞 03 26 41 20 74 *(fermé sam. et dim.)* **Repas** *(10) -* 17/20 ♀, enf. 10 – ⚏ 8 –
50/85

✗ **Gourmet des Halles**, 11 r. Sœurs 𝄞 03 26 74 48 88, Fax 03 26 72 54 28 – ▤. GB
⇔ **Repas** *(7,47) -* 10,06/21,34 ♀, enf. 5,95

VITTEAUX 21350 Côte-d'Or **65** ⑱ G. Bourgogne – 1 114 h alt. 320.
🛈 Syndicat d'initiative Rue Hubert Languet 𝄞 03 80 33 90 14, Fax 03 80 33 90 14, si.vi
@laposte.net.
Paris 260 – Dijon 47 – Auxerre 100 – Avallon 55 – Beaune 69 – Montbard 34 – Saulieu .

✗ **Vieille Auberge**, 𝄞 03 80 49 60 88, Fax 03 80 49 68 14, 🍽 – ㏅ GB
⇔ *fermé 12 au 28 nov., 5 au 15 janv., dim. soir sauf juil.-août, mardi soir et lundi –* **Repas**
11,90/26,70 ♀, enf. 6,90

VITTEL 88800 Vosges **62** ⑭ G. Alsace Lorraine – 6 117 h alt. 347 – Stat. therm. (mi fév.-fin d
Casino **AY**.
Voir Parc★.
🛈 Office du tourisme 136 avenue Bouloumié 𝄞 03 29 08 08 88, Fax 03 29 08 .
vittel-tourisme@wanadoo.fr.
Paris 342 ② – Épinal 43 ① – Belfort 126 ① – Chaumont 84 ② – Langres 72 ② – Nancy

Plan page ci-contre

🏛 **Angleterre**, r. Charmey 𝄞 03 29 08 08 42, philippe.Giorgi@wanado
Fax 03 29 08 07 48, 🌿 – 🛗 ⇄ 📺 ♦ 🅿 – 🏊 70. ㏅ ⓿ GB JCB, ⚸ rest
fermé 20 déc. au 6 janv. – **Repas** *15/26 –* **55 ch** ⚏ 58/158 – ½ P 55,50/98,50

✗ **Rétro**, 158 r. Jeanne d'Arc 𝄞 03 29 08 05 28, Fax 03 29 08 05 28 – ㏅ GB
⇔ *fermé 17 au 28 juin, 23 déc. au 20 janv., dim. soir, sam. midi et lundi –* **Repas** 11
14/28,50 ⚱, enf. 8

VITTEL

uest *par r. de la Vauviard* AZ : *3 km* – ⊠ *88800 Vittel :*

🏨 **L'Orée du Bois** ⑤, ℘ 03 29 08 88 88, *oree-du-bois@dial-oleane.com*,
Ⓢ Fax 03 29 08 01 61, 佘, 场, ⊠, 庵, ℅ – 園 📺 ℃ & 🅿 – 🛆 50. 🝗 ⓪ ☎ ☒.
℅ ch
Repas *(fermé dim. soir de nov. à fév.)* 11,12/30,50 ♀, enf. 7,80 – ☲ 7 – **39 ch** 60/68 –
½ P 47,25/54,50

ES *66 Pyr.-Or.* 🎇 ⑲ – *rattaché au Boulou.*

ERS *07220 Ardèche* 🎇 ⑩ – *3 413 h alt. 65.*
🔼 *Office du tourisme Place Riquet* ℘ 04 75 52 77 00, Fax 04 75 52 81 63.
Paris 623 – Valence 030 – Lyon 163 – Marseille 170 – Montpellier 158.

🍴 **Relais du Vivarais,** ℘ 04 75 52 60 41, Fax 04 75 49 84 72, 佘 – 🅿. ☎
fermé 1ᵉʳ au 21 mars, 6 au 13 oct., dim. soir et lundi – **Repas** 16/39, enf. 11

IVIER-SUR-MER *35960 I.-et-V.* 🎇 ⑥ – *1 009 h alt. 6.*
🔼 *Office de tourisme Maison de la Baie* ℘ 02 99 48 84 38.
Paris 380 – St-Malo 21 – Dinan 31 – Dol-de-Bretagne 8 – Fougères 63.

🏨 **Bretagne** (annexe 🏠 10 ch), ℘ 02 99 48 91 74, Fax 02 99 48 81 10, 场 – 📺 ℃ 🅿 🝗 ⓪
☎
1ᵉʳ mars-15 nov. et fermé dim. soir et lundi – **Repas** 18/39 ♀, enf. 8,50 – ☲ 6 – **17 ch** 42/52
– ½ P 49/52

🏨 **Beau Rivage,** 21 r. Mairie ℘ 02 99 48 90 65, *contact@beau-rivage.fr*, Fax 02 99 48 85 40,
庵 – 📶 📺 ℃ & 🅿 🝗 ⓪ ☎
fermé 12 nov. au 15 déc., vacances de fév. et vend. d'oct. à mars – **Repas** 12/40 ♀, enf. 7,65
– ☲ 6,10 – **30 ch** 43/47 – ½ P 44/46

A good moderately priced meal : 🍴 **Repas** 16/23

VIVONNE 86370 Vienne **68** ⑬ G. Poitou Vendée Charentes – 3 028 h alt. 103.

🛈 Office du tourisme Place du Champ de Foire ℘ 05 49 43 47 88, Fax 05 49 43 34 87.

Paris 354 – Poitiers 19 – Angoulême 95 – Confolens 62 – Niort 67 – St-Jean-d'Angély

🏛 **St-Georges** Ⓜ, Gde rue (près église) ℘ 05 49 89 01 89, Fax 05 49 89 00 22 – 📳, ▤
📺 📞 🕭 🅿 – 🔏 15 à 70. ⓪ 🖭 🕦
Repas (13) · 20/27,50 ♀ – ☲ 6,80 – **32 ch** 37/55 – ½ P 42/47

✗ **Treille**, av. Bordeaux ℘ 05 49 43 41 13, Fax 05 49 89 00 72, 🏤 – 🖭
⑤ fermé 16 fév. au 3 mars, mardi soir d'oct. à mars et merc. soir – **Repas** 12,20/35,10 ♀

VIZZAVONA (col de) 2B H.-Corse **90** ⑥ – voir à Corse.

VOGELGRUN 68 H.-Rhin **62** ⑳ – rattaché à Neuf-Brisach.

VOIRON 38500 Isère **77** ④ G. Alpes du Nord – 19 794 h alt. 290.

Voir Caves de la Chartreuse★ – Massif de la Chartreuse★★.

🛈 Office du tourisme 58 cours Becquart Castelbon ℘ 04 76 05 00 38, Fax 04 76 65 63

Paris 549 ① – Grenoble 26 ④ – Chambéry 43 ② – Lyon 86 ① – Valence 88 ④.

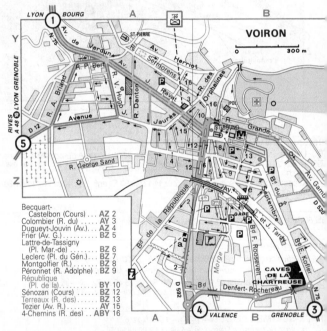

Becquart-
Castelbon (Cours) ... **AZ** 2
Colombier (R. du) ..... **AY** 3
Dugueyt-Jouvin (Av.).. **AZ** 4
Frier (Av. G.) .... **BZ** 5
Lattre-de-Tassigny
(Pl. Mar.-de) .... **BZ** 6
Leclerc (Pl. du Gén.)... **BZ** 7
Montgolfier (R.) .... **BZ** 8
Péronnet (R. Adolphe) . **BZ** 9
République
(Pl. de la) .... **BY** 10
Sénozan (Cours) .... **BZ** 12
Terreaux (R. des) ...... **BZ** 13
Tezier (Av. R.) .... **AY** 15
4-Chemins (R. des) .. **ABY** 16

🏛 **Kyriad** Ⓜ, 72 cours Becquart Castelbon ℘ 04 76 65 90 00, hotel.kyriad.voiron@war
fr, Fax 04 76 65 71 22 – 📳 �というに ▤ 📺 📞 🅿 – 🔏 50. 🖭 ⓪ 🖭 🕦
Repas (12) · 16/23 ♀, enf. 8 – ☲ 6 – **44 ch** 53/55

🏛 **Chaumière** ⏚, r. Chaumière (par bd République - AZ - dir. Criel) ℘ 04 76 05
Fax 04 76 05 13 27, 🏤 – 📺 📞 🅿 – 🔏 20. 🖭 🖭 ⌨
fermé 1er au 15 août, 24 déc.au 4 janv., sam.et dim. sauf juil.-août – Repas (fermé sa
dim.) 14,94/27,44 ♀, enf. 7,62 – ☲ 6,10 – **20 ch** 30,50/47,26 – ½ P 35,07/41,16

✗✗ **Serratrice**, 3 av. Tardy ℘ 04 76 05 29 88, Fax 04 76 05 45 62 – 🖭 🖭   E
fermé 15 juin au 5 sept., mardi soir, dim. soir et lundi – **Repas** · produits de la mer · 1ⁿ
(déj.), 26/53,50 ♀

✗ **Eden**, par ② : 1 km sur D 520 ℘ 04 76 05 17 40, Fax 04 76 05 70 32, ≤, 🏤 – 🅿. 🖭 🕦
fermé 26 août au 12 sept., 24 fév. au 9 mars, dim. soir, merc. soir et lundi – **Repas** 17
20,50/45,50 ♀

SINS-LE-BRETONNEUX *78 Yvelines*🔟 ⑨, **101** ㉒ – *voir à Paris, Environs (St-Quentin-en-Yvelines).*

NAY *21 Côte-d'Or*🔟 ① – *rattaché à Beaune.*

VIC *63530 P.-de-D.*🔟 ⑭ *G. Auvergne* – *4 202 h alt. 510.*

Voir *Maison de la Pierre : coulée de lave*★ – *Musée municipal Marcel-Sahut : dessins de Daumier*★, *collection de demi-noix de coco*★ – *Ruines du château de Tournoël*★ : ※★ *du donjon N : 1,5 km.*

🛇 *Office du tourisme 25 place de l'Église 🖉 04 73 33 58 73, Fax 04 73 33 58 73, ot@volvic-tourisme.com.*

Paris 417 – Clermont-Ferrand 13 – Aubusson 86 – Le Mont-Dore 50 – Riom 8 – Ussel 86.

zet *Ouest : 4 km, rte de Pontgibaud –* ⊠ *63530 Volvic :*

🏠 **Rose des Vents** 🛇, 🖉 04 73 33 50 77, *brdv@wanadoo.com, Fax 04 73 33 57 11,* ≤, 🏤, 🌾, 🍴 – 🛗 📺 🗙 🅿 – ⚿ 15 à 40. 🆎 ⓪ 🈁
fermé 26 déc. au 1ᵉʳ mars et hôtel : fermé dim. sauf 15 juin au 15 sept. – **Repas** *(fermé le midi en semaine sauf fériés et juil.-août)* 18/38 ⅋, *enf. 9 –* ⊇ 6,50 – **25 ch** 44/52 – ½ P 48

NAS *01540 Ain*🔟 ② *G. Bourgogne* – *2 422 h alt. 200.*

🛇 *Office du tourisme 60 rue Claude Morel 🖉 04 74 50 04 47, Fax 04 74 50 20 78, otvonnas@club-internet.fr.*

Paris 409 – Mâcon 21 – Bourg-en-Bresse 23 – Lyon 72 – Villefranche-sur-Saône 40.

🏠 **Georges Blanc** Ⓜ 🛇, 🖉 04 74 50 90 90, *blanc@relaischateaux.fr, Fax 04 74 50 08 80,* « *Elégante hostellerie au bord de la Veyle, jardin fleuri* », 🍴, 🏤, 🌾 – 🛗 🗏 📺 🗙 🚗 – ⚿ 80. 🆎 ⓪ 🈁 🈁
fermé janv. – **Repas** *(fermé merc. midi, lundi et mardi sauf fériés)* *(nombre de couverts limité, prévenir)* 95/215 et carte 90 à 125, *enf. 11 –* ⊇ 23 – **32 ch** 165/335, 6 appart
Spéc. *Sauté de homard éclaté, raviole de truffe et céleri (hiver). Poulet de Bresse aux gousses d'ail et foie gras. Panouille bressane glacée à la confiture de lait.* **Vins** *Mâcon-Azé, Chiroubles.*

🏠 **Résidence des Saules** 🛇 *sans rest,* 🖉 04 74 50 90 51, *blanc@relaischateaux.fr, Fax 04 74 50 08 80 –* 🗏 📺 🗙 🆎 ⓪ 🈁 🈁
fermé janv. – ⊇ 23 – **6 ch** 109, 4 appart

🍴 **L'Ancienne Auberge,** 🖉 04 74 50 90 50, *auberge1900@georgesblanc.com, Fax 04 74 50 08 80,* 🏤 – 🆎 ⓪ 🈁
fermé janv. – Repas 17/40 ⅋

GEOT *21640 Côte-d'Or*🔟 ⑫ *G. Bourgogne* – *187 h alt. 239.*
Voir *Château du Clos de Vougeot*★ *O.*
Paris 325 – Dijon 17 – Beaune 27.

y-lès-Cîteaux *Est : 2 km par D 251 – 567 h. alt. 227 –* ⊠ *21640 :*

🏠 **Château de Gilly** 🛇, 🖉 03 80 62 89 98, *gilly@grandesetapes.fr, Fax 03 80 62 82 34,* 🏤, « *Ancien palais abbatial cistercien, jardins à la française* », 🍴, 🏤, 🌾 – 🛗 📺 🗙 ⅄ 🅿 – ⚿ 100. 🆎 ⓪ 🈁 🈁
fermé fin janv. à début mars – **Repas** 33/68 ⅋, *enf. 21 –* ⊇ 22 – **39 ch** 125/270, 9 appart – ½ P 130

gey-Échezeaux *Sud-Est : 3 km par N 71 et D 109 – 494 h. alt. 227 –* ⊠ *21640 :*

🍴 **Losset Robert,** 🖉 03 80 62 88 10, *Fax 03 80 62 88 10 –* 🈁
fermé 1ᵉʳ au 14 août, janv., dim. soir et merc. – **Repas** 22,11/57,93, *enf. 12,96*

GY *74 H.-Savoie*🔟 ⑦ – *rattaché à Bonneville.*

ILLÉ *86190 Vienne*🔟 ⑬ – *2 774 h alt. 118.*
Paris 346 – Poitiers 18 – Châtellerault 46 – Parthenay 33 – Saumur 85 – Thouars 57.

🍴 **Cheval Blanc** *avec ch,* 🖉 05 49 51 81 46, *Fax 05 49 51 96 31 –* 🛗 📺 🗙 ⅄ 🅿 – ⚿ 15 à 50. 🆎 🈁
Repas 12,20/41,94 ⅋, *enf. 7,63 –* ⊇ 6,30 – **14 ch** 27,45/45,74 – ½ P 35,07/39,64
Annexe Clovis 🏠 Ⓜ, – 📺 🗙 ⅄ – ⚿ 30. 🆎 🈁
voir rest. **Cheval Blanc** – ⊇ 6,30 – **30 ch** 41,17/51,84

VOULAINES-LES-TEMPLIERS 21290 Côte-d'Or 🔠 ⑨ – 386 h alt. 265.
  Paris 250 – Chaumont 52 – Châtillon-sur-Seine 19 – Dijon 76.

  🏠 **Forestière** ⌇ sans rest., ℘ 03 80 81 80 65, Fax 03 80 81 87 74, 🛲 – 🖪. 🇬🇧
  fermé fév. et dim. sauf juil.-août – � 6,10 – **10 ch** 38,11/45,73

VOUTENAY-SUR-CURE 89270 Yonne 🔠 ⑥ – 189 h alt. 130.
  Paris 207 – Auxerre 37 – Avallon 15 – Vézelay 16.

  🍴 **Auberge Le Voutenay** avec ch, ℘ 03 86 33 51 92, auberge.voutenay@wanad
  Fax 03 86 33 51 91, 🛲 – 🖪. 🖭 🇬🇧
  fermé 17 au 25 juin, 18 au 26 nov., 2 au 25 janv., lundi et mardi – **Repas** (nomb
  couverts limité, prévenir) 18/40, enf. 10 – ⊑ 7 – **6 ch** 45/55 – ½ P 47,50

VOUVANT 85120 Vendée 🔠 ⑯ G. Poitou Vendée Charentes – 867 h alt. 70.
  Voir Eglise★ – Château : tour Mélusine★ (※★).
  🛈 Office du tourisme Place du Bail ℘ 02 51 00 86 80, Fax 02 51 87 47 92.
  Paris 412 – Bressuire 44 – Fontenay-le-Comte 15 – Parthenay 47 – La Roche-sur-Yon

  🍴🍴 **Auberge de Maître Pannetier** avec ch, ℘ 02 51 00 80 12, Fax 02 51 87 89 37,
  📺. 🇬🇧
  fermé 19 au 30 nov., 15 fév. au 7 mars, dim. soir et lundi sauf juil.-août – **Repas** 15,50/
  ⊑ 6 – **7 ch** 39/49 – ½ P 53

  When looking for a hotel or restaurant use the most efficient method.
  Look for the names of towns underlined in red
  *on the **Michelin maps** scale: 1:200 000.*
  But make sure you have an up-to-date map!

VOUVRAY 37210 I.-et-L. 🔠 ⑮ G. Châteaux de la Loire – 3 046 h alt. 55.
  🛈 Office du tourisme - Mairie ℘ 02 47 52 68 73, Fax 02 47 52 67 76.
  Paris 241 – Tours 10 – Amboise 18 – Blois 52 – Château-Renault 26.

  🍴🍴 **Grand Vatel**, 8 av. Brûlé ℘ 02 47 52 70 32, Fax 02 47 52 74 52, 🍽 – 🖪. 🖭 🇬🇧
  fermé 1ᵉʳ au 15 janv., vend. midi hors saison, dim. soir et lundi sauf fériés – R
  17,54/60,22 bc ♀

  🍴🍴 **Virage Gastronomique**, 25 av. Brûlé (N 152) ℘ 02 47 52 70 02, Fax 02 47 52 64 7
  – 🖪. 🖭 🇬🇧
  fermé 22 au 31 juil., 24 fév. au 7 mars et mardi – **Repas** 14,30/42 ♀

VOVES 28150 E.-et-L. 🔠 ⑱ – 2 928 h alt. 146.
  Paris 99 – Chartres 25 – Ablis 36 – Bonneval 23 – Châteaudun 38 – Étampes 52 – Orléa

  🏠 **Quai Fleuri** ⌇, rte Auneau ℘ 02 37 99 15 15, quaifleuri@wanad
  Fax 02 37 99 11 20, 🍽, 🏊 – 📺 ✆ 🖪 – 🔬 40. 🖭 🕧 🇬🇧 🃏
  fermé 22 déc. au 10 janv., vend. soir de nov. à avril, dim. et soirs fériés – **Repas** 13,
  enf. 8 – ⊑ 8 – **17 ch** 46/75 – ½ P 43/53

VRON 80120 Somme 🔠 ⑫ – 721 h alt. 15.
  Paris 212 – Calais 89 – Abbeville 28 – Amiens 76 – Berck-sur-Mer 18 – Hesdin 24.

  🍴🍴 **L'Hostellerie du Clos du Moulin**, ℘ 03 22 29 60 60, Fax 03 22 29 60 61, 🍽, 🛲
  🖭 🕧 🇬🇧
  fermé 12 au 28 nov., mardi et merc. du 12 nov. à mars – **Repas** (18,30) - 25,16/44,21 ♀

WAHLBACH 68 H.-Rhin 🔠 ⑩ – rattaché à Altkirch.

WANGENBOURG 67710 B.-Rhin 🔠 ⑧ ⑨ G. Alsace Lorraine.
  Voir Région de Dabo-Wangenbourg★★.
  Paris 469 – Strasbourg 40 – Molsheim 29 – Sarrebourg 37 – Saverne 19 – Sélestat 65.

  🏠 **Parc** ⌇, ℘ 03 88 87 31 72, parchotel@wanadoo.fr, Fax 03 88 87 38 00, ≤, 🍽,
  ombragé », 🔲, 🎾, 🏊 – 🛗 cuisinette 📺 🖪 – 🔬 35. 🖭 🇬🇧 🏊
  20 mars-4 nov. – **Repas** 17,50/42 ♀ – ⊑ 8,50 – **32 ch** 52/76 – ½ P 54/63

La WANTZENAU 67 B.-Rhin 🔠 ⑩ – rattaché à Strasbourg.

1490

WASSELONNE 67310 B.-Rhin 🗺️ ⑨ G. Alsace Lorraine – 5 542 h alt. 220.

🛈 Syndicat d'initiative Place du Général Leclerc 𝒫 03 88 59 12 00, Fax 03 88 04 23 57.

Paris 464 – Strasbourg 26 – Haguenau 43 – Molsheim 15 – Saverne 15 – Sélestat 51.

🏛 **Hostellerie de l'Étoile,** pl. Mar. Leclerc 𝒫 03 88 87 03 02, Fax 03 88 87 16 06 – 🍽 rest,
🕭 📺 ⅙ 🅿. 🖼

fermé 24 au 27 déc. – Repas (fermé dim. soir) 9,40/24,50 ⴲ – ⴱ 5,50 – **27 ch** 40/45 –
½ P 37/43

✗✗ **Au Saumon** avec ch, r. Gén. de Gaulle 𝒫 03 88 87 01 83, annethierry@wanadoo.fr,
🕭 Fax 03 88 87 46 69, 🏠 – 📺. 🖼 ⓞ 🖼

fermé 25 juin au 6 juil., 12 au 23 fév., 2 au 8 nov., dim. soir, merc. soir et lundi – Repas (9) -
21/36 ⴲ, enf. 7 – ⴱ 5,50 – **8 ch** 32/40 – ½ P 40

▸ **Romanswiller** Ouest : 3,5 km par D 224 – 1 194 h. alt. 220 – ✉ 67310 :

✗ **Aux Douceurs Marines,** 2 rte Wangenbourg 𝒫 03 88 87 13 97, Fax 03 88 87 28 21, 🏠
🕭 – 🅿. 🖼 🖼

fermé en juil., vacances de Toussaint, de fév., mardi soir, lundi et merc. – Repas 11/39,50 ⴲ,
enf. 6

WATTIGNIES 59 Nord 🗺️ ⑯ – rattaché à Lille.

WENGELSBACH 67 B.-Rhin 🗺️ ② – rattaché à Niedersteinbach.

WESTHALTEN 68250 H.-Rhin 🗺️ ⑱ G. Alsace Lorraine – 816 h alt. 240.

Paris 481 – Colmar 21 – Guebwiller 11 – Mulhouse 28 – Thann 27.

✗✗✗ **Auberge du Cheval Blanc** (Koehler) 🅼 ⅚ avec ch, 𝒫 03 89 47 01 16, chevalblanc.
❀ west@wanadoo.fr, Fax 03 89 47 64 40, 🏠 – 🛏 🍽 📺 ⅙ 🅿 – ▵ 30. 🖼

fermé 1er au 11 juil., 3 au 28 fév., mardi midi, dim. soir et lundi – Repas 32/75 et carte 45 à
75 ⴲ, enf. 13 – ⴱ 10 – **12 ch** 64/83

Spéc. Dégustation de foies gras. Duo de turbot et homard à l'huile d'olive vanillée. Pigeon
rôti au four **Vins** Riesling, Tokay-Pinot gris –

WETTOLSHEIM 68 H.-Rhin 🗺️ ⑲ – rattaché à Colmar.

WEYERSHEIM 67720 B.-Rhin 🗺️ ④ – 2 993 h alt. 140.

Paris 481 – Strasbourg 21 – Haguenau 18 – Saverne 42 – Wissembourg 50.

✗ **Auberge du Pont de la Zorn,** 2 r. République 𝒫 03 88 51 36 87, Fax 03 88 51 36 87,
🏠, 🌳 – 🅿. 🖼

fermé 10 au 30 sept., 15 au 28 fév., sam. midi, merc. et jeudi – Repas 10,50 (déj.)/32 (déj.) et
carte 19 à 27 ⴲ

WIMEREUX 62930 P.-de-C. 🗺️ ① G. Picardie Flandres Artois – 7 493 h alt. 7.

🛈 Office du tourisme Quai Alfred Giard 𝒫 03 21 83 27 17, Fax 03 21 32 76 91, tourisme.
wimereux@wanadoo.fr.

Paris 269 – Calais 34 – Arras 120 – Boulogne-sur-Mer 6 – Marquise 13.

🏛 **Centre,** 78 r. Carnot 𝒫 03 21 32 41 08, hotel.du.centre@wanadoo.fr, Fax 03 21 33 82 48,
🌳 – 🍽 rest, 📺 ⅌ 🅿. 🖼 🖼

fermé 23 déc. au 22 janv. – Repas (fermé lundi) (14) - 17/27 ⴲ – ⴱ 6,50 – **25 ch** 43/53

✗✗✗ **Liégeoise et Atlantic Hôtel** avec ch, digue de mer (1er étage) 𝒫 03 21 32 41 01, Alain.
DELPIERRE@wanadoo.fr, Fax 03 21 87 46 17, ◁ la mer – 🛏 📺 ⅌ 🅿 – ▵ 50. 🖼 ⓞ 🖼 🖼
fermé fév. – Repas (fermé dim. soir et lundi midi) 28,20/38,11 et carte 47 à 66 ⴲ – ⴱ 10 –
18 ch 62/115 – ½ P 70/97

✗✗ **Epicure,** 1 r. Gare 𝒫 03 21 83 21 83, Fax 03 21 33 53 20 – 🖼
fermé vacances de Noël, merc. soir et dim. – Repas (nombre de couverts limité, prévenir)
22/34 ⴲ

WINKEL 68480 H.-Rhin – 334 h alt. 575.

Paris 466 – Mulhouse 43 – Altkirch 23 – Basel 32 – Belfort 49 – Colmar 90 – Montbéliard 46.

✗ **Au Cerf** avec ch, 76 r. Principale 𝒫 03 89 40 85 05, Fax 03 89 08 11 10 – 📺. ⓞ 🖼
fermé 20 au 27 août et 4 au 25 fév. – Repas (fermé jeudi et lundi) 22,71 ⴲ – ⴱ 6,10 – **6 ch**
41,20/47,80 – ½ P 45

WISEMBACH 88520 Vosges **62** ⑱ – 428 h alt. 500.

Paris 408 – Colmar 52 – Épinal 69 – St-Dié 15 – Ste-Marie-aux-Mines 11 – Sélestat 33.

XX **Blanc Ru** avec ch, ℰ 03 29 51 78 51, Fax 03 29 51 70 67, 🏡 – 📺 ❤ 🅿 ⓞ 🔾
fermé 17 sept. au 1ᵉʳ oct., 4 fév. au 4 mars, mardi soir (sauf hôtel), dim. soir et lundi – Repa
(13) · 18,50/33,60 🍷, enf. 11 – ☑ 6,10 – **7 ch** 42,70/53,50 – ½ P 42,70/48

WISSEMBOURG ◉ 67160 B.-Rhin **57** ⑲ G. Alsace Lorraine – 8 170 h alt. 157.

Voir *Vieille ville*★ : *église St-Pierre et St-Paul*★.

Env. *Village*★★ *d'Hunspach* 11 km par ②.

🛈 Office du tourisme 9 place de la République ℰ 03 88 94 10 11, Fax 03 88 94 18 8
tourisme.wissembourg@wanadoo.fr.

Paris 498 ③ – Strasbourg 68 ② – Haguenau 33 ② – Karlsruhe 41 ② – Sarreguemines 80 ③

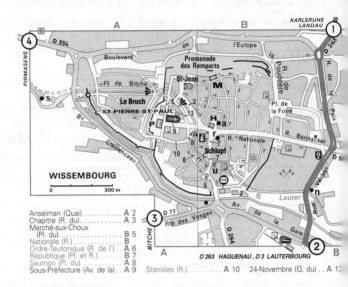

Anselman (Quai) .... A 2
Chapitre (R. du) .... A 3
Marché-aux-Choux
(Pl. du) .... B 5
Nationale (R.) .... B
Ordre-Teutonique (R. de l') .. A 6
République (Pl. et R.) .... B 7
Saumon (Pl. du) .... A 8
Sous-Préfecture (Av. de la) .. A 9

Stanislas (R.) .... A 10   24-Novembre (Q. du) .. A 12

🏠 **Moulin de la Walk** ⑧, 2 r. Walk ℰ 03 88 94 06 44, hotel.moulin.la.walk@wanado
Fax 03 88 54 38 03, 🏡, 🞧 – 📺 ⅋ 🅿 🆎 🔾 ⅍ ch   A
fermé 18 juin au 4 juil. et 7 au 28 janv. – **Repas** *(fermé 8 au 31 janv., vend. midi, dim. so
lundi)* 29/37 🍷, enf. 10 – ☑ 6 – **25 ch** 47,50/54 – ½ P 52/55

🏠 **Alsace** sans rest, 16 r. Vauban ℰ 03 88 94 98 43, Fax 03 88 94 19 60 – 📺 ❤ 🅿 🆎
🔾   B
fermé 22 déc. au 15 janv. – ☑ 5,35 – **41 ch** 36,60/45,15

🏠 **Couronne** Ⓜ, 12 pl. République ℰ 03 88 94 14 00, info@couronne-wissembourg.c
Fax 03 88 94 14 27 – 📺. 🆎 🔾. ⅍ ch   B
Repas *(fermé lundi soir et mardi)* 19/34 🍷 – ☑ 6,10 – **10 ch** 45/57 – ½ P 41/49

XX **Hostellerie du Cygne** avec ch, 3 r. Sel ℰ 03 88 94 00 16, hostellerie-cygne@wanad
, Fax 03 88 54 38 28, 🏡 – 📺 ❤, 🔾. ⅍ ch   E
fermé 26 juin au 12 juil., 13 au 28 nov.,12 au 28 fév. et merc. – **Repas** *(fermé merc., j
midi et dim. soir)* 25/52 🍷, enf. 11,50 – ☑ 7 – **16 ch** 46/65 – ½ P 49/58

XX **L'Ange**, 2 r. République ℰ 03 88 94 12 11, Fax 03 88 94 12 11, 🏡 – 🔾   E
fermé 12 au 28 août,17 fév. au 5 mars, mardi et merc. – **Repas** 27,44/50,31 ⅍, enf. 9,91

à Altenstadt *par* ② *: 2 km* – ✉ 67160 Wissembourg :

XX **Rôtisserie Belle Vue**, ℰ 03 88 94 02 30, Fax 03 88 54 80 14, 🏡 – 🅿. 🔾
fermé 12 août au 3 sept., 17 fév. au 4 mars, lundi et mardi – **Repas** 22,87/36,59 🍷

A good moderately priced meal : 🍽 Repas 16/23

INCOURT 80520 Somme 🗺️ ⑥ – 1 531 h alt. 95.

Paris 176 – Amiens 78 – Abbeville 25 – Blangy-sur-Bresle 22 – Le Tréport 13.

🍴 **Gare**, ℰ 03 22 30 92 42, Fax 03 22 30 41 20, 🌳 – ⭄
🚲 *fermé 5 août au 2 sept., 17 au 24 fév.,dim. soir et lundi* – **Repas** 14/34 ♀, enf. 11

ES 15210 Cantal 🗺️ ② – 1 931 h alt. 400.

Paris 485 – Aurillac 73 – Clermont-Ferrand 92 – Mauriac 22 – Le Mont-Dore 56 – Ussel 70.

🏛️ **Château de Trancis**, rte Saignes ℰ 04 71 40 60 40, trancis@wanadoo.fr,
Fax 04 71 40 62 13, 🌳, ⚓, 🏊, ⚡ – ☆ ⭄ ✆ ⭄ ⭄ ⭄ ⭄ ⭄ ⭄ ⭄
fermé janv. – **Repas** *(dîner seul. sauf dim.) (fermé du lundi au vend. de nov. à Pâques et
mardi)* 30 – ☲ 12,50 – **7 ch** 75/125 – ½ P 100

RVILLE 76760 S.-Mar. 🗺️ ⑭ – 2 170 h alt. 156.

Paris 165 – Rouen 32 – Dieppe 43 – Fécamp 48 – Le Havre 69.

🍴🍴 **Voyageurs** avec ch, ℰ 02 35 96 82 55, voyageurs@lerapporteur.fr, Fax 02 35 96 16 86,
🌳 – ⭄, ⭄
🚲 *fermé dim. soir et lundi sauf fériés* – **Repas** 12,96/41,92 – ☲ 5,34 – **6 ch** 38,11/45,73

North is at the top on all town plans.

J (Ile d')★★ 85 Vendée 🗺️ ⑪ G. Poitou Vendée Charentes – 4 941 h.

Accès *par transports maritimes, pour* **Port-Joinville**.

🚢 *depuis* **Fromentine** - Traversée 40 ou 70 mn - Renseignements à Cie Yeu Continent
BP 16 - 85550 La Barre-de-Monts ℰ 02 51 49 59 69, Fax 02 51 49 59 70.

🚢 *depuis* **Fromentine** *(de mi mars à mi oct.)* - Traversée 45 mn - Renseignements et
tarifs : Vedettes Inter-Iles Vendéennes 85630 Barbâtre ℰ 02 51 39 00 00, Fax 02 51 39 54 26
🚢 *depuis* **Barbâtre (La Fosse)** *et* **St-Gilles-Croix-de-Vie** : Service Saisonnier -
Renseignements et tarifs : voir ci-dessus.

t-de-la-Meule – ✉ 85350 L'Ile d'Yeu.

Voir Côte Sauvage★★ : ⩽★★ E et O – Pointe de la Tranche★ SE.

t-Joinville – ✉ 85350 L'Ile d'Yeu.

Voir Vieux Château★ : ⩽★★ SO : 3,5 km – Grand Phare ⩽★ SO : 3 km.
🚹 Office du tourisme Place du Marché ℰ 02 51 58 32 58, Fax 02 51 58 40 48, Office.TOU
RISME.YEU@wanadoo.fr.

🏛️ **Atlantic Hôtel** M sans rest, quai Carnot ℰ 02 51 58 38 80, Fax 02 51 58 35 92 – ⭄. ⭄
⭄
fermé 6 au 29 janv. – ☲ 6,09 – **15 ch** 60,97

🏛️ **Escale** sans rest, La Croix de port ℰ 02 51 58 50 28, yeu.escale@voila.fr,
Fax 02 51 59 33 55 – ⭄ ⭄. ⭄
fermé 18 nov. au 15 déc. – ☲ 5,79 – **28 ch** 45,74/53,36

FINIAC 22 C.-d'Armor 🗺️ ③ – rattaché à St-Brieuc.

SINGEAUX ⬥ 43200 H.-Loire 🗺️ ⑧ G. Vallée du Rhône – 6 492 h alt. 829.

🚹 Office du tourisme 24 place Carnot ℰ 04 71 59 10 76, Fax 04 71 56 03 12.
Paris 569 – Le Puy-en-Velay 28 – Ambert 74 – Privas 97 – St-Étienne 51 – Valence 93.

🏛️ **Bourbon** M, 5 pl. Victoire ℰ 04 71 59 06 54, le.bourbon.hotel@wanadoo.fr,
Fax 04 71 59 00 70 – ⭄ ⭄ – ⭄ 25. ⭄ ⭄
*fermé 20 juin au 3 juil., 7 au 20 nov., janv.,vend.soir de sept.à juin,mardi midi en juil.-
août,dim. soir et lundi* – **Repas** 14,50/38, enf. 10 – ☲ 8,50 – **11 ch** 49/61 – ½ P 44/49,50

TZ 57 Moselle 🗺️ ④ – rattaché à Thionville.

ES 17340 Char.-Mar. 🗺️ ⑬ – 1 057 h alt. 9.

Paris 473 – La Rochelle 26 – Châtelaillon-Plage 11 – Rochefort 14.

🏛️ **Air Marin** M, N 137 ℰ 05 46 56 18 15, air.marin@mageos.com, Fax 05 46 56 22 27, ⩽, 🏊
🚲 – ⭄ ⭄ ⭄ ⭄ ⭄
Repas 11/37 ♀, enf. 6,50 – ☲ 6,50 – **43 ch** 53,50/58

YVETOT 76190 S.-Mar. **52** ⑬ G. Normandie Vallée de la Seine – 10 770 h alt. 147.

Voir Verrières★★ de l'église St-Pierre **E**.

🛈 Office du tourisme 8 place Maréchal Joffre 𝄐 02 35 95 08 40, Fax 02 35 95 65 02.

Paris 173 – Le Havre 56 – Rouen 36 – Dieppe 55 – Fécamp 35 – Lisieux 88.

🏢 **Havre**, pl. Belges 𝄐 02 35 95 16 77, Fax 02 35 95 21 18 – 📺 📞 🚗, ᴀᴇ ⴳⴴ
Closerie 𝄐 02 35 95 16 17 (fermé dim. soir) Repas 17/21,50 ⅀, enf. 8 – 😑 9,50 – 2
33/56,50 – ½ P 44/46

✕✕ **du Roy**, rte Rouen (N 15) 𝄐 02 35 95 08 13, Fax 02 35 95 00 25 – **P**. ᴀᴇ ⴳⴴ
fermé 20 déc. au 6 janv. et dim. – Repas 16,05/33,55, enf. 9,15

à Motteville Est : 9 km par N 29 et D 20 – 730 h. alt. 160 – ⊠ 76970 :

✕✕ **Auberge du Bois St-Jacques**, à la Gare 𝄐 02 35 96 83 11, Fax 02 35 96 23 18 –
ⴳⴴ
fermé août, dim. soir, lundi soir et mardi – Repas (11,43 bc) - 12,20/28,21 ⅀, enf. 7,62

à Croix-Mare Est : 8 km par N 15 – 590 h. alt. 156 – ⊠ 76190 Yvetot :

✕ **Auberge de la Forge**, 𝄐 02 35 91 25 94 – **P**. ᴀᴇ ⴳⴴ
fermé mardi soir et merc. – Repas 16,46/42,68 bc ⅀, enf. 9,15

YVOIRE 74140 H.-Savoie **70** ⑯ ⑰ G. Alpes du Nord – 639 h alt. 380.

Voir Village médiéval★★ : jardin des Cinq Sens★.

🛈 Office du tourisme Place de la Mairie 𝄐 04 50 72 80 21, Fax 04 50 72 84 21.

Paris 566 – Thonon-les-Bains 16 – Annecy 70 – Bonneville 41 – Genève 26.

🏨 **Pré de la Cure**, 𝄐 04 50 72 83 58, lepredelacure@wanadoo.fr, Fax 04 50 72 91 1
🍴, 🏊, 🚁 – 🔌 📺 📞 🚗 **P**. ᴀᴇ ⴳⴴ
8 mars-12 nov. – Repas (fermé vend. midi sauf juil.-août) 17/40 ⅀, enf. 9,15 – 😑 8 – 2
58/65 – ½ P 62

🏨 **Vieux Logis**, 𝄐 04 50 72 80 24, contact@levieuxlogis.com, Fax 04 50 72 90 76
« Maison du 14ᵉ siècle » – 📺 📞 **P** ᴀᴇ ⑩ ⴳⴴ
1ᵉʳ mars-30 nov. – Repas (fermé dim. soir et lundi) 23/38,50 ⅀ – 😑 6,50 – **11 ch** 58

✕✕ **Vieille Porte**, 𝄐 04 50 72 80 14, Fax 04 50 72 92 04, 🍴, « Maison du 14ᵉ siècle, ter
dominant le lac et village », 🌳 – ⴳⴴ
9 mars-17 nov. et fermé lundi – Repas 22 (déj.), 28/45 ⅀, enf. 9,15

✕✕ **Port** Ⓜ avec ch, 𝄐 04 50 72 80 17, hotelduport.yvoire@wanadoo.fr, Fax 04 50 72
≤, 🍴, « Terrasse au bord du lac » – 🔳 ch, 📺 📞. ᴀᴇ ⴳⴴ. ⅏ ch
10 mars-30 oct. et fermé merc. hors saison – Repas 20 (déj.), 27/41 – 😑 8 – **4 ch** 115

YZEURES-SUR-CREUSE 37290 I.-et-L. **68** ⑤ – 1 476 h alt. 74.

Paris 319 – Poitiers 65 – Châteauroux 72 – Châtellerault 28 – Tours 85.

🏨 **Promenade**, 𝄐 02 47 91 49 00, Fax 02 47 94 46 12 – 📺 📞. ⴳⴴ
fermé 15 janv. au 15 fév., lundi hors saison et mardi – Repas 20,60/55 ⅀ – 😑 7,90 –
39,95/51,85 – ½ P 44,50

ZELLENBERG 68 H.-Rhin **62** ⑲ – rattaché à Riquewihr.

ZICAVO 2A Corse-du-Sud **90** ⑦ – voir à Corse.

ZONZA 2A Corse-du-Sud **90** ⑦ – voir à Corse.

ZOUFFTGEN 57330 Moselle **57** ③ – 608 h alt. 250.

Paris 342 – Luxembourg 19 – Metz 49 – Thionville 18.

✕✕ **Lorraine**, 𝄐 03 82 83 40 46, christine.keff@wanadoo.fr, Fax 03 82 83 48 26, 🍴, 🌳
ⴳⴴ
fermé 24 déc. au 2 janv., lundi et mardi – Repas 20/60 ⅀, enf. 12,20

In this Guide,
*a symbol or a character, printed in **black** or another colour*
*in light or **bold** type,*
does not have the same meaning.
Please read the explanatory pages carefully.

sistance automobile
s principales marques : _____

e nouvelle édition propose une liste des principales
ques automobiles qui ont un Service d'Assistance
: un numéro de téléphone «vert» gratuit et accessible 24 h/24.

lpline for main marques
car : _____

uded in this edition is a list of the main car dealers who
e a "green" emergency helpline, free of charge and
lable 24 hours.

rvizio d'Assistenza delle principali marche
tomobilistiche : _____

sta nuova edizione propone una lista delle principali
che automobilistiche che offrono un Servizio
sistenza con numero verde gratuito ed accessibile
b su 24.

rvicetelefonnummern der wichtigsten
tomarken : _____

se Auflage bietet Ihnen eine Liste der wichtigsten
omarken und deren Servicetelefonnummern die täglich
Stunden kostenlos zu erreichen sind.

rvicio de Asistencia de las principales
arcas de automóviles : _____

esta nueva edición incluimos una lista de las principales
rcas de automóviles que disponen de Servicio de Asistencia
teléfono de llamada gratuita y atención permanente.

CONSTRUCTEURS FRANÇAIS :

ROËN
bd Victor Hugo, 92008 NEUILLY
néro Vert 08 00 05 24 24

GEOT Automobiles
e et services commerciaux : 75 av. Gde-Armée, 75116 PARIS
néro Vert 08 00 44 24 24

AULT
quai de Stalingrad, 92109 BOULOGNE-BILLANCOURT CEDEX
néro Vert 08 00 05 15 15

IMPORTATEURS :

BMW
3 av. Ampère, Montigny-le-Bretonneux, 78886 ST-QUENTIN-EN-YVELINES CEDEX
– **Numéro Vert 08 00 00 16 24**

DAEWOO
33 av du Bois de la Pie, ZAC Paris-Nord II, BP 50069, 95947 ROISSY CDG CEDEX
– **Numéro Vert (véhicules avant 02.2000) 08 00 25 21 34**
– **Numéro Vert (véhicules après 02.2000) 08 10 32 39 66**

DAIHATSU
37 rue des Peupliers, 92752 NANTERRE CEDEX
– **Numéro Vert 01 40 25 51 26**

DAIMLER - CHRYSLER (Jeep - Chrysler) SMART
Parc de Roquencourt, BP 100, 78153 LE CHESNAY CEDEX
– **MERCEDES : Numéro Vert 00 800 1 777 77 77**
– **CHRYSLER : Numéro Vert 0800 77 49 72**
– **SMART : Numéro Vert 0801 02 80 28**

FERRARI - MASERATI
Etablissement Charles Pozzi, 109 rue Aristide Briand, 92300 LEVALLOIS-PERRET
– **Numéro Vert (véhicules avant 01.2000) 08 00 10 15 71**
– **Numéro Vert (véhicules après 01.2000) 08 10 80 80 82**

FIAT AUTO France (Alfa Roméo, Lancia)
Siège social, 80-82 quai Michelet, 92532 LEVALLOIS-PERRET CEDEX
– **ALFA ROMEO : Numéro Vert 08 00 61 62 63**
– **FIAT : Numéro Vert 08 00 34 35 36**
– **LANCIA : Numéro Vert 08 00 54 55 56**

FORD France
Siège Social, 344 av. Napoléon Bonaparte, BP 307, 92506 RUEIL MALMAISON CEDEX
– **Numéro Vert 08 00 00 50 05**

GENERAL MOTORS France - OPEL France (Chevrolet, Buick, Cadillac)
19 av. du Marais, Angle quai de Bezons, BP 84,95100 ARGENTEUIL
– **OPEL, BUICK, CADILLAC, CHEVROLET : Numéro Vert 08 00 04 04 58**

HONDA
Parc des Activités de Pariest
Allée du 1er Mai, BP 46, CROISSY-BEAUBOURG, 77312 MARNE-LA-VALLEE CEDEX 2
– **Numéro Vert 01 41 85 84 70**

HYUNDAI
1 av. du Fief, ZA Les Bethunes, BP 479, 95005 CERGY-PONTOISE CEDEX
– **Numéro Vert 01 41 85 86 87**

ISUZU
6 rue des Marguerites, 92737 NANTERRE CEDEX
– **Numéro Vert 01 40 25 57 36**

JAGUAR
231 rue du 1er Mai, BP 309, 92003 NANTERRE CEDEX
– **Numéro Vert 01 40 25 58 00**

LADA France
10 bd des Martyrs-de-Chateaubriand, BP 140, 95103 ARGENTEUIL CEDEX
– **Numéro Vert 08 00 46 93 34**

LAND-ROVER
Rue Ambroise-Croizat, BP 71, 95101 ARGENTEUIL CEDEX
– **Numéro Vert 01 49 93 72 72**

1496

MAZDA
ZI Moimont 2, 95670 MARLY-LA-VILLE
- **Numéro Vert 01 40 25 51 19**

MITSUBISHI
Mitsubishi Motor sales Europe BV, 15 rue Cortambert, 75116 PARIS
- **Numéro Vert 01 41 85 84 23**

NISSAN
Siège Social, 13 av. d'Alembert, Parc de Pissaloup, BP 123, 78194 TRAPPES CEDEX
- **Numéro Vert (véhicules avant 02.2000) 02 00 00 77 88**
- **Numéro Vert (véhicules après 02.2000) 02 00 81 58 15**

PORSCHE
22 av. du Général Leclerc, 92514 BOULOGNE-BILLANCOURT CEDEX
- **Numéro Vert 08 01 22 92 29**

ROLLS-ROYCE-BENTLEY
Etablissement Jacques Savoye, 237 bd Pereire, 75017 PARIS
Numéro Vert 01 40 25 58 80

SAAB
Siège Social, 12 rue des Peupliers, BP 701, 92007 NANTERRE CEDEX
Numéro Vert 08 00 06 95 11

SUBARU
1 rue des Peupliers, 92752 NANTERRE CEDEX
Numéro Vert 01 40 25 57 55

TOYOTA-LEXUS
0 bd de la République, 92423 VAUCRESSON CEDEX
TOYOTA : Numéro Vert 08 00 00 44 55
LEXUS : Numéro Vert 08 00 80 89 35

VOLKSWAGEN-AUDI-SKODA-SEAT
Siège Social et Administratif, 11 av. de Boursonne, BP 62, 02601 VILLERS COTTERETS CEDEX
Numéro Vert 08 00 00 24 24

VOLVO
5 av. des Champs Pierreux, 92757 NANTERRE CEDEX
Numéro Vert 08 00 46 09 60

Distances

Quelques précisions

*Au texte de chaque localité vous trouverez la distance des villes
environnantes et celle de Paris.*
*Les distances sont comptées à partir du centre-ville et
par la route la plus pratique, c'est-à-dire celle qui offre
les meilleures conditions de roulage, mais qui n'est pas
nécessairement la plus courte.*
*Pour avoir un itinéraire plus détaillé, consultez le minitel :
3615 MICHELIN ou www.ViaMichelin.com*

Distances

Commentary

*The text on each town includes its distance from its immediate
neighbours and from Paris.*
*Distances are calculated from centres and along the best roads
from a motoring point of view – not necessarily the shortest.*
*For more detailed route planning, consult Minitel:
3615 MICHELIN or www.ViaMichelin.com*

Distanze

Qualche chiarimento

*Nel testo di ciascuna località troverete la distanza dalle città viciniori
e da Parigi.*
*Le distanze sono calcolate a partire dal centro delle città e seguendo
la strada più pratica, ossia quella che offre le migliori condizioni
di viaggio ma che non è necessariamente la più breve.*
*Per un itinerario più dettagliato, consultate il minitel:
3615 MICHELIN o www.ViaMichelin.com*

Entfernungen

Einige Erklärungen

*In jedem Ortstext finden Sie Entfernungen zu größeren Städten
in der Umgebung und nach Paris.*
*Die Entfernungen gelten ab Stadtmitte unter Berücksichtigung der
günstigsten (nicht immer kürzesten) Strecke.*
*Für Ihre präzise Reiseroute, benutzen Sie Minitel:
3615 MICHELIN oder www.ViaMichelin.com*

Distancias

Algunas precisiones

*En el texto de cada localidad encontrará la distancia de las
ciudades más cercanas y la de París.*
*Los kilómetros están calculados a partir del centro de la ciudad
por la carretera más cómoda, es decir la que ofrece mejores
condiciones de circulación, pero que no es necesariamente la más corta.*
*Si desea un itinerario más detallado, consulte el minitel :
3615 MICHELIN o www.ViaMichelin.com*

Distances entre principales villes
Distances between major towns
Distanze tra le principali città
Entfernungen zwischen den größeren Städten
Distancias entre las ciudades principales

Marseille – Strasbourg : **803 km**

Marseille · Metz · Montpellier · Mulhouse · Nancy · Nantes · Nice · Orléans · Paris · Perpignan · Reims · Rennes · Rouen · Saint-Étienne · Strasbourg · Toulon · Toulouse · Tours

Distances (km) between major towns — triangular chart. Columns (left to right): Amiens, Angers, Bayonne, Besançon, Bordeaux, Brest, Caen, Calais, Cherbourg - Octeville, Clermont-Ferrand, Dijon, Grenoble, Le Havre, Lille, Limoges, Lyon, Le Mans, Marseille, Metz, Montpellier, Mulhouse, Nancy, Nantes, Nice, Orléans, Paris, Perpignan, Reims, Rennes, Rouen, Saint-Étienne, Strasbourg, Toulon, Toulouse.

To \ From	Amiens	Angers	Bayonne	Besançon	Bordeaux	Brest	Caen	Calais	Cherbourg	Clermont-F.	Dijon	Grenoble	Le Havre	Lille	Limoges	Lyon	Le Mans	Marseille	Metz	Montpellier	Mulhouse	Nancy	Nantes	Nice	Orléans	Paris	Perpignan	Reims	Rennes	Rouen	Saint-Étienne	Strasbourg	Toulon	Toulouse
Angers	425																																	
Bayonne	912	529																																
Besançon	504	617	900																															
Bordeaux	723	340	184	710																														
Brest	619	381	812	961	623																													
Caen	244	247	767	640	573	379																												
Calais	161	506	1067	606	878	715	339																											
Cherbourg - Octeville	367	304	836	762	647	805	124	462																										
Clermont-Ferrand	563	442	554	345	366	1126	601	717	724																									
Dijon	470	524	838	92	649	866	546	502	804	478																								
Grenoble	718	728	295	226	649	912	649	601	863	209	277																							
Le Havre	182	295	814	605	539	810	86	112	379	572	209	597																						
Lille	123	521	999	621	986	755	432	112	461	605	224	618	260																					
Limoges	533	260	372	833	219	466	688	819	696	178	607	402	585	688																				
Lyon	610	562	702	97	537	924	755	1009	1029	178	194	103	797	618	374																			
Le Mans	337	97	612	571	297	418	159	283	294	403	224	489	219	357	493	466																		
Marseille	923	905	693	524	574	1132	1067	1132	1225	472	523	276	820	1053	542	314	775																	
Metz	363	693	924	131	924	734	510	387	357	635	269	523	299	195	359	333	523	811																
Montpellier	909	727	502	539	273	1095	832	1058	1132	300	562	311	854	868	463	155	783	155	797															
Mulhouse	538	591	1028	57	674	899	641	673	673	411	276	384	459	195	270	459	648	334	191	797														
Nancy	366	591	773	176	618	894	550	673	318	425	359	207	334	523	359	345	523	910	62	925	191													
Nantes	514	91	651	725	377	294	595	595	318	377	462	571	511	648	209	209	109	783	925	648	868	925												
Nice	1081	1063	912	723	880	1225	1151	1290	1167	646	800	312	1083	1083	771	469	1021	207	868	348	690	803	1179											
Orléans	272	219	810	503	542	651	246	510	426	359	209	470	207	324	470	203	65	907	833	450	522	380	349	840										
Paris	142	295	773	462	542	597	208	184	349	462	311	575	133	207	394	466	207	775	309	750	467	301	383	933	133									
Perpignan	997	912	672	550	268	1179	879	1058	1179	489	528	162	868	868	422	308	616	205	832	150	832	832	564	383	616	871								
Reims	173	628	1101	62	737	1066	246	245	302	763	62	690	150	150	671	155	302	925	62	936	348	150	491	1179	431	145	936							
Rennes	425	810	1088	810	528	184	215	499	123	528	489	690	150	348	489	203	109	833	466	832	466	348	109	973	466	348	832	552						
Rouen	120	574	924	522	737	732	123	123	208	698	523	803	65	118	795	524	150	907	324	908	324	243	564	1086	827	150	832	205	348					
Saint-Étienne	670	779	550	737	489	1075	879	855	732	62	380	88	785	868	210	62	827	241	523	348	597	380	421	871	840	383	683	832	491	841				
Strasbourg	519	970	397	768	690	1337	1133	1198	732	1066	931	690	941	868	1039	380	695	150	150	832	118	205	1039	832	571	205	832	243	973	997	752			
Toulon	988	584	768	768	380	1075	988	891	988	328	536	406	908	921	303	597	908	241	997	568	997	997	564	150	908	832	832	683	568	243	243	548		
Toulouse	433	584	302	302	247	762	988	891	891	838	597	970	941	832	597	83	564	406	921	205	568	997	198	564	695	715	244	832	564	244	406	198	470	
Tours	377	108	539	539	296	248	531	372	421	464	210	464	244	375	210	794	116	564	665	238	952	641	198	275	238	116	375	244	244	548	548	198	511	511

1499

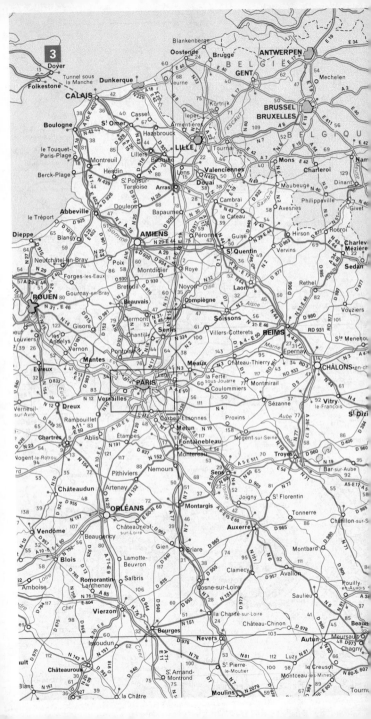

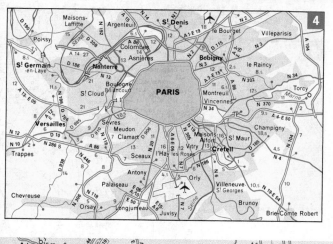

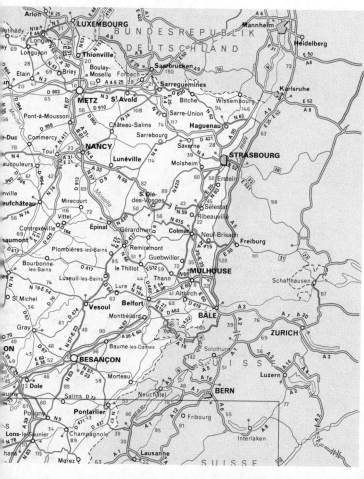

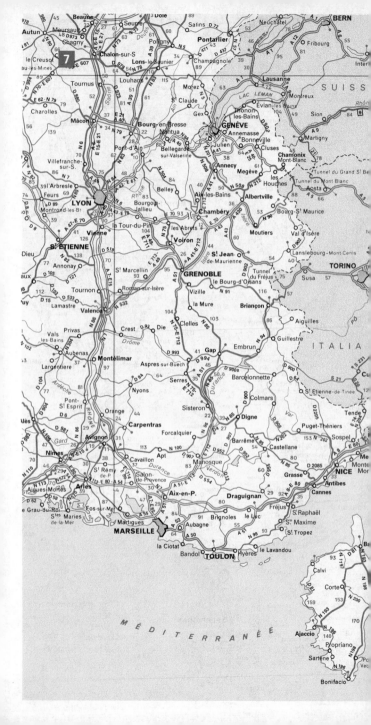

Calendrier des vacances scolaires

Voir pages suivantes

School holidays calendar

See next pages

ACADÉMIES ET DÉPARTEMENTS

Zone A

aen (14-50-61), Clermont-Ferrand (03-15-43-63), Grenoble (07-26-38-73-74), Lyon
1-42-69), Montpellier (11-30-34-48-66), Nancy-Metz (54-55-57-88), Nantes (44-49-
3-72-85), Rennes (22-29-35-56), Toulouse (09-12-31-32-46-65-81-82).

Zone B

ix-Marseille (04-05-13-84), Amiens (02-60-80), Besançon (25-39-70-90), Dijon (21-
8-71-89), Lille (59-62), Limoges (19-23-87), Nice (06-83), Orléans-Tours (18-28-36-
7-41-45), Poitiers (16-17-79-86), Reims (08-10-51-52), Rouen (27-76), Strasbourg
57-68).

Zone C

ordeaux (24-33-40-47-64), Créteil (77-93-94), Paris-Versailles (75-78-91-92-95).

Nota : La Corse bénéficie d'un statut particulier.

1507

2002 MARS

1	V	s Aubin
2	S	s Charles le B.
3	D	s Guénolé
4	L	s Casimir
5	M	s° Olive
6	M	s° Félicité
7	J	s Jean de Dieu
8	V	s Jean de Dieu
9	S	s° Françoise
10	D	s Vivien
11	L	s° Rosine
12	M	s° Tatiana
13	M	s Rodrigue
14	J	s° Mathilde
15	V	s° Louise
16	S	s° Bénédicte
17	D	s Patrice
18	L	s Cyrille
19	M	s Joseph
20	M	PRINTEMPS
21	J	s° Clémence
22	V	s Léa
23	S	s Victorien
24	D	Rameaux
25	L	s Humbert
26	M	s° Larissa
27	M	s Habib
28	J	s Gontran
29	V	s° Gwladys
30	S	s Amédée

AVRIL

1	L	s Hugues
2	M	s° Sandrine
3	M	s Richard
4	J	s Isidore
5	V	s Irène
6	S	s Marcellin
7	D	s J.-B. de la S.
8	L	Annonciation
9	M	s Gautier
10	M	s Fulbert
11	J	s Stanislas
12	V	s Jules
13	S	s° Ida
14	D	s Maxime
15	L	s Paterne
16	M	Lundi de Pâques
17	M	s Étienne H.
18	J	s Parfait
19	V	s° Emma
20	S	s° Odette
21	D	s Anselme
22	L	s Alexandre
23	M	s Georges
24	M	s Fidèle
25	J	s Marc
26	V	s° Alida
27	S	s° Zita
28	D	Jour du Souv.
29	L	s° Catherine de Sienne
30	M	s Robert

MAI

1	M	FÊTE DU TR.
2	J	s Boris
3	V	ss Phil., Jacq.
4	S	s Sylvain
5	D	s Judith
6	L	s° Prudence
7	M	s° Gisèle
8	M	VICTOIRE 45
9	J	ASCENSION
10	V	s° Solange
11	S	s Estelle
12	D	F. Jeanne d'Arc
13	L	s° Rolande
14	M	s Matthias
15	M	s° Denise
16	J	s Honoré
17	V	s Pascal
18	S	s Éric
19	D	PENTECÔTE
20	L	Lundi Pent.
21	M	s Constantin
22	M	s Émile
23	J	s. Didier
24	V	s Donatien
25	S	s° Sophie
26	D	Fête des Mères
27	L	s Augustin
28	M	s Germain
29	M	s Aymard
30	J	s Ferdinand

JUIN

1	S	s Justin
2	D	s° Blandine
3	L	s Kévin
4	M	s° Clotilde
5	M	s Igor
6	J	s Norbert
7	V	s Gilbert
8	S	s Médard
9	D	s° Diane
10	L	s Landry
11	M	s Barnabé
12	M	s Guy
13	J	s Antoine
14	V	s° Élisée
15	S	s° Germaine
16	D	Fête des Pères
17	L	s Hervé
18	M	s Léonce
19	M	s Romuald
20	J	s Silvère
21	V	ÉTÉ
22	S	s Alban
23	D	s° Audrey
24	L	s Jean-Bapt.
25	M	s Prosper
26	M	s Anthelme
27	J	s Fernand
28	V	s° Irénée
29	S	ss Pierre, Paul
30	D	s Martial

JUILLET

1	L	s Thierry
2	M	s Martinien
3	M	s Thomas
4	J	s Florent
5	V	s Antoine-Marie
6	S	s° Mariette
7	D	s Raoul
8	L	s Thibaut
9	M	s° Amandine
10	M	s Ulrich
11	J	s Benoît
12	V	s Olivier
13	S	ss Henri, Joël
14	D	FÊTE NAT.
15	L	s Donald
16	M	N.-D. Mt-Carmel
17	M	s° Charlotte
18	J	s Frédéric
19	V	s Arsène
20	S	s° Marina
21	D	s Victor
22	L	s° Marie-Mad.
23	M	s° Brigitte
24	M	s° Christine
25	J	s Jacques
26	V	ss Anne
27	S	s° Nathalie
28	D	s Samson
29	L	s° Marthe
30	M	s° Juliette

AOÛT

1	J	s Alphonse
2	V	s Julien
3	S	s° Lydie
4	D	s J.-M. Vianney
5	L	s Abel
6	M	Transfiguration
7	M	s Gaétan
8	J	s Dominique
9	V	s Amour
10	S	s Laurent
11	D	s° Claire
12	L	s° Clarisse
13	M	s Hippolyte
14	M	s Évrard
15	J	ASSOMPTION
16	V	s Armel
17	S	s Hyacinthe
18	D	s° Hélène
19	L	s Jean-Eudes
20	M	s Bernard
21	M	s Christophe
22	J	s Fabrice
23	V	s° Rose de Lima
24	S	s Barthélemy
25	D	s Louis de F.
26	L	s° Natacha
27	M	s° Monique
28	M	s Augustin
29	J	s° Sabine
30	V	s Fiacre

2002 SEPTEMBRE

1	D	s Gilles
2	L	s° Ingrid
3	M	s Grégoire
4	M	s° Rosalie
5	J	s° Raïssa
6	V	s Bertrand
7	S	s° Reine
8	D	Nativité de Marie
9	L	s Alain
10	M	s° Inès
11	M	s Adelphe
12	J	s Apollinaire
13	V	s Aimé
14	S	S° Croix
15	D	s Roland
16	L	s° Edith
17	M	s Renaud
18	M	s° Nadège
19	J	s° Émilie
20	V	s Davy
21	S	s Matthieu
22	D	AUTOMNE
23	L	s Constant
24	M	s° Thècle
25	M	s Hermann
26	J	ss Côme, Dam.
27	V	s Vinc. de Paul
28	S	s Venceslas
29	D	s Michel
30		s Jérôme

Parution de votre nouveau **Guide 2003.**

Issue of your new **Guide 2003.**

Jour	Octobre	Novembre	Décembre	Janvier	Février	Mars
1	M se Th. de l'E.-J.	V **TOUSSAINT**	D **Avent**	M **J. DE L'AN**	S se Ella	S s Aubin
2	M s Léger	S **Défunts**	L se Viviane	J s Basile	D **Prés. Seigneur**	D s Charles
3	J s Gérard	D s Hubert	M s Xavier	V se Geneviève	L s Blaise	L s Guénolé
4	V s Fr. d'Assise	L s Charles	M se Barbara	S s Odilon	M se Véronique	M **Mardi-Gras**
5	S se Fleur	M se Sylvie	J s Gérald	D s Édouard	M se Agathe	M **Cendres**
6	D s Bruno	M se Bertille	V s Nicolas	L **Épiphanie**	J s Gaston	J se Colette
7	L s Serge	J se Carine	S s Ambroise	M s Raymond	V se Eugénie	V se Félicité
8	M se Pélagie	V s Geoffroy	D **Im. Conception**	M s Lucien	S se Jacqueline	S s Jean de Dieu
9	M s Denis	S s Théodore	L s Pierre Fourier	J se Alix de Ch.	D se Apolline	D se Françoise
10	J s Ghislain	D s Léon	M s Romaric	V s Guillaume	L s Arnaud	L s Vivien
11	V s Firmin	L **ARMIST. 1918**	M s Daniel	S s Paulin	M **N.-D. Lourdes**	M se Rosine
12	S s Wilfried	M s Christian	J se Chantal	D se Tatiana	M s Félix	M se Justine
13	D s Géraud	M s Brice	V se Lucie	L s Hilaire	J se Béatrice	J s Rodrigue
14	L s Juste	J s Sidoine	S se Odile	M se Nina	V s Valentin	V se Mathilde
15	M se Thérèse d'Avila	V s Albert	D se Ninon	M s Remi	S s Claude	S se Louise
16	M se Edwige	S se Marguerite	L se Alice	J s Marcel	D se Julienne	D se Bénédicte
17	J s Baudouin	D se Élisabeth	M s Judicaël	V s Antoine	L s Alexis	
18	V s Luc	L se Aude	M s Gatien	S se Prisca	M se Bernadette	
19	S s René	M s Tanguy	J s Urbain	D s Marius	M s Gabin	
20	D se Adeline	M s Edmond	V s Abraham	L s Fabien	J se Aimée	
21	L se Céline	J **Prés. de Marie**	S **HIVER**	M se Agnès	V s Pierre	
22	M se Élodie	V se Cécile	D se Franç.-Xavière	M s Vincent	S se Isabelle	
23	M s Jean de C.	S s Clément	L s Armand	J s Barnard	D s Lazare	
24	J s Florentin	D se Flora	M se Adèle	V s Fr. de Sales	L s Modeste	
25	V s Crépin	L se Catherine	M **NOËL**	S **Conv. s. Paul**	M s Roméo	
26	S s Dimitri	M se Delphine	J s Étienne	D se Mélanie	M s Nestor	
27	D se Émeline	M s Séverin	V s Jean	L se Angèle	J se Honorine	
28	L s Simon	J s Jacq. de la Marche	S ss Innocents	M s Th. d'Aquin	V s Romain	
29	M s Narcisse	V s Saturnin	D s David	M s Gildas		
30	M se Bienvenue	S s André	L s Roger	J se Martine		
31	J s Wolfgang		M s Sylvestre	V se Marcelle		

D'où vient cette auto?
Where does that car come from

Voitures françaises :

Le régime normal d'immatriculation en vigueur comporte :
- *un numéro d'ordre dans la série (1 à 3 ou 4 chiffres)*
- *une, deux ou trois lettres de série (1ʳᵉ série : A, 2ᵉ série : B,... puis AA, AB,... BA,...)*
- *un numéro représentant l'indicatif du département d'immatriculation.*

Exemples : 854 BFK 75 : Paris – 127 HL 63 : Puy-de-Dôme.

Voici les numéros correspondant à chaque département :

01 *Ain*	32 *Gers*	64 *Pyrénées-Atl.*
02 *Aisne*	33 *Gironde*	65 *Pyrénées (Htes)*
03 *Allier*	34 *Hérault*	66 *Pyrénées-Or.*
04 *Alpes-de-H.-Pr.*	35 *Ille-et-Vilaine*	67 *Rhin (Bas)*
05 *Alpes (Hautes)*	36 *Indre*	68 *Rhin (Haut)*
06 *Alpes-Mar.*	37 *Indre-et-Loire*	69 *Rhône*
07 *Ardèche*	38 *Isère*	70 *Saône (Hte)*
08 *Ardennes*	39 *Jura*	71 *Saône-et-Loire*
09 *Ariège*	40 *Landes*	72 *Sarthe*
10 *Aube*	41 *Loir-et-Cher*	73 *Savoie*
11 *Aude*	42 *Loire*	74 *Savoie (Hte)*
12 *Aveyron*	43 *Loire (Hte)*	75 *Paris*
13 *B.-du-Rhône*	44 *Loire-Atl.*	76 *Seine-Mar.*
14 *Calvados*	45 *Loiret*	77 *Seine-et-M.*
15 *Cantal*	46 *Lot*	78 *Yvelines*
16 *Charente*	47 *Lot-et-Gar.*	79 *Sèvres (Deux)*
17 *Charente-Mar.*	48 *Lozère*	80 *Somme*
18 *Cher*	49 *Maine-et-Loire*	81 *Tarn*
19 *Corrèze*	50 *Manche*	82 *Tarn-et-Gar.*
2A *Corse-du-Sud*	51 *Marne*	83 *Var*
2B *Hte-Corse*	52 *Marne (Hte)*	84 *Vaucluse*
21 *Côte-d'Or*	53 *Mayenne*	85 *Vendée*
22 *Côtes d'Armor*	54 *Meurthe-et-M.*	86 *Vienne*
23 *Creuse*	55 *Meuse*	87 *Vienne (Hte)*
24 *Dordogne*	56 *Morbihan*	88 *Vosges*
25 *Doubs*	57 *Moselle*	89 *Yonne*
26 *Drôme*	58 *Nièvre*	90 *Belfort (Ter.-de)*
27 *Eure*	59 *Nord*	91 *Essonne*
28 *Eure-et-Loir*	60 *Oise*	92 *Hauts-de-Seine*
29 *Finistère*	61 *Orne*	93 *Seine-St-Denis*
30 *Gard*	62 *Pas-de-Calais*	94 *Val-de-Marne*
31 *Garonne (Hte)*	63 *Puy-de-Dôme*	95 *Val-d'Oise*

…ettres distinctives variant avec le pays d'origine, sur plaque ovale placée à l'arrière
…éhicule, sont obligatoires (F pour les voitures françaises circulant à l'étranger).

A	*Autriche*	FIN	*Finlande*	NL	*Pays-Bas*
AL	*Albanie*	FL	*Liechtenstein*	P	*Portugal*
AND	*Andorre*	GB	*Gde-Bretagne*	PL	*Pologne*
B	*Belgique*	GR	*Grèce*	RL	*Liban*
BG	*Bulgarie*	H	*Hongrie*	RO	*Roumanie*
BIH	*Bosnie-Herzégovine*	HR	*Croatie*	RUS	*Russie*
CDN	*Canada*	I	*Italie*	S	*Suède*
CH	*Suisse*	IL	*Israël*	SK	*Slovaquie*
CZ	*République Tchèque*	IRL	*Irlande*	SLO	*Slovénie*
D	*Allemagne*	L	*Luxembourg*	TN	*Tunisie*
DK	*Danemark*	LT	*Lituanie*	TR	*Turquie*
DZ	*Algérie*	LV	*Lettonie*	UA	*Ukraine*
E	*Espagne*	MA	*Maroc*	USA	*États-Unis*
EW	*Estonie*	MC	*Monaco*	V	*Vatican*
F	*France*	N	*Norvège*	YU	*Yougoslavie*

…matriculations spéciales :

D	*Chef de mission diplomatique (orange sur fond vert)*
D	*Corps diplomatique ou assimilé (orange sur fond vert)*
C	*Corps consulaire (blanc sur fond vert)*
K	*Personnel d'ambassade ou de consulat ou d'organismes internationaux (blanc sur fond vert)*
TT	*Transit temporaire (blanc sur fond rouge)*
W	*Véhicules en vente ou en réparation*
WW	*Immatriculation de livraison*

Indicatifs Téléphoniques Internationaux

de/from \ vers/to	Ⓐ	Ⓑ	ⓒ̣ʜ	ⓒ̣ᴢ	Ⓓ	Ⓓ̣ᴋ	Ⓔ	Ⓕ̣ɪɴ	Ⓕ	Ⓖ̣ʙ	Ⓒ
A Autriche		0032	0041	00420	0049	0045	0034	00358	0033	0044	C
B Belgique	0043		0041	00420	0049	0045	0034	00358	0033	0044	C
CH Suisse	0043	0032		00420	0049	0045	0034	00358	0033	0044	C
CZ République Tchèque	0043	0032	0041		0049	0045	0034	00358	0033	0044	0
D Allemagne	0043	0032	0041	00420		0045	0034	00358	0033	0044	0
DK Danemark	0043	0032	0041	00420	0049		0034	00358	0033	0044	0
E Espagne	0043	0032	0041	00420	0049	0045		00358	0033	0044	0
FIN Finlande	0043	0032	0041	00420	0049	0045	0034		0033	0044	0
F France	0043	0032	0041	00420	0049	0045	0034	00358		0044	0
GB Royaume Uni	0043	0032	0041	00420	0049	0045	0034	00358	0033		0
GR Grèce	0043	0032	0041	00420	0049	0045	0034	00358	0033	0044	
H Hongrie	0043	0032	0041	00420	0049	0045	0034	00358	0033	0044	0
I Italie	0043	0032	0041	00420	0049	0045	0034	00358	0033	0044	0
IRL Irlande	0043	0032	0041	00420	0049	0045	0034	00358	0033	0044	0
J Japon	00143	00132	00141	001420	00149	00145	00134	001358	00133	00144	00
L Luxembourg	0043	0032	0041	00420	0049	0045	0034	00358	0033	0044	0
N Norvège	0043	0032	0041	00420	0049	0045	0034	00358	0033	0044	0
NL Pays-Bas	0043	0032	0041	00420	0049	0045	0034	00358	0033	0044	0
PL Pologne	0043	0032	0041	00420	0049	0045	0034	00358	0033	0044	0
P Portugal	0043	0032	0041	00420	0049	0045	0034	00358	0033	0044	0
RUS Russie	81043	81032	81041	810420	81049	81045	81034	810358	81033	81044	81
S Suède	0043	0032	0041	00420	0049	0045	0034	00358	0033	0044	0
USA	01143	01132	01141	001420	01149	01145	01134	011358	01133	01144	01

*Pas de sélection automatique

Important : Pour les communications internationales le zéro (0) initial de l'indic interurbain n'est pas à composer (excepté pour les appels vers l'Italie).

）	Ⓘ	ⒾⓇⓁ	Ⓙ	Ⓛ	Ⓝ	ⓃⓁ	ⓅⓁ	Ⓟ	ⓇⓊⓈ	Ⓢ	ⓊⓈⒶ	
6	0039	00353	0081	00352	0047	0031	0048	00351	007	0046	001	**Autriche A**
6	0039	00353	0081	00352	0047	0031	0048	00351	007	0046	001	**Belgique B**
6	0039	00353	0081	00352	0047	0031	0048	00351	007	0046	001	**Suisse CH**
6	0039	00353	0081	00352	0047	0031	0048	00351	007	0046	001	**République CZ Tchèque**
6	0039	00353	0081	00352	0047	0031	0048	00351	007	0046	001	**Allemagne D**
6	0039	00353	0081	00352	0047	0031	0048	00351	007	0046	001	**Danemark DK**
6	0039	00353	0081	00352	0047	0031	0048	00351	007	0046	001	**Espagne E**
6	0039	00353	0081	00352	0047	0031	0048	00351	007	0046	001	**Finlande FIN**
6	0039	00353	0081	00352	0047	0031	0048	00351	007	0046	001	**France F**
6	0039	00353	0081	00352	0047	0031	0048	00351	007	0046	001	**Royaume Uni GB**
6	0039	00353	0081	00352	0047	0031	0048	00351	007	0046	001	**Grèce GR**
	0039	00353	0081	00352	0047	0031	0048	00351	007	0046	001	**Hongrie H**
36		00353	0081	00352	0047	0031	0048	00351	*	0046	001	**Italie I**
36	0039		0081	00352	0047	0031	0048	00351	007	0046	001	**Irlande IRL**
36	00139	001353		001352	00147	00131	00148	001351	*	001146	0011	**Japon J**
36	0039	00353	0081		0047	0031	0048	00351	007	0046	001	**Luxembourg L**
36	0039	00353	0081	00352		0031	0048	00351	007	0046	001	**Norvège N**
36	0039	00353	0081	00352	0047		0048	00351	007	0046	001	**Pays-Bas NL**
36	0039	00353	0081	00352	0047	0031		00351	007	0046	001	**Pologne PL**
36	0039	00353	0081	00352	0047	0031	0048		007	0046	001	**Portugal P**
36	81039	810353	81081	810352	81047	81031	81048	810351		81046	8101	**Russie RUS**
36	0039	00353	0081	00352	0047	0031	0048	0035	007		001	**Suède S**
36	01139	011353	01181	011352	01147	01131	01148	011351	*	011146		**USA**

* Direct dialing not possible

*e: When making an international call, do not dial the first «0» of the city codes
ccept for calls to Italy).*

Manufacture française des pneumatiques Michelin
Société en commandite par actions au capital de 304 000 000 EUR
Place des Carmes-Déchaux – 63 Clermont-Ferrand (France)
R.C.S. Clermont-Fd B 855 200 507

Michelin et Cie, Propriétaires-Éditeurs, 2002
Dépôt légal Mars 2002 – ISBN 2-06-100180-7

Printed in France 01-2002/1.1

Photocomposition : A.P.S.-CHROMOSTYLE, Tours
Impression : CASTERMAN, Tournai (Belgique)
Brochure : S.I.R.C., Marigny-le-Châtel

*Illustrations : Cécile Imbert/MICHELIN : pages 4 à 61 - Bernard Dumas/MICHELIN : pages
Nathalie Benavides/MICHELIN : page 936*
Autres illustrations : Rodolphe Corbel.